마플 시너지 내신문제집

MAPL SYNERGY SERIES

미적분

2094Q

최다 빈출 문제로 이루어진 내신연계기출

+ 0826Q

도움을 주신 분들

정영필 김민석 강승혁 이승효 김성진 서혜원

내신 일등급을 위한 최고의 교재

마플시너지

미적분

마플시너지 내신문제집 미적분
ISBN : 978-89-94845-77-7 (53410)
발행일 : 2020년 4월 27일(1판 1쇄)
인쇄일 : 2024년 8월 5일
판/쇄 : 1판 9쇄

펴낸곳
희망에듀출판부 (Heemang Institute, inc. Publishing dept.)

펴낸이
임정선

주소 경기도 부천시 석천로 174 하성빌딩
(174, Seokcheon-ro, Bucheon-si, Gyeonggi-do, Republic of Korea)

교재 오류 및 문의
mapl@heemangedu.co.kr

희망에듀 홈페이지
http://www.heemangedu.co.kr

마플교재 인터넷 구입처
http://www.mapl.co.kr

교재 구입 문의
오성서적
Tel 032) 653-6653
Fax 032) 655-4761

YOUR
MASTER
PLAN

YOUR
MASTER
PLAN

PHILOSOPHY OF MAPL SYNERGY

예술작품, 건축물, 자동차...
하다 못해 우리가 매일 쓰는 밥숟가락까지
인간이 만드는 모든 물건에는
그것을 만든 이의 '철학'이 깃들어야합니다

당 신 의

일 등 급 이

이 교 재 의

철 학

입 니 다

목차

CONTENTS

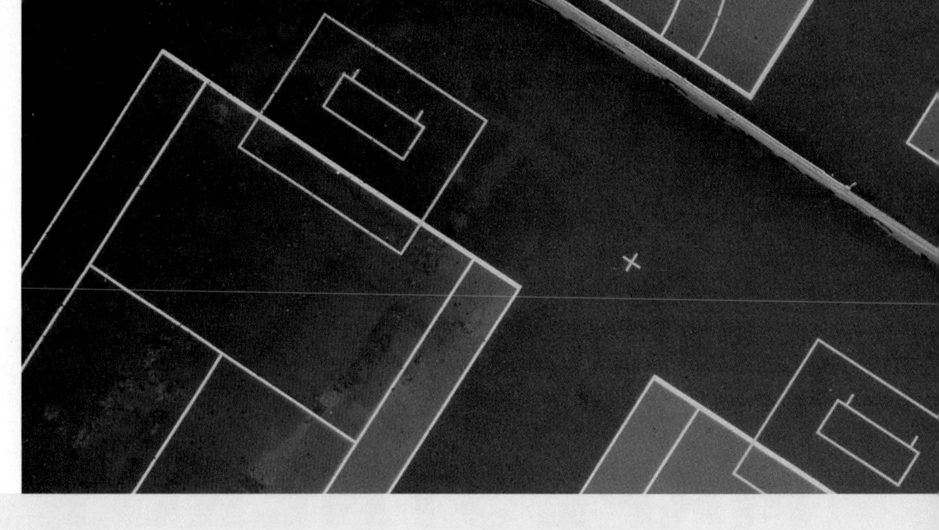

I 수열의 극한

II 미분법

mapl YOUR MASTER PLAN
SYNERGY
마플시너지 **미적분**

III 적분법

내신 1등급 단원별 모의평가

내신대비 복습용 문항 다운로드 안내

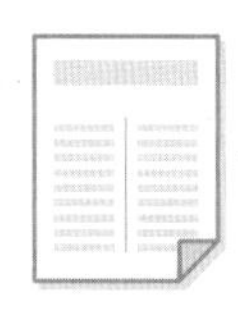

내신연계 출제문항 다운로드

마플 시너지를 다시 한 번 정리할 수 있도록 해설에 수록된 '내신연계 출제문항'을 별도의 시험지 형태로 정리한 파일을 다운로드 해서 사용할 수 있습니다.

복습용 자료는 언제든 다운로드 가능합니다

마플북스 www.mapl.co.kr
자료실 또는 학습자료실

GUIDE

About Mapl Synergy

마플시너지의 구성과 특징

마플 시너지 시리즈는 모든 교과서의 내신문제를 총 망라하여 출제될 수 있는 문제를 유형별로 정리한 교재입니다.

내 신 일 등 급 을
반 드 시 만 드 는
신 개 념 내 신 문 제 집
마 플 시 너 지

FLOW

시너지의 흐름

꼭 풀어야하는 핵심 기출유형과 서술형, 일등급 완성에 빠져서는 안될 최고난도 문제, 그리고 실전 모의평가로 이어지는 마플시너지 내신문제집의 흐름을 충실히 따라가다 보면 어느새 1등급!

최다빈출 왕중요

2094Q

- 내신정복 기출유형
- 서술형 기출유형
- 행복한 일등급 문제

출제율 100%우수 대표문제

내신연계 출제문항

0826Q

한 단계 UP된
실제 반복 출제되는
우수문항

실전! 단원별 모의평가

새로운
교과과정에 맞춘
실전 모의고사

단원별 각 3회
중간기말 4회
총13회

내신 1등급 완성

해설에 있는 내신연계 출제문항은 별도의 PDF문서를 마플북스(www.mapl.co.kr)의 자료실에서 다운로드 하실 수 있습니다.

구성과 특징 ❶

단계별 구성

학교내신일등급만들기 마플시너지 단계별학습프로젝트

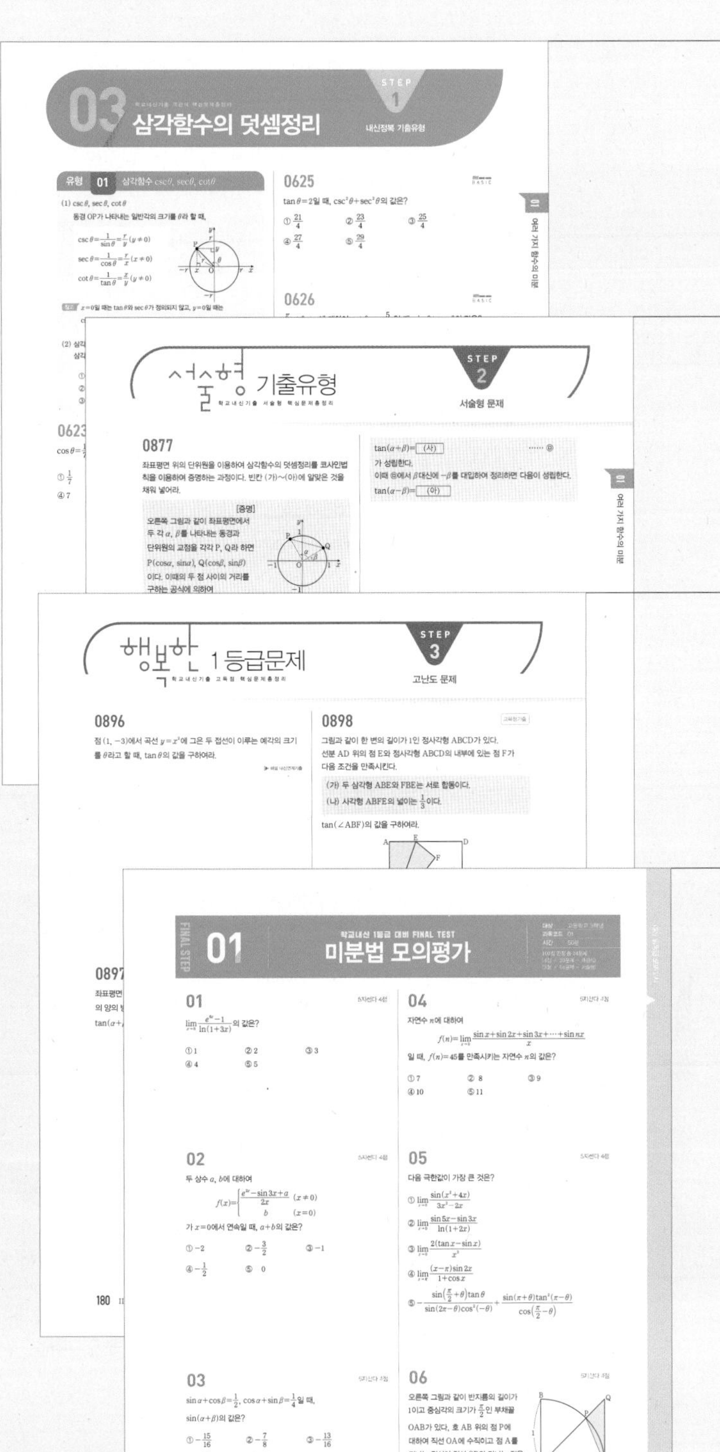

STEP1 내신정복 기출유형

학교 교과서에서 자주 출제되는 핵심 객관식 기출 유형

학교 내신을 준비하는 학생들을 위해 각 개념별로 엄선한 출제율이 높은 우수 기출 유형으로 변별력 있는 신경향 문제로 구성하였습니다.

STEP2 서술형 기출유형

단계별로 출제되는 서술형 기출 유형

서술형은 풀이 과정이 하나라도 누락이 되면 감점되기 때문에 출제의도를 파악하고 답안을 작성해보는 연습을 위해 단계별로 서술하여 서술형 대비에 완벽을 기했습니다.

STEP3 행복한 일등급 문제

1등급을 위한 최고의 변별력 기출 유형

1등급 발목을 잡는 두 가지 이상의 복잡한 개념과 문제 해결과정이 복잡한 문제를 대비해 내신 고득점 달성 및 수능 실력 쌓기 알맞는 교과서 고난도 문제 등 다양한 HOT한 유형을 수록하여 구성했습니다.

FINAL STEP 단원별 모의평가

학교 교과서 내용을 바탕으로 실전적 연습을 통하여 제한시간(50분)에 중간고사 및 기말고사를 미리 연습하는 문제로 구성했습니다.

구성과 특징 ❷

입체적 구성

학 교 내 신 일 등 급 을
완(完) 성(成) 하 는
마 플 시 너 지
입 체 적 인 구 성

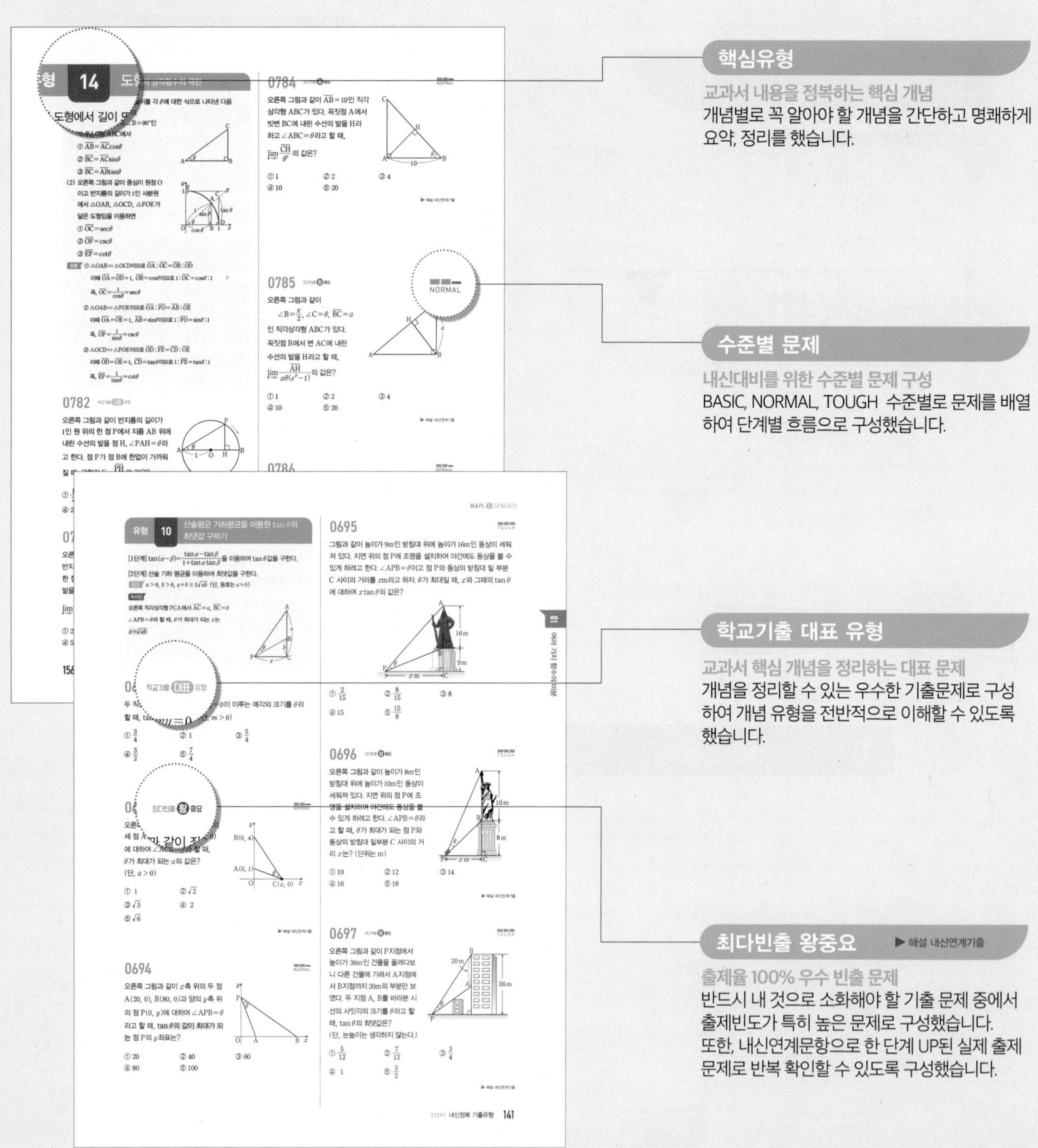

핵심유형

교과서 내용을 정복하는 핵심 개념

개념별로 꼭 알아야 할 개념을 간단하고 명쾌하게 요약, 정리를 했습니다.

수준별 문제

내신대비를 위한 수준별 문제 구성

BASIC, NORMAL, TOUGH 수준별로 문제를 배열하여 단계별 흐름으로 구성했습니다.

학교기출 대표 유형

교과서 핵심 개념을 정리하는 대표 문제

개념을 정리할 수 있는 우수한 기출문제로 구성하여 개념 유형을 전반적으로 이해할 수 있도록 했습니다.

최다빈출 왕중요 ▶ 해설 내신연계기출

출제율 100% 우수 빈출 문제

반드시 내 것으로 소화해야 할 기출 문제 중에서 출제빈도가 특히 높은 문제로 구성했습니다. 또한, 내신연계문항으로 한 단계 UP된 실제 출제 문제로 반복 확인할 수 있도록 구성했습니다.

구성과 특징 ❸

정답과 해설

학교내신일등급을 견인(牽引)하는 마플시너지 입체적인해설

mapl YOUR MASTER PLAN

SYNERGY'S GUIDE

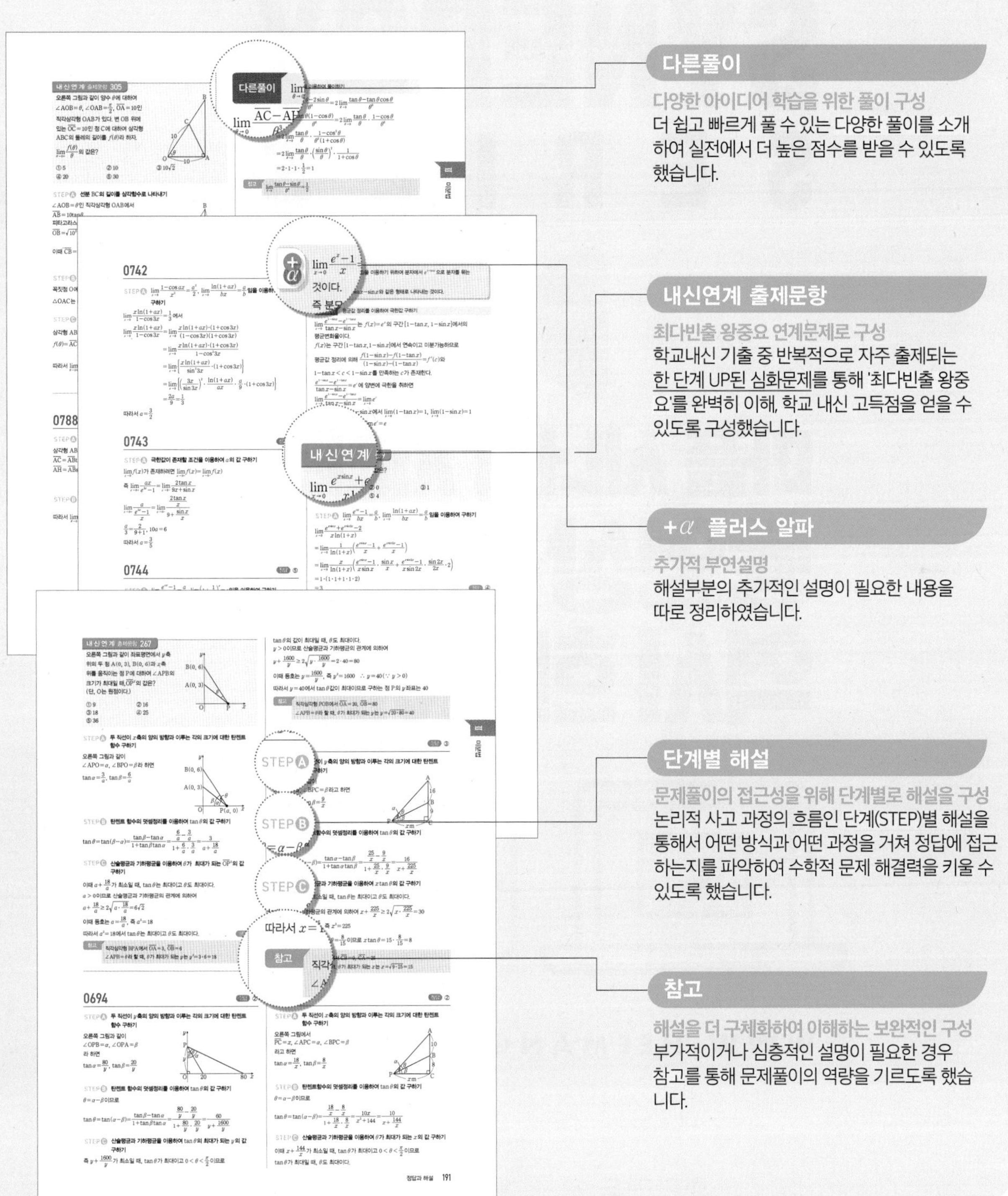

다른풀이

다양한 아이디어 학습을 위한 풀이 구성

더 쉽고 빠르게 풀 수 있는 다양한 풀이를 소개하여 실전에서 더 높은 점수를 받을 수 있도록 했습니다.

내신연계 출제문항

최다빈출 왕중요 연계문제로 구성

학교내신 기출 중 반복적으로 자주 출제되는 한 단계 UP된 심화문제를 통해 '최다빈출 왕중요'를 완벽히 이해, 학교 내신 고득점을 얻을 수 있도록 구성했습니다.

$+\alpha$ 플러스 알파

추가적 부연설명

해설부분의 추가적인 설명이 필요한 내용을 따로 정리하였습니다.

단계별 해설

문제풀이의 접근성을 위해 단계별로 해설을 구성

논리적 사고 과정의 흐름인 단계(STEP)별 해설을 통해서 어떤 방식과 어떤 과정을 거쳐 정답에 접근하는지를 파악하여 수학적 문제 해결력을 키울 수 있도록 했습니다.

참고

해설을 더 구체화하여 이해하는 보완적인 구성

부가적이거나 심층적인 설명이 필요한 경우 참고를 통해 문제풀이의 역량을 기르도록 했습니다.

mapl SYNERGY

YOUR MASTER PLAN

I

수열의 극한

01 수열의 극한
02 등비수열의 극한
03 급수
04 등비급수
05 등비급수의 활용

학교내신기출 객관식 핵심문제총정리

01 수열의 극한

STEP 1 내신정복 기출유형

유형 01 수열의 수렴과 발산

수열 $\{a_n\}$에 대하여

(1) α에 수렴하는 경우 : $\lim_{n\to\infty} a_n=\alpha$ (α는 상수) ← 극한값 α이다.

(2) 발산하는 경우 ← 극한값이 없다.

① 양의 무한대로 발산 : $\lim_{n\to\infty} a_n=\infty$

② 음의 무한대로 발산 : $\lim_{n\to\infty} a_n=-\infty$

③ 양의 무한대나 음의 무한대로 발산하지 않는 경우 : 진동

0001 학교기출 대표 유형

다음 수열의 수렴과 발산에 대한 설명으로 옳지 않은 것은?

① 수열 $\left\{\left(-\frac{5}{6}\right)^n\right\}$은 수렴한다.

② 수열 $\{2+(-2)^n\}$은 발산한다.

③ 수열 $\left\{\frac{(-1)^n+1}{n+1}\right\}$은 수렴한다.

④ 수열 $\left\{\frac{n^2}{n+1}\right\}$은 수렴한다.

⑤ 수열 $\left\{1-\frac{(-1)^n}{n}\right\}$은 수렴한다.

0002 BASIC

다음 수열 중에서 발산하는 것은?

① $\left\{\frac{(-1)^n}{n^2}\right\}$ ② $\left\{2+\frac{1}{n+1}\right\}$ ③ $\left\{1+\frac{1}{(-2)^n}\right\}$

④ $\left\{\frac{1+(-1)^n}{2}\right\}$ ⑤ $\left\{\frac{(-1)^n+1}{n}\right\}$

0003 최다빈출 왕 중요 NORMAL

다음 수열 중에서 발산하는 수열은?

① $1, -\frac{1}{2}, \frac{1}{3}, -\frac{1}{4}, \cdots, (-1)^{n-1}\frac{1}{n}, \cdots$

② $1, -\frac{1}{2}, \frac{1}{4}, -\frac{1}{8}, \cdots, \left(-\frac{1}{2}\right)^{n-1}, \cdots$

③ $1+\frac{1}{2}, 1+\frac{1}{3}, 1+\frac{1}{4}, \cdots, 1+\frac{1}{n+1}, \cdots$

④ $-\frac{1}{\log 2}, \frac{1}{\log 4}, -\frac{1}{\log 6}, \frac{1}{\log 8}, \cdots, \frac{(-1)^n}{\log 2n}$

⑤ $1, -1, 1, -1, \cdots, (-1)^{n-1}, \cdots$

▶ 해설 내신연계기출

유형 02 수열의 극한에 대한 기본 성질

수렴하는 두 수열 $\{a_n\}$, $\{b_n\}$에 대하여 $\lim_{n\to\infty} a_n=\alpha$, $\lim_{n\to\infty} b_n=\beta$ (α, β는 실수)일 때,

① 상수배의 성질 : $\lim_{n\to\infty} ka_n=k\lim_{n\to\infty} a_n=k\alpha$ (k는 상수)

② 합·차의 성질 : $\lim_{n\to\infty}(a_n\pm b_n)=\lim_{n\to\infty} a_n\pm\lim_{n\to\infty} b_n=\alpha\pm\beta$

③ 곱의 성질 : $\lim_{n\to\infty} a_nb_n=\lim_{n\to\infty} a_n\lim_{n\to\infty} b_n=\alpha\beta$

④ 몫의 성질 : $\lim_{n\to\infty}\frac{b_n}{a_n}=\frac{\lim_{n\to\infty} b_n}{\lim_{n\to\infty} a_n}=\frac{\beta}{\alpha}$ (단, $a_n\neq 0$, $\alpha\neq 0$)

주의 두 수열 $\{a_n\}$, $\{b_n\}$ 중 어느 하나라도 수렴하지 않으면 위의 성질이 성립하지 않을 수 있으므로 수열의 극한에 대한 기본 성질을 이용할 때는 주어진 수열이 수렴하는 수열인지를 반드시 확인해야 한다.

0004 학교기출 대표 유형

두 수열 $\{a_n\}$, $\{b_n\}$에 대하여 $\lim_{n\to\infty} a_n=3$, $\lim_{n\to\infty} b_n=-2$일 때, 다음 중 극한값이 옳지 않은 것은? (단, $b_n\neq 0$)

① $\lim_{n\to\infty}(3a_n+2b_n-5)=0$

② $\lim_{n\to\infty}\{a_n(a_n-3b_n)\}=27$

③ $\lim_{n\to\infty}\frac{7a_n-1}{{b_n}^2}=4$

④ $\lim_{n\to\infty}(a_nb_n-2b_n)=-2$

⑤ $\lim_{n\to\infty}\frac{2a_n}{a_n+b_n}=6$

0005 BASIC

수렴하는 두 수열 $\{a_n\}$, $\{b_n\}$에 대하여

$$\lim_{n\to\infty} a_n=5,\ \lim_{n\to\infty}\frac{3a_n-1}{2b_n}=\frac{1}{2}$$

일 때, $\lim_{n\to\infty} b_n$의 값은?

① $\frac{1}{2}$ ② 7 ③ 8

④ 12 ⑤ 14

0006 최다빈출 왕 중요

BASIC

두 수열 $\{a_n\}$, $\{b_n\}$의 일반항이 각각

$$a_n=\frac{2}{n}-1,\ b_n=6-\frac{(2n+1)^2}{n^2}$$

일 때, $\lim_{n\to\infty} a_n(4a_n-3b_n)$의 값은?

① 5 ② 10 ③ 15
④ 20 ⑤ 30

▶ 해설 내신연계기출

0007

NORMAL

두 수열 $\{a_n\}$, $\{b_n\}$이

$$\lim_{n\to\infty}(a_n-1)=2,\ \lim_{n\to\infty}(a_n+2b_n)=9$$

를 만족시킬 때, $\lim_{n\to\infty} a_n(1+b_n)$의 값은?

① 10 ② 12 ③ 14
④ 16 ⑤ 18

0008

NORMAL

두 수열 $\{a_n\}$, $\{b_n\}$에 대하여

$$\lim_{n\to\infty}(a_n+2b_n)=9,\ \lim_{n\to\infty}(2a_n+b_n)=90$$

일 때, $\lim_{n\to\infty}(a_n+b_n)$의 값은?

① 27 ② 29 ③ 31
④ 33 ⑤ 35

0009 최다빈출 왕 중요

NORMAL

두 수열 $\{a_n\}$, $\{b_n\}$이 모두 수렴하고

$$\lim_{n\to\infty}(a_n+b_n)=3,\ \lim_{n\to\infty} a_nb_n=2$$

일 때, $\lim_{n\to\infty}(a_n^2+b_n^2)$의 값은?

① 3 ② 4 ③ 5
④ 6 ⑤ 7

▶ 해설 내신연계기출

0010

NORMAL

두 수열 $\{a_n\}$, $\{b_n\}$이 모두 수렴하고

$$\lim_{n\to\infty}(a_n+b_n)=2,\ \lim_{n\to\infty} a_nb_n=-1$$

일 때, $\lim_{n\to\infty}\left(\frac{1}{a_n^2}+\frac{1}{b_n^2}\right)$의 값은?

① 6 ② 8 ③ 10
④ 12 ⑤ 14

0011

NORMAL

두 수열 $\{a_n\}$, $\{b_n\}$이 모두 수렴하고

$$\lim_{n\to\infty}(a_n-b_n)=2,\ \lim_{n\to\infty} a_nb_n=4$$

일 때, $\lim_{n\to\infty}(a_n^3-b_n^3)$의 값은?

① -16 ② -4 ③ 5
④ 14 ⑤ 32

유형 03 일반항 a_n을 포함한 수열의 극한값

$\lim_{n\to\infty}\frac{pa_n+s}{qa_n+r}=\alpha$ (단, α는 상수)일 때, $\lim_{n\to\infty}a_n$의 값을 구하는 방법

[방법1] $\frac{pa_n+s}{qa_n+r}=b_n$으로 놓고 a_n에 대하여 정리한다.

[방법2] $\lim_{n\to\infty}b_n=\alpha$와 수열의 극한값의 기본 성질 (수열이 수렴할 때)을 이용한다.

0012 학교기출 대표 유형

수렴하는 수열 $\{a_n\}$에 대하여

$$\lim_{n\to\infty}\frac{a_n+5}{2a_n+1}=3$$

일 때, $\lim_{n\to\infty}a_n$의 값은?

① $\frac{2}{5}$ ② $\frac{3}{4}$ ③ $\frac{3}{2}$
④ $\frac{1}{2}$ ⑤ $\frac{5}{2}$

0013 BASIC

수렴하는 수열 $\{a_n\}$에 대하여

$$\lim_{n\to\infty}\frac{3a_{n+1}+1}{a_n+2}=2$$

일 때, $\lim_{n\to\infty}a_n$의 값은?

① 3 ② 6 ③ 9
④ 12 ⑤ 15

0014 최다빈출 왕 중요 BASIC

수열 $\{a_n\}$에 대하여

$$\lim_{n\to\infty}\frac{3a_n+2}{a_n-3}=6$$

일 때, $\lim_{n\to\infty}(3a_n+4)$의 값은? (단, $a_n\neq 3$)

① 20 ② 22 ③ 24
④ 26 ⑤ 28

▶ 해설 내신연계기출

0015 NORMAL

수렴하는 수열 $\{a_n\}$에 대하여

$$\lim_{n\to\infty}\frac{2a_n-3}{a_n+1}=-\frac{1}{2}$$

일 때, $\lim_{n\to\infty}\frac{a_n+n^2-1}{a_n n^2+2n-3}$의 값은?

① 1 ② 2 ③ 3
④ 4 ⑤ 5

0016 NORMAL

수렴하는 수열 $\{a_n\}$에 대하여

$$\sum_{n=1}^{\infty}\frac{4a_n-8}{3a_n+10}=3$$

일 때, $\lim_{n\to\infty}a_n$의 값은?

① -2 ② -1 ③ 0
④ 1 ⑤ 2

핵심 급수 $\sum_{n=1}^{\infty}a_n$이 수렴하면 $\lim_{n\to\infty}a_n=0$이다. (역은 성립하지 않는다.)

0017 최다빈출 왕 중요 TOUGH

수렴하는 수열 $\{a_n\}$에 대하여

$$\frac{2a_n+3}{3a_n-2}=\frac{1+2+3+\cdots+n}{n^2+3}$$

성립할 때, $\lim_{n\to\infty}a_n$의 값은?

① -12 ② -10 ③ -8
④ -6 ⑤ -4

▶ 해설 내신연계기출

유형 04 $\frac{\infty}{\infty}$ 꼴의 극한

$\frac{\infty}{\infty}$ 꼴의 극한은 근호의 유무에 관계없이 다음 단계로 계산한다.

[1단계] 분모의 최고차항으로 분모, 분자를 각각 나눈다.

[2단계] $\lim_{n\to\infty}\frac{1}{n}=0$임을 이용하여 극한값을 구한다.

속해법 분모 분자의 차수를 비교한다.

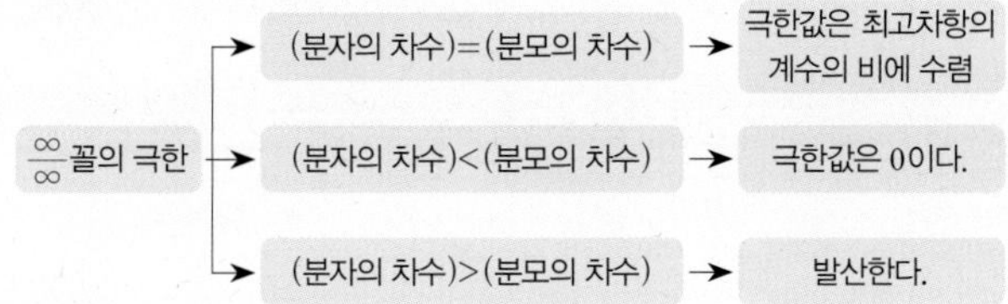

$\frac{\infty}{\infty}$ 꼴의 극한
(분자의 차수)=(분모의 차수)
극한값은 최고차항의 계수의 비에 수렴
(분자의 차수)<(분모의 차수)
극한값은 0이다.
(분자의 차수)>(분모의 차수)
발산한다.

0018 학교기출 대표 유형

다음 조건을 만족하는 극한값 a, b에 대하여 ab의 값은?

(가) $\lim_{n\to\infty}\frac{3n^2+5}{n^2+2n}=a$

(나) $\lim_{n\to\infty}\frac{\sqrt{n^2-n}+2n}{\sqrt{n^2+1}}=b$

① 3 ② 6 ③ 9
④ 12 ⑤ 15

0019 최다빈출 왕중요 BASIC

자연수 n에 대하여 x에 대한 이차방정식

$$x^2-(2n^2+1)x+n^2=0$$

의 두 근을 α_n, β_n이라 할 때, $\lim_{n\to\infty}\left(\frac{1}{\alpha_n}+\frac{1}{\beta_n}\right)$의 값은?

① -2 ② -1 ③ 0
④ 1 ⑤ 2

▶ 해설 내신연계기출

0020 BASIC

두 등차수열 $\{a_n\}$, $\{b_n\}$의 공차가 각각 3, 4일 때,

$\lim_{n\to\infty}\frac{b_n}{a_n+b_n}$의 값은?

① $\frac{1}{7}$ ② $\frac{2}{7}$ ③ $\frac{3}{7}$
④ $\frac{4}{7}$ ⑤ $\frac{5}{7}$

0021 NORMAL

첫째항이 3, 공차가 4인 등차수열 $\{a_n\}$에 대하여

$\lim_{n\to\infty}\frac{a_1+a_2+a_3+\cdots+a_n}{n^2}$의 값은?

① $\frac{1}{4}$ ② $\frac{1}{2}$ ③ 1
④ 2 ⑤ 4

0022 최다빈출 왕중요 NORMAL

수열 $\{a_n\}$이 $a_1=1$, $a_2=3$이고 모든 자연수 n에 대하여

$$a_{n+2}-a_{n+1}=a_{n+1}-a_n$$

을 만족시킬 때, $\lim_{n\to\infty}\frac{a_na_{n+1}}{2+4+6+\cdots+2n}$의 값은?

① 4 ② 6 ③ 8
④ 10 ⑤ 12

▶ 해설 내신연계기출

0023 최다빈출 왕중요 TOUGH

$-3\le x\le 4$에서 정의된 함수 $y=f(x)$의 그래프가 그림과 같다.

$$\lim_{n\to\infty}\frac{|2nf(a)-1|-nf(a)}{3n-2}=2$$

를 만족시키는 실수 a의 개수는?

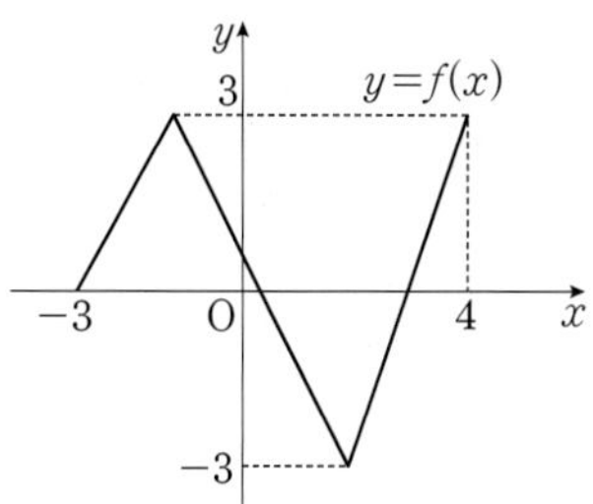

y
3
y=f(x)
-3
O
4
x
-3

① 1 ② 2 ③ 3
④ 4 ⑤ 5

▶ 해설 내신연계기출

유형 05 합 또는 곱을 이용한 $\frac{\infty}{\infty}$ 꼴의 극한

[1단계] 합 또는 곱으로 된 부분을 $\sum$ 공식을 이용하여 n에 대한 식으로 나타낸다.

[2단계] $\frac{\infty}{\infty}$ 꼴의 극한값을 구하는 방법을 이용하여 $\lim_{n\to\infty} a_n$의 값을 구한다.

참고 시그마 기본 공식

① $\sum_{k=1}^{n} k=1+2+3+\cdots+n=\frac{n(n+1)}{2}$

② $\sum_{k=1}^{n} k(k+1)=1\cdot2+2\cdot3+\cdots+n(n+1)=\frac{n(n+1)(n+2)}{3}$

③ $\sum_{k=1}^{n} k^2=1^2+2^2+3^2+\cdots+n^2=\frac{n(n+1)(2n+1)}{6}$

④ $\sum_{k=1}^{n} k^3=1^3+2^3+3^3+\cdots+n^3=\left\{\frac{n(n+1)}{2}\right\}^2$

0024 학교기출 대표 유형

다음 조건을 만족하는 극한값 a, b에 대하여 $a+b$의 값은?

(가) $\lim_{n\to\infty}\frac{1+2+3+\cdots+n}{n^2}=a$

(나) $\lim_{n\to\infty}\frac{1^2+2^2+3^2+\cdots+n^2}{n^3}=b$

① $\frac{2}{5}$ ② $\frac{5}{6}$ ③ $\frac{3}{2}$
④ 2 ⑤ 3

0025 최다빈출 왕중요 NORMAL

다음 조건을 만족하는 극한값을 a, b라 할 때, $a+b$의 값은?

(가) $\lim_{n\to\infty}\frac{1+3+5+\cdots+(2n-1)}{1+2+3+\cdots+n}=a$

(나) $\lim_{n\to\infty}\frac{n^3}{1\cdot2+2\cdot3+\cdots+n(n+1)}=b$

① 1 ② 2 ③ 3
④ 4 ⑤ 5

▶ 해설 내신연계기출

0026 NORMAL

$\lim_{n\to\infty}\frac{1+2+\cdots+(n-1)+n+(n-1)+\cdots+2+1}{1+4+7+\cdots+(3n-2)}$의 값은?

① $\frac{1}{4}$ ② $\frac{1}{3}$ ③ $\frac{1}{2}$
④ $\frac{2}{3}$ ⑤ $\frac{3}{2}$

0027 최다빈출 왕중요 NORMAL

$\lim_{n\to\infty}\frac{(n+1)+(n+2)+\cdots+2n}{1+2+3+\cdots+n}$의 값은?

① 1 ② 2 ③ 3
④ 4 ⑤ 5

▶ 해설 내신연계기출

0028 NORMAL

자연수 n에 대하여

$$\lim_{n\to\infty}\frac{kn^2}{3+6+9+\cdots+3n}=8$$

일 때, 상수 k의 값은?

① 4 ② 6 ③ 8
④ 10 ⑤ 12

0029 TOUGH

$\lim_{n\to\infty}\left(1-\frac{1}{2^2}\right)\left(1-\frac{1}{3^2}\right)\left(1-\frac{1}{4^2}\right)\times\cdots\times\left(1-\frac{1}{n^2}\right)$의 값은?

① $\frac{1}{6}$ ② $\frac{1}{5}$ ③ $\frac{1}{3}$
④ $\frac{1}{2}$ ⑤ 1

유형 06 $\frac{\infty}{\infty}$ 꼴의 미정계수의 결정

$\frac{\infty}{\infty}$ 꼴의 수렴하는 수열이 주어질 때, 미정계수의 결정

$\lim_{n\to\infty} a_n = \infty$, $\lim_{n\to\infty} b_n = \infty$이고 $\lim_{n\to\infty}\frac{b_n}{a_n} = \alpha$ (α는 실수)

① $\alpha = 0$이면 ⇨ (a_n의 차수)>(b_n의 차수)

② $\alpha \neq 0$이면 ⇨ (a_n의 차수)=(b_n의 차수)

이고 $\lim_{n\to\infty}\frac{b_n}{a_n}$=(최고차항의 계수의 비)

0030 학교기출 대표유형

$\lim_{n\to\infty}\frac{an^2+bn+7}{3n+1}=4$가 성립하도록 하는 상수 a, b에 대하여 $a+b$의 값은?

① 10 ② 12 ③ 14 ④ 16 ⑤ 18

0031 BASIC

$\lim_{n\to\infty}\frac{bn+2}{an^2+2n-1}=3$이 성립하도록 하는 상수 a, b에 대하여 $a+b$의 값은?

① 2 ② 3 ③ 4 ④ 5 ⑤ 6

0032 최다빈출 왕중요 BASIC

$\lim_{n\to\infty}\frac{an^2+bn+2}{6n+5}=\frac{1}{2}$이 성립하도록 하는 상수 a, b에 대하여 $\lim_{n\to\infty}\frac{9n^2+3n+1}{(bn+a)^2}$ 값은?

① 1 ② 2 ③ 3 ④ 4 ⑤ 5

▶ 해설 내신연계기출

0033 최다빈출 왕중요 NORMAL

$\lim_{n\to\infty}\frac{(a^2-2a-3)n^2+(a+1)n+5}{n+2}=b\,(b\neq 0)$를 만족시키는 두 실수 a, b에 대하여 $a+b$의 값은?

① 6 ② 7 ③ 8 ④ 9 ⑤ 10

▶ 해설 내신연계기출

0034 NORMAL

$\lim_{n\to\infty}\frac{1}{n^k}\left\{\left(n+\frac{1}{n}\right)^5-\frac{1}{n^5}\right\}$이 수렴하기 위한 k의 최솟값은?

① 5 ② 7 ③ 8 ④ 9 ⑤ 10

0035 최다빈출 왕중요 TOUGH

정수 k와 실수 a에 대하여

$$\lim_{n\to\infty}\frac{n^4(n^2+2)}{(an^2+n+7)^k}=\frac{1}{8}$$

일 때, ak의 값은?

① 2 ② 4 ③ 6 ④ 8 ⑤ 10

▶ 해설 내신연계기출

유형 07 ∞−∞꼴의 극한

(1) 근호가 있는 경우
① 분모에만 근호가 있으면 분모를 유리화한다.
② 분자에만 근호가 있으면 분모를 1로 보고 분자를 유리화한다.
③ 분모, 분자에 모두 근호가 있으면 분모, 분자를 각각 유리화한다.

(2) 근호가 없는 경우
다항식의 각 항을 최고차항으로 묶는다.

0036 학교기출 대표 유형

다음 조건을 만족하는 상수 a, b에 대하여 $a+3b$의 값은?

(가) $\lim_{n\to\infty}(\sqrt{n^2+2n}-n)=a$

(나) $\lim_{n\to\infty}\frac{1}{\sqrt{n^2+3n}-n}=b$

① $\frac{2}{5}$ ② 1 ③ $\frac{3}{2}$
④ 2 ⑤ 3

▶ 해설 내신연계기출

0037 최다빈출 왕 중요 BASIC

$\lim_{n\to\infty}\sqrt{n+1}(\sqrt{n+3}-\sqrt{n-1})$의 값은?

① $\frac{1}{3}$ ② $\frac{1}{2}$ ③ 1
④ 2 ⑤ 5

▶ 해설 내신연계기출

0038 NORMAL

$\lim_{n\to\infty}\frac{n-\sqrt{n^2+2021}}{\sqrt{n^2+2022}-n}$의 값은?

① $-\frac{2022}{2021}$ ② $-\frac{2021}{2022}$ ③ $-\frac{1011}{2021}$
④ $\frac{2021}{2022}$ ⑤ $\frac{2022}{2021}$

0039 최다빈출 왕 중요 NORMAL

x에 대한 이차방정식

$$x^2-x+\sqrt{n^2+n}-n=0$$

의 두 근을 α_n, β_n이라 할 때, $\lim_{n\to\infty}\left(\frac{1}{\alpha_n}+\frac{1}{\beta_n}\right)$의 값은?

① -2 ② -1 ③ 0
④ 1 ⑤ 2

▶ 해설 내신연계기출

0040 NORMAL

자연수 n에 대하여 x에 대한 이차방정식

$$x^2+2nx-4n=0$$

의 양의 실근을 a_n이라 할 때, $\lim_{n\to\infty}a_n$의 값은?

① 1 ② 2 ③ 3
④ 4 ⑤ 6

0041 NORMAL

자연수 n에 대하여 두 점 $(1, 0)$, $(n, 1)$ 사이의 거리를 $f(n)$이라 할 때, $\lim_{n\to\infty}\{f(n)-n\}$의 값은?

① -2 ② -1 ③ 0
④ 1 ⑤ 2

0042 최다빈출 왕 중요 NORMAL

첫째항이 1, 공차가 2인 등차수열 $\{a_n\}$에 대하여

$$\lim_{n\to\infty}\{\sqrt{n}(\sqrt{a_{n+1}}-\sqrt{a_n})\}$$

의 값은?

① $\frac{1}{2}$ ② $\frac{\sqrt{2}}{2}$ ③ 1
④ $\sqrt{2}$ ⑤ 2

▶ 해설 내신연계기출

0043 최다빈출 왕 중요

TOUGH

첫째항이 0이고 공차가 2인 등차수열 $\{a_n\}$의 첫째항부터 제 n항까지의 합을 S_n이라고 할 때,

$$\lim_{n\to\infty}(\sqrt{S_{n+2}}-\sqrt{S_n})$$

의 값은?

① 1　② $\frac{3}{2}$　③ 2
④ $\frac{5}{2}$　⑤ 3

▶ 해설 내신연계기출

0044

TOUGH

다음 중 옳지 않은 것은?

① $\lim_{n\to\infty}\frac{(2n-1)(n+2)}{n^2-2n}=2$

② $\lim_{n\to\infty}\frac{3-2n}{4n^2+2}=-\frac{1}{2}$

③ $\lim_{n\to\infty}\frac{5n-1}{\sqrt{4n^2-1}+\sqrt{9n^2+1}}=1$

④ $\lim_{n\to\infty}\sqrt{n}(\sqrt{n+1}-\sqrt{n})=\frac{1}{2}$

⑤ $\lim_{n\to\infty}\frac{6n+(-1)^n}{2n}=3$

0045 최다빈출 왕 중요

TOUGH

다음 극한값이 옳지 않은 것은?

① $\lim_{n\to\infty}\frac{1}{\sqrt{n^2+2n}-n}=1$

② $\lim_{n\to\infty}(\sqrt{n^2-3n}-\sqrt{n^2+1})=\frac{3}{2}$

③ $\lim_{n\to\infty}\sqrt{n}(\sqrt{4n+2}-\sqrt{4n-2})=1$

④ $\lim_{n\to\infty}\frac{7-n^2}{(n+2)(2n-1)}=-\frac{1}{2}$

⑤ $\lim_{n\to\infty}\left\{\frac{2n-1}{n^2+1}\times(-1)^n\right\}=0$

▶ 해설 내신연계기출

유형 08 ∞−∞꼴의 미정계수의 결정

∞−∞꼴의 극한의 미정계수 결정

[1단계] 무리식을 유리화하여 $\frac{\infty}{\infty}$꼴로 변형한다.

[2단계] 0이 아닌 상수 α로 수렴하면

$\alpha=\frac{\text{분자의 최고차항의 계수}}{\text{분모의 최고차항의 계수}}$임을 이용하여 미지수를 계산한다.

0046 학교기출 대표 유형

실수 a, b에 대하여

$$\lim_{n\to\infty}(\sqrt{an^2-bn}-2n)=-3$$

일 때, ab의 값은?

① 45　② 46　③ 47
④ 48　⑤ 49

0047 최다빈출 왕 중요

BASIC

실수 k에 대하여

$$\lim_{n\to\infty}\frac{\sqrt{kn+1}}{n(\sqrt{n+1}-\sqrt{n-1})}=5$$

일 때, k의 값은?

① 4　② 9　③ 16
④ 25　⑤ 36

▶ 해설 내신연계기출

0048

BASIC

실수 a, b에 대하여

$$\lim_{n\to\infty}(\sqrt{n^2+an}-bn)=2$$

일 때, $a+b$의 값은?

① 1　② 2　③ 3
④ 4　⑤ 5

0049

NORMAL

실수 a, b에 대하여

$$\lim_{n\to\infty}\{\sqrt{n^2+6n}-(an+b)\}=-2$$

가 성립할 때, $a+b$의 값은?

① 3 ② 4 ③ 5
④ 6 ⑤ 7

▶ 해설 내신연계기출

0050 최다빈출 왕 중요

NORMAL

실수 a, b에 대하여

$$\lim_{n\to\infty}(an+b-\sqrt{n^2-4n+2})=5$$

일 때, $a+b$의 값은?

① 3 ② 4 ③ 5
④ 6 ⑤ 7

▶ 해설 내신연계기출

0051

TOUGH

실수 a, b에 대하여

$$\lim_{n\to\infty}(\sqrt{n^2+an}+bn-4)=5$$

가 성립할 때, $a+b$의 값은?

① 14 ② 15 ③ 16
④ 17 ⑤ 18

유형 09 소수부분의 극한값 계산

근호를 포함한 수의 소수부분의 극한값 계산 방법

[1단계] 주어진 수의 근호 안의 수와 적당한 완전제곱수의 대소 관계를 추정하여 주어진 수의 정수부분을 찾는다.

[2단계] 주어진 수에서 정수부분을 뺀 소수부분을 구하고 $\infty-\infty$꼴의 극한값 계산을 이용하여 소수부분의 극한값을 구한다.

0052 학교기출 대표 유형

자연수 n에 대하여 $\sqrt{n^2+n+1}$의 소수 부분을 a_n이라 할 때, $\lim_{n\to\infty}a_n$의 값은?

① 0 ② $\frac{1}{4}$ ③ $\frac{1}{2}$
④ $\frac{3}{4}$ ⑤ 1

0053 최다빈출 왕 중요

NORMAL

자연수 n에 대하여 $\sqrt{4n^2+3n+1}$보다 크지 않은 최대 정수를 a_n이라 할 때,

$$\lim_{n\to\infty}(\sqrt{4n^2+3n+1}-a_n)$$

의 값은?

① $\frac{1}{4}$ ② $\frac{1}{3}$ ③ $\frac{1}{2}$
④ $\frac{3}{4}$ ⑤ $\frac{3}{2}$

▶ 해설 내신연계기출

0054

TOUGH

자연수 n에 대하여 $\sqrt{4n^2+4n+2}$의 정수 부분을 a_n, 소수 부분을 b_n이라고 할 때, $\lim_{n\to\infty}a_nb_n$의 값은?

① $\frac{1}{4}$ ② $\frac{1}{3}$ ③ $\frac{1}{2}$
④ 1 ⑤ 2

유형 10 치환을 이용하여 수열의 극한값

일반항 a_n을 포함한 수열의 극한값이 주어지면 a_n을 포함한 식을 b_n으로 놓고 a_n을 b_n에 대한 식으로 나타내어 극한의 성질을 이용하여 구한다.

$\lim_{n\to\infty} f(n)a_n$꼴이 수렴하면 $f(n)a_n=b_n$으로 치환하며 $\lim_{n\to\infty} b_n$이 수렴함을 이용한다.

0055 학교기출 대표 유형

수열 $\{a_n\}$에 대하여

$$\lim_{n\to\infty}(3n+2)a_n=6$$

일 때, $\lim_{n\to\infty}(4n+5)a_n$의 값은?

① 7 ② 8 ③ 9
④ 10 ⑤ 11

0056 BASIC

수열 $\{a_n\}$에 대하여

$$\lim_{n\to\infty}(n^2+1)a_n=3$$

일 때, $\lim_{n\to\infty}\frac{1}{(4n^2-1)a_n}$의 값은?

① $\frac{1}{12}$ ② $\frac{1}{6}$ ③ $\frac{1}{4}$
④ $\frac{1}{2}$ ⑤ 4

0057 최다빈출 왕 중요 BASIC

수열 $\{a_n\}$에 대하여

$$\lim_{n\to\infty}(n^2+4n+3)a_n=4$$

일 때, $\lim_{n\to\infty}(2n^2+3n)a_n$의 값은?

① 6 ② 8 ③ 10
④ 12 ⑤ 14

▶ 해설 내신연계기출

0058 NORMAL

두 수열 $\{a_n\}$, $\{b_n\}$에 대하여

$$\lim_{n\to\infty}\frac{a_n}{2n+3}=4,\ \lim_{n\to\infty}\frac{b_n}{3n+1}=6$$일 때,

$\lim_{n\to\infty}\frac{a_nb_n}{12n^2+25}$의 값은?

① 2 ② 3 ③ 4
④ 5 ⑤ 12

0059 최다빈출 왕 중요 NORMAL

두 수열 $\{a_n\}$, $\{b_n\}$에 대하여

$$\lim_{n\to\infty}(2n-1)a_n=10,\ \lim_{n\to\infty}(n^2+2n)b_n=2$$

을 만족할 때, $\lim_{n\to\infty}\frac{(5n+1)b_n}{a_n}$의 값은? (단, $a_n\neq 0$)

① 1 ② 2 ③ 3
④ 4 ⑤ 5

▶ 해설 내신연계기출

0060 최다빈출 왕 중요 NORMAL

수열 $\{a_n\}$에 대하여

$$\lim_{n\to\infty}\frac{a_n}{n}=\frac{1}{2}$$

일 때, $\lim_{n\to\infty}\frac{\sqrt{9n^2+n}-n}{a_n}$의 값은?

① 1 ② 2 ③ 4
④ 6 ⑤ 7

▶ 해설 내신연계기출

01 수열의 극한

유형 11 수열의 극한의 성질

$\lim_{n\to\infty} a_n=\infty$이고 $\lim_{n\to\infty}(a_n-b_n)=\alpha$ (α는 실수)이면 $\lim_{n\to\infty}\frac{b_n}{a_n}=1$이다.

증명 $\lim_{n\to\infty}(a_n-b_n)=\lim_{n\to\infty}a_n\left(1-\frac{b_n}{a_n}\right)=\alpha$이므로 $\lim_{n\to\infty}\left(1-\frac{b_n}{a_n}\right)=0$이어야 한다.

즉 $\lim_{n\to\infty}\frac{b_n}{a_n}=1$

참고 $\lim_{n\to\infty}a_n=\infty$일 때, $\lim_{n\to\infty}a_nb_n$이 수렴하려면 $\lim_{n\to\infty}b_n=0$이다.

0061 학교기출 대표 유형

두 수열 $\{a_n\}$, $\{b_n\}$에 대하여

$$\lim_{n\to\infty}a_n=\infty,\ \lim_{n\to\infty}(a_n-b_n)=5$$

일 때, $\lim_{n\to\infty}\frac{a_n+b_n}{a_n-3b_n}$의 값은?

① -3 ② -2 ③ -1
④ 0 ⑤ 1

0062 최다빈출 왕 중요 NORMAL

두 수열 $\{a_n\}$, $\{b_n\}$에 대하여

$$\lim_{n\to\infty}a_n=\infty,\ \lim_{n\to\infty}(a_n+2b_n)=3$$

일 때, $\lim_{n\to\infty}\frac{3a_n-b_n}{a_n+b_n}$의 값은?

① 3 ② 4 ③ 5
④ 6 ⑤ 7

▶ 해설 내신연계기출

0063 최다빈출 왕 중요 TOUGH

두 수열 $\{a_n\}$, $\{b_n\}$에 대하여

$$\lim_{n\to\infty}a_n=\infty,\ \lim_{n\to\infty}(b_n-a_n)=5$$

일 때, $\lim_{n\to\infty}\left(\frac{b_n^2}{a_n}-\frac{a_n^2}{b_n}\right)$의 값은?

① 8 ② 10 ③ 11
④ 12 ⑤ 15

▶ 해설 내신연계기출

유형 12 수열의 극한의 대소 관계 (1)

(1) 두 수열 $\{a_n\}$, $\{b_n\}$이 수렴할 때, 즉

$\lim_{n\to\infty}a_n=\alpha$, $\lim_{n\to\infty}b_n=\beta$ (α, β는 실수)일 때,

① 모든 자연수 n에 대하여 $a_n\le b_n$이면 $\alpha\le\beta$이다.

② 모든 자연수 n에 대하여 $a_n<b_n$이면 $\alpha\le\beta$이다.

증명 $a_n=\frac{1}{n}$, $b_n=\frac{2}{n}$이면 모든 자연수 n에 대하여 $a_n<b_n$이지만

$\lim_{n\to\infty}a_n=\lim_{n\to\infty}b_n=0$

③ 수열 $\{c_n\}$이 모든 자연수 n에 대하여 $a_n\le c_n\le b_n$이고

$\lim_{n\to\infty}a_n=\lim_{n\to\infty}b_n=\alpha$이면 $\lim_{n\to\infty}a_n\le\lim_{n\to\infty}c_n\le\lim_{n\to\infty}b_n$에서

$\lim_{n\to\infty}c_n=\alpha$이다. ⬅ 샌드위치 법칙 (Sandwich rule)

(2) 두 수열 $\{a_n\}$, $\{b_n\}$이 발산할 때,

① $a_n\le b_n$이고 $\lim_{n\to\infty}a_n=\infty$이면 $\lim_{n\to\infty}b_n=\infty$

② $a_n\le b_n$이고 $\lim_{n\to\infty}b_n=-\infty$이면 $\lim_{n\to\infty}a_n=-\infty$

(3) 삼각함수를 포함한 수열은 $-1\le\sin\theta\le1$, $-1\le\cos\theta\le1$임을 이용한다.

0064 학교기출 대표 유형

$\lim_{n\to\infty}\frac{2n}{n^2+1}\sin n\theta$의 값은? (단, θ는 실수)

① -2 ② -1 ③ 0
④ 1 ⑤ 2

0065 최다빈출 왕 중요 BASIC

$\lim_{n\to\infty}\frac{n(n+\cos n\pi)}{n^2+1}$의 값은?

① 1 ② 2 ③ 3
④ 4 ⑤ 5

▶ 해설 내신연계기출

0066 BASIC

수열 $\{a_n\}$이 모든 자연수 n에 대하여

$$2n-\frac{1}{n}\le na_n\le 2n+\frac{1}{n}$$

을 만족시킬 때, $\lim_{n\to\infty}a_n$의 값은?

① 1 ② 2 ③ 3
④ 4 ⑤ 5

0067

BASIC

수열 $\{a_n\}$이 모든 자연수 n에 대하여

$$\frac{1}{n+1} \le \frac{a_n+1}{3n+1} \le \frac{1}{n}$$

을 만족할 때, $\lim_{n\to\infty} a_n$의 값은?

① $\frac{1}{3}$　② 1　③ 2
④ 3　⑤ 4

0068

BASIC

수열 $\{a_n\}$이 모든 자연수 n에 대하여

$$2n^3+1 < \frac{n}{a_n} < 2n^3+3$$

을 만족할 때, $\lim_{n\to\infty}(n^2+1)a_n$의 값은?

① $\frac{1}{4}$　② $\frac{1}{3}$　③ $\frac{1}{2}$
④ $\frac{2}{3}$　⑤ 1

0069

최다빈출 왕중요　NORMAL

수열 $\{a_n\}$이 모든 자연수 n에 대하여

$$|a_n-3n| \le 6$$

을 만족시킬 때, $\lim_{n\to\infty}\frac{a_n}{n}$의 값은?

① $\frac{6}{5}$　② $\frac{3}{2}$　③ 2
④ 3　⑤ 6

▶ 해설 내신연계기출

0070

최다빈출 왕중요　NORMAL

첫째항이 1이고 공차가 3인 등차수열 $\{a_n\}$에 대하여 수열 $\{b_n\}$의 모든 자연수 n에 대하여

$$n+1 < a_nb_n < n+2$$

를 만족시킬 때, 극한값 $\lim_{n\to\infty} b_n$의 값은?

① $\frac{1}{2}$　② $\frac{1}{3}$　③ $\frac{1}{4}$
④ $\frac{1}{5}$　⑤ $\frac{1}{6}$

▶ 해설 내신연계기출

0071

최다빈출 왕중요　NORMAL

수열 $\{a_n\}$이 모든 자연수 n에 대하여

$$2n-4 < na_n < \sqrt{4n^2+2n}$$

을 만족시킬 때, $\lim_{n\to\infty}\frac{(n-1)a_n}{2n+5}$의 값은?

① 1　② 2　③ 3
④ 4　⑤ 5

▶ 해설 내신연계기출

0072

최다빈출 왕중요　NORMAL

두 수열 $\{a_n\}$, $\{b_n\}$이 모든 자연수 n에 대하여 다음 조건을 만족시킬 때, $\lim_{n\to\infty} b_n$의 값은?

(가) $20-\frac{1}{n} < a_n+b_n < 20+\frac{1}{n}$
(나) $10-\frac{1}{n} < a_n-b_n < 10+\frac{1}{n}$

① 3　② 4　③ 5
④ 6　⑤ 7

▶ 해설 내신연계기출

0073

TOUGH

일반항이 $a_n=5-8n$인 수열 $\{a_n\}$의 첫째항부터 제 n항까지의 합을 S_n이라고 하자. 수열 $\{b_n\}$이 모든 자연수 n에 대하여

$$S_{n+1} < n^2b_n < S_n$$

을 만족시킬 때, $\lim_{n\to\infty}\frac{nb_n+1}{1-2n}$의 값은?

① 2　② 3　③ 4
④ 5　⑤ 6

0074

TOUGH

수열 $\{a_n\}$에 대하여 곡선 $y=x^2-(n+1)x+a_n$은 x축과 만나고 곡선 $y=x^2-nx+a_n$은 x축과 만나지 않을 때, $\lim_{n\to\infty}\frac{a_n}{n^2}$의 값은?

① $\frac{1}{20}$ ② $\frac{1}{10}$ ③ $\frac{3}{20}$
④ $\frac{1}{5}$ ⑤ $\frac{1}{4}$

0075

최다빈출 왕 중요 TOUGH

두 수열 $\{a_n\}$, $\{b_n\}$이 다음 조건을 만족시킨다.

(가) $\lim_{n\to\infty}(a_n+b_n)=3$
(나) 모든 자연수 n에 대하여 부등식
$\frac{1}{2n^2+1}\le\frac{a_nb_n}{4n^2}\le\frac{1}{2n^2-1}$이 성립한다.

이때 $\lim_{n\to\infty}(a_n{}^2+a_nb_n+b_n{}^2)$의 값은?

① 5 ② 6 ③ 7
④ 8 ⑤ 9

▶ 해설 내신연계기출

0076

최다빈출 왕 중요 TOUGH

두 수열 $\{a_n\}$, $\{b_n\}$에 대하여 다음 중 옳지 <u>않은</u> 것은?

① $\lim_{n\to\infty}\frac{\cos n\theta}{n}=0$

② $\lim_{n\to\infty}\frac{3a_n+1}{2a_n-1}=2$일 때, $\lim_{n\to\infty}a_n=3$이다. $\left(\text{단, } a_n\ne\frac{1}{2}\right)$

③ $\lim_{n\to\infty}na_n=2$일 때, $\lim_{n\to\infty}(4n-3)a_n=8$이다.

④ $\lim_{n\to\infty}a_n=\infty$, $\lim_{n\to\infty}(b_n-a_n)=2$일 때, $\lim_{n\to\infty}\left(\frac{b_n{}^2}{a_n}-\frac{a_n{}^2}{b_n}\right)=6$

⑤ 수열 $\{a_n\}$이 모든 자연수 n에 대하여
$2n-1<na_n<\sqrt{4n^2+5n}$
일 때, $\lim_{n\to\infty}\frac{(n^2+2n)a_n}{5n^2+3}=\frac{1}{5}$이다.

▶ 해설 내신연계기출

유형 13 수열의 극한의 대소 관계 (2)

두 수열 $\{a_n\}$, $\{b_n\}$이 수렴하고 $\lim_{n\to\infty}a_n=\alpha$, $\lim_{n\to\infty}b_n=\beta$ (α, β는 실수) 일 때, 수열 $\{c_n\}$이 모든 자연수 n에 대하여 $a_n\le c_n\le b_n$이고 $\alpha=\beta$이면 $\lim_{n\to\infty}c_n=\alpha$이다.

$a_n\le c_n\le b_n$이고 $\lim_{n\to\infty}a_n=\lim_{n\to\infty}b_n=\alpha$ (α는 실수)
⇨ $\lim_{n\to\infty}c_n=\alpha$

0077

학교기출 대표 유형

수열 $\{a_n\}$이 모든 자연수 n에 대하여
$n<a_n<n+1$
을 만족시킬 때, $\lim_{n\to\infty}\frac{a_1+a_2+a_3+\cdots+a_n}{n^2}$의 값은?

① $\frac{1}{2}$ ② $\frac{1}{3}$ ③ $\frac{1}{4}$
④ $\frac{1}{5}$ ⑤ $\frac{1}{6}$

▶ 해설 내신연계기출

0078

NORMAL

모든 자연수 n에 대하여 수열 $\{a_n\}$이 부등식
$n^2-n-2<a_n<n^2+2n+2$
를 만족시킬 때, $\lim_{n\to\infty}\frac{n^3}{a_1+a_2+a_3+\cdots+a_n}$의 값은?

① 1 ② 2 ③ 3
④ 4 ⑤ 5

0079

최다빈출 왕 중요 TOUGH

수열 $\{a_n\}$의 일반항이 a_n이
$\frac{1}{\sqrt{n+2}+\sqrt{n+3}}<a_n<\frac{1}{\sqrt{n+1}+\sqrt{n+2}}$
을 만족할 때, $\lim_{n\to\infty}\frac{a_1+a_2+a_3+\cdots+a_n}{\sqrt{n+1}}$의 값은?

① 1 ② 2 ③ 3
④ 4 ⑤ 5

▶ 해설 내신연계기출

유형 14 참인 수열의 극한의 진위 판단

(1) $a_n < b_n$이고 $\lim_{n\to\infty} a_n = \infty$이면 $\lim_{n\to\infty} b_n = \infty$이다. [참]

증명 두 수열 $\{a_n\}$, $\{b_n\}$이 모두 수렴하거나 수렴하지 않거나 $a_n < b_n$이면 $\lim_{n\to\infty} a_n \le \lim_{n\to\infty} b_n$이 성립한다.

(2) 두 수열 $\{a_n\}$, $\left\{\frac{b_n}{a_n}\right\}$이 모두 수렴하면 수열 $\{b_n\}$은 수렴한다. [참]

증명 두 수열 $\{a_n\}$, $\left\{\frac{b_n}{a_n}\right\}$이 모두 수렴하므로 $\frac{b_n}{a_n} = c_n$이라 하면 $b_n = a_n \cdot c_n$이다.

$\lim_{n\to\infty} b_n = \lim_{n\to\infty} a_n \cdot c_n = \lim_{n\to\infty} a_n \cdot \lim_{n\to\infty} c_n$이므로 수렴한다.

(3) $\lim_{n\to\infty}(a_n - b_n) = 0$, $\lim_{n\to\infty} a_n = \alpha$이면 $\lim_{n\to\infty} b_n = \alpha$이다. [참]

증명 $a_n - b_n = p_n$으로 놓으면 $\lim_{n\to\infty} p_n = 0$, $\lim_{n\to\infty} a_n = \alpha$, $b_n = a_n - p_n$

$\therefore \lim_{n\to\infty} b_n = \lim_{n\to\infty}(a_n - p_n) = \lim_{n\to\infty} a_n - \lim_{n\to\infty} p_n = \alpha - 0 = \alpha$

(4) $\lim_{n\to\infty} a_n = \infty$, $\lim_{n\to\infty}(a_n - b_n) = \alpha$이면 $\lim_{n\to\infty} \frac{b_n}{a_n} = 1$이다. [참]

증명 $a_n - b_n = c_n$이라 놓으면 $\lim_{n\to\infty} c_n = \alpha$, $\lim_{n\to\infty} a_n = \infty$이고 $b_n = a_n - c_n$

이므로 $\lim_{n\to\infty} \frac{b_n}{a_n} = \lim_{n\to\infty} \frac{a_n - c_n}{a_n} = \lim_{n\to\infty}\left(1 - \frac{c_n}{a_n}\right) = 1$

(5) $\lim_{n\to\infty} a_n = \alpha$이면 $\lim_{n\to\infty} a_{n+1} = \lim_{n\to\infty} a_{n+2} = \alpha$이다. [참]

증명 (ⅰ) $\lim_{n\to\infty} a_{n+1}$에서 $n+1 = s$라고 하면

$n \to \infty$일 때, $s \to \infty$이므로 $\lim_{n\to\infty} a_{n+1} = \lim_{s\to\infty} a_s = \alpha$

(ⅱ) $\lim_{n\to\infty} a_{n+2}$에서 $n+2 = t$라고 하면

$n \to \infty$일 때, $t \to \infty$이므로 $\lim_{n\to\infty} a_{n+2} = \lim_{t\to\infty} a_t = \alpha$

(ⅰ), (ⅱ)로부터 $\lim_{n\to\infty} a_{n+1} = \lim_{n\to\infty} a_{n+2} = \alpha$

(6) $\lim_{n\to\infty} a_n = \alpha$이면 $\lim_{n\to\infty} a_{2n-1} = \lim_{n\to\infty} a_{2n} = \alpha$이다. [참]

← 수열 $\{a_n\}$이 α에 수렴하면 두 수열 $\{a_{2n-1}\}$과 $\{a_{2n}\}$도 모두 α에 수렴한다.

증명 (ⅰ) $\lim_{n\to\infty} a_{2n-1}$에서 $2n-1 = s$라고 하면

$n \to \infty$일 때, $s \to \infty$이므로 $\lim_{n\to\infty} a_{2n-1} = \lim_{s\to\infty} a_s = \alpha$

(ⅱ) $\lim_{n\to\infty} a_{2n}$에서 $2n = t$라고 하면

$n \to \infty$일 때, $t \to \infty$이므로 $\lim_{n\to\infty} a_{2n} = \lim_{t\to\infty} a_t = \alpha$

(ⅰ), (ⅱ)로부터 $\lim_{n\to\infty} a_{2n-1} = \lim_{n\to\infty} a_{2n} = \alpha$

주의 ① 두 수열 $\{a_{2n-1}\}$과 $\{a_{2n}\}$이 각각 수렴하면 수열 $\{a_n\}$도 수렴한다. [거짓]

반례 $a_{2n-1} = 1$, $a_{2n} = 0$이면 수열 $\{a_n\}$은

$\{a_n\}$: $1, 0, 1, 0, 1, 0, 1, 0, \cdots$이므로 발산한다.

즉 두 수열 $\{a_{2n-1}\}$과 $\{a_{2n}\}$이 각각 수렴한다고 해서

수열 $\{a_n\}$이 반드시 수렴하는 것은 아니다.

② 수열 $\{a_{2n}\}$이 수렴하면 수열 $\{a_n\}$도 수렴한다. [거짓]

반례 수열 $\{a_n\}$을 $a_n = (-1)^n$이라고 하면

$a_{2n} = (-1)^{2n} = \{(-1)^2\}^n = 1^n = 1$이므로

$\lim_{n\to\infty} a_{2n} = 1$이지만 수열 $\{a_n\}$은 진동 (발산)한다.

(7) 수열 $\{a_n\}$에 대하여 $\lim_{n\to\infty}|a_n| = 0$이면 $\lim_{n\to\infty} a_n = 0$이다. [참]

증명 $-|a_n| \le a_n \le |a_n|$이고 $\lim_{n\to\infty}|a_n| = 0$이므로 $\lim_{n\to\infty} a_n = 0$

유형 15 거짓인 수열의 극한의 진위 판단

(1) 수열 $\{a_n \pm b_n\}$이 수렴하면 수열 $\{a_n\}$, $\{b_n\}$은 모두 수렴한다.

반례 $a_n = -n$, $b_n = n+1$이라 하면 $a_n + b_n = 1$이므로

수열 $\{a_n + b_n\}$은 수렴하지만 두 수열 $\{a_n\}$, $\{b_n\}$은 발산

(2) 수열 $\{a_n b_n\}$이 수렴하면 수열 $\{a_n\}$, $\{b_n\}$은 모두 수렴한다.

반례 $a_n = n$, $b_n = \frac{1}{n}$이면 수열 $\{a_n b_n\}$이 1로 수렴하지만

수열 $\{a_n\}$은 발산한다.

(3) 수열 $\left\{\frac{a_n}{b_n}\right\}$이 수렴하면 수열 $\{a_n\}$, $\{b_n\}$은 모두 수렴한다.

반례 $a_n = n$, $b_n = n^2$이면 수열 $\left\{\frac{a_n}{b_n}\right\}$은 0으로 수렴하지만

수열 $\{a_n\}$, $\{b_n\}$은 모두 발산한다.

(4) $\lim_{n\to\infty} a_n b_n = 0$이면 $\lim_{n\to\infty} a_n = 0$ 또는 $\lim_{n\to\infty} b_n = 0$이다.

반례 $\{a_n\}$: $1, 0, 1, 0, 1, 0, \cdots$, $\{b_n\}$: $0, 1, 0, 1, 0, 1, \cdots$

이라 하면 수열 $\{a_n b_n\}$은 $0, 0, 0, 0, \cdots$이므로 0으로 수렴

하지만 두 수열은 $\{a_n\}$, $\{b_n\}$모두 발산(진동)한다.

(5) 두 수열 $\{a_n\}$, $\{a_n b_n\}$이 모두 수렴하면 수열 $\{b_n\}$은 수렴한다.

반례 $a_n = \frac{1}{n}$, $b_n = n$이라 하면 $\lim_{n\to\infty} \frac{1}{n} = 0$, $\lim_{n\to\infty} \frac{1}{n} \cdot n = 1$

이지만 $\lim_{n\to\infty} b_n$이 수렴하는 것은 아니다.

(6) $a_n < b_n < c_n$이고 $\lim_{n\to\infty}(c_n - a_n) = 0$이면 수열 $\{b_n\}$은 수렴한다.

반례 $a_n = n - \frac{1}{n}$, $b_n = n$, $c_n = n + \frac{1}{n}$이라 하면

$a_n < b_n < c_n$이고 $\lim_{n\to\infty}(c_n - a_n) = \lim_{n\to\infty} \frac{2}{n} = 0$이지만

수열 $\{b_n\}$은 발산한다.

(7) 수열 $\{a_n^2\}$이 수렴하면 수열 $\{a_n\}$도 수렴한다.

← 양의 실수 α에 대하여 $\lim_{n\to\infty} a_n^2 = \alpha$이면 $\lim_{n\to\infty} a_n = \sqrt{\alpha}$로 수렴한다.

반례 수열 $a_n = (-1)^n$이라고 하면

$\lim_{n\to\infty} a_n^2 = \lim_{n\to\infty}(-1)^{2n} = 1$이지만 수열 $\{a_n\}$은 진동하면서 발산한다.

0080 학교기출 대표 유형

두 수열 $\{a_n\}$, $\{b_n\}$에 대하여 옳은 것만을 [보기]에서 있는 대로 고른 것은?

ㄱ. $\lim_{n\to\infty} a_n=\infty$, $\lim_{n\to\infty} b_n=0$이면 $\lim_{n\to\infty} a_nb_n=0$이다.

ㄴ. $\lim_{n\to\infty} a_n=\infty$, $\lim_{n\to\infty} b_n=\infty$이면 $\lim_{n\to\infty} \frac{b_n}{a_n}=1$이다.

ㄷ. $\lim_{n\to\infty} a_n=\infty$, $\lim_{n\to\infty}(a_n-b_n)=5$이면 $\lim_{n\to\infty} \frac{b_n}{a_n}=1$이다. (단, $a_n\neq 0$)

① ㄴ ② ㄷ ③ ㄱ, ㄴ
④ ㄱ, ㄷ ⑤ ㄴ, ㄷ

0081 NORMAL

두 수열 $\{a_n\}$과 $\{b_n\}$에 대하여 옳은 것만을 [보기]에서 있는 대로 고른 것은?

ㄱ. $\lim_{n\to\infty} a_n=\alpha$($\alpha$는 실수)이고 $\lim_{n\to\infty}(a_n-b_n)=0$이면 $\lim_{n\to\infty} b_n=\alpha$이다.

ㄴ. 두 수열 $\{a_n\}$과 $\{b_n\}$이 수렴할 때, $a_n<b_n$이면 $\lim_{n\to\infty} a_n<\lim_{n\to\infty} b_n$

ㄷ. $\lim_{n\to\infty} a_nb_n=0$이면 $\lim_{n\to\infty} a_n=0$ 또는 $\lim_{n\to\infty} b_n=0$이다.

① ㄱ ② ㄱ, ㄴ ③ ㄴ, ㄷ
④ ㄱ, ㄷ ⑤ ㄱ, ㄴ, ㄷ

0082 NORMAL

두 수열 $\{a_n\}$, $\{b_n\}$의 극한에 대한 다음 [보기]의 설명 중 옳은 것만을 있는 대로 고른 것은?

ㄱ. $a_n<b_n$일 때, $\lim_{n\to\infty} a_n=\infty$이면 $\lim_{n\to\infty} b_n=\infty$이다.

ㄴ. 두 수열 $\{a_n\}$, $\{b_n\}$이 수렴할 때, $a_n<b_n$이면 $\lim_{n\to\infty} a_n\le\lim_{n\to\infty} b_n$이다.

ㄷ. $\lim_{n\to\infty}(a_n-b_n)=0$이면 $\lim_{n\to\infty} a_n=\lim_{n\to\infty} b_n$이다. (단, $a_n\neq b_n$)

① ㄱ ② ㄴ ③ ㄷ
④ ㄱ, ㄴ ⑤ ㄱ, ㄴ, ㄷ

0083 최다빈출 왕중요 NORMAL

두 수열 $\{a_n\}$, $\{b_n\}$의 극한에 대하여 [보기]에서 옳은 것만을 있는 대로 고른 것은?

ㄱ. $\lim_{n\to\infty} a_n=\infty$, $\lim_{n\to\infty} b_n=0$이면 $\lim_{n\to\infty} a_nb_n=0$이다.

ㄴ. $\lim_{n\to\infty} a_n=\infty$, $\lim_{n\to\infty}(a_n-b_n)=6$이면 $\lim_{n\to\infty} \frac{b_n}{a_n}=1$이다.

ㄷ. 실수 α에 대하여 $\lim_{n\to\infty} a_n^2=\alpha$이면 $\lim_{n\to\infty} a_n=\sqrt{\alpha}$ 또는 $\lim_{n\to\infty} a_n=-\sqrt{\alpha}$이다. (단, $\alpha>0$)

ㄹ. 수열 $\{a_n\}$이 수렴하고 $\lim_{n\to\infty}(a_n-b_n)=0$이면 $\lim_{n\to\infty} a_n=\lim_{n\to\infty} b_n$이다.

① ㄱ, ㄴ ② ㄴ, ㄷ ③ ㄴ, ㄹ
④ ㄱ, ㄷ, ㄹ ⑤ ㄱ, ㄴ, ㄷ, ㄹ

▶ 해설 내신연계기출

0084 NORMAL

두 수열 $\{a_n\}$, $\{b_n\}$에 대하여 옳은 것을 [보기]에서 있는 대로 고른 것은?

ㄱ. $\lim_{n\to\infty}|a_n|$이 수렴하면 $\lim_{n\to\infty} a_n$은 수렴한다.

ㄴ. $\lim_{n\to\infty}(a_n-b_n)=0$이고 수열 $\{a_n\}$이 수렴하면 수열 $\{b_n\}$도 수렴한다.

ㄷ. $\lim_{n\to\infty} a_nb_n=1$이고 수열 $\{a_n\}$이 수렴하면 수열 $\{b_n\}$도 수렴한다.

ㄹ. 두 수열 $\{a_n\}$, $\{b_n\}$이 모두 발산할 때, 수열 $\{a_n+b_n\}$도 발산한다.

① ㄴ ② ㄷ ③ ㄱ, ㄴ
④ ㄴ, ㄷ, ㄹ ⑤ ㄱ, ㄴ, ㄷ, ㄹ

0085 최다빈출 왕중요 NORMAL

수열 $\{a_n\}$, $\{b_n\}$, $\{c_n\}$에 대하여 옳은 설명을 [보기]에서 모두 고른 것은?

ㄱ. $\lim_{n\to\infty} \frac{b_n}{a_n}=\alpha$, $\lim_{n\to\infty} a_n=0$이면 $\lim_{n\to\infty} b_n=0$이다.

ㄴ. 모든 자연수 n에 대하여 $a_n\le c_n\le b_n$, $\lim_{n\to\infty} a_n=\alpha$, $\lim_{n\to\infty} b_n=\beta$이면 수열 $\{c_n\}$은 수렴한다.

ㄷ. 모든 자연수 n에 대하여 $a_n<b_n$이고 $\lim_{n\to\infty} a_n=\alpha$, $\lim_{n\to\infty} b_n=\beta$이면 $\alpha<\beta$이다.

ㄹ. 모든 자연수 n에 대하여 $0<a_n<b_n$일 때, 수열 $\{b_n\}$이 수렴하면 수열 $\{a_n\}$도 수렴한다.

① ㄱ ② ㄱ, ㄹ ③ ㄴ, ㄷ
④ ㄷ, ㄹ ⑤ ㄱ, ㄷ, ㄹ

▶ 해설 내신연계기출

유형 16 $\frac{\infty}{\infty}$ 의 수열의 극한의 활용

함수의 그래프 또는 도형이 주어진 경우, 극한값을 구하는 문제는 다음과 같이 해결한다.

[1단계] 문제의 조건에 맞도록 그래프 위의 점의 좌표, 선분의 길이, 기울기, 교점의 개수를 a_n으로 표시한다.

[2단계] 극한값의 기본 성질을 이용하여 $\lim_{n\to\infty} a_n$을 구한다.

참고 극한값을 구할 때, 최고차항의 계수를 확인한다.

0086 학교기출 대표 유형

이차함수 $f(x)=3x^2$의 그래프 위의 두 점

$$\mathrm{P}(n,\ f(n)),\ \mathrm{Q}(n+1,\ f(n+1))$$

사이의 거리를 a_n이라고 할 때, $\lim_{n\to\infty}\frac{a_n}{n}$의 값은?

① 1　② 2　③ 3　④ 4　⑤ 6

0087 NORMAL

그림과 같이 이차함수 $f(x)=3x^2-2x$의 그래프 위의 두 점

$$\mathrm{P}(n,\ f(n)),\ \mathrm{Q}(n+1,\ f(n+1))$$

을 지나는 직선의 기울기를 a_n이라고 할 때, $\lim_{n\to\infty}\frac{a_n}{n}$의 값은?

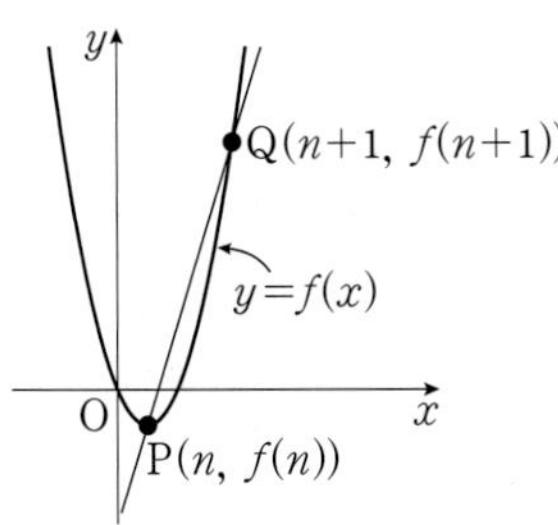

① -3　② -1　③ 2　④ 3　⑤ 6

0088 최다빈출 왕중요 NORMAL

2 이상의 자연수 n에 대하여 곡선 $y=\frac{2}{x}$와 직선 $y=-x+2n$의 두 교점을 A_n, B_n이라 하고 선분 $\mathrm{A}_n\mathrm{B}_n$의 길이를 l_n이라 할 때, $\lim_{n\to\infty}\frac{l_n}{n}$의 값은?

① $2\sqrt{2}$　② 3　③ $\sqrt{10}$　④ $2\sqrt{3}$　⑤ 4

▶ 해설 내신연계기출

0089 최다빈출 왕중요 NORMAL

자연수 n에 대하여 오른쪽 그림과 같이 기울기가 n이고 곡선 $y=x^2$에 접하는 직선이 x축, y축과 만나는 점을 각각 P_n, Q_n이라고 하자. $l_n=\overline{\mathrm{P}_n\mathrm{Q}_n}$이라고 할 때, $\lim_{n\to\infty}\frac{l_n}{2n^2}$의 값은?

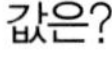

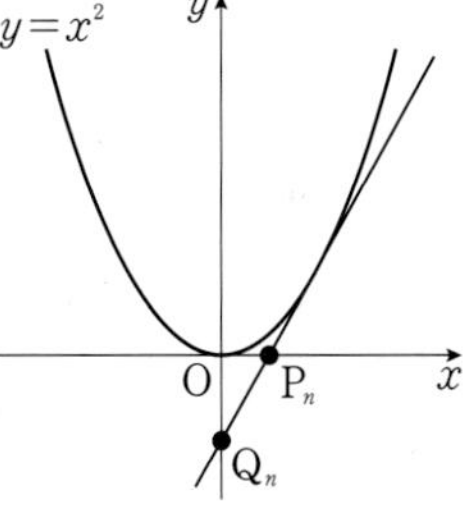

① $\frac{1}{8}$　② $\frac{1}{4}$　③ $\frac{1}{3}$　④ $\frac{1}{2}$　⑤ $\frac{3}{2}$

▶ 해설 내신연계기출

0090 NORMAL

자연수 n에 대하여 직선 $y=2nx$ 위의 점 $\mathrm{P}(n,\ 2n^2)$을 지나고 이 직선과 수직인 직선이 x축과 만나는 점을 Q라 할 때, 선분 OQ의 길이를 l_n이라 하자. $\lim_{n\to\infty}\frac{l_n}{n^3}$의 값은? (단, O는 원점이다.)

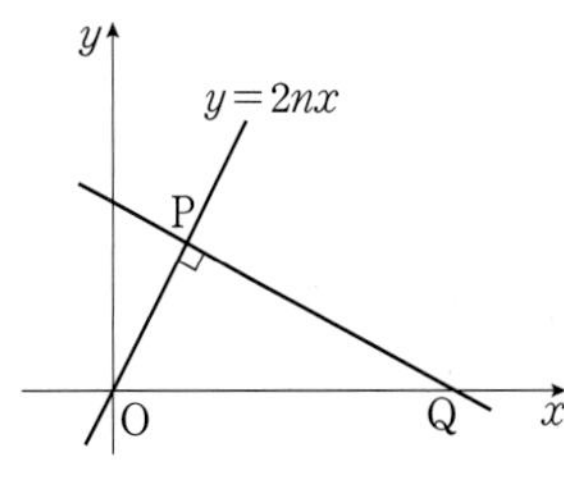

① 1　② 2　③ 3　④ 4　⑤ 5

0091 최다빈출 왕중요 NORMAL

자연수 n에 대하여 두 직선 $x+y=2$와 $y=\frac{3n}{n+2}x$가 만나는 점을 P_n, 직선 $x+y=2$가 x축과 만나는 점을 A라고 하자. 삼각형 OAP_n의 넓이를 S_n이라고 할 때, $\lim_{n\to\infty} S_n$의 값은? (단, O는 원점)

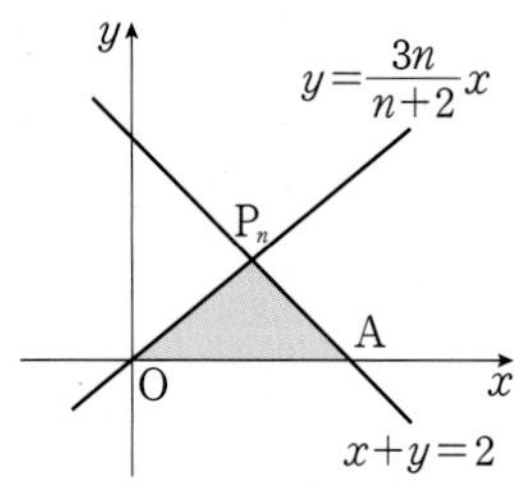

① $\frac{5}{6}$ ② $\frac{6}{5}$ ③ $\frac{7}{4}$
④ $\frac{5}{3}$ ⑤ $\frac{3}{2}$

▶ 해설 내신연계기출

0092 최다빈출 왕중요 NORMAL

다음 그림과 같이 자연수 n에 대하여 중심이 원점이고 반지름의 길이가 $2n$인 원 $x^2+y^2=4n^2$ 위의 점 $\mathrm{P}(n, \sqrt{3}n)$에서의 접선이 x축, y축과 만나는 점을 각각 A, B라고 하자.

삼각형 OAB의 넓이를 a_n이라고 할 때, $\lim_{n\to\infty}\frac{a_n}{\sqrt{3}n^2+1}$의 값은?

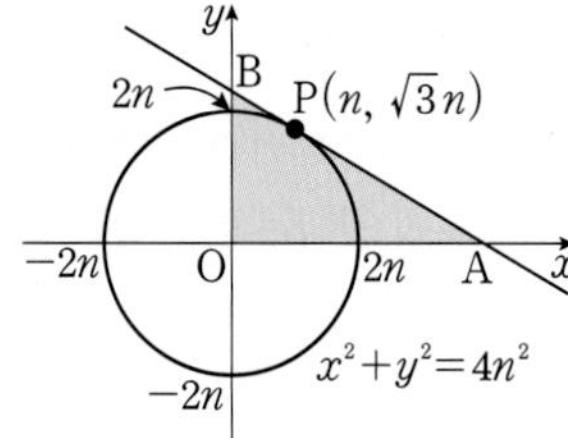

① $\frac{\sqrt{3}}{3}$ ② $\sqrt{3}$ ③ $\frac{4}{3}$
④ $\frac{5}{3}$ ⑤ $\frac{8}{3}$

▶ 해설 내신연계기출

0093 TOUGH

좌표평면에서 자연수 n에 대하여 기울기가 n이고 y절편이 양수인 직선이 원 $x^2+y^2=n^2$에 접할 때, 이 직선이 x축, y축과 만나는 점을 각각 P_n, Q_n이라 하자. $l_n=\overline{\mathrm{P}_n\mathrm{Q}_n}$이라 할 때, $\lim_{n\to\infty}\frac{l_n}{2n^2}$의 값은?

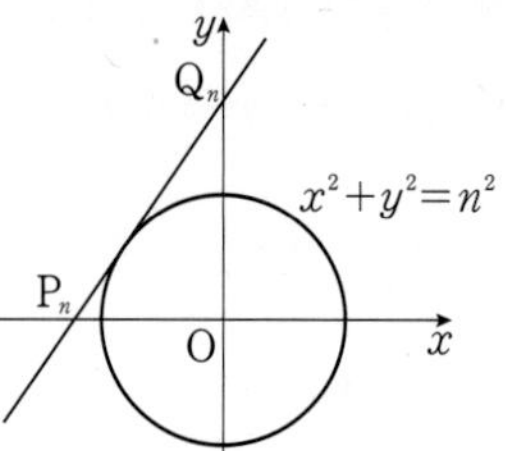

① $\frac{1}{8}$ ② $\frac{1}{4}$ ③ $\frac{3}{8}$
④ $\frac{1}{2}$ ⑤ $\frac{5}{8}$

0094 TOUGH

자연수 n에 대하여 곡선 $y=x^2$ 위의 점 $\mathrm{P}_n(n, n^2)$을 중심으로 하고 y축에 접하는 원을 C_n이라 하자. 원점을 지나고 원 C_n에 접하는 직선 중에서 y축이 아닌 직선의 기울기를 a_n이라 할 때, $\lim_{n\to\infty}\frac{a_n}{n}$의 값은?

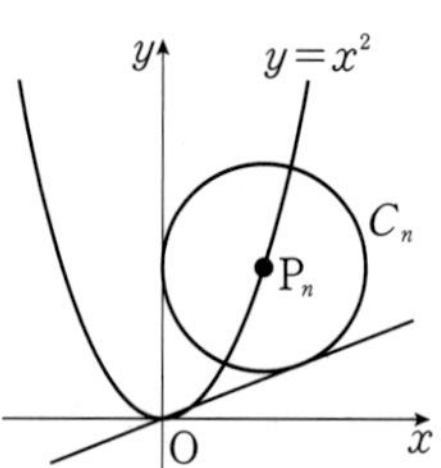

① $\frac{1}{2}$ ② $\frac{3}{4}$ ③ 1
④ $\frac{5}{4}$ ⑤ $\frac{3}{2}$

유형 17 $\infty-\infty$인 수열의 극한의 활용

함수의 그래프 또는 도형이 주어진 경우, 극한값을 구하는 문제는 다음과 같이 해결한다.

[1단계] 문제의 조건에 맞도록 그래프 위의 점의 좌표, 선분의 길이, 기울기, 교점의 개수를 a_n으로 표시한다.

[2단계] 극한값의 기본 성질을 이용하여 $\lim_{n\to\infty} a_n$을 구한다.

참고 극한값을 구할 때, 최고차항의 계수를 확인한다.

0095 학교기출 대표 유형

좌표평면에서 자연수 n에 대하여 원 $x^2+y^2=n^2$과 곡선 $y=\sqrt{x+n}$이 만나는 두 점 사이의 거리를 a_n, 원의 지름의 길이를 b_n이라 할 때, $\lim_{n\to\infty}(b_n-a_n)$의 값은?

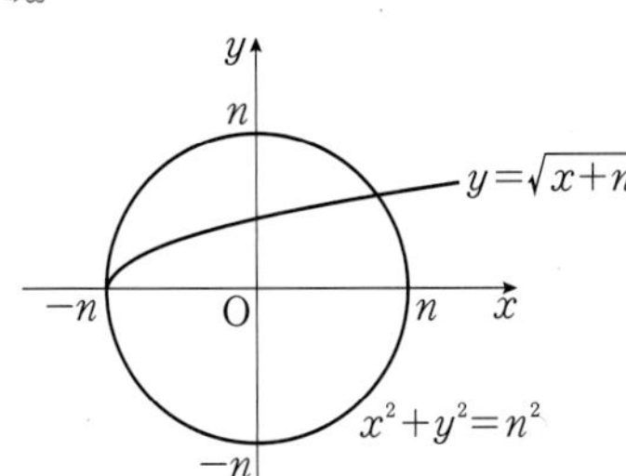

① $\frac{1}{6}$ ② $\frac{1}{3}$ ③ $\frac{1}{2}$
④ $\frac{2}{3}$ ⑤ $\frac{5}{6}$

0096 최다빈출 왕 중요 NORMAL

자연수 n에 대하여 원 $x^2+y^2=4n^2$과 직선 $y=\sqrt{n}$이 제1사분면에서 만나는 점의 x좌표를 a_n이라 할 때, $\lim_{n\to\infty}(2n-a_n)$의 값은?

① $\frac{1}{8}$ ② $\frac{1}{6}$ ③ $\frac{1}{4}$
④ $\frac{1}{3}$ ⑤ $\frac{1}{2}$

▶ 해설 내신연계기출

0097 최다빈출 왕 중요 TOUGH

자연수 n에 대하여 곡선 $y=\frac{2n}{x}$과 직선 $y=-\frac{x}{n}+3$의 두 교점을 A_n, B_n이라 할 때, 선분 A_nB_n의 길이를 l_n이라 할 때, $\lim_{n\to\infty}(l_{n+1}-l_n)$의 값은?

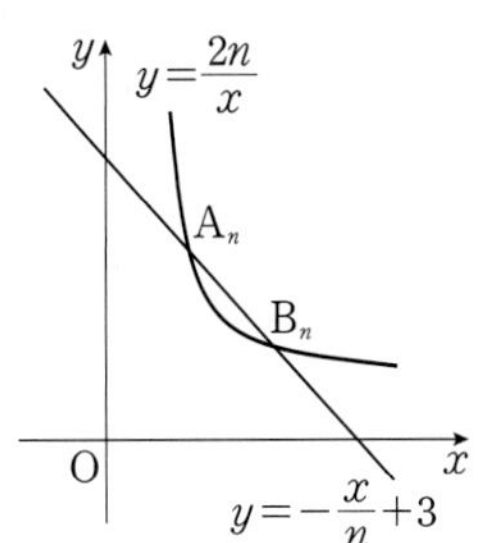

① $\frac{1}{2}$ ② $\frac{\sqrt{2}}{2}$ ③ 1
④ $\sqrt{2}$ ⑤ 2

▶ 해설 내신연계기출

유형 18 내접원에 관한 수열의 극한의 활용

[1단계] 삼각형의 세 변의 길이가 a, b, c이고 내접원의 반지름이 r일 때, 삼각형의 넓이 S는 $S=\frac{1}{2}(a+b+c)r$ $\therefore r=\frac{2S}{a+b+c}$

위 사실을 이용하여 구하려는 조건을 n에 관한 식으로 나타낸다.

[2단계] 극한의 성질을 이용하여 극한값을 구한다.

참고 직각삼각형 ABC에서 내접원의 반지름의 길이를 r이라 하면

$r=\frac{a+b-c}{2}$

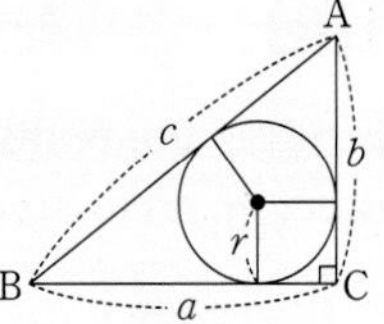

0098 학교기출 대표 유형

자연수 n에 대하여 직선 $x=2n$이 직선 $y=\frac{1}{n}x$ 및 x축과 만나는 점을 각각 P_n, Q_n이라 하자. 삼각형 OP_nQ_n에 내접하는 원의 중심의 y좌표를 a_n이라 할 때, $\lim_{n\to\infty}a_n$의 값은? (단, O는 원점이다.)

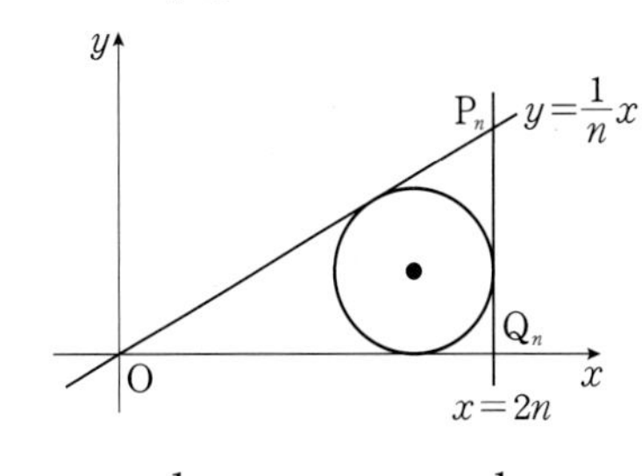

① $\frac{1}{6}$ ② $\frac{1}{4}$ ③ $\frac{1}{2}$
④ 1 ⑤ 2

0099 TOUGH

좌표평면에서 자연수 n에 대하여 두 직선 $y=\frac{1}{n}x$와 $x=n$이 만나는 점을 A_n, 직선 $x=n$과 x축이 만나는 점을 B_n이라 하자. 삼각형 A_nOB_n에 내접하는 원의 중심을 C_n이라 하고 삼각형 A_nOC_n의 넓이를 S_n이라 하자. $\lim_{n\to\infty}\frac{S_n}{n}$의 값은?

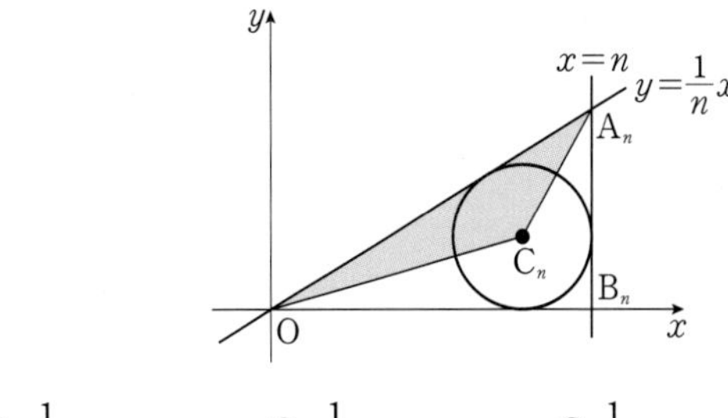

① $\frac{1}{12}$ ② $\frac{1}{6}$ ③ $\frac{1}{4}$
④ $\frac{1}{3}$ ⑤ $\frac{5}{12}$

유형 19 정다각형에서 수열의 극한의 활용

[1단계] 수열 $\{a_n\}$에서 a_1, a_2, a_3, $\cdots$을 차례로 구하여 규칙을 찾거나 주어진 조건을 이용하여 일반항 a_n을 구한다.

[2단계] 극한값의 기본 성질을 이용하여 $\lim_{n\to\infty} a_n$을 구한다.

0100 학교기출 대표 유형

다음 그림과 같이 한 변의 길이가 1인 정삼각형들을 이어 붙여서 한 변의 길이가 1씩 커지는 정삼각형을 만든다. n번째 만든 도형의 모든 점의 개수를 a_n이라 할 때, $\lim_{n\to\infty}\frac{a_n}{n^2+1}$의 값은?

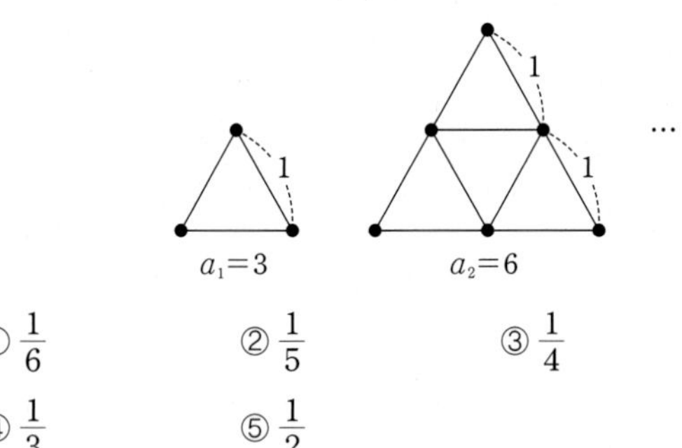

① $\frac{1}{6}$ ② $\frac{1}{5}$ ③ $\frac{1}{4}$
④ $\frac{1}{3}$ ⑤ $\frac{1}{2}$

0101 최다빈출 왕중요 NORMAL

그림은 한 변의 길이가 n인 정사각형의 각 변을 n등분하여 각 변에 평행한 선분을 모두 이어서 나타낸 것이다. 한 변의 길이가 1인 정사각형의 개수를 a_n, 한 변의 길이가 1인 정사각형들의 꼭짓점이 되는 점들의 개수를 b_n이라고 할 때, $\lim_{n\to\infty}\frac{b_n}{a_n}$의 값은?

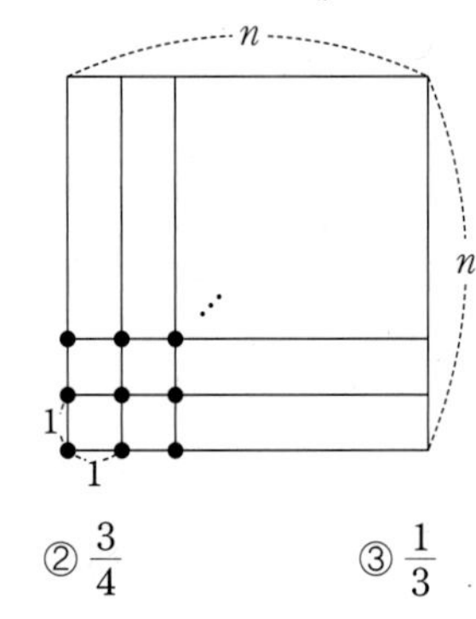

① $\frac{2}{3}$ ② $\frac{3}{4}$ ③ $\frac{1}{3}$
④ $\frac{1}{2}$ ⑤ 1

▶ 해설 내신연계기출

0102 최다빈출 왕중요 NORMAL

다음 그림과 같이 한 변의 길이가 1인 정사각형을 이어 붙여서 가로의 길이가 1씩 커지는 직사각형 모양을 만든다고 하자.
n번째 만든 모양에서 모든 점의 개수를 a_n, 길이가 1인 모든 선분의 개수를 b_n이라 할 때, $\lim_{n\to\infty}\frac{a_n}{b_n}$의 값은?

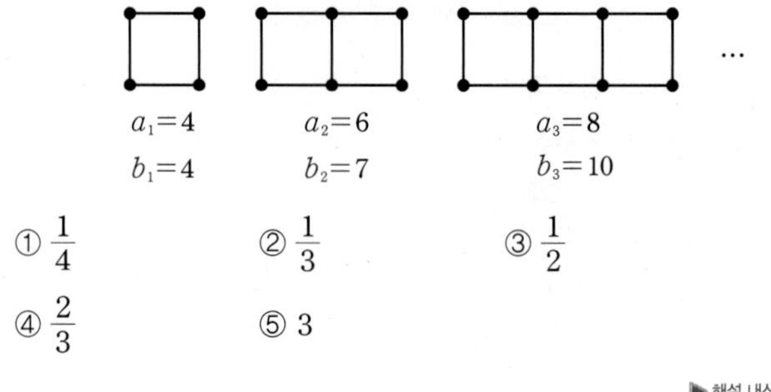

① $\frac{1}{4}$ ② $\frac{1}{3}$ ③ $\frac{1}{2}$
④ $\frac{2}{3}$ ⑤ 3

▶ 해설 내신연계기출

0103 TOUGH

다음 그림과 같이 길이가 1인 성냥개비들을 정사각형 모양으로 배열할 때, [n단계]에서 사용한 성냥개비의 개수를 a_n, [n단계]에 있는 한 변의 길이가 1인 정사각형의 개수를 b_n이라고 하자.
이때 $\lim_{n\to\infty}\frac{4b_n}{a_n}$의 값은?

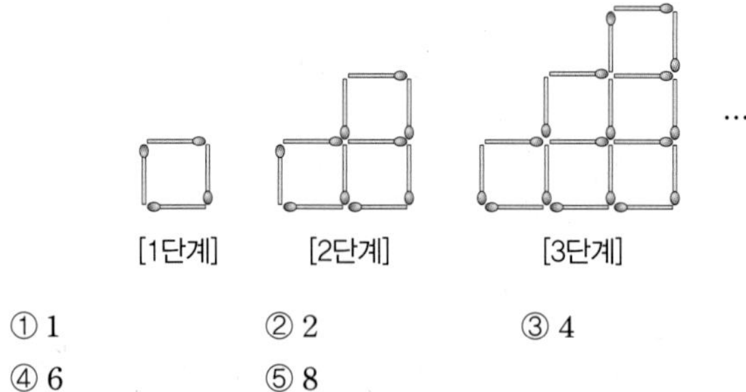

① 1 ② 2 ③ 4
④ 6 ⑤ 8

등비수열의 극한

유형 01 등비수열의 극한

(1) $\frac{\infty}{\infty}$꼴의 등비수열의 극한

⇨ 분모에 있는 등비수열 중 밑의 절댓값, 즉 $|r|$의 값이 가장 큰 항으로 분모, 분자를 나눈다.

(2) $\infty-\infty$꼴의 다항식의 극한

⇨ 밑의 절댓값, 즉 $|r|$이 가장 큰 항으로 묶어낸다.

속해법 지수꼴 극한의 간편 계산법 : 밑수 비교

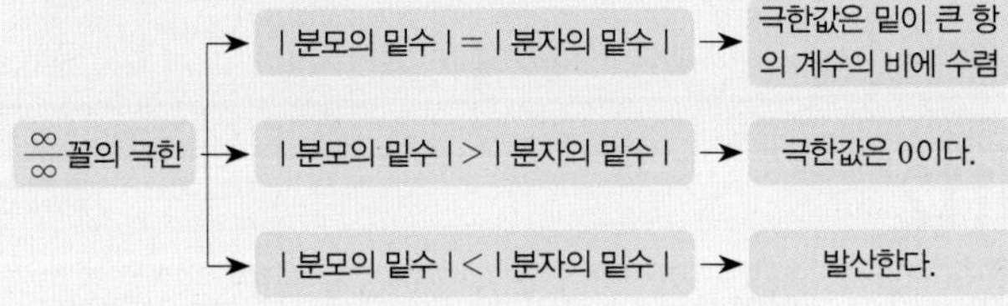

$\frac{\infty}{\infty}$꼴의 극한
| 분모의 밑수 | = | 분자의 밑수 |
극한값은 밑이 큰 항의 계수의 비에 수렴
| 분모의 밑수 | > | 분자의 밑수 |
극한값은 0이다.
| 분모의 밑수 | < | 분자의 밑수 |
발산한다.

0104 학교기출 대표 유형

다음 조건을 만족하는 극한값 a, b에 대하여 ab의 값은?

(가) $\lim_{n\to\infty}\frac{2\cdot5^n-3^n}{5^{n+1}+2^n}=a$

(나) $\lim_{n\to\infty}\frac{2^{n+1}-5^{n+1}}{2^n+5^n}=b$

① -5　② -3　③ -2
④ -1　⑤ 3

▶ 해설 내신연계기출

0105 BASIC

다음 수열의 극한값은?

$$\sqrt{5},\ \sqrt{5\sqrt{5}},\ \sqrt{5\sqrt{5\sqrt{5}}},\ \cdots$$

① 1　② 2　③ 3
④ 4　⑤ 5

0106 최다빈출 왕 중요 BASIC

다음 [보기]에서 극한값이 존재하는 것은?

ㄱ. $\lim_{n\to\infty}\frac{2+2^2+2^3+\cdots+2^n}{2^n}$

ㄴ. $\lim_{n\to\infty}\frac{(-1)^n}{n^2+n}$

ㄷ. $\lim_{n\to\infty}\frac{n^3}{1\cdot2+2\cdot3+\cdots+n(n+1)}$

① ㄱ　② ㄴ　③ ㄷ
④ ㄴ, ㄷ　⑤ ㄱ, ㄴ, ㄷ

▶ 해설 내신연계기출

0107 최다빈출 왕 중요 NORMAL

두 수열 $\{a_n\}$, $\{b_n\}$에 대하여

$$a_n+b_n=4^n,\ a_n-b_n=3^{n+1}$$

일 때, $\lim_{n\to\infty}\frac{b_n}{a_n}$의 값은?

① 1　② 2　③ 3
④ 4　⑤ 5

▶ 해설 내신연계기출

0108 최다빈출 왕 중요 NORMAL

두 수열 $\{a_n\}$, $\{b_n\}$에 대하여

$$a_n+b_n=2^{n+1},\ a_nb_n=4^n-9^n$$

일 때, $\lim_{n\to\infty}\frac{b_n}{a_n}$의 값은? (단, $a_n>b_n$)

① -1　② $-\frac{4}{9}$　③ $-\frac{1}{2}$
④ $\frac{2}{9}$　⑤ $\frac{1}{2}$

▶ 해설 내신연계기출

유형 02 등비수열의 극한의 미정계수의 결정

$\lim_{n\to\infty}\frac{c^n+d^n}{a^n+b^n}$이 $\frac{\infty}{\infty}$ 꼴인 미지수가 있는 극한값은 다음 단계로 구한다.

[1단계] 분모의 밑의 절댓값이 가장 큰 항으로 분모, 분자를 각각 나눈다.

[2단계] $|r|<1$이면 $\lim_{n\to\infty}r^n=0$임을 이용하여 주어진 등비수열의 극한의 미지수를 구한다.

0109 학교기출 대표 유형

실수 a에 대하여

$$\lim_{n\to\infty}\frac{a\cdot 6^{n+1}-5^n}{6^n+5^n}=4$$

를 만족시킬 때, a의 값은?

① $\frac{1}{3}$　② $\frac{1}{2}$　③ $\frac{2}{3}$

④ $\frac{4}{3}$　⑤ $\frac{3}{2}$

0110 BASIC

다음 조건을 만족하는 상수 a, b에 대하여 $a+b$의 값은?

(가) $\lim_{n\to\infty}\frac{a\times 3^{n+2}-2^n}{3^n-3\times 2^n}=207$을 만족하는 상수 a

(나) $\lim_{n\to\infty}\frac{b\times 6^{n+1}-2^n}{2^n(3^n+2^n)}=12$를 만족하는 상수 b

① 23　② 24　③ 25

④ 26　⑤ 27

0111 BASIC

$0<a<b$이고 $\lim_{n\to\infty}\frac{a^{n+1}+2b^n}{a^n+b^{n+1}}=1$일 때, 상수 b의 값은?

① -1　② 1　③ 2

④ 3　⑤ 4

0112 NORMAL

수열 $\{a_n\}$에 대하여 $\lim_{n\to\infty}a_n=3$일 때, $\lim_{n\to\infty}\frac{5^n a_n+3^n}{a_n+2\cdot 5^n}$의 값은?

① $\frac{1}{6}$　② $\frac{1}{5}$　③ $\frac{3}{2}$

④ $\frac{2}{3}$　⑤ $\frac{1}{2}$

0113 최다빈출 왕 중요 NORMAL

n이 자연수일 때,

$$\lim_{n\to\infty}\frac{3^{n+1}}{(\log_2 x-1)^n}$$

이 0이 아닌 극한값을 갖도록 하는 실수 x를 a, 이때 극한값을 b라 할 때, $a+b$의 값은?

① 16　② 19　③ 21

④ 23　⑤ 25

▶ 해설 내신연계기출

0114

최다빈출 왕중요 NORMAL

수렴하는 수열 $\{a_n\}$에 대하여 $\lim_{n\to\infty}\frac{5^{n+1}+3^n a_n}{3^{n+1}-5^n a_n}=5$일 때, $\lim_{n\to\infty}a_n$의 값은?

① -5 ② -1 ③ 2
④ 3 ⑤ 5

▶ 해설 내신연계기출

0115

NORMAL

이차방정식 $x^2-6x+8=0$의 두 근을 a, b라고 할 때, $\lim_{n\to\infty}\frac{a^n+b^n}{a^{n-1}+b^{n-1}}$의 값은?

① 1 ② 2 ③ 3
④ 4 ⑤ 5

0116

NORMAL

이차방정식 $x^2-4x-1=0$의 두 근을 α, β라고 할 때, $\lim_{n\to\infty}\frac{\alpha^{n+1}+\beta^{n+1}}{\alpha^n+\beta^n}$의 값은?

① 0 ② $2-\sqrt{5}$ ③ 1
④ 2 ⑤ $2+\sqrt{5}$

0117

최다빈출 왕중요 TOUGH

자연수 a, b에 대하여

$$\lim_{n\to\infty}\frac{a^{n+1}+b^{n+1}}{2a^n+b^n}=4$$

를 만족하는 순서쌍 (a, b)의 개수는?

① 5 ② 7 ③ 9
④ 11 ⑤ 13

▶ 해설 내신연계기출

0118

TOUGH

수열 $\{a_n\}$의 첫째항이 9이고, 모든 자연수 n에 대하여 이차방정식

$$x^2+3\sqrt{a_n}x+a_{n+1}=0$$

이 중근을 가질 때, $\lim_{n\to\infty}\frac{2^n a_n+3^{2n+1}}{4^n a_n-2^n}$의 값은?

① $\frac{1}{4}$ ② $\frac{1}{2}$ ③ $\frac{3}{4}$
④ 1 ⑤ $\frac{5}{4}$

0119

TOUGH

모든 항이 양수인 두 수열 $\{a_n\}$, $\{b_n\}$이

$$\lim_{n\to\infty}(4^n+1)a_n=2,\ \lim_{n\to\infty}(2^n+3)b_n=12$$

를 만족시킬 때, $\lim_{n\to\infty}\frac{b_n}{(2^{n+1}-3)a_n}$의 값은?

① 1 ② 2 ③ 3
④ 4 ⑤ 5

유형 03 등비수열의 일반항과 합의 극한

[1단계] 등비수열의 일반항과 합을 구한다.

$$a_n=ar^{n-1},\ S_n=\frac{a(r^n-1)}{r-1}\ (\text{단, } r\neq 1)$$

[2단계] $\frac{\infty}{\infty}$ 꼴의 등비수열의 극한을 구한다.

0120 학교기출 대표 유형

첫째항이 1, 공비가 2인 등비수열 $\{a_n\}$에서 첫째항부터 제 n항까지의 합을 S_n이라 할 때, $\lim_{n\to\infty}\frac{S_n}{a_n}$의 값은?

① 2 ② 4 ③ 6
④ 8 ⑤ 10

▶ 해설 내신연계기출

0121 BASIC

공비가 1보다 큰 등비수열 $\{a_n\}$의 첫째항부터 제 n항까지의 합을 S_n이라고 할 때, $\lim_{n\to\infty}\frac{S_n}{a_n}=\frac{13}{12}$이 성립한다. 수열 $\{a_n\}$의 공비는?

① 11 ② 12 ③ 13
④ 14 ⑤ 15

0122 NORMAL

공비가 3인 등비수열 $\{a_n\}$이

$$\lim_{n\to\infty}\frac{a_n-2}{3^{n+1}+2a_n}=\frac{2}{5}$$

를 만족시킬 때, 첫째항 a_1의 값은?

① 12 ② 15 ③ 18
④ 21 ⑤ 24

0123 NORMAL

수열 $\{a_n\}$에 대하여

$$a_n=4^n-2^n$$

을 만족한다. 이때 $S_n=\sum_{k=1}^{n}a_k$라 할 때, $\lim_{n\to\infty}\frac{S_n}{4^{n+1}}$의 값은?

① $\frac{1}{3}$ ② $\frac{2}{3}$ ③ 1
④ $\frac{4}{3}$ ⑤ $\frac{5}{3}$

0124 최다빈출 왕중요 TOUGH

첫째항이 1이고 공비가 $r\,(r>1)$인 등비수열 $\{a_n\}$에 대하여

$$S_n=\sum_{k=1}^{n}a_k$$

일 때, $\lim_{n\to\infty}\frac{a_n}{S_n}=\frac{3}{4}$이다. r의 값은?

① 2 ② 3 ③ 4
④ 6 ⑤ 8

▶ 해설 내신연계기출

0125 최다빈출 왕중요 TOUGH

다음 [보기]의 수열 $\{a_n\}$ 중

$$\lim_{n\to\infty}\frac{a_1+a_2+\cdots+a_n}{n}$$

의 값이 존재하는 것을 모두 고르면?

ㄱ. $a_n=n$
ㄴ. $a_n=\frac{1}{2^n}$
ㄷ. $a_n=(-1)^n$

① ㄱ ② ㄷ ③ ㄱ, ㄴ
④ ㄴ, ㄷ ⑤ ㄱ, ㄴ, ㄷ

▶ 해설 내신연계기출

유형 04 a_n과 S_n의 관계

[1단계] $a_n=S_n-S_{n-1}\,(n\geq 2)$을 이용하여 a_n을 구한다.
[2단계] 극한값을 구한다.

0126 학교기출 대표 유형

수열 $\{a_n\}$에서 첫째항부터 제 n항까지의 합 S_n이

$$S_n=n^2+2n$$

일 때, $\lim_{n\to\infty}\frac{na_n}{S_n}$의 값은?

① $\frac{3}{2}$ ② 2 ③ $\frac{5}{2}$
④ 3 ⑤ $\frac{7}{2}$

▶ 해설 내신연계기출

0127 최다빈출 왕중요 BASIC

수열 $\{a_n\}$의 첫째항부터 제 n항까지의 합 S_n이

$$S_n=2\cdot 3^n-2$$

일 때, $\lim_{n\to\infty}\frac{S_n}{a_n}$의 값은?

① $\frac{1}{3}$ ② $\frac{1}{2}$ ③ 1
④ $\frac{3}{2}$ ⑤ 2

▶ 해설 내신연계기출

0128 BASIC

수열 $\{a_n\}$의 첫째항부터 제 n항까지의 합 S_n이

$$S_n=2^n+3^n\,(n=1,\ 2,\ 3,\ \cdots)$$

일 때, $\lim_{n\to\infty}\frac{a_n}{S_n}$의 값은?

① $\frac{1}{6}$ ② $\frac{1}{3}$ ③ $\frac{1}{2}$
④ $\frac{2}{3}$ ⑤ $\frac{5}{6}$

0129 BASIC

수열 $\{a_n\}$의 첫째항부터 제 n항까지의 합 S_n이

$$S_n=2n+2^n\,(n=1,\ 2,\ 3,\ \cdots)$$

일 때, $\lim_{n\to\infty}\frac{a_n}{2^n}$의 값은?

① $\frac{1}{6}$ ② $\frac{1}{5}$ ③ $\frac{1}{4}$
④ $\frac{1}{3}$ ⑤ $\frac{1}{2}$

0130 NORMAL

수열 $\{a_n\}$에서 첫째항부터 제 n항까지의 합 S_n이

$$S_n=n\cdot 2^n\,(n=1,\ 2,\ 3,\ \cdots)$$

일 때, $\lim_{n\to\infty}\frac{S_n}{a_n}$의 값은?

① -1 ② 0 ③ 1
④ 2 ⑤ 3

0131 NORMAL

수열 $\{a_n\}$에 대하여

$$\sum_{k=1}^{n}a_k=n\cdot 3^n$$

을 만족할 때, $\lim_{n\to\infty}\frac{2(a_1+a_2+a_3+\cdots+a_n)}{a_n}$의 값은?

① 2 ② 3 ③ 4
④ 5 ⑤ 6

0132 TOUGH

두 수열 $\{a_n\}$, $\{b_n\}$이

$$\sum_{k=1}^{n}a_k=2^n-1,\ a_nb_n={a_{n+1}}^2$$

을 만족시킬 때, $\lim_{n\to\infty}\frac{a_n(a_{n+1}+b_n)}{3^n+4^n}$의 값은?

① $\frac{1}{4}$ ② $\frac{1}{3}$ ③ $\frac{2}{3}$
④ 1 ⑤ $\frac{3}{2}$

유형 05 약수의 합과 나머지 정리

(1) 자연수 $N=a^p b^q$으로 소인수분해하면

① 약수의 개수 : $(p+1)(q+1)$

② 약수의 총합 : $(1+a+a^2+\cdots+a^p)(1+b+b^2+\cdots+b^q)$

$$=\frac{a^{p+1}-1}{a-1}\cdot\frac{b^{q+1}-1}{b-1}$$

(2) $f(x)$를 $B(x)$로 나눌 때 몫이 $Q(x)$이고, 나머지 $R(x)$라 하면 $f(x)=B(x)Q(x)+R(x)$는 x에 관한 항등식이다.

0133 학교기출 대표 유형

자연수 n에 대하여 6^n의 양의 약수의 총합을 S_n이라고 할 때, $\lim_{n\to\infty}\frac{S_n}{6^n}$의 값은?

① -1 ② 0 ③ 1
④ 2 ⑤ 3

▶ 해설 내신연계기출

0134 최다빈출 왕중요 BASIC

자연수 n에 대하여 x에 대한 다항식 $2x^{n+1}+x$를 일차식 $x-3$으로 나눈 나머지를 a_n이라고 할 때, $\lim_{n\to\infty}\frac{a_n}{3^n-1}$의 값은?

① 2 ② 3 ③ 4
④ 5 ⑤ 6

▶ 해설 내신연계기출

0135 BASIC

자연수 n에 대하여 다항식 $f(x)=2^n x^2+3^n x+1$을 $x-1$, $x-2$로 나눈 나머지를 각각 a_n, b_n이라 할 때, $\lim_{n\to\infty}\frac{a_n}{b_n}$의 값은?

① 0 ② $\frac{1}{4}$ ③ $\frac{1}{3}$
④ $\frac{1}{2}$ ⑤ 1

0136 최다빈출 왕중요 NORMAL

다항식 $x^{n+1}+x^n$을 x^2-5x+6으로 나눈 나머지를 $a_n x+b_n$이라 할 때, $\lim_{n\to\infty}\frac{b_n}{a_n}$의 값은? (단, n은 자연수이다.)

① -3 ② -2 ③ -1
④ 2 ⑤ 3

▶ 해설 내신연계기출

0137 TOUGH

자연수 n에 대하여 다항식 $(x-1)^{2n}+(x+1)^n$을 $x-3$으로 나눈 나머지를 a_n, $x-1$로 나눈 나머지를 b_n이라 할 때, $\lim_{n\to\infty}\frac{\log_2 a_n+\log_2 b_n}{n}$의 값은?

① 1 ② 2 ③ 3
④ 4 ⑤ 6

유형 06 등비수열의 극한의 대소 관계

① $a_n \le b_n$이고 $\lim_{n\to\infty} a_n = \alpha$, $\lim_{n\to\infty} b_n = \beta$이면 $\alpha \le \beta$

② $a_n < b_n$이고 $\lim_{n\to\infty} a_n = \alpha$, $\lim_{n\to\infty} b_n = \beta$이면 $\alpha \le \beta$

③ $a_n \le p_n \le b_n$이고 $\lim_{n\to\infty} a_n = \alpha$, $\lim_{n\to\infty} b_n = \alpha$이면 $\lim_{n\to\infty} p_n = \alpha$

0138 학교기출 대표 유형

모든 자연수 n에 대하여 수열 $\{a_n\}$이 부등식

$$7^{n+1} - 3^n < (3^{n+1} + 7^n)a_n < 3^n + 7^{n+1}$$

이 성립할 때, $\lim_{n\to\infty} a_n$의 값은?

① 7 ② 8 ③ 9
④ 10 ⑤ 11

0139 최다빈출 왕 중요 BASIC

수열 $\{a_n\}$이 모든 자연수 n에 대하여

$$5^{n+1} - 4^n < (2^{n+1} + 5^n)a_n < 2^n + 5^{n+1}$$

을 만족할 때, $\lim_{n\to\infty} a_n$의 값은?

① 1 ② 2 ③ 3
④ 4 ⑤ 5

▶ 해설 내신연계기출

0140 NORMAL

수열 $\{a_n\}$이 모든 자연수 n에 대하여 부등식

$$\left| a_n - \frac{2^{n-1} + 3^{n+1}}{2^n + 3^n} \right| < \left(\frac{1}{2} \right)^n$$

을 만족시킬 때, $\lim_{n\to\infty} a_n$의 값은?

① $\frac{1}{3}$ ② $\frac{1}{2}$ ③ 1
④ 2 ⑤ 3

0141 NORMAL

두 수열 $\{a_n\}$, $\{b_n\}$이 모든 자연수 n에 대하여 다음 조건을 만족시킬 때, $\lim_{n\to\infty} \frac{4a_n + b_n}{2a_n + 2^n b_n}$의 값은?

(가) $4^n < a_n < 4^n + 1$
(나) $2 + 2^2 + 2^3 + \cdots + 2^n < b_n < 2^{n+1}$

① $\frac{1}{4}$ ② $\frac{1}{2}$ ③ 1
④ 2 ⑤ 4

0142 TOUGH

수열 $\{a_n\}$이 모든 자연수 n에 대하여 부등식

$$\frac{3^n - 1}{2^{n+1} + 2\cdot 3^n} < a_1 + a_2 + a_3 + \cdots + a_n < \frac{2\cdot 3^n + 2^{n+1}}{4\cdot 3^n}$$

을 만족시킬 때, $\sum_{n=1}^{\infty} a_n$의 값은?

① $\frac{1}{4}$ ② $\frac{1}{3}$ ③ $\frac{1}{2}$
④ 1 ⑤ $\frac{3}{2}$

0143 최다빈출 왕 중요 TOUGH

수열 $\{a_n\}$이 모든 자연수 n에 대하여 다음 조건을 만족할 때, $\lim_{n\to\infty} \frac{a_n + 4n + 1}{3a_n + 2n + 5}$의 값은?

(가) $a_n > 0$
(나) $a_{n+1} \le \frac{1}{2} a_n$

① $\frac{1}{5}$ ② $\frac{1}{2}$ ③ $\frac{1}{3}$
④ 2 ⑤ 4

▶ 해설 내신연계기출

유형 07 등비수열 $\{r^n\}$의 수렴과 발산

r^n을 포함한 식의 극한

공비 r의 범위를 $|r|<1$, $r=1$, $|r|>1$, $r=-1$인 경우로 나누어 극한값을 구한다.

$$\Rightarrow \lim_{n\to\infty} r^n = \begin{cases} 0 & (|r|<1) \\ 1 & (r=1) \\ (\text{발산}) & (|r|>1 \text{ 또는 } r=-1) \end{cases}$$

등비수열 $\{r^n\}$의 수렴과 발산

① $r>1$일 때, $\lim_{n\to\infty} r^n=\infty$ (발산)

② $r=1$일 때, $\lim_{n\to\infty} r^n=1$ (수렴)

③ $|r|<1$일 때, $\lim_{n\to\infty} r^n=0$ (수렴)

④ $r\le -1$일 때, 수열 $\{r^n\}$은 진동한다. (발산)

0144 학교기출 대표 유형

다음 중 수열 $\left\{\dfrac{1-r^{2n}}{1+r^n}\right\}$의 극한에 대한 설명으로 옳지 않은 것은?

① $-1<r<0$일 때, 1에 수렴한다.
② $0<r<1$일 때, 1에 수렴한다.
③ $r=1$일 때, 0에 수렴한다.
④ $r<-1$일 때, 양의 무한대로 발산한다.
⑤ $|r|>1$일 때, 발산한다.

▶ 해설 내신연계기출

0145 BASIC

n이 자연수일 때, 함수

$$f(x)=\lim_{n\to\infty}\frac{x^{2n-1}-1}{x^{2n}+1}$$

에 대하여 다음 [보기] 중 옳은 것은?

ㄱ. $|x|>1$일 때, $f(x)$의 값은 항상 0이다.
ㄴ. $|x|<1$일 때, $f(x)$의 값은 항상 -1이다.
ㄷ. $f(1)=0$이다.

① ㄱ ② ㄴ ③ ㄷ
④ ㄴ, ㄷ ⑤ ㄱ, ㄴ, ㄷ

0146 BASIC

함수 $f(x)=\lim_{n\to\infty}\dfrac{x^{2n+1}+6}{x^{2n}+3}$에 대하여 $f\left(f\left(\dfrac{1}{2}\right)\right)$의 값은?

① 2 ② 3 ③ 4
④ 5 ⑤ 6

0147 최다빈출 왕 중요 NORMAL

양의 실수 r에 대하여

$$f(r)=\lim_{n\to\infty}\frac{r^{n+1}+1}{r^{n-1}+r}$$

이라고 할 때, $f\left(\dfrac{1}{3}\right)+f\left(\dfrac{1}{2}\right)+f(1)+f(2)$의 값은?

① 4 ② 6 ③ 8
④ 10 ⑤ 12

▶ 해설 내신연계기출

0148 최다빈출 왕 중요 NORMAL

함수

$$f(x)=\lim_{n\to\infty}\frac{x^{2n+1}+2x+3}{x^{2n}+1}$$

에 대하여 $f(-2)+f\left(\dfrac{1}{2}\right)+f(1)$의 값은?

① $\dfrac{3}{2}$ ② $\dfrac{5}{2}$ ③ 3
④ 5 ⑤ 6

▶ 해설 내신연계기출

0149 NORMAL

함수

$$f(x)=\lim_{n\to\infty}\frac{x^{n+1}-1}{x^n+1}$$

에 대하여 $f(1)+f(2)+f(3)+\cdots+f(10)$의 값은?

① 35 ② 44 ③ 50
④ 54 ⑤ 55

0150 최다빈출 왕 중요 TOUGH

양의 실수 r에 대하여

$$f(r)=\lim_{n\to\infty}\frac{r^{n+1}-3^n}{r^n+3^n}$$

으로 정의할 때, $\sum_{r=1}^{10} f(r)$의 값은?

① 44 ② 45 ③ 46
④ 47 ⑤ 48

▶ 해설 내신연계기출

유형 08 r^n을 포함한 수열의 극한의 활용

$\lim_{n\to\infty}\frac{r^{n+1}-a^n}{r^n+a^n}\,(a>1)$인 극한값 계산

① $|r|<a\,(-a<r<a)$일 때, $\lim_{n\to\infty}\left(\frac{r}{a}\right)^n=0$임을 이용한다.

② $r=a$일 때, 대입하여 극한값을 구한다.

③ $|r|>a\,(r<-a,\ r>a)$일 때, $\lim_{n\to\infty}\left(\frac{a}{r}\right)^n=0$임을 이용한다.

0151 학교기출 대표 유형

수열 $\left\{\frac{r^{2n-1}+3}{r^{2n}+2}\right\}$이 수렴할 때, 다음 중 그 극한값이 될 수 없는 것은? (단, r은 상수)

① $\frac{3}{2}$　② $\frac{4}{3}$　③ 1
④ $\frac{2}{3}$　⑤ $\frac{2}{5}$

▶ 해설 내신연계기출

0152 최다빈출 왕 중요

NORMAL

$\lim_{n\to\infty}\frac{r^{n+1}-r^n+4}{r^n+1}=2$를 만족시키는 모든 양수 r의 값의 합은?

① 2　② 3　③ 4
④ 5　⑤ 6

▶ 해설 내신연계기출

0153

NORMAL

$\lim_{n\to\infty}\frac{\left(\frac{m}{5}\right)^{n+1}+2}{\left(\frac{m}{5}\right)^n+1}=2$가 되도록 하는 자연수 m의 개수는?

① 5　② 6　③ 7
④ 8　⑤ 9

0154

TOUGH

수열 $\{\sqrt{16^n+a^n}-4^n\}$이 수렴하도록 하는 자연수 a의 개수는?

① 1　② 2　③ 3
④ 4　⑤ 5

0155

TOUGH

자연수 k에 대하여

$$a_k=\lim_{n\to\infty}\frac{5^{n+1}}{5^nk+4k^{n+1}}$$

이라 할 때, $\sum_{k=1}^{10}ka_k$의 값은?

① 16　② 20　③ 21
④ 25　⑤ 50

0156 최다빈출 왕 중요

TOUGH

자연수 k에 대하여

$$a_k=\lim_{n\to\infty}\frac{\left(\frac{6}{k}\right)^{n+1}}{\left(\frac{6}{k}\right)^n+1}$$

이라 할 때, $\sum_{k=1}^{10}ka_k$의 값은?

① 20　② 25　③ 30
④ 33　⑤ 40

▶ 해설 내신연계기출

02 등비수열의 극한

유형 09 등비수열의 수렴조건 (1)

등비수열이 수렴하려면 $-1<$(공비)≤ 1이어야 한다.
이때 첫째항과 공비가 다른 경우는 (첫째항)$=0$일 때도 등비수열이 수렴함에 주의한다.

① 등비수열 $\{r^n\}$의 수렴조건 ⇨ $-1<r\le 1$
② 등비수열 $\{ar^{n-1}\}$의 수렴조건 ⇨ $a=0$ 또는 $-1<r\le 1$

0157 학교기출 대표 유형

등비수열

$$\{(-1+\log x)^n\}$$

이 수렴하도록 하는 모든 정수 x의 개수는?

① 9 ② 10 ③ 90
④ 99 ⑤ 100

▶ 해설 내신연계기출

0158 NORMAL

두 등비수열 $\{(\log_3 x)^n\}$, $\left\{\left(\frac{x}{2}\right)^n\right\}$이 모두 수렴하기 위한 x의 값의 범위가 $\alpha<x\le\beta$일 때, $\alpha+\beta$의 값은?

① 1 ② $\frac{4}{3}$ ③ $\frac{5}{3}$
④ 2 ⑤ $\frac{7}{3}$

0159 최다빈출 왕 중요 NORMAL

수열 $\left\{\left(\frac{x^2+x}{6}\right)^n\right\}$이 수렴하도록 하는 모든 정수 x의 합은?

① -3 ② -2 ③ -1
④ 0 ⑤ 1

▶ 해설 내신연계기출

0160 최다빈출 왕 중요 NORMAL

$0<x<16$일 때, 수열 $\left\{\left(\sqrt{2}\sin\frac{\pi}{8}x\right)^n\right\}$이 수렴하도록 하는 자연수 x의 개수는?

① 5 ② 7 ③ 9
④ 11 ⑤ 13

▶ 해설 내신연계기출

유형 10 등비수열의 수렴조건 (2)

등비수열이 수렴하려면 $-1<$(공비)≤ 1이어야 한다.
이때 첫째항과 공비가 다른 경우는 (첫째항)$=0$일 때도 등비수열이 수렴함에 주의한다.

① 등비수열 $\{r^n\}$의 수렴조건 ⇨ $-1<r\le 1$
② 등비수열 $\{ar^{n-1}\}$의 수렴조건 ⇨ $a=0$ 또는 $-1<r\le 1$

0161 학교기출 대표 유형

수열

$$\{(x-3)(2x-3)^{n-1}\}$$

이 수렴하도록 하는 모든 정수 x의 개수는?

① 1 ② 2 ③ 3
④ 4 ⑤ 5

▶ 해설 내신연계기출

0162 최다빈출 왕 중요 NORMAL

수열

$$\{(x+2)(x^2-4x+3)^{n-1}\}$$

이 수렴하도록 하는 모든 정수 x의 합은?

① 1 ② 2 ③ 3
④ 4 ⑤ 5

▶ 해설 내신연계기출

0163 최다빈출 왕 중요 NORMAL

수열 $\{r^n\}$이 수렴할 때, 다음 [보기] 중 반드시 수렴하는 수열을 있는 대로 고른 것은?

ㄱ. $\{(-r)^n\}$	ㄴ. $\left\{\left(\frac{r-1}{3}\right)^n\right\}$
ㄷ. $\left\{\left(\frac{r}{2}-1\right)^n\right\}$	ㄹ. $\left\{\left(\frac{1}{r}\right)^n\right\}$ (단, $r\ne 0$)

① ㄴ ② ㄱ, ㄴ ③ ㄴ, ㄷ
④ ㄴ, ㄹ ⑤ ㄱ, ㄷ, ㄹ

▶ 해설 내신연계기출

0164 TOUGH

수열 $\{r^{2n}\}$이 수렴할 때, 다음 [보기] 중 반드시 수렴하는 수열을 있는 대로 고른 것은?

ㄱ. $\left\{\left(\frac{r}{3}\right)^n\right\}$	ㄴ. $\left\{\left(\frac{r-1}{3}\right)^n\right\}$
ㄷ. $\left\{\left(\frac{r-1}{2}\right)^n\right\}$	ㄹ. $\left\{\left(\frac{2r+1}{3}\right)^n\right\}$

① ㄴ ② ㄱ, ㄴ ③ ㄷ, ㄹ
④ ㄱ, ㄴ, ㄹ ⑤ ㄱ, ㄴ, ㄷ, ㄹ

유형 11 함수의 그래프에서 등비수열의 극한의 활용

[1단계] 그래프를 이용하여 구하려는 선분의 길이, 넓이를 n에 관한 지수식으로 나타낸다.
[2단계] 극한의 성질을 이용하여 극한값을 구한다.

0165 학교기출 대표 유형

다음 그림과 같이 자연수 n에 대하여 두 지수함수 $y=4^x$, $y=3^x$의 그래프와 직선 $x=n$의 교점을 각각 P_n, Q_n이라 하자. 이때 $\lim_{n\to\infty}\frac{\overline{\mathrm{P}_{n+1}\mathrm{Q}_{n+1}}}{\overline{\mathrm{P}_n\mathrm{Q}_n}}$의 값은?

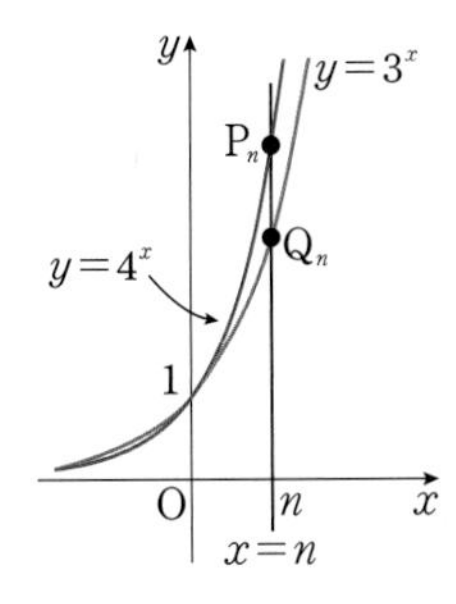

① 1 ② 2
③ 3 ④ 4
⑤ 5

0166 최다빈출 왕중요 NORMAL

자연수 n에 대하여 직선 $x=4^n$이 곡선 $y=\sqrt{x}$와 만나는 점을 P_n이라 하자. 선분 $\mathrm{P}_n\mathrm{P}_{n+1}$의 길이를 L_n이라 할 때, $\lim_{n\to\infty}\left(\frac{L_{n+1}}{L_n}\right)^2$의 값은?

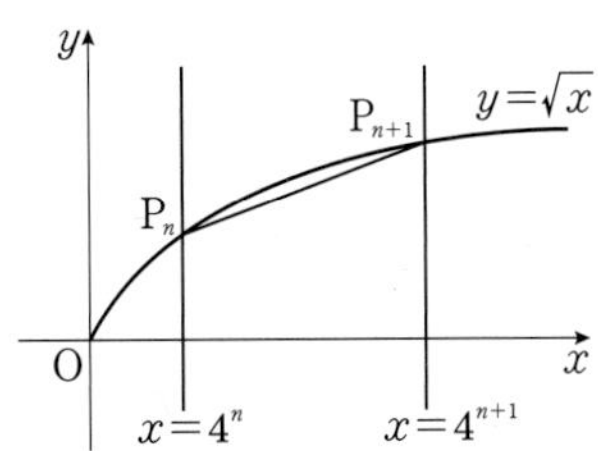

① 12 ② 14 ③ 16
④ 18 ⑤ 20

▶ 해설 내신연계기출

0167 최다빈출 왕중요 NORMAL

다음 그림과 같이 자연수 n에 대하여 두 곡선 $y=\log_2 x$, $y=\log_3 x-1$과 직선 $y=n$이 만나는 두 점을 각각 A_n, B_n이라고 하자. 삼각형 $\mathrm{OA}_n\mathrm{B}_n$의 넓이를 a_n이라고 할 때, $\lim_{n\to\infty}\frac{a_n}{a_{n+1}}$의 값은? (단, O는 원점이다.)

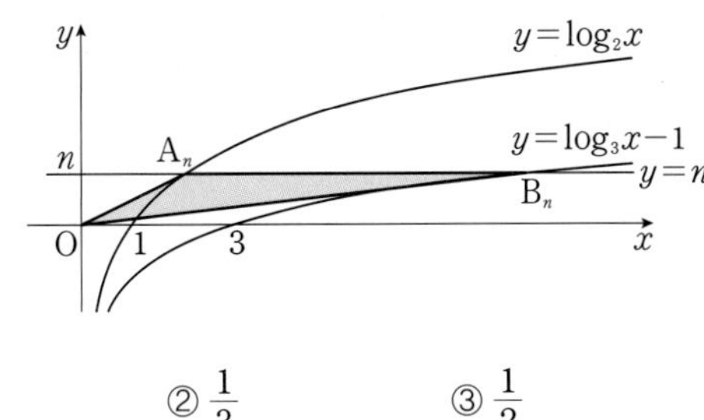

① $\frac{1}{6}$ ② $\frac{1}{3}$ ③ $\frac{1}{2}$
④ 1 ⑤ 2

▶ 해설 내신연계기출

0168 NORMAL

$a>3$인 상수 a에 대하여 두 곡선 $y=a^{x-1}$과 $y=3^x$이 점 P에서 만난다.

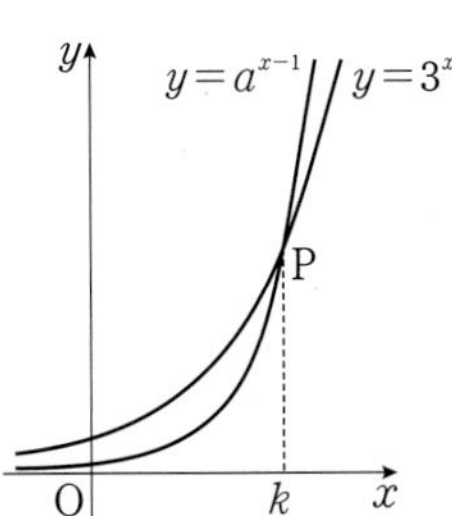

점 P의 x좌표를 k라 할 때, $\lim_{n\to\infty}\frac{\left(\frac{a}{3}\right)^{n+k}}{\left(\frac{a}{3}\right)^{n+1}+1}$의 값은?

① 1 ② 2 ③ 3
④ 4 ⑤ 5

유형 12 귀납적으로 정의된 수열의 극한

(1) $y=f(x)$의 그래프가 주어지고 수열 $\{a_n\}$이 $a_{n+1}=f(a_n)(n\geq 1)$으로 정의될 때,

⇨ 두 함수 $y=f(x)$, $y=x$의 그래프를 이용하면 $\lim_{n\to\infty}a_n$의 값을 구할 수 있다.

(2) 점화식으로 주어진 수열의 극한값을 구할 때는 다음 두 가지 방법 중 하나를 이용한다.

[방법1] 수열의 일반항 a_n을 구한 후 극한값의 기본 성질을 이용하여 $\lim_{n\to\infty}a_n$을 구한다.

[방법2] 수열 $\{a_n\}$의 극한값이 α이면, 즉 $\lim_{n\to\infty}a_n=\alpha$이면

$\lim_{n\to\infty}a_{n-1}=\alpha$, $\lim_{n\to\infty}a_{n+1}=\alpha$, $\lim_{n\to\infty}a_{n+2}=\alpha$, ⋯

가 성립함을 이용한다.

(3) $a_{n+1}=pa_n+q(-1<p<1)$의 극한

[방법1] $a_{n+1}-\alpha=p(a_n-\alpha)$로 변형하여 수열 $\{a_n-\alpha\}$가 공비가 p인 등비수열임을 이용한다.

[방법2] $\lim_{n\to\infty}a_n=\alpha$라 하면 $\lim_{n\to\infty}a_{n+1}=\alpha$임을 이용한다.

0169 학교기출 대표 유형

함수 $f(x)=\frac{1}{2}x+1$에 대하여 수열 $\{a_n\}$을

$$a_1=1,\ a_{n+1}=f(a_n)(n=1,\ 2,\ 3,\ \cdots)$$

으로 정의할 때, 두 직선 $y=x$, $y=\frac{1}{2}x+1$의 그래프를 이용하여 $\lim_{n\to\infty}a_n$의 값을 구하면?

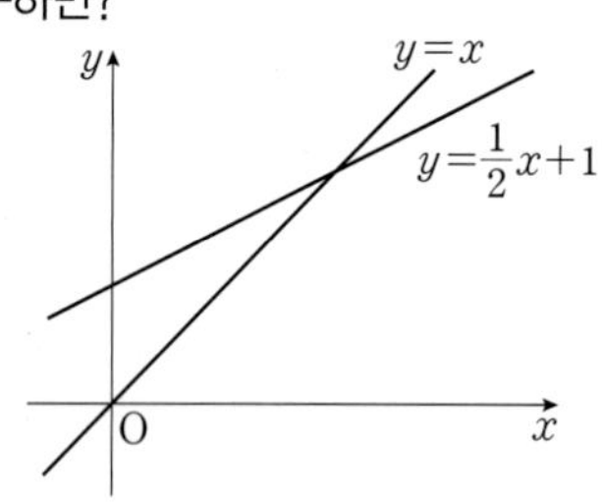

① -1 ② 0 ③ 1
④ 2 ⑤ 3

0170 최다빈출 왕중요 BASIC

함수 $f(x)=\sqrt{x}$에 대하여 수열 $\{a_n\}$을

$$a_1=\frac{1}{2},\ a_{n+1}=f(a_n)(n=1,\ 2,\ 3,\ \cdots)$$

으로 정의할 때 다음 그래프를 이용하여 $\lim_{n\to\infty}a_n$의 값은?

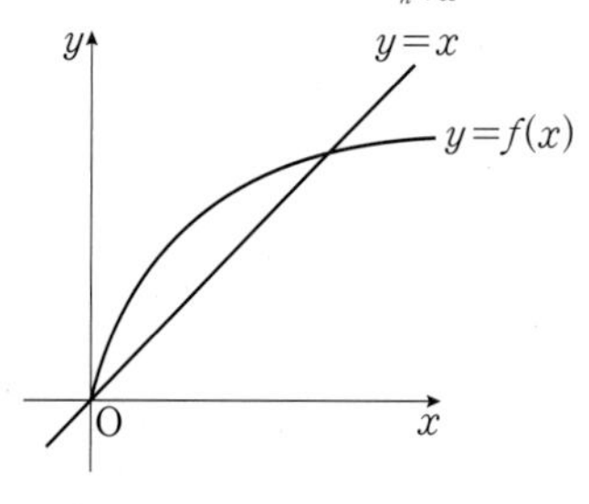

① -1 ② 0 ③ 1
④ 2 ⑤ 3

▶ 해설 내신연계기출

0171 최다빈출 왕중요 NORMAL

수렴하는 다음 수열의 극한값은?

$$2,\ 2+\frac{1}{2},\ 2+\cfrac{1}{2+\cfrac{1}{2}},\ 2+\cfrac{1}{2+\cfrac{1}{2+\cfrac{1}{2}}},\ \cdots$$

① $1+\sqrt{2}$ ② $1+2\sqrt{2}$ ③ $2+\sqrt{2}$
④ $2+2\sqrt{2}$ ⑤ $2+3\sqrt{2}$

▶ 해설 내신연계기출

0172 NORMAL

수열 $\{a_n\}$에 대하여

$$a_1=2,\ a_{n+1}=\frac{1}{2}a_n+3(n=1,\ 2,\ 3,\ \cdots)$$

일 때, $\lim_{n\to\infty}a_n$의 값은?

① 2 ② 3 ③ 4
④ 5 ⑤ 6

0173 TOUGH

첫째항이 2이고 모든 항이 양수인 수열 $\{a_n\}$에 대하여 x에 대한 이차방정식 $x^2-\sqrt{a_n}x+(a_{n+1}-1)=0$이 항상 중근을 가질 때, $\lim_{n\to\infty}a_n$의 값은?

① $\frac{1}{3}$ ② $\frac{4}{3}$ ③ $\frac{7}{3}$
④ $\frac{10}{3}$ ⑤ $\frac{11}{3}$

0174

x에 대한 이차부등식

$$a_n x^2 - 3a_{n+1}x + a_n > 0$$

이 모든 실수 x에 대하여 성립할 때, $\lim_{n\to\infty} \frac{2a_n+3n^2+1}{a_n+n^2+2n}$의 값을 구하는 과정을 다음 단계로 서술하여라.
(단, 수열 $\{a_n\}$의 모든 항은 양수이다.)

[1단계] a_n과 a_{n+1} 사이의 관계식을 구한다.
[2단계] $\lim_{n\to\infty} a_n$의 값을 구한다.
[3단계] $\lim_{n\to\infty} \frac{2a_n+3n^2+1}{a_n+n^2+2n}$의 값을 구한다.

0175

수렴하는 수열 $\{a_n\}$에 대하여

$$a_n = \sqrt{(2n+3)(2n-5)} + kn$$

일 때, $\lim_{n\to\infty} a_n$의 값을 구하는 그 과정을 다음 단계로 서술하여라.
(단, k는 상수)

[1단계] 수열 $\{a_n\}$이 수렴하도록 하는 k의 범위를 구한다.
[2단계] $\lim_{n\to\infty} a_n$이 수렴하도록 하는 k의 값을 구한다.
[3단계] $\lim_{n\to\infty} a_n$의 극한값을 구한다.

0176

수열 $\{a_n\}$에 대하여 x에 대한 이차방정식 $x^2-(n+1)x+a_n=0$은 실근을 갖고, x에 대한 이차방정식 $x^2-nx+a_n=0$은 허근을 갖는다. 이때 $\lim_{n\to\infty} \frac{a_n}{n^2+n}$의 값을 구하는 과정을 다음 단계로 서술하여라.

[1단계] 이차방정식 $x^2-(n+1)x+a_n=0$이 실근을 가질 a_n의 범위를 구한다.
[2단계] 이차방정식 $x^2-nx+a_n=0$이 허근을 가질 a_n의 범위를 구한다.
[3단계] $\frac{a_n}{n^2+n}$의 범위를 구한다.
[4단계] 수열의 극한의 대소 관계를 이용하여 $\lim_{n\to\infty} \frac{a_n}{n^2+n}$의 값을 구한다.

0177

자연수 n에 대하여 이차함수 $f(x)=3x^2-2x$의 그래프 위의 두 점 $P_n(n, f(n))$, $Q_n(n+1, f(n+1))$에 대하여 다음 단계로 극한값을 구하는 과정을 서술하여라.

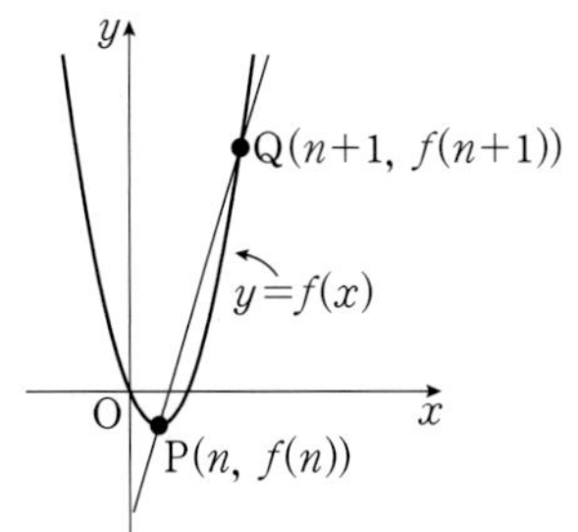

[1단계] 두 점 P, Q 사이의 거리를 a_n이라 할 때, $\lim_{n\to\infty} \frac{a_n}{n}$의 값을 구한다.
[2단계] 두 점 P, Q를 지나는 직선의 기울기를 b_n이라고 할 때, $\lim_{n\to\infty} \frac{b_n}{n}$의 값을 구한다.

0178

다음은 첫째항이 2, 공비가 3인 등비수열 $\{a_n\}$에서

$$\lim_{n\to\infty} \frac{a_1+a_2+a_3+\cdots+a_n}{a_n+a_{n+1}}$$

의 값을 구하는 과정이다.

> 등비수열 $\{a_n\}$의 첫째항이 2, 공비가 3이므로
> $a_n=$ (가), $a_{n+1}=2\times 3^n$
> $a_1+a_2+a_3+\cdots+a_n=$ (나)
> $\lim_{n\to\infty} \frac{a_1+a_2+a_3+\cdots+a_n}{a_n+a_{n+1}}$
> $= \lim_{n\to\infty} \frac{\text{(나)}}{\text{(가)}+2\times 3^n}$
> $=$ (다)

(가), (나), (다)에 알맞은 것을 각각 $f(n)$, $g(n)$, k라 하면 $f(4)g(2)k$의 값을 구하여라.

0179

2 이상의 자연수 n에 대하여 다항식 $(x+1)^n$을 x^2-x로 나누었을 때의 나머지를 $R_n(x)$라 할 때, $\lim_{n\to\infty}\frac{2^{n+2}+1}{2^n+R_n(2)}$의 값을 구하는 과정을 다음 단계로 서술하여라.

[1단계] 나머지 $R_n(x)$를 구한다.
[2단계] $R_n(2)$의 값을 구한다.
[3단계] $\lim_{n\to\infty}\frac{2^{n+2}+1}{2^n+R_n(2)}$의 값을 구한다.

0181

자연수 n에 대하여 이차방정식 $x^2+2nx-n=0$의 서로 다른 두 실근을 α_n, $\beta_n(\alpha_n<\beta_n)$이라 하자. 수직선 위의 두 점 $\mathrm{A}(\alpha_n)$, $\mathrm{B}(\beta_n)$에 대하여 선분 AB를 $n:1$로 내분하는 점을 $\mathrm{P}(p_n)$이라 할 때, $\lim_{n\to\infty}p_n$의 값을 구하는 과정을 다음 단계로 서술하여라.

[1단계] 이차방정식 $x^2+2nx-n=0$의 서로 다른 두 실근 α_n, $\beta_n(\alpha_n<\beta_n)$을 구한다.
[2단계] $\mathrm{A}(\alpha_n)$, $\mathrm{B}(\beta_n)$에 대하여 선분 AB를 $n:1$로 내분하는 점인 $\mathrm{P}(p_n)$에서 p_n을 구한다.
[3단계] $\lim_{n\to\infty}p_n$의 값을 구한다.

0180

그림과 같이 자연수 n에 대하여 두 점 $\mathrm{A}(0,\ n)$, $\mathrm{B}(-2n,\ 0)$과 원 $x^2+y^2=n$이 있다. 원 위의 점 P에 대하여 삼각형 PAB의 넓이가 최대가 되도록 하는 점 P의 x좌표를 a_n이라 할 때, $\lim_{n\to\infty}\sqrt{n}(a_{n+1}-a_n)$의 값을 구하는 과정을 다음 단계로 서술하여라.

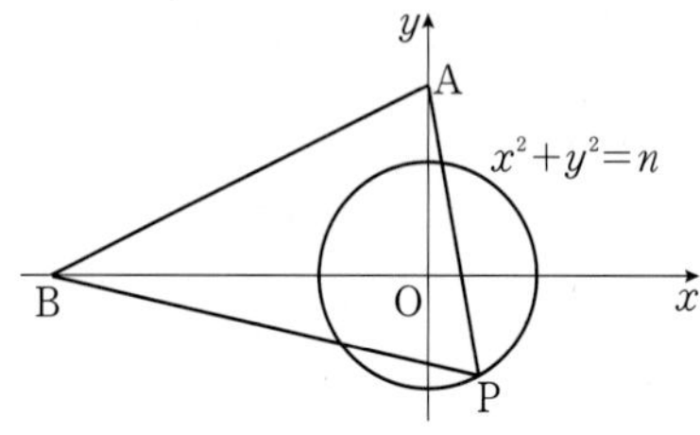

[1단계] 삼각형 PAB의 넓이가 최대가 되도록 하는 점 P의 위치에 관하여 서술하여라.
[2단계] 점 P의 x좌표 a_n을 구한다.
[3단계] $\lim_{n\to\infty}\sqrt{n}(a_{n+1}-a_n)$의 값을 구한다.

0182

자연수 n에 대하여 직선 $x=9^n$이 곡선 $y=\sqrt{x}$ 및 x축과 만나는 점을 각각 P_n, Q_n이라 할 때, 다음 단계로 그 과정을 서술하여라.

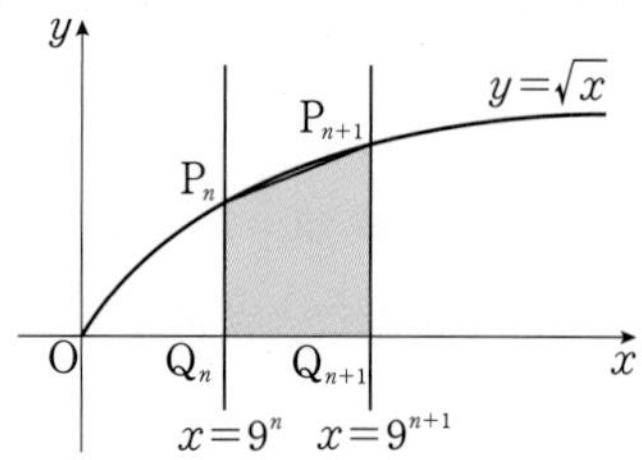

[1단계] 선분 $\mathrm{P}_n\mathrm{P}_{n+1}$의 길이를 L_n이라 할 때, $\lim_{n\to\infty}\left(\frac{L_{n+1}}{L_n}\right)^2$의 값을 구한다.
[2단계] 사각형 $\mathrm{P}_n\mathrm{Q}_n\mathrm{Q}_{n+1}\mathrm{P}_{n+1}$의 넓이를 a_n이라 할 때, a_n을 구한다.
[3단계] $\lim_{n\to\infty}\frac{a_{n+1}-9^n}{a_n+9^n}$의 값을 구한다.

0183

자연수 n에 대하여 직선 $y=n$과 두 곡선 $y=\log_2(1-x)$, $y=\log_2(2x-4)+1$이 만나는 점을 각각 A_n, B_n이라 하고, 두 점 A_n, B_n에서 x축에 내린 수선의 발을 각각 C_n, D_n이라 하자. 삼각형 $\mathrm{OA}_n\mathrm{C}_n$의 넓이를 S_n, 삼각형 $\mathrm{OB}_n\mathrm{D}_n$의 넓이를 T_n이라 할 때, $\lim_{n\to\infty}\frac{S_n}{T_n}$의 값을 구하는 과정을 다음 단계로 서술하여라.
(단, O는 원점이다.)

[1단계] 두 곡선과 직선 $y=n$이 만나는 점 A_n, B_n의 x좌표를 각각 구한다.
[2단계] 삼각형 $\mathrm{OA}_n\mathrm{C}_n$의 넓이 S_n, 삼각형 $\mathrm{OB}_n\mathrm{D}_n$의 넓이 T_n을 n에 관한 식으로 나타낸다.
[3단계] $\lim_{n\to\infty}\frac{S_n}{T_n}$의 극한값을 구한다.

0184

다음 그림과 같이 [1단계]에서 한 변의 길이가 1인 정삼각형의 각 변의 중점을 연결하여 네 개의 정삼각형을 만들고, 그 중 가운데 정삼각형을 제거한다. [2단계]에서는 [1단계]에 남아 있는 정삼각형에 대하여 같은 방법으로 각각 네 개의 정삼각형을 만들고 그 중 가운데 정삼각형을 제거한다.

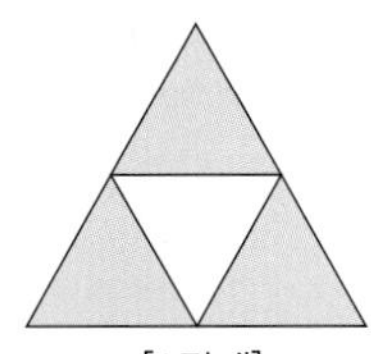
[1단계]

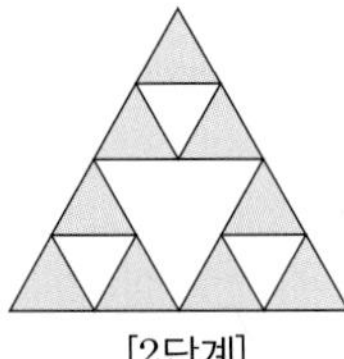
[2단계]

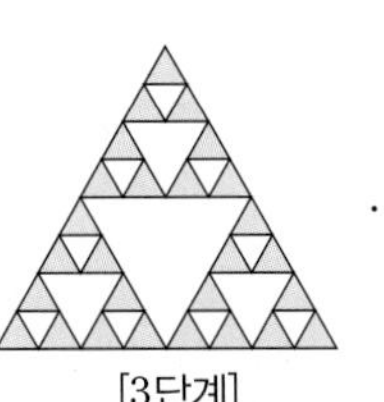
[3단계]

…

위 과정을 한없이 반복할 때, [n단계]에서 남아 있는 정삼각형의 둘레의 길이의 합과 넓이의 합을 각각 a_n, b_n이라고 하자.
다음 순서에 따라 구하는 과정을 서술하여라.

[순서 1] a_1, b_1의 값을 구한다.
[순서 2] 두 수열 $\{a_n\}$, $\{b_n\}$을 각각 귀납적으로 정의한다.
[순서 3] 두 수열 $\{a_n\}$, $\{b_n\}$의 수렴, 발산을 각각 조사한다.

0185

다음 그림과 같이 [1단계]에서 반지름의 길이가 1인 반원 모양의 종이를 반으로 자른다. [2단계]에서는 [1단계]에서 만들어진 두 장의 종잇조각을 겹쳐서 반으로 자른다.

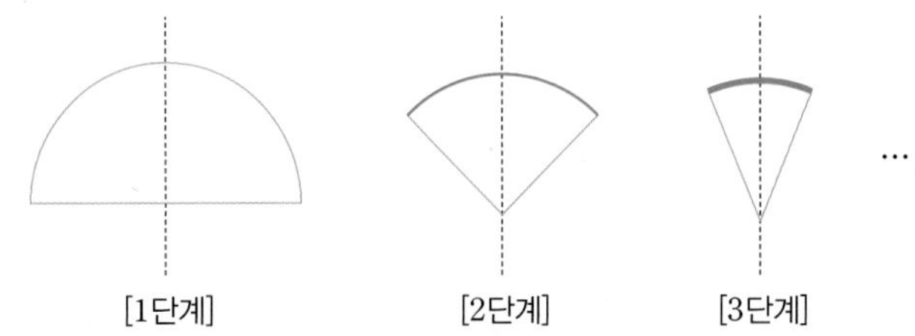

위 과정을 한없이 반복할 때, [n단계]에서 만들어진 종잇조각 1개의 둘레의 길이와 넓이를 각각 a_n, b_n이라 할 때, $\lim_{n\to\infty}(2^n a_n-1)b_n$의 값을 구하는 과정을 다음 순서로 서술하여라.

[순서 1] [n단계]에서 만들어진 종잇조각 1개의 둘레의 길이 a_n을 구한다.
[순서 2] [n단계]에서 만들어진 종잇조각 1개의 넓이 b_n을 구한다.
[순서 3] $\lim_{n\to\infty}(2^n a_n-1)b_n$의 값을 구한다.

0186

다음 그림과 같이 넓이가 10인 직사각형 모양의 종이를 넓이와 모양이 같도록 반으로 자르고 여기서 만들어진 두 장의 종이를 겹쳐서 같은 방법으로 반으로 자르는 과정을 무한히 반복한다고 한다.

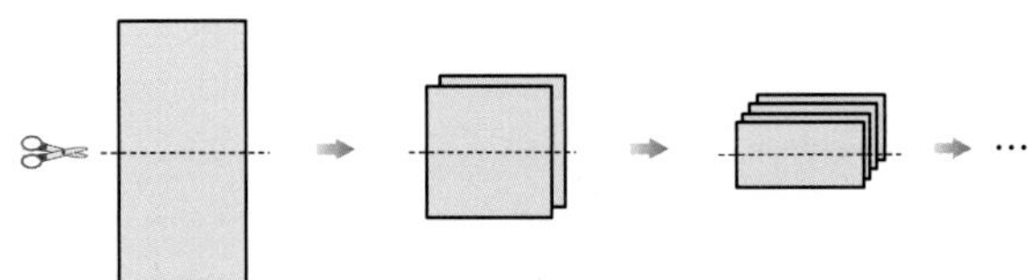

위의 과정을 n번 반복했을 때의 종잇조각의 개수를 a_n, 종잇조각 하나의 넓이를 b_n이라고 할 때, $\lim_{n\to\infty}(2a_n-1)b_n$의 값을 구하는 과정을 다음 단계로 구하여라.

[1단계] n번 반복했을 때의 종잇조각의 개수 a_n을 구한다.
[2단계] n번 반복했을 때의 종잇조각 하나의 넓이 b_n을 구한다.
[3단계] $\lim_{n\to\infty}(2a_n-1)b_n$의 값을 구한다.

고난도 문제

0187

수열 $\{a_n\}$과 $\{b_n\}$이

$$\lim_{n\to\infty}(4n-1)a_n=4,\ \lim_{n\to\infty}(n^3+2n+1)b_n=6$$

을 만족시킬 때, $\lim_{n\to\infty}\frac{a_n}{(n^2+1)b_n}$의 값을 구하여라. (단, $b_n\neq 0$)

0188

$\lim_{n\to\infty}(\sqrt{n^2+an}-\sqrt{n^2+bn})=1$을 만족시키는 두 실수 a, b의 순서쌍 (a, b)를 좌표평면에 점으로 나타낼 때, a^2+b^2의 최솟값을 구하여라.

0189

교육청기출

자연수 n에 대하여 곡선 $y=x^2-\left(4+\frac{1}{n}\right)x+\frac{4}{n}$와 직선 $y=\frac{1}{n}x+1$이 만나는 두 점을 각각 P_n, Q_n이라 하자. 삼각형 OP_nQ_n의 무게중심의 y좌표를 a_n 이라 할 때, $30\lim_{n\to\infty}a_n$의 값을 구하여라. (단, O는 원점이다.)

0190

평가원기출

자연수 n에 대하여 이차함수 $f(x)=\sum_{k=1}^{n}\left(x-\frac{k}{n}\right)^2$의 최솟값을 a_n이라 할 때, $\lim_{n\to\infty}\frac{a_n}{n}$의 값을 구하여라.

0191

수능기출

모든 실수에서 정의된 함수 $f(x)$는 $f(x)=x^2\,(-1\leq x\leq 1)$과 $f(x+2)=f(x)$를 만족하는 주기함수이다. 자연수 n에 대하여 직선 $y=\frac{1}{2n}x+\frac{1}{4n}$과 함수 $y=f(x)$의 그래프의 교점의 개수를 a_n이라고 할 때, $\lim_{n\to\infty}\frac{a_n}{n}$의 값을 구하여라.

0192

교육청기출

그림과 같이 자연수 n에 대하여 직선 $x=n$이 두 곡선 $y=\sqrt{5x+4}$, $y=\sqrt{2x-1}$과 만나는 점을 각각 A_n, B_n이라 하자.
선분 OA_n의 길이를 a_n, 선분 OB_n의 길이를 b_n이라 할 때, $\lim_{n\to\infty}\frac{12}{a_n-b_n}$의 값을 구하여라. (단, O는 원점이다.)

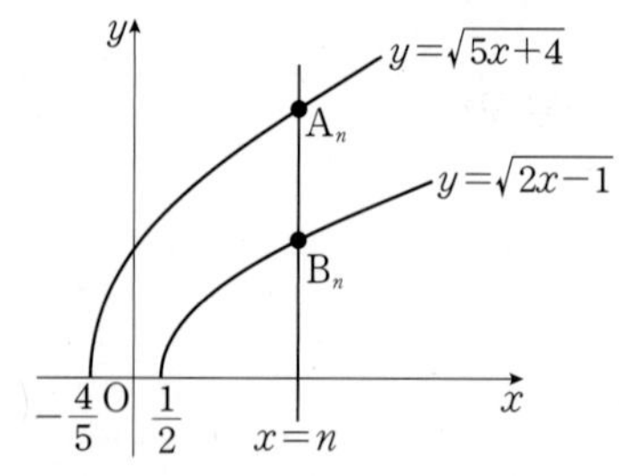

0193

이차함수 $y=f(x)$의 그래프가 아래 그림과 같이 세 점 $(-2, 0)$, $(0, -6)$, $(6, 0)$을 지난다.

수열 $\left\{\left(\frac{f(x)+3}{3}\right)^{n-1}\right\}$이 수렴하도록 하는 정수 x의 개수를 구하여라.

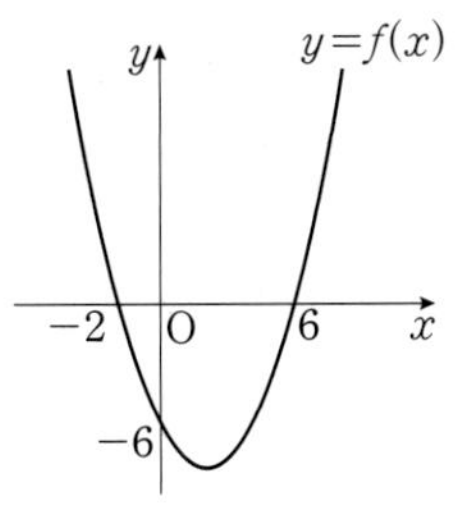

0194

그림과 같이 자연수 n에 대하여 점 (x_n, y_n)이 직선 $y=\frac{1}{3}kx$ 위에 있다. $x_1=2$일 때, $\lim_{n\to\infty} x_n$이 수렴하도록 하는 정수 k의 개수를 구하여라. (단, 점선은 x축, y축에 평행하다.)

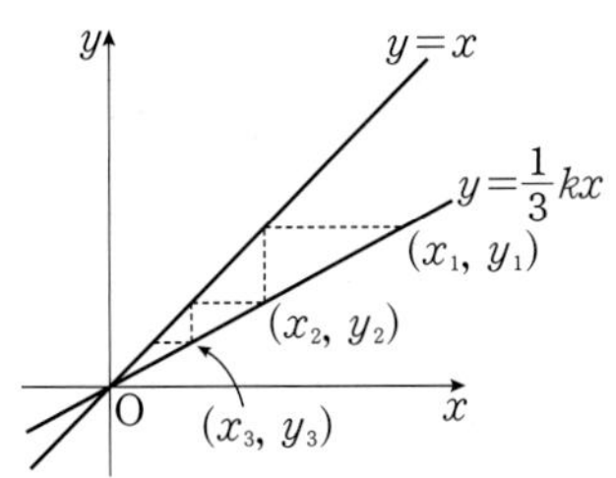

0195

수열 $\{a_n\}$이 다음 조건을 만족시킨다.

(가) $a_1=1$, $a_2=3$
(나) 모든 자연수 n에 대하여 $a_{n+2}=3a_n$

$\lim_{n\to\infty} \frac{1}{a_{2n}} \sum_{k=1}^{2n} a_k$의 값을 구하여라.

0196

교육청기출

그림과 같이 자연수 n에 대하여 가로의 길이가 n, 세로의 길이가 2인 직사각형 ABC_nD_n이 있다. 대각선 AC_n과 선분 C_1D_1의 교점을 E_n이라고 할 때, $\lim_{n\to\infty} \frac{\overline{AC_n}-\overline{BC_n}}{\overline{D_1E_n}}$의 값을 구하여라.

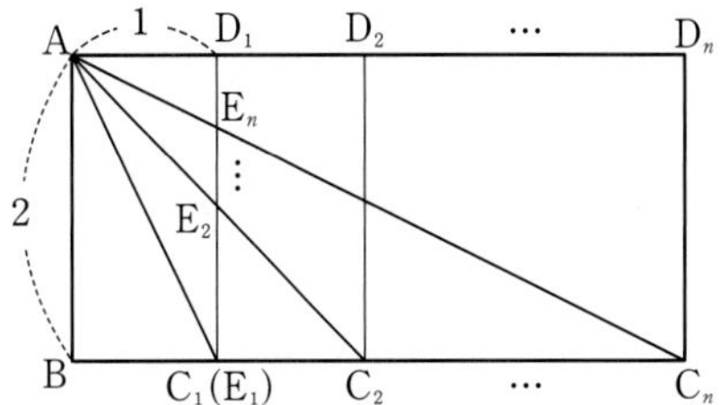

0197

수능기출

다음 그림과 같이 좌표평면 위에 두 점 $O(0, 0)$, $A(2, 0)$과 직선 $y=2$ 위를 움직이는 점 $P(t, 2)$가 있다. 선분 AP와 직선 $y=\frac{1}{2}x$가 만나는 점을 Q라고 하자. $\triangle QOA$의 넓이가 $\triangle POA$의 넓이의 $\frac{1}{3}$일 때 t의 값을 t_1, $\frac{1}{2}$일 때 t의 값을 t_2, $\frac{n}{n+2}$일 때 t의 값을 t_n이라고 하자. 이때 $\lim_{n\to\infty} t_n$의 값을 구하여라.

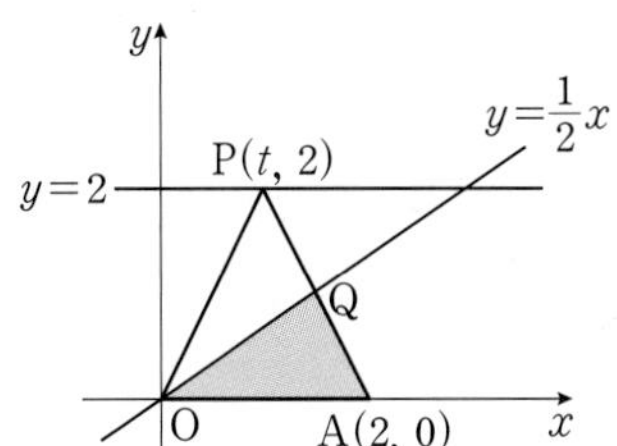

0198

수능기출

자연수 n에 대하여 직선 $y=n$과 함수 $y=\tan x$의 그래프가 제 1사분면에서 만나는 점의 x좌표를 작은 수부터 크기순으로 나열할 때, n번째 수를 a_n이라 하자 $\lim_{n\to\infty} \frac{a_n}{n}$의 값을 구하여라.

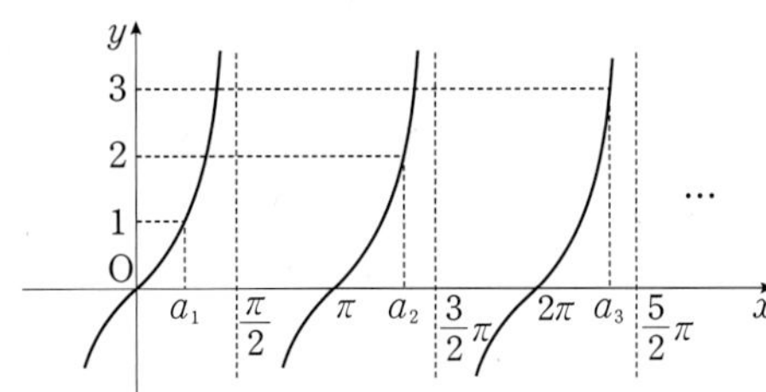

0199

평가원기출

다음 그림과 같이 x축 위에

$$\overline{OA_1}=1,\ \overline{A_1A_2}=\frac{1}{2},\ \overline{A_2A_3}=\left(\frac{1}{2}\right)^2,\ \cdots,\ \overline{A_nA_{n+1}}=\left(\frac{1}{2}\right)^n,\ \cdots$$

을 만족하는 점 A_1, A_2, A_3, …에 대하여 제 1사분면에 선분 OA_1, A_1A_2, A_2A_3, …을 한 변으로 하는 정사각형 $OA_1B_1C_1$, $A_1A_2B_2C_2$, $A_2A_3B_3C_3$, …을 계속하여 만든다.

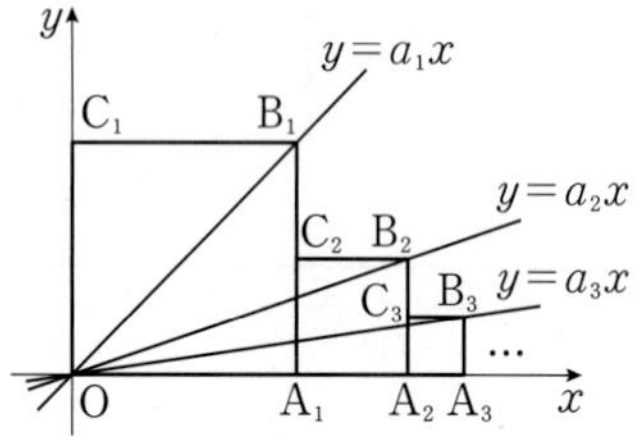

원점과 점 B_n을 지나는 직선의 방정식을 $y=a_nx$라 할 때, $\lim_{n\to\infty} 2^n a_n$의 값을 구하여라.

0200

평가원기출

자연수 n에 대하여 점 $(3n,\ 4n)$을 중심으로 하고 y축에 접하는 원 O_n이 있다. 원 O_n 위를 움직이는 점과 점 $(0,\ -1)$ 사이의 거리의 최댓값을 a_n, 최솟값을 b_n이라 할 때, $\lim_{n\to\infty}\frac{a_n}{b_n}$의 값을 구하여라.

0201

교육청기출

좌표평면에서 자연수 n에 대하여 곡선 $y=(x-2n)^2$이 x축, y축과 만나는 점을 각각 P_n, Q_n이라 하자. 두 점 P_n, Q_n을 지나는 직선과 곡선 $y=(x-2n)^2$으로 둘러싸인 영역 (경계선 포함)에 속하고 x좌표와 y좌표가 모두 자연수인 점의 개수를 a_n이라 하자.

다음은 $\lim_{n\to\infty}\frac{a_n}{n^3}$의 값을 구하는 과정이다.

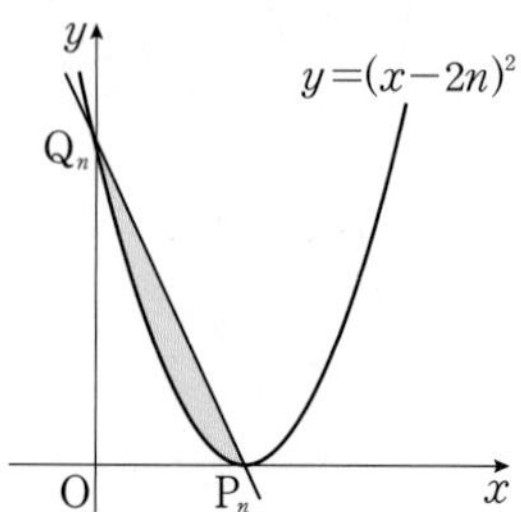

> 두 점 P_n, Q_n을 지나는 직선의 방정식은
>
> $$y=\boxed{(가)}\times x+4n^2$$
>
> 이다.
> 주어진 영역에 속하는 점 중에서 x좌표가 k(k는 $2n-1$ 이하의 자연수)이고 y좌표가 자연수인 점의 개수는 $\boxed{(나)}+2nk$이므로
>
> $$a_n=\sum_{k=1}^{2n-1}\left(\boxed{(나)}+2nk\right)$$
>
> 이다.
> 따라서 $\lim_{n\to\infty}\frac{a_n}{n^3}=\boxed{(다)}$이다.

위의 (가), (나)에 알맞은 식을 각각 $f(n)$, $g(k)$라 하고, (다)에 알맞은 수를 p라 할 때, $p\times f(3)\times g(4)$의 값을 구하여라.

03 급수

학교내신기출 객관식 핵심문제총정리

STEP 1 내신정복 기출유형

유형 01 급수의 성질

두 급수 $\sum_{n=1}^{\infty} a_n$, $\sum_{n=1}^{\infty} b_n$이 모두 수렴하고, 그 합을 각각 S와 T라 할 때,

① $\sum_{n=1}^{\infty} ca_n = c\sum_{n=1}^{\infty} a_n = cS$ (단, c는 상수)

② $\sum_{n=1}^{\infty} (a_n \pm b_n) = \sum_{n=1}^{\infty} a_n \pm \sum_{n=1}^{\infty} b_n = S \pm T$ (복호동순)

③ $\sum_{n=1}^{\infty} (pa_n + qb_n) = p\sum_{n=1}^{\infty} a_n + q\sum_{n=1}^{\infty} b_n = pS + qT$ (단, p, q는 상수)

④ $a_n < b_n$이면 $\sum_{n=1}^{\infty} a_n < \sum_{n=1}^{\infty} b_n$, $S < T$

주의 급수의 성질에서 곱의 성질과 몫의 성질은 성립하지 않는다.

$$\sum_{n=1}^{\infty} a_n b_n \neq \sum_{n=1}^{\infty} a_n \times \sum_{n=1}^{\infty} b_n,\ \sum_{n=1}^{\infty} \frac{a_n}{b_n} \neq \frac{\sum_{n=1}^{\infty} a_n}{\sum_{n=1}^{\infty} b_n}$$

그러나 수열의 극한의 성질에서 수열 $\{a_n\}$, $\{b_n\}$이 수렴할 때,

$$\lim_{n\to\infty} a_n b_n = \lim_{n\to\infty} a_n \times \lim_{n\to\infty} b_n,\ \lim_{n\to\infty} \frac{a_n}{b_n} = \frac{\lim_{n\to\infty} a_n}{\lim_{n\to\infty} b_n} (b_n \neq 0,\ \lim_{n\to\infty} b_n \neq 0)$$

0202 학교기출 대표 유형

$\sum_{n=1}^{\infty} a_n = 5$, $\sum_{n=1}^{\infty} b_n = 2$일 때, $\sum_{n=1}^{\infty} (3a_n - 7b_n)$의 값은?

① 1 ② 2 ③ 3
④ 4 ⑤ 5

0203 BASIC

두 급수 $\sum_{n=1}^{\infty} a_n$, $\sum_{n=1}^{\infty} b_n$에 대하여

$$\sum_{n=1}^{\infty} b_n = 2,\ \sum_{n=1}^{\infty} (2a_n - 3b_n) = 4$$

일 때, $\sum_{n=1}^{\infty} a_n$의 값은?

① 1 ② 2 ③ 3
④ 4 ⑤ 5

0204 최다빈출 왕중요 BASIC

두 급수 $\sum_{n=1}^{\infty} a_n$, $\sum_{n=1}^{\infty} b_n$이 수렴하고

$$\sum_{n=1}^{\infty} (2a_n + b_n) = 6,\ \sum_{n=1}^{\infty} (a_n - b_n) = 6$$

일 때, $\sum_{n=1}^{\infty} (a_n + b_n)$의 값은?

① 1 ② 2 ③ 3
④ 4 ⑤ 5

▶ 해설 내신연계기출

0205 NORMAL

두 급수 $\sum_{n=1}^{\infty} a_n$, $\sum_{n=1}^{\infty} b_n$이 모두 수렴하고

$$\sum_{n=1}^{\infty} (2a_n - b_n) = 4,\ \sum_{n=1}^{\infty} (a_n + b_n) = 5$$

일 때, 급수 $\sum_{n=1}^{\infty} (a_n - b_n)$의 값은?

① 1 ② 2 ③ 3
④ 4 ⑤ 5

0206 최다빈출 왕중요 NORMAL

두 급수 $\sum_{n=1}^{\infty} a_n$, $\sum_{n=1}^{\infty} b_n$이 모두 수렴하고

$$\sum_{n=1}^{\infty} (2a_n - b_n) = 1,\ \sum_{n=1}^{\infty} (3a_n + 2b_n) = 5$$

일 때, $\sum_{n=1}^{\infty} (5a_n + 3b_n)$의 값은?

① 8 ② 9 ③ 10
④ 11 ⑤ 12

▶ 해설 내신연계기출

유형 02 부분합이 주어진 급수

급수 $\sum_{n=1}^{\infty} a_n$의 부분합으로 이루어진 수열 $\{S_n\}$이 일정한 값 S에 수렴할 때, 즉 $\sum_{n=1}^{\infty} a_n = \lim_{n \to \infty} S_n = \lim_{n \to \infty} \sum_{k=1}^{n} a_k = S$일 때, 이 급수는 S에 수렴한다.

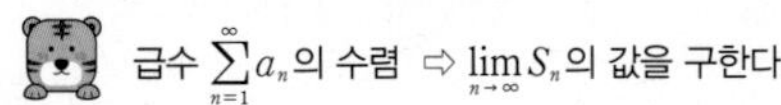

급수 $\sum_{n=1}^{\infty} a_n$의 수렴 ⇨ $\lim_{n \to \infty} S_n$의 값을 구한다.

0207 학교기출 대표 유형

수열 $\{a_n\}$의 첫째항부터 제 n항까지의 합 S_n이

$$S_n = \frac{3n^2-2}{n^2+1}$$

일 때, $\sum_{n=1}^{\infty} a_n$의 값은?

① 1 ② 2 ③ 3
④ 4 ⑤ 5

0208 BASIC

수열 $\{a_n\}$의 첫째항부터 제 n항까지의 합 S_n이

$$S_n = \frac{3n^2+5n}{2(n+1)(n+2)}$$

일 때, $\sum_{n=1}^{\infty} a_n$의 값은?

① $\frac{1}{2}$ ② $\frac{3}{2}$ ③ 2
④ 3 ⑤ 4

0209 최다빈출 왕 중요 NORMAL

수열 $\{a_n\}$의 첫째항부터 제 n항까지의 합 S_n이

$$S_n = \frac{2n^2+3}{1+2+3+\cdots+n}$$

일 때, $\sum_{n=1}^{\infty} a_n$의 값은?

① $\frac{1}{2}$ ② 1 ③ 2
④ 3 ⑤ 4

▶ 해설 내신연계기출

유형 03 부분분수를 이용하는 급수 (1)

[1단계] 이항분리된 항의 제 n항까지의 부분합 S_n을 구한다.
[2단계] 부분합 S_n의 극한값 $\lim_{n \to \infty} S_n$을 구한다.

참고 $\lim_{n \to \infty} S_n$이 수렴하면 급수 $\sum_{n=1}^{\infty} a_n$도 수렴한다.

0210 학교기출 대표 유형

수열 $\{a_n\}$에 대하여 $a_1=7$이고 $\lim_{n \to \infty} a_n = 15$일 때,

$\sum_{n=1}^{\infty} (a_{n+1} - a_n)$의 값은?

① 2 ② 4 ③ 8
④ 10 ⑤ 12

▶ 해설 내신연계기출

0211 최다빈출 왕 중요 BASIC

급수 $\sum_{n=1}^{\infty} \left(\frac{1}{\sqrt{n}} - \frac{1}{\sqrt{n+1}} \right)$의 값은?

① 1 ② 2 ③ 3
④ 4 ⑤ 5

▶ 해설 내신연계기출

0212 NORMAL

첫째항이 1이고 공차가 3인 등차수열 $\{a_n\}$에 대하여 급수

$\sum_{n=1}^{\infty} \left(\frac{1}{a_n} - \frac{1}{a_{n+1}} \right)$의 합은?

① $\frac{1}{3}$ ② $\frac{2}{3}$ ③ $\frac{4}{5}$
④ 1 ⑤ 3

유형 04 부분분수를 이용하는 급수 (2)

(1) 수렴하는 급수

① $\sum_{n=1}^{\infty}\frac{1}{n(n+1)}=\frac{1}{1\cdot2}+\frac{1}{2\cdot3}+\frac{1}{3\cdot4}+\cdots+\frac{1}{n(n+1)}+\cdots=1$

설명 $S_n=\sum_{k=1}^{n}\frac{1}{k(k+1)}=\sum_{k=1}^{n}\left(\frac{1}{k}-\frac{1}{k+1}\right)$

$=\left(1-\frac{1}{2}\right)+\left(\frac{1}{2}-\frac{1}{3}\right)+\left(\frac{1}{3}-\frac{1}{4}\right)+\cdots+\left(\frac{1}{n}-\frac{1}{n+1}\right)$

$=1-\frac{1}{n+1}$

$\therefore \lim_{n\to\infty}S_n=\lim_{n\to\infty}\left(1-\frac{1}{n+1}\right)=1$

② $\sum_{n=1}^{\infty}\frac{1}{n(n+2)}=\sum_{n=2}^{\infty}\frac{1}{(n-1)(n+1)}$

$=\frac{1}{1\cdot3}+\frac{1}{2\cdot4}+\frac{1}{3\cdot5}+\cdots+\frac{1}{n(n+2)}+\cdots=\frac{3}{4}$

설명 $S_n=\sum_{k=1}^{n}\frac{1}{k(k+2)}=\sum_{k=1}^{n}\frac{1}{2}\left(\frac{1}{k}-\frac{1}{k+2}\right)$

$=\frac{1}{2}\left\{\left(1-\frac{1}{3}\right)+\left(\frac{1}{2}-\frac{1}{4}\right)+\left(\frac{1}{3}-\frac{1}{5}\right)+\cdots\right.$

$\left.+\left(\frac{1}{n-1}-\frac{1}{n+1}\right)+\left(\frac{1}{n}-\frac{1}{n+2}\right)\right\}$

$=\frac{1}{2}\left(1+\frac{1}{2}-\frac{1}{n+1}-\frac{1}{n+2}\right)$

$\therefore \lim_{n\to\infty}S_n=\lim_{n\to\infty}\frac{1}{2}\left(1+\frac{1}{2}-\frac{1}{n+1}-\frac{1}{n+2}\right)=\frac{3}{4}$

참고 $\sum_{n=1}^{\infty}\frac{1}{(n+1)(n+2)}$

$=\frac{1}{2\cdot3}+\frac{1}{3\cdot4}+\frac{1}{4\cdot5}+\cdots+\frac{1}{(n+1)(n+2)}+\cdots=\frac{1}{2}$

③ $\sum_{n=1}^{\infty}\frac{1}{4n^2-1}=\sum_{n=1}^{\infty}\frac{1}{(2n-1)(2n+1)}$

$=\frac{1}{1\cdot3}+\frac{1}{3\cdot5}+\frac{1}{5\cdot7}+\cdots+\frac{1}{(2n-1)(2n+1)}+\cdots$

$=\frac{1}{2}$

설명 $S_n=\sum_{k=1}^{n}\frac{1}{(2k-1)(2k+1)}=\sum_{k=1}^{n}\frac{1}{2}\left(\frac{1}{2k-1}-\frac{1}{2k+1}\right)$

$=\frac{1}{2}\left\{\left(1-\frac{1}{3}\right)+\left(\frac{1}{3}-\frac{1}{5}\right)+\cdots+\left(\frac{1}{2n-1}-\frac{1}{2n+1}\right)\right\}$

$=\frac{1}{2}\left(1-\frac{1}{2n+1}\right)$

$\therefore \lim_{n\to\infty}S_n=\lim_{n\to\infty}\frac{1}{2}\left(1-\frac{1}{2n+1}\right)=\frac{1}{2}$

④ $\sum_{n=1}^{\infty}\frac{1}{n^2}=1+\frac{1}{2^2}+\frac{1}{3^2}+\cdots+\frac{1}{n^2}+\cdots$

설명 $\sum_{n=1}^{\infty}\frac{1}{n^2}=1+\frac{1}{2^2}+\frac{1}{3^2}+\cdots+\frac{1}{n^2}+\cdots$

$<1+\frac{1}{1\cdot2}+\frac{1}{2\cdot3}+\frac{1}{3\cdot4}+\cdots+\frac{1}{n(n+1)}+\cdots$

$=1+\sum_{n=1}^{\infty}\frac{1}{n(n+1)}=2$

$\therefore 1<\sum_{n=1}^{\infty}\frac{1}{n^2}<2$이므로 $\sum_{n=1}^{\infty}\frac{1}{n^2}$은 수렴한다.

① 급수 $\sum_{n=1}^{\infty}\frac{1}{n^2}$은 오일러가 1735년에 $\sum_{n=1}^{\infty}\frac{1}{n^2}=\frac{\pi^2}{6}$임을 알아냈다.

② $\sum_{n=1}^{\infty}\frac{1}{n}=\infty$

(2) 발산하는 급수

① $\sum_{n=1}^{\infty}\frac{1}{\sqrt{n+1}+\sqrt{n}}$

$=\frac{1}{\sqrt{2}+1}+\frac{1}{\sqrt{3}+\sqrt{2}}+\cdots+\frac{1}{\sqrt{n+1}+\sqrt{n}}+\cdots$

설명 $S_n=\sum_{k=1}^{n}\frac{1}{\sqrt{k+1}+\sqrt{k}}=\sum_{k=1}^{n}\frac{\sqrt{k+1}-\sqrt{k}}{(\sqrt{k+1}+\sqrt{k})(\sqrt{k+1}-\sqrt{k})}$

$=\sum_{k=1}^{n}(\sqrt{k+1}-\sqrt{k})$

$=(\sqrt{2}-\sqrt{1})+(\sqrt{3}-\sqrt{2})+\cdots+(\sqrt{n+1}-\sqrt{n})$

$=(\sqrt{n+1}-\sqrt{1})$

이때 $\lim_{n\to\infty}S_n=\lim_{n\to\infty}(\sqrt{n+1}-1)=\infty$이므로

급수 $\sum_{n=1}^{\infty}\frac{1}{\sqrt{n+1}+\sqrt{n}}$은 양의 무한대로 발산한다.

② $\sum_{n=1}^{\infty}\frac{1}{n}=1+\frac{1}{2}+\frac{1}{3}+\frac{1}{4}+\frac{1}{5}+\frac{1}{6}+\frac{1}{7}+\frac{1}{8}+\cdots+\frac{1}{n}+\cdots$

설명 $\sum_{n=1}^{\infty}\frac{1}{n}=1+\frac{1}{2}+\frac{1}{3}+\frac{1}{4}+\frac{1}{5}+\frac{1}{6}+\frac{1}{7}+\frac{1}{8}+\cdots+\frac{1}{n}+\cdots$

$=1+\frac{1}{2}+\left(\frac{1}{3}+\frac{1}{4}\right)+\left(\frac{1}{5}+\frac{1}{6}+\frac{1}{7}+\frac{1}{8}\right)+\left(\frac{1}{9}+\cdots+\frac{1}{16}\right)+\cdots$

$>1+\frac{1}{2}+\left(\frac{1}{4}+\frac{1}{4}\right)+\left(\frac{1}{8}+\frac{1}{8}+\frac{1}{8}+\frac{1}{8}\right)+\left(\frac{1}{16}+\cdots+\frac{1}{16}\right)+\cdots$

$=1+\frac{1}{2}+\frac{1}{2}+\frac{1}{2}+\frac{1}{2}+\cdots=\infty$

$\therefore \sum_{n=1}^{\infty}\frac{1}{n}=\infty$

0213 학교기출 대표 유형

급수

$$1+\frac{1}{1+2}+\frac{1}{1+2+3}+\cdots+\frac{1}{1+2+3+\cdots+n}+\cdots$$

의 값은?

① -1 ② 0 ③ 1
④ 2 ⑤ 3

▶ 해설 내신연계기출

0214 BASIC

급수

$$\frac{1}{1^2+2}+\frac{1}{2^2+4}+\frac{1}{3^2+6}+\cdots+\frac{1}{n^2+2n}+\cdots$$

의 값은?

① $\frac{1}{4}$ ② $\frac{1}{2}$ ③ $\frac{3}{4}$
④ 1 ⑤ $\frac{3}{2}$

03 급수

0215

BASIC

급수

$$\frac{2}{2^2-1}+\frac{2}{3^2-1}+\frac{2}{4^2-1}+\cdots$$

의 값은?

① $\frac{1}{4}$ ② $\frac{1}{2}$ ③ $\frac{3}{4}$

④ 1 ⑤ $\frac{3}{2}$

0216

BASIC

급수 $\sum_{n=1}^{\infty}\frac{2}{(2n-1)(2n+1)}$의 값은?

① 0 ② $\frac{1}{2}$ ③ 1

④ 4 ⑤ ∞

0217

최다빈출 왕 중요

BASIC

급수

$$\frac{1}{2^2-1}+\frac{1}{4^2-1}+\frac{1}{6^2-1}+\frac{1}{8^2-1}+\cdots$$

의 값은?

① $\frac{1}{4}$ ② $\frac{1}{2}$ ③ $\frac{3}{4}$

④ 1 ⑤ $\frac{3}{2}$

▶ 해설 내신연계기출

0218

최다빈출 왕 중요

BASIC

급수

$$\frac{1}{2\cdot5}+\frac{1}{5\cdot8}+\frac{1}{8\cdot11}+\cdots+\frac{1}{(3n-1)(3n+2)}+\cdots$$

의 값은?

① $\frac{1}{6}$ ② $\frac{1}{4}$ ③ $\frac{1}{2}$

④ $\frac{3}{4}$ ⑤ 1

▶ 해설 내신연계기출

0219

NORMAL

급수 $\sum_{n=1}^{\infty}\frac{4}{(4n-3)(4n+1)}$의 값은?

① 1 ② $\frac{3}{2}$ ③ $\frac{7}{4}$

④ 2 ⑤ $\frac{9}{4}$

0220

NORMAL

급수 $\sum_{n=1}^{\infty}\frac{1}{n\sqrt{n+1}+(n+1)\sqrt{n}}$의 값은?

① $\frac{1}{2}$ ② 1 ③ $\frac{3}{2}$

④ 2 ⑤ $\frac{5}{2}$

0221 최다빈출 왕중요

NORMAL

급수 $\sum_{n=2}^{\infty}\log\frac{n^2}{n^2-1}$의 값은?

① $\frac{1}{2}\log 2$ ② $\log 2$ ③ $\log 3$
④ $\log 4$ ⑤ 1

▶ 해설 내신연계기출

0222 최다빈출 왕중요

TOUGH

급수 $\sum_{n=1}^{\infty}\frac{1}{n(n+1)(n+2)}$의 값은?

① $\frac{1}{4}$ ② $\frac{1}{2}$ ③ $\frac{3}{4}$
④ 1 ⑤ $\frac{3}{2}$

▶ 해설 내신연계기출

0223

TOUGH

다음 급수의 합이 옳지 않은 것은?

① $\frac{1}{1^2+2\cdot1}+\frac{1}{2^2+2\cdot2}+\frac{1}{3^2+2\cdot3}+\cdots+\frac{1}{n^2+2n}+\cdots=\frac{3}{4}$

② $\frac{1}{2\cdot5}+\frac{1}{5\cdot8}+\frac{1}{8\cdot11}+\cdots+\frac{1}{(3n-1)(3n+2)}+\cdots=\frac{1}{6}$

③ $\sum_{n=1}^{\infty}\left\{\frac{1}{n^2}-\frac{1}{(n+1)^2}\right\}=1$

④ $\frac{1}{2^2-1}+\frac{1}{4^2-1}+\frac{1}{6^2-1}+\cdots+\frac{1}{(2n)^2-1}+\cdots=1$

⑤ $\frac{1}{2^2+2}+\frac{1}{3^2+3}+\frac{1}{4^2+4}+\cdots=\frac{1}{2}$

유형 05 급수가 수렴할 때, 급수 계산

[1단계] 명제 '급수 $\sum_{n=1}^{\infty}a_n$이 수렴하면 $\lim_{n\to\infty}a_n=0$이다.' 는 참임을 이용하여 미지수 구하기

[2단계] $\frac{1}{AB}=\frac{1}{B-A}\left(\frac{1}{A}-\frac{1}{B}\right)$임을 이용하여 부분합 S_n을 구한다.

[3단계] 부분합의 극한값 $\lim_{n\to\infty}S_n$을 구한다.

0224 학교기출 대표유형

급수 $\sum_{n=1}^{\infty}\frac{an^2+4}{n^2+2n}$가 수렴할 때, 이 급수의 값은?

① 1 ② 2 ③ 3
④ 4 ⑤ 5

0225 최다빈출 왕중요

NORMAL

급수 $\sum_{n=1}^{\infty}\frac{an^2+4}{(4n-3)(4n+1)}$가 수렴할 때, 이 급수의 값은?

① 1 ② 2 ③ 3
④ 4 ⑤ 5

▶ 해설 내신연계기출

0226

TOUGH

급수 $\sum_{n=1}^{\infty}\frac{an^2+2}{9n^2+3n-2}$가 수렴할 때, 이 급수의 값은?

① $\frac{1}{6}$ ② $\frac{1}{5}$ ③ $\frac{1}{4}$
④ $\frac{1}{3}$ ⑤ $\frac{1}{2}$

유형 06 급수의 합의 활용

나머지 정리와 약수의 개수를 이용한 급수의 합을 다음 순서로 구한다.

[1단계] 주어진 조건을 이용하여 일반항 $\{a_n\}$을 구한다.

[2단계] n항까지 부분합 S_n을 구한다. $\left(S_n=\sum_{k=1}^{n}a_k\right)$

[3단계] 극한값을 구한다. $\left(S=\lim_{n\to\infty}S_n\right)$

참고 (1) 나머지 정리

다항식 $f(x)$를 $x-a$로 나눈 나머지는 $f(a)$이다.

(2) 자연수 N의 양의 약수의 개수와 양의 약수의 총합

자연수 $N=p^{\alpha}\cdot q^{\beta}\cdots r^{\gamma}$(단, p, q, $\cdots$, r은 소수)일 때

① N의 약수의 개수

⇨ $(\alpha+1)(\beta+1)\cdots(\gamma+1)$

② N의 약수의 총합

⇨ $(p^0+p^1+\cdots p^{\alpha})(q^0+q^1+\cdots q^{\beta})\cdots(r^0+r^1+\cdots+r^{\gamma})$

0227 학교기출 대표 유형

수열 $\{a_n\}$에 대하여 다항식 $a_nx^2+a_nx+2$를 $x-n$으로 나눈 나머지가 20일 때, 급수 $\sum_{n=1}^{\infty}a_n$의 값은?

① 14 ② 15 ③ 16
④ 17 ⑤ 18

0228 최다빈출 왕중요 NORMAL

모든 자연수 n에 대하여 수열 $\{a_n\}$은 다음 두 조건을 만족시킬 때, $\sum_{n=1}^{\infty}a_n$의 값은?

(가) $a_n\neq0$
(나) x에 대한 다항식 $a_nx^2+a_nx+2$를 $x-n$으로 나눈 나머지가 20이다.

① 10 ② 12 ③ 14
④ 16 ⑤ 18

▶ 해설 내신연계기출

0229 최다빈출 왕중요 NORMAL

자연수 n에 대하여 $3^n\cdot5^{n+1}$의 모든 양의 약수의 개수를 a_n이라 할 때, $\sum_{n=1}^{\infty}\frac{1}{a_n}$의 값은?

① $\frac{1}{2}$ ② $\frac{7}{12}$ ③ $\frac{2}{3}$
④ $\frac{3}{4}$ ⑤ $\frac{5}{6}$

▶ 해설 내신연계기출

0230 NORMAL

직선 $x-3y+3=0$ 위의 점 중에서 x좌표와 y좌표가 모두 자연수인 점의 좌표를 각각

$$(a_1,\ b_1),\ (a_2,\ b_2),\ (a_3,\ b_3),\ \cdots,\ (a_n,\ b_n),\ \cdots$$

이라 할 때, $\sum_{n=1}^{\infty}\frac{1}{a_nb_n}$의 값은? (단, $a_1<a_2<a_3<\cdots<a_n<\cdots$)

① $\frac{1}{6}$ ② $\frac{1}{3}$ ③ $\frac{1}{2}$
④ $\frac{2}{3}$ ⑤ $\frac{3}{2}$

0231 최다빈출 왕중요 NORMAL

자연수 n에 대하여 직선 $(2n-1)x+(2n+1)y=1$과 x축 및 y축으로 둘러싸인 부분의 넓이를 a_n이라고 할 때, $\sum_{n=1}^{\infty}a_n$의 값은?

① $\frac{1}{6}$ ② $\frac{1}{4}$ ③ $\frac{1}{2}$
④ 2 ⑤ 6

▶ 해설 내신연계기출

0232

NORMAL

다음 그림과 같이 곡선 $y=\frac{2}{x}(x>0)$ 위의 두 점 $P_n\left(n, \frac{2}{n}\right)$, $P_{n+1}\left(n+1, \frac{2}{n+1}\right)$를 잇는 선분을 대각선으로 하는 직사각형의 넓이를 S_n이라고 할 때, $\sum_{n=1}^{\infty} S_n$의 값은?

(단, 직사각형의 각 변은 좌표축에 평행하다.)

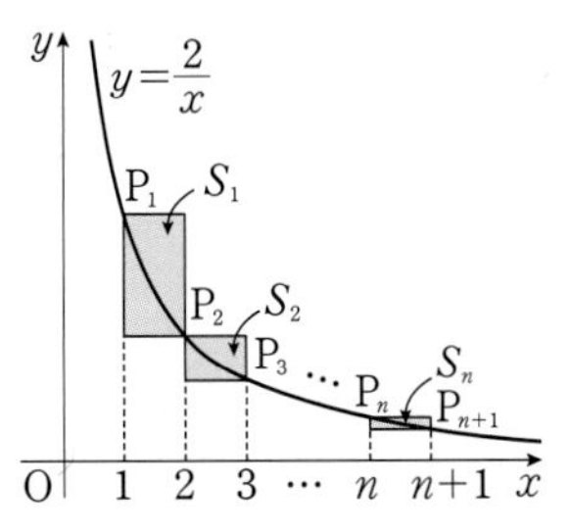

① 1　　② 2　　③ 3

④ 4　　⑤ 5

0233

최다빈출 왕중요　TOUGH

$n \geq 2$인 자연수 n에 대하여 중심이 원점이고 반지름의 길이가 1인 원 C를 x축 방향으로 $\frac{2}{n}$만큼 평행 이동시킨 원을 C_n이라 하자. 원 C와 원 C_n의 공통현의 길이를 l_n이라 할 때, $\sum_{n=2}^{\infty} \frac{1}{(nl_n)^2} = \frac{q}{p}$이다. $p+q$의 값은? (단, p, q는 서로소인 자연수이다.)

① 13　　② 15　　③ 17

④ 19　　⑤ 21

▶ 해설 내신연계기출

유형 07 등차수열과 급수의 계산

[1단계] 주어진 조건을 만족하는 등차수열의 일반항을 구한다.

[2단계] n항까지 부분합 S_n을 구한다. $\left(S_n = \sum_{k=1}^{n} a_k\right)$

[3단계] 극한값을 구한다. $\left(S = \lim_{n \to \infty} S_n\right)$

0234

학교기출 대표 유형

등차수열 $\{a_n\}$에 대하여

$$a_1=4,\ a_4-a_2=4$$

일 때, $\sum_{n=1}^{\infty} \frac{2}{na_n}$의 값은?

① 1　　② $\frac{3}{2}$　　③ 2

④ $\frac{5}{2}$　　⑤ 3

0235

NORMAL

등차수열 $\{a_n\}$에 대하여

$$a_1=1,\ a_2+a_4=10$$

일 때, $\sum_{n=1}^{\infty} \frac{1}{a_n a_{n+1}}$의 값은?

① $\frac{1}{4}$　　② $\frac{1}{2}$　　③ $\frac{3}{4}$

④ 1　　⑤ 2

0236

최다빈출 왕중요　NORMAL

첫째항이 6, 공차가 4인 등차수열 $\{a_n\}$에 대하여 첫째항부터 제 n항까지의 합을 S_n이라 할 때, $\sum_{n=1}^{\infty} \frac{4}{S_n}$의 값은?

① $\frac{1}{2}$　　② 1　　③ $\frac{3}{2}$

④ 2　　⑤ $\frac{5}{2}$

▶ 해설 내신연계기출

유형 08 S_n과 a_n 사이의 관계에서 급수

첫째항부터 제 n항까지의 합 S_n이 주어진 경우에는

[1단계] $a_1=S_1$, $a_n=S_n-S_{n-1}(n\geq 2)$임을 이용하여 주어진 수열의 일반항 a_n을 구한다.

[2단계] n항까지 부분합 S_n을 구한다. $\left(S_n=\sum_{k=1}^{n}a_k\right)$

[3단계] 극한값을 구한다. $\left(S=\lim_{n\to\infty}S_n\right)$

주의 수열 $\{a_n\}$와 첫째항부터 제 n 항까지의 합 S_n에 대한 극한값을 구할 때는 수열의 합과 일반항의 관계 $a_n=S_n-S_{n-1}(n\geq 2)$를 이용하여 a_n을 구한다.

0237 학교기출 대표 유형

수열 $\{a_n\}$에 대하여

$$\sum_{k=1}^{n}a_k=n^2$$

일 때, $\sum_{n=1}^{\infty}\frac{1}{a_na_{n+1}}$의 값은?

① $\frac{1}{8}$ ② $\frac{1}{4}$ ③ $\frac{1}{2}$
④ 1 ⑤ 2

0238 최다빈출 왕 중요 NORMAL

수열 $\{a_n\}$의 첫째항부터 제 n항까지의 합 S_n이

$$S_n=n^2+2n$$

일 때, $\sum_{n=1}^{\infty}\frac{2}{a_na_{n+1}}$의 값은?

① $\frac{1}{3}$ ② $\frac{1}{4}$ ③ $\frac{1}{5}$
④ $\frac{1}{6}$ ⑤ $\frac{1}{7}$

▶ 해설 내신연계기출

0239 NORMAL

수열 $\{a_n\}$에 대하여

$$\sum_{k=1}^{n}a_k=2n^2+n$$

일 때, $\sum_{n=1}^{\infty}\frac{1}{a_na_{n+1}}$의 값은?

① $\frac{1}{12}$ ② $\frac{1}{6}$ ③ $\frac{1}{3}$
④ $\frac{2}{3}$ ⑤ $\frac{1}{2}$

0240 NORMAL

수열 $\{a_n\}$의 첫째항부터 제 n항까지의 합 S_n이

$$S_n=\frac{6n}{n+1}$$

일 때, $\sum_{n=1}^{\infty}(a_n+a_{n+1})$의 값은?

① 3 ② 5 ③ 6
④ 8 ⑤ 9

0241 최다빈출 왕 중요 NORMAL

수열 $\{a_n\}$이

$$\sum_{k=1}^{n}\frac{a_k}{k}=n^2+3n$$

을 만족시킬 때, $\sum_{n=1}^{\infty}\frac{1}{a_n}$의 값은?

① $\frac{1}{3}$ ② $\frac{1}{2}$ ③ $\frac{2}{3}$
④ $\frac{5}{6}$ ⑤ 1

▶ 해설 내신연계기출

0242 TOUGH

수열 $\{a_n\}$에 대하여

$$\sum_{k=1}^{n}a_k=n^2+2n-1$$

일 때, $\sum_{n=1}^{\infty}\frac{1}{a_na_{n+1}}$의 값은?

① $\frac{1}{10}$ ② $\frac{1}{5}$ ③ $\frac{3}{10}$
④ $\frac{2}{5}$ ⑤ $\frac{1}{2}$

유형 09 이차방정식의 두 근이 주어진 급수

[1단계] 이차방정식의 근과 계수의 관계를 이용하여 합과 곱을 구한다.

[2단계] n항까지의 부분합 S_n을 구한다. $\left(S_n=\sum_{k=1}^{n} a_k\right)$

[3단계] 극한값을 구한다. $\left(S=\lim_{n\to\infty} S_n\right)$

0243 학교기출 대표 유형

자연수 n에 대하여 x에 관한 이차방정식

$$(n^2+2n)x^2-2x-1=0$$

의 두 근이 α_n, β_n일 때, 급수 $\sum_{n=1}^{\infty}\alpha_n\beta_n$의 값은?

① $-\frac{3}{4}$ ② $-\frac{1}{4}$ ③ $\frac{1}{4}$
④ $\frac{3}{4}$ ⑤ $\frac{5}{4}$

0244 최다빈출 왕중요 NORMAL

x의 이차방정식

$$x^2+(n-1)x+n^2=0$$

의 두 근을 α_n, β_n이라 할 때, 급수 $\sum_{n=1}^{\infty}\frac{1}{(\alpha_n-1)(\beta_n-1)}$의 값은?

① 1 ② $\frac{3}{2}$ ③ 2
④ $\frac{4}{3}$ ⑤ 3

▶ 해설 내신연계기출

0245 최다빈출 왕중요 TOUGH

자연수 n에 대하여 이차방정식

$$(4n^2-1)x^2-4nx+1=0$$

의 서로 다른 두 근을 α_n, $\beta_n\,(\alpha_n>\beta_n)$이라 할 때,

$\sum_{n=1}^{\infty}(\alpha_n-\beta_n)$의 값은?

① $\frac{1}{2}$ ② $\frac{3}{4}$ ③ 1
④ $\frac{5}{2}$ ⑤ 2

▶ 해설 내신연계기출

유형 10 항의 부호가 교대로 바뀌는 급수

홀수번째의 항까지의 부분합 S_{2n-1}과 짝수번째의 항까지의 부분합 S_{2n}을 구한 후 다음을 이용한다.

① $\lim_{n\to\infty}S_{2n-1}=\lim_{n\to\infty}S_{2n}=\alpha$ (α는 실수)이면 $\lim_{n\to\infty}S_n=\alpha$로 수렴

② $\lim_{n\to\infty}S_{2n-1}\neq\lim_{n\to\infty}S_{2n}$이면 $\lim_{n\to\infty}S_n$은 발산

0246 학교기출 대표 유형

다음 급수의 제 n항까지의 부분합을 S_n이라 할 때,
$\lim_{n\to\infty}S_{2n-1}+\lim_{n\to\infty}S_{2n}$의 값은?

$$1-\frac{1}{3}+\frac{1}{3}-\frac{2}{5}+\frac{2}{5}-\frac{3}{7}+\frac{3}{7}-\frac{4}{9}+\cdots$$

① 1 ② $\frac{5}{4}$ ③ $\frac{3}{2}$
④ $\frac{7}{4}$ ⑤ 2

0247 NORMAL

다음 [보기]의 급수 중 수렴하는 것을 있는 대로 고른 것은?

ㄱ. $1-1+1-1+1-\cdots$
ㄴ. $1-(1-1)-(1-1)-(1-1)-\cdots$
ㄷ. $1-\frac{1}{3}+\frac{1}{3}-\frac{1}{5}+\frac{1}{5}-\cdots$

① ㄱ ② ㄴ ③ ㄷ
④ ㄱ, ㄷ ⑤ ㄴ, ㄷ

0248 최다빈출 왕중요 NORMAL

다음 [보기] 중에서 수렴하는 급수를 모두 고른 것은?

ㄱ. $\sum_{n=1}^{\infty}\frac{1}{\sqrt{2n+1}+\sqrt{2n-1}}$
ㄴ. $\sum_{n=1}^{\infty}\frac{1}{n}$
ㄷ. $1-\frac{1}{2}+\frac{1}{2}-\frac{1}{3}+\frac{1}{3}-\frac{1}{4}+\frac{1}{4}-\cdots$

① ㄱ ② ㄴ ③ ㄷ
④ ㄴ, ㄷ ⑤ ㄱ, ㄴ, ㄷ

▶ 해설 내신연계기출

유형 11 급수와 일반항 사이의 관계

(1) 명제 '급수 $\sum_{n=1}^{\infty} a_n$이 수렴하면 $\lim_{n\to\infty} a_n=0$이다.' 는 참이다.

증명 급수 $\sum_{n=1}^{\infty} a_n$이 S에 수렴할 때, 제 n항까지의 부분합을 S_n이라 하면

$\lim_{n\to\infty} S_n=S$, $\lim_{n\to\infty} S_{n-1}=S$이고 $a_n=S_n-S_{n-1}$ $(n=2, 3, 4, \cdots)$

이므로 수열 $\{a_n\}$의 극한값은 다음과 같다.

$\lim_{n\to\infty} a_n=\lim_{n\to\infty}(S_n-S_{n-1})=\lim_{n\to\infty} S_n-\lim_{n\to\infty} S_{n-1}=S-S=0$

(2) 명제의 대우 '$\lim_{n\to\infty} a_n\neq 0$이면 급수 $\sum_{n=1}^{\infty} a_n$은 발산한다.' 는 항상 참이다.

즉 이를 이용하여 $\lim_{n\to\infty} S_n$을 조사하지 않고도 급수가 발산하는 지를 판별할 수 있다.

예를들면 $\lim_{n\to\infty}\frac{2n}{n+2}=2\neq 0$이므로 급수 $\sum_{n=1}^{\infty}\frac{2n}{n+2}$은 발산한다.

$\lim_{n\to\infty}(\sqrt{n^2+2n}-n)=\lim_{n\to\infty}\frac{2n}{\sqrt{n^2+2n}+n}=1\neq 0$이므로

급수 $\sum_{n=1}^{\infty}(\sqrt{n^2+2n}-n)$은 발산한다.

(3) 명제의 역 '$\lim_{n\to\infty} a_n=0$이면 급수 $\sum_{n=1}^{\infty} a_n$은 수렴한다.' 는 일반적으로 성립하지 않는다.

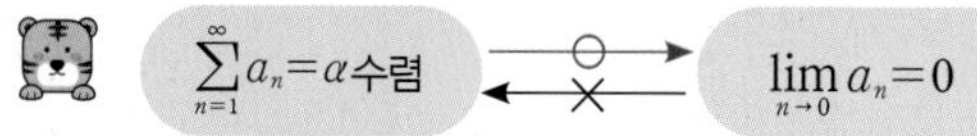

반례 $a_n=\frac{1}{n}$이면 $\lim_{n\to\infty} a_n=0$이지만

$\sum_{n=1}^{\infty}\frac{1}{n}=1+\frac{1}{2}+\left(\frac{1}{3}+\frac{1}{4}\right)+\left(\frac{1}{5}+\frac{1}{6}+\frac{1}{7}+\frac{1}{8}\right)+\cdots$

$>1+\frac{1}{2}+\left(\frac{1}{4}+\frac{1}{4}\right)+\left(\frac{1}{8}+\frac{1}{8}+\frac{1}{8}+\frac{1}{8}\right)+\cdots$

$=1+\frac{1}{2}+\frac{1}{2}+\frac{1}{2}+\frac{1}{2}+\cdots=\infty$

$\sum_{n=1}^{\infty}\frac{1}{n}=\infty$은 발산한다.

반례 $a_n=\frac{1}{\sqrt{n+1}+\sqrt{n}}$이면 $\lim_{n\to\infty} a_n=0$이지만

$\sum_{n=1}^{\infty}\frac{1}{\sqrt{n+1}+\sqrt{n}}$

$=\sum_{n=1}^{\infty}(\sqrt{n+1}-\sqrt{n})$

$=\lim_{n\to\infty}\sum_{k=1}^{n}(\sqrt{k+1}-\sqrt{k})$

$=\lim_{n\to\infty}\{(\sqrt{2}-1)+(\sqrt{3}-\sqrt{2})+\cdots+(\sqrt{n+1}-\sqrt{n})\}$

$=\lim_{n\to\infty}\{(\sqrt{n+1}-1)\}=\infty$

$\sum_{n=1}^{\infty}\frac{1}{\sqrt{n+1}+\sqrt{n}}=\infty$은 발산한다.

급수 $\sum_{n=1}^{\infty}(a_n+k)$가 수렴하면 $\lim_{n\to\infty}(a_n+k)=0$이다.

즉 $\lim_{n\to\infty}(a_n+k)=0$에서 $\lim_{n\to\infty} a_n=-k$

0249 학교기출 대표 유형

수열 $\{a_n\}$에 대하여 명제

'$\lim_{n\to\infty} a_n=0$이면 급수 $\sum_{n=1}^{\infty} a_n$이 수렴한다.'

가 거짓임을 보이는 반례로 적당한 것을 [보기]에서 있는 대로 고른 것은?

ㄱ. $\sum_{n=1}^{\infty}\frac{n}{2n-1}$

ㄴ. $\sum_{n=1}^{\infty}\frac{1}{\sqrt{n+1}+\sqrt{n}}$

ㄷ. $\sum_{n=1}^{\infty}\frac{1}{n(n+1)}$

① ㄴ ② ㄷ ③ ㄱ, ㄴ
④ ㄴ, ㄷ ⑤ ㄱ, ㄴ, ㄷ

0250 BASIC

급수 $\sum_{n=1}^{\infty} a_n=3$일 때, $\lim_{n\to\infty}\frac{3a_n+5n+1}{a_n-3n+2}$의 값은?

① $-\frac{5}{3}$ ② -1 ③ $\frac{1}{2}$
④ $\frac{9}{4}$ ⑤ 3

0251 최다빈출 왕 중요 BASIC

급수 $\sum_{n=1}^{\infty}(a_n-2)$가 수렴할 때, $\lim_{n\to\infty}(2a_n+3)$의 값은?

① 7 ② 8 ③ 9
④ 10 ⑤ 11

▶ 해설 내신연계기출

0252

BASIC

수렴하는 수열 $\{a_n\}$에 대하여

$$\sum_{n=1}^{\infty}\frac{3a_n-6}{a_n+5}=10$$

일 때, $\lim_{n\to\infty}a_n$의 값은?

① -2　② -1　③ 0　④ 1　⑤ 2

0253

최다빈출 왕 중요

BASIC

수렴하는 수열 $\{a_n\}$이

$$\sum_{n=1}^{\infty}a_n=\lim_{n\to\infty}(a_n+8)$$

을 만족시킬 때, $\sum_{n=1}^{\infty}a_n$의 값은?

① -8　② -6　③ 0　④ 6　⑤ 8

▶ 해설 내신연계기출

0254

최다빈출 왕 중요

BASIC

수열 $\{a_n\}$에 대하여

$$\sum_{n=1}^{\infty}(2a_n-3)=2$$

일 때, $\lim_{n\to\infty}\frac{4a_n-1}{2a_n+3}$의 값은?

① $\frac{3}{4}$　② $\frac{5}{6}$　③ $\frac{3}{2}$　④ $\frac{6}{5}$　⑤ $\frac{4}{3}$

▶ 해설 내신연계기출

0255

BASIC

수열 $\{a_n\}$에 대하여

$$\sum_{n=1}^{\infty}\left(3-\frac{a_n}{2}\right)=5$$

일 때, $\lim_{n\to\infty}(3a_n-7)$의 값은?

① 7　② 9　③ 11　④ 13　⑤ 15

0256

NORMAL

수열 $\{a_n\}$에 대하여

$$\sum_{n=1}^{\infty}(a_n-3)=2$$

일 때, $\lim_{n\to\infty}\frac{n+4}{na_n+3}$의 값은?

① $\frac{1}{2}$　② $\frac{1}{3}$　③ $\frac{1}{4}$　④ $\frac{1}{5}$　⑤ $\frac{1}{6}$

0257

최다빈출 왕 중요

NORMAL

두 수열 $\{a_n\}$, $\{b_n\}$에 대하여

$$\sum_{n=1}^{\infty}(3a_n-b_n)=5,\ \sum_{n=1}^{\infty}(b_n-3)=2$$

일 때, $\lim_{n\to\infty}(3a_n+2b_n)$의 값은?

① 7　② 9　③ 11　④ 13　⑤ 15

▶ 해설 내신연계기출

0258

NORMAL

두 수열 $\{a_n\}$, $\{b_n\}$에 대하여

$$\sum_{n=1}^{\infty}(a_n+b_n-1)=3,\ \sum_{n=1}^{\infty}(a_n-b_n-3)=2$$

일 때, $\lim_{n\to\infty}(2a_n-3b_n)$의 값은?

① 7 ② 9 ③ 11
④ 13 ⑤ 15

0259 최다빈출 왕중요

TOUGH

두 수열 $\{a_n\}$, $\{b_n\}$이 다음 조건을 만족시킬 때,

(가) $\sum_{n=1}^{\infty}(a_n+b_n)=1$

(나) 모든 자연수 n에 대하여 $\frac{1-3n^2}{2n^2+4}<b_n<\frac{2n-3n^2}{2n^2+4}$이다.

$\lim_{n\to\infty}\{2a_n-3b_n\}$의 값은?

① $\frac{7}{2}$ ② 4 ③ $\frac{9}{2}$
④ 5 ⑤ $\frac{15}{2}$

▶ 해설 내신연계기출

0260

TOUGH

수열 $\{a_n\}$에 대하여 급수 $\sum_{n=1}^{\infty}\frac{a_n-n^2+2n}{n^2}$이 수렴할 때,

$\lim_{n\to\infty}\frac{3n^2+2n-4a_n}{n^2+a_n}$의 값은?

(단, 모든 자연수 n에 대하여 $n^2+a_n\neq0$이다.)

① $-\frac{1}{2}$ ② $-\frac{1}{3}$ ③ 1
④ 2 ⑤ 3

유형 12 급수와 수열의 극한 사이의 관계

급수 $\sum_{n=1}^{\infty}a_n$의 부분합으로 이루어진 수열 $\{S_n\}$이 일정한 값 S에 수렴할 때, 즉 $\sum_{n=1}^{\infty}a_n=\lim_{n\to\infty}S_n=S$일 때, 이 급수는 S에 수렴한다.

급수 $\sum_{n=1}^{\infty}a_n$의 수렴하면 ⇨ $\lim_{n\to\infty}a_n=0$(역은 성립하지 않는다.)

0261 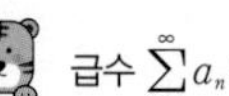

수열 $\{a_n\}$에 대하여 $\sum_{n=1}^{\infty}a_n=5$이고 첫째항부터 제 n항까지의 합을 S_n이라 할 때, $\lim_{n\to\infty}\frac{2S_n+a_n+2}{S_{n-1}-a_n-3}$의 값은?

① $\frac{3}{2}$ ② 2 ③ 4
④ $\frac{11}{2}$ ⑤ 6

▶ 해설 내신연계기출

0262

NORMAL

수열 $\{a_n\}$에 대하여 $\lim_{n\to\infty}\sum_{k=1}^{n}a_k=2022$일 때,

$\lim_{n\to\infty}\frac{3a_n^2-(-3)^n+1}{a_n^3+(-3)^{n+1}-(-2)^n}$의 값은?

① -3 ② -1 ③ $\frac{1}{3}$
④ 1 ⑤ 3

0263

NORMAL

수열 $\{a_n\}$의 첫째항부터 제 n항까지의 합을 S_n이라 하자.

$$\sum_{n=1}^{\infty}\left(S_n-\frac{2n+1}{n-1}\right)=3$$

일 때, $\lim_{n\to\infty}(a_n+S_n)$의 값은?

① 2 ② 3 ③ 4
④ 5 ⑤ 6

유형 13 급수와 수열의 극한값 사이의 관계 (1)

명제 '급수 $\sum_{n=1}^{\infty} a_n$이 수렴하면 $\lim_{n\to\infty} a_n=0$이다.' 는 참이다.

증명 급수 $\sum_{n=1}^{\infty} a_n$이 S에 수렴할 때, 제 n항까지의 부분합을 S_n이라 하면

$\lim_{n\to\infty} S_n=S$, $\lim_{n\to\infty} S_{n-1}=S$이고 $a_n=S_n-S_{n-1}$ $(n=2, 3, 4, \cdots)$

이므로 수열 $\{a_n\}$의 극한값은 다음과 같다.

$\lim_{n\to\infty} a_n=\lim_{n\to\infty}(S_n-S_{n-1})=\lim_{n\to\infty} S_n-\lim_{n\to\infty} S_{n-1}=S-S=0$

0264 학교기출 대표 유형

수열 $\{a_n\}$에 대하여 $\sum_{n=1}^{\infty}\left(4-\frac{a_n}{n}\right)=100$일 때,

$\lim_{n\to\infty}\frac{3a_n+6n+1}{4a_n-4n-5}$의 값은?

① $\frac{1}{2}$ ② $\frac{3}{2}$ ③ $\frac{5}{2}$
④ $\frac{9}{2}$ ⑤ $\frac{11}{2}$

0265 최다빈출 왕 중요 BASIC

수열 $\{a_n\}$에 대하여 급수 $\sum_{n=1}^{\infty}\left(a_n-\frac{5n}{n+1}\right)$이 수렴할 때,

$\lim_{n\to\infty}\frac{a_n+3}{a_n-1}$의 값은?

① -2 ② -1 ③ 0
④ 1 ⑤ 2

▶ 해설 내신연계기출

0266 BASIC

수열 $\{a_n\}$에 대하여 $\sum_{n=1}^{\infty}(5na_n-1)=3$일 때,

$\lim_{n\to\infty}\frac{n^2a_n}{2n+1}$의 값은?

① $\frac{1}{15}$ ② $\frac{1}{12}$ ③ $\frac{1}{10}$
④ $\frac{1}{8}$ ⑤ $\frac{1}{6}$

0267 최다빈출 왕 중요 NORMAL

수열 $\{a_n\}$에 대하여 $\sum_{n=1}^{\infty}\left(na_n-\frac{2n^2+1}{n+3}\right)=4$일 때,

$\lim_{n\to\infty}(a_n^{\,2}+2a_n+2)$의 값은?

① 6 ② 8 ③ 10
④ 12 ⑤ 14

▶ 해설 내신연계기출

0268 최다빈출 왕 중요 NORMAL

수열 $\{a_n\}$에 대하여 $\sum_{n=1}^{\infty}\frac{a_n}{4^n}=2$일 때,

$\lim_{n\to\infty}\frac{a_n+4^{n+1}-3^{n-1}}{4^{n-1}+3^{n+1}}$의 값은?

① 13 ② 14 ③ 15
④ 16 ⑤ 17

▶ 해설 내신연계기출

0269 최다빈출 왕 중요 NORMAL

모든 항이 양수인 수열 $\{a_n\}$에 대하여 $\sum_{n=1}^{\infty}(2-4^na_n)=3$일 때,

$\lim_{n\to\infty}\frac{a_n+4^{1-n}}{2a_n+5^{-n}}$의 값은?

① 1 ② $\frac{3}{2}$ ③ $\frac{5}{3}$
④ 2 ⑤ $\frac{5}{2}$

▶ 해설 내신연계기출

03 급수

0270 최다빈출 왕중요 NORMAL

모든 항이 양수인 수열 $\{a_n\}$에 대하여 급수 $\sum_{n=1}^{\infty}\left(2-\frac{a_n}{3^n}\right)$이 수렴할 때, $\lim_{n\to\infty}\frac{2a_n-3^{n+1}}{3a_n+2^n}$의 값은?

① $\frac{1}{6}$ ② $\frac{1}{3}$ ③ $\frac{1}{2}$
④ $\frac{2}{3}$ ⑤ $\frac{5}{6}$

▶ 해설 내신연계기출

0271 NORMAL

수열 $\{a_n\}$이 $\sum_{n=1}^{\infty}(2a_n-3)=2$를 만족시킨다. $\lim_{n\to\infty}a_n=r$일 때, $\lim_{n\to\infty}\frac{r^{n+2}-1}{r^n+1}$의 값은?

① $\frac{7}{4}$ ② 2 ③ $\frac{9}{4}$
④ $\frac{5}{2}$ ⑤ $\frac{11}{4}$

0272 NORMAL

두 급수 $\sum_{n=1}^{\infty}\left(\frac{a_n}{n}-4\right)$, $\sum_{n=1}^{\infty}\left(\frac{n}{b_n}+1\right)$이 모두 수렴할 때, $\lim_{n\to\infty}\left(\frac{a_n}{b_n}+1\right)$의 값은?

① -3 ② -1 ③ $\frac{1}{3}$
④ 1 ⑤ 3

0273 최다빈출 왕중요 NORMAL

두 수열 $\{a_n\}$, $\{b_n\}$이

$$\sum_{n=1}^{\infty}\left(na_n-\frac{2n^2}{n+1}\right)=5,\ \lim_{n\to\infty}(3a_n-5b_n)=3$$

을 만족시킬 때, $\lim_{n\to\infty}\frac{2a_n+5b_n}{a_n+10b_n}$의 값은?

① $\frac{5}{8}$ ② $\frac{7}{8}$ ③ $\frac{9}{8}$
④ $\frac{11}{8}$ ⑤ $\frac{13}{8}$

▶ 해설 내신연계기출

0274 최다빈출 왕중요 TOUGH

두 수열 $\{a_n\}$, $\{b_n\}$이 다음 조건을 만족시킬 때, $\lim_{n\to\infty}(a_n{}^2+4b_n{}^2)$의 값은?

(가) $\sum_{n=1}^{\infty}(a_n-2b_n)=3$
(나) 모든 자연수 n에 대하여 $\frac{3n^2+1}{n^2+2}<a_nb_n<\frac{3n^2+2n}{n^2+1}$

① 8 ② 12 ③ 14
④ 16 ⑤ 18

▶ 해설 내신연계기출

0275 TOUGH

두 수열 $\{a_n\}$, $\{b_n\}$이 모든 자연수 n에 대하여

$$\frac{2n-1}{n+1}<\sum_{k=1}^{n}a_k<\frac{2n+1}{n},\ \sum_{n=1}^{\infty}\left(b_n-\frac{n}{2n+1}\right)=5$$

를 만족할 때, $\lim_{n\to\infty}\frac{a_n+b_n}{a_n-2b_n}$의 값은?

① $-\frac{5}{4}$ ② -1 ③ $-\frac{1}{2}$
④ $\frac{1}{2}$ ⑤ $\frac{5}{2}$

유형 14 급수와 수열의 극한값 사이의 관계 (2)

급수 $\sum_{n=1}^{\infty} a_n$이 수렴하면 $\lim_{n \to \infty} a_n = 0$이다.
(역은 성립하지 않는다.)

0276 학교기출 대표 유형

수렴하는 수열 $\{a_n\}$에 대하여 급수

$$\left(a_1 - \frac{2}{1^2}\right) + \left(a_2 - \frac{2+4}{3^2}\right) + \cdots + \left\{a_n - \frac{2+4+6+\cdots+2n}{(2n-1)^2}\right\} + \cdots$$

이 수렴할 때, $\lim_{n \to \infty} a_n$의 값은?

① 0 ② $\frac{1}{6}$ ③ $\frac{1}{4}$
④ $\frac{1}{2}$ ⑤ 1

0277 NORMAL

수열 $\{a_n\}$에 대하여 급수

$$\left(\frac{a_1}{1} - \frac{2}{1^2}\right) + \left(\frac{a_2}{2} - \frac{2+4}{2^2}\right) + \left(\frac{a_3}{3} - \frac{2+4+6}{3^2}\right) + \cdots = 5$$

일 때, $\lim_{n \to \infty} \frac{2n - a_n}{2n + a_n}$의 값은?

① $\frac{1}{3}$ ② $\frac{1}{2}$ ③ $\frac{2}{3}$
④ 1 ⑤ $\frac{3}{2}$

0278 최다빈출 왕중요 TOUGH

수열 $\{a_n\}$에 대하여 급수

$$\left(\frac{a_1}{2} - \frac{1}{1^2}\right) + \left(\frac{a_2}{4} - \frac{1+2}{3^2}\right) + \cdots + \left\{\frac{a_n}{2n} - \frac{1+2+3+\cdots+n}{(2n-1)^2}\right\} + \cdots$$

이 수렴할 때, $\lim_{n \to \infty} \frac{n + a_n}{n - a_n}$의 값은?

① $\frac{5}{3}$ ② $\frac{7}{5}$ ③ $\frac{3}{7}$
④ $\frac{9}{7}$ ⑤ $\frac{7}{9}$

▶ 해설 내신연계기출

유형 15 급수의 수렴, 발산의 판정법

(1) 부분합의 극한을 구하지 않고도 급수가 수렴하는지 발산하는지의 여부를 알 수 있다.

급수의 수렴, 발산 판정법 (급수 $\sum_{n=1}^{\infty} a_n$이 계산이 안 되는 경우)

$\lim_{n \to \infty} a_n \neq 0$이면 급수 $\sum_{n=1}^{\infty} a_n$은 발산한다.

⬅ 급수 $\sum_{n=1}^{\infty} a_n$이 수렴하면 $\lim_{n \to \infty} a_n = 0$이다. 의 대우

(2) $\lim_{n \to \infty} a_n = 0$이면 부분합 S_n을 구한 다음 $\lim_{n \to \infty} S_n$의 수렴 발산을 조사한다.

0279 학교기출 대표 유형

다음은 급수 $\frac{1}{2} + \frac{2}{5} + \frac{3}{8} + \frac{4}{11} + \frac{5}{14} + \cdots$가 발산함을 보이는 과정이다.

> 주어진 급수의 일반항을 a_n이라 하면
> $a_n =$ (가)
> 이므로 $\lim_{n \to \infty} a_n = \lim_{n \to \infty}$ (가) $=$ (나)
> 따라서 $\lim_{n \to \infty} a_n \neq$ (다) 이므로 주어진 급수는 발산한다.

위의 과정에서 (가)에 알맞은 식을 $f(n)$이라 하고, (나), (다)에 알맞은 값을 α, β라 할 때, $f(10) + 3\alpha + \beta$의 값은?

① $\frac{30}{29}$ ② $\frac{33}{29}$ ③ $\frac{36}{29}$
④ $\frac{39}{29}$ ⑤ $\frac{43}{39}$

0280 최다빈출 왕중요 NORMAL

다음 급수 중 수렴하는 것은?

① $\sum_{n=1}^{\infty} \frac{1}{\sqrt{n+1} + \sqrt{n}}$

② $\sum_{n=1}^{\infty} (\sqrt{n^2+n} - n)$

③ $\sum_{n=1}^{\infty} \left(\frac{n}{n+1} - \frac{n+1}{n+2}\right)$

④ $\sum_{n=1}^{\infty} \frac{2n^2}{n(n+1)}$

⑤ $1 + \frac{3}{5} + \frac{1}{2} + \cdots + \frac{n+1}{3n-1} + \cdots$

▶ 해설 내신연계기출

03 급수

0281

NORMAL

다음 [보기]의 급수 중 수렴하는 것만을 있는 대로 고른 것은?

ㄱ. $\sum_{n=1}^{\infty}\frac{n^2+3n}{n^2+4n+1}$

ㄴ. $\sum_{n=2}^{\infty}\frac{1}{n^2-1}$

ㄷ. $\sum_{n=1}^{\infty}(\sqrt{n+1}-\sqrt{n})$

ㄹ. $\sum_{n=1}^{\infty}\frac{2}{(n+1)(n+2)}$

① ㄱ ② ㄴ, ㄷ ③ ㄷ, ㄹ
④ ㄴ, ㄹ ⑤ ㄱ, ㄴ, ㄷ, ㄹ

0282

최다빈출 왕중요

NORMAL

다음 [보기]에서 수렴하는 급수를 있는 대로 고른 것은?

ㄱ. $\sum_{n=2}^{\infty}\frac{1}{n^2-1}$

ㄴ. $1+\frac{1}{2}+\frac{1}{3}+\frac{1}{4}+\frac{1}{5}+\cdots$

ㄷ. $\sum_{n=1}^{\infty}\frac{1+(-4)^n}{3^n}$

ㄹ. $\lim_{n\to\infty}\sum_{k=1}^{n}\frac{1}{1+2+\cdots+k}$

① ㄱ ② ㄷ, ㄹ ③ ㄱ, ㄹ
④ ㄴ, ㄷ ⑤ ㄴ, ㄷ, ㄹ

▶ 해설 내신연계기출

0283

NORMAL

다음 [보기]의 급수 중 수렴하는 것만을 있는 대로 고른 것은?

ㄱ. $\left(2-\frac{3}{2}\right)+\left(\frac{3}{2}-\frac{4}{3}\right)+\left(\frac{4}{3}-\frac{5}{4}\right)+\cdots$

ㄴ. $\sum_{n=1}^{\infty}\frac{1}{\sqrt{n+4}+\sqrt{n+3}}$

ㄷ. $\sum_{n=1}^{\infty}\frac{1}{(n+1)(n+2)}$

ㄹ. $\sum_{n=1}^{\infty}\frac{2\sqrt{n}}{\sqrt{n+1}+\sqrt{n-1}}$

① ㄱ ② ㄱ, ㄷ ③ ㄴ, ㄹ
④ ㄴ, ㄷ, ㄹ ⑤ ㄱ, ㄴ, ㄷ, ㄹ

유형 16 급수와 수열의 극한의 진위 판단

① $\sum_{n=1}^{\infty}a_nb_n$이 수렴하면 $\lim_{n\to\infty}a_n=0$ 또는 $\lim_{n\to\infty}b_n=0$이다 [거짓]

⇨ 반례 급수 $\sum_{n=1}^{\infty}a_nb_n$이 수렴하면 $\lim_{n\to\infty}a_nb_n=0$이다.

수열 $\{a_n\}$: $1, 0, 1, 0, 1, 0, \cdots$

수열 $\{b_n\}$: $0, 1, 0, 1, 0, 1, \cdots$이라 하면

수열 $\{a_nb_n\}$은 $0, 0, 0, 0, \cdots$이므로 $\lim_{n\to\infty}a_nb_n=0$이다.

하지만 $\lim_{n\to\infty}a_n$, $\lim_{n\to\infty}b_n$은 모두 진동한다.

② $\sum_{n=1}^{\infty}a_nb_n$이 수렴하고 $\lim_{n\to\infty}a_n\neq0$이면 $\lim_{n\to\infty}b_n=0$이다. [거짓]

⇨ 반례 급수 $\sum_{n=1}^{\infty}a_nb_n$이 수렴하면 $\lim_{n\to\infty}a_nb_n=0$이고 $\lim_{n\to\infty}a_n\neq0$이므로

$\{a_n\}$: $1, 0, 1, 0, \cdots$

$\{b_n\}$: $0, 1, 0, 1, \cdots$이면 $\lim_{n\to\infty}a_nb_n=0$이므로 0에 수렴하고

$\lim_{n\to\infty}a_n\neq0$이지만 $\lim_{n\to\infty}b_n\neq0$ [거짓]

③ $\sum_{n=1}^{\infty}a_n$이 수렴하면 급수 $\sum_{n=1}^{\infty}\frac{1}{a_n}$은 발산한다. $(a_n\neq0)$ [참]

해설 급수 $\sum_{n=1}^{\infty}a_n$이 수렴하면 $\lim_{n\to\infty}a_n=0$이다.

따라서 $\lim_{n\to\infty}\frac{1}{a_n}\neq0$이므로 급수 $\sum_{n=1}^{\infty}\frac{1}{a_n}$은 발산한다.

④ $\sum_{n=1}^{\infty}\frac{1}{a_n}$이 수렴하면 급수 $\sum_{n=1}^{\infty}a_n$은 발산한다. [참]

해설 급수 $\sum_{n=1}^{\infty}\frac{1}{a_n}$이 수렴하면 $\lim_{n\to\infty}\frac{1}{a_n}=0$이다.

따라서 $\lim_{n\to\infty}a_n\neq0$이므로 급수 $\sum_{n=1}^{\infty}a_n$은 발산한다.

⑤ $\sum_{n=1}^{\infty}a_n$이 수렴하고 $\sum_{n=1}^{\infty}b_n$이 발산하면 $\sum_{n=1}^{\infty}a_nb_n$은 발산한다. [거짓]

⇨ 반례 $a_n=\left(\frac{1}{3}\right)^n$, $b_n=2^n$일 때,

$\sum_{n=1}^{\infty}a_n=\sum_{n=1}^{\infty}\left(\frac{1}{3}\right)^n=\frac{\frac{1}{3}}{1-\frac{1}{3}}=\frac{1}{2}$, $\sum_{n=1}^{\infty}b_n=\sum_{n=1}^{\infty}2^n=\infty$이지만

$\sum_{n=1}^{\infty}a_nb_n=\sum_{n=1}^{\infty}\left(\frac{1}{3}\right)^n\cdot2^n=\sum_{n=1}^{\infty}\left(\frac{2}{3}\right)^n=\frac{\frac{2}{3}}{1-\frac{2}{3}}=2$ 수렴한다.

⑥ $\sum_{n=1}^{\infty}a_n$, $\sum_{n=1}^{\infty}b_n$이 수렴하면 $\sum_{n=1}^{\infty}a_nb_n=\sum_{n=1}^{\infty}a_n\times\sum_{n=1}^{\infty}b_n$이다. [거짓]

⇨ 반례 $a_n=\left(\frac{1}{2}\right)^n$, $b_n=\left(\frac{1}{3}\right)^n$이라고 하면

$\alpha=\sum_{n=1}^{\infty}a_n=\frac{\frac{1}{2}}{1-\frac{1}{2}}=1$, $\beta=\sum_{n=1}^{\infty}b_n=\frac{\frac{1}{3}}{1-\frac{1}{3}}=\frac{1}{2}$

이때 $a_nb_n=\left(\frac{1}{6}\right)^n$이므로 $\sum_{n=1}^{\infty}a_nb_n=\frac{\frac{1}{6}}{1-\frac{1}{6}}=\frac{1}{5}$

$\therefore \sum_{n=1}^{\infty}a_nb_n\neq\alpha\beta$ [거짓]

⑦ 급수 $\sum_{n=1}^{\infty} a_n$이 수렴하면 $\sum_{n=1}^{\infty}\left(a_n+\frac{1}{4}\right)$도 수렴한다. [거짓]

⇨ 반례 $a_n=\frac{1}{n(n+1)}$이면 $\sum_{n=1}^{\infty} a_n=\sum_{n=1}^{\infty}\frac{1}{n(n+1)}=1$이지만

$\lim_{n\to\infty}\left(a_n+\frac{1}{4}\right)=\lim_{n\to\infty}\left\{\frac{1}{n(n+1)}+\frac{1}{4}\right\}\neq 0$이므로

$\sum_{n=1}^{\infty}\left(a_n+\frac{1}{4}\right)=\infty$이다.

⑧ 급수 $\sum_{n=1}^{\infty}\left(\frac{1}{2}\right)^n a_n$이 수렴하면 수열 $\{a_n\}$은 수렴한다. [거짓]

⇨ 반례 $a_n=(-1)^n$이면 $\sum_{n=1}^{\infty}\left(\frac{1}{2}\right)^n a_n=\sum_{n=1}^{\infty}\left(-\frac{1}{2}\right)^n$이므로

공비가 $r=-\frac{1}{2}$이므로 $\sum_{n=1}^{\infty}\left(-\frac{1}{2}\right)^n$은 수렴하지만

$\lim_{n\to\infty} a_n=\lim_{n\to\infty}(-1)^n$은 진동한다. [거짓]

⑨ $\sum_{n=1}^{\infty} a_n$, $\sum_{n=1}^{\infty} b_n$이 모두 수렴하고 $a_n>b_n$이면 $\sum_{n=1}^{\infty} a_n>\sum_{n=1}^{\infty} b_n$이다.
[참]

해설 $\sum_{n=1}^{\infty} a_n-\sum_{n=1}^{\infty} b_n=\sum_{n=1}^{\infty}(a_n-b_n)>0$이므로 $\sum_{n=1}^{\infty} a_n>\sum_{n=1}^{\infty} b_n$이다.

⑩ $\sum_{n=1}^{\infty} a_n=\alpha$, $\sum_{n=1}^{\infty} b_n=\beta$이고 $\alpha>\beta$이면 $\lim_{n\to\infty} a_n>\lim_{n\to\infty} b_n$이다.
[거짓]

⇨ 반례 $\sum_{n=1}^{\infty} a_n$, $\sum_{n=1}^{\infty} b_n$이 각각 수렴하므로 $\lim_{n\to\infty} a_n=0$, $\lim_{n\to\infty} b_n=0$

참고 위 급수의 진위판단은 등비급수의 진위판단도 포함한다.
등비급수 $\sum_{n=1}^{\infty} ar^{n-1}=\frac{a}{1-r}$ (단, $a\neq 0$, $-1<r<1$)

0284 학교기출 대표 유형

두 수열 $\{a_n\}$, $\{b_n\}$에 대한 다음 [보기]의 설명 중 옳은 것만을 있는 대로 고른 것은? (단, α, β는 실수이다.)

ㄱ. $a_n>b_n$이고 $\lim_{n\to\infty} a_n=\alpha$, $\lim_{n\to\infty} b_n=\beta$이면 $\alpha>\beta$이다.
ㄴ. $a_n>b_n$이고 $\sum_{n=1}^{\infty} a_n=\alpha$, $\sum_{n=1}^{\infty} b_n=\beta$이면 $\alpha>\beta$이다.
ㄷ. $\sum_{n=1}^{\infty} a_n=\alpha$, $\sum_{n=1}^{\infty} b_n=\beta$이고 $\alpha>\beta$이면 $\lim_{n\to\infty} a_n>\lim_{n\to\infty} b_n$이다.

① ㄱ ② ㄴ ③ ㄷ
④ ㄱ, ㄴ ⑤ ㄱ, ㄴ, ㄷ

0285 BASIC

두 수열 $\{a_n\}$, $\{b_n\}$에 대하여 다음 [보기] 중 옳은 것만을 있는 대로 고른 것은?

ㄱ. $\lim_{n\to\infty} a_n=0$이면 $\sum_{n=1}^{\infty} a_n$은 수렴한다.
ㄴ. $\sum_{n=1}^{\infty} a_n$, $\sum_{n=1}^{\infty} b_n$가 모두 수렴하면 $\sum_{n=1}^{\infty}(a_n-b_n)$도 수렴한다.
ㄷ. $\sum_{n=1}^{\infty} a_nb_n$이 수렴하고 $\lim_{n\to\infty} a_n\neq 0$이면 $\lim_{n\to\infty} b_n=0$이다.

① ㄱ ② ㄴ ③ ㄱ, ㄴ
④ ㄴ, ㄷ ⑤ ㄱ, ㄴ, ㄷ

0286 최다빈출 왕중요 BASIC

수열 $\{a_n\}$에 대하여 다음 [보기] 중 옳은 것을 있는 대로 고른 것은?

ㄱ. $\sum_{n=1}^{\infty} a_n$이 수렴하면 $\lim_{n\to\infty} a_n=0$이다.
ㄴ. $\lim_{n\to\infty} a_n\neq 0$이면 $\sum_{n=1}^{\infty} a_n$은 발산한다.
ㄷ. $\sum_{n=1}^{\infty} a_n$이 발산하면 $\lim_{n\to\infty} a_n\neq 0$이다.
ㄹ. $\sum_{n=1}^{\infty}\frac{1}{a_n}$이 수렴하면 $\sum_{n=1}^{\infty} a_n$은 발산한다.

① ㄱ ② ㄴ ③ ㄴ, ㄷ
④ ㄱ, ㄴ, ㄹ ⑤ ㄱ, ㄴ, ㄷ, ㄹ

▶ 해설 내신연계기출

0287 최다빈출 왕중요 NORMAL

수열 $\{a_n\}$에 대하여 다음 중 옳은 것은?

① $\lim_{n\to\infty} a_n=0$이면 $\sum_{n=1}^{\infty} a_n$은 수렴한다.

② $\sum_{n=1}^{\infty} a_nb_n$이 수렴하고 $\lim_{n\to\infty} a_n\neq 0$이면 $\lim_{n\to\infty} b_n=0$이다.

③ 급수 $\sum_{n=1}^{\infty}(a_n-2)$이 수렴하면 급수 $\sum_{n=1}^{\infty} a_n$도 수렴한다.

④ 두 급수 $\sum_{n=1}^{\infty} a_n$, $\sum_{n=1}^{\infty} b_n$이 발산하면 $\sum_{n=1}^{\infty}(a_n+b_n)$은 발산한다.

⑤ $\sum_{n=1}^{\infty} a_n$, $\sum_{n=1}^{\infty}(a_n+b_n)$이 수렴하면 $\sum_{n=1}^{\infty} b_n$도 수렴한다.

▶ 해설 내신연계기출

0288

NORMAL

두 수열 $\{a_n\}$, $\{b_n\}$에 대하여 옳은 것만을 [보기]에서 있는 대로 고른 것은?

ㄱ. $\lim_{n\to\infty} a_n b_n$이 발산하면 $\lim_{n\to\infty} a_n$이 발산하거나 $\lim_{n\to\infty} b_n$이 발산한다.

ㄴ. $\sum_{n=1}^{\infty} a_n b_n$이 발산하면 $\lim_{n\to\infty} a_n$이 발산하거나 $\lim_{n\to\infty} b_n$이 발산한다.

ㄷ. $\sum_{n=1}^{\infty} a_n b_n$이 수렴하면 $\sum_{n=1}^{\infty} a_n$과 $\sum_{n=1}^{\infty} b_n$이 모두 수렴한다.

① ㄱ ② ㄴ ③ ㄷ
④ ㄴ, ㄷ ⑤ ㄱ, ㄴ, ㄷ

0289

최다빈출 왕 중요

NORMAL

수열 $\{a_n\}$에 대하여 다음 중 옳지 않은 것은?

① 급수 $\sum_{n=1}^{\infty} a_n$이 수렴하면 $\lim_{n\to\infty} a_n=0$이다.

② $\sum_{n=1}^{\infty} a_n$과 $\sum_{n=1}^{\infty} b_n$이 수렴하면 $\lim_{n\to\infty} a_n b_n=0$이다.

③ $a_n \neq 0$일 때, 급수 $\sum_{n=1}^{\infty} a_n$이 수렴하면 급수 $\sum_{n=1}^{\infty} \frac{1}{a_n}$은 발산한다.

④ 급수 $\sum_{n=1}^{\infty} (a_n-5)$이 수렴하면 급수 $\sum_{n=1}^{\infty} a_n$도 수렴한다.

⑤ 두 급수 $\sum_{n=1}^{\infty} a_n$과 $\sum_{n=1}^{\infty} b_n$이 수렴하면 $\lim_{n\to\infty} a_n=\lim_{n\to\infty} b_n$이다.

▶ 해설 내신연계기출

0290

NORMAL

다음 중 옳지 않은 것은?

① $\lim_{n\to\infty} a_n$, $\lim_{n\to\infty} b_n$이 수렴하면

$\lim_{n\to\infty} \frac{a_n}{b_n}=\frac{\lim_{n\to\infty} a_n}{\lim_{n\to\infty} b_n}$ $(b_n \neq 0,\ \lim_{n\to\infty} b_n \neq 0)$이다.

② 두 급수 $\sum_{n=1}^{\infty} a_n$, $\sum_{n=1}^{\infty} a_{2n}$이 수렴하면 $\sum_{n=1}^{\infty} a_{2n-1}$도 수렴한다.

③ 두 급수 $\sum_{n=1}^{\infty} a_n$, $\sum_{n=1}^{\infty} b_n$이 수렴하면 $\sum_{n=1}^{\infty} (a_n+b_n)$도 수렴한다.

④ $\sum_{n=1}^{\infty} a_n$, $\sum_{n=1}^{\infty} b_n$이 수렴하면 $\sum_{n=1}^{\infty} \frac{a_n}{b_n}=\frac{\sum_{n=1}^{\infty} a_n}{\sum_{n=1}^{\infty} b_n}$ $\left(단, \sum_{n=1}^{\infty} b_n \neq 0\right)$이다.

⑤ 두 급수 $\sum_{n=1}^{\infty} a_n$, $\sum_{n=1}^{\infty} b_n$이 모두 수렴하고 $a_n > b_n$이면

$\sum_{n=1}^{\infty} a_n > \sum_{n=1}^{\infty} b_n$이다.

0291

최다빈출 왕 중요

NORMAL

두 수열 $\{a_n\}$, $\{b_n\}$에 대하여 [보기]의 설명 중 옳은 것을 있는 대로 고르면?

ㄱ. $a_n \neq 0$이고 $\sum_{n=1}^{\infty} a_n$이 수렴하면 $\sum_{n=1}^{\infty} \frac{1}{a_n}$은 발산한다.

ㄴ. $\sum_{n=1}^{\infty} \left(a_n-\frac{1}{2}\right)=\frac{3}{2}$이면 $\lim_{n\to\infty} a_n=2$이다.

ㄷ. $\sum_{n=1}^{\infty} a_n b_n$이 수렴하고 $\lim_{n\to\infty} a_n \neq 0$이면 $\lim_{n\to\infty} b_n=0$이다.

① ㄱ ② ㄴ ③ ㄱ, ㄷ
④ ㄴ, ㄷ ⑤ ㄱ, ㄴ, ㄷ

▶ 해설 내신연계기출

04 등비급수

학교내신기출 객관식 핵심문제총정리

STEP 1 내신정복 기출유형

유형 01 등비급수의 수렴조건

등비급수 $\sum_{n=1}^{\infty} ar^{n-1} = a+ar+ar^2+\cdots+ar^{n-1}+\cdots(a\neq 0)$은

① $|r|<1$일 때, 수렴하고 그 합은 $\frac{a}{1-r}$이다.

② $|r|\geq 1$일 때, 발산한다.

등비급수 수렴조건 $-1<r<1$

① 등비수열 $\{ar^{n-1}\}$이 수렴할 조건 ⇨ $a=0$ 또는 $-1<r\leq 1$

② 등비급수 $\sum_{n=1}^{\infty} ar^{n-1}$이 수렴할 조건 ⇨ $a=0$또는 $-1<r<1$

0292 학교기출 대표 유형

다음 중 등비급수 $\sum_{n=1}^{\infty} ar^{n-1}$에 대한 설명으로 옳지 않은 것은?

① $a=0$일 때, $\sum_{n=1}^{\infty} ar^{n-1}$은 수렴한다.

② $r=-1$일 때, $\sum_{n=1}^{\infty} ar^{n-1}(a\neq 0)$은 발산한다.

③ $r<-1$ 또는 $r>1$일 때, $\sum_{n=1}^{\infty} ar^{n-1}(a\neq 0)$은 발산한다.

④ $-1<r<1$일 때, $\sum_{n=1}^{\infty} ar^{n-1}(a\neq 0)$은 수렴한다.

⑤ $r=1$일 때, $\sum_{n=1}^{\infty} ar^{n-1}(a\neq 0)$은 수렴한다.

0293 BASIC

등비급수

$$1-3x+9x^2-27x^3+\cdots$$

이 수렴하도록 하는 x의 값의 범위는?

① $-\frac{1}{3}<x<\frac{1}{3}$ ② $-\frac{1}{3}\leq x<\frac{1}{3}$ ③ $-\frac{1}{3}<x\leq\frac{1}{3}$

④ $-\frac{1}{9}<x<\frac{1}{9}$ ⑤ $-\frac{1}{9}<x\leq\frac{1}{9}$

0294 BASIC

다음 급수가 수렴하지 않는 것은?

① $\sum_{n=1}^{\infty}\frac{3}{2^n}$ ② $\sum_{n=1}^{\infty}\left(-\frac{\sqrt{7}}{4}\right)^n$

③ $\sum_{n=1}^{\infty}\left(\frac{2}{3}\right)^{2n}\left(\frac{1}{4}\right)^n$ ④ $\sum_{n=1}^{\infty}\frac{3^n-2^n}{3^n+2^n}$

⑤ $\sum_{n=1}^{\infty}\frac{\cos n\pi}{2^n}$

0295 BASIC

수렴하는 급수를 [보기]에서 있는 대로 고른 것은?

ㄱ. $1+\frac{1}{\sqrt{2}}+\frac{1}{2}+\frac{1}{2\sqrt{2}}+\frac{1}{4}+\cdots$

ㄴ. $\sqrt{3}+3+3\sqrt{3}+9+\cdots$

ㄷ. $\sum_{n=1}^{\infty}(-1+\sqrt{2})^{n-1}$

ㄹ. $\sum_{n=1}^{\infty}\left(-\frac{3}{2}\right)^n$

① ㄱ ② ㄱ, ㄷ ③ ㄴ, ㄹ

④ ㄷ, ㄹ ⑤ ㄴ, ㄷ, ㄹ

0296 최다빈출 왕중요 BASIC

$\sum_{n=1}^{\infty}\left(\frac{2x-1}{5}\right)^n$이 수렴하도록 하는 정수 x의 개수는?

① 1 ② 2 ③ 3

④ 4 ⑤ 5

▶ 해설 내신연계기출

0297

NORMAL

$\sum_{n=1}^{\infty}\left(\frac{1-\log_2 x^2}{2}\right)^n$ 이 수렴하도록 하는 정수 x의 개수는?

① 1　② 2　③ 3
④ 4　⑤ 5

0298

최다빈출 왕중요　NORMAL

수열 $\left\{\left(\frac{x}{2}-1\right)^n\right\}$과 급수 $\sum_{n=1}^{\infty}\left(\frac{x-4}{3}\right)^{n+1}$ 이 동시에 수렴하도록 하는 정수 x의 개수는?

① 1　② 2　③ 3
④ 4　⑤ 5

▶ 해설 내신연계기출

0299

NORMAL

수열 $\{(1-\log_2 x)^n\}$과 등비급수 $1+\frac{x}{3}+\left(\frac{x}{3}\right)^2+\left(\frac{x}{3}\right)^3+\cdots$이 모두 수렴하도록 하는 x의 값의 범위는?

① $-3<x\le 2$　② $1<x\le 3$　③ $1\le x<3$
④ $-2<x\le 1$　⑤ $-3<x\le 1$

0300

최다빈출 왕중요　NORMAL

급수 $\sum_{n=1}^{\infty}\left(\frac{x^2-x}{2}\right)^n$ 이 수렴하도록 하는 x의 값의 범위가 $\alpha<x<\beta$ 일 때, 이때 $\alpha\beta$의 값은?

① -1　② -2　③ -3
④ -4　⑤ -5

▶ 해설 내신연계기출

0301

TOUGH

등비급수 $\sum_{n=1}^{\infty}(\sqrt{3}\tan x-2)^n$가 수렴하기 위한 x의 범위가 $a<x<b$ 또는 $c<x<d$일 때, 상수 a, b, c, d에 대하여 $a+b+c+d$의 값은? (단, $0<x<2\pi$)

① π　② $\frac{3}{2}\pi$　③ 2π
④ $\frac{5}{2}\pi$　⑤ 3π

0302

TOUGH

다음 두 조건을 동시에 만족시키는 모든 정수 r의 값의 합은?

(가) 급수 $\sum_{n=1}^{\infty}\left(\frac{r-5}{8}\right)^n$이 수렴한다.

(나) $\lim_{n\to\infty}\frac{r^{n+1}-7^n+2}{r^n+7^{n+1}+2^{n-1}}=-\frac{1}{7}$

① 14　② 15　③ 16
④ 17　⑤ 18

유형 02 첫째항이 미지수인 등비급수의 수렴조건

등비급수 $\sum_{n=1}^{\infty} ar^{n-1}$의 수렴조건은 $a=0$ 또는 $-1<r<1$임을 이용한다.
이때 주어진 등비급수가 $a=r$인 경우 $-1<r<1$임을 이용하여 x의 값의 범위를 구한다.

 등비급수 $\sum_{n=1}^{\infty} ar^{n-1}$이 수렴할 조건 ⇨ $a=0$ 또는 $-1<r<1$

0303 학교기출 대표 유형

급수

$$\sum_{n=1}^{\infty}(x+1)\left(\frac{x-1}{2}\right)^{n-1}$$

이 수렴하도록 하는 정수 x의 개수는?

① 1 ② 2 ③ 3
④ 4 ⑤ 5

▶ 해설 내신연계기출

0304 NORMAL

급수

$$\sum_{n=1}^{\infty}\frac{(x+2)(x-3)^n}{5^n}$$

이 수렴하도록 하는 모든 정수 x의 개수는?

① 6 ② 8 ③ 10
④ 12 ⑤ 14

0305 최다빈출 왕 중요 NORMAL

급수

$$\sum_{n=1}^{\infty}(x^2-16)\left(\frac{x-2}{2}\right)^{n-1}$$

이 수렴하도록 하는 모든 정수 x의 개수는?

① 4 ② 5 ③ 6
④ 7 ⑤ 8

▶ 해설 내신연계기출

0306 TOUGH

등비급수

$$x+x\{1-\log(x+1)\}+x\{1-\log(x+1)\}^2+\cdots$$

이 수렴하기 위한 정수 x의 개수는?

① 97 ② 98 ③ 99
④ 100 ⑤ 101

유형 03 $\sum_{n=1}^{\infty} r^n$이 수렴할 때, 수렴하는 급수

[1단계] 등비급수의 수렴 조건을 이용하여 수렴하는 수열에서 r의 값의 범위를 구한다.
[2단계] 1단계에서 구한 r의 범위를 이용하여 각 수열의 공비가 $-1<(\text{공비})<1$을 만족시키는지 확인한다.

0307 학교기출 대표 유형

등비급수 $\sum_{n=1}^{\infty} r^n$이 수렴할 때, 다음 급수 중 반드시 수렴한다고 할 수 없는 것은?

① $\sum_{n=1}^{\infty}(-r)^n$ ② $\sum_{n=1}^{\infty}(r^n-2r^{2n})$ ③ $\sum_{n=1}^{\infty}\frac{r^n+(-r)^n}{2}$
④ $\sum_{n=1}^{\infty}\left(\frac{r}{2}\right)^n$ ⑤ $\sum_{n=1}^{\infty}\left(\frac{r}{2}+1\right)^n$

0308 최다빈출 왕 중요 NORMAL

등비급수 $\sum_{n=1}^{\infty} r^n$이 수렴할 때, 다음 [보기] 중 항상 수렴하는 것을 있는 대로 고른 것은?

ㄱ. $\sum_{n=1}^{\infty}(r^n+r^{2n-1})$
ㄴ. $\sum_{n=1}^{\infty}\left(\frac{1}{r}\right)^n$ (단, $r\neq 0$)
ㄷ. $\sum_{n=1}^{\infty}\left(\frac{r+2}{3}\right)^n$
ㄹ. $\sum_{n=1}^{\infty}\left(\frac{r}{4}-1\right)^n$

① ㄱ, ㄴ ② ㄴ, ㄹ ③ ㄱ, ㄷ
④ ㄴ, ㄷ, ㄹ ⑤ ㄱ, ㄴ, ㄷ, ㄹ

▶ 해설 내신연계기출

0309 NORMAL

수열 $\{a_n\}$은 첫째항 1, 공비 $\frac{1}{3}$인 등비수열이고 수열 $\{b_n\}$은 첫째항 1, 공비 $\frac{1}{2}$인 등비수열이다. 수렴하지 않는 급수는?

① $\sum_{n=1}^{\infty}2a_n$ ② $\sum_{n=1}^{\infty}(a_n-b_n)$ ③ $\sum_{n=1}^{\infty}(-1)^n b_n$
④ $\sum_{n=1}^{\infty}a_n b_n$ ⑤ $\sum_{n=1}^{\infty}\frac{b_n}{a_n}$

04 등비급수

유형 04 등비급수와 수열의 극한의 진위 판단

등비급수가 수렴할 조건, 급수의 성질을 이용하여 참인 경우는 증명하고 거짓인 경우는 반례를 든다.

① 등비급수 $\sum_{n=1}^{\infty} a_n$이 수렴하면 $\sum_{n=1}^{\infty} a_{2n}$도 수렴한다. [참]

해설 등비수열 $\{a_n\}$의 첫째항을 a, 공비를 r라고 하면 일반항은 $a_n = ar^{n-1}$이다.

$\sum_{n=1}^{\infty} a_n$이 수렴하면 $a=0$ 또는 $-1<r<1$이다.

$a=0$일 때, $\sum_{n=1}^{\infty} a_{2n} = 0+0+\cdots=0$이므로 $\sum_{n=1}^{\infty} a_{2n}$도 수렴한다.

$-1<r<1$일 때, $a_{2n} = ar^{2n-1} = ar \times (r^2)^{n-1}$에서

공비 r^2은 $0 \le r^2 < 1$이므로 $\sum_{n=1}^{\infty} a_{2n}$도 수렴한다. [참]

② 등비급수 $\sum_{n=1}^{\infty} a_n$이 발산하면 $\sum_{n=1}^{\infty} a_{2n}$도 발산한다. [참]

해설 $\sum_{n=1}^{\infty} a_n$이 발산하면 $r \le -1$ 또는 $r \ge 1$이다.

등비수열 $\{a_{2n}\}$의 공비 r^2은 $r^2 \ge 1$이므로 $\sum_{n=1}^{\infty} a_{2n}$도 발산한다.

0310 학교기출 대표 유형

등비수열 $\{a_n\}$에 대하여 옳은 것을 모두 고른 것은?

ㄱ. 등비급수 $\sum_{n=1}^{\infty} a_n$이 수렴하면 $\sum_{n=1}^{\infty} a_{2n}$도 수렴한다.
ㄴ. 등비급수 $\sum_{n=1}^{\infty} a_n$이 발산하면 $\sum_{n=1}^{\infty} a_{2n}$도 발산한다.
ㄷ. 등비급수 $\sum_{n=1}^{\infty} a_n$이 수렴하면 $\sum_{n=1}^{\infty}\left(a_n + \frac{1}{2}\right)$도 수렴한다.

① ㄱ ② ㄴ ③ ㄱ, ㄴ
④ ㄱ, ㄷ ⑤ ㄴ, ㄷ

0311 최다빈출 왕 중요 NORMAL

두 등비수열 $\{a_n\}$, $\{b_n\}$에 대하여 [보기]에서 항상 옳은 것을 모두 고른 것은?

ㄱ. 두 등비급수 $\sum_{n=1}^{\infty} a_n$, $\sum_{n=1}^{\infty} b_n$이 수렴하면 $\sum_{n=1}^{\infty} a_n b_n$은 수렴한다.
ㄴ. 두 등비급수 $\sum_{n=1}^{\infty} a_n$, $\sum_{n=1}^{\infty} b_n$이 발산하면 $\lim_{n\to\infty}(a_n+b_n) \ne 0$이다.
ㄷ. 두 등비급수 $\sum_{n=1}^{\infty} a_n^3$, $\sum_{n=1}^{\infty} b_n^3$이 수렴하면 $\sum_{n=1}^{\infty}(a_n+b_n)$은 수렴한다.

① ㄱ ② ㄴ ③ ㄱ, ㄴ
④ ㄱ, ㄷ ⑤ ㄴ, ㄷ

▶ 해설 내신연계기출

0312 NORMAL

두 등비수열 $\{a_n\}$, $\{b_n\}$에 대하여 옳은 것을 모두 고른 것은?

ㄱ. 두 급수 $\sum_{n=1}^{\infty} a_n$, $\sum_{n=1}^{\infty} b_n$이 수렴하면 $\lim_{n\to\infty}(a_n+b_n)=0$이다.
ㄴ. 급수 $\sum_{n=1}^{\infty} \frac{1}{a_n}$이 수렴하면 급수 $\sum_{n=1}^{\infty} a_n$은 발산한다.
ㄷ. 두 등비급수 $\sum_{n=1}^{\infty} a_n$, $\sum_{n=1}^{\infty} b_n$이 수렴하면 $\sum_{n=1}^{\infty} a_n b_n = \sum_{n=1}^{\infty} a_n \sum_{n=1}^{\infty} b_n$이다.
ㄹ. 첫째항이 $a(a\ne 0)$이고 공비가 r인 등비급수 $\sum_{n=1}^{\infty} ar^{n-1}$은 $r=1$일 때, 수렴한다.

① ㄷ ② ㄹ ③ ㄱ, ㄴ
④ ㄱ, ㄷ, ㄹ ⑤ ㄴ, ㄷ, ㄹ

0313 TOUGH

두 등비수열 $\{a_n\}$, $\{b_n\}$에 대하여 옳지 않은 것은?

① 두 급수 $\sum_{n=1}^{\infty} a_n$, $\sum_{n=1}^{\infty} b_n$이 수렴하면 $\lim_{n\to\infty} a_n b_n = 0$이다.
② 등비급수 $\sum_{n=1}^{\infty} ar^{n-1}(a \ne 0)$은 $-1<r\le 1$일 때, 수렴한다.
③ $\sum_{n=1}^{\infty} a_n^2$이 수렴하면 $\sum_{n=1}^{\infty} a_n$도 수렴한다.
④ 두 급수 $\sum_{n=1}^{\infty} a_n$, $\sum_{n=1}^{\infty} b_n$이 수렴하면, $\sum_{n=1}^{\infty} a_n b_n$도 수렴한다.
⑤ 급수 $\sum_{n=1}^{\infty} a_n b_n$이 수렴하면 두 급수 $\sum_{n=1}^{\infty} a_n$, $\sum_{n=1}^{\infty} b_n$ 중에서 적어도 하나는 수렴한다.

유형 05 등비급수의 합 (1)

[1단계] 등비급수 $\sum_{n=1}^{\infty} a_n$의 첫째항 a와 공비 r을 찾는다.

[2단계] $\sum_{n=1}^{\infty} a_n = \frac{a}{1-r}$ $(a \neq 0,\ -1 < r < 1)$

$-1 < r < 1$일 때, $\sum_{n=1}^{\infty} ar^{n-1}$의 합 ⟶ $\frac{a}{1-r}$

0314 학교기출 대표 유형

급수 $\sum_{n=1}^{\infty} 5\left(\frac{3}{4}\right)^{n-1}$의 값은?

① 5 ② 10 ③ 15
④ 20 ⑤ 25

0315 BASIC

다음 급수의 합은?

$$\log_4\sqrt{2} + \log_4\sqrt{\sqrt{2}} + \log_4\sqrt{\sqrt{\sqrt{2}}} + \cdots$$

① $\frac{1}{4}$ ② $\frac{1}{2}$ ③ 1
④ 2 ⑤ 4

0316 NORMAL

이차함수 $y=3x^2+x-6$의 그래프가 x축과 만나는 두 점의 x좌표를 각각 α, β라고 할 때, $\sum_{n=1}^{\infty}\left(\frac{1}{\alpha}+\frac{1}{\beta}\right)^n$의 합은?

① $\frac{1}{6}$ ② $\frac{1}{5}$ ③ $\frac{1}{4}$
④ $\frac{1}{3}$ ⑤ $\frac{1}{2}$

0317 최다빈출 왕중요 NORMAL

급수 $\sum_{n=1}^{\infty} r^{n-1}$이 수렴할 때, 다음 중 그 합이 될 수 있는 것은?

① $\frac{2}{3}$ ② $\frac{1}{2}$ ③ $\frac{1}{3}$
④ $-\frac{2}{5}$ ⑤ -1

▶ 해설 내신연계기출

0318 최다빈출 왕중요 NORMAL

급수 $\sum_{n=1}^{\infty}\left(\frac{1}{3}\right)^n \sin\frac{n\pi}{2}$의 합은?

① $\frac{1}{5}$ ② $\frac{3}{10}$ ③ $\frac{3}{5}$
④ $\frac{2}{3}$ ⑤ $\frac{4}{5}$

▶ 해설 내신연계기출

0319 NORMAL

등비급수 $\sum_{n=1}^{\infty}\left(-\frac{1}{5}\right)^n \cos\left(n\pi+\frac{\pi}{3}\right)$의 합은?

① $\frac{1}{3}$ ② $\frac{1}{8}$ ③ $\frac{1}{5}$
④ $\frac{3}{8}$ ⑤ $\frac{3}{10}$

0320 최다빈출 왕중요 TOUGH

$0 < \theta < \pi$일 때, $\sum_{n=1}^{\infty}(\cos\theta)^{2n-1} = \frac{2}{3}$를 만족시키는 θ의 값은?

① $\frac{\pi}{6}$ ② $\frac{\pi}{4}$ ③ $\frac{\pi}{3}$
④ $\frac{\pi}{2}$ ⑤ $\frac{2}{3}\pi$

▶ 해설 내신연계기출

유형 06 등비급수의 합 (2)

[1단계] 급수의 성질을 이용하여 주어진 급수를 수렴하는 두 등비급수로 나타낸다.

[2단계] 각 등비급수의 첫째항 a와 공비 $r(|r|<1)$를 찾아 등비급수의 합 $\frac{a}{1-r}$를 구한다.

등비급수의 합, 차
⇨ 급수의 성질을 이용하여 Σ기호를 분배한 후 각각 등비급수의 합을 구한다.

0321 학교기출 대표 유형

급수 $\sum_{n=1}^{\infty}\frac{1+(-1)^n}{3^n}$의 값은?

① $\frac{1}{8}$ ② $\frac{1}{4}$ ③ $\frac{3}{8}$
④ $\frac{1}{2}$ ⑤ $\frac{5}{8}$

▶ 해설 내신연계기출

0322 최다빈출 왕 중요 NORMAL

다음 조건을 만족하는 급수 a, b에 대하여 ab의 값은?

(가) $\sum_{n=1}^{\infty}\frac{2^n+(-1)^n}{3^n}=a$
(나) $\sum_{n=1}^{\infty}\left(\frac{3^{n+1}}{4^n}+\frac{6}{3^n}\right)=b$

① 8 ② $\frac{7}{4}$ ③ 12
④ 21 ⑤ 27

▶ 해설 내신연계기출

0323 NORMAL

자연수 a에 대하여 $a<5$일 때, 급수

$$\sum_{n=1}^{\infty}\frac{a^n+3^n}{5^n}=\frac{13}{6}$$

을 만족한다. a의 값은?

① 1 ② 2 ③ $\frac{13}{6}$
④ $\frac{16}{5}$ ⑤ 4

0324 NORMAL

급수

$$\frac{1}{3}+\frac{2}{3^2}+\frac{1}{3^3}+\frac{2}{3^4}+\frac{1}{3^5}+\frac{2}{3^6}+\cdots+\frac{1}{3^{2n-1}}+\frac{2}{3^{2n}}+\cdots$$

의 합은?

① $\frac{2}{9}$ ② $\frac{1}{3}$ ③ $\frac{1}{2}$
④ $\frac{2}{3}$ ⑤ $\frac{5}{8}$

0325 NORMAL

두 함수 $f(x)=x^2+3x$, $g(x)=\left(\frac{1}{2}\right)^{x+1}$일 때, $\sum_{n=1}^{\infty}f(g(n))$의 값은?

① $\frac{11}{8}$ ② $\frac{15}{8}$ ③ $\frac{17}{8}$
④ $\frac{19}{12}$ ⑤ $\frac{23}{12}$

0326 최다빈출 왕 중요 NORMAL

급수 $\sum_{n=1}^{\infty}\frac{1+3+3^2+\cdots+3^{n-1}}{5^n}$의 값은?

① $\frac{1}{8}$ ② $\frac{3}{8}$ ③ $\frac{5}{8}$
④ $\frac{9}{8}$ ⑤ $\frac{21}{8}$

▶ 해설 내신연계기출

0327

NORMAL

3^n의 양의 약수의 총합을 a_n이라 할 때, 급수 $\sum_{n=1}^{\infty}\frac{a_n}{9^n}$의 값은?

① $\frac{1}{16}$ ② $\frac{7}{16}$ ③ $\frac{9}{16}$
④ $\frac{11}{16}$ ⑤ $\frac{15}{16}$

0328 최다빈출 왕중요

NORMAL

첫째항이 2, 공비가 3인 등비수열 $\{a_n\}$에 대하여
$\sum_{n=1}^{\infty}\frac{a_1+a_2+a_3+\cdots+a_n}{4^n}$의 값은?

① 2 ② $\frac{7}{4}$ ③ $\frac{7}{3}$
④ $\frac{8}{3}$ ⑤ 3

▶ 해설 내신연계기출

0329 최다빈출 왕중요

NORMAL

이차방정식

$$x^2+(3^n-2^n)x-4^n=0$$

의 서로 다른 두 실근을 α_n, β_n이라 할 때,
$\sum_{n=1}^{\infty}\left(\frac{1}{\alpha_n}+\frac{1}{\beta_n}\right)$의 값은?

① 1 ② 2 ③ 3
④ $\frac{7}{2}$ ⑤ $\frac{9}{2}$

▶ 해설 내신연계기출

0330

NORMAL

자연수 n에 대하여 x에 대한 이차방정식

$$2^nx^2+4^nx-1=0$$

의 두 근이 α_n, β_n일 때, $\sum_{n=1}^{\infty}\frac{(\alpha_n-\beta_n)^2}{5^n}$의 값은?

① $\frac{28}{9}$ ② $\frac{10}{3}$ ③ $\frac{32}{9}$
④ 4 ⑤ $\frac{40}{9}$

0331 최다빈출 왕중요

TOUGH

이차방정식 $8x^2-4x-1=0$의 두 근을 α, β라고 할 때,
$\frac{1}{\beta-\alpha}\sum_{n=1}^{\infty}(\beta^n-\alpha^n)$의 값은?

① $\frac{5}{3}$ ② 2 ③ $\frac{7}{3}$
④ $\frac{8}{3}$ ⑤ 3

▶ 해설 내신연계기출

0332

TOUGH

이차방정식 $x^2-2x-4=0$의 두 근을 α, β라고 할 때,
$\sum_{n=1}^{\infty}\left\{\left(\frac{1}{\alpha}\right)^n+\left(\frac{1}{\beta}\right)^n\right\}^2$의 값은?

① $\frac{5}{3}$ ② $\frac{8}{5}$ ③ $\frac{7}{3}$
④ $\frac{8}{3}$ ⑤ 3

유형 07 합이 주어진 등비급수

$\sum_{n=1}^{\infty} ar^{n-1}=k$인 경우

[1단계] $\sum_{n=1}^{\infty} ar^{n-1}=\frac{a}{1-r}=k$임을 이용하여 a 또는 r을 구한다.

[2단계] 주어진 등비급수의 합을 구한다.

0333 학교기출 대표 유형

$\sum_{n=1}^{\infty} r^n=\frac{1}{3}$일 때, 등비급수 $\sum_{n=1}^{\infty} r^{2n}$의 값은?

① $\frac{1}{16}$ ② $\frac{1}{15}$ ③ $\frac{2}{15}$
④ $\frac{3}{5}$ ⑤ $\frac{4}{15}$

0334 최다빈출 왕 중요 BASIC

실수 a에 대하여

$$a+a^2+a^3+a^4+\cdots=2$$

일 때, 등비급수 $a-a^2+a^3-a^4+\cdots$의 값은?

① $\frac{2}{5}$ ② $\frac{1}{3}$ ③ $\frac{2}{3}$
④ $\frac{5}{6}$ ⑤ $\frac{5}{2}$

▶ 해설 내신연계기출

0335 NORMAL

실수 x에 대하여 $x+x^2+x^3+x^4+\cdots=5$일 때,

$$x-\frac{1}{2}x^2+\frac{1}{4}x^3-\frac{1}{8}x^4+\cdots=\frac{p}{q}$$

이다. 서로소인 자연수 p, q에 대하여 $p+q$의 값은?

① 10 ② 17 ③ 20
④ 24 ⑤ 27

0336 최다빈출 왕 중요 TOUGH

첫째항이 3인 등비수열 $\{a_n\}$에 대하여 $\sum_{n=1}^{\infty} a_n=\frac{15}{4}$일 때,

$\sum_{n=1}^{\infty} a_{2n}$의 값은?

① $\frac{2}{3}$ ② $\frac{3}{4}$ ③ $\frac{4}{5}$
④ $\frac{5}{8}$ ⑤ $\frac{6}{7}$

▶ 해설 내신연계기출

유형 08 등비수열의 일반항을 구하여 등비급수의 합 구하기

[1단계] 등비급수 $\sum_{n=1}^{\infty} a_n$의 첫째항 a과 공비 r를 찾는다.

[2단계] $-1<r<1$이면 $\sum_{n=1}^{\infty} a_n=\frac{a}{1-r}$

|(공비)|<1이면 그 합은 $\frac{(\text{첫째항})}{1-(\text{공비})}$이다.

0337 학교기출 대표 유형

등비수열 $\{a_n\}$에 대하여

$$a_1=3,\ a_2=1$$

일 때, $\sum_{n=1}^{\infty} a_n{}^2$의 값은?

① $\frac{81}{8}$ ② $\frac{83}{8}$ ③ $\frac{85}{8}$
④ $\frac{87}{8}$ ⑤ $\frac{89}{8}$

0338 최다빈출 왕 중요 BASIC

등비수열 $\{a_n\}$의 첫째항과 공비가 모두 $\frac{1}{3}$일 때,

$\sum_{n=1}^{\infty}(a_n+a_{n+2})$의 값은?

① $\frac{2}{9}$ ② $\frac{1}{3}$ ③ $\frac{4}{9}$
④ $\frac{5}{9}$ ⑤ $\frac{2}{3}$

▶ 해설 내신연계기출

0339 NORMAL

등비수열 $\{a_n\}$에 대하여

$$a_1+a_2=18,\ a_2+a_3=9$$

일 때, 급수 $\sum_{n=1}^{\infty} a_n$의 값은?

① 9 ② 12 ③ 18
④ 24 ⑤ 32

0340

NORMAL

등비수열 $\{a_n\}$에 대하여

$$a_1+a_3=14,\ a_2+a_4=42$$

일 때, $\sum_{n=1}^{\infty}\frac{7}{a_n}$의 값은?

① $\frac{7}{2}$ ② $\frac{9}{2}$ ③ $\frac{11}{2}$
④ $\frac{13}{2}$ ⑤ $\frac{15}{2}$

0341

NORMAL

등비수열 $\{a_n\}$에 대하여

$$a_1+a_2+a_3=14,\ a_2+a_3+a_4=7$$

일 때, $\sum_{n=1}^{\infty}a_n$의 값은?

① 8 ② 12 ③ 16
④ 20 ⑤ 24

0342

최다빈출 왕중요

NORMAL

공비가 양수인 등비수열 $\{a_n\}$이

$$a_1+a_2=20,\ \sum_{n=3}^{\infty}a_n=\frac{4}{3}$$

를 만족시킬 때, a_1의 값은?

① 12 ② 14 ③ 15
④ 16 ⑤ 17

▶ 해설 내신연계기출

0343

NORMAL

수열 $\{a_n\}$이 첫째항이 1, 공차가 -1인 등차수열일 때,

급수 $\sum_{n=1}^{\infty}3^{a_n}$의 값은?

① $\frac{9}{2}$ ② $\frac{7}{2}$ ③ $\frac{5}{2}$
④ $\frac{3}{2}$ ⑤ $\frac{1}{2}$

0344

최다빈출 왕중요

NORMAL

수열 $\{a_n\}$에 대하여 $a_n=\sum_{k=n}^{\infty}\left(\frac{1}{2}\right)^k$일 때, $\sum_{n=1}^{\infty}a_n$의 값은?

① $\frac{1}{8}$ ② $\frac{1}{4}$ ③ $\frac{1}{2}$
④ 1 ⑤ 2

▶ 해설 내신연계기출

0345

최다빈출 왕중요

TOUGH

첫째항이 4, 공비가 $\frac{1}{5}$인 등비수열 $\{a_n\}$에 대하여

$$\left|\sum_{n=1}^{\infty}a_n-\sum_{k=1}^{n}a_k\right|\le 0.001$$

을 만족시키는 자연수 n의 최솟값은?

① 4 ② 5 ③ 6
④ 7 ⑤ 8

▶ 해설 내신연계기출

04 등비급수

유형 09 $\sum_{n=1}^{\infty} a_n^2$, $\sum_{n=1}^{\infty} a_n^3$의 값 구하기

[1단계] 주어진 등비급수의 합을 이용하여 연립하여 첫째항 a와 공비 r을 구한다.

[2단계] $\sum_{n=1}^{\infty} a_n^2 = \frac{a^2}{1-r^2}$

$\sum_{n=1}^{\infty} a_n^3 = \frac{a^3}{1-r^3}$

0346 학교기출 대표 유형

첫째항이 2인 등비수열 $\{a_n\}$에 대하여

$$\sum_{n=1}^{\infty} a_n = 4$$

일 때, $\sum_{n=1}^{\infty} a_n^2$의 값은?

① $\frac{11}{3}$ ② $\frac{9}{2}$ ③ $\frac{13}{3}$
④ $\frac{16}{3}$ ⑤ $\frac{17}{2}$

0347 NORMAL

등비수열 $\{a_n\}$에 대하여

$$\sum_{n=1}^{\infty} a_n = 8,\ \sum_{n=1}^{\infty} a_{2n} = \frac{8}{3}$$

일 때, $\sum_{n=1}^{\infty} a_n^2$의 값은?

① $\frac{14}{3}$ ② $\frac{32}{3}$ ③ $\frac{55}{3}$
④ $\frac{64}{3}$ ⑤ $\frac{71}{3}$

▶ 해설 내신연계기출

0348 NORMAL

등비수열 $\{a_n\}$에 대하여

$$\sum_{n=1}^{\infty} a_n = 6,\ \sum_{n=1}^{\infty} a_n^2 = 12$$

일 때, $\sum_{n=1}^{\infty} (-1)^{n-1} a_n$의 값은?

① -1 ② 0 ③ 1
④ 2 ⑤ 3

0349 NORMAL

등비수열 $\{a_n\}$에 대하여

$$\sum_{n=1}^{\infty} a_n = 8,\ \sum_{n=1}^{\infty} a_{2n-1} = \frac{32}{5}$$

일 때, a_2의 값은?

① $\frac{1}{2}$ ② 1 ③ $\frac{3}{2}$
④ 2 ⑤ $\frac{5}{2}$

0350 최다빈출 왕 중요 NORMAL

등비수열 $\{a_n\}$에 대하여

$$\sum_{n=1}^{\infty} a_n = 2,\ \sum_{n=1}^{\infty} a_n^2 = 12$$

일 때, $\sum_{n=1}^{\infty} a_n^3$의 값은?

① 8 ② 12 ③ 16
④ 20 ⑤ 24

▶ 해설 내신연계기출

0351 TOUGH

등비급수 $\sum_{n=1}^{\infty} a_n$에 대하여

$$\sum_{n=1}^{\infty} a_n = \sum_{n=1}^{\infty} a_n^2 = 3$$

일 때, $\sum_{n=1}^{\infty} (2a_n + a_n^3)$의 값은?

① $\frac{11}{3}$ ② $\frac{12}{5}$ ③ $\frac{60}{7}$
④ $\frac{69}{7}$ ⑤ $\frac{71}{7}$

유형 10 여러 가지 수열과 등비급수

$a_{n+1}=ra_n$이면 공비가 r인 등비수열

등비급수 $\sum_{n=1}^{\infty}ar^{n-1}(a\neq0)$은 $-1<r<1$일 때, 수렴하고 그 합은

$\sum_{n=1}^{\infty}ar^{n-1}=a+ar+ar^2+\cdots+ar^{n-1}+\cdots=\frac{a}{1-r}$

0352 학교기출 대표 유형

수열 $\{a_n\}$이 모든 자연수 n에 대하여

$$a_1=3,\ a_{n+1}=\frac{2}{3}a_n$$

을 만족시킬 때, $\sum_{n=1}^{\infty}a_{2n-1}$의 값은?

① $\frac{3}{2}$ ② $\frac{9}{5}$ ③ $\frac{27}{5}$
④ $\frac{81}{5}$ ⑤ $\frac{27}{2}$

▶ 해설 내신연계기출

0353 최다빈출 왕중요 BASIC

자연수 n에 대하여 다항식 $x^n(5x^n+3x)$를 $3x-2$로 나눈 나머지를 a_n이라 할 때, $\sum_{n=1}^{\infty}a_n$의 값은?

① $\frac{4}{9}$ ② $\frac{1}{4}$ ③ $\frac{4}{3}$
④ 6 ⑤ 8

▶ 해설 내신연계기출

0354 NORMAL

공비가 양수인 등비수열 $\{a_n\}$이

$$a_3-a_1=2,\ \sum_{n=1}^{\infty}\frac{1}{a_n}=3$$

을 만족시킬 때, $\sum_{n=1}^{\infty}\frac{a_n}{12^n}$의 값은?

① $\frac{1}{16}$ ② $\frac{1}{15}$ ③ $\frac{1}{8}$
④ $\frac{1}{3}$ ⑤ 15

0355 최다빈출 왕중요 NORMAL

공비가 같은 두 등비수열 $\{a_n\}$, $\{b_n\}$에 대하여

$$a_1-b_1=1,\ \sum_{n=1}^{\infty}a_n=8,\ \sum_{n=1}^{\infty}b_n=6$$

일 때, $\sum_{n=1}^{\infty}a_nb_n$의 값은?

① 9 ② 12 ③ 16
④ 20 ⑤ 24

▶ 해설 내신연계기출

0356 TOUGH

첫째항이 1인 두 등비수열 $\{a_n\}$, $\{b_n\}$이 다음 조건을 만족시킬 때, $\sum_{n=1}^{\infty}(a_n^2+b_n^2)$의 값은?

(가) $\sum_{n=1}^{\infty}a_n$, $\sum_{n=1}^{\infty}b_n$이 각각 수렴한다.

(나) $\sum_{n=1}^{\infty}(a_n+b_n)=\frac{9}{4}$이고 $\sum_{n=1}^{\infty}(a_n-b_n)=\frac{3}{4}$이다.

① $\frac{9}{4}$ ② $\frac{11}{4}$ ③ $\frac{13}{4}$
④ $\frac{15}{4}$ ⑤ $\frac{17}{4}$

0357 최다빈출 왕중요 TOUGH

수열 $\{a_n\}$에서 $a_1=1$이고, 자연수 n에 대하여

$$a_na_{n+1}=\left(\frac{1}{5}\right)^n$$

이다. $\sum_{n=1}^{\infty}a_{2n}$의 값은?

① $\frac{1}{6}$ ② $\frac{1}{5}$ ③ $\frac{1}{4}$
④ $\frac{1}{3}$ ⑤ $\frac{1}{2}$

▶ 해설 내신연계기출

유형 11 S_n과 a_n 사이의 관계를 이용하여 등비급수의 합의 계산

첫째항부터 제 n항까지의 합 S_n이 주어진 경우에는

$$a_n=S_n-S_{n-1}(n\geq 2),\ a_1=S_1$$

임을 이용하여 일반항 a_n을 구한다.

0358 학교기출 대표 유형

수열 $\{a_n\}$에 대하여 $\sum_{k=1}^{n}a_k=3\left\{1-\left(\frac{2}{3}\right)^n\right\}$일 때,

급수 $\sum_{n=1}^{\infty}a_{2n}$의 값은?

① $\frac{2}{5}$ ② $\frac{4}{9}$ ③ $\frac{2}{3}$
④ $\frac{6}{5}$ ⑤ $\frac{8}{5}$

0359 최다빈출 왕중요 NORMAL

수열 $\{a_n\}$의 첫째항부터 제 n항까지의 합을 S_n이라 할 때,

$$\log_2(S_n+1)=3n$$

이다. $\sum_{n=1}^{\infty}\frac{1}{a_n}=\frac{q}{p}$일 때, $p+q$의 값은?
(단, p와 q는 서로소인 자연수이다.)

① 57 ② 58 ③ 59
④ 60 ⑤ 61

▶ 해설 내신연계기출

0360 최다빈출 왕중요 TOUGH

수열 $\{a_n\}$이 모든 자연수 n에 대하여

$$a_1+2a_2+2^2a_3+\cdots+2^{n-1}a_n=5n$$

을 만족시킬 때, $\sum_{n=1}^{\infty}a_n$의 값은?

① 6 ② 8 ③ 10
④ 12 ⑤ 14

▶ 해설 내신연계기출

유형 12 급수의 성질을 이용한 등비급수

[1단계] '급수 $\sum_{n=1}^{\infty}a_n$이 수렴하면 $\lim_{n\to\infty}a_n=0$이다.' 임을 이용하여 주어진 조건의 미지수의 값을 구한다.

[2단계] $\sum_{n=1}^{\infty}ar^{n-1}=\frac{a}{1-r}(-1<r<1)$

급수 $\sum_{n=1}^{\infty}a_n$의 수렴하면 ⇨ $\lim_{n\to\infty}a_n=0$(역은 성립하지 않는다.)

0361 학교기출 대표 유형

수열 $\{a_n\}$이 다음 조건을 만족시킬 때, $\sum_{n=1}^{\infty}(-1)^na_n$의 값은?
(단, p와 q는 상수)

(가) $a_n=\left(\frac{1}{2}\right)^n-2+p$
(나) $\sum_{n=1}^{\infty}a_n=q$

① $-\frac{1}{3}$ ② $-\frac{1}{2}$ ③ $\frac{1}{3}$
④ $\frac{1}{2}$ ⑤ 1

0362 NORMAL

첫째항과 공비가 서로 같은 등비수열 $\{a_n\}$에 대하여

$$\sum_{n=1}^{\infty}\frac{a_n-2^{n+1}}{3^n}=1$$

일 때, $8a_2$의 값은?

① 25 ② 50 ③ 75
④ 100 ⑤ 125

0363 TOUGH

공차가 d인 등차수열 $\{a_n\}$에 대하여 급수

$$\sum_{n=1}^{\infty}\left\{\frac{a_n}{n}-\frac{1+3+5+\cdots(2n-1)}{(3n-1)^2}\right\}=5$$

를 만족할 때, $\sum_{n=1}^{\infty}d^n$을 구하면? (단, d는 상수)

① $\frac{1}{8}$ ② $\frac{1}{4}$ ③ $\frac{1}{3}$
④ $\frac{1}{2}$ ⑤ 1

유형 13 공비가 보이지 않을 때 등비급수의 합

일반항이 복잡해 보이는 등비급수는 첫째항과 공비를 바로 찾기가 힘들다. 이럴 때는 Σ로 표현된 식을 전개하거나 n대신 1, 2, 3, …을 대입하여 첫째항과 공비를 찾는다.

0364 학교기출 대표 유형

급수 $\sum_{n=1}^{\infty}\left\{\frac{1+(-1)^n}{3}\right\}^n$의 값은?

① $\frac{1}{5}$ ② $\frac{2}{5}$ ③ $\frac{3}{5}$
④ $\frac{4}{5}$ ⑤ 1

0365 NORMAL

수열 $\{a_n\}$을

$$a_n=\begin{cases}0 & (n=3k-2) \\ 1 & (n=3k-1)\ (k\text{는 자연수}) \\ 2 & (n=3k)\end{cases}$$

로 정의할 때, $\sum_{n=1}^{\infty}\frac{a_n}{4^n}$의 값은?

① $\frac{2}{21}$ ② $\frac{17}{54}$ ③ $\frac{13}{32}$
④ $\frac{29}{63}$ ⑤ $\frac{3}{4}$

0366 최다빈출 왕 중요 NORMAL

자연수 n에 대하여 7^n을 4로 나눈 나머지를 a_n이라고 할 때, $\sum_{n=1}^{\infty}\frac{a_{2n}}{3^n}$의 값은?

① $\frac{1}{2}$ ② $\frac{3}{2}$ ③ $\frac{5}{2}$
④ $\frac{9}{2}$ ⑤ $\frac{11}{2}$

▶ 해설 내신연계기출

0367 NORMAL

자연수 n에 대하여 3^n의 일의 자리의 수를 a_n이라 할 때, $\sum_{n=1}^{\infty}\frac{a_n}{2^n}$의 값은?

① $\frac{5}{16}$ ② $\frac{16}{15}$ ③ 5
④ 10 ⑤ 15

0368 최다빈출 왕 중요 NORMAL

자연수 n에 대하여 두 수열 $\{a_n\}$, $\{b_n\}$이 다음 조건을 만족시킬 때, $\sum_{n=1}^{\infty}\frac{b_n}{5^n}$의 값은?

(가) $a_1=1$, $a_{n+1}=2a_n\,(n=1, 2, 3, \cdots)$
(나) a_n을 3으로 나누었을 때의 나머지가 b_n이다.

① $\frac{1}{5}$ ② $\frac{7}{24}$ ③ $\frac{1}{3}$
④ $\frac{9}{24}$ ⑤ $\frac{12}{25}$

▶ 해설 내신연계기출

0369 TOUGH

1L의 물이 들어 있는 통이 있다. 이 통에 들어 있는 물의 $\frac{1}{4}$을 비커 A에 넣고 남은 물의 $\frac{1}{4}$을 비커 B에 넣는다.

다시 남은 물의 $\frac{1}{4}$을 비커 A에 넣고 남은 물의 $\frac{1}{4}$을 비커 B에 넣는다. 이와 같은 과정을 한없이 반복한다고 할 때, 비커 A와 비커 B에 넣은 물의 양의 비는?

① 2 : 1 ② 3 : 2 ③ 3 : 1
④ 4 : 1 ⑤ 4 : 3

04 등비급수

유형 14 등비급수의 합의 활용

[1단계] 등비급수 $\sum_{n=1}^{\infty} a_n$의 첫째항 a과 공비 r를 찾는다.

[2단계] $\sum_{n=1}^{\infty} a_n = \frac{a}{1-r} (a \neq 0, -1 < r < 1)$

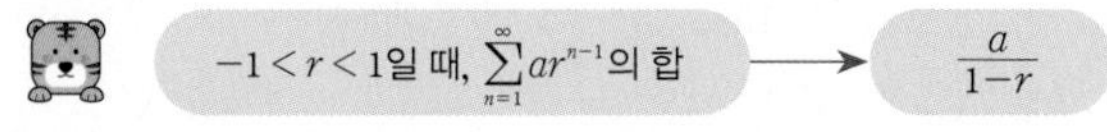

$-1<r<1$일 때, $\sum_{n=1}^{\infty} ar^{n-1}$의 합
$\frac{a}{1-r}$

0370 학교기출 대표 유형

첫째항이 1이고 공비가 $\frac{1}{16}$인 등비수열 $\{a_n\}$에 대하여 넓이가 a_n인 정사각형의 한 대각선의 길이를 l_n이라 할 때, $\sum_{n=1}^{\infty} l_n$의 값은?

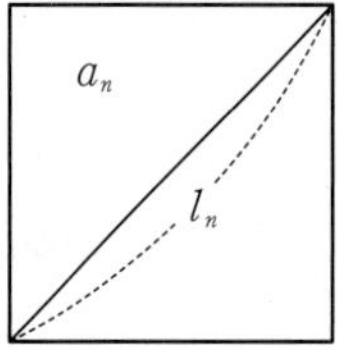

① $\frac{4\sqrt{2}}{3}$ ② $\frac{5\sqrt{2}}{3}$ ③ $2\sqrt{2}$
④ $\frac{7\sqrt{2}}{3}$ ⑤ $\frac{8\sqrt{2}}{3}$

0371 최다빈출 왕중요 NORMAL

오른쪽 그림과 같이 자연수 n에 대하여 직선 $x=3^n$이 곡선 $y=\sqrt{x}$와 만나는 점을 A_n이라 하고, 삼각형 $A_nB_nC_n$이 정삼각형이 되도록 x축 위의 두 점 B_n, C_n을 정한다. 삼각형 $A_nB_nC_n$의 넓이를 S_n이라 할 때, $\sum_{n=1}^{\infty} \frac{1}{S_n}$의 값은?

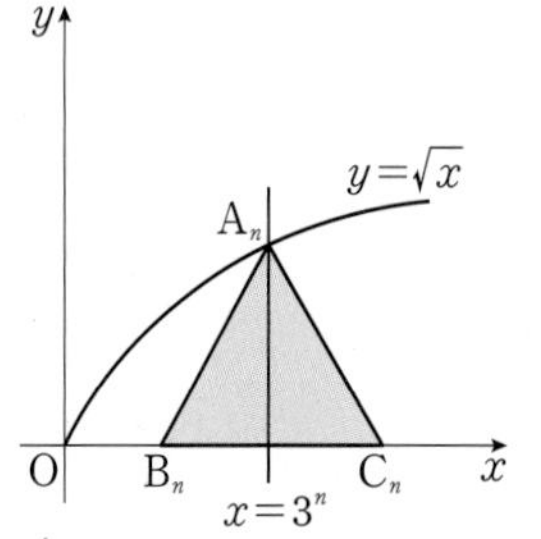

① $\frac{\sqrt{3}}{2}$ ② $\frac{\sqrt{3}}{3}$ ③ $\frac{\sqrt{3}}{4}$
④ $\frac{2\sqrt{3}}{3}$ ⑤ $\frac{3\sqrt{3}}{4}$

▶ 해설 내신연계기출

0372 NORMAL

자연수 n에 대하여 원 $x^2+y^2=\left(\frac{1}{4}\right)^n$의 접선 중 기울기가 -1이고 제1사분면을 지나는 접선이 x축과 만나는 점의 좌표를 $(a_n, 0)$이라고 할 때, $\sum_{n=1}^{\infty} a_n$의 값은?

① $\frac{1}{2}$ ② $\frac{\sqrt{2}}{2}$ ③ 1
④ $\sqrt{2}$ ⑤ 2

0373 NORMAL

함수 $y=3^x$의 그래프를 x축의 방향으로 평행이동시켜 점 $(k, 2)$를 지나도록 하는 곡선의 y절편을 a_k라 하자. 이때 $\sum_{k=1}^{\infty} a_k$의 값은? (단, k는 자연수)

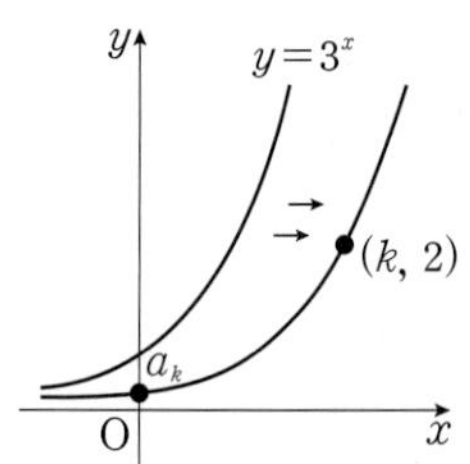

① $\frac{2}{3}$ ② 1 ③ $\frac{4}{3}$
④ $\frac{3}{2}$ ⑤ 2

0374 TOUGH

자연수 n에 대하여 직선 $y=\left(\frac{1}{2}\right)^{n-1}(x-1)$과 이차함수 $y=3x(x-1)$의 그래프가 만나는 두 점을 $A(1, 0)$과 P_n이라 하자. 점 P_n에서 x축에 내린 수선의 발을 H_n이라 할 때, $\sum_{n=1}^{\infty} \overline{P_nH_n}$의 값은?

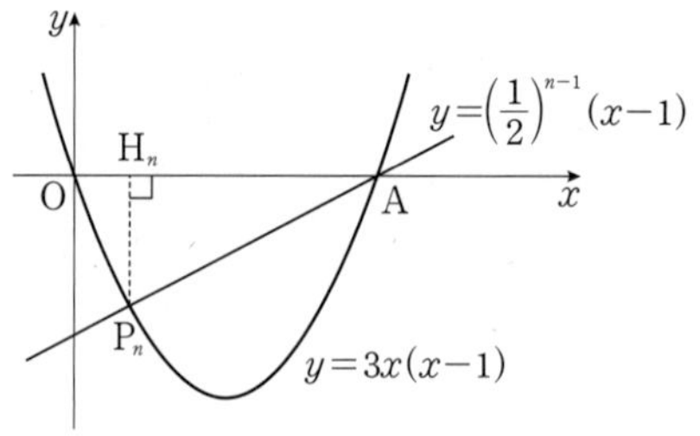

① $\frac{3}{2}$ ② $\frac{14}{9}$ ③ $\frac{29}{18}$
④ $\frac{5}{3}$ ⑤ $\frac{31}{18}$

▶ 해설 내신연계기출

STEP 1

05 등비급수의 활용

학교내신기출 객관식 핵심문제총정리

내신정복 기출유형

유형 01 등비급수와 순환소수

등비급수를 이용하여 순환소수를 분수로 나타낼 때, 다음 순서로 해결한다.

[1단계] 순환소수를 등비급수로 나타낸다.
[2단계] 첫째항 a와 공비 $r(|r|<1)$를 구한다.
[3단계] 등비급수의 합 $\frac{a}{1-r}$을 구한다.

① $0.\dot{a}=0.aaa\cdots=\frac{a}{10}+\frac{a}{10^2}+\frac{a}{10^3}\cdots=\frac{a}{9}$

② $0.\dot{a}\dot{b}=0.ababab\cdots=\frac{a}{10}+\frac{b}{10^2}+\frac{a}{10^3}+\frac{b}{10^4}+\cdots$

$=\left(\frac{a}{10}+\frac{a}{10^3}+\cdots\right)+\left(\frac{b}{10^2}+\frac{b}{10^4}\cdots\right)=\frac{ab}{99}$

0375 학교기출 대표유형

첫째항이 $0.\dot{5}$이고 공비가 $0.\dot{2}$인 등비수열 $\{a_n\}$에 대하여 $\sum_{n=1}^{\infty}a_n$의 값은?

① $\frac{3}{7}$ ② $\frac{4}{7}$ ③ $\frac{5}{7}$
④ $\frac{6}{7}$ ⑤ 1

0376 BASIC

순환소수 $0.\dot{3}\dot{4}$의 소수 첫째 자리의 수를 a_1, 소수 둘째 자리의 수를 a_2, $\cdots$, 소수 n째 자리의 수를 a_n, $\cdots$이라고 할 때, 수열 $\{a_n\}$에 대하여 $\sum_{n=1}^{\infty}\frac{a_n}{2^n}$의 값은?

① $\frac{11}{3}$ ② $\frac{10}{3}$ ③ $\frac{11}{4}$
④ $\frac{13}{4}$ ⑤ $\frac{1}{2}$

0377 최다빈출 왕중요 BASIC

$\frac{43}{99}$을 소수로 나타낼 때 소수점 아래 n번째 자리의 숫자를 a_n이라 하자. 수열 $\{a_n\}$에 대하여 $\sum_{n=1}^{\infty}\frac{a_n}{6^n}$의 값을 $\frac{p}{q}$라 할 때, $p+q$의 값은? (단, p, q는 서로소인 자연수)

① 35 ② 46 ③ 52
④ 62 ⑤ 72

▶ 해설 내신연계기출

0378 최다빈출 왕중요 NORMAL

$\frac{4}{33}$를 순환소수로 나타낼 때, 소수 n번째 자리의 수를 a_n이라 하자. $\sum_{n=1}^{\infty}\frac{a_n}{3^n}$의 값은?

① $\frac{1}{3}$ ② $\frac{3}{8}$ ③ $\frac{2}{5}$
④ $\frac{5}{8}$ ⑤ $\frac{11}{8}$

▶ 해설 내신연계기출

0379 최다빈출 왕중요 TOUGH

순환소수 $0.\dot{3}4\dot{5}$의 소수점 아래 n번째 자리의 숫자를 a_n이라고 할 때, 수열 $\{a_n\}$에 대하여 $\sum_{n=1}^{\infty}\frac{a_n}{2^n}$의 값은?

① $\frac{17}{6}$ ② $\frac{15}{8}$ ③ $\frac{23}{9}$
④ $\frac{24}{7}$ ⑤ $\frac{25}{7}$

▶ 해설 내신연계기출

유형 02 길이의 등비급수의 합

공이 지면에 n번째 닿은 후 $(n+1)$번째 닿을 때까지 움직인 거리를 l_n이라 하면 수열 $\{l_n\}$은 등비수열을 이용하여 구한다.

0380 학교기출 대표 유형

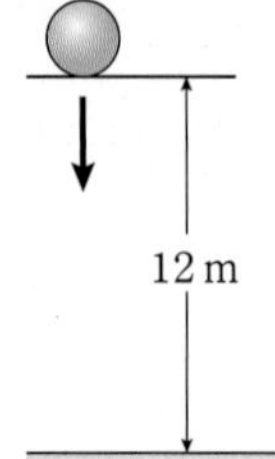

낙하한 거리의 $\frac{1}{2}$만큼 튀어오르는 공을 지상 12m높이의 지점에서 수직으로 떨어트렸다. 이 공이 상하운동을 계속한다고 할 때, 이 공이 멈출 때까지 움직인 거리는 총 몇 m인가?

① 24m ② 30m ③ 36m ④ 40m ⑤ 42m

0381 최다빈출 왕 중요 BASIC

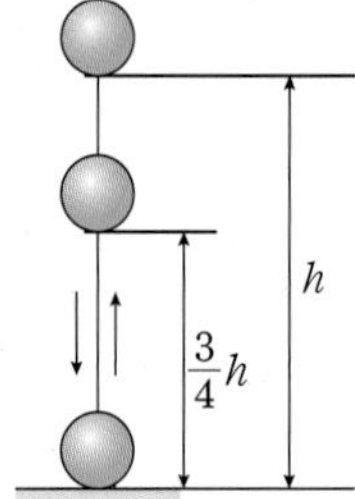

높이가 h인 곳에서 수직으로 지면에 떨어뜨리면 $\frac{3}{4}h$만큼 튀어 오르는 공이 있다. 이 공을 높이 15m인 지점에서 수직으로 지면에 떨어뜨렸을 때, 공이 지면에 정지할 때까지 움직인 거리는? (단, 단위는 m)

① 60 ② 75 ③ 90 ④ 100 ⑤ 105

▶ 해설 내신연계기출

0382 NORMAL

길이가 1m인 어떤 진자가 천장에 수직으로 매달려 있다.
다음 그림과 같이 진자를 각 θ만큼 당겼다가 놓으면 추가 처음 매달려 있던 위치를 기준으로 이전에 올라간 각의 $\frac{2}{3}$배만큼 반대쪽으로 올라갔다가 내려오는 과정을 멈출 때까지 계속 반복한다고 한다.
이 진자의 추가 정지할 때까지 움직인 거리의 합은?
(단, 처음에 잡아당긴 거리는 포함되지 않는다.)

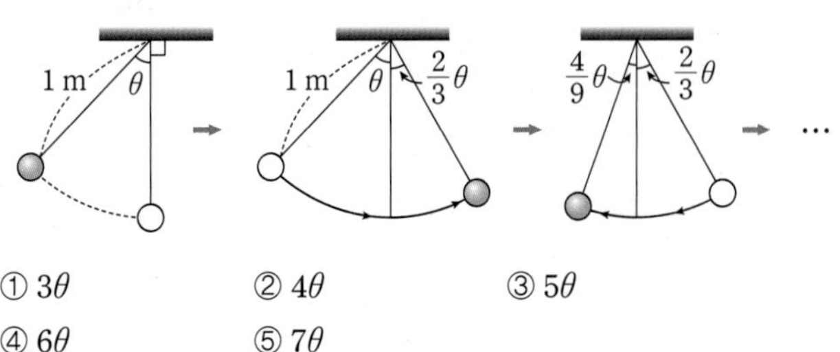

① 3θ ② 4θ ③ 5θ ④ 6θ ⑤ 7θ

유형 03 등비급수의 활용 – 점의 좌표

주어진 조건을 이용하여 점 P_1, P_2, P_3, …의 x좌표와 y좌표를 각각(따로따로) 구하고 등비급수의 합을 이용하여 구한다.

한 없이 움직이는 점이 가까워지는 점의 좌표
⇨ x좌표와 y좌표가 변하는 규칙을 찾는다.

0383 학교기출 대표 유형

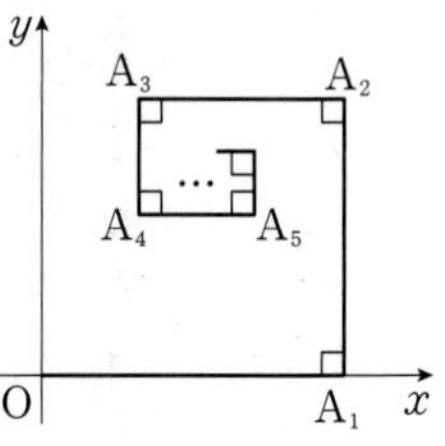

오른쪽 그림과 좌표평면 위의 점 A_n이 $\overline{OA_1}=1$, $\overline{A_1A_2}=\frac{2}{3}$, $\overline{A_2A_3}=\left(\frac{2}{3}\right)^2$, $\overline{A_3A_4}=\left(\frac{2}{3}\right)^3$, $\overline{A_4A_5}=\left(\frac{2}{3}\right)^4$, …
을 만족시킬 때, 점 A_n의 좌표의 극한을 구하는 과정이다.
(가), (나)에 알맞은 수를 a, b라 할 때, $a+b$의 값은?

> 점 A_n의 좌표를 (x_n, y_n)이라고 하면
> $x_1=\overline{OA_1}=1$, $x_2=x_1$,
> $x_3=x_2-\overline{A_2A_3}=1-\left(\frac{2}{3}\right)^2$, $x_4=x_3$,
> $x_5=x_4+\overline{A_4A_5}=1-\left(\frac{2}{3}\right)^2+\left(\frac{2}{3}\right)^4$, …
> 즉 $\lim_{n\to\infty}x_n=$ (가)
> 마찬가지 방법으로 $\lim_{n\to\infty}y_n$을 구하면 A_n의 좌표의 극한은
> ((가) , (나))이다.

① $\frac{12}{13}$ ② $\frac{15}{13}$ ③ $\frac{17}{13}$ ④ $\frac{21}{13}$ ⑤ $\frac{23}{13}$

0384 최다빈출 왕 중요 BASIC

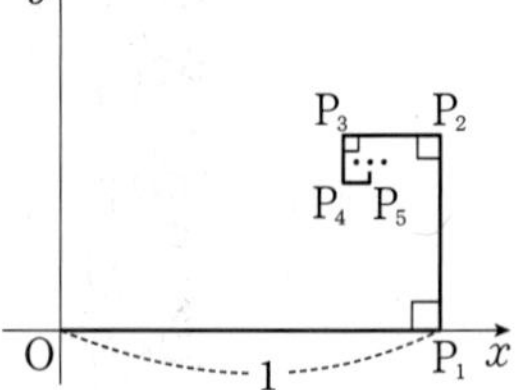

오른쪽 그림과 같이 좌표평면 위의 점 P가 원점 O를 출발하여 x축 또는 y축과 평행하게 다음 조건을 만족시키면서 P_1, P_2, P_3, …을 거쳐 한없이 움직이고 있다.

$\overline{OP_1}=1$, $\overline{P_1P_2}=\frac{1}{2}$, $\overline{P_{n+1}P_{n+2}}=\frac{1}{2}\overline{P_nP_{n+1}}$일 때, 점 P가 한없이 가까워지는 점의 좌표를 (a, b)라 할 때, $a+b$의 값은?

① $\frac{6}{5}$ ② $\frac{7}{5}$ ③ $\frac{8}{5}$ ④ $\frac{9}{5}$ ⑤ $\frac{11}{5}$

▶ 해설 내신연계기출

0385

NORMAL

자연수 n에 대하여 점 A_n은 직선 $y=n$ 위에 있다. 또, 선분 A_0A_1의 기울기가 $\frac{2}{3}$이고 선분 A_nA_{n+1}의 기울기는 선분 $A_{n-1}A_n$의 기울기의 $\frac{3}{2}$배이다. 점 A_n의 x좌표를 x_n이라고 할 때, $\lim_{n\to\infty} x_n$의 값은? (단, 점 A_0은 원점 O와 일치한다.)

① $\frac{7}{2}$　② $\frac{9}{2}$　③ $\frac{11}{2}$
④ 6　⑤ 8

0386

NORMAL

오른쪽 그림과 같이 좌표평면 위에 $\overline{OP_1}=1$, $\overline{P_1P_2}=\frac{1}{2}$, $\overline{P_2P_3}=\left(\frac{1}{2}\right)^2$, $\cdots$, $\overline{P_nP_{n+1}}=\left(\frac{1}{2}\right)^n$, $\cdots$이고 $\angle AOP_1=30°$, $\angle OP_1P_2=60°$, $\angle P_1P_2P_3=60°$, $\cdots$, $\angle P_nP_{n+1}P_{n+2}=60°$, $\cdots$가 되도록 점 $P_n(n=1, 2, 3, \cdots)$을 만든다. 점 P_n의 좌표를 (a_n, b_n)이라고 할 때, $\lim_{n\to\infty} a_nb_n$의 값은?

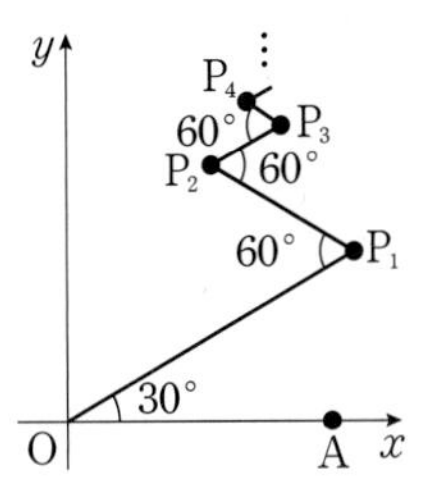

① $\frac{\sqrt{3}}{3}$　② 1　③ $\sqrt{3}$
④ $\frac{2\sqrt{3}}{3}$　⑤ $2\sqrt{3}$

0387

최다빈출 왕중요　TOUGH

다음 그림과 같이 $\overline{OP_1}=4$, $\overline{P_1P_2}=3$, $\overline{P_2P_3}=\frac{9}{4}$, $\cdots$, $\overline{P_nP_{n+1}}=\frac{3}{4}\overline{P_{n-1}P_n}$, $\cdots$이 되도록 점 P_1, P_2, P_3, $\cdots$, P_n, $\cdots$을 정할 때, 점 P_n이 한없이 가까워지는 점의 x좌표는?
(단, $\angle OP_1P_2=60°$, $\angle P_nP_{n+1}P_{n+2}=60°\ (n\geq 1)$)

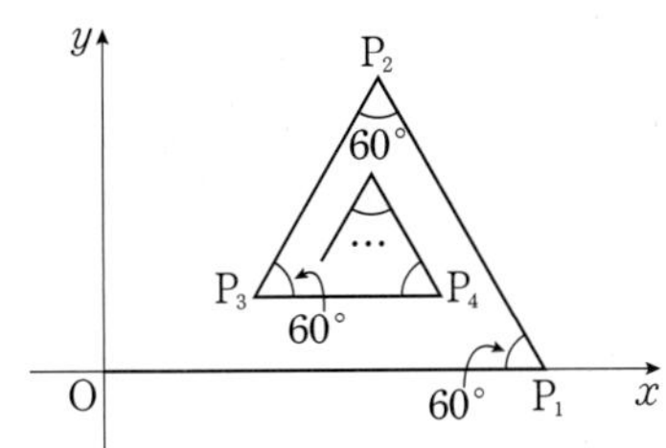

① $\frac{50}{31}$　② $\frac{56}{31}$　③ $\frac{55}{37}$
④ $\frac{80}{37}$　⑤ $\frac{88}{37}$

▶ 해설 내신연계기출

유형 04 등비급수의 활용-선분의 길이의 합

닮은 도형의 길이의 급수 $\sum_{n=1}^{\infty} l_n$ 구하기

[1단계] 첫째항의 길이 l_1를 구한다.
[2단계] 첫 번째, 두 번째로 그려지는 도형의 닮음비 $a:b$
즉 공비 $\frac{b}{a}$를 구한다. (단, $a>b$)
[3단계] $\sum_{n=1}^{\infty} l_n=\frac{l_1}{1-\frac{b}{a}}$를 이용한다.

참고 닮은 도형의 길이의 합을 l_n이라 하는 경우 묻는 꼴이 극한이더라도 누적되어 더해지므로 등비급수로 해석해야 한다. 즉 $\lim_{n\to\infty} l_n=\frac{l_1}{1-\frac{b}{a}}$

선분의 길이의 합
⇨ $\frac{(\text{첫째항})}{1-(\text{공비})}$

0388

학교기출 대표 유형

오른쪽 그림과 같이 $\angle XOY=30°$일 때, 반직선 OX 위에 $\overline{OP_0}=2$인 점 P_0을 잡고 점 P_0에서 반직선 OY에 수선 P_0P_1을 긋는다. 또, 점 P_1에서 반직선 OX에 수선 P_1P_2를 긋는다. 이와 같은 과정을 한없이 반복할 때, 이들 수선의 길이의 합 $\overline{P_0P_1}+\overline{P_1P_2}+\overline{P_2P_3}+\cdots$의 값은?

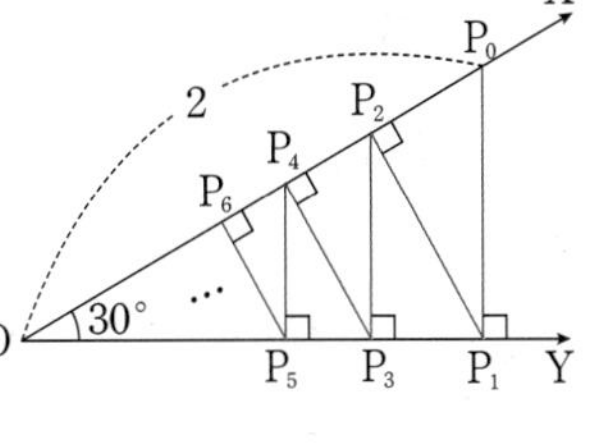

① $2+\sqrt{3}$　② $2+2\sqrt{3}$　③ $4+\sqrt{2}$
④ $4+2\sqrt{3}$　⑤ $6+2\sqrt{2}$

0389

최다빈출 왕중요　BASIC

오른쪽 그림과 같이 한 변의 길이가 1인 정삼각형 ABC가 있다. $\overline{AB}$, $\overline{AC}$의 중점을 각각 B_1, C_1이라 하고 $\overline{AB_1}$, $\overline{AC_1}$의 중점을 각각 B_2, C_2라 하자.
이와 같은 과정을 한없이 반복한다고 할 때,
$\overline{CB_1}+\overline{B_1C_1}+\overline{C_1B_2}+\overline{B_2C_2}+\overline{C_2B_3}+\overline{B_3C_3}+\cdots$의 값은?

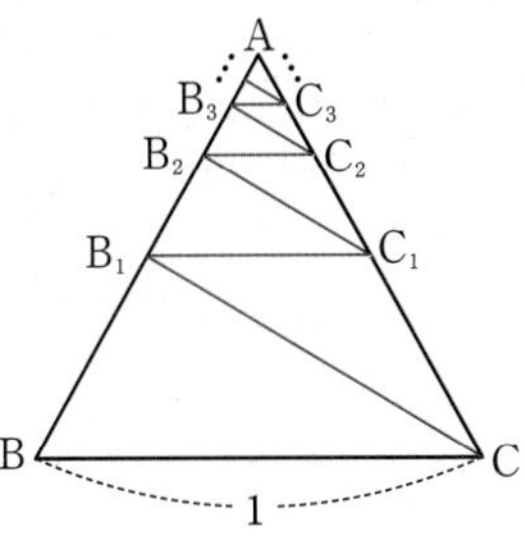

① $\sqrt{3}+1$　② $2\sqrt{3}+1$　③ $2\sqrt{2}+1$
④ $2\sqrt{3}+2$　⑤ $2\sqrt{2}+4$

▶ 해설 내신연계기출

0390 최다빈출 왕중요

BASIC

그림은 길이가 1인 선분이 주어졌을 때, 다음 규칙에 따라 나무 모양의 그림을 그리는 과정을 설명한 것이다.

> (가) 한 가지에서 두 개의 가지가 직각을 이루며 나온다.
> (나) 새로 생긴 가지의 길이는 바로 전 가지 길이의 $\frac{2}{5}$이다.

이 과정을 무한히 반복할 때, 처음 주어진 선분의 길이를 포함하여 이 나무 모양의 그림을 그리는 데 사용된 모든 선분의 길이의 총합은?

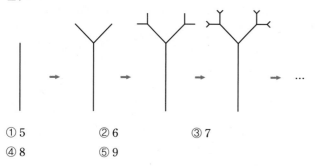

① 5　　② 6　　③ 7
④ 8　　⑤ 9

▶ 해설 내신연계기출

0391

BASIC

그림과 같이 한 변의 길이가 $\sqrt{2}$인 정사각형 ABCD의 각 변의 중점을 이어서 정사각형 $A_1B_1C_1D_1$을 만든다. 또, 정사각형 $A_1B_1C_1D_1$의 각 변의 중점을 이어서 정사각형 $A_2B_2C_2D_2$를 만든다. 이와 같은 과정을 한없이 반복한다고 할 때, 정사각형 $A_1B_1C_1D_1$, 정사각형 $A_2B_2C_2D_2$, 정사각형 $A_3B_3C_3D_3$, $\cdots$의 둘레의 길이의 합은?

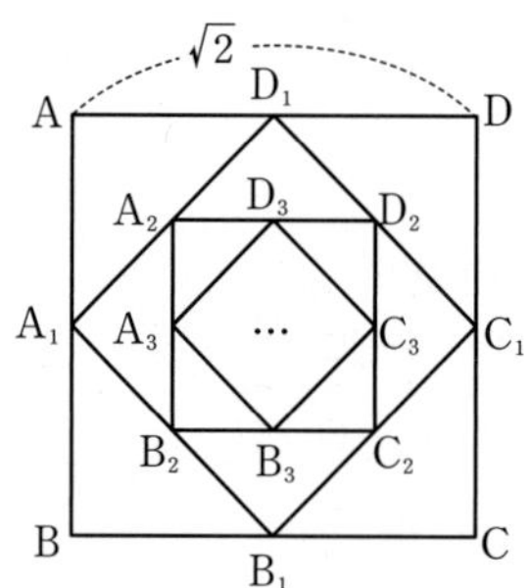

① $4+\sqrt{2}$　　② $8+4\sqrt{2}$　　③ $10+4\sqrt{2}$
④ $12+2\sqrt{3}$　　⑤ $12+6\sqrt{2}$

0392

BASIC

그림과 같이 한 변의 길이가 1인 정삼각형 ABC의 각 변의 중점을 이어 삼각형 $A_1B_1C_1$을 만든다. 또, 삼각형 B_1A_1C의 중점을 이어 삼각형 $A_2B_2C_2$를 만든다. 이와 같은 중점을 한없이 반복하여 삼각형 $A_nB_nC_n$을 만들 때, 삼각형 $A_nB_nC_n$의 둘레의 길이를 a_n이라 하자. $\sum_{n=1}^{\infty} a_n$의 값은?

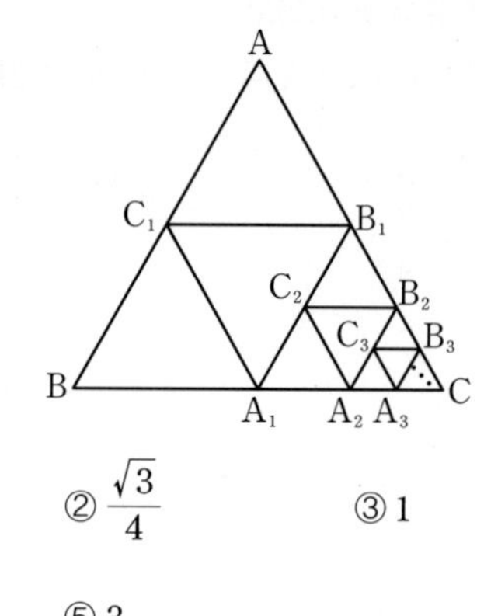

① $\frac{1}{2}$　　② $\frac{\sqrt{3}}{4}$　　③ 1
④ $\frac{3\sqrt{3}}{2}$　　⑤ 3

0393

NORMAL

다음 그림과 같이 점 $P_1(1, 0)$에서 직선 $y=x$에 내린 수선의 발을 P_2, 점 P_2에서 y축에 내린 수선의 발을 P_3, 점 P_3에서 직선 $y=-x$에 내린 수선의 발을 P_4, 점 P_4에서 x축에 내린 수선의 발을 P_5라 하자. 이와 같은 방법으로 P_6, P_7, P_8, $\cdots$을 그려 나갈 때,

$$\overline{P_1P_2}+\overline{P_2P_3}+\overline{P_3P_4}+\cdots$$

의 값은?

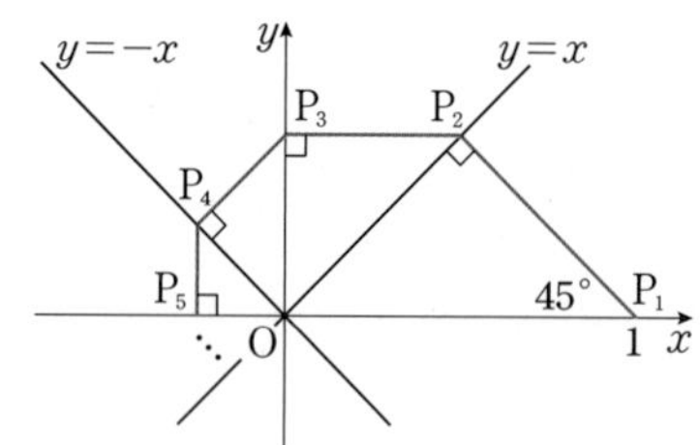

① $\sqrt{2}-1$　　② $\sqrt{2}+1$　　③ $2\sqrt{2}$
④ $2+2\sqrt{2}$　　⑤ $4+\sqrt{2}$

0394

최다빈출 왕중요 NORMAL

직선 위에 $\overline{A_1B_1}=20$인 두 점 A_1, B_1이 있다. 선분 A_1B_1을 삼등분하는 점을 차례로 A_2, B_2라 하고, 선분 A_2B_2를 삼등분하는 점을 차례로 A_3, B_3이라고 하자. 이와 같은 방법으로 점 A_4, B_4, A_5, B_5, $\cdots$를 정할 때, $\sum_{n=1}^{\infty}\overline{A_nB_n}$의 값은?

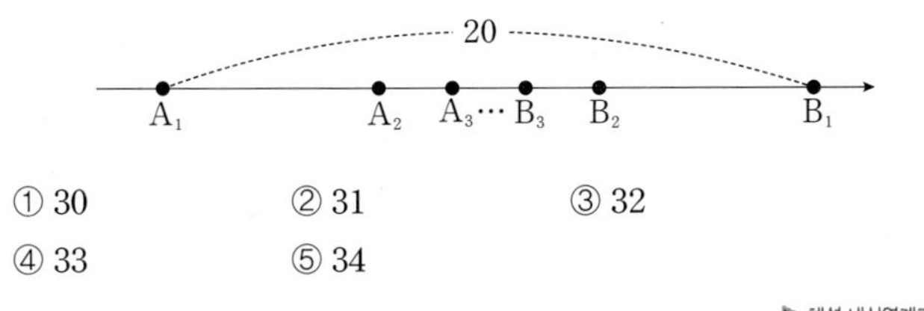

① 30 ② 31 ③ 32
④ 33 ⑤ 34

▶ 해설 내신연계기출

0395

NORMAL

그림과 같이 길이가 4인 선분 A_1A_2를 $1:3$으로 내분하는 점을 A_3, 선분 A_2A_3을 $1:3$으로 내분하는 점을 A_4라 하자. 이와 같은 과정을 한없이 반복하여 점 A_n을 잡고, 선분 A_nA_{n+1}을 지름으로 하는 반원의 호의 길이를 l_n이라 할 때 $\sum_{n=1}^{\infty}l_n$의 값은?

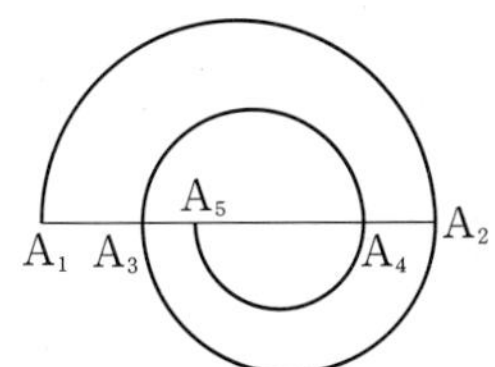

① 4π ② 6π ③ 8π
④ 9π ⑤ 16π

0396

NORMAL

그림과 같이 반지름의 길이가 4인 원 C_1에 내접하는 정삼각형을 그리고 이 정삼각형의 내접원을 C_2라 하자. 또, 원 C_2에 내접하는 정삼각형을 그리고 이 정삼각형의 내접원을 C_3이라 하자. 이와 같은 과정을 한없이 반복할 때, C_1, C_2, C_3, $\cdots$의 둘레의 길이의 합은?

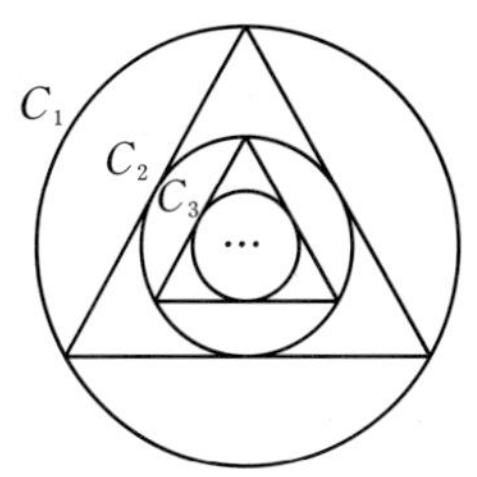

① 6π ② 8π ③ 12π
④ 16π ⑤ 18π

0397

최다빈출 왕중요 NORMAL

그림과 같이 $\angle AOB=60°$이고 $\overline{OA}=\overline{OB}=2$인 부채꼴 OAB가 있다. 점 A에서 선분 OB에 내린 수선의 발을 B_1, 선분 OB_1을 반지름으로 하는 원이 선분 OA와 만나는 점을 A_1이라고 하자. 점 A_1에서 선분 OB에 내린 수선의 발을 B_2, 선분 OB_2를 반지름으로 하는 원이 선분 OA와 만나는 점을 A_2라고 하자. 이와 같은 과정을 반복할 때, 호 A_nB_n의 길이 L_n에 대하여 $\sum_{n=1}^{\infty}L_n$의 값은?

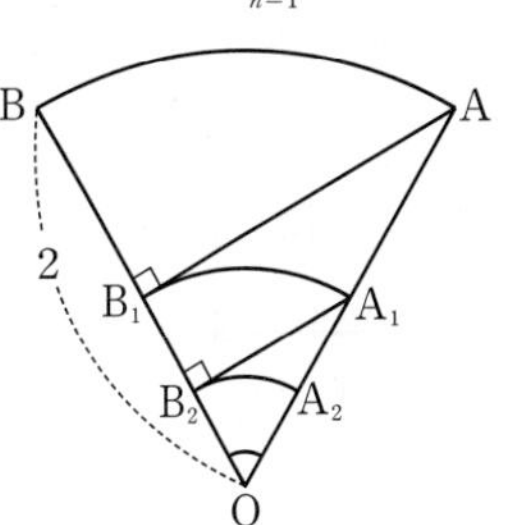

① $\frac{\pi}{2}$ ② $\frac{6}{5}\pi$ ③ $\frac{2}{3}\pi$
④ $\frac{3}{2}\pi$ ⑤ 2π

▶ 해설 내신연계기출

유형 05 등비급수의 활용 – 도형의 넓이의 합 (1)

각 정삼각형, 정사각형의 한 변의 길이, 원의 반지름의 길이를 구하고 넓이의 비는 닮음비의 제곱임을 이용한다.

닮은 도형의 넓이의 급수 $\sum_{n=1}^{\infty} S_n$ 구하기

[1단계] 첫째항의 넓이 S_1를 구한다.
[2단계] 첫 번째, 두 번째로 그려지는 도형의 닮음비 $a:b$를 구한다. (단, $a>b$)
[3단계] 넓이의 비 $a^2:b^2$, 즉 공비 $\frac{b^2}{a^2}$을 구한다.
[4단계] $\sum_{n=1}^{\infty} S_n = \frac{S_1}{1-\frac{b^2}{a^2}}$를 이용한다.

참고 닮은 도형의 넓이의 합을 S_n이라 하는 경우 묻는 꼴이 극한이더라도 누적되어 더해지므로 등비급수로 해석해야 한다. 즉 $\lim_{n\to\infty} S_n = \frac{S_1}{1-\frac{b^2}{a^2}}$

참고 도형의 등비급수를 활용한 문제를 해결할 때, 닮음비가 활용된다.
도형의 닮음비 $m:n$일 때,
길이의 비 $m:n \Longleftrightarrow$ 넓이의 비 $m^2:n^2$

0398 학교기출 대표 유형

오른쪽 그림과 같이 한 변의 길이가 4인 정사각형 A_1의 한 변을 대각선으로 하는 정사각형 A_2를 만든다. 또, 정사각형 A_2의 한 변을 대각선으로 하는 정사각형 A_3을 만든다. 이와 같은 과정을 한없이 반복할 때, 정사각형 A_1, A_2, A_3, …의 넓이의 합은?

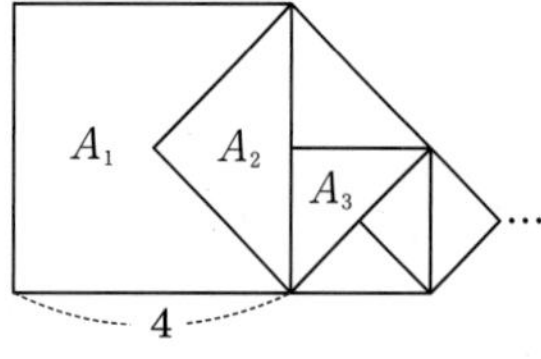

① 14 ② 16 ③ 24
④ 32 ⑤ 36

0399 최다빈출 왕중요 BASIC

오른쪽 그림과 같이 한 변의 길이가 4인 정삼각형 ABC의 각 변의 중점을 연결하여 만든 정삼각형 $A_1B_1C_1$의 넓이를 S_1, 정삼각형 $A_1B_1C_1$의 각 변의 중점을 연결하여 만든 정삼각형 $A_2B_2C_2$의 넓이를 S_2라 하자. 이와 같은 과정을 한없이 반복할 때, 정삼각형 $A_nB_nC_n$의 넓이를 S_n이라 하자. 이때 $\sum_{n=1}^{\infty} S_n$의 값은?

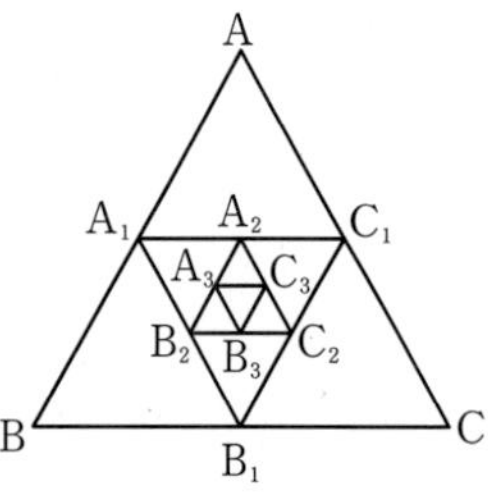

① $\frac{\sqrt{3}}{4}$ ② $\frac{\sqrt{3}}{2}$ ③ $\frac{3\sqrt{3}}{4}$
④ $\frac{4\sqrt{3}}{3}$ ⑤ $\frac{16\sqrt{3}}{3}$

▶ 해설 내신연계기출

0400 최다빈출 왕중요 BASIC

오른쪽 그림과 같이 길이가 4인 선분 AB_1을 지름으로 하는 원 C_1이 있다. 선분 AB_1을 $2:1$로 내분하는 점을 B_2라 하고, 선분 AB_2를 지름으로 하는 원을 C_2라 하자. 이와 같은 과정을 한없이 반복하여 원을 그릴 때, 모든 원의 넓이의 합은?

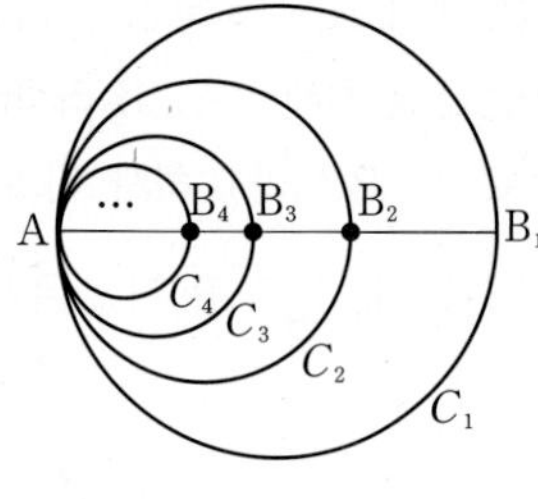

① $\frac{24}{5}\pi$ ② $\frac{36}{5}\pi$ ③ $\frac{38}{5}\pi$
④ 4π ⑤ $\frac{42}{5}\pi$

▶ 해설 내신연계기출

0401 최다빈출 왕중요 NORMAL

오른쪽 그림과 같이 반지름의 길이가 2인 원 C_1에 내접하는 정사각형을 그리고, 이 정사각형에 내접하는 원 C_2를 그린다. 다시 원 C_2에 내접하는 정사각형을 그리고, 이 정사각형에 내접하는 원 C_3을 그린다.
이와 같은 방법으로 원과 정사각형을 한없이 그려나갈 때, 원 C_1, C_2, C_3, …의 넓이의 합은?

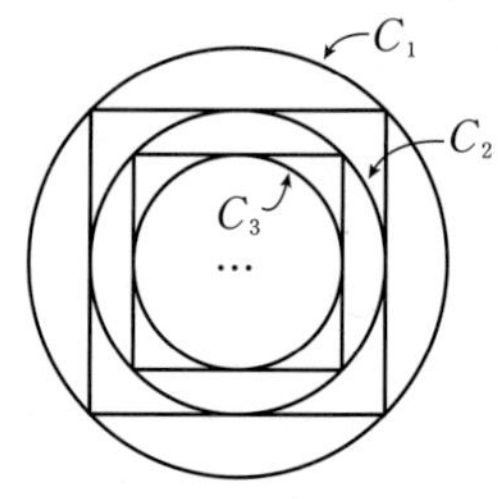

① 4π ② 6π ③ 8π
④ 10π ⑤ 12π

▶ 해설 내신연계기출

0402 최다빈출 왕중요 NORMAL

오른쪽 그림과 같이 한 변의 길이가 4인 정사각형 $OA_1B_1C_1$의 내부에 점 O를 중심으로 하고 선분 OA_1을 반지름으로 하는 사분원을 그린 다음 그 사분원에 내접하는 정사각형 $OA_2B_2C_2$를 그린다.
이와 같은 방법으로 정사각형과 사분원을 한 없이 그릴 때, 색칠한 부분의 넓이의 합은?

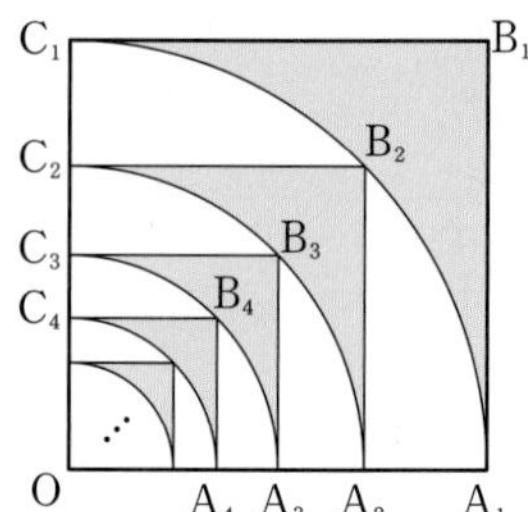

① $16-\frac{\pi}{2}$ ② $12-2\pi$ ③ $16-2\pi$
④ $16-4\pi$ ⑤ $32-8\pi$

▶ 해설 내신연계기출

0403

NORMAL

그림과 같이 한 변의 길이가 1인 정사각형 ABCD의 각 변을 2 : 1로 내분하는 점을 연결하여 정사각형 $A_1B_1C_1D_1$을 만든다. 또, 정사각형 $A_1B_1C_1D_1$의 각 변을 2 : 1로 내분하는 점을 연결하여 정사각형 $A_2B_2C_2D_2$를 만든다. 이와 같은 과정을 계속하여 n번째 만들어진 정사각형 $A_nB_nC_nD_n$의 넓이를 S_n이라 할 때, 급수 $\sum_{n=1}^{\infty} S_n$의 값은?

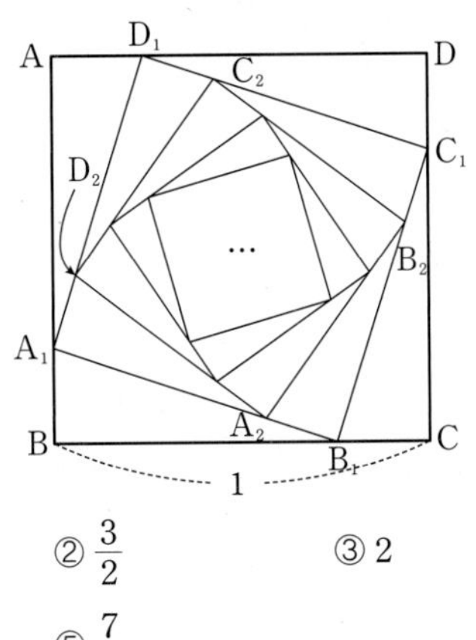

① $\frac{5}{4}$　② $\frac{3}{2}$　③ 2
④ $\frac{5}{2}$　⑤ $\frac{7}{2}$

0404

최다빈출 왕중요　NORMAL

그림과 같이 정사각형에 직각이등변삼각형과 정사각형을 번갈아 붙이는 과정을 한 없이 반복한다. 이때 정사각형을 S_1, S_2, S_3, $\cdots$, 삼각형을 T_1, T_2, T_3, $\cdots$이라고 하자. S_1의 한 변의 길이가 2일 때, 이들 사각형과 삼각형의 넓이의 총합은?

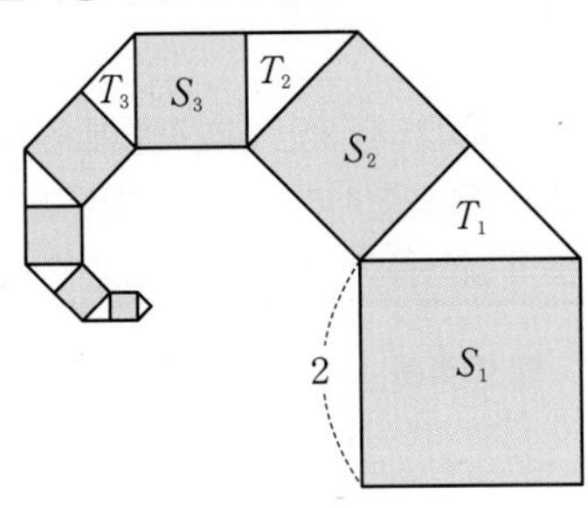

① 10　② 11　③ 12
④ 13　⑤ 14

▶ 해설 내신연계기출

0405

최다빈출 왕중요　TOUGH

그림과 같이 $\overline{A_1B_1}=2$, $\overline{B_1C_1}=1$인 직사각형 $A_1B_1C_1D_1$에서 변 A_1B_1의 중점 M_1을 잡고 점 A_2, B_2가 변 C_1D_1 위에 있도록 정삼각형 $M_1A_2B_2$를 그린다. 사각형 $A_2B_2C_2D_2$가 $\overline{B_2C_2}=\frac{1}{2}\overline{A_2B_2}$인 직사각형이 되도록 점 C_2, D_2를 정하고 선분 A_2B_2의 중점 M_2를 잡는다. 점 A_3, B_3가 변 C_2D_2 위에 있도록 정삼각형 $M_2A_3B_3$을 그린다. 이와 같은 방법으로 정삼각형을 한없이 그려 나갈 때, 정삼각형 $M_nA_{n+1}B_{n+1}$의 넓이를 S_n이라고 하자.

이때 급수 $\sum_{n=1}^{\infty} S_n$의 값은?

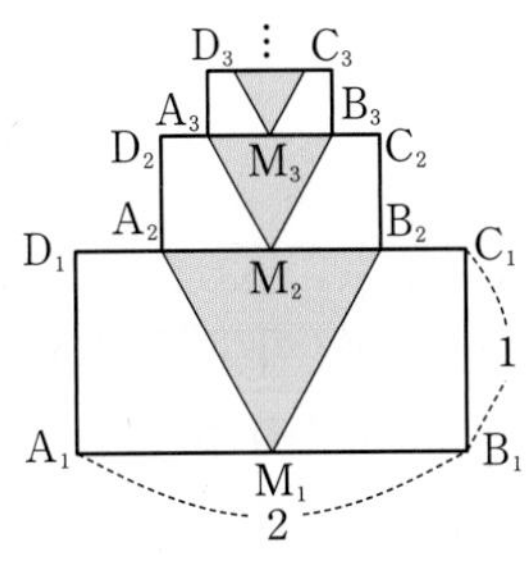

① $\frac{1}{2}$　② $\frac{\sqrt{3}}{2}$　③ 1
④ $\sqrt{3}$　⑤ 2

▶ 해설 내신연계기출

0406

TOUGH

한 변의 길이가 2인 정육각형의 내부에 꼭짓점을 이어 만든 정삼각형 두 개를 그림과 같이 겹치도록 그려서 만든 도형을 F_1이라 하고 도형 F_1에서 색칠한 부분의 넓이를 S_1이라고 하자.
또, 도형 F_1 내부의 정육각형에 같은 방법으로 정삼각형 두 개를 다시 그려서 만든 도형을 F_2라 하고 도형 F_2에서 색칠한 부분의 넓이를 S_2라고 하자. 이와 같은 방법으로 도형 F_n을 만들어 색칠한 부분의 넓이를 S_n이라고 할 때, $\sum_{n=1}^{\infty} S_n$의 합은?

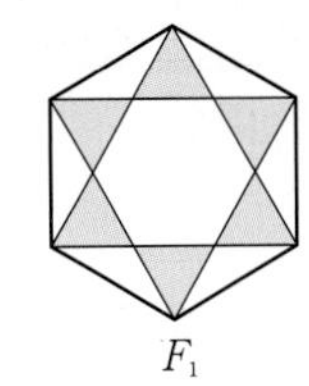

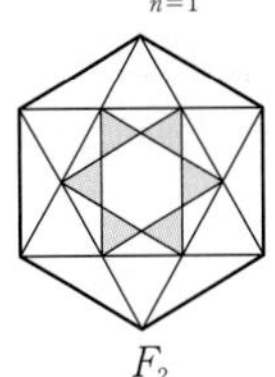

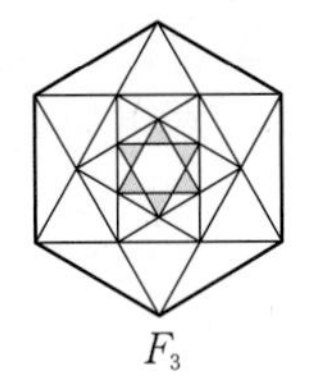

…

① 2　② $2\sqrt{3}$　③ 3
④ $3\sqrt{3}$　⑤ $3\sqrt{6}$

유형 06 등비급수의 활용–도형의 넓이의 합 (2)

직각삼각형에 내접하는 정사각형의 넓이의 합 구하기

닮은 도형의 넓이의 급수 $\sum_{n=1}^{\infty} S_n$ 구하기

[1단계] 첫째항의 넓이 S_1을 구한다.

[2단계] 첫 번째, 두 번째로 그려지는 도형의 닮음비 $a : b$를 구한다. (단, $a > b$)

[3단계] 넓이의 비 $a^2 : b^2$, 즉 공비 $\frac{b^2}{a^2}$을 구한다.

[4단계] $\sum_{n=1}^{\infty} S_n = \frac{S_1}{1-\frac{b^2}{a^2}}$를 이용한다.

0407 학교기출 대표 유형

그림과 같이 $\overline{AB}=a$, $\overline{BC}=b$인 직각삼각형 ABC에 내접하는 정사각형 $A_1B_1BC_1$을 그리고, 직각삼각형 A_1B_1C에 내접하는 정사각형 $A_2B_2B_1C_2$를 그린다. 이와 같이 직각삼각형에 내접하는 정사각형을 한없이 그려나갈 때, 이들 정사각형의 넓이의 합은?

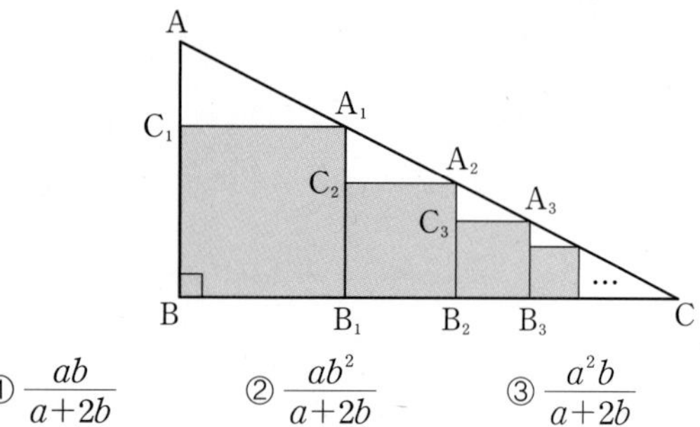

① $\frac{ab}{a+2b}$ ② $\frac{ab^2}{a+2b}$ ③ $\frac{a^2b}{a+2b}$

④ $\frac{ab}{2a+b}$ ⑤ $\frac{ab^2}{2a+b}$

0408 최다빈출 왕중요 BASIC

그림과 같이 $\overline{OP}=12$, $\overline{OQ}=6$이고 $\angle QOP=90°$인 직각삼각형 OPQ에 정사각형 $OA_1B_1C_1$을 내접시키고 다시 직각삼각형 A_1PB_1에 정사각형 $A_1A_2B_2C_2$를 내접시킨다. 이와 같은 방법으로 정사각형을 계속 만들어 나갈 때, 이들 정사각형의 넓이의 합은?

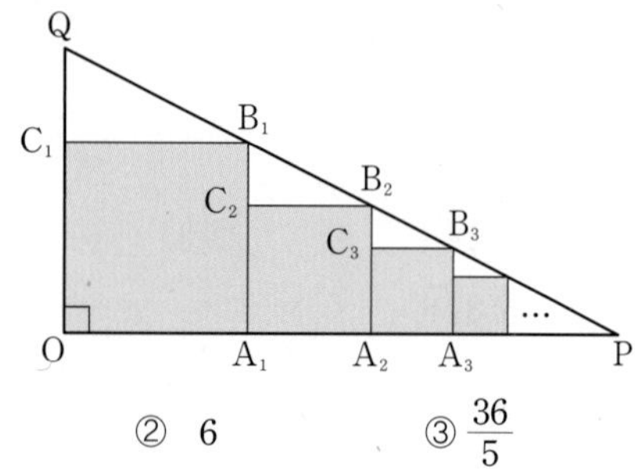

① $\frac{14}{3}$ ② 6 ③ $\frac{36}{5}$

④ 8 ⑤ $\frac{144}{5}$

▶ 해설 내신연계기출

0409 최다빈출 왕중요 BASIC

$\overline{AB}=\overline{BC}=10$인 직각이등변삼각형 ABC의 내부에 그림과 같이 정사각형 P_1, P_2, P_3, …을 차례로 만들어간다. 이때 이 모든 정사각형들의 넓이의 합은?

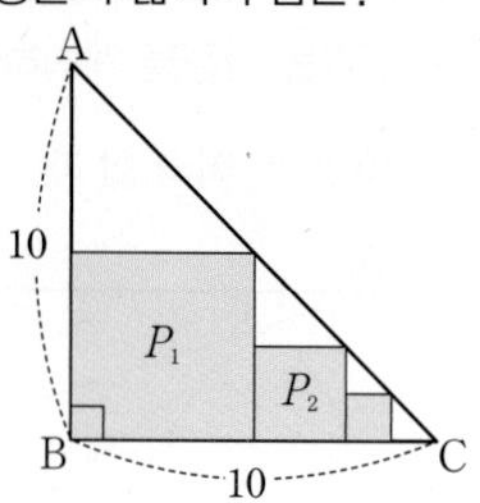

① $\frac{300}{2}$ ② $\frac{100}{3}$ ③ $\frac{151}{4}$

④ $\frac{162}{5}$ ⑤ $\frac{77}{6}$

▶ 해설 내신연계기출

0410 NORMAL

그림과 같이 $\overline{AB}=\overline{BC}=6$인 직각이등변삼각형 ABC의 내부에 정사각형을 한없이 만들어 잘라냈을 때, 남은 모든 직각삼각형의 넓이의 합은?

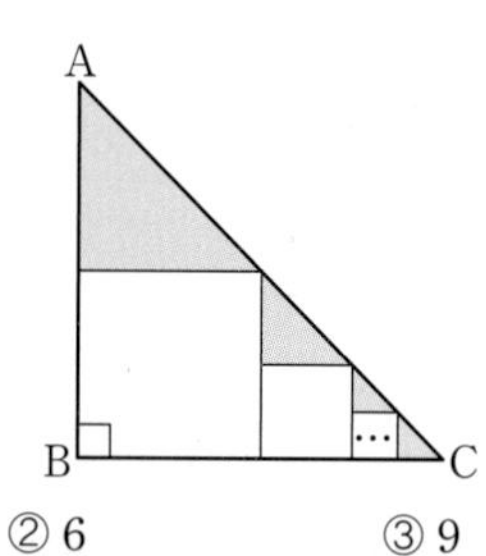

① 3 ② 6 ③ 9

④ 12 ⑤ 15

0411 최다빈출 왕중요 NORMAL

그림과 같이 한 변의 길이가 $4\sqrt{3}$인 정삼각형에 원을 내접시키고 그 원에 다시 정삼각형을 내접시킨다. 이와 같은 과정을 무한히 반복할 때, 색칠한 부분의 넓이를 차례로 S_1, S_2, S_3, …이라 할 때, $\sum_{n=1}^{\infty} S_n = \frac{a\sqrt{3}-b\pi}{3}$를 만족하는 유리수 a, b에 대하여 $a+b$의 값은?

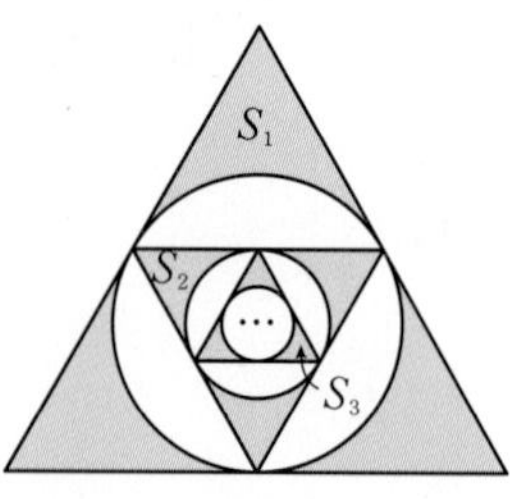

① 48 ② 52 ③ 58

④ 62 ⑤ 64

▶ 해설 내신연계기출

0412 최다빈출 왕 중요 NORMAL

다음 그림과 같이 점 C에서 만나는 반직선 l_1, l_2에 접하면서 서로 외접하는 원 O_1, O_2가 있다.

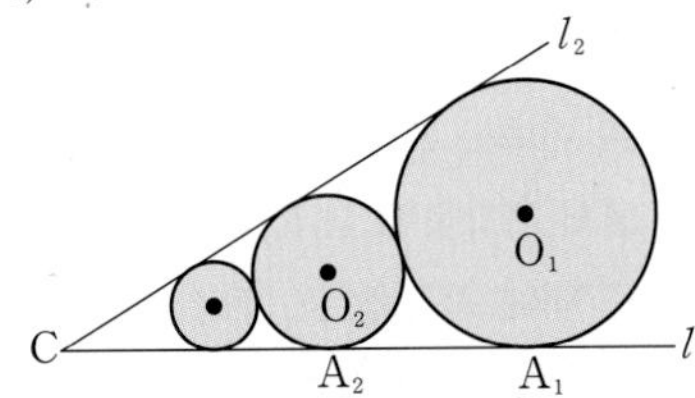

원 O_n이 반직선 l_1에 접하는 접점을 A_n이라고 할 때, 원 O_1의 반지름의 길이가 6, $\overline{CA_1}$의 길이가 8이다. 원 O_n의 넓이를 S_n이라 할 때, $\sum_{n=1}^{\infty} S_n$의 값은?

① $\frac{36}{5}\pi$ ② $\frac{191}{5}\pi$ ③ $\frac{192}{5}\pi$
④ $\frac{201}{5}\pi$ ⑤ $\frac{211}{7}\pi$

▶ 해설 내신연계기출

0413 TOUGH

다음 그림과 같이 중심 O_1이 선분 OB 위에 있고 $\angle AOB = \frac{\pi}{6}$인 선분 OA에 접하는 반지름의 길이가 1인 반원 C_1을 만든다.
또, 중심 O_2가 선분 OB 위에 있고 반원 C_1과 한 점 Q_1에서 만나면서 선분 OA에 접하는 반원 C_2를 만든다. 이와 같은 과정을 한없이 반복할 때, 반원 C_1, C_2, C_3, ⋯의 넓이의 합은?

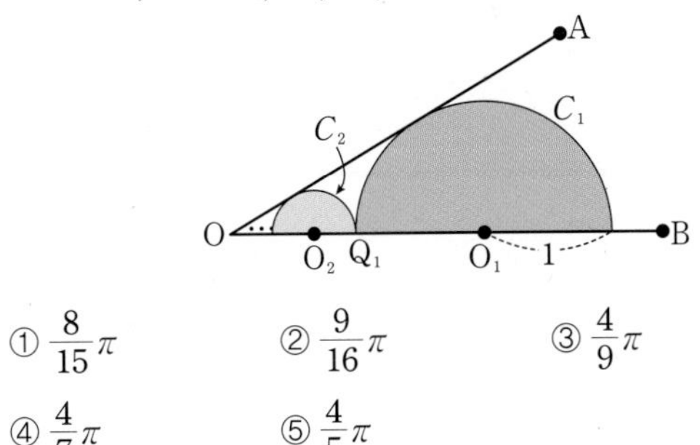

① $\frac{8}{15}\pi$ ② $\frac{9}{16}\pi$ ③ $\frac{4}{9}\pi$
④ $\frac{4}{7}\pi$ ⑤ $\frac{4}{5}\pi$

유형 07 등비급수의 활용-부채꼴의 넓이의 합

닮은 도형의 부채꼴의 넓이의 급수 $\sum_{n=1}^{\infty} S_n$ 구하기

[1단계] 첫째항의 부채꼴 넓이 $S_1 = \frac{1}{2}r^2\theta$를 구한다.
[2단계] 첫 번째, 두 번째로 그려지는 도형의 닮음비 $a : b$를 구한다. (단, $a > b$)
[3단계] 넓이의 비 $a^2 : b^2$, 즉 공비 $\frac{b^2}{a^2}$을 구한다.
[4단계] $\sum_{n=1}^{\infty} S_n = \frac{S_1}{1-\frac{b^2}{a^2}}$을 이용한다.

0414 학교기출 대표 유형

그림과 같이 중심이 O이고 반지름의 길이가 1인 원 위에 한 점 P_1을 잡고

$$\angle P_1OP_2 = \frac{2}{3}\pi,\ \angle P_2OP_3 = \frac{2}{3^2}\pi,\ \cdots,\ \angle P_nOP_{n+1} = \frac{2}{3^n}\pi,\ \cdots$$

가 되도록 점 P_2, P_3, ⋯, P_n, ⋯을 시계 반대 방향으로 잡아나간다.
부채꼴 P_nOP_{n+1}의 넓이를 S_n이라 할 때, 급수 $\sum_{n=1}^{\infty} S_n$의 합은?

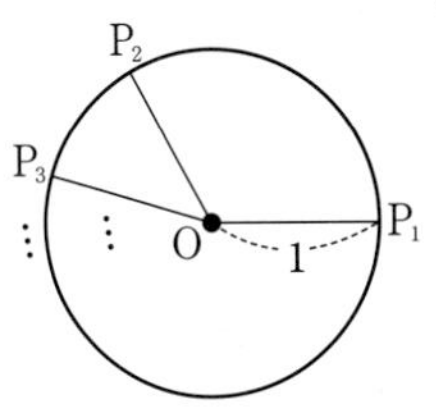

① $\frac{\pi}{6}$ ② $\frac{\pi}{3}$ ③ $\frac{\pi}{2}$
④ $\frac{2}{3}\pi$ ⑤ π

0415 NORMAL

오른쪽 그림과 같이 $\angle C_1 = 90°$인 직각 삼각형 AB_1C_1에서 $\angle B_1 = 60°$, $\overline{B_1C_1} = 6$이다.
점 B_1을 중심, $\overline{B_1C_1}$을 반지름으로 하는 원을 그려 $\overline{AB_1}$과 만나는 점을 C_2, 부채꼴 $B_1C_1C_2$의 넓이를 S_1이라 하자.
점 C_2를 지나면서 $\overline{AB_1}$에 수직인 직선이 $\overline{AC_1}$과 만나는 점을 B_2라 하고 점 B_2를 중심, $\overline{B_2C_2}$를 반지름으로 하는 원을 그려 $\overline{AC_1}$과 만나는 점을 C_3, 부채꼴 $B_2C_2C_3$의 넓이를 S_2라 하자. 이와 같은 과정을 한없이 반복할 때, $\sum_{n=1}^{\infty} S_n$의 값은?

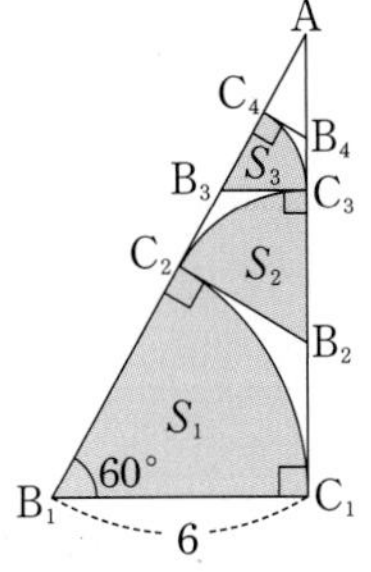

① 4π ② 6π ③ 8π
④ 9π ⑤ 12π

0416

TOUGH

그림과 같이 반지름의 길이가 1이고 중심이 O_1, O_2, O_3, $\cdots$인 원들이 있다. 모든 원들의 중심은 한 직선 위에 있고, $\overline{O_nO_{n+1}}=1(n=1, 2, 3, \cdots)$이다. 두 원 O_1, O_2가 만나는 두 점을 각각 P_1, Q_1이라 하고, 부채꼴 $O_2P_1Q_1$의 넓이를 S_1이라 하자. 두 점 P_1, Q_1에서 원 O_3의 중심과 연결한 선분이 원 O_3과 만나는 두 점을 각각 P_2, Q_2라 하고, 부채꼴 $O_3P_2Q_2$의 넓이를 S_2라 하자. 두 점 P_2, Q_2에서 원 O_4의 중심과 연결한 선분이 원 O_4와 만나는 두 점을 각각 P_3, Q_3이라 하고, 부채꼴 $O_4P_3Q_3$의 넓이를 S_3이라 하자. 이와 같은 과정을 계속하여 n번째 얻은 부채꼴 $O_{n+1}P_nQ_n$의 넓이를 S_n이라 할 때, $\sum_{n=1}^{\infty}S_n$의 값은?

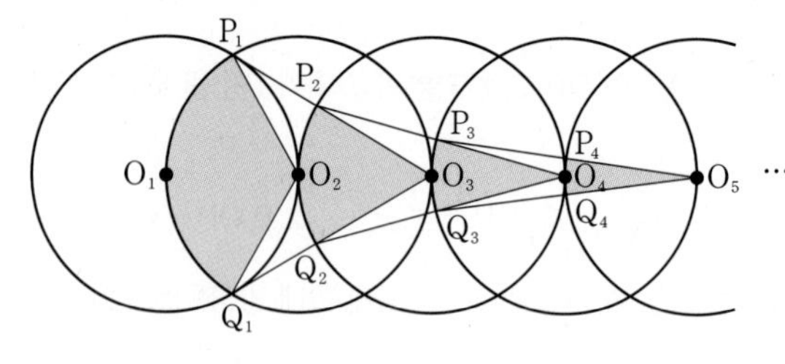

① $\frac{\pi}{2}$　② $\frac{2}{3}\pi$　③ $\frac{5}{6}\pi$
④ π　⑤ $\frac{7}{6}\pi$

0417

TOUGH

그림과 같이 $\overline{AB}=2$, $\overline{BC}=4$이고 $\angle ABC=60°$인 삼각형 ABC가 있다. 사각형 $D_1BE_1F_1$이 마름모가 되도록 세 선분 AB, BC, CA 위에 각각 점 D_1, E_1, F_1을 잡고, 마름모 $D_1BE_1F_1$의 내부와 중심이 B인 부채꼴 BE_1D_1의 외부의 공통부분에 색칠하여 얻은 그림을 R_1이라 하자. 그림 R_1에서 사각형 $D_2E_1E_2F_2$가 마름모가 되도록 세 선분 F_1E_1, E_1C, CF_1 위에 각각 점 D_2, E_2, F_2를 잡고, 마름모 $D_2E_1E_2F_2$의 내부와 중심이 E_1인 부채꼴 $E_1E_2D_2$의 외부의 공통부분에 색칠하여 얻은 그림을 R_2라 하자.
이와 같은 과정을 계속하여 n번째 얻은 그림 R_n에 색칠되어 있는 부분의 넓이를 S_n이라 할 때, $\lim_{n\to\infty}S_n$의 값은?

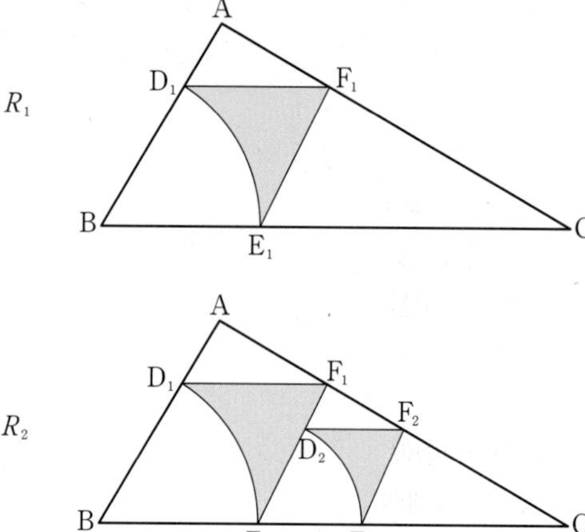

⋮　　⋮

① $\frac{4(3\sqrt{3}-\pi)}{15}$　② $\frac{4(3\sqrt{3}-\pi)}{9}$　③ $\frac{8(3\sqrt{3}-\pi)}{15}$
④ $\frac{2(3\sqrt{3}-\pi)}{3}$　⑤ $\frac{8(3\sqrt{3}-\pi)}{9}$

유형 08 등비급수의 활용–개수가 변화하는 합

닮음인 도형의 개수가 일정한 비율로 늘어나는 경우
닮은 도형의 길이, 넓이의 급수 $\sum_{n=1}^{\infty} l_n$, $\sum_{n=1}^{\infty} S_n$을 구하는 방법은 다음과 같은 순서로 구한다.

[1단계] 첫째항 (길이, 넓이) l_1, S_1을 구한다.

[2단계] 첫 번째, 두 번째로 그려지는 도형의 닮음비가 $a:b(a>b)$인 도형의 개수가 p배씩 늘어날 때, 공비는 다음과 같다.

길이의 급수의 공비는 $\frac{b}{a}\times p$, 넓이의 급수의 공비는 $\frac{b^2}{a^2}\times p$

[3단계] $\sum_{n=1}^{\infty} l_n=\frac{l_1}{1-\frac{b}{a}\times p}$, $\sum_{n=1}^{\infty} S_n=\frac{S_1}{1-\frac{b^2}{a^2}\times p}$

0418 학교기출 대표 유형

아래와 같이 직각을 낀 두 변의 길이가 1인 직각이등변삼각형이 있다. 이 직각이등변삼각형의 빗변에 2개의 꼭짓점이 있고 직각을 낀 두 변에 나머지 2개의 꼭짓점이 있는 정사각형에 색칠하여 얻은 그림을 R_1이라 하자. 그림 R_1에서 합동인 2개의 직각이등변삼각형의 각 빗변에 2개의 꼭짓점이 있고 직각을 낀 두 변에 나머지 2개의 꼭짓점이 있는 2개의 정사각형에 색칠하여 얻은 그림을 R_2라 하자.
그림 R_2에서 합동인 4개의 직각이등변삼각형의 각 빗변에 2개의 꼭짓점이 있고 직각을 낀 두 변에 나머지 2개의 꼭짓점이 있는 4개의 정사각형에 색칠하여 얻은 그림을 R_3이라 하자. 이와 같은 과정을 계속하여 n번째 얻은 그림 R_n에 색칠되어 있는 모든 정사각형의 넓이의 합을 S_n이라 할 때, $\lim_{n\to\infty} S_n$의 값은?

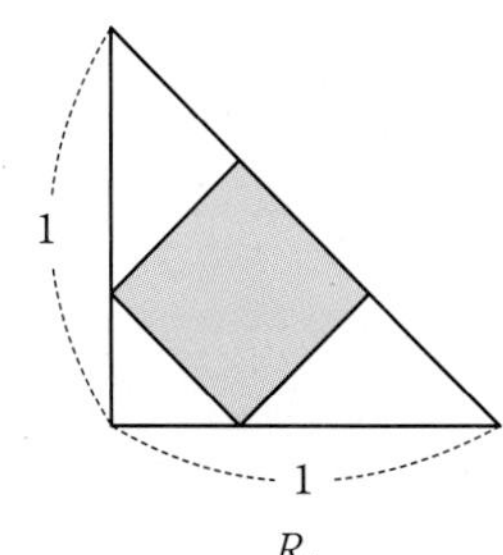

R_1

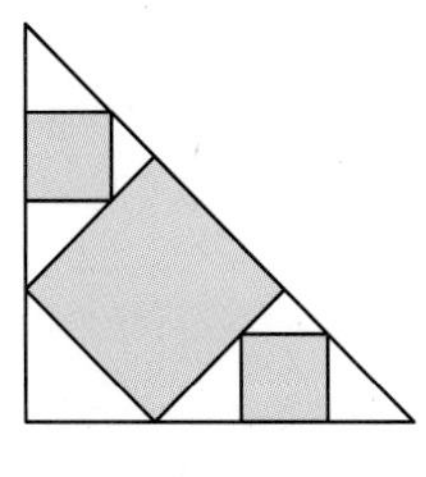
R_2

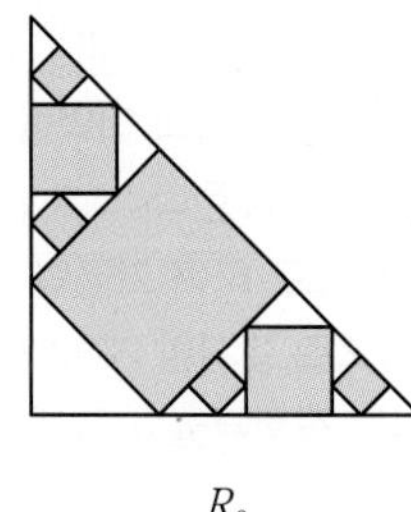
R_3

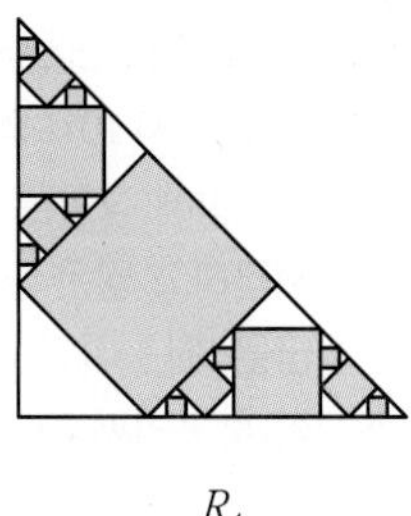
R_4

① $\frac{3\sqrt{2}}{20}$ ② $\frac{\sqrt{2}}{5}$ ③ $\frac{3}{10}$
④ $\frac{\sqrt{3}}{5}$ ⑤ $\frac{2}{5}$

0419 TOUGH

그림과 같이 한 변의 길이가 5인 정사각형 ABCD의 대각선 BD의 5등분점을 점 B에서 가까운 순서대로 각각 P_1, P_2, P_3, P_4라 하고 선분 BP_1, P_2P_3, P_4D를 각각 대각선으로 하는 정사각형과 선분 P_1P_2, P_3P_4를 각각 지름으로 하는 원을 그린 후, 모양의 도형에 색칠하여 얻은 그림을 R_1이라 하자.
그림 R_1에서 선분 P_2P_3을 대각선으로 하는 정사각형의 꼭짓점 중 점 A와 가장 가까운 점을 Q_1, 점 C와 가장 가까운 점을 Q_2라 하자. 선분 AQ_1을 대각선으로 하는 정사각형과 선분 CQ_2를 대각선으로 하는 정사각형을 그리고, 새로 그려진 2개의 정사각형 안에 그림 R_1을 얻는 것과 같은 방법으로 모양의 도형을 각각 그리고 색칠하여 얻은 그림을 R_2라 하자.
그림 R_2에서 선분 AQ_1을 대각선으로 하는 정사각형과 선분 CQ_2를 대각선으로 하는 정사각형에 그림 R_1에서 그림 R_2를 얻는 것과 같은 방법으로 모양의 도형을 각각 그리고 색칠하여 얻은 그림을 R_3이라 하자.
이와 같은 과정을 계속하여 n번째 얻은 그림 R_n에 색칠되어 있는 부분의 넓이를 S_n이라 할 때, $\lim_{n\to\infty} S_n$의 값은?

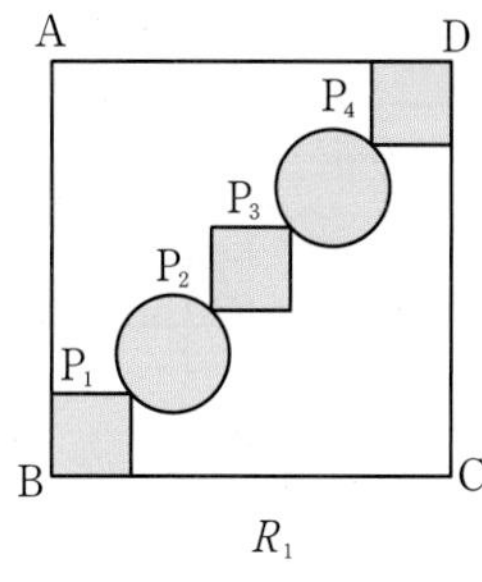

R_1

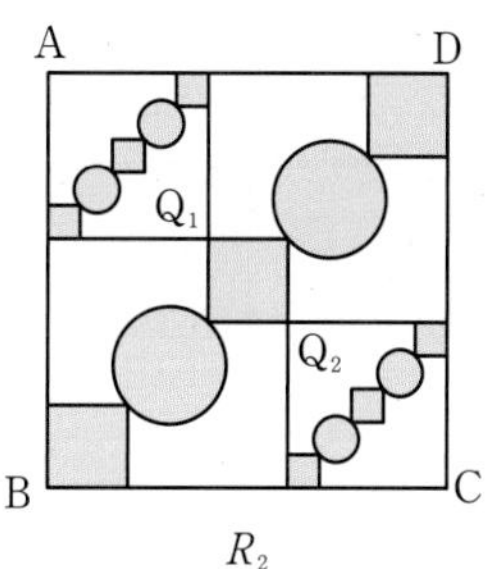

R_2

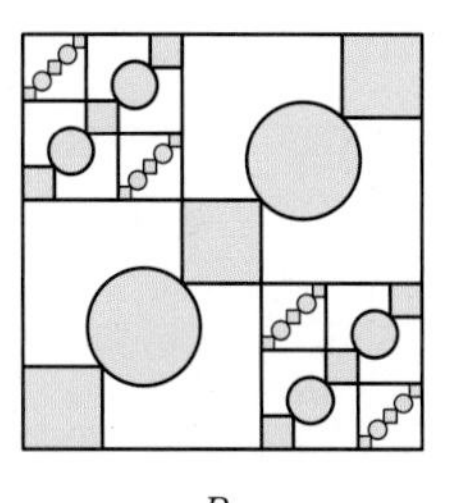
R_3

⋯

① $\frac{24}{17}(\pi+3)$ ② $\frac{25}{17}(\pi+3)$ ③ $\frac{26}{17}(\pi+3)$
④ $\frac{24}{17}(2\pi+1)$ ⑤ $\frac{25}{17}(2\pi+1)$

0420

TOUGH

그림과 같이 중심이 O, 반지름의 길이가 2이고 중심각의 크기가 $90°$인 부채꼴 OAB가 있다. 선분 OA의 중점을 C, 선분 OB의 중점을 D라 하자. 점 C를 지나고 선분 OB와 평행한 직선이 호 AB와 만나는 점을 E, 점 D를 지나고 선분 OA와 평행한 직선이 호 AB와 만나는 점을 F라 하자.
선분 CE와 선분 DF가 만나는 점을 G, 선분 OE와 선분 DG가 만나는 점을 H, 선분 OF와 선분 CG가 만나는 점을 I라 하자. 사각형 OIGH를 색칠하여 얻은 그림을 R_1이라 하자.
그림 R_1에 중심이 C, 반지름의 길이가 $\overline{CI}$, 중심각의 크기가 $90°$인 부채꼴 CJI와 중심이 D, 반지름의 길이가 $\overline{DH}$, 중심각의 크기가 $90°$인 부채꼴 DHK를 그린다. 두 부채꼴 CJI, DHK에 그림 R_1을 얻는 것과 같은 방법으로 두 개의 사각형을 그리고 색칠하여 얻은 그림을 R_2라 하자.
이와 같은 과정을 계속하여 n번째 얻은 그림 R_n에 색칠되어 있는 부분의 넓이를 S_n이라 할 때, $\lim_{n\to\infty} S_n$의 값은?

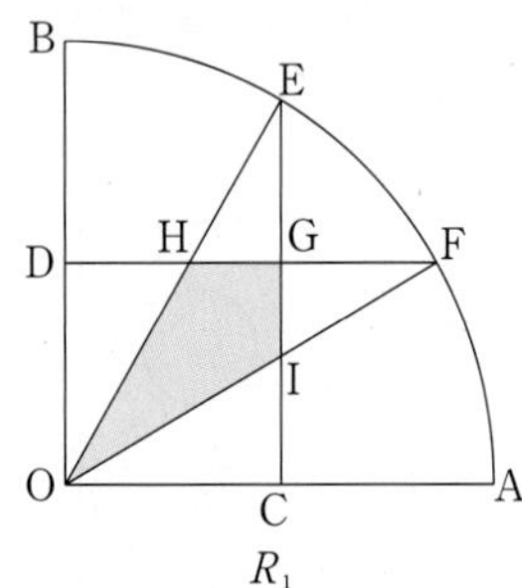

R_1

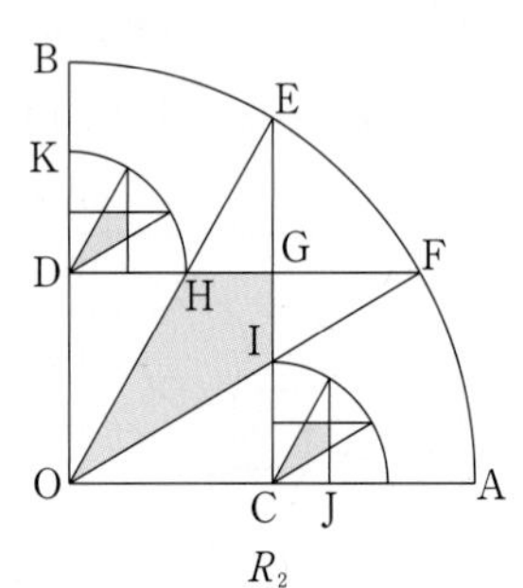

R_2

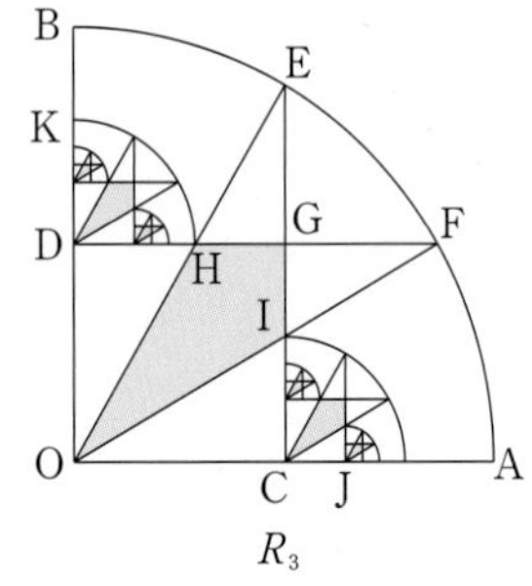

R_3

…

① $\frac{2(3-\sqrt{3})}{5}$ ② $\frac{7(3-\sqrt{3})}{15}$ ③ $\frac{8(3-\sqrt{3})}{15}$
④ $\frac{3(3-\sqrt{3})}{5}$ ⑤ $\frac{2(3-\sqrt{3})}{3}$

유형 09 등비급수의 실생활 활용

주어진 규칙에 따라 첫째항과 공비를 찾아서 문제를 해결한다.

0421

학교기출 대표 유형

음료수병을 생산하는 어느 공장에서 생산한 병의 80%를 수거하여 그 중 75%를 재활용하고, 재활용된 병의 80%를 수거하여 그 중 75%를 다시 재활용한다고 한다. 처음 생산한 10000개의 병에 대하여 이와 같은 과정을 한없이 반복할 때, 재활용되는 모든 병의 개수는? (단위는 개수)

① 12000 ② 13000 ③ 14000
④ 15000 ⑤ 16000

▶ 해설 내신연계기출

0422

NORMAL

어느 종이 상자 생산 공장에서는 폐휴지를 재활용하여 종이 상자를 만든다고 한다. 매년 수거되는 폐휴지는 만들어 낸 종이 상자의 80%이고 수거한 폐휴지로 만들 수 있는 종이 상자의 양은 수거된 폐휴지의 45%라고 한다. 어느 날 공장에서 만든 1000kg의 종이 상자로 위와 같은 재생산 과정을 무한히 반복한다고 할 때, 1000kg의 종이 상자로부터 재활용하여 만들 수 있는 종이 상자의 양은 몇 kg인가?

① $\frac{1119}{2}$kg ② $\frac{1121}{2}$kg ③ $\frac{1123}{2}$kg
④ $\frac{1125}{2}$kg ⑤ $\frac{1127}{2}$kg

0423

최다빈출 왕중요

TOUGH

어느 장학 재단에서 12억 원의 기금을 조성하였다. 매년 초에 기금을 운용하여 연말까지 10%의 이익을 내고 기금과 이익을 합한 금액의 20%를 매년 말에 장학금으로 지급하려고 한다.
장학금으로 지급하고 남은 금액을 기금으로 하여 기금의 운용과 장학금의 지급을 매년 이와 같은 방법으로 실시할 계획이다.
기금을 조성한 후 n번째 해에 지급하는 장학금을 a_n억 원이라고 할 때, $\sum_{n=1}^{\infty} a_n$의 값은?

① 18 ② 20 ③ 22
④ 24 ⑤ 26

▶ 해설 내신연계기출

0424

$a_n>0$인 수열 $\{a_n\}$에 대하여 급수 $S=\sum_{n=1}^{\infty}a_n$의 수렴과 발산을 판단해야 하는데, S_n을 구하기 어려운 경우가 있다. 이때 새로운 급수 $S'=\sum_{n=1}^{\infty}a_n'$과 그 부분합 S_n'의 관계를 이용하여 수렴, 발산을 조사하여라.

(1) $S>S'$이고 $\lim_{n\to\infty}S_n'$이 발산하면 급수 S는 발산한다.
(단, $a_n'>0$)
(2) $S<S'$이고 $\lim_{n\to\infty}S_n'=\alpha$(일정)이면 급수 S는 수렴한다.

[1단계] 급수
$$S=\sum_{n=1}^{\infty}\frac{1}{n}=1+\frac{1}{2}+\frac{1}{3}+\frac{1}{4}+\frac{1}{5}+\frac{1}{6}+\frac{1}{7}+\cdots+\frac{1}{n}+\cdots$$
의 수렴, 발산을 조사하여라.
[2단계] 급수
$$S=\sum_{n=1}^{\infty}\frac{1}{n^2}=\frac{1}{1^2}+\frac{1}{2^2}+\frac{1}{3^2}+\frac{1}{4^2}+\cdots+\frac{1}{n^2}+\cdots$$
의 수렴, 발산을 조사하여라.

0425

급수 $\sum_{n=1}^{\infty}\frac{an^2+2}{(n+1)(n+3)}$가 수렴할 때, 이 급수의 합을 구하는 과정을 다음 단계로 서술하여라. (단, a는 상수)

[1단계] 급수 $\sum_{n=1}^{\infty}\frac{an^2+2}{(n+1)(n+3)}$가 수렴함을 이용하여 a의 값을 구한다.
[2단계] 이 급수의 제 n항까지의 부분합을 $S_n=\sum_{k=1}^{n}a_k$라 할 때, S_n를 구한다.
[3단계] $\lim_{n\to\infty}S_n$의 값을 구한다.

0426

수열 $\{a_n\}$에 대하여 다항식 $a_nx^2+2a_nx+1$을 $x-n$으로 나누었을 때의 나머지가 5일 때, 급수 $\sum_{n=1}^{\infty}a_n$의 값을 구하는 과정을 다음 단계로 서술하여라.

[1단계] 다항식 $a_nx^2+2a_nx+1$을 $x-n$으로 나누었을 때의 나머지를 구한다.
[2단계] 나머지가 5임을 이용하여 a_n을 구한다.
[3단계] 이 급수의 제 n항까지의 부분합 $S_n=\sum_{k=1}^{n}a_k$을 구한다.
[4단계] $\sum_{n=1}^{\infty}a_n$의 값을 구한다.

0427

수열 $\{a_n\}$의 일반항이 $a_n=\frac{1}{n(n+1)(n+2)}$일 때, $\sum_{n=1}^{\infty}a_n$의 값을 구하는 과정을 다음 단계로 서술하여라.

[1단계] $\frac{1}{n(n+1)(n+2)}=\frac{a}{n(n+1)}+\frac{b}{(n+1)(n+2)}$일 때, 상수 a, b의 값을 구한다.
[2단계] 이 급수의 제 n항까지의 부분합 $S_n=\sum_{k=1}^{n}a_k$을 구한다.
[3단계] $\sum_{n=1}^{\infty}a_n$의 값을 구한다.

0428

급수

$$S=\frac{1}{1\cdot 2}+\frac{1}{1\cdot 2+2\cdot 3}+\frac{1}{1\cdot 2+2\cdot 3+3\cdot 4}+\cdots$$

의 합을 구하는 과정을 다음 단계로 서술하여라.

[1단계] 주어진 급수의 일반항 a_n이라 할 때, a_n을 구한다.

[2단계] $\frac{1}{ABC}=\frac{1}{C-A}\left(\frac{1}{AB}-\frac{1}{BC}\right)$을 이용하여 일반항 a_n을 부분분수로 나눈다.

[3단계] 주어진 급수의 제 n항까지의 부분합을 $S_n=\sum_{k=1}^{n}a_k$이라 할 때, S_n을 구한다.

[4단계] $S=\lim_{n\to\infty}S_n$을 구한다.

0429

'급수 $\sum_{n=1}^{\infty}a_n$이 수렴하면 $\lim_{n\to\infty}a_n=0$' 을 이용하여 다음 단계로 그 과정을 서술하여라.

[1단계] $\lim_{n\to\infty}(\sqrt{n+2}-\sqrt{n})$을 구한다.

[2단계] $\sum_{n=1}^{\infty}(\sqrt{n+2}-\sqrt{n})$을 구한다.

[3단계] 1단계와 2단계의 결과를 비교하여 수열의 수렴과 급수의 수렴의 관계를 서술하여라.
(반드시 1단계과 2단계의 결과를 토대로 서술할 것)

0430

$\sum_{n=1}^{\infty}\left(na_n-\frac{3n^2}{2n+1}\right)$이 수렴할 때, $\lim_{n\to\infty}a_n$의 값을 구하는 과정을 다음 단계로 서술하여라.

[1단계] $\lim_{n\to\infty}a_n$의 값을 구하여라.

[2단계] 1단계의 값을 구할 때, 급수의 수렴과 발산에 관한 명제가 사용된다. 이 명제를 '급수' 와 '일반항' 이라는 용어를 사용하여 구한다.

[3단계] 2단계에서 답한 명제를 증명하여라.

0431

자연수 n에 대하여 두 함수 $y=\frac{|x|}{n}$와 $y=|\sin\pi x|$의 그래프의 교점의 개수를 a_n이라고 할 때, $\sum_{n=1}^{\infty}\frac{1}{a_n a_{n+1}}$의 값을 구하는 과정을 다음 단계로 서술하여라.

[1단계] 두 함수 $y=\frac{|x|}{n}$와 $y=|\sin\pi x|$의 그래프의 교점의 개수 a_n을 구한다.

[2단계] $\sum_{n=1}^{\infty}\frac{1}{a_n a_{n+1}}$의 제 n항까지의 부분합을 S_n이라 하면 S_n의 값을 구한다.

[3단계] $\lim_{n\to\infty}S_n$의 값을 구한다.

0432

다음은 등비급수 $\sum_{n=1}^{\infty}ar^{n-1}\,(a\neq 0)$의 수렴, 발산에 대하여 (가), (나), (다), (라)에 알맞은 것은 구하여라.

등비급수 $\sum_{n=1}^{\infty}ar^{n-1}\,(a\neq 0)$의 제 n항까지의 부분합을 S_n이라고 하면

$$S_n=a+ar+ar^2+\cdots+ar^{n-1}$$

이므로

$r\neq 1$이면 $S_n=$ (가)

$r=1$이면 $S_n=$ (나)

이다.

따라서 등비급수 $\sum_{n=1}^{\infty}ar^{n-1}\,(a\neq 0)$의 수렴과 발산은 r의 값에 따라 다음과 같이 결정된다.

① (다) 일 때, $\lim_{n\to\infty}r^n=0$이므로

$\lim_{n\to\infty}S_n=\lim_{n\to\infty}$ (가) $=$ (라)

즉, 등비급수 $\sum_{n=1}^{\infty}ar^{n-1}\,(a\neq 0)$은 수렴하고, 그 합은 (라) 이다.

② $r=1$일 때,

$S_n=$ (나) 이므로 등비급수 $\sum_{n=1}^{\infty}ar^{n-1}\,(a\neq 0)$은 발산한다.

③ $r>1$일 때,

$\lim_{n\to\infty}r^n=\infty$이므로 등비급수 $\sum_{n=1}^{\infty}ar^{n-1}\,(a\neq 0)$은 발산한다.

④ $r\leq -1$일 때,

수열 $\{r^n\}$은 진동하므로 등비급수 $\sum_{n=1}^{\infty}ar^{n-1}\,(a\neq 0)$은 발산한다.

0433

등비급수

$$(x-1)+(x-1)\left(\frac{x+2}{2}\right)+(x-1)\left(\frac{x+2}{2}\right)^2+\cdots$$

에 대하여 다음 단계로 서술하여라.

[1단계] 이 등비급수가 수렴하기 위한 정수 x값의 합을 모두 구한다.
[2단계] 이 등비급수의 합이 -3일 때, 실수 x의 값을 구한다.

0434

등비급수 $\sum_{n=1}^{\infty} a_n$에 대하여

$$\sum_{n=1}^{\infty} a_n=1,\ \sum_{n=1}^{\infty} a_n^2=\frac{1}{2}$$

일 때, $\sum_{n=1}^{\infty} a_n^3$의 값을 구하는 과정을 다음 단계로 서술하여라.

[1단계] 등비급수를 이용하여 첫째항 a_1, 공비 r을 구한다.

[2단계] $\sum_{n=1}^{\infty} a_n(a_n+1)$의 값을 구한다.

[3단계] $\sum_{n=1}^{\infty} a_n^3$의 값을 구한다.

0435

곡선 $y=2x^2$ 위의 한 점 $(a_n,\ 2(a_n)^2)$에서의 접선을 l_n, 직선 l_n의 x절편을 a_{n+1}이라 할 때, 곡선 $y=2x^2$과 직선 l_n, 직선 $x=a_{n+1}$로 둘러싸인 부분의 넓이를 S_n이라 하자. $a_1=1$일 때, $\sum_{n=1}^{\infty} S_n$의 값을 구하는 과정을 다음 단계로 서술하여라.

[1단계] 점 $(a_n,\ 2(a_n)^2)$에서의 접선의 방정식 l_n을 구한다.
[2단계] $a_1=1$이고 직선 l_n의 x절편이 a_{n+1}임을 이용하여 수열 $\{a_n\}$의 일반항 a_n을 구한다.
[3단계] 곡선 $y=2x^2$과 직선 l_n, 직선 $x=a_{n+1}$로 둘러싸인 부분의 넓이 S_n을 구한다. (단, 정적분을 이용한다.)
[4단계] 등비급수를 이용하여 $\sum_{n=1}^{\infty} S_n$의 값을 구한다.

0436

첫째항이 $0.\dot{5}$, 제 3항이 $0.0\dot{2}$이고 각 항이 모두 양수인 등비수열 $\{a_n\}$에 대하여 다음 단계로 그 과정을 서술하여라.

[1단계] 등비급수의 합을 이용하여 첫째항 $0.\dot{5}$, 제 3항 $0.0\dot{2}$를 각각 분수로 나타낸다.

[2단계] 1단계의 결과를 이용하여 공비를 구하여 $\sum_{n=1}^{\infty} a_n$의 값을 구하여라.

[3단계] 등비급수의 합을 이용하여 순환소수 $0.3\dot{2}\dot{5}$를 분수로 나타낸다.

0437

한 변의 길이가 2인 정삼각형 $A_1B_1C_1$의 각 변의 중점을 이어 삼각형 $A_2B_2C_2$를 만든다. 이와 같은 방법으로 삼각형 $A_3B_3C_3$, $A_4B_4C_4$, …를 만들어 나갈 때, 삼각형 $A_1B_1C_1$, $A_2B_2C_2$, …에 대하여 다음 단계로 서술하여라.

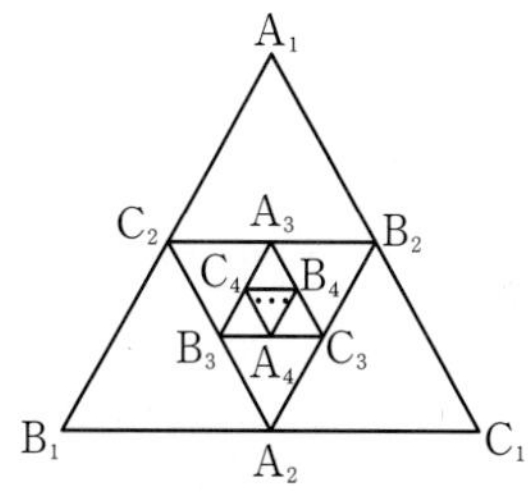

[1단계] 모든 삼각형의 둘레의 길이의 합을 구한다.
[2단계] 모든 삼각형의 넓이의 합을 구한다.

0438

그림과 같이 한 변의 길이가 2인 정사각형 $A_1B_1C_1D_1$의 각 변의 중점을 연결하여 정사각형 $A_2B_2C_2D_2$를 만들고, 정사각형 $A_3B_3C_3D_3$을 만든다. 이와 같은 방법으로 정사각형을 한없이 만들 때, 다음 단계로 그 과정을 서술하여라.

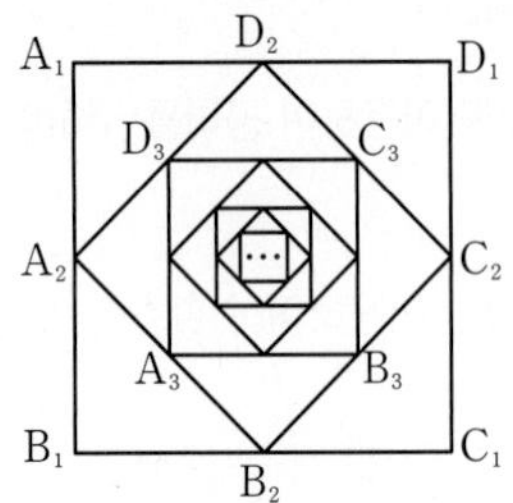

[1단계] 모든 정사각형의 둘레의 길이의 합을 구한다.
[2단계] 모든 정사각형의 넓이의 합을 구한다.

0439

그림과 같이 $\overline{AB}=1$, $\overline{BC}=2$인 직각삼각형 ABC의 내부에 정사각형 A_1, A_2, A_3, …을 한없이 만든다고 하자. 정사각형 A_n의 둘레의 길이를 l_n, 넓이를 S_n이라고 할 때, 다음 단계로 구하는 과정을 서술하여라.

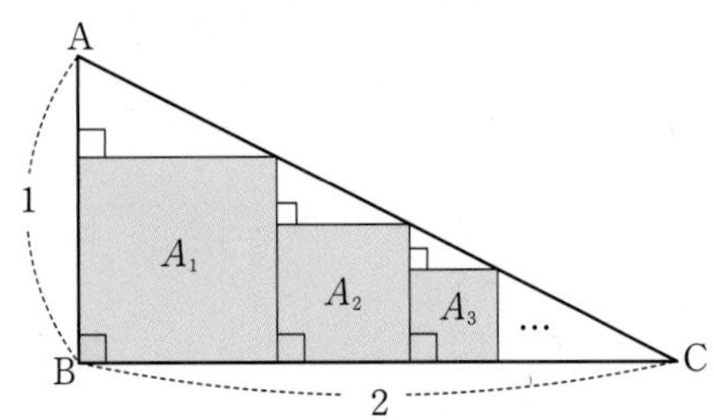

[1단계] 정사각형 A_1의 한 변의 길이 a를 구한다.

[2단계] $\sum_{n=1}^{\infty} l_n$의 값을 구한다.

[3단계] $\sum_{n=1}^{\infty} S_n$의 값을 구한다.

0440

그림과 같이 점 A(0, 2)에서 직선 $y=-x+4$에 내린 수선의 발을 P_1이라 하고, 점 P_1에서 x축에 내린 수선의 발을 Q_1이라 하자.
자연수 n에 대하여 점 Q_n에서 직선 $y=-x+4$에 내린 수선의 발을 P_{n+1}, 점 P_{n+1}에서 x축에 내린 수선의 발을 Q_{n+1}이라 할 때, 다음 단계로 구하는 과정을 서술하여라.

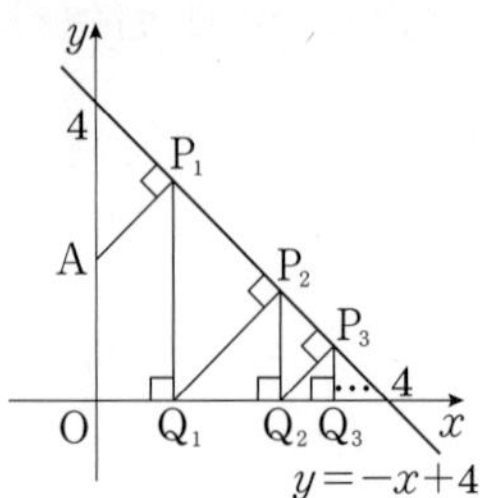

[1단계] 선분 P_nQ_n의 길이를 a_n이라 할 때, $\sum_{n=1}^{\infty} a_n$의 합을 구한다.

[2단계] 삼각형 $P_nQ_nP_{n+1}$의 넓이를 b_n이라 할 때, $\sum_{n=1}^{\infty} b_n$의 합을 구한다.

0441

그림과 같이 한 변의 길이가 1인 정사각형 $OA_1B_1C_1$의 내부에 점 O를 중심으로 하고 $\overline{OA_1}$을 반지름으로 하는 사분원을 그린 후, 그 사분원에 내접하는 정사각형 $OA_2B_2C_2$를 그린다.
이와 같은 과정을 한없이 반복한다고 할 때, n번째 얻어지는 호 A_nC_n의 길이를 l_n, 선분 A_nB_n, 선분 B_nC_n, 호 A_nC_n으로 둘러싸인 도형의 넓이를 S_n이라 할 때, 다음 단계로 구하는 과정을 서술하여라.

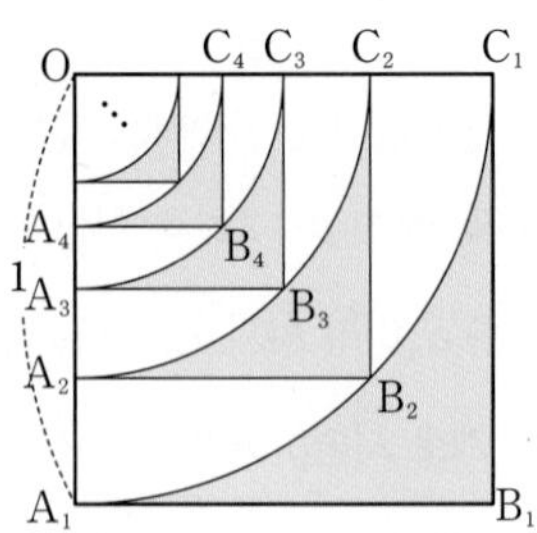

[1단계] $\sum_{n=1}^{\infty} l_n$의 값을 구한다.

[2단계] $\sum_{n=1}^{\infty} S_n$의 값을 구한다.

0442

다음 조건을 만족하는 상수 a, b에 대하여 $a+b$의 값을 구하여라.

(가) 첫째항이 2이고 공차가 3인 등차수열 $\{a_n\}$에 대하여 $\sum_{n=1}^{\infty}\frac{1}{a_n a_{n+1}}$의 값은 a이다.
(나) 첫째항이 6, 공차가 6인 등차수열에서 제 n항까지의 합을 S_n이라고 할 때, $\sum_{n=1}^{\infty}\frac{1}{S_n}$의 값은 b이다.

0443

첫째항이 2, 공차가 3인 등차수열 $\{a_n\}$의 첫째항부터 제 n항까지의 합을 S_n이라 할 때, $\sum_{n=1}^{\infty}\frac{a_{n+1}}{S_n S_{n+1}}$의 값을 구하여라.

0444

급수

$$\frac{1}{3}+\left(\frac{1}{3^2}+\frac{1}{3^3}\right)+\left(\frac{1}{3^3}+\frac{1}{3^4}+\frac{1}{3^5}\right)+\cdots$$

의 값을 $\frac{p}{q}$이라 할 때, 서로소인 자연수 p, q에 대하여 $p+q$의 값을 구하여라.

0445

교육청기출

모든 자연수 n에 대하여 두 수열 $\{a_n\}$, $\{b_n\}$이 다음 조건을 만족시킬 때, $\lim_{n\to\infty}a_n$의 값을 구하여라.

(가) $3n^2+1<(2+4+6+\cdots+2n)a_n$
(나) $b_n<6-2a_n$
(다) 급수 $\sum_{n=1}^{\infty}b_n$이 수렴한다.

0446

교육청기출

두 수열 $\{a_n\}$, $\{b_n\}$이 모든 자연수 n에 대하여

$$1+2+2^2+\cdots+2^{n-1}<a_n<2^n$$

$$\frac{3n-1}{n+1}<\sum_{k=1}^{n}b_k<\frac{3n+1}{n}$$

을 만족시킬 때, $\lim_{n\to\infty}\frac{8^n-1}{4^{n-1}a_n+8^{n+1}b_n}$의 값을 구하여라.

0447

경찰대기출

그림과 같이 원점에서 중심이 $(2n,\ 0)$이고 반지름의 길이가 1인 원에 접선을 그을 때. 그 접선과 x축의 양의 방향이 이루는 각의 크기를 θ_n이라 하자. 이때 $\sum_{n=1}^{\infty}\tan^2\theta_n$의 값을 구하여라.

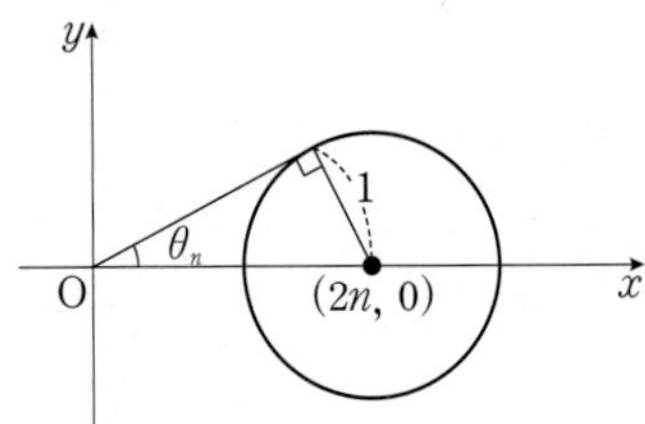

0448

수열 $\{a_n\}$의 각 항은 0 또는 1이고

$$\frac{4}{3}=a_1+\frac{a_2}{2}+\frac{a_3}{2^2}+\frac{a_4}{2^3}+\cdots+\frac{a_n}{2^{n-1}}+\cdots$$

을 만족시킬 때, $\sum_{n=1}^{2020}a_n$의 값을 구하여라.

0449

경찰대기출

다음과 같이 귀납적으로 정의된 수열 $\{a_n\}$이 있다.

$$a_1=2,\ a_{n+1}a_n=\left(\frac{1}{4}\right)^n\ (n=1,\ 2,\ 3,\ \cdots)$$

이때 $\sum_{n=1}^{\infty}a_{2n-1}+\sum_{n=1}^{\infty}a_{2n}$의 값을 구하여라.

0450

평가원기출

2보다 큰 자연수 n에 대하여 $(-3)^{n-1}$의 n제곱근 중 실수인 것의 개수를 a_n이라 할 때, $\sum_{n=3}^{\infty}\frac{a_n}{2^n}$의 값을 구하여라.

0451

모든 자연수 n에 대하여 좌표평면 위에 점 P_n을 다음 규칙에 따라 정한다.

> (가) 점 P_1의 좌표는 $(1, 1)$이다.
> (나) 점 P_n의 x좌표는 n이다.
> (다) 두 점 P_n, P_{n+1}을 지나는 직선의 기울기는 $\frac{1}{2^n}$이다.

두 직선 $x=n$, $x=n+1$과 선분 $\mathrm{P}_n\mathrm{P}_{n+1}$, x축으로 둘러싸인 도형의 넓이를 a_n이라 하자. 급수 $\sum_{n=1}^{\infty}(a_n-\alpha)$가 수렴할 때, 상수 α의 값을 구하여라.

0452

수능기출

그림과 같이 $\overline{\mathrm{OA_1}}=4$, $\overline{\mathrm{OB_1}}=4\sqrt{3}$인 직각삼각형 $\mathrm{OA_1B_1}$이 있다. 중심이 O이고 반지름의 길이가 $\overline{\mathrm{OA_1}}$인 원이 선분 $\mathrm{OB_1}$과 만나는 점을 $\mathrm{B_2}$라 하자. 삼각형 $\mathrm{OA_1B_1}$의 내부와 부채꼴 $\mathrm{OA_1B_2}$의 내부에서 공통된 부분을 제외한 모양의 도형에 색칠하여 얻은 그림을 R_1이라 하자.

그림 R_1에서 점 $\mathrm{B_2}$를 지나고 선분 $\mathrm{A_1B_1}$에 평행한 직선이 선분 $\mathrm{OA_1}$과 만나는 점을 $\mathrm{A_2}$, 중심이 O이고 반지름의 길이가 $\overline{\mathrm{OA_2}}$인 원이 선분 $\mathrm{OB_2}$와 만나는 점을 $\mathrm{B_3}$이라 하자. 삼각형 $\mathrm{OA_2B_2}$의 내부와 부채꼴 $\mathrm{OA_2B_3}$의 내부에서 공통된 부분을 제외한 모양의 도형에 색칠하여 얻은 그림을 R_2라 하자. 이와 같은 과정을 계속하여 n번째 얻은 그림 R_n에 색칠되어 있는 부분의 넓이를 S_n이라 할 때, $\lim_{n\to\infty} S_n$의 값은?

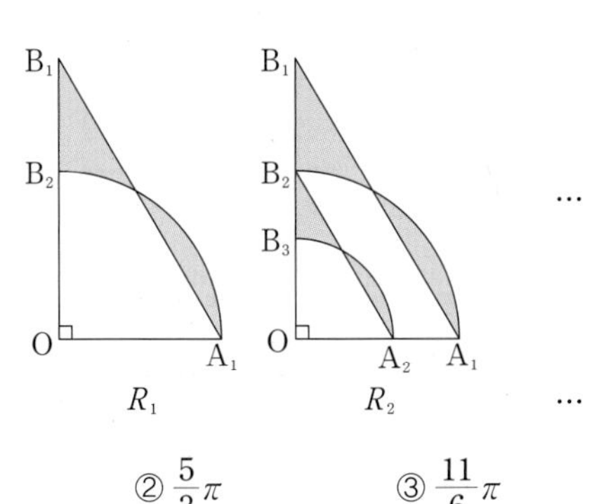

① $\frac{3}{2}\pi$ ② $\frac{5}{3}\pi$ ③ $\frac{11}{6}\pi$
④ 2π ⑤ $\frac{13}{6}\pi$

0453

수능기출

그림과 같이 길이가 4인 선분 AB를 지름으로 하는 원 O가 있다. 원의 중심을 C라 하고, 선분 AC의 중점과 선분 BC의 중점을 각각 D, P라 하자. 선분 AC의 수직이등분선과 선분 BC의 수직이등분선이 원 O의 위쪽 반원과 만나는 점을 각각 E, Q라 하자. 선분 DE를 한 변으로 하고 원 O와 점 A에서 만나며 선분 DF가 대각선인 정사각형 DEFG를 그리고, 선분 PQ를 한 변으로 하고 원 O와 점 B에서 만나며 선분 PR이 대각선인 정사각형 PQRS를 그린다. 원 O의 내부와 정사각형 DEFG의 내부의 공통부분인 모양의 도형과 원 O의 내부와 정사각형 PQRS의 내부의 공통부분인 모양의 도형에 색칠하여 얻은 그림을 R_1이라 하자. 그림 R_1에서 점 F를 중심으로 하고 반지름의 길이가 $\frac{1}{2}\overline{\mathrm{DE}}$인 원 O_1, 점 R을 중심으로 하고 반지름의 길이가 $\frac{1}{2}\overline{\mathrm{PQ}}$인 원 O_2를 그린다. 두 원 O_1, O_2에 각각 그림 R_1을 얻은 것과 같은 방법으로 만들어지는 모양의 2개의 도형과 모양의 2개의 도형에 색칠하여 얻은 그림을 R_2라 하자.

이과 같은 과정을 계속하여 n번째 얻은 그림 R_n에 색칠되어 있는 부분의 넓이를 S_n이라 할 때, $\lim_{n\to\infty} S_n$의 값은?

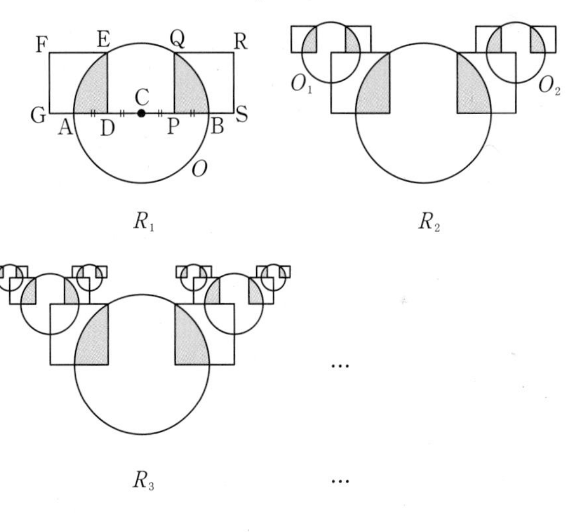

① $\frac{12\pi-9\sqrt{3}}{10}$ ② $\frac{8\pi-6\sqrt{3}}{5}$ ③ $\frac{32\pi-24\sqrt{3}}{15}$
④ $\frac{28\pi-21\sqrt{3}}{10}$ ⑤ $\frac{16\pi-12\sqrt{3}}{5}$

05 등비급수의 활용

0454

수능기출

그림과 같이 한 변의 길이가 1인 정삼각형 $A_1B_1C_1$이 있다. 선분 A_1B_1의 중점을 D_1이라 하고, 선분 B_1C_1 위의 $\overline{C_1D_1}=\overline{C_1B_2}$인 점 B_2에 대하여 중심이 C_1인 부채꼴 $C_1D_1B_2$를 그린다. 점 B_2에서 선분 C_1D_1에 내린 수선의 발을 A_2, 선분 C_1B_2의 중점을 C_2라 하자. 두 선분 B_1B_2, B_1D_1과 호 D_1B_2로 둘러싸인 영역과 삼각형 $C_1A_2C_2$의 내부에 색칠하여 얻은 그림을 R_1이라 하자. 그림 R_1에서 선분 A_2B_2의 중점을 D_2라 하고, 선분 B_2C_2 위의 $\overline{C_2D_2}=\overline{C_2B_3}$인 점 B_3에 대하여 중심이 C_2인 부채꼴 $C_2D_2B_3$을 그린다. 점 B_3에서 선분 C_2D_2에 내린 수선의 발을 A_3, 선분 C_2B_3의 중점을 C_3이라 하자. 두 선분 B_2B_3, B_2D_2와 호 D_2B_3으로 둘러싸인 영역과 삼각형 $C_2A_3C_3$의 내부에 색칠하여 얻은 그림을 R_2라 하자.

이와 같은 과정을 계속하여 n번째 얻은 그림 R_n에 색칠되어 있는 부분의 넓이를 S_n이라 할 때, $\lim_{n\to\infty} S_n$의 값은?

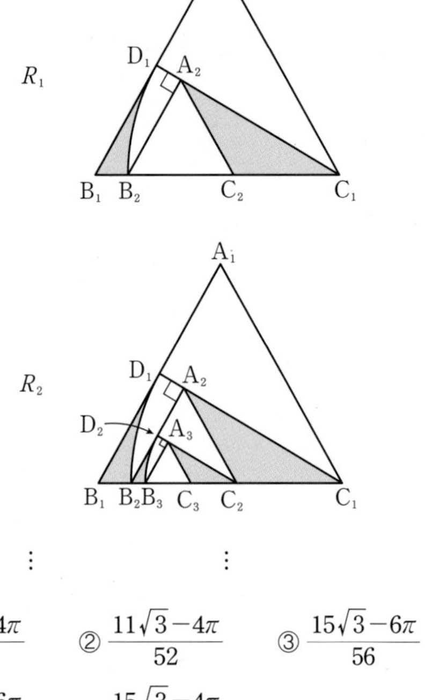

① $\frac{11\sqrt{3}-4\pi}{56}$　② $\frac{11\sqrt{3}-4\pi}{52}$　③ $\frac{15\sqrt{3}-6\pi}{56}$

④ $\frac{15\sqrt{3}-6\pi}{52}$　⑤ $\frac{15\sqrt{3}-4\pi}{52}$

0455

수능기출

그림과 같이 한 변의 길이가 5인 정사각형 ABCD에 중심이 A이고 중심각의 크기가 90°인 부채꼴 ABD를 그린다. 선분 AD를 3 : 2로 내분하는 점을 A_1, 점 A_1을 지나고 선분 AB에 평행한 직선이 호 BD와 만나는 점을 B_1이라 하자. 선분 A_1B_1을 한 변으로 하고 선분 DC와 만나도록 정사각형 $A_1B_1C_1D_1$을 그린 후, 중심이 D_1이고 중심각의 크기가 90°인 부채꼴 $D_1A_1C_1$을 그린다. 선분 DC가 호 A_1C_1, 선분 B_1C_1과 만나는 점을 각각 E_1, F_1이라 하고, 두 선분 DA_1, DE_1과 호 A_1E_1로 둘러싸인 부분과 두 선분 E_1F_1, F_1C_1과 호 E_1C로 둘러싸인 부분인 모양의 도형에 색칠하여 얻은 그림을 R_1이라 하자. 그림 R_1에서 정사각형 $A_1B_1C_1D_1$에 중심이 A_1이고 중심각의 크기가 90°인 부채꼴 $A_1B_1D_1$을 그린다. 선분 A_1D_1을 3 : 2로 내분하는 점을 A_2, 점 A_2를 지나고 선분 A_1B_1에 평행한 직선이 호 B_1D_1과 만나는점을 B_2라 하자. 선분 A_2B_2를 한 변으로 하고 선분 D_1C_1과 만나도록 정사각형 $A_2B_2C_2D_2$를 그린 후, 그림 R_1을 얻은 것과 같은 방법으로 정사각형 $A_2B_2C_2D_2$에 모양의 도형을 그리고 색칠하여 얻은 그림을 R_2라 하자.

이와 같은 과정을 계속하여 n번 째 얻는 그림을 R_n에 색칠되어 있는 부분의 넓이를 S_n이라 할 때, $\lim_{n\to\infty} S_n$의 값은?

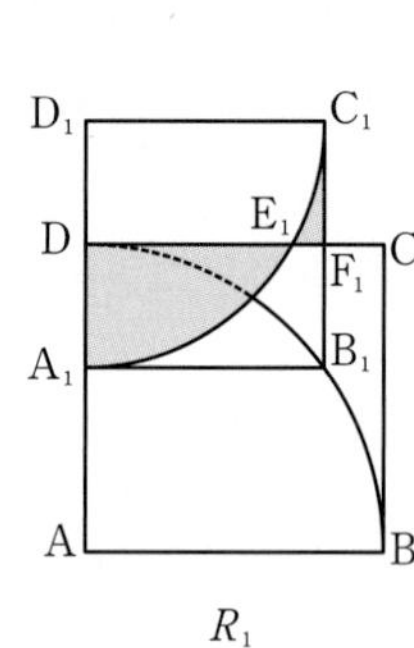

R_1

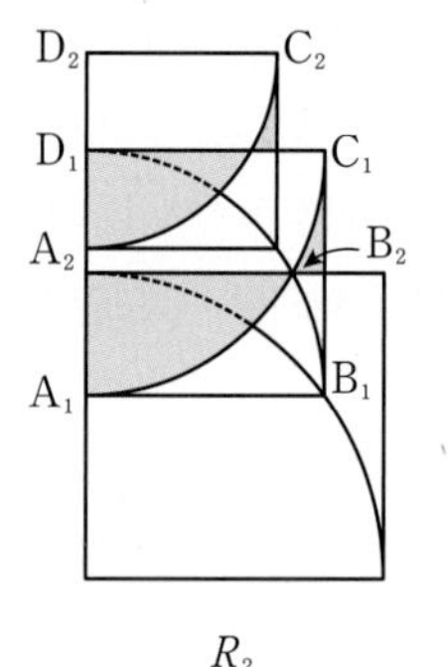

R_2 …

① $\frac{50}{3}\left(3-\sqrt{3}+\frac{\pi}{6}\right)$　② $\frac{100}{9}\left(3-\sqrt{3}+\frac{\pi}{3}\right)$

③ $\frac{50}{3}\left(2-\sqrt{3}+\frac{\pi}{3}\right)$　④ $\frac{100}{9}\left(3-\sqrt{3}+\frac{\pi}{6}\right)$

⑤ $\frac{100}{9}\left(2-\sqrt{3}+\frac{\pi}{3}\right)$

mapl SYNERGY

YOUR MASTER PLAN

II 미분법

01 지수 · 로그함수의 극한

학교내신기출 객관식 핵심문제총정리

STEP 1 내신정복 기출유형

유형 01 지수함수의 극한

지수함수 $y=a^x\,(a>0,\ a\neq 1)$의 극한은 다음과 같다.

① $a>1$일 때, $\lim_{x\to\infty} a^x=\infty$, $\lim_{x\to-\infty} a^x=0$

② $0<a<1$일 때, $\lim_{x\to\infty} a^x=0$, $\lim_{x\to-\infty} a^x=\infty$

지수함수의 극한

⇨ 식을 변형하여 $0<a<1$일 때, $\lim_{x\to\infty} a^x=0$임을 이용한다.

참고 ① $\frac{\infty}{\infty}$꼴 극한

⇨ 분모에서 밑이 가장 큰 항으로 분모, 분자를 각각 나눈다.

② $\infty-\infty$꼴 극한

⇨ 밑이 가장 큰 항으로 묶는다.

0456 학교기출 대표 유형

$\lim_{x\to\infty}\frac{3^{x+1}+2^{x+1}}{3^x-2^x}$의 값은?

① 1 ② 2 ③ 3
④ 4 ⑤ 5

0457 BASIC

$\lim_{x\to\infty}\frac{a\cdot 5^x+2}{5^{x-2}-3}=50$일 때, 상수 a의 값은?

① 1 ② 2 ③ 3
④ 4 ⑤ 6

0458 NORMAL

$\lim_{x\to\infty}\frac{5^x}{5^x+a^x}+\lim_{x\to\infty}\frac{a^x}{5^x-1}=1$이 성립하도록 하는 자연수 a의 개수는?

① 2 ② 3 ③ 4
④ 5 ⑤ 6

0459 최다빈출 왕중요 NORMAL

$\lim_{x\to\infty}\frac{a^{x+2}+6^{x+2}}{6^x+a^x+2}=36$을 만족시키는 자연수 a의 개수는?

① 2 ② 4 ③ 6
④ 8 ⑤ 10

▶ 해설 내신연계기출

0460 최다빈출 왕중요 NORMAL

$\lim_{x\to\infty}(4^x+3^x)^{\frac{1}{x}}$의 값은?

① 1 ② 2 ③ 3
④ 4 ⑤ 5

▶ 해설 내신연계기출

0461 NORMAL

$\lim_{x\to\infty}\frac{1}{x}\log_3(6^x+9^x)$의 값은?

① 2 ② 3 ③ 4
④ 5 ⑤ 6

유형 02 로그함수의 극한

(1) 로그함수 $y=\log_a x$ (단, $a>0$, $a\neq1$, $x>0$)의 극한은 다음과 같다.

① $a>1$일 때, $\lim_{x\to\infty}\log_a x=\infty$, $\lim_{x\to0+}\log_a x=-\infty$

② $0<a<1$일 때, $\lim_{x\to0+}\log_a x=\infty$, $\lim_{x\to\infty}\log_a x=-\infty$

(2) 로그함수의 극한

[1단계] 주어진 식을 로그의 성질을 이용하여 $\log_a f(x)$꼴로 변형한다. (단, $a>0$, $a\neq1$, $f(x)>0$)

[2단계] $\lim_{n\to\infty}\{\log_a f(x)\}=\log_a\{\lim_{n\to\infty}f(x)\}$임을 이용한다.

[3단계] $\frac{0}{0}$, $\frac{\infty}{\infty}$꼴의 극한값을 구한다.

참고 함수 $f(x)$에 대하여 $f(x)>0$이고 a가 1이 아닌 양수일 때, 다음이 성립함이 알려져 있다.

① $\lim_{x\to0}f(x)=\alpha(\alpha>0)$이면

⇨ $\lim_{x\to0}\{\log_a f(x)\}=\log_a\{\lim_{x\to0}f(x)\}=\log_a\alpha$

② $\lim_{x\to\infty}f(x)=\beta(\beta>0)$이면

⇨ $\lim_{x\to\infty}\{\log_a f(x)\}=\log_a\{\lim_{x\to\infty}f(x)\}=\log_a\beta$

0462 학교기출 대표 유형

$\lim_{x\to\infty}\{\log_{\frac{1}{2}}(4x+1)-\log_{\frac{1}{2}}(x-1)\}$의 값은?

① -4 ② -2 ③ 1
④ 2 ⑤ 4

0463 BASIC

다음 조건을 만족하는 극한값 a, b에 대하여 $a+b$의 값은?

(가) $\lim_{x\to\infty}\{\log_3(3x+5)-\log_3(x+1)\}=a$

(나) $\lim_{x\to1}\{\log_4(x^2-1)-\log_4(x-1)\}=b$

① $\frac{1}{2}$ ② 1 ③ $\frac{3}{2}$
④ 2 ⑤ $\frac{5}{2}$

0464 최다빈출 왕중요 NORMAL

다음 조건을 만족하는 극한값 a, b에 대하여 $a+b$의 값은? (단, e는 자연로그의 밑이다.)

(가) $\lim_{x\to\infty}\frac{2^{x+1}-e^x}{2^x+e^x}=a$

(나) $\lim_{x\to\infty}\{\log_2(4x^2+1)-\log_2(x^2+4)\}=b$

① 1 ② 2 ③ 3
④ 4 ⑤ 5

▶ 해설 내신연계기출

0465 NORMAL

$\lim_{x\to\infty}\{\log ax-\log(2x+5)\}=1$을 만족시키는 양수 a의 값은?

① 10 ② 12 ③ 16
④ 18 ⑤ 20

0466 최다빈출 왕중요 TOUGH

다음 조건을 만족하는 극한값 a, b, c, d에 대하여 $a+b+c+d$의 값은?

(가) $\lim_{x\to\infty}\frac{3^{2x}-3^x}{3^{2x}+3^x}=a$

(나) $\lim_{x\to\infty}(3^x+2^x)^{\frac{1}{x}}=b$

(다) $\lim_{x\to0+}\frac{\log_3 x^3-1}{\log_3 3x+1}=c$

(라) $\lim_{x\to\infty}\{\log_2(4x^2+3)-2\log_2 x\}=d$

① 3 ② 6 ③ 9
④ 12 ⑤ 16

▶ 해설 내신연계기출

유형 03 무리수 e와 자연로그

$\lim_{x\to 0}(1+x)^{\frac{1}{x}}=e$, $\lim_{x\to\infty}\left(1+\frac{1}{x}\right)^{x}=e$ (단, $e=2.718281\cdots$)

(1) 상수 a에 대하여 $ax=t$로 놓으면

① $\lim_{x\to 0}(1+ax)^{\frac{1}{ax}}=\lim_{t\to 0}(1+t)^{\frac{1}{t}}=e$

② $\lim_{x\to\infty}\left(1+\frac{1}{ax}\right)^{ax}=\lim_{t\to\infty}\left(1+\frac{1}{t}\right)^{t}=e$

 $(1+0)^{\infty}$꼴이고 $(1+\square)^{\frac{1}{\square}}$이면 ⇨ e

(2) 자연로그

무리수 e를 밑으로 하는 로그 $\log_e x$를 x의 자연로그라 하며, 이것을 기호로 $\ln x$와 같이 나타낸다.

$x>0$, $y>0$일 때, 다음이 성립한다.

① $\ln 1=0$, $\ln e=1$ ② $\ln xy=\ln x+\ln y$

③ $\ln\frac{x}{y}=\ln x-\ln y$ ④ $\ln x^{n}=n\ln x$ (단, n은 실수)

0467 학교기출 대표 유형

$\lim_{x\to 0}(1+2x)^{\frac{3}{2x}}$의 값은?

① e ② e^2 ③ e^3
④ e^4 ⑤ e^5

0468 BASIC

$\lim_{x\to -\infty}\left(1-\frac{2}{x}\right)^{-2x}=k$라고 할 때, $\ln k$의 값은?

① 1 ② 2 ③ 3
④ 4 ⑤ 5

0469 최다빈출 왕중요 BASIC

$\mathrm{A}=\lim_{x\to 0}(1+ax)^{\frac{b}{x}}$, $\mathrm{B}=\lim_{x\to\infty}\left(1+\frac{a}{x}\right)^{bx}$일 때, 다음 중 옳은 것은?

① $\mathrm{A}=\mathrm{B}$ ② $\mathrm{AB}=1$ ③ $\mathrm{A}^a=\mathrm{B}^b$
④ $\mathrm{A}^b=\mathrm{B}^a$ ⑤ $\mathrm{AB}=ab$

▶ 해설 내신연계기출

0470 최다빈출 왕중요 BASIC

$\lim_{x\to\infty}\left\{\left(1+\frac{1}{2x}\right)\left(1+\frac{1}{3x}\right)\right\}^{6x}$의 값은?

① $e^{\frac{1}{6}}$ ② $e^{\frac{5}{6}}$ ③ e
④ e^5 ⑤ e^6

▶ 해설 내신연계기출

0471 NORMAL

다음 조건을 만족하는 극한값 a, b에 대하여 $a+b$의 값은?

(가) $\lim_{x\to\infty}x\ln\left(1+\frac{3}{x}\right)=a$
(나) $\lim_{x\to\infty}x\{\ln(x+1)-\ln x\}=b$

① -4 ② 1 ③ 2
④ 3 ⑤ 4

0472 최다빈출 왕중요 NORMAL

$\lim_{n\to\infty}\left\{\frac{1}{2}\left(1+\frac{1}{n}\right)\left(1+\frac{1}{n+1}\right)\left(1+\frac{1}{n+2}\right)\times\cdots\times\left(1+\frac{1}{2n}\right)\right\}^{n}$ 의 값은?

① e ② $\sqrt{e}$ ③ 1
④ $\frac{1}{\sqrt{e}}$ ⑤ $\frac{1}{e}$

▶ 해설 내신연계기출

0473 최다빈출 왕중요 NORMAL

$f(k)=\lim_{x\to\infty}\left(1+\frac{k}{x}\right)^{x}$일 때, $\ln f(1)+\ln f(2)+\cdots+\ln f(10)$의 값은?

① 45 ② 50 ③ 55
④ 60 ⑤ 65

▶ 해설 내신연계기출

유형 04 밑을 e로 하는 지수함수 로그함수의 극한

e의 정의를 이용한 지수함수와 로그함수의 극한

① $\lim_{x \to 0} \frac{\ln(1+x)}{x}=1 \Rightarrow \lim_{x \to 0} \frac{\ln(1+bx)}{ax}=\frac{b}{a}$

② $\lim_{x \to 0} \frac{e^x-1}{x}=1 \Rightarrow \lim_{x \to 0} \frac{e^{bx}-1}{ax}=\frac{b}{a}$

두 함수 $f(x)$, $g(x)$가 각각 x, $\sin x$, $\tan x$, $\ln(1+x)$, e^x-1 중 하나일 때, $\lim_{x \to 0} \frac{f(x)}{g(x)}=1$, $\lim_{x \to 0} \frac{f(ax)}{g(bx)}=\frac{a}{b}(a \neq 0)$

0474 학교기출 대표 유형

$\lim_{x \to 0} \frac{e^{3x}-1}{2x}$의 값은?

① $\frac{1}{2}$ ② $\frac{3}{4}$ ③ 1
④ $\frac{5}{4}$ ⑤ $\frac{3}{2}$

0475 BASIC

$\lim_{x \to 0} \frac{e^{2x}+10x-1}{x}$의 값은?

① 8 ② 10 ③ 12
④ 14 ⑤ 16

0476 BASIC

$\lim_{x \to 0} \frac{e^{6x}-e^{4x}}{2x}$의 값은?

① 1 ② 2 ③ 3
④ 4 ⑤ 5

0477 BASIC

$\lim_{x \to 0} \frac{e^{2x}+e^{3x}-2}{2x}$의 값은?

① $\frac{1}{2}$ ② 1 ③ $\frac{3}{2}$
④ 2 ⑤ $\frac{5}{2}$

0478 최다빈출 왕중요 BASIC

$\lim_{x \to 0} \frac{x^3+2x}{e^{3x}-1}$의 값은?

① $\frac{1}{3}$ ② $\frac{1}{2}$ ③ $\frac{2}{3}$
④ $\frac{5}{6}$ ⑤ 1

▶ 해설 내신연계기출

0479 BASIC

$\lim_{x \to 0} \frac{e^{2x}-1}{x^2+ax}=\frac{1}{2}$을 만족시키는 상수 a의 값은?

① 1 ② 2 ③ 3
④ 4 ⑤ 5

0480

BASIC

$\lim_{x\to 0}\frac{\ln(1+12x)}{3x}$의 값은?

① 1 ② 2 ③ 3
④ 4 ⑤ 5

0481

최다빈출 왕중요

BASIC

두 등식

$$\lim_{x\to 0}\frac{\ln(1+ax)}{2x}=b,\ \lim_{x\to 0}\frac{e^x-1}{bx}=a$$

을 만족시키는 두 양수 a, b에 대하여 $a+b$의 값은?

① $\frac{\sqrt{2}}{2}$ ② 1 ③ $\sqrt{2}$
④ $\frac{3\sqrt{2}}{2}$ ⑤ $2\sqrt{2}$

▶ 해설 내신연계기출

0482

NORMAL

$\lim_{x\to 0}\frac{\ln(1+3x)+9x}{2x}$의 값은?

① -6 ② -2 ③ 0
④ 2 ⑤ 6

0483

최다빈출 왕중요

NORMAL

$\lim_{x\to 0}\frac{\ln(1+5x)}{e^{2x}-1}$의 값은?

① 1 ② $\frac{3}{2}$ ③ 2
④ $\frac{5}{2}$ ⑤ 3

▶ 해설 내신연계기출

0484

NORMAL

등식

$$\lim_{x\to 0}\frac{ax^2}{(e^{3x}-1)\ln(1-2x)}=5$$

를 만족시키는 상수 a의 값은?

① -60 ② -50 ③ -40
④ -30 ⑤ -20

0485

최다빈출 왕중요

NORMAL

다음 조건을 만족하는 극한값 a, b에 대하여 ab의 값은?

(가) $\lim_{x\to 0}\frac{\ln(2+x)-\ln 2}{x}=a$
(나) $\lim_{x\to\infty}x\{\ln(x+6)-\ln x\}=b$

① $\frac{1}{3}$ ② $\frac{1}{2}$ ③ 1
④ 2 ⑤ 3

▶ 해설 내신연계기출

0486

NORMAL

x에 대한 이차방정식 $x^2-x\ln(1+3t)+t=0$의 두 근을 $f(t)$, $g(t)$라고 할 때, $\lim_{t\to0}\left\{\frac{1}{f(t)}+\frac{1}{g(t)}\right\}$의 값은?

① 1　② 2　③ 3　④ 4　⑤ 5

0487 최다빈출 왕중요

NORMAL

다음 조건을 만족하는 극한값 a, b에 대하여 $a+b$의 값은?

(가) $\lim_{x\to0}\frac{e^{2x}-1}{x^2+2x}=a$

(나) $\lim_{x\to0}\frac{\ln(1+x)}{e^x-1}=b$

① 2　② 3　③ 4　④ 5　⑤ 6

▶ 해설 내신연계기출

0488 최다빈출 왕중요

TOUGH

다음 극한값이 가장 큰 것은?

① $\lim_{x\to\infty}\left(1+\frac{1}{2x}\right)^x$

② $\lim_{x\to0}\frac{e^{3x}-e^x}{\ln(2x+1)}$

③ $\lim_{x\to0}\frac{e^{6x}-1}{x^2+2x}$

④ $\lim_{x\to0}\frac{\ln(3+x)-\ln3}{x}$

⑤ $\lim_{x\to0}\frac{\ln\{(1-x)(1+3x)\}}{e^{2x}-1}$

▶ 해설 내신연계기출

유형 05 밑이 e인 지수 로그함수의 극한값의 활용

① $\lim_{x\to0}\frac{e^{ax}-1}{x}=a$

② $\lim_{x\to0}\frac{\ln(1+ax)}{x}=a$

0489 학교기출 대표유형

$\lim_{x\to0}\frac{e^x+e^{2x}+e^{3x}+\cdots+e^{10x}-10}{x}$의 값은?

① 10　② 20　③ 30　④ 45　⑤ 55

0490

NORMAL

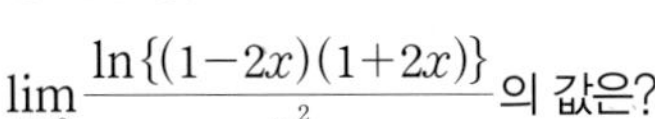

$\lim_{x\to0}\frac{\ln\{(1-2x)(1+2x)\}}{x^2}$의 값은?

① -4　② -2　③ 0　④ 2　⑤ 4

0491

NORMAL

다음 조건을 만족하는 극한값 a, b에 대하여 $a+b$의 값은?

(가) $\lim_{x\to0}\frac{e^{3x}+e^{2x}+e^x-3}{x}=a$

(나) $\lim_{x\to0}\frac{\ln\{(1+x)(1+2x)(1+3x)(1+4x)\}}{x}=b$

① 6　② 10　③ 14　④ 16　⑤ 18

0492 최다빈출 왕중요

NORMAL

$\lim_{x\to 0}\frac{\ln\{(1+x)(1+3x)(1+5x)(1+7x)\}}{e^{4x}-1}$의 값은?

① 2 ② 3 ③ 4
④ 6 ⑤ 10

▶ 해설 내신연계기출

0493 최다빈출 왕중요

TOUGH

자연수 n에 대하여

$$f(n)=\lim_{x\to 0}\frac{e^x+e^{2x}+e^{3x}+\cdots+e^{nx}-n}{x}$$

일 때, $\sum_{n=1}^{\infty}\frac{1}{f(n)}$의 값은?

① 1 ② 2 ③ 3
④ 4 ⑤ 5

▶ 해설 내신연계기출

0494 최다빈출 왕중요

TOUGH

수열 $\{a_n\}$의 일반항이

$$a_n=\lim_{x\to 0}\frac{1}{x}\ln\{(1+x)(1+2x)(1+3x)\cdots(1+nx)\}$$

일 때, $\sum_{n=1}^{\infty}\frac{1}{a_n}$의 값은?

① 1 ② 2 ③ 3
④ 4 ⑤ 5

▶ 해설 내신연계기출

유형 06 밑이 e가 아닌 지수함수 로그함수의 극한

$a>0$, $a\neq 1$일 때, 다음이 성립한다.

① $\lim_{x\to 0}\frac{\log_a(1+x)}{x}=\frac{1}{\ln a}$ ② $\lim_{x\to 0}\frac{a^x-1}{x}=\ln a$

0495 학교기출 대표 유형

다음 조건을 만족하는 극한값 a, b에 대하여 $\frac{a}{b}$의 값은?

(가) $\lim_{x\to 0}\frac{2^x-1}{x}=a$

(나) $\lim_{x\to 0}\frac{x}{\log_3(1+x)}=b$

① $\log_2 3$ ② $\log_3 2$ ③ $\ln 5$
④ $\ln 6$ ⑤ $2\ln 3$

0496 최다빈출 왕중요

NORMAL

다음 중 극한값이 옳지 않은 것은? (단, e는 자연로그의 밑)

① $\lim_{x\to\infty}\ln\left(1+\frac{1}{2x}\right)^x=\frac{1}{2}$

② $\lim_{x\to 0}\frac{3^x-1}{2^x-1}=\frac{\ln 3}{\ln 2}$

③ $\lim_{x\to 0}\frac{\log_2(1-x)}{x}=\log_2 e$

④ $\lim_{x\to 0}\frac{5^x-1}{\log_2(1+x)}=\ln 5\cdot\ln 2$

⑤ $\lim_{x\to 0}\frac{\log_3(3+x)-1}{x}=\frac{1}{3\ln 3}$

▶ 해설 내신연계기출

0497

NORMAL

다음 조건을 만족하는 극한값 a, b에 대하여 ab의 값은?

(가) $\lim_{x\to 0}\frac{\log_5(1+2x)}{\log_5(1+x)}=a$

(나) $\lim_{x\to\infty}\frac{\ln\left(1+\frac{3}{x}\right)}{\ln\left(1+\frac{2}{x}\right)}=b$

① 2 ② 3 ③ 4
④ 5 ⑤ 6

0498

NORMAL

다음 조건을 만족하는 극한값 a, b에 대하여 $a+b$의 값은?

(가) $\lim_{x\to 0}\frac{3^x-2^x}{x}=a$

(나) $\lim_{x\to 0}\frac{e^{2x}-3^x}{x}=b$

① 1　② $\ln\frac{e^2}{2}$　③ $\ln\frac{e^3}{3}$
④ $\frac{e^4}{4}$　⑤ $\ln\frac{e^5}{5}$

0499

최다빈출 왕중요

NORMAL

함수

$$f(x)=\lim_{h\to 0}\frac{(\log_2 x)^h-1}{h}$$

일 때, $f(x^2)-f(x)$의 값은? (단, $x\neq 2$, $x>1$)

① 1　② $\ln 2$　③ 2
④ $\log_2 3$　⑤ $\ln 3$

▶ 해설 내신연계기출

0500

NORMAL

$\lim_{x\to 0}\frac{(a+12)^x-a^x}{x}=\ln 3$을 만족하는 양수 a의 값은?

① 2　② 3　③ 4
④ 5　⑤ 6

0501

NORMAL

$\lim_{x\to 0}\frac{2^x+2^{2x}+2^{3x}+2^{4x}-4}{x}=a$일 때, e^a의 값은?

① 2　② 2^2　③ 2^5
④ 2^{10}　⑤ 2^{11}

0502

TOUGH

$\lim_{x\to 0}\frac{8^x-4^x-2^x+1}{\ln(1+2x^2)}$의 값은?

① $\frac{1}{2}(\ln 2)^2$　② $(\ln 2)^2$　③ $\frac{3}{2}(\ln 2)^2$
④ $2(\ln 2)^2$　⑤ $\frac{5}{2}(\ln 2)^2$

0503

최다빈출 왕중요

TOUGH

다음 조건을 만족하는 극한값 a, b에 대하여 ab의 값은?

(가) $\lim_{x\to\infty}x\{\log_3(2+3x)-\log_3 3x\}=a$

(나) $\lim_{x\to\infty}x\{\ln(x+1)-\ln(x-2)\}=b$

① $2\ln 3$　② $3\ln 2$　③ $2\ln\frac{3}{2}$
④ $\frac{2}{\ln 3}$　⑤ $\frac{3}{\ln 3}$

▶ 해설 내신연계기출

유형 07 지수함수 로그함수의 역함수의 극한값

[1단계] 역함수 $g(x)$를 구한다.

[2단계] 지수함수 로그함수의 극한을 구한다.

① $\lim_{x\to 0}\frac{\ln(1+bx)}{ax}=\frac{b}{a}$, $\lim_{x\to 0}\frac{e^{bx}-1}{ax}=\frac{b}{a}$

② $\lim_{x\to 0}\frac{\log_a(1+x)}{x}=\frac{1}{\ln a}$, $\lim_{x\to 0}\frac{a^x-1}{x}=\ln a$

0504 학교기출 대표 유형

함수 $f(x)=\frac{\ln(x+1)}{4}$의 역함수를 $g(x)$라 할 때,

$\lim_{x\to 0}\frac{f(x)}{g(x)}$의 값은?

① $\frac{1}{16}$ ② $\frac{1}{8}$ ③ $\frac{1}{4}$
④ 4 ⑤ 16

0505 최다빈출 왕 중요 BASIC

함수 $f(x)=e^{2x}-1$의 역함수를 $g(x)$라 할 때,

$\lim_{x\to 0}\frac{g(x)}{x}$의 값은?

① $\frac{1}{2}$ ② 1 ③ 2
④ 3 ⑤ 4

▶ 해설 내신연계기출

0506 NORMAL

함수 $f(x)=3\ln x$의 역함수를 $g(x)$라고 할 때,

$\lim_{x\to 0}\frac{f(1+x)}{g(x)-g(0)}$의 값은?

① 3 ② 5 ③ 6
④ 9 ⑤ 12

0507 최다빈출 왕 중요 NORMAL

함수 $f(x)=\log_3(x+4)$의 역함수를 $g(x)$라고 할 때,

$\lim_{x\to 0}\frac{f(x-3)}{g(x)+3}$의 값은?

① $\frac{1}{(\ln 3)^2}$ ② $(\ln 3)^2$ ③ 1
④ $\ln 3$ ⑤ $\frac{1}{\ln 3}$

▶ 해설 내신연계기출

0508 TOUGH

양의 실수 전체의 집합에서 정의된 함수 $f(x)=\ln\sqrt[3]{x}$의 역함수를 $g(x)$라 할 때, $\lim_{x\to 0+}\frac{f(g(x))}{g(x)-1}$의 값은?

① $\frac{1}{6}$ ② $\frac{1}{4}$ ③ $\frac{1}{3}$
④ $\frac{2}{3}$ ⑤ $\frac{3}{2}$

유형 08 치환을 이용한 극한값 계산

(1) 기본적인 극한값 계산

① $\lim_{x\to1}\frac{\ln x}{x-1}=1$

설명 $x-1=t$로 놓으면 $x\to1$일 때, $t\to0$이므로

$$\lim_{x\to1}\frac{\ln x}{x-1}=\lim_{t\to0}\frac{\ln(1+t)}{t}=\lim_{t\to0}\ln(1+t)^{\frac{1}{t}}=\ln e=1$$

② $\lim_{x\to a}\frac{e^{x-a}-1}{x-a}=1$

설명 $x-a=t$로 놓으면 $x\to a$일 때, $t\to0$이므로

$$\lim_{x\to a}\frac{e^{x-a}-1}{x-a}=\lim_{t\to0}\frac{e^t-1}{t}=1$$

③ $\lim_{x\to\infty}\left(\frac{x+a}{x-a}\right)^x=e^{2a}$

설명 $x-a=t$로 놓으면 $x\to\infty$일 때, $t\to\infty$이므로

$$\lim_{x\to\infty}\left(\frac{x+a}{x-a}\right)^x=\lim_{t\to\infty}\left(\frac{t+2a}{t}\right)^{t+a}=\lim_{t\to\infty}\left\{\left(1+\frac{2a}{t}\right)^{\frac{t}{2a}}\right\}^{\frac{2a(t+a)}{t}}=e^{2a}$$

참고 유형 15 $(x-a)f(x)$꼴의 함수의 연속에서 자주 활용된다.

(2) 극한값이 e인 경우

① $\lim_{x\to1}x^{\frac{1}{x-1}}=e$

설명 $x-1=t$로 놓으면 $x\to1$일 때, $t\to0$이므로

$$\lim_{x\to1}x^{\frac{1}{x-1}}=\lim_{t\to0}(1+t)^{\frac{1}{t}}=e$$

② $\lim_{x\to\infty}\left(\frac{x}{x-1}\right)^x=e$

설명 $x-1=t$로 놓으면 $x\to\infty$일 때, $t\to\infty$이므로

$$\lim_{x\to\infty}\left(\frac{x}{x-1}\right)^x=\lim_{t\to\infty}\left(\frac{1+t}{t}\right)^{1+t}=\lim_{t\to\infty}\left\{\left(1+\frac{1}{t}\right)^t\right\}^{\frac{1+t}{t}}=e^1=e$$

0509 학교기출 대표유형

$\lim_{x\to1}\frac{\ln x}{x^2-1}$의 값은?

① 0　② $\frac{1}{2}$　③ 1
④ e　⑤ 3

0510 BASIC

$\lim_{x\to1}\frac{e^{x-1}-x^2}{x-1}$의 값은?

① -1　② 0　③ 1
④ 3　⑤ 4

0511 최다빈출 왕중요 NORMAL

다음 조건을 만족하는 극한값 a, b에 대하여 $a+b$의 값은?

(가) $\lim_{x\to1}\frac{e^{x-1}-1}{x-1}=a$

(나) $\lim_{x\to-1}\frac{\ln(x+2)}{x+1}=b$

① 1　② 2　③ 3
④ 4　⑤ 5

▶ 해설 내신연계기출

0512 NORMAL

$\lim_{x\to1}\frac{xe^x-e}{x-1}$의 값은?

① 2　② e　③ $2e$
④ e^2　⑤ $2e^2$

0513 NORMAL

$\lim_{x\to1}\frac{x\ln x}{x-1}$의 값은?

① 0　② $\frac{1}{e}$　③ 1
④ e　⑤ $2e$

0514 최다빈출 왕 중요

NORMAL

$\lim_{x\to\infty}\left(\frac{x-a}{x+a}\right)^x=e$가 성립하도록 하는 상수 a의 값은?

① $-\frac{1}{2}$ ② -1 ③ 0
④ $\frac{1}{2}$ ⑤ 2

▶ 해설 내신연계기출

0515 최다빈출 왕 중요

NORMAL

극한값이 e인 것만을 [보기]에서 있는 대로 고른 것은?

ㄱ. $\lim_{x\to0}(1-x)^{-\frac{1}{x}}$

ㄴ. $\lim_{x\to\infty}\left(\frac{x}{x-1}\right)^x$

ㄷ. $\lim_{x\to2}\left(\frac{x}{2}\right)^{\frac{1}{x-2}}$

① ㄱ ② ㄷ ③ ㄱ, ㄴ
④ ㄴ, ㄷ ⑤ ㄱ, ㄴ, ㄷ

▶ 해설 내신연계기출

0516 최다빈출 왕 중요

NORMAL

다음 조건을 만족하는 극한값 a, b에 대하여 ab의 값은?

(가) $\lim_{x\to1}x^{\frac{1}{1-x}}=a$

(나) $\lim_{x\to0}\frac{\ln(e+x)-\ln e}{x}=b$

① e ② 1 ③ $\frac{1}{2}$
④ $\frac{1}{e}$ ⑤ $\frac{1}{e^2}$

▶ 해설 내신연계기출

0517

TOUGH

$\lim_{x\to1}\frac{x^n-e^{x-1}}{x^2+x-2}=5$를 만족시키는 자연수 n의 값은?

① 14 ② 15 ③ 16
④ 17 ⑤ 18

유형 09 지수함수 로그함수의 미정계수의 결정

① $\lim_{x\to a}\frac{g(x)}{f(x)}=\alpha$에서 $x\to a$일 때,
(분모)→ 0이고 극한값이 존재하면 (분자)→ 0이어야 한다.
즉 $\lim_{x\to a}f(x)=0$이면 $\lim_{x\to a}g(x)=0$

② $\lim_{x\to a}\frac{g(x)}{f(x)}=\alpha(\alpha\neq0)$에서 $x\to a$일 때,
(분자)→ 0이고 0이 아닌 극한값이 존재하면 (분모)→ 0이어야 한다.
즉 $\lim_{x\to a}g(x)=0$이면 $\lim_{x\to a}f(x)=0$

미정계수의 결정
- (분모) → 0 ➡ (분자)→ 0임을 이용한다.
- (분자)→ 0, (극한값≠ 0) ➡ (분모)→ 0임을 이용한다.

0518 학교기출 대표 유형

$\lim_{x\to0}\frac{\ln(a+2x)}{x}=b$일 때, 상수 a, b에 대하여 $a+b$의 값은?

① 1 ② 2 ③ 3
④ 4 ⑤ 5

0519

BASIC

$\lim_{x\to0}\frac{e^{ax}-1}{x-b}=4$를 만족시키는 상수 a, b에 대하여 $a+b$의 값은?

① 1 ② 2 ③ 3
④ 4 ⑤ 5

0520 최다빈출 왕 중요

BASIC

$\lim_{x\to0}\frac{\ln(x+1)}{e^{ax}+b}=\frac{1}{\ln3}$을 만족시키는 두 상수 a, b에 대하여 ab의 값은?

① -2 ② $-\ln3$ ③ -1
④ 1 ⑤ $\ln3$

▶ 해설 내신연계기출

0521 최다빈출 왕 중요

BASIC

$\lim_{x\to0}\frac{e^{3x}-1}{\ln(1+ax)+b}=1$을 만족시키는 상수 a, b에 대하여 $a+b$의 값은?

① 1 ② 2 ③ 3
④ 4 ⑤ 5

▶ 해설 내신연계기출

0522

BASIC

$\lim_{x\to0}\frac{\ln(1+x)}{\sqrt{ax+b}-1}=2$를 만족시키는 상수 a, b에 대하여 $a+b$의 값은?

① 1 ② 2 ③ 3
④ 4 ⑤ 5

0523 최다빈출 왕 중요

BASIC

$\lim_{x\to0}\frac{\sqrt{ax+b}-1}{e^{x}-1}=3$일 때, 상수 a, b에 대하여 $a+b$의 값은?

① 3 ② 4 ③ 5
④ 6 ⑤ 7

▶ 해설 내신연계기출

0524 최다빈출 왕 중요

NORMAL

$\lim_{x\to0}\frac{(e^{x}-1)\ln(1+x)}{ax^2+b}=2$를 만족시키는 상수 a, b에 대하여 $2a+b$의 값은?

① $\frac{1}{2}$ ② 1 ③ 2
④ 3 ⑤ 4

▶ 해설 내신연계기출

0525

TOUGH

$\lim_{x\to0}\frac{ax^2+b-1}{(e^{3x}-1)\ln(1+2x)}=3$을 만족시키는 두 상수 a, b에 대하여 $a+b$의 값은?

① 15 ② 16 ③ 17
④ 18 ⑤ 19

0526 최다빈출 왕 중요

TOUGH

다음 조건을 만족하는 상수 a, b, c, d에 대하여 $a+b+c+d$의 값은?

(가) $\lim_{x\to0}\frac{\ln(a+3x)}{x^2+x}=b$

(나) $\lim_{x\to0}\frac{cx+d}{e^{3x}-1}=5$

① 15 ② 16 ③ $17+\ln3$
④ 19 ⑤ $21+\ln3$

▶ 해설 내신연계기출

01 지수 · 로그함수의 극한

유형 10 극한의 성질의 활용

$\lim_{x\to a}f(x)=\alpha$, $\lim_{x\to a}g(x)=\beta$ (α, β는 실수)일 때,

① $\lim_{x\to a}kf(x)=k\lim_{x\to a}f(x)=k\alpha$ (단, k는 상수)

② $\lim_{x\to a}\{f(x)\pm g(x)\}=\lim_{x\to a}f(x)\pm\lim_{x\to a}g(x)=\alpha\pm\beta$

③ $\lim_{x\to a}f(x)g(x)=\lim_{x\to a}f(x)\cdot\lim_{x\to a}g(x)=\alpha\beta$

④ $\lim_{x\to a}\frac{f(x)}{g(x)}=\frac{\lim_{x\to a}f(x)}{\lim_{x\to a}g(x)}=\frac{\alpha}{\beta}$ (단, $\beta\neq0$)

0527 학교기출 대표 유형

연속함수 $f(x)$에 대하여 다음 조건을 만족하는 극한값 a, b에 대하여 $a+b$의 값은?

(가) $\lim_{x\to0}\frac{f(x)}{x}=2$일 때, $\lim_{x\to0}\frac{e^{4x}-1}{f(x)}=a$

(나) $\lim_{x\to0}\frac{f(x)}{x}=2$일 때, $\lim_{x\to0}\frac{\ln(1+2x)}{f(x)}=b$

① -16 ② -8 ③ 1
④ 2 ⑤ 3

0528 BASIC

함수 $f(x)$에 대하여 $\lim_{x\to0}\frac{f(x)}{\ln(1+x)}=5$일 때,

극한값 $\lim_{x\to2}\frac{f(2x-4)}{x-2}$의 값은?

① $\frac{5}{2}$ ② 1 ③ 5
④ 10 ⑤ 15

0529 NORMAL

함수 $f(x)$가 $\lim_{x\to0}\frac{f(x)}{\ln(1+x)}=4$를 만족할 때,

$\lim_{x\to0}\frac{f(x)+e^x-1}{\ln(1+x)}$의 값은?

① 1 ② 2 ③ 3
④ 4 ⑤ 5

0530 최다빈출 왕중요 NORMAL

연속함수 $f(x)$에 대하여 $\lim_{x\to0}\frac{f(x)}{\ln(1+2x)}=4$일 때,

$\lim_{x\to0}\frac{f(x)}{\ln(1-2x)}$의 값은?

① -6 ② -4 ③ -3
④ -2 ⑤ -1

▶ 해설 내신연계기출

0531 최다빈출 왕중요 NORMAL

연속함수 $f(x)$에 대하여 $\lim_{x\to0}\frac{\ln\{1+f(2x)\}}{x}=10$일 때,

$\lim_{x\to0}\frac{f(x)}{x}$의 값은?

① 1 ② 2 ③ 3
④ 4 ⑤ 5

▶ 해설 내신연계기출

0532 최다빈출 왕중요 NORMAL

함수 $f(x)$에 대하여 $\lim_{x\to\infty}f(x)\ln\left(1+\frac{3}{x}\right)=6$일 때,

$\lim_{x\to\infty}\frac{f(x)}{x}$의 값은?

① 1 ② 2 ③ 3
④ 4 ⑤ 5

▶ 해설 내신연계기출

0533
NORMAL

함수 $f(x)$가

$$\lim_{x \to \infty}\left\{f(x)\ln\left(1+\frac{1}{2x}\right)\right\}=4$$

를 만족시킬 때, $\lim_{x \to \infty}\frac{f(x)}{x-3}$의 값은?

① 6 ② 8 ③ 10
④ 12 ⑤ 14

0534
TOUGH

함수 $f(x)$가 $\lim_{x \to 0}\frac{f(x)}{\ln(1+x)}=2$를 만족할 때, [보기]에서 옳은 것만을 있는 대로 고른 것은?

ㄱ. $\lim_{x \to \pi}\frac{f(x-\pi)}{x-\pi}=2$

ㄴ. $\lim_{x \to 0}\frac{f(x)+e^x-1}{\ln(1+x)}=1$

ㄷ. $\lim_{x \to 0}\frac{e^x f(x)}{\{\ln(1+x)\}^2}=0$

① ㄱ ② ㄴ ③ ㄷ
④ ㄴ, ㄷ ⑤ ㄱ, ㄴ, ㄷ

0535
TOUGH

이차함수 $f(x)$가 다음 조건을 만족시킬 때, $f(2)$의 값은?

(가) $\lim_{x \to 0}\frac{e^x-1}{f(x)}=1$

(나) $\lim_{x \to \infty}f(x)\ln\left(1+\frac{1}{x^2}\right)=3$

① 11 ② 12 ③ 13
④ 14 ⑤ 15

유형 11 함수의 극한의 대소 관계의 성질

① 함수의 극한의 정의에 의하여
$\lim_{x \to a+}f(x)=\lim_{x \to a-}f(x)=\alpha$이면 $\lim_{x \to a}f(x)=\alpha$

② 함수의 극한의 대소 관계에 의하여
$f(x)\le h(x)\le g(x)$이고 $\lim_{x \to a}f(x)=\lim_{x \to a}g(x)=\alpha$이면
$\lim_{x \to a}h(x)=\alpha$

0536
학교기출 대표 유형

함수 $f(x)$가 $x>-\frac{1}{2}$인 모든 실수 x에 대하여 부등식

$$\ln(1+2x)\le f(x)\le e^{2x}-1$$

을 만족시킬 때, $\lim_{x \to 0}\frac{f(x)}{x}$의 값은?

① $\frac{1}{e}$ ② $\frac{1}{2}$ ③ 1
④ 2 ⑤ e

0537
최다빈출 왕중요 NORMAL

함수 $f(x)$가 $x>0$인 모든 실수 x에 대하여 부등식

$$e\ln x\le f(x)\le e^x-e$$

를 만족시킬 때, $\lim_{x \to 1}\frac{f(x)}{x^2-1}$의 값은?

① $\frac{1}{e}$ ② $\frac{e}{2}$ ③ 1
④ e ⑤ $2e$

▶ 해설 내신연계기출

0538
TOUGH

함수 $f(x)$가 $x>-1$인 모든 실수 x에 대하여 부등식

$$\ln(1+x)\le f(x)\le\frac{1}{2}(e^{2x}-1)$$

을 만족시킬 때, $\lim_{x \to 0}\frac{f(3x)}{x}$의 값은?

① 1 ② e ③ 3
④ 4 ⑤ $2e$

유형 12 지수함수 로그함수의 극한의 활용 (1)

주어진 도형에서 길이를 실수 x에 대한 식으로 나타낸 다음 지수함수 또는 로그함수 극한을 이용한다.

(1) 상수 a에 대하여 $ax=t$로 놓으면

① $\lim_{x\to 0}(1+ax)^{\frac{1}{ax}}=\lim_{x\to 0}(1+t)^{\frac{1}{t}}=e$

② $\lim_{x\to\infty}\left(1+\frac{1}{ax}\right)^{ax}=\lim_{x\to\infty}\left(1+\frac{1}{t}\right)^{t}=e$

(2) e의 정의를 이용한 지수함수와 로그함수의 극한

① $\lim_{x\to 0}\frac{\ln(1+x)}{x}=1 \Rightarrow \lim_{x\to 0}\frac{\ln(1+bx)}{ax}=\frac{b}{a}$

② $\lim_{x\to 0}\frac{e^x-1}{x}=1 \quad \Rightarrow \lim_{x\to 0}\frac{e^{bx}-1}{ax}=\frac{b}{a}$

(3) $a>0$, $a\neq 1$일 때, 다음이 성립한다.

① $\lim_{x\to 0}\frac{\log_a(1+x)}{x}=\frac{1}{\ln a}$

② $\lim_{x\to 0}\frac{a^x-1}{x}=\ln a$

0539 학교기출 대표 유형

곡선 $y=\ln(1+10x)$ 위를 움직이는 점 P와 원점 O를 이은 선분이 x축의 양의 방향과 이루는 각의 크기를 θ라 한다. 점 P가 원점 O에 한없이 가까워 질 때, $\tan\theta$의 극한값은?

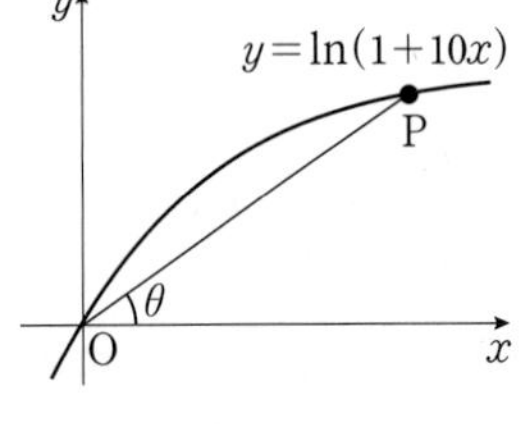

① 1 ② 5 ③ 10
④ e ⑤ $\ln 10$

▶ 해설 내신연계기출

0540 최다빈출 왕 중요 NORMAL

곡선 $y=\ln(1+5x)$ 위를 움직이는 점 P에서 x축에 내린 수선의 발을 H라고 하자. 점 P가 원점 O에 한없이 가까워질 때, $\frac{\overline{\text{PH}}}{\overline{\text{OH}}}$의 극한값은?

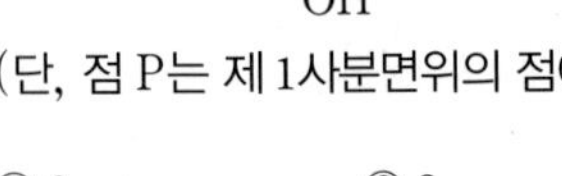

(단, 점 P는 제 1사분면위의 점이다.)

① 2 ② 3 ③ 4
④ 5 ⑤ 6

▶ 해설 내신연계기출

0541 NORMAL

오른쪽 그림과 같이 두 함수 $y=2^x$, $y=3^x$과 x축 위의 한 점 P$(t,\ 0)$에서 y축과 평행한 직선을 그어 만난 교점을 Q, R이라고 할 때, $\lim_{t\to 0}\frac{\overline{\text{QR}}}{\overline{\text{OP}}}$의 값은?

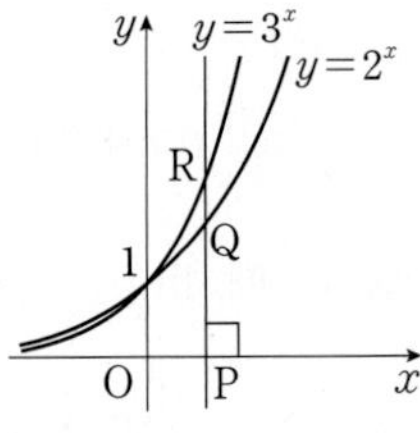

① $\frac{1}{\ln 2}$ ② $\ln\frac{3}{2}$ ③ $\ln 2$
④ $\ln 3$ ⑤ $2\ln 2$

0542 최다빈출 왕 중요 NORMAL

두 곡선 $y=4^{x-1}$, $y=2^{x-1}$이 직선 $x=t$와 만나는 점을 각각 A, B라 할 때, $\lim_{t\to 1-}\frac{\overline{\text{AB}}}{t-1}$의 값은?

① $-\ln 2$ ② $-\frac{1}{\ln 4}$ ③ $\frac{1}{\ln 2}$
④ $\ln 3$ ⑤ $2\ln 2$

▶ 해설 내신연계기출

0543 TOUGH

$a>e$인 실수 a에 대하여 두 곡선 $y=e^{x-1}$과 $y=a^x$이 만나는 점의 x좌표를 $f(a)$라 할 때, $\lim_{a\to e+}\frac{1}{(e-a)f(a)}$의 값은?

① $\frac{1}{e^2}$ ② $\frac{1}{e}$ ③ 1
④ e ⑤ e^2

유형 13 지수함수 로그함수의 극한의 활용 (2)

주어진 도형에서 길이 또는 넓이를 실수 x에 대한 식으로 나타낸 다음 지수함수 또는 로그함수 극한을 이용한다.

0544 학교기출 대표 유형

오른쪽 그림과 같이 곡선 $y=\ln x$ 위를 움직이는 점 $P(t, \ln t)$와 두 점 $A(1, 0)$, $B(3, 0)$에 대하여 삼각형 PAB의 넓이를 $S(t)$라고 할 때, $\lim_{t\to1+}\frac{S(t)}{t-1}$의 값은?

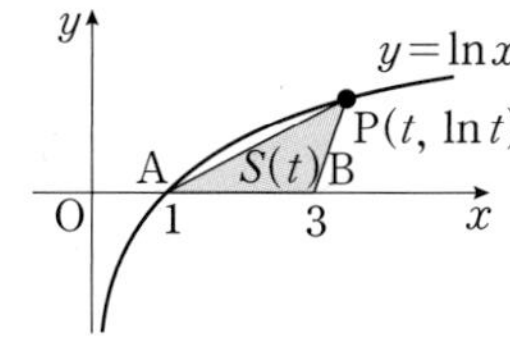

① -1 ② $\ln 2$ ③ 1
④ 2 ⑤ e

0545 최다빈출 왕 중요 NORMAL

오른쪽 그림과 같이 곡선 $y=e^x$ 위를 움직이는 점 $P(t, e^t)$와 세 점 $A(0, 3)$, $B(0, 1)$, $C(1, 1)$에 대하여 두 삼각형 PAB와 PBC의 넓이를 각각 S_1, S_2라 하자. 점 P가 이 곡선을 따라 점 B에 한없이 가까워질 때, $\frac{S_1}{S_2}$의 극한값은?

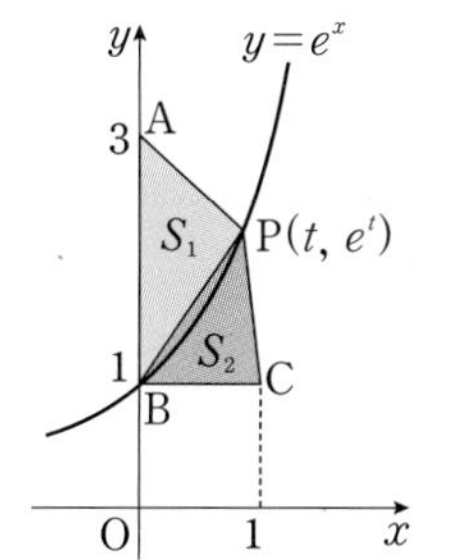

① $\frac{1}{2}$ ② $\ln 2$ ③ 1
④ 2 ⑤ $\ln 3$

▶ 해설 내신연계기출

0546 NORMAL

오른쪽 그림과 같이 곡선 $y=2^x-1$ 위의 임의의 점 P와 세 점 $O(0, 0)$, $A(1, 0)$, $B(0, 1)$을 각각 잇는 선분을 그을 때 만들어지는 두 삼각형 OAP와 OBP의 넓이를 각각 S_A, S_B라고 하자. 점 P가 이 곡선을 따라 점 O에 한없이 가까워질 때, $\frac{S_A}{S_B}$의 극한값은?

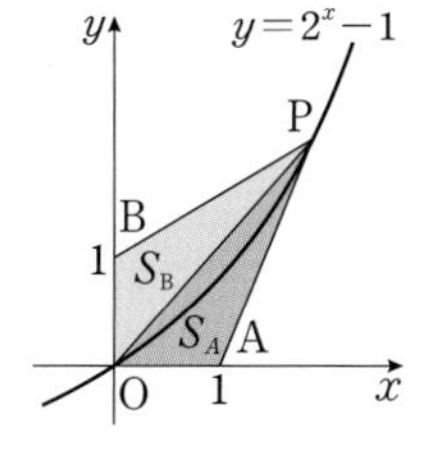

① $\frac{1}{2\ln 2}$ ② $\frac{1}{\ln 2}$ ③ 1
④ $\ln 2$ ⑤ $2\ln 2$

0547 TOUGH

그림과 같이 두 곡선 $y=ax^2\,(a>0)$, $y=\ln(2x+1)$이 제1사분면에서 만나는 점을 A라 하자. 원점 O와 두 점 $B(1, 0)$, $C(0, 1)$에 대하여 삼각형 OAB의 넓이를 S_1, 삼각형 OAC의 넓이를 S_2라 하자. a의 값이 한없이 커질 때, $\frac{S_1}{S_2}$의 값은 α에 한없이 가까워진다. α의 값은?

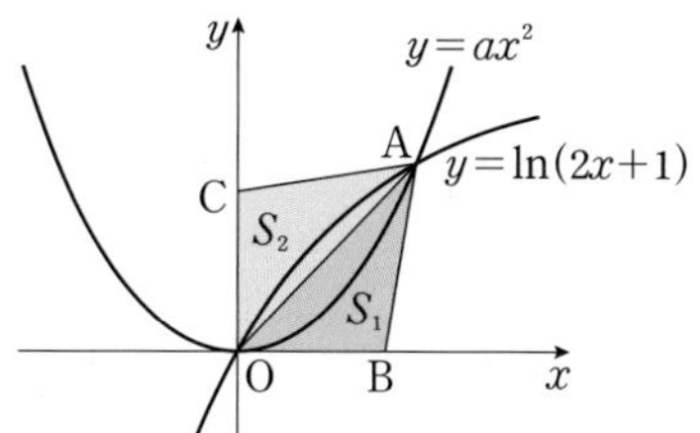

① $\frac{1}{e}$ ② $\frac{1}{2}$ ③ 1
④ 2 ⑤ e

0548 TOUGH

점 $A(0, 1)$과 곡선 $y=e^x$ 위를 움직이는 점 P가 있다. 선분 AP의 중심 M을 지나고 선분 AP와 수직인 직선과 x축과의 교점을 Q라 하자.
점 P가 이 곡선을 따라 점 A에 한없이 가까워질 때, 점 Q가 한없이 가까워지는 x좌표는?

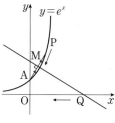

① 1 ② 2 ③ 5
④ 10 ⑤ 12

0549 TOUGH

$t<1$인 실수 t에 대하여 곡선 $y=\ln x$와 직선 $x+y=t$가 만나는 점을 P라 하자. 점 P에서 x축에 내린 수선의 발을 H, 직선 PH와 곡선 $y=e^x$이 만나는 점을 Q라 할 때, 삼각형 OHQ의 넓이를 $S(t)$라 하자.

$\lim_{t\to0+}\frac{2S(t)-1}{t}$의 값은?

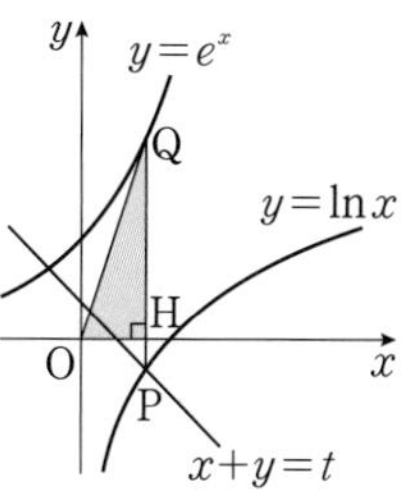

① 1 ② $e-1$ ③ 2
④ e ⑤ 3

유형 14 지수함수 로그함수의 연속과 미정계수

(1) $f(x)=\begin{cases} g(x) & (x \neq a) \\ \alpha & (x=a) \end{cases}$일 때,

함수 $f(x)$가 $x=a$에서 연속이려면 $\lim_{x \to a} g(x)=\alpha$

(2) $f(x)=\begin{cases} g(x) & (x \geq a) \\ h(x) & (x<a) \end{cases}$일 때, 함수 $f(x)$가 $x=a$에서 연속이려면

$\lim_{x \to a+} g(x)=\lim_{x \to a-} h(x)=g(a)$

다음을 이용하여 연속이 되도록 하는 미정계수의 값을 구한다.

① $\lim_{x \to 0} \frac{e^x-1}{x}=1$, $\lim_{x \to 0} \frac{a^x-1}{x}=\ln a$

② $\lim_{x \to 0} \frac{\ln(1+x)}{x}=1$, $\lim_{x \to 0} \frac{\log_a(1+x)}{x}=\frac{1}{\ln a}$

0550 학교기출 대표 유형

함수

$$f(x)=\begin{cases} \frac{\ln(ax+b)}{x} & (x>0) \\ 3x+2 & (x \leq 0) \end{cases}$$

가 $x=0$에서 연속이 되도록 하는 양수 a, b에 대하여 $a+b$의 값은?

① 3 ② 4 ③ 5
④ 6 ⑤ 7

0551 BASIC

함수

$$f(x)=\begin{cases} \frac{e^{2x}+a}{x} & (x \neq 0) \\ b & (x=0) \end{cases}$$

가 $x=0$에서 연속일 때, 상수 a, b에 대하여 ab의 값은?

① -3 ② -2 ③ -1
④ 1 ⑤ 2

0552 최다빈출 왕중요 BASIC

함수

$$f(x)=\begin{cases} \frac{e^{3x}-1}{ax} & (x<0) \\ x^2+2x+3 & (x \geq 0) \end{cases}$$

가 실수 전체의 집합에서 연속일 때, 상수 a의 값은?

① $\frac{1}{3}$ ② $\frac{2}{3}$ ③ 1
④ 2 ⑤ 3

▶ 해설 내신연계기출

0553 최다빈출 왕중요 BASIC

함수

$$f(x)=\begin{cases} \frac{e^{2x}-1}{\ln(1+x)} & (-1<x<0) \\ k & (x \geq 0) \end{cases}$$

가 $x=0$에서 연속일 때, 실수 k의 값은?

① 1 ② 2 ③ 3
④ 4 ⑤ 5

▶ 해설 내신연계기출

0554 최다빈출 왕중요 NORMAL

함수

$$f(x)=\begin{cases} \frac{e^x+e^{2x}-2}{2x} & (x \neq 0) \\ k & (x=0) \end{cases}$$

가 $x=0$에서 연속일 때, 상수 k의 값은?

① -1 ② $\frac{1}{4}$ ③ 1
④ $\frac{3}{2}$ ⑤ 2

▶ 해설 내신연계기출

0555 NORMAL

함수

$$f(x)=\begin{cases} -14x+a & (x \leq 1) \\ \frac{5\ln x}{x-1} & (x>1) \end{cases}$$

가 실수 전체의 집합에서 연속일 때, 상수 a의 값은?

① 15 ② 16 ③ 17
④ 18 ⑤ 19

유형 15 $(x-a)f(x)$꼴의 함수의 연속

연속함수 $g(x)$에 대하여 함수 $f(x)$가 $(x-a)f(x)=g(x)$를 만족할 때,

$f(x)=\frac{g(x)}{x-a}\,(x\neq a)$

이때 $f(x)$가 $x=a$에서 연속이면 $f(a)=\lim_{x\to a}\frac{g(x)}{x-a}$

0556 학교기출 대표 유형

모든 실수 x에서 연속인 함수 $f(x)$에 대하여

$$(e^x-1)f(x)=xe^x$$

일 때, $f(0)$의 값은?

① $\frac{1}{2}$ ② 1 ③ 2
④ 3 ⑤ 4

▶ 해설 내신연계기출

0557 BASIC

$x>-\frac{1}{2}$에서 연속인 함수 $f(x)$가

$$f(x)\ln(1+2x)=e^{6x}-1$$

을 만족시킬 때, $f(0)$의 값은?

① 1 ② $\frac{3}{2}$ ③ 2
④ $\frac{5}{2}$ ⑤ 3

0558 BASIC

함수 $f(x)$가 모든 양의 실수에서 연속이고

$$(x-1)f(x)=\ln x$$

를 만족할 때, $f(1)$의 값은?

① 0 ② 1 ③ 2
④ 3 ⑤ 4

0559 최다빈출 왕 중요 NORMAL

모든 실수에 대하여 연속인 함수 $f(x)$가

$$(x-1)f(x)=e^{2x-2}-1$$

을 만족할 때, $f(1)$의 값은?

① 0 ② 1 ③ 2
④ 3 ⑤ 4

▶ 해설 내신연계기출

0560 최다빈출 왕 중요 NORMAL

함수 $f(x)$가 모든 실수 x에서 연속이고

$$(x-1)f(x)=2^{2x-2}-1$$

을 만족시킬 때, $f(1)$의 값은?

① $\ln 2$ ② $2\ln 2$ ③ $3\ln 2$
④ 2 ⑤ 3

▶ 해설 내신연계기출

0561 TOUGH

모든 양의 실수에서 연속인 함수 $f(x)$에 대하여

$$(ax-1)f(x)=\ln x+\ln a$$

를 만족시킬 때, $f\left(\frac{1}{a}\right)$의 값은? (단, $a>0$)

① $\ln 2$ ② $\ln 3$ ③ $\ln 5$
④ 1 ⑤ 2

02 지수 · 로그함수의 미분

학교내신기출 객관식 핵심문제총정리

유형 01 지수함수의 도함수

① $y=e^x \Rightarrow y'=e^x$

② $y=a^x \Rightarrow y'=a^x \ln a (a \neq 1, a>0)$

- $y=e^{f(x)} \Rightarrow y'=e^{f(x)}f'(x)$
- $y=a^{f(x)} \Rightarrow y'=a^{f(x)}f'(x)\ln a (a \neq 1, a>0)$

참고 지수함수 $f(x)=a^{bx}$의 도함수를 구하면 다음과 같다.
(단, $a>0$, $a \neq 1$, $b \neq 0$)
$a^{bx}=(a^b)^x$이므로
$f'(x)=(a^{bx})'=\{(a^b)^x\}'=(a^b)^x \cdot \ln a^b = b \cdot a^{bx} \ln a$

0562 학교기출 대표유형

$f(x)=(x^2+1)e^x$일 때, $f'(0)$의 값은?

① 1　② 2　③ 3　④ 4　⑤ 5

0563 최다빈출 왕중요 BASIC

함수 $f(x)=e^x(2x+1)$에 대하여 $f'(1)$의 값은?

① $8e$　② $7e$　③ $6e$　④ $5e$　⑤ $4e$

▶ 해설 내신연계기출

0564 BASIC

함수 $f(x)=(x-a)e^x$에 대하여 곡선 $y=f(x)$ 위의 점 $(3, f(3))$에서의 접선의 기울기가 $2e^3$일 때, 상수 a의 값은?

① 1　② 2　③ e　④ 3　⑤ $2e$

0565 NORMAL

함수 $f(x)=(ax-b)e^x$에 대하여

$$f(0)=0, \ f'(0)=3$$

일 때, 실수 a, b에 대하여 $a+b$의 값은?

① 1　② 2　③ 3　④ 4　⑤ 5

0566 NORMAL

함수 $f(x)=(x+a)e^{x+b}$에 대하여

$$f'(0)=0, \ f'(-1)=-1$$

일 때, 실수 a, b에 대하여 ab의 값은?

① -2　② -1　③ 1　④ 2　⑤ 3

0567 TOUGH

함수 $f(x)$를 $f(x)=(1-ax^2)e^x$이라 하자.
모든 실수 x에 대하여 $f'(x)>0$일 때, 정수 a의 개수는?

① 1　② 2　③ 3　④ 4　⑤ 5

유형 02 로그함수의 미분법

$a>0$, $a\neq1$, $x>0$일 때,

① $y=\ln x$ ⇨ $y'=\dfrac{1}{x}$

② $y=\log_a x$ ⇨ $y'=\dfrac{1}{x\ln a}$

③ $y=\ln|f(x)|$ ⇨ $y'=\dfrac{f'(x)}{f(x)}$

④ $y=\log_a|f(x)|$ ⇨ $y'=\dfrac{f'(x)}{f(x)\ln a}$

0568 학교기출 대표 유형

함수 $f(x)=x\ln x$에 대하여 $f'\left(\dfrac{1}{e}\right)$의 값은?

① -1 ② 0 ③ 1
④ 2 ⑤ e

0569 최다빈출 왕 중요 BASIC

함수 $f(x)=x^3\ln x$에 대하여 $\dfrac{f'(e)}{e^2}$의 값은?

① $\dfrac{1}{e}$ ② 1 ③ 2
④ 3 ⑤ 4

▶ 해설 내신연계기출

0570 BASIC

함수 $f(x)=e^{x+3}\ln x^2$에 대하여 $f'(1)$의 값은?

① $2e$ ② $2e^2$ ③ $3e^3$
④ $2e^4$ ⑤ $5e^5$

0571 BASIC

함수 $f(x)=3^x\log_2 x$에 대하여 $f'(1)$의 값은?

① $-\ln 2$ ② 0 ③ $\log_3 2$
④ 1 ⑤ $\dfrac{3}{\ln 2}$

0572 NORMAL

함수

$$f(x)=\ln x+\ln 2x+\ln 3x+\cdots+\ln 10x$$

에 대하여 $f'\left(\dfrac{1}{5}\right)$의 값은?

① 50 ② 75 ③ 175
④ 225 ⑤ 275

0573 최다빈출 왕 중요 NORMAL

함수 $f(x)=(x+a)\ln x$에 대하여 $f'(e)=e+2$일 때, 상수 a의 값은?

① $\dfrac{1}{e^2}$ ② 1 ③ e
④ $2e$ ⑤ e^2

▶ 해설 내신연계기출

0574 최다빈출 왕 중요 NORMAL

다음 함수의 도함수가 옳지 않은 것은?

① $y=5^{x-1}$을 미분하면 $y'=5^{x-1}\ln 5$이다.

② $y=\log_2\sqrt{x}$을 미분하면 $y'=\dfrac{1}{2x\ln 2}$이다.

③ $y=e^x\ln x$을 미분하면 $y'=\left(\ln x+\dfrac{1}{x}\right)e^x$이다.

④ $y=(x^2+1)e^x$을 미분하면 $y'=(x+1)^2e^x$이다.

⑤ $y=\ln\dfrac{7}{x}$을 미분하면 $y'=\dfrac{1}{x}$이다.

▶ 해설 내신연계기출

0575

NORMAL

다음 조건을 $f'(x)$, $g'(x)$에 대하여 $f'(1)+g'(1)$의 값은?

(가) $f(x)=e^x(x^3-3x+2)$

(나) $g(x)=(3x^2-2)\log_2 x$

① $\frac{1}{e}$ ② $\frac{1}{\ln 2}$ ③ 1
④ $\ln 2$ ⑤ 2

0576

NORMAL

함수 $f(x)=3^x$의 역함수를 $g(x)$라고 할 때, $g'(\log_3 e)$의 값은?

① $\frac{1}{e}$ ② 1 ③ e
④ $2e$ ⑤ $3e$

0577

NORMAL

함수 $f(x)=x\ln x$에 대하여 x의 값이 1에서 e까지 변할 때의 평균변화율과 $x=a$에서의 순간변화율이 같을 때, 실수 a의 값은?

① $\frac{1}{e}$ ② $e^{\frac{1}{e}}$ ③ $e^{\frac{1}{e-1}}$
④ $e^{\frac{e}{e-1}}$ ⑤ $e^{\frac{e}{e+1}}$

0578

최다빈출 왕중요 NORMAL

함수 $f(x)=\lim_{n\to\infty} n(\sqrt[n]{x}-1)$일 때, $f'\left(\frac{1}{2}\right)$의 값은?

① $\frac{1}{3}$ ② $\frac{1}{2}$ ③ 1
④ 2 ⑤ 3

▶ 해설 내신연계기출

0579

NORMAL

함수 $f(x)=\lim_{n\to\infty}\left(1-\frac{x}{n}\right)^n$일 때, $\lim_{x\to 0}\frac{f'(x)+1}{3x}$의 값은?

① $-\frac{1}{4}$ ② $-\frac{1}{3}$ ③ $-\frac{1}{2}$
④ $\frac{1}{3}$ ⑤ $\frac{1}{e}$

0580

TOUGH

실수 전체의 집합에서 $f(x)=-f(-x)$를 만족하는 삼차함수 $f(x)$에 대하여 함수 $g(x)$를

$$g(x)=f(x)\ln x+f(x)$$

로 정의한다. $g'(e)=14e^2+12$를 만족할 때, $f(1)$의 값은? (단, 삼차함수 $f(x)$의 모든 계수는 정수이다.)

① 6 ② 7 ③ 8
④ 9 ⑤ 10

유형 03 미분계수를 이용한 극한값 계산 (1)

미분가능한 함수 $f(x)$에 대하여

$\lim_{■\to0}\frac{f(a+■)-f(a)}{■}=f'(a)$ ← ■ 부분이 서로 같아야 $f'(a)$가 된다.

① $\lim_{h\to0}\frac{f(a+h)-f(a)}{h}=f'(a)$

② $\lim_{h\to0}\frac{f(a+nh)-f(a)}{mh}=\frac{n}{m}f'(a)$

③ $\lim_{h\to0}\frac{f(a+mh)-f(a+nh)}{h}=(m-n)f'(a)$

④ $\lim_{n\to\infty}n\left\{f\left(a+\frac{\alpha}{n}\right)-f\left(a+\frac{\beta}{n}\right)\right\}=(\alpha-\beta)f'(a)$

0581 학교기출 대표 유형

함수 $f(x)=e^x$에 대하여

$$\lim_{h\to0}\frac{f(a+h)-f(a-h)}{h}=4e$$

일 때, 상수 a의 값은?

① $\ln 2$　② $2\ln 2$　③ $\ln 2+1$
④ 2　⑤ $\ln 2+2$

0582 최다빈출 왕 중요 BASIC

함수 $f(x)=2x\ln x$에 대하여

$$\lim_{h\to0}\frac{f(e+2h)-f(e-3h)}{h}$$

의 값은?

① 10　② 15　③ 20
④ 25　⑤ 30

▶ 해설 내신연계기출

0583 최다빈출 왕 중요 BASIC

함수 $f(x)=x\ln x+x^3$에 대하여

$$\lim_{h\to0}\frac{f(1+h)-f(1-h)}{h}$$

의 값은?

① 1　② 2　③ 4
④ 8　⑤ 10

▶ 해설 내신연계기출

0584 BASIC

함수 $f(x)=x^2\ln x$에 대하여

$$\lim_{h\to0}\frac{f(e+2h)-f(e-3h)}{h}$$

의 값은?

① $15e$　② $25e$　③ $5(2+e)$
④ $5(5+e)$　⑤ $5(10+e)$

0585 최다빈출 왕 중요 NORMAL

함수 $f(x)=x^2\ln x+x$에 대하여 극한값

$$\lim_{h\to0}\frac{f(e+h)-f(e-h)}{h}$$

의 값은?

① $e+1$　② $2e+1$　③ $3e+1$
④ $6e+1$　⑤ $6e+2$

▶ 해설 내신연계기출

0586 NORMAL

함수 $f(x)=e^{x-1}+\log_2 3x$에 대하여

$$\lim_{h\to0}\frac{f(1+h)-f(1-h)}{h}$$

의 값은? (단, e는 자연로그의 밑이다.)

① 2　② $2+\ln 2$　③ 4
④ $2+\frac{2}{\ln 2}$　⑤ $1+\frac{3}{\ln 2}$

0587 최다빈출 왕중요 NORMAL

함수 $f(x)=x\ln x$에 대하여

$$\lim_{n\to\infty} n\left\{f\left(e+\frac{1}{n}\right)-f\left(e-\frac{2}{n}\right)\right\}$$

의 값은? (단, e는 자연로그의 밑이다.)

① 5 ② 6 ③ 7
④ 8 ⑤ 9

▶ 해설 내신연계기출

0588 최다빈출 왕중요 NORMAL

함수 $f(x)=2^x\log_4 x$에 대하여

$$\lim_{n\to\infty} n\left\{f\left(1+\frac{1}{n}\right)-f\left(1-\frac{1}{n}\right)\right\}$$

의 값은?

① $\frac{1}{\ln 2}$ ② $\frac{2}{\ln 2}$ ③ $\frac{4}{\ln 2}$
④ $\frac{1}{2\ln 2}$ ⑤ $\frac{3}{2\ln 2}$

▶ 해설 내신연계기출

0589 TOUGH

함수 $f(x)=xe^x\ln x$에 대하여

$$\lim_{h\to 0}\frac{f(e+2h)-f(e-2h)}{4h}$$

의 값은?

① $(e+2)e^e$ ② $(e+2)e^2$ ③ $(e+2)2^e$
④ $(e+2)2e$ ⑤ $(e+2)e$

유형 04 미분계수를 이용한 극한값 계산 (2)

미분가능한 함수 $f(x)$에 대하여

$$\lim_{◆\to●}\frac{f(◆)-f(●)}{◆-●}=f'(●)$$ ⇐ ◆와 ●에 들어갈 부분이 각각 서로 같아야 한다.

① $\lim_{x\to a}\frac{f(x)-f(a)}{x-a}=f'(a)$

② $\lim_{x\to a}\frac{af(x)-xf(a)}{x-a}=af'(a)-f(a)$

③ $\lim_{x\to a}\frac{x^2f(a)-a^2f(x)}{x-a}=2af(a)-a^2f'(a)$

0590 학교기출 대표 유형

함수 $f(x)=\ln x$에 대하여

$$\lim_{x\to 2}\frac{f(x)-f(2)}{x^2-3x+2}$$

의 값은?

① $\frac{1}{2}$ ② 1 ③ $\frac{3}{2}$
④ 2 ⑤ $\frac{5}{2}$

0591 BASIC

$x>0$인 모든 실수 x에 대하여 함수 $f(x)=x\ln x$일 때,

$$\lim_{x\to 1}\frac{f(x^2)-f(1)}{x-1}$$

의 값은?

① $\frac{1}{e}$ ② $\frac{1}{2}$ ③ 1
④ $\frac{3}{2}$ ⑤ 2

0592 BASIC

미분가능한 함수 $f(x)$에 대하여 $f'(1)=2$일 때,

$$\lim_{x\to 0}\frac{f(2^x)-f(1)}{x}$$

의 값은?

① 2 ② $\ln 2$ ③ $2\ln 2$
④ $2e$ ⑤ $e\ln 2$

0593

BASIC

함수 $f(x)=x\ln 3x$에 대하여

$$\lim_{x\to 1}\frac{f(x^2)-x^2\ln 3}{x-1}$$

의 값은?

① $\ln 3$ ② 1 ③ 2
④ e ⑤ $\ln 3+1$

0594

최다빈출 왕중요

NORMAL

미분가능한 함수 $f(x)$에 대하여

$$\lim_{x\to 1}\frac{e^x f(x)-4}{x-1}=2e$$

일 때, $f(1)+f'(1)$는?

① $\frac{1}{2}$ ② 1 ③ 2
④ 4 ⑤ 5

▶ 해설 내신연계기출

0595

NORMAL

미분가능한 함수 $f(x)$에 대하여

$$\lim_{x\to 3}\frac{3^x f(x)-9}{x-3}=27$$

일 때, $f(3)\ln 3+f'(3)$의 값은?

① $1-3\ln 3$ ② 1 ③ $\ln 3$
④ $3\ln 3$ ⑤ $4\ln 3$

0596

최다빈출 왕중요

NORMAL

함수 $f(x)=e^x(2\ln x+a)$에 대하여

$$\lim_{x\to 1}\frac{f(x)-e}{x^3-1}=b$$

를 만족하는 상수 a, b에 대하여 $a+b$의 값은?

① 1 ② e ③ $1+e$
④ $2e$ ⑤ $3e$

▶ 해설 내신연계기출

0597

NORMAL

함수 $f(x)=x^2\ln x+ax$가 $\lim_{x\to 1}\frac{f(x)-8}{x^3-1}=b$를 만족시킬 때, $a+b$의 값은?

① 8 ② 9 ③ 10
④ 11 ⑤ 12

0598

TOUGH

함수 $f(x)=e^{x-1}(5e\ln x-3a)$에 대하여

$$\lim_{x\to 1}\frac{ef(x)-1}{e(x^3-1)}=b$$

를 만족하는 두 상수 a, b에 대하여 $a+b$의 값은?

① $\frac{1}{3}e$ ② $\frac{2}{3}e$ ③ e
④ $\frac{4}{3}e$ ⑤ $\frac{5}{3}e$

0599

최다빈출 왕중요

TOUGH

임의의 두 실수 x, y에 대하여

$$f(x+y)=f(x)+f(y)+e^{x+y}-e^x-e^y+1$$

을 만족시키는 함수 $f(x)$가 모든 실수x에 대하여 미분가능하고 $f'(0)=5$일 때, $f'(\ln 2)$의 값은?

① 4 ② 5 ③ 6
④ $2e$ ⑤ $3e$

▶ 해설 내신연계기출

유형 05 미분가능을 이용한 미정계수 결정

$f(x)=\begin{cases} g(x) & (x \ge a) \\ h(x) & (x < a) \end{cases}$가 $x=a$에서 미분가능하면

(1) 함수 $f(x)$가 $x=a$에서 연속이다.

⇨ $\lim_{x \to a+} g(x) = \lim_{x \to a-} h(x) = f(a)$

(2) $x=a$에서 $f'(a)$가 존재한다.

⇨ $\lim_{x \to a+} g'(x) = \lim_{x \to a-} h'(x)$

[방법1] 미분계수의 정의를 활용하는 경우

[방법2] 미분법을 활용하는 경우

0600 학교기출 대표 유형

함수

$$f(x)=\begin{cases} \ln x + b & (x \ge 1) \\ ax^2+1 & (x < 1) \end{cases}$$

가 모든 실수 x에 대하여 미분가능할 때, 상수 a, b에 대하여 $a+b$의 값은?

① $\frac{1}{2}$ ② 1 ③ $\frac{3}{2}$

④ 2 ⑤ 3

0601 최다빈출 왕중요 BASIC

두 상수 a, b에 대하여

$$f(x)=\begin{cases} 2x+b & (x \le 1) \\ a\ln x + 4 & (x > 1) \end{cases}$$

가 $x=1$에서 미분가능할 때, $a+b$의 값은?

① 2 ② 3 ③ 4

④ 5 ⑤ 6

▶ 해설 내신연계기출

0602 최다빈출 왕중요 NORMAL

함수

$$f(x)=\begin{cases} \ln ax & (x > 1) \\ e^{x-2}+bx & (0 < x \le 1) \end{cases}$$

가 $x=1$에서 미분가능할 때, 상수 a, b에 대하여 ab의 값은?

① 0 ② $e-2$ ③ 1

④ $e-1$ ⑤ e

▶ 해설 내신연계기출

0603 NORMAL

함수

$$f(x)=\begin{cases} \ln x + a & (0 < x < 1) \\ a \cdot 2^x + b & (x \ge 1) \end{cases}$$

가 모든 양수 x에 대하여 미분가능할 때, 상수 a, b에 대하여 $a-b$의 값은?

① $\frac{1}{4\ln 2}$ ② $\frac{1}{3\ln 2}$ ③ $\frac{1}{2\ln 2}$

④ $\frac{1}{\ln 2}$ ⑤ $\frac{2}{\ln 2}$

0604 최다빈출 왕중요 NORMAL

함수

$$f(x)=\begin{cases} ae^{-x} & (x \le 1) \\ x^2-bx+1 & (x > 1) \end{cases}$$

가 모든 실수 x에 대하여 미분가능할 때, 상수 a, b에 대하여 $a+b$의 값은?

① -2 ② 0 ③ 1

④ 2 ⑤ 3

▶ 해설 내신연계기출

0605

$\lim_{x\to 0}(1+x)^{\frac{1}{x}}=e$의 정의를 이용하여 다음 단계로 극한값을 구하는 과정을 서술하여라. (단, 고교 교육과정에서 서술하여라.)

[1단계] $\lim_{x\to 0}\frac{\ln(1+x)}{x}$의 값을 구하여라.

[2단계] $\lim_{x\to 0}\frac{e^x-1}{x}$의 값을 구하여라.

[3단계] $\lim_{x\to 0}\frac{a^x-1}{x}$을 구하여라. (단, $a>0$, $a\neq 1$)

[4단계] $\lim_{x\to 1}\ln x^{\frac{3}{2x-2}}$의 값을 구하여라.

0606

도함수의 정의를 이용하여 다음 단계로 도함수를 구하는 과정을 서술하여라. $\left(\text{단, } y'=\lim_{h\to 0}\frac{f(x+h)-f(x)}{h}\right)$

[1단계] 지수함수 $y=e^x$의 도함수를 구한다.

[2단계] 로그함수 $y=\ln x$의 도함수를 구한다.

[3단계] 로그함수 $y=\log_a x(a>0,\ a\neq 1)$의 도함수를 구한다.

[4단계] 함수 $y=\ln(x+1)$의 도함수를 구한다.

0607

다음 단계로 구하는 과정을 서술하여라.

[1단계] 함수 $f(x)$에 대하여 $\lim_{x\to\infty}xf(x)=6$일 때, $\lim_{x\to\infty}x\ln\{1+2f(x)\}$의 값을 구한다.

[2단계] 함수 $f(x)$에 대하여 $\lim_{x\to\infty}f(x)\log_2\left(1+\frac{1}{x}\right)=5$일 때, $\lim_{x\to\infty}\frac{f(x)}{x}$의 값을 구한다.

[3단계] 함수 $f(x)$에 대하여 $\lim_{x\to 0}\frac{f(x)}{\ln(1+2x)}=4$일 때, $\lim_{x\to 0}\frac{f(x)}{e^{-2x}-1}$의 값을 구한다.

[4단계] 연속함수 $f(x)$가 $\lim_{x\to 0}\frac{f(x)}{\ln(1-x)}=4$를 만족할 때, $\lim_{x\to 0}\frac{f(x)}{x}$의 값을 구한다.

0608

자연수 n에 대하여 다음 단계로 구하는 과정을 서술하여라.

[1단계] $f(n)=\lim_{x\to 0}\frac{3x}{\ln(1+x)+\ln(1+2x)+\cdots+\ln(1+nx)}$ 일 때, $\sum_{k=1}^{10}f(k)$의 값을 구한다.

[2단계] $f_n(x)=(1+x)(1+2x)(1+3x)\cdots(1+nx)$에 대하여 $a_n=\lim_{x\to 0}\frac{\ln f_n(x)}{x}$일 때, $\lim_{n\to\infty}\frac{2a_n}{n^2+1}$의 값을 구한다.

[3단계] 자연수 n에 대하여 $\mathrm{A}_n=\left(1+\frac{1}{x}\right)\left(1+\frac{2}{x}\right)\cdots\left(1+\frac{n}{x}\right)$, $S_n=\lim_{x\to\infty}x\ln\mathrm{A}_n$ 이라 할 때, $\sum_{n=1}^{\infty}\frac{1}{S_n}$의 값을 구한다.

0609

오른쪽 그림과 같이 x축 위의 한 점 P$(a,\ 0)$에서 y축과 평행하게 그은 직선이 두 함수 $y=2^x$, $y=5^x$의 그래프와 만나는 점을 각각 Q, R이라 고 할 때, 극한값 $\lim_{a\to0+}\frac{\overline{\mathrm{QR}}}{\overline{\mathrm{OP}}}$를 구하는 과정을 다음 단계로 서술하여라.

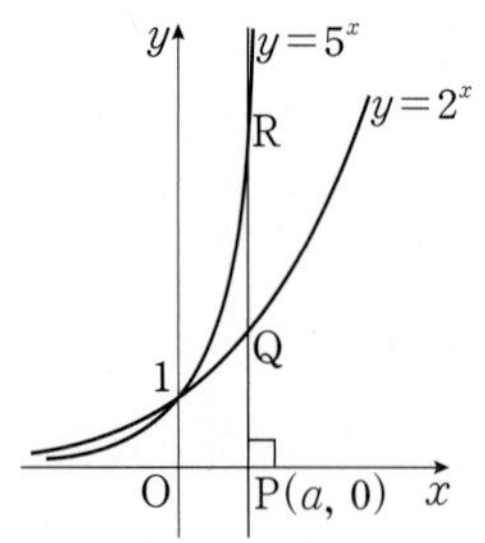

[1단계] 점 Q, R의 좌표를 a에 대하여 나타낸다.

[2단계] $\overline{\mathrm{OP}}$, $\overline{\mathrm{QR}}$의 길이 각각 구한다.

[3단계] $\lim_{a\to0+}\frac{\overline{\mathrm{QR}}}{\overline{\mathrm{OP}}}$의 값을 구한다.

0610

함수 $f(x)=x\log_3 ax^2\,(x>0)$에 대하여

$$\lim_{x\to1}\frac{f(x)-\log_3 a}{x-1}=1$$

일 때, 상수 a를 구하는 과정을 다음 단계로 서술하여라.

[1단계] 미분계수의 정의를 이용하여 $f'(1)$을 구한다.

[2단계] 도함수 $f'(x)$를 구한다.

[3단계] $f'(1)=1$임을 이용하여 a의 값을 구한다.

0611

함수

$$f(x)=\begin{cases} ae^{x-2}-4x & (x\le2) \\ x^2+2bx-3a & (x>2) \end{cases}$$

가 $x=2$에서 미분가능할 때, 상수 a, b의 값을 구하는 과정을 다음 단계로 서술하여라.

[1단계] 함수 $f(x)$가 $x=2$에서 미분가능하므로 $x=2$에서 연속임을 이용하여 a, b의 관계식을 구한다.
(단, 연속의 정의를 이용하여 구한다.)

[2단계] 함수 $f(x)$에 대하여 $f'(2)$가 존재함을 이용하여 a, b의 관계식을 구한다. (단, 미분계수의 정의를 이용하여 구한다.)

[3단계] 1, 2단계를 연립하여 a, b의 값을 구한다.

0612

함수 $f(x)=x\ln x$에서 열린구간 $(a,\ b)$에 속하는 모든 x에 대하여 급수 $\sum_{n=1}^{\infty}\{f'(x)\}^n$이 수렴할 때, $b-a$의 최댓값을 구하는 과정을 다음 단계로 서술하여라.

[1단계] $f'(x)$를 구한다.

[2단계] 등비급수가 수렴하는 조건을 이용하여 x의 범위를 구한다.

[3단계] a, b의 범위를 구하여 $b-a$의 최댓값을 구한다.

0613

실수 전체의 집합에서 정의된 함수

$$f(x)=\begin{cases} \dfrac{e^x+e^{-x}+a}{x^2} & (x\neq 0) \\ b & (x=0) \end{cases}$$

가 모든 실수 x에 대하여 연속일 때, 상수 a, b에 대하여 $a+b$의 값을 구하여라.

0614

수능기출

이차항의 계수가 1인 이차함수 $f(x)$와 함수

$$g(x)=\begin{cases} \dfrac{1}{\ln(x+1)} & (x\neq 0) \\ 8 & (x=0) \end{cases}$$

에 대하여 함수 $f(x)g(x)$가 구간 $(-1, \infty)$에서 연속일 때, $f(3)$의 값을 구하여라.

0615

다음 물음에 답하여라.

(1) $\lim\limits_{x\to 1}\dfrac{x^n-e^{x-1}}{x^2-1}=5$를 만족시키는 자연수 n의 값을 구하여라.

(2) $\lim\limits_{x\to 1}\dfrac{x^n-e^{x-1}}{x^2+2x-3}=3$일 때, 자연수 n의 값을 구하여라.

(3) $\lim\limits_{x\to e}\dfrac{(\ln x)^n-e^{\ln\frac{x}{e}}}{(\ln x)^2+\ln x^2-3}=4$일 때, 자연수 n의 값을 구하여라.

0616

수열 $\{a_n\}$이

$$a_n=\lim_{x\to 1}\frac{x^n\ln x}{x^n-1}\ (n=1,\ 2,\ 3,\ \cdots)$$

을 만족시킬 때, [보기]에서 옳은 것만을 있는 대로 고른 것은?

ㄱ. $a_1=1$

ㄴ. $\sum\limits_{k=1}^{10}\dfrac{1}{a_k}=55$

ㄷ. $\sum\limits_{n=1}^{\infty}a_n a_{n+1}=1$

① ㄱ ② ㄴ ③ ㄱ, ㄴ
④ ㄱ, ㄷ ⑤ ㄱ, ㄴ, ㄷ

0617

자연수 n에 대하여

$$a_n=\lim_{x\to\infty}\sum_{k=1}^{n}x\{\ln(x+k)-\ln x\}$$

라 할 때, $\sum\limits_{n=1}^{\infty}\dfrac{1}{a_n}$의 값을 구하여라.

0618

평가원기출

세 양수 a, b, c에 대하여

$$\lim_{x\to\infty}x^a\ln\left(b+\frac{c}{x^2}\right)=2$$

일 때, $a+b+c$의 값을 구하여라.

0619

교육청기출

$a>3$인 상수 a에 대하여 두 곡선 $y=a^{x-1}$과 $y=3^x$이 점 P에서 만난다. 점 P의 x좌표를 k라 할 때, 점 P에서 곡선 $y=3^x$에 접하는 직선이 x축과 만나는 점을 A, 점 P에서 곡선 $y=a^{x-1}$에 접하는 직선이 x축과 만나는 점을 B라 하자.

점 H$(k,\ 0)$에 대하여 $\overline{\mathrm{AH}}=2\overline{\mathrm{BH}}$일 때, a의 값을 구하여라.

0620

평가원기출

함수

$$f(x)=\left(\frac{x}{x-1}\right)^x\ (x>1)$$

에 대하여 [보기]에서 옳은 것을 모두 고른 것은?

ㄱ. $\lim_{x\to\infty}f(x)=e$

ㄴ. $\lim_{x\to\infty}f(x)f(x+1)=e^2$

ㄷ. $k\ge2$일 때, $\lim_{x\to\infty}f(kx)=e^k$이다.

① ㄱ　② ㄷ　③ ㄱ, ㄴ　④ ㄴ, ㄷ　⑤ ㄱ, ㄴ, ㄷ

0621

평가원기출

함수 $f(x)$에 대하여 [보기]에서 옳은 것만을 있는 대로 고른 것은?

ㄱ. $f(x)=2x$이면 $\lim_{x\to0}\frac{e^{f(x)}-1}{x}=2$이다.

ㄴ. $\lim_{x\to0}\frac{e^x-1}{f(x)}=1$이면 $\lim_{x\to0}\frac{3^x-1}{f(x)}=\ln3$이다.

ㄷ. $\lim_{x\to0}f(x)=0$이면 $\lim_{x\to0}\frac{e^{f(x)}-1}{x}$이 존재한다.

① ㄱ　② ㄱ, ㄴ　③ ㄱ, ㄷ　④ ㄴ, ㄷ　⑤ ㄱ, ㄴ, ㄷ

0622

$0<x<2$일 때, 두 곡선 $y=\ln(1+x)$, $y=\ln(3-x)$의 교점을 A라고 하자. 점 P$(t,\ \ln(3-t))$를 지나고 x축에 수직인 직선과 곡선 $y=\ln(1+x)$의 교점을 Q라고 하자. 점 Q를 지나고 x축에 평행한 직선과 점 A를 지나고 x축에 수직인 직선의 교점을 R이라고 하자. 삼각형 PQA의 넓이를 $f(t)$, 삼각형 AQR의 넓이를 $g(t)$라고 할 때, $\lim_{t\to1}\frac{f(t)}{g(t)}$의 값을 구하여라.

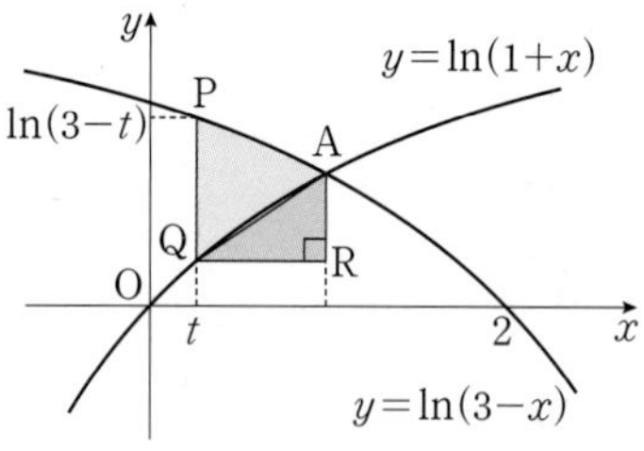

03 삼각함수의 덧셈정리

학교내신기출 객관식 핵심문제총정리

유형 01 삼각함수 $\csc\theta$, $\sec\theta$, $\cot\theta$

(1) $\csc\theta$, $\sec\theta$, $\cot\theta$

동경 OP가 나타내는 일반각의 크기를 θ라 할 때,

$\csc\theta=\dfrac{1}{\sin\theta}=\dfrac{r}{y}\,(y\neq0)$

$\sec\theta=\dfrac{1}{\cos\theta}=\dfrac{r}{x}\,(x\neq0)$

$\cot\theta=\dfrac{1}{\tan\theta}=\dfrac{x}{y}\,(y\neq0)$

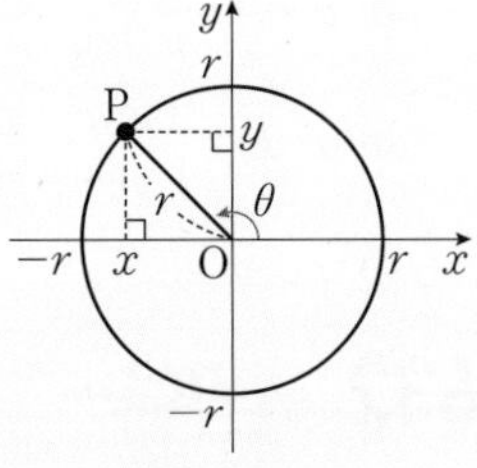

참고 $x=0$일 때는 $\tan\theta$와 $\sec\theta$가 정의되지 않고, $y=0$일 때는 $\csc\theta$와 $\cot\theta$가 정의되지 않는다.

(2) 삼각함수 사이의 관계

삼각함수 사이에는 다음과 같은 관계가 성립한다.

① $1+\tan^2\theta=\sec^2\theta$

② $1+\cot^2\theta=\csc^2\theta$

③ $\tan\theta+\cot\theta=\csc\theta\sec\theta$

0623 학교기출 대표 유형

$\cos\theta=\dfrac{1}{7}$일 때, $\csc\theta\times\tan\theta$의 값은?

① $\dfrac{1}{7}$ ② $\dfrac{4\sqrt{3}}{7}$ ③ $4\sqrt{3}$
④ 7 ⑤ $8\sqrt{2}$

0624 BASIC

$\sec\theta=10$일 때, $\tan^2\theta$의 값은?

① 1 ② 9 ③ 27
④ 81 ⑤ 99

0625 BASIC

$\tan\theta=2$일 때, $\csc^2\theta+\sec^2\theta$의 값은?

① $\dfrac{21}{4}$ ② $\dfrac{23}{4}$ ③ $\dfrac{25}{4}$
④ $\dfrac{27}{4}$ ⑤ $\dfrac{29}{4}$

0626 BASIC

$\dfrac{\pi}{2}<\theta<\pi$에 대하여 $\cot\theta=-\dfrac{5}{12}$일 때, $\sin\theta+\cos\theta$의 값은?

① $-\dfrac{12}{13}$ ② $-\dfrac{5}{13}$ ③ $\dfrac{7}{13}$
④ $\dfrac{9}{13}$ ⑤ $\dfrac{11}{13}$

0627 최다빈출 왕중요 BASIC

$\dfrac{\pi}{2}<\theta<\pi$인 θ에 대하여

$$\cos\theta=-\frac{3}{5}$$

일 때, $\csc(\pi+\theta)$의 값은?

① $-\dfrac{5}{2}$ ② $-\dfrac{5}{3}$ ③ $-\dfrac{5}{4}$
④ $\dfrac{5}{4}$ ⑤ $\dfrac{5}{3}$

▶ 해설 내신연계기출

0628 NORMAL

$\dfrac{\pi}{2}<\theta<\pi$인 θ에 대하여

$$\cot\theta=-\frac{3}{4}$$

일 때, $\sin\left(\dfrac{3\pi}{2}+\theta\right)$의 값은?

① $-\dfrac{4}{5}$ ② $-\dfrac{3}{5}$ ③ $\dfrac{3}{5}$
④ $\dfrac{3}{4}$ ⑤ $\dfrac{4}{5}$

0629 최다빈출 왕 중요

NORMAL

이차방정식 $8x^2-4x-3=0$의 두 근이 $\sin\theta$, $\cos\theta$일 때, $\sec\theta+\csc\theta$ 의 값은?

① $-\frac{1}{2}$ ② $-\frac{3}{4}$ ③ $-\frac{4}{3}$
④ -1 ⑤ $-\frac{\sqrt{3}}{8}$

▶ 해설 내신연계기출

0630

TOUGH

이차방정식 $x^2+2x-3=0$의 두 근이 $\tan\alpha$, $\tan\beta$이고, 이차방정식 $x^2-ax+b=0$의 두 근은 $\sec^2\alpha$, $\sec^2\beta$일 때, 상수 a, b에 대하여 ab의 값은?

① 80 ② 120 ③ 140
④ 210 ⑤ 240

0631

TOUGH

$\sin\theta-\cos\theta=\frac{\sqrt{2}}{2}$일 때, $\tan\left(\frac{\pi}{2}-\theta\right)-\tan(\pi-\theta)$의 값은?

① $\sqrt{2}$ ② 2 ③ $2\sqrt{2}$
④ 4 ⑤ $4\sqrt{2}$

유형 02 삼각함수의 덧셈정리 (1)

두 각 α, β의 삼각함수를 이용하여 $\alpha+\beta$, $\alpha-\beta$의 삼각함수를 다음 같이 나타낼 수 있다.

① $\sin(\alpha+\beta)=\sin\alpha\cos\beta+\cos\alpha\sin\beta$
$\sin(\alpha-\beta)=\sin\alpha\cos\beta-\cos\alpha\sin\beta$

② $\cos(\alpha+\beta)=\cos\alpha\cos\beta-\sin\alpha\sin\beta$
$\cos(\alpha-\beta)=\cos\alpha\cos\beta+\sin\alpha\sin\beta$

③ $\tan(\alpha+\beta)=\frac{\tan\alpha+\tan\beta}{1-\tan\alpha\tan\beta}$
$\tan(\alpha-\beta)=\frac{\tan\alpha-\tan\beta}{1+\tan\alpha\tan\beta}$

0632 학교기출 대표 유형

다음 조건을 만족하는 a, b, c에 대하여 $a+b+c$의 값은?

(가) $\sin 100^\circ \cos 20^\circ+\cos 100^\circ \sin 20^\circ=a$
(나) $\cos 110^\circ \cos 80^\circ+\sin 110^\circ \sin 80^\circ=b$
(다) $\frac{\tan 75^\circ-\tan 15^\circ}{1+\tan 75^\circ \tan 15^\circ}=c$

① 0 ② $\frac{\sqrt{2}}{2}$ ③ $\frac{\sqrt{3}}{2}$
④ $\sqrt{3}$ ⑤ $2\sqrt{3}$

0633

BASIC

$\frac{\cos 135^\circ \cos 15^\circ+\sin 135^\circ \sin 15^\circ}{\sin 75^\circ \cos 15^\circ-\cos 75^\circ \sin 15^\circ}$의 값은?

① $-\frac{\sqrt{6}}{3}$ ② $-\frac{\sqrt{5}}{3}$ ③ $-\frac{2}{3}$
④ $-\frac{\sqrt{3}}{3}$ ⑤ $-\frac{\sqrt{2}}{3}$

0634

BASIC

다음 중 $\cot 10^\circ+\tan 5^\circ$의 값과 같은 것은?

① $\csc 5^\circ$ ② $\csc 10^\circ$ ③ $\sec 5^\circ$
④ $\sec 10^\circ$ ⑤ $\sin 15^\circ$

0635

NORMAL

x에 관한 이차방정식 $ax^2-\sqrt{6}x+b=0$의 두 근이 $\sin 15°$, $\cos 15°$라 할 때, 두 상수 a, b에 대하여 $a+b$의 값은?

① $\frac{3}{2}$ ② 2 ③ $\frac{5}{2}$
④ 3 ⑤ $\frac{7}{2}$

0636

NORMAL

오른쪽 그림과 같은 삼각형 ABC에서
$\overline{AB}=8$, $\overline{BC}=6$, $\angle B=105°$
일 때, 삼각형 ABC의 넓이는?

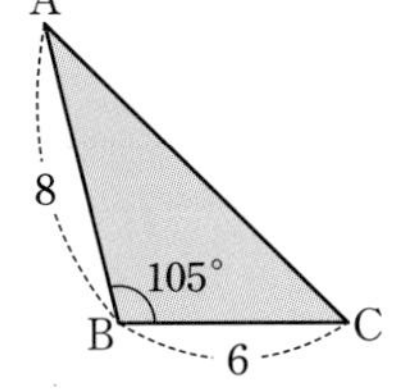

① $2(\sqrt{2}+\sqrt{6})$ ② $3(\sqrt{2}+\sqrt{6})$
③ $4(\sqrt{2}+\sqrt{6})$ ④ $6(\sqrt{2}+\sqrt{6})$
⑤ $8(\sqrt{2}+\sqrt{6})$

0637

TOUGH

다음 조건을 만족하는 a, b에 대하여 $b-a$의 값은?
$\left(단, 0<\alpha<\frac{\pi}{2}, 0<\beta<\frac{\pi}{2}\right)$

(가) $\sin\alpha=\frac{1}{3}$일 때, $\cos\left(\frac{\pi}{3}+\alpha\right)=a$
(나) $\cos\beta=\frac{2\sqrt{2}}{3}$일 때, $\sin\left(\frac{\pi}{6}+\beta\right)=b$

① $\frac{2\sqrt{2}}{3}$ ② $\frac{\sqrt{2}}{2}$ ③ $\frac{\sqrt{3}}{3}$
④ $\frac{\sqrt{3}}{2}$ ⑤ $2\sqrt{2}$

유형 03 삼각함수의 덧셈정리 (2)

$\sin(\alpha+\beta)$, $\cos(\alpha-\beta)$의 값을 구하려면 $\sin\alpha$, $\sin\beta$, $\cos\alpha$, $\cos\beta$의 값이 필요하므로 주어진 삼각함수의 값과 $\sin^2x+\cos^2x=1$임을 이용하여 필요한 삼각함수 값을 구한다.

① $\sin(\alpha+\beta)=\sin\alpha\cos\beta+\cos\alpha\sin\beta$
$\sin(\alpha-\beta)=\sin\alpha\cos\beta-\cos\alpha\sin\beta$

② $\cos(\alpha+\beta)=\cos\alpha\cos\beta-\sin\alpha\sin\beta$
$\cos(\alpha-\beta)=\cos\alpha\cos\beta+\sin\alpha\sin\beta$

0638

학교기출 대표 유형

$0<\alpha<\frac{\pi}{2}$, $\frac{3}{2}\pi<\beta<2\pi$이고 $\sin\alpha=\frac{3}{5}$, $\cos\beta=\frac{1}{3}$일 때, $\cos(\alpha+\beta)$의 값은?

① $\frac{4+6\sqrt{2}}{15}$ ② $\frac{-2+6\sqrt{2}}{15}$ ③ $\frac{3+8\sqrt{2}}{15}$
④ $\frac{2+3\sqrt{2}}{15}$ ⑤ $\frac{3-8\sqrt{2}}{15}$

0639

NORMAL

$0<\alpha<\frac{\pi}{2}$, $\frac{\pi}{2}<\beta<\pi$이고 $\cos\alpha=\frac{3}{5}$, $\tan\beta=-1$일 때, $\sin(\alpha+\beta)$의 값은?

① $-\frac{\sqrt{3}}{10}$ ② $-\frac{\sqrt{2}}{10}$ ③ 0
④ $\frac{\sqrt{2}}{10}$ ⑤ $\frac{\sqrt{3}}{10}$

0640

NORMAL

$\frac{\pi}{2}<\alpha<\pi$, $\frac{3}{2}\pi<\beta<2\pi$이고 $\sin\alpha=\frac{12}{13}$, $\sin\beta=-\frac{3}{5}$일 때, 다음 조건을 만족하는 a, b에 대하여 $a+b$의 값은?

(가) $\sin(\alpha+\beta)=a$
(나) $\cos(\alpha-\beta)=b$

① $-\frac{56}{65}$ ② $\frac{7}{65}$ ③ $\frac{9}{65}$
④ $\frac{56}{65}$ ⑤ $\frac{63}{65}$

03 삼각함수의 덧셈정리

0641 최다빈출 왕중요 NORMAL

$0<\alpha<\beta<2\pi$에서

$$\cos\alpha=\cos\beta=\frac{1}{3}$$

일 때, $\sin(\beta-\alpha)$의 값은?

① $-\frac{4\sqrt{2}}{9}$　② $-\frac{4}{9}$　③ 0

④ $\frac{4}{9}$　⑤ $\frac{4\sqrt{2}}{9}$

▶ 해설 내신연계기출

0642 NORMAL

$\sin\alpha+\cos\beta=-\frac{\sqrt{2}}{2}$, $\cos\alpha+\sin\beta=\frac{\sqrt{2}}{2}$일 때, $\sin(\alpha+\beta)$의 값은?

① $-\frac{1}{4}$　② $-\frac{1}{3}$　③ $-\frac{1}{2}$

④ $\frac{1}{3}$　⑤ $\frac{1}{2}$

0643 최다빈출 왕중요 NORMAL

$\sin\alpha+\sin\beta=\frac{1}{2}$, $\cos\alpha+\cos\beta=\frac{1}{\sqrt{2}}$일 때, $\cos(\alpha-\beta)$의 값은?

① $-\frac{2}{3}$　② $-\frac{4}{5}$　③ $-\frac{5}{6}$

④ $-\frac{5}{8}$　⑤ $\frac{5}{8}$

▶ 해설 내신연계기출

0644 최다빈출 왕중요 NORMAL

삼각형 ABC에서 $\sin A=\frac{12}{13}$, $\cos B=\frac{3}{5}$ 일 때, $\sin C$의 값은? (단, 삼각형 ABC는 예각 삼각형)

① $\frac{56}{65}$　② $\frac{57}{65}$　③ $\frac{58}{65}$

④ $\frac{59}{65}$　⑤ $\frac{61}{65}$

▶ 해설 내신연계기출

0645 NORMAL

예각삼각형 ABC에서

$$\sin B=\frac{2\sqrt{2}}{3},\ \cos C=\frac{3}{5}$$

일 때, $\sin A$의 값이 $\frac{a\sqrt{2}+b}{15}$일 때, 유리수 a, b에 대하여 $a+b$의 값은?

① 4　② 6　③ 8

④ 10　⑤ 12

0646 최다빈출 왕중요 NORMAL

좌표평면 위의 두 점 $\mathrm{P}(\cos\alpha, \sin\alpha)$, $\mathrm{Q}(\cos\beta, \sin\beta)$ 사이의 거리가 1일 때, $\alpha-\beta$의 값은? $\left(단, \frac{\pi}{2}<\alpha<\pi,\ 0<\beta<\frac{\pi}{2}\right)$

① $\frac{\pi}{6}$　② $\frac{\pi}{4}$　③ $\frac{\pi}{3}$

④ $\frac{\pi}{2}$　⑤ $\frac{2}{3}\pi$

▶ 해설 내신연계기출

0647

NORMAL

$\tan\alpha=-\frac{5}{12}\left(\frac{3}{2}\pi<\alpha<2\pi\right)$이고 $0\le x<\frac{\pi}{2}$일 때, 부등식

$$\cos x\le\sin(x+\alpha)\le 2\cos x$$

를 만족시키는 x에 대하여 $\tan x$의 최댓값과 최솟값의 합은?

① $\frac{31}{12}$ ② $\frac{37}{12}$ ③ $\frac{43}{12}$
④ $\frac{49}{12}$ ⑤ $\frac{55}{12}$

0648

NORMAL

오른쪽 그림과 같이 함수

$$f(x)=\begin{cases}-2x & (x<0)\\ \frac{1}{2}x & (x\ge 0)\end{cases}$$

에 대하여 $y=f(x)$의 그래프가 원 $x^2+y^2=1$과 만나는 두 점을 각각 P, Q라 하자. 점 A$(1, 0)$에 대하여 $\angle$AOP$=\alpha$, $\angle$AOQ$=\beta$라 할 때, $\sin(\alpha+\beta)$의 값은?

① $\frac{1}{5}$ ② $\frac{2}{5}$ ③ $\frac{3}{5}$
④ $\frac{4}{5}$ ⑤ 1

0649

NORMAL

오른쪽 그림과 같이 중심이 원점이고 반지름의 길이가 5인 반원 위의 두 점 P, Q에서 지름 AB에 내린 수선의 발을 각각 R, S라고 하면 $\overline{\text{OR}}=3$, $\overline{\text{OS}}=4$일 때, $\cos\theta$의 값은?

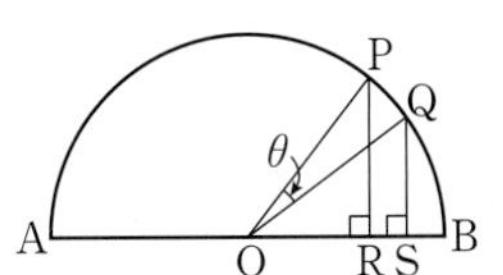

① $\frac{24}{25}$ ② $\frac{25}{26}$ ③ $\frac{13}{15}$
④ $\frac{26}{27}$ ⑤ $\frac{28}{29}$

0650

NORMAL

다음 그림과 같이 직사각형 ABCD는 두 선분 EF, GH에 의하여 세 개의 정사각형으로 나누어진다. $\angle$GBC$=\alpha$, $\angle$DBC$=\beta$라고 할 때, $\sin(\alpha+\beta)$의 값은?

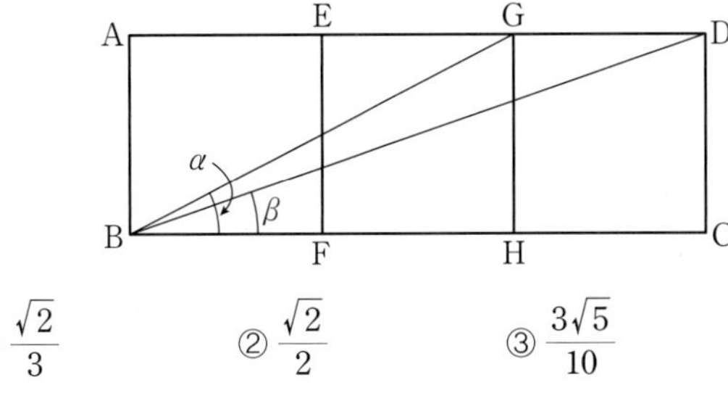

① $\frac{\sqrt{2}}{3}$ ② $\frac{\sqrt{2}}{2}$ ③ $\frac{3\sqrt{5}}{10}$
④ $\frac{2\sqrt{5}}{5}$ ⑤ $\frac{2\sqrt{2}}{3}$

0651

TOUGH

그림과 같이 $\overline{\text{AB}}=5$, $\overline{\text{AC}}=2\sqrt{5}$인 삼각형 ABC의 꼭짓점 A에서 선분 BC에 내린 수선의 발을 D라 하자.
선분 AD를 $3:1$로 내분하는 점 E에 대하여 $\overline{\text{EC}}=\sqrt{5}$이다.
$\angle$ABD$=\alpha$, $\angle$DCE$=\beta$라 할 때, $\cos(\alpha-\beta)$의 값은?

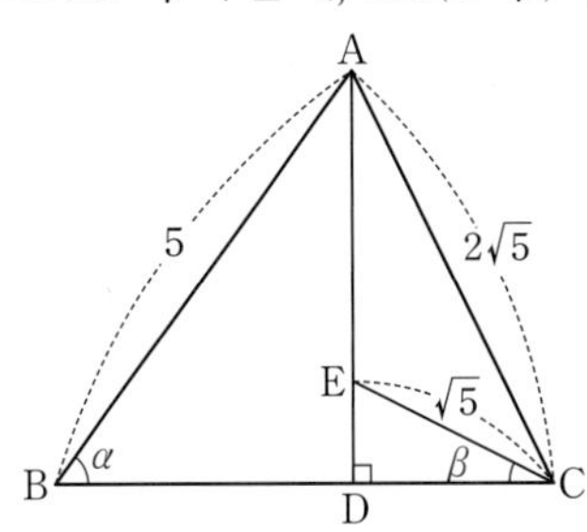

① $\frac{\sqrt{5}}{5}$ ② $\frac{\sqrt{5}}{4}$ ③ $\frac{3\sqrt{5}}{10}$
④ $\frac{7\sqrt{5}}{20}$ ⑤ $\frac{2\sqrt{5}}{5}$

유형 04 탄젠트의 덧셈정리

$\tan(\alpha+\beta)$, $\tan(\alpha-\beta)$의 값을 구하려면 $\tan\alpha$, $\tan\beta$의 값이 필요하므로 주어진 삼각함수의 값과 $\tan x=\dfrac{\sin x}{\cos x}$임을 이용하여 필요한 삼각함수 값을 구한다.

① $\tan(\alpha+\beta)=\dfrac{\tan\alpha+\tan\beta}{1-\tan\alpha\tan\beta}$

② $\tan(\alpha-\beta)=\dfrac{\tan\alpha-\tan\beta}{1+\tan\alpha\tan\beta}$

③ $\cot(\alpha+\beta)=\dfrac{\cot\alpha\cot\beta-1}{\cot\alpha+\cot\beta}$

증명 $\cot(\alpha+\beta)=\dfrac{1}{\tan(\alpha+\beta)}=\dfrac{1-\tan\alpha\tan\beta}{\tan\alpha+\tan\beta}$

$=\dfrac{(1-\tan\alpha\tan\beta)\cot\alpha\cot\beta}{(\tan\alpha+\tan\beta)\cot\alpha\cot\beta}$

$=\dfrac{\cot\alpha\cot\beta-1}{\cot\beta+\cot\alpha}$

$=\dfrac{\cot\alpha\cot\beta-1}{\cot\alpha+\cot\beta}$

0652 학교기출 대표 유형

$\tan\left(\alpha+\dfrac{\pi}{4}\right)=2$일 때, $\tan\alpha$의 값은?

① $\dfrac{1}{3}$ ② $\dfrac{4}{9}$ ③ $\dfrac{5}{9}$
④ $\dfrac{2}{3}$ ⑤ $\dfrac{7}{9}$

0653 BASIC

$\cos\theta=-\dfrac{2}{\sqrt{7}}$일 때, $\tan\left(\theta+\dfrac{\pi}{3}\right)$의 값은? $\left(\text{단, } \dfrac{\pi}{2}<\theta<\pi\right)$

① $\dfrac{\sqrt{3}}{5}$ ② $\dfrac{2\sqrt{3}}{5}$ ③ $\dfrac{3\sqrt{3}}{5}$
④ $\dfrac{2\sqrt{3}}{3}$ ⑤ $\dfrac{5\sqrt{3}}{6}$

0654 최다빈출 왕 중요 BASIC

$\tan x=2$, $\tan(x+y)=12$일 때, $\tan(x-y)$의 값은?

① $\dfrac{1}{5}$ ② $\dfrac{2}{5}$ ③ $\dfrac{8}{9}$
④ 1 ⑤ $\dfrac{3}{2}$

▶ 해설 내신연계기출

0655 BASIC

그림과 같이 직선 $3x+4y-2=0$이 x축의 양의 방향과 이루는 각의 크기를 θ라 할 때, $\tan\left(\dfrac{\pi}{4}+\theta\right)$의 값은?

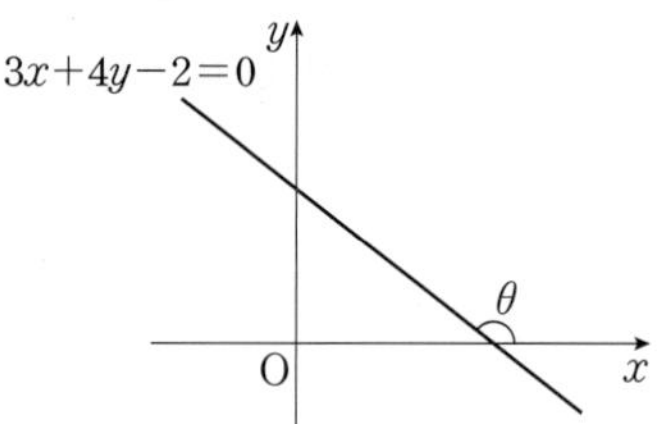

① $\dfrac{1}{14}$ ② $\dfrac{1}{7}$ ③ $\dfrac{3}{14}$
④ $\dfrac{2}{7}$ ⑤ $\dfrac{5}{14}$

0656 최다빈출 왕 중요 NORMAL

이차방정식 $2x^2-3x-1=0$의 두 근이 $\tan\alpha$, $\tan\beta$일 때, $\tan(\alpha+\beta)$의 값은?

① 1 ② $\dfrac{3}{2}$ ③ 2
④ $\dfrac{5}{2}$ ⑤ 3

▶ 해설 내신연계기출

0657 최다빈출 왕중요

NORMAL

x에 대한 이차방정식 $x^2-4x-2=0$의 두 근을 $\tan\alpha$, $\tan\beta$라고 할 때, $\sec^2(\alpha+\beta)-1$의 값은? $\left(단, -\frac{\pi}{2}<\alpha<\frac{\pi}{2}, -\frac{\pi}{2}<\beta<\frac{\pi}{2}\right)$

① $\frac{9}{16}$ ② $\frac{16}{9}$ ③ $\frac{25}{9}$
④ $\frac{9}{25}$ ⑤ $\frac{25}{16}$

▶ 해설 내신연계기출

0658

NORMAL

이차방정식 $x^2-4x-1=0$의 두 근이 $\tan\alpha$, $\tan\beta$일 때, $\cos\alpha\cos\beta-\sin\alpha\sin\beta$의 값은? $\left(단, 0<\alpha<\frac{\pi}{2}, \frac{\pi}{2}<\beta<\pi\right)$

① $-\frac{\sqrt{5}}{5}$ ② $-\frac{\sqrt{2}}{2}$ ③ $-\sqrt{2}$
④ $\sqrt{2}$ ⑤ $\sqrt{5}$

0659 최다빈출 왕중요

NORMAL

$\overline{AB}=\overline{AC}$인 이등변삼각형 ABC에서 $\angle A=\alpha$, $\angle B=\beta$라 하자.

$$\tan(\alpha+\beta)=-\frac{3}{2}$$

일 때, $\tan\alpha$의 값은?

① $\frac{21}{10}$ ② $\frac{11}{5}$ ③ $\frac{23}{10}$
④ $\frac{12}{5}$ ⑤ $\frac{5}{2}$

▶ 해설 내신연계기출

0660 최다빈출 왕중요

NORMAL

이차방정식 $x^2-6x+4=0$의 두 근이 $\tan\alpha$, $\tan\beta$일 때, $\tan(\alpha-\beta)$의 값은? (단, $\tan\alpha>\tan\beta$)

① $\frac{\sqrt{5}}{5}$ ② $\frac{\sqrt{10}}{5}$ ③ $\frac{2\sqrt{5}}{5}$
④ $\frac{2\sqrt{10}}{5}$ ⑤ $\frac{4\sqrt{5}}{5}$

▶ 해설 내신연계기출

0661 최다빈출 왕중요

NORMAL

이차방정식 $x^2+x\sin\theta+\cos\theta=0$의 두 근이 $\tan\alpha$, $\tan\beta$일 때,

$$\tan(\alpha+\beta)=\frac{1}{3}$$

이다. 이때 $\sec\theta$의 값은? $\left(단, \pi<\theta<\frac{3}{2}\pi\right)$

① -2 ② $-\sqrt{3}$ ③ $-\frac{4}{3}$
④ $-\frac{5}{4}$ ⑤ $-\frac{1}{2}$

▶ 해설 내신연계기출

0662 최다빈출 왕중요

NORMAL

$0<x<\frac{\pi}{2}$, $0<y<\frac{\pi}{2}$에 대하여

$$(\tan x+\sqrt{5})(\tan y-\sqrt{5})=-6$$

이 성립할 때, $\cos(x-y)$의 값은?

① $\frac{\sqrt{5}}{5}$ ② $\frac{\sqrt{6}}{6}$ ③ $\frac{\sqrt{30}}{5}$
④ $\frac{\sqrt{30}}{6}$ ⑤ 1

▶ 해설 내신연계기출

0663

NORMAL

$0<\alpha<\frac{\pi}{2}$, $\frac{3}{2}\pi<\beta<2\pi$이고,

$$\sin\alpha=\frac{4}{5},\ \sin\beta=-\frac{\sqrt{5}}{5}$$

일 때, $\tan(\alpha+\beta)$의 값은?

① $\frac{1}{3}$ ② $\frac{1}{2}$ ③ 1
④ 2 ⑤ 3

0664

최다빈출 왕 중요

NORMAL

$\frac{\pi}{2}<\alpha<\pi$, $\frac{3}{2}\pi<\beta<2\pi$에 대하여

$$\sin\alpha=\frac{12}{13},\ \sin\beta=-\frac{3}{5}$$

일 때, $\tan(\alpha+\beta)$의 값은?

① $\frac{23}{16}$ ② $\frac{25}{16}$ ③ $\frac{27}{16}$
④ $\frac{35}{16}$ ⑤ $\frac{63}{16}$

▶ 해설 내신연계기출

0665

최다빈출 왕 중요

TOUGH

그림과 같이 등대로부터 9m 떨어진 지점에서 눈높이가 1.8m인 사람이 등대의 꼭대기를 올려다 본 각의 크기는 θ이고, 등대의 밑부분을 내려다본 각의 크기가 $\theta-\frac{\pi}{4}$일 때, 등대의 높이는?

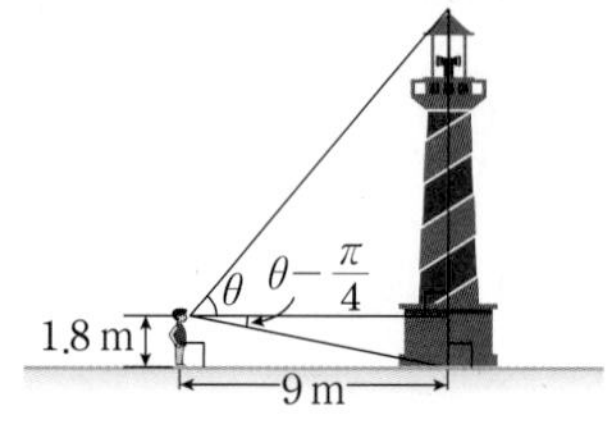

① 13.3 ② 14 ③ 15
④ 15.3 ⑤ 16

▶ 해설 내신연계기출

유형 05 두 직선이 이루는 각의 크기

두 직선이 x축의 양의 방향과 이루는 각의 크기를 각각 α, β라 할 때, 두 직선이 이루는 예각의 크기를 α, β로 나타낸 후 탄젠트의 덧셈정리를 이용하여 두 직선이 이루는 예각 θ의 값을 구한다.

두 직선 $y=mx+n$, $y=m'x+n'$이 이루는 예각의 크기를 θ라 하자.
두 직선이 각각 x축의 양의 방향과 이루는 각의 크기를 각각 α, β라 하면 $\tan\alpha=m$, $\tan\beta=m'$이고 두 직선이 이루는 예각의 크기는 $\alpha-\beta$이므로 $\tan\theta=|\tan(\alpha-\beta)|=\left|\frac{\tan\alpha-\tan\beta}{1+\tan\alpha\tan\beta}\right|$

$$=\left|\frac{m-m'}{1+mm'}\right| \text{ (단, } mm'\neq-1)$$

직선 $y=mx+n$이 x축의 양의 방향과 이루는 각의 크기를 θ이면
⇨ 직선의 기울기 $m=\tan\theta$

0666

학교기출 대표 유형

두 직선 $3x-y-1=0$, $x-2y+6=0$이 이루는 예각의 크기는?

① $\frac{\pi}{12}$ ② $\frac{\pi}{6}$ ③ $\frac{\pi}{4}$
④ $\frac{\pi}{3}$ ⑤ $\frac{5}{12}\pi$

▶ 해설 내신연계기출

0667

최다빈출 왕 중요

BASIC

두 직선 $x+2y-3=0$, $x-2y+2=0$이 이루는 예각의 크기를 θ라 할 때, $\tan\theta$의 값은?

① $\frac{1}{2}$ ② 1 ③ $\frac{4}{3}$
④ $\frac{3}{2}$ ⑤ $\frac{17}{19}$

0668

최다빈출 왕 중요

BASIC

두 직선 $y=-2x+2$, $y=x+2$가 이루는 예각의 크기를 θ라 할 때, $\tan\left(\theta-\frac{\pi}{4}\right)$의 값은?

① $\frac{1}{4}$ ② $\frac{1}{2}$ ③ $\frac{2}{3}$
④ $\frac{3}{4}$ ⑤ 1

▶ 해설 내신연계기출

0669 최다빈출 왕중요

NORMAL

두 직선

$$x+3y-3=0,\ mx-y+2=0$$

이 이루는 예각의 크기가 $\frac{\pi}{4}$일 때, 양수 m의 값은?

① $\frac{1}{2}$　② 2　③ 3
④ 4　⑤ 5

▶ 해설 내신연계기출

0670 최다빈출 왕중요

NORMAL

좌표평면에서 두 직선

$$x-3y+1=0,\ ax-2y+5=0$$

이 이루는 예각의 크기를 θ라 할 때, $\tan\theta=1$을 만족시키는 양수 a의 값은?

① 1　② 2　③ 3
④ 4　⑤ 5

▶ 해설 내신연계기출

0671

NORMAL

이차방정식 $4x^2-8x+3=0$의 두 근을 m_1, m_2라 하자. 원점을 지나는 두 직선 $y=m_1x$, $y=m_2x$가 이루는 예각의 크기를 θ라 할 때, $\tan\theta$의 값은? (단, $m_1>m_2>0$)

① $\frac{2}{7}$　② $\frac{3}{7}$　③ $\frac{4}{7}$
④ $\frac{5}{7}$　⑤ $\frac{6}{7}$

0672 최다빈출 왕중요

TOUGH

오른쪽 그림에서 직선 $y=\frac{3}{2}x$가 x축의 양의 방향과 이루는 각의 크기와 두 직선 $y=3x$, $y=mx$가 이루는 예각의 크기가 같을 때, 상수 m의 값은? $\left(단,\ 0<m<\frac{3}{2}\right)$

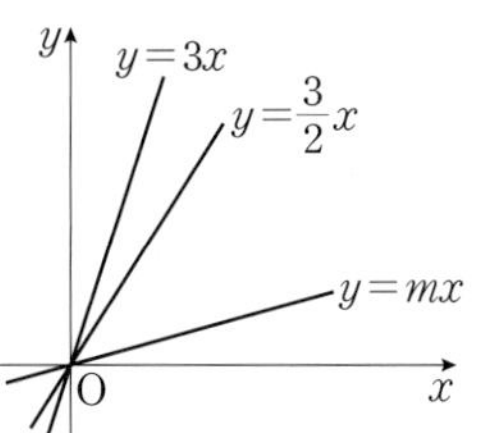

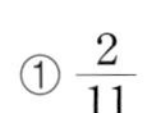

① $\frac{2}{11}$　② $\frac{3}{11}$　③ $\frac{4}{11}$
④ $\frac{4}{7}$　⑤ $\frac{5}{7}$

▶ 해설 내신연계기출

0673 최다빈출 왕중요

TOUGH

오른쪽 그림과 같이 두 직선 $y=\frac{1}{3}x$, $y=2x+10$ 위의 두 점 A, B와 교점 P를 세 꼭짓점으로 하는 삼각형 PAB가 있다. $\angle B=90°$이고 $\overline{PB}=12$일 때, $\overline{PA}$의 값은?

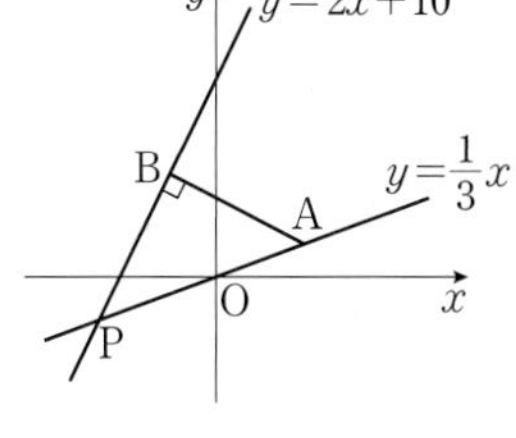

① $12\sqrt{2}$　② $12\sqrt{3}$　③ 18
④ $18\sqrt{2}$　⑤ $18\sqrt{3}$

▶ 해설 내신연계기출

유형 06 배각의 공식

삼각함수의 덧셈정리로부터 다음과 같은 배각의 공식을 얻을 수 있다.

① $\sin 2\theta = 2\sin\theta\cos\theta$

② $\cos 2\theta = \cos^2\theta - \sin^2\theta = 2\cos^2\theta - 1 = 1 - 2\sin^2\theta$

③ $\tan 2\theta = \dfrac{2\tan\theta}{1-\tan^2\theta}$

유도 ① $\sin 2\theta = \sin(\theta+\theta) = \sin\theta\cos\theta + \cos\theta\sin\theta = 2\sin\theta\cos\theta$

② $\cos 2\theta = \cos(\theta+\theta) = \cos\theta\cos\theta - \sin\theta\sin\theta$

$= \cos^2\theta - \sin^2\theta = 2\cos^2\theta - 1 = 1 - 2\sin^2\theta$

③ $\tan 2\theta = \tan(\theta+\theta) = \dfrac{\tan\theta+\tan\theta}{1-\tan\theta\tan\theta} = \dfrac{2\tan\theta}{1-\tan^2\theta}$

0674 학교기출 대표 유형

$\sin\alpha = \dfrac{3}{4}$일 때, $\cos 2\alpha$의 값은?

① $-\dfrac{1}{32}$ ② $-\dfrac{1}{16}$ ③ $-\dfrac{1}{8}$
④ $-\dfrac{1}{4}$ ⑤ $-\dfrac{1}{2}$

0675 BASIC

$\tan 2\alpha = \dfrac{5}{12}$일 때, $\tan\alpha = p$이다. $60p$의 값은? $\left(\text{단, } 0<\alpha<\dfrac{\pi}{4}\right)$

① 10 ② 12 ③ 14
④ 16 ⑤ 18

0676 NORMAL

$\tan\theta = \dfrac{1}{7}$일 때, $\sin 2\theta$의 값은?

① $\dfrac{1}{5}$ ② $\dfrac{11}{50}$ ③ $\dfrac{6}{25}$
④ $\dfrac{13}{50}$ ⑤ $\dfrac{7}{25}$

0677 NORMAL

그림과 같이 지름 AB의 길이가 7인 원이 있다. 원 위의 두 점 P와 Q에 대하여

$\overline{AP}=6$, $\angle QAB = 2\angle PAB$

일 때, 선분 AQ의 길이는?

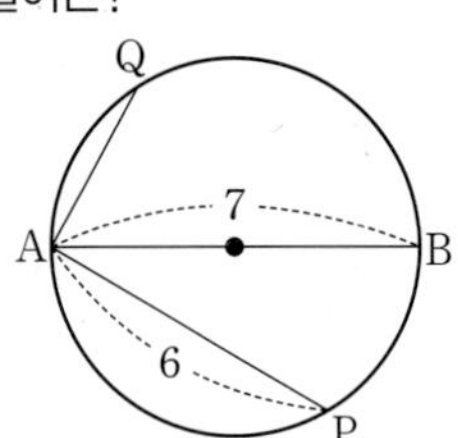

① $\dfrac{23}{7}$ ② $\dfrac{21}{8}$ ③ 3
④ 7 ⑤ 9

0678 최다빈출 왕 중요 TOUGH

다음 그림에서 선분 AB는 원 O의 지름이고,

$\angle AOC = \dfrac{\pi}{4}$, $\overline{OC} \perp \overline{AD}$

이다. $\angle ABD = \theta$일 때, $\sin 2\theta$의 값은?

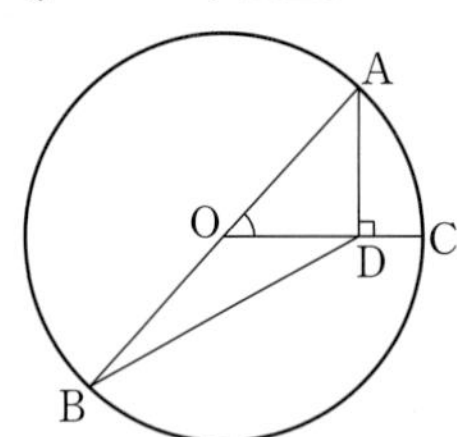

① $\dfrac{1}{3}$ ② $\dfrac{2}{3}$ ③ $\dfrac{3}{4}$
④ $\dfrac{3}{5}$ ⑤ $\dfrac{4}{5}$

▶ 해설 내신연계기출

0679 TOUGH

이차방정식 $x^2+x+a=0$의 두 근이 $3\sin\theta$, $\cos 2\theta$일 때, 상수 a의 값은?

① $-\dfrac{1}{4}$ ② $-\dfrac{1}{2}$ ③ $-\dfrac{3}{4}$
④ -1 ⑤ $-\dfrac{5}{4}$

유형 07 배각공식 : $\tan 2\theta$

$\tan(\alpha+\beta)=\dfrac{\tan\alpha+\tan\beta}{1-\tan\alpha\tan\beta}$ ⇨ $\tan 2\theta=\dfrac{2\tan\theta}{1-\tan^2\theta}$

0680 학교기출 대표 유형

오른쪽 그림과 같이 직선 $y=\frac{4}{3}x$ 와 x축의 양의 방향과 이루는 각의 이등분선을 직선 $y=mx$라 할 때, m의 값은?

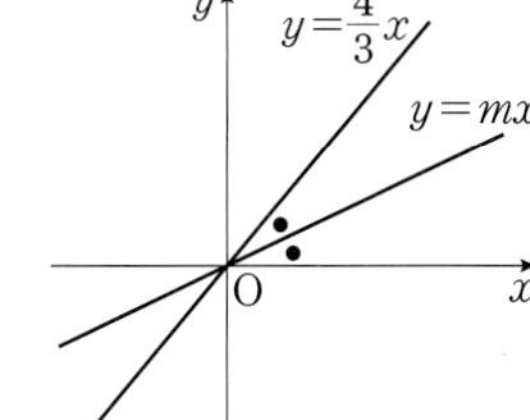

① $\frac{1}{4}$ ② $\frac{1}{3}$

③ $\frac{1}{2}$ ④ 1

⑤ $\frac{\sqrt{3}}{2}$

▶ 해설 내신연계기출

0681 NORMAL

좌표평면 위의 두 직선 $y=x+1$, $y=2x-1$이 이루는 예각의 크기를 θ라 할 때, $\tan 2\theta$의 값은?

① $\frac{1}{7}$ ② $\frac{2}{7}$ ③ $\frac{1}{4}$

④ $\frac{3}{4}$ ⑤ $\frac{5}{4}$

0682 TOUGH

오른쪽 그림과 같이 원 $x^2+y^2=4$ 위의 서로 다른 세 점 $\mathrm{A}(\sqrt{2}, -\sqrt{2})$, $\mathrm{B}\left(-\frac{8}{5}, -\frac{6}{5}\right)$, $\mathrm{P}(x, y)$에 대하여 $\angle\mathrm{APB}=\theta\left(0<\theta<\frac{\pi}{2}\right)$라 할 때, $\tan 2\theta$의 값은?

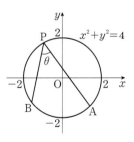

① -8 ② -7 ③ $-\frac{13}{2}$

④ -6 ⑤ $-\frac{11}{2}$

유형 08 삼각함수의 합성(교육과정 外)

삼각함수의 합성은 교육과정에서 삭제되었으나 일부 교과서(신사고 : 수학역량 플러스, 천재교육(이준열) : 예제, 지학사 : 교과역량 키우기)에서 소개하여 내신 대비용으로 수록합니다.
삼각함수의 덧셈정리를 이용하여 $a\sin\theta+b\cos\theta\,(a\neq0,\ b\neq0)$를 $r\sin(\theta+\alpha)\,(r>0)$꼴로 나타낸다.

$a\sin\theta+b\cos\theta=\sqrt{a^2+b^2}\sin(\theta+\alpha)$

$\left(\text{단, } \sin\alpha=\dfrac{b}{\sqrt{a^2+b^2}},\ \cos\alpha=\dfrac{a}{\sqrt{a^2+b^2}}\right)$

함수 $y=a\sin x+b\cos x$의 최댓값과 최솟값을 구할 때는 삼각함수의 합성을 이용한다.

유도 좌표평면 위의 점 $\mathrm{P}(a, b)$에 대하여 동경 OP가 x축의 양의 방향과 이루는 각의 크기를 α라고 하면

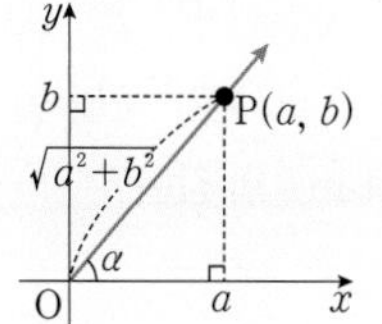

$\sin\alpha=\dfrac{b}{\sqrt{a^2+b^2}},\ \cos\alpha=\dfrac{a}{\sqrt{a^2+b^2}}$

이므로

$$a\sin\theta+b\cos\theta=\sqrt{a^2+b^2}\left(\frac{a}{\sqrt{a^2+b^2}}\sin\alpha+\frac{b}{\sqrt{a^2+b^2}}\cos\alpha\right)$$
$$=\sqrt{a^2+b^2}(\cos\alpha\sin\theta+\sin\alpha\cos\theta)$$
$$=\sqrt{a^2+b^2}\sin(\theta+\alpha)$$

예 $y=\sin\theta+\cos\theta=\sqrt{2}\sin\left(\theta+\frac{\pi}{4}\right)$

$y=\sin x+\sqrt{3}\cos x=2\sin\left(x+\frac{\pi}{3}\right)$

$y=4\sin x+3\cos x=5\sin(x+\alpha)\left(\text{단, } \sin\alpha=\frac{3}{5},\ \cos\alpha=\frac{4}{5}\right)$

0683 학교기출 대표 유형

함수 $f(x)=\sin x+\sqrt{7}\cos x-\sqrt{2}$의 최댓값은?

① $\sqrt{2}$ ② $\sqrt{3}$ ③ 2

④ $\sqrt{5}$ ⑤ $\sqrt{6}$

0684 최다빈출 왕중요 NORMAL

함수 $f(x)=2\cos\left(x-\frac{\pi}{3}\right)+2\sqrt{3}\sin x$의 최댓값은 a이다. a^2의 값은?

① 12 ② 16 ③ 20

④ 24 ⑤ 28

▶ 해설 내신연계기출

0685 NORMAL

오른쪽 그림과 같이 길이가 10인 선분 AB를 지름으로 하는 반원 위의 한 점 P에 대하여 $\angle\mathrm{PAB}$의 크기를 θ라 할 때, $3\overline{\mathrm{AP}}+4\overline{\mathrm{BP}}$의 최댓값은?

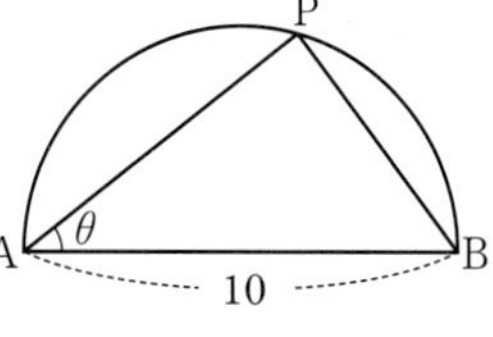

① 5 ② $5\sqrt{2}$ ③ 40

④ 50 ⑤ $50\sqrt{2}$

유형 09 삼각함수의 덧셈정리의 도형에의 활용

[1단계] 주어진 조건에서 각 α, β를 정하고 θ를 두 각 α, β의 합 또는 차로 나타낸다.

[2단계] 삼각함수의 덧셈정리를 이용한다.

$$\tan(\alpha-\beta)=\frac{\tan\alpha-\tan\beta}{1+\tan\alpha\tan\beta}$$

0686 학교기출 대표 유형

오른쪽 그림과 같이 $\angle B=\angle D=90°$인 두 직각삼각형 ABC, ADE에서 점 B는 변 AD 위에 있고,

$\overline{AB}=\overline{DE}=3$, $\overline{AD}=\overline{BC}=4$

이다. $\angle CAE=\theta$라 할 때, $48\tan\theta$의 값은?

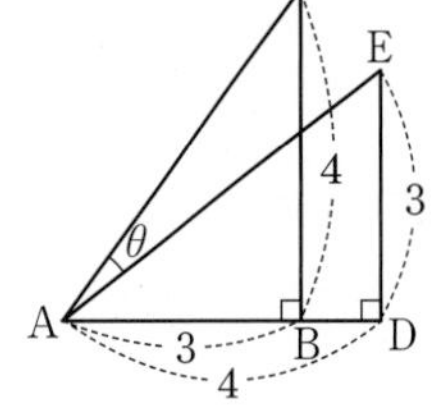

① 6 ② 7 ③ 9
④ 10 ⑤ 14

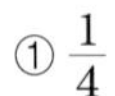

▶ 해설 내신연계기출

0687 BASIC

오른쪽 그림과 같이 $\angle C=90°$이고 $\overline{AC}=2\overline{BC}$인 직각삼각형 ABC가 있다. 선분 AC의 중점을 D, $\angle ABD$의 크기를 θ라고 할 때, $\tan\theta$의 값은?

① $\frac{1}{4}$ ② $\frac{1}{3}$
③ $\frac{1}{2}$ ④ $\frac{2}{3}$
⑤ 1

0688 최다빈출 왕중요 NORMAL

그림과 같이 x축 위의 두 점 B(2, 0), C(4, 0)이 y축 위의 점 P(0, 1)에 대하여 $\angle PBO=\beta$, $\angle PCO=\gamma$라 한다. 양의 x축 위의 점 A에 대하여 $\angle PAO=\alpha$라 할 때, $\alpha=\beta+\gamma$가 되는 점 A의 x좌표는?

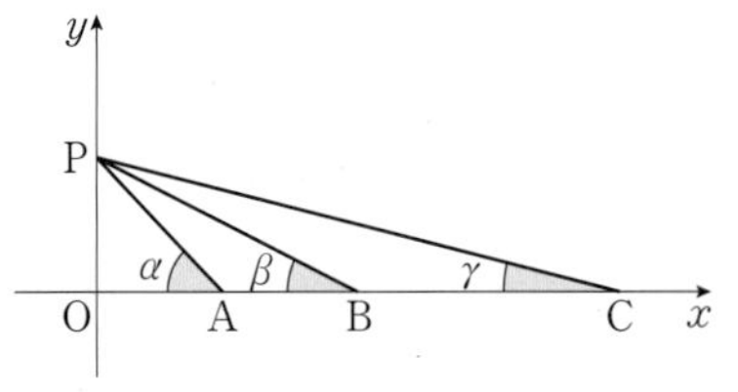

① $\frac{3}{4}$ ② 1 ③ $\frac{7}{6}$
④ $\frac{1}{2}$ ⑤ $\frac{3}{2}$

▶ 해설 내신연계기출

0689 최다빈출 왕중요 NORMAL

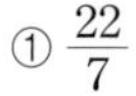

오른쪽 그림과 같이 선분 AB의 길이가 8, 선분 AD의 길이가 6인 직사각형 ABCD가 있다. 선분 AB를 1 : 3으로 내분하는 점을 E, 선분 AD의 중점을 F라 하자. $\angle EFC=\theta$라 할 때, $\tan\theta$의 값은?

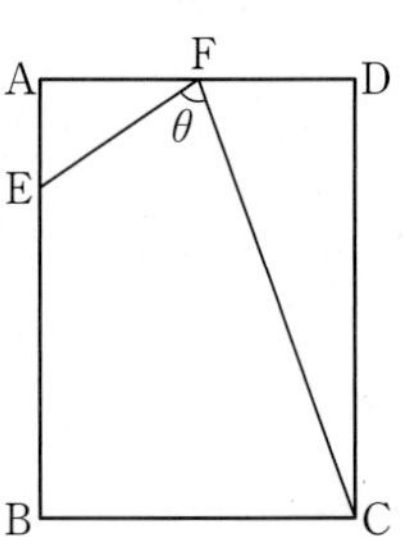

① $\frac{22}{7}$ ② $\frac{26}{7}$
③ $\frac{30}{7}$ ④ $\frac{34}{7}$
⑤ $\frac{38}{7}$

▶ 해설 내신연계기출

0690 최다빈출 왕중요 NORMAL

오른쪽 그림과 같이 지면 위에 두 지점 A, B가 있고 지면으로부터 3m 높이에 있는 지점 C에 감시 카메라가 설치되어 있다. 감시 카메라가 있는 지점 C에서 지면에 내린 수선의 발을 H라고 하면 세 지점 A, H, B는 이 순서대로 한 직선 위에 있고 두 지점 B, H 사이의 거리는 1m이다. $\angle ACB=\theta$라고 하면 $\tan\theta=2$일 때, 두 지점 A, B 사이의 거리는?

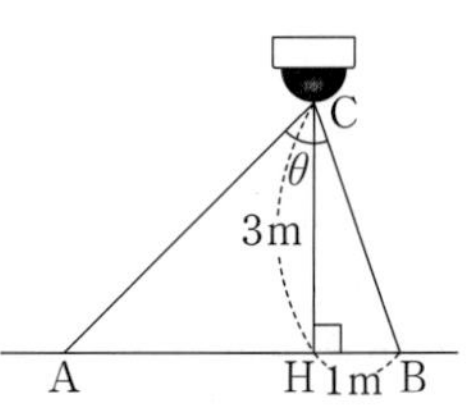

① 3m ② $\frac{7}{2}$m ③ 4m
④ $\frac{9}{2}$m ⑤ 5m

▶ 해설 내신연계기출

0691 TOUGH

오른쪽 그림과 같이 $\overline{AB}=2$이고 $\angle A=\frac{\pi}{2}$인 직각삼각형 ABC에 대하여 선분 BC를 6등분한 점을 점 B에 가까운 순서대로 P_1, P_2, P_3, P_4, P_5라 하고, $\angle P_1AP_2=\alpha$, $\angle P_5AC=\beta$라 하자. $2\tan\alpha=3\tan\beta$일 때, 삼각형 ABC의 넓이는 S이다. $9S^2$의 값은?

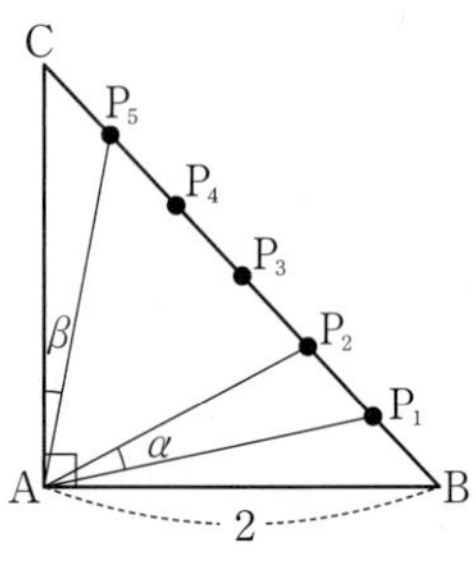

① 10 ② 20 ③ 30
④ 40 ⑤ 50

유형 10 산술평균 기하평균을 이용한 $\tan\theta$의 최댓값 구하기

[1단계] $\tan(\alpha-\beta)=\dfrac{\tan\alpha-\tan\beta}{1+\tan\alpha\tan\beta}$를 이용하여 $\tan\theta$값을 구한다.

[2단계] 산술 기하 평균을 이용하여 최댓값을 구한다.

참고 $a>0$, $b>0$, $a+b\ge 2\sqrt{ab}$ (단, 등호는 $a=b$)

속해법 오른쪽 직각삼각형 PCA에서

$\overline{AC}=a$, $\overline{BC}=b$

$\angle APB=\theta$라 할 때, θ가 최대가

되는 x는 $x=\sqrt{ab}$

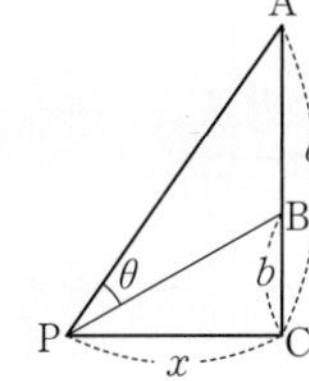

0692 학교기출 대표 유형

두 직선 $16x-my=0$, $4x-my=0$이 이루는 예각의 크기를 θ라 할 때, $\tan\theta$의 최댓값은? (단, $m>0$)

① $\dfrac{3}{4}$ ② 1 ③ $\dfrac{5}{4}$
④ $\dfrac{3}{2}$ ⑤ $\dfrac{7}{4}$

0693 최다빈출 왕 중요 NORMAL

오른쪽 그림과 같이 좌표평면 위의 세 점 $A(0, 1)$, $B(0, 4)$, $C(a, 0)$에 대하여 $\angle ACB=\theta$라 할 때, θ가 최대가 되는 a의 값은? (단, $a>0$)

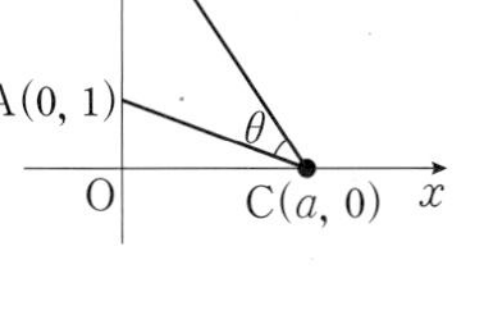

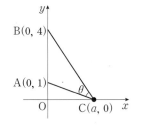

① 1 ② $\sqrt{2}$
③ $\sqrt{3}$ ④ 2
⑤ $\sqrt{6}$

▶ 해설 내신연계기출

0694 NORMAL

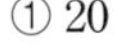

오른쪽 그림과 같이 x축 위의 두 점 $A(20, 0)$, $B(80, 0)$과 양의 y축 위의 점 $P(0, y)$에 대하여 $\angle APB=\theta$라고 할 때, $\tan\theta$의 값이 최대가 되는 점 P의 y좌표는?

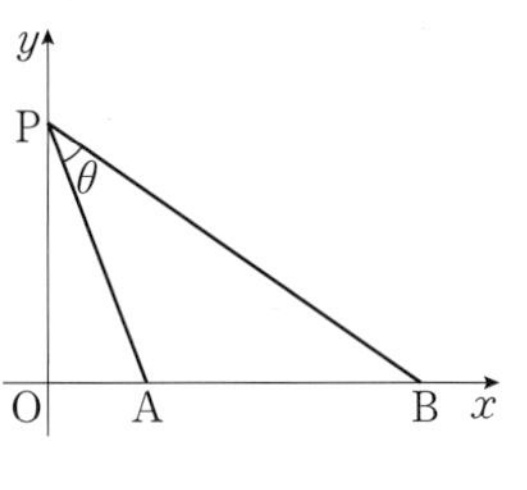

① 20 ② 40 ③ 60
④ 80 ⑤ 100

0695 TOUGH

그림과 같이 높이가 9m인 받침대 위에 높이가 16m인 동상이 세워져 있다. 지면 위의 점 P에 조명을 설치하여 야간에도 동상을 볼 수 있게 하려고 한다. $\angle APB=\theta$이고 점 P와 동상의 받침대 밑 부분 C 사이의 거리를 xm라고 하자. θ가 최대일 때, x와 그때의 $\tan\theta$에 대하여 $x\tan\theta$의 값은?

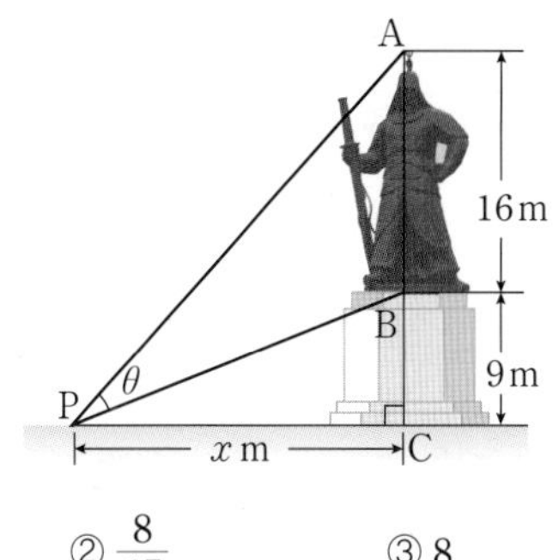

① $\dfrac{2}{15}$ ② $\dfrac{8}{15}$ ③ 8
④ 15 ⑤ $\dfrac{15}{8}$

0696 최다빈출 왕 중요 TOUGH

오른쪽 그림과 같이 높이가 8m인 받침대 위에 높이가 10m인 동상이 세워져 있다. 지면 위의 점 P에 조명을 설치하여 야간에도 동상을 볼 수 있게 하려고 한다. $\angle APB=\theta$라고 할 때, θ가 최대가 되는 점 P와 동상의 받침대 밑부분 C 사이의 거리 x는? (단위는 m)

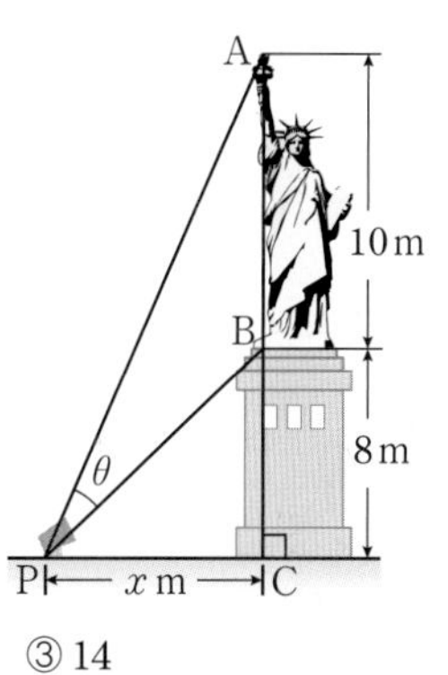

① 10 ② 12 ③ 14
④ 16 ⑤ 18

▶ 해설 내신연계기출

0697 최다빈출 왕 중요 TOUGH

오른쪽 그림과 같이 P지점에서 높이가 36m인 건물을 올려다보니 다른 건물에 가려서 A지점에서 B지점까지 20m의 부분만 보였다. 두 지점 A, B를 바라본 시선의 사잇각의 크기를 θ라고 할 때, $\tan\theta$의 최댓값은? (단, 눈높이는 생각하지 않는다.)

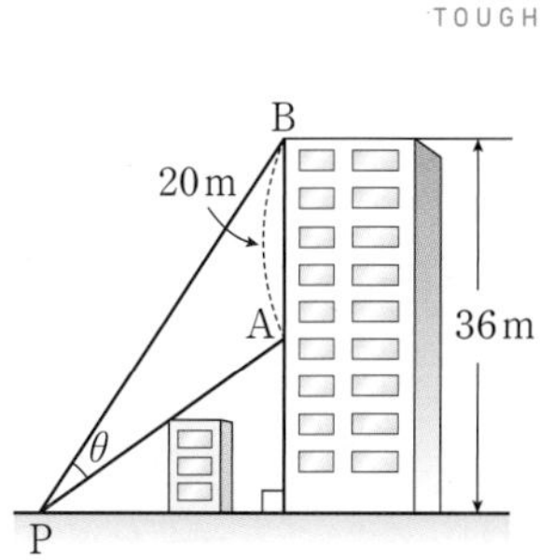

① $\dfrac{5}{12}$ ② $\dfrac{7}{12}$ ③ $\dfrac{3}{4}$
④ 1 ⑤ $\dfrac{3}{2}$

▶ 해설 내신연계기출

03 삼각함수의 덧셈정리

04 학교내신기출 객관식 핵심문제총정리 삼각함수의 극한

STEP 1 내신정복 기출유형

유형 01 삼각함수의 극한

모든 실수 a에 대하여 삼각함수 $y=\sin x$, $y=\cos x$, $y=\tan x$의 극한은 다음과 같다.

① $\lim_{x \to a} \sin x = \sin a$

② $\lim_{x \to a} \cos x = \cos a$

③ $\lim_{x \to a} \tan x = \tan a$ $\left(단, a \neq n\pi + \frac{\pi}{2}, n은 정수\right)$

0698 

학교기출 대표 유형

다음 중 극한값이 존재하는 것은?

① $\lim_{x \to \frac{\pi}{2}} \tan x$ ② $\lim_{x \to 0} \frac{\cos x}{x}$ ③ $\lim_{x \to 1} \frac{1}{x-1}$

④ $\lim_{x \to 0} \frac{2+\tan x}{\cos x}$ ⑤ $\lim_{x \to 1+} \log_2 (x-1)$

0699

BASIC

$\lim_{x \to 0} \frac{2\sin x - \sin 2x}{3\sin^2 x}$의 값은?

① 0 ② 2 ③ 3

④ 4 ⑤ 5

0700

최다빈출 왕중요 BASIC

$\lim_{x \to 0} \frac{\sin^2 x}{1-\cos x}$의 값은?

① 1 ② 2 ③ 3

④ 4 ⑤ 5

▶ 해설 내신연계기출

0701

BASIC

$\lim_{x \to 0} \frac{\sin^2 x}{\cos x - \cos^2 x}$의 값은?

① 0 ② 2 ③ 3

④ 4 ⑤ 5

0702

최다빈출 왕중요 NORMAL

$\lim_{x \to \frac{\pi}{4}} \frac{\sin x - \cos x}{1-\tan^2 x}$의 값은?

① $-\frac{\sqrt{2}}{2}$ ② $-\frac{\sqrt{2}}{4}$ ③ $-\sqrt{2}$

④ -1 ⑤ $\sqrt{2}$

▶ 해설 내신연계기출

0703

NORMAL

다음 극한값이 옳지 않은 것은?

① $\lim_{x \to 0} \frac{\cos^2 x}{1-\sin x} = 1$

② $\lim_{x \to \frac{\pi}{4}} \frac{1-\tan x}{\sin x - \cos x} = -\sqrt{2}$

③ $\lim_{x \to 0} x \cos \frac{1}{x} = 0$

④ $\lim_{x \to 0} x^2 \sin \frac{1}{x} = 0$

⑤ $\lim_{x \to 0} \frac{1-\cos x}{\sin^2 x} = 1$

유형 02 삼각함수를 포함한 함수의 극한

x의 단위가 라디안일 때, 다음이 성립한다.

① $\lim_{x\to0}\frac{\sin x}{x}=1$　　② $\lim_{x\to0}\frac{\tan x}{x}=1$

● $\lim_{x\to0}\frac{\cos x}{x}$는 발산한다. 즉, 극한값이 없다.

● $\lim_{x\to0}\frac{x}{\cos x}=\frac{0}{1}=0$

$\lim_{x\to0}\frac{\sin ax}{bx}=\lim_{x\to0}\frac{\tan ax}{bx}=\lim_{x\to0}\frac{\sin ax}{\tan bx}=\frac{a}{b}$ (단, $b\neq0$)

참고 $\lim_{x\to0}\frac{\sin x}{x}=\lim_{x\to0}\frac{\tan x}{x}=1$은

$x\to0$일 때, $\sin x\to x$, $\tan x\to x$로 한없이 가까워진다는 의미이다.

0704 학교기출 대표 유형

$\lim_{x\to0}\frac{\sin 2x\tan x}{x^2}$의 값은?

① 1　② 2　③ 3
④ 4　⑤ 5

0705 BASIC

$\lim_{x\to0}\frac{6xe^x}{\tan 2x}$의 값은?

① 1　② 2　③ 3
④ 4　⑤ 5

0706 BASIC

함수 $f(x)=x^2+x$에 대하여 $\lim_{x\to0}\frac{f(\sin x)}{x}$의 값은?

① 0　② $\frac{1}{2}$　③ 1
④ 2　⑤ 4

0707 BASIC

다음 조건을 만족하는 극한값을 a, b, c라 할 때, $a+b+c$의 값은?

(가) $\lim_{x\to0}\frac{\sin 3x\tan 2x}{x\sin 3x}=a$

(나) $\lim_{x\to0}\frac{\sin(\sin x)}{\sin x}=b$

(다) $\lim_{x\to\infty}x\tan\frac{1}{x}=c$

① $\frac{5}{3}$　② $\frac{8}{5}$　③ 2
④ $\frac{11}{3}$　⑤ 4

0708 최다빈출 왕중요 NORMAL

$\lim_{x\to0}\frac{x(\sin 3x+\sin x)}{\sec^2 x-1}$의 값은?

① 3　② 4　③ 5
④ 6　⑤ 7

▶ 해설 내신연계기출

0709 NORMAL

$\lim_{x\to0}(1+x)^{\frac{1}{x}}=e$를 이용하여 $\lim_{x\to0}(\cos 2x)^{\frac{2}{x^2}}$의 값은?

① e^{-1}　② e^{-2}　③ e^{-3}
④ e^{-4}　⑤ e^{-6}

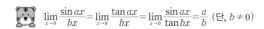

0710

NORMAL

다음 조건을 만족하는 극한값을 a, b라 할 때, $b-a$의 값은?

(가) $\lim_{x\to0+}(\log_2\sin x-\log_2\sqrt{2}x)=a$

(나) $\lim_{x\to0}\frac{\sin(\tan x)}{\sin 2x}=b$

① -1 ② $-\frac{1}{2}$ ③ $\frac{1}{4}$
④ $\frac{1}{2}$ ⑤ 1

0711

NORMAL

다음 조건을 만족하는 극한값을 a, b라 할 때, $a+b$의 값은?

(가) $\lim_{x\to0}\frac{3x+\tan x}{x}=a$

(나) $\lim_{x\to0}\frac{\tan 3x}{2x+\sin x}=b$

① 1 ② 2 ③ 3
④ 4 ⑤ 5

0712 최다빈출 왕중요

NORMAL

자연수 n에 대하여

$$\lim_{x\to0}\frac{x}{\sin x+\sin 2x+\sin 3x+\cdots+\sin nx}=\frac{1}{45}$$

일 때, n의 값은?

① 6 ② 7 ③ 8
④ 9 ⑤ 10

▶ 해설 내신연계기출

0713 최다빈출 왕중요

TOUGH

자연수 n에 대하여 함수 $f(n)$이

$$f(n)=\lim_{x\to0}\frac{\sin x+\sin 2x+\cdots+\sin nx}{x}$$

와 같이 정의될 때, $\sum_{n=1}^{\infty}\frac{1}{f(n)}$의 값은?

① $\frac{1}{2}$ ② $\frac{3}{4}$ ③ 1
④ 2 ⑤ $\frac{5}{2}$

▶ 해설 내신연계기출

0714 최다빈출 왕중요

TOUGH

양의 정수 n에 대하여

$$f(n)=\lim_{x\to0}\frac{x}{\tan x+\tan 2x+\tan 3x+\cdots+\tan nx}$$

라고 할 때, $\sum_{n=1}^{\infty}f(n)$의 값은?

① $\frac{3}{4}$ ② 1 ③ $\frac{20}{11}$
④ 2 ⑤ 4

▶ 해설 내신연계기출

0715 최다빈출 왕중요

TOUGH

$\lim_{\theta\to0}\frac{\sin\theta\tan\theta+\sin 2\theta\tan 2\theta+\cdots+\sin 20\theta\tan 20\theta}{\theta^2}$의 값은?

① 386 ② 440 ③ 1560
④ 2870 ⑤ 5050

▶ 해설 내신연계기출

유형 03 $\lim_{x\to0}\frac{\sin f(x)}{g(x)}$, $\lim_{x\to0}\frac{\tan f(x)}{g(x)}$ 꼴의 극한

① 삼각함수를 포함한 함수의 극한

$\lim_{●\to0}\frac{\sin●}{●}$, $\lim_{■\to0}\frac{\tan■}{■}$ 꼴로 변형한다.

② $x\to0$일 때, $f(x)\to0$, $g(x)\to0$이면

$\lim_{x\to0}\frac{\sin f(x)}{g(x)}=\lim_{x\to0}\frac{\sin f(x)}{f(x)}\cdot\frac{f(x)}{g(x)}$ 꼴로 변형하여 극한값을 구한다.

0716 학교기출 대표 유형

$\lim_{x\to0}\frac{\sin(5x^2+2x)}{x^2-4x}$의 값은?

① -1 ② $-\frac{1}{2}$ ③ 0
④ $\frac{1}{2}$ ⑤ 5

0717 NORMAL

$\lim_{x\to0}\frac{\tan(3x^3-5x^2+4x)}{2x^3+x^2-2x}$의 값은?

① -5 ② -2 ③ $\frac{3}{2}$
④ 2 ⑤ 3

0718 TOUGH

다음 조건을 만족하는 극한값을 a, b, c, d라 할 때, $a+b+c+d$의 값은?

(가) $\lim_{x\to0}\frac{\sin x+\tan 2x}{x}=a$

(나) $\lim_{x\to0}\frac{x+2\sin x}{x-2\sin x}=b$

(다) $\lim_{x\to0}\frac{\sin(\tan 2x)}{x}=c$

(라) $\lim_{x\to0}\frac{\sin(2x^2+x)}{x}=d$

① -3 ② $\frac{1}{4}$ ③ 1
④ 3 ⑤ 2

유형 04 $\lim_{x\to0}(1-\cos kx)$꼴의 극한

$1-\cos kx$꼴이 포함된 극한값을 구할 때는 분모, 분자에 $1+\cos kx$를 곱한 다음 $1-\cos^2 kx=\sin^2 kx$임을 이용한다.
다음을 공식으로 암기한다.

① $\lim_{x\to0}\frac{1-\cos x}{x}=0$

② $\lim_{x\to0}\frac{1-\cos x}{x^2}=\frac{1}{2}$

③ $\lim_{x\to0}\frac{1-\cos ax}{x^2}=\frac{a^2}{2}$

④ $\lim_{x\to0}\frac{1-\cos ax}{x\sin x}=\frac{a^2}{2}$

⑤ $\lim_{\theta\to0}\frac{\tan\theta-\sin\theta}{\theta^3}=\frac{1}{2}$

참고 $1-\cos x=2\sin^2\frac{x}{2}$이므로

$$\lim_{x\to0}\frac{1-\cos x}{x^2}=\lim_{x\to0}\frac{2\sin^2\frac{x}{2}}{x^2}=\lim_{x\to0}2\left(\frac{\sin\frac{x}{2}}{x}\right)^2=2\cdot\left(\frac{1}{2}\right)^2=\frac{1}{2}$$

0719 학교기출 대표 유형

$\lim_{x\to0}\frac{1-\cos 4x}{x^2}$의 값은?

① $\frac{1}{4}$ ② $\frac{1}{2}$ ③ 1
④ 4 ⑤ 8

0720 BASIC

$\lim_{x\to0}\frac{1-\cos 2x}{x\sin x}$의 값은?

① -2 ② $-\frac{1}{2}$ ③ $\frac{1}{2}$
④ 1 ⑤ 2

0721 최다빈출 왕중요

NORMAL

다음 조건을 만족하는 극한값을 a, b라 할 때, $\frac{a}{b}$의 값은?

(가) $\lim_{x \to 0} \frac{1-\cos x}{x \sin x} = a$

(나) $\lim_{x \to 0} \frac{1-\cos x}{x \tan 5x} = b$

① $\frac{1}{10}$ ② $\frac{1}{5}$ ③ $\frac{1}{2}$
④ 2 ⑤ 5

▶ 해설 내신연계기출

0722 최다빈출 왕중요

NORMAL

두 함수

$$f(x)=3x,\ g(x)=1-\cos x$$

에 대하여 $\lim_{x \to 0} \frac{f(g(x))}{g(f(x))}$의 값은?

① $\frac{1}{3}$ ② $\frac{2}{3}$ ③ 1
④ 2 ⑤ 3

▶ 해설 내신연계기출

0723 최다빈출 왕중요

NORMAL

자연수 k에 대하여

$$f(k)=\lim_{x \to 0} \frac{1-\cos kx}{x^2}$$

일 때, $2\sum_{k=1}^{10} f(k)$의 값은?

① 110 ② 220 ③ 385
④ 440 ⑤ 550

▶ 해설 내신연계기출

0724

NORMAL

함수 $f(k)=\lim_{x \to 0} \frac{1-\sec kx}{x^2}$에 대하여 $\sum_{k=1}^{11} f(k)$의 값은?

① -440 ② -385 ③ -253
④ -220 ⑤ -70

0725

NORMAL

$\lim_{x \to 0} \frac{\cos x - \cos 3x}{x^2}$의 값은?

① 1 ② 2 ③ 3
④ 4 ⑤ 5

0726 최다빈출 왕중요

NORMAL

$\lim_{x \to 0} \frac{\sin x - \tan x}{x^3}$의 값은?

① -1 ② $-\frac{1}{2}$ ③ $\frac{1}{2}$
④ 1 ⑤ 2

▶ 해설 내신연계기출

0727

TOUGH

$\lim_{x \to 0} \frac{\tan x - \sin x}{x^n}$의 값을 갖게 하는 모든 자연수 n의 값의 합은?

① 1 ② 3 ③ 6
④ 9 ⑤ 10

0728

TOUGH

$\lim_{\theta \to 0} \frac{\sec 2\theta - 1}{\sec \theta - 1}$의 값은?

① 2 ② 4 ③ 6
④ 8 ⑤ 10

0729

최다빈출 왕중요

TOUGH

$f(\theta) = \sum_{n=1}^{\infty} \cos^n \theta$일 때,

$$\lim_{\theta \to 0+} \theta^2 f(\theta)$$

의 값은? (단, $0 < \theta < \pi$)

① -2 ② -1 ③ $-\frac{1}{2}$
④ 1 ⑤ 2

▶ 해설 내신연계기출

유형 05 $x \to \infty$일 때의 삼각함수의 극한

$\frac{1}{x} = t$로 치환하면 $x \to \infty$일 때, $t \to 0$이므로 다음이 성립한다.

① $\lim_{x \to \infty} x \sin \frac{1}{x} = \lim_{t \to 0} \frac{\sin t}{t} = 1$

② $\lim_{x \to \infty} x \tan \frac{1}{x} = \lim_{t \to 0} \frac{\tan t}{t} = 1$

참고 $\lim_{x \to 0} x \sin \frac{1}{x} = 0$

0730

학교기출 대표 유형

다음 중 극한값이 존재하지 않는 것은?

① $\lim_{x \to \infty} \frac{\sin x}{x}$ ② $\lim_{x \to \infty} x \sin \frac{1}{x}$ ③ $\lim_{x \to \infty} x \tan \frac{1}{x}$
④ $\lim_{x \to 0} x \sin \frac{1}{x}$ ⑤ $\lim_{x \to \infty} x \sin x$

0731

BASIC

다음 중 옳지 않은 것은?

① $\lim_{x \to 0} \frac{1}{x} \sin x = 1$

② $\lim_{x \to \infty} x \sin \frac{2}{x} = 2$

③ $\lim_{x \to \infty} \frac{1}{x} \sin x = 0$

④ $\lim_{x \to 0} x \sin \frac{1}{x} = 1$

⑤ $\lim_{x \to 0} \sin x \cos \frac{1}{x} = 0$

0732

NORMAL

다음은 극한값을 계산한 것이다. [보기]에서 옳은 것을 고른 것은?

ㄱ. $\lim_{x \to 0} \frac{1}{x} \tan x = 1$

ㄴ. $\lim_{x \to \infty} x \sin \frac{5}{x} = 5$

ㄷ. $\lim_{x \to 0} \frac{e^{2x} - 1}{\tan x} = e^2$

ㄹ. $\lim_{x \to 0} \frac{2^x - 1}{\sin 2x} = \ln \sqrt{2}$

① ㄱ, ㄴ ② ㄱ, ㄷ ③ ㄱ, ㄹ
④ ㄴ, ㄷ ⑤ ㄱ, ㄴ, ㄹ

04 삼각함수의 극한

유형 06 치환을 이용한 삼각함수의 극한

$\lim_{x\to a}\frac{\sin(x-a)}{x-a}$, $\lim_{x\to a}\frac{\tan(x-a)}{x-a}$ 꼴의 극한값을 구할 때는

$x-a=t$로 놓으면 $x\to a$일 때, $t\to 0$이므로

① $\lim_{x\to a}\frac{\sin(x-a)}{x-a}=\lim_{t\to 0}\frac{\sin t}{t}=1$

② $\lim_{x\to a}\frac{\tan(x-a)}{x-a}=\lim_{t\to 0}\frac{\tan t}{t}=1$

0733 학교기출 대표 유형

다음 조건을 만족하는 a, b에 대하여 ab의 값은?

(가) $\lim_{x\to\pi}\frac{\sin x}{x-\pi}=a$

(나) $\lim_{x\to\frac{\pi}{2}}\frac{\cos x}{x-\frac{\pi}{2}}=b$

① -2 ② -1 ③ 0
④ 1 ⑤ 2

0734 최다빈출 왕중요 NORMAL

다음 조건을 만족하는 a, b, c에 대하여 $a+b+c$의 값은?

(가) $\lim_{x\to\pi}\frac{\sin 3x}{\pi-x}=a$

(나) $\lim_{x\to\frac{\pi}{2}}\frac{\sin 2x}{\frac{\pi}{2}-x}=b$

(다) $\lim_{x\to\pi}\frac{\tan 3x}{x-\pi}=c$

① 5 ② 6 ③ 7
④ 8 ⑤ 9

▶ 해설 내신연계기출

0735 최다빈출 왕중요 NORMAL

$\lim_{x\to\frac{\pi}{2}}\frac{1-\sin x}{\left(\frac{\pi}{2}-x\right)\cos x}$의 값은?

① $\frac{1}{16}$ ② $\frac{1}{8}$ ③ $\frac{1}{4}$
④ $\frac{1}{2}$ ⑤ 1

▶ 해설 내신연계기출

0736 최다빈출 왕중요 NORMAL

다음 조건을 만족하는 a, b, c에 대하여 $a+b+c$의 값은?

(가) $\lim_{x\to\frac{\pi}{2}}\frac{\sin 2x}{\frac{\pi}{2}-x}=a$

(나) $\lim_{x\to\pi}\frac{1+\cos x}{(x-\pi)\sin x}=b$

(다) $\lim_{x\to\frac{\pi}{2}}\left(x-\frac{\pi}{2}\right)\tan x=c$

① $-\frac{1}{2}$ ② -1 ③ $\frac{1}{2}$
④ 1 ⑤ 3

▶ 해설 내신연계기출

0737 최다빈출 왕중요 TOUGH

다음 조건을 만족하는 a, b, c에 대하여 abc의 값은?

(가) $\lim_{x\to 0}\frac{1-\cos 2x}{x^2}=a$

(나) $\lim_{x\to\frac{\pi}{2}}\frac{1-\sin x}{\left(x-\frac{\pi}{2}\right)^2}=b$

(다) $\lim_{x\to\frac{\pi}{2}}(\pi-2x)\tan x=c$

① 0 ② 1 ③ 2
④ 3 ⑤ 4

▶ 해설 내신연계기출

0738 최다빈출 왕중요 TOUGH

다음 중 A, B, C, D의 대소 관계로 옳은 것은?

$A=\lim_{x\to 0}\frac{1-\cos x}{x\tan 2x}$ $B=\lim_{x\to\frac{\pi}{4}}\left(2x-\frac{\pi}{2}\right)\tan 2x$

$C=\lim_{x\to\frac{\pi}{3}}\frac{\pi-3x}{\sin\left(x-\frac{\pi}{3}\right)}$ $D=\lim_{x\to\frac{\pi}{4}}\frac{\sin x-\cos x}{x-\frac{\pi}{4}}$

① A < D < B < C ② B < C < A < D
③ C < B < A < D ④ D < C < A < B
⑤ D < C < B < A

▶ 해설 내신연계기출

유형 07 지수함수 로그함수와 삼각함수의 극한(1)

지수함수, 로그함수와 삼각함수를 포함한 극한은 다음의 성질을 이용하여 구한다.

① $\lim_{x\to 0}\frac{\ln(1+x)}{x}=1 \Rightarrow \lim_{x\to 0}\frac{\ln(1+bx)}{ax}=\frac{b}{a}$

② $\lim_{x\to 0}\frac{e^x-1}{x}=1 \quad \Rightarrow \lim_{x\to 0}\frac{e^{bx}-1}{ax}=\frac{b}{a}$

③ $\lim_{x\to 0}\frac{\sin x}{x}=1,\ \lim_{x\to 0}\frac{\tan x}{x}=1$

$\Rightarrow \lim_{x\to 0}\frac{\sin ax}{bx}=\lim_{x\to 0}\frac{\tan ax}{bx}=\lim_{x\to 0}\frac{\sin ax}{\tan bx}=\frac{a}{b}$ (단, $b\neq 0$)

두 함수 $f(x)$, $g(x)$가 각각 x, $\sin x$, $\tan x$, $\ln(1+x)$, e^x-1 중 하나일 때, $\lim_{x\to 0}\frac{f(x)}{g(x)}=1$, $\lim_{x\to 0}\frac{f(ax)}{g(bx)}=\frac{a}{b}(a\neq 0)$

0739 학교기출 대표 유형

$\lim_{x\to 0}\frac{\tan kx}{e^{2x}-1}=2$일 때, 상수 k의 값은?

① $\frac{1}{2}$ ② 0 ③ 1
④ 2 ⑤ 4

0740 최다빈출 왕중요 BASIC

$\lim_{x\to 0}\frac{a^x-1}{\sin ax}=\frac{3}{a}$이 성립하도록 하는 양수 a의 값은?

① e ② $2e$ ③ e^2
④ $2e^2$ ⑤ e^3

▶ 해설 내신연계기출

0741 최다빈출 왕중요 BASIC

$\lim_{x\to 0}\frac{1-\cos 4x}{x\ln(1+2x)}$의 값은?

① 2 ② 3 ③ 4
④ 6 ⑤ 8

▶ 해설 내신연계기출

0742 NORMAL

$\lim_{x\to 0}\frac{x\ln(1+ax)}{1-\cos 3x}=\frac{1}{3}$을 만족시키는 상수 a의 값은?

① 3 ② $\frac{3}{2}$ ③ 1
④ $\frac{2}{3}$ ⑤ $\frac{1}{3}$

0743 NORMAL

함수

$$f(x)=\begin{cases}\dfrac{ax}{e^{3x}-1} & (x>0)\\ \dfrac{2\tan x}{9x+\sin x} & (x<0)\end{cases}$$

에 대하여 극한값 $\lim_{x\to 0}f(x)$가 존재할 때, 실수 a의 값은?

① $-\frac{3}{5}$ ② $-\frac{2}{9}$ ③ $\frac{1}{15}$
④ $\frac{2}{9}$ ⑤ $\frac{3}{5}$

0744 NORMAL

$\lim_{x\to 0}\frac{e^{\sin x}-1}{\tan x}+\lim_{x\to\infty}\left(1+\frac{\sin x}{x}\right)^{\frac{3x}{\sin x}}$의 값은?

① $\frac{1}{e^3}$ ② $1-\frac{1}{e^3}$ ③ $1+e$
④ e^3 ⑤ $1+e^3$

0745 최다빈출 왕중요 TOUGH

$\lim_{x\to 0}\frac{e^{1-\sin x}-e^{1-\tan x}}{\tan x-\sin x}$의 값은?

① $\frac{1}{e}$ ② $\frac{2}{e}$ ③ 1
④ e ⑤ $2e$

▶ 해설 내신연계기출

유형 08 지수함수 로그함수와 삼각함수의 극한(2)

지수함수, 로그함수와 삼각함수를 포함한 극한은 다음의 성질을 이용하여 구한다.

① $\lim_{x\to0}\frac{\ln(1+x)}{x}=1 \Rightarrow \lim_{x\to0}\frac{\ln(1+bx)}{ax}=\frac{b}{a}$

② $\lim_{x\to0}\frac{e^x-1}{x}=1 \Rightarrow \lim_{x\to0}\frac{e^{bx}-1}{ax}=\frac{b}{a}$

③ $\lim_{x\to0}\frac{\sin x}{x}=1,\ \lim_{x\to0}\frac{\tan x}{x}=1$

$\Rightarrow \lim_{x\to0}\frac{\sin ax}{bx}=\lim_{x\to0}\frac{\tan ax}{bx}=\lim_{x\to0}\frac{\sin ax}{\tan bx}=\frac{a}{b}$ (단, $b\neq0$)

④ $\lim_{x\to0}\frac{1-\cos ax}{x^2}=\frac{a^2}{2}$

0746 학교기출 대표 유형

다음 조건을 만족하는 상수 a, b, c에 대하여 $a+b+c$의 값은? (단, $b>0$)

a	$\lim_{x\to0}\frac{\sin ax}{2x}=4$
b	함수 $f(x)=\sin bx$의 주기는 $\frac{2}{7}\pi$이다.
c	$\lim_{x\to0}\frac{70x}{e^{cx}-1}=14$

① 15 ② 20 ③ 25
④ 30 ⑤ 35

0747 NORMAL

다음 조건을 만족하는 a, b, c에 대하여 $a+b+c$의 값은?

(가) $\lim_{x\to0}\frac{e^{2x}-1}{\tan x}=a$

(나) $\lim_{x\to0}\frac{\tan x}{xe^x}=b$

(다) $\lim_{x\to0}\frac{e^{2x^2}-1}{\tan x\sin 2x}=c$

① 0 ② 1 ③ 2
④ 3 ⑤ 4

0748 최다빈출 왕중요 NORMAL

다음 [보기]의 함수 중 $\lim_{x\to0}\frac{f(x)}{e^x-1}$의 값이 존재하는 것은?

ㄱ. $f(x)=3x$
ㄴ. $f(x)=2^x-1$
ㄷ. $f(x)=1-\cos x$

① ㄱ ② ㄴ ③ ㄷ
④ ㄴ, ㄷ ⑤ ㄱ, ㄴ, ㄷ

▶ 해설 내신연계기출

0749 최다빈출 왕중요 NORMAL

다음 조건을 만족하는 a, b, c에 대하여 $a+b+c$의 값은?

(가) $\lim_{x\to0}\frac{e^x-1}{\sin\frac{1}{3}x}=a$

(나) $\lim_{x\to0}\frac{e^{4x}-1}{\sin 2x}=b$

(다) $\lim_{x\to0}\frac{x(e^x-1)}{1-\cos x}=c$

① 3 ② 4 ③ 5
④ 6 ⑤ 7

▶ 해설 내신연계기출

0750 NORMAL

다음 극한값이 옳지 않은 것은?

① $\lim_{x\to0}\frac{1-\cos 4x}{x^2}=8$

② $\lim_{x\to0}\frac{e^{6x}-1}{\ln(1+3x)}=2$

③ $\lim_{x\to0}\frac{x+\tan x}{\sin x}=2$

④ $\lim_{x\to0}\frac{\log_2(1+x)}{2^x-1}=(\ln 2)^2$

⑤ $\lim_{x\to0}\frac{x\sin x}{1-\cos x}=2$

0751 NORMAL

다음 극한값이 가장 큰 것은?

① $\lim_{x\to0}\frac{e^{2x}-1}{\sin x}$

② $\lim_{x\to0}\frac{\ln\left(1+\frac{x}{2}\right)}{\tan x}$

③ $\lim_{x\to0}\frac{x\ln(1+2x)}{1-\cos x}$

④ $\lim_{x\to0}\frac{\cos 4x-\cos x}{3x^2}$

⑤ $\lim_{x\to0}\frac{1-\cos 2x}{(e^{2x}-1)\ln(1+2x)}$

0752 최다빈출 왕 중요 NORMAL

다음 극한값이 가장 큰 것은?

① $\lim_{x\to0}\frac{e^{3x}-1}{x^2+x}$

② $\lim_{x\to0}\frac{e^{4x}-1}{\ln(1+2x)}$

③ $\lim_{x\to0}\frac{\sin(3x^2+2x)}{x}$

④ $\lim_{x\to0}\frac{1-\cos3x}{x\ln(1+x)}$

⑤ $\lim_{x\to0}\frac{x(e^{3x}-1)}{1-\cos x}$

▶ 해설 내신연계기출

0753 TOUGH

다음 중 옳지 않은 것은?

① $\lim_{x\to0}\frac{1-\cos^2x}{x\ln(1+x)}=1$

② $\lim_{x\to0}\frac{1-\cos x}{x\log_2(x+1)}=\frac{1}{2}\ln2$

③ $\lim_{x\to0}\frac{e^x-\cos x}{\ln(1+x)}=1$

④ $\lim_{x\to\infty}x\tan\frac{1}{3x}=\frac{1}{3}$

⑤ $\lim_{x\to0}\frac{\sin x-\tan x}{x^3}=\frac{1}{2}$

0754 TOUGH

함수 $f(x)=\sin x$, $g(x)=e^x$에 대하여 [보기]에서 옳은 것만을 있는 대로 고른 것은? (단, e는 자연로그의 밑이다.)

ㄱ. $\lim_{x\to0}\frac{f(f(x))}{x}=1$

ㄴ. $\lim_{x\to0}\frac{g(x)-f\left(\frac{\pi}{2}\right)}{f(x)}=1$

ㄷ. $\lim_{x\to0}\frac{g(0)-f'(x)}{x^2}=1$

① ㄱ ② ㄷ ③ ㄱ, ㄴ
④ ㄴ, ㄷ ⑤ ㄱ, ㄴ, ㄷ

유형 09 함수의 극한의 성질의 활용

$\lim_{x\to a}f(x)=\alpha$, $\lim_{x\to a}g(x)=\beta$(α, β는 실수)일 때,

$\lim_{x\to a}f(x)g(x)=\lim_{x\to a}f(x)\cdot\lim_{x\to a}g(x)=\alpha\beta$

0755 학교기출 대표 유형

$\lim_{x\to0}\frac{f(x)}{\ln(1-2x)}=2$를 만족시키는 함수 $f(x)$에 대하여 $\lim_{x\to0}\frac{f(x)}{\sin4x}$의 값은?

① -1 ② $-\frac{4}{3}$ ③ $-\frac{2}{3}$
④ $\frac{2}{3}$ ⑤ 1

0756 BASIC

연속함수 $f(x)$에 대하여 $\lim_{x\to0}\frac{f(x)}{\ln(1+3x)}=\frac{1}{6}$일 때, $\lim_{x\to0}\frac{\sin2x}{f(x)}$의 값은?

① 2 ② 3 ③ 4
④ 6 ⑤ 9

0757 최다빈출 왕 중요 NORMAL

다항함수 $f(x)$에 대하여

$$\lim_{x\to\infty}f(x)\left(\frac{4}{x}-\sin\frac{2}{x}\right)=8$$

일 때, $\lim_{x\to\infty}\frac{f(x)}{x}$의 값은?

① 1 ② 2 ③ 4
④ 8 ⑤ 16

▶ 해설 내신연계기출

04 삼각함수의 극한

0758 최다빈출 왕중요 NORMAL

함수 $f(x)$가 $\lim_{x\to0}\frac{f(x)}{\ln(1+x)}=1$을 만족시킬 때, 다음 [보기] 중 항상 옳은 것을 모두 고른 것은?

ㄱ. $\lim_{x\to0}\frac{\sin x}{f(x)}=0$
ㄴ. $\lim_{x\to0}\frac{f(x)+x}{\ln(1+x)}=2$
ㄷ. $\lim_{x\to0}\frac{\{f(x)\}^2}{\ln(1+x)}=0$

① ㄱ ② ㄴ ③ ㄷ
④ ㄴ, ㄷ ⑤ ㄱ, ㄴ, ㄷ

▶ 해설 내신연계기출

0759 최다빈출 왕중요 TOUGH

실수에서 정의된 함수 $f(x)$가 $\lim_{x\to0}xf(x)=1$을 만족할 때, $\lim_{x\to0}f(x)g(x)$가 존재하는 $g(x)$를 다음 중에서 모두 고르면?

ㄱ. $g(x)=\sin x$
ㄴ. $g(x)=\cos x$
ㄷ. $g(x)=\ln(1+x)$

① ㄱ ② ㄴ ③ ㄱ, ㄷ
④ ㄴ, ㄷ ⑤ ㄱ, ㄴ, ㄷ

▶ 해설 내신연계기출

0760 TOUGH

연속함수 $f(x)$가

$$\lim_{x\to0}\frac{f(x)}{1-\cos(x^2)}=2$$

를 만족시킬 때, $\lim_{x\to0}\frac{f(x)}{x^p}=q$이다. $p+q$의 값은? (단, $p>0$, $q>0$이다.)

① 4 ② 5 ③ 6
④ 7 ⑤ 8

유형 10 삼각함수의 극한에서의 미정계수의 결정

① $\lim_{x\to a}\frac{g(x)}{f(x)}=\alpha$에서 $x\to a$일 때,
(분모)→0이면 극한값이 존재하므로 (분자)→0이어야 한다.
즉 $\lim_{x\to a}f(x)=0$이면 $\lim_{x\to a}g(x)=0$

② $\lim_{x\to a}\frac{g(x)}{f(x)}=\alpha(\alpha\neq0)$에서 $x\to a$일 때,
(분자)→0이면 0아닌 극한값이 존재하므로 (분자)→0이어야 한다.
즉 $\lim_{x\to a}g(x)=0$이면 $\lim_{x\to a}f(x)=0$

0761 학교기출 대표 유형

$\lim_{x\to0}\frac{\sin 4x}{x^2+ax+b}=2$가 성립하도록 하는 상수 a, b에 대하여 $a+b$의 값은?

① 0 ② 1 ③ 2
④ 3 ⑤ 4

0762 BASIC

$\lim_{x\to0}\frac{\tan x}{\sin(ax+b)}=\frac{1}{3}$이 성립하도록 하는 두 상수 a, b에 대하여 $a-b$의 값은? $\left(\text{단, } 0\le b<\frac{\pi}{2}\right)$

① -3 ② -2 ③ 1
④ 2 ⑤ 3

0763 BASIC

$\lim_{x\to0}\frac{ax+b}{\sin 3x}=4$가 성립할 때, $\lim_{x\to0}\frac{\tan(a+4)x}{(a+b)x}$의 값은? (단, a, b는 상수)

① $\frac{1}{2}$ ② $\frac{2}{3}$ ③ 1
④ $\frac{4}{3}$ ⑤ 2

0764 최다빈출 왕 중요

NORMAL

$\lim_{x \to 0} \frac{\sin 2x}{\sqrt{ax+b}-1}=2$가 성립하도록 하는 두 상수 a, b에 대하여 ab의 값은?

① 0 ② 1 ③ 2 ④ 3 ⑤ 4

▶ 해설 내신연계기출

0765 최다빈출 왕 중요

NORMAL

$\lim_{x \to 0} \frac{a-\cos 2x}{x^2}=b$를 만족하는 두 실수 a, b에 대하여 $a+b$의 값은?

① 1 ② 2 ③ 3 ④ 4 ⑤ 5

▶ 해설 내신연계기출

0766

NORMAL

다음 조건의 등식을 만족 하도록 하는 상수 a, b, c, d에 대하여 $a+b+c+d$의 값은?

(가) $\lim_{x \to 0} \frac{\tan x}{ax+b}=\frac{1}{3}$

(나) $\lim_{x \to 0} \frac{cx\sin x+d}{\cos x-1}=1$

① $-\frac{10}{3}$ ② $\frac{5}{2}$ ③ $\frac{4}{3}$ ④ 5 ⑤ $\frac{10}{3}$

0767

NORMAL

$\lim_{x \to 0} \frac{a-2\cos x}{x\tan x}=b$일 때, 상수 a, b에 대하여 $a+b$의 값은?

① $\frac{1}{2}$ ② 1 ③ 2 ④ 3 ⑤ 4

0768

TOUGH

$\lim_{x \to 0} \frac{a\sin 2x+b\sin x}{x^3}=5$일 때, $a+b$의 값을 구하면?

① 1 ② 2 ③ 3 ④ 4 ⑤ 5

0769 최다빈출 왕 중요

TOUGH

$\lim_{x \to 0} \frac{ax\sin x+x^2}{\cos x+b}=2$를 만족시키는 두 상수 a, b에 대하여 $a+b$의 값은?

① -5 ② -4 ③ -3 ④ -2 ⑤ -1

▶ 해설 내신연계기출

유형 11 치환을 이용한 미정계수의 결정 (1)

분수꼴의 함수에서 $x \to a$일 때,
① (분모)→0이고 극한값이 존재하면 ⇨ (분자)→0
② (분자)→0이고 0이 아닌 극한값이 존재하면 ⇨ (분모)→0

0770 학교기출 대표 유형

$\lim_{x \to \frac{1}{2}} \frac{\cos \pi x}{ax+b} = \frac{1}{4}$이 성립할 때, 두 상수 a, b에 대하여 $a+b$의 값은?

① -6π ② -4π ③ -2π
④ 4π ⑤ 6π

0771 최다빈출 왕 중요 BASIC

$\lim_{x \to b} \frac{a \sin x}{x-b} = 1$이 성립하도록 하는 상수 a, b에 대하여 ab의 값은? (단, $a \neq 0$, $0 < b < 2\pi$)

① -2π ② $-\pi$ ③ 1
④ π ⑤ 2π

▶ 해설 내신연계기출

0772 NORMAL

$\lim_{x \to \pi} \frac{a \tan x + b}{x - \pi} = 2$를 만족하는 두 상수 a, b에 대하여 $a+b$의 값은?

① -2 ② -1 ③ 0
④ 1 ⑤ 2

유형 12 치환을 이용한 미정계수의 결정 (2)

① $\lim_{x \to a} \frac{g(x)}{f(x)} = \alpha$일 때, $\lim_{x \to a} f(x) = 0$이면 $\lim_{x \to a} g(x) = 0$

② $\lim_{x \to a} \frac{g(x)}{f(x)} = \alpha (\alpha \neq 0)$일 때, $\lim_{x \to a} g(x) = 0$이면 $\lim_{x \to a} f(x) = 0$

0773 학교기출 대표 유형

일차함수 $f(x)$에 대하여

$$\lim_{x \to 0} \frac{\tan x}{f(x)} = \frac{1}{4}$$

일 때, $f(10)$의 값은?

① 1 ② 20 ③ 30
④ 40 ⑤ 50

0774 NORMAL

일차함수 $f(x)$에 대하여

$$\lim_{x \to \pi} \frac{\sin(\pi - x)}{f(x)} = \frac{1}{2}$$

이 성립할 때, $f(2\pi)$의 값은?

① $-\pi$ ② -2π ③ -3π
④ -4π ⑤ -5π

0775 최다빈출 왕 중요 TOUGH

일차함수 $f(x)$에 대하여

$$\lim_{x \to -\frac{\pi}{2}} \frac{\cos(\pi + x)}{f(x)} = -\frac{1}{4}$$

이 성립할 때, $f(\pi)$의 값은?

① 2π ② 3π ③ 4π
④ 6π ⑤ 8π

▶ 해설 내신연계기출

유형 13 지수함수 로그함수와 삼각함수의 극한에서 미정계수의 결정

① $\lim_{x \to a} \frac{g(x)}{f(x)} = \alpha$에서 $x \to a$일 때,

(분모)→ 0이고 극한값이 존재하면 (분자)→ 0이어야 한다.

즉 $\lim_{x \to a} f(x) = 0$이면 $\lim_{x \to a} g(x) = 0$

② $\lim_{x \to a} \frac{g(x)}{f(x)} = \alpha(\alpha \neq 0)$에서 $x \to a$일 때,

(분자)→ 0이고 0이 아닌 극한값이 존재하면 (분모)→ 0이어야 한다.

즉 $\lim_{x \to a} g(x) = 0$이면 $\lim_{x \to a} f(x) = 0$

미정계수의 결정
- (분모)→ 0 ➡ (분자)→ 0임을 이용한다.
- (분자)→ 0, (극한값≠ 0) ➡ (분모)→ 0임을 이용한다.

0776
학교기출 대표 유형

$\lim_{x \to 0} \frac{\ln(x+b)}{\sin ax} = 5$를 만족하는 상수 a, b에 대하여 $a+b$의 값은?

① $\frac{1}{2}$　② 1　③ $\frac{6}{5}$　④ 2　⑤ 3

▶ 해설 내신연계기출

0777
최다빈출 왕중요　NORMAL

$\lim_{x \to a} \frac{3^x - 1}{2\sin(x-a)} = b\ln 3$을 만족시키는 두 상수 a, b에 대하여 $a+b$의 값은?

① $\frac{1}{3}$　② $\frac{1}{2}$　③ 1　④ $\frac{4}{3}$　⑤ $\frac{3}{2}$

▶ 해설 내신연계기출

0778
NORMAL

$\lim_{x \to 0} \frac{\sin 7x}{2^{x+1} - a} = \frac{b}{\ln 2}$를 만족시킬 때, 두 양수 a, b에 대하여 ab의 값은?

① 4　② 5　③ 6　④ 7　⑤ 8

0779
NORMAL

$\lim_{x \to 0} \frac{x(e^{\sin 2x} - a)}{1 - \cos x} = b$일 때, 두 상수 a, b의 합 $a+b$의 값은?

① 1　② 3　③ 5　④ 7　⑤ 9

0780

NORMAL

$\lim_{x \to 0} \frac{x(3^x - 1)}{2 - a\cos x} = \ln b$가 성립하도록 하는 두 양수 a, b의 곱 ab의 값은? (단, $b \neq 1$)

① 2　② 3　③ 6　④ 8　⑤ 10

0781

TOUGH

$\lim_{x \to 0} \frac{(e^x - 1)\ln(1+x)}{a + b\cos^2 x} = 3$을 만족하는 두 상수 a, b에 대하여 ab의 값은?

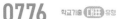

① -1　② $-\frac{1}{3}$　③ $-\frac{1}{9}$　④ $\frac{1}{9}$　⑤ $\frac{1}{3}$

유형 14 도형에서 삼각함수의 극한

주어진 도형에서 길이 또는 넓이를 각 θ에 대한 식으로 나타낸 다음 삼각함수의 극한을 이용한다.

(1) 오른쪽 그림과 같이 $\angle B=90°$인 직각삼각형 ABC에서

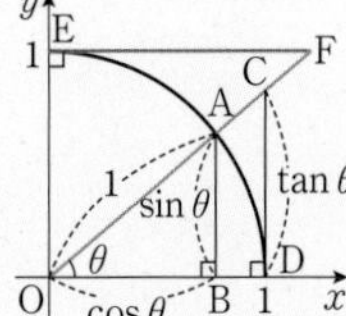

① $\overline{AB}=\overline{AC}\cos\theta$

② $\overline{BC}=\overline{AC}\sin\theta$

③ $\overline{BC}=\overline{AB}\tan\theta$

(2) 오른쪽 그림과 같이 중심이 원점 O이고 반지름의 길이가 1인 사분원에서 $\triangle OAB$, $\triangle OCD$, $\triangle FOE$가 닮은 도형임을 이용하면

① $\overline{OC}=\sec\theta$

② $\overline{OF}=\csc\theta$

③ $\overline{EF}=\cot\theta$

설명 ① $\triangle OAB \backsim \triangle OCD$이므로 $\overline{OA}:\overline{OC}=\overline{OB}:\overline{OD}$

이때 $\overline{OA}=\overline{OD}=1$, $\overline{OB}=\cos\theta$이므로 $1:\overline{OC}=\cos\theta:1$

즉, $\overline{OC}=\dfrac{1}{\cos\theta}=\sec\theta$

② $\triangle OAB \backsim \triangle FOE$이므로 $\overline{OA}:\overline{FO}=\overline{AB}:\overline{OE}$

이때 $\overline{OA}=\overline{OE}=1$, $\overline{AB}=\sin\theta$이므로 $1:\overline{FO}=\sin\theta:1$

즉, $\overline{OF}=\dfrac{1}{\sin\theta}=\csc\theta$

③ $\triangle OCD \backsim \triangle FOE$이므로 $\overline{OD}:\overline{FE}=\overline{CD}:\overline{OE}$

이때 $\overline{OD}=\overline{OE}=1$, $\overline{CD}=\tan\theta$이므로 $1:\overline{FE}=\tan\theta:1$

즉, $\overline{EF}=\dfrac{1}{\tan\theta}=\cot\theta$

0782 학교기출 대표 유형

오른쪽 그림과 같이 반지름의 길이가 1인 원 위의 한 점 P에서 지름 AB 위에 내린 수선의 발을 점 H, $\angle PAH=\theta$라고 한다.

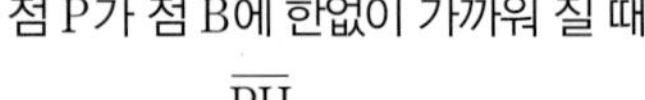

점 P가 점 B에 한없이 가까워 질 때,

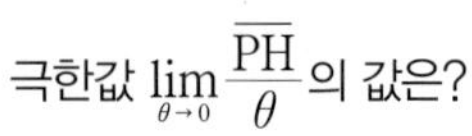

극한값 $\lim\limits_{\theta\to 0}\dfrac{\overline{PH}}{\theta}$의 값은?

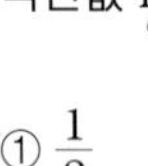

① $\dfrac{1}{2}$ ② 1 ③ $\dfrac{3}{2}$

④ 2 ⑤ 3

0783 NORMAL

오른쪽 그림과 같이 중심이 점 O이고 반지름의 길이가 6인 원 OBC 위의 한 점 A에서 선분 OB에 내린 수선의 발을 H라 하자. $\angle AOB=\theta$라 할 때,

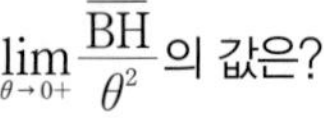

$\lim\limits_{\theta\to 0+}\dfrac{\overline{BH}}{\theta^2}$의 값은?

① 2 ② 3 ③ 4

④ 5 ⑤ 6

0784 최다빈출 왕중요 NORMAL

오른쪽 그림과 같이 $\overline{AB}=10$인 직각삼각형 ABC가 있다. 꼭짓점 A에서 빗변 BC에 내린 수선의 발을 H라 하고 $\angle ABC=\theta$라고 할 때, $\lim\limits_{\theta\to 0+}\dfrac{\overline{CH}}{\theta^2}$의 값은?

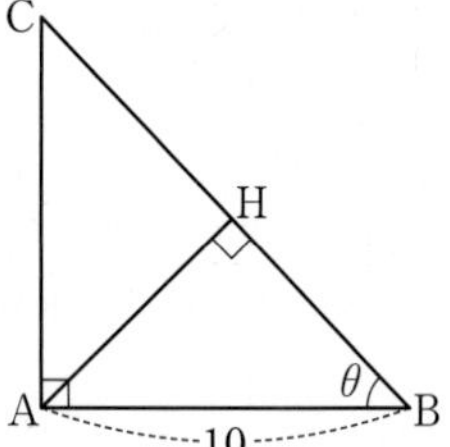

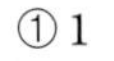

① 1 ② 2 ③ 4

④ 10 ⑤ 20

▶ 해설 내신연계기출

0785 최다빈출 왕중요 NORMAL

오른쪽 그림과 같이

$\angle B=\dfrac{\pi}{2}$, $\angle C=\theta$, $\overline{BC}=a$

인 직각삼각형 ABC가 있다. 꼭짓점 B에서 변 AC에 내린 수선의 발을 H라고 할 때,

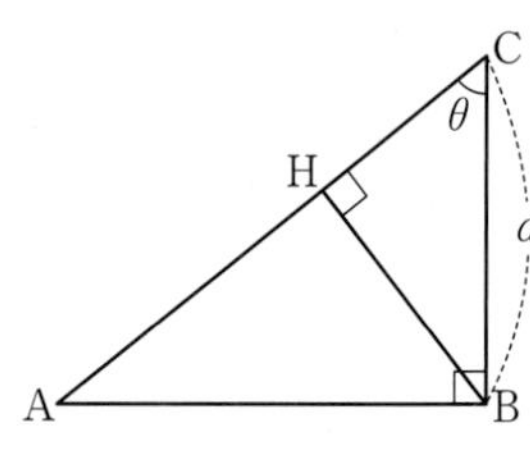

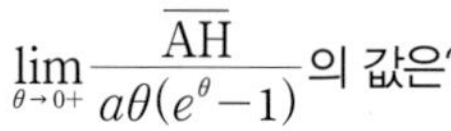

$\lim\limits_{\theta\to 0+}\dfrac{\overline{AH}}{a\theta(e^\theta-1)}$의 값은?

① 1 ② 2 ③ 4

④ 10 ⑤ 20

▶ 해설 내신연계기출

0786 NORMAL

오른쪽 그림과 같이 길이가 4인 선분 AB를 지름으로 하는 원 위의 한 점 P를 지나고 선분 AB에 수직인 직선이 원과 만나는 점 중 P가 아닌 점을 Q라 하자. $\angle PAB=\theta$라 하고, 삼각형 BPQ의 넓이를 $S(\theta)$라 할 때,

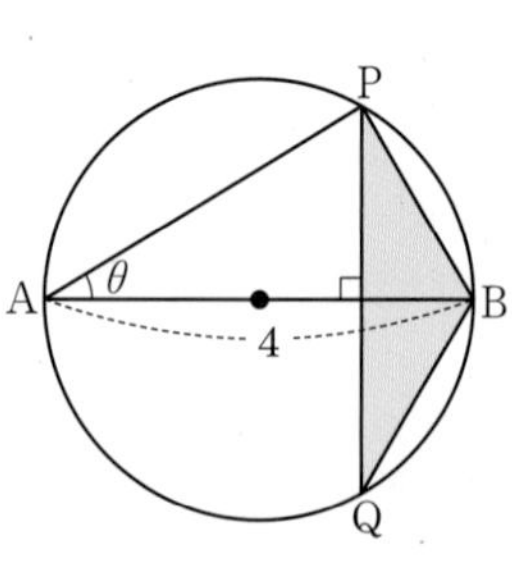

$\lim\limits_{\theta\to 0+}\dfrac{S(\theta)}{\theta^3}$의 값은?

① 4 ② 9 ③ 16

④ 25 ⑤ 36

0787
최다빈출 왕 중요 NORMAL

오른쪽 그림과 같이 양수 θ에 대하여 $\angle AOB=\theta$, $\angle OAB=\frac{\pi}{2}$, $\overline{OA}=10$인 직각삼각형 OAB가 있다. $\overline{OB}$ 위에 있는 $\overline{OC}=10$인 점 C에 대하여 $\lim_{\theta\to 0+}\frac{\overline{AC}+\overline{BC}}{\theta}$의 값은?

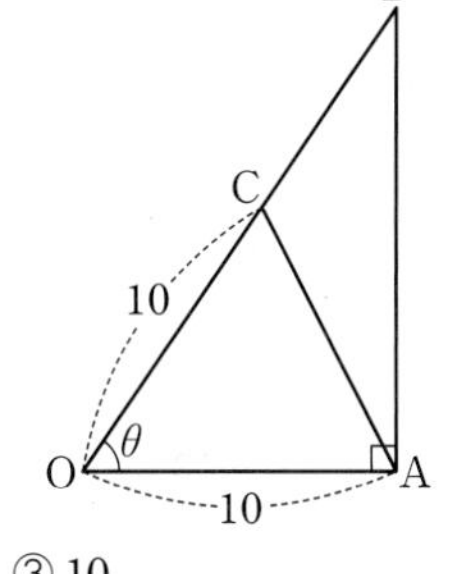

① 5 ② $5\sqrt{2}$ ③ 10
④ $10\sqrt{2}$ ⑤ 20

▶ 해설 내신연계기출

0788
TOUGH

오른쪽 그림과 같이 $\overline{AB}=2$이고 $\angle A=\frac{\pi}{2}$인 직각삼각형 ABC가 있다. 꼭짓점 A에서 $\overline{BC}$에 내린 수선의 발을 H, $\angle ABH=\theta$라 할 때, $\lim_{\theta\to 0}\frac{\overline{AC}-\overline{AH}}{\theta^3}$의 값은?

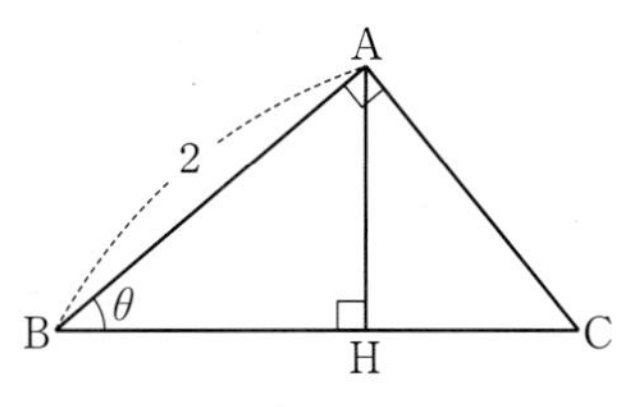

① $\frac{1}{2}$ ② 1 ③ 2
④ 4 ⑤ 8

0789
TOUGH

좌표평면에서 곡선 $y=\sin x$ 위의 점 $P(t, \sin t)(0<t<\pi)$를 중심으로 하고, x축에 접하는 원을 C라 하자. 원 C가 x축에 접하는 점을 Q, 선분 OP와 만나는 점을 R이라 하자. $\lim_{t\to 0+}\frac{\overline{OQ}}{\overline{OR}}=a+b\sqrt{2}$일 때, $a+b$의 값은? (단, O는 원점이고, a, b는 정수이다.)

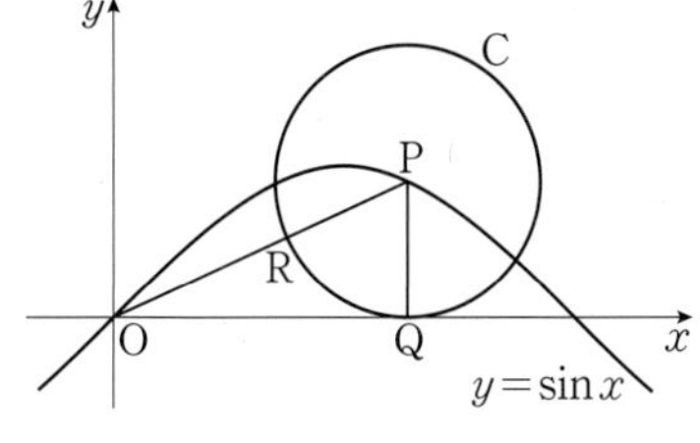

① 1 ② 2 ③ 3
④ 4 ⑤ 8

유형 15 도형의 넓이에 대한 삼각함수의 극한

도형의 여러 가지 성질 및 삼각비의 정의를 이용하여 필요한 길이를 구한 후 구하려는 넓이를 삼각함수로 나타내고, $\lim_{\theta\to 0}\frac{\sin\theta}{\theta}=1$ 등을 이용한다.

참고 직각삼각형의 여러 가지 삼각함수

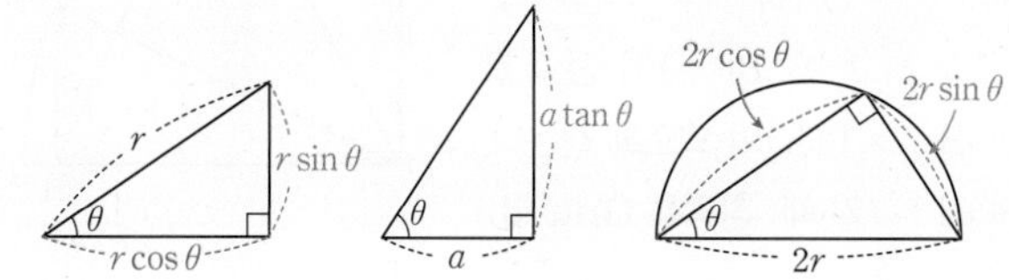

0790
학교기출 대표 유형

오른쪽 그림과 같이 중심이 O이고 반지름의 길이가 1인 사분원 OAC 위의 한 점 B에서 선분 OA에 내린 수선의 발을 H라 하고, $\angle AOB=\theta$라 하자. 직선 OB와 점 A에서 접선과 만나는 점을 D라 하고, 사각형 BHAD의 넓이를 $S(\theta)$라 할 때, $\lim_{\theta\to 0+}\frac{S(\theta)}{\theta^3}$의 값은? $\left(\text{단, } 0<\theta<\frac{\pi}{2}\right)$

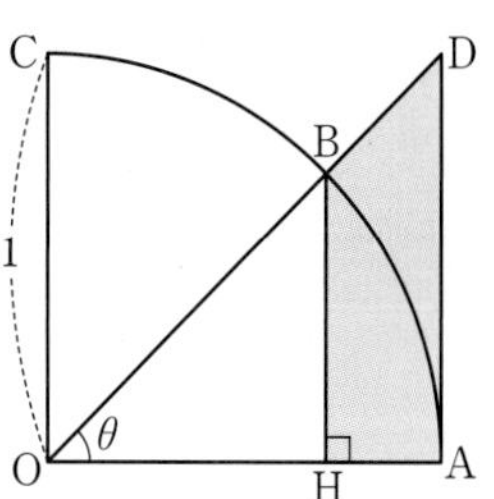

① $\frac{1}{4}$ ② $\frac{1}{2}$ ③ $\frac{3}{4}$
④ 1 ⑤ $\frac{5}{4}$

0791
NORMAL

오른쪽 그림과 같이 반지름의 길이가 1이고 중심각의 크기가 $\frac{\pi}{2}$인 부채꼴 OAB가 있다. 호 AB 위의 점 P에서 선분 OA에 내린 수선의 발을 H, 선분 PH와 선분 AB의 교점을 Q라 하자. $\angle POH=\theta$일 때, 삼각형 AQH의 넓이를 $S(\theta)$라 하자. $\lim_{\theta\to 0+}\frac{S(\theta)}{\theta^4}$의 값은? $\left(\text{단, } 0<\theta<\frac{\pi}{2}\right)$

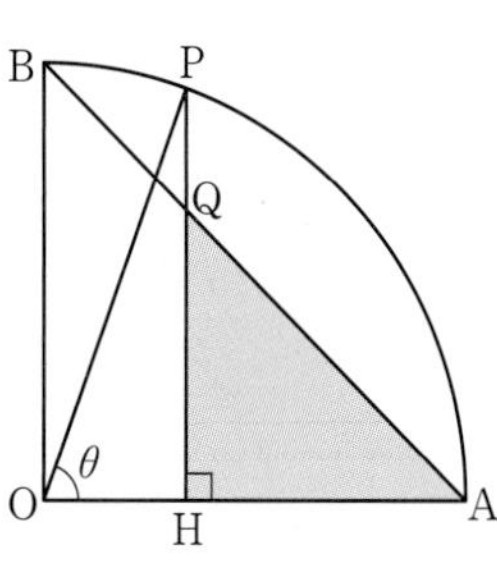

① $\frac{1}{8}$ ② $\frac{1}{4}$ ③ $\frac{3}{8}$
④ $\frac{1}{2}$ ⑤ $\frac{5}{8}$

04 삼각함수의 극한

0792 최다빈출 왕중요 TOUGH

오른쪽 그림과 같이 반지름의 길이가 1이고 중심각의 크기가 $\frac{\pi}{2}$인 부채꼴 OAB가 있다. 호 AB 위의 점 P에서 선분 OA에 내린 수선의 발을 H라 하고, 호 BP 위에 점 Q를 $\angle$POH$=\angle$PHQ가 되도록 잡는다. $\angle$POH$=\theta$일 때, 삼각형 OHQ의 넓이를 $S(\theta)$라 하자. $\lim_{\theta \to 0+} \frac{S(\theta)}{\theta}$의 값은? $\left(\text{단, } 0<\theta<\frac{\pi}{6}\right)$

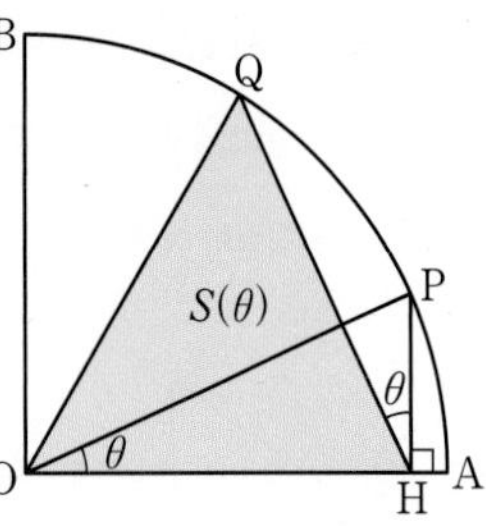

① $\frac{1+\sqrt{2}}{2}$ ② $\frac{2+\sqrt{2}}{2}$ ③ $\frac{3+\sqrt{2}}{2}$
④ $\frac{4+\sqrt{2}}{2}$ ⑤ $\frac{5+\sqrt{2}}{2}$

▶ 해설 내신연계기출

0793 TOUGH

그림과 같이 중심이 O이고 길이가 2인 선분 AB를 지름으로 하는 원 위의 점 P에서 선분 AB에 내린 수선의 발을 Q, 점 Q에서 선분 OP에 내린 수선의 발을 R, 점 O에서 선분 AP에 내린 수선의 발을 S라 하자. $\angle$PAQ$=\theta\left(0<\theta<\frac{\pi}{4}\right)$일 때, 삼각형 AOS의 넓이를 $f(\theta)$, 삼각형 PRQ의 넓이를 $g(\theta)$라 하자. $\lim_{\theta \to 0+} \frac{\theta^2 f(\theta)}{g(\theta)}=\frac{q}{p}$일 때, p^2+q^2의 값은? (단, p와 q는 서로소인 자연수이다.)

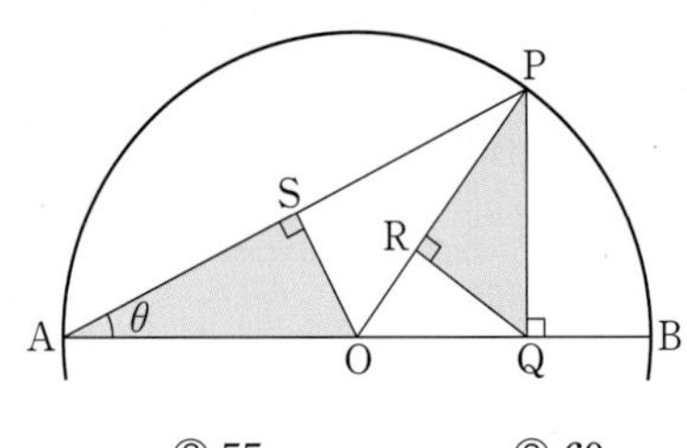

① 50 ② 55 ③ 60
④ 65 ⑤ 70

유형 16 사인법칙과 코사인 법칙의 도형에의 활용

(1) 사인법칙

한 내각의 크기와 그 대변의 길이, 외접원의 반지름의 정리

삼각형 ABC의 외접원의 반지름의 길이를 R이라 하면 삼각형의 세 각의 크기와 세 변의 길이 사이에는 다음과 같은 관계가 성립하고 이를 사인법칙이라 한다.

$$\frac{a}{\sin A}=\frac{b}{\sin B}=\frac{c}{\sin C}=2R$$

(2) 코사인법칙

두 변의 길이와 그 끼인각의 크기가 주어졌을 때, 나머지 한 변의 길이를 구하는 경우

① $a^2=b^2+c^2-2bc\cos A$
② $b^2=c^2+a^2-2ca\cos B$
③ $c^2=a^2+b^2-2ab\cos C$

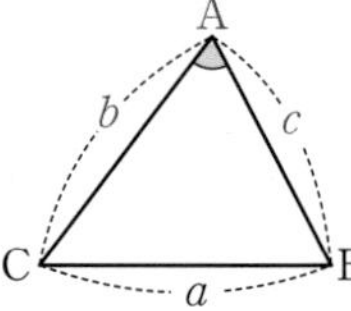

(3) 코사인법칙의 각의 크기

세 변의 길이가 주어진 경우 한 각을 구하는 경우

① $\cos A=\frac{b^2+c^2-a^2}{2bc}$

② $\cos B=\frac{c^2+a^2-b^2}{2ca}$

③ $\cos C=\frac{a^2+b^2-c^2}{2ab}$

(4) 삼각형의 넓이

① 두 변의 길이와 그 끼인각의 크기가 주어진 경우
$S=\frac{1}{2}ab\sin C=\frac{1}{2}bc\sin A=\frac{1}{2}ca\sin B$

② 삼각형 ABC의 외접원의 반지름의 길이 R이 주어진 경우
$S=\frac{abc}{4R}=2R^2\sin A\sin B\sin C$

③ 삼각형 ABC의 내접원의 반지름의 길이 r이 주어진 경우
$S=\frac{1}{2}r(a+b+c)$

(5) 주어진 도형에서 길이 또는 넓이를 각 θ에 대한 식으로 나타낸 다음 삼각함수, 지수함수, 로그함수의 극한값을 구한다.

① $\lim_{x \to 0} \frac{\sin x}{x}=1$, $\lim_{x \to 0} \frac{\tan x}{x}=1$

② $\lim_{x \to 0} \frac{e^x-1}{x}=1$, $\lim_{x \to 0} \frac{a^x-1}{x}=\ln a$

③ $\lim_{x \to 0} \frac{\ln(1+x)}{x}=1$, $\lim_{x \to 0} \frac{\log_a(1+x)}{x}=\frac{1}{\ln a}$

0794 학교기출 대표 유형

오른쪽 그림과 같이 삼각형 ABC에서 $\overline{BC}=3$, $\angle ABC=\theta$, $\angle ACB=2\theta$ 이다. 점 A에서 $\overline{BC}$에 내린 수선의 발을 H라 할 때, $\lim_{\theta \to 0} \overline{BH}$의 값은?

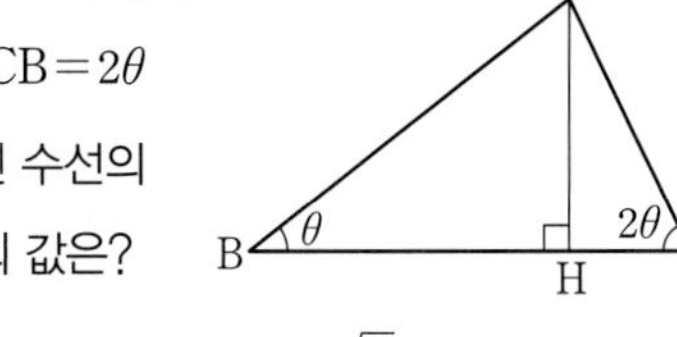
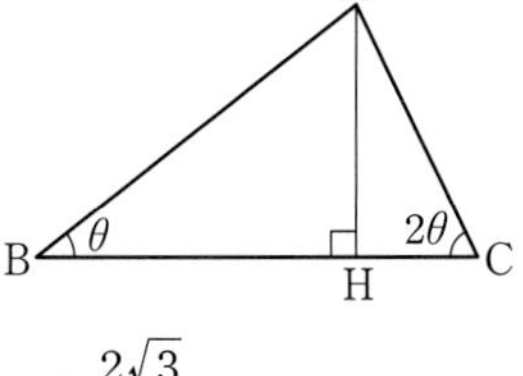

① $\frac{\sqrt{5}}{2}$　② $\frac{3}{2}$　③ $\frac{2\sqrt{3}}{3}$　④ 2　⑤ $\frac{5}{2}$

▶ 해설 내신연계기출

0795 NORMAL

오른쪽 그림과 같이 제 1사분면에서 중심이 원점이고 반지름이 1인 원 위를 움직이는 점 P에 대하여

$$2\angle PAO=\angle POA$$

가 되도록 x축 위에 점 A를 잡는다. $\lim_{P \to B} \overline{OA}$의 값은? (단, B(1, 0))

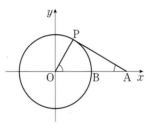

① $\frac{3}{2}$　② $\frac{2\sqrt{3}}{3}$　③ 2　④ $\frac{5}{2}$　⑤ 3

0796 NORMAL

오른쪽 그림과 같이 원 O 위에 있는 한 점 A와 $\widehat{PQ}=2\widehat{AP}$를 만족하면서 움직이는 점 P, Q가 있다. 점 P가 점 A에 한없이 가까워질 때, $\frac{\overline{PQ}}{\overline{AP}}$의 극한값은?

① $\frac{3}{2}$　② $\frac{2\sqrt{3}}{3}$　③ 2　④ $\frac{5}{2}$　⑤ 3

0797 NORMAL

오른쪽 그림과 같이 반지름의 길이가 2인 부채꼴 OAB의 중심각의 크기를 θ라 할 때, $\lim_{\theta \to 0} \frac{\widehat{AB}}{\overline{AB}}$의 값은?

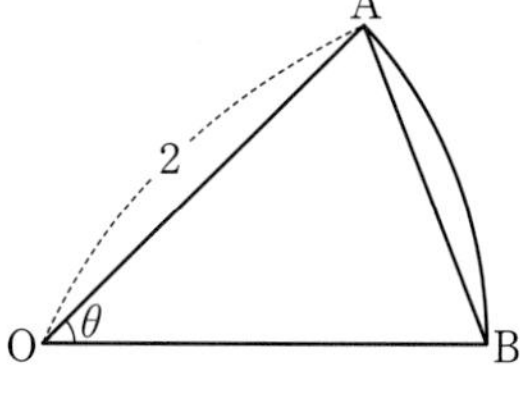

① $\frac{1}{4}$　② $\frac{1}{2}$　③ $\frac{\sqrt{2}}{2}$　④ $\frac{2}{3}$　⑤ 1

0798 NORMAL

오른쪽 그림과 같이 길이가 2인 선분 AB를 지름으로 하는 반원의 중심을 O라고 하자. 또, 호 AB 위의 임의의 점 P에 대하여 $\angle PAB=\theta$일 때, $\angle APO=\angle OPC$를 만족시키는 점 C를 선분 OB 위에 잡고, 삼각형 PAC, 삼각형 PCB의 넓이를 각각 $S(\theta)$, $T(\theta)$라 하자. 이때 $\lim_{\theta \to 0+} \frac{S(\theta)}{T(\theta)}$의 값은?

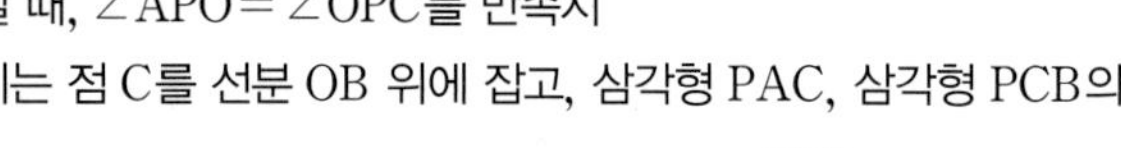

① $\frac{1}{3}$　② $\frac{1}{2}$　③ 1　④ 2　⑤ $\frac{4}{3}$

0799 NORMAL

오른쪽 그림과 같이 삼각형 ABC에서 $\angle A=\theta$, $\overline{BC}=a$, $\overline{CA}=b$, $\overline{AB}=c$ 라 한다. b, c가 일정한 값을 가질 때,

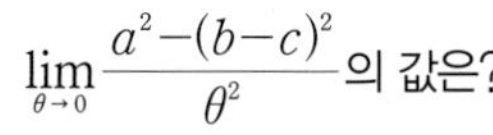

$\lim_{\theta \to 0} \frac{a^2-(b-c)^2}{\theta^2}$의 값은?

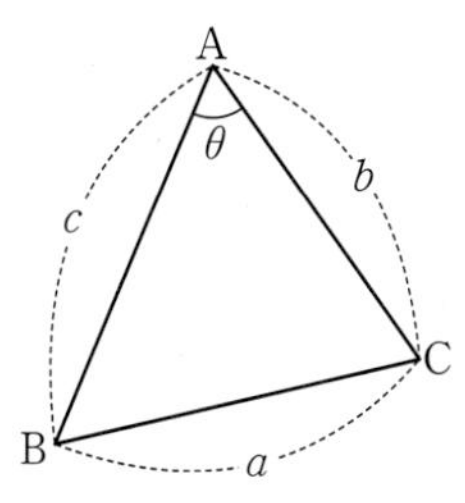

① $2ab$　② $2bc$　③ bc　④ ac　⑤ 4

04 삼각함수의 극한

0800

NORMAL

반지름의 길이가 1인 원 O 위에 점 A가 있다. 그림과 같이 양수 θ에 대하여 원 O 위의 두 점 B, C를

$$\angle \mathrm{BAC}=\theta,\ \overline{\mathrm{AB}}=\overline{\mathrm{AC}}$$

가 되도록 잡는다. 삼각형 ABC의 내접원의 반지름의 길이를 $r(\theta)$라 할 때, $\lim_{\theta \to \pi-} \frac{r(\theta)}{(\pi-\theta)^2}$의 값은?

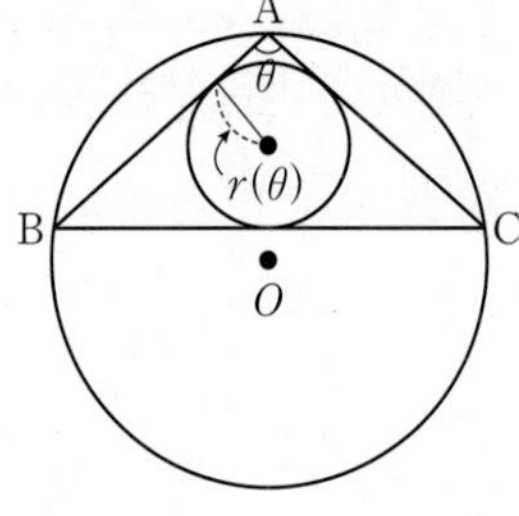

① $\frac{1}{4}$　② $\frac{1}{2}$　③ $\frac{\sqrt{2}}{2}$

④ $\frac{2}{3}$　⑤ 1

0801

TOUGH

그림과 같이 길이가 1인 선분 AB를 빗변으로 하고 $\angle \mathrm{BAC}=\theta \left(0<\theta<\frac{\pi}{6}\right)$인 직각삼각형 ABC에 대하여 점 D를

$$\angle \mathrm{ACD}=\frac{2}{3}\pi,\ \angle \mathrm{CAD}=2\theta$$

가 되도록 잡는다. 삼각형 BCD의 넓이를 $S(\theta)$라 할 때, $\lim_{\theta \to 0+} \frac{S(\theta)}{\theta^2}$의 값은? (단, 네 점 A, B, C, D는 한 평면 위에 있다.)

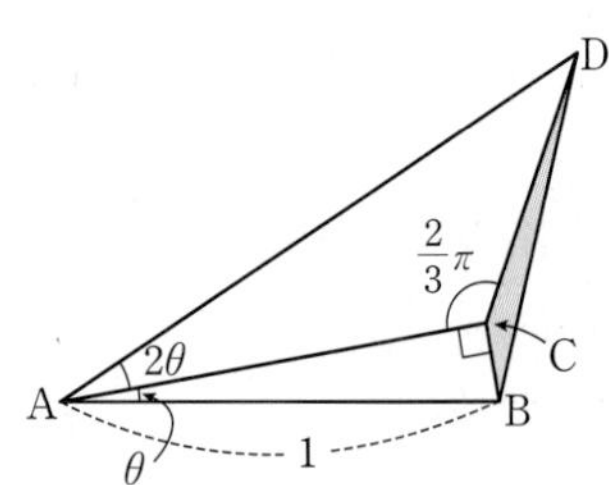

① $\frac{1}{3}$　② $\frac{1}{2}$　③ $\frac{\sqrt{3}}{3}$

④ $\frac{\sqrt{2}}{2}$　⑤ $\frac{\sqrt{3}}{2}$

0802

TOUGH

삼각형 ABC에서 $\overline{\mathrm{AB}}=1$이고 $\angle \mathrm{A}=\theta$, $\angle \mathrm{B}=2\theta$이다. 변 AB 위의 점 D를 $\angle \mathrm{ACD}=2\angle \mathrm{BCD}$가 되도록 잡는다. $\lim_{\theta \to 0+} \frac{\overline{\mathrm{CD}}}{\theta}=a$일 때, $27a^2$의 값은? $\left(\text{단, } 0<\theta<\frac{\pi}{4}\right)$

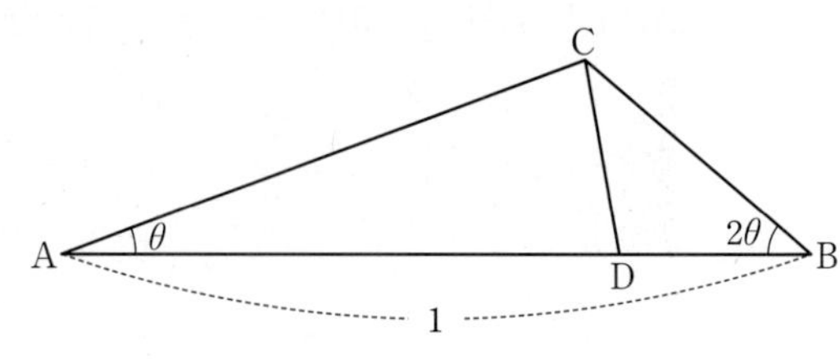

① 12　② 14　③ 16

④ 18　⑤ 20

0803

TOUGH

그림과 같이 점 A$(-2,\ 0)$을 지나는 직선 원 $x^2+y^2=4$ 위의 점 P에 대하여 직선 AP가 원 $(x-1)^2+y^2=1$과 두 점에서 만날 때, 두 점 중에서 점 P에 가까운 점을 Q라 하자.

$\angle \mathrm{OAP}=\theta$이라 할 때, $\lim_{\theta \to 0+} \frac{\overline{\mathrm{PQ}}}{\theta^2}$의 값은?

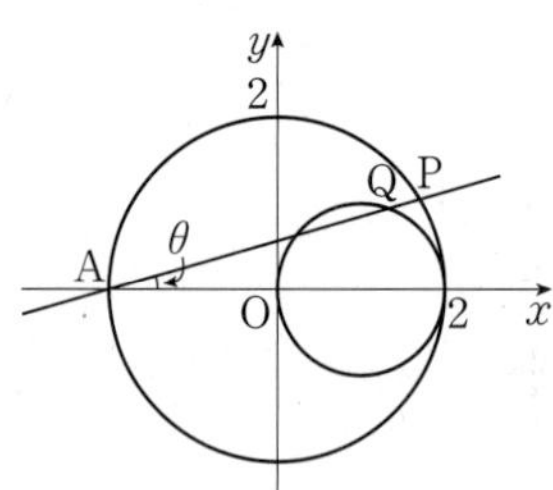

① $\frac{5}{2}$　② 3　③ $\frac{7}{2}$

④ 4　⑤ $\frac{9}{2}$

유형 17 지수 로그함수와 삼각함수의 극한의 활용

주어진 도형에서 길이 또는 넓이를 실수 x에 대한 식으로 나타낸 다음 지수함수 또는 로그함수 극한을 이용한다.

0804 학교기출 대표 유형

오른쪽 그림과 같이 곡선 $y=2^x-1$ 위의 한 점 $\mathrm{P}(x,\ 2^x-1)$에서 x축에 내린 수선의 발을 H라고 하자. 삼각형 OHP의 넓이를 $f(x)$라고 할 때, $\lim_{x\to0+}\frac{f(x)}{\sin^2 x}$의 값은?

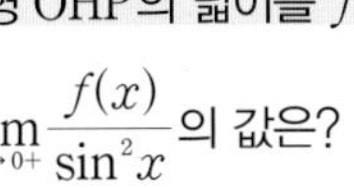

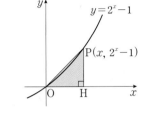

① $\frac{\ln 2}{2}$ ② $\ln 2$ ③ 1
④ 2 ⑤ $2\ln 2$

▶ 해설 내신연계기출

0805 NORMAL

오른쪽 그림과 같이 곡선 $y=\ln(1+2x)$ 위의 한 점 $\mathrm{P}(x,\ \ln(1+2x))$에서 x축에 내린 수선의 발을 H라고 하자. 삼각형 OHP의 넓이를 $S(x)$라고 할 때, $\lim_{x\to0+}\frac{S(x)}{\sin^2 x}$의 값은?

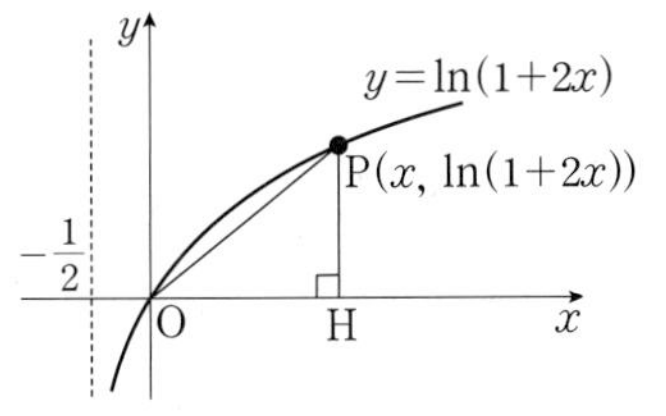

① $\frac{1}{2}$ ② 1 ③ 2
④ 3 ⑤ 4

0806 NORMAL

오른쪽 그림과 같이 $\overline{\mathrm{AB}}=4$, $\angle\mathrm{A}=90°$인 직각삼각형 ABC가 있다. 꼭짓점 A에서 변 BC에 내린 수선의 발을 H, $\angle\mathrm{B}=\theta$라고 할 때, $\lim_{\theta\to0}\frac{\overline{\mathrm{CH}}}{\theta\ln(1+2\theta)}$의 값은?

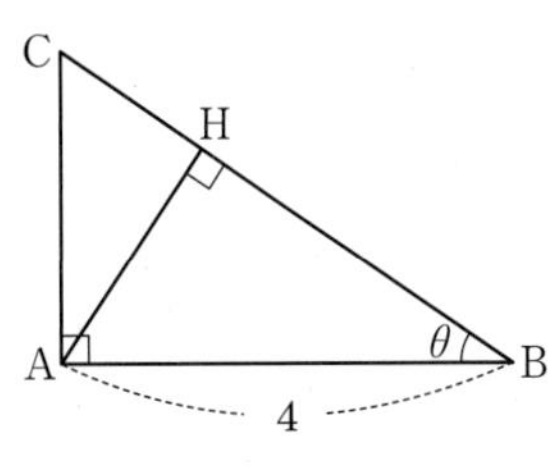

① $\frac{1}{3}$ ② $\frac{1}{2}$ ③ 1
④ 2 ⑤ 3

0807 TOUGH

그림과 같이 원 $x^2+y^2=1$ 위의 점 P에 대하여 선분 OP가 x축의 양의 방향과 이루는 각의 크기를 $\theta\left(0<\theta<\frac{\pi}{4}\right)$라 하자.
점 P를 지나고 x축에 평행한 직선이 곡선 $y=e^x-1$과 만나는 점을 Q라 하고 점 Q에서 x축에 내린 수선의 발을 R이라 하자.
선분 OP와 선분 QR의 교점을 T라 할 때, 삼각형 ORT의 넓이를 $S(\theta)$라 하자. $\lim_{\theta\to0+}\frac{S(\theta)}{\theta^3}=a$일 때, $60a$의 값을 구하여라.

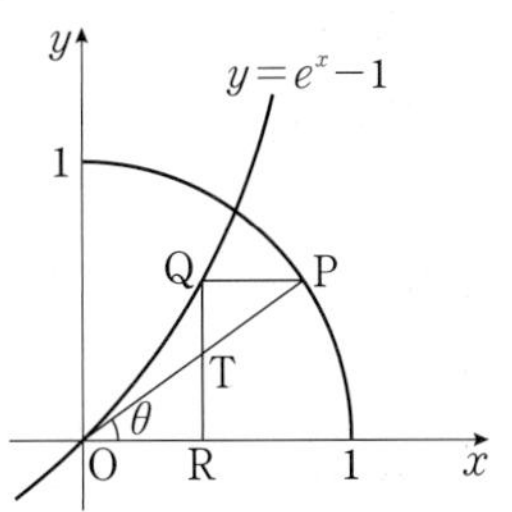

0808 TOUGH

그림과 같이 좌표평면에서 원 $x^2+y^2=1$과 곡선 $y=\ln(x+1)$이 제1사분면에서 만나는 점을 A라 하자. 점 B(1, 0)에 대하여 호 AB 위의 점 P에서 y축에 내린 수선의 발을 H, 선분 PH와 곡선 $y=\ln(x+1)$이 만나는 점을 Q라 하자. $\angle\mathrm{POB}=\theta$라 할 때, 삼각형 OPQ의 넓이를 $S(\theta)$, 선분 HQ의 길이를 $L(\theta)$라 하자.

$\lim_{\theta\to0+}\frac{S(\theta)}{L(\theta)}=k$일 때, $60k$의 값을 구하여라.

$\left(\text{단, } 0<\theta<\frac{\pi}{6}\text{이고 O는 원점이다.}\right)$

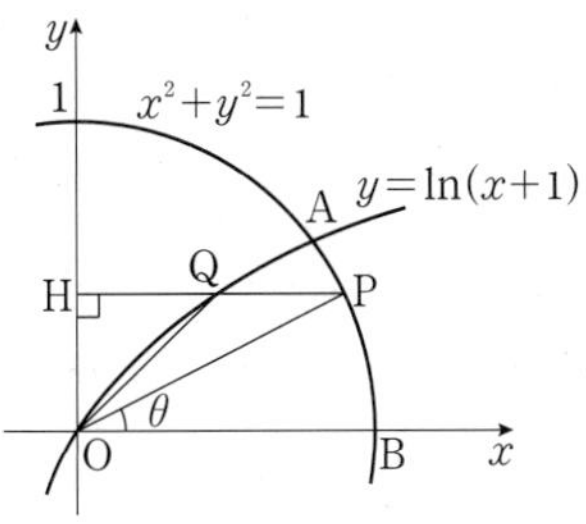

유형 18 삼각형에 내접하는 원의 반지름의 극한

직각삼각형 ABC의 세 변의 길이 a, b, c와 내접원의 반지름의 길이 r을 구하는 방법

① 직각삼각형 ABC의 넓이를 이용하면

$\frac{1}{2}ab=\frac{1}{2}ar+\frac{1}{2}br+\frac{1}{2}cr$

$\therefore r=\frac{ab}{a+b+c}$

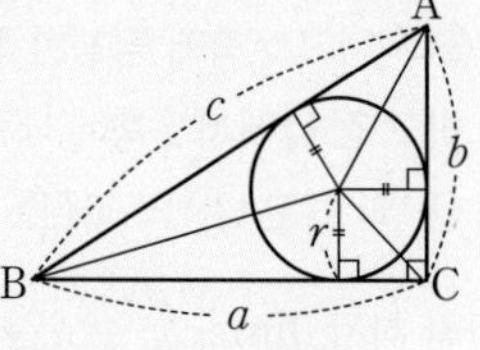

② 원 밖의 점에서 원에 그은 접선의 길이가 같음을 이용하면

$(b-r)+(a-r)=c$

$\therefore r=\frac{1}{2}(a+b-c)$

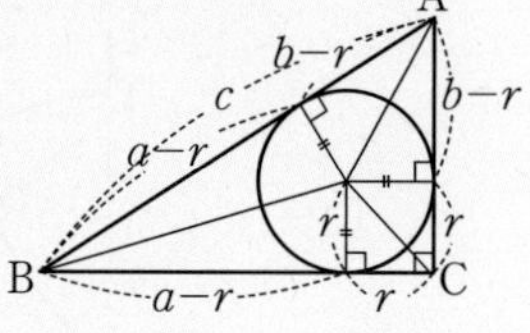

0809 학교기출 대표 유형

그림과 같이 좌표평면에서 점 P가 원점 O를 출발하여 x축을 따라 양의 방향으로 이동할 때, 점 Q는 점 $(0,\ 30)$을 출발하여 $\overline{PQ}=30$을 만족시키며 y축을 따라 음의 방향으로 이동한다.

$\angle OPQ=\theta\left(0<\theta<\frac{\pi}{2}\right)$일 때, 삼각형 OPQ의 내접원의 반지름의 길이를 $r(\theta)$라 하자. 이때 $\lim_{\theta\to0+}\frac{r(\theta)}{\theta}$의 값은?

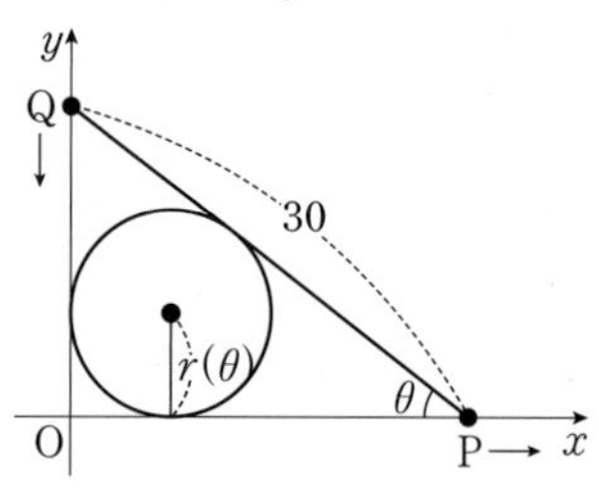

① 5　② 8　③ 10
④ 12　⑤ 15

0810 NORMAL

그림과 같이 반지름의 길이가 1이고 중심각의 크기가 $\frac{\pi}{2}$인 부채꼴 OAB가 있다. 호 AB 위의 점 P에 대하여 점 B에서 선분 OP에 내린 수선의 발을 Q, 점 Q에서 선분 OB에 내린 수선의 발을 R이라 하자. $\angle BOP=\theta$일 때, 삼각형 RQB에 내접하는 원의 반지름의 길이를 $r(\theta)$라 하자. $\lim_{\theta\to0+}\frac{r(\theta)}{\theta^2}$의 값은? $\left(\text{단, } 0<\theta<\frac{\pi}{2}\right)$

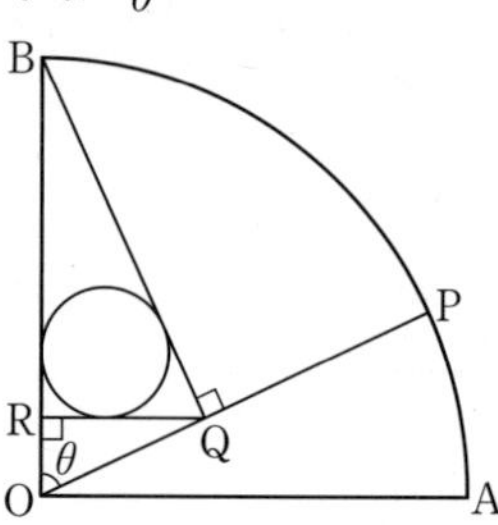

① $\frac{1}{2}$　② 1　③ $\frac{3}{2}$
④ 2　⑤ $\frac{5}{2}$

0811 NORMAL

그림과 같이 중심이 원점 O이고 반지름의 길이가 1인 원 C가 있다. 원 C가 x축의 양의 방향과 만나는 점을 A, 원 C 위에 있고 제1사분면에 있는 점 P에서 x축에 내린 수선의 발을 H, $\angle POA=\theta$라 하자. 삼각형 APH에 내접하는 원의 반지름의 길이를 $r(\theta)$라 할 때, $\lim_{\theta\to0+}\frac{r(\theta)}{\theta^2}$의 값은?

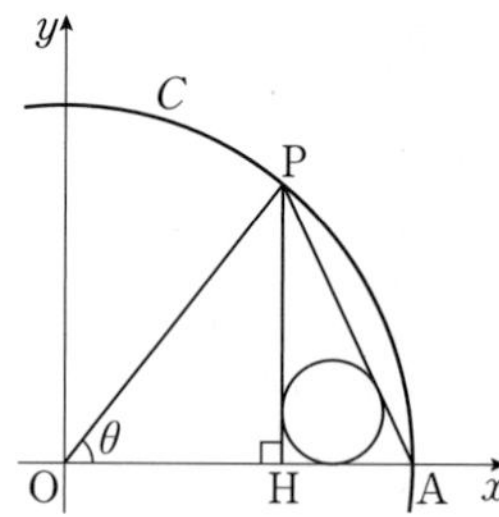

① $\frac{1}{10}$　② $\frac{1}{8}$　③ $\frac{1}{6}$
④ $\frac{1}{4}$　⑤ $\frac{1}{2}$

0812

TOUGH

그림과 같이 길이가 2인 선분 AB를 지름으로 하는 반원이 있다. 호 AB 위의 한 점 P에 대하여 $\angle\mathrm{PAB}=\theta$, 점 P에서 선분 AB에 내린 수선의 발을 H라 할 때, 삼각형 AHP에 내접하는 원의 넓이를 $S(\theta)$, 호 PB의 길이를 $l(\theta)$라 하자.

$\lim\limits_{\theta\to0+}\dfrac{S(\theta)}{\pi\{l(\theta)\}^2}$의 값은? $\left(\text{단, } 0<\theta<\dfrac{\pi}{2}\right)$

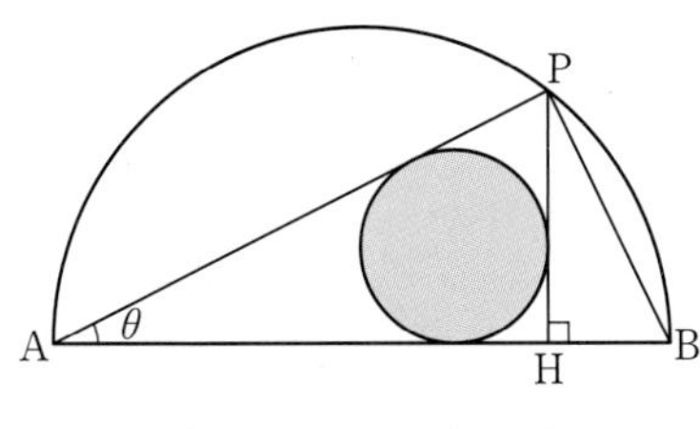

① 1 ② $\dfrac{1}{2}$ ③ $\dfrac{1}{3}$

④ $\dfrac{1}{4}$ ⑤ $\dfrac{1}{5}$

0813

TOUGH

오른쪽 그림과 같이 길이가 2인 선분 AB를 지름으로 하는 원 O 위의 한 점 P에 대하여 $\angle\mathrm{PAB}=\theta$, 삼각형 ABP에 내접하는 원의 반지름의 길이를 $f(\theta)$라고 하자. 다음은 점 P가 점 B에 한없이 가까워질 때, 극한값 $\lim\limits_{\theta\to0+}\dfrac{f(\theta)}{\theta}$를 구하는 과정이다. (가), (나), (다), (라)에 알맞은 것은?

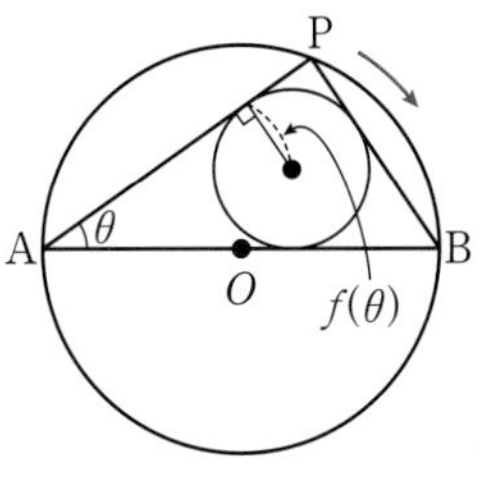

> $\angle\mathrm{APB}=\dfrac{\pi}{2}$이므로 삼각형 ABP에서
>
> $\overline{\mathrm{AP}}=2\cos\theta$, $\overline{\mathrm{BP}}=$ (가)
>
> 삼각형 ABP의 넓이를 $S(\theta)$라고 하면
>
> $S(\theta)=\dfrac{1}{2}\times\overline{\mathrm{AP}}\times\overline{\mathrm{BP}}=$ (나)
>
> 한편 $S(\theta)=\dfrac{1}{2}\times f(\theta)\times(\overline{\mathrm{AB}}+\overline{\mathrm{AP}}+\overline{\mathrm{BP}})$
>
> $\qquad=f(\theta)\times(1+\cos\theta+\sin\theta)$
>
> 즉 $f(\theta)=$ (다) 이므로 $\lim\limits_{\theta\to0+}\dfrac{f(\theta)}{\theta}=$ (라)

	(가)	(나)	(다)	(라)
①	$2\cos\theta$	$2\cos^2\theta$	$\dfrac{\cos^2\theta}{1+\cos\theta+\sin\theta}$	2
②	$2\cos\theta$	$2\cos\theta\tan\theta$	$\dfrac{2\cos\theta\tan\theta}{1+\cos\theta+\sin\theta}$	1
③	$2\tan\theta$	$2\cos\theta\sin\theta$	$\dfrac{2\cos\theta\sin\theta}{1+\cos\theta+\sin\theta}$	2
④	$2\sin\theta$	$2\cos\theta\sin\theta$	$\dfrac{2\cos\theta\sin\theta}{1+\cos\theta+\sin\theta}$	1
⑤	$2\sin\theta$	$2\cos\theta\sin\theta$	$\dfrac{\cos\theta\sin\theta}{1+\cos\theta+\sin\theta}$	2

유형 19 부채꼴의 호의 길이와 넓이의 삼각함수의 극한

(1) 두 변의 길이와 그 끼인각의 크기가 주어진 경우

$S=\dfrac{1}{2}ab\sin C=\dfrac{1}{2}bc\sin A=\dfrac{1}{2}ca\sin B$

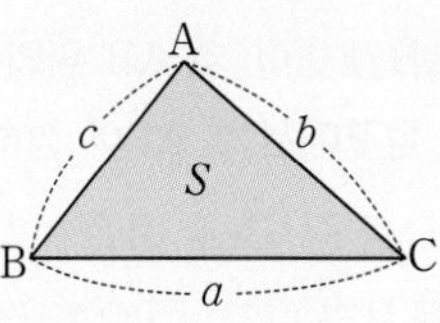

(2) 부채꼴의 호의 길이와 넓이

① 호의 길이 : $\boldsymbol{l=r\theta}$

② 부채꼴의 넓이 : $\boldsymbol{S=\dfrac{1}{2}r^2\theta=\dfrac{1}{2}rl}$

③ 부채꼴의 둘레의 길이 : $\boldsymbol{2r+l}$

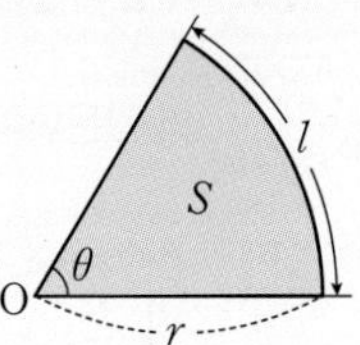

0814

학교기출 대표 유형

그림과 같이 지름의 길이가 2이고, 두 점 A, B를 지름의 양 끝점으로 하는 반원 위에 점 C가 있다. 삼각형 ABC의 내접원의 중심을 O, 중심 O에서 선분 AB와 선분 BC에 내린 수선의 발을 각각 D, E라 하자. $\angle\mathrm{ABC}=\theta$이고, 호 AC의 길이를 l_1, 호 DE의 길이를 l_2라 할 때, $\lim\limits_{\theta\to0}\dfrac{l_1}{l_2}$의 값을 구하여라. $\left(\text{단, } 0<\theta<\dfrac{\pi}{2}\right)$

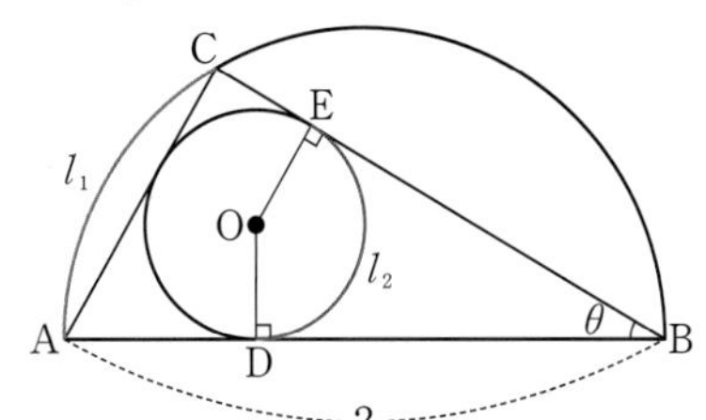

0815

TOUGH

자연수 n에 대하여 중심이 원점 O이고 점 $\mathrm{P}(2^n, 0)$을 지나는 원 C가 있다. 원 C 위에 점 Q를 호 PQ의 길이가 π가 되도록 잡는다. 점 Q에서 x축에 내린 수선의 발을 H라 할 때, $\lim\limits_{n\to\infty}(\overline{\mathrm{OQ}}\times\overline{\mathrm{HP}})$의 값은?

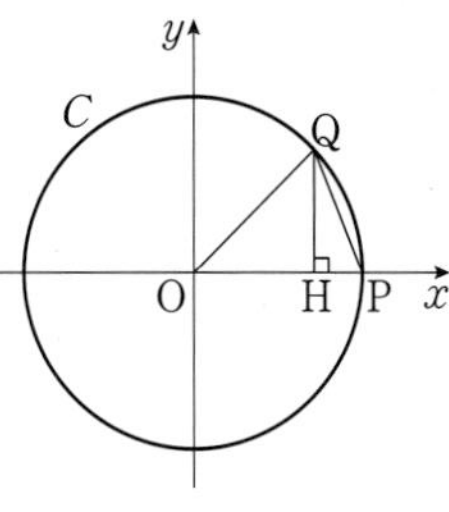

① $\dfrac{\pi^2}{2}$ ② $\dfrac{3}{4}\pi^2$ ③ π^2

④ $\dfrac{5}{4}\pi^2$ ⑤ $\dfrac{3}{2}\pi^2$

0816

TOUGH

그림과 같이 반지름의 길이가 1이고 중심각의 크기가 $\frac{\pi}{2}$인 부채꼴 OAB가 있다. 호 AB 위의 점 P에서 선분 OA에 내린 수선의 발을 H, 점 P에서 호 AB에 접하는 직선과 직선 OA의 교점을 Q라 하자. 점 Q를 중심으로 하고 반지름의 길이가 $\overline{QA}$인 원과 선분 PQ의 교점을 R라 하자. $\angle POA=\theta$일 때, 삼각형 OHP의 넓이를 $f(\theta)$, 부채꼴 QRA의 넓이를 $g(\theta)$라 하자.

$\lim_{\theta \to 0+} \frac{\sqrt{g(\theta)}}{\theta \times f(\theta)}$의 값은? $\left(단,\ 0<\theta<\frac{\pi}{2}\right)$

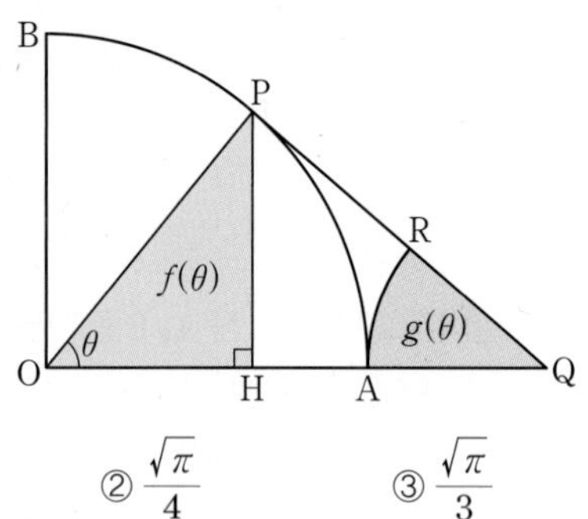

① $\frac{\sqrt{\pi}}{5}$ ② $\frac{\sqrt{\pi}}{4}$ ③ $\frac{\sqrt{\pi}}{3}$

④ $\frac{\sqrt{\pi}}{2}$ ⑤ $\sqrt{\pi}$

0817

TOUGH

그림과 같이 반지름의 길이가 1이고 중심각의 크기가 θ인 부채꼴 OAB에서 호 AB의 삼등분점 중 점 A에 가까운 점을 C라 하자. 변 DE가 선분 OA 위에 있고, 꼭짓점 G, F가 각각 선분 OC, 호 AC 위에 있는 정사각형 DEFG의 넓이를 $f(\theta)$라 하자. 점 D에서 선분 OB에 내린 수선의 발을 P, 선분 DP와 선분 OC가 만나는 점을 Q라 할 때, 삼각형 OQP의 넓이를 $g(\theta)$라 하자.

$\lim_{\theta \to 0+} \frac{f(\theta)}{\theta \times g(\theta)}=k$일 때, $60k$의 값을 구하여라.

$\left(단,\ 0<\theta<\frac{\pi}{2}이고\ \overline{OD}<\overline{OE}이다.\right)$

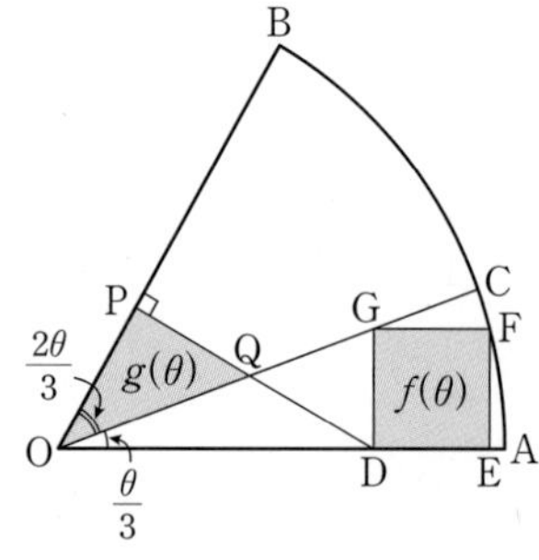

0818

TOUGH

그림과 같이 $\overline{AB}=1$, $\angle B=\frac{\pi}{2}$인 직각삼각형 ABC에서 $\angle C$를 이등분하는 직선과 선분 AB의 교점을 D, 중심이 A이고 반지름의 길이가 $\overline{AD}$인 원과 선분 AC의 교점을 E라 하자.
$\angle A=\theta$일 때, 부채꼴 ADE의 넓이를 $S(\theta)$, 삼각형 BCE의 넓이를 $T(\theta)$라 하자. $\lim_{\theta \to 0+} \frac{\{S(\theta)\}^2}{T(\theta)}$의 값은?

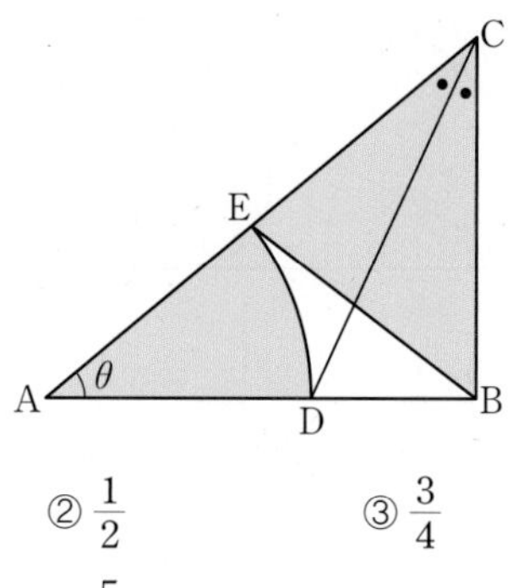

① $\frac{1}{4}$ ② $\frac{1}{2}$ ③ $\frac{3}{4}$

④ 1 ⑤ $\frac{5}{4}$

0819

TOUGH

그림과 같이 중심이 O이고 길이가 8인 선분 AB를 지름으로 하는 반원 위에 점 P가 있다. 점 A를 지나고 직선 OP에 수직인 직선이 반원과 만나는 점을 Q라 하자. $\angle PAO=\theta\left(\frac{\pi}{4}<\theta<\frac{\pi}{2}\right)$일 때, 삼각형 AOQ의 넓이를 $S(\theta)$라 하자. $\lim_{\theta \to \frac{\pi}{4}+} \frac{S(\theta)}{\theta-\frac{\pi}{4}}$의 값은?

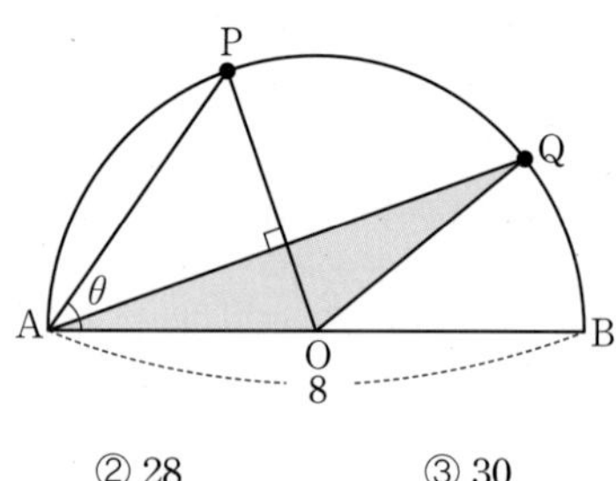

① 26 ② 28 ③ 30

④ 32 ⑤ 34

유형 20 지수함수 로그함수의 연속

① 함수 $f(x)$가 $x=a$에서 연속

함수 $f(x)$가 실수 a에 대하여 다음 세 조건을 만족시킬 때,
함수 $f(x)$는 $x=a$에서 연속이라고 한다.

(ⅰ) 함수 $f(x)$는 $x=a$에서 정의되어 있다.

(ⅱ) 극한값 $\lim_{x \to a} f(x)$가 존재한다.

(ⅲ) $\lim_{x \to a} f(x)=f(a)$

② 함수 $f(x)$가 $x=a$에서 불연속

함수 $f(x)$가 $x=a$에서 연속이 아닐 때, 즉 위의 세 가지 조건 가운데 어느 한 가지라도 만족시키지 않을 때,
함수 $f(x)$는 $x=a$에서 불연속이다.

0820 학교기출 대표 유형

$x=0$에서 연속인 함수만을 [보기]에서 있는 대로 고른 것은?

ㄱ. $f(x)=\begin{cases} \dfrac{x}{e^x-1} & (x \neq 0) \\ 1 & (x=0) \end{cases}$

ㄴ. $g(x)=\begin{cases} x\sin\dfrac{1}{x} & (x \neq 0) \\ 1 & (x=0) \end{cases}$

ㄷ. $h(x)=\begin{cases} \dfrac{x}{\log_2(1+x)} & (x \neq 0) \\ 1 & (x=0) \end{cases}$

① ㄱ　② ㄱ, ㄴ　③ ㄱ, ㄷ
④ ㄴ, ㄷ　⑤ ㄱ, ㄴ, ㄷ

0821 NORMAL

$x=0$에서 연속인 함수만을 [보기]에서 있는 대로 고른 것은?

ㄱ. $f(x)=\begin{cases} \dfrac{e^x-1}{x} & (x \neq 0) \\ 1 & (x=0) \end{cases}$

ㄴ. $g(x)=\begin{cases} \dfrac{x-\sin x}{x} & (x \neq 0) \\ 0 & (x=0) \end{cases}$

ㄷ. $h(x)=\begin{cases} \dfrac{\ln(1+x^2)}{x} & (x \neq 0) \\ 0 & (x=0) \end{cases}$

① ㄱ　② ㄱ, ㄴ　③ ㄱ, ㄷ
④ ㄴ, ㄷ　⑤ ㄱ, ㄴ, ㄷ

유형 21 함수의 연속과 미정계수의 결정

① $x \neq a$인 모든 실수 x에서 연속인 함수 $g(x)$에 대하여 함수

$$f(x)=\begin{cases} g(x) & (x \neq a) \\ k & (x=a) \end{cases}$$

가 모든 실수 x에 대하여 연속이면 $\lim_{x \to a} g(x)=k$

② 연속함수 $f(x)$, $g(x)$에 대하여 $(x-a)f(x)=g(x)$를 만족할 때,

$f(x)=\dfrac{g(x)}{x-a}(x \neq a)$이므로

$f(x)$가 $x=a$에서 연속이면 $f(a)=\lim_{x \to a}\dfrac{g(x)}{x-a}$

0822 학교기출 대표 유형

함수

$$f(x)=\begin{cases} \dfrac{e^{5x}+a}{\sin x} & (x \neq 0) \\ b & (x=0) \end{cases}$$

가 $x=0$에서 연속이 되도록 하는 상수 a, b의 값을 정할 때, $a+b$의 값은?

① 1　② 2　③ 3
④ 4　⑤ 5

0823 최다빈출 왕중요 NORMAL

함수

$$f(x)=\begin{cases} \dfrac{2\cos x+a}{x\sin x} & (x \neq 0) \\ b & (x=0) \end{cases}$$

가 $x=0$에서 연속일 때, 상수 a, b에 대하여 $a+b$의 값은?

① -5　② -3　③ -1
④ 1　⑤ 3

▶ 해설 내신연계기출

0824 NORMAL

함수

$$f(x)=\begin{cases} \dfrac{1-\cos x}{\ln(1+3x^2)} & (x \neq 0) \\ a & (x=0) \end{cases}$$

이 $x=0$에서 연속일 때, 상수 a의 값은?

① $\dfrac{1}{6}$　② $\dfrac{1}{3}$　③ 1
④ 3　⑤ 6

0825 최다빈출 왕중요 NORMAL

함수

$$f(x)=\begin{cases} \dfrac{\sin 5(x-1)}{x-1} & (x\neq 1) \\ a & (x=1) \end{cases}$$

가 $x=1$에서 연속일 때, 상수 a의 값은?

① 1 ② 2 ③ 3
④ 4 ⑤ 5

▶ 해설 내신연계기출

0826 최다빈출 왕중요 NORMAL

함수

$$f(x)=\begin{cases} \dfrac{e^x-\sin 2x-a}{3x} & (x\neq 0) \\ b & (x=0) \end{cases}$$

가 $x=0$에서 연속일 때, 두 상수 a, b에 대하여 $a+b$의 값은?

① $\frac{1}{3}$ ② $\frac{2}{3}$ ③ 1
④ $\frac{4}{3}$ ⑤ $\frac{5}{3}$

▶ 해설 내신연계기출

0827 NORMAL

함수

$$f(x)=\begin{cases} \dfrac{2^x+\sin 2x-a}{x} & (x\neq 0) \\ b & (x=0) \end{cases}$$

가 $x=0$에서 연속일 때, 두 상수 a, b에 대하여 $a+b$의 값은?

① $\ln 2+1$ ② $\ln 2+3$ ③ $\ln 2+5$
④ $2\ln 2+4$ ⑤ $3\ln 2+5$

0828 NORMAL

연속함수 $f(x)$가

$$2\sin x f(x)=e^{3x}-1$$

을 만족할 때, $f(0)$의 값은?

① $-\frac{5}{2}$ ② $-\frac{3}{2}$ ③ 0
④ $\frac{3}{2}$ ⑤ $\frac{5}{2}$

0829 NORMAL

함수 $f(x)$는 모든 실수 x에 대하여

$$f(x)\sin 3x=x(1+x)^{\frac{2}{x}}$$

을 만족시킨다. $f(x)$가 $x=0$에서 연속일 때, $f(0)$의 값은?

① $\frac{1}{3}e^{\frac{1}{2}}$ ② $e^{\frac{1}{2}}$ ③ e
④ $\frac{1}{3}e^2$ ⑤ e^2

0830 최다빈출 왕중요 NORMAL

모든 실수 x에서 연속인 함수 $f(x)$가

$$(\pi-2x)f(x)=10\cos x$$

를 만족할 때, $f\left(\frac{\pi}{2}\right)$의 값은?

① 1 ② 2 ③ 3
④ 4 ⑤ 5

▶ 해설 내신연계기출

0831
NORMAL

함수 $f(x)$가 모든 실수에서 연속이고

$$(1-\cos x)f(x)=x(e^x-1)$$

을 만족할 때, $f(0)$의 값은? (단, e는 자연로그의 밑)

① 1 ② 2 ③ 3
④ 4 ⑤ 5

0832 최다빈출 왕중요
NORMAL

연속함수 $f(x)$가

$$(1-\cos x)f(x)=\sin x(e^{2x}-1)$$

을 만족할 때, $f(0)$의 값은? (단, e는 자연로그의 밑)

① $\frac{1}{4}$ ② $\frac{1}{2}$ ③ 1
④ 2 ⑤ 4

▶ 해설 내신연계기출

0833
NORMAL

함수 $f(x)=\begin{cases} 2^x-3 & (x\ge 1) \\ \dfrac{\sin ax}{x} & (0<x<1) \\ x+b & (x\le 0) \end{cases}$가 모든 실수 x에 대하여

연속이 되도록 하는 상수 a, b에 대하여 $a+b$의 값은?
(단, $-\pi<a<\pi$)

① $-\frac{3}{2}\pi$ ② $-\pi$ ③ $-\frac{\pi}{2}$
④ 0 ⑤ $\frac{\pi}{2}$

0834
NORMAL

함수 $f(x)$가 $f(x)=\begin{cases} \dfrac{3x+\sin x}{\tan x} & (x<0) \\ a & (x=0) \\ \dfrac{\ln(1+bx)}{2x} & (x>0) \end{cases}$ 이고 $x=0$에서

연속일 때, 두 상수 a, b에 대하여 $a+b$의 값은?

① 10 ② 11 ③ 12
④ 13 ⑤ 14

0835
TOUGH

함수 $f(x)=\begin{cases} \dfrac{\sin x-a}{x-\frac{\pi}{2}} & \left(x\ne\frac{\pi}{2}\right) \\ b & \left(x=\frac{\pi}{2}\right) \end{cases}$ 가 $x=\frac{\pi}{2}$에서 연속일 때,

상수 a, b에 대하여 $a+b$의 값은?

① 1 ② 2 ③ 3
④ 4 ⑤ 5

0836
TOUGH

모든 실수 x에서 연속인 함수 $f(x)$에 대하여

$$\lim_{x\to 0}\frac{x(e^x-1)f(x)}{1-\cos x}=100$$

일 때, $f(0)$의 값은?

① 10 ② 50 ③ 0
④ -50 ⑤ -10

05 삼각함수의 미분

학교내신기출 객관식 핵심문제총정리

STEP 1 내신정복 기출유형

유형 01 삼각함수의 미분법

삼각함수 $y=\sin x$, $y=\cos x$의 도함수는 다음과 같다.

① $y=\sin x$ ⇨ $y'=\cos x$

② $y=\cos x$ ⇨ $y'=-\sin x$

③ $y=\tan x$ ⇨ $y'=\sec^2 x$

증명 ① 삼각함수 $y=\sin x$에서 도함수의 정의로부터

$$\begin{aligned} y' &= \lim_{h\to 0}\frac{\sin(x+h)-\sin x}{h} \\ &= \lim_{h\to 0}\frac{\sin x\cos h+\cos x\sin h-\sin x}{h} \\ &= \lim_{h\to 0}\frac{\cos x\sin h-\sin x(1-\cos h)}{h} \\ &= \cos x\times\lim_{h\to 0}\frac{\sinh}{h}-\sin x\times\lim_{h\to 0}\frac{1-\cos h}{h} \\ &= \cos x \quad \Leftarrow \lim_{h\to 0}\frac{\sin h}{h}=1,\ \lim_{h\to 0}\frac{1-\cos h}{h}=0 \end{aligned}$$

② 삼각함수 $y=\cos x$에서 도함수의 정의로부터

$$\begin{aligned} y' &= \lim_{h\to 0}\frac{\cos(x+h)-\cos x}{h} \\ &= \lim_{h\to 0}\frac{\cos x\cos h-\sin x\sin h-\cos x}{h} \\ &= \lim_{h\to 0}\frac{-\sin x\sin h-\cos x(1-\cos h)}{h} \\ &= -\sin x\lim_{h\to 0}\frac{\sin h}{h}-\cos x\lim_{h\to 0}\frac{1-\cos h}{h} \\ &= -\sin x \quad \Leftarrow \lim_{h\to 0}\frac{\sin h}{h}=1,\ \lim_{h\to 0}\frac{1-\cos h}{h}=0 \end{aligned}$$

0837 학교기출 대표 유형

곡선 $y=3-2\sin x$ 위의 점 $\left(\frac{\pi}{6},\ 2\right)$에서의 접선의 기울기는?

① $-\sqrt{3}$　② -1　③ 0
④ 1　⑤ $\sqrt{3}$

0838 BASIC

함수 $f(x)=x\sin x+\cos x$에 대하여 $f'(2\pi)$의 값은?

① 0　② $\frac{\pi}{3}$　③ $\frac{\pi}{2}$
④ π　⑤ 2π

0839  중요 BASIC

함수 $f(x)=\sin x$에 대한 설명으로 옳은 것을 [보기]에서 모두 고른 것은?

ㄱ. $\lim_{h\to 0}\frac{f(h)}{h}=1$

ㄴ. $f'\left(-\frac{\pi}{2}\right)=0$

ㄷ. $f'\left(x+\frac{\pi}{2}\right)=f(x)$

① ㄱ　② ㄴ　③ ㄱ, ㄴ
④ ㄱ, ㄷ　⑤ ㄴ, ㄷ

▶ 해설 내신연계기출

0840 BASIC

함수 $f(x)=2\sin x$에 대하여 x의 값이 0에서 π까지 변할 때의 평균변화율과 $x=a$에서의 미분계수가 같을 때, 상수 a의 값은? (단, $0<a<\pi$)

① $\frac{\pi}{6}$　② $\frac{\pi}{4}$　③ $\frac{\pi}{3}$
④ $\frac{\pi}{2}$　⑤ $\frac{2}{3}\pi$

0841 BASIC

$x>0$일 때, 함수 $f(x)=\ln x^{\sin x}$ 위의 점 $\left(\frac{\pi}{2},\ \ln\frac{\pi}{2}\right)$에서의 접선의 기울기는?

① $\frac{1}{\pi}$　② $\frac{2}{\pi}$　③ 1
④ π　⑤ 2π

0842
BASIC

함수 $f(x)=(\sin x-\cos x)^2$에 대하여 $x=\pi$에서의 미분계수는?

① -2　② $-\frac{\sqrt{3}}{2}$　③ $-\frac{\sqrt{2}}{2}$
④ $\sqrt{2}$　⑤ 2

0843 최다빈출 왕중요
BASIC

함수 $f(x)=e^{2x}(\sin x-\cos x)$에서 $f'\left(\frac{\pi}{2}\right)$의 값은?

① 0　② e^{π}　③ $e^{2\pi}$
④ $2e^{\pi}$　⑤ $3e^{\pi}$

▶ 해설 내신연계기출

0844
NORMAL

함수 $f(x)=\sin x+\cos x$에 대하여 구간 $[0, 2\pi]$에서 $f'(x)=0$을 만족하는 실수 x의 값들의 합은?

① $\frac{\pi}{4}$　② $\frac{\pi}{2}$　③ π
④ $\frac{3}{2}\pi$　⑤ 2π

0845
NORMAL

반지름의 길이가 $a$cm인 바퀴 위의 점 P가 바닥에 닿아 있다. 바퀴가 구르기 시작하여 다음 그림과 같이 점 P가 회전한 각의 크기가 x일 때, 점 P가 수평방향으로 이동한 거리를 $f(x)$cm라고 하면

$$f(x)=a(x-\sin x)$$

가 성립한다고 한다. $f'\left(\frac{\pi}{3}\right)=16$일 때, $f'(\pi)$의 값은? (단, a는 상수)

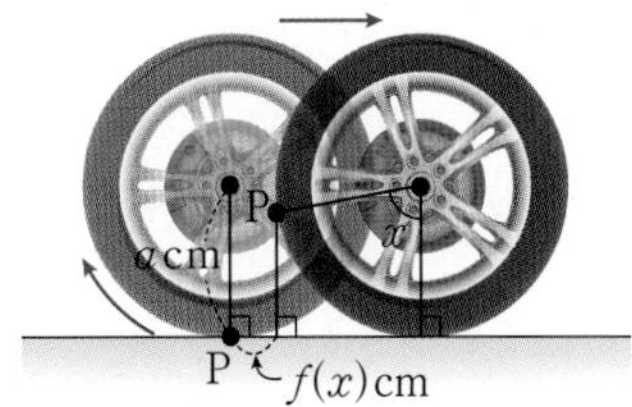

① 24　② 36　③ 48
④ 54　⑤ 64

0846 최다빈출 왕중요
NORMAL

닫힌 구간 $[0, 2\pi]$에서 정의된 함수 $f(x)=e^x\cos x$에 대하여 $f'(x)=0$을 만족시키는 모든 실수 x의 값의 합은?

① $\frac{\pi}{2}$　② $\frac{5}{6}\pi$　③ π
④ $\frac{3}{2}\pi$　⑤ 2π

▶ 해설 내신연계기출

0847
NORMAL

함수

$$f(x)=\cos\left(\frac{\pi}{2}+x\right)+\cos(\pi+x)$$

에 대하여 $f'\left(\frac{\pi}{4}\right)$의 값은?

① 0　② $\frac{\sqrt{2}}{2}$　③ $\frac{\sqrt{3}}{2}$
④ $\sqrt{2}$　⑤ $\sqrt{3}$

0848 최다빈출 왕중요

NORMAL

함수 $f(x)=a\sin x+b\cos x$일 때,

$$f\left(\frac{\pi}{6}\right)=1,\ f'\left(\frac{\pi}{6}\right)=\sqrt{3}$$

을 만족하는 실수 a, b에 대하여 $a-b$의 값은?

① 1 ② 2 ③ 3
④ 4 ⑤ 6

▶ 해설 내신연계기출

0849

NORMAL

함수 $f(x)=\sum_{k=1}^{100} k\sin(k\pi+x)$에 대하여 $f'(\pi)$의 값은?

① -100 ② -50 ③ -25
④ 50 ⑤ 100

0850 최다빈출 왕중요

TOUGH

함수

$$f(x)=\sin(x+\alpha)+2\cos(x+\alpha)$$

에 대하여 $f'\left(\frac{\pi}{4}\right)=0$일 때, $\tan\alpha$의 값은? (단, α는 상수이다.)

① $-\frac{5}{6}$ ② $-\frac{2}{3}$ ③ $-\frac{1}{2}$
④ $-\frac{1}{3}$ ⑤ $-\frac{1}{6}$

▶ 해설 내신연계기출

유형 02 미분계수와 삼각함수의 도함수

미분가능한 함수 $f(x)$에 대하여

① $\lim_{h\to0}\frac{f(a+h)-f(a)}{h}=f'(a)$

② $\lim_{h\to0}\frac{f(a+nh)-f(a)}{mh}=\frac{n}{m}f'(a)$

③ $\lim_{h\to0}\frac{f(a+mh)-f(a+nh)}{h}=(m-n)f'(a)$

0851 학교기출 대표유형

함수 $f(x)=x\cos x$에 대하여

$$\lim_{h\to0}\frac{f(\pi+h)-f(\pi-h)}{2h}$$

의 값은?

① $-\pi$ ② -1 ③ 0
④ 1 ⑤ π

▶ 해설 내신연계기출

0852

BASIC

함수 $f(x)=x\sin x+\cos x$에 대하여

$$\lim_{h\to0}\frac{f(\pi+2h)-f(\pi+h)}{2h}$$

의 값은?

① $-\frac{\pi}{2}$ ② $-\frac{\pi}{3}$ ③ $-\frac{\pi}{4}$
④ $-\frac{\pi}{5}$ ⑤ $-\frac{\pi}{6}$

0853 최다빈출 왕중요

NORMAL

함수 $f(x)=(1-\cos x)\sin x$에 대하여

$$\lim_{h\to0}\frac{f(\pi+2h)-f(\pi-h)}{3h}$$

의 값은?

① -4 ② -2 ③ -1
④ 2 ⑤ 4

▶ 해설 내신연계기출

0854

최다빈출 왕중요 NORMAL

함수 $f(x)=\sin x \cos x$에 대하여

$$\lim_{h \to 0} \frac{f(\pi+h)-f(\pi-2h)}{h}$$

의 값은?

① 1 ② $\frac{3}{2}$ ③ 2
④ 3 ⑤ 4

▶ 해설 내신연계기출

0855

NORMAL

함수 $f(x)=\sin x \cos x$에 대하여

$$\lim_{h \to 0} \frac{f\left(h+\frac{\pi}{3}\right)+f\left(h-\frac{\pi}{3}\right)}{h}$$

의 값은?

① -3 ② -2 ③ -1
④ 1 ⑤ 2

0856

최다빈출 왕중요 NORMAL

함수 $f(x)=(\sin x+\cos x)^2$에 대하여

$$\lim_{h \to 0} \frac{f\left(\frac{\pi}{2}+2h\right)-1}{h}$$

의 값은?

① -4 ② -2 ③ 0
④ 2 ⑤ 4

▶ 해설 내신연계기출

0857

최다빈출 왕중요 NORMAL

함수

$$f(x)=\lim_{h \to 0} \frac{x\cos(x+h)-x\cos x}{h}$$

에 대하여 $f'\left(\frac{\pi}{2}\right)$의 값은?

① $-\pi$ ② -2 ③ -1
④ 2 ⑤ π

▶ 해설 내신연계기출

0858

NORMAL

함수

$$f(x)=\lim_{h \to 0} \frac{x\sin(x+h)-x\sin x}{h}$$

에 대하여 $f''(\pi)$의 값은?

① -2π ② $-\pi$ ③ -1
④ $\frac{\pi}{2}$ ⑤ π

0859

최다빈출 왕중요 NORMAL

함수

$$f(x)=\lim_{h \to 0} \frac{(x-h)\sin(x+h)-x\cos\left(\frac{\pi}{2}-x\right)}{h}$$

에 대하여 $f'\left(\frac{\pi}{2}\right)$의 값은?

① $-\pi$ ② $-\frac{\pi}{2}$ ③ 0
④ $\frac{\pi}{2}$ ⑤ π

▶ 해설 내신연계기출

0860 최다빈출 왕중요

NORMAL

함수 $f(x)=\sin x+a\cos x$에 대하여

$$\lim_{x\to\frac{\pi}{2}}\frac{f(x)-1}{x-\frac{\pi}{2}}=3$$

일 때, $f\left(\frac{\pi}{4}\right)$의 값은? (단, a는 상수이다.)

① $-2\sqrt{2}$　② $-\sqrt{2}$　③ 0
④ $\sqrt{2}$　⑤ $2\sqrt{2}$

▶ 해설 내신연계기출

0861

NORMAL

함수 $f(x)=x^2\sin x+a\cos x$가

$$\lim_{x\to\pi}\frac{f(x)-1}{x-\pi}=b$$

를 만족시킬 때, 두 상수 a, b에 대하여 ab의 값은?

① $-2\pi^2$　② $-\pi^2$　③ 0
④ π^2　⑤ $2\pi^2$

0862 최다빈출 왕중요

NORMAL

함수 $f(x)=2\sin x+3\cos x$에 대하여

$$\lim_{n\to\infty}n\left\{f\left(\frac{2}{n}\right)-f(0)\right\}$$

의 값은?

① 1　② 2　③ 3
④ 4　⑤ 6

▶ 해설 내신연계기출

0863

TOUGH

함수 $f(x)=\sin x\cos x$에 대하여

$$\lim_{n\to\infty}n\left\{f\left(\frac{\pi}{3}+\frac{1}{n}\right)-f\left(\frac{\pi}{3}-\frac{3}{n}\right)\right\}$$

의 값은?

① -5　② -4　③ -3
④ -2　⑤ -1

0864

TOUGH

함수 $f(x)=(2x-\pi)\sin x$에 대하여

$$\lim_{x\to\pi}\frac{f(x)-f(2\pi-x)}{x-\pi}$$

의 값은?

① 2π　② π　③ 0
④ $-\pi$　⑤ -2π

0865 최다빈출 왕중요

TOUGH

함수 $f(x)$가

$$f(x)=\begin{cases}2\sin x+x^2\cos\frac{1}{x} & (x\neq 0)\\ 0 & (x=0)\end{cases}$$

일 때, $f'(0)$의 값은?

① -2　② -1　③ 1
④ 2　⑤ 3

▶ 해설 내신연계기출

유형 03 삼각함수의 미분계수의 활용

미분계수를 이용한 극한값 계산

① $\lim_{x\to0}\frac{f(\sin ax)-f(0)}{bx}=\frac{a}{b}f'(0)$

설명 $\lim_{x\to0}\frac{f(\sin ax)-f(0)}{\sin ax}\cdot\frac{\sin ax}{bx}=\lim_{x\to0}\frac{f(\sin ax)-f(0)}{\sin ax}\cdot\lim_{x\to0}\frac{\sin ax}{bx}$

여기서 $\sin ax=t$로 놓으면 $x\to0$일 때, $t\to0$이므로

$\lim_{x\to0}\frac{f(\sin ax)-f(0)}{\sin ax}=\lim_{t\to0}\frac{f(t)-f(0)}{t}$

$=\lim_{t\to0}\frac{f(t)-f(0)}{t-0}=f'(0)$

$\therefore \lim_{x\to0}\frac{f(\sin ax)-f(0)}{\sin ax}\cdot\lim_{x\to0}\frac{\sin ax}{bx}=f'(0)\cdot\frac{a}{b}$

참고 $\lim_{x\to0}\frac{f(\tan ax)-f(0)}{bx}=\frac{a}{b}f'(0)$

② $\lim_{x\to0}\frac{f(\sin ax)-f(\tan bx)}{x}=(a-b)f'(0)$

설명 $\lim_{x\to0}\frac{f(\sin ax)-f(0)-\{f(\tan bx)-f(0)\}}{x}$

$=\lim_{x\to0}\frac{f(\sin ax)-f(0)}{\sin ax}\cdot\frac{\sin ax}{x}-\lim_{x\to0}\frac{f(\tan bx)-f(0)}{\tan bx}\cdot\frac{\tan bx}{x}$

$=af'(0)-bf'(0)=(a-b)f'(0)$

0866 학교기출 대표 유형

함수 $f(x)=\sin x-\cos x$에 대하여

$$\lim_{x\to0}\frac{f(\sin x)+1}{x}$$

의 값은?

① -2　② -1　③ 0　④ 1　⑤ 2

0867 최다빈출 왕중요 NORMAL

함수 $f(x)=\tan x+\sin x$에 대하여

$$\lim_{x\to0}\frac{f(\sin 2x)-f(\tan 3x)}{x}$$

의 값은?

① -3　② -2　③ -1　④ 2　⑤ 3

▶ 해설 내신연계기출

0868 최다빈출 왕중요 NORMAL

함수 $f(x)=e^x\sin 3x-2\cos 2x$에 대하여

$$\lim_{x\to0}\frac{f(\tan 3x)+2}{x}$$

의 값은?

① 3　② 5　③ 7　④ 9　⑤ 11

▶ 해설 내신연계기출

0869 TOUGH

함수 $f(x)=\sin x$에 대하여

$$\lim_{x\to0}\frac{f(2\pi-\pi\cos x)-f(\pi)}{x^2}$$

의 값은?

① $-\pi$　② $-\frac{\pi}{2}$　③ $-\frac{\pi}{3}$　④ $-\frac{\pi}{4}$　⑤ $-\frac{\pi}{6}$

0870 TOUGH

$x=1$에서 미분가능한 함수 $f(x)$에 대하여

$$f(1)=1,\ f'(1)=-2$$

일 때, $\lim_{x\to0}\frac{f(2-\cos x)-1}{x^2}$의 값을 구하여라.

① -2　② -1　③ 0　④ 1　⑤ 2

유형 04 미분가능을 이용한 미정계수 결정

$f(x)=\begin{cases} g(x) & (x \ge a) \\ h(x) & (x < a) \end{cases}$가 $x=a$에서 미분가능하면

(1) 함수 $f(x)$가 $x=a$에서 연속이다.

⇨ $\lim_{x \to a+} g(x) = \lim_{x \to a-} h(x) = f(a)$

(2) $x=a$에서 $f'(a)$가 존재한다.

⇨ $\lim_{x \to a+} g'(x) = \lim_{x \to a-} h'(x)$

[방법1] 미분계수의 정의를 활용하는 경우

[방법2] 미분법을 활용하는 경우

0871 학교기출 대표 유형

함수

$$f(x)=\begin{cases} a\cos x & (x \ge 0) \\ x^2+bx+1 & (x < 0) \end{cases}$$

가 $x=0$에서 미분가능할 때, $a+b$의 값은? (단, a, b는 상수)

① -1 ② -2 ③ 0
④ 1 ⑤ 2

▶ 해설 내신연계기출

0872 BASIC

두 상수 a, b에 대하여 함수

$$f(x)=\begin{cases} 3\sin x+2 & (x \le 0) \\ ax+b & (x > 0) \end{cases}$$

가 $x=0$에서 미분가능할 때, a^2+b^2의 값은?

① 11 ② 12 ③ 13
④ 14 ⑤ 15

0873 BASIC

함수

$$f(x)=\begin{cases} \sin 2x+\cos x & (0 \le x < 1) \\ ax+b & (-1 < x < 0) \end{cases}$$

가 $x=0$에서 미분가능 하도록 하는 상수 a, b에 대하여 $a+b$의 값은?

① -3 ② -2 ③ 0
④ 2 ⑤ 3

0874 BASIC

함수

$$f(x)=\begin{cases} ae^x+b & (x < 0) \\ \sin x & (x \ge 0) \end{cases}$$

가 $x=0$에서 미분가능할 때, 두 상수 a, b에 대하여 ab의 값은?

① -2 ② -1 ③ 0
④ 1 ⑤ 2

0875 최다빈출 왕중요 NORMAL

함수

$$f(x)=\begin{cases} a\cos x-b\sin x & (x \ge 0) \\ e^{x+1} & (x < 0) \end{cases}$$

가 $x=0$에서 미분가능할 때, 두 상수 a, b에 대하여 $a+b$의 값은?

① $-2e$ ② $-e$ ③ 0
④ e ⑤ $2e$

▶ 해설 내신연계기출

0876 NORMAL

함수

$$f(x)=\begin{cases} x^2+ax+b & (x < 0) \\ e^x\cos x & (x \ge 0) \end{cases}$$

가 $x=0$에서 미분가능할 때, 두 상수 a, b에 대하여 $a+b$의 값은?

① -2 ② -1 ③ 0
④ 1 ⑤ 2

0877

좌표평면 위의 단위원을 이용하여 삼각함수의 덧셈정리를 코사인법칙을 이용하여 증명하는 과정이다. 빈칸 (가)~(아)에 알맞은 것을 채워 넣어라.

[증명]

오른쪽 그림과 같이 좌표평면에서 두 각 α, β를 나타내는 동경과 단위원의 교점을 각각 P, Q라 하면

P$(\cos\alpha, \sin\alpha)$, Q$(\cos\beta, \sin\beta)$

이다. 이때의 두 점 사이의 거리를 구하는 공식에 의하여

$$\overline{PQ}^2=(\cos\alpha-\cos\beta)^2+(\sin\alpha-\sin\beta)^2$$
$$=\cos^2\alpha-2\cos\alpha\cos\beta+\cos^2\beta+\sin^2\alpha-2\sin\alpha\sin\beta+\sin^2\beta$$
$$=2-2(\boxed{\text{(가)}})$$

이고, 삼각형 POQ에서 코사인법칙에 의하여

$$\overline{PQ}^2=\overline{OP}^2+\overline{OQ}^2-2\cdot\overline{OP}\cdot\overline{OQ}\cdot\boxed{\text{(나)}}$$
$$=1^2+1^2-2\cdot1\cdot1\cdot\boxed{\text{(나)}}=2-2\boxed{\text{(나)}}$$

이다. 따라서

$$2-2(\boxed{\text{(가)}})=2-2\boxed{\text{(나)}}$$

이다. 즉 다음이 성립한다.

$\cos(\alpha-\beta)=\cos\alpha\cos\beta+\sin\alpha\sin\beta$ …… ㉠

㉠에서 β대신 $-\beta$를 대입하여 정리하면

$$\cos(\alpha+\beta)=\cos\alpha\cos(-\beta)+\sin\alpha\sin(-\beta)$$
$$=\cos\alpha\cos\beta-\sin\alpha\sin\beta$$

이다. 즉 다음이 성립한다.

$\cos(\alpha+\beta)=\cos\alpha\cos\beta-\sin\alpha\sin\beta$ …… ㉡

한편 ㉡에서 α대신 $\frac{\pi}{2}-\alpha$를 대입하여 정리하면

$$\cos\left(\frac{\pi}{2}-\alpha+\beta\right)=\cos\left(\frac{\pi}{2}-\alpha\right)\cos\beta-\sin\left(\frac{\pi}{2}-\alpha\right)\sin\beta$$
$$=\sin\alpha\cos\beta-\cos\alpha\sin\beta$$

이다. 즉 다음이 성립한다.

$\boxed{\text{(다)}}=\sin\alpha\cos\beta-\cos\alpha\sin\beta$ …… ㉢

또, ㉢에서 β 대신 $-\beta$를 대입하여 정리하면 다음을 얻을 수 있다.

$\boxed{\text{(라)}}=\sin\alpha\cos\beta+\cos\alpha\sin\beta$ …… ㉣

또, ㉡과 ㉣을 이용하면

$$\tan(\alpha+\beta)=\boxed{\text{(마)}}=\frac{\sin\alpha\cos\beta+\cos\alpha\sin\beta}{\cos\alpha\cos\beta-\sin\alpha\sin\beta}$$

이고, 우변의 분자, 분모를 $\boxed{\text{(바)}}$로 나누면

$\tan(\alpha+\beta)=\boxed{\text{(사)}}$ …… ㉤

가 성립한다.

이때 ㉤에서 β대신에 $-\beta$를 대입하여 정리하면 다음이 성립한다.

$\tan(\alpha-\beta)=\boxed{\text{(아)}}$

0878

θ가 제 1사분면의 각이고 $\sin\theta\cos\theta=\frac{1}{2}$일 때 다음 단계로 식의 값을 구하는 과정을 서술하여라.

[1단계] $\sin\theta+\cos\theta$의 값을 구한다.
[2단계] $\tan\theta+\cot\theta$의 값을 구한다.
[3단계] $\sec\theta+\csc\theta$의 값을 구한다.

0879

$0<\alpha<\frac{\pi}{2}$, $\frac{\pi}{2}<\beta<\pi$에 대하여

$$\cos\alpha=\frac{3}{5},\ \tan\beta=-\frac{15}{8}$$

일 때, $\sin(\alpha+\beta)$의 값을 구하는 과정을 다음 단계로 서술하여라.

[1단계] $\cos\alpha=\frac{3}{5}$에서 $\sin\alpha$의 값을 구한다.

[2단계] $\tan\beta=-\frac{15}{8}$에서 $\sin\beta$, $\cos\beta$의 값을 구한다.

[3단계] 삼각함수의 덧셈정리를 이용하여 $\sin(\alpha+\beta)$의 값을 구한다.

0880

오른쪽 그림과 같은 직사각형 ABCD에서 두 점 E, F가 각각 변 AD, DC 위에 있고 $\angle \mathrm{BEF}=\frac{\pi}{2}$, $\angle \mathrm{CBE}=\alpha$, $\angle \mathrm{EBF}=\beta$, $\overline{\mathrm{BF}}=1$일 때, 다음 단계로 그 과정을 서술하여라.

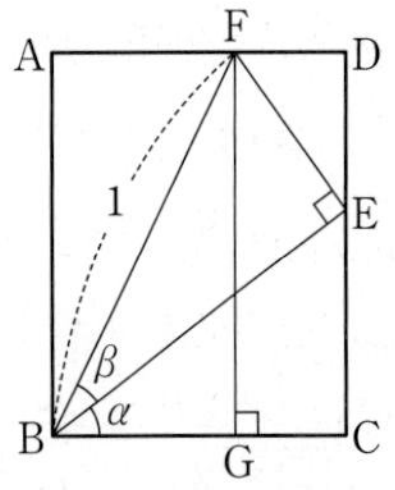

[1단계] 직각삼각형 BEF에서 $\overline{\mathrm{BE}}$, $\overline{\mathrm{EF}}$를 β에 대한 삼각함수로 나타낸다.

[2단계] 직각삼각형 BCE에서 $\overline{\mathrm{EC}}$, $\overline{\mathrm{BC}}$를 α, β에 대한 삼각함수로 나타낸다.

[3단계] $\angle \mathrm{FED}=\alpha$이므로 직각삼각형 FED에서 $\overline{\mathrm{DE}}$, $\overline{\mathrm{FD}}$를 α, β에 대한 삼각함수로 나타낸다.

[4단계] 점 F에서 $\overline{\mathrm{BC}}$에 내린 수선의 발을 G라고 하면 직각삼각형 FGB에서 $\overline{\mathrm{FG}}$, $\overline{\mathrm{BG}}$를 $\alpha+\beta$에 대한 삼각함수로 나타낸다.

[5단계] $\overline{\mathrm{DC}}=\overline{\mathrm{EC}}+\overline{\mathrm{DE}}$를 이용하여 $\sin(\alpha+\beta)$를 구한다.

[6단계] $\overline{\mathrm{BG}}=\overline{\mathrm{BC}}-\overline{\mathrm{FD}}$를 이용하여 $\cos(\alpha+\beta)$를 구한다.

0881

오른쪽 그림에서 $\overline{\mathrm{AB}}\perp\overline{\mathrm{BC}}$, $\overline{\mathrm{AC}}\perp\overline{\mathrm{CD}}$이고 $\overline{\mathrm{AB}}=4$, $\overline{\mathrm{BC}}=3$, $\overline{\mathrm{CD}}=3$일 때, 점 D에서 선분 $\overline{\mathrm{AB}}$에 내린 수선의 발을 H라 한다. 선분 $\overline{\mathrm{DH}}$, $\overline{\mathrm{AH}}$의 길이를 구하는 과정을 다음 단계로 서술하여라.

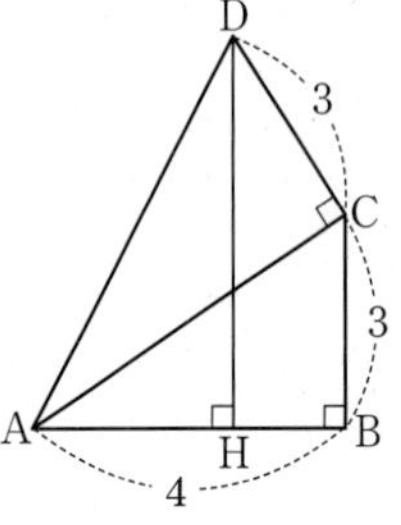

[1단계] 삼각형 ABC, ACD에서 피타고라스의 정리에 의하여 $\overline{\mathrm{AC}}$, $\overline{\mathrm{AD}}$의 길이를 구한다.

[2단계] $\angle \mathrm{CAB}=\alpha$, $\angle \mathrm{DAC}=\beta$라 할 때, $\sin\alpha$, $\cos\alpha$, $\sin\beta$, $\cos\beta$의 값을 구한다.

[3단계] 위의 단계를 이용하여 $\cos(\alpha+\beta)$, $\sin(\alpha+\beta)$의 값을 구한다.

[4단계] 선분 $\overline{\mathrm{DH}}$의 길이를 구한다.

[5단계] 선분 $\overline{\mathrm{AH}}$의 길이를 구한다.

0882

다음 단계로 등식이 성립할 때, 그 과정을 서술하여라.

[1단계] 삼각형 ABC에서

$$\sin A+\cos B=\frac{3}{2},\ \cos A+\sin B=\frac{\sqrt{3}}{2}$$

일 때, $\sin C$의 값을 구한다.

[2단계] 삼각형 ABC에서 등식

$$\tan A+\tan B+1=\tan A\tan B$$

을 만족할 때, C의 크기를 구한다.

[3단계] 삼각형 ABC에서 등식

$$\tan A+\tan B+\tan C=\tan A\tan B\tan C$$

가 성립함을 보인다.

0883

두 직선 $3x-y+1=0$, $mx-y+6=0$이 이루는 예각의 크기가 $\frac{\pi}{6}$가 되도록 하는 모든 실수 m의 값의 곱을 구하는 과정을 다음 단계로 서술하여라.

[1단계] 두 직선이 x축의 양의 방향과 이루는 각의 크기를 α, β로 놓고 탄젠트함수로 나타낸다.

[2단계] 탄젠트함수의 덧셈정리를 이용하여 이차방정식을 구한다.

[3단계] 실수 m의 값의 곱을 구한다.

0884

다음은 함수의 극한에 대한 성질을 이용하여 $\lim_{x \to 0} \frac{\sin x}{x}=1$을 증명하는 과정을 다음 단계로 서술하여라.

[1단계] $0<x<\frac{\pi}{2}$일 때, 다음과 같이 주어진 그림을 이용하여 $\lim_{x \to 0+} \frac{\sin x}{x}=1$임을 증명한다.

오른쪽 그림과 같이 단위원 O에서 부채꼴 AOB의 중심각의 크기를 x라디안이라 하고 점 A에서의 접선과 선분 OB의 연장선의 교점을 T라고 하자.

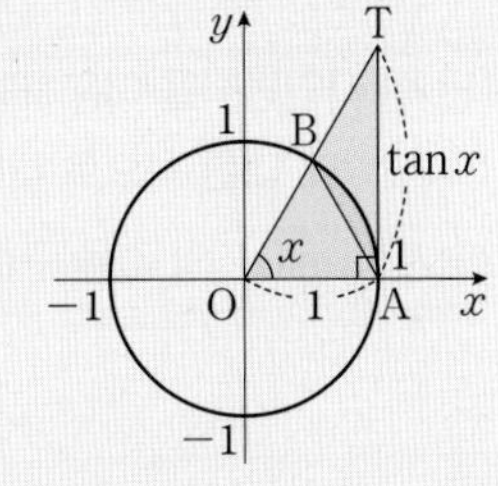

[2단계] $\lim_{x \to 0-} \frac{\sin x}{x}=1$임을 증명한다.

[3단계] $\lim_{x \to 0} \frac{\sin x}{x}$의 값을 이용하여 $\lim_{x \to 0} \frac{1-\cos x}{x}$의 값을 구한다.

[4단계] 함수 $f(x)=\sin x$라 할 때, $\lim_{x \to 0} \frac{\sin x}{x}$와 $\lim_{x \to 0} \frac{1-\cos x}{x}$의 값을 이용하여 도함수 $f'(x)=\cos x$임을 증명한다.

0885

함수 $f(x)=a\cos bx+c$가 다음 조건을 만족할 때, 다음 단계로 구하는 과정을 서술하여라. (단, $a>0$, $b>0$)

(가) $f(x)$의 최댓값은 5, 최솟값은 -3이다.
(나) $f(x)$의 주기는 4이다.

[1단계] 세 실수 a, b, c에 대하여 abc의 값을 구한다.

[2단계] $\sum_{n=1}^{2020} f(n)$의 값을 구한다.

[3단계] $\lim_{x \to 0} \frac{5-f(x)}{x^2}$의 값을 구한다.

0886

반지름의 길이가 r인 원의 둘레의 길이가 $2\pi r$임을 반지름의 길이가 r인 원에 내접하는 정 n각형과 외접하는 정 n각형을 이용하여 다음 단계로 그 과정을 서술하여라.

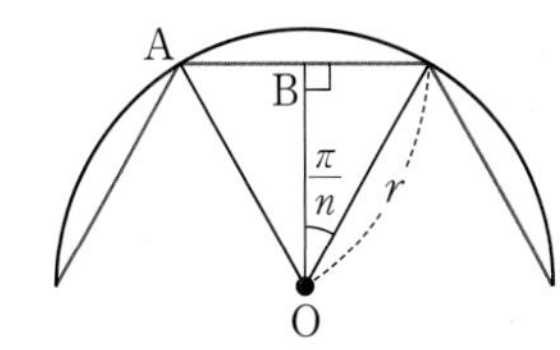

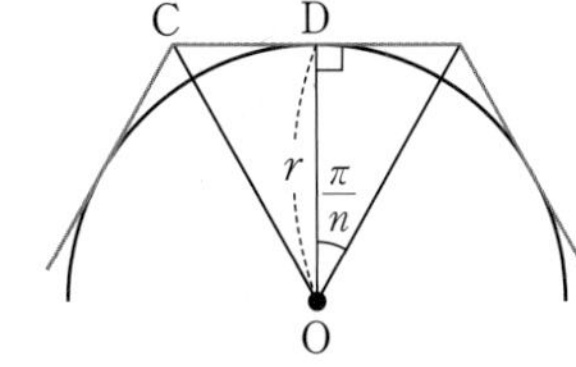

[1단계] 내접하는 정 n각형의 둘레의 길이를 $f(n)$, 외접하는 정 n각형의 둘레의 길이를 $g(n)$이라 하고 $f(n)$, $g(n)$을 구한다.

[2단계] 반지름의 길이가 r인 원의 둘레의 길이를 l이라고 하면 $f(n)<l<g(n)$이 성립함을 이용하고 극한값 $\lim_{n \to \infty} f(n)$과 $\lim_{n \to \infty} g(n)$을 구하여 반지름의 길이가 r인 원의 둘레의 길이가 $2\pi r$임을 서술한다.

[3단계] 내접하는 정 n각형의 넓이를 $S_1(n)$, 외접하는 정 n각형의 넓이를 $S_2(n)$이라 하고 $S_1(n)$, $S_2(n)$을 구하여 2단계와 같은 방법으로 반지름의 길이가 r인 원의 넓이가 πr^2임을 서술한다.

0887

삼차함수 $f(x)$가 다음 조건을 만족할 때, $f(2)$의 값을 구하는 과정을 다음 단계로 서술하여라.

(가) $\lim_{x \to \infty} \frac{f(x)}{x^3}=2$
(나) $\lim_{x \to 0} \frac{f(x)}{1-\cos x}=8$

[1단계] 조건 (가)를 만족하는 삼차함수 $f(x)$의 최고차항의 계수를 구한다.

[2단계] 조건 (나)를 이용하여 $\lim_{x \to 0} \frac{f(x)}{x^2}$의 값을 구한다.

[3단계] 위의 단계를 만족하는 삼차함수 $f(x)$를 구한다.

[4단계] $f(2)$의 값을 구한다.

▶ 해설 내신연계기출

0888

$y=\cos x$의 도함수가 $y'=-\sin x$임을 구하는 과정을 다음 단계로 서술하여라.

[1단계] 도함수의 정의를 이용하여 $(\cos x)'$의 식을 구한다.

[2단계] $\cos(\alpha+\beta)=\cos\alpha\cos\beta-\sin\alpha\sin\beta$를 이용하여 $\cos(x+h)-\cos x$를 정리한다.

[3단계] $\cos(x+h)-\cos x$와 삼각함수의 극한을 이용하여 $y'=-\sin x$임을 구한다.

0889

오른쪽 그림과 같이 중심각의 크기가 같은 두 부채꼴 OAB, OPQ에서 선분 OA와 선분 BP는 서로 수직이고 $\overline{OA}=1$이다. 중심각의 크기를 x, 색칠한 부분의 넓이를 $S(x)$라 할 때, $\lim_{x\to0+}\frac{S(x)}{x^3}$의 값을 구하는 과정을 다음 단계로 서술하여라.

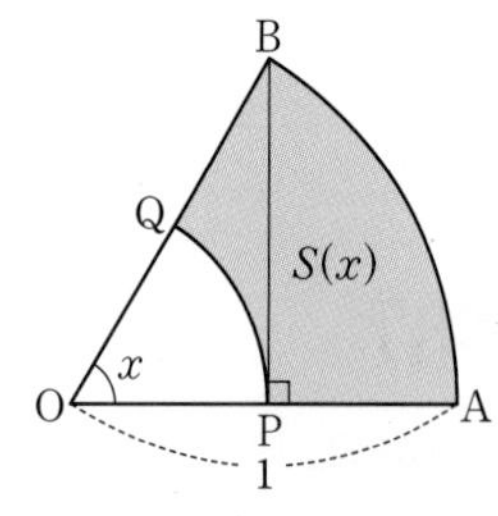

[1단계] $\overline{OP}$를 x의 삼각함수로 나타낸다.

[2단계] 두 부채꼴 OAB, OPQ의 넓이를 각각 x에 대한 식으로 나타내어 색칠한 부분의 넓이 $S(x)$를 구한다.

[3단계] $\lim_{x\to0+}\frac{S(x)}{x^3}$의 값을 구한다.

[4단계] $\lim_{x\to0+}\frac{(1-\cos x)S(x)}{x^5}$를 구한다.

0890

오른쪽 그림은 중심이 O이고 길이가 2인 선분 AB를 지름으로 하는 반원이다. $\angle APO=\angle OPC$를 만족하도록 호 AB 위에 점 P, 선분 OB 위에 점 C를 잡고 $\angle OAP=\theta\left(0<\theta<\frac{\pi}{4}\right)$라고 할 때, $\lim_{\theta\to0+}\overline{OC}$의 값을 구하고 그 과정을 다음 단계로 서술하여라.

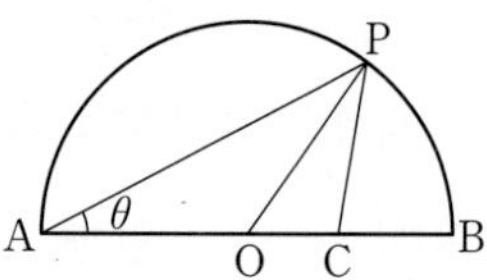

[1단계] 사인법칙을 이용하여 삼각형 OCP에서 변 OC의 길이를 θ에 대한 식으로 나타낸다.

[2단계] $\lim_{\theta\to0+}\overline{OC}$의 값을 구한다.

0891

오른쪽 그림과 같이 두 반직선 OX, OY가 이루는 예각의 크기가 θ이고 반직선 OY 위에 $\overline{OP_1}=12$인 점 P_1이 있다. 점 P_1에서 반직선 OX에 내린 수선의 발을 P_2, 점 P_2에서 반직선 OY에 내린 수선의 발을 P_3, 점 P_3에서 반직선 OX에 내린 수선의 발을 P_4라고 하자. 이와 같은 과정을 한없이 반복할 때, 다음 단계로 구하는 과정을 서술하여라.

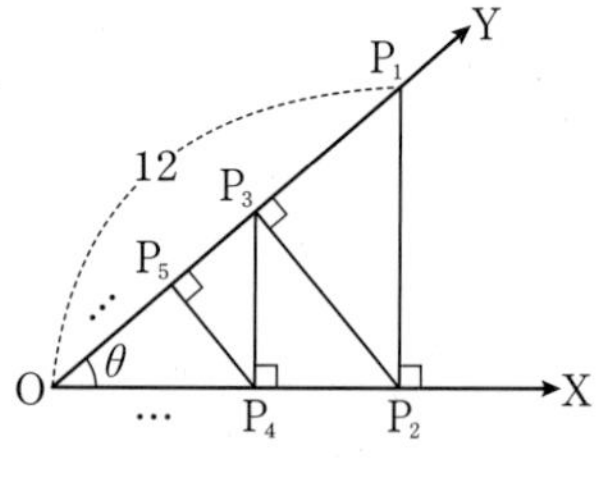

[1단계] $\overline{OP_2}$, $\overline{OP_3}$, $\overline{OP_4}$의 값을 θ에 관한 식으로 나타낸다.

[2단계] $f(\theta)=\overline{OP_1}+\overline{OP_2}+\overline{OP_3}+\overline{OP_4}+\cdots$라고 할 때, $f(\theta)$를 구한다.

[3단계] $\lim_{\theta\to0}\theta^2f(\theta)$를 구한다.

0892

함수

$$f(x)=\begin{cases} 5\sin x+x^2\cos\dfrac{1}{x} & (x\neq 0) \\ 0 & (x=0) \end{cases}$$

에 대하여 $f'(0)$의 값을 구하는 과정을 다음 단계로 서술하여라.

[1단계] 미분계수의 정의를 이용하여 $f'(0)$을 삼각함수로 나타낸다.
[2단계] 삼각함수의 극한과 극한의 대소 관계를 이용하여 $f'(0)$의 값을 구한다.
[3단계] $x=0$에서 함수 $f'(x)$의 연속성을 조사한다.

0893

오른쪽 그림과 같이 좌표평면 위에 네 점 $\mathrm{O}(0, 0)$, $\mathrm{A}(1, 0)$, $\mathrm{B}(1, 2)$, $\mathrm{C}(0, 2)$를 꼭짓점으로 하는 직사각형을 꼭짓점 A를 중심으로 하여 시곗바늘이 도는 방향으로 θ만큼 회전시킬 때, 점 B가 이동한 점을 B′이라 하고 $f(\theta)=\overline{\mathrm{OB'}}^2$이라고 하자. $f'(\pi)$를 구하는 과정을 다음단계로 서술하여라.

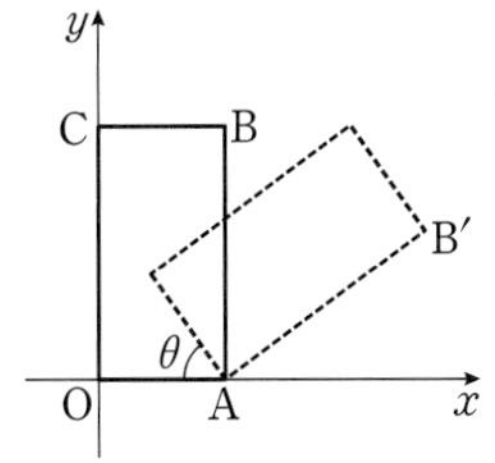

[1단계] B′의 좌표를 θ에 관한 식으로 나타낸다.
[2단계] $f(\theta)=\overline{\mathrm{OB'}}^2$의 식을 구한다.
[3단계] $f'(\pi)$의 값을 구한다.

0894

그림과 같이 좌표평면에서 원 $x^2+y^2=1$ 위의 점 P에서 x축에 내린 수선의 발을 Q라 할 때, 선분 OP 위의 점 R은 $\overline{\mathrm{OR}}=\overline{\mathrm{OQ}}$를 만족시킨다. $\angle\mathrm{POQ}=\theta$에 대하여 삼각형 PRQ의 넓이를 $f(\theta)$라 할 때, $\lim\limits_{\theta\to 0+}\dfrac{f(\theta)}{\theta^3}$의 값을 구하는 과정을 다음 단계로 서술하여라.
(단, 점 O는 원점이고 점 P는 제1사분면 위의 점이다.)

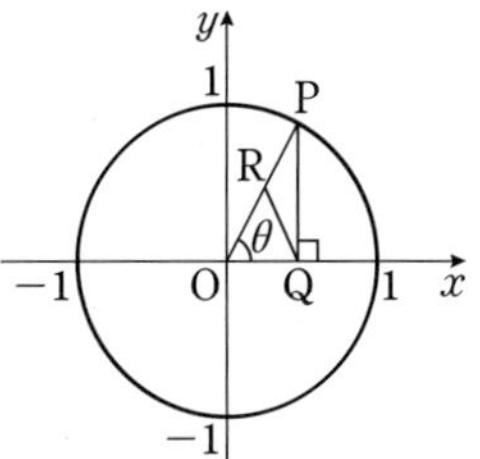

[1단계] 점 P, Q의 좌표를 θ에 관한 식으로 나타낸다.
[2단계] 두 삼각형 OPQ, OQR의 넓이를 각각 S_1, S_2라 할 때, 이를 θ에 관한 식으로 나타낸다.
[3단계] $f(\theta)$을 구한다.
[4단계] $\lim\limits_{\theta\to 0}\dfrac{f(\theta)}{\theta^3}$의 값을 구한다.

0895

그림과 같이 원 $x^2+y^2=1$ 위의 점 P에서의 접선이 x축과 만나는 점을 Q라 하자. 점 $\mathrm{A}(-1, 0)$과 원점 O에 대하여 $\angle\mathrm{PAO}=\theta$라 할 때, $\lim\limits_{\theta\to\frac{\pi}{4}-}\dfrac{\overline{\mathrm{PQ}}-\overline{\mathrm{OQ}}}{\theta-\frac{\pi}{4}}$의 값을 구하는 과정을 다음 단계로 서술하여라.
(단, 점 P는 제1사분면 위의 점이다.)

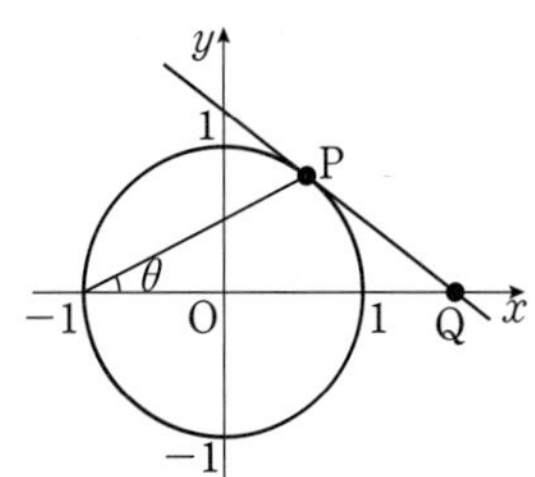

[1단계] 보조선을 이용하여 선분 PQ, OQ의 길이를 θ로 나타낸다.
[2단계] $\theta-\dfrac{\pi}{4}=t$로 치환하여 삼각함수의 성질을 이용하여 $\sin 2\theta$, $\cos 2\theta$를 t로 나타낸다.
[3단계] $\lim\limits_{\theta\to\frac{\pi}{4}-}\dfrac{\overline{\mathrm{PQ}}-\overline{\mathrm{OQ}}}{\theta-\frac{\pi}{4}}$의 값을 구한다.

STEP 3

고난도 문제

0896

점 $(1, -3)$에서 곡선 $y=x^2$에 그은 두 접선이 이루는 예각의 크기를 θ라고 할 때, $\tan\theta$의 값을 구하여라.

▶ 해설 내신연계기출

0897

교육청기출

좌표평면 위의 점 $(6, 2)$에서 원 $x^2+y^2=1$에 그은 두 접선이 x축의 양의 방향과 이루는 각의 크기를 각각 α, β라 할 때, $\tan(\alpha+\beta)$의 값을 구하여라.

0898

교육청기출

그림과 같이 한 변의 길이가 1인 정사각형 ABCD가 있다. 선분 AD 위의 점 E와 정사각형 ABCD의 내부에 있는 점 F가 다음 조건을 만족시킨다.

(가) 두 삼각형 ABE와 FBE는 서로 합동이다.
(나) 사각형 ABFE의 넓이는 $\frac{1}{3}$이다.

$\tan(\angle ABF)$의 값을 구하여라.

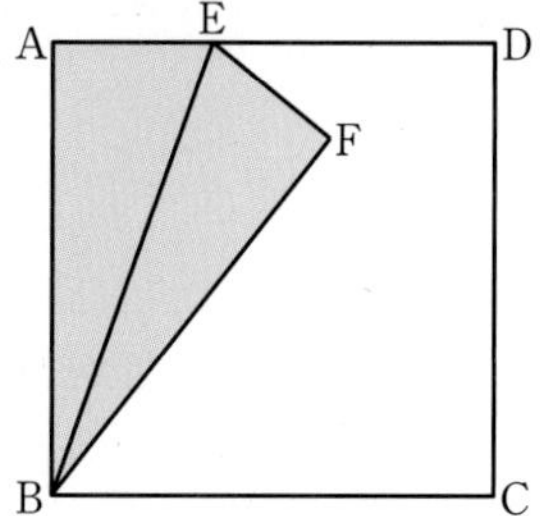

0899

교육청기출

그림과 같이 곡선 $y=\frac{2}{x}$ 위의 두 점 $A(-1, -2)$, $B(1, 2)$에 대하여 $\angle APB=\frac{\pi}{4}$가 되도록 점 $P\left(a, \frac{2}{a}\right)$를 정할 때, 상수 a의 값을 구하여라. (단, $a>1$)

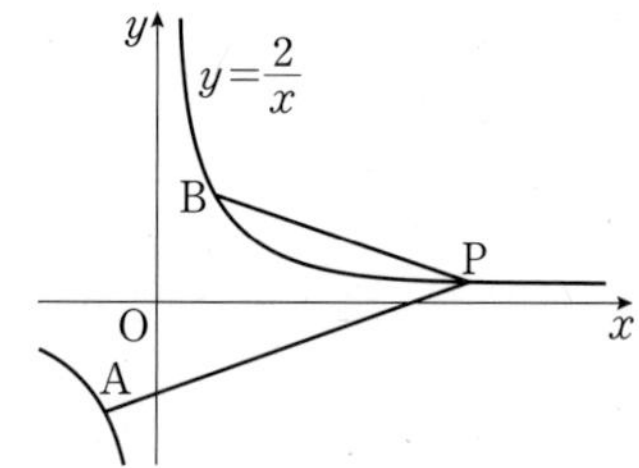

▶ 해설 내신연계기출

0900

수능기출

그림과 같이 원 $x^2+y^2=1$ 위의 점 P_1에서의 접선이 x축과 만나는 점을 Q_1이라 할 때, 삼각형 P_1OQ_1의 넓이는 $\frac{1}{4}$이다.

점 P_1을 원점 O를 중심으로 $\frac{\pi}{4}$만큼 회전시킨 점을 P_2라 하고 점 P_2에서의 접선이 x축과 만나는 점을 Q_2라 하자. 삼각형 P_2OQ_2의 넓이를 구하여라. (단, 점 P_1은 제1사분면 위의 점이다.)

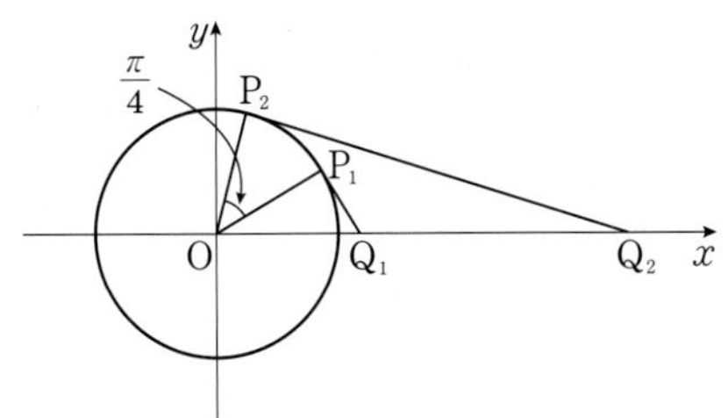

0902

다항함수 $f(x)$가 다음 조건을 만족시킬 때, $f(1)$의 값을 구하여라.

(가) $\lim_{x\to\infty}\frac{f(x)}{x^4+3x^2}=3$

(나) $\lim_{x\to 0}\frac{f(x)}{(\sin x+\tan x)(1-\cos x)}=5$

0901

평가원기출

다항함수 $g(x)$에 대하여 함수 $f(x)=e^{-x}\sin x+g(x)$가

$$\lim_{x\to 0}\frac{f(x)}{x}=1,\ \lim_{x\to\infty}\frac{f(x)}{x^2}=1$$

을 만족시킬 때, [보기]에서 옳은 것을 모두 고른 것은?

ㄱ. $g(0)=0$

ㄴ. $\lim_{x\to\infty}\frac{g(x)}{x^2}=1$

ㄷ. $\lim_{x\to 0}\frac{f(x)}{g(x)}=1$

① ㄱ　② ㄴ　③ ㄱ, ㄴ
④ ㄴ, ㄷ　⑤ ㄱ, ㄴ, ㄷ

0903

일차함수 $f(x)$와 $x>-1$에서 정의된 함수

$$g(x)=\begin{cases} a & (x\geq 0) \\ \frac{f(4x)}{\ln(x+1)} & (-1<x<0) \end{cases}$$

가 다음 조건을 만족시킨다.

(가) $f(1)>0$

(나) $\lim_{x\to 0}\frac{\{f(x)\}^2}{(2\cos x+1)(\cos x-1)}=-6$

(다) 함수 $g(x)$는 $x=0$에서 연속이다.

상수 a에 대하여 $f(a)$의 값을 구하여라.

05 삼각함수의 미분

0904

그림과 같이 예각삼각형 ABC에 외접하는 원 C_1의 반지름의 길이는 2이다. 원 C_1과 선분 BC로 둘러싸인 두 부분 중 넓이가 작은 쪽에서 원 C_1과 선분 BC에 동시에 접하는 원을 그렸을 때, 그 크기가 가장 큰 원을 C_2라 하자. $\angle CAB=\theta$일 때, 원 C_2의 넓이를 $f(\theta)$라 하면 $f'\left(\frac{\pi}{3}\right)$를 구하여라.

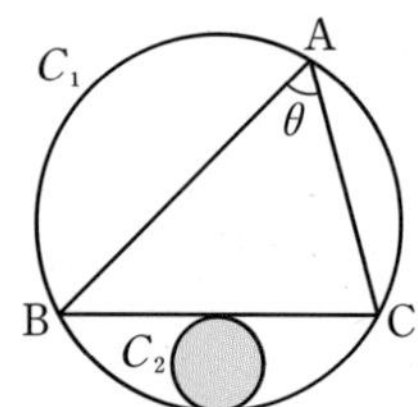

0905

수능기출

그림과 같이 양수 θ에 대하여 $\angle ABC=\angle ACB=\theta$이고 $\overline{BC}=2$인 이등변삼각형 ABC가 있다. 삼각형 ABC의 내접원의 중심을 O, 선분 AB와 내접원이 만나는 점을 D, 선분 AC와 내접원이 만나는 점을 E라 하자. 삼각형 OED의 넓이를 $S(\theta)$라 할 때, $\lim_{\theta\to0+}\frac{S(\theta)}{\theta^3}$의 값을 구하여라.

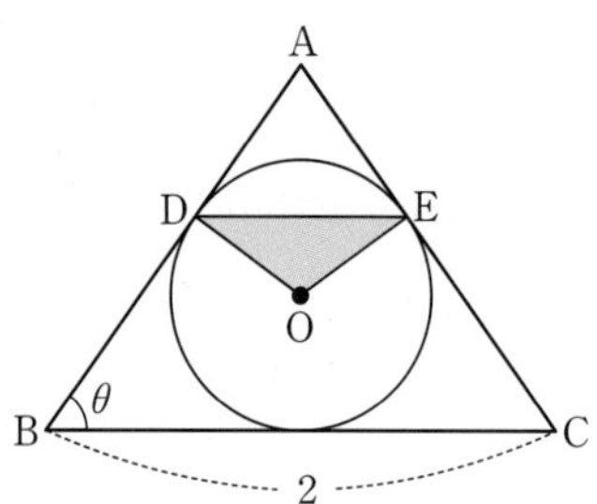

▶ 해설 내신연계기출

0906

수능기출

그림과 같이 한 변의 길이가 1인 마름모 ABCD가 있다. 점 C에서 선분 AB의 연장선에 내린 수선의 발을 E, 점 E에서 선분 AC에 내린 수선의 발을 F, 선분 EF와 선분 BC의 교점을 G라 하자. $\angle DAB=\theta$일 때, 삼각형 CFG의 넓이를 $S(\theta)$라 하자. $\lim_{\theta\to0+}\frac{S(\theta)}{\theta^5}$의 값을 구하여라. $\left(단,\ 0<\theta<\frac{\pi}{2}\right)$

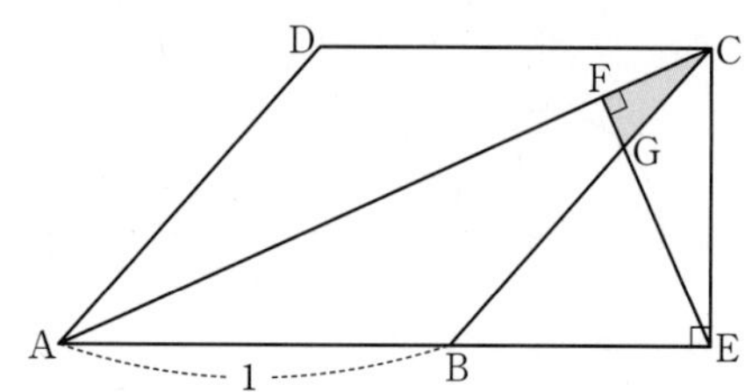

0907

교육청기출

그림과 같이 $\overline{AB}=1$, $\angle B=\frac{\pi}{2}$인 직각삼각형 ABC에서 선분 AB 위에 $\overline{AD}=\overline{CD}$가 되도록 점 D를 잡는다. 점 D에서 선분 AC에 내린 수선의 발을 E, 점 D를 지나고 직선 AC에 평행한 직선이 선분 BC와 만나는 점을 F라 하자. $\angle BAC=\theta$일 때, 삼각형 DEF의 넓이를 $S(\theta)$라 하자. $\lim_{\theta\to0+}\frac{S(\theta)}{\theta}$의 값을 구하여라.

$\left(단,\ 0<\theta<\frac{\pi}{4}\right)$

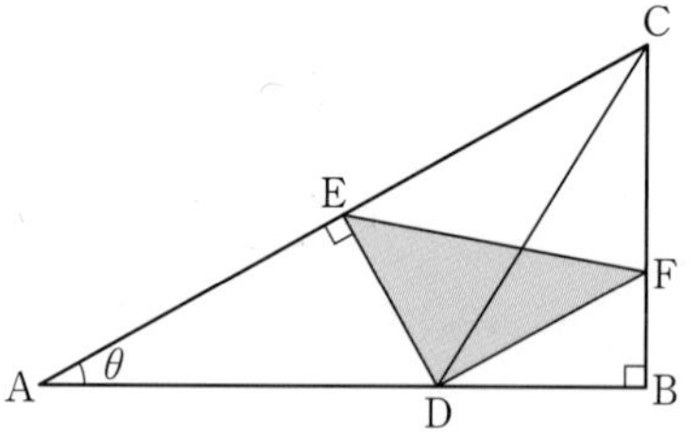

0908

평가원기출

그림과 같이 길이가 2인 선분 AB를 지름으로 하는 반원의 호 AB 위에 점 P가 있다. 중심이 A이고 반지름의 길이가 $\overline{\mathrm{AP}}$인 원과 선분 AB의 교점을 Q라 하자.
호 PB 위에 점 R을 호 PR과 호 RB의 길이의 비가 3 : 7이 되도록 잡는다. 선분 AB의 중점을 O라 할 때, 선분 OR와 호 PQ의 교점을 T, 점 O에서 선분 AP에 내린 수선의 발을 H라 하자.
세 선분 PH, HO, OT와 호 TP로 둘러싸인 부분의 넓이를 S_1, 두 선분 RT, QB와 두 호 TQ, BR로 둘러싸인 부분의 넓이를 S_2라 하자. $\angle\mathrm{PAB}=\theta$라 할 때, $\lim_{\theta\to0+}\frac{S_1-S_2}{\overline{\mathrm{OH}}}=a$이다.
$50a$의 값을 구하여라. $\left(\text{단, } 0<\theta<\frac{\pi}{4}\right)$

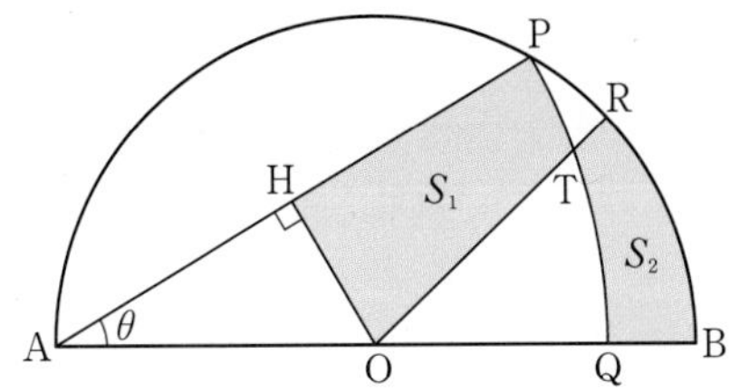

0909

평가원기출

그림과 같이 길이가 1인 선분 AB를 지름으로 하는 반원 위에 점 C를 잡고 $\angle\mathrm{BAC}=\theta$라 하자. 호 BC와 두 선분 AB, AC에 동시에 접하는 원의 반지름의 길이를 $f(\theta)$라 할 때,

$$\lim_{\theta\to0+}\frac{\tan\frac{\theta}{2}-f(\theta)}{\theta^2}=\alpha$$

이다. 100α의 값을 구하여라. $\left(\text{단, } 0<\theta<\frac{\pi}{4}\right)$

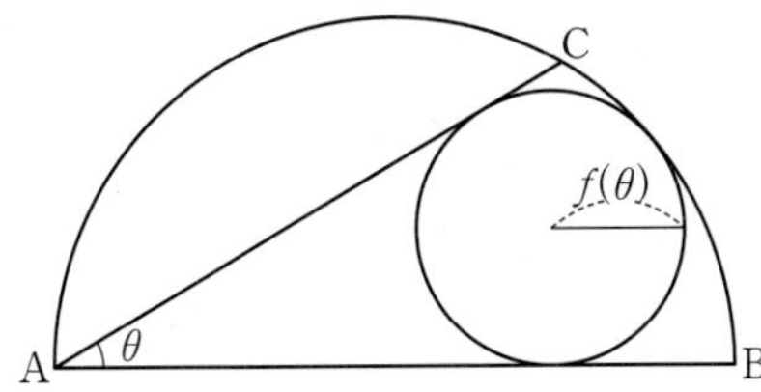

0910

수능기출

그림과 같이 길이가 4인 선분 AB를 한 변으로 하고, $\overline{\mathrm{AC}}=\overline{\mathrm{BC}}$, $\angle\mathrm{ACB}=\theta$인 이등변삼각형 ABC가 있다. 선분 AB의 연장선 위에 $\overline{\mathrm{AC}}=\overline{\mathrm{AD}}$인 점 D를 잡고, $\overline{\mathrm{AC}}=\overline{\mathrm{AP}}$이고 $\angle\mathrm{PAB}=2\theta$인 점 P를 잡는다. 삼각형 BDP의 넓이를 $S(\theta)$라 할 때, $\lim_{\theta\to0+}\{\theta\cdot S(\theta)\}$의 값을 구하여라. $\left(\text{단, } 0<\theta<\frac{\pi}{6}\right)$

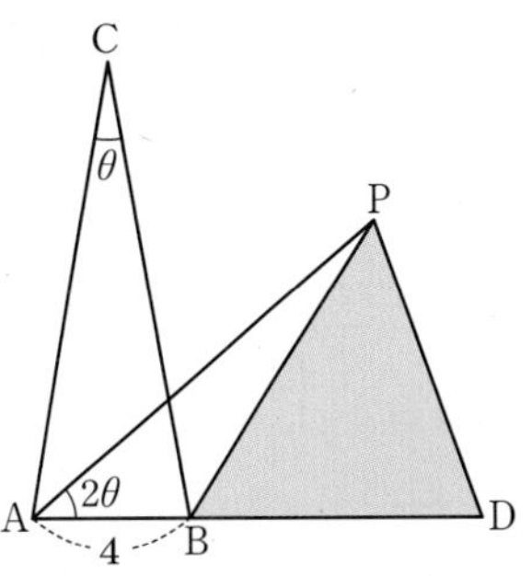

0911

평가원기출

자연수 n에 대하여 중심이 원점 O이고 점 $\mathrm{P}(2^n, 0)$을 지나는 원 C가 있다. 원 C 위에 점 Q를 호 PQ의 길이가 π가 되도록 잡는다. 점 Q에서 x축에 내린 수선의 발을 H라 할 때, $\lim_{n\to\infty}(\overline{\mathrm{OQ}}\times\overline{\mathrm{HP}})$의 값을 구하여라.

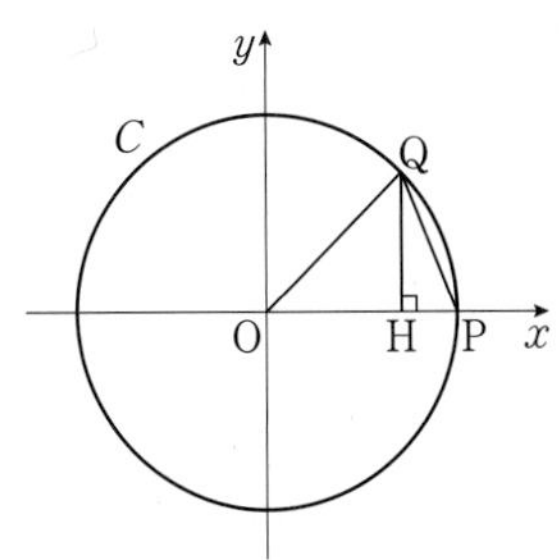

06 여러 가지 미분법

학교내신기출 객관식 핵심문제총정리

STEP 1 내신정복 기출유형

유형 01 함수의 몫의 미분법

미분가능한 두 함수 $f(x)$와 $g(x)(g(x)\neq 0)$에 대하여

① $y=\dfrac{f(x)}{g(x)}$의 도함수 $y'=\dfrac{f'(x)g(x)-f(x)g'(x)}{\{g(x)\}^2}$

② $y=\dfrac{1}{g(x)}$의 도함수 $y'=\dfrac{-g'(x)}{\{g(x)\}^2}$

0912 학교기출 대표 유형

함수 $f(x)=x^3+x+1+\dfrac{1}{x}+\dfrac{1}{x^2}$에 대하여 $f'(1)$의 값은?

① 0 ② 1 ③ 2
④ 3 ⑤ 4

0913 최다빈출 왕중요 BASIC

함수 $f(x)=\dfrac{1}{x}+\dfrac{1}{x^2}+\dfrac{1}{x^3}+\cdots+\dfrac{1}{x^{10}}$에 대하여 $f'(1)$의 값은?

① -55 ② -50 ③ -40
④ 55 ⑤ 65

▶ 해설 내신연계기출

0914 BASIC

함수 $y=\dfrac{x^2+7}{x-5}$에서 $y'=\dfrac{ax^2+bx-7}{(x-5)^2}$일 때, 상수 a, b에 대하여 $a+b$의 값은?

① -10 ② -9 ③ -8
④ -7 ⑤ -6

0915 BASIC

함수 $f(2x)=\dfrac{2}{(2x+3)^3}$일 때, $f'(-2)$의 값은?

① -12 ② -6 ③ -4
④ 6 ⑤ 12

0916 NORMAL

함수 $f(x)=\dfrac{ax}{x^2+b}$가

$$f(2)=\frac{1}{2},\ f'(2)=0$$

일 때, 상수 a, b에 대하여 $a+b$의 값은?

① 4 ② 6 ③ 8
④ 10 ⑤ 12

0917 최다빈출 왕중요 NORMAL

함수 $f(x)=\dfrac{ax^2-bx+3}{x-3}$에 대하여

$$f'(0)=2,\ f'(2)=-6$$

일 때, $f'(1)$의 값은? (단, a, b는 상수)

① $\dfrac{1}{2}$ ② $\dfrac{2}{3}$ ③ $\dfrac{3}{4}$
④ 1 ⑤ $\dfrac{5}{4}$

▶ 해설 내신연계기출

0918
최다빈출 왕 중요 NORMAL

함수 $f(x)=\dfrac{x^2-a}{x-2}$에 대하여 방정식 $f'(x)=0$의 한 근이 3일 때, 상수 a의 값은?

① 1 ② 2 ③ 3 ④ 4 ⑤ 5

▶ 해설 내신연계기출

0919
최다빈출 왕 중요 NORMAL

미분가능한 함수 $f(x)$가

$$f(3)=2,\ f'(3)=-2$$

를 만족시킬 때, 함수 $g(x)=\dfrac{x^2+1}{f(x)}$에 대하여 $g'(3)$의 값은?

① 4 ② 6 ③ 8 ④ 10 ⑤ 12

▶ 해설 내신연계기출

0920
최다빈출 왕 중요 NORMAL

함수 $f(x)=\dfrac{x-1}{x^2+3}$에 대하여 부등식 $f'(x)>0$을 만족시키는 정수 x의 개수는?

① 1 ② 2 ③ 3 ④ 4 ⑤ 5

▶ 해설 내신연계기출

0921
BASIC

$x\neq5$인 모든 실수 x에 대하여 함수 $f(x)=\dfrac{x^2+7}{x-5}$이

$$f(x)+(x-5)f'(x)=ax+b$$

를 만족시킬 때, 상수 a, b에 대하여 $a+b$의 값은?

① 1 ② 2 ③ 3 ④ 4 ⑤ 5

0922
TOUGH

$x>0$에서 정의된 함수

$$f(x)=\frac{1}{1+x}+\frac{1}{(1+x)^2}+\cdots+\frac{1}{(1+x)^n}+\cdots$$

에 대하여 $f'\left(\dfrac{1}{3}\right)$의 값은?

① -9 ② -3 ③ 0 ④ 3 ⑤ 9

0923
최다빈출 왕 중요 TOUGH

함수 $f_n(x)=x^n\ (0<x<1)$에 대하여

$$g(x)=\lim_{n\to\infty}\sum_{k=1}^{n}f_k(x)$$

라 할 때, $g'\left(\dfrac{4}{5}\right)$의 값은?

① 10 ② 15 ③ 20 ④ 25 ⑤ 30

▶ 해설 내신연계기출

유형 02 함수의 몫의 미분법을 이용한 미분계수 극한값 계산

미분가능한 함수 $f(x)$에 대하여

① $\lim_{x\to a}\frac{f(x)-f(a)}{x-a}=\lim_{h\to 0}\frac{f(a+h)-f(a)}{h}=f'(a)$

② $\lim_{h\to 0}\frac{f(a+mh)-f(a)}{nh}=\frac{m}{n}f'(a)$

③ $\lim_{h\to 0}\frac{f(a+mh)-f(a+nh)}{h}=(m-n)f'(a)$

0924 학교기출 대표 유형

함수 $f(x)=\frac{2x}{x^2+3}$에 대하여 $\lim_{x\to 1}\frac{f(x^2)-f(1)}{x-1}$의 값은?

① $\frac{1}{4}$　② $\frac{1}{3}$　③ $\frac{1}{2}$
④ 1　⑤ 4

0925 최다빈출 왕 중요 BASIC

함수 $f(x)=\frac{x-1}{x^2+1}$에 대하여

$\lim_{h\to 0}\frac{f(1+2h)-f(1-4h)}{h}$의 값은?

① 1　② 2　③ 3
④ 5　⑤ 6

▶ 해설 내신연계기출

0926 NORMAL

함수 $f(x)=\frac{2x^3+3x-2}{x^2}$에 대하여

$\lim_{h\to 0}\frac{f(-1+h)-f(-1-2h)}{h}$의 값은?

① -45　② -30　③ -27
④ -20　⑤ -15

0927 NORMAL

함수 $f(x)=8x-\frac{4}{x}$에 대하여

$\lim_{n\to\infty}n\left\{f\left(1+\frac{1}{n}\right)-f\left(1-\frac{2}{n}\right)\right\}$의 값은?

① 12　② 24　③ 32
④ 36　⑤ 42

0928 NORMAL

함수 $f(x)=\frac{x^2-1}{x^2+1}$에 대하여

$\lim_{n\to\infty}n\left\{f\left(\frac{5}{n}\right)-f\left(-\frac{1}{n}\right)\right\}$의 값은?

① 0　② 2　③ 4
④ 6　⑤ 8

0929 TOUGH

미분가능한 두 함수 $f(x)$, $g(x)$가

$$\lim_{x\to 1}\frac{f(x)+1}{x-1}=-2,\ \lim_{x\to 1}\frac{g(x)-2}{x-1}=3$$

을 만족시킬 때, $h(x)=\frac{f(x)}{g(x)}$에 대하여 $h'(1)$의 값은?

① $-\frac{1}{6}$　② $-\frac{1}{4}$　③ $-\frac{1}{2}$
④ 1　⑤ 2

유형 03 합성함수의 미분법 (1)

미분가능한 두 함수 $y=f(u)$와 $u=g(x)$에 대하여
합성함수 $y=f(g(x))$의 도함수는
$\dfrac{dy}{dx}=\dfrac{dy}{du}\times\dfrac{du}{dx}$ 또는 $\{f(g(x))\}'=f'(g(x))g'(x)$

① $y=\{f(x)\}^n$의 도함수 $y'=n\{f(x)\}^{n-1}\cdot f'(x)$

② $y=\sqrt{f(x)}$의 도함수 $y'=\dfrac{f'(x)}{2\sqrt{f(x)}}$

0930 학교기출 대표유형

미분가능한 함수 $f(x)$가

$$f(2)=1,\ f'(2)=3$$

을 만족시킬 때, 함수 $y=\{xf(x)\}^2$의 $x=2$에서의 미분계수는?

① 20 ② 22 ③ 24
④ 26 ⑤ 28

▶ 해설 내신연계기출

0931 BASIC

미분가능한 함수 $f(x)$가

$$f(3)=1,\ f'(3)=2$$

를 만족시킬 때, 함수 $y=\left\{\dfrac{f(x)}{x}\right\}^2$의 $x=3$에서의 미분계수는?

① $\dfrac{2}{27}$ ② $\dfrac{4}{27}$ ③ $\dfrac{2}{9}$
④ $\dfrac{8}{27}$ ⑤ $\dfrac{10}{27}$

0932 BASIC

함수 $y=\left(\dfrac{2x}{x^2+1}\right)^3$에 대하여 $y'=\dfrac{ax^4+bx^2}{(x^2+1)^4}$일 때, 상수 a, b에 대하여 $a+b$의 값은?

① 0 ② -24 ③ 24
④ 36 ⑤ 48

0933 최다빈출 왕중요 BASIC

미분가능한 함수 $f(x)$에 대하여 $f(3)=4$이고
함수 $y=(5x+3)\sqrt{f(x)}$의 $x=3$에서의 미분계수가 19일 때,
$f'(3)$의 값은?

① 2 ② 3 ③ 4
④ 5 ⑤ 6

▶ 해설 내신연계기출

0934 NORMAL

미분가능한 함수 $f(x)$에 대하여 $\lim\limits_{x\to1}\dfrac{f(x)-9}{x-1}=2$일 때,
함수 $g(x)=f(x)\sqrt{f(x)}$의 $x=1$에서의 미분계수 $g'(1)$의 값은?

① 1 ② 3 ③ 4
④ 6 ⑤ 9

0935 최다빈출 왕중요 NORMAL

미분가능한 함수 $y=f(x)$의 그래프 위의 점 $(2,\ f(2))$에서의 접선의 기울기가 2이다. 양의 실수 전체의 집합에서 정의된 함수 $y=f(\sqrt{x})$의 $x=4$에서의 미분계수는?

① $\dfrac{1}{2}$ ② $\dfrac{\sqrt{2}}{2}$ ③ 1
④ $\sqrt{2}$ ⑤ 2

▶ 해설 내신연계기출

0936 최다빈출 왕중요

NORMAL

함수 $f(x)=(a-x)^3$의 $x=0$에서의 미분계수가 -27일 때,
$\lim\limits_{h\to0}\dfrac{f(1+2h)-f(1-h)}{h}$의 값은? (단, $a>0$)

① -40 ② -36 ③ -30
④ -24 ⑤ -20

▶ 해설 내신연계기출

유형 04 합성함수의 미분법 (2)

두 함수 $y=f(u)$, $u=g(x)$가 미분가능할 때,
합성함수 $y=(f\circ g)(x)=f(g(x))$의 도함수는 다음과 같다.

$\boldsymbol{y=f(g(x))}$의 도함수는 $\boldsymbol{y'=f'(g(x))g'(x)}$

0937 학교기출 대표 유형

두 함수

$$f(x)=\frac{x+1}{x^2+1},\ g(x)=x^2+3x-2$$

의 합성함수 $h(x)=(f\circ g)(x)$에 대하여 $h'(1)$의 값은?

① $-\frac{7}{5}$ ② $-\frac{5}{7}$ ③ $-\frac{2}{3}$
④ $\frac{5}{7}$ ⑤ $\frac{7}{5}$

▶ 해설 내신연계기출

0938 최다빈출 왕 중요 NORMAL

두 함수

$$f(x)=\tan x,\ g(x)=\frac{x+3}{x+1}$$

에 대하여 함수 $h(x)$를 $h(x)=(g\circ f)(x)$라 할 때, $h'\left(\frac{\pi}{4}\right)$의 값은?

① -3 ② -2 ③ -1
④ 1 ⑤ 2

▶ 해설 내신연계기출

0939 NORMAL

두 함수

$$f(x)=\ln(x-1),\ g(x)=x^2+x+2$$

에 대하여 함수 $h(x)=(f\circ g)(x)$라고 할 때, $h'(1)$의 값은?

① 1 ② 2 ③ 3
④ 4 ⑤ 5

0940 최다빈출 왕 중요 NORMAL

실수 전체에서 미분가능한 두 함수 $f(x)$와 $g(x)=x^3-x+1$에 대하여 함수 $h(x)$를 $h(x)=(f\circ g)(x)$로 정의한다.
$h'(0)=-10$일 때, $f'(1)$의 값은?

① 8 ② 10 ③ 12
④ 16 ⑤ 18

▶ 해설 내신연계기출

0941 최다빈출 왕 중요 NORMAL

실수 전체의 집합에서 미분가능한 두 함수 $f(x)$, $g(x)$가 다음 조건을 만족시킨다.

(가) 모든 실수 x에 대하여 $f(g(x))=5x+2$이다.
(나) $g(1)=5$, $g'(1)=5$

$f(5)+f'(5)$의 값은?

① 6 ② $\frac{13}{2}$ ③ 7
④ $\frac{15}{2}$ ⑤ 8

▶ 해설 내신연계기출

0942 NORMAL

미분가능한 두 함수 $f(x)$, $g(x)$에 대하여 함수

$$h(x)=(g\circ f)(3x)$$

라 하자. $f(1)=3$, $f'(1)=4$이고 $h'\left(\frac{1}{3}\right)=8$일 때, $g'(3)$의 값은?

① $\frac{2}{3}$ ② 1 ③ $\frac{4}{3}$
④ $\frac{5}{3}$ ⑤ 2

0943 최다빈출 왕 중요 NORMAL

함수 $f(x)=(2x+2)^{\frac{3}{2}}$와 실수 전체의 집합에서 미분가능한 함수 $g(x)$에 대하여 함수 $h(x)=(g\circ f)(x)$라 하자.
$h'(1)=30$일 때, $g'(8)$의 값은?

① 2　② 3　③ 4
④ 5　⑤ 6

▶ 해설 내신연계기출

0944 TOUGH

함수 $f(x)=x^2+4$와 미분가능한 함수 $f(x)$가 모든 실수 x에 대하여

$$f(g(x))=f(x)g(x)-2x^2$$

을 만족시키고 $g(1)=3$일 때, $g'(1)$의 값은?

① 2　② 3　③ 4
④ 5　⑤ 6

0945 최다빈출 왕 중요 TOUGH

오른쪽 그림은 두 함수 $y=f(x)$, $y=g(x)$의 그래프이다. $h(x)=f(g(x))$라 할 때, $h'(1)$의 값은?

① -3　② $-\frac{1}{3}$
③ 1　④ 2
⑤ 3

▶ 해설 내신연계기출

유형 05 합성함수 미분법을 이용한 미분계수 극한값 계산

$y=f(g(x))$의 도함수는 $y'=f'(g(x))g'(x)$

미분가능한 함수 $f(x)$에 대하여

① $\lim_{x\to a}\frac{f(x)-f(a)}{x-a}=\lim_{h\to 0}\frac{f(a+h)-f(a)}{h}=f'(a)$

② $\lim_{h\to 0}\frac{f(a+mh)-f(a)}{nh}=\frac{m}{n}f'(a)$

③ $\lim_{h\to 0}\frac{f(a+mh)-f(a+nh)}{h}=(m-n)f'(a)$

0946 학교기출 대표 유형

미분가능한 함수 $y=f(x)$에 대하여

$$f(1)=2,\ f(2)=2,\ f'(1)=3,\ f'(2)=4$$

일 때, $\lim_{x\to 1}\frac{f(f(x))-2}{x-1}$의 값은?

① 4　② 6　③ 8
④ 10　⑤ 12

▶ 해설 내신연계기출

0947 NORMAL

미분가능한 두 함수 $f(x)$, $g(x)$에 대하여

$$f(2)=g(1)=2,\ f'(2)=g'(1)=a$$

일 때, $\lim_{x\to 1}\frac{f(g(x))-2}{x^2-1}=8$이다. 양수 a의 값은?

① 2　② 4　③ 6
④ 8　⑤ 10

0948 최다빈출 왕 중요 NORMAL

미분가능한 함수 $f(x)$가

$$f(0)=0,\ f'(0)=3,\ \lim_{x\to 2}\frac{f(x)}{x-2}=4$$

를 만족시킬 때, $\lim_{x\to 2}\frac{f(f(x))}{x-2}$의 값은?

① 6　② 8　③ 10
④ 12　⑤ 14

▶ 해설 내신연계기출

0949

NORMAL

실수 전체의 집합에서 미분가능한 함수 $f(x)$가 다음 조건을 만족시킬 때, $\lim_{x \to 2} \frac{f(f(x))}{x-2}$의 값은?

(가) $f(0)=0,\ f'(0)=3$

(나) $\lim_{x \to 2} \frac{f(x)}{x-2}=5$

① 12 ② 15 ③ 20
④ 24 ⑤ 28

0950

최다빈출 왕중요

NORMAL

미분가능한 두 함수 $f(x),\ g(x)$에 대하여 함수 $y=f(x)$의 그래프 위의 점 $(2,\ -3)$에서의 접선의 기울기가 2이고, 함수 $y=g(x)$의 그래프 위의 점 $(1,\ 2)$에서의 접선의 기울기가 6일 때, $\lim_{x \to 1} \frac{f(g(x))+3}{x-1}$의 값은?

① 8 ② 10 ③ 12
④ 15 ⑤ 16

▶ 해설 내신연계기출

0951

최다빈출 왕중요

NORMAL

미분가능한 두 함수 $f(x),\ g(x)$가

$$\lim_{x \to 2} \frac{f(x)+1}{x-2}=3,\ \lim_{x \to -1} \frac{g(x)-2}{x+1}=2$$

를 만족시킬 때, 함수 $y=(g \circ f)(x)$의 $x=2$에서의 미분계수는?

① 2 ② 3 ③ 4
④ 5 ⑤ 6

▶ 해설 내신연계기출

0952

NORMAL

미분가능한 두 함수 $f(x),\ g(x)$가

$$\lim_{x \to -3} \frac{f(x)+3}{x+3}=4,\ \lim_{x \to -3} \frac{g(x)+3}{x+3}=1$$

을 만족시킬 때, 함수 $y=(f \circ g)(x)$의 $x=-3$에서의 미분계수는?

① 2 ② 3 ③ 4
④ 5 ⑤ 6

0953

최다빈출 왕중요

NORMAL

실수 전체의 집합에서 미분가능한 두 함수 $f(x),\ g(x)$에 대하여 함수 $h(x)$를

$$h(x)=(g \circ f)(x)$$

라 할 때, 두 함수 $f(x),\ h(x)$가 다음 조건을 만족시킨다.

(가) $f(1)=2,\ f'(1)=3$

(나) $\lim_{x \to 1} \frac{h(x)-5}{x-1}=12$

이때 $g(2)+g'(2)$의 값은?

① 5 ② 7 ③ 9
④ 11 ⑤ 13

▶ 해설 내신연계기출

0954

TOUGH

미분가능한 두 함수 $f(x),\ g(x)$가

$$\lim_{x \to 1} \frac{f(x)+1}{x-1}=3,\ \lim_{x \to 1} \frac{g(x)-1}{f(x)+1}=2$$

를 만족할 때, $\lim_{x \to 1} \frac{f(g(x))+1}{x-1}$의 값은?

① 6 ② 8 ③ 10
④ 12 ⑤ 18

0955

최다빈출 왕중요

TOUGH

다항함수 $f(x)$가

$$\lim_{x \to 0} \frac{x}{f(x)}=1,\ \lim_{x \to 1} \frac{x-1}{f(x)}=2$$

를 만족시킬 때, $\lim_{x \to 1} \frac{f(f(x))}{2x^2-x-1}$의 값은?

① $\frac{1}{6}$ ② $\frac{1}{3}$ ③ $\frac{1}{2}$
④ $\frac{2}{3}$ ⑤ $\frac{5}{6}$

▶ 해설 내신연계기출

유형 06 미분법과 다항식의 나눗셈

① 다항식 $f(x)$가 $(x-a)^2$으로 나누어 떨어질 조건 또는 $f(x)=0$이 $x=a$를 이중근으로 가질 조건은
⇨ $f(a)=0$, $f'(a)=0$

② 다항식 $f(x)$가 $f(a)=0$, $f'(a)=0$을 만족시키면 $f(x)$는 $(x-a)^2$을 인수로 가진다.

0956 학교기출 대표 유형

다항식 $32x^5+ax+b$가 $(2x+1)^2$으로 나누어떨어질 때, 상수 a, b에 대하여 ab의 값은?

① -40 ② -10 ③ 8
④ 10 ⑤ 40

▶ 해설 내신연계기출

0957 NORMAL

다항식 $(2x-1)^n$을 $(x-1)^2$으로 나눈 나머지가 $10x+k$일 때, $n+k$의 값은? (단, n은 자연수)

① -6 ② -5 ③ -4
④ -3 ⑤ -2

0958 TOUGH

이차 이상의 다항함수 $f(x)$와 함수 $g(x)=e^{\sin x}$에 대하여

$$(f\circ g)(0)=2,\ (f\circ g)'(0)=1$$

이 성립한다. 다항식 $f(x)$를 $(x-1)^2$으로 나누었을 때의 나머지를 $R(x)$라 할 때, $R(3)$의 값은?

① $\frac{1}{4}$ ② $\frac{1}{3}$ ③ 2
④ 3 ⑤ 4

유형 07 지수함수의 합성함수의 미분법

(1) 지수함수 $y=e^x$, $y=a^x$의 도함수는 다음과 같다.

① $y=e^x$ ⇨ $y'=e^x$
② $y=a^x$ ⇨ $y'=a^x\ln a$ (단, $a\neq1$, $a>0$)

(2) 미분가능한 함수 $f(x)$에 대하여 합성함수의 미분법을 이용하면 다음이 성립한다.

① $y=e^{f(x)}$ ⇨ $y'=e^{f(x)}f'(x)$
② $y=a^{f(x)}$ ⇨ $y'=a^{f(x)}\ln a\cdot f'(x)$ (단, $a\neq1$, $a>0$)

0959 학교기출 대표 유형

함수 $f(x)=e^{2x}$에 대하여 $g(x)=(f\circ f)(x)$일 때, $g'(0)$의 값은?

① 0 ② 1 ③ e^2
④ $2e^2$ ⑤ $4e^2$

0960 BASIC

함수 $f(x)=e^{\sin x}$에 대하여 $f'(2\pi)$의 값은?

① 1 ② 2 ③ 3
④ e ⑤ $2e$

0961 최다빈출 왕중요 BASIC

곡선 $y=2^{2x-3}+1$ 위의 점 $\left(1, \frac{3}{2}\right)$에서의 접선의 기울기는?

① $\frac{1}{2}\ln2$ ② $\ln2$ ③ $\frac{3}{2}\ln2$
④ $2\ln2$ ⑤ $\frac{5}{2}\ln2$

▶ 해설 내신연계기출

0962 최다빈출 왕중요 BASIC

함수 $f(x)=50\sqrt{2^x}$에 대하여 $f'(a)=100\ln 2$일 때, 실수 a의 값은?

① 0 ② 2 ③ 4
④ 6 ⑤ 8

▶ 해설 내신연계기출

0963 최다빈출 왕중요 NORMAL

함수 $f(x)=e^{-2x}\sin x$에 대하여 $f'(0)$의 값은?

① -2 ② -1 ③ 0
④ 1 ⑤ 2

▶ 해설 내신연계기출

0964 NORMAL

함수 $f(x)=\frac{e^x-e^{-x}}{e^x+e^{-x}}$에 대하여 $\lim_{x\to 0}\frac{f(x)}{x}$의 값은?

① 1 ② 2 ③ e
④ $2e$ ⑤ $3e$

유형 08 로그함수의 합성함수 미분법

(1) 로그함수 $y=\ln x$, $y=\log_a x$의 도함수는 다음과 같다.

① $y=\ln|x|$ ⇨ $y'=\frac{1}{x}$ (단, $x\neq 0$)

② $y=\log_a|x|$ ⇨ $y'=\frac{1}{x\ln a}$ (단, $a>0$, $a\neq 1$)

(2) 미분가능한 함수 $f(x)$에 대하여 합성함수의 미분법을 이용하면 다음이 성립한다.

① $y=\ln|f(x)|$ ⇨ $y'=\frac{f'(x)}{f(x)}$ (단, $f(x)\neq 0$)

② $y=\log_a|f(x)|$ ⇨ $y'=\frac{f'(x)}{f(x)}\cdot\frac{1}{\ln a}$
(단, $a>0$, $a\neq 1$, $f(x)\neq 0$)

0965 학교기출 대표 유형

함수 $f(x)=\ln(3x^2+1)$에 대하여 $f'(1)$의 값은?

① $\frac{1}{6}$ ② $\frac{1}{4}$ ③ 1
④ $\frac{3}{2}$ ⑤ 2

0966 최다빈출 왕중요 BASIC

함수 $f(x)=(x^2+1)\ln ax$에 대하여 $f'(1)=3$일 때, 상수 a의 값은?

① $\frac{1}{2}e$ ② $\sqrt{e}$ ③ e
④ $e\sqrt{e}$ ⑤ $2e$

▶ 해설 내신연계기출

0967 BASIC

함수 $f(x)=\{\ln(x+1)+2\}^3$에 대하여 $f'(e-1)$의 값은?

① e^{-1} ② $3e^{-1}$ ③ $6e^{-1}$
④ $9e^{-1}$ ⑤ $27e^{-1}$

0968

BASIC

함수 $f(x)=(\ln x)^4+e^{2x}\,(x>0)$에 대하여 $f'(1)$의 값은?

① $\frac{1}{e}$ ② 1 ③ e^2
④ $2e^2$ ⑤ $3e$

0969

BASIC

함수 $f(x)=\ln(\log_3 x)\,(x>1)$일 때, $f'(e)$의 값은?

① $\frac{1}{e}$ ② 1 ③ e
④ $2e$ ⑤ $\frac{3}{e}$

0970

최다빈출 왕 중요

NORMAL

함수 $f(x)=\ln(x^2-1)$에 대하여 $\sum_{n=2}^{\infty}\frac{f'(n)}{n}$의 값은?

① $\frac{1}{2}$ ② $\frac{3}{4}$ ③ 1
④ $\frac{3}{2}$ ⑤ 2

▶ 해설 내신연계기출

0971

NORMAL

두 함수

$$f(x)=e^{2x},\ g(x)=\ln|x^3-2|$$

의 합성함수 $h(x)=(f\circ g)(x)$에 대하여 $h'(-1)$의 값은?

① -20 ② -18 ③ -16
④ -14 ⑤ -12

0972

NORMAL

함수 $f(x)=\frac{\ln x}{x^2}$에 대하여 $\lim_{h\to 0}\frac{f(e+h)-f(e-2h)}{h}$의 값은?

① $-\frac{2}{e}$ ② $-\frac{3}{e^2}$ ③ $-\frac{1}{e}$
④ $-\frac{2}{e^2}$ ⑤ $-\frac{3}{e^3}$

▶ 해설 내신연계기출

0973

최다빈출 왕 중요

TOUGH

함수 $f(x)=\frac{2^x}{\ln 2}$과 실수 전체의 집합에서 미분가능한 함수 $g(x)$가 다음 조건을 만족시킬 때, $g(2)$의 값은?

(가) $\lim_{h\to 0}\frac{g(2+4h)-g(2)}{h}=8$
(나) 함수 $(f\circ g)(x)$의 $x=2$에서의 미분계수는 10이다.

① 1 ② $\log_2 3$ ③ 2
④ $\log_2 5$ ⑤ $\log_2 6$

▶ 해설 내신연계기출

유형 09 함수 $f(g(x))=h(x)$꼴의 미분법

[1단계] $f(g(x))=h(x)$의 양변을 x에 대하여 미분하면

$$f'(g(x))g'(x)=h'(x)$$

[2단계] 구하고자 하는 x의 값을 대입하여 구한다.

0974 학교기출 대표 유형

실수 전체에서 미분가능한 함수 $f(x)$에 대하여

$$f(2x-1)=4x^2+4$$

일 때, $f'(5)$의 값은?

① 0 ② 3 ③ 7 ④ 10 ⑤ 12

0975 BASIC

미분가능한 함수 $f(x)$에 대하여

$$f(3x-2)=3x^2-6x+1$$

일 때, $f'(7)$의 값은?

① 2 ② 3 ③ 4 ④ 5 ⑤ 6

0976 최다빈출 왕 중요 BASIC

미분가능한 함수 $f(x)$가 모든 실수 x에 대하여

$$f(2x+3)=x^2+2x-4$$

를 만족할 때, $f'(-1)$의 값은?

① -2 ② -1 ③ 0 ④ 1 ⑤ 2

▶ 해설 내신연계기출

0977 NORMAL

모든 실수 x에 대하여 미분가능한 함수 $f(x)$와 함수 $g(x)=x^3+2x$에 대하여 합성함수

$$(f\circ g)(x)=\frac{1}{3}x^3+3x^2$$

을 만족할 때, $f(x)$의 $x=-3$에서의 미분계수는?

① -2 ② -1 ③ 0 ④ 1 ⑤ 2

0978 NORMAL

미분가능한 함수 $f(x)$가 모든 실수 x에 대하여

$$f(3x-2)=e^{2x+1}-e^{2x-1}$$

을 만족시킬 때, $f'(1)$의 값은?

① $\frac{3}{2}e(e^2-1)$ ② $\frac{3}{2}e(e^2+1)$ ③ $\frac{2}{3}e(e-1)$ ④ $\frac{2}{3}e(e^2+1)$ ⑤ $\frac{2}{3}e(e^2-1)$

0979 최다빈출 왕 중요 TOUGH

미분가능한 함수 $f(x)$가 모든 실수 x에 대하여

$$f(2^{2x}-2^x+1)=2^x+2$$

를 만족시킬 때, $f'(1)$의 값은?

① 1 ② 2 ③ 3 ④ 4 ⑤ 5

▶ 해설 내신연계기출

유형 10 여러 가지 함수의 미분법의 실생활 활용

① $y=\frac{f(x)}{g(x)}$의 도함수 $y'=\frac{f'(x)g(x)-f(x)g'(x)}{\{g(x)\}^2}$

② $y=\frac{1}{g(x)}$의 도함수 $y'=\frac{-g'(x)}{\{g(x)\}^2}$

③ $y=\{f(x)\}^n$의 도함수 $y'=n\{f(x)\}^{n-1}\cdot f'(x)$

④ $y=\sqrt{f(x)}$의 도함수 $y'=\frac{f'(x)}{2\sqrt{f(x)}}$

0980 학교기출 대표 유형

어떤 상품의 생산량 x에 대한 평균 비용이

$$\mathrm{C}(x)=x^2-80x+2400+\frac{10000}{x}\text{(만 원)}$$

일 때, 평균 비용의 순간변화율인 $\mathrm{C}'(x)$를 한계 비용이라고 한다. $x=100$일 때의 한계 비용은? (단위는 만 원)

① 98　② 102　③ 110
④ 119　⑤ 210

▶ 해설 내신연계기출

0981 최다빈출 왕 중요 NORMAL

어느 바다의 수심이 30m인 곳에 부피가 2mL인 공기방울이 있다. 이 공기 방울이 수심 xm인 곳에 이르렀을 때의 부피를 ymL라 하면

$$y=\frac{8}{0.1x+1}\ (0<x\le 30)$$

이 된다고 한다. 이 공기방울이 수심 10m인 곳에 이르렀을 때, 공기 방울의 부피의 순간변화율은? (단, 바닷물의 온도는 고려하지 않고 단위는 mL/m)

① -0.5　② -0.4　③ -0.3
④ -0.2　⑤ -0.1

▶ 해설 내신연계기출

0982 NORMAL

어떤 동물이 태어난 지 t일 후의 몸무게를 $w(t)$kg이라 하면

$$w(t)=\frac{4}{1+20e^{-0.1t}}$$

가 된다고 한다. 이 동물이 태어난 지 30일 후의 몸무게의 순간변화율은? (단, $e^{-3}=0.05$로 계산하고 단위는 kg/일)

① 0.1　② 0.2　③ 0.3
④ 0.4　⑤ 0.5

0983 NORMAL

어느 제약 회사에서 만든 종합 영양제 10mg을 복용한지 t시간 후 체내에 남아 있는 종합영양제의 양을 $y$mg이라고 할 때,

$$y=\frac{10}{\sqrt{(t+1)^3}}$$

인 관계가 성립한다고 한다. 시각 $t=8$일 때, 체내에 남아 있는 종합 영양제의 순간변화율은?

① $-\frac{2}{21}$　② $-\frac{5}{81}$　③ $-\frac{10}{91}$
④ $-\frac{10}{81}$　⑤ $-\frac{20}{81}$

0984 NORMAL

한려해상 국립공원의 아름다운 섬 소매물도에서는 썰물 때마다 등대섬으로 가는 길이 열린다. 이것은 해수면의 높이가 달의 영향을 받기 때문에 주기적으로 나타나는 현상이다. 이 섬의 현재 해수면의 높이가 36cm이고 t시간 후의 해수면의 높이를 $y$cm라 하면

$$y=k\sin\frac{\pi}{6}(t-3)+120\ (k\text{는 상수})$$

이 된다고 한다. 이 섬의 11시간 후 해수면의 높이의 순간변화율은? (단위는 cm/h)

① -9π　② -8π　③ -7π
④ -6π　⑤ -5π

0985 TOUGH

어떤 화학 반응에서 반응이 시작한 지 t초 후의 물질 A의 양을 xg이라고 할 때, 다음과 같은 관계식이 성립한다.

$$\frac{x}{6-x}=e^{8(t-3)}$$

반응이 시작된 지 3초 후의 물질 A의 양의 순간변화율은? (단, 단위는 g/s, $0<x<6$)

① 6　② 8　③ 10
④ 11　⑤ 12

유형 11 삼각함수의 합성함수 미분법 (1)

(1) 삼각함수의 도함수는 다음과 같다.

① $y=\sin x$ ⇦ $y'=\cos x$
② $y=\cos x$ ⇦ $y'=-\sin x$
③ $y=\tan x$ ⇦ $y'=\sec^2 x$
④ $y=\csc x$ ⇦ $y'=-\csc x\cot x$
⑤ $y=\sec x$ ⇦ $y'=\sec x\tan x$
⑥ $y=\cot x$ ⇦ $y'=-\csc^2 x$

(2) 미분가능한 함수 $f(x)$에 대하여 $y=\sin f(x)$꼴 삼각함수의 도함수는 합성함수의 미분법을 이용하면 다음이 성립한다.

① $\{\sin f(x)\}'=\{\cos f(x)\}\cdot f'(x)$
② $\{\cos f(x)\}'=\{-\sin f(x)\}\cdot f'(x)$
③ $\{\tan f(x)\}'=\{\sec^2 f(x)\}\cdot f'(x)$

(3) 미분가능한 함수 $f(x)$에 대하여 $y=\sin^n f(x)$꼴 삼각함수의 도함수는 합성함수의 미분법을 이용하면 다음이 성립한다.

① $\{\sin^n f(x)\}'=n\sin^{n-1} f(x)\{\sin f(x)\}'$
$=n\sin^{n-1} f(x)\cos f(x)\cdot f'(x)$
② $\{\cos^n f(x)\}'=n\cos^{n-1} f(x)\{\cos f(x)\}'$
$=-n\cos^{n-1} f(x)\sin f(x)\cdot f'(x)$
③ $\{\tan^n f(x)\}'=n\tan^{n-1} f(x)\{\tan f(x)\}'$
$=n\tan^{n-1} f(x)\sec^2 f(x)\cdot f'(x)$

0986 학교기출 대표 유형

함수 $f(x)=4\sin 7x$에 대하여 $f'(2\pi)$의 값은?

① 14 ② 21 ③ 28
④ 32 ⑤ 36

0987 BASIC

함수 $f(x)=-\cos^2 x$에 대하여 $f'\left(\frac{\pi}{4}\right)$의 값은?

① $-\frac{\sqrt{3}}{4}$ ② $-\frac{\sqrt{2}}{2}$ ③ $-\frac{1}{2}$
④ $\frac{\sqrt{2}}{2}$ ⑤ 1

0988 BASIC

함수 $f(x)=(ax^2+1)\sin 2x$에 대하여 $f'\left(\frac{\pi}{4}\right)=\pi$일 때, 상수 a의 값은?

① 1 ② 2 ③ 3
④ 4 ⑤ 5

0989 최다빈출 왕 중요 BASIC

$y=\sin^2 x\cos 2x$에 대하여 $y'=a\sin x\cos bx$일 때, 상수 a, b에 대하여 ab의 값은? (단, $b>0$)

① 2 ② 4 ③ 6
④ 8 ⑤ 10

▶ 해설 내신연계기출

0990 최다빈출 왕 중요 BASIC

함수 $f(x)=\tan x$의 도함수 $f'(x)$에 대하여 $f'(a)=1$을 만족할 때, a의 값은? $\left(단, \frac{\pi}{2}<a<\frac{3}{2}\pi\right)$

① 2 ② $\frac{2}{3}\pi$ ③ $\frac{5}{6}\pi$
④ π ⑤ $\frac{7}{6}\pi$

▶ 해설 내신연계기출

0991

NORMAL

함수 $f(x)=2\sec x-\tan x$에 대하여 방정식 $f'(x)=0$을 만족시키는 실수 x의 값은? $\left(단, -\frac{\pi}{2}<x<\frac{\pi}{2}\right)$

① $-\frac{\pi}{3}$ ② $-\frac{\pi}{6}$ ③ 0
④ $\frac{\pi}{6}$ ⑤ $\frac{\pi}{3}$

0992

최다빈출 왕중요 NORMAL

함수 $f(x)=a\tan x+\sec x$에 대하여 $f'\left(\frac{\pi}{3}\right)=-2\sqrt{3}$일 때, 상수 a의 값은?

① $-2\sqrt{3}$ ② $-\sqrt{3}$ ③ $-\frac{\sqrt{3}}{2}$
④ $-\frac{\sqrt{3}}{4}$ ⑤ $-\frac{\sqrt{3}}{8}$

▶ 해설 내신연계기출

0993

TOUGH

함수 $f(x)=\lim_{h\to 0}\frac{\sin^2(x+h)-\sin^2 x}{h}$에 대하여 $f'\left(\frac{\pi}{6}\right)$의 값은?

① -1 ② $-\frac{\sqrt{2}}{2}$ ③ 0
④ $\frac{\sqrt{2}}{2}$ ⑤ 1

유형 12 삼각함수의 합성함수 미분법 (2)

다항함수의 미분법 또는 합성함수, 역함수의 미분법을 이용하여 삼각함수의 도함수를 구한다.

0994

학교기출 대표 유형

두 함수 $f(x)=\sin x$, $g(x)=\cos x$ 에 대하여 함수 $h(x)$를

$$h(x)=(f\circ g)(x)$$

로 정의할 때, $h'\left(\frac{\pi}{2}\right)$의 값은?

① -1 ② $-\frac{1}{2}$ ③ $\frac{1}{2}$
④ 1 ⑤ $\frac{3}{2}$

0995

최다빈출 왕중요 BASIC

곡선 $y=\tan(\sin x)$ 위의 점 $(\pi, 0)$에서의 접선의 기울기는?

① -3 ② -2 ③ -1
④ 0 ⑤ 1

▶ 해설 내신연계기출

0996

NORMAL

함수 $f(x)=\sec\left(\pi x+\frac{\pi}{3}\right)$에 대하여 $f'(1)$의 값은?

① $-2\sqrt{2}\pi$ ② $-2\sqrt{3}\pi$ ③ $2\sqrt{3}\pi$
④ $4\sqrt{3}\pi$ ⑤ 6π

0997 최다빈출 왕중요 NORMAL

함수 $f(x)$가

$$f(\cos x)=\sin 2x+\tan x\left(0<x<\frac{\pi}{2}\right)$$

를 만족시킬 때, $f'\left(\frac{1}{2}\right)$의 값은?

① $-2\sqrt{3}$ ② $-\sqrt{3}$ ③ 0
④ $\sqrt{3}$ ⑤ $2\sqrt{3}$

▶ 해설 내신연계기출

0998 최다빈출 왕중요 TOUGH

정의역이 $\left\{x \middle| 0<x<\frac{\pi}{2}\right\}$인 함수 $f(x)$가 정의역에 속하는 모든 실수 x에 대하여

$$(\sec^2 x+\tan x)f(x)=\tan^3 x-1$$

을 만족시킬 때, $f'\left(\frac{\pi}{3}\right)$의 값은?

① $\frac{4}{3}$ ② $\frac{3}{2}$ ③ $\frac{5}{3}$
④ 2 ⑤ 4

▶ 해설 내신연계기출

0999 TOUGH

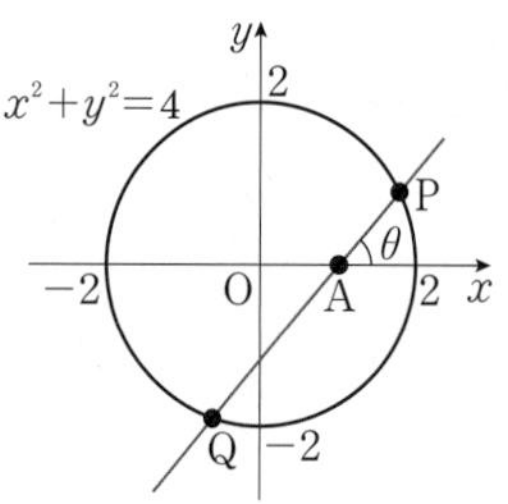

오른쪽 그림과 같이 좌표평면 위에 점 A(1, 0)과 원점을 중심으로 하는 원 $x^2+y^2=4$가 있다. 원 위의 점 P(x, y)에 대하여 직선 AP가 원과 만나는 점 중에서 P가 아닌 점을 Q라 하고, 직선 AP와 x축의 양의 방향이 이루는 각의 크기를 θ라 하자.
선분 PQ의 길이를 $l(\theta)$라 할 때, $l'\left(\frac{\pi}{4}\right)$의 값은?
(단, 점 P는 제1사분면 위의 점이다.)

① $-\frac{\sqrt{2}}{4}$ ② $-\frac{2\sqrt{2}}{5}$ ③ $-\frac{\sqrt{14}}{7}$
④ $-\frac{\sqrt{14}}{6}$ ⑤ $-\frac{\sqrt{13}}{6}$

유형 13 지수함수 로그함수와 삼각함수의 합성함수의 미분법

① $\{\sin f(x)\}'=\{\cos f(x)\}\cdot f'(x)$
② $\{\cos f(x)\}'=\{-\sin f(x)\}\cdot f'(x)$
③ $\{\tan f(x)\}'=\{\sec^2 f(x)\}\cdot f'(x)$

1000 학교기출 대표유형

함수 $f(x)=e^{-3x}\sin\frac{\pi}{4}x$에 대하여 $f'(-2)$의 값은?

① e^6 ② $2e^6$ ③ $3e^6$
④ $4e^6$ ⑤ $5e^6$

1001 BASIC

$0<x<\frac{\pi}{2}$에서 정의되는 함수

$$f(x)=\ln(2\sin x)$$

에 대하여 $f(a)=0$일 때, $f'(a)$의 값은?

① $\frac{1}{2}$ ② $\frac{\sqrt{3}}{2}$ ③ 1
④ $\frac{\sqrt{2}}{2}$ ⑤ $\sqrt{3}$

1002 NORMAL

$0<x<\frac{\pi}{2}$에서 정의된 함수

$$f(x)=\ln(\tan x)$$

의 도함수를 $f'(x)$라 할 때, $f'\left(\frac{\pi}{12}\right)$의 값은?

① 2 ② 3 ③ 4
④ 5 ⑤ 6

1003

NORMAL

$0<x<\frac{\pi}{2}$에서 정의된 함수

$$f(x)=\ln(\tan^2 x)$$

에 대하여 $f'\left(\frac{\pi}{4}\right)$의 값은?

① 1　② $\sqrt{2}$　③ 2
④ $2\sqrt{2}$　⑤ 4

1004

최다빈출 왕 중요　NORMAL

다음 조건을 만족하는 상수 a, b에 대하여 ab의 값은?
$\left(\text{단, } 0<x<\frac{\pi}{2}\right)$

(가) 함수 $f(x)=\ln(\sin^2 3x)$에 대하여 $f'\left(\frac{\pi}{9}\right)=a$

(나) 함수 $f(x)=\ln(\cos^2 x)$에 대하여 $f'\left(\frac{\pi}{4}\right)=b$

① $-4\sqrt{3}$　② $-2\sqrt{3}$　③ $2\sqrt{3}$
④ $4\sqrt{3}$　⑤ 12

▶ 해설 내신연계기출

1005

최다빈출 왕 중요　TOUGH

실수 전체의 집합에서 미분가능한 함수 $f(x)$에 대하여
함수 $g(x)$를

$$g(x)=\frac{f(x)\cos x}{e^x}$$

라 하자. $g'(\pi)=e^{\pi}g(\pi)$일 때, $\frac{f'(\pi)}{f(\pi)}$의 값은? (단, $f(\pi)\neq 0$)

① $e^{-2\pi}$　② 1　③ $e^{-\pi}+1$
④ $e^{\pi}+1$　⑤ $e^{2\pi}$

▶ 해설 내신연계기출

유형 14 합성함수 미분법을 이용한 미분계수 극한값 계산

미분가능한 함수 $f(x)$에 대하여

① $\lim_{x\to a}\frac{f(x)-f(a)}{x-a}=\lim_{h\to 0}\frac{f(a+h)-f(a)}{h}=f'(a)$

② $\lim_{h\to 0}\frac{f(a+mh)-f(a)}{nh}=\frac{m}{n}f'(a)$

③ $\lim_{h\to 0}\frac{f(a+mh)-f(a+nh)}{h}=(m-n)f'(a)$

1006

학교기출 대표 유형

함수 $f(x)=x^2+x\ln(2x-1)$에 대하여

$$\lim_{h\to 0}\frac{f(1+2h)-f(1)}{h}$$

의 값은? $\left(\text{단, } x>\frac{1}{2}\right)$

① 2　② 4　③ 6
④ 8　⑤ 10

1007

BASIC

함수 $f(x)=\ln(\cos x)$에 대하여

$$\lim_{h\to 0}\frac{f\left(\frac{\pi}{4}+h\right)-f\left(\frac{\pi}{4}-h\right)}{h}$$

의 값은? $\left(\text{단, } 0<x<\frac{\pi}{2}\right)$

① -4　② -2　③ -1
④ 2　⑤ 4

1008

BASIC

함수 $f(x)=\ln|\tan x|$에 대하여

$$\lim_{h\to 0}\frac{f\left(\frac{\pi}{4}+h\right)-f\left(\frac{\pi}{4}-h\right)}{h}$$

의 값은? $\left(\text{단, } 0<x<\frac{\pi}{2}\right)$

① -4　② -2　③ -1
④ 2　⑤ 4

1009

NORMAL

$f(x)=\ln(\ln x)$에 대하여

$$\lim_{h\to 0}\frac{f(e+h)-f(e-h)}{h}$$

의 값은? (단, $x>1$)

① $\frac{1}{e}$ ② $\frac{2}{e}$ ③ $\frac{e}{2}$
④ $2e$ ⑤ $3e$

1010 최다빈출 왕중요

NORMAL

함수 $f(x)=\ln(ax+b)$에 대하여 $\lim_{x\to 0}\frac{f(x)}{x}=2$일 때, $f(2)$의 값은? (단, a, b는 상수이다.)

① $\ln 3$ ② $2\ln 2$ ③ $\ln 5$
④ $\ln 6$ ⑤ $\ln 7$

▶ 해설 내신연계기출

1011 최다빈출 왕중요

NORMAL

함수 $f(x)=\cos^2\left(2x-\frac{\pi}{4}\right)$에 대하여 $\lim_{x\to\pi}\frac{f(x)-f(\pi)}{x-\pi}$의 값은?

① -2 ② -1 ③ 0
④ 1 ⑤ 2

▶ 해설 내신연계기출

1012 최다빈출 왕중요

NORMAL

함수 $f(x)=\tan 2x+3\sin x$에 대하여

$$\lim_{h\to 0}\frac{f(\pi+h)-f(\pi-h)}{h}$$

의 값은?

① -2 ② -4 ③ -6
④ -8 ⑤ -10

▶ 해설 내신연계기출

1013 최다빈출 왕중요

NORMAL

두 함수 $f(x)=\sin^2 x$, $g(x)=e^x$에 대하여

$$\lim_{x\to\frac{\pi}{4}}\frac{g(f(x))-\sqrt{e}}{x-\frac{\pi}{4}}$$

의 값은?

① $\frac{1}{e}$ ② 1 ③ $\sqrt{e}$
④ e ⑤ $2e$

▶ 해설 내신연계기출

1014 최다빈출 왕중요

NORMAL

함수 $f(x)=x\tan x$에 대하여

$$\lim_{n\to\infty}n\left\{f\left(\frac{\pi}{4}+\frac{1}{n}\right)-f\left(\frac{\pi}{4}-\frac{1}{n}\right)\right\}$$

의 값은?

① $\pi-2$ ② $\pi-1$ ③ π
④ $\pi+1$ ⑤ $\pi+2$

▶ 해설 내신연계기출

1015

NORMAL

함수 $f(x)=2^{\sin x}$에 대하여

$$\lim_{n\to\infty} n\left\{f\left(\pi+\frac{1}{n}\right)-f\left(\pi-\frac{1}{n}\right)\right\}$$

의 값은?

① $-2\ln 2$ ② $-\ln 2$ ③ 1
④ $\ln 2$ ⑤ $2\ln 2$

1016

최다빈출 왕 중요

NORMAL

실수 전체의 집합에서 미분가능한 함수 $f(x)$가

$$\lim_{x\to 1}\frac{2^{f(x)}-1}{x-1}=3\ln 2$$

를 만족시키는 함수 $f(x)$에 대하여 $f'(1)$의 값은?

① 1 ② 2 ③ 3
④ 4 ⑤ 5

▶ 해설 내신연계기출

1017

NORMAL

함수 $f(x)=\lim_{h\to 0}\frac{(\ln x)^h-1}{h}$일 때, $f'(e)$의 값은?
(단, $x\neq e$, $x>1$)

① 0 ② $\frac{1}{e}$ ③ $\ln 2$
④ 1 ⑤ $\frac{e}{2}$

1018

NORMAL

$x>1$에서 함수 $f(x)$를 $f(x)=\lim_{h\to 0}\frac{(\log_2 x)^h-1}{h}$로 정의할 때,
$f(2^e)$의 값은?

① $\frac{1}{e}$ ② 1 ③ e
④ $2e$ ⑤ $3e$

1019

TOUGH

함수

$$f(x)=(2x^3-3x^2-3)^2,\ g(x)=\frac{1}{(3x-2)^2}$$

일 때, $\lim_{h\to 0}\frac{f(2+2h)-g(1-h)}{h}$의 값은?

① 24 ② 26 ③ 30
④ 40 ⑤ 42

1020

TOUGH

함수 $f(x)=(\ln x)^x\ (x>1)$에 대하여

$$\lim_{h\to 0}\frac{f(e+2h)-f(e-h)}{h}$$

의 값은?

① $\ln 2$ ② $\ln 2+\frac{1}{2}$ ③ e
④ 1 ⑤ 3

유형 15 지수함수 미분법을 이용한 미분계수 극한값 계산

미분가능한 함수 $f(x)$에 대하여

① $\lim_{x\to a}\frac{f(x)-f(a)}{x-a}=\lim_{h\to 0}\frac{f(a+h)-f(a)}{h}=f'(a)$

② $\lim_{h\to 0}\frac{f(a+mh)-f(a)}{nh}=\frac{m}{n}f'(a)$

③ $\lim_{h\to 0}\frac{f(a+mh)-f(a+nh)}{h}=(m-n)f'(a)$

1021 학교기출 대표 유형

$\lim_{x\to 0}\frac{1}{x}\ln\frac{e^x+e^{2x}+e^{3x}+\cdots+e^{10x}}{10}$의 값은?

① $\frac{3}{2}$ ② $\frac{11}{2}$ ③ $\frac{13}{2}$
④ $\frac{15}{2}$ ⑤ $\frac{17}{2}$

▶ 해설 내신연계기출

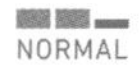

1022 최다빈출 왕 중요 NORMAL

$\lim_{x\to 0}\frac{1}{x}\ln\frac{e^x+e^{2x}+e^{3x}+\cdots+e^{nx}}{n}=20$일 때, 자연수 n의 값은?

① 25 ② 31 ③ 33
④ 35 ⑤ 39

▶ 해설 내신연계기출

1023 TOUGH

$\lim_{x\to 0}\frac{1}{x}\ln\frac{2^x+3^x+5^x}{3}$의 값은?

① $\frac{\ln 10}{3}$ ② $\frac{\ln 20}{3}$ ③ $\frac{\ln 20}{2}$
④ $\frac{\ln 30}{3}$ ⑤ $\frac{\ln 30}{2}$

유형 16 함수 $f(x)^{g(x)}$꼴의 미분법

함수 $f(x)$, $g(x)$가 미분가능하고 $f(x)>0$일 때,

$f(x)^{g(x)}$도 미분가능하다.

이 함수의 도함수는 합성함수의 미분법이나 로그함수의 미분법을 이용하면 구할 수 있다.

[방법1] $x=e^{\ln x}$임을 이용하면 다음을 얻는다.

$f(x)^{g(x)}=(e^{\ln f(x)})^{g(x)}=e^{g(x)\ln f(x)}$

따라서 합성함수의 미분법을 이용하면

$$\begin{aligned}(f(x)^{g(x)})'&=(e^{g(x)\ln f(x)})'\\&=(e^{g(x)\ln f(x)})\cdot(g(x)\ln f(x))'\\&=f(x)^{g(x)}\left\{g'(x)\ln f(x)+g(x)\frac{f'(x)}{f(x)}\right\}\end{aligned}$$

[방법2] 함수 $h(x)=f(x)^{g(x)}$의 양변에 자연로그를 취하면

$\ln|h(x)|=\ln|f(x)^{g(x)}|=g(x)\ln f(x)$

로그함수의 미분법을 이용하면

$\frac{h'(x)}{h(x)}=g'(x)\ln f(x)+g(x)\frac{f'(x)}{f(x)}$이므로

$$\begin{aligned}h'(x)&=h(x)\left\{g'(x)\ln f(x)+g(x)\frac{f'(x)}{f(x)}\right\}\\&=f(x)^{g(x)}\left\{g'(x)\ln f(x)+g(x)\frac{f'(x)}{f(x)}\right\}\end{aligned}$$

참고 문제 유형

① 밑, 지수가 변수일 때,
② 복잡한 분수꼴일 때,
⇨ 로그미분법을 이용한다.

1024 학교기출 대표 유형

$y=x^x\,(x>0)$일 때, $x=e$에서 미분계수는?

① 1 ② e ③ e^2
④ $2e^e$ ⑤ e^{2e}

1025 BASIC

함수 $f(x)=x^{\ln x}\,(x>0)$에 대하여 $f'\left(\frac{1}{e}\right)$의 값은?

① $-2e^2$ ② $-e^2$ ③ e
④ $2e$ ⑤ e^2

1026 최다빈출 왕 중요 BASIC

함수 $f(x)=x^{\cos x}\,(x>0)$에 대하여 $f'(\pi)$의 값은?

① $-\frac{1}{\pi^2}$ ② $-\frac{1}{\pi}$ ③ $-\pi$
④ $\frac{1}{\pi}$ ⑤ π

▶ 해설 내신연계기출

1027 최다빈출 왕 중요 NORMAL

함수 $f(x)=x^{\sin x}\,(x>0)$에 대하여

$$\lim_{x\to\pi}\frac{f(x)-1}{x-\pi}$$

의 값은?

① $-\frac{1}{\pi}$ ② $-\pi$ ③ π
④ $\ln\pi$ ⑤ $-\ln\pi$

▶ 해설 내신연계기출

1028 NORMAL

함수 $f(x)=(e^x+1)(e^{2x}+1)(e^{3x}+1)(e^{4x}+1)$에 대하여

$\lim_{x\to 0}\frac{f'(x)}{f(x)}$의 값은?

① 5 ② 6 ③ 7
④ 8 ⑤ 9

1029 NORMAL

$x>1$인 모든 실수에서 정의된 두 함수

$$f(x)=x^{\ln x},\ g(x)=(\ln x)^x$$

에 대하여 $f'(e)-g'(e)$의 값은?

① 1 ② 2 ③ 3
④ 4 ⑤ 5

1030 NORMAL

함수 $f(x)=\frac{(x-1)^2(x-2)}{x-3}$에 대하여 $f'(4)$의 값은?

① 2 ② 3 ③ 4
④ 5 ⑤ 6

1031 최다빈출 왕 중요 NORMAL

함수 $f(x)=\frac{(x-2)(x-1)^2}{(x+1)^3}$에 대하여 $f'(2)$의 값은?

① $\frac{1}{81}$ ② $\frac{1}{27}$ ③ $\frac{1}{9}$
④ $\frac{4}{27}$ ⑤ $\frac{2}{9}$

▶ 해설 내신연계기출

1032 NORMAL

함수 $f(x)=\frac{e^x\cos x}{1+\sin x}$에 대하여 $f'(\pi)$의 값은?

① $-2e^{\pi}$ ② $-e^{\pi}$ ③ e^{π}
④ $3e$ ⑤ $5e^{\pi}$

1033

NORMAL

함수 $f(x)=\ln\sqrt{\dfrac{1+\cos x}{1-\cos x}}$의 $x=\dfrac{\pi}{6}$에서의 미분계수는?

① $-\dfrac{\sqrt{3}}{2}$ ② $-\dfrac{2\sqrt{3}}{3}$ ③ $-\dfrac{\sqrt{3}}{3}$
④ -1 ⑤ -2

1034

최다빈출 왕중요 NORMAL

함수 $f(x)$가

$$e^{f(x)}=\sqrt{\frac{1+\sin x}{1-\sin x}}$$

를 만족시키는 함수 $f(x)$에 대하여 $f'\left(\dfrac{\pi}{3}\right)$의 값은?

① $\dfrac{\sqrt{3}}{3}$ ② $\dfrac{2\sqrt{3}}{3}$ ③ $\dfrac{1}{2}$
④ $\dfrac{\sqrt{3}}{2}$ ⑤ 2

▶ 해설 내신연계기출

1035

최다빈출 왕중요 TOUGH

다음은 n이 실수일 때, $y=x^n$의 도함수를 구하는 과정이다.

> $y=x^n$의 양변의 절댓값에 자연로그를 취하면
> $\ln|y|=\ln|x^n|=n$ (가)
> 각 항을 음함수의 미분법을 이용하여 x에 대하여 미분하면
> $\dfrac{1}{y}\times\dfrac{dy}{dx}=$ (나)
> 따라서 $\dfrac{dy}{dx}=y\times$ (나) $=x^n\times$ (나) $=nx^{n-1}$

(가), (나)에 알맞은 식을 각각 $f(x)$, $g(x)$라 할 때,
$f(e^2)+g\left(\dfrac{n}{3}\right)$의 값은?

① 2 ② 3 ③ 4
④ 5 ⑤ 6

▶ 해설 내신연계기출

유형 17 구간별로 다른 함수의 미분가능성

> $f(x)=\begin{cases} g(x) & (x\ge a) \\ h(x) & (x<a)\end{cases}$가 $x=a$에서 미분가능할 조건
> [1단계] $x=a$에서 함수 $f(x)$가 연속 ⇨ $g(a)=h(a)$
> [2단계] $x=a$에서 미분계수가 존재 ⇨ $g'(a)=h'(a)$

1036

학교기출 대표 유형

함수

$$f(x)=\begin{cases} ae^{3x} & (x\ge 0) \\ \sin\pi x+b & (x<0)\end{cases}$$

가 $x=0$에서 미분가능하도록 상수 a, b의 값을 정할 때,
$a+b$의 값은?

① $-\dfrac{2}{3}\pi$ ② $-\dfrac{\pi}{3}$ ③ 0
④ $\dfrac{\pi}{3}$ ⑤ $\dfrac{2}{3}\pi$

▶ 해설 내신연계기출

1037

NORMAL

함수

$$f(x)=\begin{cases} ax+b & (-2\pi\le x\le 0) \\ \sin\dfrac{x}{4}+1 & (0<x\le 2\pi)\end{cases}$$

가 $x=0$에서 미분가능할 때, 상수 a, b에 대하여 ab의 값은?

① $\dfrac{1}{4}$ ② $\dfrac{1}{2}$ ③ 1
④ 2 ⑤ 4

1038

NORMAL

함수

$$f(x)=\begin{cases} ax^2+3x+2 & (x>-1) \\ \ln(x+2)+b & (-2<x\le -1)\end{cases}$$

가 $x=-1$에서 미분가능하도록 상수 a, b의 값을 정할 때,
$a+b$의 값은?

① -2 ② -1 ③ 0
④ 1 ⑤ 2

07 매개변수 미분법

내신정복 기출유형

유형 01 매개변수로 나타낸 함수의 미분법

$x=f(t)$, $y=g(t)$가 t에 대하여 미분가능하고 $f'(t)\neq 0$일 때, $\frac{dy}{dx}$는 다음과 같다.

$$\frac{dy}{dx}=\frac{\frac{dy}{dt}}{\frac{dx}{dt}}=\frac{g'(t)}{f'(t)}$$

1039 학교기출 대표 유형

매개변수 t로 나타낸 함수

$$x=t+\frac{1}{t},\ y=t^2+\frac{1}{t^2}$$

에 대하여 $t=2$일 때, $\frac{dy}{dx}$의 값은?

① $\frac{1}{5}$ ② $\frac{1}{4}$ ③ $\frac{3}{4}$
④ 3 ⑤ 5

▶ 해설 내신연계기출

1040 최다빈출 왕 중요 NORMAL

매개변수 t로 나타내어진 함수

$$x=\frac{1-t}{1+t^2},\ y=\frac{3t^2}{1+t^2}$$

에 대하여 $t=1$일 때, $\frac{dy}{dx}$의 값은?

① -3 ② -2 ③ -1
④ 1 ⑤ 3

▶ 해설 내신연계기출

1041 최다빈출 왕 중요 NORMAL

매개변수로 나타낸 곡선

$$x=\frac{1-3t}{t^2+1},\ y=\frac{2t}{t^2+1}$$

에 대하여 $\lim_{t\to\infty}\frac{dy}{dx}$의 값은?

① $-\frac{3}{2}$ ② $-\frac{4}{3}$ ③ $-\frac{2}{3}$
④ $-\frac{1}{2}$ ⑤ $-\frac{1}{3}$

▶ 해설 내신연계기출

1042 최다빈출 왕 중요 NORMAL

매개변수 t로 나타낸 함수

$$x=2t-1,\ y=t^2+1$$

에서 t를 소거하여 $y=f(x)$로 나타내었을 때,

$\lim_{h\to 0}\frac{f(2+2h)-f(2)}{h}$의 값은?

① 1 ② 2 ③ 3
④ 4 ⑤ 5

▶ 해설 내신연계기출

1043 최다빈출 왕 중요 NORMAL

매개변수로 나타낸 함수

$$x=t+t^3+t^5+\cdots+t^{99},\ y=t^2+t^4+t^6+\cdots+t^{100}$$

에 대하여 $\lim_{t\to 1}\frac{dy}{dx}$의 값은?

① $\frac{50}{51}$ ② $\frac{51}{50}$ ③ $\frac{99}{100}$
④ $\frac{100}{99}$ ⑤ 1

▶ 해설 내신연계기출

1044 최다빈출 왕 중요 TOUGH

어느 구호 단체에서 비행기를 이용하여 사람들에게 보급품을 공급하려고 한다. 비행기에서 떨어진 지 t초 후의 보급품의 경로가 오른쪽 그림과 같이 곡선

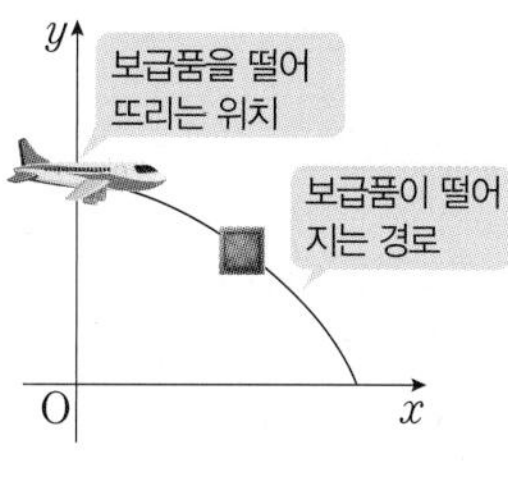

$$x=36t,\ y=-4.9t^2+150$$

일 때, 이 보급품이 땅에 떨어지는 순간의 $\frac{dy}{dx}$의 값은?

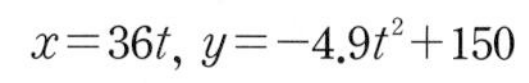

① $-\frac{7\sqrt{15}}{18}$ ② $-\frac{7\sqrt{15}}{15}$ ③ $-\frac{9\sqrt{15}}{10}$
④ $-\frac{\sqrt{15}}{8}$ ⑤ $-\frac{\sqrt{15}}{10}$

▶ 해설 내신연계기출

유형 02 매개변수로 나타낸 지수함수의 미분법

(1) 지수함수 $y=e^x$, $y=a^x$의 도함수는 다음과 같다.

① $y=e^x \Rightarrow y'=e^x$

② $y=a^x \Rightarrow y'=a^x \ln a$ (단, $a\neq 1$, $a>0$)

(2) 미분가능한 함수 $f(x)$에 대하여 합성함수의 미분법을 이용하면 다음이 성립한다.

① $y=e^{f(x)} \Rightarrow y'=e^{f(x)}f'(x)$

② $y=a^{f(x)} \Rightarrow y'=a^{f(x)}\ln a \cdot f'(x)$ (단, $a\neq 1$, $a>0$)

1045 학교기출 대표 유형

매개변수로 나타낸 함수

$$\begin{cases} x=e^{t+1} \\ y=e^{2t+3} \end{cases}$$

에서 $\dfrac{dy}{dx}$는?

① e^{t+1} ② e^{t+2} ③ e^{2t}
④ $2e^{t+2}$ ⑤ $2e^{2t+2}$

▶ 해설 내신연계기출

1046 NORMAL

매개변수 t로 나타내어진 곡선

$$x=e^{2t-6},\ y=t^2-t+5$$

에서 $t=3$일 때, $\dfrac{dy}{dx}$의 값은?

① $\dfrac{1}{2}$ ② 1 ③ $\dfrac{3}{2}$
④ 2 ⑤ $\dfrac{5}{2}$

1047 NORMAL

매개변수로 나타낸 함수

$$\begin{cases} x=(t^2+1)e^t \\ y=e^{3t+2} \end{cases}$$

의 도함수를 $\dfrac{dy}{dx}=\dfrac{ae^{bt+c}}{(t+1)^d}$라 할 때, $a+b+c+d$의 값은?

(단, a, b, c, d는 상수)

① 2 ② 4 ③ 6
④ 9 ⑤ 10

유형 03 매개변수로 나타낸 삼각함수의 미분법

(1) 삼각함수의 도함수는 다음과 같다.

① $(\sin x)'=\cos x$

② $(\cos x)'=-\sin x$

③ $(\tan x)'=\sec^2 x$

④ $(\sec x)'=\sec x \tan x$

⑤ $(\csc x)'=-\csc x \cot x$

⑥ $(\cot x)'=-\csc^2 x$

(2) 미분가능한 함수 $f(x)$에 대하여 $y=\sin f(x)$꼴 삼각함수의 도함수는 합성함수의 미분법을 이용하면 다음이 성립한다.

① $\{\sin f(x)\}'=\{\cos f(x)\}\cdot f'(x)$

② $\{\cos f(x)\}'=\{-\sin f(x)\}\cdot f'(x)$

③ $\{\tan f(x)\}'=\{\sec^2 f(x)\}\cdot f'(x)$

1048 학교기출 대표 유형

매개변수 θ로 나타내어진 함수

$$x=3+2\cos\theta,\ y=1+3\sin\theta$$

에 대하여 $\theta=\dfrac{\pi}{3}$일 때, 접선의 기울기는?

① $-\dfrac{\sqrt{3}}{2}$ ② $-\dfrac{1}{2}$ ③ $-\dfrac{\sqrt{3}}{3}$
④ $\dfrac{1}{2}$ ⑤ $\dfrac{\sqrt{3}}{2}$

▶ 해설 내신연계기출

1049 최다빈출 왕중요 BASIC

매개변수 θ로 나타내어진 함수

$$x=2\sin\theta-1,\ y=4\cos\theta+\sqrt{3}$$

에 대하여 $\theta=\dfrac{\pi}{3}$일 때, $\dfrac{dy}{dx}$의 값은?

① $-2\sqrt{3}$ ② $-2\sqrt{2}$ ③ $-\sqrt{3}$
④ $-\sqrt{2}$ ⑤ $-\dfrac{\sqrt{2}}{2}$

▶ 해설 내신연계기출

1050 최다빈출 왕중요

매개변수로 나타낸 함수

$$x=\sec t,\ y=\tan t$$

에 대하여 $t=\dfrac{\pi}{4}$일 때, $\dfrac{dy}{dx}$의 값은?

① 1 ② $\sqrt{2}$ ③ 2
④ $2\sqrt{2}$ ⑤ $2\sqrt{3}$

▶ 해설 내신연계기출

1051

NORMAL

매개변수 $\theta\left(-\frac{\pi}{2}<\theta<\frac{\pi}{2}\right)$로 나타내어진 함수

$$x=\tan\theta,\ y=\cos^2\theta$$

에 대하여 이 곡선 위의 점 $\left(1,\ \frac{1}{2}\right)$에서의 접선의 기울기는?

① -1　② $-\frac{1}{2}$　③ $\frac{1}{2}$
④ 1　⑤ 2

1052

최다빈출 왕중요　NORMAL

매개변수로 나타낸 함수

$$x=\cos^3\theta,\ y=2\sin^3\theta$$

에 대하여 $\theta=\frac{\pi}{4}$일 때, $\frac{dy}{dx}$의 값은?

① -2　② -1　③ 1
④ 2　⑤ 3

▶ 해설 내신연계기출

1053

TOUGH

매개변수 $\theta\left(0<\theta<\frac{\pi}{2}\right)$로 나타낸 곡선

$$x=\ln|\cos\theta|,\ y=\ln|\sin 2\theta|$$

에 대하여 $\theta=\frac{\pi}{6}$에 대응하는 점에서의 접선의 기울기는?

① -1　② $-\frac{2}{3}$　③ -2
④ $-\frac{5}{2}$　⑤ -3

1054

최다빈출 왕중요　TOUGH

매개변수 $t\left(\frac{\pi}{4}<t<\frac{3\pi}{4}\right)$로 나타낸 곡선

$$x=e^t\cos t,\ y=e^t\sin t$$

에 대하여 $t=\frac{\pi}{2}$에 대응하는 점에서의 접선의 기울기는?

① -2　② -1　③ 0
④ 1　⑤ 2

▶ 해설 내신연계기출

유형 04 매개변수로 나타낸 곡선에서의 접선의 미지수 구하기

매개변수로 나타낸 함수의 미분법을 이용하여 곡선 위의 한 점에서의 접선의 기울기를 이용한 미지수 구하기

1055

학교기출 대표 유형

매개변수로 나타낸 함수

$$x=t^3,\ y=t^2-at-3a^2$$

에 대하여 $t=1$에 대응하는 점에서의 접선의 기울기가 -2일 때, 상수 a의 값은?

① 2　② 3　③ 6
④ 8　⑤ 10

1056

최다빈출 왕중요　NORMAL

매개변수로 나타낸 함수

$$x=1+2t^2,\ y=t^3-t$$

위의 한 점 $\mathrm{P}(a,\ b)$에서의 접선의 기울기가 $-\frac{1}{2}$일 때, 두 정수 a, b에 대하여 $a+b$의 값은?

① 3　② 4　③ 5
④ 6　⑤ 8

▶ 해설 내신연계기출

1057

NORMAL

매개변수 t로 나타낸 함수

$$x=t^2+\sin t,\ y=e^t+at$$

에 대하여 $t=0$일 때, $\frac{dy}{dx}$의 값은 3이다. 상수 a의 값은?

① 1　② 2　③ 3
④ 4　⑤ 5

1058

NORMAL

매개변수 t로 나타내어진 곡선

$$x=t^2-at+2,\ y=t^3+at^2-at$$

에 대하여 $t=1$일 때의 점을 P라고 하자. 점 P에서의 접선의 x축의 양의 방향과 이루는 각의 크기가 $\frac{\pi}{4}$일 때, 상수 a의 값은?

① $-\frac{1}{3}$ ② $-\frac{1}{2}$ ③ $\frac{1}{3}$
④ $\frac{1}{2}$ ⑤ 1

1059

최다빈출 왕중요

TOUGH

좌표평면 위를 움직이는 점 P의 좌표 (x, y)가 t를 매개변수로 하여

$$x=t-\sin t,\ y=1+\cos t$$

로 나타내어질 때, 점 P가 그리는 곡선에 대하여 접선의 기울기가 1인 점의 x좌표는? (단, $0<t<2\pi$)

① $\frac{3}{2}\pi+1$ ② $\frac{1}{2}\pi+1$ ③ $\frac{2}{3}\pi+1$
④ $\frac{3}{2}$ ⑤ $\frac{\sqrt{3}}{2}+1$

▶ 해설 내신연계기출

1060

TOUGH

좌표평면 위를 움직이는 점 P의 좌표 (x, y)가 $t\,(t>0)$을 매개변수로 하여

$$x=2t+1,\ y=t+\frac{3}{t}$$

으로 나타내어진다. 점 P가 그리는 곡선 위의 한 점 (a, b)에서의 접선의 기울기가 -1일 때, $a+b$의 값은?

① 6 ② 7 ③ 8
④ 9 ⑤ 10

유형 05 매개변수로 나타낸 곡선에서의 접선의 방정식

매개변수로 나타낸 곡선 $\begin{cases}x=f(t)\\y=g(t)\end{cases}$에 대하여 $t=a$에 대응하는 곡선 위의 점 $(f(a),\ g(a))$에서의 접선의 방정식은 다음과 같다.

$$y-g(a)=\frac{g'(a)}{f'(a)}\{x-f(a)\}$$

매개변수로 나타낸 함수의 미분법을 이용하여 곡선 위의 한 점에서의 접선의 방정식을 구한다.

1061

학교기출 대표 유형

매개변수 t로 나타낸 곡선

$$x=t^2-4t+1,\ y=t+1$$

에 대하여 $t=3$일 때의 곡선 위의 점에서의 접선의 방정식이 점 $(2, a)$를 지날 때, 실수 a의 값은?

① 2 ② 3 ③ 4
④ 5 ⑤ 6

1062

BASIC

매개변수로 나타낸 곡선

$$x=t,\ y=\sqrt{t}+1$$

에 접하고 기울기가 $\frac{1}{4}$인 접선을 l이라고 하고,

이 접선 l이 점 $(a, 0)$을 지날 때, a의 값은?

① -8 ② -4 ③ 0
④ 4 ⑤ 8

1063

최다빈출 왕중요

NORMAL

곡선

$$x=1+\sin\theta,\ y=\theta-\cos\theta$$

위의 $\theta=\pi$에 대응하는 점에서의 접선과 x축 및 y축으로 둘러싸인 부분의 넓이는?

① $\frac{1}{4}(\pi-1)^2$ ② $\frac{1}{2}(\pi-1)^2$ ③ $\frac{1}{4}(\pi+2)^2$
④ $\frac{1}{2}(\pi+2)^2$ ⑤ $\frac{1}{4}(\pi+3)^2$

▶ 해설 내신연계기출

1064

NORMAL

매개변수 t로 나타낸 함수

$$x=\frac{1-t^2}{1+t^2},\ y=\frac{2t}{1+t^2}$$

에 대하여 $t=\sqrt{2}-1$에 대응하는 점에서의 접선이 x축, y축과 만나는 점을 각각 A, B라고 할 때, 삼각형 OAB의 넓이는? (단, 점 O는 원점)

① 1 ② $\sqrt{2}$ ③ 2
④ $2\sqrt{2}$ ⑤ $3\sqrt{2}$

1065

NORMAL

매개변수 t로 나타낸 곡선

$$x=\ln(t+1)+2,\ y=\frac{1}{3}t^3-\frac{1}{2}t^2+t+1$$

위의 점 (2, 1)에서의 접선이 x축, y축과 만나는 점을 각각 A, B라고 할 때, $\overline{\mathrm{OA}}+\overline{\mathrm{OB}}$의 값은? (단, O는 원점)

① $\frac{3}{2}$ ② 2 ③ $\frac{5}{2}$
④ 3 ⑤ $\frac{7}{2}$

1066 최다빈출 왕중요

NORMAL

매개변수 $t\,(t>0)$으로 나타낸 곡선

$$x=e^t-t,\ y=e^{2t}-2\ln t$$

위의 $t=1$에 대응하는 점에서의 접선이 점 $\left(\frac{e}{2},\ a\right)$를 지날 때, a의 값은?

① e ② $e+1$ ③ $e+2$
④ $2e$ ⑤ $2e+1$

▶ 해설 내신연계기출

1067

NORMAL

매개변수 t로 나타낸 곡선

$$x=2\cos t,\ y=2\sin t\,(0<t<\pi)$$

에 대하여 $t=\frac{\pi}{4}$에 대응하는 점에서의 접선이 x축, y축과 만나는 점을 각각 A, B라고 할 때, 삼각형 OAB의 넓이는? (단, 점 O는 원점)

① $\sqrt{2}$ ② 2 ③ $2\sqrt{2}$
④ 4 ⑤ 8

1068 최다빈출 왕중요

TOUGH

매개변수로 나타낸 곡선

$$x=2-\sin\theta,\ y=1+\cos\theta$$

에 대하여 $\theta=\alpha$에 대응하는 곡선 위의 점에서의 접선이 직선 $y=-3x+1$과 수직일 때, $\csc^2\alpha$의 값은?

① 8 ② 9 ③ 10
④ 12 ⑤ 15

▶ 해설 내신연계기출

1069 최다빈출 왕중요

TOUGH

매개변수로 나타낸 곡선

$$x=\frac{e^t+e^{-t}}{2},\ y=\frac{e^t-e^{-t}}{2}$$

에서 $t=\ln 3$일 때, 접선의 방정식은?

① $2x-3y-2=0$ ② $4x-3y+1=0$
③ $5x-4y-3=0$ ④ $5x-2y+3=0$
⑤ $x-y+5=0$

▶ 해설 내신연계기출

유형 06 사이클로이드

좌표평면 x축 위를 구르는 원의 반지름의 길이를 a라고 할 때, 사이클로이드 곡선 위의 점 P의 x좌표와 y좌표는 매개변수 θ로 나타낸 함수

$$x=a(\theta-\sin\theta),\ y=a(1-\cos\theta)$$

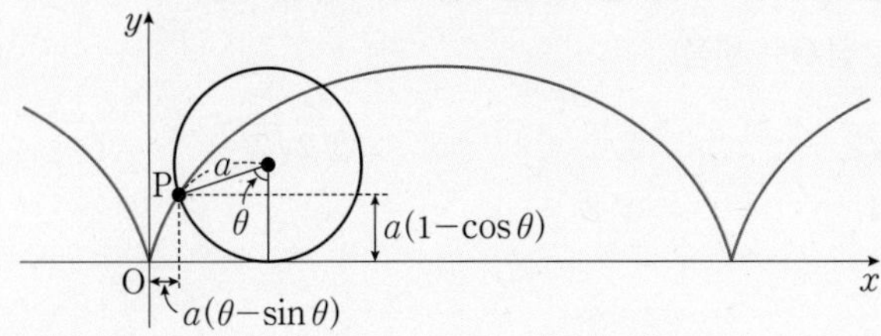

접선의 기울기

매개변수 θ로 나타낸 곡선 $\begin{cases} x=a(\theta-\sin\theta) \\ y=a(1-\cos\theta) \end{cases}$ ⇨ $\dfrac{dy}{dx}=\dfrac{\sin\theta}{1-\cos\theta}$

① 사이클로이드 (cycloid)
일직선 위에서 원을 굴렸을 때, 그 원 위에 있는 정점이 그리는 곡선

② 에피사이클로이드 (epicycloid)
사이클로이드와는 달리 일직선이 아니라 원 밖에서 원을 굴렸을 때, 그 원의 정점이 그리는 곡선

③ 하이포사이클로이드 (hypocycloid)
에피사이클로이드와 반대로 원 안에서 더 작은 원을 굴렸을 때, 그 원의 정점이 그리는 곡선

1070 학교기출 대표 유형

매개변수로 나타낸 곡선

$$x=2(t-\sin t),\ y=2(1-\cos t)$$

에 대하여 $t=\dfrac{\pi}{3}$일 때, $\dfrac{dy}{dx}$의 값은?

① $\dfrac{1}{\sqrt{3}}$　② 1　③ $\sqrt{3}$　④ $\dfrac{\sqrt{3}}{2}$　⑤ $\dfrac{1}{2}$

1071 NORMAL

매개변수 $\theta(0<\theta<\pi)$로 나타낸 곡선

$$x=\theta-\sin\theta,\ y=1-\cos\theta$$

위의 점 $\mathrm{P}(a,\ b)$에서의 접선의 기울기가 $\sqrt{3}$일 때, b의 값은?

① $\dfrac{1}{6}$　② $\dfrac{1}{5}$　③ $\dfrac{1}{4}$　④ $\dfrac{1}{3}$　⑤ $\dfrac{1}{2}$

1072 TOUGH

매개변수로 나타낸 함수

$$x=\theta-\sin\theta,\ y=1-\cos\theta$$

위의 $\theta=\dfrac{3}{2}\pi$에 대응하는 점 P에서의 접선과 수직이고 점 P를 지나는 직선을 l이라 하자. 직선 l과 x축 및 y축으로 둘러싸인 도형의 넓이는?

① $\dfrac{3}{4}\pi$　② $\dfrac{5}{4}\pi$　③ $\dfrac{3}{4}\pi^2$　④ $\dfrac{9}{8}\pi^2$　⑤ $\dfrac{5}{4}\pi^2$

1073 TOUGH

좌표평면 x축 위를 구르는 원의 반지름의 길이를 3이라고 할 때, 사이클로이드 곡선 위의 점 P의 x좌표와 y좌표는 매개변수 θ로 나타낸 함수

$$x=3(\theta-\sin\theta),\ y=3(1-\cos\theta)$$

로 나타낼 수 있다. $\theta=\dfrac{\pi}{3}$일 때, 점 P에서의 접선의 y절편은?

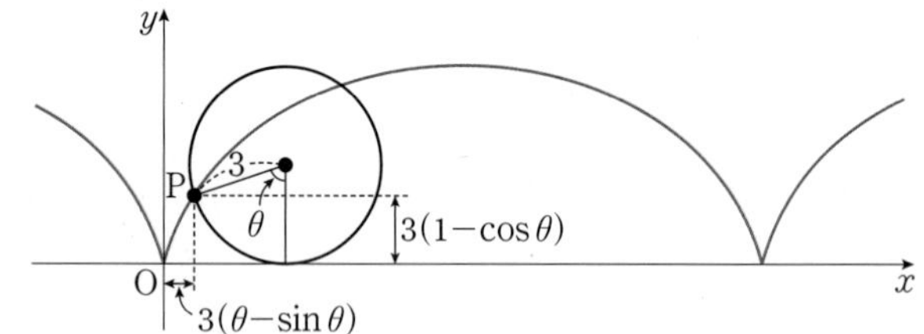

① $-\sqrt{2}\pi+3$　② $-2\pi+3$　③ $-\sqrt{3}\pi+6$　④ $\sqrt{3}\pi+1$　⑤ $3\pi+2$

08 음함수 미분법

학교내신기출 객관식 핵심문제총정리

STEP 1 내신정복 기출유형

유형 01 음함수의 미분법

(1) 음함수의 미분법

음함수 $f(x, y)=0$에서 y를 x의 함수로 보고, 각 항을 x에 대하여 미분하여 $\frac{dy}{dx}$를 구한다.

(2) 음함수 미분법의 활용

함수 $y=g(x)$의 도함수를 구하기가 복잡할 때, $y=g(x)$를 $f(x, y)=0$꼴로 고쳐서 음함수의 미분법을 이용할 수도 있다.

(3) 여러 가지 음함수 미분법

① 같은 변수일 때, $\frac{d}{dx}x^n=nx^{n-1}$

② y가 x의 함수일 때, $\frac{d}{dx}y^n=ny^{n-1}\cdot\frac{dy}{dx}$

③ y가 t의 함수일 때, $\frac{d}{dt}y^n=ny^{n-1}\cdot\frac{dy}{dt}$

1074 학교기출 대표 유형

음함수 $2x^2+3y^2=6$에서 $\frac{dy}{dx}$는? (단, $y\neq0$)

① $-\frac{3x}{2y}$ ② $\frac{3x}{2y}$ ③ $-\frac{2x}{3y}$
④ $\frac{2x}{3y}$ ⑤ $-\frac{3x}{4y}$

1075 BASIC

음함수 $\sqrt{x}+\sqrt{y}=1$에서 $\frac{dy}{dx}$는?

① $-\sqrt{\frac{y}{x}}$ ② $-\sqrt{\frac{x}{y}}$ ③ $-\frac{1}{\sqrt{xy}}$
④ $1-\frac{1}{\sqrt{y}}$ ⑤ $1+\sqrt{\frac{y}{x}}$

1076 BASIC

음함수 $x^2+y^2=e^{x+y}$에서 $\frac{dy}{dx}$는?

① $\frac{e^{x+y}-2x}{e^{x+y}-2y}$ ② $\frac{e^{x+y}-2x}{e^{x+y}+2y}$ ③ $\frac{e^{x+y}+2x}{e^{x+y}-2y}$
④ $-\frac{e^{x+y}-2x}{e^{x+y}-2y}$ ⑤ $-\frac{e^{x+y}+2y}{e^{x+y}+2x}$

1077 NORMAL

음함수 $x^y=y^x$에서 $\frac{dy}{dx}$는? (단, $x>0$, $y>0$)

① $\frac{y(x\ln y-y)}{x(y\ln x-x)}$ ② $\frac{x(x\ln x-x)}{y(y\ln y-y)}$ ③ $\frac{x(x\ln y-y)}{y(y\ln x-x)}$
④ $\frac{x\ln y-y}{y\ln x-x}$ ⑤ $\frac{x\ln x-x}{y\ln y-y}$

1078 NORMAL

x의 함수 y가 다음과 같이 음함수의 꼴로 주어질 때, $\frac{dy}{dx}$가 옳지 <u>않은</u> 것은?

① $xy=1$에서 $\frac{dy}{dx}=-\frac{y}{x}$ (단, $x\neq0$)

② $x^2+xy+y^3=1$에서 $\frac{dy}{dx}=-\frac{2x+y}{x+3y^2}$ (단, $x\neq-3y^2$)

③ $3x^2+2y^2-1=0$에서 $\frac{dy}{dx}=-\frac{3x}{2y}$ (단, $y\neq0$)

④ $y^2=x^2+2y-5$에서 $\frac{dy}{dx}=\frac{x}{y-1}$ (단, $y\neq1$)

⑤ $xy+x+y=1$에서 $\frac{dy}{dx}=\frac{y+1}{x-1}$ (단, $x\neq1$)

유형 02 음함수 미분법과 접선의 기울기

방정식 $f(x, y)=0$꼴로 주어진 x의 함수 y에 대하여 $\frac{dy}{dx}$를 구할 때는 y를 x로 보고 각 항을 x에 대하여 미분한다.

[1단계] 음함수의 미분법을 이용하여 $\frac{dy}{dx}$를 구한다.

[2단계] 접선의 기울기 m은 음함수의 미분법을 이용하여

구한 $\frac{dy}{dx}$에 $x=a$, $y=b$를 대입하여 구한 값과 같다.

1079 학교기출 대표 유형

곡선 $x^3+2xy+y^3=4$ 위의 점 $(1, 1)$에서의 접선의 기울기는?

① -5 ② -4 ③ -3
④ -2 ⑤ -1

1080 최다빈출 왕중요 BASIC

곡선 $x^3-y^3+3xy+1=0$에 대하여 점 $(1, 2)$에서의 접선의 기울기는?

① 1 ② 3 ③ 5
④ 6 ⑤ 8

▶ 해설 내신연계기출

1081 최다빈출 왕중요 BASIC

좌표평면에서 곡선 $3x^3-xy^2=6$ 위의 점 $(2, 3)$에서의 접선의 기울기를 m이라 할 때, $40m$의 값은?

① 30 ② 45 ③ 60
④ 75 ⑤ 90

▶ 해설 내신연계기출

1082 NORMAL

함수 $\frac{\pi}{2}x=y+\sin(xy)$로 주어지는 그래프 위의 점 $(2, \pi)$에서 접선의 기울기는?

① $-\frac{\pi}{3}$ ② $-\frac{\pi}{6}$ ③ 1
④ $\frac{\pi}{6}$ ⑤ $\frac{\pi}{3}$

1083 NORMAL

곡선 $e^x \ln y=1$ 위의 점 $(0, e)$에서의 접선의 기울기는?

① $-e$ ② $-\frac{1}{e}$ ③ $\frac{1}{e}$
④ e ⑤ $2e$

1084 최다빈출 왕중요 NORMAL

곡선 $y^3=\ln(5-x^2)+xy+4$ 위의 점 $(2, 2)$에서의 접선의 기울기는?

① $-\frac{3}{5}$ ② $-\frac{1}{2}$ ③ $-\frac{2}{5}$
④ $-\frac{3}{10}$ ⑤ $-\frac{1}{5}$

▶ 해설 내신연계기출

1085 NORMAL

곡선

$$2e^x \ln(y+1)+e^y \ln(x+1)=0$$

위의 점 $(0, 0)$에서의 접선의 기울기는?

① $-\frac{5}{2}$ ② $-\frac{3}{2}$ ③ $-\frac{1}{2}$
④ $\frac{1}{2}$ ⑤ $\frac{3}{2}$

유형 03 음함수 미분법의 활용

방정식 $f(x, y)=0$꼴로 주어진 x의 함수 y에 대하여 $\frac{dy}{dx}$를 구할 때는 y를 x로 보고 각 항을 x에 대하여 미분한다.

[1단계] 음함수의 미분법을 이용하여 $\frac{dy}{dx}$를 구한다.

[2단계] 접선의 기울기 m은 음함수의 미분법을 이용하여 구한 $\frac{dy}{dx}$에 $x=a$, $y=b$를 대입하여 구한 값과 같다.

1086 학교기출 대표 유형

오른쪽 그림과 같이 눈높이가 1.5m인 사람이 일정한 속력으로 높이가 6m인 나무에 다가가고 있다. 이 사람과 나무 사이의 거리가 xm일 때, 나무의 끝을 올려다 본 각의 크기를 θ라고 하자. 이 사람이 나무로부터 3m 떨어져 있을 때, $\frac{d\theta}{dx}$의 값은?

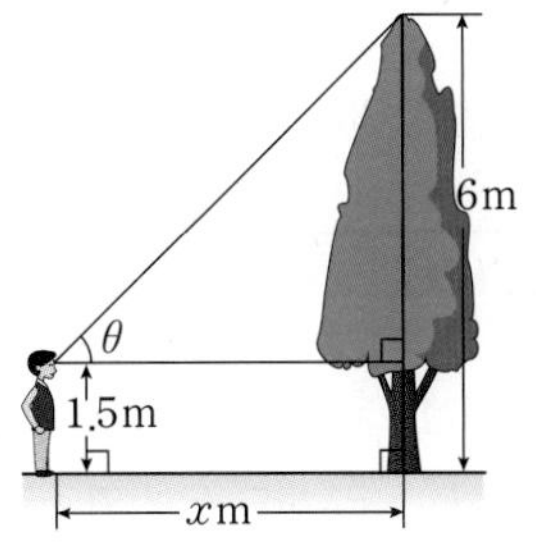

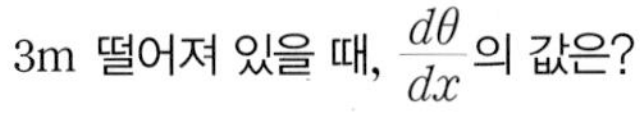

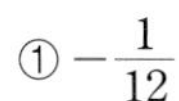

① $-\frac{1}{12}$ ② $-\frac{2}{13}$ ③ $-\frac{3}{13}$
④ $-\frac{2}{9}$ ⑤ -1

▶ 해설 내신연계기출

1087 TOUGH

오른쪽 그림과 같이 길이가 5m인 사다리가 지면에 수직인 벽에 걸쳐 있다. 이 사다리가 지면과 벽을 따라 미끄러질 때, 지면에 닿아 있는 한 끝이 벽으로부터 xm 떨어져 있다고 하면 다른 한 끝은 높이가 ym인 지점에서 벽과 닿아 있게된다고 한다. $x=4$일 때, $\frac{dy}{dx}$의 값은?

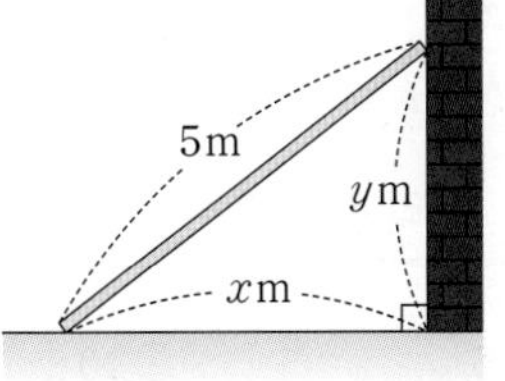

① $-\frac{4}{3}$ ② $-\frac{3}{4}$ ③ $-\frac{1}{2}$
④ $\frac{1}{2}$ ⑤ $\frac{4}{3}$

유형 04 음함수로 나타낸 곡선의 접선의 방정식

음함수 $f(x, y)=0$이 나타내는 곡선 위의 점 $Q(a, b)$에서의 접선의 방정식을 다음 단계로 구한다.

[1단계] 음함수의 미분법을 이용하여 $\frac{dy}{dx}$를 구한다.

[2단계] 접선의 기울기 m은 음함수의 미분법을 이용하여 구한 $\frac{dy}{dx}$에 $x=a$, $y=b$를 대입하여 구한 값과 같다.

[3단계] 곡선 $f(x, y)=0$ 위의 점 $Q(a, b)$에서의 접선의 방정식은 $y-b=m(x-a)$이다.

1088 학교기출 대표 유형

곡선

$$x+xy+y^2-5=0$$

위의 점 $(2, 1)$에서의 접선의 방정식은 $y=ax+b$이다. 두 상수 a, b에 대하여 ab의 값은?

① -1 ② -2 ③ -3
④ -4 ⑤ -5

1089 최다빈출 왕중요 NORMAL

곡선

$$x^2-xy+y^2=3$$

위의 점 $(1, -1)$에서의 접선이 y축과 만나는 점의 좌표가 $(0, a)$일 때, a의 값은?

① -5 ② -4 ③ -3
④ -2 ⑤ -1

▶ 해설 내신연계기출

1090 NORMAL

곡선 $y^2=x^3$ 위의 점 $(2, 2\sqrt{2})$에서의 접선을 l이라 할 때, 원점에서 직선 l까지의 거리는?

① $\frac{2\sqrt{10}}{11}$ ② $\frac{2\sqrt{11}}{11}$ ③ $\frac{4\sqrt{3}}{11}$
④ $\frac{2\sqrt{13}}{11}$ ⑤ $\frac{2\sqrt{14}}{11}$

1091 최다빈출 왕중요 NORMAL

오른쪽 그림과 같이 곡선 $\sqrt{x}+\sqrt{y}=2$ 위의 점 $(1, 1)$에서의 접선이 x축, y축과 만나는 점을 각각 A, B라 할 때, 삼각형 OAB의 넓이는?

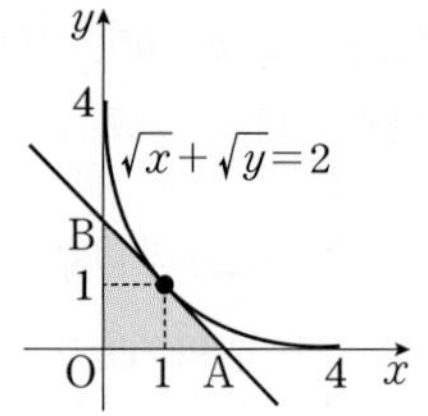

① 2　② 3　③ 4　④ 5　⑤ 6

▶ 해설 내신연계기출

1092 최다빈출 왕중요 NORMAL

곡선

$$2x^2+y^2-4xy-1=0$$

위의 점 $(2, 1)$에서의 접선과 x축, y축으로 둘러싸인 부분의 넓이는?

① $\frac{1}{12}$　② $\frac{1}{6}$　③ $\frac{1}{3}$　④ $\frac{1}{2}$　⑤ 6

▶ 해설 내신연계기출

1093 NORMAL

곡선

$$y^2=\ln x$$

위의 점 $(e, 1)$에서의 접선과 x축, y축으로 둘러싸인 부분의 넓이는?

① $\frac{e}{2}$　② $\frac{e}{4}$　③ e　④ $2e$　⑤ $4e$

1094 NORMAL

곡선

$$e^y\ln x=2y+1$$

위의 점 $(e, 0)$에서의 접선의 방정식을 $y=ax+b$라 할 때, ab의 값은? (단, a, b는 상수)

① $-2e$　② $-e$　③ -1　④ $-\frac{2}{e}$　⑤ $-\frac{1}{e}$

1095 NORMAL

곡선 $e^x+e^y=e+1$ 위의 점 $\mathrm{P}(1, 0)$에서의 접선을 l_1이라 하고 점 P를 지나고 직선 l_1에 수직인 직선을 l_2라고 하자.
이때 두 직선 l_1과 l_2 및 y축으로 둘러싸인 부분의 넓이는?

① $\frac{1}{2}\left(e+\frac{1}{e}\right)$　② $\frac{e}{2}$　③ $e+\frac{1}{e}$　④ e　⑤ $2e$

1096 TOUGH

두 곡선 $y=x^2$과 $y^2-2y-3x=2$의 한 교점 $\mathrm{P}(a, b)$에서의 접선을 각각 l_1, l_2라 하고 l_1, l_2가 x축과 만나는 점을 각각 A, B라고 할 때, 삼각형 PAB의 넓이는? (단, $a>1$이다.)

① 8　② 10　③ 12　④ 14　⑤ 16

1097 TOUGH

곡선 $xy=5$ 위의 점 $\mathrm{A}_n(x_n, y_n)$에서 접하는 접선의 x절편을 x_{n+1}이라고 하자. 점 A_1의 좌표가 $(1, 5)$일 때, $\sum_{n=1}^{\infty} y_n$의 값은?

① 5　② 10　③ 15　④ 20　⑤ 25

유형 05 음함수의 미분법과 기울기를 이용한 미지수 구하기

곡선 $f(x, y)=0$ 위의 점 (x_1, y_1)에서의 접선의 기울기는

[1단계] 음함수의 미분법을 이용하여 $\frac{dy}{dx}$를 구한다.

[2단계] $x=x_1$, $y=y_1$을 대입하여 미지수를 구한다.

1098 학교기출 대표 유형

곡선

$$x^2+ay^2=b$$

위의 점 $(3, 1)$에서 $\frac{dy}{dx}$의 값이 3일 때, 상수 a, b에 대하여 $a+b$의 값은?

① -5 ② -3 ③ 3
④ 5 ⑤ 7

1099 최다빈출 왕 중요 BASIC

곡선

$$x^3-y^3-axy+b=0$$

위의 점 $(1, 0)$에서 $\frac{dy}{dx}$의 값이 -3일 때, 상수 a, b에 대하여 $a+b$의 값은?

① -2 ② -1 ③ 0
④ 2 ⑤ 3

▶ 해설 내신연계기출

1100 최다빈출 왕 중요 BASIC

곡선

$$2x^3+y^3-axy+4b=0$$

위의 점 $(0, -1)$에서 접선의 기울기가 2일 때, 두 상수 a, b에 대하여 $a+b$의 값은?

① $-\frac{23}{4}$ ② -5 ③ $-\frac{17}{4}$
④ $-\frac{7}{2}$ ⑤ $-\frac{11}{4}$

▶ 해설 내신연계기출

1101 최다빈출 왕 중요 NORMAL

곡선 $3x^2+5y^2+axy+b=0$ 위의 점 $(1, 1)$에서 접선의 기울기가 $-\frac{2}{3}$일 때, 상수 a, b에 대하여 ab의 값은?

① -40 ② -30 ③ -20
④ -10 ⑤ 10

▶ 해설 내신연계기출

1102 NORMAL

곡선 $e^x-e^y=y$ 위의 점 (a, b)에서의 접선의 기울기가 1일 때, $a+b$의 값은? (단, a, b는 상수)

① $1+\ln(e+1)$ ② $2+\ln(e^2+2)$ ③ $3+\ln(e^3+3)$
④ $4+\ln(e^4+4)$ ⑤ $5+\ln(e^5+5)$

1103 TOUGH

곡선 $\frac{a}{x}+\frac{b}{y}=x^2+1$ 위의 점 $(-1, 2)$에서 접선의 방정식이 $y=x+3$일 때, 상수 a, b에 대하여 $\frac{b}{a}$의 값은?

① 8 ② 10 ③ 12
④ 14 ⑤ 16

09 역함수 미분법

학교내신기출 객관식 핵심문제총정리

STEP 1 내신정복 기출유형

유형 01 $x=f(y)$꼴 역함수의 미분법

y를 x에 대하여 직접 미분하기 어려운 경우
x를 y에 대하여 미분한 후 역함수의 미분법을 이용한다.

$$\frac{dy}{dx}=\frac{1}{\frac{dx}{dy}}$$

해설 $y=f^{-1}(x)$에서 $x=f(y)$이고 $\frac{dx}{dy}=f'(y)$이다.

$x=f(y)$의 양변을 x에 대하여 미분하면 합성함수의 미분법에 의하여

$1=\frac{d}{dx}f(y)=\frac{d}{dy}f(y)\cdot\frac{dy}{dx}=f'(y)\cdot\frac{dy}{dx}$이므로

$\frac{dy}{dx}=\frac{1}{f'(y)}=\frac{1}{\frac{dx}{dy}}$

1104 학교기출 대표 유형

곡선 $x=\frac{4y}{y^2-3}$에 대하여 $y=0$에서 $\frac{dy}{dx}$의 값은?

① -1 ② $-\frac{3}{4}$ ③ $-\frac{1}{2}$
④ $\frac{1}{4}$ ⑤ $\frac{1}{2}$

1105 NORMAL

$x=\frac{y+1}{y^2+1}$에 대하여 $y=0$일 때, $\frac{dy}{dx}$의 값은?

① $\frac{1}{2}$ ② 1 ③ 2
④ $\frac{5}{2}$ ⑤ 3

1106 NORMAL

함수 $x=\cos y\left(-\frac{\pi}{2}<y<0\right)$에 대하여 $x=\frac{\sqrt{3}}{2}$일 때, $\frac{dy}{dx}$의 값은?

① $-\frac{\sqrt{3}}{4}$ ② $-\frac{2\sqrt{3}}{3}$ ③ $-\frac{1}{2}$
④ $-\sqrt{3}$ ⑤ 2

1107 최다빈출 왕중요 NORMAL

$0<y<\frac{\pi}{2}$에서 함수

$$x=\sec y-\cot y$$

에 대하여 $y=\frac{\pi}{6}$일 때, $\frac{dy}{dx}$의 값은?

① -1 ② $-\frac{3}{10}$ ③ $\frac{3}{14}$
④ $\frac{3}{7}$ ⑤ $\frac{4}{5}$

▶ 해설 내신연계기출

1108 최다빈출 왕중요 TOUGH

다음은 함수 $f(x)=\tan x\left(-\frac{\pi}{2}<x<\frac{\pi}{2}\right)$의 역함수를 $y=f^{-1}(x)$라고 할 때, $\frac{dy}{dx}$를 x에 대한 식으로 나타내는 과정이다.

> $y=f^{-1}(x)$에서 $x=f(y)$이므로
> $x=\tan y$의 양변을 y에 대하여 미분하면
> $\frac{dx}{dy}=$ (가)
> 이때 (가) $=1+$ (나) $=1+x^2$이므로 $\frac{dy}{dx}=$ (다)

(가), (나), (다)에 알맞은 식을 $g(y)$, $h(y)$, $k(x)$라 할 때, $g\left(\frac{\pi}{3}\right)h\left(\frac{\pi}{3}\right)k(-1)$의 값은?

① 3 ② 4 ③ 6
④ 8 ⑤ 10

▶ 해설 내신연계기출

유형 02 역함수에서의 미분계수

$y=f(x)$ 위의 점 (a, b)에서의 접선의 기울기는 $f'(a)$

$y=f^{-1}(x)$ 위의 점 (b, a)에서의 접선의 기울기는 $(f^{-1})'(b)$

이므로 $f'(a)\times(f^{-1})'(b)=1$

⬅ 두 함수 $y=f(x)$, $y=f^{-1}(x)$는 $y=x$에 대하여 대칭이므로 기울기의 곱이 1이다.

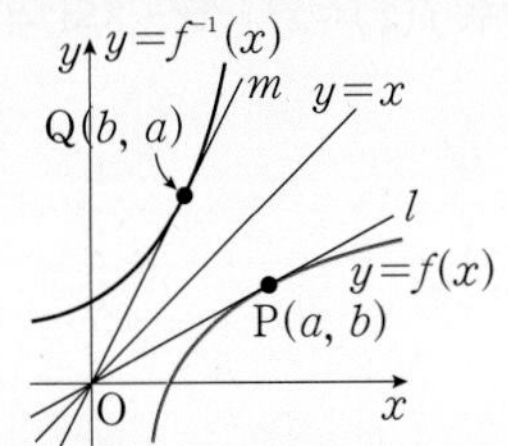

$y=f(x)$가 미분가능하고 미분가능한 역함수 $f^{-1}(x)$가 존재하면 $f(a)=b$에 대하여

$$(f^{-1})'(b)=\frac{1}{f'(a)} \text{ (단, } f'(a)\neq 0)$$

두 직선이 역함수 관계이면 두 직선의 기울기는 역수 관계이다.

$f(a)=b$, 즉 $g(b)=a$이면 $g'(b)=\frac{1}{f'(a)}$ (단, $f'(a)\neq 0$)

1109 학교기출 대표 유형

미분가능한 함수 $f(x)$의 역함수를 $g(x)$라 하고 $f(a)=b$일 때, $\lim_{h\to 0}\frac{g(b+h)-g(b)}{h}$의 값은? (단, $f'(a)\neq 0$, $f'(b)\neq 0$)

① $f'(b)$ ② $\frac{1}{f'(b)}$ ③ $f'(a)$ ④ $\frac{1}{f'(a)}$ ⑤ $-f'(a)$

1110 BASIC

그림은 미분가능한 함수 $y=f(x)$의 그래프와 직선 $y=x$를 나타낸 것이다. $y=f(x)$의 역함수를 $y=g(x)$라고 할 때, 다음 중 $g'(b)$의 값과 같은 것은? (단, 점선은 x축 또는 y축에 평행하다.)

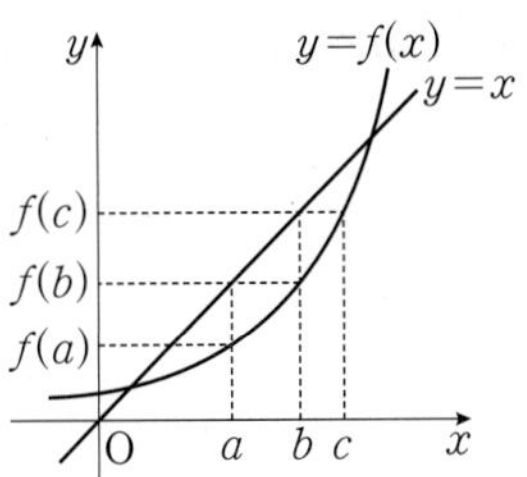

① $\frac{1}{f'(a)}$ ② $\frac{1}{f'(b)}$ ③ $\frac{1}{f'(c)}$ ④ $f'(a)$ ⑤ $f'(c)$

1111 NORMAL

그림은 미분가능한 함수 $y=f(x)$의 그래프와 직선 $y=x$를 나타낸 것이다. $y=f(x)$의 역함수를 $y=g(x)$라고 할 때, 이차방정식 $x^2-3x+1=0$의 두 근은 $g'(a)$, $g'(b)$이다.
이때 $f'(c)g'(a)+f'(b)g'(b)$의 값은?
(단, 점선은 x축 또는 y축에 평행하다.)

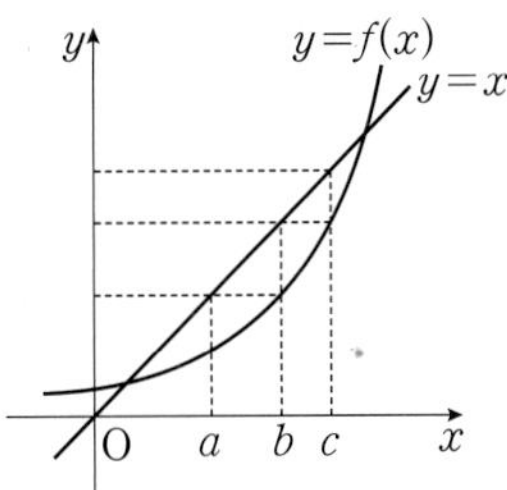

① 4 ② 5 ③ 6 ④ 7 ⑤ 8

1112 NORMAL

미분가능한 함수 $f(x)$의 그래프가 그림과 같을 때, $f(x)$의 역함수 $g(x)$에 대하여 다음 중 $\{g(x)\}^2$의 $x=c$에서의 미분계수를 나타내는 것은?

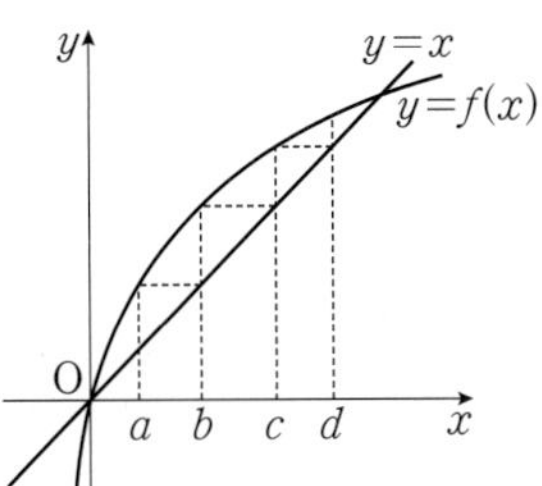

① $\frac{2c}{f'(c)}$ ② $\frac{2a}{f'(a)}$ ③ $\frac{2b}{f'(b)}$ ④ $2cf'(c)$ ⑤ $2bf'(b)$

유형 03 역함수의 미분법

미분가능한 함수 $y=f(x)$의 역함수 $y=g(x)$가 존재하고 미분가능할 때, 역함수의 미분계수는 다음과 같다.

$f(a)=b$, 즉 $g(b)=a$이면 $g'(b)=\dfrac{1}{f'(a)}$ (단, $f'(a)\neq 0$)

즉, 두 직선의 기울기는 역수 관계이다.

해설 $f(g(x))=x$의 양변을 x로 미분하면 $f'(g(x))g'(x)=1$이므로

$g'(x)=\dfrac{1}{f'(g(x))}$

역함수의 미분법을 이용하면 역함수를 직접 구하지 않고도 역함수의 미분계수 $g'(b)$의 값은 다음과 같은 순서로 해결한다.

[1단계] $f(a)=b$를 만족하는 a의 값을 구한다.

[2단계] $f'(a)$의 값을 구한다.

[3단계] $g'(b)=\dfrac{1}{f'(a)}$임을 이용하여 구한다.

1113 학교기출 대표 유형

미분가능한 함수 $f(x)$에 대하여 곡선 $y=f(x)$ 위의 점 $(1, 3)$에서의 접선의 기울기가 5이다. 함수 $f(x)$의 역함수를 $g(x)$라고 할 때, $g'(3)$의 값은?

① $\frac{1}{6}$ ② $\frac{1}{5}$ ③ $\frac{1}{3}$
④ 5 ⑤ 6

1114 BASIC

실수 전체의 집합에서 미분가능한 두 함수 $f(x)$, $g(x)$가 있다. $f(x)$가 $g(x)$의 역함수이고 $f(1)=2$, $f'(1)=3$이다. 함수 $h(x)=xg(x)$라 할 때, $h'(2)$의 값은?

① 1 ② $\frac{4}{3}$ ③ $\frac{5}{3}$
④ 2 ⑤ $\frac{7}{3}$

1115 최다빈출 왕중요 BASIC

함수 $f(x)=x^3+2x+3$의 역함수를 $g(x)$라고 할 때, $g'(3)$의 값은?

① $\frac{1}{9}$ ② $\frac{1}{6}$ ③ $\frac{1}{3}$
④ $\frac{1}{2}$ ⑤ $\frac{2}{3}$

▶ 해설 내신연계기출

1116 최다빈출 왕중요 BASIC

함수 $f(x)=x^3+3$의 역함수를 $g(x)$라고 할 때, $f'(-3)g'(4)$의 값은?

① $\frac{1}{9}$ ② $\frac{1}{3}$ ③ 3
④ 9 ⑤ 27

▶ 해설 내신연계기출

1117 최다빈출 왕중요 NORMAL

함수 $f(x)=x^3+x+2$의 역함수를 $g(x)$라 하자.
함수 $h(x)=f(x)g(x)$에 대하여 $h'(2)$의 값은?

① 0 ② 1 ③ 10
④ 12 ⑤ 13

▶ 해설 내신연계기출

1118 NORMAL

함수 $f(x)=\sqrt{x^2+1}\,(x\geq 0)$의 역함수를 $f^{-1}(x)$라 할 때, $(f^{-1})'(\sqrt{2})$의 값은?

① $\frac{1}{2}$ ② $\frac{1}{\sqrt{2}}$ ③ 1
④ $\sqrt{2}$ ⑤ $2\sqrt{2}$

1119

NORMAL

$x>0$에서 함수 $f(x)=x-\frac{2}{x}$의 역함수를 $g(x)$라 하자.

함수 $h(x)=\{g(x)\}^2$에 대하여 $h'(1)$의 값은?

① $\frac{7}{3}$ ② $\frac{8}{3}$ ③ 3

④ $\frac{10}{3}$ ⑤ $\frac{11}{3}$

1120

최다빈출 왕중요

NORMAL

역함수가 존재하는 미분가능한 함수 $f(x)$가 다음 조건을 만족시킨다.

(가) $f(x)-f(-x)=x$

(나) $f(1)=\frac{3}{2}$, $f'(1)=\frac{3}{4}$

함수 $f(x)$의 역함수를 $g(x)$라 할 때, $g'\left(\frac{1}{2}\right)$의 값은?

① $\frac{1}{4}$ ② $\frac{1}{2}$ ③ 1

④ $\frac{4}{3}$ ⑤ 4

▶ 해설 내신연계기출

1121

NORMAL

역함수가 존재하는 미분가능한 함수 $f(x)$가 다음 조건을 만족시킨다.

(가) $f(x)+f(4-x)=8$

(나) $f(0)=10$, $f'(0)=-3$

함수 $f(x)$의 역함수를 $g(x)$라 할 때, $g'(-2)$의 값은?

① $-\frac{1}{10}$ ② $-\frac{1}{3}$ ③ $\frac{1}{2}$

④ 1 ⑤ $\frac{4}{3}$

1122

TOUGH

함수 $f(x)=e^x+e^{2x}$에 대하여 함수 $f(2x)$의 역함수가 $g(x)$일 때, $g'(2)$의 값은?

① $\frac{1}{8}$ ② $\frac{1}{6}$ ③ $\frac{1}{4}$

④ $\frac{1}{2}$ ⑤ $\frac{3}{2}$

1123

최다빈출 왕중요

TOUGH

실수 전체의 집합에서 증가하고 미분가능한 함수 $f(x)$에 대하여 곡선 $y=f(x)$ 위의 점 $(4, 1)$에서의 접선의 기울기가 $\frac{3}{2}$이다. 함수 $f(2x)$의 역함수를 $g(x)$라고 할 때, 곡선 $y=g(x)$ 위의 점 $(1, a)$에서의 접선의 기울기는 b이다. 상수 a, b에 대하여 $3(a+b)$의 값은?

① 1 ② 3 ③ 5

④ 7 ⑤ 9

▶ 해설 내신연계기출

1124

TOUGH

함수 $f(x)=x^3-2x^2+2x-1$과 실수 전체의 집합에서 미분가능한 함수 $g(x)$가 모든 실수 x에 대하여 $(f\circ g)(2x)=x$를 만족시킬 때, $g'(0)$의 값은?

① $\frac{1}{4}$ ② $\frac{1}{2}$ ③ $\frac{3}{4}$

④ 1 ⑤ $\frac{5}{4}$

유형 04 미분계수와 역함수의 미분법

함수 $f(x)$의 역함수 $g(x)$의 미분계수를 구하는 방법을 다음 단계로 구한다.

[1단계] 함수의 극한의 성질을 이용한다.
(분모)→0이면 (분자)→0임을 이용하여 정리한다.

[2단계] 함수 $f(x)$의 역함수 $g(x)$이고 $g(a)=b$이면
$g'(a)=\dfrac{1}{f'(b)}$을 이용하여 역함수의 미분계수를 구한다.

1125 학교기출 대표 유형

미분가능한 함수 $f(x)$의 역함수를 $g(x)$라 하고

$$\lim_{x\to 9}\frac{f(x)-3}{x-9}=\frac{1}{2}$$

을 만족할 때, $g(3)+g'(3)$의 값은?

① 9 ② 10 ③ 11 ④ 12 ⑤ 16

▶ 해설 내신연계기출

1126 NORMAL

미분가능한 함수 $f(x)$가

$$\lim_{x\to 1}\frac{f(x)-2}{x-1}=6$$

을 만족시킬 때, 함수 $f(x)$의 역함수 $g(x)$에 대하여 함수 $\{g(x)\}^2$의 $x=2$에서의 미분계수의 값은?

① $\frac{1}{3}$ ② $\frac{2}{5}$ ③ $\frac{2}{3}$ ④ $\frac{4}{5}$ ⑤ 1

1127 최다빈출 왕 중요 NORMAL

함수 $f(x)=x^4+3x+1\,(x\geq 0)$의 역함수를 $g(x)$라 할 때, $\displaystyle\lim_{h\to 0}\frac{g(5+h)-1}{h}$의 값은?

① $\frac{1}{10}$ ② $\frac{1}{9}$ ③ $\frac{1}{8}$ ④ $\frac{1}{7}$ ⑤ $\frac{1}{6}$

▶ 해설 내신연계기출

1128 최다빈출 왕 중요 NORMAL

미분가능한 함수 $f(x)$의 역함수를 $g(x)$라고 할 때,

$$\lim_{x\to 3}\frac{x-3}{g(x)-1}=5$$

가 성립한다. 이때 $f(1)+f'(1)$의 값은?

① 7 ② 8 ③ 9 ④ 10 ⑤ 11

▶ 해설 내신연계기출

1129 최다빈출 왕 중요 NORMAL

모든 실수 x에 대하여 미분가능한 함수 $f(x)$의 역함수를 $g(x)$라 하자.

$$\lim_{x\to 1}\frac{f(x)-2}{x-1}=3$$

일 때, $\displaystyle\lim_{x\to 2}\frac{g(x)-1}{x-2}$의 값은?

① $\frac{1}{4}$ ② $\frac{1}{3}$ ③ $\frac{1}{2}$ ④ 1 ⑤ $\frac{3}{2}$

▶ 해설 내신연계기출

1130 최다빈출 왕 중요 NORMAL

모든 실수 x에 대하여 미분가능한 함수 $f(x)$의 역함수를 $g(x)$라 할 때, $g(x)$가

$$\lim_{n\to\infty}n\left\{g\left(2+\frac{2}{n}\right)-g\left(2-\frac{1}{n}\right)\right\}=\frac{1}{2}$$

을 만족하고 $f(5)=2$일 때, 미분계수 $f'(5)$의 값은?

① 4 ② 5 ③ 6 ④ 8 ⑤ 10

▶ 해설 내신연계기출

1131 최다빈출 왕 중요 NORMAL

미분가능한 함수 $f(x)$가 다음 조건을 만족한다.

(가) 모든 실수 x에 대하여 $f(-x)=-f(x)$이다.

(나) $\displaystyle\lim_{x\to 1}\frac{f(x)-2}{x-1}=3$

함수 $f(x)$의 역함수가 존재하고 그 역함수를 $g(x)$라고 할 때, $g'(-2)$의 값은?

① $\frac{1}{5}$ ② $\frac{1}{3}$ ③ $\frac{1}{2}$ ④ 1 ⑤ 3

▶ 해설 내신연계기출

1132

NORMAL

함수 $f(x)=\sqrt{3x-2}$의 역함수를 $g(x)$라 하자. $g(a)=1$일 때,

$\lim_{x \to a} \frac{g(x)-1}{x-a}=b$가 성립할 때, 상수 a, b에 대하여 $a+b$의 값은?

① $\frac{2}{3}$ ② 1 ③ $\frac{3}{2}$
④ 2 ⑤ $\frac{5}{3}$

1133

NORMAL

함수 $f(x)=x^3+x^2+3x+2$의 역함수 $g(x)$가

$$\lim_{h \to 0} \frac{\sum_{k=1}^{n} g(2+kh)-ng(2)}{h}=15$$

를 만족시킬 때, 자연수 n의 값은?

① 7 ② 8 ③ 9
④ 10 ⑤ 11

1134

최다빈출 왕중요 NORMAL

함수 $f(x)=x^3+x-8$의 역함수를 $g(x)$라 할 때,

$\lim_{x \to 2} \frac{f(x)g(x)-4}{x-2}$의 값은?

① $\frac{120}{13}$ ② $\frac{240}{13}$ ③ $\frac{340}{13}$
④ $\frac{197}{7}$ ⑤ $\frac{297}{7}$

▶ 해설 내신연계기출

1135

최다빈출 왕중요 NORMAL

모든 실수 x에서 미분가능하고 역함수가 존재하는 함수 $f(x)$에 대하여

$$\lim_{x \to 1} \frac{f(x)-2}{x-1}=\frac{1}{2},\ \lim_{x \to 2} \frac{f(x)-3}{x-2}=4$$

가 성립한다. 함수 $f(x)$의 역함수를 $g(x)$라 할 때,

$\lim_{x \to 3} \frac{g(g(x))-1}{x-3}$의 값은?

① $\frac{1}{6}$ ② $\frac{1}{4}$ ③ $\frac{1}{2}$
④ 2 ⑤ 4

▶ 해설 내신연계기출

1136

TOUGH

실수 전체의 집합에서 증가하고 미분가능한 함수 $f(x)$가 다음 조건을 만족시킨다.

(가) $\lim_{x \to 1} \frac{f(x)-2}{x-1}=3$

(나) $\lim_{x \to 2} \frac{f(x)-4}{x-2}=5$

함수 $f(x)$의 역함수 $g(x)$에 대하여 함수 $h(x)$를 $h(x)=(g \circ g)(x)$라 할 때, $h'(4)$의 값은?

① $\frac{1}{16}$ ② $\frac{1}{15}$ ③ $\frac{1}{14}$
④ $\frac{1}{13}$ ⑤ $\frac{1}{12}$

1137

최다빈출 왕중요 TOUGH

실수 전체의 집합에서 미분가능한 함수 $f(x)$가 다음 조건을 만족시킨다.

(가) 모든 실수 x에 대하여 $f'(x)>0$이다.

(나) $\lim_{x \to 4} \frac{f(x)-4}{x^2-16}=2$

함수 $f(x)$의 역함수를 $g(x)$라 할 때, 함수 $x^2g(x)$의 $x=4$에서의 미분계수는?

① 24 ② 27 ③ 30
④ 33 ⑤ 36

▶ 해설 내신연계기출

유형 05 지수함수의 역함수와 미분계수

미분가능한 함수 $y=f(x)$의 역함수 $y=g(x)$가 존재하고 미분가능할 때, 역함수의 미분계수는 다음과 같다.

$f(a)=b$, 즉 $g(b)=a$이면 $g'(b)=\dfrac{1}{f'(g(b))}$ (단, $f'(g(b))\neq 0$)

1138 학교기출 대표 유형

함수 $f(x)=x+e^x$의 역함수를 $g(x)$라 할 때, $g'(1)$의 값은?

① $\frac{1}{2}$ ② 1 ③ $\frac{3}{2}$
④ 2 ⑤ 3

1139 BASIC

함수 $f(x)=(x-1)e^x\,(x>0)$의 역함수를 $g(x)$라 할 때, 곡선 $y=g(x)$ 위의 점 $(e^2, 2)$에서의 접선의 기울기는?

① $\frac{1}{2e^2}$ ② $\frac{1}{2e}$ ③ 1
④ $2e$ ⑤ $2e^2$

1140 최다빈출 왕중요 BASIC

함수 $f(x)=xe^x\,(x>0)$의 역함수를 $g(x)$라 할 때, 곡선 $y=g(x)$는 점 $(e, 1)$을 지난다. $\lim_{h\to 0}\dfrac{g(e+h)-g(e)}{h}$의 값은?

① $\frac{1}{2e}$ ② $\frac{1}{e}$ ③ 1
④ e ⑤ $2e$

▶ 해설 내신연계기출

1141 최다빈출 왕중요 NORMAL

함수

$$f(x)=3e^{5x}+x+\sin x$$

의 역함수를 $g(x)$라 할 때, 곡선 $y=g(x)$는 점 $(3, 0)$을 지난다.
$\lim_{x\to 3}\dfrac{x-3}{g(x)-g(3)}$의 값은?

① 15 ② 16 ③ 17
④ 18 ⑤ 19

▶ 해설 내신연계기출

1142 최다빈출 왕중요 NORMAL

함수 $f(x)=(x^2+2)e^{-x}$에 대하여 함수 $g(x)$가 미분가능하고

$$g\left(\frac{x+8}{10}\right)=f^{-1}(x),\ g(1)=0$$

을 만족시킬 때, $|g'(1)|$의 값은?

① 2 ② 3 ③ 4
④ 5 ⑤ 6

▶ 해설 내신연계기출

1143 TOUGH

$x>1$에서 정의된 함수 $f(x)=x^{\ln x^2}$에 대하여 함수 $f(2x)$의 역함수를 $g(x)$라 할 때, 곡선 $y=g(x)$ 위의 점 $\left(e^2, \frac{e}{2}\right)$에서의 접선의 기울기는?

① $\frac{1}{2e^2}$ ② $\frac{1}{8e}$ ③ $\frac{1}{2e}$
④ $4e$ ⑤ $8e^2$

유형 06 로그함수의 역함수와 미분계수

미분가능한 함수 $y=f(x)$의 역함수 $y=g(x)$가 존재하고 미분가능할 때, 역함수의 미분계수는 다음과 같다.

$f(a)=b$, 즉 $g(b)=a$이면 $g'(b)=\dfrac{1}{f'(g(b))}$ (단, $f'(g(b))\neq 0$)

1144 학교기출 대표 유형

함수 $f(x)=x+\ln x(x>0)$의 역함수를 $g(x)$라고 할 때, $g'(e+1)$의 값은?

① $\dfrac{e}{e+1}$ ② $\dfrac{e+1}{e}$ ③ 1
④ e ⑤ $e+1$

1145 최다빈출 왕 중요 BASIC

함수

$$f(x)=e^x+\ln x(x>0)$$

의 역함수를 $g(x)$라 할 때, $g'(e)$의 값은?

① $\dfrac{1}{e}$ ② $\dfrac{1}{e+1}$ ③ $\dfrac{e}{e+1}$
④ e ⑤ $e+1$

▶ 해설 내신연계기출

1146 최다빈출 왕 중요 NORMAL

함수

$$f(x)=\ln\sqrt{\frac{1+x}{1-x}}(-1<x<1)$$

의 역함수를 $g(x)$라 할 때, $g'(0)$의 값은?

① $\dfrac{1}{4}$ ② $\dfrac{1}{2}$ ③ 1
④ 2 ⑤ 4

▶ 해설 내신연계기출

1147 최다빈출 왕 중요 NORMAL

함수

$$f(x)=\ln(e^x-1)(x>0)$$

의 역함수를 $g(x)$라 할 때, 양수 a에 대하여 $\dfrac{1}{f'(a)}+\dfrac{1}{g'(a)}$의 값은?

① 0 ② $\dfrac{1}{2}$ ③ $\dfrac{3}{4}$
④ 1 ⑤ 2

▶ 해설 내신연계기출

1148 최다빈출 왕 중요 NORMAL

함수

$$f(x)=\log_3(3^x+1)$$

의 역함수를 $g(x)$라고 할 때, $\dfrac{1}{f'(a)}+\dfrac{1}{g'(a)}$의 값은? (단, $a>0$)

① $\dfrac{1}{2}$ ② 1 ③ 2
④ 3 ⑤ 4

▶ 해설 내신연계기출

1149 TOUGH

함수

$$f(x)=\ln(\tan x)\left(0<x<\frac{\pi}{2}\right)$$

의 역함수 $g(x)$에 대하여 $\displaystyle\lim_{h\to 0}\frac{4g(8h)-\pi}{h}$의 값은?

① 8 ② 12 ③ 16
④ 24 ⑤ 32

09 역함수 미분법

유형 07 삼각함수의 역함수와 미분계수

미분가능한 함수 $y=f(x)$의 역함수 $y=g(x)$가 존재하고 미분가능할 때, 역함수의 미분계수는 다음과 같다.

$f(a)=b$, 즉 $g(b)=a$이면 $g'(b)=\dfrac{1}{f'(g(b))}$ (단, $f'(g(b))\neq 0$)

1150 학교기출 대표 유형

$0\le x\le \dfrac{\pi}{2}$에서 정의된 함수

$$f(x)=2\sin x+1$$

의 역함수를 $g(x)$라고 할 때, $g'(2)$의 값은?

① $\dfrac{\sqrt{2}}{3}$ ② $\dfrac{1}{2}$ ③ $\dfrac{\sqrt{3}}{3}$

④ $\dfrac{\sqrt{2}}{2}$ ⑤ $\dfrac{\sqrt{3}}{2}$

1151 최다빈출 왕중요 BASIC

함수

$$f(x)=\cos 2x\left(0<x<\frac{\pi}{2}\right)$$

의 역함수를 $g(x)$라고 할 때, $g'\left(\dfrac{1}{2}\right)$의 값은?

① $-\dfrac{2\sqrt{3}}{3}$ ② $-\dfrac{\sqrt{3}}{3}$ ③ $-\dfrac{1}{3}$

④ $\sqrt{3}$ ⑤ 2

▶ 해설 내신연계기출

1152 최다빈출 왕중요 BASIC

함수

$$f(x)=\tan x\left(-\frac{\pi}{2}<x<\frac{\pi}{2}\right)$$

의 역함수를 $g(x)$라고 할 때, $g'(\sqrt{3})$의 값은?

① $\dfrac{1}{4}$ ② $\dfrac{\sqrt{3}}{4}$ ③ $\dfrac{1}{2}$

④ $\dfrac{\sqrt{2}}{2}$ ⑤ $\dfrac{\sqrt{3}}{2}$

▶ 해설 내신연계기출

1153 최다빈출 왕중요 NORMAL

구간 $(-\pi, \pi)$에서 함수

$$f(x)=\tan\frac{1}{2}x$$

의 역함수를 $g(x)$라 할 때, $g'(\sqrt{3})$의 값은?

① $\dfrac{1}{2}$ ② $\dfrac{2}{3}$ ③ $\dfrac{\sqrt{3}}{2}$

④ 1 ⑤ 2

▶ 해설 내신연계기출

1154 NORMAL

함수 $f(x)=2x+\sin x$의 역함수를 $g(x)$라 할 때, 곡선 $y=g(x)$ 위의 점 $(4\pi, 2\pi)$에서의 접선의 기울기는 $\dfrac{q}{p}$이다. $p+q$의 값은? (단, p와 q는 서로소인 자연수이다.)

① 3 ② 4 ③ 5

④ 6 ⑤ 7

1155 TOUGH

함수 $f(x)=\cos^2 x\left(0<x<\dfrac{\pi}{2}\right)$의 역함수를 $g(x)$라고 할 때,

$\displaystyle\lim_{h\to 0}\frac{g\left(\frac{1}{2}+2h\right)-g\left(\frac{1}{2}-h\right)}{h}$의 값은?

① $-\dfrac{1}{3}$ ② $-\dfrac{1}{2}$ ③ -1

④ -3 ⑤ -2

유형 08 매개변수로 나타낸 역함수 미분법

미분가능한 함수 $y=f(x)$의 역함수 $y=g(x)$가 존재하고 미분가능할 때, 역함수의 미분계수는 다음과 같다.

$f(a)=b$, 즉 $g(b)=a$이면 $g'(b)=\dfrac{1}{f'(g(b))}$ (단, $f'(g(b))\neq 0$)

1156 학교기출 대표 유형

매개변수 $t(t\geq 1)$로 나타낸 함수

$$x=4t-2,\ y=t^3+2t^2-3t$$

에 대하여 $y=f(x)$로 나타내었을 때, $f(x)$의 역함수 $g(x)$에 대하여 $g'(0)$의 값은?

① 1　② 2　③ 3　④ 4　⑤ 5

1157 NORMAL

함수 $y=f(x)$가

$$x=2t+1,\ y=t^3+2t-1$$

로 나타내어질 때, 그 역함수 $f^{-1}(x)$에 대하여 $(f^{-1})'(2)$의 값은?

① $\dfrac{2}{5}$　② $\dfrac{3}{5}$　③ $\dfrac{4}{5}$　④ $\dfrac{3}{2}$　⑤ 2

1158 TOUGH

매개변수로 나타낸 함수 $\begin{cases} x=t+1 \\ y=-\dfrac{1}{t} \end{cases}$를 x, y 사이의 관계식으로 나타낸 함수를 $y=f(x)$라고 하자. 이때 함수 $f(x)$의 역함수 $f^{-1}(x)$에 대하여 $(f^{-1})'\left(\dfrac{1}{3}\right)$의 값은?

① 3　② 4　③ 6　④ 9　⑤ 10

유형 09 이계도함수

함수 $y=f(x)$의 도함수 $f'(x)$가 미분가능할 때, $f(x)$의 이계도함수는 $f''(x)=\lim\limits_{\Delta x\to 0}\dfrac{f'(x+\Delta x)-f'(x)}{\Delta x}$

$$f''(x),\ y'',\ \frac{d^2y}{dx^2},\ \frac{d^2}{dx^2}f(x)$$

1159 학교기출 대표 유형

함수 $f(x)=xe^x$에 대하여 $f'(0)+f''(0)$의 값을 구하면? (단, $y=f''(x)$는 $y=f(x)$의 이계도함수이다.)

① 0　② 1　③ 2　④ 3　⑤ 4

1160 BASIC

함수 $f(x)=xe^{ax}$에 대하여 $f''(0)=8$이 되도록 하는 상수 a의 값은?

① 1　② 2　③ 3　④ 4　⑤ 5

1161 최다빈출 왕 중요 BASIC

함수

$$f(x)=12x\ln x-x^3+2x$$

에 대하여 $f''(a)=0$인 실수 a의 값은?

① $\dfrac{1}{2}$　② $\dfrac{\sqrt{2}}{2}$　③ 1　④ $\sqrt{2}$　⑤ 2

▶ 해설 내신연계기출

09 역함수 미분법

1162

BASIC

함수 $f(x)=\ln x^{\ln x}$에 대하여 $f''(\sqrt{e})$의 값은?

① e ② $\sqrt{e}$ ③ 1
④ $\frac{1}{\sqrt{e}}$ ⑤ $\frac{1}{e}$

1163

최다빈출 왕중요 NORMAL

함수 $f(x)=\frac{x^3+x-5}{x^2}$에 대하여 $f''(-1)$의 값은?

① -32 ② -28 ③ -10
④ 10 ⑤ 16

▶ 해설 내신연계기출

1164

최다빈출 왕중요 NORMAL

함수 $f(x)=e^x(\sin x+\cos x)$에 대하여 $f''(\pi)$의 값은?

① $-3e^{\pi}$ ② $-2e^{\pi}$ ③ e^{π}
④ $2e^{\pi}$ ⑤ $3e^{\pi}$

▶ 해설 내신연계기출

1165

최다빈출 왕중요 NORMAL

함수 $f(x)=\cos(e^x-1)$에 대하여 $f'(0)+f''(0)$의 값은?

① -1 ② 0 ③ $\cos e$
④ $\sin e^2$ ⑤ $-\cos 1$

▶ 해설 내신연계기출

1166

NORMAL

함수 $f(x)=(x^2+a)e^x$이 모든 실수 x에 대하여 $f''(x)\geq 0$을 만족시킬 때, 실수 a의 최솟값은?

① -2 ② -1 ③ 0
④ 1 ⑤ 2

1167

최다빈출 왕중요 TOUGH

함수 $f(x)=\frac{1}{x}+\frac{1}{x^2}+\frac{1}{x^3}+\cdots+\frac{1}{x^{10}}$에 대하여 $f''(1)$의 값은? (단, $x\neq 0$)

① 110 ② 220 ③ 385
④ 440 ⑤ 550

▶ 해설 내신연계기출

유형 10 이계도함수와 미분계수

함수 $y=f(x)$의 도함수 $f'(x)$가 미분가능할 때,

$f(x)$의 이계도함수는 $f''(x)=\lim_{h\to 0}\frac{f'(x+h)-f'(x)}{h}$

1168 학교기출 대표 유형

함수 $f(x)=e^{2x}\ln x$에 대하여

$$\lim_{h\to 0}\frac{f'(1+h)-f'(1)}{h}$$

의 값은?

① e ② $2e^2$ ③ $3e^2$
④ $4e^2$ ⑤ $5e^2$

1169 최다빈출 왕중요 BASIC

함수 $f(x)=\ln|\sin x|$에 대하여

$$\lim_{h\to 0}\frac{f'\left(\frac{\pi}{6}+h\right)-f'\left(\frac{\pi}{6}\right)}{h}$$

의 값은?

① -4 ② -2 ③ -1
④ 2 ⑤ 4

▶ 해설 내신연계기출

1170 BASIC

함수 $f(x)=x\ln x$에 대하여

$$\lim_{h\to 0}\frac{f'(1+2h)-f'(1)}{h}$$

의 값은?

① 1 ② 2 ③ e
④ 4 ⑤ $2e$

1171 최다빈출 왕중요 NORMAL

함수 $f(x)=\{\ln(x-2)\}^2$에 대하여

$$\lim_{x\to 3}\frac{f'(x)}{x-3}$$

의 값은? (단, $x>2$)

① -3 ② -2 ③ 0
④ 1 ⑤ 2

▶ 해설 내신연계기출

1172 NORMAL

함수 $f(x)=\frac{e^{x-1}}{x}$에 대하여

$$\lim_{x\to 1}\frac{f'(x)}{x-1}$$

의 값은?

① -3 ② -2 ③ -1
④ 0 ⑤ 1

1173 최다빈출 왕중요 TOUGH

실수 전체의 집합에서 이계도함수를 갖는 함수 $f(x)$가 다음 조건을 만족시킨다.

(가) $f(1)=2,\ f'(1)=3$

(나) $\lim_{x\to 1}\frac{f'(f(x))-1}{x-1}=3$

$f''(2)$의 값은?

① -2 ② -1 ③ 0
④ 1 ⑤ 2

▶ 해설 내신연계기출

09 역함수 미분법

유형 11 이계도함수의 미정계수 결정

[1단계] $f'(x)$, $f''(x)$를 구한다.
[2단계] $f'(0)$, $f''(0)$에 대입한 후 미지수를 구한다.

1174 학교기출 대표 유형

함수 $f(x)=xe^{ax+b}$에 대하여

$$f'(0)=1,\ f''(0)=2$$

일 때, 상수 a, b에 대하여 $a+b$의 값은?

① -1 ② 0 ③ 1
④ 2 ⑤ 3

▶ 해설 내신연계기출

1175 최다빈출 왕중요 BASIC

함수 $f(x)=(ax+b)e^{ax}$에 대하여

$$f'(0)=1,\ f''(0)=6$$

일 때, 두 상수 a, b에 대하여 $a-b$의 값은? (단, $a>0$)

① $\frac{2}{3}$ ② $\frac{3}{2}$ ③ $\frac{5}{2}$
④ 3 ⑤ $\frac{7}{2}$

▶ 해설 내신연계기출

1176 최다빈출 왕중요 BASIC

함수 $f(x)=(ax+b)\cos x$가

$$f'(0)=1,\ f''(0)=2$$

를 만족할 때, 상수 a, b에 대하여 $a+b$의 값은?

① 0 ② -1 ③ -2
④ -3 ⑤ -4

▶ 해설 내신연계기출

1177 NORMAL

함수 $f(x)=e^{ax+b}\sin x$에 대하여

$$f'(0)=1,\ f''(0)=2$$

일 때, 상수 a, b에 대하여 $a+b$의 값은?

① 0 ② 1 ③ 2
④ 3 ⑤ 4

1178 NORMAL

함수 $f(x)=e^{x}(a\cos x+b\sin x)$에 대하여

$$f'(0)=0,\ f''(0)=2$$

일 때, 상수 a, b에 대하여 $a-b$의 값은?

① -2 ② -1 ③ 0
④ 1 ⑤ 2

1179 TOUGH

이계도함수가 존재하는 함수 $f(x)$는 모든 실수 x, y에 대하여

$$f(x+y)=e^{y}f(x)+e^{x}f(y)$$

를 만족시키고 $f'(0)=3$일 때, $f''(0)$의 값은?

① 1 ② 2 ③ 4
④ 6 ⑤ 8

유형 12 이계도함수의 항등식

[1단계] $f'(x)$, $f''(x)$를 구한다.

[2단계] 주어진 식에 대입한 후 항등식의 계수비교법을 이용하여 미지수 구한다.

참고 항등식의 표현

① 모든 실수 x에 대하여 성립

② 임의의 실수 x에 대하여 성립

③ x의 값에 관계없이 항상 성립

1180 학교기출 대표 유형

함수 $f(x)=e^x\sin x$가 임의의 실수 x에 대하여

$$f''(x)-2f'(x)+af(x)=0$$

을 만족할 때, 상수 a의 값은?

① 1　② 2　③ 4　④ 6　⑤ 10

▶ 해설 내신연계기출

1181 최다빈출 왕 중요 NORMAL

함수 $y=e^x\cos x$에 대하여 등식

$$y''+ay'+2y=0$$

이 x의 값에 관계없이 성립할 때, 상수 a의 값은?

① -2　② -1　③ 0　④ 1　⑤ 2

▶ 해설 내신연계기출

1182 최다빈출 왕 중요 NORMAL

함수 $y=e^{ax}\sin x$가 모든 실수 x에 대하여

$$y''-2ay'+5y=0$$

이 성립할 때, 양수 a의 값은?

① $\frac{1}{3}$　② $\frac{1}{2}$　③ 1　④ $\frac{3}{2}$　⑤ 2

▶ 해설 내신연계기출

1183 NORMAL

함수 $f(x)=e^{2x}\sin x$가 모든 실수 x에 대하여

$$f''(x)+af'(x)+bf(x)=0$$

이 성립할 때, 상수 a, b에 대하여 ab의 값은?

① -30　② -20　③ -10　④ 10　⑤ 20

1184 최다빈출 왕 중요 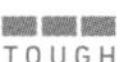 TOUGH

구간 $\left(0, \frac{\pi}{2}\right)$에서 정의된 미분가능한 함수 $f(x)$가 다음 조건을 모두 만족시킨다.

(가) $f'(x)=1+\{f(x)\}^2$

(나) $f\left(\frac{\pi}{4}\right)=1$

이때 함수 $g(x)=\ln|f'(x)|$에 대하여 $g'\left(\frac{\pi}{4}\right)$의 값은?

① 1　② 2　③ 4　④ 6　⑤ 8

▶ 해설 내신연계기출

1185 TOUGH

함수 $f(x)=(ax+b)\sin x$가 다음 조건을 만족시킨다.

(가) $f'(-\pi)=0$

(나) 모든 실수 x에 대하여 $f(x)+f''(x)=3\cos x$이다.

두 상수 a, b에 대하여 $\tan ab$의 값은?

① $-\sqrt{3}$　② -1　③ $\frac{\sqrt{3}}{3}$　④ 1　⑤ $\sqrt{3}$

서술형 기출유형

학교내신기출 서술형 핵심문제총정리

STEP 2

서술형 문제

몫의 미분법

1186

두 함수 $f(x)$, $g(x)(g(x)\neq 0)$가 미분가능할 때,

함수 $y=\dfrac{f(x)}{g(x)}(g(x)\neq 0)$의 도함수를 다음 단계로 서술하여라.

[1단계] 함수 $y=\dfrac{1}{g(x)}(g(x)\neq 0)$의 도함수를 도함수의 정의를 이용하여 구한다.

[2단계] 함수의 곱의 미분법을 이용하여 $y=\dfrac{f(x)}{g(x)}$의 도함수를 구한다.

1187

함수 $f(x)=\dfrac{3x}{x^2+2}$에 대하여 다음 단계로 구하는 과정을 서술하여라.

[1단계] $f'(x)$를 구한다.

[2단계] $\lim\limits_{x\to 1}\dfrac{f(x)-1}{x^2-1}$의 값을 구한다.

[3단계] $\lim\limits_{x\to 1}\dfrac{\{f(x)\}^2-1}{x-1}$의 값을 구한다.

[4단계] $\lim\limits_{h\to 0}\dfrac{f(1+2h)-f(1-h)}{h}$의 값을 구한다.

1188

함수

$$f(x)=\frac{1}{x-2}$$

에 대하여 다음 단계로 구하는 과정을 서술하여라.

[1단계] $f'(x)$를 구한다.

[2단계] $\lim\limits_{h\to 0}\dfrac{f(2h)-f(-2h)}{h}$의 값을 구한다.

[3단계] $\lim\limits_{h\to 0}\dfrac{f(a+h)-f(a)}{h}=-\dfrac{1}{4}$을 만족시키는 양수 a의 값을 구한다.

합성함수의 미분법

1189

함수의 몫의 미분법을 이용하여 다음 단계로 각 도함수를 구하는 과정을 서술하여라.

[1단계] $y=\tan x$의 도함수를 구한다.

[2단계] $y=\cot x$의 도함수를 구한다.

[3단계] $y=\sec x$의 도함수를 구한다.

[4단계] $y=\csc x$의 도함수를 구한다.

1190

함수 $f(x)=x^x\,(x>0)$의 도함수 $f'(x)$를 다음 두 가지 방법으로 서술하여라.

[방법1] $x^x=e^{x\ln x}$임을 이용하여 합성함수의 미분법을 이용하여 구한다.

[방법2] $f(x)=x^x$의 양변에 자연로그를 취하여 합성함수의 미분법을 이용하여 구한다.

1191

함수 $f(x)=x^{\ln x}\,(x>0)$에 대하여 $f'(e)$의 값을 구하는 과정을 다음 단계로 서술하여라.

[1단계] $f(x)=x^{\ln x}$ 양변에 자연로그를 취하여 정리한다.

[2단계] 양변을 x에 대하여 미분하여 $f'(x)$를 구한다.

[3단계] $f'(e)$의 값을 구한다.

1192

두 함수

$$f(x)=\frac{x-1}{x^2+2x-5},\ g(x)=x^2+x$$

의 합성함수 $h(x)=(f\circ g)(x)$에 대하여 $h'(-1)$의 값을 구하는 과정을 다음 단계로 서술하여라.

[1단계] $f'(0)$의 값을 구한다.

[2단계] $g'(-1)$의 값을 구한다.

[3단계] 합성함수의 미분법을 이용하여 $h'(-1)$의 값을 구한다.

1193

미분가능한 두 함수 $f(x)$, $g(x)$ 가

$$\lim_{x\to 2}\frac{f(x)-2}{x-2}=-4,\ \lim_{x\to 2}\frac{g(x)-2}{x-2}=5$$

를 만족시킬 때, 합성함수 $y=(f\circ g)(x)$의 $x=2$에서의 미분계수를 구하는 과정을 다음 단계로 서술하여라.

[1단계] $\lim_{x\to 2}\frac{f(x)-2}{x-2}=-4$에서 $f(2)$, $f'(2)$의 값을 구한다.

[2단계] $\lim_{x\to 2}\frac{g(x)-2}{x-2}=5$에서 $g(2)$, $g'(2)$의 값을 구한다.

[3단계] 합성함수 $y=(f\circ g)(x)$의 $x=2$에서의 미분계수를 구한다.

1194

미분가능한 함수 $f(x)$에 대하여

$$\lim_{x\to 1}\frac{e^{x+1}f(x)-3}{x-1}=2e$$

일 때, $f(1)$, $f'(1)$의 값을 구하는 과정을 다음 단계로 서술하여라.

[1단계] $g(x)=e^{x+1}f(x)$로 놓고 분수꼴의 극한의 성질을 이용하여 $f(1)$의 값을 구한다.

[2단계] 미분계수의 정의를 이용하여 $g'(1)=2e$임을 보인다.

[3단계] $g'(1)=2e$임을 이용하여 $f'(1)$을 구한다.

1195

함수

$$f(x)=\begin{cases}\ln ax & (x\ge 1)\\ bx^2+1 & (x<1)\end{cases}$$

이 $x=1$에서 미분가능할 때, 상수 a, b의 값을 각각 구하는 과정을 다음 단계로 서술하여라.

[1단계] $x=1$에서 연속임을 이용하여 a, b의 관계식을 구한다.

[2단계] 미분계수의 정의에서 $f'(1)$이 존재함을 이용하여 b의 값을 구한다.

[3단계] a의 값을 구한다.

1196

두 함수 $y=f(x)$, $y=g(x)$의 그래프가 다음 그림과 같을 때, 다음 단계로 그 과정을 서술하여라.

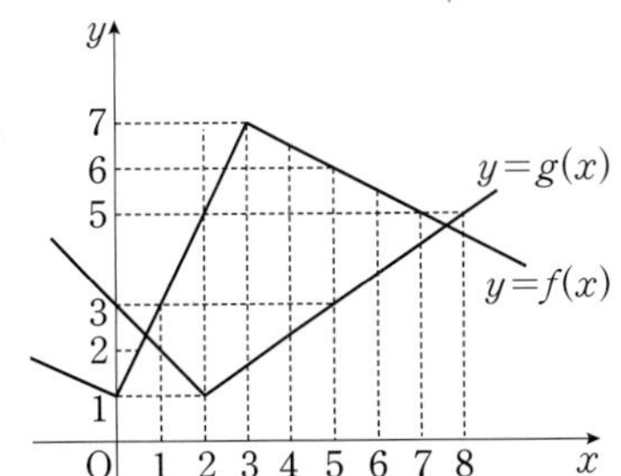

[1단계] $u(x)=f(x)g(x)$일 때, $u'(1)$의 값을 구한다.

[2단계] $v(x)=\frac{f(x)}{g(x)}$일 때, $v'(5)$의 값을 구한다.

[3단계] $h(x)=f(g(x))$일 때, $h'(1)$의 값을 구한다.

매개변수의 미분법

1197

자연수 n에 대하여 매개변수 $t\,(t>0)$로 나타낸 곡선

$$x=t+t^2+t^3+\cdots+t^{n+1}$$
$$y=t+\frac{3}{2}t^2+\frac{5}{3}t^3+\cdots+\frac{2n+1}{n+1}t^{n+1}$$

에서 $t=1$에 대응하는 점에서의 접선의 기울기를 $f(n)$이라 할 때, $\lim_{n\to\infty}f(n)$의 값을 구하는 과정을 다음 단계로 서술하여라.

[1단계] 매개변수로 나타낸 함수의 미분법을 이용하여 $\frac{dy}{dx}$를 구한다.

[2단계] $t=1$에 대응하는 점에서의 접선의 기울기 $f(n)$을 구한다.

[3단계] $\lim_{n\to\infty}f(n)$의 값을 구한다.

▶ 해설 내신연계기출

1198

매개변수로 나타낸 함수

$$x=t^4,\ y=2t^2+kt-2k^2$$

에서 $t=1$일 때, 곡선의 접선의 기울기가 2이다.
상수 k의 값과 접선의 방정식을 구하는 과정을 다음 단계로 서술하여라.

[1단계] 매개변수로 나타낸 함수의 미분법을 이용하여 $\frac{dy}{dx}$를 구한다.

[2단계] $t=1$에서 접선의 기울기가 2임을 이용하여 k의 값을 구한다.

[3단계] $t=1$에서 접선의 방정식을 구한다.

1199

공기를 불어 넣으면 팽창하는 구 모양의 공이 있다. 이 공에 공기를 불어 넣기 시작한 지 t분 후 공의 반지름의 길이를 $r$cm라고 하면 $r=3t+5$인 관계가 성립한다고 한다. 반지름의 길이가 $r$cm인 공의 겉넓이를 $S\,\text{cm}^2$라고 할 때, $t=2$일 때, $\frac{dS}{dt}$의 값을 구하는 과정을 다음 단계로 서술하여라.

[1단계] 공의 겉넓이 $S\,\text{cm}^2$을 t에 관한 식으로 나타낸다.

[2단계] 합성함수의 미분법을 이용하여 $\frac{dS}{dt}$를 구한다.

[3단계] $t=2$일 때, $\frac{dS}{dt}$의 값을 구한다.

1200

그림과 같이 지면에 수직으로 서있는 석탑의 높이가 15.2m이다. 지면에 생긴 석탑 그림자의 끝에서 태양을 올려다 본 각의 크기를 θ, 석탑의 중앙에서 석탑 그림자의 끝부분까지의 길이를 ym라고 할 때, 다음 단계로 그 과정을 서술하여라. $\left(\text{단, } 0<\theta<\frac{\pi}{2}\right)$

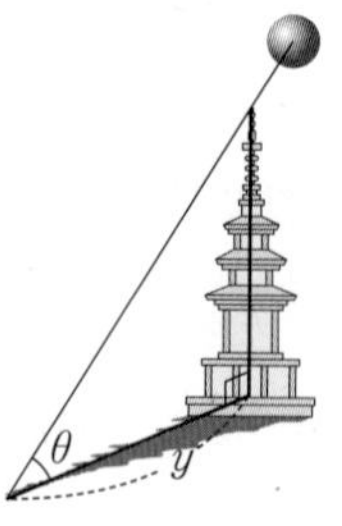

[1단계] y를 θ에 대한 식으로 나타낸다.

[2단계] θ에 대한 y의 변화율 $\frac{dy}{d\theta}$를 구한다.

[3단계] $\theta=\frac{\pi}{4}$일 때, 석탑의 중앙에서 석탑 그림자의 끝부분까지의 길이의 순간변화율을 구한다.

1201

매개변수로 나타낸 함수

$$x=2\sin t,\ y=\sqrt{2}\cos t\,(0<t<2\pi)$$

위의 점 $\mathrm{P}(a,\ b)$에서의 접선의 기울기는 $-\frac{\sqrt{2}}{2}$이다.
이 접선이 x축, y축과 만나는 점을 각각 A, B라고 할 때, 삼각형 OAB의 넓이를 구하고 그 과정을 서술하여라. (단, O는 원점이고 점 P는 제 1사분면에 있다.)

[1단계] 매개변수로 나타낸 함수의 미분법을 이용하여 $\frac{dy}{dx}$를 구한다.

[2단계] 접선의 기울기가 $-\frac{\sqrt{2}}{2}$인 접점의 좌표를 구한다.

[3단계] 접선의 방정식을 구한다.

[4단계] 삼각형 OAB의 넓이를 구한다.

1202

매개변수 θ로 나타낸 곡선

$$x=a\sec\theta,\ y=b\tan\theta$$

에 대하여 $\theta=\frac{\pi}{6}$에 대응하는 곡선 위의 점에서 접하는 접선의 기울기가 1이고 이 접선이 점 $(0,\ \sqrt{3})$을 지날 때, 상수 $a,\ b$에 대하여 $a+b$의 값을 구하는 과정을 다음 단계로 서술하여라.

[1단계] 매개변수로 나타낸 함수의 미분법을 이용하여 $\frac{dy}{dx}$를 구한다.

[2단계] $\theta=\frac{\pi}{6}$에서 접선의 기울기가 1인 상수 $a,\ b$의 관계식을 구한다.

[3단계] $\theta=\frac{\pi}{6}$에 대응하는 곡선의 접선의 방정식을 구한다.

[4단계] 접선이 점 $(0,\ \sqrt{3})$을 지남을 이용하여 $a,\ b$의 값을 구하여 $a+b$의 값을 구한다.

음함수의 미분법

1203

다음 그림과 같이 직선을 따라 반지름의 길이가 r인 원을 굴렸을 때, 원주 위의 고정된 점 $\mathrm{P}(x,\ y)$가 그리는 궤적을 사이클로이드 (cycloid)곡선이라고 한다. 다음 단계로 $\frac{dy}{dx}$의 값을 구하는 과정을 서술하여라.

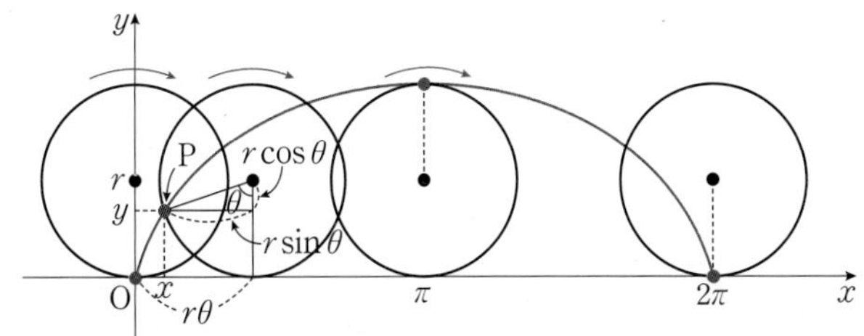

[1단계] 원이 회전한 각 θ를 사용하여 사이클로이드 위의 점 $\mathrm{P}(x,\ y)$를 매개변수로 나타낸다. (단, $0\le\theta\le2\pi$)

[2단계] 1단계의 매개변수로 나타낸 함수에서 $\frac{dy}{dx}$를 구한다.

[3단계] 원의 반지름이 1이고 $\theta=\frac{\pi}{3}$일 때, 점 P에서의 접선의 방정식을 구한다.

1204

그림과 같이 원 $x^2+y^2=1$ 위의 점 $\mathrm{P}(x,\ y)$가 점 $\mathrm{A}(1,\ 0)$에서 출발하여 원 위를 시곗바늘이 도는 반대 방향으로 매초 $\frac{\pi}{4}$의 속력으로 한 바퀴 움직인다. 점 P의 좌표가 $\left(-\frac{1}{2},\ \frac{\sqrt{3}}{2}\right)$일 때의 점 P의 x좌표의 시간(초)에 대한 변화율을 구하는 과정을 다음 단계로 서술하여라.

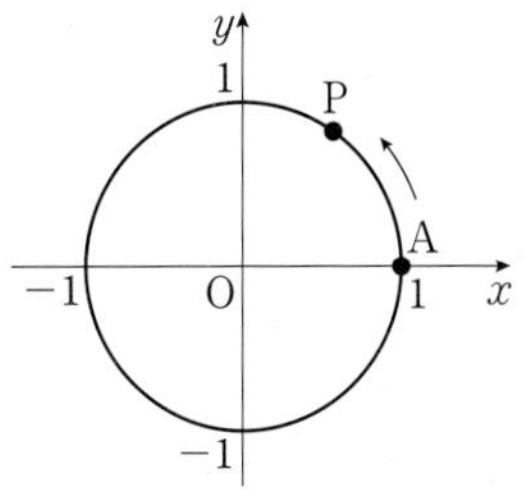

[1단계] t초 후의 점 P의 좌표를 구한다.

[2단계] 점 P의 좌표가 $\left(-\frac{1}{2},\ \frac{\sqrt{3}}{2}\right)$일 때 시간 t를 구한다.

[3단계] 점 P의 x좌표의 시간(초)에 대한 변화율을 구한다.

역함수의 미분법

1205

오른쪽 그림은 함수 $y=f(x)$와 그 역함수 $y=g(x)$의 그래프를 나타낸 것이다.
곡선 $y=f(x)$ 위의 점 $\mathrm{P}(a, b)$에서의 접선을 l, 곡선 $y=g(x)$ 위의 점 $\mathrm{Q}(b, a)$에서의 접선을 m, 두 직선 l, m이 만나는 점을 R이라고 할 때, 다음 단계로 그 과정을 서술하여라.

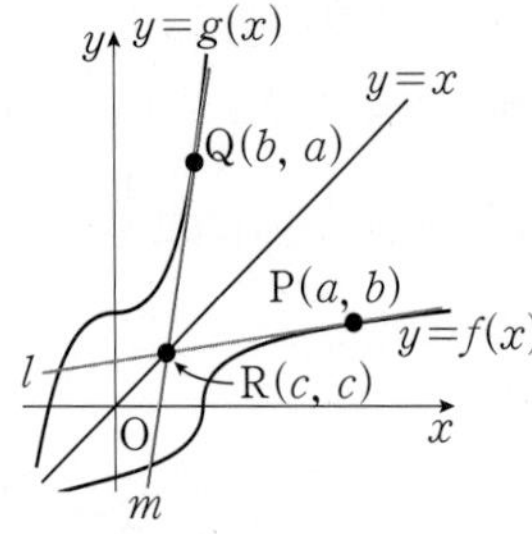

[1단계] 두 곡선 $y=f(x)$, $y=g(x)$는 직선 $y=x$에 대하여 대칭이므로 점 R은 직선 $y=x$ 위에 있고 $\mathrm{R}(c, c)$로 놓을 수 있다. 두 직선 l, m의 기울기를 a, b, c를 이용하여 나타낸다.

[2단계] 직선 l의 기울기는 $f'(a)$이고, 직선 m의 기울기는 $g'(b)$이다. 1단계의 결과를 이용하여 $f'(a)$와 $g'(b)$ 사이의 관계를 구한다.

[3단계] 그림은 함수 $f(x)=x^3+1$과 그 역함수 $y=g(x)$의 그래프를 나타낸 것이다. 곡선 $y=f(x)$ 위의 점 $\mathrm{A}(1, 2)$에서의 접선의 일부를 빗변으로 하는 직각삼각형 ABC를 직선 $y=x$에 대하여 대칭이동한 직각삼각형을 $\mathrm{A'BC'}$이라고 하자. 이때 $g'(2)$의 값을 구한다.

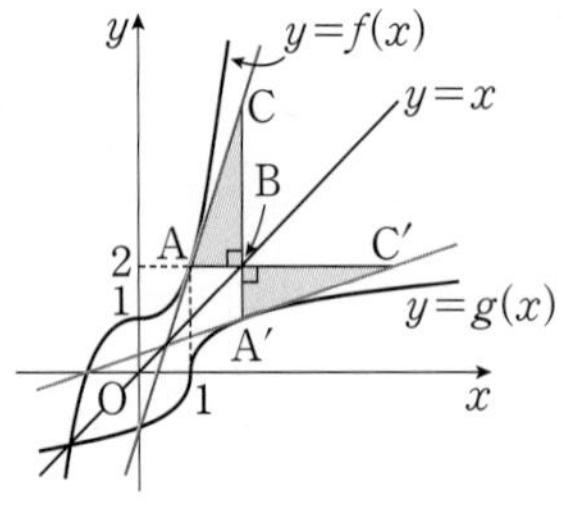

1206

함수 $f(x)=x^3+x^2+x+1$의 역함수를 $g(x)$라고 할 때, $g'(4)$의 값을 구하는 과정을 다음 단계로 서술하여라.

[1단계] 음함수의 미분법을 이용하여 역함수 $g(x)$의 도함수를 구한다.

[2단계] $g(4)=a$로 놓고 실수 a의 값을 구한다.

[3단계] $g'(4)$의 값을 구한다.

1207

미분가능한 함수 $f(x)$의 역함수를 $g(x)$라 하고

$$\lim_{x \to 5} \frac{g(x)-3}{x-5}=\frac{1}{4}$$

을 만족할 때, 다음 단계로 구하는 과정을 서술하여라.

[1단계] $g(5)$, $g'(5)$의 값을 구한다.

[2단계] 함수 $f(x)$의 역함수가 $g(x)$이므로 $f(3)$의 값을 구한다.

[3단계] $f'(x)=\dfrac{1}{g'(f(x))}$임을 이용하여 $f'(3)$의 값을 구한다.

1208

이차 이상의 다항함수 $f(x)$와 함수 $g(x)=e^{x^3+x+1}$이 다음을 만족한다.

$$(f\circ g)(0)=3,\ (f\circ g)'(0)=e$$

이때 다항식 $f(x)$를 $(x-e)^2$으로 나누었을 때의 나머지를 $R(x)$라 할 때, $R(x)$를 $x+3$으로 나눈 나머지를 구하여라.

1209

수능기출

실수 전체의 집합에서 미분가능한 함수 $f(x)$에 대하여 함수 $g(x)$를

$$g(x)=\frac{f(x)}{e^{x-2}}$$

라 하자. $\lim_{x\to 2}\frac{f(x)-3}{x-2}=5$일 때, $g'(2)$의 값을 구하여라.

1210

교육청기출

함수 $f(x)=(x^2+ax+b)e^x$과 함수 $g(x)$가 다음 조건을 만족시킨다.

(가) $f(1)=e,\ f'(1)=e$
(나) 모든 실수 x에 대하여 $g(f(x))=f'(x)$이다.

함수 $h(x)=f^{-1}(x)g(x)$에 대하여 $h'(e)$의 값을 구하여라.
(단, a, b는 상수, $f^{-1}(x)$는 $f(x)$의 역함수)

1211

평가원기출

실수 전체의 집합에서 증가하고 미분가능한 함수 $f(x)$가 있다. 곡선 $y=f(x)$ 위의 점 $(2, 1)$에서의 접선의 기울기는 1이다. 함수 $f(2x)$의 역함수를 $g(x)$라 할 때, 곡선 $y=g(x)$ 위의 점 $(1, a)$에서의 접선의 기울기는 b이다. $10(a+b)$의 값을 구하여라.

1212

수능기출

$0<t<41$인 실수 t에 대하여 곡선 $y=x^3+2x^2-15x+5$와 직선 $y=t$가 만나는 세 점 중에서 x좌표가 가장 큰 점의 좌표를 $(f(t), t)$, x좌표가 가장 작은 점의 좌표를 $(g(t), t)$라 하자. $h(t)=t\times\{f(t)-g(t)\}$라 할 때, $h'(5)$의 값을 구하여라.

1213

오른쪽 그림과 같이 점 $A(0, 1)$을 중심으로 하고 반지름의 길이가 1인 원 C가 있다. 양의 실수 t에 대하여 직선 $y=tx$와 원 C로 둘러싸인 도형 중 그 넓이가 작은 것의 넓이를 $f(t)$라 할 때, $f'(2)$의 값을 구하여라.

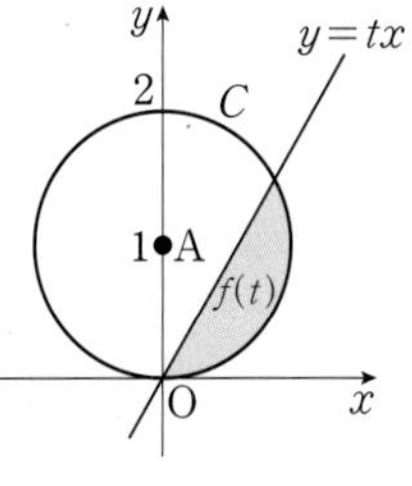

10 학교내신기출 객관식 핵심문제총정리 접선의 방정식

STEP 1 내신정복 기출유형

유형 01 접점이 주어진 경우의 접선의 방정식

접점의 좌표 $(a,\ f(a))$가 주어진 경우 접선의 방정식은 다음 순서로 구한다.
기울기 구하는 것이 핵심

함수 $f(x)$가 $x=a$에서 미분가능할 때,
[1단계] 접선의 기울기 $f'(a)$를 구한다.
[2단계] 접선의 방정식 : $y-f(a)=f'(a)(x-a)$

1214 학교기출 대표 유형

곡선 $y=\ln(x-3)+1$ 위의 점 $(4,\ 1)$에서의 접선의 방정식이 $y=ax+b$일 때, 두 상수 $a,\ b$에 대하여 $a+b$의 값은?

① -2 ② -1 ③ 0
④ 1 ⑤ 2

1215 최다빈출 왕중요 NORMAL

곡선 $y=xe^x-1$ 위의 점 $(0,\ -1)$에서의 접선이 $(a,\ 1)$을 지날 때, a의 값은?

① -3 ② -2 ③ -1
④ 1 ⑤ 2

▶ 해설 내신연계기출

1216 NORMAL

곡선 $y=\ln(2x+a)$ 위의 점 $(1,\ 0)$에서의 접선의 방정식이 $y=mx+n$일 때, 상수 $a,\ m,\ n$에 대하여 amn의 값은?

① -4 ② -2 ③ -1
④ 2 ⑤ 4

1217 NORMAL

함수 $f(x)=\dfrac{\sin x}{x}$에 대하여 곡선 $y=f(x)$ 위의 점 $(\pi,\ 0)$에서의 접선이 점 $(3\pi,\ k)$를 지날 때, k의 값은?

① -2 ② -1 ③ 0
④ 1 ⑤ 2

1218 최다빈출 왕중요 

곡선 $y=2x+\cos x+a$ 위의 점 $(0,\ 2)$에서의 접선의 방정식이 $y=bx+c$일 때, 상수 $a,\ b,\ c$에 대하여 $a+b+c$의 값은?

① 1 ② 2 ③ 4
④ 5 ⑤ 6

▶ 해설 내신연계기출

1219 NORMAL

곡선 $y=ax\ln x+b$ 위의 점 $(1,\ 2)$에서의 접선의 방정식이 $y=-3x+5$일 때, 실수 $a,\ b$에 대하여 ab의 값은?

① -6 ② -3 ③ -2
④ 4 ⑤ 6

1220 최다빈출 왕중요 TOUGH

닫힌 구간 [0, 4]에서 정의된 함수

$$f(x)=2\sqrt{2}\sin\frac{\pi}{4}x$$

의 그래프가 그림과 같고, 직선 $y=g(x)$가 $y=f(x)$의 그래프 위의 점 A(1, 2)를 지난다. 이때 일차함수 $g(x)$가 닫힌 구간 [0, 4]에서 $f(x)\le g(x)$를 만족시킬 때, $g(3)$의 값은?

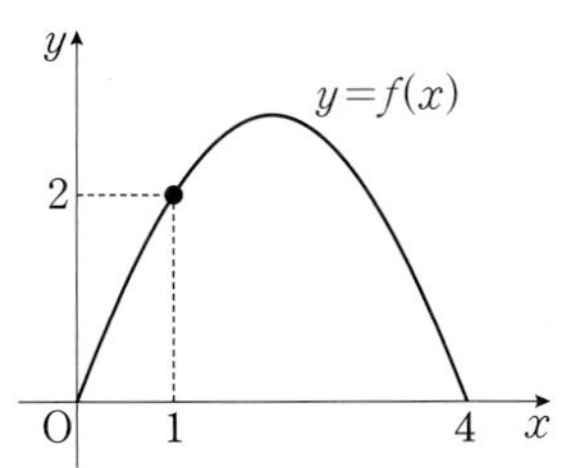

① π ② $\pi+1$ ③ $\pi+2$
④ $\pi+3$ ⑤ $\pi+4$

▶ 해설 내신연계기출

1221 최다빈출 왕중요 TOUGH

미분가능한 함수 $f(x)$와 함수 $g(x)=\sin x$에 대하여 합성함수 $y=(g\circ f)(x)$의 그래프 위의 점 $(1, (g\circ f)(1))$에서의 접선이 원점을 지난다.

$$\lim_{x\to1}\frac{f(x)-\frac{\pi}{6}}{x-1}=k$$

일 때, 상수 k에 대하여 $30k^2$의 값은?

① 8 ② 10 ③ 12
④ 14 ⑤ 16

▶ 해설 내신연계기출

유형 02 곡선 위의 점에서 접선과 좌표축으로 둘러싸인 도형의 활용

접점의 좌표 $(a, f(a))$가 주어지는 경우
[1단계] 접선의 방정식을 구한다.
[2단계] x절편과 y절편을 구하여 도형의 넓이를 구한다.

1222 학교기출 대표 유형

좌표평면에서 곡선 $y=\frac{1}{x-1}$ 위의 점 $\left(\frac{3}{2}, 2\right)$에서의 접선과 x축 및 y축으로 둘러싸인 부분의 넓이는?

① 8 ② $\frac{17}{2}$ ③ 9
④ $\frac{19}{2}$ ⑤ 10

1223 BASIC

곡선 $y=x+\cos x$ 위의 점 (0, 1)에서의 접선과 x축 및 y축으로 둘러싸인 도형의 넓이는?

① $\frac{1}{2}$ ② 1 ③ $\frac{3}{2}$
④ 2 ⑤ 5

1224 BASIC

곡선 $y=e^{2x}$ 위의 점 $\left(-\frac{1}{2}, \frac{1}{e}\right)$에서의 접선이 x축, y축과 만나는 점을 각각 P, Q라고 할 때, 삼각형 OPQ의 넓이는?
(단, O는 원점이다.)

① $2e$ ② e ③ 1
④ $\frac{2}{e}$ ⑤ $\frac{1}{e}$

1225 최다빈출 왕중요 NORMAL

좌표평면에서 곡선 $y=e^{x-2}$ 위의 점 $(3, e)$에서의 접선이 x축, y축과 만나는 점을 각각 A, B라 할 때, 삼각형 OAB의 넓이는?
(단, O는 원점이다.)

① e　② $\frac{3}{2}e$　③ $2e$
④ $\frac{5}{2}e$　⑤ $3e$

▶ 해설 내신연계기출

1226 NORMAL

곡선 $y=x\ln x$ 위의 점 (e, e)에서의 접선과 x축과 y축으로 둘러싸인 도형의 넓이는?

① $\frac{e}{2}$　② e　③ $\frac{e^2}{4}$
④ $\frac{e^2}{2}$　⑤ e^2

1227 최다빈출 왕중요 TOUGH

함수 $f(x)=\sin x\left(-\frac{\pi}{2}<x<\frac{\pi}{2}\right)$의 그래프 위의 점 $P(t, \sin t)$에서의 접선이 x축과 만나는 점을 Q라 할 때, $\lim_{t\to 0+}\frac{\overline{PQ}}{t}$의 값은?

① 0　② 1　③ $\sqrt{2}$
④ $\sqrt{3}$　⑤ 2

▶ 해설 내신연계기출

유형 03 역함수의 그래프의 접선의 방정식

$y=f(x)$의 역함수를 $g(x)$라 할 때, 곡선 $y=g(x)$ 위의 점 $x=a$에서의 접선의 방정식은 다음과 같이 구한다.
[1단계] $f(b)=a$를 만족시키는 b의 값을 구한다.
[2단계] $g'(a)=\frac{1}{f'(b)}$임을 이용하여 기울기를 구한다.
[3단계] $y-b=g'(a)(x-a)$

1228 학교기출 대표 유형

함수 $f(x)=x^3+x^2+x+1$의 역함수를 $g(x)$라 하고 $y=g(x)$의 그래프 위의 점 $(4, 1)$에서의 접선을 l이라고 할 때, 접선 l의 y절편은?

① $-\frac{1}{2}$　② $-\frac{1}{3}$　③ $\frac{1}{6}$
④ $\frac{1}{3}$　⑤ $\frac{1}{2}$

1229 NORMAL

함수 $f(x)=\ln(3x+1)$의 역함수를 $g(x)$라 한다. 곡선 $y=g(x)$ 위의 점 $(0, 0)$에서의 접선의 방정식이 점 $(3, a)$를 지날 때, a의 값은?

① -3　② -2　③ -1
④ 1　⑤ 2

1230 최다빈출 왕중요 TOUGH

함수 $f(x)=(x-1)e^x\,(x>0)$의 역함수를 $g(x)$라 한다. 곡선 $y=g(x)$ 위의 점 $(e^2, 2)$에서의 접선의 방정식을 $y=ax+b$라 할 때, 상수 a, b에 대하여 $\frac{b}{a}$의 값은?

① $\frac{1}{2e^2}$　② $\frac{1}{2e}$　③ 1
④ $2e$　⑤ $3e^2$

▶ 해설 내신연계기출

유형 04 접선에 수직인 직선의 방정식

접점의 좌표 $(a,\ f(a))$가 주어진 경우 접선에 수직인 직선 방정식은 다음 순서로 구한다. ⇨ 기울기 구하는 것이 핵심

함수 $f(x)$가 $x=a$에서 미분가능할 때,

[1단계] 접선의 기울기가 $f'(a)$이므로

접선에 수직인 직선의 기울기 $-\frac{1}{f'(a)}$을 구한다.

⬅ 두 직선이 수직이면 두 직선의 기울기의 곱이 -1이다.

[2단계] 접선에 수직인 방정식 : $y-f(a)=-\frac{1}{f'(a)}(x-a)$

1231 학교기출 대표 유형

곡선 $y=e^x+1$ 위의 점 $(0,\ 2)$를 지나고 이 점에서의 접선과 수직인 직선과 x축, y축으로 둘러싸인 도형의 넓이는?

① $\frac{1}{2}$ ② $\frac{3}{2}$ ③ 2
④ $\frac{5}{2}$ ⑤ 4

1232 NORMAL

다음은 곡선 $y=\frac{x}{x+1}$ 위의 점 $\left(1,\ \frac{1}{2}\right)$을 지나고, 이 점에서의 접선에 수직인 직선의 방정식을 구하는 과정이다. □ 안에 알맞은 것을 써넣으시오.

$f(x)=\frac{x}{x+1}$라고 하면 $f'(x)=\frac{1}{\boxed{(가)}}$
점 $\left(1,\ \frac{1}{2}\right)$에서의 접선의 기울기는 $f'(1)=\boxed{(나)}$
이므로 이 접선에 수직인 직선의 기울기는 $\boxed{(다)}$
따라서 구하는 직선의 방정식은
$y=\boxed{(라)}$

(가), (라)에 들어갈 식을 $g(x)$, $h(x)$이고 (나), (다)에 들어갈 수를 a, b라 할 때, $g(3)h(1)ab$의 값은?

① -16 ② -12 ③ -8
④ -4 ⑤ -1

1233 최다빈출 왕 중요 NORMAL

곡선 $y=x^3\ln x+1$ 위의 점 $(1,\ 1)$을 지나고 이 점에서의 접선과 수직인 직선의 방정식이 $(-3,\ a)$를 지날 때, a의 값은?

① -4 ② -3 ③ -1
④ 3 ⑤ 5

▶ 해설 내신연계기출

1234 NORMAL

곡선 $y=\log_2 x$ 위의 점 $(1,\ 0)$에서의 접선에 수직이고, 원점을 지나는 직선의 방정식은?

① $y=\left(-\frac{1}{\ln 2}\right)x$ ② $y=(-\ln 2)x$ ③ $y=(\ln 2)x$
④ $y=\frac{1}{\ln 2}x$ ⑤ $y=2\ln 2x$

1235 TOUGH

곡선 $y=\cos 3x$ 위의 점 $\mathrm{P}(t,\ \cos 3t)$를 지나고 점 P에서의 접선과 수직인 직선이 y축과 만나는 점의 y좌표를 $f(t)$라고 할 때, $\lim_{t\to 0}f(t)$의 값은?

① $\frac{5}{9}$ ② $\frac{2}{3}$ ③ $\frac{7}{9}$
④ $\frac{8}{9}$ ⑤ 1

1236 최다빈출 왕 중요 TOUGH

양의 실수 전체의 집합에서 미분가능한 함수 $f(x)$에 대하여 함수 $g(x)$를

$$g(x)=f(x)\ln x^4$$

이라 하자. 곡선 $y=f(x)$ 위의 점 $(e,\ -e)$에서의 접선과 곡선 $y=g(x)$ 위의 점 $(e,\ -4e)$에서의 접선이 서로 수직일 때, $100f'(e)$의 값은?

① 25 ② 50 ③ 75
④ 100 ⑤ 125

▶ 해설 내신연계기출

10 접선의 방정식

유형 05 기울기가 주어진 경우의 접선의 방정식

곡선 $y=f(x)$에 대하여 기울기가 m인 접선의 방정식은 다음 순서로 구한다. ⇨ 접점을 구하는 것이 핵심

[1단계] 접점의 좌표를 $(a,\ f(a))$로 놓는다.
[2단계] $f'(a)=m$임을 이용하여 a값과 접점의 좌표 $(a,\ f(a))$를 구한다.
[3단계] 접선의 방정식 $y-f(a)=m(x-a)$를 구한다.

1237 학교기출 대표 유형

곡선 $y=\dfrac{1}{1-x}$에 접하고 기울기가 1인 두 직선의 방정식을 각각 $y=x+a$, $y=x+b$라 할 때, 두 상수 a, b에 대하여 $a+b$의 값은?

① -4 ② -3 ③ -2
④ -1 ⑤ 1

▶ 해설 내신연계기출

1238 최다빈출 왕 중요 BASIC

곡선 $y=x\ln x+2x$에 접하고 기울기가 4인 접선의 y절편은?

① $-e$ ② $-\dfrac{1}{e}$ ③ 1
④ e ⑤ $2e$

▶ 해설 내신연계기출

1239 NORMAL

곡선 $y=\ln(x-7)$에 접하고 기울기가 1인 직선이 x축, y축과 만나는 점을 각각 A, B라 할 때, 삼각형 AOB의 넓이는?
(단, O는 원점이다.)

① 12 ② 24 ③ 32
④ 42 ⑤ 52

1240 최다빈출 왕 중요 NORMAL

곡선 $y=x-x\ln x$에 접하고 직선 $x-y+2=0$과 평행한 직선이 점 $(0,\ a)$를 지날 때, 상수 a의 값은?

① $-e$ ② $-\dfrac{1}{e}$ ③ $\dfrac{1}{e}$
④ e ⑤ $2e$

▶ 해설 내신연계기출

1241 최다빈출 왕 중요 NORMAL

직선 $y=\dfrac{1}{e}x+3$이 곡선 $y=\ln x+a$에 접할 때, 상수 a의 값은?

① 0 ② 1 ③ 2
④ 3 ⑤ 4

▶ 해설 내신연계기출

1242 최다빈출 왕 중요 NORMAL

직선 $y=2x+a$가 곡선 $y=x-\cos x$에 접할 때, 상수 a의 값은?
(단, $0\le x\le\pi$)

① $-\pi$ ② $-\dfrac{\pi}{2}$ ③ $\dfrac{\pi}{2}$
④ π ⑤ 2π

▶ 해설 내신연계기출

1243 최다빈출 왕중요

NORMAL

직선 $y=x+b$가 곡선 $y=2x\ln x-ax$에 접하고 그 접점의 x좌표가 e일 때, 상수 a, b에 대하여 $a+b$의 값은?

① $1-2e$ ② $1+e$ ③ $3+e$
④ $3-e$ ⑤ $3-2e$

▶ 해설 내신연계기출

1244

NORMAL

곡선 $y=x\ln x+x$에 접하고 직선 $x+2y+2=0$에 수직인 직선의 방정식을 $y=ax+b$라고 할 때, 상수 a, b에 대하여 $a-b$의 값은?

① -3 ② -2 ③ -1
④ 2 ⑤ 3

1245

TOUGH

$x>0$에서 함수 $f(x)$가 미분가능하고

$$\sqrt{x}\le f(x)\le e^x$$

이다. $f(1)=1$이고 $f(2)=e^2$일 때, $f'(1)+f'(2)$의 값은?

① $\frac{1}{2}+e$ ② $\frac{1}{2}+e^2$ ③ $1+e$
④ $1+e^2$ ⑤ $2+e^2$

유형 06 기울기가 주어질 때 접선의 방정식의 활용

$\overline{AB}$의 길이는 일정하므로 삼각형 ABP의 넓이를 결정하는 것은 곡선 $y=f(x)$ 위의 점 P에서 직선 AB까지의 거리이다.

⇨ 점 P에서 직선 AB까지의 거리(또는 높이)가 최소일 때, 삼각형의 넓이도 최소이다.

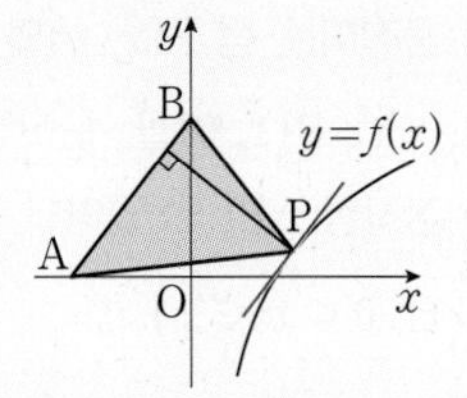

곡선 위를 움직이는 점 P와 직선 l 사이의 거리의 최대 또는 최소는 (점 P에서의 접선의 기울기)=(직선 l의 기울기)임을 이용한다.

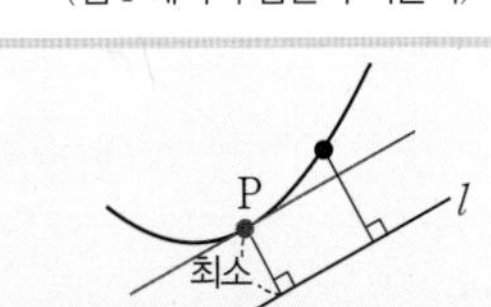

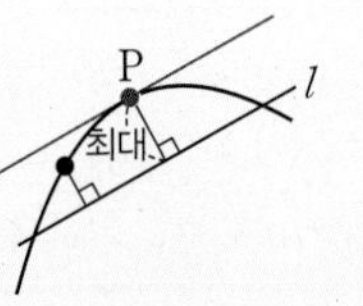

1246 학교기출 대표유형

오른쪽 그림과 같이 곡선 $y=\ln x$ 위를 움직이는 점 $P(x, y)$와 두 점 $A(-2, 0)$, $B(0, 2)$를 꼭짓점으로 하는 삼각형 ABP의 넓이의 최솟값은? (단, $x>0$)

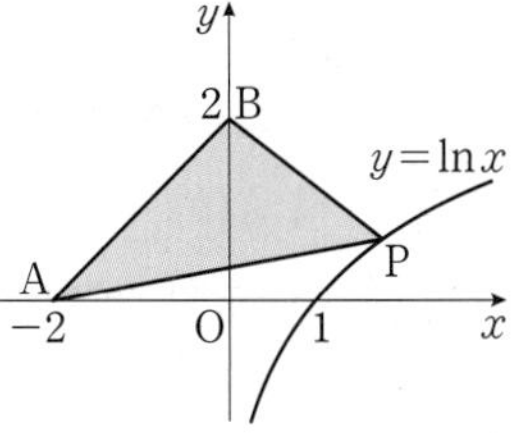

① 1 ② $\frac{3}{2}$
③ 2 ④ $\frac{5}{2}$
⑤ 3

1247

NORMAL

곡선 $y=e^{2x-1}+1$ 위를 움직이는 점 P와 직선 $y=2x-1$ 사이의 거리의 최솟값은?

① $\frac{\sqrt{5}}{5}$ ② $\frac{2\sqrt{2}}{2}$ ③ $\frac{2\sqrt{3}}{3}$
④ 1 ⑤ $\frac{2\sqrt{5}}{5}$

1248 최다빈출 왕중요

NORMAL

오른쪽 그림과 같이 곡선 $y=\tan x$ 위를 움직이는 점 $\mathrm{P}(x, y)$와 두 점 $\mathrm{A}(0, -2)$, $\mathrm{B}(1, 0)$을 꼭짓점으로 하는 삼각형 ABP의 넓이의 최솟값은? $\left(단, 0<x<\frac{\pi}{2}\right)$

① $\frac{4-\pi}{2}$ ② $\frac{5-\pi}{2}$

③ $\frac{6-\pi}{4}$ ④ $\frac{2+\pi}{2}$

⑤ $\frac{2+\pi}{2}$

▶ 해설 내신연계기출

1249

TOUGH

오른쪽 그림과 같이 곡선 $y=e^x+e^{-x}$ 위를 움직이는 점 $\mathrm{P}(a, b)$가 있다. 점 P와 두 점 $\mathrm{A}(0, -3)$, $\mathrm{B}(2, 0)$에 대하여 삼각형 PAB의 넓이가 최소가 되게 하는 상수 a의 값은?

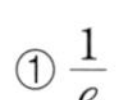

① $\frac{1}{e}$ ② $\ln 2$

③ 1 ④ $\ln 3$

⑤ $2\ln 2$

1250

TOUGH

원 $x^2+y^2=1$ 위의 임의의 점 P와 곡선 $y=\sqrt{x-3}$ 위의 임의의 점 Q에 대하여 $\overline{\mathrm{PQ}}$의 최솟값은 $\sqrt{a}-b$이다. 자연수 a, b에 대하여 a^2+b^2의 값은?

① 10 ② 16 ③ 21

④ 26 ⑤ 36

유형 07 곡선 밖의 점이 주어진 경우의 접선의 방정식

곡선 $y=f(x)$ 밖의 점 (x_1, y_1)을 지나는 접선의 방정식을 구하는 방법은 다음 순서로 구한다.

접점의 좌표를 $(t, f(t))$로 놓고 t의 값을 구하는 것이 핵심

[1단계] 접점의 좌표를 $(t, f(t))$로 놓는다.

[2단계] 접선의 기울기가 $f'(t)$이므로 접선의 방정식은

$y-f(t)=f'(t)(x-t)$

[3단계] 곡선 밖의 한 점 (x_1, y_1)을 접선에 대입하여 t의 값을 구한다.

방정식의 실근을 구한다.

실근의 개수=접점의 개수=접선의 개수

[4단계] 접점을 유도하여 접선의 방정식을 구한다.

1251 학교기출 대표 유형

점 $(-4, 0)$에서 곡선 $y=xe^x$에 그은 접선의 방정식은?

① $y=-\frac{1}{e^2}x-\frac{4}{e^2}$ ② $y=-ex-4$

③ $y=\frac{1}{e}x+\frac{4}{e}$ ④ $y=-\frac{2}{e}x-\frac{8}{e}$

⑤ $y=-\frac{2}{e^2}x-\frac{8}{e^2}$

▶ 해설 내신연계기출

1252 최다빈출 왕중요

NORMAL

점 $(0, 0)$에서 곡선 $y=\frac{\ln x}{x}\,(x>0)$에 그은 접선이 점 $\left(a, \frac{1}{2}\right)$을 지날 때, a의 값은?

① $\frac{1}{2e}$ ② $\frac{1}{e}$ ③ 1

④ e ⑤ $2e$

▶ 해설 내신연계기출

1253 최다빈출 왕중요

NORMAL

곡선 $y=3e^{x-1}$ 위의 점 A에서의 접선이 원점 O를 지날 때, 선분 OA의 길이는?

① $\sqrt{6}$ ② $\sqrt{7}$ ③ $2\sqrt{2}$

④ 3 ⑤ $\sqrt{10}$

▶ 해설 내신연계기출

1254

NORMAL

점 (2, 2)에서 곡선 $y=\frac{x-1}{x}$에 그은 두 접선의 기울기를 각각 m_1, m_2라 할 때, m_1m_2의 값은?

① $\frac{1}{5}$　② $\frac{1}{4}$　③ 1
④ 4　⑤ 5

1255

최다빈출 왕중요　NORMAL

점 (1, 0)에서 곡선 $y=xe^x$에 그은 두 접선의 기울기를 m_1, m_2라 할 때, m_1m_2의 값은? (단, e는 자연로그의 밑이다.)

① $\frac{1}{e}$　② 1　③ e
④ e^2　⑤ e^3

▶ 해설 내신연계기출

1256

NORMAL

원점에서 곡선 $y=\frac{1}{2}(\ln x)^2-4$에 그은 두 접선의 기울기를 m_1, m_2라 할 때, m_1m_2의 값은?

① $-\frac{8}{e^2}$　② $-\frac{7}{e^2}$　③ $-\frac{6}{e^2}$
④ $-\frac{5}{e^2}$　⑤ $-\frac{4}{e^2}$

1257

NORMAL

점 $(t, 0)$에서 곡선 $y=xe^x$에 두 개의 접선을 그을 때, 두 접선의 기울기의 곱이 e가 되게 하는 실수 t의 값은?
(단, e는 자연로그의 밑이다.)

① $-e$　② $-\frac{1}{e}$　③ 1
④ $\frac{1}{e}$　⑤ e

1258

최다빈출 왕중요　NORMAL

점 A$(0, a)$에서 곡선 $y=\ln x+1$에 그은 접선 l이 x축과 만나는 점을 P라 할 때, $\lim_{a\to 0+}\frac{\overline{\text{OP}}-\overline{\text{OA}}}{2a^2}$의 값은? (단, $a>0$)

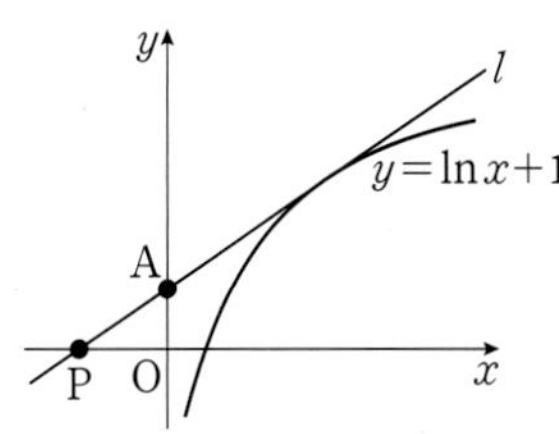

① $\frac{1}{2}$　② 1　③ $\frac{3}{2}$
④ 2　⑤ $\frac{5}{2}$

▶ 해설 내신연계기출

1259

NORMAL

양수 a에 대하여 점 $(\ln a, 0)$에서 곡선 $y=e^x$에 그은 접선의 접점을 $(f(a), g(a))$라 할 때, $\lim_{a\to 0+}\frac{f(a+1)-1}{g(a)}$의 값은?

① $-e$　② $-\frac{1}{e}$　③ 1
④ $\frac{1}{e}$　⑤ e

1260

TOUGH

자연수 n에 대하여 점 $(n\ln 2, 0)$에서 곡선 $y=e^{x-1}$에 그은 접선의 접점의 y좌표를 a_n이라 할 때, $\sum_{n=1}^{\infty}\frac{1}{a_n}$의 값은?

① $\frac{1}{4}$　② $\frac{1}{2}$　③ $\frac{3}{4}$
④ 1　⑤ $\frac{5}{4}$

유형 08 함수 $y=e^x$, $y=\ln x$의 접선의 방정식

① 곡선 $y=e^x$에 접하고 기울기가 1인 접선의 방정식
⇨ $\boldsymbol{y=x+1}$

② 곡선 $y=\ln x$에 접하고 기울기가 1인 접선의 방정식
⇨ $\boldsymbol{y=x-1}$

③ 원점에서 곡선 $y=\ln x$에 그은 접선의 방정식 ⇨ $\boldsymbol{y=\frac{1}{e}x}$

④ 원점에서 곡선 $y=e^x$에 그은 접선의 방정식 ⇨ $\boldsymbol{y=ex}$

참고 두 곡선 $y=e^x$, $y=\ln x$는 역함수 관계이고 위의 접선의 방정식은 암기하자!

⑤ 오른쪽 그림과 같이 함수 $y=f(x)$의 역함수를 $y=g(x)$라 할 때, 두 함수 사이의 거리의 최단거리
⇨ $y=f(x)$, $y=g(x)$의 그래프는 직선 $y=x$에 대하여 대칭이다.
이때 곡선 $y=f(x)$ 위의 점과 곡선 $y=g(x)$ 위의 점 사이의 최단거리는 곡선 $y=f(x)$ 위의 점과 직선 $y=x$ 위의 점 사이의 거리의 최단거리의 2배이다.

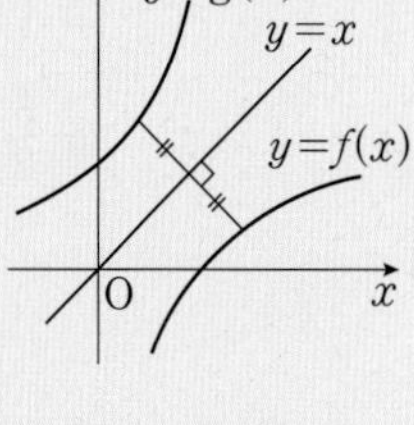

1261 학교기출 대표 유형

직선 $y=x+a$가 곡선 $y=e^x$에 접할 때, 실수 a의 값은?

① -3 ② -2 ③ -1
④ 1 ⑤ 2

1262 BASIC

직선 $y=x+a$가 곡선 $y=\ln x$에 접할 때, 실수 a의 값은?

① -3 ② -2 ③ -1
④ 1 ⑤ 2

1263 BASIC

점 $(0, 0)$에서 곡선 $y=e^x$에 그은 접선의 방정식은?

① $y=-\frac{1}{e^2}x$ ② $y=-ex$ ③ $y=\frac{1}{e}x$
④ $y=ex$ ⑤ $y=2e^2x$

1264 BASIC

점 $(0, 0)$에서 곡선 $y=\ln x$에 그은 접선의 방정식은?

① $y=-\frac{1}{e}x$ ② $y=-ex$ ③ $y=\frac{1}{e}x$
④ $y=ex$ ⑤ $y=2e^2x$

1265 최다빈출 왕중요 NORMAL

오른쪽 그림에서 원점에서 두 곡선
$y=e^x$, $y=\ln x$
에 접선을 그었을 때, 삼각형 OAB의 넓이는? (단, A, B는 두 곡선의 접점이다.)

① $\frac{1}{e}$ ② $\frac{e}{2}$
③ $\frac{e^2-1}{2}$ ④ $\frac{1}{2}\left(e^2-\frac{1}{e}\right)$
⑤ $\frac{1}{2}\left(e+\frac{1}{e}\right)$

▶ 해설 내신연계기출

1266 최다빈출 왕중요 TOUGH

곡선 $y=e^x$ 위의 점 P와 곡선 $y=\ln x$ 위의 점 Q에 대하여 선분 $\overline{\mathrm{PQ}}$의 길이의 최솟값은?

① 1 ② $\sqrt{2}$ ③ 2
④ $2\sqrt{2}$ ⑤ $1+\ln 2$

▶ 해설 내신연계기출

유형 09 두 접선이 이루는 예각의 크기

삼각함수의 덧셈정리의 활용

① $\tan\theta=\tan(\alpha-\beta)=\dfrac{\tan\alpha-\tan\beta}{1+\tan\alpha\tan\beta}$

② x축의 양의 방향과 이루는 각이 θ이면 직선의 기울기는 $\tan\theta$

1267 학교기출 대표 유형

함수 $f(x)=\dfrac{2x}{x+1}$의 그래프 위의 두 점 $(0,\ 0)$, $(1,\ 1)$에서의 접선을 각각 l, m이라 하자. 두 직선 l, m이 이루는 예각의 크기를 θ라 할 때, $12\tan\theta$의 값은?

① 9 ② 10 ③ 12
④ 14 ⑤ 16

1268 최다빈출 왕 중요 NORMAL

원점에서 두 곡선 $y=e^x$, $y=\ln x$에 각각 그은 두 접선이 이루는 예각의 크기를 θ라고 할 때, $\tan\theta$의 값은?

① $1-\dfrac{1}{e}$ ② $\dfrac{1}{2}\left(1-\dfrac{1}{e}\right)$ ③ $\dfrac{1}{2}\left(e-\dfrac{1}{e}\right)$
④ $\dfrac{1}{e}+1$ ⑤ $\dfrac{1}{2}\left(e+\dfrac{1}{e}\right)$

▶ 해설 내신연계기출

1269 최다빈출 왕 중요 NORMAL

곡선 $y=\dfrac{1}{4}x^2$ 위의 두 점 $\mathrm{P}\left(\sqrt{2},\ \dfrac{1}{2}\right)$, $\mathrm{Q}\left(a,\ \dfrac{a^2}{4}\right)$에서의 두 접선과 x축으로 둘러싸인 삼각형이 이등변삼각형일 때, a^2의 값은? (단, $a>\sqrt{2}$)

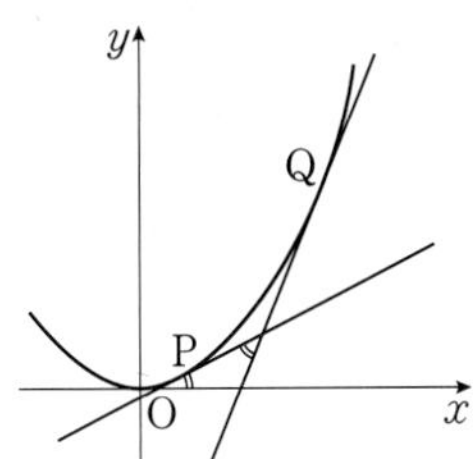

① 4 ② 16 ③ 32
④ 49 ⑤ 64

▶ 해설 내신연계기출

1270 TOUGH

그림과 같이 곡선 $y=e^x$ 위의 두 점 $\mathrm{A}(t,\ e^t)$, $\mathrm{B}(-t,\ e^{-t})$에서의 접선을 각각 l, m이라 하자. 두 직선 l과 m이 이루는 예각의 크기가 $\dfrac{\pi}{4}$일 때, 두 점 A, B를 지나는 직선의 기울기는? (단, $t>0$)

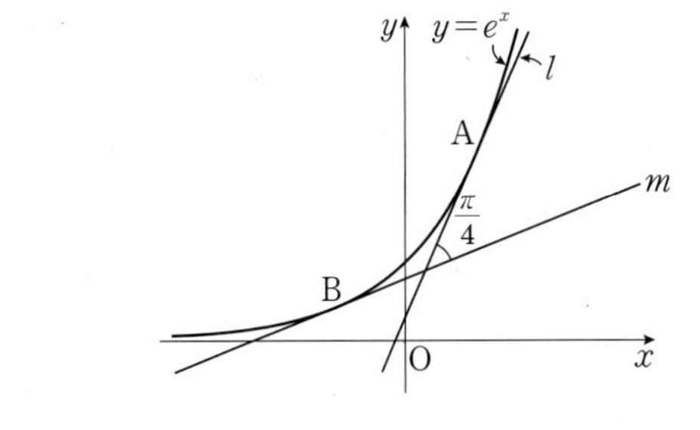

① $\dfrac{1}{\ln(1+\sqrt{2})}$ ② $\dfrac{1}{\ln 2}$ ③ $\dfrac{4}{3\ln(1+\sqrt{2})}$
④ $\dfrac{7}{6\ln 2}$ ⑤ $\dfrac{3}{2\ln(1+\sqrt{2})}$

1271 TOUGH

두 함수 $f(x)=\dfrac{1}{x}$, $g(x)=\dfrac{k}{x}\,(k>1)$에 대하여 좌표평면에서 직선 $x=2$가 두 곡선 $y=f(x)$, $y=g(x)$와 만나는 점을 각각 P, Q라 하고 곡선 $y=f(x)$에 대하여 점 P에서의 접선을 l, 곡선 $y=g(x)$에 대하여 점 Q에서의 접선을 m이라고 하자. 두 직선 l, m이 이루는 예각의 크기가 $\dfrac{\pi}{4}$일 때, 상수 k에 대하여 $3k$의 값은?

① 10 ② 15 ③ 20
④ 25 ⑤ 30

유형 10 곡선 밖의 점에서 접선의 개수

곡선 밖의 한 점에서 그은 접선의 개수를 구하는 방법은 다음 단계로 구한다.

[1단계] 접점의 좌표를 $(t,\ f(t))$로 놓고 접선의 방정식을 세운다.
[2단계] $y-f(t)=f'(t)(x-t)$에 곡선 밖의 점을 대입하여 t에 대한 방정식을 만든다.
[3단계] 실근 t의 개수 = 접점의 개수 = 접선의 개수

1272 학교기출 대표 유형

점 $(a,\ 0)$에서 곡선 $y=xe^{x-1}$에 서로 다른 두 개의 접선을 그을 수 있을 때, 실수 a의 값의 범위는?

① $a<-4$ 또는 $a>0$ ② $-4<a<0$
③ $-1<a<0$ ④ $a<-1$ 또는 $a>4$
⑤ $1<a<4$

1273 NORMAL

점 $(a,\ 0)$에서 곡선 $y=xe^{-x}$에 오직 하나의 접선을 그을 수 있을 때, 상수 a값은? (단, $a\neq0$)

① 2 ② 4 ③ 5
④ 6 ⑤ 8

1274 NORMAL

점 $(a,\ 0)$에서 곡선 $y=xe^{x}$에 접선을 하나도 그을 수 없도록 하는 정수 a의 개수는?

① 1 ② 2 ③ 3
④ 4 ⑤ 5

1275 TOUGH

x축 위의 점 $(a,\ 0)$에서 곡선 $y=e^{-x^2}$에 서로 다른 두 개의 접선을 그을 수 있을 때, a의 값의 범위는 $a<\alpha$ 또는 $a>\beta$이다. 이때 $\alpha^2+\beta^2$의 값은?

① 1 ② 4 ③ 5
④ 6 ⑤ 8

1276 최다빈출 왕 중요 TOUGH

원점에서 곡선 $y=(x-a)e^{-x}\ (a\neq0)$에 오직 하나의 접선을 그을 수 있을 때, 상수 a값은?

① -6 ② -4 ③ -2
④ 2 ⑤ 4

▶ 해설 내신연계기출

1277 최다빈출 왕 중요 TOUGH

점 $(k,\ 0)$에서 곡선 $y=(x-1)e^{x}$에 서로 다른 두 개의 접선을 그을 수 있도록 하는 k의 값이 될 수 없는 정수의 개수는?

① 2 ② 3 ③ 4
④ 5 ⑤ 6

▶ 해설 내신연계기출

유형 11 두 곡선의 공통접선

(1) 두 곡선 $y=f(x)$, $y=g(x)$가 $x=a$인 점에서 접한다.

$\Longleftrightarrow$ 두 곡선 $y=f(x)$, $y=g(x)$가 $x=a$인 점에서 공통접선을 가진다.

$\Longleftrightarrow$ ① 함숫값이 같다. $f(a)=g(a)$

② 기울기가 같다. $f'(a)=g'(a)$

(2) 곡선과 직선이 접할 때, 미정계수의 결정

두 곡선 $y=f(x)$, $y=g(x)$이 공통인 접선을 가지는 경우

① 접점이 서로 같은 경우

두 곡선 점 (a, b)에서 서로 접하면

$f(a)=g(a)=b$, $f'(a)=g'(a)$

② 접점이 서로 다른 경우

곡선 $y=f(x)$ 위의 점 $\mathrm{P}(a, f(a))$와 곡선 $y=g(x)$ 위의 점 $\mathrm{Q}(b, g(b))$에서의 접선이 서로 일치할 때, 두 접선의 기울기가 같고 y절편끼리 서로 같다.

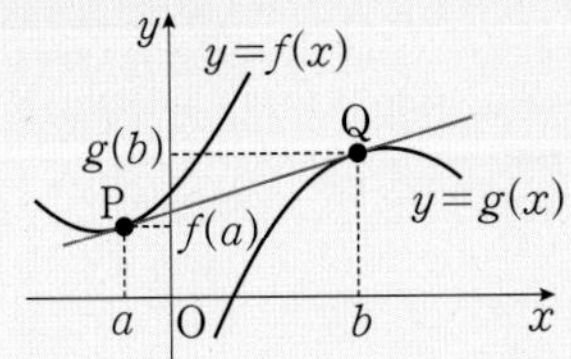

1278 학교기출 대표 유형

두 곡선 $y=ax^2$, $y=\ln x$가 서로 접할 때, 상수 a의 값은?

① $\frac{1}{2e}$ ② $\frac{1}{e}$ ③ 1
④ $\sqrt{e}$ ⑤ $2e$

▶ 해설 내신연계기출

1279 NORMAL

두 함수 $f(x)=a^x$, $g(x)=\log_a x$의 그래프가 한 점에서 만날 때, 상수 a의 값은? (단, $a>1$)

① $\frac{1}{e}$ ② $\frac{2}{e}$ ③ 1
④ $e^{\frac{1}{e}}$ ⑤ $e^{\frac{1}{2}}$

1280 NORMAL

두 곡선 $y=a-\sin^2 x$와 $y=\cos x$의 그래프가 한 점에서 접할 때, 상수 a의 값은? (단, $0<x<\pi$)

① $\frac{1}{2}$ ② 1 ③ $\frac{5}{4}$
④ 2 ⑤ $\frac{5}{2}$

1281 최다빈출 왕중요 TOUGH

곡선 $y=e^x-1$ 위의 점 $(0, 0)$에서의 접선이 곡선 $y=\ln x+a$에 접할 때, 상수 a의 값은?

① $\frac{1}{e}$ ② $\frac{1}{2}$ ③ 1
④ e ⑤ $2e$

▶ 해설 내신연계기출

1282 최다빈출 왕중요 TOUGH

양수 k에 대하여 두 곡선

$$y=ke^x+1,\ y=x^2-3x+4$$

가 점 P에서 만나고, 점 P에서 두 곡선에 접하는 두 직선이 서로 수직일 때, k의 값은?

① $\frac{1}{e}$ ② $\frac{1}{e^2}$ ③ $\frac{2}{e^2}$
④ $\frac{2}{e^3}$ ⑤ $\frac{3}{e^3}$

▶ 해설 내신연계기출

1283 최다빈출 왕중요 TOUGH

곡선 $y=e^x$ 위의 점 $(1, e)$에서의 접선이 곡선 $y=2\sqrt{x-k}$에 접할 때, 실수 k의 값은?

① $\frac{1}{e}$ ② $\frac{1}{e^2}$ ③ $\frac{1}{e^4}$
④ $\frac{1}{e+1}$ ⑤ $\frac{1}{1+e^2}$

▶ 해설 내신연계기출

10 접선의 방정식

11 함수의 그래프

학교내신기출 객관식 핵심문제총정리

STEP 1 내신정복 기출유형

유형 01 함수의 증가와 감소

(1) 함수의 증가와 감소

함수 $f(x)$가 어떤 구간에 속하는 임의의 두 수 x_1, x_2에 대하여 다음과 같이 정의한다.

① $x_1 < x_2$일 때, $f(x_1) < f(x_2)$이면 함수 $f(x)$는 이 구간에서 증가한다고 한다.

② $x_1 < x_2$일 때, $f(x_1) > f(x_2)$이면 함수 $f(x)$는 이 구간에서 감소한다고 한다.

(2) 함수의 증가와 감소의 판정

함수 $y=f(x)$가 어떤 구간에서 미분가능하고, 이 구간의 모든 x에 대하여

① $f'(x) > 0$이면 $f(x)$는 이 구간에서 증가한다.

② $f'(x) < 0$이면 $f(x)$는 이 구간에서 감소한다.

③ $f'(x) = 0$이면 $f(x)$는 이 구간에서 상수함수이다.

앗! 일반적으로 위의 성질의 역은 성립하지 않는다.

(3) 함수의 증가 또는 감소하기 위한 조건

함수 $f(x)$가 어떤 열린구간에서 미분가능하고 이 구간의 모든 x에 대하여

① $f(x)$가 증가하면 이 구간의 모든 x에 대하여 $f'(x) \geq 0$이다.

② $f(x)$가 감소하면 이 구간의 모든 x에 대하여 $f'(x) \leq 0$이다.

앗! 일반적으로 위의 성질의 역은 성립하지 않는다.

1284 학교기출 대표 유형

함수 $f(x)=x-2\sin x$가 증가하는 구간은? (단, $0 < x < 2\pi$)

① $\left(0, \frac{\pi}{3}\right)$　② $\left(\frac{\pi}{6}, \pi\right)$　③ $\left(\frac{\pi}{4}, \frac{5}{3}\pi\right)$
④ $\left(\frac{\pi}{3}, \frac{5}{3}\pi\right)$　⑤ $\left(\frac{\pi}{2}, 2\pi\right)$

1285 NORMAL

함수 $f(x)=\frac{1}{2}x+\sin x$가 구간 $\alpha < x < \beta$에서 감소할 때, $\alpha+\beta$의 값은? (단, $0 < x < 2\pi$)

① $\frac{\pi}{2}$　② π　③ $\frac{3}{2}\pi$
④ 2π　⑤ $\frac{5}{2}\pi$

1286 NORMAL

함수

$$f(x)=(x^2-6x+k)e^x$$

이 실수 전체의 집합에서 증가하도록 하는 실수 k의 최솟값은?

① 6　② 7　③ 8
④ 9　⑤ 10

1287 최다빈출 왕중요 NORMAL

함수

$$f(x)=(x-a)e^{x^2}$$

이 모든 실수 x에 대하여 역함수가 존재하도록 하는 정수 a의 개수는?

① 1　② 2　③ 3
④ 4　⑤ 5

▶ 해설 내신연계기출

1288  NORMAL

함수

$$f(x)=(ax^2+1)e^x$$

이 실수 전체의 집합에서 증가하기 위한 실수 a의 값의 범위는?

① $0 < a < 1$　② $0 \leq a \leq 1$　③ $0 \leq a < 2$
④ $a < 1$　⑤ $1 \leq a < 3$

▶ 해설 내신연계기출

1289 최다빈출 왕중요 TOUGH

함수

$$f(x)=ax+\ln(x^2+4)$$

가 실수 전체의 구간에서 증가하도록 하는 상수 a의 값의 범위는?

① $a \leq -\frac{1}{2}$　② $a \geq \frac{1}{2}$　③ $a \geq 1$
④ $0 < a \leq \frac{1}{4}$　⑤ $0 < a \leq \frac{1}{2}$

▶ 해설 내신연계기출

유형 02 주어진 구간에서의 함수의 증가와 감소

함수 $f(x)$가 어떤 구간에서 미분가능하고, 그 구간에서

① 증가하면 ⇨ 그 구간에 속하는 모든 x에 대하여 $f'(x) \geq 0$

② 감소하면 ⇨ 그 구간에 속하는 모든 x에 대하여 $f'(x) \leq 0$

1290 학교기출 대표 유형

함수 $f(x)=\dfrac{x^2+2x+a}{x^2+1}$가 구간 $(-1, 1)$에서 증가하기 위한 실수 a의 값은?

① 1 ② 2 ③ 3
④ 4 ⑤ 5

1291 최다빈출 왕 중요 NORMAL

함수 $f(x)=-\ln x+ax$가 구간 $(2, 5)$에서 감소하기 위한 실수 a의 최댓값은?

① $\dfrac{1}{5}$ ② $\dfrac{1}{4}$ ③ $\dfrac{1}{2}$
④ 2 ⑤ 5

▶ 해설 내신연계기출

1292 TOUGH

함수 $f(x)=e^{2x}+ae^x-4x$가 구간 $(0, \infty)$에서 증가하기 위한 실수 a의 최솟값은?

① -4 ② -2 ③ 1
④ 2 ⑤ 4

유형 03 유리함수의 극대 극소

(1) 도함수를 이용한 함수의 극대와 극소의 판정
함수 $f(x)$가 미분가능하고 $f'(a)=0$일 때, $x=a$의 좌우에서 $f'(x)$의 부호가

① 양$(+)$에서 음$(-)$으로 바뀌면 $f(x)$는 $x=a$에서 극대이고, 극댓값은 $f(a)$이다.

② 음$(-)$에서 양$(+)$으로 바뀌면 $f(x)$는 $x=a$에서 극소이고, 극솟값은 $f(a)$이다.

(2) 이계도함수를 이용한 극대와 극소의 판정
이계도함수를 갖는 함수 $f(x)$에 대하여 $f'(a)=0$일 때,

① $f''(a)<0$이면 $f(x)$는 $x=a$에서 극대이고, 극댓값은 $f(a)$

② $f''(a)>0$이면 $f(x)$는 $x=a$에서 극소이고, 극솟값은 $f(a)$

앗! 일반적으로 위의 역은 성립하지 않는다.
예를 들면 $f(x)=x^4$은 $x=0$에서 극소이지만
$f'(x)=4x^3$, $f''(x)=12x^2$에서 $f'(0)=0$, $f''(x)=0$이다.

(3) 유리함수는 이계도함수를 구하는 것이 번거로운 경우가 많으므로 도함수의 부호를 조사하여 나타낸 증감표를 이용하여 극값을 구한다. 이때 유리함수는 분모가 0이 아닌 값에서 정의되고, 무리함수는 근호 안의 식이 0 이상이 되는 범위에서 정의된다.

1293 학교기출 대표 유형

함수 $f(x)=\dfrac{x}{x^2+4}$의 극댓값을 M, 극솟값을 m이라 할 때, Mm의 값은?

① $\dfrac{1}{4}$ ② $-\dfrac{1}{4}$ ③ $-\dfrac{1}{16}$
④ $-\dfrac{1}{8}$ ⑤ -16

▶ 해설 내신연계기출

1294 NORMAL

함수 $f(x)=\dfrac{2x-1}{x^2+2}$이 $x=\alpha$에서 극대이고 $x=\beta$에서 극소일 때, $\alpha^2+\beta^2$의 값은?

① 4 ② 5 ③ 6
④ 8 ⑤ 10

1295 최다빈출 왕 중요 NORMAL

함수 $f(x)=\dfrac{x+1}{x^2+3}$의 극댓값과 극솟값의 합은?

① $-\dfrac{2}{3}$ ② $-\dfrac{1}{3}$ ③ 0
④ $\dfrac{1}{3}$ ⑤ $\dfrac{2}{3}$

▶ 해설 내신연계기출

11 함수의 그래프

유형 04 삼각함수의 극대 극소

[1단계] 삼각함수의 미분법과 삼각함수의 여러 가지 공식을 이용하여 $f'(x)$를 구한다.

[2단계] 주어진 x의 값의 범위에서 삼각방정식의 풀이를 이용하여 $f'(x)=0$의 해를 구한다.

[3단계] $f'(x)$의 부호를 조사하여 증감표를 만든다.

참고 함수 $f(x)$의 이계도함수 $f''(x)$가 존재하고 $f'(a)=0$일 때,

① $f''(a)<0$이면 $f(x)$는 $x=a$에서 극대이고 극댓값은 $f(a)$이다.

② $f''(a)>0$이면 $f(x)$는 $x=a$에서 극소이고 극솟값은 $f(a)$이다.

1296 학교기출 대표 유형

구간 $[0, 2\pi]$에서 정의된 함수

$$f(x)=\frac{1}{2}x-\sin x$$

의 극댓값과 극솟값의 합은?

① $\frac{\pi}{3}$ ② $\frac{2}{3}\pi$ ③ π

④ $\frac{5}{4}\pi$ ⑤ $\frac{3}{2}\pi$

1297 최다빈출 왕 중요 NORMAL

구간 $[0, 2\pi]$에서 정의된 함수

$$f(x)=\sin x(1+\cos x)$$

에 대하여 $x=a$에서 극대일 때, 상수 a의 값은?

① 0 ② $\frac{\pi}{3}$ ③ $\frac{5}{6}\pi$

④ $\frac{7}{6}\pi$ ⑤ $\frac{5}{3}\pi$

▶ 해설 내신연계기출

1298 NORMAL

$\frac{\pi}{2}\le x\le\frac{3}{2}\pi$에서 정의된 함수

$$f(x)=4\cos x-\cos 2x$$

는 $x=a$에서 극솟값 b를 갖는다. 이때 ab의 값은?

① -3π ② -4π ③ -5π

④ -6π ⑤ -7π

1299 NORMAL

구간 $(0, \pi)$에서 정의된 함수

$$f(x)=x+\cos 2x$$

에 대하여 극솟값은? (단, 이계도함수를 이용하여 구한다.)

① $\frac{\pi}{12}-\sqrt{3}$ ② $\frac{\pi}{6}+\sqrt{3}$ ③ $\frac{5}{12}\pi-\sqrt{3}$

④ $\frac{\pi}{12}+\frac{\sqrt{3}}{2}$ ⑤ $\frac{5}{12}\pi-\frac{\sqrt{3}}{2}$

1300 최다빈출 왕 중요 NORMAL

$0<x<2\pi$에서 정의된 함수

$$f(x)=\cos x+x\sin x$$

는 $x=\alpha$에서 극솟값 β를 갖는다. 이때 $\alpha\beta$의 값은?

① $-\frac{9}{4}\pi^2$ ② $-\frac{3}{4}\pi^2$ ③ $-\frac{1}{4}\pi^2$

④ π^2 ⑤ $\frac{3}{4}\pi^2$

▶ 해설 내신연계기출

1301 최다빈출 왕 중요 TOUGH

$-\frac{\pi}{2}<x<\frac{\pi}{2}$에서 정의된 함수

$$f(x)=\tan x-2x$$

에 대하여 극댓값과 극솟값의 곱은?

① $-\left(\frac{\pi}{2}-1\right)^2$ ② $\left(\frac{\pi}{3}\right)^2-1$ ③ $\left(\frac{\pi}{4}\right)^2-1$

④ $\left(\frac{\pi}{2}\right)^2+1$ ⑤ $\left(\frac{\pi}{3}\right)^2+1$

▶ 해설 내신연계기출

유형 05 지수함수 로그함수의 극대 극소

[1단계] $(e^x)'=e^x$, $(\ln x)'=\frac{1}{x}$을 이용하여 $f'(x)$를 구한다.

[2단계] $f'(x)=0$을 만족시키는 $x=a$의 값을 구한다.

[3단계] $x=a$의 좌우에서 $f'(x)$의 부호를 조사하여 증감표를 만들거나 이계도함수를 이용하여 극값을 구한다.

1302 학교기출 대표 유형

함수 $f(x)=x^2e^x$의 극댓값은?

① $\frac{1}{e^2}$ ② $\frac{2}{e^2}$ ③ $\frac{4}{e^2}$
④ e ⑤ $2e$

1303 최다빈출 왕중요 NORMAL

함수

$$f(x)=x(\ln x)^2$$

의 극댓값을 a, 극솟값을 b라 할 때, $a+b$의 값은?

① $\frac{1}{e}$ ② $\frac{1}{2e}$ ③ $\frac{1}{2e^2}$
④ $\frac{4}{e^2}$ ⑤ $\frac{4}{e}$

▶ 해설 내신연계기출

1304 NORMAL

함수 $f(x)=x-\ln x$의 극솟값은?

① $\frac{1}{e}$ ② 1 ③ 2
④ e ⑤ 3

1305 NORMAL

함수

$$f(x)=x^2-3x+\ln x$$

가 $x=a$에서 극솟값 b를 가질 때, ab의 값은?

① -2 ② -1 ③ 0
④ 1 ⑤ 2

1306 NORMAL

함수

$$f(x)=(x^2-8)e^{-x+1}$$

은 극솟값 m과 극댓값 M을 가질 때, Mm의 값은?

① -34 ② -32 ③ -30
④ -28 ⑤ -26

1307 최다빈출 왕중요 NORMAL

함수

$$f(x)=(x^2-3)e^{-x}$$

의 극댓값과 극솟값을 각각 a, b라 할 때, ab의 값은?

① $-12e^2$ ② $-12e$ ③ $-\frac{12}{e}$
④ $-\frac{12}{e^2}$ ⑤ $-\frac{12}{e^3}$

▶ 해설 내신연계기출

1308 최다빈출 왕중요 NORMAL

$1<x<e^2$에서 정의된 함수

$$f(x)=\frac{\sin(\ln x)}{x}$$

의 극댓값은?

① $\frac{\sqrt{2}}{2}e^{-\frac{\pi}{4}}$ ② $\frac{\pi}{4}$ ③ $e^{\frac{\pi}{4}}$
④ $\sqrt{2}e^{-\frac{\pi}{4}}$ ⑤ 1

▶ 해설 내신연계기출

1309

NORMAL

열린구간 $(0, 1)$에서 정의된 함수

$$f(x)=-x\ln x-(1-x)\ln(1-x)$$

의 극댓값은?

① 0　② $\ln 2$　③ $\ln 3$　④ $2\ln 2$　⑤ $\ln 5$

1310

NORMAL

양의 실수 t에 대하여 곡선 $y=\ln x$ 위의 두 점 $\mathrm{P}(t, \ln t)$, $\mathrm{Q}(2t, \ln 2t)$에서의 접선이 x축과 만나는 점을 각각 $\mathrm{R}(r(t), 0)$, $\mathrm{S}(s(t), 0)$이라 하자. 함수 $f(t)$를

$$f(t)=r(t)-s(t)$$

라 할 때, 함수 $f(t)$의 극솟값은?

① $-\frac{1}{2}$　② $-\frac{1}{3}$　③ $-\frac{1}{4}$　④ $-\frac{1}{5}$　⑤ $-\frac{1}{6}$

1311 최다빈출 왕중요

NORMAL

구간 $(0, 2\pi)$에서 함수

$$f(x)=e^{-x}\sin x$$

의 극댓값을 M, 극솟값을 m이라 할 때, Mm의 값은?

① $-\frac{\sqrt{2}}{2}e^{-\frac{\pi}{2}}$　② $-\frac{1}{2}e^{-\frac{5}{4}\pi}$　③ $-\frac{1}{2}e^{-\frac{3}{2}\pi}$　④ $\frac{1}{2}e^{\frac{3}{2}\pi}$　⑤ $\frac{\sqrt{2}}{2}e^{\frac{5}{2}\pi}$

▶ 해설 내신연계기출

1312

TOUGH

열린구간 $(0, 2\pi)$에서 정의된 함수

$$f(x)=\frac{\sin x}{e^{2x}}$$

가 $x=a$에서 극솟값을 가질 때, $\cos a$의 값은?

① $-\frac{2\sqrt{5}}{5}$　② $-\frac{\sqrt{5}}{5}$　③ 0　④ $\frac{\sqrt{5}}{5}$　⑤ $\frac{2\sqrt{5}}{5}$

1313

TOUGH

열린구간 $(0, 2\pi)$에서 정의된 함수

$$f(x)=e^{x}(\sin x+\cos x)$$

의 극댓값을 M, 극솟값을 m이라 할 때, Mm의 값은?

① $-e^{2\pi}$　② $-e^{\pi}$　③ $\frac{1}{e^{3\pi}}$　④ $\frac{1}{e^{2\pi}}$　⑤ $\frac{1}{e^{\pi}}$

1314 최다빈출 왕중요

TOUGH

함수

$$f(x)=e^{-x}(\sin x+\cos x)\ (x>0)$$

가 극댓값을 갖는 x의 값을 작은 것부터 차례로

$$x_1,\ x_2,\ x_3,\ \cdots x_n,\ \cdots$$

이라 할 때, $\sum_{n=1}^{\infty} f(x_n)$의 값은?

① $\frac{1}{e^{2\pi}}$　② $\frac{1}{e^{\pi}}$　③ $\frac{1}{e^{2\pi}-1}$　④ $\frac{1}{e^{\pi}-1}$　⑤ $\frac{1}{e^{\pi}+1}$

▶ 해설 내신연계기출

유형 06 극대 극소를 이용한 미정계수의 결정

함수의 극값을 이용하여 미정계수를 구하는 방법은 다음 순서로 구한다.

[1단계] 미분가능한 함수 $y=f(x)$가 $x=a$에서 극값 b를 가지면
$f(a)=b$, $f'(a)=0$임을 이용하여 미지수를 구한다.

[2단계] $f(x)$의 증감표를 이용하여 극값을 구한다.

1315 학교기출 대표 유형

함수

$$f(x)=\frac{x^2+ax+b}{x+1}$$

가 $x=-4$에서 극댓값 -9를 가질 때, 함수 $f(x)$의 극솟값은? (단, a, b는 상수)

① -6 ② -3 ③ 0
④ 1 ⑤ 3

▶ 해설 내신연계기출

1316 NORMAL

함수

$$f(x)=\frac{3x+k}{x^2+1}$$

가 $x=3$에서 극값을 갖는다. 함수 $f(x)$의 극댓값을 M, 극솟값을 m이라 할 때, $M+m$의 값은? (단, k는 상수)

① -6 ② -5 ③ -4
④ -3 ⑤ -2

1317 최다빈출 왕중요 NORMAL

함수

$$f(x)=(x^2+ax+b)e^{3x}$$

가 $x=1$에서 극솟값이 $-2e^3$일 때, 상수 a, b에 대하여 ab의 값은?

① -28 ② $-3e$ ③ -3
④ 3 ⑤ $3e$

▶ 해설 내신연계기출

1318 NORMAL

함수

$$f(x)=x^2e^x+a$$

의 극솟값이 1일 때, 함수 $f(x)$의 극댓값은? (단, a는 상수)

① $\frac{4}{e^2}$ ② $\frac{1}{e}+1$ ③ $\frac{4}{e^2}+1$
④ $\frac{1}{e}+2$ ⑤ $\frac{4}{e^2}+3$

1319 최다빈출 왕중요 NORMAL

함수

$$f(x)=xe^{2x}-(4x+a)e^x$$

가 $x=-\frac{1}{2}$에서 극댓값을 가질 때, $f(x)$의 극솟값은? (단, a는 상수)

① $1-\ln 2$ ② $2-2\ln 2$ ③ $3-3\ln 2$
④ $4-4\ln 2$ ⑤ $5-5\ln 2$

▶ 해설 내신연계기출

1320 최다빈출 왕중요 NORMAL

함수

$$f(x)=\ln x+\frac{a}{x}-x\ (x>0)$$

가 $x=2$에서 극값을 가질 때, 함수 $f(x)$의 극댓값은?

① 1 ② $\ln 2-3$ ③ $\ln 2-2$
④ $\ln 2+1$ ⑤ $\ln 2+4$

▶ 해설 내신연계기출

1321 최다빈출 왕중요 TOUGH

함수

$$f(x)=x+a\cos x\ (a>1)$$

가 $0<x<2\pi$에서 극솟값이 0일 때, 함수 $f(x)$의 극댓값은?

① 1 ② $\frac{\pi}{2}$ ③ π
④ $\frac{3}{2}\pi$ ⑤ $\pi+1$

▶ 해설 내신연계기출

11 함수의 그래프

유형 07 판별식을 이용한 극값의 존재 조건

$f'(x)=\frac{h(x)}{g(x)}$ 또는 $f'(x)=h(x)g(x)$꼴에서 $h(x)$가 이차함수이고
모든 실수 x에 대하여 $g(x)$가 일정 부호일 때,
① 함수 $f(x)$가 극값을 가진다.
⇨ $h(x)=0$이 서로 다른 두 실근을 가진다.
② 함수 $f(x)$가 극값을 가지지 않는다.
⇨ $h(x)=0$이 중근 또는 허근을 가진다.

1322 학교기출 대표 유형

함수

$$f(x)=e^x(x^2+2x+a)$$

가 극값을 갖지 않을 때, 상수 a의 최솟값은?

① 1　② 2　③ 3
④ 4　⑤ 5

▶ 해설 내신연계기출

1323 최다빈출 왕 중요 NORMAL

함수

$$f(x)=2x^2-ax+\ln x$$

가 극값을 가지도록 하는 정수 a의 최솟값은?

① 1　② 3　③ 5
④ 7　⑤ 9

▶ 해설 내신연계기출

1324 NORMAL

함수

$$f(x)=\ln x+\frac{a}{x}-x$$

가 극댓값과 극솟값을 모두 가질 때, 실수 a의 범위는?

① $0<a<\frac{1}{2}$　② $0<a<\frac{1}{4}$　③ $1<a<2$
④ $a>\frac{1}{4}$　⑤ $\frac{1}{4}<a<2$

1325 NORMAL

함수

$$f(x)=kx-\ln(x^2+1)$$

가 극값을 갖지 않을 때, k의 최솟값은? (단, $k>0$)

① $\frac{1}{2}$　② 1　③ $\frac{3}{2}$
④ 2　⑤ $\frac{5}{2}$

1326 최다빈출 왕 중요 NORMAL

함수

$$f(x)=ax+\ln(x^2+9)$$

가 극값을 갖지 않을 때, a의 최솟값은? (단, $a>0$)

① $\frac{1}{3}$　② $\frac{1}{2}$　③ 1
④ $\frac{3}{2}$　⑤ 2

▶ 해설 내신연계기출

1327 TOUGH

함수

$$f(x)=\frac{1}{3}x-\ln(2x^2+n)$$

이 극값을 갖지 않도록 하는 자연수 n의 최솟값은?

① 15　② 16　③ 17
④ 18　⑤ 19

유형 08 판별식을 이용하지 않는 극값을 가질 조건

방정식 $f'(x)=0$의 실근이 존재하고 그 실근의 좌우에서 $f'(x)$의 부호가 바뀌면 함수 $f(x)$가 극값을 가진다.

참고 $f'(x)=a\sin x+b$에서

① 함수 $f(x)$가 극값을 가진다.
⇨ ($f'(x)$의 최댓값)×($f'(x)$의 최솟값)<0

② 함수 $f(x)$가 극값을 가지지 않는다.
⇨ ($f'(x)$의 최댓값)≤ 0 또는 ($f'(x)$의 최솟값)≥ 0

1328 학교기출 대표 유형

함수 $f(x)=\sin x+ax+1$이 극값을 가질 때, 실수 a의 범위는?

① $a>-1$ ② $a<1$ ③ $-1<a<1$
④ $a\leq -1$ ⑤ $a\geq 1$

1329 최다빈출 왕 중요 NORMAL

함수 $f(x)=ax+\sin x$가 극값을 갖지 않도록 하는 실수 a의 범위는?

① $a>-1$ ② $a<1$ ③ $-1<a<0$
④ $-1\leq a\leq 1$ ⑤ $a\leq -1$ 또는 $a\geq 1$

▶ 해설 내신연계기출

1330 TOUGH

함수 $f(x)=x+k\sin x$가 극값을 갖기 위한 실수 k의 범위는?

① $k>-1$ ② $k<1$ ③ $-1<k<1$
④ $k\leq -1$ ⑤ $k>1$ 또는 $k<-1$

유형 09 곡선의 오목과 볼록

곡선의 오목과 볼록의 판정

(1) 함수 $f(x)$가 어떤 구간에서

① $f''(x)>0$이면 $y=f(x)$는 이 구간에서 **아래로 볼록**하다.

② $f''(x)<0$이면 $y=f(x)$는 이 구간에서 **위로 볼록**하다.

(2) 곡선 $y=f(x)$ 위의 임의의 두 점 $\mathrm{P}(a,\ f(a))$, $\mathrm{Q}(b,\ f(b))$에 대하여

① 두 점 P, Q 사이에 있는 곡선 부분이 선분 PQ보다 항상 아래에 있으면 $\frac{f(a)+f(b)}{2}>f\left(\frac{a+b}{2}\right)$이므로 곡선 $y=f(x)$는 이 구간에서 **아래로 볼록**하다.

② 두 점 P, Q 사이에 있는 곡선 부분이 선분 PQ보다 항상 위쪽에 있으면 $\frac{f(a)+f(b)}{2}<f\left(\frac{a+b}{2}\right)$이므로 곡선 $y=f(x)$는 이 구간에서 **위로 볼록**하다.

1331 학교기출 대표 유형

이계도함수를 갖는 함수 $y=f(x)$의 도함수 $y=f'(x)$의 그래프가 오른쪽 그림과 같을 때, 함수 $y=f(x)$의 그래프의 모양이 위로 볼록한 구간은?

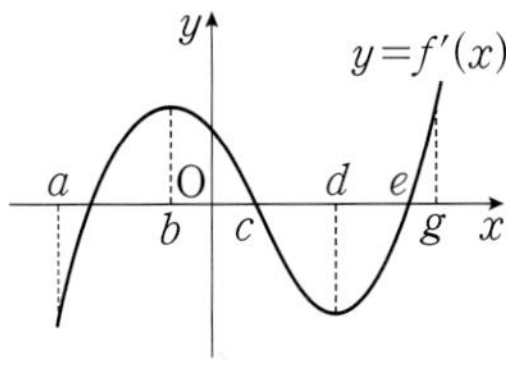

(단, $y=f'(x)$는 $x=b$에서 극대이고 $x=d$에서 극소이다.)

① $(a,\ b)$ ② $(a,\ c)$ ③ $(c,\ e)$
④ $(b,\ d)$ ⑤ $(d,\ g)$

1332 BASIC

삼차함수 $y=f(x)$의 그래프가 다음 그림과 같다.

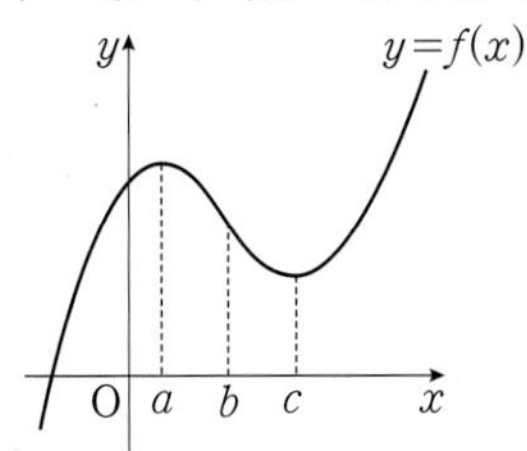

$f'(a)=f'(c)=0$이고 $f''(b)=0$일 때, 다음 두 조건을 동시에 만족하는 x의 값의 범위는?

(가) $f'(x)>0$	(나) $f''(x)>0$

① $x<a$ ② $a<x<b$ ③ $b<x<c$
④ $a<x<c$ ⑤ $x>c$

1333

NORMAL

열린구간 $(0, \pi)$에서 곡선

$$y=x^2+4\cos x$$

가 위로 볼록한 부분의 x의 범위는?

① $\left(0, \frac{\pi}{3}\right)$ ② $\left(\frac{\pi}{3}, \pi\right)$ ③ $\left(\frac{\pi}{2}, \frac{2}{3}\pi\right)$
④ $\left(\frac{2}{3}\pi, \pi\right)$ ⑤ $\left(\frac{\pi}{4}, \frac{2}{3}\pi\right)$

1334

최다빈출 왕 중요 NORMAL

곡선 $y=(-2x+8)e^x$이 구간 $(-\infty, n)$에서 아래로 볼록하도록 하는 모든 자연수 n의 개수는?

① 1 ② 2 ③ 3
④ 4 ⑤ 5

▶ 해설 내신연계기출

1335

최다빈출 왕 중요 NORMAL

곡선 $y=x^2(\ln x-2)$가 위로 볼록인 구간은?

① $1<x<\sqrt{e}$ ② $0<x<\sqrt{e}$ ③ $0<x<e$
④ $0<x<\frac{1}{\sqrt{e}}$ ⑤ $1<x<\frac{1}{\sqrt{e}}$

▶ 해설 내신연계기출

1336

최다빈출 왕 중요 NORMAL

$0<a<b<c<\pi$를 만족하는 임의의 실수 a, b, c에 대하여 다음 중

$$\frac{f(b)-f(a)}{b-a}>\frac{f(c)-f(b)}{c-b}$$

를 만족하는 함수는?

① $f(x)=\sin x$ ② $f(x)=\cos x$ ③ $f(x)=x^2$
④ $f(x)=e^x$ ⑤ $f(x)=x+\cos x$

▶ 해설 내신연계기출

1337

최다빈출 왕 중요 NORMAL

다음 [보기]의 함수 중에서 임의의 두 실수 a, b에 대하여

$$f\left(\frac{a+b}{2}\right)>\frac{f(a)+f(b)}{2}$$

를 만족하는 것을 모두 고르면?

ㄱ. $f(x)=\ln(x+1)$
ㄴ. $f(x)=e^x$
ㄷ. $f(x)=2x^2+1$
ㄹ. $f(x)=\sin x\,(0<x<\pi)$

① ㄱ, ㄴ ② ㄱ, ㄷ ③ ㄱ, ㄹ
④ ㄱ, ㄷ, ㄹ ⑤ ㄱ, ㄴ, ㄷ, ㄹ

▶ 해설 내신연계기출

1338

TOUGH

다음 [보기]에서 $0<a<b<\frac{\pi}{2}$일 때, 항상

$$bf(a)<af(b)$$

를 만족하는 함수 $f(x)$를 모두 고르면?

ㄱ. $f(x)=-\sin x$
ㄴ. $f(x)=\cos x-1$
ㄷ. $f(x)=e^x-1$
ㄹ. $f(x)=\ln(x+1)$

① ㄱ, ㄴ ② ㄱ, ㄷ ③ ㄱ, ㄹ
④ ㄱ, ㄷ, ㄹ ⑤ ㄱ, ㄴ, ㄷ, ㄹ

1339

TOUGH

함수 $f(x)$의 이계도함수가 존재하고 곡선 $y=f(x)$가 아래로 볼록할 때, 다음 [보기] 중 옳은 것을 모두 고른 것은?

ㄱ. $f(x)>0$이면 곡선 $y=\{f(x)\}^2$도 아래로 볼록하다.
ㄴ. 곡선 $y=e^{f(x)}$는 위로 볼록하다.
ㄷ. $f(x)\neq 0$이면 곡선 $y=\frac{1}{f(x)}$도 아래로 볼록하다.

① ㄱ ② ㄴ ③ ㄱ, ㄴ
④ ㄱ, ㄷ ⑤ ㄴ, ㄷ

유형 10 변곡점

이계도함수를 가지는 함수 $y=f(x)$가 변곡점을 가지려면

[1단계] $f''(a)=0$

[2단계] $x=a$의 좌우에서 $f''(x)$의 부호가 바뀌면

점 $(a,\ f(a))$는 곡선 $y=f(x)$의 변곡점이다.

참고 ① 변곡점에서 곡선에 접하는 접선은 일반적인 접선과 달리 그 곡선과 교차한다.

② 삼차함수의 그래프는 변곡점에 대하여 대칭이다.
삼차함수 $y=f(x)$가 $x=a$에서 극대, $x=b$에서 극소일 때, 함수 $y=f(x)$의 변곡점의 x좌표는 $x=\frac{a+b}{2}$이다.

1340 학교기출 대표 유형

함수 $f(x)=xe^x$에 대하여 곡선 $y=f(x)$의 변곡점의 좌표가 $(a,\ b)$일 때, 두 상수 a, b의 곱 ab의 값은?

① $4e^2$ ② e ③ $\frac{1}{e}$
④ $\frac{4}{e^2}$ ⑤ $\frac{9}{e^3}$

1341 최다빈출 왕 중요 BASIC

곡선 $y=\frac{1}{3}x^3+2\ln x$의 변곡점에서의 접선의 기울기는?

① 1 ② $\sqrt{2}$ ③ -2
④ $2\sqrt{2}$ ⑤ 3

▶ 해설 내신연계기출

1342 NORMAL

곡선 $y=4\sin x+x^2\ (0<x<\pi)$의 두 변곡점에서의 접선의 기울기의 합은?

① π ② $\frac{4}{3}\pi$ ③ $\frac{5}{3}\pi$
④ 2π ⑤ $\frac{7}{3}\pi$

1343 최다빈출 왕 중요 NORMAL

열린구간 $(0,\ \pi)$에서 정의된 함수

$$f(x)=2\sin 2x+5x$$

에 대하여 곡선 $y=f(x)$의 변곡점의 좌표가 $(a,\ b)$일 때, $\frac{b}{a}$의 값은?

① 3 ② 4 ③ 5
④ 6 ⑤ 7

▶ 해설 내신연계기출

1344 최다빈출 왕 중요 NORMAL

곡선 $y=\left(\ln\frac{1}{ax}\right)^2$의 변곡점이 직선 $y=2x$ 위에 있을 때, 양수 a의 값은?

① e ② $\frac{5}{4}e$ ③ $\frac{3}{2}e$
④ $\frac{7}{4}e$ ⑤ $2e$

▶ 해설 내신연계기출

1345 NORMAL

곡선 $y=(\ln ax)^2$의 변곡점이 직선 $y=7x$ 위에 있을 때, 양수 a의 값은?

① e ② $2e$ ③ $\frac{7}{4}e$
④ $\frac{7}{2}e$ ⑤ $7e$

11 함수의 그래프

1346 최다빈출 왕중요 TOUGH

좌표평면에서 곡선

$$y=\cos^n x\left(0<x<\frac{\pi}{2},\ n=2,\ 3,\ 4,\ \cdots\right)$$

의 변곡점의 y좌표를 a_n이라 할 때, $\lim_{n\to\infty} a_n$의 값은?

① $\frac{1}{e^2}$ ② $\frac{1}{e}$ ③ $\frac{1}{\sqrt{e}}$
④ $\frac{1}{2e}$ ⑤ $\frac{1}{\sqrt{2e}}$

▶ 해설 내신연계기출

1347 최다빈출 왕중요 TOUGH

함수 $f(x)=\ln(1+x^2)$에 대하여 [보기]에서 옳은 것만을 있는 대로 고른 것은?

> ㄱ. $f'(-n)=-f'(n)$
> ㄴ. 곡선 $y=f(x)$는 열린구간 $(-1,\ 1)$에서 위로 볼록하다.
> ㄷ. 곡선 $y=f(x)$의 두 변곡점에서의 접선은 서로 수직이다.

① ㄱ ② ㄷ ③ ㄱ, ㄷ
④ ㄴ, ㄷ ⑤ ㄱ, ㄴ, ㄷ

▶ 해설 내신연계기출

1348 TOUGH

함수 $y=x(\ln x)^2$의 그래프에 대하여 이 함수가 극소인 점을 A라 하고 변곡점에서의 접선이 x축, y축과 만나는 점을 각각 B, C라고 할 때, 삼각형 ABC의 넓이는?

① $\frac{e-2}{e^2}$ ② $\frac{e-1}{e^2}$ ③ $\frac{e+1}{e^2}$
④ $\frac{1}{e^2}$ ⑤ $\frac{e^2+1}{2}$

유형 11 변곡점의 진위 판단

① 함수 $y=f(x)$의 도함수 $y=f'(x)$의 부호
⇨ $y=f(x)$의 그래프 위의 점에서 그은 접선의 기울기의 부호
② 함수 $y=f'(x)$의 도함수 $y=f''(x)$의 부호
⇨ $y=f'(x)$의 그래프 위의 점에서 그은 접선의 기울기의 부호
③ 함수 $f''(x)>0$ 이면 $y=f(x)$는 이 구간에서 아래로 볼록
④ 함수 $f''(x)<0$ 이면 $y=f(x)$는 이 구간에서 위로 볼록
⑤ 점 $(a,\ f(a))$에서 곡선 $y=f(x)$가 변곡점을 가지려면
[1단계] 방정식 $f''(a)=0$이고
[2단계] $x=a$의 좌우에서 $f''(x)$의 부호가 바뀌어야 한다.

1349 학교기출 대표 유형

열린구간 $(-1,\ 7)$에서 정의된 함수 $f(x)$의 도함수 $y=f'(x)$의 그래프가 그림과 같을 때, 다음 [보기] 중 옳은 것을 모두 고르면?

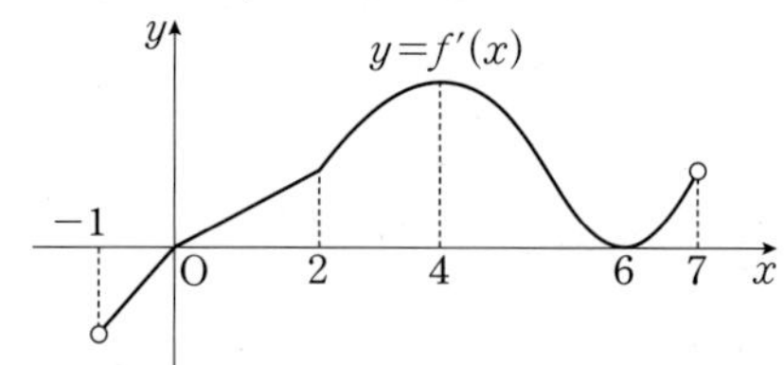

> ㄱ. $f(x)$의 극값은 1개이다.
> ㄴ. $f(x)$의 변곡점은 2개이다.
> ㄷ. $4<x<6$에서 $f(x)$는 증가한다.

① ㄱ ② ㄷ ③ ㄱ, ㄷ
④ ㄴ, ㄷ ⑤ ㄱ, ㄴ, ㄷ

1350 최다빈출 왕중요 BASIC

다음 [보기]에서 이계도함수를 갖는 함수 $y=f(x)$에 대한 설명으로 옳은 것을 모두 고른 것은?

> ㄱ. 함수 $f(x)$가 어떤 구간에서 $f''(x)>0$이면 곡선 $y=f(x)$는 이 구간에서 아래로 볼록하다.
> ㄴ. 함수 $f(x)$가 어떤 구간에서 $f''(x)<0$이면 곡선 $y=f(x)$는 이 구간에서 위로 볼록하다.
> ㄷ. 함수 $f(x)$가 $f''(a)=0$이면 점 $(a,\ f(a))$는 곡선 $y=f(x)$의 변곡점이다.

① ㄱ ② ㄱ, ㄴ ③ ㄱ, ㄷ
④ ㄴ, ㄷ ⑤ ㄱ, ㄴ, ㄷ

▶ 해설 내신연계기출

1351
NORMAL

다음은 함수 $y=f(x)$의 도함수 $y=f'(x)$의 그래프이다. 함수 $y=f(x)$의 그래프에 대하여 옳은 것만을 [보기]에서 있는 대로 고른 것은? (단, $f'(a)=f'(c)=f'(e)=0$, $f''(b)=f''(c)=f''(d)=0$)

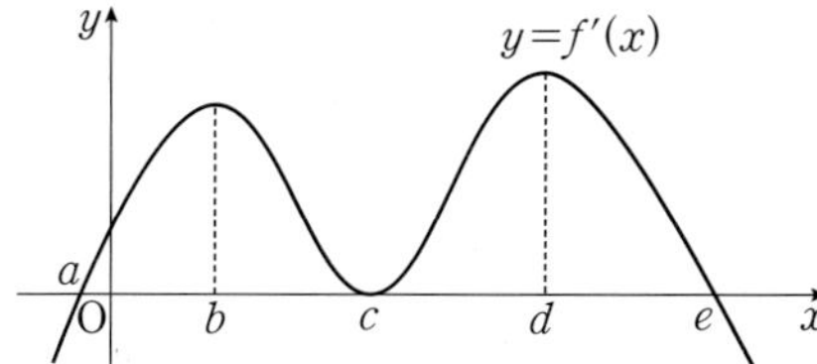

ㄱ. 닫힌구간 $[b, d]$에서 함수 $f(x)$는 극값을 1개 갖는다.
ㄴ. 열린구간 (a, e)에서 함수 $f(x)$는 위로 볼록하다.
ㄷ. 함수 $f(x)$는 $x=c$에서 변곡점을 갖는다.

① ㄱ ② ㄴ ③ ㄷ
④ ㄴ, ㄷ ⑤ ㄱ, ㄴ, ㄷ

1352
NORMAL

연속함수 $y=f(x)$의 도함수 $y=f'(x)$의 그래프가 다음과 같을 때, [보기]에서 옳은 것만을 있는 대로 고른 것은?

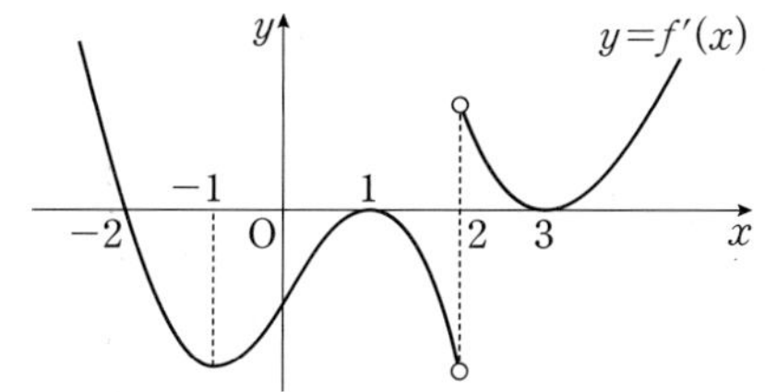

ㄱ. 함수 $f(x)$가 극값을 갖는 점은 1개이다.
ㄴ. 함수 $f(x)$의 그래프의 변곡점은 2개이다.
ㄷ. 함수 $f(x)$의 그래프의 변곡점에서의 접선 중 x축에 평행한 접선이 존재한다.
ㄹ. 구간 $(0, 1)$에서 함수 $f(x)$는 증가하고, 그래프가 위로 볼록하다.

① ㄷ ② ㄴ, ㄷ ③ ㄱ, ㄷ, ㄹ
④ ㄴ, ㄷ, ㄹ ⑤ ㄱ, ㄴ, ㄷ, ㄹ

1353
NORMAL

다항함수 $y=f(x)$의 도함수 $y=f'(x)$의 그래프가 그림과 같을 때, 옳은 것만을 [보기]에서 있는 대로 고른 것은?

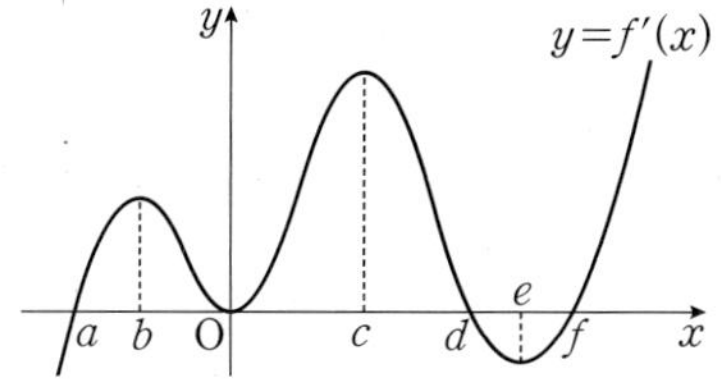

ㄱ. 구간 $[a, f]$에서 $f(x)$의 변곡점은 4개이다.
ㄴ. 구간 $[a, e]$에서 $f(x)$가 극대가 되는 x의 개수는 1개이다.
ㄷ. 구간 $[a, e]$에서 $f(x)$의 최댓값은 $f(c)$이다.

① ㄱ ② ㄷ ③ ㄱ, ㄴ
④ ㄴ, ㄷ ⑤ ㄱ, ㄴ, ㄷ

1354
TOUGH

그림은 이계도함수를 갖는 함수 $y=f(x)$의 도함수 $y=f'(x)$의 그래프이다. $y=f'(x)$의 그래프가 $x=4$에서 x축에 접하고 $x=1$, $x=4$, $x=6$에서 극값을 가질 때, 옳은 것만을 [보기]에서 있는 대로 고른 것은?

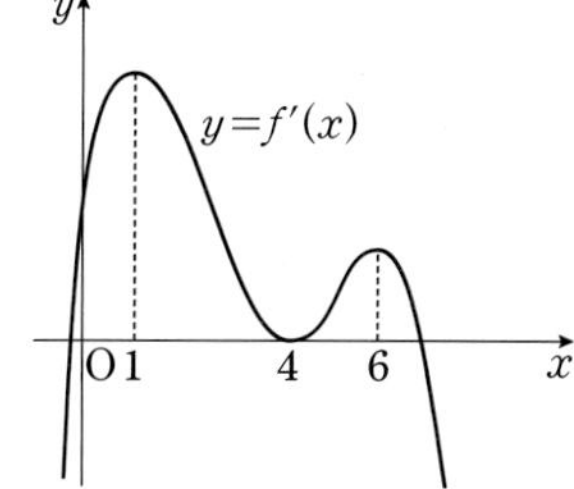

ㄱ. 함수 $f(x)$의 변곡점은 3개이다.
ㄴ. $f(x)$는 서로 다른 세 점에서 극값을 가진다.
ㄷ. $1<x_1<x_2<4$인 임의의 x_1, x_2에 대하여 $f\left(\frac{x_1+x_2}{2}\right)<\frac{f(x_1)+f(x_2)}{2}$이다.
ㄹ. $f(0)=0$일 때, 양의 실수 a에 대하여 방정식 $f(x)=a$가 서로 다른 두 실근을 가지면 $f(x)$의 극댓값은 a이다.

① ㄱ, ㄴ ② ㄱ, ㄷ ③ ㄱ, ㄹ
④ ㄴ, ㄷ, ㄹ ⑤ ㄷ, ㄹ

1355
TOUGH

실수 전체의 집합에서 미분가능한 함수 $f(x)$가 모든 실수 x에 대하여 다음 조건을 만족시킨다.

(가) $f(x)\neq 1$
(나) $f(x)+f(-x)=0$
(다) $f'(x)=\{1+f(x)\}\{1+f(-x)\}$

[보기]에서 옳은 것만을 있는 대로 고른 것은?

ㄱ. 모든 실수 x에 대하여 $f(x)\neq -1$이다.
ㄴ. 함수 $f(x)$는 어떤 열린구간에서 감소한다.
ㄷ. 곡선 $y=f(x)$는 세 개의 변곡점을 갖는다.

① ㄱ ② ㄴ ③ ㄱ, ㄷ
④ ㄴ, ㄷ ⑤ ㄱ, ㄴ, ㄷ

유형 12 변곡점과 미정계수의 결정

이계도함수가 존재하는 함수 $y=f(x)$에 대하여

① 곡선 $y=f(x)$가 $x=a$에서 극값 b를 가지면

⇨ $f(a)=b$이고 $f'(a)=0$

② 점 (a, b)가 곡선 $y=f(x)$의 변곡점이면

⇨ $f(a)=b$이고 $f''(a)=0$

1356 학교기출 대표 유형

좌표평면에서 점 $(2, a)$가 곡선 $f(x)=\frac{2}{x^2+b}$ $(b>0)$의 변곡점일 때, 상수 a, b에 대하여 $\frac{b}{a}$의 값은?

① 12 ② 24 ③ 36
④ 56 ⑤ 96

1357 최다빈출 왕 중요 NORMAL

함수

$$f(x)=xe^x+ax^2+bx$$

가 $x=0$에서 극소이고 변곡점의 x좌표가 -2일 때, 상수 a, b에 대하여 $a+b$의 값은?

① -2 ② -1 ③ 0
④ 1 ⑤ 2

▶ 해설 내신연계기출

1358 NORMAL

함수

$$f(x)=ax^2+bx^2\ln x$$

에 대하여 점 $(e, 3e^2)$이 곡선 $y=f(x)$의 변곡점일 때, 상수 a, b에 대하여 $a-b$의 값은? (단, $ab\neq0$)

① 6 ② 7 ③ 8
④ 9 ⑤ 10

1359 최다빈출 왕 중요 NORMAL

함수

$$f(x)=ax^2+bx-\ln x$$

가 $x=1$에서 극대이고 변곡점의 x좌표가 $\frac{1}{2}$일 때, 함수 $f(x)$의 극솟값은?

① $-3+2\ln 2$ ② $-1+2\ln 2$ ③ $\frac{9}{8}+2\ln 2$
④ $2+2\ln 2$ ⑤ $3+3\ln 2$

▶ 해설 내신연계기출

1360 NORMAL

함수

$$f(x)=\frac{ax+b}{x^2+c}$$

가 $x=-2$에서 극솟값 -1을 갖고 $x=0$에서 변곡점을 가질 때, 함수 $f(x)$의 극댓값은? (단, a, b, c는 상수이다.)

① 1 ② 2 ③ 3
④ 4 ⑤ 5

1361 TOUGH

$\pi<x<2\pi$일 때 함수

$$f(x)=a\sin x+b\cos x+cx$$

는 $x=\frac{7}{6}\pi$에서 극소이고, 곡선 $y=f(x)$의 변곡점의 좌표는 $\left(\frac{3}{2}\pi, -\frac{3}{2}\pi\right)$일 때 상수 a, b, c에 대하여 $a+b+c$의 값은?

① -2 ② -1 ③ 0
④ 1 ⑤ 2

유형 13 변곡점이 존재하기 위한 조건

(1) 함수 $f(x)$가 변곡점이 존재하기 위한 조건
함수 $f(x)$에서 $f''(x)=0$의 실근이 존재하고 그 실근의 좌우에서 $f''(x)$의 부호가 바뀌어야 한다.

(2) 함수 $f(x)$가 변곡점을 갖지 않을 조건
$f''(x)=0$의 해가 존재하지 않거나 $f''(x)$의 부호가 바뀌지 않는다.

참고 $f''(x)$의 부호가 바뀌지 않는 경우

① $f''(x)=0$이 중근을 가질 때,
예를 들면
$f''(x)=p(x-a)^2$($p>0$인 상수)일 때,
$f''(x)=p(x-a)^2\geq 0$이므로 $f''(x)$의 부호는 바뀌지 않는다.
같은 방법으로 $p<0$인 상수일 때,
$f''(x)=p(x-a)^2\leq 0$이므로 $f''(x)$의 부호는 바뀌지 않는다.

② $f''(x)=0$인 $\sin x=\pm1$, $\cos=\pm1$을 가질 때,
예를 들면
$f''(x)=1\pm\sin x$이면 $f''(x)=1\pm\sin x\geq 0$이므로 $f''(x)$의 부호는 바뀌지 않는다.
$f''(x)=1\pm\cos x$이면 $f''(x)=1\pm\cos x\geq 0$이므로 $f''(x)$의 부호는 바뀌지 않는다.

1362 학교기출 대표 유형

곡선

$$y=ax^2+e^x+e^{-x}$$

이 변곡점을 갖기 위한 실수 a의 값의 범위는?

① $a<-1$ ② $-1<a<2$ ③ $0<a<2$
④ $a>-1$ ⑤ $a>2$

1363 최다빈출 왕 중요 NORMAL

함수 $f(x)=\frac{1}{2}ax^2+3\sin x+x$가 변곡점을 갖도록 하는 실수 a의 값의 범위는?

① $a<-3$ ② $-1<a<1$ ③ $0<a<3$
④ $a>-3$ ⑤ $-3<a<3$

▶ 해설 내신연계기출

1364 최다빈출 왕 중요 NORMAL

곡선

$$y=ax^2-2\sin 2x$$

가 변곡점을 갖도록 하는 정수 a의 개수는?

① 4 ② 5 ③ 6
④ 7 ⑤ 8

▶ 해설 내신연계기출

1365 NORMAL

열린구간 $(0, 2\pi)$에서 곡선

$$y=ax^2-2x+4\cos x$$

가 변곡점을 갖도록 하는 정수 a의 개수는?

① 1 ② 2 ③ 3
④ 4 ⑤ 5

1366 최다빈출 왕 중요 TOUGH

함수

$$f(x)=3\sin kx+4x^3$$

의 그래프가 오직 하나의 변곡점을 가지도록 하는 실수 k의 최댓값은?

① 2 ② 3 ③ 4
④ 5 ⑤ 6

▶ 해설 내신연계기출

1367 최다빈출 왕 중요 TOUGH

곡선

$$f(x)=2x^2+a\cos x$$

의 그래프가 변곡점을 갖지 않도록 하는 정수 a의 개수는? (단, $a\neq 0$)

① 8 ② 10 ③ 12
④ 14 ⑤ 16

▶ 해설 내신연계기출

11 함수의 그래프

유형 14 함수의 그래프

함수 $y=f(x)$의 그래프의 개형은 다음을 고려하여 그린다.

① 곡선 $f(x)$의 정의역과 치역

② 곡선 $y=f(x)$의 좌표축과의 교점

③ 곡선 $y=f(x)$의 대칭성과 주기

④ 함수의 증가와 감소, 극대와 극소

⑤ 곡선 $y=f(x)$의 오목과 볼록, 변곡점

⑥ $\lim_{x\to\infty}f(x)$, $\lim_{x\to-\infty}f(x)$를 구하여 점근선을 찾아 그린다.

1368 학교기출 대표 유형

다음 중 함수의 그래프의 개형이 옳지 않은 것은?

① $f(x)=\frac{x^2}{x-1}$

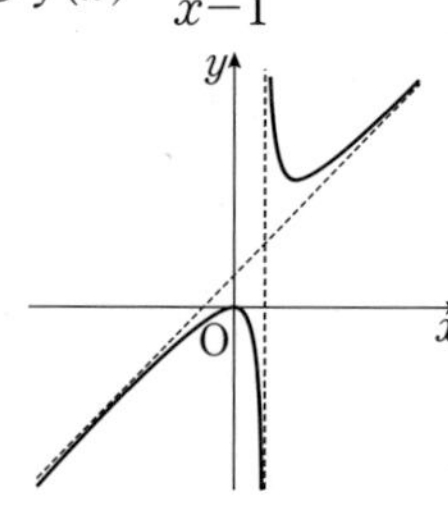

② $f(x)=e^{-x^2}$

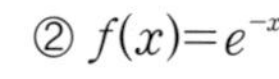

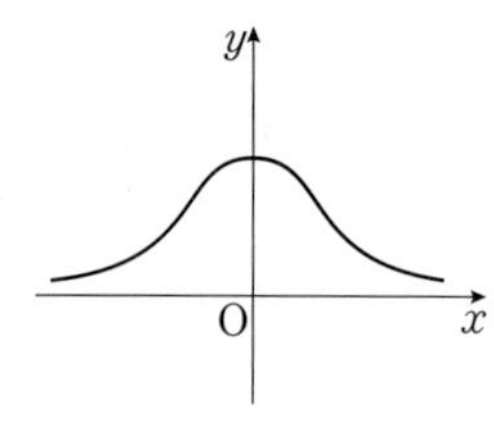

③ $f(x)=x-\ln x$

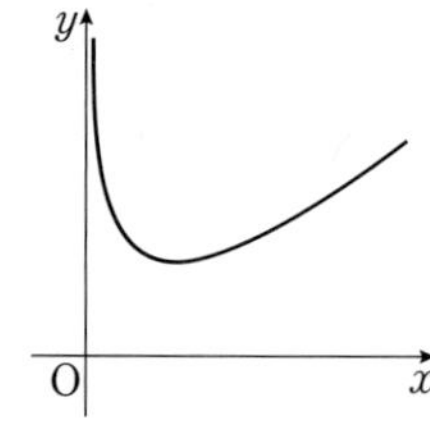

④ $f(x)=x+2\sin x\,(0<x<2\pi)$

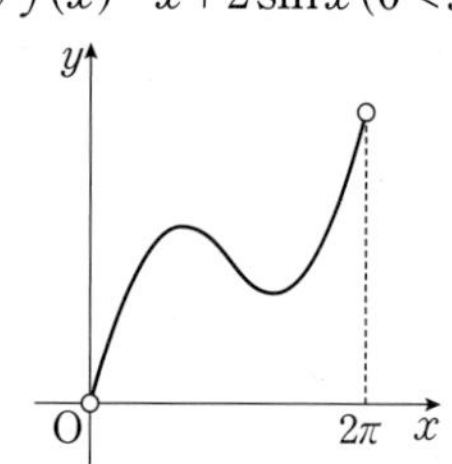

⑤ $f(x)=\frac{\ln x}{x}$

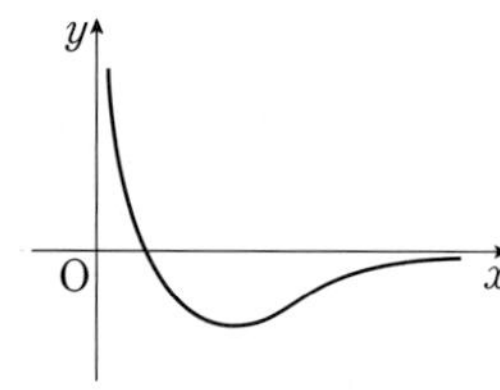

1369 최다빈출 왕 중요 NORMAL

다음 중 함수의 그래프의 개형이 옳지 않은 것은?

① $f(x)=xe^x$

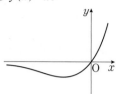

② $f(x)=x\ln x$

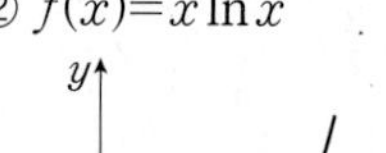

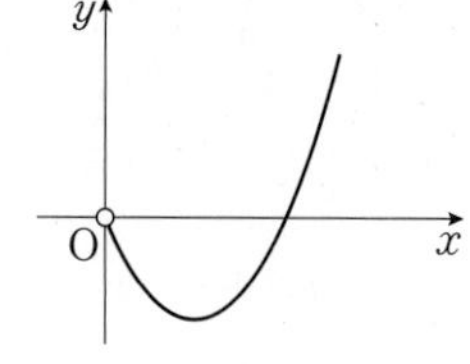

③ $f(x)=x^2e^x$

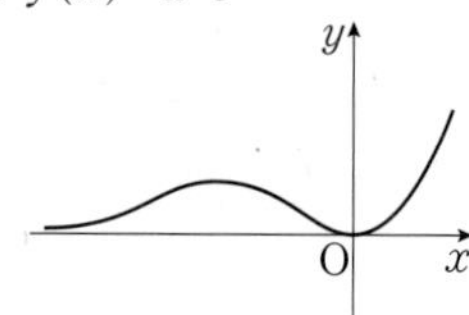

④ $f(x)=(1-x)e^x$

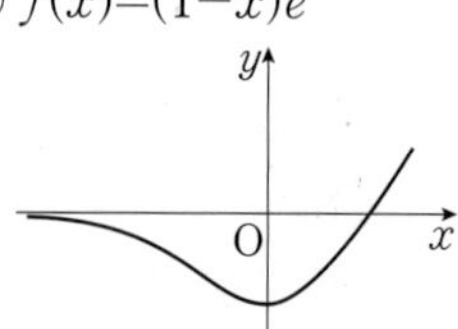

⑤ $f(x)=xe^{-x}$

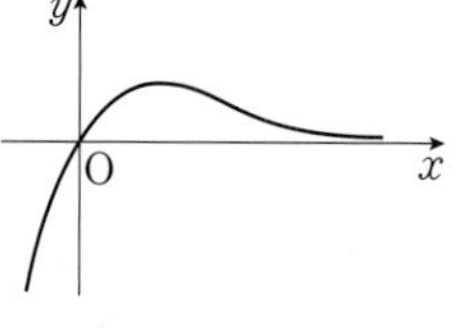

▶ 해설 내신연계기출

1370 최다빈출 왕 중요 NORMAL

함수 $f(x)=xe^x$의 그래프에 대한 [보기]의 설명에서 옳은 것만을 있는 대로 고른 것은? (단, $\lim_{x\to-\infty}f(x)=0$)

ㄱ. $-2<a<b<-1$일 때, $f\left(\frac{a+b}{2}\right)>\frac{f(a)+f(b)}{2}$이다.

ㄴ. 변곡점의 좌표는 $\left(-2,\ -\frac{2}{e^2}\right)$이다.

ㄷ. 극솟값은 $x=-1$일 때, $-\frac{1}{e}$이다.

① ㄱ ② ㄷ ③ ㄱ, ㄴ
④ ㄴ, ㄷ ⑤ ㄱ, ㄴ, ㄷ

▶ 해설 내신연계기출

1371 NORMAL

함수 $f(x)=x\ln x$에 대한 설명으로 옳은 것만을 [보기]에서 있는 대로 고른 것은? (단, $\lim_{x\to0+}x\ln x=0$)

ㄱ. $0<a<b$일 때, $f\left(\frac{a+b}{2}\right)<\frac{f(a)+f(b)}{2}$이다.

ㄴ. 함수 $f(x)$는 $x=\frac{1}{e}$에서 극솟값을 갖는다.

ㄷ. 방정식 $f(x)=k$가 서로 다른 두 실근을 갖도록 하는 실수 k의 범위는 $-\frac{1}{e}<k<0$이다.

① ㄱ ② ㄷ ③ ㄱ, ㄴ
④ ㄴ, ㄷ ⑤ ㄱ, ㄴ, ㄷ

1372
최다빈출 왕중요 NORMAL

다음 [보기]에서 함수 $f(x)=-2x^2+5x-\ln x$의 그래프에 대한 설명으로 옳은 것을 모두 고른 것은?

ㄱ. $x=1$에서 극댓값 3을 가진다.
ㄴ. 점 $\left(\frac{1}{2},\ 2+\ln 2\right)$는 변곡점이다.
ㄷ. $0<a<b<\frac{1}{2}$에서 $f\left(\frac{a+b}{2}\right)>\frac{f(a)+f(b)}{2}$

① ㄱ ② ㄷ ③ ㄱ, ㄴ
④ ㄱ, ㄷ ⑤ ㄱ, ㄴ, ㄷ

▶ 해설 내신연계기출

1373
최다빈출 왕중요 NORMAL

함수 $f(x)=e^{-x^2}$에 대한 다음 [보기]의 설명 중 옳은 것만을 있는 대로 고른 것은?

ㄱ. 극댓값 1, 극솟값 $\frac{1}{e}$을 가진다.
ㄴ. 변곡점은 2개이다.
ㄷ. $-\frac{\sqrt{2}}{2}<a<b<\frac{\sqrt{2}}{2}$에서 $f\left(\frac{a+b}{2}\right)>\frac{f(a)+f(b)}{2}$이다.

① ㄴ ② ㄷ ③ ㄱ, ㄴ
④ ㄱ, ㄷ ⑤ ㄴ, ㄷ

▶ 해설 내신연계기출

1374
NORMAL

$0<x<2\pi$일 때, 함수 $f(x)=e^{-x}\cos x$에 대하여 다음 [보기] 중 옳은 것을 있는 대로 고른 것은?

ㄱ. $x=\frac{3}{4}\pi$에서 극소이다.
ㄴ. 곡선 $y=f(x)$는 $0<x<\pi$에서 위로 볼록하다.
ㄷ. 곡선 $y=f(x)$의 변곡점의 좌표는 $\left(\pi,\ -\frac{1}{e^{\pi}}\right)$이다.

① ㄱ ② ㄴ ③ ㄴ, ㄷ
④ ㄱ, ㄷ ⑤ ㄱ, ㄴ, ㄷ

1375
NORMAL

양의 실수 전체의 집합에서 정의된 함수 $f(x)=e^x+\frac{1}{x}$이 $x=\alpha$에서 극값을 가질 때, 옳은 것만을 [보기]에서 있는 대로 고른 것은? (단, e는 자연로그의 밑이다.)

ㄱ. $e^{\alpha}=\frac{1}{\alpha^2}$
ㄴ. 곡선 $y=f(x)$의 변곡점이 존재한다.
ㄷ. 함수 $f(x)$는 $x=\alpha$에서 최솟값을 갖는다.

① ㄱ ② ㄴ ③ ㄱ, ㄴ
④ ㄱ, ㄷ ⑤ ㄱ, ㄴ, ㄷ

1376
TOUGH

함수 $f(x)=4\ln x+\ln(10-x)$에 대하여 [보기]에서 옳은 것을 있는 대로 고른 것은?

ㄱ. 함수 $f(x)$의 최댓값은 $13\ln 2$이다.
ㄴ. 방정식 $f(x)=0$은 서로 다른 두 실근을 갖는다.
ㄷ. 함수 $y=e^{f(x)}$의 그래프는 구간 $(4,\ 8)$에서 위로 볼록하다.

① ㄱ ② ㄷ ③ ㄱ, ㄴ
④ ㄴ, ㄷ ⑤ ㄱ, ㄴ, ㄷ

1377
TOUGH

함수 $f(x)=x+2\sin x\,(0<x<2\pi)$에 대하여 [보기]에서 옳은 것을 있는 대로 고른 것은?

ㄱ. 함수 $f(x)$는 $x=\frac{2}{3}\pi$에서 극댓값을 $x=\frac{4}{3}\pi$에서 극솟값을 갖는다.
ㄴ. 극댓값과 극솟값의 합은 2π이다.
ㄷ. $0<a<b<\frac{\pi}{2}$일 때, $af(b)<bf(a)$이다.

① ㄱ ② ㄷ ③ ㄱ, ㄴ
④ ㄴ, ㄷ ⑤ ㄱ, ㄴ, ㄷ

유형 15 대칭인 유리함수의 그래프 개형

(1) $f(x)=\dfrac{b}{x^2+a}\,(a>0,\ b>0)$의 그래프 개형

① 함수 $y=f(x)$는 y축에 대하여 대칭이다.

② $x=0$에서 $f(x)$는 극댓값이자 최댓값 $\dfrac{b}{a}$를 갖는다.

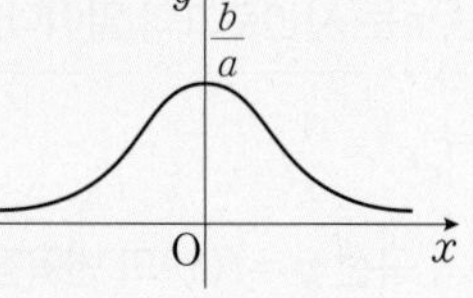

③ 점근선은 $\lim\limits_{x\to\pm\infty}\dfrac{b}{x^2+a}=0$이므로 $y=0$이다.

(2) $f(x)=\dfrac{bx}{x^2+a}\,(a>0,\ b>0)$의 그래프 개형

① 함수 $y=f(x)$는 원점에 대하여 대칭이다.

② 극댓점과 극솟점이 원점에 대하여 대칭이고 각각 최댓값, 최솟값이 된다.

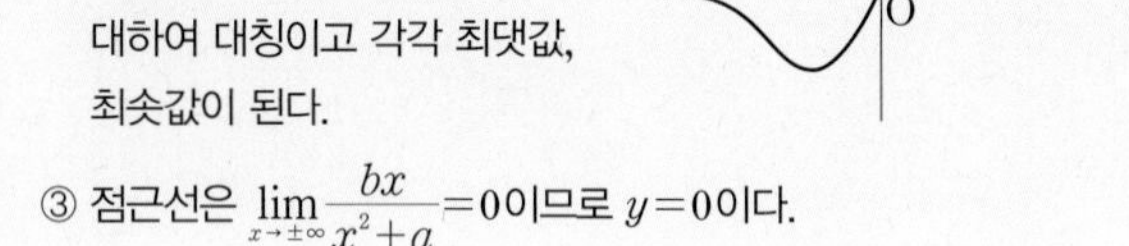

③ 점근선은 $\lim\limits_{x\to\pm\infty}\dfrac{bx}{x^2+a}=0$이므로 $y=0$이다.

1378 학교기출 대표 유형

다음 [보기]에서 함수 $f(x)=\dfrac{2x}{x^2+1}$에 대한 설명으로 옳은 것은?

ㄱ. 그래프는 원점에 대하여 대칭이다.
ㄴ. 함수 $y=f(x)$의 변곡점은 3개이다.
ㄷ. $f(x)$의 최댓값은 1, 최솟값은 -1이다.
ㄹ. $-\sqrt{3}<a<b<0$에서 $f\left(\dfrac{a+b}{2}\right)>\dfrac{f(a)+f(b)}{2}$이다.

① ㄱ ② ㄷ ③ ㄱ, ㄴ, ㄷ
④ ㄱ, ㄷ, ㄹ ⑤ ㄱ, ㄴ, ㄷ, ㄹ

▶ 해설 내신연계기출

1379 NORMAL

방정식 $\dfrac{2x}{x^2+1}=k$가 적어도 하나의 실근을 갖도록 하는 정수 k의 개수는?

① 2 ② 3 ③ 4
④ 5 ⑤ 6

1380 최다빈출 왕중요 NORMAL

양수 a에 대하여 구간 $[-a-1,\ a]$에서 함수 $f(x)=\dfrac{2x}{x^2+1}$의 최댓값을 M, 최솟값을 m이라 할 때, $M+m=0$이 되도록 하는 a의 최솟값은?

① 1 ② 3 ③ 4
④ 5 ⑤ 6

▶ 해설 내신연계기출

1381 TOUGH

함수 $f(x)=\dfrac{x^2}{x-1}$에 대한 설명으로 [보기]에서 옳은 것은?

ㄱ. 함수 $f(x)$는 $x=2$에서 극솟값을 $x=0$에서 극댓값을 갖는다.
ㄴ. 함수 $f(x)$의 변곡점은 2개이다.
ㄷ. 점근선의 방정식은 $x=1,\ y=x+1$이다.

① ㄱ ② ㄴ ③ ㄱ, ㄴ
④ ㄱ, ㄷ ⑤ ㄱ, ㄴ, ㄷ

1382 최다빈출 왕중요 TOUGH

함수 $f(x)=\dfrac{x}{x^2+1}$에 대하여 [보기]에서 옳은 것만을 있는 대로 고른 것은?

ㄱ. $f'(0)=1$
ㄴ. 모든 실수 x에 대하여 $f(x)\ge-\dfrac{1}{2}$이다.
ㄷ. $0<a<b<1$일 때, $\dfrac{f(b)-f(a)}{b-a}>1$이다.

① ㄱ ② ㄷ ③ ㄱ, ㄴ
④ ㄴ, ㄷ ⑤ ㄱ, ㄴ, ㄷ

▶ 해설 내신연계기출

유형 16 $f(x)=\frac{\ln x}{x}$의 그래프 개형

$f(x)=\frac{\ln x}{x}$의 그래프 개형

$f(x)=\frac{\ln x}{x}$에서 $x>0$이고

$f'(x)=\frac{\frac{1}{x}\cdot x-\ln x}{x^2}=\frac{1-\ln x}{x^2}$

$f''(x)=\frac{-\frac{1}{x}\cdot x^2-(1-\ln x)\cdot 2x}{x^4}=\frac{2\ln x-3}{x^3}$

$f'(x)=0$에서 $1-\ln x=0$에서 $x=e$

$f''(x)=0$에서 $2\ln x-3=0$에서 $x=e^{\frac{3}{2}}$

함수 $f(x)$의 증가와 감소, 오목과 볼록을 표로 정리하면 다음과 같다.

x	(0)	$\cdots$	e	$\cdots$	$e^{\frac{3}{2}}$	$\cdots$
$f'(x)$		$+$	0	$-$	$-$	$-$
$f''(x)$		$-$	$-$	$-$	0	$+$
$f(x)$		↗	$\frac{1}{e}$	↘	$\frac{3}{2}e^{-\frac{3}{2}}$	↘

이때 $\lim_{x\to\infty}\frac{\ln x}{x}=0$, $\lim_{x\to 0+}\frac{\ln x}{x}=-\infty$이므로 x축이 점근선이다.

극댓점 $\left(e, \frac{1}{e}\right)$, 변곡점 $\left(e^{\frac{3}{2}}, \frac{3}{2}e^{-\frac{3}{2}}\right)$이고 그래프의 개형은 다음과 같다.

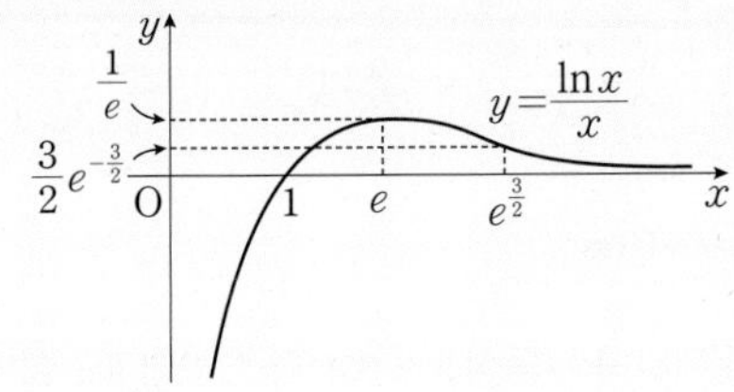

1383 학교기출 대표 유형

함수 $y=\frac{\ln x}{x}$가 $x=a$에서 극댓값 b를 가질 때, 두 실수 a, b에 대하여 ab의 값은?

① 0 ② 1 ③ 2
④ 3 ⑤ 4

1384 최다빈출 왕중요 BASIC

함수 $y=\frac{\ln x}{x}$가 최댓값을 가질 때의 x의 값은?

① 1 ② $\frac{1}{e}$ ③ e
④ $2e$ ⑤ e^2

▶ 해설 내신연계기출

1385 BASIC

곡선 $f(x)=\frac{\ln x}{x}$의 변곡점에서의 접선의 기울기는?

① $-\frac{3}{2}e^{\frac{3}{2}}$ ② $-\frac{1}{2}e^{-3}$ ③ $\frac{1}{e}$
④ $2e^{-\frac{3}{2}}$ ⑤ $\frac{3}{2}e^{-\frac{3}{2}}$

1386 BASIC

x에 대한 방정식 $\frac{\ln x}{x}=a$가 오직 하나의 실근을 갖도록 하는 양수 a의 값은?

① $\frac{1}{e}$ ② $\frac{2}{e}$ ③ 1
④ e ⑤ $2e$

1387 최다빈출 왕중요 TOUGH

함수 $f(x)=\frac{\ln x}{x}$에 대한 다음 [보기]의 설명 중 옳은 것을 있는 대로 고른 것은?
(단, $\lim_{x\to 0+}f(x)=-\infty$, $\lim_{x\to\infty}f(x)=0$이고 e는 자연로그의 밑이다.)

ㄱ. $x=e$에서 극댓값을 갖는다.
ㄴ. 변곡점의 좌표는 $\left(e^{\frac{3}{2}}, \frac{3}{2}e^{-\frac{3}{2}}\right)$이다.
ㄷ. 함수 $y=f(x)$의 그래프는 x축과 서로 다른 두 점에서 만난다.

① ㄱ ② ㄷ ③ ㄱ, ㄴ
④ ㄴ, ㄷ ⑤ ㄱ, ㄴ, ㄷ

▶ 해설 내신연계기출

1388 TOUGH

n이 자연수일 때, 함수 $f(x)=\frac{\ln x}{x^n}$ $(x>0)$에 대하여 옳은 것을 [보기]에서 있는 대로 고르면?

ㄱ. 함수 $f(x)$는 극댓값을 갖는다.
ㄴ. $n=1$일 때, $0<x<e^{\frac{3}{2}}$에서 함수 $y=f(x)$의 그래프는 위로 볼록하다.
ㄷ. 모든 자연수 n에 대하여 $f(x)\geq\frac{1}{e}$이다.

① ㄱ ② ㄷ ③ ㄱ, ㄴ
④ ㄴ, ㄷ ⑤ ㄱ, ㄴ, ㄷ

유형 17 함수 $f(x)=xe^{-x}$의 그래프 개형

$f(x)=xe^{-x}$의 그래프 개형

$f(x)=xe^{-x}$에서

$f'(x)=-(x-1)e^{-x}$, $f''(x)=(x-2)e^{-x}$

$f'(x)=0$에서 $x=1$

$f''(x)=0$에서 $x=2$

함수 $f(x)$의 증가, 감소 및 오목, 볼록을 표로 나타내면 다음과 같다.

x	$\cdots$	1	$\cdots$	2	$\cdots$
$f'(x)$	+	0	−	−	−
$f''(x)$	−	−	−	0	+
$f(x)$	↗	극대	↘	변곡점	↘

이때 $\lim_{x\to\infty}f(x)=\lim_{x\to\infty}xe^{-x}=\lim_{x\to\infty}\frac{x}{e^x}=\lim_{x\to\infty}\frac{1}{e^x}=0$이므로

x축이 점근선이다.

따라서 극댓점 $\left(1, \frac{1}{e}\right)$, 변곡점 $(2, 2e^{-2})$이다.

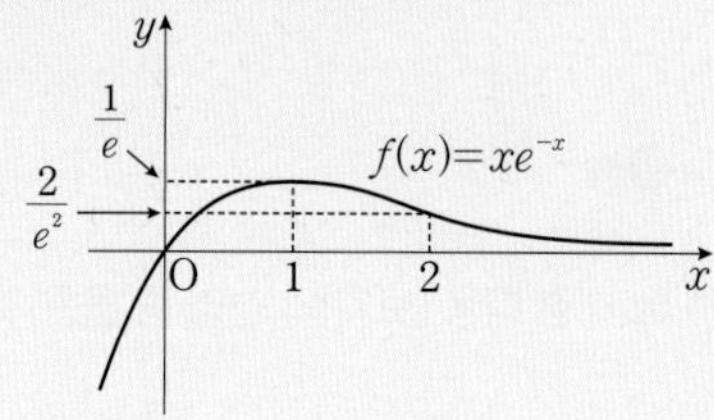

1389

학교기출 대표 유형

함수 $f(x)=xe^{-x}$의 변곡점에서의 접선의 방정식이 $y=ax+b$일 때, 상수 a, b에 대하여 $a+b$의 값은?

① $-e^2$ ② $-3e^{-2}$ ③ -1
④ e^{-2} ⑤ $3e^{-2}$

▶ 해설 내신연계기출

1390

최다빈출 왕중요 BASIC

함수 $f(x)=xe^{-x}\,(-1\le x\le 3)$의 최댓값을 M, 최솟값을 m이라 할 때, Mm의 값은? (단, $\lim_{x\to\infty}xe^{-x}=0$)

① -2 ② -1 ③ 1
④ 2 ⑤ 3

▶ 해설 내신연계기출

1391

NORMAL

오른쪽 그림과 같이 곡선 $y=e^{-x}$ 위의 제 1사분면 위에 있는 점 P에서 x축과 y축에 내린 수선의 발을 각각 Q, R이라고 할 때, 직사각형 OQPR의 넓이의 최댓값은? (단, $\lim_{x\to\infty}xe^{-x}=0$)

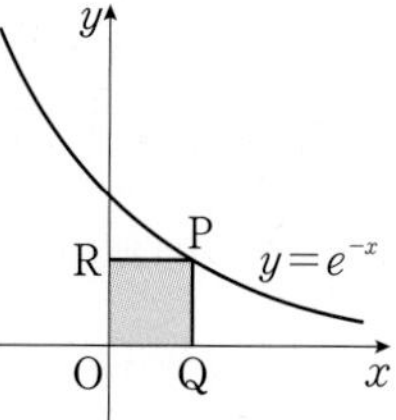

① $\frac{1}{e}$ ② 1 ③ e
④ $2e$ ⑤ e^2

1392

최다빈출 왕중요 NORMAL

방정식 $xe^{-x}-a=0$이 서로 다른 두 실근을 가지도록 하는 a의 값의 범위는? (단, $\lim_{x\to\infty}x^2e^{-x}=0$)

① $-e<a<-\frac{1}{e}$ ② $-\frac{1}{e}<a<0$ ③ $0<a<\frac{1}{e}$
④ $\frac{1}{e}<a<e$ ⑤ $a>e$

▶ 해설 내신연계기출

1393

최다빈출 왕중요 NORMAL

모든 실수 x에 대하여 부등식 $x\le ke^x$가 성립할 때, 상수 k의 최솟값은?

① 1 ② e ③ $\frac{1}{e}$
④ $\frac{2}{e^2}$ ⑤ $2e^2$

▶ 해설 내신연계기출

1394

TOUGH

함수 $f(x)=xe^{-x}$에 대하여 [보기]에서 옳은 것을 있는 대로 고른 것은? (단, $\lim_{x\to\infty}xe^{-x}=0$)

ㄱ. 함수 $f(x)$의 최댓값은 $\frac{1}{e}$이다.

ㄴ. 곡선 $y=f(x)$는 구간 $2<a<b$에서
$f\left(\frac{a+b}{2}\right)>\frac{f(a)+f(b)}{2}$이다.

ㄷ. 방정식 $f(\ln x)=\frac{1}{e}$은 오직 하나의 실근을 가진다.

① ㄴ ② ㄷ ③ ㄱ, ㄴ
④ ㄱ, ㄷ ⑤ ㄱ, ㄴ, ㄷ

유형 18 함수 $f(x)=x^2e^{-x}$의 그래프 개형

$f(x)=x^2e^{-x}$의 그래프 개형

$f(x)=x^2e^{-x}$에서

$f'(x)=2xe^{-x}-x^2e^{-x}=(2x-x^2)e^{-x}$

$f''(x)=(2-2x)e^{-x}-(2x-x^2)e^{-x}=(x^2-4x+2)e^{-x}$

$f'(x)=0$에서 $x=0$ 또는 $x=2$

$f''(x)=0$에서 $x=2-\sqrt{2}$ 또는 $x=2+\sqrt{2}$

함수 $f(x)$의 증가, 감소 및 오목, 볼록을 표로 나타내면 다음과 같다.

x	$\cdots$	0	$\cdots$	$2-\sqrt{2}$	$\cdots$	2	$\cdots$	$2+\sqrt{2}$	$\cdots$
$f'(x)$	$-$	0	$+$		$+$	0	$-$		$-$
$f''(x)$	$+$	$+$	$+$	0	$-$	$-$	$-$	0	$+$
$f(x)$	↘	극소	↗	변곡점	↗	극대	↘	변곡점	↘

이때 $\lim_{x\to\infty}f(x)=\lim_{x\to\infty}x^2e^{-x}=\lim_{x\to\infty}\frac{x^2}{e^x}=0$이므로

x축이 점근선이고 $\lim_{x\to-\infty}f(x)=\lim_{x\to-\infty}x^2e^{-x}=\infty$

따라서 극솟점 $(0, 0)$, 극댓값 $(2, 4e^{-2})$,

변곡점 $(2-\sqrt{2}, (6-4\sqrt{2})e^{-(2-\sqrt{2})})$, $(2+\sqrt{2}, (6+4\sqrt{2})e^{-(2+\sqrt{2})})$

이고 그래프의 개형은 다음 그림과 같다.

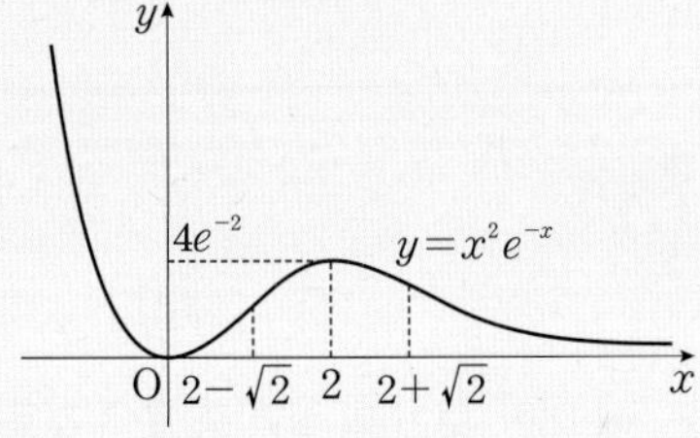

1395 학교기출 대표 유형

함수 $f(x)=\frac{x^2}{e^x}$의 그래프에 대하여 [보기]에서 옳은 것을 있는 대로 고른 것은? $\left(\text{단, } \lim_{x\to\infty}\frac{x^2}{e^x}=0\right)$

> ㄱ. $x=0$일 때, 극솟값을 갖는다.
> ㄴ. $x=2$일 때, 극댓값을 갖는다.
> ㄷ. 변곡점의 x좌표의 합은 $2\sqrt{2}$이다.

① ㄱ ② ㄴ ③ ㄱ, ㄴ
④ ㄱ, ㄷ ⑤ ㄱ, ㄴ, ㄷ

1396 BASIC

함수 $f(x)=x^2e^{-x}$의 극댓값은? (단, $\lim_{x\to\infty}x^2e^{-x}=0$)

① e^{-1} ② $2e^{-2}$ ③ $3e^{-3}$
④ $4e^{-2}$ ⑤ $6e^{-2}$

1397 최다빈출 왕 중요 NORMAL

구간 $[0, 3]$에서 함수 $f(x)=x^2e^{-x}$의 최댓값을 M, 최솟값은 m이라 할 때, $M+m$의 값은? (단, $\lim_{x\to\infty}x^2e^{-x}=0$)

① $\frac{2}{e^2}$ ② $\frac{4}{e^2}$ ③ $\frac{7}{e^2}$
④ $\frac{2}{e^4}$ ⑤ $\frac{4}{e^4}$

▶ 해설 내신연계기출

1398 최다빈출 왕 중요 NORMAL

함수 $f(x)=ax^2e^{-x}$의 극댓값과 극솟값을 각각 M, m이라 하자. $M+m=8$일 때, 양수 a의 값은?

① $2e$ ② $2e^2$ ③ $3e^2$
④ $4e^2$ ⑤ $5e^2$

▶ 해설 내신연계기출

1399 최다빈출 왕 중요 TOUGH

방정식 $x^2e^{-x}-a=0$이 서로 다른 세 실근을 갖도록 하는 실수 a의 값의 범위는? (단, $\lim_{x\to\infty}x^2e^{-x}=0$)

① $1<a<e^2$ ② $1<a<\frac{4}{e^2}$ ③ $0<a<\frac{4}{e^2}$
④ $1<a<\frac{4}{e}$ ⑤ $0<a<\frac{1}{e}$

▶ 해설 내신연계기출

유형 19 함수 $f(x)=x^3e^{-x}$의 그래프 개형

$f(x)=x^3e^{-x}$의 그래프 개형

$f(x)=x^3e^{-x}$에서

$f'(x)=3x^2e^{-x}-x^3e^{-x}=(3x^2-x^3)e^{-x}$

$f''(x)=(6x-3x^2)e^{-x}-(3x^2-x^3)e^{-x}=(x^3-6x^2+6x)e^{-x}$

$f'(x)=0$에서 $x=0$ 또는 $x=3$

$f''(x)=0$에서 $x=0$ 또는 $x=3-\sqrt{3}$ 또는 $x=3+\sqrt{3}$

함수 $f(x)$의 증가, 감소 및 오목, 볼록을 표로 나타내면 다음과 같다.

x	$\cdots$	0	$\cdots$	$3-\sqrt{3}$	$\cdots$	3	$\cdots$	$3+\sqrt{3}$	$\cdots$
$f'(x)$	+	0	+		+	0	−		−
$f''(x)$	−	0	+	0	−		−	0	+
$f(x)$	↗	변곡점	↗	변곡점	↗	극대	↘	변곡점	↘

이때 $\lim_{x\to\infty}f(x)=\lim_{x\to\infty}x^3e^{-x}=\lim_{x\to\infty}\frac{x^3}{e^x}=0$이므로 x축이 점근선이다.

따라서 극댓값 $(3, 27e^{-3})$,

변곡점 $(0, 0)$, $(3-\sqrt{3}, (3-\sqrt{3})^3e^{-(3-\sqrt{3})})$, $(3+\sqrt{3}, (3+\sqrt{3})^3e^{-(3+\sqrt{3})})$

이고 그래프의 개형은 다음 그림과 같다.

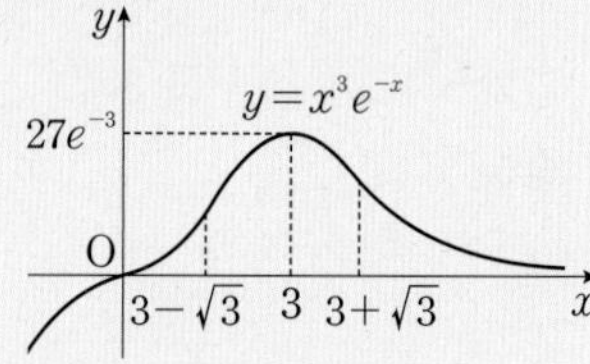

$g_n(x)=x^ne^{-x}$의 그래프 개형

(i) $n=1$일 때	(ii) n이 1이 아닌 홀수일 때	(iii) n이 짝수일 때
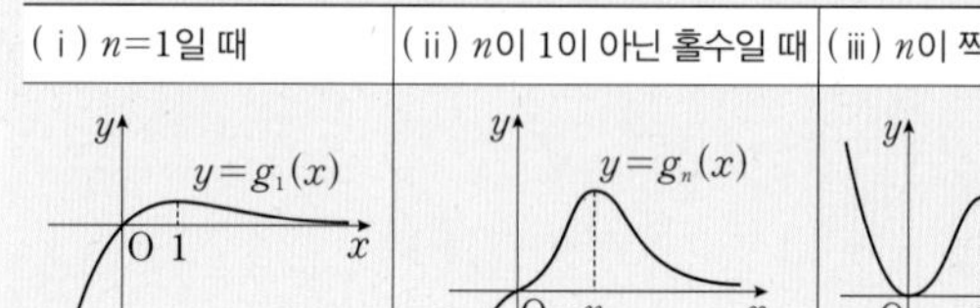		

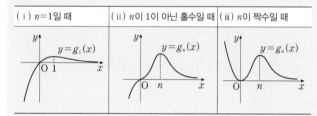

1400 학교기출 대표 유형

x에 대한 방정식 $x^ne^{-x}=1$ (n은 자연수)의 서로 다른 실근의 개수를 $f(n)$이라 할 때, $\sum_{n=1}^{10}f(n)$의 값은?

(단, 모든 자연수 n에 대하여 $\lim_{x\to\infty}x^ne^{-x}=0$이다.)

① 13 ② 15 ③ 17
④ 19 ⑤ 21

1401 최다빈출 왕중요 TOUGH

3 이상의 자연수 n에 대하여 함수 $f(x)$가 $f(x)=x^ne^{-x}$일 때, [보기]에서 옳은 것만을 있는 대로 고른 것은? (단, $\lim_{x\to\infty}x^ne^{-x}=0$)

ㄱ. $f\left(\frac{n}{2}\right)=f'\left(\frac{n}{2}\right)$
ㄴ. 함수 $f(x)$는 $x=n$에서 극댓값을 갖는다.
ㄷ. 점 $(0, 0)$은 곡선 $y=f(x)$의 변곡점이다.

① ㄴ ② ㄷ ③ ㄱ, ㄴ
④ ㄱ, ㄷ ⑤ ㄱ, ㄴ, ㄷ

▶ 해설 내신연계기출

1402 TOUGH

함수 $f(x)=x^ne^{-x}$에 대한 [보기]의 설명 중 옳은 것을 모두 고른 것은? (단, n은 2 이상의 정수) (단, $\lim_{x\to\infty}x^ne^{-x}=0$)

ㄱ. n이 짝수일 때, $f(x)$의 최솟값은 0이다.
ㄴ. n이 짝수일 때, $f(x)$는 $x=0$에서 극솟값을 갖고 $x=n$에서 극댓값을 갖는다.
ㄷ. n이 홀수일 때, $f(x)$는 $x=0$에서 극댓값을 갖고 $x=n$에서 극솟값을 갖는다.
ㄹ. $f'(a)=\frac{n^{n-1}}{e^n}$을 만족시키는 a가 구간 $(0, n)$에 존재한다.

① ㄱ, ㄹ ② ㄴ, ㄷ ③ ㄱ, ㄴ, ㄹ
④ ㄴ, ㄷ, ㄹ ⑤ ㄱ, ㄴ, ㄷ, ㄹ

유형 20 유리 · 무리함수의 최대 · 최소

[1단계] $\left\{\dfrac{f(x)}{g(x)}\right\}'=\dfrac{f'(x)g(x)-f(x)g'(x)}{\{g(x)\}^2}\,(g(x)\neq 0)$

$\{\sqrt{f(x)}\}'=\dfrac{f'(x)}{2\sqrt{f(x)}}\,(f(x)\neq 0)$

임을 이용하여 극값을 구한다.

[2단계] 주어진 구간에서의 극댓값, 극솟값, 구간의 양끝에서의 함숫값을 비교하여 최댓값과 최솟값을 구한다.

1403 학교기출 대표 유형

함수 $f(x)=\dfrac{2(x-1)}{x^2+3}$의 최댓값을 M, 최솟값을 m이라 할 때, $M+m$의 값은?

① -2 ② $-\dfrac{4}{3}$ ③ $-\dfrac{2}{3}$
④ 0 ⑤ $\dfrac{2}{3}$

1404 NORMAL

구간 $[-2, 2]$에서 함수

$$f(x)=\frac{x}{x^2-x+1}$$

의 최댓값을 M, 최솟값을 m이라 할 때, $M+m$의 값은?

① -1 ② $-\dfrac{2}{3}$ ③ $-\dfrac{1}{3}$
④ 0 ⑤ $\dfrac{2}{3}$

1405 최다빈출 왕중요 NORMAL

함수

$$f(x)=x\sqrt{1-x^2}$$

의 최댓값을 M, 최솟값을 m이라 할 때, $M-m$의 값은?

① -1 ② $-\dfrac{1}{2}$ ③ $\dfrac{1}{2}$
④ 1 ⑤ 2

해설 내신연계기출

1406 최다빈출 왕중요 NORMAL

어느 회사에서 만든 상품의 가격을 1톤에 x만 원으로 정하면 $\sqrt{100-x}$톤이 팔린다고 한다. 이 상품 1톤을 만드는 데 1만 원이 들 때, 이 상품을 팔아서 생기는 최대 이익은? (단, $0<x<100$)

① 378만 원 ② $64\sqrt{35}$만 원 ③ $268\sqrt{2}$만 원
④ $65\sqrt{34}$만 원 ⑤ $66\sqrt{33}$만 원

해설 내신연계기출

1407 TOUGH

양수 a에 대하여 닫힌구간 $[0, a]$에서 함수

$$f(x)=(x+a)\sqrt{a^2-x^2}$$

의 최댓값을 $M(a)$라 할 때, $\displaystyle\lim_{a\to\infty}\frac{M(a)}{\sqrt{3}a^2+2}$의 값은?

① $\dfrac{1}{2}$ ② $\dfrac{3}{4}$ ③ 1
④ $\dfrac{5}{4}$ ⑤ $\dfrac{3}{2}$

11 함수의 그래프

유형 21 삼각함수의 최대 · 최소

[1단계] 삼각함수의 미분법과 삼각함수의 여러 가지 공식을 이용하여 극값을 구한다.

[2단계] 주어진 구간에서의 극댓값, 극솟값, 구간의 양끝에서의 함숫값을 비교하여 최댓값과 최솟값을 구한다.

1408 학교기출 대표 유형

구간 $[0, 2\pi]$에서 함수

$$f(x)=\sin x-x\cos x$$

의 최댓값을 M, 최솟값을 m이라 할 때, $M+m$의 값은?

① -2π ② $-\pi$ ③ π
④ 2π ⑤ 3π

▶ 해설 내신연계기출

1409 최다빈출 왕중요 BASIC

구간 $[0, \pi]$에서 함수

$$f(x)=x-2\sin x$$

의 최댓값을 M, 최솟값을 m이라 할 때, $M+m$의 값은?

① $\frac{\pi}{3}-\sqrt{3}$ ② $\frac{4}{3}\pi-\sqrt{3}$ ③ $\frac{\pi}{3}+\sqrt{3}$
④ $\pi+\sqrt{3}$ ⑤ $\frac{4}{3}\pi+\sqrt{3}$

▶ 해설 내신연계기출

1410 최다빈출 왕중요 NORMAL

구간 $[0, \pi]$에서 함수

$$f(x)=2\sin x+\sin 2x$$

의 최댓값을 M, 최솟값을 m이라 할 때, $M+m$의 값은?

① $\frac{1}{2}$ ② $\frac{\sqrt{3}}{2}$ ③ $\frac{3}{2}$
④ $\frac{3\sqrt{3}}{2}$ ⑤ $2\sqrt{3}$

▶ 해설 내신연계기출

1411 최다빈출 왕중요 NORMAL

$-\frac{\pi}{4}\le x\le\frac{\pi}{4}$에서 함수

$$f(x)=\frac{e^x}{\cos x}$$

의 최댓값을 M, 최솟값을 m이라 할 때, Mm의 값은?

① $\frac{\sqrt{2}}{2}$ ② $e^{\frac{\pi}{2}}$ ③ $\sqrt{2}e^{\frac{\pi}{4}}$
④ $\sqrt{3}e^{-\frac{\pi}{4}}$ ⑤ 2

▶ 해설 내신연계기출

1412 최다빈출 왕중요 NORMAL

$0\le x\le 2\pi$에서 함수

$$f(x)=\sin x(1+\cos x)$$

의 최댓값을 M, 최솟값을 m이라 할 때, $M+m$의 값은?

① -2 ② -1 ③ 0
④ 1 ⑤ 3

▶ 해설 내신연계기출

1413 NORMAL

닫힌구간 $[0, 2\pi]$에서 정의된 함수

$$f(x)=\frac{\sin x}{\cos x+2}$$

가 $x=a$에서 최댓값, $x=b$에서 최솟값을 가질 때, $a+b$의 값은?

① π ② $\frac{4}{3}\pi$ ③ $\frac{5}{3}\pi$
④ 2π ⑤ $\frac{7}{3}\pi$

유형 22 지수 로그함수의 최대 · 최소

[1단계] 지수함수의 미분법을 이용하여 극값을 구한다.
[2단계] 주어진 구간에서의 극댓값, 극솟값, 구간의 양끝에서의 함숫값을 비교하여 최댓값과 최솟값을 구한다.

1414 학교기출 대표 유형

구간 $[-1, 2]$에서 함수

$$f(x)=e^x-x$$

의 최댓값을 M, 최솟값을 m이라 할 때, $M+m$의 값은?

① $\frac{1}{e}+1$ ② $e-\frac{1}{e}$ ③ $e+\frac{1}{e}$
④ e^2-1 ⑤ e^2-2

▶ 해설 내신연계기출

1415 BASIC

닫힌구간 $[-1, 3]$에서 함수 $f(x)=(x+1)e^{-x}$의 최댓값은?

① $\frac{1}{e}$ ② 1 ③ e
④ e^2 ⑤ $2e^2$

1416 NORMAL

구간 $[0, 3]$에서 함수 $f(x)=(x^2-2)e^{-2x}$의 최댓값을 M, 최솟값을 m이라 할 때, $M+m$의 값은?

① $\frac{2}{e^4}-2$ ② $\frac{2}{e^6}-2$ ③ $\frac{7}{e^6}-2$
④ $\frac{2}{e^6}+2$ ⑤ $\frac{7}{e^6}+2$

유형 23 진수조건이 있는 로그함수의 최대 · 최소

[1단계] (진수)>0인 x의 값의 범위를 구한다.
[2단계] 로그함수의 미분법을 이용하여 극값을 구한다.
[3단계] 주어진 구간에서의 극댓값, 극솟값, 구간의 양끝에서의 함숫값을 비교하여 최댓값과 최솟값을 구한다.

1417 학교기출 대표 유형

구간 $[1, e^3]$에서 함수 $f(x)=3x-x\ln x$의 최댓값은?

① 1 ② e ③ e^2
④ $2e^2$ ⑤ $3e^2$

▶ 해설 내신연계기출

1418 NORMAL

함수 $f(x)=2\ln x+\ln(6-x)$의 최댓값은?

① $2\ln 2$ ② $3\ln 2$ ③ $4\ln 2$
④ $5\ln 2$ ⑤ $6\ln 2$

1419 최다빈출 왕중요

TOUGH

어떤 보디빌더의 트레이닝 프로그램을 시작한 지 t개월 후의 몸무게를 W라고 하면

$$W=5t-20\ln(t+1)+70\ (0\le t\le 15)$$

의 관계식이 성립한다. 이 보디빌더의 몸무게가 최소일 때는 트레이닝 프로그램을 시작한 지 몇 개월 후인가?

① 2개월 후 ② 3개월 후 ③ 4개월 후
④ 5개월 후 ⑤ 6개월 후

▶ 해설 내신연계기출

11 함수의 그래프

유형 24 최대 최소를 이용한 미정계수의 결정

미정계수를 포함한 함수 $f(x)$의 최댓값 또는 최솟값이 주어지면
⇨ 증감표에서 미정계수를 이용하여 최댓값 또는 최솟값을 찾은 후 주어진 값과 비교하여 미지수를 구한다.

1420 학교기출 대표 유형

$0 \le x \le \frac{\pi}{2}$에서 함수 $f(x)=a(x-\sin 2x)$의 최댓값이 π일 때, 양수 a의 값은?

① 1 ② 2 ③ 3
④ 4 ⑤ 5

1421 최다빈출 왕 중요 NORMAL

함수 $f(x)=x\ln x-2x+k$의 최솟값이 0일 때, 실수 k의 값은?

① $-e$ ② -1 ③ 0
④ 1 ⑤ e

▶ 해설 내신연계기출

1422 NORMAL

함수 $f(x)=\frac{1}{4}x^2-\frac{1}{2}\ln kx\,(k>0)$의 최솟값이 0일 때, 상수 k의 값은?

① e^2 ② $e\sqrt{e}$ ③ e
④ $\sqrt{e}$ ⑤ 1

유형 25 최대 · 최소의 활용 (길이)

도형의 길이의 최댓값 또는 최솟값을 구하는 순서는 다음과 같다.
[1단계] 점의 x좌표, 각의 크기, 선분의 길이를 t로 놓고 t의 값의 범위를 구한다.
[2단계] 길이를 t에 대한 함수 $f(t)$로 나타낸다.
[3단계] 증감표를 이용하여 최댓값 또는 최솟값을 구한다.

1423 학교기출 대표 유형

오른쪽 그림과 같이 y축에 평행한 직선을 그을 때, 곡선 $y=e^x$과 직선 $y=x$와 만나는 점을 각각 P, Q라 한다. 이때 $\overline{PQ}$의 최솟값은?

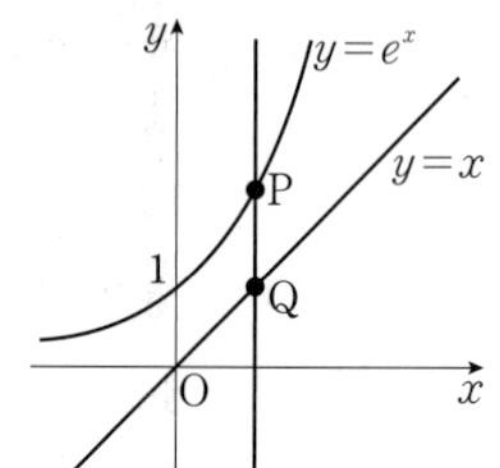

① 1 ② e
③ e^2 ④ $\frac{1}{e}$
⑤ $\frac{1}{e^2}$

▶ 해설 내신연계기출

1424 NORMAL

은하는 길을 걷다가 A지점에서 B지점에 서 있는 준기를 보았다. 은하가 잔디밭을 가로질러 Q지점까지 달린 후 Q지점에서 B지점까지 도로 위를 달려 준기에게 가려고 한다. 은하가 잔디밭 위에서 달리는 속도는 2m/s이고 도로 위에서 달리는 속도는 4m/s라고 할 때, 은하가 가장 빨리 준기에게 가기 위해서 도달해야 할 지점 Q에 대하여 $\overline{PQ}$의 거리는?

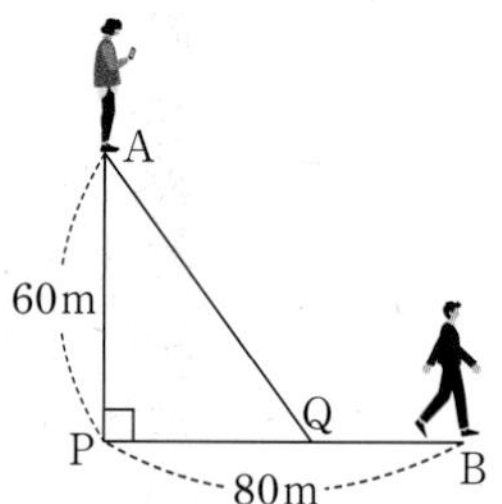

① $5\sqrt{3}$m ② $10\sqrt{3}$m ③ $15\sqrt{3}$m
④ $20\sqrt{3}$m ⑤ $25\sqrt{3}$m

1425 최다빈출 왕 중요 TOUGH

오른쪽 그림과 같이 점 A(1, 0)을 중심으로 하고 반지름의 길이가 1인 원이 있다. 원 위의 점 Q에 대하여 $\angle AOP=\theta\left(0<\theta<\frac{\pi}{3}\right)$라고 할 때, 선분 OP 위에 $\overline{PQ}=1$인 점 P를 정한다. 점 P의 y좌표가 최대가 될 때, $\cos\theta=\frac{a+\sqrt{b}}{8}$이다. $a+b$의 값은?
(단, O는 원점이고, a와 b는 자연수이다.)

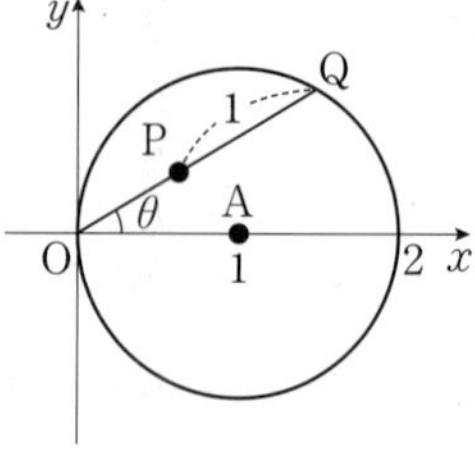

① 33 ② 34 ③ 35
④ 36 ⑤ 37

▶ 해설 내신연계기출

유형 26 최대 · 최소의 활용 (넓이)

도형의 넓이의 최댓값 또는 최솟값을 구하는 순서는 다음과 같다.
[1단계] 점의 x좌표, 각의 크기, 선분의 길이를 t로 놓고 t의 값의 범위를 구한다.
[2단계] 넓이를 t에 대한 함수 $f(t)$로 나타낸다.
[3단계] 증감표를 이용하여 최댓값 또는 최솟값을 구한다.

1426 학교기출 대표 유형

그림과 같이 곡선 $y=e^x$ 위의 점 A에서의 접선과 x축, y축으로 둘러싸인 부분의 넓이의 최댓값은? (단, 점 A는 제 2사분면 위의 점이다.)

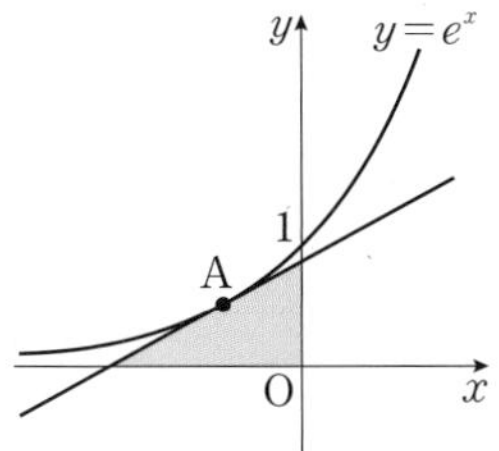

① $\frac{e}{2}$ ② e ③ 1
④ $\frac{1}{e}$ ⑤ $\frac{2}{e}$

▶ 해설 내신연계기출

1427 최다빈출 왕 중요 NORMAL

곡선 $y=\ln x$ 위의 점 $\mathrm{P}(t, \ln t)(0<t<1)$에서의 접선이 x축, y축과 만나는 점을 각각 Q, R이라 할 때, 삼각형 OQR의 넓이의 최댓값은? (단, O는 원점이고 e는 자연로그의 밑이다.)

① $\frac{1}{e^3}$ ② $\frac{2}{e^2}$ ③ $\frac{2}{e}$
④ $\frac{e}{2}$ ⑤ e

▶ 해설 내신연계기출

1428 최다빈출 왕 중요 NORMAL

곡선 $f(x)=\ln x(x>1)$ 위의 점 P를 지나면서 점 P에서의 접선에 수직인 직선과 x축의 교점을 Q라 하고 점 P에서 x축에 내린 수선의 발을 R이라 하자. 삼각형 PQR의 넓이의 최댓값은?
(단, O는 원점이고 e는 자연로그의 밑이다.)

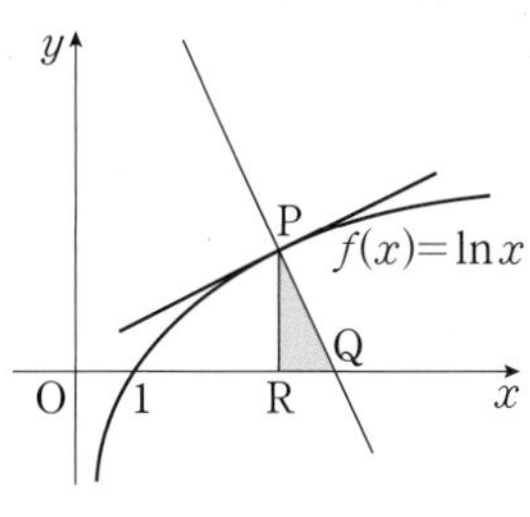

① $\frac{1}{e^2}$ ② $\frac{e}{2}$ ③ 1
④ $\frac{2}{e^2}$ ⑤ e^2

▶ 해설 내신연계기출

1429 NORMAL

곡선 $y=2e^{-x}$ 위의 점 $\mathrm{P}(t, 2e^{-t})(t>0)$에서 y축에 내린 수선의 발을 A라 하고, 점 P에서의 접선이 y축과 만나는 점을 B라 하자. 삼각형 APB의 넓이가 최대가 되도록 하는 t의 값은?

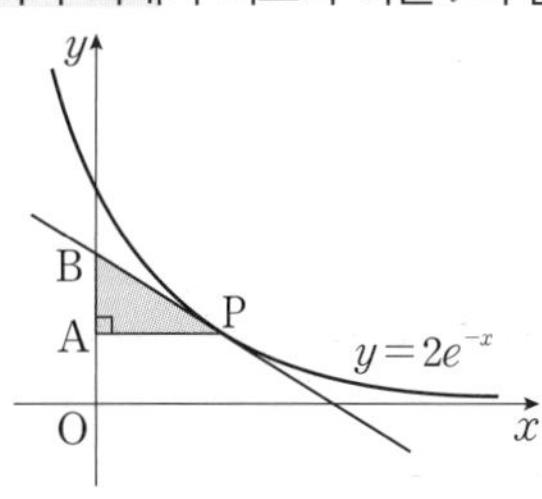

① 1 ② $\frac{e}{2}$ ③ $\sqrt{2}$
④ 2 ⑤ e

1430 최다빈출 왕 중요 NORMAL

그림과 같이 두 꼭짓점은 x축 위에 있고 다른 두 꼭짓점은 곡선 $y=e^{-\frac{x^2}{2}}$ 위에 있는 직사각형의 넓이의 최댓값은?

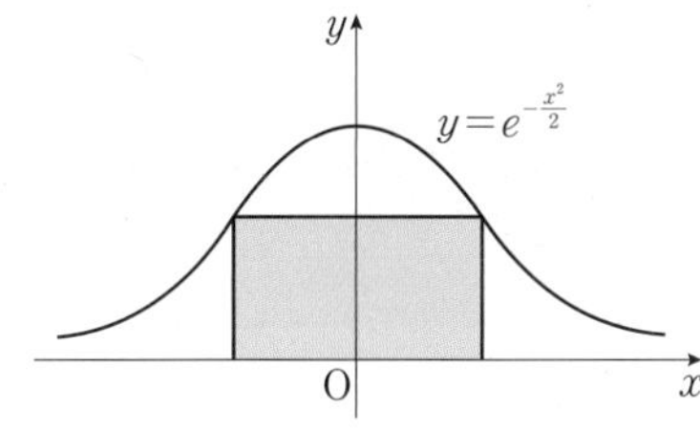

① $\frac{1}{e}$ ② $\frac{2}{\sqrt{e}}$ ③ $\frac{2}{e}$
④ 1 ⑤ $\frac{e}{2}$

▶ 해설 내신연계기출

11 함수의 그래프

1431

NORMAL

다음 그림과 같이 두 곡선 $y=e^{x}\,(x<0)$과 $y=e^{-x}\,(x>0)$ 위에 꼭짓점이 각각 놓여 있고 x축 위에 나머지 두 꼭짓점이 놓여 있는 직사각형의 넓이의 최댓값은?

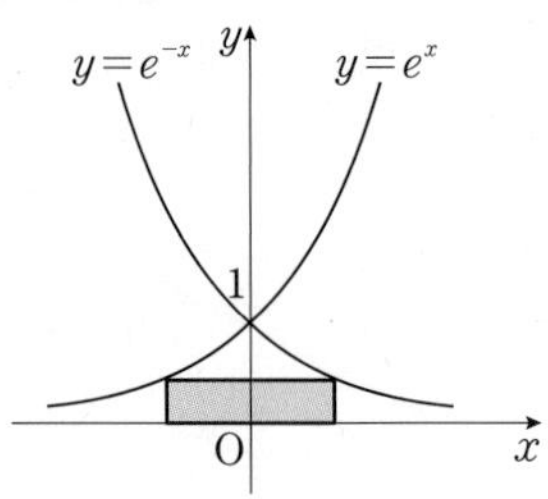

① $\frac{e}{2}$　② e　③ 1
④ $\frac{1}{e}$　⑤ $\frac{2}{e}$

1432

NORMAL

그림과 같이 곡선 $y=\ln x$의 그래프 위의 점 P에서 x축, y축에 내린 수선의 발을 각각 Q, R이라 할 때, 직사각형 ORPQ의 넓이의 최댓값은? (단, 점 P는 제 4사분면 위의 점)

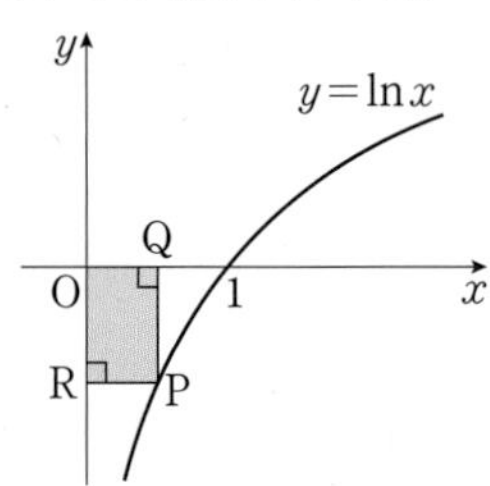

① $\frac{e}{2}$　② e　③ 1
④ $\frac{1}{e}$　⑤ $\frac{2}{e}$

1433 최다빈출 왕중요

TOUGH

그림과 같이 지름의 길이가 4인 반원 O에 내접하는 사다리꼴 ABCD의 넓이의 최댓값은?

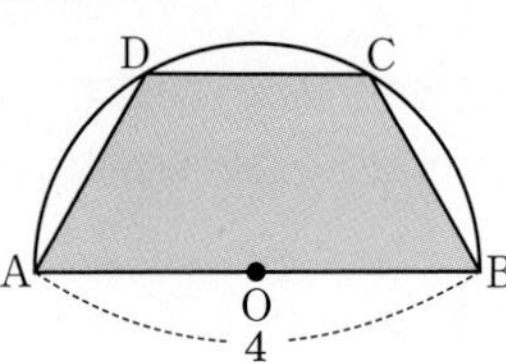

① $\sqrt{3}$　② $2\sqrt{3}$　③ $3\sqrt{3}$
④ $4\sqrt{3}$　⑤ $5\sqrt{3}$

▶ 해설 내신연계기출

1434 최다빈출 왕중요

TOUGH

어느 공장에서 필요한 물을 끌어 오기 위해 수로를 설치하려고 한다. 수로의 단면은 다음 그림과 같이 각 변의 길이가 4m인 사다리꼴이고 바닥면과 옆면이 이루는 각을 θ라고 할 때, 단면의 넓이의 최댓값은? (단, $\frac{\pi}{2}<\theta<\pi$)

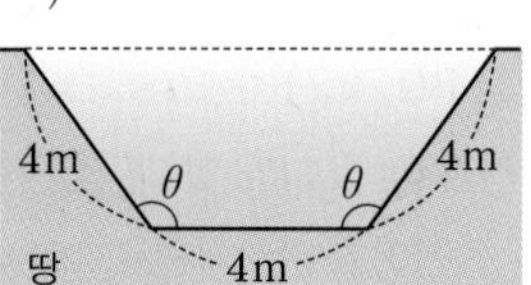

① $\sqrt{3}\,\text{m}^2$　② $2\sqrt{3}\,\text{m}^2$　③ $3\sqrt{3}\,\text{m}^2$
④ $10\sqrt{3}\,\text{m}^2$　⑤ $12\sqrt{3}\,\text{m}^2$

▶ 해설 내신연계기출

1435

TOUGH

그림과 같이 반지름의 길이가 a인 원 O에 내접하는 이등변삼각형 ABC의 넓이의 최댓값은?

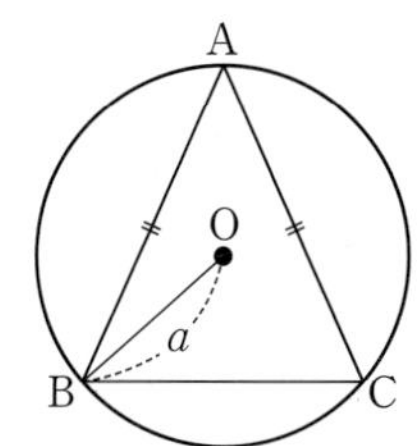

① $\frac{3\sqrt{3}}{2}a^2$　② $\frac{3\sqrt{3}}{4}a^2$　③ $\frac{\sqrt{3}}{4}a^2$
④ $4\sqrt{3}a^2$　⑤ $6\sqrt{3}a^2$

1436

TOUGH

그림과 같이 직사각형 모양의 종이에 사진을 출력하려고 한다. 종이의 오른쪽과 왼쪽 여백을 각각 1cm, 위쪽과 아래쪽 여백을 각각 $\frac{3}{2}$cm로 정하면 사진이 출력되는 부분의 넓이는 24cm^{2}이다. 이 직사각형 모양의 종이의 넓이의 최솟값은?

① 18cm^2　② 27cm^2　③ 36cm^2
④ 45cm^2　⑤ 54cm^2

1437

TOUGH

그림에서 부채꼴 OPQ는 반지름의 길이가 1인 사분원이고 선분 AB는 반지름 OP에 평행하며 사각형 ABCD는 정사각형이다. $\angle AOB=\theta\left(0<\theta<\frac{\pi}{2}\right)$라고 할 때, 색칠한 부분의 넓이 $S(\theta)$가 최대가 되도록 하는 선분 AB의 길이는?

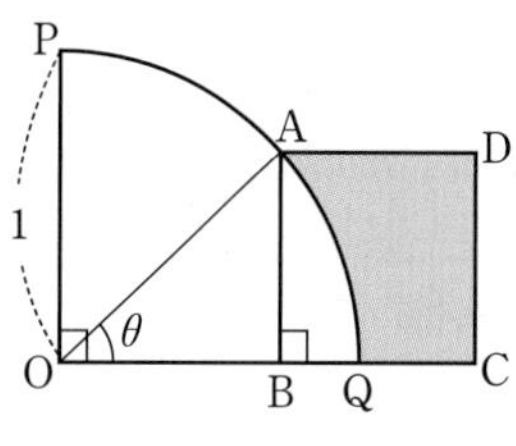

① $\frac{1}{2}$　② $\frac{\sqrt{3}}{2}$　③ $\frac{2}{3}$
④ $\frac{\sqrt{5}}{5}$　⑤ $\frac{2\sqrt{5}}{5}$

1438

TOUGH

그림과 같이 가로와 세로의 길이가 각각 12, 6인 직사각형 모양의 종이를 점 C가 선분 AD 위에 놓이도록 $\overline{FG}$를 접는 선으로 하여 접었다. 점 C가 선분 AD 위에 놓인 점을 E라 할 때, 삼각형 EFG의 넓이의 최솟값은?

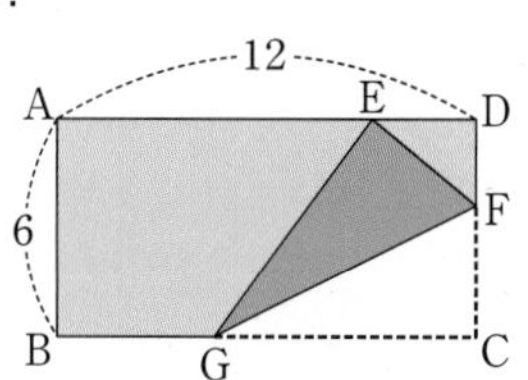

① $2\sqrt{2}$　② $2\sqrt{3}$　③ $4\sqrt{3}$
④ $8\sqrt{3}$　⑤ $10\sqrt{3}$

유형 27 최대 · 최소의 활용 (부피)

도형의 부피의 최댓값 또는 최솟값을 구하는 순서는 다음과 같다.
[1단계] 미지수를 설정하고 그 미지수의 범위를 구한다.
[2단계] 도형의 부피를 한 문자의 함수로 나타낸다.
[3단계] 함수의 최대, 최소를 이용하여 최댓값 또는 최솟값을 구한다.

1439 학교기출 대표 유형

철판을 이용하여 부피가 $128\pi\text{cm}^3$인 원기둥 모양의 통조림 한 통을 만들려고 한다. 사용되는 철판의 넓이가 최소가 되도록 하는 밑면의 반지름의 길이를 a, 높이를 b라 할 때, ab의 값은?
(단, 철판의 두께는 고려하지 않는다.)

① 12 ② 24 ③ 32
④ 36 ⑤ 49

▶ 해설 내신연계기출

1440

플라스틱을 사용하여 그림과 같이 뚜껑이 없고 부피가 32인 직육면체 모양의 어항을 만들려고 한다. 사용되는 플라스틱의 넓이가 최소가 되도록 하는 x의 값은? (단, 플라스틱의 두께는 무시한다.)

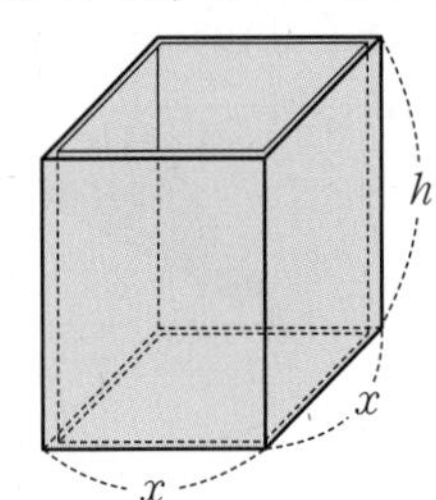

① 2 ② 3 ③ 4
④ 5 ⑤ 6

1441 최다빈출 왕중요 TOUGH

반지름의 길이가 10인 원을 중심각의 크기가 θ인 부채꼴 모양으로 잘라낸 후 그 부채꼴로 원뿔을 만들 때, 원뿔의 부피가 최대가 되도록 하는 θ의 값은?

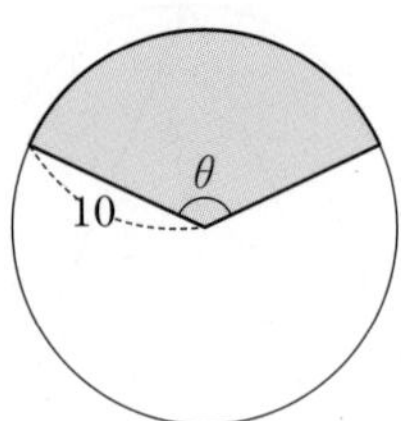

① $\frac{\sqrt{6}}{3}\pi$ ② $\frac{2\sqrt{6}}{3}\pi$ ③ $\frac{\sqrt{6}}{2}\pi$
④ $\frac{2\sqrt{3}}{3}\pi$ ⑤ $\frac{3\sqrt{6}}{2}\pi$

▶ 해설 내신연계기출

1442 최다빈출 왕중요 TOUGH

그림과 같이 반지름의 길이가 1인 구에 외접하는 원뿔의 부피의 최솟값은?

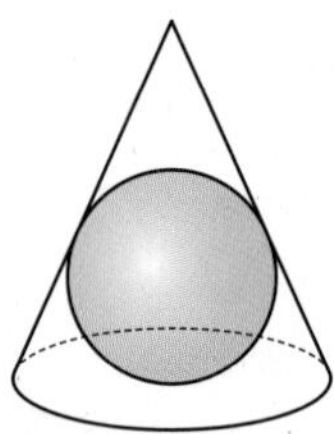

① $\frac{3}{2}\pi$ ② $\frac{5}{3}\pi$ ③ 2π
④ $\frac{7}{3}\pi$ ⑤ $\frac{8}{3}\pi$

▶ 해설 내신연계기출

1443

그림과 같이 곡선 $y=\ln x$ 위의 점 $\mathrm{P}(t, \ln t)$에서의 접선이 x축과 만나는 점을 Q라 하고, 점 P에서 x축에 내린 수선의 발을 R이라고 할 때, $\lim_{t\to\infty}\frac{\overline{\mathrm{PQ}}}{\overline{\mathrm{QR}}}$의 값을 구하는 과정을 다음 단계로 서술하여라. (단, $t>1$)

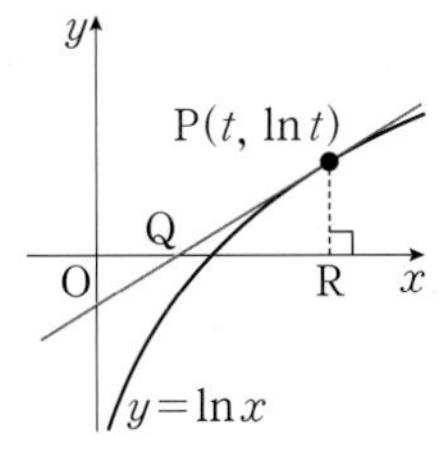

[1단계] 점 $\mathrm{P}(t, \ln t)$에서의 접선의 방정식을 구한다.
[2단계] 두 선분 PQ, QR의 길이를 각각 t에 대한 식으로 나타낸다.
[3단계] $\lim_{t\to\infty}\frac{\overline{\mathrm{PQ}}}{\overline{\mathrm{QR}}}$의 값을 구한다.

1444

두 함수

$$f(x)=x\ln x,\ g(x)=\ln x$$

의 그래프는 한 점에서 만난다. 그 점에서 두 그래프에 동시에 접하는 접선의 방정식을 구하는 과정을 다음 단계로 서술하여라.

[1단계] 두 함수의 그래프의 교점의 좌표를 구한다.
[2단계] 두 그래프에 동시에 접하는 접선의 기울기를 구한다.
[3단계] 접선의 방정식을 구한다.

1445

그림과 같이 곡선 $y=e^{2x}+1$과 직선 $y=2ex-2$ 사이의 거리가 최소인 점을 T라 할 때, 점 T의 좌표와 거리의 최솟값을 구하는 과정을 다음 단계로 서술하여라.

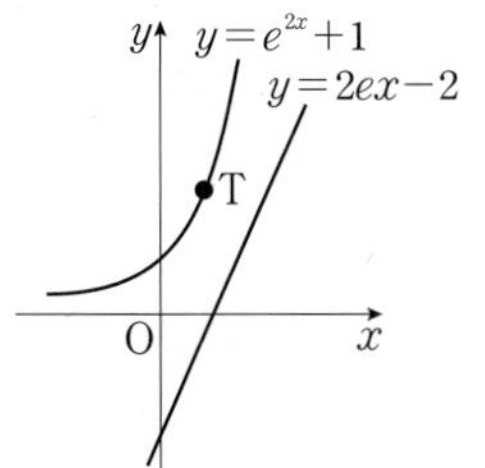

[1단계] 곡선과 접하도록 직선을 평행이동했을 때, 그 접점이 T임을 서술한다.
[2단계] 접선의 기울기가 $2e$임을 이용하여 점 T의 x좌표를 구한다.
[3단계] 점 T의 좌표를 구한다.
[4단계] 거리의 최솟값을 구한다.

1446

그림과 같이 원점에서 두 곡선 $y=e^x$, $y=\ln x$에 접선을 그어 두 접선이 이루는 예각의 크기를 θ라 할 때, $\cos\theta$의 값을 구하는 과정을 다음 단계로 서술하여라.

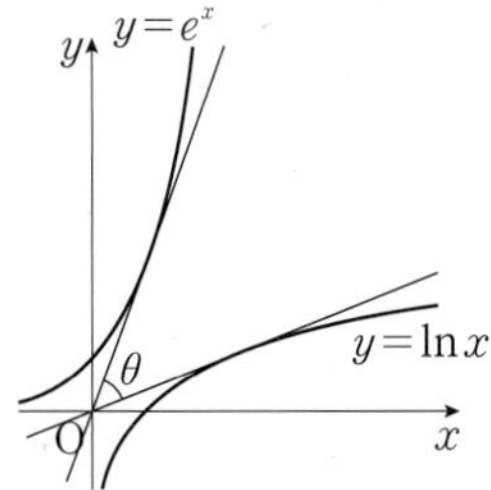

[1단계] 원점에서 곡선 $y=e^x$에 그은 접선의 방정식을 구한다.
[2단계] 원점에서 곡선 $y=\ln x$에 그은 접선의 방정식을 구한다.
[3단계] 두 접선이 x축과 이루는 각의 크기를 θ_1, θ_2라 할 때, $\tan\theta_1$, $\tan\theta_2$의 값을 구한다.
[4단계] 탄젠트의 덧셈정리를 이용하여 $\tan\theta$의 값을 구한다.
[5단계] $\cos\theta$의 값을 구한다.

1447

점 $(a,\ 0)$에서 곡선 $y=(x-1)e^x$에 서로 다른 두 개의 접선을 그을 수 있을 때, a의 값이 될 수 없는 정수의 개수를 구하는 과정을 다음 단계로 서술하여라.

[1단계] $f(x)=(x-1)e^x$로 놓고 $f'(x)$를 구한다.

[2단계] 접점의 좌표를 $(t,\ (t-1)e^t)$로 놓고 접선의 방정식을 구한다.

[3단계] 곡선 밖의 점 $(a,\ 0)$을 대입하여 접점의 x좌표를 t에 관한 방정식으로 나타낸다.

[4단계] 3단계에서 방정식이 서로 다른 두 개의 접선을 그을 수 있는 실수 a의 값의 범위를 구한다.

[5단계] a의 값이 될 수 없는 정수의 개수를 구한다.

[6단계] 이때 점 $(a,\ 0)$에서 곡선 $y=(x-1)e^x$에 접선을 그을 수 없을 때, 실수 a값의 범위를 구한다.

1448

x축 위의 점 $(k,\ 0)$과 곡선 $y=(x-2)e^x$이 있다.
다음 단계로 그 과정을 서술하여라.

[1단계] 곡선 $y=(x-2)e^x$의 극솟값과 변곡점을 구한다.

[2단계] x축 위의 점 $(k,\ 0)$에서 곡선 $y=(x-2)e^x$에 두 개의 접선을 그을 수 있도록 하는 실수 k의 값의 범위를 구한다.
(단, $\lim_{x\to-\infty}(x-2)e^x=0$)

1449

$x>0$일 때, 부등식

$$\frac{1}{x+1}<\ln(x+1)-\ln x<\frac{1}{x}$$

이 성립함을 평균값 정리를 이용하여 서술하여라.

[1단계] 함수 $f(x)=\ln x$로 놓고 닫힌구간 $[x,\ x+1]$에서 평균값 정리를 이용하여 식을 작성한다.

[2단계] 부등식 $\frac{1}{x+1}<\ln(x+1)-\ln x<\frac{1}{x}$을 증명한다.

1450

그림과 같이 함수 $f(x)=e^{kx}$의 그래프와 그 역함수의 그래프가 접할 때, 접점 P의 좌표를 구하는 과정을 서술하여라. (단, $k>0$)

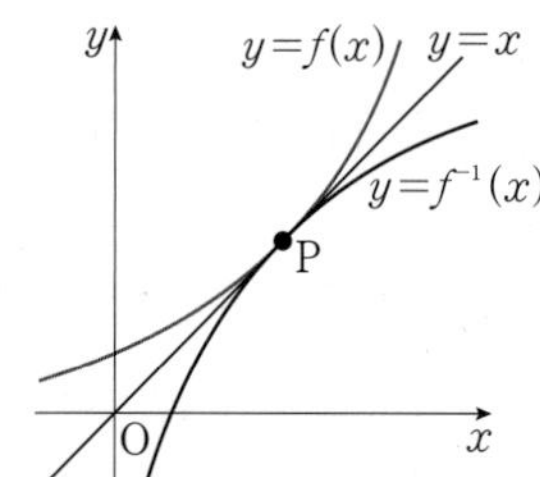

[1단계] 곡선 $y=f(x)$ 위의 임의의 점 $\mathrm{P}(a,\ e^{ka})$에서의 접선의 방정식을 구한다.

[2단계] 접선이 직선 $y=x$임을 이용하여 k의 값을 구한다.

[3단계] 점 P의 좌표를 구한다.

1451

$0 \le x < \pi$일 때, 함수 $f(x)=\tan\frac{x}{2}+1$에 대하여 그 역함수를 $g(x)$라고 하자. 두 함수 $f(x)$와 $g(x)$의 그래프에 동시에 접하는 원 중 넓이가 최소인 원의 넓이를 구하고 그 과정을 서술하여라.

[1단계] 원의 넓이가 최소인 경우를 서술한다.
[2단계] 접선의 기울기가 1이 될 때의 접점의 x좌표를 구한다.
[3단계] 넓이가 최소인 원의 넓이를 구한다.

1452

함수 $f(x)=a\sin x+b\cos x+x$가 $x=\frac{\pi}{3}$와 $x=\pi$에서 극값을 가질 때, 함수 $g(x)=ax+b-\ln x$의 극솟값을 구하는 과정을 다음 단계로 서술하여라. (단, a, b는 상수)

[1단계] 함수 $f(x)$가 $x=\frac{\pi}{3}$와 $x=\pi$에서 극값을 가질 때, 상수 a, b의 값을 구한다.
[2단계] $g'(x)=0$인 x의 값을 구한다.
[3단계] 함수 $y=g(x)$의 극솟값을 구한다.

1453

함수

$$f(x)=ax+\ln(x^2+4)$$

가 극값을 갖지 않도록 하는 양수 a의 최솟값을 구하는 과정을 다음 단계로 서술하여라.

[1단계] 합성함수의 미분법을 이용하여 $f'(x)$를 구한다.
[2단계] 극값을 갖지 않을 조건을 구한다.
[3단계] 양수 a의 최솟값을 구한다.

1454

연속인 이계도함수를 갖는 함수 $f(x)$에 대하여 다음 조건이 성립하지 않음을 적당한 함수를 예로 들어 서술하여라.

$f''(a)=0$이면 점 $(a,\ f(a))$는 곡선 $y=f(x)$의 변곡점이다.

1455

아래 그래프는 어떤 함수 $f(x)$의 도함수 $y=f'(x)$의 그래프이다. 다음 단계로 서술하여라.

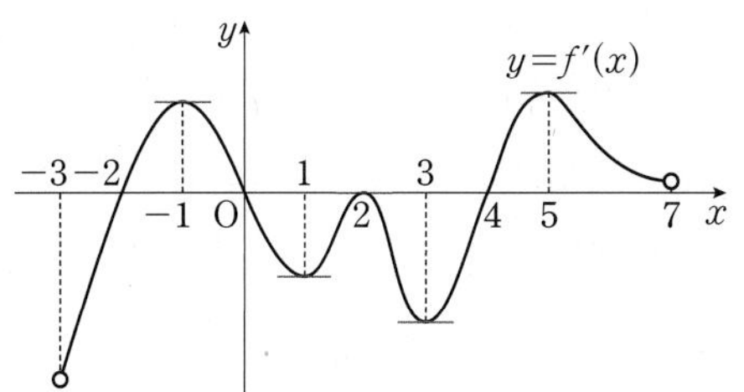

[1단계] 함수 $f(x)$가 극값을 갖는 x의 값을 구한다.
[2단계] $f''(-1)=f''(1)=f''(2)=f''(3)=f''(5)=0$임을 이용하여 이계도함수 $y=f''(x)$의 그래프의 개형을 그린다.

1456

함수 $f(x)=xe^{-x}$에 대하여 곡선 $y=f(x)$의 변곡점을 A라 할 때, 다음 단계로 그 과정을 서술하여라.

[1단계] 변곡점 A의 좌표를 구한다.
[2단계] 곡선 $y=f(x)$ 위의 점 A에서의 접선의 기울기를 구한다.
[3단계] 점 A에서의 접선의 방정식을 구한다.
[4단계] 점 A에서의 접선이 x축, y축과 만나는 점을 각각 B, C라 고 할 때, 삼각형 OBC의 넓이를 구한다. (단, O는 원점)

1457

함수 $f(x)=\ln(x^2+1)^2$에 대하여 다음 단계로 그 과정을 서술하여라.

[1단계] $f''(x)$를 구한다.
[2단계] $y=f(x)$의 두 변곡점 사이의 거리를 구한다.
[3단계] $y=f(x)$의 두 변곡점의 접선의 기울기의 곱을 구한다.
[4단계] 두 변곡점의 접선의 방정식을 구한다.

1458

함수

$$f(x)=\ln(x^2+1)$$

은 $x=a$에서 극솟값 $f(a)$를 갖는다. 곡선 $y=f(x)$의 두 변곡점과 점 $(a,\ f(a))$를 꼭짓점으로 하는 삼각형의 넓이를 구하는 과정을 다음 단계로 서술하여라.

[1단계] $f'(x)$, $f''(x)$를 구한다.
[2단계] 곡선 $y=f(x)$의 $x=a$에서 극솟값 $f(a)$를 구한다.
[3단계] 곡선 $y=f(x)$의 두 변곡점을 구한다.
[4단계] 삼각형의 넓이를 구한다.

1459

함수

$$f(x)=ax^2+bx+\ln x$$

는 $x=4$에서 극소이고, 곡선 $y=f(x)$의 변곡점의 x좌표가 2일 때, 함수 $f(x)$의 극댓값을 구하는 과정을 다음 단계로 서술하여라. (단, a, b는 상수이다.)

[1단계] 함수 $y=f(x)$가 $x=4$에서 극소임을 이용하여 a, b의 관계식을 구한다.
[2단계] 함수 $y=f(x)$의 변곡점의 x좌표가 2임을 이용하여 a, b의 값을 구한다.
[3단계] 함수 $y=f(x)$의 극댓값을 구한다.

1460

함수 $y=\dfrac{x}{x^2+1}$의 그래프의 개형을 다음 단계를 고려하여 서술하여라.

[1단계] 함수 $y=f(x)$의 정의역과 좌표축과의 교점을 구한다.
[2단계] 함수 $y=f(x)$의 대칭성을 구한다.
[3단계] $f'(x)=0$인 x의 값과 $f''(x)=0$인 x의 값을 구한다.
[4단계] 함수 $y=f(x)$의 증가와 감소, 극대와 극소, 오목과 볼록, 변곡점을 나타내는 표를 작성한다.
[5단계] $\lim\limits_{x\to\infty}f(x)$, $\lim\limits_{x\to-\infty}f(x)$를 구하여 점근선을 찾는다.
[6단계] 그래프의 개형을 그린다.

1461

함수 $f(x)=\frac{x}{x^2+4}$에 대하여 다음 물음에 답하고 그 과정을 서술하여라.

[1단계] 함수 $f(x)$의 그래프의 개형을 그려라.

[2단계] 함수 $f(x)$의 최댓값과 최솟값을 구하여라.

[3단계] 양수 a에 대하여 구간 $[-a, a+1]$에서 함수 $f(x)$의 최댓값을 M, 최솟값을 m이라고 하자.
이때 $M+m=0$이 되도록 하는 a의 최솟값을 구하여라.

1462

좌표평면에서 점 A의 좌표는 $(1, 0)$이고 $0<\theta<\frac{\pi}{2}$인 θ에 대하여 점 B의 좌표는 $(\cos\theta, \sin\theta)$이다. 사각형 OACB가 평행사변형이 되도록 하는 제1사분면 위의 점 C에 대하여 사각형 OACB의 넓이를 $f(\theta)$, 선분 OC의 길이의 제곱을 $g(\theta)$라 할 때, 다음 단계로 그 과정을 서술하여라. (단, O는 원점)

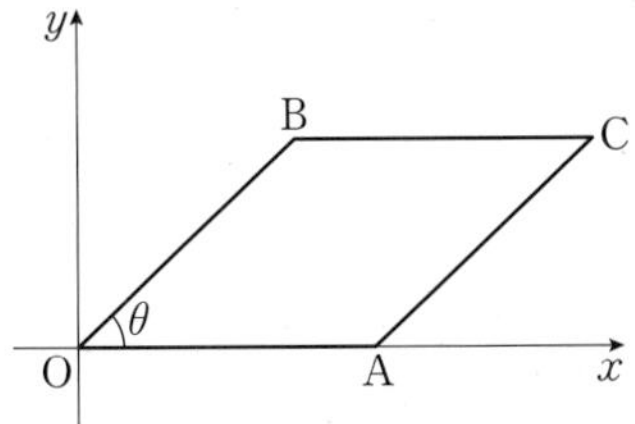

[1단계] 사각형 OACB의 넓이 $f(\theta)$를 구한다.

[2단계] 선분 OC의 길이의 제곱 $g(\theta)$를 구한다.

[3단계] $\lim_{\theta\to0+}\frac{\theta\times g(\theta)}{f(\theta)}$의 값을 구한다. $\left(\text{단, } 0<\theta<\frac{\pi}{2}\right)$

[4단계] $f(\theta)+g(\theta)$의 최댓값을 구한다.

1463

그림과 같이 섬으로부터 가장 가까운 해안의 P지점까지의 거리는 4km이고 P지점과 마을의 거리는 7km라고 한다. 해안의 한 지점 Q를 정하여 섬과 마을을 연결하는 다리와 도로를 건설하려고 한다. 다리의 건설비용은 1km 당 5억 원, 도로의 건설비용은 1km 당 3억 원이라고 할 때, 섬에서 마을까지 다리와 도로를 건설하는 비용의 최솟값을 구하는 과정을 다음 단계로 서술하여라.

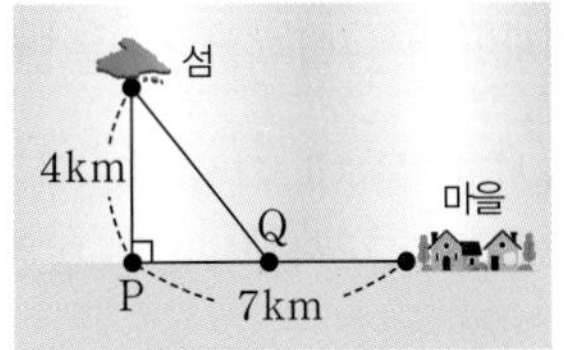

[1단계] $\overline{PQ}=x$km로 놓고 다리와 도로를 건설하는데 드는 건설비를 x로 나타낸다.

[2단계] 건설비용을 x에 대한 증감표를 작성하여 극소가 되는 x의 값을 구한다.

[3단계] 건설비용의 최솟값을 구한다.

1464

곡선 $y=e^{-x}$의 제1사분면 위의 점 (t, e^{-t})에서의 접선이 x축, y축과 만나는 점을 각각 P, Q라 하자. 삼각형 OPQ의 넓이의 최댓값을 구하는 과정을 다음 단계로 서술하여라. (단, O는 원점)

[1단계] 곡선 위의 점 (t, e^{-t})에서의 접선의 방정식을 구한다.

[2단계] 삼각형 OPQ의 넓이를 t에 대한 함수로 나타낸다.

[3단계] 삼각형 OPQ의 넓이의 최댓값을 구한다.

1465

교육청기출

실수 전체의 집합에서 미분가능한 함수 $f(x)$에 대하여 곡선 $y=f(x)$ 위의 점 $(4,\ f(4))$에서의 접선 l이 다음 조건을 만족시킨다.

> (가) 직선 l은 제 2사분면을 지나지 않는다.
> (나) 직선 l과 x축 및 y축으로 둘러싸인 도형은 넓이가 2인 직각이등변삼각형이다.

함수 $g(x)=xf(2x)$에 대하여 $g'(2)$의 값을 구하여라.

1466

실수 전체의 집합에서 정의된 두 함수

$$f(x)=\frac{x-1}{x^2+3},\ g(x)=-4\sin x-4\cos^2 x+4$$

에 대하여 함수 $(f\circ g)(x)$의 최댓값을 M, 최솟값을 m이라 하자. Mm의 값을 구하여라.

1467

양수 a에 대하여 곡선 $y=x^3$ 위의 점 $\mathrm{P}(a,\ a^3)$에서의 접선을 l_1, 직선 l_1이 곡선 $y=x^3$과 만나는 점 중에서 점 P가 아닌 점을 Q, 곡선 $y=x^3$ 위의 점 Q에서의 접선을 l_2라 하자. 두 직선 l_1, l_2가 이루는 예각의 크기가 최대일 때, a의 값을 구하여라.

1468

자연수 n에 대하여 곡선 $y=e^{nx-1}+1$과 직선 $y=nx-1$ 위를 움직이는 점을 각각 P와 Q라 하자. 선분 PQ의 길이의 최솟값을 a_n이라 할 때, $\displaystyle\sum_{n=1}^{10}\frac{4}{a_n^2}$의 값을 구하여라.

1469

평가원기출

양수 a와 실수 b에 대하여 함수 $f(x)=ae^{3x}+be^x$이 다음 조건을 만족시킬 때, $f(0)$의 값을 구하여라.

> (가) $x_1<\ln\frac{2}{3}<x_2$를 만족시키는 모든 실수 x_1, x_2에 대하여 $f''(x_1)f''(x_2)<0$이다.
> (나) 구간 $[k,\ \infty)$에서 함수 $f(x)$의 역함수가 존재하도록 하는 실수 k의 최솟값을 m이라 할 때, $f(2m)=-\frac{80}{9}$이다.

1470

수능기출

양의 실수 t에 대하여 곡선 $y=t^3\ln(x-t)$가 곡선 $y=2e^{x-a}$과 오직 한 점에서 만나도록 하는 실수 a의 값을 $f(t)$라 하자. $\left\{f'\left(\frac{1}{3}\right)\right\}^2$의 값을 구하여라.

1471

오른쪽 그림과 같이 $\angle \mathrm{B}$가 직각인 삼각형 ABC에서 점 D는 $\overline{\mathrm{AB}}$의 중점이고 $\overline{\mathrm{AB}}=2$, $\angle \mathrm{ACD}=\theta$라고 할 때, $\tan\theta$가 최대가 되는 $\overline{\mathrm{BC}}$의 길이를 구하여라.

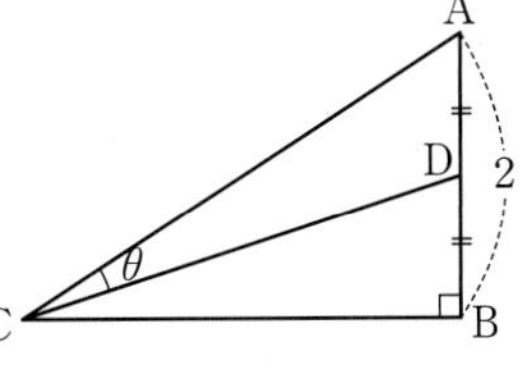

1472

교육청기출

함수 $f(x)=x^2+ax+b\left(0<b<\dfrac{\pi}{2}\right)$에 대하여 함수

$$g(x)=\sin(f(x))$$

가 다음 조건을 만족시킨다.

(가) 모든 실수 x에 대하여 $g'(-x)=-g'(x)$이다.
(나) 점 $(k,\ g(k))$는 곡선 $y=g(x)$의 변곡점이고, $2kg(k)=\sqrt{3}g'(k)$이다.

두 상수 a, b에 대하여 $a+b$의 값을 구하여라.

1473

교육청기출

함수 $f(x)=2\ln(5-x)+\dfrac{1}{4}x^2$에 대하여 옳은 것만을 [보기]에서 있는 대로 고른 것은?

ㄱ. 함수 $f(x)$는 $x=4$에서 극댓값을 갖는다.
ㄴ. 곡선 $y=f(x)$의 변곡점의 개수는 2이다.
ㄷ. 방정식 $f(x)=\dfrac{1}{4}$의 실근의 개수는 1이다.

① ㄱ ② ㄴ ③ ㄱ, ㄷ
④ ㄴ, ㄷ ⑤ ㄱ, ㄴ, ㄷ

1474

평가원기출

2 이상의 자연수 n에 대하여 실수 전체의 집합에서 정의된 함수

$$f(x)=e^{x+1}\{x^2+(n-2)x-n+3\}+ax$$

가 역함수를 갖도록 하는 실수 a의 최솟값을 $g(n)$이라 하자. $1\le g(n)\le 8$을 만족시키는 모든 n의 값의 합을 구하여라.

1475

곡선 $y=\dfrac{\ln kx}{x}$ 위의 점 $\mathrm{P}\left(t,\ \dfrac{\ln kt}{t}\right)(t>0)$에서의 접선이 y축과 만나는 점을 Q라 하자. 점 Q의 y좌표를 $f(t)$라 할 때, $f(t)$의 최댓값이 $2\sqrt{e}$가 되도록 하는 양수 k의 값을 구하여라.

$\left(\text{단, } \lim\limits_{x\to\infty}\dfrac{\ln x}{x}=0\text{이다.}\right)$

1476

평가원기출

함수 $f(x)=\dfrac{\ln x}{x}$와 양의 실수 t에 대하여 기울기가 t인 직선이 곡선 $y=f(x)$에 접할 때, 접점의 x좌표를 $g(t)$라 하자. 원점에서 곡선 $y=f(x)$에 그은 접선의 기울기가 a일 때, 미분가능한 함수 $g(t)$에 대하여 $a\times g'(a)$의 값을 구하여라.

1477

교육청기출

$0 < t < 1$인 실수 t에 대하여 직선 $y=t$와 함수

$$f(x)=\sin x\left(0 < x < \frac{\pi}{2}\right)$$

의 그래프가 만나는 점을 P라 할 때, 곡선 $y=f(x)$ 위의 점 P에서 그은 접선의 x절편을 $g(t)$라 하자. $g'\left(\frac{2\sqrt{2}}{3}\right)$의 값을 구하여라.

1478

점 A$(4, 4)$와 곡선 $y=\frac{1}{x}$ 위의 점 P에 대하여 선분 AP의 길이의 최솟값을 구하여라.

1479

그림과 같이 지름 AB의 길이가 12인 반원에서 지름에 평행한 현 CD를 그을 때, 생기는 도형 OBDC의 넓이의 최댓값을 구하여라. (단, 점 O는 반원의 중심)

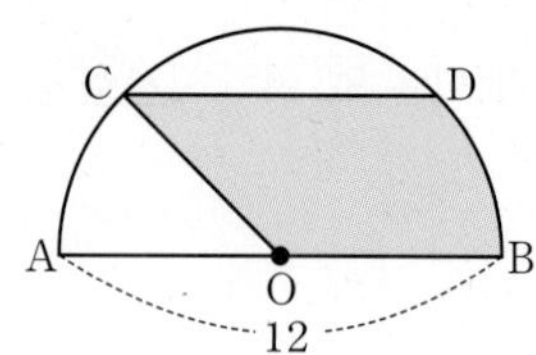

1480

그림과 같이 폭이 각각 8m, 1m인 통로가 직각으로 만나고 있다. 이때 수평으로 들고 모서리를 돌아갈 수 있는 막대의 최대 길이를 구하여라. (단, 막대의 두께는 무시한다.)

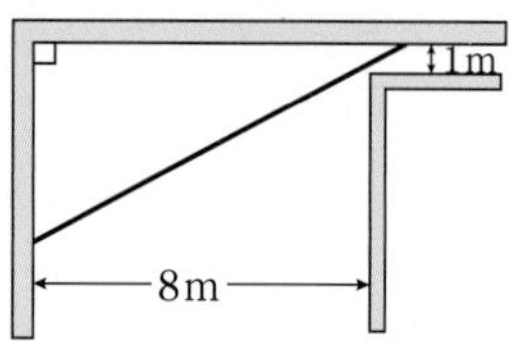

12 방정식과 부등식의 활용

내신정복 기출유형

유형 01 유리 무리 방정식의 실근의 개수

방정식의 실근과 함수의 그래프 사이에는 다음과 같은 관계가 있다.

① 방정식 $f(x)=0$의 실근의 개수
⇔ 함수 $y=f(x)$의 그래프와 x축의 교점의 개수와 같다.

② 방정식 $f(x)=k$의 실근의 개수
⇔ 함수 $y=f(x)$의 그래프와 직선 $y=k$의 교점의 개수와 같다.

1481 학교기출 대표 유형

$x>0$일 때, 미분가능하고 $x\ge 0$일 때, 연속인 함수 $f(x)$에 대하여 그 도함수 $y=f'(x)$의 그래프가 아래 그림과 같다. 함수 $f(x)$가 다음의 세 조건을 모두 만족할 때, 방정식 $f(x)-k=0$이 서로 다른 두 실근을 가지기 위한 실수 k의 값의 범위는?

(가) $f(0)=-1$
(나) $f(1)=3$
(다) $\lim_{x\to\infty}f(x)=0$

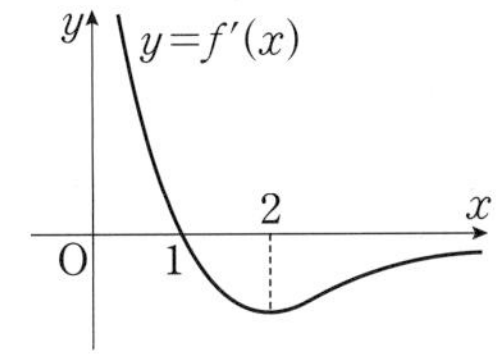

① $1<k<3$ ② $k<3$ ③ $k<1$
④ $0<k<3$ ⑤ $-1<k<0$

1482 NORMAL

방정식

$$\frac{3}{x^2-4x+7}=k$$

가 서로 다른 두 실근을 가질 때, 실수 k의 범위는?

① $k<-1$ ② $-1<k<1$ ③ $0<k<1$
④ $k>1$ ⑤ $k>2$

1483 최다빈출 왕중요 NORMAL

방정식 $x^3+\frac{3}{x}=k$가 서로 다른 두 실근을 가질 때, 실수 k의 값의 범위는?

① $-4<k<2$ ② $-4<k<4$
③ $k<-4$ 또는 $k>4$ ④ $k<-2$ 또는 $k>2$
⑤ $k<-1$ 또는 $k>1$

▶ 해설 내신연계기출

1484 최다빈출 왕중요 NORMAL

방정식

$$x-\sqrt{x+1}-n=0$$

이 서로 다른 두 실근을 갖도록 하는 실수 n의 최댓값은?

① -2 ② -1 ③ 0
④ 1 ⑤ 2

▶ 해설 내신연계기출

1485 NORMAL

방정식

$$\sqrt{x}+\frac{4}{x}=k$$

가 서로 다른 두 실근을 가지기 위한 정수 k의 최솟값은?

① 0 ② 1 ③ 2
④ 3 ⑤ 4

1486 TOUGH

함수 $f(x)=\frac{x^3}{(x-1)^2}$의 그래프를 이용하여 방정식

$$x^3=k(x-1)^2$$

이 서로 다른 세 실근을 갖도록 하는 실수 k의 범위는?

① $1<k<\frac{27}{4}$ ② $1<k<6$ ③ $6<k<\frac{27}{4}$
④ $k>\frac{27}{4}$ ⑤ $k>6$

유형 02 지수 방정식의 실근의 개수

방정식의 실근과 함수의 그래프 사이에는 다음과 같은 관계가 있다.
① 방정식 $f(x)=k$의 실근의 개수
⇔ 함수 $y=f(x)$의 그래프와 직선 $y=k$의 교점의 개수와 같다.
② 방정식 $f(x)=g(x)$의 실근의 개수
⇔ 두 함수 $y=f(x)$, $y=g(x)$ 의 그래프의 교점의 개수와 같다.

1487
학교기출 대표 유형

x에 대한 방정식 $e^x=x+a$가 서로 다른 두 실근을 가질 때, 실수 a의 값의 범위는?

① $a=1$ ② $a>1$ ③ $a<1$
④ $a>2$ ⑤ $a<2$

1488
NORMAL

방정식

$$xe^x-k=0$$

이 서로 다른 두 개의 실근을 갖도록 하는 실수 k의 값의 범위는? (단, $\lim_{x\to-\infty}xe^x=0$)

① $-e<k<-\frac{1}{e}$ ② $-\frac{1}{e}<k<0$ ③ $0<k<\frac{1}{e}$
④ $\frac{1}{e}<k<e$ ⑤ $k>e$

1489
NORMAL

방정식

$$\frac{e^x+e^{-x}}{2}=k$$

가 서로 다른 두 실근을 가질 때, 실수 k의 값의 범위는?

① $k<\frac{1}{e}$ ② $k<1$ ③ $k>1$
④ $k>e$ ⑤ $k>2$

1490
최다빈출 왕중요 NORMAL

방정식

$$2x^2=ke^{x-2}$$

이 서로 다른 세 실근을 갖도록 하는 정수 k의 개수는? (단, $\lim_{x\to+\infty}x^2e^{-x+2}=0$)

① 4 ② 5 ③ 6
④ 7 ⑤ 8

▶ 해설 내신연계기출

1491
NORMAL

방정식

$$ke^{2x}-e^x+1=0$$

의 서로 다른 두 실근을 가지도록 하는 실수 k의 값의 범위는?

① $k<0$ ② $k>\frac{1}{4}$ ③ $k>1$
④ $0<k<\frac{1}{4}$ ⑤ $0<k<1$

1492
NORMAL

x에 대한 방정식

$$(e^x-x-3)^2=k$$

가 서로 다른 세 실근을 갖도록 하는 상수 k의 값은?

① 2 ② 3 ③ 4
④ 5 ⑤ 6

유형 03 로그 삼각함수 방정식의 실근의 개수

방정식의 실근과 함수의 그래프 사이에는 다음과 같은 관계가 있다.

① 방정식 $f(x)=k$의 실근의 개수

⇔ 함수 $y=f(x)$의 그래프와 직선 $y=k$의 교점의 개수와 같다.

② 방정식 $f(x)=g(x)$의 실근의 개수

⇔ 두 함수 $y=f(x)$, $y=g(x)$ 의 그래프의 교점의 개수와 같다.

1493 학교기출 대표 유형

방정식 $\ln x=x+a$가 서로 다른 두 실근을 가지도록 하는 실수 a의 값의 범위는?

① $a=-1$ ② $a>1$ ③ $a<-1$
④ $a>-1$ ⑤ $a<1$

▶ 해설 내신연계기출

1494 NORMAL

방정식

$$2x-2\ln x=a$$

가 실근을 갖지 않을 때, 실수 a의 값의 범위는?

① $a=-2$ ② $a<-2$ ③ $a>-2$
④ $a>2$ ⑤ $a<2$

1495 최다빈출 왕 중요 NORMAL

방정식

$$\ln x-x+20-n=0$$

이 서로 다른 두 실근을 갖도록 하는 자연수 n의 개수는?

① 12 ② 14 ③ 16
④ 18 ⑤ 20

▶ 해설 내신연계기출

1496 최다빈출 왕 중요 NORMAL

방정식

$$x\ln x-2x-k=0$$

이 적어도 하나의 실근을 갖기 위한 상수 k의 최솟값은?
(단, $\lim_{x\to 0+} x\ln x=0$)

① $-2e$ ② $-e$ ③ 0
④ e ⑤ $2e$

▶ 해설 내신연계기출

1497 TOUGH

$-\pi<x<\pi$일 때, 방정식

$$\sin x=kx$$

가 서로 다른 세 실근을 갖도록 하는 상수 k의 값의 범위는?

① $0<k<\frac{1}{2}$ ② $0<k<1$ ③ $0<k<2$
④ $\frac{1}{2}<k<1$ ⑤ $1<k<2$

1498 TOUGH

미분가능한 두 함수 $f(x)$와 $g(x)$가 다음 조건을 만족시킨다.

(가) $x>0$일 때, $f'(x)-g'(x)>0$이다.
(나) $x<0$일 때, $f'(x)-g'(x)<0$이다.
(다) $f(0)-g(0)=-2$

방정식 $f(x)=g(x)$의 실근의 최대 개수와 최소 개수를 각각 M, m이라 할 때, $M+m$의 값은?

① 2 ② 3 ③ 4
④ 5 ⑤ 6

유형 04 방정식 $\ln x = ax$, $e^x = ax$의 실근의 개수

① $\ln x = ax$의 실근의 개수 ⇨ $y=\ln x$, $y=ax$의 교점의 개수
② $e^x = ax$의 실근의 개수 ⇨ $y=e^x$, $y=ax$의 교점의 개수

꼭 기억해야 할 함수 $y=\ln x$, $y=e^x$의 접선의 방정식
① 곡선 $y=\ln x$에 접하고 기울기가 1인 접선의 방정식
⇨ $y=x-1$이다.
② 곡선 $y=e^x$에 접하고 기울기가 1인 접선의 방정식
⇨ $y=x+1$이다.
③ 원점에서 곡선 $y=\ln x$에 그은 접선의 방정식
⇨ $y=\frac{1}{e}x$이다.
④ 원점에서 곡선 $y=e^x$에 그은 접선의 방정식
⇨ $y=ex$이다.

1499 학교기출 대표 유형

방정식 $\ln x = kx$가 서로 다른 두 개의 실근을 갖도록 하는 실수 k값의 범위는?

① $0<k<\frac{1}{e}$ ② $0<k<e$ ③ $k>e$
④ $k<e$ ⑤ $\frac{1}{e}<k<e$

▶ 해설 내신연계기출

1500 최다빈출 왕 중요 NORMAL

방정식 $e^x = kx$에 대한 [보기]의 설명에서 옳은 것만을 있는 대로 고른 것은? (단, k는 상수)

ㄱ. $k>e$이면 서로 다른 실근의 개수는 2개이다.
ㄴ. $0 \le k < e$이면 서로 다른 실근의 개수는 2개이다.
ㄷ. $k<0$ 또는 $k=e$이면 서로 다른 실근의 개수는 1개이다.

① ㄱ ② ㄱ, ㄴ ③ ㄱ, ㄷ
④ ㄴ, ㄷ ⑤ ㄱ, ㄴ, ㄷ

▶ 해설 내신연계기출

1501 최다빈출 왕 중요 TOUGH

x에 대한 두 방정식 $\ln x = kx$와 $e^x = kx$가 모두 실근을 갖지 않을 때, 상수 k값의 범위는?

① $\frac{1}{e}<k<e$ ② $1<k<e$ ③ $\frac{1}{e}<k<1$
④ $\frac{1}{e}<k<e^2$ ⑤ $\frac{1}{e^2}<k<e^2$

▶ 해설 내신연계기출

유형 05 극값이 존재하는 부등식의 활용

모든 실수에 대하여 성립하는 부등식
① 모든 실수 x에 대하여 $f(x)>0$이면
⇨ $y=f(x)$의 최솟값>0임을 보인다.
② 모든 실수 x에 대하여 $f(x)<0$이면
⇨ $y=f(x)$의 최댓값<0임을 보인다.
③ x의 모든 실수에 대하여 $f(x) \ge 0$이면
⇨ $y=f(x)$의 최솟값≥ 0임을 보인다.

1502 학교기출 대표 유형

임의의 실수 x에 대하여 $e^x - a \ge x$가 항상 성립하도록 하는 실수 a의 최댓값은?

① -2 ② -1 ③ 0
④ 1 ⑤ 2

▶ 해설 내신연계기출

1503 최다빈출 왕 중요 NORMAL

모든 실수 x에 대하여 부등식 $e^{2x} \ge ax$이 성립하도록 하는 실수 a의 최댓값은? (단, $a>0$)

① 1 ② 2 ③ e
④ $2e$ ⑤ e^2

▶ 해설 내신연계기출

1504 최다빈출 왕 중요 NORMAL

$x>0$일 때, 부등식
$$x - \ln ax \ge 0$$
이 성립하도록 하는 양수 a의 값의 범위는?

① $0<a\le e$ ② $a \ge e$ ③ $1 \le a \le e$
④ $0<a\le \frac{e}{2}$ ⑤ $a \ge 1$

▶ 해설 내신연계기출

1505 최다빈출 왕 중요 NORMAL

$x>0$일 때, 부등식

$$x\ln x \geq x+k$$

가 성립하도록 하는 실수 k의 최댓값은?

① -1　② 0　③ 1
④ 2　⑤ 3

▶ 해설 내신연계기출

1506 최다빈출 왕 중요 NORMAL

$x>1$인 모든 실수 x에 대하여 부등식

$$2x+k \geq \ln(x-1)$$

이 성립하도록 하는 실수 k의 최솟값은?

① $-3-\ln 2$　② $-1-\ln 2$　③ $-2+\ln 2$
④ $3+\ln 2$　⑤ $4+2\ln 2$

▶ 해설 내신연계기출

1507 NORMAL

$x<1$인 모든 실수 x에 대하여 부등식

$$x^2+k \geq 4\ln(1-x)$$

를 만족시키는 실수 k의 최솟값은?

① $\ln 2-1$　② $2\ln 2-1$　③ $3\ln 2-1$
④ $4\ln 2-1$　⑤ $5\ln 2-1$

1508 최다빈출 왕 중요 NORMAL

$x>0$일 때, 부등식

$$(\ln x)^2-2\ln x-2a+9 \geq 0$$

가 성립하도록 하는 실수 a의 최댓값은?

① 2　② 3　③ 4
④ 5　⑤ 6

▶ 해설 내신연계기출

1509 최다빈출 왕 중요 NORMAL

$x>0$에서 부등식 $\frac{\ln x}{x} \leq kx$가 항상 성립하기 위한 실수 k의 최솟값은?

① $\frac{1}{e}$　② $\frac{1}{2e}$　③ e
④ $2e$　⑤ $3e$

▶ 해설 내신연계기출

1510 TOUGH

다음은 모든 실수 x에 대하여 $2x-1 \geq ke^{x^2}$을 성립시키는 실수 k의 최댓값을 구하는 과정이다.

> $f(x)=(2x-1)e^{-x^2}$이라 하자.
> $f'(x)=($ (가) $)\times e^{-x^2}$
> $f'(x)=0$에서 $x=-\frac{1}{2}$ 또는 $x=1$
> 함수 $f(x)$의 증가와 감소를 조사하면 함수 $f(x)$의 극솟값은 (나) 이다.
> 또한, $\lim_{x\to\infty} f(x)=0$, $\lim_{x\to-\infty} f(x)=0$이므로 함수 $y=f(x)$의 그래프의 개형을 그리면 함수 $f(x)$의 최솟값은 (나) 이다.
> 따라서 $2x-1 \geq ke^{x^2}$을 성립시키는 실수 k의 최댓값은 (나) 이다.

위의 (가)에 알맞은 식을 $g(x)$, (나)에 알맞은 수를 p라 할 때, $g(2)\times p$의 값은?

① $\frac{10}{e}$　② $\frac{15}{e}$　③ $\frac{20}{\sqrt[4]{e}}$
④ $\frac{25}{\sqrt[4]{e}}$　⑤ $\frac{30}{\sqrt[4]{e}}$

유형 06 극값이 존재하지 않는 부등식의 활용

$x>a$에서 부등식 $f(x)>0$이 성립함을 다음과 같이 증명할 수 있다.

① 함수 $f(x)$의 극값이 존재할 때,

⇨ $x>a$에서 $y=f(x)$의 최솟값 >0임을 보인다.

② 함수 $f(x)$의 극값이 존재하지 않을 때,

⇨ $x>a$에서 $f(x)$가 증가하고, $f(a)\geq 0$임을 보인다.

즉, $f'(x)>0$, $f(a)\geq 0$임을 보인다.

1511 학교기출 대표 유형

$x\geq 0$일 때, 부등식

$$\cos x\geq k-x^2$$

이 성립하도록 하는 실수 k의 최댓값은?

① 1　② 2　③ 3
④ 4　⑤ 5

1512 최다빈출 왕중요 NORMAL

양수 x에 대하여 부등식

$$\cos x>k-\frac{\pi}{2}x^2$$

이 성립하도록 하는 실수 k값의 범위는?

① $k<1$　② $k\leq 1$　③ $k<\pi$
④ $k\leq \pi$　⑤ $k<\frac{3\pi}{2}$

▶ 해설 내신연계기출

1513 최다빈출 왕중요 NORMAL

$x>0$에서

$$e^x-\frac{x^2}{2}-x+k\geq 0$$

이 성립하도록 하는 실수 k의 최솟값은?

① -2　② -1　③ 0
④ 1　⑤ 2

▶ 해설 내신연계기출

유형 07 부등식 $f(x)>g(x)$에의 활용

[1단계] 어떤 구간에서 $f(x)>g(x)$이면
$h(x)=f(x)-g(x)$라 하고 정리한다.

[2단계] 어떤 구간에서 항상 $h(x)>0$이면
그 구간에서 (최솟값)>0이면 된다.
즉 그 구간에서 $y=h(x)$의 그래프가 x축 위쪽에 존재해야 한다.

1514 학교기출 대표 유형

$e\leq x\leq e^2$일 때, 부등식

$$x\ln x-3x+2+k\leq 0$$

이 성립하도록 하는 실수 k의 최댓값은?

① $e-1$　② $2e-2$　③ $2e-1$
④ $2e+1$　⑤ $2e+2$

1515 TOUGH

$1\leq x\leq 2$인 모든 실수 x에 대하여 부등식

$$ax\leq e^x\leq bx$$

가 성립하도록 실수 a, b를 정할 때, $b-a$의 최솟값은?

① $\frac{e}{2}$　② e　③ $e\left(\frac{e^2}{4}-1\right)$
④ $e\left(\frac{e^2}{3}-1\right)$　⑤ $e\left(\frac{e}{2}-1\right)$

1516 최다빈출 왕중요 TOUGH

$\frac{1}{e}\leq x\leq e^2$일 때, 부등식

$$ax\leq \ln x\leq \beta x$$

가 성립하도록 하는 실수 α, β에 대하여 $\beta-\alpha$의 최솟값은?

① $\frac{1}{e}$　② e　③ $\frac{e^2}{4}-1$
④ $e+\frac{1}{e}$　⑤ $2e+\frac{3}{e}$

▶ 해설 내신연계기출

속도 가속도

유형 01 직선 운동에서의 속도와 가속도

수직선 위를 움직이는 점 P의 시각 t에서의 위치 x가 $x=f(t)$일 때, 시각 t에서 점 P의 속도 $v(t)$와 가속도 $a(t)$는 다음과 같다.

① $v(t)=\frac{dx}{dt}=f'(t)$

② $a(t)=\frac{d}{dt}v(t)=f''(t)$

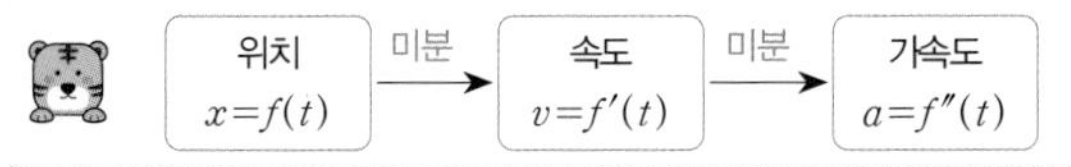

1517 학교기출 대표 유형

수직선 위를 움직이는 점 P의 시각 t에서의 위치 $x=f(t)$가

$$f(t)=e^t-t$$

일 때, $t=1$에서 점 P의 속도와 가속도의 곱은?

① $e-1$　② e　③ $e+1$
④ $(e-1)e$　⑤ $e(e+1)$

1518 최다빈출 왕중요 BASIC

수직선 위를 움직이는 점 P의 시각 t에서의 위치 $x(t)$가

$$x(t)=t+\frac{20}{\pi^2}\cos(2\pi t)$$

이다. 점 P의 시각 $t=\frac{1}{3}$에서의 가속도의 크기는?

① 20　② 30　③ 40
④ 50　⑤ 60

▶ 해설 내신연계기출

1519 NORMAL

원점에서 출발하여 수직선 위를 움직이는 점 P의 시각 t에서의 위치 x가

$$x=\sin\frac{t}{2}-\frac{1}{4}t$$

일 때, 점 P가 처음으로 운동 방향을 바꿀 때의 시각은?

① $\frac{\pi}{6}$　② $\frac{\pi}{3}$　③ $\frac{\pi}{2}$
④ $\frac{2}{3}\pi$　⑤ $\frac{4}{3}\pi$

1520 NORMAL

수직선 위를 움직이는 점 P의 시각 t에서의 위치를 x라고 하면

$$x=\ln(t^2+7)$$

이다. 점 P의 가속도가 0일 때의 속도는?

① $\frac{\sqrt{3}}{3}$　② $\frac{\sqrt{5}}{5}$　③ $\frac{\sqrt{6}}{6}$
④ $\frac{\sqrt{7}}{7}$　⑤ $\frac{\sqrt{7}}{4}$

1521 TOUGH

수직선 위를 움직이는 점 P의 시각 t에서의 위치 $x=f(t)$가

$$f(t)=a\sin\frac{\pi}{2}t+b\cos\frac{\pi}{2}t$$

이다. $t=3$에서의 속도가 $-\pi$이고 가속도가 $\frac{\pi^2}{2}$일 때, 상수 a, b에 대하여 $a+b$의 값은?

① $-\pi$　② -1　③ 0
④ 1　⑤ π

유형 02 평면 운동에서의 속도와 가속도

좌표평면 위를 움직이는 점 P의 시각 t에서의 좌표 (x, y)가

$x=f(t)$, $y=g(t)$로 나타내어질 때,

① 점 P의 시각 t에서의 속도

$$\left(\frac{dx}{dt}, \frac{dy}{dt}\right)=(f'(t), g'(t))$$

② 점 P의 시각 t에서의 속도의 크기 또는 속력

$$\sqrt{\left(\frac{dx}{dt}\right)^2+\left(\frac{dy}{dt}\right)^2}=\sqrt{\{f'(t)\}^2+\{g'(t)\}^2}$$

③ 점 P의 시각 t에서의 가속도

$$\left(\frac{d^2x}{dt^2}, \frac{d^2y}{dt^2}\right)=(f''(t), g''(t))$$

④ 점 P의 시각 t에서의 가속도의 크기

$$\sqrt{\left(\frac{d^2x}{dt^2}\right)^2+\left(\frac{d^2y}{dt^2}\right)^2}=\sqrt{\{f''(t)\}^2+\{g''(t)\}^2}$$

1522 학교기출 대표 유형

좌표평면 위를 움직이는 점 P의 시각 t에서의 위치 (x, y)가

$$x=t^3-6t,\ y=2t^2+3$$

일 때, 시각 $t=2$에서의 점 P의 속력은?

① 6 ② 7 ③ 8
④ 9 ⑤ 10

1523 BASIC

좌표평면 위를 움직이는 점 P의 시각 $t\,(t>0)$에서의 위치 (x, y)가

$$x=t-\frac{2}{t},\ y=2t+\frac{1}{t}$$

이다. 시각 $t=1$에서 점 P의 속도의 크기는?

① $2\sqrt{2}$ ② 3 ③ $\sqrt{10}$
④ $\sqrt{11}$ ⑤ $2\sqrt{3}$

1524 BASIC

좌표평면 위를 움직이는 점 $\mathrm{P}(x, y)$의 시각 t에서의 위치가

$$x=\ln(t+1),\ y=t^2+1$$

일 때, 1초 후의 점 P의 속력은?

① $\frac{\sqrt{14}}{2}$ ② $\frac{\sqrt{16}}{2}$ ③ $\frac{\sqrt{17}}{2}$
④ $\frac{3\sqrt{2}}{2}$ ⑤ $\frac{\sqrt{20}}{2}$

1525 최다빈출 왕 중요 NORMAL

좌표평면 위를 움직이는 점 $\mathrm{P}(x, y)$의 시각 t에서의 위치가

$$x=2t,\ y=t^2-3t$$

이다. 점 P의 속력이 $\sqrt{5}$일 때, 시각의 합은?

① 3 ② 4 ③ 5
④ 6 ⑤ 7

▶ 해설 내신연계기출

1526 최다빈출 왕 중요 NORMAL

좌표평면 위를 움직이는 점 $\mathrm{P}(x, y)$의 시각 t에서의 위치가

$$x=t+\sin t,\ y=3+\cos t$$

일 때, 점 P의 시각 $t=\frac{\pi}{3}$에서의 속력은?

① $\sqrt{2}$ ② $\sqrt{3}$ ③ 2
④ $2\sqrt{2}$ ⑤ $2\sqrt{3}$

▶ 해설 내신연계기출

1527

NORMAL

좌표평면 위를 움직이는 점 $\mathrm{P}(x, y)$의 시각 t에서의 위치가

$$x=3\cos t+\cos 3t,\ y=3\sin t-\sin 3t$$

일 때, $t=\frac{\pi}{4}$에서의 점 P의 속력은?

① 3　② 4　③ 5
④ 6　⑤ 7

1528

NORMAL

시각 t에서 좌표평면 위를 움직이는 점 P의 위치 (x, y)가

$$x=e^{-t}\cos t,\ y=e^{-t}\sin t$$

일 때, 시각 $t=2$에서 점 P의 속력은?

① $\frac{1}{e}$　② $\frac{\sqrt{2}}{e}$　③ $\frac{\sqrt{3}}{e}$
④ $\frac{\sqrt{2}}{e^2}$　⑤ $\frac{\sqrt{3}}{e^2}$

1529

최다빈출 왕중요

NORMAL

좌표평면 위를 움직이는 점 P의 시각 t에서의 위치 (x, y)가

$$x=e^t\cos 2t,\ y=e^t\sin 2t$$

이다. 점 P의 시각 $t=\frac{\pi}{4}$에서의 속력이 $ke^{\frac{\pi}{4}}$일 때, k의 값은?

① 1　② $\sqrt{2}$　③ $\sqrt{3}$
④ 2　⑤ $\sqrt{5}$

▶ 해설 내신연계기출

유형 03 평면 운동에서의 속력의 최솟값

좌표평면 위를 움직이는 점 P의 시각 t에서의 좌표 (x, y)가
$x=f(t),\ y=g(t)$로 나타내어질 때, 점 P의 시각 t에서의 속도가
$\left(\frac{dx}{dt}, \frac{dy}{dt}\right)=(f'(t), g'(t))$이므로

점 P의 시각 t에서의 속도의 크기 또는 속력

$$\sqrt{\left(\frac{dx}{dt}\right)^2+\left(\frac{dy}{dt}\right)^2}=\sqrt{\{f'(t)\}^2+\{g'(t)\}^2}$$

참고 속력의 최대 최소 구하는 방법

① 이차함수 $y=p(x-m)^2+q\,(p>0)$에서 $x=m$일 때, 최솟값 q

② $y=a\sin bx+c,\ y=a\cos bx+c$에서
$-1\le\sin bx\le 1,\ -1\le\cos bx\le 1$이므로
최댓값, 최솟값은 $|a|+c,\ -|a|+c$이다.

③ $a>0,\ b>0$일 때, 산술평균, 기하 평균 $a+b\ge 2\sqrt{ab}$를 이용하여
최댓값, 최솟값을 구한다.

1530

학교기출 대표 유형

좌표평면 위를 움직이는 점 $\mathrm{P}(x, y)$의 시각 t에서의 위치가

$$x=\frac{1}{2}t^2,\ y=\frac{1}{2}t^2-2t$$

일 때, 점 P의 속력의 최솟값은?

① $\sqrt{2}$　② $\sqrt{3}$　③ 2
④ $\sqrt{5}$　⑤ $\sqrt{6}$

1531

NORMAL

좌표평면 위를 움직이는 점 $\mathrm{P}(x, y)$의 시각 t에서의 위치가

$$x=2t,\ y=-t^2+4t$$

이다. 점 P의 속력이 최소가 되는 점 P의 위치를 (a, b)라 할 때, $a+b$의 값은?

① 4　② 5　③ 6
④ 7　⑤ 8

1532

최다빈출 왕중요

NORMAL

좌표평면 위를 움직이는 점 $\mathrm{P}(x, y)$의 시각 t에서의 위치가

$$x=-1+\sin 2t,\ y=t+\cos 2t$$

일 때, 점 P의 속력의 최댓값은?

① 1　② 2　③ 3
④ 4　⑤ 5

▶ 해설 내신연계기출

13 속도 가속도

1533 최다빈출 왕 중요 NORMAL

좌표평면 위를 움직이는 점 P의 시각 $t\,(t \ge 0)$에서의 위치 (x, y)가

$$x=3t-\sin t,\ y=4-\cos t$$

이다. 점 P의 속력의 최댓값을 M, 최솟값을 m이라 할 때, $M+m$의 값은?

① 3 ② 4 ③ 5
④ 6 ⑤ 7

▶ 해설 내신연계기출

1534 최다빈출 왕 중요 TOUGH

좌표평면 위를 움직이는 점 P의 시각 $t\left(0<t<\frac{\pi}{2}\right)$에서의 위치 (x, y)가

$$x=t+\sin t\cos t,\ y=\tan t$$

이다. $0<t<\frac{\pi}{2}$에서의 점 P의 속력의 최솟값은?

① 1 ② $\sqrt{3}$ ③ 2
④ $2\sqrt{2}$ ⑤ $2\sqrt{3}$

▶ 해설 내신연계기출

1535 TOUGH

좌표평면 위를 움직이는 점 P의 시각 $t\,(t>0)$에서의 위치 (x, y)가

$$x=2\sqrt{t},\ y=t^2+\frac{1}{8t}$$

이다. 점 P의 속도의 크기는 시각 $t=a\,(a>0)$에서 최솟값 m을 가질 때, am의 값은?

① $\frac{1}{4}$ ② $\frac{1}{2}$ ③ $\frac{3}{4}$
④ 1 ⑤ $\frac{5}{4}$

유형 04 평면 운동에서의 가속도 (1)

좌표평면 위를 움직이는 점 P의 시각 t에서의 좌표 (x, y)가 $x=f(t),\ y=g(t)$로 나타내어질 때,

① 점 P의 시각 t에서의 가속도

$$\left(\frac{d^2x}{dt^2},\ \frac{d^2y}{dt^2}\right)=(f''(t),\ g''(t))$$

② 점 P의 시각 t에서의 가속도의 크기

$$\sqrt{\left(\frac{d^2x}{dt^2}\right)^2+\left(\frac{d^2y}{dt^2}\right)^2}=\sqrt{\{f''(t)\}^2+\{g''(t)\}^2}$$

1536 학교기출 대표 유형

좌표평면 위를 움직이는 점 P의 시각 t에서의 좌표 (x, y)가

$$x=t^2+2t,\ y=at^2$$

으로 나타내어진다. 점 P의 $t=1$에서의 가속도의 크기가 $2\sqrt{2}$일 때, 양수 a의 값은?

① 1 ② 2 ③ $2\sqrt{2}$
④ 4 ⑤ 8

1537 BASIC

좌표평면 위를 움직이는 점 $P(x, y)$의 시각 t에서의 위치가

$$x=t-\frac{2}{t},\ y=2t+\frac{1}{t}$$

이다. 1초 후의 점 P의 가속도의 크기는?

① $\sqrt{10}$ ② $\sqrt{15}$ ③ $2\sqrt{5}$
④ 5 ⑤ $\sqrt{30}$

1538 최다빈출 왕 중요 NORMAL

좌표평면 위를 움직이는 점 $P(x, y)$의 시각 t에서의 위치가

$$x=t-e^t,\ y=t+e^t$$

이다. 점 P의 $t=3$일 때, 가속도의 크기는?

① $\sqrt{2}e^2$ ② $\sqrt{3}e^2$ ③ $\sqrt{2}e^3$
④ $2e^3$ ⑤ $3e^3$

▶ 해설 내신연계기출

1539 최다빈출 왕 중요 NORMAL

좌표평면 위를 움직이는 점 $P(x, y)$의 시각 t에서의 위치가

$$x=2\cos t,\ y=3\sin t$$

일 때, $t=\pi$에서의 점 P의 가속도의 크기는?

① 2 ② 3 ③ 4
④ 5 ⑤ 6

▶ 해설 내신연계기출

1540 최다빈출 왕 중요 NORMAL

좌표평면 위를 움직이는 점 $P(x, y)$의 시각 t에서의 위치가

$$x=2t+1,\ y=t-\frac{1}{3}t^3$$

이다. 점 P의 속력이 2일 때의 가속도의 크기는?

① 1 ② 2 ③ 3
④ 4 ⑤ 5

▶ 해설 내신연계기출

1541 최다빈출 왕 중요 NORMAL

좌표평면 위를 움직이는 점 $P(x, y)$에서 시각 t에서의 위치가

$$x=e^t\cos t,\ y=e^t\sin t$$

로 나타내어진다. 점 P의 속력이 $\sqrt{2}e$일 때, 가속도의 크기는?

① e ② $e+1$ ③ $2e$
④ $2(e+1)$ ⑤ $3e$

▶ 해설 내신연계기출

1542 TOUGH

좌표평면 위를 움직이는 점 P의 시각 t에서 위치가 (x, y)이고

$$x=e^t\cos t,\ y=e^t\sin t$$

이다. 점 P의 속력이 $\sqrt{2}e^{\pi}$일 때, 점 P의 가속도가 (a, b)이다. 이때 상수 a, b에 대하여 $a+b$의 값은?

① $-e$ ② $-e^{\pi}$ ③ $-2e^{\pi}$
④ $1+2e^{\pi}$ ⑤ $2(1+e^{\pi})$

1543 TOUGH

좌표평면 위를 움직이는 점 $P(x, y)$의 시각 t에서의 위치가

$$x=at^2-a\sin t,\ y=t-a\cos t$$

이다. $t=\pi$에서의 가속도의 크기가 $\sqrt{5}$일 때, 양수 a의 값은?

① 1 ② 2 ③ 3
④ 4 ⑤ 5

1544 TOUGH

좌표평면 위를 움직이는 점 P의 시각 t에서의 (x, y)가

$$x=a(t-\sin t),\ y=a(1-\cos t)$$

로 나타내어진다. 점 P의 가속도의 크기가 $\sqrt{10}$으로 항상 일정할 때, 양수 a의 값은?

① $\frac{\sqrt{10}}{10}$ ② $\frac{\sqrt{10}}{5}$ ③ $\frac{\sqrt{10}}{2}$
④ $\sqrt{10}$ ⑤ $2\sqrt{10}$

⬅ 사이클로이드

13 속도 가속도

유형 05 평면 운동에서의 가속도 (2)

좌표평면 위를 움직이는 점 P의 시각 t에서의 좌표 (x, y)가
$x=f(t)$, $y=g(t)$로 나타내어질 때,

① 점 P의 시각 t에서의 가속도

$$\left(\frac{d^2x}{dt^2}, \frac{d^2y}{dt^2}\right)=(f''(t), g''(t))$$

② 점 P의 시각 t에서의 가속도의 크기

$$\sqrt{\left(\frac{d^2x}{dt^2}\right)^2+\left(\frac{d^2y}{dt^2}\right)^2}=\sqrt{\{f''(t)\}^2+\{g''(t)\}^2}$$

1545 학교기출 대표 유형

좌표평면 위를 움직이는 점 P의 시각 $t\ (t \geq 0)$에서의 위치 (x, y)가

$$x=1-\cos 4t,\ y=\frac{1}{4}\sin 4t$$

이다. 점 P의 속력이 최대일 때, 점 P의 가속도의 크기는?

① 1 ② 2 ③ 3
④ 4 ⑤ 5

1546 NORMAL

좌표평면 위를 움직이는 점 P(x, y)의 시각 t에서의 위치는

$$x=t-2\cos t,\ y=2-\sqrt{3}\sin t$$

이다. 점 P의 속도의 크기가 최대일 때, 점 P의 가속도의 크기는?

① 1 ② $\sqrt{2}$ ③ $\sqrt{3}$
④ 2 ⑤ $\sqrt{5}$

1547 최다빈출 왕중요 TOUGH

좌표평면 위를 움직이는 점 P(x, y)의 시각 t에서의 위치가

$$x=t+\cos t,\ y=2\sin t$$

이다. 점 P의 속력이 최대가 되는 시각에서의 가속도의 크기는?

① $\frac{\sqrt{2}}{2}$ ② $\frac{\sqrt{6}}{3}$ ③ 1
④ $\frac{2\sqrt{3}}{3}$ ⑤ $\frac{\sqrt{6}}{2}$

▶ 해설 내신연계기출

유형 06 속도 가속도의 활용

좌표평면 위를 움직이는 점 P의 시각 t에서의 좌표가 (x, y)일 때,
속도가 $\left(\frac{dx}{dt}, \frac{dy}{dt}\right)$

① 공이 최고점에 도달할 때 ⇨ 속도의 y좌표가 $\frac{dy}{dt}=0$이다.
② 공이 지면에 다시 떨어질 때 ⇨ 위치의 y좌표가 0이다.

1548 학교기출 대표 유형

수평면과 60°의 각을 이루는 방향으로 초속 20m로 차 올린 축구공의 t초 후의 위치를 P(x, y)라고 하면

$$x=10t,\ y=10\sqrt{3}t-5t^2$$

축구공이 지면에 떨어질 때의 속력은? (단위는 m/s)

① 10 ② 15 ③ 20
④ 25 ⑤ 30

1549 최다빈출 왕중요 BASIC

어느 축구선수가 지면에 놓인 공을 지면과 30°의 각을 이루는 방향으로 10m/s의 속도로 찬다. 축구 선수가 공을 발로 찬지 t초가 지난 후에 축구공이 수평으로 날아간 거리를 xm, 축구공의 높이를 ym라고 하면

$$x=5\sqrt{3}t,\ y=5t-5t^2$$

이라고 한다. 축구공이 지면에 떨어질 때의 속도의 크기는?

① 10 ② 15 ③ 20
④ 25 ⑤ 30

▶ 해설 내신연계기출

1550 NORMAL

지면과 $\frac{\pi}{4}$의 각도를 이루는 방향으로 초속 20m로 공을 던질 때, 공의 t초 후의 위치를 P(x, y)라고 하면

$$x=10\sqrt{2}t,\ y=10\sqrt{2}t-5t^2$$

이다. 공이 최고점에 도달할 때까지 걸린 시간을 a, 공이 지면에 떨어질 때의 속력을 b라 할 때, ab의 값은?

① 10 ② $5\sqrt{10}$ ③ $10\sqrt{2}$
④ $20\sqrt{2}$ ⑤ $20\sqrt{5}$

1551

방정식 $e^x-\frac{e}{x}=0$의 실근에 대하여 다음 단계로 서술하여라.

[1단계] 주어진 방정식은 $x=1$을 근으로 가짐을 보인다.

[2단계] 함수 $y=e^x-\frac{e}{x}$의 그래프와 x축이 만나는 점의 개수를 조사한다.

[3단계] 1, 2단계에서 방정식 $e^x-\frac{e}{x}=0$의 실근이 1뿐임을 서술하여라.

1552

$\sum_{n=1}^{10} a_n$의 값을 구하는 과정을 다음 단계로 서술하여라.

[1단계] 방정식 $\frac{e^x}{x}=n-4$의 서로 다른 실근의 개수를 a_n이라 할 때, $\sum_{n=1}^{10} a_n$의 값을 구한다.

[2단계] 방정식 $\frac{\ln x}{x}=\frac{1}{n}$의 서로 다른 실근의 개수를 a_n이라 할 때, $\sum_{n=1}^{10} a_n$의 값을 구한다.

1553

방정식 $\ln x-kx=0$의 서로 다른 실근의 개수를 실수 k의 값의 범위에 따라 구하는 과정을 다음 단계로 서술하여라.

[1단계] 주어진 방정식을 $f(x)=k$꼴로 변형하여 $y=f(x)$의 그래프 개형을 그린다.

[2단계] 함수 $y=f(x)$와 직선 $y=k$의 교점의 개수를 만족하는 k의 범위를 다음 표에 나타낸다.

실근의 개수	k의 범위
0	
1	
2	

1554

함수의 극솟값이 존재할 때, 다음 단계로 부등식이 성립함을 서술하여라.

[1단계] 모든 실수 x에 대하여 부등식 $e^x \geq x+1$이 성립함을 서술한다.

[2단계] $x>0$일 때 부등식 $x\ln x \geq x-1$이 성립함을 서술한다.

[3단계] $x \geq 0$일 때 부등식 $x \geq \ln(x+1)$이 성립함을 서술한다.

1555

$-\frac{\pi}{2}<x<\frac{\pi}{2}$에서 방정식

$$\tan x-2x=k$$

가 서로 다른 세 실근을 갖도록 하는 실수 k의 값의 범위를 구하는 과정을 다음 단계로 서술하여라.

[1단계] $f(x)=\tan x-2x$로 놓고 $-\frac{\pi}{2}<x<\frac{\pi}{2}$에서 증감표를 작성한다.

[2단계] 함수 $f(x)$의 극댓값과 극솟값을 구하여 그래프의 개형을 그린다.

[3단계] 방정식 $f(x)=k$가 서로 다른 세 실근을 갖도록 하는 실수 k의 값의 범위를 구한다.

1556

$x\geq 0$에서 부등식 $x^2-3+ke^{-x}\geq 0$이 성립하도록 하는 실수 k의 최솟값을 구하는 과정을 다음 단계로 서술하여라.

[1단계] $x^2-3+ke^{-x}\geq 0$의 양변에 e^x을 곱하여 $(x^2-3)e^x\geq -k$로 정리하여 $f(x)=(x^2-3)e^x$로 놓고 함수 $f(x)$의 증가와 감소를 표로 나타낸다.

[2단계] $x\geq 0$에서 함수 $f(x)$의 최솟값을 구한다.

[3단계] 실수 k의 최솟값을 구한다.

1557

좌표평면 위를 움직이는 점 $\mathrm{P}(x, y)$의 시각 $t\,(t\geq 0)$에서의 위치가

$$x=e^t\cos t,\ y=e^t\sin t$$

이다. 점 P에 대하여 다음 단계로 서술하여라.

[1단계] 점 P의 속도를 구한다.

[2단계] 점 P의 속도의 크기가 $e\sqrt{2e}$일 때, 시각을 구한다.

[3단계] 점 P의 가속도를 구한다.

[4단계] $t=2$에서 점 P의 가속도의 크기를 구한다.

1558

좌표평면 위를 움직이는 점 P의 시각 t에서의 위치 (x, y)가

$$x=1-\cos 3t,\ y=\frac{1}{3}\sin 3t$$

이다. 점 P에 대하여 다음 단계로 서술하여라.

[1단계] 점 P의 속도를 구한다.

[2단계] 점 P의 속도의 크기의 최댓값을 구한다.

[3단계] 점 P의 가속도를 구한다.

[4단계] 점 P의 가속도의 크기의 최댓값을 구한다.

1559

좌표평면 위를 움직이는 점 P의 시각 t에서 위치가 $(x,\ y)$이고

$$x=at^2+a\sin t,\ y=a\sin t\,(a>0)$$

이다. $t=\frac{\pi}{2}$에서 점 P의 가속도의 크기가 $5\sqrt{2}$일 때, $t=\frac{\pi}{2}$에서 점 P의 속력을 구하는 과정을 다음 단계로 서술하여라.

[1단계] 점 P의 속도를 구한다.
[2단계] 점 P의 가속도를 구한다.
[3단계] $t=\frac{\pi}{2}$에서 점 P의 가속도의 크기가 $5\sqrt{2}$일 때, 상수 a의 값을 구한다.
[4단계] $t=\frac{\pi}{2}$에서 점 P의 속력을 구한다.

1560

수평면과 α의 각을 이루는 방향으로 초속 v_0로 던진 돌의 t초 후의 위치를 좌표 $(x,\ y)$로 나타낼 때,

$$x=v_0(\cos\alpha)t,\ y=v_0(\sin\alpha)t-\frac{1}{2}gt^2$$

이라고 한다. 다음 단계로 그 과정을 서술하여라.
(단, $v_0>0$, $0<\alpha<\frac{\pi}{2}$이고 g는 중력가속도)

[1단계] 돌이 최고 높이에 도달하는 시각을 구한다.
[2단계] 돌이 수평면에 닿는 순간의 속력을 구한다.

1561

원 운동하는 물체 P를 원의 중심이 원점에 오도록 좌표평면 위에 위치시켰을 때, P가 점 $(3,\ 0)$을 출발하여 시계 반대 방향으로 매초 2라디안만큼 회전한다고 한다. 점 P의 시각 t초일 때의 위치를 $(x,\ y)$라 할 때, 다음 단계로 물음에 답하고 그 과정을 서술하여라.

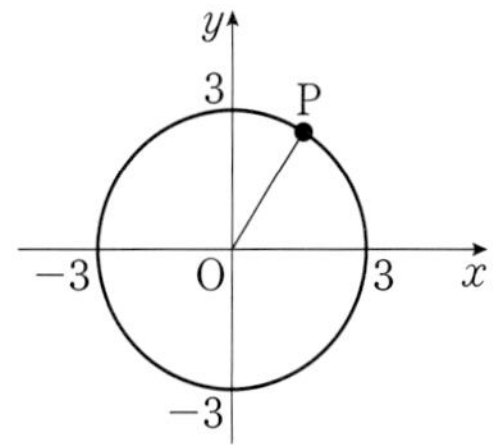

[1단계] 시각 t(초)에서 점 P의 위치를 구한다.
[2단계] 시각 t(초)에서 점 P의 속도와 속력을 구한다.
[3단계] 시각 t(초)에서 점 P의 가속도와 가속도의 크기를 구한다.

▶ 해설 내신연계기출

1562

그림과 같이 반지름의 길이가 10cm인 원이 좌표평면에서 x축을 따라 매초 1라디안씩 회전하며 굴러간다.

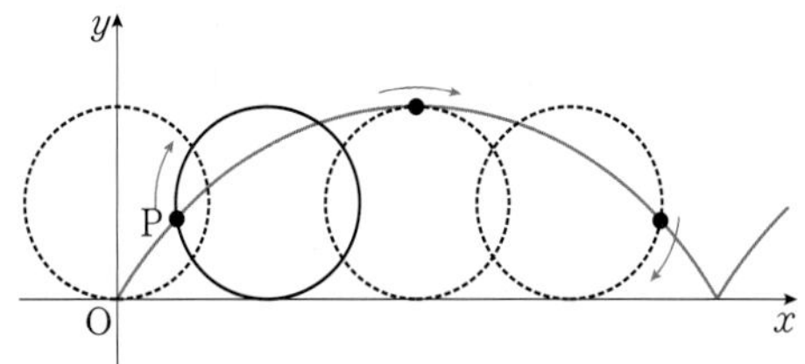

점 P가 수평방향으로 움직인 거리를 x, 수직 방향으로 올라간 거리를 y라고 할 때, 점 P의 시각 t에서의 위치를 $(x,\ y)$라 할 때, 다음 단계로 그 과정을 서술하여라.

[1단계] 점 P의 시각 t에서의 위치 x, y의 좌표를 구한다.
[2단계] $t=\pi$일 때, 점 P의 속력을 구한다.
[3단계] $t=\pi$일 때, 점 P의 가속도를 구한다.

1563

평가원기출

$0<x<\frac{\pi}{6}$인 모든 x에 대하여 부등식

$$\tan 3x > ax$$

를 만족시키는 상수 a의 최댓값을 구하여라.

1564

$0 \le x \le 2\pi$에서 x에 대한 방정식

$$e^x(\sin x - \cos x) = t$$

의 서로 다른 실근의 개수를 $f(t)$라 할 때, 함수 $y=f(t)$의 불연속인 점의 개수를 구하여라.

1565

교육청기출

함수 $f(x)=x^2e^{ax}\ (a<0)$에 대하여 부등식 $f(x) \ge t\ (t>0)$을 만족시키는 x의 최댓값을 $g(t)$라 정의하자.

함수 $g(t)$가 $t=\frac{16}{e^2}$에서 불연속일 때, $100a^2$의 값을 구하여라.

(단, $\lim_{x\to\infty} f(x)=0$)

1566

평가원기출

양수 a와 두 실수 b, c에 대하여 함수

$$f(x)=(ax^2+bx+c)e^x$$

은 다음 조건을 만족시킨다.

> (가) $f(x)$는 $x=-\sqrt{3}$과 $x=\sqrt{3}$에서 극값을 갖는다.
> (나) $0 \le x_1 < x_2$인 임의의 두 실수 x_1, x_2에 대하여
> $f(x_2)-f(x_1)+x_2-x_1 \ge 0$이다.

세 수 a, b, c의 곱 abc의 최댓값을 $\frac{k}{e^3}$라 할 때, $60k$의 값을 구하여라.

1567

좌표평면 위를 움직이는 점 P의 시각 $t\,(t>0)$에서의 위치 $(x,\ y)$가

$$x=3\cos t-\sin t,\ y=3\cos t+\sin t$$

이다. 점 P의 속력이 최대인 시각에서 P의 가속도의 크기를 구하여라.

1568

그림과 같이 자동차가 직선 도로 위를 30m/s의 속도로 달리고 있다. 도로에서 200m 떨어진 곳에서 자동차를 바라보고 있는 관찰자의 정면을 통과하고 2초가 지난 후에 자동차가 관찰자로부터 멀어지는 속도를 구하여라.

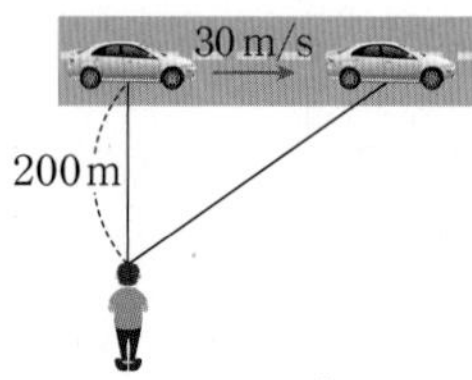

▶ 해설 내신연계기출

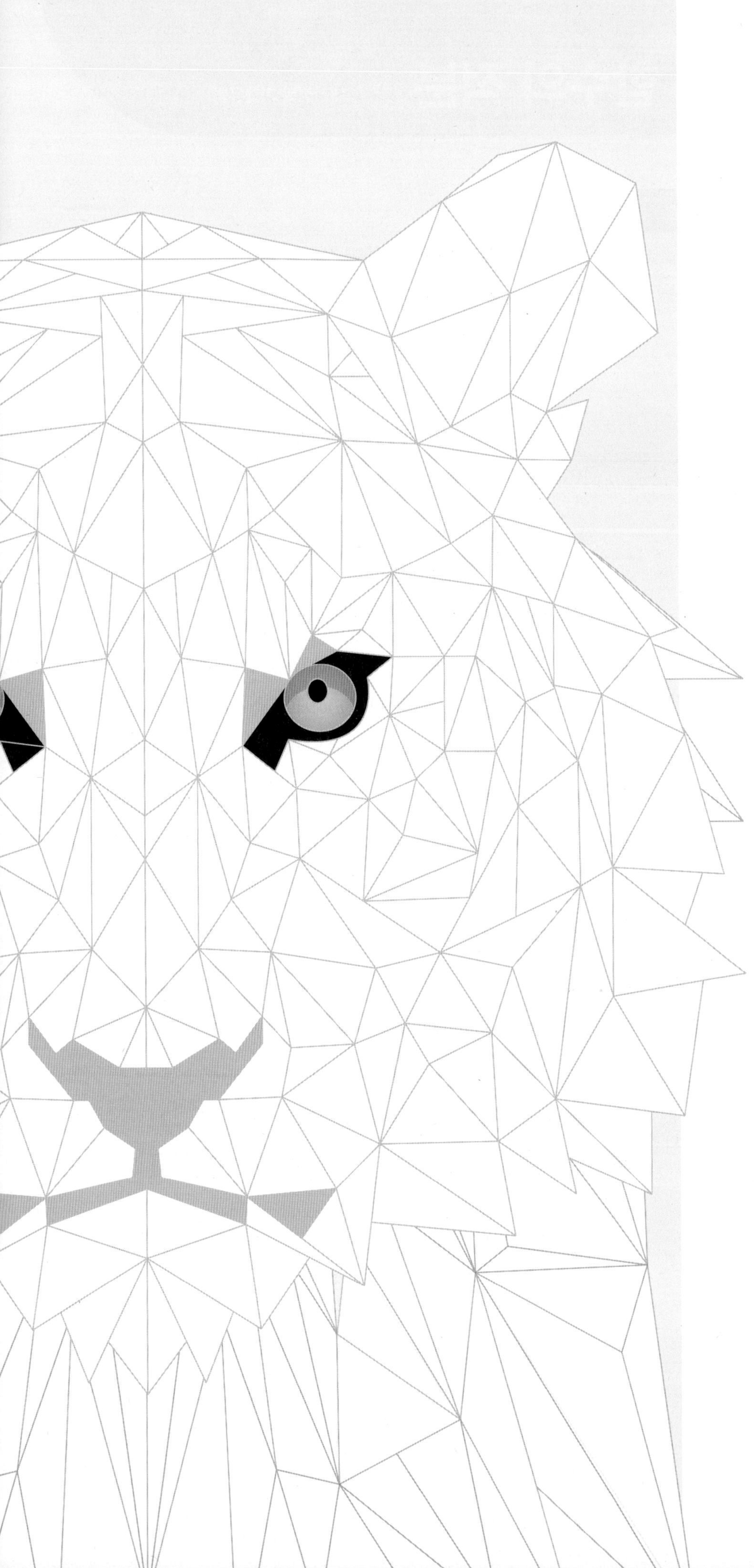

mapl

SYNERGY

YOUR MASTER PLAN

Ⅲ 적분법

STEP 1

학교내신기출 객관식 핵심문제총정리

01 여러 가지 함수의 적분

내신정복 기출유형

유형 01 $y=x^n$ (n은 실수)의 부정적분

(1) 함수 $y=x^n$ (n은 실수)의 부정적분

n은 실수이고 C는 적분상수일 때, x^n의 부정적분은 다음과 같다.

① $n\neq-1$일 때, $\int x^n dx=\frac{1}{n+1}x^{n+1}+C$

② $n=-1$일 때, $\int\frac{1}{x}dx=\ln|x|+C$

(2) 합성함수의 부정적분

① n이 자연수이고 $a\neq0$일 때,

$\int(ax+b)^n dx=\frac{1}{n+1}(ax+b)^{n+1}\cdot\frac{1}{a}+C$

② $\int\sqrt{x}\,dx=\int x^{\frac{1}{2}}dx=\frac{2}{3}x^{\frac{3}{2}}+C=\frac{2}{3}x\sqrt{x}+C$

③ $\int\sqrt{x+a}\,dx=\frac{2}{3}(x+a)\sqrt{x+a}+C$

1569 학교기출 대표 유형

곡선 $y=f(x)$ 위의 임의의 점 (x, y)에서의 접선의 기울기가 $\frac{x-1}{x}$이고, 이 곡선이 점 $(1, 0)$을 지날 때, $f(e)$의 값은?

① $e-3$　② $e-2$　③ $e-1$　④ e　⑤ $e+2$

1570 BASIC

곡선 $y=f(x)$ 위의 점 (x, y)에서의 접선의 기울기가 $-\frac{1}{x}$이고, $x=1$에서의 접선의 방정식이 $y=-x+1$일 때, $f(e)$의 값은?

① $-e$　② -1　③ 0　④ 1　⑤ e

1571 NORMAL

함수 $f(x)=\int\frac{(x-1)(x+2)}{x^2}dx$에 대하여 $f(1)=2$일 때, $f(2)$의 값은?

① $2+\ln 2$　② $3+2\ln 2$　③ $4+2\ln 2$　④ $4+3\ln 2$　⑤ $4+4\ln 2$

1572 NORMAL

곡선 $y=f(x)$ 위의 점 (x, y)에서의 접선의 기울기가 $\frac{(2\sqrt{x}-1)^2}{x}$이고, 이 곡선이 점 $(1, -3)$, $(4, a)$를 지날 때, a의 값은?

① $2\ln 2-1$　② $4\ln 2-1$　③ $2\ln 2+1$　④ $3\ln 2+1$　⑤ $4\ln 3+1$

1573 최다빈출 왕중요 NORMAL

미분가능한 함수 $f(x)$의 한 부정적분 $F(x)$에 대하여

$$F(x)=xf(x)-x\sqrt{x}-x$$

가 성립하고 $f(1)=2$일 때, $f(e)$의 값은?
(단, e는 자연로그의 밑이다.)

① $2\sqrt{e}$　② $3\sqrt{e}$　③ $4\sqrt{e}$　④ $2\sqrt{e}+1$　⑤ $3\sqrt{e}+1$

▶ 해설 내신연계기출

1574 최다빈출 왕중요 NORMAL

$x \neq 0$인 미분가능한 함수 $f(x)$의 한 부정적분을 $F(x)$라 할 때, $f\left(\frac{1}{e}\right)$의 값은?

(가) $F(x)=xf(x)-x^2+2x$
(나) $f(1)=0$

① $\frac{1}{e}$ ② $\frac{2}{e}$ ③ $\frac{3}{e^2}$
④ $2e^2$ ⑤ $3e^3$

▶ 해설 내신연계기출

1575 최다빈출 왕중요 TOUGH

$x>0$에서 미분가능한 함수 $f(x)$의 한 부정적분을 $F(x)$라고 하면

$$F(x)=xf(x)-x^3+\ln x,\ f(2)=\frac{1}{2}$$

인 관계가 성립할 때, $f\left(\frac{1}{6}\right)$의 값은?

① $\frac{1}{24}$ ② $\frac{1}{16}$ ③ $\frac{1}{12}$
④ $\frac{1}{8}$ ⑤ 6

▶ 해설 내신연계기출

1576 TOUGH

미분가능한 함수 $f(x)$의 부정적분 $F(x)$에 대하여

$$F(x)=xf(x)-x-\ln x,\ f(1)=3$$

일 때, $f(e^{-4})$의 값은?

① $-e$ ② $-e^2$ ③ $-e^3$
④ $-3e^3$ ⑤ $-e^4$

유형 02 지수함수의 부정적분

(1) 지수함수의 부정적분

① $\int e^x dx=e^x+C$

② $\int a^x dx=\frac{a^x}{\ln a}+C$ (단, $a>0$, $a\neq1$)

(2) 합성함수의 부정적분

① $\int e^{ax+b}dx=\frac{1}{a}e^{ax+b}+C$

② $\int a^{px}dx=\int (a^p)^x dx=\frac{a^{px}}{\ln a^p}+C=\frac{a^{px}}{p\ln a}+C$

③ $\int a^{bx+c}dx=\frac{1}{b\ln a}a^{bx+c}+C$

1577 학교기출 대표 유형

함수 $f(x)$가

$$f'(x)=\frac{xe^x-1}{x},\ f(1)=e$$

를 만족할 때, $f(-1)$의 값은?

① $\frac{1}{e}$ ② 1 ③ e
④ $2e^2$ ⑤ $e+2$

1578 최다빈출 왕중요 BASIC

함수 $f(x)$가

$$f'(x)=2e^{2x}-e^x,\ f(0)=-6$$

을 만족시킬 때, 방정식 $f(x)=0$의 해는?

① $\ln 2$ ② $\ln 3$ ③ $2\ln 2$
④ $2\ln 3$ ⑤ $3\ln 3$

▶ 해설 내신연계기출

1579 최다빈출 왕중요 BASIC

함수 $f(x)$의 도함수가

$$f'(x)=\frac{e^{3x}+1}{e^x+1},\ f(0)=\frac{1}{2}$$

일 때, $f(\ln 2)$의 값은?

① $\ln 2-3$ ② $\ln 2-1$ ③ $\ln 2+1$
④ $\ln 2+2$ ⑤ $\ln 2+3$

▶ 해설 내신연계기출

1580 최다빈출 왕중요

NORMAL

양수 x에 대하여 함수 $f(x)$를

$$f(x)=x\ln x-x+2$$

리고 하자. 도함수 $f'(x)$의 역함수를 $g(x)$라고 할 때, $g(x)$의 부정적분을 $G(x)$라 하면 $G(0)=1$일 때, $G(\ln 2)$의 값은?

① 1 ② 2 ③ 3
④ 4 ⑤ 5

▶ 해설 내신연계기출

1581 최다빈출 왕중요

NORMAL

함수 $f(x)=\int 2^x\ln 2dx$에 대하여 $f(0)=1$일 때, $\lim_{n\to\infty}\sum_{k=1}^{n}\frac{1}{f(k)}$의 값은?

① $\frac{1}{2}$ ② $\frac{1}{4}$ ③ 1
④ 2 ⑤ 4

▶ 해설 내신연계기출

1582

NORMAL

연속함수 $f(x)$와 부정적분 $F(x)$ 사이에

$$F(x)+\int e^x f(x)dx=e^{3x}+3x$$

인 관계가 성립할 때, $f(\ln 2)$의 값은?

① 2 ② 4 ③ 6
④ 8 ⑤ 9

1583 최다빈출 왕중요

TOUGH

연속인 두 함수 $f(x)$, $g(x)$에 대하여

(가) $\frac{d}{dx}\{f(x)+g(x)\}=2e^x$, $\frac{d}{dx}\{f(x)-g(x)\}=2$
(나) $f(0)=1$, $g(0)=1$

일 때, $f(1)g(1)$의 값은?

① $e-1$ ② e ③ $e+1$
④ e^2-1 ⑤ $2e+1$

▶ 해설 내신연계기출

유형 03 삼각함수의 부정적분 (1)

(1) 삼각함수의 부정적분

① $\int \sin x dx=-\cos x+C$ ② $\int \cos x dx=\sin x+C$
③ $\int \sec^2 x dx=\tan x+C$ ④ $\int \csc^2 x dx=-\cot x+C$
⑤ $\int \sec x\tan x dx=\sec x+C$ ⑥ $\int \csc x\cot x dx=-\csc x+C$

(2) 삼각함수의 사이의 관계

① $\sin^2 x+\cos^2 x=1$이므로

$$\int \frac{\sin^2 x}{1+\cos x}dx=\int \frac{1-\cos^2 x}{1+\cos x}dx=\int(1-\cos)dx=x-\sin x+C$$

$$\int \frac{\cos^2 x}{1+\sin x}dx=\int \frac{1-\sin^2 x}{1+\sin x}dx=\int(1-\sin)dx=x+\cos x+C$$

② $1+\tan^2 x=\sec^2 x$이므로

$$\int(1+\tan^2 x)dx=\int \sec^2 dx=\tan x+C$$

③ $1+\cot^2 x=\csc^2 x$이므로

$$\int(1+\cot^2 x)dx=\int \csc^2 dx=-\cot x+C$$

(3) 복잡한 삼각함수의 부정적분

① $$\int \frac{1}{1-\sin x}dx=\int \frac{1+\sin x}{(1-\sin x)(1+\sin x)}dx=\int \frac{1+\sin x}{1-\sin^2 x}dx=\int \frac{1+\sin x}{\cos^2 x}dx=\int\left(\frac{1}{\cos^2 x}+\frac{1}{\cos x}\cdot\frac{\sin x}{\cos x}\right)dx=\int(\sec^2 x+\sec x\tan x)dx=\tan x+\sec x+C$$

② $$\int \frac{1}{1+\cos x}dx=\int \frac{1-\cos x}{(1+\cos x)(1-\cos x)}dx=\int \frac{1-\cos x}{1-\cos^2 x}dx=\int \frac{1-\cos x}{\sin^2 x}dx=\int\left(\frac{1}{\sin^2 x}-\frac{1}{\sin x}\cdot\frac{\cos x}{\sin x}\right)dx=\int(\csc^2 x-\csc x\cot x)dx=-\cot x+\csc x+C$$

1584 학교기출 대표유형

함수 $f(x)=\int \frac{\sin^2 x}{1+\cos x}dx$에 대하여 $f(0)=1$일 때, $f\left(\frac{\pi}{2}\right)$의 값은?

① $\frac{\pi}{2}$ ② π ③ $\frac{3}{2}\pi$
④ 2π ⑤ $\pi+1$

1585 최다빈출 왕중요 BASIC

함수 $f(x)=\int\frac{1}{(1+\tan^2 x)\cos^2 x}dx$에 대하여 $f\left(\frac{\pi}{4}\right)=0$일 때, $f\left(\frac{\pi}{2}\right)$의 값은?

① $\frac{\pi}{4}$ ② $\frac{\pi}{3}$ ③ $\frac{\pi}{2}$
④ $\frac{3}{4}\pi$ ⑤ π

▶ 해설 내신연계기출

1586 최다빈출 왕중요 NORMAL

곡선 $y=f(x)$ 위의 점 (x, y)에서의 접선의 기울기가 $\tan^2 x$이고 이 곡선이 점 $(0, 1)$을 지날 때, $f\left(\frac{\pi}{4}\right)$의 값은?

① $2+\pi$ ② $2-\frac{\pi}{4}$ ③ $2+\frac{\pi}{4}$
④ $3-\frac{\pi}{4}$ ⑤ $3+\frac{\pi}{4}$

▶ 해설 내신연계기출

1587 최다빈출 왕중요 NORMAL

함수 $f(x)$에 대하여

$$f'(x)=\frac{1}{1+\cos x},\ f\left(\frac{\pi}{4}\right)=\sqrt{2}$$

가 성립할 때, $f\left(\frac{\pi}{6}\right)$의 값은?

① $-\sqrt{3}$ ② $-\sqrt{3}+1$ ③ $-\sqrt{3}+2$
④ $-\sqrt{3}+3$ ⑤ $\sqrt{3}+1$

▶ 해설 내신연계기출

1588 최다빈출 왕중요 NORMAL

함수 $f(x)$를 다음과 같이 정의한다.

$$f(x)=1-\cos x+\cos^2 x-\cos^3 x+\cdots$$

$f(x)$의 부정적분을 $F(x)$라 하고 $F\left(\frac{\pi}{4}\right)=1+\sqrt{2}$일 때, $F(x)$를 구하면? $\left(\text{단, } 0<x<\frac{\pi}{2}\right)$

① $-\tan x+\csc x+2$ ② $\tan x+\csc x-2$
③ $-\cot x+\sec x+2$ ④ $-\cot x+\csc x+2$
⑤ $\cot x-\csc x-2$

▶ 해설 내신연계기출

1589 최다빈출 왕중요 NORMAL

다음 부정적분 중 옳지 않은 것은? (단, C는 적분상수)

① $\int\frac{\cos^3 x-1}{\cos^2 x}dx=\sin x-\tan x+C$
② $\int\frac{1+\sin x}{\cos^2 x}dx=\tan x+\sec x+C$
③ $\int\cot^2 x dx=-\cot x-x+C$
④ $\int\frac{\cos x}{1-\cos^2 x}dx=\csc x+C$
⑤ $\int\frac{1}{1-\sin x}dx=\tan x+\sec x+C$

▶ 해설 내신연계기출

1590 최다빈출 왕중요 NORMAL

함수 $f(x)$에 대하여

$$\lim_{x\to\pi}\frac{f(x)}{x-\pi}=2k+6,\ f'(x)=k\cos x$$

일 때, $f\left(-\frac{\pi}{2}\right)$의 값은? (단, k는 상수)

① -4 ② -2 ③ 2
④ 4 ⑤ 6

▶ 해설 내신연계기출

1591 최다빈출 왕중요 NORMAL

미분가능한 함수 $f(x)$의 한 부정적분 $F(x)$에 대하여

$$F(x)=xf(x)-x\sin x-\cos x,\ f\left(\frac{\pi}{2}\right)=-1$$

일 때, $f(\pi)$의 값은? (단, $x>0$)

① -2　② -1　③ 0
④ 1　⑤ 2

▶ 해설 내신연계기출

1592 최다빈출 왕중요 TOUGH

$-\frac{\pi}{2}<x<\frac{\pi}{2}$에서 정의된 함수 $f(x)$에 대하여 다음 조건을 만족할 때, $f\left(\frac{\pi}{6}\right)$의 값은?

(가) $\lim_{h\to 0}\frac{f(x+h)-f(x)}{3h}=\frac{1}{\sin^2 x}$
(나) $f\left(\frac{\pi}{4}\right)=-3$

① $-3\sqrt{3}$　② $-2\sqrt{3}$　③ $-\sqrt{3}$
④ $6-\sqrt{3}$　⑤ $\sqrt{3}+3$

▶ 해설 내신연계기출

1593 TOUGH

미분가능한 함수 $f(x)$의 한 부정적분 $F(x)$가

$$f(x)=F(x)+e^x\sin x$$

를 만족시킨다. $f(0)=1$일 때, 함수 $g(x)=e^{-x}f(x)$에 대하여 $g\left(\frac{\pi}{2}\right)$의 값은? (단, e는 자연로그의 밑이다.)

① -1　② 0　③ 1
④ 2　⑤ 3

유형 04 삼각함수의 부정적분 (2)

① $\int\sin(ax+b)dx=-\frac{1}{a}\cos(ax+b)+C$

② $\int\cos(ax+b)dx=\frac{1}{a}\sin(ax+b)+C$

③ $\int\sin^2 xdx=\int\frac{1}{2}(1-\cos 2x)dx=\frac{1}{2}x-\frac{1}{4}\sin 2x+C$

④ $\int\cos^2 xdx=\int\frac{1}{2}(1+\cos 2x)dx=\frac{1}{2}x+\frac{1}{4}\sin 2x+C$

참고 삼각함수의 부정적분을 구할 때, 다음을 이용하면 편리하다.

① $\sin 2x=2\sin x\cos x$
⇨ $\sin x\cos x=\frac{1}{2}\sin 2x$

② $\cos 2x=1-2\sin^2 x$
⇨ $\sin^2 x=\frac{1}{2}(1-\cos 2x)$에서 $\sin^2\frac{x}{2}=\frac{1-\cos x}{2}$

③ $\cos 2x=2\cos^2 x-1$
⇨ $\cos^2 x=\frac{1}{2}(1+\cos 2x)$에서 $\cos^2\frac{x}{2}=\frac{1+\cos x}{2}$

1594 학교기출 대표 유형

함수 $f(x)$의 도함수 $f'(x)$가 $f'(x)=2\sin^2\frac{x}{2}+\sin x$이고 $f(0)=1$을 만족할 때, $f(\pi)$의 값은?

① $\frac{\pi}{2}-2$　② $\frac{\pi}{2}-1$　③ π
④ $\pi+1$　⑤ $\pi+3$

1595 NORMAL

함수 $f(x)$에 대하여

$$f'(x)=4\cos^2 x+\cos x,\ f(0)=0$$

일 때, $f\left(\frac{\pi}{2}\right)$의 값은?

① $\frac{\pi}{2}-2$　② $\frac{\pi}{2}-1$　③ π
④ $\pi+1$　⑤ $\pi+2$

1596 최다빈출 왕중요 TOUGH

$0<x<\pi$에서 정의된 함수 $f(x)$의 도함수가

$$f'(x)=\sin 2x-\cos x$$

이고 $f(x)$의 극솟값이 $\frac{1}{4}$일 때, $f(x)$의 극댓값은?

① $\frac{1}{2}$　② $\frac{2}{3}$　③ 2
④ 6　⑤ 12

▶ 해설 내신연계기출

유형 05 도함수가 주어진 연속함수의 부정적분

[1단계] 구간별로 적분하여 $f(x)$를 구한다.

[2단계] $x=a$에서 함수 $f(x)$가 연속임을 이용하여 적분상수를 구한다.

$$f(a)=\lim_{x\to a-}f(x)=\lim_{x\to a+}f(x)$$

1597 학교기출 대표 유형

연속함수 $f(x)$의 도함수 $f'(x)$가

$$f'(x)=\begin{cases} e^x & (x<1) \\ \dfrac{1}{x} & (x>1) \end{cases}\text{이고 } f(1)=2e$$

일 때, $f(e)-f(0)$의 값은?

① 1　② 2　③ e
④ 3　⑤ $2e$

1598 최다빈출 왕 중요 NORMAL

모든 실수 x에서 연속인 함수 $f(x)$의 그래프가 원점을 지나고, 도함수 $f'(x)$가

$$f'(x)=\begin{cases} 3^x\ln 3 & (x<1) \\ \dfrac{2}{x^3} & (x>1) \end{cases}$$

일 때, $f(2)$의 값은?

① $\frac{3}{2}$　② $\frac{5}{2}$　③ $\frac{11}{4}$
④ 3　⑤ $\frac{9}{2}$

▶ 해설 내신연계기출

1599 NORMAL

미분가능한 함수 $f(x)$의 도함수가

$$f'(x)=\begin{cases} \cos x & (x<0) \\ 1+\sin x & (x>0) \end{cases}\text{이고 } f\left(\frac{\pi}{2}\right)=0$$

일 때, $f(\pi)+f(-\pi)$의 값은?

① $-\pi$　② $-\frac{\pi}{2}$　③ 0
④ $\frac{\pi}{2}$　⑤ π

1600 최다빈출 왕 중요 NORMAL

$x=0$에서 연속인 함수 $f(x)$에 대하여

$$f'(x)=\begin{cases} \dfrac{1-\cos 2x}{2} & (x>0) \\ k\cos x & (x<0) \end{cases}\text{이고 } f\left(\frac{\pi}{2}\right)=f\left(-\frac{\pi}{2}\right)=1$$

일 때, 실수 k의 값은?

① $-\pi$　② $-\frac{\pi}{6}$　③ $-\frac{\pi}{4}$
④ $-\frac{\pi}{3}$　⑤ -2π

▶ 해설 내신연계기출

1601 TOUGH

실수 전체의 집합에서 연속인 함수 $f(x)$의 도함수 $f'(x)$와 그래프는 오른쪽 그림과 같다.

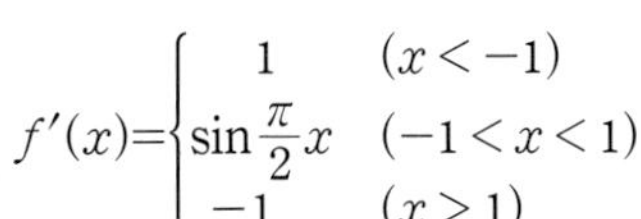

$$f'(x)=\begin{cases} 1 & (x<-1) \\ \sin\dfrac{\pi}{2}x & (-1<x<1) \\ -1 & (x>1) \end{cases}$$

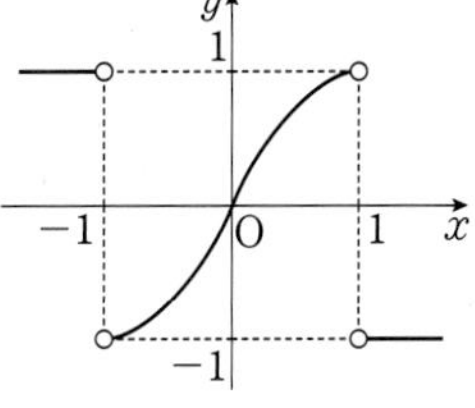

이고 $f(0)=0$일 때, $f(-2)+f(2)$의 값은?

① $\frac{4}{\pi}-2$　② $\frac{4}{\pi}-1$　③ $\frac{4}{\pi}$
④ $\frac{4}{\pi}+1$　⑤ $\frac{4}{\pi}+2$

02 치환적분과 부분적분

내신정복 기출유형

유형 01 다항함수의 치환적분법

다항함수 $f(x)$에 대하여 $\int f'(x)\{f(x)\}^n dx$꼴의 적분

[1단계] $f(x)=t$로 놓으면 $f'(x)dx=dt$

[2단계] $\int f'(x)\{f(x)\}^n dx=\int t^n dt=\frac{1}{n+1}t^{n+1}+C$

[3단계] 그 결과는 처음의 변수로 바꾸어 나타내어야 한다.

$$\int f'(x)\{f(x)\}^n dx=\frac{1}{n+1}\{f(x)\}^{n+1}+C$$

$\int f'(x)\{f(x)\}^n dx$꼴 ⇨ $f(x)=t$로 치환한다.

1602 학교기출 대표 유형

함수 $f(x)$가

$$f(x)=\int(2x+1)(x^2+x-1)^5 dx$$

에 대하여 $f(0)=1$일 때, $f(1)$의 값은?

① 1 ② 2 ③ 3
④ 4 ⑤ 5

1603 NORMAL

곡선 $y=f(x)$가 점 $(1, 1)$을 지나고 곡선 위의 점 $(x, f(x))$에서의 접선의 기울기가 $(6x+3)(x^2+x-3)^2$일 때, $f(0)$의 값은?

① -27 ② -25 ③ -20
④ 25 ⑤ 27

1604 TOUGH

다항함수 $f(x)$가 다음 두 조건을 만족시킨다.

(가) $\lim_{x\to\infty}\frac{f(x)}{x^2+3x-4}=1$

(나) $\lim_{x\to3}\frac{f(x)}{x-3}=4$

이때 $F(x)=\int(x-1)\{f(x)\}^3 dx$라 할 때, $F(1)-F(-1)$의 값은?

① 32 ② 36 ③ 42
④ 46 ⑤ 64

유형 02 유리함수꼴의 부정적분 (1)

$f(x)=t$로 놓고 양변을 x로 미분하면 $f'(x)=\frac{dt}{dx}$이므로 다음이 성립한다. (C는 적분상수)

$$\int\frac{f'(x)}{f(x)}dx=\ln|f(x)|+C$$

① $\int x^{-1}dx=\int\frac{1}{x}dx=\ln|x|+C$

② $\int\frac{k}{x+a}dx=k\ln|x+a|+C$

③ $\int\frac{f'(x)}{f(x)}dx=\ln|f(x)|+C$

④ $\int\tan x dx=\int\frac{\sin x}{\cos x}dx=-\ln|\cos x|+C=\ln|\sec x|+C$

⑤ $\int\cot x dx=\int\frac{\cos x}{\sin x}dx=\ln|\sin x|+C$

1605 학교기출 대표 유형

미분가능한 함수 $f(x)$가 다음 두 조건을 만족시킨다.

(가) 모든 실수 x에 대하여 $f(x)>0$이고, $\frac{f'(x)}{f(x)}=2$이다.

(나) $f(1)=1$

이때 $f(2)$의 값은?

① e^{-2} ② e^{-1} ③ 1
④ e ⑤ e^2

▶ 해설 내신연계기출

1606 BASIC

원점을 지나는 곡선 $y=f(x)$ 위의 임의의 점 (x, y)에서의 접선의 기울기가 $\frac{2x}{1+x^2}$일 때, $f(2)$의 값은?

① $\ln 2$ ② $\ln 3$ ③ $2\ln 2$
④ $\ln 5$ ⑤ $\ln 6$

1607 최다빈출 왕 중요 BASIC

함수 $f(x)$에 대하여

$$f'(x)=\frac{x}{x^2+1},\ f(0)=\frac{1}{2}$$

일 때, $f(\sqrt{e-1})$의 값은?

① 1 ② 2 ③ 3
④ 4 ⑤ 5

▶ 해설 내신연계기출

1608 최다빈출 왕 중요 BASIC

함수 $f(x)$에 대하여

$$f'(x)=\frac{\sin x}{2+\cos x},\ f(0)=0$$

일 때, 함수 $f(\pi)$의 값은?

① $-\ln 2$ ② $-\ln 3$ ③ $\ln 2$
④ $\ln 3$ ⑤ $\ln 5$

▶ 해설 내신연계기출

1609 최다빈출 왕 중요 NORMAL

$0<x<\pi$에서 정의된 함수

$$f(x)=\sin x-\sin x\cos x+\sin x\cos^2 x-\cdots$$

에 대하여 부정적분 $F(x)=\int f(x)dx$에 대하여 $F\left(\frac{\pi}{2}\right)=0$일 때, $F(0)$의 값은?

① $\ln\frac{1}{2}$ ② $\ln 2$ ③ 1
④ $2\ln 2$ ⑤ $\ln 5$

▶ 해설 내신연계기출

1610 최다빈출 왕 중요 NORMAL

다음 부정적분 중 옳지 않은 것은? (단, C는 적분상수이다.)

① $\int \tan x dx=-\ln|\cos x|+C$

② $\int \frac{e^x}{e^x+1}dx=\ln(e^x+1)+C$

③ $\int \frac{1}{x\ln x}dx=\ln|\ln x|+C$

④ $\int \frac{1-e^{2x}}{1+e^{2x}}dx=-\ln|e^x+e^{-x}|+C$

⑤ $\int \frac{\cos x-\sin x}{\sin x+\cos x}dx=-\ln|\sin x+\cos x|+C$

▶ 해설 내신연계기출

1611 NORMAL

함수 $f(x)$에 대하여 다음 조건을 만족할 때,

(가) $\lim_{x\to 1}\frac{f(x)}{x-1}=k+2$

(나) $f'(x)=\frac{kx}{x^2+1}$

$f(0)$의 값은? (단, k는 실수)

① -4 ② $\frac{1}{2}\ln 2$ ③ $2\ln 2$
④ $2\ln 3$ ⑤ $2\ln 5$

1612 TOUGH

연속함수 $f(x)$가 다음 조건을 만족시킨다.

(가) $x\neq 0$인 실수 x에 대하여 $\{f(x)\}^2 f'(x)=\frac{2x}{x^2+1}$

(나) $f(0)=0$

이때 $\{f(1)\}^3$의 값은?

① $2\ln 2$ ② $3\ln 2$ ③ $1+2\ln 2$
④ $4\ln 2$ ⑤ $1+3\ln 2$

유형 03 유리함수꼴의 부정적분 (2)

$\frac{f'(x)}{f(x)}$ 꼴이 아닌 유리함수의 부정적분은 다음과 같은 방법으로 구한다.

① (분자의 차수)≥(분모의 차수)인 유리함수의 부정적분
➡ 분자를 분모로 나누어 몫과 나머지로 나눈 후,
$\int \frac{f'(x)}{f(x)}dx = \ln|f(x)|+C$를 이용하여 적분한다

예 분모가 일차함수이면 $\frac{cx+d}{ax+b} = m + \frac{n}{ax+b}$과 같이 변형
$\int \left(m+\frac{n}{ax+b}\right)dx = mx + \frac{n}{a}\ln|(ax+b)|+C$

② (분자의 차수)<(분모의 차수)이고 분모가 인수분해 되는 유리함수의 부정적분
➡ 주어진 유리함수를 부분분수로 분해한 후,
$\int \frac{f'(x)}{f(x)}dx = \ln|f(x)|+C$를 이용하여 적분한다.

예 분모가 이차함수이고 인수분해되는 경우
$\frac{mx+n}{ax^2+bx+c} = \frac{mx+n}{a(x+p)(x+q)} = \frac{A}{x+p} + \frac{B}{x+q} \, (p \neq q)$
와 같이 부분분수로 나누어 적분하면
$\int \left(\frac{A}{x+p}+\frac{B}{x+q}\right)dx = A\ln|x+p|+B\ln|x+q|+C$

1613 학교기출 대표 유형

$\int \frac{5}{x^2+x-6}dx = \ln\left|\frac{x+a}{x+b}\right|+C$를 만족하는 상수 a, b에 대하여 $a-b$의 값은? (단, C는 적분상수)

① -5 ② -3 ③ 0
④ 3 ⑤ 5

1614 최다빈출 왕 중요 NORMAL

함수 $f(x)=\int \frac{2}{x^2-4x+3}dx$에 대하여 $f(2)=5$일 때, $f(4)$의 값은?

① $5-\ln 3$ ② $10-\ln 2$ ③ $4-\ln 2$
④ $5-\ln 2$ ⑤ $2+\ln 2$

▶ 해설 내신연계기출

1615 NORMAL

곡선 $y=f(x)$ 위의 점 (x, y)에서의 접선의 기울기가 $\frac{2}{x^2-1}$이고 이 곡선의 y절편이 $\ln 2$일 때, $f(3)$의 값은?

① $-2\ln 2$ ② $-\ln 2$ ③ 0
④ $\ln 2$ ⑤ $2\ln 2$

1616 TOUGH

$x>1$에서 정의된 함수 $f(x)=\int \frac{2}{x^2-1}dx$에 대하여 $f(2)=-\ln 3$일 때, $\sum_{n=2}^{49} f(n) = a\ln b$이다.
1이 아닌 정수 a, b에 대하여 $a+b$의 값은? (단, $1<b<100$)

① 30 ② 31 ③ 32
④ 33 ⑤ 34

1617 최다빈출 왕 중요 TOUGH

함수 $f(x)=\int \frac{x}{x^2-3x+2}dx$에 대하여 $f(0)=0$일 때, $f(4)$의 값은?

① $-\ln 3$ ② $-\ln 2$ ③ $2-\ln 3$
④ $3-\ln 2$ ⑤ $4-\ln 2$

▶ 해설 내신연계기출

유형 04 무리함수의 치환적분법

$\int f'(x)\sqrt{f(x)}dx$꼴의 적분

[1단계] $f(x)=t$로 놓으면 $f'(x)dx=dt$

[2단계] $\int f'(x)\sqrt{f(x)}dx=\int\sqrt{t}\,dt=\frac{2}{3}t\sqrt{t}+C$

[3단계] 그 결과는 처음의 변수로 바꾸어 나타내어야 한다.

$$\int f'(x)\sqrt{f(x)}dx=\frac{2}{3}f(x)\sqrt{f(x)}+C$$

$\int f'(x)\sqrt{f(x)}dx$꼴 ⇨ $f(x)=t$로 치환한다.

1618 학교기출 대표 유형

$f(x)=\int(x+1)\sqrt{x^2+2x+3}\,dx$에 대하여 $f(0)=0$일 때, $f(4)$의 값은?

① $24\sqrt{2}$　② $24\sqrt{3}$　③ 26
④ $26\sqrt{2}$　⑤ $26\sqrt{3}$

▶ 해설 내신연계기출

1619 최다빈출 왕 중요 NORMAL

$\lim_{h\to0}\frac{f(x+h)-f(x)}{h}=2x\sqrt{x^2+1}$이고 $f(0)=\frac{2}{3}$일 때, $f(2\sqrt{2})$의 값은?

① 9　② 10　③ 12
④ 18　⑤ 20

▶ 해설 내신연계기출

1620 TOUGH

미분가능한 함수 $f(x)$가 $f'(x)=\frac{x-1}{\sqrt{x+1}}$을 만족시키고, 함수 $f(x)$의 극솟값이 $-\frac{8}{3}\sqrt{2}$일 때, $f(8)$의 값은?

① 6　② 8　③ 10
④ 12　⑤ 14

유형 05 삼각함수의 치환적분법

피적분함수가 $\int f(\sin x)\cos x dx$꼴의 적분

$(\sin x)'=\cos x$이므로 $\sin x=t$로 치환하여 $\cos x dx=dt$

$\int f(\sin x)\cos x dx=\int f(\sin x)(\sin x)'dx=\int f(t)dt$임을 이용하여 부정적분을 구한다.

① $\int f(\sin x)\cos x dx$ ⇨ $\sin x=t$로 치환한다.

$\int f(\sin x)\cos x dx=\int f(t)dt$ ← $\cos x dx=dt$

② $\int f(\cos x)\sin x dx$ ⇨ $\cos x=t$로 치환한다.

$\int f(\cos x)\sin x dx=\int\{-f(t)\}dt$ ← $-\sin x dx=dt$

$\int\cos x(\sin x+k)^n dx$꼴 $\sin x+k=t$로 치환한다.

$\int\sin x(\cos x+k)^n dx$꼴 $\cos x+k=t$로 치환한다.

1621 학교기출 대표 유형

함수 $f(x)$에 대하여

$$f(x)=\int(1-\sin^2 x)\sin 2x dx$$

이고 $f(\pi)=0$일 때, $f\left(\frac{\pi}{2}\right)$의 값은?

① $\frac{1}{3}$　② $\frac{1}{2}$　③ $\frac{3}{5}$
④ $\frac{4}{5}$　⑤ $\frac{5}{6}$

▶ 해설 내신연계기출

1622 최다빈출 왕 중요 NORMAL

함수 $f(x)=\int\frac{\sin^3 x}{1+\cos x}dx$에 대하여 $f(0)=0$일 때, $f(\pi)$의 값은?

① 1　② 2　③ π
④ 2π　⑤ $\pi+1$

▶ 해설 내신연계기출

02 치환적분과 부분적분

1623

NORMAL

함수

$$f(x)=\int \tan x \sec^2 x dx$$

에 대하여 $f(\pi)=\frac{1}{2}$일 때, $f\left(\frac{\pi}{3}\right)$의 값은?

① -1　② $-\frac{\sqrt{3}}{3}$　③ 1
④ $\sqrt{3}$　⑤ 2

1624

최다빈출 왕중요

NORMAL

함수

$$f(x)=\int \cos^3 x dx$$

에 대하여 $f(0)=2$일 때, $f\left(\frac{\pi}{2}\right)$의 값은?

① $-\frac{1}{2}$　② $-\frac{2}{3}$　③ $\frac{5}{3}$
④ 2　⑤ $\frac{8}{3}$

▶ 해설 내신연계기출

1625

TOUGH

함수 $f(x)$의 도함수 $f'(x)$가

$$f'(x)=\sin^3 x \cos^4 x$$

일 때, $f(x)=a\cos^7 x+b\cos^5 x+C$이다. 실수 a, b에 대하여 $7a-5b$의 값은? (단, C는 적분상수)

① -3　② -2　③ -1
④ 2　⑤ 3

1626

TOUGH

구간 $\left[0, \frac{\pi}{2}\right]$에서 정의된 함수 $f(x)$의 도함수 $f'(x)$가

$$f'(x)=\sec^6 x$$

이고 $f(0)=0$일 때, $f\left(\frac{\pi}{3}\right)$의 값은?

① $\frac{8\sqrt{3}}{5}$　② $\frac{12\sqrt{3}}{5}$　③ $4\sqrt{3}$
④ $\frac{24\sqrt{3}}{5}$　⑤ $7\sqrt{3}$

1627

TOUGH

$-\frac{\pi}{2}<x<\frac{\pi}{2}$에서 정의된 미분가능한 함수 $f(x)$는

$$\lim_{h\to 0}\frac{f(x+2h)-f(x)}{h}=\tan x+\tan^3 x$$

를 만족시킨다. 다음은 $f\left(\frac{\pi}{4}\right)=-\frac{3}{4}$일 때, 함수 $f(x)$를 구하는 과정이다.

> $\lim_{h\to 0}\frac{f(x+2h)-f(x)}{h}=$ (가) $\times f'(x)$이므로
>
> $f'(x)=\frac{1}{2}(\tan x+\tan^3 x)$
>
> $f(x)=\frac{1}{2}\int \tan x(1+\tan^2 x)dx$
>
> $=\frac{1}{2}\int(\tan x\times$ (나) $)dx$
>
> $=$ (다) $\times \tan^2 x+C$
>
> 이때 $f\left(\frac{\pi}{4}\right)=-\frac{3}{4}$이므로 $C=$ (라)
>
> 따라서 $f(x)=$ (마)

위의 (가), (나), (다), (라), (마)에 알맞은 수와 식을 각각 a, $g(x)$, b, c, $h(x)$라 할 때, $a\times b\times c\times g\left(\frac{\pi}{4}\right)\times h\left(\frac{\pi}{3}\right)$의 값은?

① -1　② $-\frac{1}{2}$　③ $-\frac{1}{4}$
④ $\frac{1}{4}$　⑤ $\frac{1}{2}$

1628

최다빈출 왕중요

TOUGH

구간 $\left[0, \frac{\pi}{4}\right]$에서 정의된 함수 $f(x)$의 도함수 $f'(x)$가

$$f'(x)=\tan x+\tan^2 x+\tan^3 x+\tan^4 x$$

이고 $f(0)=0$일 때, $f\left(\frac{\pi}{4}\right)$의 값은?

① $\frac{1}{4}$　② $\frac{1}{3}$　③ $\frac{5}{6}$
④ 1　⑤ 2

▶ 해설 내신연계기출

유형 06 지수함수의 치환적분법

$\int f'(x)e^{f(x)}dx$ 꼴의 적분

[1단계] $f(x)=t$로 놓으면 $f'(x)dx=dt$

[2단계] $\int f'(x)e^{f(x)}dx=\int e^t dt=e^t+C$

[3단계] 그 결과는 처음의 변수로 바꾸어 나타내어야 한다.

$$\int f'(x)e^{f(x)}dx=e^{f(x)}+C$$

$\int f'(x)e^{f(x)}dx$ 꼴 ⇨ $f(x)=t$로 치환한다.

1629 학교기출 대표 유형

$\int x^2e^{x^3}dx=ae^{x^b}+C$일 때, ab의 값은?
(단, C는 적분상수이고 a, b는 실수)

① $-\frac{1}{2}$ ② $\frac{1}{2}$ ③ 1
④ 3 ⑤ 5

1630 최다빈출 왕 중요 BASIC

실수 전체의 집합에서 미분가능한 함수 $f(x)$에 대하여

$$f'(x)=2xe^{-x^2},\ f(0)=1$$

일 때, $f(1)$의 값은?

① $2-\frac{1}{e}$ ② $2-\frac{1}{e^2}$ ③ 2
④ $2+\frac{1}{e^2}$ ⑤ $2+\frac{1}{e}$

▶ 해설 내신연계기출

1631 BASIC

함수 $f(x)$에 대하여

$$f(x)=\int \frac{1}{x^2}e^{\frac{1}{x}}dx,\ f(1)=-e$$

일 때, 함수 $f(2)$의 값은?

① $-e$ ② $-\sqrt{e}$ ③ $-\sqrt{e}+1$
④ $-\sqrt{e}+2$ ⑤ $-\sqrt{e}+3$

1632 NORMAL

함수 $f(x)$에 대하여

$$f(x)=\int \frac{e^x}{\sqrt{e^x+3}}dx,\ f(0)=2$$

일 때, $f(\ln 6)$의 값은?

① 2 ② 3 ③ 4
④ 5 ⑤ 6

1633 최다빈출 왕 중요 NORMAL

$0\le x\le 2$에서 정의된 함수 $f(x)$를

$$f(x)=\int xe^{x^2-1}dx$$

라 하자. $f(0)=\frac{1}{2e}$일 때, $f(x)$의 최댓값은?

① $\frac{1}{3}e^2$ ② $\frac{1}{2}e^3$ ③ $2e^2$
④ $3e^2$ ⑤ $4e^2$

▶ 해설 내신연계기출

1634 최다빈출 왕 중요 TOUGH

실수 전체의 집합에서 미분가능한 함수 $f(x)$가 다음 조건을 만족시킬 때, $f(\sqrt{\ln 3})$의 값은?

(가) $\lim_{h\to 0}\frac{f(x+h)-f(x-h)}{h}=4xe^{x^2}$
(나) $\lim_{x\to 1}f(x)=e$

① $1-e$ ② 2 ③ 3
④ e ⑤ $e+1$

▶ 해설 내신연계기출

유형 07 로그함수의 치환적분법

$\int \frac{\ln x}{ax}dx(a \neq 0)$꼴의 적분

[1단계] $\ln x = t$라 하여 $\frac{1}{x}dx = dt$

[2단계] $\int \frac{\ln x}{ax}dx = \frac{1}{a}\int \ln x \cdot \frac{1}{x}dx = \frac{1}{a}\int tdt = \frac{1}{2a}t^2 + C$

[3단계] 그 결과는 처음의 변수로 바꾸어 나타내어야 한다.

$$\int \frac{\ln x}{ax}dx = \frac{1}{2a}(\ln x)^2 + C$$

$\int \frac{\ln x}{ax}dx$꼴 ⇨ $\ln x = t$로 치환한다.

1635 학교기출 대표 유형

다음 부정적분 중 옳지 않은 것은? (단, C는 적분상수이다.)

① $\int \frac{1}{x\sqrt{2+\ln x}}dx = 2\sqrt{2+\ln x} + C$

② $\int \frac{\sin(\ln x)}{x}dx = -\cos(\ln x) + C$

③ $\int \sin^3 x \cos x dx = -\frac{1}{4}\sin^4 x + C$

④ $\int 2x\sqrt{x^2+3}\,dx = \frac{2}{3}(x^2+3)\sqrt{x^2+3} + C$

⑤ $\int \frac{2x}{\sqrt{x^2+1}}dx = 2\sqrt{x^2+1} + C$

▶ 해설 내신연계기출

1636 BASIC

함수 $f(x)$에 대하여

$$f(x) = \int \frac{4(\ln x)^3}{x}dx, \ f(e) = 2$$

일 때, $f(e^3)$의 값은?

① 32 ② 62 ③ 82
④ 92 ⑤ 102

1637 최다빈출 왕중요 NORMAL

양의 실수 전체의 집합에서 미분가능한 함수 $f(x)$가 $x > 0$인 모든 실수 x에 대하여

$$xf'(x) = 4\ln\sqrt{x}$$

이고 $f(1) = 2$일 때, $f(e^3)$의 값은?

① 3 ② 5 ③ 7
④ 9 ⑤ 11

▶ 해설 내신연계기출

1638 최다빈출 왕중요 NORMAL

함수 $f(x)$에 대하여

$$xf'(x) = 2\ln x, \ f(1) = -3$$

일 때, $f(x) = 2\ln x$를 만족하는 모든 x의 값의 곱은?

① e^2 ② e^3 ③ e^4
④ e^5 ⑤ e^6

▶ 해설 내신연계기출

1639 최다빈출 왕중요 NORMAL

$1 \le x \le e^{\frac{\pi}{2}}$일 때,

$$f(x) = \int \frac{1}{x}\cos(\ln x)dx, \ f(e^{-\pi}) = -1$$

을 만족시키는 함수 $f(x)$에 대하여 방정식 $f(x) = -\frac{1}{2}$의 해는?

① $e^{\frac{\pi}{6}}$ ② $e^{\frac{\pi}{4}}$ ③ $e^{\frac{\pi}{3}}$
④ e^{π} ⑤ e

▶ 해설 내신연계기출

1640 TOUGH

$x > 0$에서 미분가능한 함수 $f(x)$에 대하여

$$f'(x) = \frac{1}{x}(\ln x)^2, \ f(1) = 0$$

일 때, 옳은 것만을 [보기]에서 있는 대로 고른 것은?

ㄱ. $f(e) = \frac{1}{3}$
ㄴ. 함수 $f(x)$는 $x = 1$에서 극솟값을 갖는다.
ㄷ. 닫힌구간 $\left[\frac{1}{e}, e^2\right]$에서 함수 $y = f(x)$의 최댓값은 $\frac{8}{3}$이고 최솟값은 $-\frac{1}{3}$이다.

① ㄱ ② ㄴ ③ ㄱ, ㄴ
④ ㄱ, ㄷ ⑤ ㄱ, ㄴ, ㄷ

1641 TOUGH

$x > 0$에서 정의된 미분가능한 함수 $f(x)$의 한 부정적분을 $F(x)$라 고 할 때,

$$F(x) = xf(x) - x\ln x$$

가 성립한다. $f(e) = \frac{5}{2}$일 때, $f'(e) + f(e^2)$의 값은?

① $\frac{1}{e}+1$ ② $\frac{2}{e}+1$ ③ $\frac{2}{e}+4$
④ $\frac{3}{e}+3$ ⑤ $\frac{2}{e}+5$

유형 08 (다항함수)×(지수함수)의 부분적분법

두 함수 $f(x)$, $g(x)$가 미분가능할 때, 다음 공식을 이용한 적분법을 부분적분법이라 한다

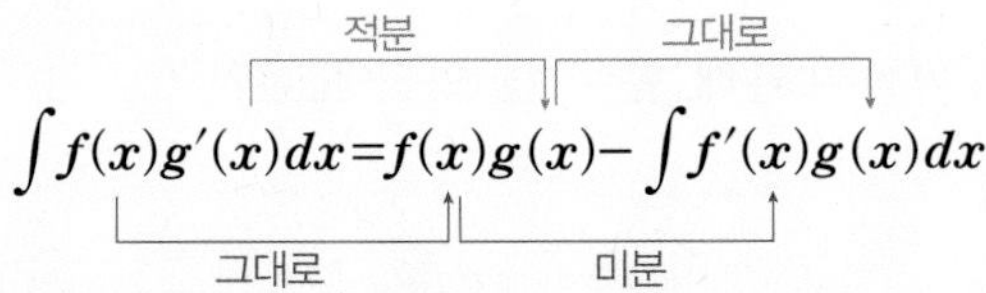

$$\int f(x)g'(x)dx=f(x)g(x)-\int f'(x)g(x)dx$$

곱해져 있는 두 함수 중에서 미분한 결과가 간단해지는 함수를 $f(x)$로, 적분하기 쉬운 함수를 $g'(x)$로 놓고 부분적분법을 이용한다.

① (다항함수)×(지수함수)꼴
⇨ 다항함수를 $f(x)$로, 지수함수를 $g'(x)$로 놓는다.

② (다항함수)×(삼각함수)꼴
⇨ 다항함수를 $f(x)$로, 삼각함수를 $g'(x)$로 놓는다.

참고 부분적분법을 적용하는 방법 (로 다 삼 지)
부분적분법을 이용할 때 미분하면 더 간단해지는 함수를 $f(x)$로, 적분하기 쉬운 함수를 $g'(x)$로 놓으면 편리하다.
즉, 서로 다른 두 종류의 함수를 다음과 같은 요령으로 $f(x)$, $g'(x)$를 결정하면 된다. 아래의 표에서 적분하려는 함수를 L, A, T, E의 순서로 놓고 먼저 나오는 함수를 $f(x)$, 나중에 나오는 함수를 $g'(x)$로 놓으면 편리하다.

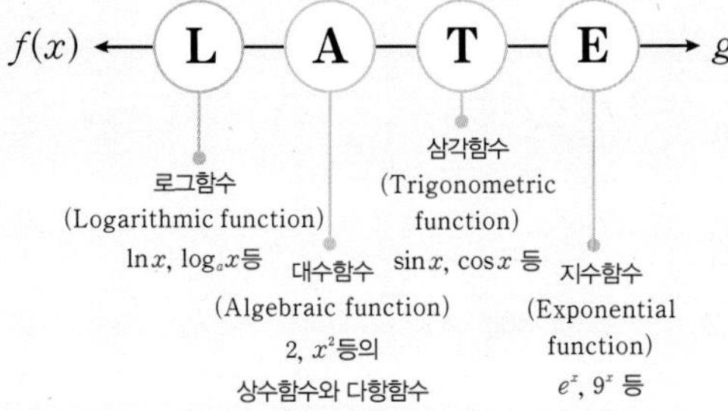

부분적분의 속해법 (다항함수×지수함수 / 다항함수×삼각함수)
적분할 함수(지수함수, 삼각함수)는 처음부터 적분을 반복하고 미분할 함수(다항함수)는 처음에 그대로 그 다음부터는 미분을 반복하고 부호는 − 와 +가 반복된다.

1642 학교기출 대표 유형

함수 $f(x)$에 대하여

$$f'(x)=(x+1)e^{-x},\ f(0)=0$$

일 때, $f(-1)$의 값은? (단, e는 자연로그의 밑이다.)

① $-e$ ② $-e+1$ ③ $-e+2$
④ $-e+3$ ⑤ $-e+4$

▶ 해설 내신연계기출

1643 BASIC

함수 $f(x)$에 대하여

$$f'(x)=(x-1)e^{2x}$$

이고 $f(0)=-\frac{3}{4}$일 때, $f(1)$의 값은?

① $-\frac{e}{2}$ ② $-\frac{e^2}{4}$ ③ $-\frac{e^2}{2}$
④ e^2 ⑤ $2e^2$

1644 최다빈출 왕 중요 BASIC

상수 a에 대하여 함수 $f(x)=\int(x+a)e^x dx$가

$$f'(3)=0,\ f(0)=3$$

을 만족시킬 때, $f(4)$의 값은?

① $2e$ ② 7 ③ 8
④ $2e^2$ ⑤ $3e^4$

▶ 해설 내신연계기출

1645 NORMAL

미분가능한 함수 $f(x)$의 도함수 $f'(x)$가

$$f'(x)=(2x+3)e^x,\ f(0)=1$$

를 만족할 때,

$$\frac{f(1)}{e}+\frac{f(2)}{e^2}+\frac{f(3)}{e^3}+\cdots+\frac{f(10)}{e^{10}}$$

의 값은? (단, e는 자연로그의 밑이다.)

① 100 ② 110 ③ 120
④ 144 ⑤ 210

1646 NORMAL

함수 $f(x)$에 대하여 $f'(x)=xe^x$이고 함수 $f(x)$의 극솟값이 3일 때, $f(1)$의 값은?

① 2 ② 3 ③ 4
④ 5 ⑤ 6

1647

NORMAL

$x>0$에서 함수 $f(x)$의 도함수는

$$f'(x)=(1-x)e^{-x}+\frac{1}{x}$$

이고 $y=f(x)$의 그래프가 점 $\left(1, \frac{1}{e}\right)$을 지날 때,

방정식 $f(x)-xe^{-x}=2$를 만족시키는 x의 값은?

① e ② $e+1$ ③ e^2
④ e^2+1 ⑤ e^2+3

1648

최다빈출 왕 중요

NORMAL

함수 $f(x)$가

$$\lim_{h\to 0}\frac{f(x+h)-f(x)}{h}=x^2e^{-x},\ f(-1)=-e$$

를 만족시킬 때, $f(1)$의 값은? (단, e는 자연로그의 밑이다.)

① $-5e^{-1}$ ② $-2e^{-1}$ ③ $-e^{-1}$
④ 0 ⑤ $5e^{-1}$

▶ 해설 내신연계기출

1649

최다빈출 왕 중요

NORMAL

미분가능한 함수 $f(x)$의 부정적분의 하나를 $F(x)$라 할 때,

$$F(x)=xf(x)-x^2e^x$$

이다. $f(0)=1$일 때, $f(1)$의 값은?

① 1 ② e ③ $2e$
④ $3e$ ⑤ $4e$

▶ 해설 내신연계기출

1650

최다빈출 왕 중요

TOUGH

미분가능한 함수 $f(x)$가

$$\int f(x)dx=xf(x)-x^2e^{-x}$$

성립하고 $f(1)=0$일 때, 함수 $f(x)$의 극댓값은?

① $\frac{1}{e}$ ② $\frac{1}{e^2}$ ③ 1
④ e ⑤ e^2

▶ 해설 내신연계기출

1651

TOUGH

실수 전체의 집합에서 미분가능한 함수 $f(x)$가 다음 조건을 만족시킬 때, $f(a)$의 값은? (단, a는 상수이다.)

(가) $f'(x)=axe^{x-1}$
(나) $\lim_{x\to 1}\frac{f(x)-2}{x-1}=5$

① $10e^4+1$ ② $15e^4+2$ ③ $20e^4+2$
④ $25e^4+2$ ⑤ $30e^4+2$

1652

TOUGH

실수 전체의 집합에서 미분가능한 함수 $f(x)$가 0이 아닌 모든 실수 x에 대하여

$$f(x)+xf'(x)=x^2e^x$$

을 만족시킨다. $f(1)=e$일 때, $f(2)$의 값은?

① $\frac{e}{2}$ ② e ③ $2e$
④ e^2 ⑤ $2e^2$

유형 09 (다항함수)×(삼각함수)의 부분적분법

$\int$ (다항함수)×(삼각함수)dx

⇨ 다항함수를 $f(x)$로, 삼각함수를 $g'(x)$로 놓는다.

1653 학교기출 대표 유형

함수 $f(x)$에 대하여

$$f'(x)=x\cos x,\ f(0)=-1$$

일 때, $f(\pi)$의 값은?

① -3　② $-\pi-2$　③ π
④ $\pi-2$　⑤ $\pi+1$

1654 최다빈출 왕 중요 NORMAL

함수 $f(x)$에 대하여

$$f'(x)=x\sin 2x,\ f(0)=\frac{1}{4}$$

일 때, $f\left(\frac{\pi}{4}\right)$의 값은?

① $\frac{1}{4}$　② $\frac{1}{2}$　③ 3
④ 4　⑤ 6

▶ 해설 내신연계기출

1655 NORMAL

곡선 $y=f(x)$ 위의 임의의 점 $(x,\ f(x))$에서의 접선의 기울기가 $(x-\pi)\cos x$이고 $f(0)=2$일 때, $f(\pi)$의 값은?

① -4　② -3　③ -2
④ -1　⑤ 0

1656 최다빈출 왕 중요 NORMAL

함수 $f(x)$에 대하여

$$\int x^2\sin 2x dx=f(x)+\int x\cos 2x dx$$

이고 $f(0)=0$일 때, $f(\pi)$의 값은?

① $-\frac{\pi}{2}$　② $-\frac{\pi^2}{2}$　③ $-\frac{\pi}{4}$
④ $\frac{\pi}{2}$　⑤ $\frac{\pi^2}{2}$

▶ 해설 내신연계기출

1657 최다빈출 왕 중요 TOUGH

미분가능한 함수 $f(x)$의 부정적분 중의 하나를 $F(x)$라 할 때,

$$F(x)=xf(x)-x^2\sin x$$

가 성립한다. $f(\pi)$의 값은? (단, $f(0)=0$)

① -4　② -3　③ -2
④ 0　⑤ 2

▶ 해설 내신연계기출

1658 TOUGH

$x>0$에서 미분가능한 함수 $f(x)$가 다음 조건을 만족시킨다.

(가) $f\left(\frac{\pi}{2}\right)=1$
(나) $f(x)+xf'(x)=x\cos x$

$f(\pi)$의 값은?

① $-\frac{2}{\pi}$　② $-\frac{1}{\pi}$　③ 0
④ $\frac{1}{\pi}$　⑤ $\frac{2}{\pi}$

유형 10 (지수함수)×(삼각함수)의 부분적분법

$\int$ (지수함수)×(삼각함수)dx

⇨ 삼각함수를 $f(x)$로, 지수함수를 $g'(x)$로 놓는다.

(지수함수)×(삼각함수)꼴의 부분적분법을 한 번 적용하여 부정적분을 구할 수 없으므로 부분적분법을 반복 적용하여 같은 꼴로 나타날 때까지 부분적분법을 반복한다.

참고 지수함수와 삼각함수의 속해법

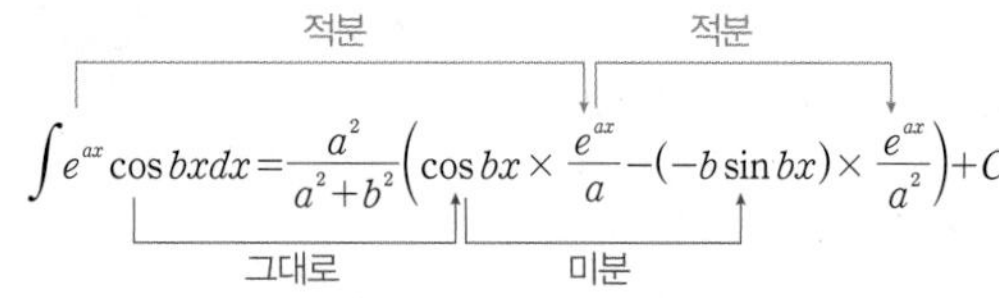

① $\int e^{3x}\sin x dx=\frac{3^2}{3^2+1^2}\left(\sin x\times\frac{e^{3x}}{3}-\cos x\times\frac{e^{3x}}{9}\right)+C$

$=\frac{e^{3x}}{10}(3\sin x-\cos x)+C$

② $\int e^x\cos 2x dx=\frac{1^2}{1^2+2^2}\{\cos 2x\times e^x-(-2\sin 2x)e^x\}+C$

$=\frac{e^x}{5}(\cos 2x+2\sin 2x)+C$

1659 학교기출 대표 유형

함수 $F(x)=\int e^x\sin x dx$에 대하여 $F(0)=\frac{1}{2}$일 때, $F(2\pi)$의 값은?

① $-\frac{1}{2}e^{2\pi}$　② $-\frac{1}{2}e^{\pi}+1$　③ $-\frac{1}{2}e^{2\pi}+1$

④ $\frac{1}{4}e^{2\pi}+2$　⑤ $\frac{1}{2}e^{2\pi}+4$

▶ 해설 내신연계기출

1660 NORMAL

$\int e^{2x}\sin x dx=e^{2x}(a\sin x+b\cos x)+C$가 성립할 때, 상수 a, b에 대하여 $a+b$의 값은? (단, C는 적분상수)

① $\frac{1}{6}$　② $\frac{1}{5}$　③ $\frac{1}{3}$

④ $\frac{2}{5}$　⑤ $\frac{3}{5}$

1661 TOUGH

미분가능한 함수 $f(x)$의 도함수 $f'(x)$가

$$f'(x)=(\cos x-\sin x)e^{-x},\ f(0)=0$$

를 만족할 때, $f\left(\frac{\pi}{6}\right)$의 값은?

① $-\frac{1}{2}e^{-\pi}$　② $-\frac{1}{2}e^{-\frac{\pi}{6}}+1$　③ $\frac{1}{2}e^{-\frac{\pi}{6}}$

④ $\frac{1}{4}e^{\frac{\pi}{6}}+2$　⑤ $\frac{1}{2}e^{\frac{\pi}{6}}+4$

유형 11 로그함수의 부분적분법

(1) $\ln x$, $\log_a x$의 부정적분

① $\int \ln x dx=x\ln x-x+C$

② $\int \log_a x dx=\int\frac{\ln x}{\ln a}dx=\frac{1}{\ln a}(x\ln x-x)+C$

설명 $f(x)=\ln x$, $g'(x)=1$로 놓으면

$f'(x)=\frac{1}{x}$, $g(x)=x$이므로 부분적분법에 의하여

$\int \ln x dx=x\ln x-\int\frac{1}{x}\cdot x dx=x\ln x-x+C$

(2) 기타 로그함수의 부정적분

① $\int x\ln x dx=\frac{1}{2}x^2\ln x-\frac{x^2}{4}+C$

② $\int(\ln x)^2dx=x(\ln x)^2-2x\ln x+2x+C$

③ $\int\ln(x+a)dx=(x+a)\ln(x+a)-x+C$

설명 ① $f(x)=\ln x$, $g'(x)=x$로 놓으면

$f'(x)=\frac{1}{x}$, $g(x)=\frac{1}{2}x^2$이므로

$\int x\ln x dx=\frac{1}{2}x^2\ln x-\int\frac{1}{2}x^2\cdot\frac{1}{x}dx=\frac{1}{2}x^2\ln x-\frac{1}{4}x^2+C$

② $f(x)=(\ln x)^2$, $g'(x)=1$로 놓으면

$f'(x)=2(\ln x)\cdot\frac{1}{x}$, $g(x)=x$이므로

$\int(\ln x)^2dx=x(\ln x)^2-\int x\cdot 2(\ln x)\frac{1}{x}dx$

$=x(\ln x)^2-2\int\ln x dx$

$=x(\ln x)^2-2x\ln x+2x+C$

③ $f(x)=\ln(x+a)$, $g'(x)=1$로 놓으면

$f'(x)=\frac{1}{x+a}$, $g(x)=x$이므로

$\int 1\cdot\ln(x+a)dx=x\ln(x+a)-\int x\cdot\frac{1}{x+a}dx$

$=x\ln(x+a)-\int\left(1-\frac{a}{x+a}\right)dx$

$=x\ln(x+a)-x+a\ln(x+a)+C$

$=(x+a)\ln(x+a)-x+C$

1662 학교기출 대표 유형

함수 $f(x)$에 대하여

$$f'(x)=\ln(x+e),\ f(0)=0$$

일 때, $f(e)$의 값은?

① $2\ln 2$　② $e\ln 2$　③ $4\ln 2$

④ $2e\ln 2$　⑤ $2e$

▶ 해설 내신연계기출

1663

BASIC

함수 $f(x)=e^x-1$의 역함수 $f^{-1}(x)$에 대하여

$$g(x)=\int f^{-1}(x)dx$$

라 하자. $g(0)=1$일 때, $g(e-1)$의 값은?

① 1 ② 2 ③ e
④ $e+1$ ⑤ $2e$

1664 최다빈출 왕중요

BASIC

함수

$$f(x)=\int 2x\ln x dx,\ f(1)=-\frac{1}{2}$$

일 때, $f(e)$의 값은?

① $\frac{1}{4}e^2$ ② $\frac{1}{3}e^2$ ③ $\frac{1}{2}e^2$
④ e^2 ⑤ $2e^2$

▶ 해설 내신연계기출

1665 최다빈출 왕중요

NORMAL

함수 $f(x)$에 대하여

$$f'(x)=(4x+1)\ln x,\ f(1)=3$$

일 때, $f(e)$의 값은?

① $\frac{e^2}{4}$ ② $\frac{e^2}{3}$ ③ $\frac{e^2}{2}$
④ e^2 ⑤ e^2+5

▶ 해설 내신연계기출

1666

NORMAL

함수 $f(x)$가

$$f(x)=\int x^2\ln x dx,\ f(1)=-\frac{1}{9}$$

일 때, $f(e)$의 값은?

① $\frac{1}{9}e^3$ ② $\frac{1}{3}e^3$ ③ $\frac{2}{9}e^3$
④ e^3 ⑤ $9e^3$

1667 최다빈출 왕중요

NORMAL

곡선 $y=f(x)$ 위의 임의의 점 $(x,\ f(x))$에서의 접선의 기울기가 $(\ln x)^2$이고 $f(1)=2$일 때, $f(e)$의 값은?

① $\frac{1}{e}$ ② 1 ③ e
④ $2e$ ⑤ $e+2$

▶ 해설 내신연계기출

1668

NORMAL

미분 가능한 함수 $f(x)$의 부정적분을 $F(x)$라고 할 때,

$$F(x)=xf(x)-x^2\ln x,\ f(e)=3e$$

이다. 다음 [보기] 중 옳은 것을 모두 고른 것은?

ㄱ. $f(x)=2x\ln x-2\ln x+x$
ㄴ. $f'(x)=2\ln x+1$
ㄷ. $f(1)=2$

① ㄱ ② ㄴ ③ ㄷ
④ ㄱ, ㄷ ⑤ ㄱ, ㄴ, ㄷ

1669 최다빈출 왕중요 NORMAL

함수 $f(x)$에 대하여

$$xf'(x)+f(x)=\ln x+1,\ f(1)=0$$

일 때, $f(e^2)$의 값은?

① 1 ② 2 ③ 3
④ 4 ⑤ 5

▶ 해설 내신연계기출

1670 TOUGH

양의 실수를 정의역으로 하는 함수 $f(x)=x$에 대하여 다음 두 조건을 모두 만족하는 함수 $g(x)$가 있다. 이때 $g(e)$의 값은?

(가) $f'(x)g(x)+f(x)g'(x)=\ln x$
(나) $g(1)=-1$

① -2 ② -1 ③ 0
④ 1 ⑤ 2

1671 TOUGH

양의 실수 전체의 집합에서 정의된 미분가능한 함수 $f(x)$에 대하여 다음 조건을 만족할 때, $f(e)$의 값은?

(가) $f'(x)=x\ln x$
(나) 함수 $f(x)$의 극솟값이 $-\frac{1}{4}$이다.

① $\frac{e^2}{4}$ ② $\frac{e^2+1}{4}$ ③ $\frac{e^2+2}{4}$
④ $\frac{e^2+3}{4}$ ⑤ $\frac{e^2+4}{4}$

유형 12 도함수가 주어진 연속함수의 부정적분

연속조건을 만족하는 적분상수 구하기

$x=a$에서 함수 $f(x)$가 연속이면
$f(a)=\lim_{x\to a-}f(x)=\lim_{x\to a+}f(x)$

1672 학교기출 대표유형

실수 전체의 집합에서 연속인 함수 $f(x)$의 도함수 $f'(x)$가

$$f'(x)=\begin{cases}2x+3 & (x<1)\\ \ln x & (x>1)\end{cases}$$

이다. $f(e)=2$일 때, $f(-6)$의 값은?

① 9 ② 11 ③ 13
④ 15 ⑤ 17

1673 최다빈출 왕중요 TOUGH

함수 $f(x)$가 $x=0$에서 연속이고

$$f'(x)=\begin{cases}2xe^x & (x>0)\\ \cos x & (x<0)\end{cases},\ f(1)=1$$

을 만족시킬 때, $f(0)+f\left(-\frac{\pi}{6}\right)$의 값은?

① -3 ② $-\frac{5}{2}$ ③ -2
④ $-\frac{3}{2}$ ⑤ -1

▶ 해설 내신연계기출

STEP 2

서술형 문제

1674

함수 $f(x)=\dfrac{\cos x(\cos x-1)}{\sin^2 x}$의 부정적분 $\int f(x)dx$를 구하는 과정을 다음 단계로 서술하여라.

[1단계] 함수 $f(x)$를 $\cot x$, $\csc x$의 식으로 나타낸다.

[2단계] 함수 $y=\csc x$의 도함수를 이용하여 부정적분 $\int \csc x \cot x dx$를 구한다.

[3단계] 부정적분 $\int f(x)dx$를 구한다.

1675

부정적분 $\int \cos^2 \dfrac{x}{2} dx$를 구하려고 한다. 다음 단계로 그 과정을 서술하여라.

[1단계] 다음은 등식

$$\cos^2 \frac{x}{2}=\frac{1+\cos x}{2} \qquad \cdots\cdots ㉠$$

가 성립함을 보이는 과정이다. (가), (나), (다)에 알맞은 것을 써넣는다.

$$\begin{aligned}\cos x &= \cos\left(\frac{x}{2}+\frac{x}{2}\right)\\ &=\cos\frac{x}{2}\cos\frac{x}{2}-\boxed{(가)}\\ &=\cos^2\frac{x}{2}-\left(1-\boxed{(나)}\right)\\ &=\boxed{(다)}\times\cos^2\frac{x}{2}-1\end{aligned}$$

따라서 등식 ㉠이 성립한다.

[2단계] ㉠을 이용하여 부정적분 $\int \cos^2 \dfrac{x}{2} dx$를 구한다.

[3단계] 2단계의 결과를 이용하여 부정적분 $\int \sin^2 \dfrac{x}{2} dx$를 구하고 그 과정을 서술한다.

1676

다음 치환적분을 이용하여 함수 $f(x)$를 구하는 과정을 다음 단계로 서술하여라.

[1단계] 함수 $f(x)$가

$$f(x)=\int \cos^3 x dx,\ f\left(\frac{\pi}{2}\right)=\frac{5}{3}$$

를 만족시킬 때, 함수 $f(x)$를 구한다.

[2단계] 함수 $f(x)$가

$$f(x)=\int \sin^3 x dx,\ f(\pi)=1$$

을 만족시킬 때, 함수 $f(x)$를 구한다.

1677

부정적분 $\int \sin x \cos x dx$를 다음 방법으로 구하고 그 과정을 서술하여라.

[방법1] 치환적분법을 이용하여 부정적분을 구한다.

[방법2] 부분적분법을 이용하여 부정적분을 구한다.

[방법3] $2\sin x \cos x=\sin 2x$임을 이용하여 부정적분을 구한다.

1678

$0<x<\pi$에서 정의된 함수 $f(x)$의 도함수가 $f'(x)=x\cos x$이고 $f(x)$의 극댓값이 $\dfrac{\pi}{2}$일 때, $f\left(\dfrac{\pi}{4}\right)$의 값을 구하는 과정을 다음 단계로 서술하여라.

[1단계] 부분적분을 이용하여 함수 $f(x)$를 구한다.

[2단계] 함수 $f(x)$의 극댓값이 $\dfrac{\pi}{2}$임을 이용하여 적분상수를 구한다.

[3단계] $f\left(\dfrac{\pi}{4}\right)$의 값을 구한다.

1679

곡선 $y=f(x)$ 위의 임의의 점 $(x,\ y)$에서의 접선의 기울기가 $x\ln x$이고 이 곡선이 점 $(1,\ 0)$을 지날 때, $f(e)$의 값을 구하는 과정을 다음 단계로 서술하여라.

[1단계] 부분적분을 이용하여 곡선 $f(x)$를 구한다.

[2단계] 곡선 $f(x)$이 점 $(1,\ 0)$을 지남을 이용하여 적분상수를 구한다.

[3단계] $f(e)$의 값을 구한다.

1680

미분가능한 함수 $f(x)$의 부정적분 $F(x)$에 대하여

$$F(x)=xf(x)-x^2e^{2x}$$

이다. $f(0)=\frac{1}{4}$일 때, $f(2)$의 값을 구하는 과정을 다음 단계로 서술하여라.

[1단계] $F(x)=xf(x)-x^2e^{2x}$의 양변을 x에 대하여 미분하여 도함수 $f'(x)$를 구한다.

[2단계] 부분적분을 이용하여 $f(x)$를 구한다.

[3단계] $f(0)=\frac{1}{4}$을 이용하여 $f(x)$의 적분상수를 구한다.

[4단계] $f(2)$의 값을 구한다.

1681

$x>0$에서 정의된 미분가능한 함수 $f(x)$의 한 부정적분 $F(x)$에 대하여

$$F(x)=xf(x)-x^2\sin x,\ F(2\pi)=4\pi$$

가 성립할 때, $f(\pi)$의 값을 구하는 과정을 다음 단계로 서술하여라.

[1단계] $F(x)=xf(x)-x^2\sin x$의 양변을 x에 대하여 미분하여 도함수 $f'(x)$를 구한다.

[2단계] 부분적분을 이용하여 $f(x)$를 구한다.

[3단계] $F(2\pi)=4\pi$를 이용하여 $f(x)$의 적분상수를 구한다.

[4단계] $f(\pi)$의 값을 구한다.

1682

실수 전체의 집합에서 미분가능한 함수 $f(x)$가 다음 조건을 모두 만족할 때, $f(3)$의 값을 구하는 과정을 다음 단계로 서술하여라.

(가) $\lim_{h\to 0}\frac{f(x+h)-f(x-h)}{h}=4xe^{x^2}$

(나) $\lim_{x\to 1}f(x)=e$

[1단계] 조건 (가)에서 도함수 $f'(x)$를 구한다.

[2단계] 치환적분을 이용하여 $f(x)$를 구한다.

[3단계] 조건 (나)를 이용하여 적분상수를 구한다.

[4단계] $f(3)$을 구한다.

1683

부정적분 $\int e^x \sin x dx$를 구하려고 한다. 다음 단계로 그 과정을 서술하여라.

[1단계] (가), (나), (다)에 알맞은 것을 써넣는다.

> 부분적분법에 의하여
>
> $\int e^x \sin x dx = -e^x \cos x + \boxed{(가)}$ ...... ㉠
>
> $\boxed{(가)}$에 부분적분법을 다시 적용하면
>
> $\boxed{(가)} = \boxed{(나)} - \int e^x \sin x dx$ ...... ㉡
>
> ㉡를 ㉠에 대입하면
>
> $\int e^x \sin x dx = -e^x \cos x + \left(\boxed{(나)} - \int e^x \sin x dx\right)$
>
> 따라서 $\int e^x \sin x dx = \boxed{(다)} + C$

[2단계] 부정적분 $\int e^x \cos x dx$를 구한다.

1684

실수 전체의 집합에서 연속인 함수$f(x)$가 다음 두 조건을 만족시킨다.

> (가) $f'(x) = \begin{cases} 2\cos 2x - 2 & (x < 0) \\ k\sin 2x & (x \geq 0) \end{cases}$
>
> (나) $f\left(-\frac{\pi}{2}\right) = f\left(\frac{\pi}{2}\right) = 1$

이때 상수 k의 값을 구하는 과정을 다음 단계로 서술하여라.

[1단계] 조건 (가)를 이용하여 각 범위에서 부정적분 $f(x)$를 구한다.

[2단계] 조건 (나)를 이용하여 적분상수를 구한다.

[3단계] 함수 $f(x)$가 연속임을 이용하여 상수 k의 값을 구한다.

1685

연속인 두 함수 $f(x)$, $g(x)$에 대하여 다음 조건을 만족할 때,

> (가) $f'(x) + g'(x) = e^x$, $f'(x) - g'(x) = e^{-x}$
>
> (나) $f(0) = 0$, $g(0) = 0$

$f(1) + g(1)$를 구하는 과정을 다음 단계로 서술하여라.

[1단계] 조건 (가), (나)에서 $f(x)$를 구한다.

[2단계] 조건 (가), (나)에서 $g(x)$를 구한다.

[3단계] $f(1) + g(1)$을 구한다.

1686

함수 $f(x)$가 임의의 실수 x, y에 대하여

$$f(x+y) = 2f(x)f(y),\ f(x) > 0$$

을 만족하고 $f'(0) = 1$일 때, 다음 단계로 그 과정을 서술하여라.

[1단계] $f(0)$의 값을 구한다.

[2단계] 도함수의 정의를 이용하여 $\frac{f'(x)}{f(x)}$를 구한다.

[3단계] 치환적분을 이용하여 $f(x)$를 구한다.

1687

어느 지역에 태풍으로 인하여 0시부터 폭우가 내리기 시작하였다. 시각 x시까지 내린 비의 양을 $f(x)$(mm)라고 하면

$$f'(x)=\frac{3}{4}x\sqrt{16-x^2}$$

이 성립한다고 한다. 이날 4시까지 내린 비의 양을 구하여라.

1688

함수 $f(x)$의 도함수가 $f'(x)=\frac{1}{e^x+1}$일 때, $f(1)-f(-1)$의 값을 구하여라.

1689

매개변수로 나타내어진 곡선

$$\begin{cases} x=t^2+2t+1 \\ y=f(t) \end{cases}$$

가 다음 조건을 모두 만족하고 $f(t)$가 미분가능할 때, $f\left(\frac{1}{e^2}\right)$을 구하여라. (단, $0<t<1$이다.)

(가) $\frac{dy}{dx}=\frac{1}{2t^2}$

(나) $f(1)=1$

1690

교육청기출

구간 $(0, \infty)$에서 연속인 함수 $f(x)$의 한 부정적분을 $F(x)$라 할 때, 함수 $F(x)$가 다음 조건을 만족시킨다.

(가) 모든 양수 x에 대하여 $F(x)+xf(x)=(2x+2)e^x$

(나) $F(1)=2e$

$F(3)$의 값을 구하여라.

1691

교육청기출

실수 전체의 집합에서 미분가능한 함수 $f(x)$의 역함수를 $g(x)$라 하자. 두 함수 $f(x)$, $g(x)$가 다음 조건을 만족시킨다.

(가) $f(0)=1$

(나) 모든 실수 x에 대하여 $f(x)g'(f(x))=\dfrac{1}{x^2+1}$이다.

$f(3)$의 값을 구하여라.

1692

교육청기출

실수 전체의 집합에서 미분가능한 함수 $f(x)$가 다음 조건을 만족시킨다.

(가) $f(1)=0$

(나) 0이 아닌 모든 실수 x에 대하여 $\dfrac{xf'(x)-f(x)}{x^2}=xe^x$이다.

$f(3)\times f(-3)$의 값을 구하여라.

1693

교육청기출

실수 전체의 집합에서 미분가능한 함수 $f(x)$가 다음 조건을 만족시킨다.

(가) $x>0$일 때, $f(x)=axe^{2x}+bx^2$

(나) $x_1<x_2<0$인 임의의 두 실수 x_1, x_2에 대하여
$f(x_2)-f(x_1)=3x_2-3x_1$

$f\left(\dfrac{1}{2}\right)=2e$일 때, $f'\left(\dfrac{1}{2}\right)$의 값을 구하여라. (단, a, b는 상수이다.)

1694

수능기출

실수 전체의 집합에서 미분가능한 함수 $f(x)$가 다음 조건을 만족시킬 때, $f(-1)$의 값은?

(가) 모든 실수 x에 대하여
$2\{f(x)\}^2f'(x)=\{f(2x+1)\}^2f'(2x+1)$이다.

(나) $f\left(-\dfrac{1}{8}\right)=1$, $f(6)=2$

① $\dfrac{\sqrt[3]{3}}{6}$ ② $\dfrac{\sqrt[3]{3}}{3}$ ③ $\dfrac{\sqrt[3]{3}}{2}$

④ $\dfrac{2\sqrt[3]{3}}{3}$ ⑤ $\dfrac{5\sqrt[3]{3}}{6}$

03 정적분

학교내신기출 객관식 핵심문제총정리

STEP 1 내신정복 기출유형

유형 01 여러 가지 함수의 정적분

(1) 정적분의 기본 정리

함수 $f(x)$가 닫힌 구간 $[a, b]$에서 연속이고 $f(x)$의 한 부정적분을 $F(x)$라고 할 때,

$$\int_a^b f(x)dx=\Big[F(x)\Big]_a^b=F(b)-F(a)$$

를 이용하여 유리함수, 무리함수, 로그함수, 삼각함수의 정적분의 값을 구한다.

(2) 정적분의 기본 성질

① $\int_a^a f(x)dx=0$ ← 아래끝과 위끝이 같을 때

② $\int_a^b f(x)dx=-\int_b^a f(x)dx$ ← 아래끝과 위끝이 서로 바뀔 때

1695 학교기출 대표 유형

정적분 $\int_1^3 \frac{3x-1}{x^2}dx$의 값은?

① $\ln 3-\frac{1}{3}$ ② $2\ln 3-\frac{1}{3}$ ③ $3\ln 3-\frac{2}{3}$
④ $3\ln 3-\frac{1}{3}$ ⑤ $4\ln 3-\frac{2}{3}$

1696 BASIC

다음 정적분 중 그 값이 $\int_a^b \frac{1}{x}dx$와 같은 것은? (단, $0<a<b$)

① $\int_{a+1}^{b+1}\frac{1}{x}dx$ ② $\int_{2a}^{2b}\frac{1}{x}dx$ ③ $\int_{a^2}^{b^2}\frac{1}{x}dx$
④ $\int_{\sqrt{a}}^{\sqrt{b}}\frac{1}{x}dx$ ⑤ $\int_{\frac{1}{a}}^{\frac{1}{b}}\frac{1}{x}dx$

1697 최다빈출  BASIC

$\int_0^1 \frac{1}{x^2+3x+2}dx=\ln k$일 때, 양수 k의 값은?

① $\frac{1}{2}$ ② $\frac{3}{2}$ ③ $\frac{4}{3}$
④ 2 ⑤ 3

▶ 해설 내신연계기출

1698 BASIC

$\int_2^4 2e^{2x-4}dx=k$일 때, $\ln(k+1)$의 값은?

① 2 ② 3 ③ 4
④ 5 ⑤ 6

1699 BASIC

정적분 $\int_1^2 \frac{8^x-1}{2^x-1}dx$의 값은?

① $\frac{8}{\ln 2}$ ② $\frac{8}{\ln 2}+1$ ③ $\frac{16}{\ln 2}+1$
④ $\ln 2+1$ ⑤ $\ln 2+8$

1700

BASIC

양의 정수 n에 대하여

$$a_n=\int_0^n 5^x \ln 5dx$$

일 때, $\sum_{n=1}^{\infty}\frac{1}{1+a_n}$의 합은?

① $\frac{1}{8}$ ② $\frac{1}{6}$ ③ $\frac{1}{4}$
④ $\frac{1}{2}$ ⑤ $\frac{3}{4}$

1701

최다빈출 왕중요

BASIC

정적분 $\int_0^{\pi}(\sin x+\cos x)^2dx$의 값은?

① -1 ② 0 ③ 1
④ $\frac{\pi}{2}$ ⑤ π

▶ 해설 내신연계기출

1702

BASIC

정적분 $\int_{-\pi}^{0}\frac{\sin^2 x}{1+\cos x}dx$의 값은?

① $\frac{\pi}{2}$ ② $\frac{2}{3}\pi$ ③ π
④ $\frac{3}{2}\pi$ ⑤ 2π

1703

BASIC

$\int_{\frac{\pi}{4}}^{\frac{\pi}{3}}(\sec^2 x+\csc^2 x)dx$의 값은?

① $\frac{\sqrt{3}}{3}$ ② $\frac{\sqrt{3}}{2}$ ③ $\frac{2\sqrt{3}}{3}$
④ $\sqrt{3}$ ⑤ $\frac{4\sqrt{3}}{3}$

1704

최다빈출 왕중요

NORMAL

정적분 $\int_0^{\frac{\pi}{4}}\frac{1+2x\cos^2 x}{1-\sin^2 x}dx$의 값은?

① $1-\frac{\pi}{4}$ ② 1 ③ $\frac{1}{2}+\frac{\pi^2}{16}$
④ $1+\frac{\pi^2}{16}$ ⑤ $2+\frac{\pi^2}{16}$

▶ 해설 내신연계기출

1705

NORMAL

정적분 $\int_{-\frac{\pi}{3}}^{-\frac{\pi}{6}}\left(\frac{1}{x}-\tan x\right)dx$의 값은?

① $\frac{1}{2}\ln 3-\ln 2$ ② $\frac{1}{2}\ln 2-\ln 3$ ③ $\ln 2-\frac{1}{2}\ln 3$
④ $\frac{1}{2}\ln 2+\ln 3$ ⑤ $\ln 2+\frac{1}{2}\ln 3$

유형 02 정적분의 성질을 이용하여 계산하기

① $\int_a^b f(x)dx=\int_a^b f(y)dy=\int_a^b f(t)dt$

② $\int_a^b kf(x)dx=k\int_a^b f(x)dx$ (k는 상수) ← 실수배의 정적분

③ 적분구간이 같은 경우 정적분

$\int_a^b \{f(x)\pm g(x)\}dx=\int_a^b f(x)dx\pm\int_a^b g(x)dx$

④ 피적분함수가 같은 경우 정적분

$\int_a^c f(x)dx+\int_c^b f(x)dx=\int_a^b \{f(x)\}dx$

1706 학교기출 대표 유형

정적분 $\int_0^1 (e^x+1)^2dx-\int_0^1 (e^x-1)^2dx$의 값은?

① $e-1$ ② $2(e-1)$ ③ $3(e-1)$
④ $4(e-1)$ ⑤ $5(e-1)$

1707 BASIC

정적분 $\int_0^{\ln 2}\frac{e^{2x}}{e^x-1}dx+\int_{\ln 2}^0\frac{1}{e^t-1}dt$의 값은?

① $1+\ln 2$ ② $1-\ln 2$ ③ $\ln 2-2$
④ $\ln 2-1$ ⑤ $\ln 2$

1708 최다빈출 왕 중요 NORMAL

정적분 $\int_1^2\frac{2x+1}{x^2+3x}dx-\int_1^2\frac{2x-2}{x^2+3x}dx$의 값은?

① $\ln\frac{3}{5}$ ② $\ln\frac{2}{3}$ ③ $\ln\frac{3}{2}$
④ $\ln\frac{8}{5}$ ⑤ $\ln 2$

▶ 해설 내신연계기출

1709 NORMAL

정적분 $\int_0^{\frac{\pi}{4}}(3x+2\tan^2x)dx-\int_0^{\frac{\pi}{4}}(3y-2\tan^2y)dy$의 값은?

① $4-2\pi$ ② $4-\pi$ ③ 4
④ $4+\pi$ ⑤ $4+2\pi$

1710 NORMAL

정적분 $\int_e^{e^2}\ln x dx-\int_{e^4}^{e^2}\ln x dx+\int_{e^4}^{e^6}\ln x dx$의 값은?

① $6e^6$ ② $5e^6$ ③ $5e^6-e$
④ $5e^6-2e$ ⑤ 0

1711 최다빈출 왕 중요 NORMAL

정적분 $\int_0^{\frac{\pi}{2}}\frac{\sin x}{1+\cos x}dx-\int_{\frac{\pi}{2}}^0\frac{2\sin x}{1+\cos x}dx$의 값은?

① $\ln 2$ ② $\ln 3$ ③ $2\ln 2$
④ $3\ln 2$ ⑤ $3\ln 3$

▶ 해설 내신연계기출

유형 03 절댓값 기호를 포함한 함수의 정적분 계산

절댓값 기호를 포함하고 있는 함수의 정적분

⇨ 적분구간을 나누어 절댓값 기호를 없앤다.

[1단계] 절댓값 기호 안의 식을 0으로 하는 x의 값을 경계로 적분구간을 나눈 함수의 식을 세운다.

[2단계] $\int_a^b f(x)dx=\int_a^c f(x)dx+\int_c^b f(x)dx$를 이용한다.

1712 학교기출 대표 유형

정적분 $\int_0^{\frac{\pi}{2}}|\cos 2x|dx$의 값은?

① $\frac{1}{2}$ ② 1 ③ $\frac{3}{2}$
④ 3 ⑤ 4

▶ 해설 내신연계기출

1713

NORMAL

자연수 k에 대하여

$$a_k=\int_0^{\pi}k|\cos x|dx$$

일 때, $\sum_{k=1}^{10}ka_k$의 값은?

① 385 ② 515 ③ 670
④ 770 ⑤ 780

1714 최다빈출 왕 중요

NORMAL

정적분 $\int_0^{\frac{\pi}{2}}|\sin x-\cos x|dx$의 값은?

① $\sqrt{2}-1$ ② $2\sqrt{2}-1$ ③ $2\sqrt{2}-2$
④ $2\sqrt{2}+1$ ⑤ $\sqrt{2}+4$

▶ 해설 내신연계기출

1715 최다빈출 왕 중요

NORMAL

정적분 $\int_{-1}^{1}|e^x-1|dx$의 값은?

① e ② $e+\frac{1}{e}$ ③ $e+\frac{1}{e}-2$
④ $e+\frac{1}{e}+2$ ⑤ $e-\frac{1}{e}-2$

▶ 해설 내신연계기출

1716

NORMAL

정적분 $\int_1^{e^2}|\ln x-1|dx$의 값은?

① $e-1$ ② $2e-2$ ③ $3e-3$
④ $4e-4$ ⑤ $5e-5$

1717

TOUGH

$0\le a\le 1$인 실수 a에 대하여 정적분 $\int_0^1|e^x-e^a|dx$의 값을 $f(a)$라고 하자. $f(a)$가 최소가 되도록 하는 a의 값은?

① $\frac{1}{5}$ ② $\frac{1}{4}$ ③ $\frac{1}{3}$
④ $\frac{1}{2}$ ⑤ $\frac{2}{3}$

03 정적분

유형 04 대칭성을 이용한 정적분 계산

(1) 우함수와 기함수의 정적분

연속함수 $f(x)$가 모든 실수 x에 대하여

① $f(x)=f(-x)$이면 $\int_{-a}^{a} f(x)dx=2\int_{0}^{a} f(x)dx$

② $f(x)=-f(-x)$이면 $\int_{-a}^{a} f(x)dx=0$

(2) 함수 $f(x)$가 주기가 p인 주기함수이면 다음이 성립한다.

① 구간 $[a, b]$의 정적분의 값은 구간 $[a+p, b+p]$의 정적분의 값과 같다. ⇨ $\int_{a}^{b} f(x)dx=\int_{a+p}^{b+p} f(x)dx$

② 한 주기에 해당하는 구간의 정적분의 값은 항상 같다.
⇨ $\int_{a}^{a+p} f(x)dx=\int_{b}^{b+p} f(x)dx$

주의 적분구간이 $[-a, a]$일 때, 즉 위끝, 아래끝의 절댓값이 같고 부호가 다를 때, 우함수 기함수의 정적분을 이용한다.

	$f(-x)=f(x)$인 함수	$f(-x)=-f(x)$인 함수
다항함수	지수가 짝수인 항들로만 이루어진 함수, 상수함수	지수가 홀수인 항들로만 이루어진 함수
삼각함수	$f(x)=\cos x$	$f(x)=\sin x$, $f(x)=\tan x$

참고 · (우함수)×(우함수)=(우함수) · (기함수)×(기함수)=(우함수)
· (우함수)×(기함수)=(기함수)

1718 학교기출 대표 유형

정적분 $\int_{-\frac{\pi}{2}}^{\frac{\pi}{2}} (x^3\cos 2x+x+\sin x)dx$의 값은?

① $-\pi$　② $-\frac{\pi}{2}$　③ 0
④ $\frac{\pi}{2}$　⑤ π

▶ 해설 내신연계기출

1719 BASIC

정적분 $\int_{-1}^{1} (e^x-\sin \pi x)dx$의 값은?

① $e+\frac{1}{e}$　② $e-\frac{1}{e}$　③ $2e-2$
④ $-2e+2$　⑤ $2e$

1720 최다빈출 왕중요 NORMAL

모든 실수 x에서 미분가능한 함수 $f(x)$가

$$f(x)+f(-x)=\cos \frac{x}{2}$$

를 만족시킬 때, $\int_{-\pi}^{\pi} f(x)dx$의 값은?

① -3　② -2　③ -1
④ 1　⑤ 2

▶ 해설 내신연계기출

1721 NORMAL

연속함수 $y=f(x)$의 그래프가 y축에 대하여 대칭이고 모든 실수 a에 대하여

$$\int_{a-1}^{a+1} f(a-x)dx=24$$

일 때, $\int_{0}^{1} f(x)dx$의 값은?

① 12　② 14　③ 16
④ 18　⑤ 20

1722 최다빈출 왕중요 TOUGH

실수 전체의 집합에서 미분가능한 함수 $f(x)$가 다음 세 조건을 만족한다고 한다.

(가) $f(1)=3$
(나) 곡선 $y=f(x)$는 원점에 대하여 대칭이다.
(다) $f'(x)$는 연속함수이다.

정적분 $\int_{-1}^{1} f'(x)(1+\tan x+\tan^3 x)dx$의 값은?

① 2　② 4　③ 6
④ 8　⑤ 10

▶ 해설 내신연계기출

유형 05 정적분의 치환적분법

닫힌구간 $[a, b]$에서 연속인 함수 $f(x)$에 대하여 미분가능한 함수 $x=g(t)$의 도함수 $g'(t)$가 닫힌구간 $[\alpha, \beta]$에서 연속이고 $a=g(\alpha)$, $b=g(\beta)$이면 다음이 성립한다.

$$\int_a^b f(x)dx = \int_\alpha^\beta f(g(t))g'(t)dt$$

미분

1723 학교기출 대표 유형

실수 전체의 집합에서 연속인 함수 $f(x)$가 $\int_0^3 f(x)dx=3$을 만족할 때, $\int_{-2}^{-1} f(3x+6)dx$의 값은?

① 1 ② 2 ③ 3
④ 4 ⑤ 5

1724 최다빈출 왕중요 BASIC

연속함수 $f(x)$에 대하여 다음 중 정적분 $\int_0^{\frac{a}{2}}\{f(x)+f(a-x)\}dx$의 값과 같은 것은?

① $2\int_0^{\frac{a}{2}} f(x)dx$ ② $\int_{-\frac{a}{2}}^{\frac{a}{2}} f(x)dx$ ③ $\int_0^a f(x)dx$
④ $2\int_{\frac{a}{2}}^a f(x)dx$ ⑤ $\int_{-a}^a f(x)dx$

▶ 해설 내신연계기출

1725 최다빈출 왕중요 NORMAL

함수 $f(x)=\sqrt{x}$에 대하여 $\int_0^1\{f(x)+f(1-x)\}dx$의 값은?

① 1 ② $\frac{4}{3}$ ③ $\frac{5}{3}$
④ 2 ⑤ $\frac{7}{3}$

▶ 해설 내신연계기출

1726 NORMAL

연속함수 $f(x)$가 다음 조건을 만족시킬 때, $\int_0^a\{f(2x)+f(2a-x)\}dx$의 값은? (단, a는 상수이다.)

(가) 모든 실수 x에 대하여 $f(a-x)=f(a+x)$이다.
(나) $\int_0^a f(x)dx=8$

① 12 ② 16 ③ 20
④ 24 ⑤ 28

1727 최다빈출 왕중요 NORMAL

연속함수 $f(x)$가 다음 조건을 만족시킨다.

(가) 모든 실수 x에 대하여 $f(3-x)=f(3+x)$이다.
(나) $\int_0^3 f(x)dx=8$

이때 $\int_0^3\{f(2x)+f(6-x)\}dx$의 값은?

① 8 ② 12 ③ 16
④ 18 ⑤ 24

▶ 해설 내신연계기출

1728 TOUGH

연속함수 $y=f(x)$는 다음 두 조건을 만족한다.

(가) $f(x)=\begin{cases} 2x^2+1 & (0\le x\le 1) \\ -2x+5 & (1<x\le 2)\end{cases}$
(나) 모든 실수 x에 대하여 $f(x+2)=f(x)$이다.

이때 $\int_1^2 f(3x-2)dx$의 값은?

① $\frac{11}{6}$ ② $\frac{17}{9}$ ③ $\frac{11}{3}$
④ $\frac{17}{6}$ ⑤ $\frac{17}{3}$

1729 최다빈출 왕중요 TOUGH

연속함수 $f(x)$가 다음 조건을 만족시킨다.

(가) 모든 실수 x에 대하여 $f(x)=f(x+2)$이다.
(나) $\int_1^{\frac{3}{2}} f(2x)dx=7$, $\int_1^{\frac{4}{3}} f(3x)dx=1$

이때 $\int_{2001}^{2012} f(x)dx$의 값은?

① 65 ② 71 ③ 82
④ 88 ⑤ 99

▶ 해설 내신연계기출

03 정적분

유형 06 그래프로 주어진 정적분의 치환적분법

[1단계] 치환적분을 이용하여 $t=g(x)$는 미분가능하며

$g(a)=\alpha,\ g(b)=\beta$이면

$\int_a^b f(g(x))g'(x)dx=\int_\alpha^\beta f(t)dt$로 정리한다.

[2단계] 그래프에서 넓이를 이용하여 정적분 계산한다.

1730 학교기출 대표 유형

오른쪽 그림은 $0 \le x \le 4$에서 정의된 함수 $y=f(x)$의 그래프이다. 이때 정적분

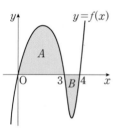

$$\int_0^1 f(2x+1)dx$$

의 값은?

① $\frac{1}{2}$ ② $\frac{3}{2}$ ③ $\frac{5}{2}$
④ $\frac{7}{2}$ ⑤ $\frac{9}{2}$

▶ 해설 내신연계기출

1731 최다빈출 왕 중요 NORMAL

오른쪽 그림과 같이 연속함수 $y=f(x)$의 그래프가 x축과 만나는 세 점의 x좌표는 각각 0, 3, 4이다. 곡선 $y=f(x)$와 x축으로 둘러싸인 두 부분 A, B의 넓이가 각각 6, 2일 때, 정적분 $\int_0^2 f(2x)dx$의 값은?

① 2 ② 4 ③ 6
④ 8 ⑤ 10

▶ 해설 내신연계기출

1732 TOUGH

오른쪽 그림은 닫힌구간 $[0,\ 4]$에서 정의된 함수 $y=f(x)$의 그래프를 나타낸 것이다.

정적분 $\int_1^4 \frac{f(\sqrt{x}+1)}{2\sqrt{x}}dx$의 값은?

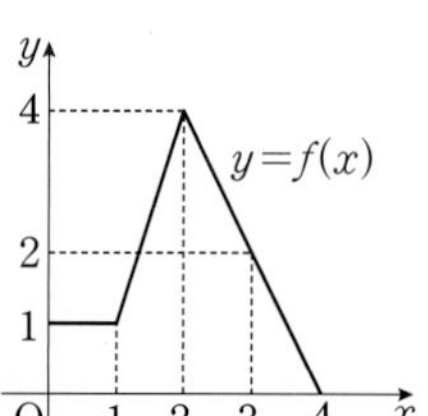

① 1 ② 2 ③ 3
④ 4 ⑤ 5

유형 07 유리함수 · 무리함수의 정적분의 치환적분법

$\int_a^b f(g(x))g'(x)dx \Rightarrow g(x)=t$로 치환한다.

① $\int_a^b \frac{f'(x)}{f(x)}dx=\int_{f(a)}^{f(b)}\frac{1}{t}dt$ ← $f(x)=t$로 놓으면

② $\int_a^b \frac{\ln x}{x}dx=\int_{f(a)}^{f(b)} tdt$ ← $\ln x=t$로 놓으면

③ $\int_a^b f'(x)e^{f(x)}dx=\int_{f(a)}^{f(b)} e^t dt$ ← $f(x)=t$로 놓으면

1733 학교기출 대표 유형

정적분 $2\int_{-1}^1 \frac{x+1}{x^2+2x+5}dx$의 값은?

① $\ln 2$ ② $\ln 4$ ③ $\ln 6$
④ $\ln 8$ ⑤ $\ln 10$

1734 최다빈출 왕 중요 BASIC

정적분 $\int_{-a}^a \frac{e^x}{e^x+1}dx=2$일 때, 상수 a의 값은?

① 1 ② 2 ③ 3
④ 4 ⑤ 5

▶ 해설 내신연계기출

1735 최다빈출 왕 중요 NORMAL

정적분 $\int_0^{\ln 5} \frac{e^x}{e^x+e^{-x}}dx$의 값은?

① $\frac{1}{2}\ln 2$ ② $\frac{1}{2}\ln 11$ ③ $\frac{1}{2}\ln 13$
④ $\ln 3$ ⑤ $\ln 5$

▶ 해설 내신연계기출

1736 최다빈출 왕중요 NORMAL

정적분 $\int_0^{\sqrt{3}} 2x\sqrt{x^2+1}\,dx$의 값은?

① 4 ② $\frac{13}{3}$ ③ $\frac{14}{3}$
④ 5 ⑤ $\frac{16}{3}$

▶ 해설 내신연계기출

1737 최다빈출 왕중요 NORMAL

정적분 $\int_1^2 x\sqrt{x-1}\,dx$의 값은?

① $\frac{2}{3}$ ② $\frac{4}{5}$ ③ $\frac{14}{15}$
④ $\frac{16}{15}$ ⑤ $\frac{6}{5}$

▶ 해설 내신연계기출

1738 최다빈출 왕중요 TOUGH

정적분 $\int_1^{\sqrt{2}} x^3\sqrt{x^2-1}\,dx$의 값은?

① $\frac{7}{15}$ ② $\frac{8}{15}$ ③ $\frac{3}{5}$
④ $\frac{2}{3}$ ⑤ $\frac{11}{15}$

▶ 해설 내신연계기출

유형 08 지수함수 로그함수의 정적분의 치환적분법

① $\ln x$와 $\frac{1}{x}$의 곱의 꼴로 되어 있으면 $\ln x=t$로 치환
② $e^{f(x)}$와 $f'(x)$의 곱의 꼴로 되어 있으면 $f(x)=t$로 치환
③ $f(a^x)$과 a^x의 곱의 꼴로 되어 있으면 a^x에 대한 식을 치환한다.

1739 학교기출 대표 유형

정적분 $\int_0^1 xe^{x^2}\,dx$의 값은?

① $e-1$ ② $\frac{1}{2}(e-1)$ ③ $\frac{e}{2}$
④ $e+2$ ⑤ $\frac{1}{2}(e+1)$

1740 BASIC

정적분 $\int_e^{e^2} \frac{\ln(\ln x)}{x}\,dx$의 값은?

① $2\ln 2+1$ ② $2\ln 2-1$ ③ $\ln 2+1$
④ $\ln 2+2$ ⑤ $\ln 2-2$

1741 최다빈출 왕중요 NORMAL

정적분 $\int_1^e \frac{2(\ln x)^3+1}{x}\,dx$의 값은?

① $\frac{1}{5}$ ② $\frac{1}{3}$ ③ $\frac{1}{2}$
④ 1 ⑤ $\frac{3}{2}$

▶ 해설 내신연계기출

1742

NORMAL

실수 a에 대하여

$$f(a)=\int_1^a \frac{\sqrt{\ln x}}{x}dx$$

일 때, $f(a^4)$과 같은 것은? (단, $a>1$)

① $4f(a)$ ② $8f(a)$ ③ $12f(a)$
④ $16f(a)$ ⑤ $20f(a)$

1743

최다빈출 왕중요 NORMAL

정적분 $\int_1^{e^2}\frac{3}{x(1+\ln x)^2}dx$의 값은?

① 1 ② 2 ③ e
④ $e+1$ ⑤ $3e$

▶ 해설 내신연계기출

1744

NORMAL

정적분 $\int_1^e \frac{\ln x}{x(\ln x+1)}dx$의 값은?

① $2-\ln 2$ ② $1+\ln 2$ ③ $\ln 2$
④ $1-\ln 2$ ⑤ $2+\ln 2$

1745

최다빈출 왕중요 NORMAL

자연수 n에 대하여 $a_n=\int_1^{e^n}\frac{\ln x}{x}dx$일 때,

$\sum_{n=1}^{\infty}\frac{1}{\sqrt{a_n a_{n+1}}}$의 값은?

① $\frac{1}{2}$ ② $\frac{2}{3}$ ③ 1
④ $\frac{4}{3}$ ⑤ 2

▶ 해설 내신연계기출

1746

TOUGH

다음 조건을 만족시키는 함수 $f(x)$에 대하여

정적분 $\int_{2021}^{2022}f(x)dx$의 값은?

(가) $1\le x<5$일 때, $f(x)=\frac{1}{x(1+\ln x)^2}$이다.

(나) 모든 실수 x에 대하여 $f(x)=f(x+4)$이다.

① $\frac{\ln 2}{1-\ln 2}$ ② $\frac{\ln 2}{1+\ln 2}$ ③ $\frac{\ln 3}{1+\ln 3}$
④ $\frac{\ln 3}{\ln 3-1}$ ⑤ $\frac{2\ln 2}{2\ln 2-1}$

1747

최다빈출 왕중요 TOUGH

곡선 $y=x^3+1$ 위의 점 $\mathrm{P}(x, y)$에서의 접선이 x축의 양의 방향과 이루는 각의 크기를 $\theta(x)$라고 할 때, 정적분 $\int_0^1 e^{x^3}\tan\theta(x)dx$의 값은?

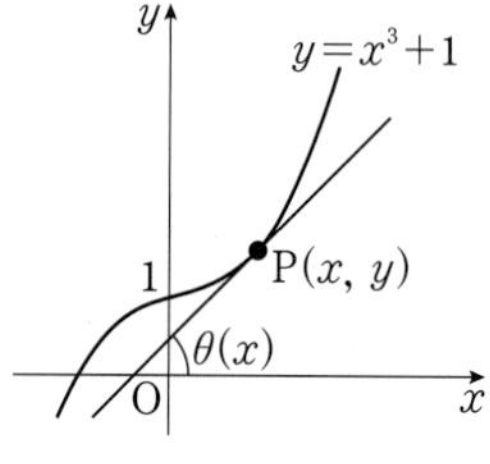

① $\frac{1}{e}$ ② $e-1$ ③ e
④ $e+1$ ⑤ $2e$

▶ 해설 내신연계기출

유형 09 삼각함수의 정적분의 치환적분법

치환적분법을 이용하여 삼각함수를 치환하려면 먼저 삼각함수의 성질 및 공식을 이용하여 주어진 식을 변형한 후 간단하게 치환한다.

$$\int_a^b g(\sin x)\cos x dx = \int_{f(a)}^{f(b)} g(t)dt$$ ⬅ $\sin = t$로 놓으면

1748 학교기출 대표 유형

정적분 $\int_0^{\frac{\pi}{2}} (\sin^3 x+1)\cos x dx$의 값은?

① $\frac{5}{4}$ ② $\frac{3}{2}$ ③ $\frac{1}{2}$
④ $\frac{5}{2}$ ⑤ $\frac{7}{4}$

1749 최다빈출 왕 중요 BASIC

정적분 $\int_0^{\pi} (1-\cos^3 x)\cos x \sin x dx$의 값은?

① $-\frac{3}{2}$ ② $-\frac{2}{3}$ ③ $-\frac{2}{5}$
④ $-\frac{1}{5}$ ⑤ -1

▶ 해설 내신연계기출

1750 최다빈출 왕 중요 BASIC

정적분 $\int_0^{\frac{\pi}{2}} \sin 2x \cos x dx$의 값은?

① $\frac{1}{2}$ ② $\frac{2}{3}$ ③ 1
④ 3 ⑤ 7

▶ 해설 내신연계기출

1751 BASIC

정적분 $\int_0^{\frac{\pi}{2}} \cos 2x \sin x dx$의 값은?

① $-\frac{1}{2}$ ② $-\frac{1}{3}$ ③ -1
④ 3 ⑤ 5

1752 NORMAL

정적분 $\int_{e^2}^{e^3} \frac{a+\ln x}{x} dx = \int_0^{\frac{\pi}{2}} (1+\sin x)\cos x dx$가 성립할 때, 상수 a의 값은?

① -2 ② -1 ③ 0
④ 1 ⑤ 2

1753 최다빈출 왕 중요 NORMAL

정적분 $\int_0^{\frac{\pi}{2}} \sin^3 x dx$의 값은?

① $\frac{2}{9}$ ② $\frac{1}{3}$ ③ $\frac{4}{9}$
④ $\frac{5}{9}$ ⑤ $\frac{2}{3}$

▶ 해설 내신연계기출

1754 NORMAL

다음 조건을 만족하는 a, b에 대하여 ab의 값은?

(가) $\int_0^{\pi} \sin^2 x dx = a$

(나) $\int_0^{\frac{\pi}{2}} \cos^3 x dx = b$

① $\frac{\pi}{12}$ ② $\frac{\pi}{10}$ ③ $\frac{\pi}{6}$
④ $\frac{\pi}{3}$ ⑤ $\frac{\pi}{2}$

1755

NORMAL

정적분 $\int_{0}^{\frac{\pi}{2}}\cos^5 x dx$의 값은?

① $\frac{2}{9}$ ② $\frac{8}{15}$ ③ $\frac{9}{15}$

④ $\frac{1}{8}$ ⑤ $\frac{2}{5}$

1756 최다빈출 왕중요

NORMAL

정적분 $\int_{0}^{\frac{\pi}{2}}(\cos x+3\cos^3 x)dx$의 값은?

① 2 ② 3 ③ 4

④ 5 ⑤ 6

▶ 해설 내신연계기출

1757 최다빈출 왕중요

NORMAL

정적분 $\int_{-\frac{\pi}{4}}^{\frac{\pi}{4}}(1-\tan^2 x)\sec^2 x dx$의 값은?

① $\frac{1}{3}$ ② $\frac{2}{3}$ ③ 1

④ $\frac{4}{3}$ ⑤ $\frac{5}{3}$

▶ 해설 내신연계기출

1758

NORMAL

정적분 $\int_{0}^{\frac{\pi}{4}}\frac{\cos(\tan x)}{\cos^2 x}dx$의 값은?

① $\sin\frac{1}{2}$ ② $\sin 1$ ③ $\cos\frac{1}{2}$

④ $\cos 1$ ⑤ $\tan\frac{1}{2}$

1759

NORMAL

오른쪽 그림과 같이 제 1사분면에 있는 점 P에서 x축에 내린 수선의 발을 H라 하고, $\angle\text{POH}=\theta$라고 하자. $f(\theta)=\frac{\overline{\text{OH}}}{\overline{\text{PH}}}$라고 할 때, $\int_{\frac{\pi}{6}}^{\frac{\pi}{3}}f(\theta)d\theta$의 값은?

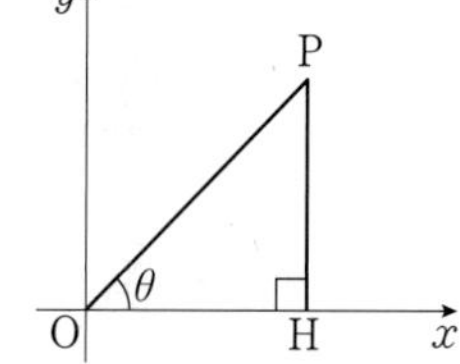

① $\frac{1}{2}\ln 2$ ② $\frac{1}{2}\ln 3$ ③ $\ln 2$

④ $\ln 3$ ⑤ $2\ln 2$

1760 최다빈출 왕중요

TOUGH

자연수 n에 대하여 $a_n=\int_{0}^{\frac{\pi}{4}}\tan^n x dx$로 정의할 때, [보기]에서 옳은 것만을 있는 대로 고른 것은?

ㄱ. $a_1+a_3=\frac{1}{2}$

ㄴ. $a_1+a_2+a_3+a_4=\frac{1}{2}+\frac{1}{3}$

ㄷ. $\sum_{k=1}^{100}a_k=\frac{1}{2}+\frac{1}{3}+\frac{1}{4}+\cdots+\frac{1}{51}$

① ㄱ ② ㄷ ③ ㄱ, ㄴ

④ ㄴ, ㄷ ⑤ ㄱ, ㄴ, ㄷ

▶ 해설 내신연계기출

유형 10 삼각치환법

$f(x)$가 x^2+a^2, x^2-a^2, a^2-x^2(a는 상수)꼴의 식이 포함된 복잡한 형태의 함수를 적분할 때, x를 삼각함수로 치환하면 보다 간단한 적분으로 바뀌어 쉽게 정적분을 구할 수 있다.

$\int \sqrt{f(x)}\,dx$에서 근호를 제거하는 방법

① $\int \sqrt{a^2-x^2}\,dx$, $\int \frac{1}{\sqrt{a^2-x^2}}dx$꼴이 포함된 적분

[1단계] $x=a\sin\theta\left(-\frac{\pi}{2}\le\theta\le\frac{\pi}{2}\right)$로 치환하고 $1-\sin^2\theta=\cos^2\theta$을 이용한다.

[2단계] 양변을 x에 대하여 미분하면 $dx=a\cos\theta d\theta$

② $\int \sqrt{a^2+x^2}\,dx$, $\int \frac{1}{x^2+a^2}dx$꼴이 포함된 적분

[1단계] $x=a\tan\theta\left(-\frac{\pi}{2}<\theta<\frac{\pi}{2}\right)$로 치환하고 $\sec^2\theta-1=\tan^2\theta$을 이용한다.

[2단계] 양변을 x에 대하여 미분하면 $dx=a\sec^2\theta d\theta$

1761 학교기출 대표 유형

정적분 $\int_0^{\frac{3}{2}} \frac{1}{\sqrt{9-x^2}}dx$의 값을 α라고 할 때, $\cos\alpha$의 값은?

① $\frac{1}{2}$ ② $\frac{\sqrt{2}}{2}$ ③ $\frac{\sqrt{3}}{2}$
④ $\sqrt{3}$ ⑤ 1

▶ 해설 내신연계기출

1762 최다빈출 왕 중요 NORMAL

정적분 $\int_0^3 \frac{4}{x^2+9}dx$의 값을 α라 할 때, $\cos\alpha$의 값은?

① 0 ② $\frac{1}{2}$ ③ $\frac{\sqrt{2}}{2}$
④ $\frac{\sqrt{3}}{2}$ ⑤ 1

▶ 해설 내신연계기출

1763 최다빈출 왕 중요 NORMAL

정적분 $\int_{-a}^{a} \frac{1}{a^2+x^2}dx=\frac{\pi}{6}$일 때, 상수 a의 값은?

① 1 ② 2 ③ 3
④ 4 ⑤ 5

▶ 해설 내신연계기출

1764 최다빈출 왕 중요 TOUGH

다음 조건을 만족하는 정적분을 각각 a, b라 할 때, $\frac{a}{b}$의 값은?

(가) $\int_0^{\sqrt{2}} \sqrt{2-x^2}\,dx=a$

(나) $\int_0^{\sqrt{3}} \frac{1}{x^2+9}dx=b$

① 3 ② 6 ③ 9
④ 12 ⑤ 18

▶ 해설 내신연계기출

1765 최다빈출 왕 중요 TOUGH

정적분 $\int_{\frac{1}{\sqrt{3}}}^{1} \frac{1}{x^2\sqrt{1+x^2}}dx$의 값은?

① 1 ② $2-\sqrt{2}$ ③ $\sqrt{2}$
④ 2 ⑤ $2+\sqrt{2}$

▶ 해설 내신연계기출

1766 최다빈출 왕 중요 TOUGH

다음 정적분의 값이 옳지 않은 것은?

① $\int_1^4 \frac{(2\sqrt{x}-1)^2}{x}dx=2\ln 2+4$

② $\int_0^1 \frac{9^x-1}{3^x+1}dx=\frac{2}{\ln 3}-1$

③ $\int_{\frac{\pi}{6}}^{\frac{\pi}{4}} \frac{1}{\sin^2 x-1}dx=-1+\frac{\sqrt{3}}{3}$

④ $\int_0^{\frac{\pi}{6}} \cos^3 x\,dx=\frac{1}{6}$

⑤ $\int_2^{2\sqrt{3}} \frac{1}{\sqrt{16-x^2}}dx=\frac{\pi}{6}$

▶ 해설 내신연계기출

유형 11 정적분의 부분적분법

두 함수 $f(x)$, $g(x)$가 미분가능하고 $f'(x)$, $g'(x)$가 닫힌구간 $[a, b]$에서 연속일 때, 다음이 성립한다.

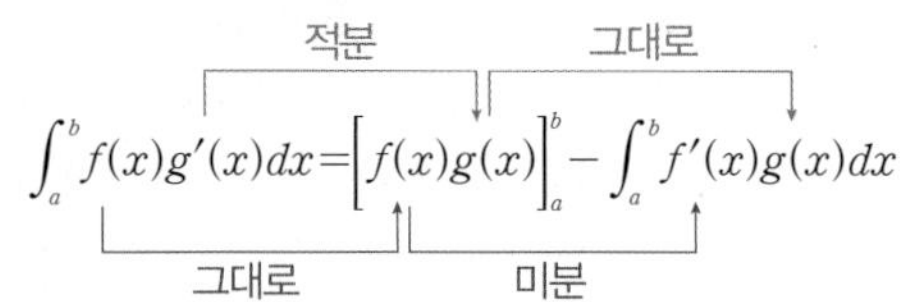

$$\int_a^b f(x)g'(x)dx = \Big[f(x)g(x)\Big]_a^b - \int_a^b f'(x)g(x)dx$$

참고 정적분의 부분적분법 적용하는 요령 (로 다 삼 지)

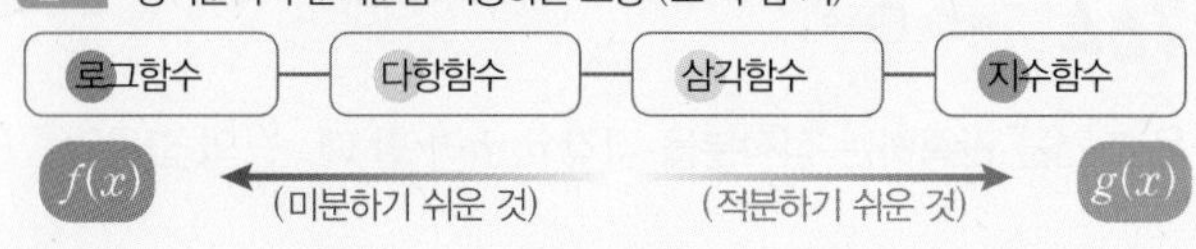

1767

학교기출 대표 유형

함수 $y=f(x)$의 그래프는 오른쪽 그림과 같다. $f(4)=4$, $f(8)=12$이고 $\int_4^8 f(x)dx=35$일 때, 정적분 $\int_4^8 xf'(x)dx$의 값은?

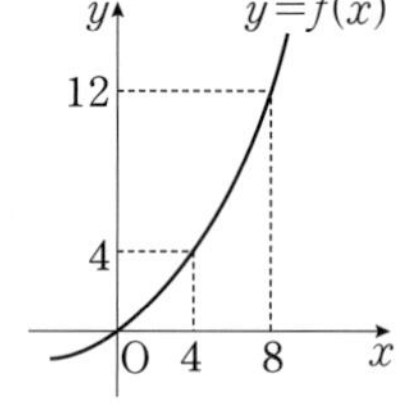

① 20　② 25　③ 30　④ 40　⑤ 45

▶ 해설 내신연계기출

1768

최다빈출 왕 중요 NORMAL

함수 $f(x)$가 모든 실수 x에 대하여 연속인 이계도함수를 가질 때,

$$f(1)=f(2)=1\text{이고 } f'(1)=2,\ f'(2)=3$$

이다. 이때 정적분 $\int_1^2 xf''(x)dx$의 값은?

① -4　② -2　③ 0　④ 0　⑤ 4

▶ 해설 내신연계기출

1769

최다빈출 왕 중요 NORMAL

미분가능한 두 함수 $f(x)$, $g(x)$가 다음 조건을 만족시킬 때, $\int_0^2 f(x)g(x)dx$의 값은?

(가) $f'(x)=g(x)$
(나) $f(0)=3$, $f(2)=5$

① 2　② 4　③ 6　④ 8　⑤ 10

▶ 해설 내신연계기출

1770

NORMAL

미분가능한 두 함수 $f(x)$, $g(x)$가 구간 $[a, b]$에서

$$f'(x)=\frac{1}{4}g(x)$$

를 만족할 때, 다음 중 정적분 $\int_a^b f(x)g(x)dx$와 같은 것은?

① $\{f(b)\}^2-\{f(a)\}^2$
② $\{f(b)\}^2-\{g(a)\}^2$
③ $2[\{f(b)\}^2-\{f(a)\}^2]$
④ $2[\{g(b)\}^2-\{f(a)\}^2]$
⑤ $4[\{g(b)\}^2-\{g(a)\}^2]$

1771

TOUGH

함수 $f(x)$는 모든 실수 x에 대하여 $f'(x)>0$, $f''(x)<0$을 만족하고 $f(0)=1$, $f(8)=12$이다. 다음 [보기]에서 옳은 것을 있는 대로 고른 것은?

ㄱ. $\int_0^8 \{f(x)+xf'(x)\}dx=96$
ㄴ. $\int_0^8 f(x)dx > \int_0^8 xf'(x)dx$
ㄷ. $\int_0^8 f(x)dx > 52$

① ㄱ　② ㄱ, ㄴ　③ ㄱ, ㄷ　④ ㄴ, ㄷ　⑤ ㄱ, ㄴ, ㄷ

유형 12 (다항함수)×(지수함수) 정적분의 부분적분법

두 함수 $f(x)$, $g(x)$가 미분가능하고 $f'(x)$, $g'(x)$가 연속일 때,

$$\int_a^b f(x)g'(x)dx=\Big[f(x)g(x)\Big]_a^b-\int_a^b f'(x)g(x)dx$$

(다항함수)×(지수함수)꼴

⇨ 다항함수를 $f(x)$로, 지수함수를 $g'(x)$로 놓는다.

1772 학교기출 대표 유형

정적분 $\int_{-1}^{2}|x|e^x dx$의 값은?

① $2(e+1)$ ② $2\left(1-\frac{1}{e}\right)$ ③ $2\left(1-e-\frac{1}{e}\right)$

④ $2\left(e^2-\frac{1}{e}\right)$ ⑤ $e^2-\frac{2}{e}+2$

1773 최다빈출 왕 중요 BASIC

정적분 $\int_0^1 x^2e^x dx$의 값은?

① $1-e$ ② $2-e$ ③ $e-2$

④ $e-1$ ⑤ e

▶ 해설 내신연계기출

1774 최다빈출 왕 중요 NORMAL

함수

$$f(x)=\begin{cases}x+1 & (0\le x\le 1)\\ 3-x & (1<x\le 2)\end{cases}$$

에 대하여 정적분 $\int_0^2 e^x f(x)dx$의 값은?

① e^2 ② $2e^2$ ③ $3e^2$

④ $2e^2-1$ ⑤ $2e^2-2e$

▶ 해설 내신연계기출

1775 NORMAL

함수 $f(x)=\frac{e^x-e^{-x}}{2}$에 대하여 $\int_{-1}^{1}xf'(x)dx$의 값은?

① 0 ② 1 ③ $e-\frac{1}{e}$

④ e ⑤ $e+\frac{1}{e}$

1776 NORMAL

$n\ge 2$인 자연수 n에 대하여 $\mathrm{I}_n=\int_0^1 x^n e^x dx$라고 할 때, $n\mathrm{I}_{n-1}+\mathrm{I}_n$의 값은?

① $\frac{1}{e}$ ② $e-1$ ③ 1

④ $e-2$ ⑤ e

1777 최다빈출 왕 중요 TOUGH

자연수 n에 대하여

$$\mathrm{I}_n=\int_0^1 x^n e^x dx$$

라고 할 때, 옳은 것만을 [보기]에서 있는 대로 고른 것은?

ㄱ. $\mathrm{I}_1>\mathrm{I}_2$
ㄴ. $n\ge 2$일 때, $n\mathrm{I}_{n-1}+\mathrm{I}_n=1$
ㄷ. $\mathrm{I}_4=9e-24$

① ㄱ ② ㄱ, ㄴ ③ ㄱ, ㄷ

④ ㄴ, ㄷ ⑤ ㄱ, ㄴ, ㄷ

▶ 해설 내신연계기출

유형 13 (다항함수)×(삼각함수) 정적분의 부분적분법

두 함수 $f(x)$, $g(x)$가 미분가능하고 $f'(x)$, $g'(x)$가 연속일 때,

$$\int_a^b f(x)g'(x)dx=\left[f(x)g(x)\right]_a^b-\int_a^b f'(x)g(x)dx$$

(다항함수)×(삼각함수)꼴

⇨ 다항함수를 $f(x)$로, 삼각함수를 $g'(x)$로 놓는다.

1778 학교기출 대표 유형

정적분 $\int_0^{\pi} x\sin 3x dx$의 값은?

① $\frac{\pi}{6}$ ② $\frac{\pi}{4}$ ③ $\frac{\pi}{3}$
④ $\frac{2}{3}\pi$ ⑤ π

1779 최다빈출 왕중요 BASIC

정적분 $\int_0^{\frac{\pi}{2}}(x+1)\cos x dx$의 값은?

① $\frac{\pi}{4}$ ② $\frac{\pi}{2}$ ③ $\frac{3}{4}\pi$
④ π ⑤ $\frac{5}{4}\pi$

▶ 해설 내신연계기출

1780 BASIC

$\int_0^{\frac{\pi}{k}} x\cos kx dx=-\frac{1}{8}$을 만족시키는 양수 k의 값은?

① 1 ② 2 ③ 3
④ 4 ⑤ 5

1781 최다빈출 왕중요 NORMAL

정적분 $\int_0^{\frac{\pi}{2}} x^2\sin x dx$의 값은?

① $\pi-1$ ② $\pi-2$ ③ π
④ $\pi+1$ ⑤ $\pi+2$

▶ 해설 내신연계기출

1782 NORMAL

정적분 $\int_0^{\pi}\frac{x^3}{x+\cos x}dx-\int_0^{\pi}\frac{x\cos^2 x}{x+\cos x}dx$의 값은?

① $\frac{\pi^3}{3}+1$ ② $\frac{\pi^3}{3}+2$ ③ $\frac{\pi^3}{3}+3$
④ $\frac{\pi^3}{3}+4$ ⑤ $\frac{\pi^3}{3}+5$

1783 TOUGH

정적분 $\int_0^{\frac{\pi}{3}} x\sec^2 x dx$의 값은?

① $\frac{\sqrt{3}}{3}\pi-\ln 2$ ② $\sqrt{3}\pi-\ln 2$ ③ $\frac{\pi}{3}+\ln 2$
④ $\frac{\sqrt{3}}{3}\pi+\ln 2$ ⑤ $\sqrt{3}\pi+\ln 2$

유형 14 (다항함수)×(로그함수) 정적분의 부분적분법

함수 $f(x)$는 미분한 결과가 간단해지는 로그함수로 정하여

$$\int_a^b f(x)g'(x)dx=\Big[f(x)g(x)\Big]_a^b-\int_a^b f'(x)g(x)dx$$

를 이용하여 부분적분법을 한다.

(다항함수)×(로그함수)꼴
⇨ 로그함수를 $f(x)$로, 다항함수를 $g'(x)$로 놓는다.

① $\int_a^b \ln x dx=\Big[x\ln x-x\Big]_a^b$

② $\int_a^b \ln(1+x)dx=\Big[(x+1)\ln(1+x)-x\Big]_a^b$

참고 평행이동을 이용한 로그의 부분적분

$$\int_a^b \ln(x+1)dx=\int_{a+1}^{b+1}\ln x dx=\Big[x\ln x-x\Big]_{a+1}^{b+1}$$

1784 학교기출 대표 유형

정적분 $\int_1^e (4x\ln x)dx$의 값은?

① e^2-1 ② e^2+1 ③ e^2+2
④ e^2+e-1 ⑤ e^2+2e+2

1785 BASIC

정적분 $\int_{\frac{e}{2}}^{e} \ln 2x dx$의 값은?

① $e\ln 2$ ② $e\ln 3$ ③ $2e\ln 2$
④ $e\ln 5$ ⑤ $e\ln 6$

1786 BASIC

함수 $f(x)=x\ln x$에 대하여

$$\int_e^{\frac{1}{2}} f(x)dx-\int_2^{\frac{1}{2}} f(x)dx+\int_1^e f(x)dx$$

의 값은?

① $2\ln 2-\frac{5}{4}$ ② $2\ln 2-1$ ③ $2\ln 2-\frac{3}{4}$
④ $2\ln 2-\frac{1}{2}$ ⑤ $2\ln 2-\frac{1}{4}$

1787 최다빈출 왕 중요 NORMAL

정적분 $\int_1^e x(1-\ln x)dx$의 값은?

① $\frac{1}{4}(e^2-7)$ ② $\frac{1}{4}(e^2-6)$ ③ $\frac{1}{4}(e^2-5)$
④ $\frac{1}{4}(e^2-4)$ ⑤ $\frac{1}{4}(e^2-3)$

▶ 해설 내신연계기출

1788 NORMAL

정적분 $\int_1^6 \frac{\ln x}{x^2}dx$의 값은?

① $\ln 6-5$ ② $6\ln 6+5$ ③ $\ln 6$
④ $\frac{5-\ln 6}{6}$ ⑤ $\frac{5+6\ln 6}{6}$

1789 최다빈출 왕 중요 NORMAL

정적분 $\int_0^1 (1+2e^{-x})dx-\int_1^e \frac{\ln x}{x^2}dx$의 값은?

① -2 ② -1 ③ 0
④ 1 ⑤ 2

▶ 해설 내신연계기출

03 정적분

1790

NORMAL

정적분 $\int_{e}^{e^2}\frac{\ln x-1}{x^2}dx$의 값은?

① $\frac{e+2}{e^2}$　② $\frac{e+1}{e^2}$　③ $\frac{1}{e}$

④ $\frac{e-1}{e^2}$　⑤ $\frac{e-2}{e^2}$

1791

NORMAL

함수 $f(x)=a\ln x+b$가

$$f'(1)=3,\ \int_{1}^{e}f(x)dx=2e+1$$

을 만족시킬 때, 두 상수 a, b에 대하여 $a+b$의 값은?

① 3　② 4　③ 5

④ 6　⑤ 7

1792

TOUGH

다음 정적분의 값이 옳지 않은 것은?

① $\int_{-1}^{2}\frac{x}{\sqrt{5-x^2}}dx=1$　② $\int_{\frac{\pi}{6}}^{\frac{\pi}{3}}\cot x dx=\frac{\ln 3}{2}$

③ $\int_{0}^{\frac{\pi}{2}}\sin^3 x dx=\frac{1}{2}$　④ $\int_{0}^{1}xe^{-3x}dx=-\frac{4}{9e^3}+\frac{1}{9}$

⑤ $\int_{1}^{e}x\ln x dx=\frac{e^2}{4}+\frac{1}{4}$

유형 15 (지수함수)×(삼각함수) 정적분의 부분적분법

두 함수 $f(x)$, $g(x)$가 미분가능하고 $f'(x)$, $g'(x)$가 연속일 때,

$$\int_{a}^{b}f(x)g'(x)dx=\Big[f(x)g(x)\Big]_{a}^{b}-\int_{a}^{b}f'(x)g(x)dx$$

(지수함수)×(삼각함수)꼴

⇨ 삼각함수를 $f(x)$로, 지수함수를 $g'(x)$로 놓는다.

1793

학교기출 대표 유형

등식 $\int_{0}^{\frac{\pi}{2}}e^x\sin x dx=ae^{\frac{\pi}{2}}+b$가 성립할 때, 두 유리수 a, b에 대하여 $a+b$의 값은?

① -2　② -1　③ 0

④ 1　⑤ 2

1794

최다빈출 왕 중요

NORMAL

정적분 $\int_{0}^{\pi}e^x\cos x dx$의 값은?

① $-e^{\pi}-1$　② $-\frac{1}{2}(e^{\pi}+1)$　③ $\frac{1}{2}(e^{\pi}-1)$

④ $\frac{1}{2}(e^{\pi}+1)$　⑤ $e^{\pi}+1$

▶ 해설 내신연계기출

1795

최다빈출 왕 중요

NORMAL

정적분 $\int_{0}^{\frac{\pi}{2}}e^{-x}(\sin x+\cos x)dx$의 값은?

① 1　② 2　③ 3

④ 4　⑤ 5

▶ 해설 내신연계기출

유형 16 정적분의 치환적분과 부분적분법

두 함수 $f(x)$, $g(x)$가 미분가능하고 $f'(x)$, $g'(x)$가 연속일 때,

[1단계] 치환적분법을 이용하여 식을 정리한다.

$$\int_a^b f(x)dx=\int_\alpha^\beta f(g(t))g'(t)dt$$

[2단계] 부분적분을 이용하여 정적분을 계산한다.

$$\int_a^b f(x)g'(x)dx=\Big[f(x)g(x)\Big]_a^b-\int_a^b f'(x)g(x)dx$$

1796 학교기출 대표 유형

자연수 n에 대하여 함수 $f(n)=\int_1^n x^3e^{x^2}dx$라 할 때, $\frac{f(5)}{f(3)}$의 값은?

① e^{14} ② $2e^{16}$ ③ $3e^{16}$
④ $4e^{18}$ ⑤ $5e^{18}$

▶ 해설 내신연계기출

1797 NORMAL

실수 전체의 집합에서 미분가능한 함수 $f(x)$가 다음 조건을 만족시킨다.

(가) $f(1)=2$
(나) $\int_0^1 (x-1)f'(x+1)dx=-4$

$\int_1^2 f(x)dx$의 값은? (단, $f'(x)$는 연속함수이다.)

① 2 ② 4 ③ 5
④ 6 ⑤ 7

1798 최다빈출 왕중요 TOUGH

정의역이 $\{x|x>-1\}$인 함수 $f(x)$에 대하여 $f'(x)=\frac{1}{(1+x^3)^2}$이고 함수 $g(x)=x^2$일 때, $\int_0^1 f(x)g'(x)dx=\frac{1}{6}$이다. $f(1)$의 값은?

① $\frac{1}{6}$ ② $\frac{2}{9}$ ③ $\frac{5}{18}$
④ $\frac{1}{3}$ ⑤ $\frac{7}{18}$

▶ 해설 내신연계기출

유형 17 역함수와 치환적분법

[1단계] 함수 $f(x)$의 역함수가 $g(x)$이므로 $f(g(x))=x$이고
양변을 x에 대하여 미분하면 $f'(g(x))g'(x)=1$

[2단계] 치환적분과 부분적분을 이용하여 정적분 계산을 한다.

1799 학교기출 대표 유형

실수 전체의 집합에서 미분가능한 두 함수 $f(x)$, $g(x)$가 있다. $g(x)$가 $f(x)$의 역함수이고 $g(2)=1$, $g(5)=5$일 때,

$\int_1^5 \frac{40}{g'(f(x))\{f(x)\}^2}dx$의 값은?

① 8 ② 10 ③ 12
④ 15 ⑤ 18

1800 최다빈출 왕중요 TOUGH

함수 $f(x)=\sin x\left(-\frac{\pi}{2}\le x\le\frac{\pi}{2}\right)$의 역함수를 $g(x)$라 할 때,

$\int_{\frac{1}{2}}^1 \frac{1}{g'(x)}dx$의 값은?

① $-\frac{\pi}{6}-\frac{\sqrt{3}}{4}$ ② $-\frac{\pi}{6}-\frac{\sqrt{3}}{8}$ ③ $\frac{\pi}{6}-\frac{\sqrt{3}}{2}$
④ $\frac{\pi}{6}-\frac{\sqrt{3}}{4}$ ⑤ $\frac{\pi}{6}-\frac{\sqrt{3}}{8}$

▶ 해설 내신연계기출

1801 최다빈출 왕중요 TOUGH

$-\frac{\pi}{2}<x<\frac{\pi}{2}$에서 정의된 함수 $f(x)$와 $f(x)$의 도함수 $f'(x)$가

$$f(0)=0,\ f'(x)=1+\{f(x)\}^2$$

을 만족시킨다. 함수 $f(x)$의 역함수를 $g(x)$라 할 때,

$g'(1)g(1)$의 값은?

① $\frac{\pi}{10}$ ② $\frac{\pi}{8}$ ③ $\frac{\pi}{6}$
④ $\frac{\pi}{4}$ ⑤ $\frac{\pi}{2}$

▶ 해설 내신연계기출

04 정적분으로 정의된 함수

학교내신기출 객관식 핵심문제총정리

STEP 1 내신정복 기출유형

유형 01 적분구간이 상수인 정적분을 포함한 등식에서 함수 $f(x)$의 결정

$f(x)=g(x)+\int_a^b f(t)dt$ (a, b는 상수)꼴의 등식이 주어지면 $f(x)$는 다음과 같은 순서로 구한다.

[1단계] $\int_a^b f(t)dt=k$ (k는 상수)로 놓는다.

⇨ $f(x)=g(x)+k$ …… ㉠

[2단계] ㉠을 $\int_a^b f(t)dt=k$에 대입하여 $\int_a^b \{g(t)+k\}dt=k$를 풀어 상수 k의 값을 구한다.

[3단계] 상수 k의 값을 ㉠에 대입하여 $f(x)$를 구한다.

1802 

함수 $f(x)$가

$$f(x)=e^{-x}-\int_0^1 e^t f(t)dt$$

를 만족시킬 때, $f(-1)$의 값은?

① $1-\frac{1}{e}$ ② $e-\frac{1}{e}$ ③ $e+\frac{1}{e}$
④ $e+1$ ⑤ $2e$

1803 최다빈출 왕 중요 BASIC

함수 $f(x)$에 대하여

$$f(x)=\cos\pi x+\int_0^{\frac{1}{2}} f(t)dt$$

를 만족시킬 때, $f(1)$의 값은?

① $-1+\frac{2}{\pi}$ ② $\frac{2}{\pi}$ ③ π
④ $\frac{\pi}{2}$ ⑤ $\frac{\pi}{2}+1$

▶ 해설 내신연계기출

1804 BASIC

함수 $f(x)$가

$$f(x)=x-\int_1^e \frac{f(t)}{t}dt$$

를 만족시킬 때, $f(e)$의 값은?

① $\frac{e-1}{2}$ ② $\frac{e}{2}$ ③ $\frac{e+1}{3}$
④ $\frac{3e+2}{3}$ ⑤ $\frac{e+1}{2}$

1805 NORMAL

함수 $f(x)$가

$$f(x)=\frac{x}{x^2+1}+2\int_0^1 f(t)dt$$

를 만족시킬 때, $f(0)$의 값은?

① $-2\ln 2$ ② $-\ln 2$ ③ 0
④ $\ln 2$ ⑤ $2\ln 2$

1806 NORMAL

함수 $f(x)$가

$$f(x)=x\cos x+\int_0^{\frac{\pi}{2}} f(t)dt$$

를 만족시킬 때, $f(0)$의 값은?

① -3 ② -2 ③ -1
④ 1 ⑤ 2

1807 최다빈출 왕중요

NORMAL

함수 $f(x)$가

$$f(x)=\sin x+2\int_{0}^{\frac{\pi}{2}}f(t)\cos t dt$$

를 만족시킬 때, $f\left(\frac{\pi}{6}\right)$의 값은?

① -1　② $-\frac{1}{2}$　③ $-\frac{\sqrt{3}}{2}$
④ $\frac{1}{2}$　⑤ $\frac{\sqrt{3}}{2}$

▶ 해설 내신연계기출

1808 최다빈출 왕중요

NORMAL

함수 $f(x)$가

$$f(x)=x+\int_{0}^{1}e^{-t}f(t)dt$$

를 만족시킬 때, $f(2)$의 값은?

① 1　② 2　③ e
④ 3　⑤ $2e$

▶ 해설 내신연계기출

1809

NORMAL

연속함수 $f(x)$가

$$f(x)=\ln x+\int_{1}^{e}f(t)dt\,(x>0)$$

를 만족시킬 때, $f(e^2)$의 값은?

① $\frac{2e-5}{e-2}$　② $\frac{2e-3}{e-2}$　③ $\frac{2e+3}{e+2}$
④ $\frac{2e-5}{e+2}$　⑤ $\frac{3e}{e-2}$

1810

NORMAL

함수 $f(x)$가

$$f(x)=x\ln x+\int_{1}^{e}f(t)dt\,(x>0)$$

를 만족시킬 때, 함수 $\int_{1}^{e}f(t)dt$의 값은?

① $-\frac{e^2+1}{4(e-2)}$　② $\frac{2e-5}{e+2}$　③ $\frac{e^2+1}{4(e-2)}$
④ $\frac{e^2+1}{e-2}$　⑤ $\frac{e^2-1}{e+2}$

1811

NORMAL

구간 $(0, \infty)$에서 연속인 함수 $f(x)$가

$$f(x)=\ln x-\int_{1}^{e}\frac{f(t)}{x}dt$$

를 만족시킬 때, $f(1)$의 값은?

① $-\frac{5}{6}$　② $-\frac{2}{3}$　③ $-\frac{1}{2}$
④ $-\frac{1}{3}$　⑤ $-\frac{1}{6}$

1812

TOUGH

연속함수 $f(x)$가

$$f(x)=e^{x^2}+\int_{0}^{1}tf(t)dt$$

를 만족시킬 때, $\int_{0}^{1}xf(x)dx$의 값은?

① $e-2$　② $\frac{e-1}{2}$　③ $\frac{e}{2}$
④ $e-1$　⑤ $\frac{e+1}{2}$

유형 02 적분구간이 변수인 정적분을 포함한 등식에서 함수 $f(x)$의 결정

$\int_a^x f(t)dt=g(x)$와 같이 적분구간에만 변수 x가 있는 경우

[1단계] 양변에 $x=a$를 대입한다.

⇨ $\int_a^a f(t)dt=0$이므로 $g(a)=0$

[2단계] 양변을 x에 대하여 미분한다.

⇨ $\frac{d}{dx}\int_a^x f(t)dt=g'(x)$이므로 $f(x)=g'(x)$

1813 학교기출 대표 유형

미분가능한 함수 $f(x)$가

$$xf(x)=3x+\int_1^x f(t)dt$$

를 만족할 때, $f\left(\frac{1}{e}\right)$의 값은?

① 0　② 1　③ 2
④ 3　⑤ 4

▶ 해설 내신연계기출

1814 NORMAL

연속함수 $f(x)$가 모든 실수 x에 대하여

$$\int_0^x f(t)dt=e^x+ax+a$$

를 만족시킬 때, $f(\ln 2)$의 값은?

① $\frac{1}{e}$　② 1　③ 2
④ e　⑤ $2e$

1815 NORMAL

연속함수 $f(x)$가 모든 실수 x에 대하여

$$\int_e^x f(t)dt=x\ln x-x+k$$

를 만족시킬 때, 상수 k에 대하여 $f(e)+k$의 값은?

① 0　② 1　③ 2
④ e　⑤ $2e$

1816 NORMAL

연속함수 $f(x)$가 모든 실수 x에 대하여

$$\int_0^x f(t)dt=\cos 2x+ax^2+a$$

를 만족시킬 때, $f\left(\frac{\pi}{2}\right)$의 값은? (단, a는 상수이다.)

① $-\frac{3}{2}\pi$　② $-\pi$　③ $-\frac{\pi}{2}$
④ 0　⑤ $\frac{\pi}{2}$

1817 최다빈출 왕중요 NORMAL

모든 실수 x에 대하여 함수 $f(x)$가

$$xf(x)=x^2\sin x+\int_{\frac{\pi}{2}}^x f(t)dt$$

를 만족할 때, $f(\pi)$의 값은?

① 0　② 1　③ 2
④ 3　⑤ 4

▶ 해설 내신연계기출

1818 최다빈출 왕중요 NORMAL

실수 전체에서 정의된 미분가능한 함수 $f(x)$가

$$\int_1^x f(t)dt = xf(x) - x^2e^{-x}$$

를 만족할 때, $f(3)$의 값은?

① $2e^{-2}$ ② $3e^{-3}$ ③ $2e^{-3}+e^{-1}$
④ $3e^{-2}-e^{-1}$ ⑤ $3e^{-3}-e^{-1}$

▶ 해설 내신연계기출

1819 최다빈출 왕중요 NORMAL

양의 실수 전체에서 미분가능한 함수 $f(x)$가

$$xf(x) - \int_e^x f(t)dt = x^2\ln x$$

를 만족할 때, $f(1)$의 값은?

① -2 ② -1 ③ 1
④ 2 ⑤ e

▶ 해설 내신연계기출

1820 NORMAL

양의 실수 전체의 집합에서 정의된 미분 가능한 함수 $f(x)$가

$$xf(x) = x\ln x + \int_e^x f(t)dt$$

를 만족시킬 때, $f(e^3)$의 값은?

① 4 ② 5 ③ 6
④ 7 ⑤ 8

1821 최다빈출 왕중요 TOUGH

함수 $f(x)=\int_0^x \frac{1}{e^t+1}dt$에 대하여 $f(a)=2$가 성립할 때,

정적분 $\int_0^a \frac{\ln\{f(x)+1\}}{e^x+1}dx$의 값은? (단, a는 실수)

① $3\ln3-2$ ② $3\ln3-1$ ③ $3\ln3$
④ $2\ln3+1$ ⑤ $3\ln3+3$

▶ 해설 내신연계기출

1822 최다빈출 왕중요 TOUGH

함수 $f(x)=\int_0^x \frac{1}{1+t^6}dt$에 대하여 상수 a가 $f(a)=\frac{1}{2}$을

만족시킬 때, $\int_0^a \frac{e^{f(x)}}{1+x^6}dx$의 값은?

① $\frac{\sqrt{e}-1}{2}$ ② $\sqrt{e}-1$ ③ 1
④ $\frac{\sqrt{e}+1}{2}$ ⑤ $\sqrt{e}+1$

▶ 해설 내신연계기출

1823 TOUGH

실수 전체의 집합에서 연속인 함수 $f(x)$가

$$\int_0^x f(x-t)dt = e^{2x}+e^x-2$$

를 만족시킬 때, $f(\ln 3)$의 값은?

① 18 ② 19 ③ 20
④ 21 ⑤ 22

04 정적분으로 정의된 함수

유형 03 $\int_a^x xf(t)dt$를 포함하는 함수

$\int_a^x (x-t)f(t)dt=g(x)$와 같이 적분구간과 피적분함수에 모두 변수 x가 있는 경우

[1단계] 좌변을 전개한다.

$$\int_a^x (x-t)f(t)dt=x\int_a^x f(t)dt-\int_a^x tf(t)dt$$

⬅ x는 상수 취급한다.

[2단계] $x\int_a^x f(t)dt-\int_a^x tf(t)dt=g(x)$의

양변을 x에 대하여 미분하면

$$(x)'\int_a^x f(t)dt+x\left(\int_a^x f(t)dt\right)'-\left(\int_a^x tf(t)dt\right)'=g'(x)$$

$$\int_a^x f(t)dt+xf(x)-xf(x)=g'(x)$$

$$\therefore \int_a^x f(t)dt=g'(x)$$

[3단계] $\int_a^x f(t)dt=g'(x)$를 조건에 맞게 변형한다.

주의 $\int_a^x xf(t)dt=x\int_a^x f(t)dt$이므로

⇨ x로 미분하면 $\frac{d}{dx}\int_a^x xf(t)dt=\int_a^x f(t)dt+xf(x)$

1824 학교기출 대표 유형

미분가능한 함수 $f(x)$가

$$\int_0^x (x-t)f(t)dt=e^x-ax-b$$

를 만족할 때, 상수 a, b에 대하여 $a+b$의 값은?

① -2 ② -1 ③ 0
④ 1 ⑤ 2

1825 NORMAL

함수 $f(x)$가

$$\int_1^x (x-t)f(t)dt=x^2\ln x+ax+b$$

를 만족할 때, $\int_1^2 f(x)dx$의 값은?

① $2\ln 2$ ② $2\ln 2+1$ ③ $3\ln 2+1$
④ $4\ln 2+1$ ⑤ $5\ln 2+1$

1826 NORMAL

연속함수 $f(x)$에 대하여

$$f(x)=xe^x+x+\int_0^x (x-t)f'(t)dt$$

를 만족할 때, $f'(2)-f(2)$의 값은?

① $e+1$ ② $3e+2$ ③ e^2+1
④ $3e^2+1$ ⑤ $5e^2+2$

1827 최다빈출 왕 중요 TOUGH

임의의 실수 x에 대하여 미분 가능한 함수 $f(x)$가

$$\int_0^x f(t)dt=x+\int_0^x (x-t)f(t)dt$$

를 만족할 때, $\int_0^1 xf(x)dx$의 값은?

① -1 ② 1 ③ 2
④ e ⑤ $2e$

▶ 해설 내신연계기출

1828 최다빈출 왕 중요 TOUGH

실수 전체의 집합에서 연속인 함수 $f(x)$가 모든 실수 x에 대하여

$$\sin 2x+\int_0^x xf(t)dt=ax+\int_0^x tf(t)dt$$

를 만족시킬 때, $af\left(\frac{\pi}{4}\right)$의 값은? (단, a는 상수이다.)

① 6 ② 8 ③ 10
④ 12 ⑤ 14

▶ 해설 내신연계기출

유형 04 $\int_a^x tf(x-t)dt=\int_0^{x-a}(x-z)f(z)dz$

$\int_a^x tf(x-t)dt$에서 $x-t=z$로 놓고 t에 대하여 미분하면
$-dt=dz$이고 $t=a$일 때, $z=x-a$이고 $t=x$일 때, $z=0$이므로

$$\int_{x-a}^0 (x-z)f(z)\cdot(-1)dz=\int_0^{x-a}(x-z)f(z)dz$$
$$=x\int_0^{x-a}f(z)dz-\int_0^{x-a}zf(z)dz$$

1829 학교기출 대표 유형

함수 $f(x)=\dfrac{1}{1+x}$에 대하여

$$F(x)=\int_0^x tf(x-t)dt\ (x\ge 0)$$

일 때, $F'(a)=\ln 10$을 만족시키는 상수 a의 값은?

① 9 ② 10 ③ 24
④ 27 ⑤ 30

1830 최다빈출 왕 중요 NORMAL

연속함수 $f(x)$가

$$\int_0^x tf(x-t)dt=-4\sin 3x+ax$$

를 만족시킬 때, 상수 a의 값은?

① 8 ② 10 ③ 12
④ 14 ⑤ 16

▶ 해설 내신연계기출

1831 최다빈출 왕 중요 TOUGH

함수 $f(x)$가 모든 실수 x에 대하여

$$f(x)=\int_0^x t\sin(x-t)dt$$

일 때, $f'\left(\dfrac{\pi}{3}\right)$의 값은?

① 0 ② $\dfrac{1}{2}$ ③ 1
④ $\dfrac{3}{2}$ ⑤ 2

▶ 해설 내신연계기출

유형 05 정적분으로 정의된 함수의 극대 · 극소

$f(x)=\int_a^x g(t)dt$와 같이 정의된 함수 $f(x)$에 대하여
[1단계] 주어진 양변을 x에 대하여 미분하여 $f'(x)$를 구한다.
[2단계] $f'(x)=0$을 만족하는 x값을 구하여 $f(x)$의 증감표를 만든다.
[3단계] 정적분을 계산하여 함수의 극댓값과 극솟값을 구한다.

1832 학교기출 대표 유형

$x>0$일 때, 함수 $f(x)$에 대하여

$$f(x)=\int_1^x (1-\ln t)dt$$

일 때, $x=a$에서 극댓값 b를 갖는다. $a-b$의 값은?

① 1 ② 2 ③ 3
④ 4 ⑤ 5

▶ 해설 내신연계기출

1833 최다빈출 왕 중요 NORMAL

$x>0$일 때, 함수 $f(x)=\int_0^x(\sqrt{t}-t)dt$의 극댓값은?

① $\dfrac{1}{6}$ ② $\dfrac{1}{2}$ ③ 1
④ 2 ⑤ 4

▶ 해설 내신연계기출

1834 최다빈출 왕 중요 TOUGH

함수 $f(x)=\int_0^x(1+\cos t)\sin t\,dt$의 극댓값을 M, 극솟값을 m이라 할 때, $M+m$의 값은? (단, $-\pi<x<2\pi$)

① 0 ② 2 ③ 4
④ 6 ⑤ 10

▶ 해설 내신연계기출

유형 06 정적분으로 정의된 함수의 최대 · 최소

$f(x)=\int_a^x g(t)dt$(a는 상수)꼴 일 때, 함수 $f(x)$의 최댓값, 최솟값은

[1단계] 양변을 x에 대하여 미분하여 극값을 구한다.

[2단계] 주어진 구간의 양 끝에서의 함숫값과 극댓값, 극솟값을 비교한다.

1835 학교기출 대표 유형

$0 \le x \le \pi$에서 정의된 함수

$$f(x)=\int_0^x (2\cos t-1)dt$$

의 최댓값을 M, 최솟값을 m이라 할 때, $M+m$의 값은?

① $\sqrt{3}-\frac{2}{3}\pi$ ② $\sqrt{3}-\frac{\pi}{3}$ ③ $2-\frac{\pi}{3}$
④ $2-\frac{4}{3}\pi$ ⑤ $\sqrt{3}-\frac{4}{3}\pi$

1836 NORMAL

$x>0$일 때, 함수

$$f(x)=\int_1^x (t-t\ln t)dt$$

의 최댓값은?

① $\frac{1}{4}(e^2-3)$ ② $\frac{1}{4}(e^2-2)$ ③ $\frac{1}{4}(e^2-1)$
④ $\frac{1}{2}(e^2-3)$ ⑤ $\frac{1}{2}(e^2-2)$

1837 TOUGH

$f(t)=\int_0^1 (2e^x-tx)^2 dx$일 때, 함수 $f(t)$는 $t=a$에서 최솟값 b를 갖는다. 두 상수 a, b에 대하여 $a+b$의 값은?

① e^2-10 ② e^2-2 ③ $2e^2-8$
④ $2e^2$ ⑤ e^2+10

유형 07 정적분으로 정의된 함수의 극한

연속함수 $f(x)$와 상수 a에 대하여 정적분과 미분계수의 정의를 이용하면 함수의 극한값은 다음과 같다.
함수 $f(x)$의 한 부정적분을 $F(x)$라 할 때,

① $\lim_{x\to a}\frac{1}{x-a}\int_a^x f(t)dt=\lim_{x\to a}\frac{F(x)-F(a)}{x-a}=F'(a)=f(a)$

② $\lim_{h\to 0}\frac{1}{h}\int_a^{a+h} f(t)dt=\lim_{h\to 0}\frac{F(a+h)-F(a)}{h}=F'(a)=f(a)$

③ $\lim_{h\to 0}\frac{1}{h}\int_{a+nh}^{a+mh} f(t)dt=\lim_{h\to 0}\frac{F(a+mh)-F(a+nh)}{h}$
$=(m-n)F'(a)=(m-n)f(a)$

1838 학교기출 대표 유형

함수 $f(x)=x^2+2\cos\pi x$일 때, $\lim_{x\to 1}\frac{1}{x-1}\int_1^x f(t)dt$의 값은?

① -5 ② -3 ③ -1
④ 3 ⑤ 6

1839 최다빈출 왕중요 BASIC

$\lim_{x\to 1}\frac{1}{x^2-1}\int_1^x (2-t)e^t dt$의 값은?

① $\frac{e}{4}$ ② $\frac{e}{2}$ ③ 1
④ e ⑤ $2e$

▶ 해설 내신연계기출

1840

BASIC

함수 $f(x)=e^x\cos\pi x$에 대하여

$$\lim_{x\to1}\frac{1}{x-1}\int_1^{x^3}f(t)dt$$

의 값은?

① $-5e$ ② $-3e$ ③ $-e$
④ $3e$ ⑤ $5e$

1841

NORMAL

함수 $f(x)=\sin x$에 대하여

$$\lim_{x\to\frac{\pi}{4}}\frac{1}{x-\frac{\pi}{4}}\int_{\frac{\pi}{4}}^{x}\{f(t)\}^3f'(t)dt$$

의 값은?

① 4 ② 3 ③ 2
④ $\frac{1}{2}$ ⑤ $\frac{1}{4}$

1842 최다빈출 왕중요

NORMAL

함수 $f(x)=\int_e^x(\ln t-1)dt$에 대하여

$$\lim_{x\to1}\frac{1}{x-1}\int_1^x f(t)dt$$

의 값은?

① $-2+e$ ② $-1+e$ ③ e
④ $1+e$ ⑤ $2+e$

▶ 해설 내신연계기출

1843 최다빈출 왕중요

NORMAL

$\lim_{h\to0}\frac{1}{h}\int_{\frac{\pi}{2}-h}^{\frac{\pi}{2}+h}x\sin x\,dx$의 값을 α라고 할 때,

$\tan\left(\alpha+\frac{\pi}{3}\right)$의 값은?

① $\frac{1}{\sqrt{3}}$ ② 1 ③ $\frac{2\sqrt{3}}{3}$
④ $\sqrt{3}$ ⑤ $\frac{4\sqrt{3}}{3}$

▶ 해설 내신연계기출

1844

NORMAL

함수 $f(x)=a\cos(\pi x^2)$에 대하여

$$\lim_{x\to0}\left\{\frac{x^2+1}{x}\int_1^{x+1}f(t)dt\right\}=3$$

일 때, $f(a)$의 값은? (단, a는 상수이다.)

① 1 ② $\frac{3}{2}$ ③ 2
④ $\frac{5}{2}$ ⑤ 3

1845 최다빈출 왕중요

TOUGH

$\lim_{n\to\infty}n\int_0^{\frac{1}{n}}\frac{e^x}{2+3\tan x}dx$의 값은?

① $\frac{1}{4}$ ② $\frac{1}{2}$ ③ 2
④ 3 ⑤ 4

▶ 해설 내신연계기출

1846

함수 $f(x)$의 한 부정적분을 $F(x)$라고 하면

$$F(x)=xf(x)-(x\cos x-\sin x)$$

가 성립한다. $f(\pi)=0$일 때, 정적분 $\int_{\frac{\pi}{2}}^{\pi} f(x)dx$를 구하는 과정을 다음 단계로 서술하여라. (단, $x>0$)

[1단계] $F(x)=xf(x)-(x\cos x-\sin x)$의 양변을 x로 미분하여 $f'(x)$를 구한다.

[2단계] $f(\pi)=0$을 이용하여 $f(x)$를 구한다.

[3단계] 정적분 $\int_{\frac{\pi}{2}}^{\pi} f(x)dx$의 값을 구한다.

1847

정적분 $\int_0^{\frac{\pi}{2}} \sin^2 x dx$를 구하려고 한다. 다음 단계로 그 과정을 서술하여라.

[1단계] 치환적분법을 이용하여
등식 $\int_0^{\frac{\pi}{2}} \sin^2 x dx = \int_0^{\frac{\pi}{2}} \cos^2 x dx$가 성립함을 서술하여라.

[2단계] 위 1단계의 등식과 $\sin^2 x+\cos^2 x=1$임을 이용하여
정적분 $\int_0^{\frac{\pi}{2}} \sin^2 x dx$의 값을 구한다.

[3단계] $\sin^2 x=\dfrac{1-\cos 2x}{2}$이 성립함을 보이고
$\sin^2 x=\dfrac{1-\cos 2x}{2}$임을 이용하여
정적분 $\int_0^{\frac{\pi}{2}} \sin^2 x dx$의 값을 구한다.

1848

다음 삼각치환을 이용하여 다음 단계로 정적분을 구하는 과정을 서술하여라.

[1단계] $\int_0^{\frac{1}{2}} \dfrac{1}{\sqrt{1-x^2}}dx$의 값을 구한다.

[2단계] $\int_0^{\sqrt{3}} \dfrac{1}{x^2+1}dx$의 값을 구한다.

1849

다음은 $\int_0^{\frac{\pi}{2}} e^x \sin x dx$를 구하는 과정이다. (가), (나), (다)에 알맞은 것을 써넣어라.

$\int_0^{\frac{\pi}{2}} e^x \sin x dx$에서 $f(x)=e^x$, $g'(x)=\sin x$로 놓으면
$f'(x)=e^x$, $g(x)=-\cos x$이므로

$$\int_0^{\frac{\pi}{2}} e^x \sin x dx=\Big[-e^x\cos x\Big]_0^{\frac{\pi}{2}}+\int_0^{\frac{\pi}{2}} \boxed{(가)}\,dx$$
$$=1+\int_0^{\frac{\pi}{2}} \boxed{(가)}\,dx \quad \cdots\cdots ㉠$$

$\int_0^{\frac{\pi}{2}} \boxed{(가)}\,dx$에서 $u(x)=e^x$, $v'(x)=\cos x$로 놓으면
$u'(x)=e^x$, $v(x)=\sin x$이므로

$$\int_0^{\frac{\pi}{2}} \boxed{(가)}\,dx=\Big[\ \boxed{(나)}\ \Big]_0^{\frac{\pi}{2}}-\int_0^{\frac{\pi}{2}} e^x \sin x dx \quad \cdots\cdots ㉡$$

㉡을 ㉠에 대입하여 정리하면 $\int_0^{\frac{\pi}{2}} e^x \sin x dx=\boxed{(다)}$

1850

미분가능한 두 함수 $f(x)$, $g(x)$가 다음 조건을 모두 만족시킬 때, $\int_0^3 f(x)g(x)dx$의 값을 구하는 과정을 다음 두 가지 방법으로 서술하여라.

(가) $f'(x)=g(x)$
(나) $f(0)=3$, $f(3)=5$

[방법1] $f(x)=t$로 놓고 치환적분법을 이용하여 서술하여라.
[방법2] 부분적분법을 이용하여 서술하여라.

1851

정적분 $\int_0^\pi |\sin x-\cos x|dx$의 값을 구하는 과정을 다음 단계로 서술하여라.

[1단계] 닫힌구간 $[0, \pi]$에서 방정식 $\sin x-\cos x=0$의 해를 구한다.
[2단계] 1단계를 이용하여 닫힌구간 $[0, \pi]$에서 $\sin x-\cos x\geq 0$, $\sin x-\cos x\leq 0$을 만족시키는 구간을 각각 구한다.
[3단계] 1, 2단계를 이용하여 정적분 $\int_0^\pi |\sin x-\cos x|dx$의 값을 구한다.

1852

$\int_0^1 (x+1)^2 e^{x^2}dx-\int_0^1 (x-1)^2 e^{x^2}dx$의 값을 구하는 과정을 다음 단계로 서술하여라.

[1단계] 적분구간이 같은 경우 정적분의 성질을 이용하여 정리한다.
[2단계] 치환적분을 이용하여 정적분의 값을 구한다.

1853

다음 그림을 보고 2 이상의 자연수 n에 대하여 부등식

$$1+\frac{1}{2}+\frac{1}{3}+\cdots+\frac{1}{n}>\ln(n+1)$$

이 성립함을 다음 단계로 서술하여라.

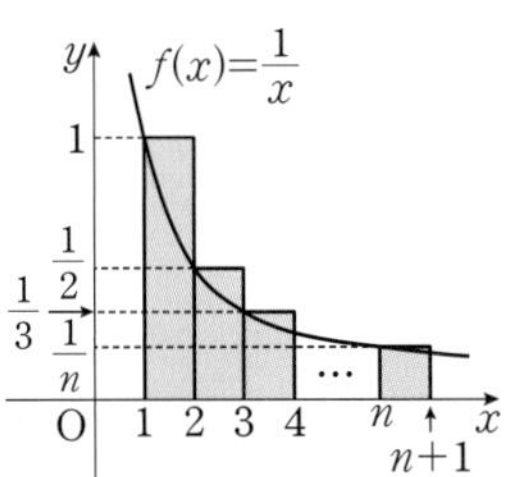

[1단계] 그림의 색칠한 n개의 직사각형의 넓이의 합을 구한다.
[2단계] $\int_1^{n+1}\frac{1}{x}dx$의 정적분의 값을 구한다.
[3단계] 부등식이 성립함을 서술한다.

04 정적분으로 정의된 함수

1854

함수 $f(x)=a\ln x+b$가 다음 두 조건을 만족할 때, 상수 a, b에 대하여 $a+b$의 값을 구하는 과정을 다음 단계로 서술하여라.

(가) $\lim_{x\to1}\frac{f(x)-f(1)}{x-1}=2$
(나) $\int_1^e f(x)dx=e+1$

[1단계] 조건 (가)를 만족하는 상수 a의 값을 구한다.
[2단계] 조건 (나)의 정적분의 값을 구한다.
[3단계] 2단계에서 상수 b를 구하여 $a+b$의 값을 구한다.

1855

함수 $f(x)$가

$$f(x)=x\cos x+\int_0^{\frac{\pi}{2}}f(x)dx$$

을 만족시킬 때, $f(2\pi)$의 값을 구하는 과정을 다음 단계로 서술하여라.

[1단계] $\int_0^{\frac{\pi}{2}}f(x)dx$를 상수 a로 놓고 함수 $f(x)$를 a에 대하여 나타낸다.
[2단계] 상수 a의 값을 구한다.
[3단계] $f(2\pi)$의 값을 구한다.

1856

함수 $f(x)$가

$$f(x)=e^x+\int_0^{\pi}(\sin t)f(t)dt$$

를 만족할 때, $f(\pi)$의 값을 구하는 과정을 다음 단계로 서술하여라.

[1단계] $\int_0^{\pi}(\sin t)f(t)dt$를 상수 a로 놓고 함수 $f(x)$를 a에 대하여 나타낸다.
[2단계] 상수 a의 값을 구한다.
[3단계] $f(\pi)$의 값을 구한다.

1857

실수 전체의 집합에서 연속인 함수 $f(x)$가 모든 실수 x에 대하여

$$\int_1^x(x-t)f(t)dt=e^{x-1}+ax^2-3x+1$$

을 만족시킬 때, $f(a)$의 값을 다음 단계로 서술하여라.
(단, a는 상수이다.)

[1단계] 주어진 식에 $x=1$을 대입하여 상수 a의 값을 구한다.
[2단계] 좌변을 정리하여 양변을 x에 대하여 미분하여 $\int_1^x f(t)dt$를 구한다.
[3단계] $f(a)$의 값을 구한다.

1858

자연수 n에 대하여 수열 $\{a_n\}$의 일반항이

$$a_n=\int_0^{\frac{\pi}{2}}\sin^n xdx$$

일 때, 다음 단계로 그 과정을 서술하여라.

[1단계] $n\geq3$일 때, a_n과 a_{n-2} 사이의 관계식을 구한다.
[2단계] $a_5=\int_0^{\frac{\pi}{2}}\sin^5 xdx$의 값을 구한다.

1859

자연수 n에 대하여 수열 $\{a_n\}$의 일반항이

$$a_n=\int_0^{\frac{\pi}{2}}\cos^n xdx$$

일 때, 다음 단계로 그 과정을 서술하여라.

[1단계] $n\geq3$일 때, a_n과 a_{n-2} 사이의 관계식을 구한다.
[2단계] $a_6=\int_0^{\frac{\pi}{2}}\cos^6 xdx$의 값을 구한다.

1860

곡선 $y=e^x$ 위의 점 $\mathrm{P}(t, e^t)$에서의 접선이 x축의 양의 방향과 이루는 각의 크기를 $\theta(t)$라 할 때,

$$\int_0^{\ln\sqrt{7}} e^t \sin\theta(t)dt$$

의 값을 구하여라.

1861

정적분

$$\int_0^{3\pi} |x\sin x|dx$$

의 값을 구하여라.

1862

정적분

$$\int_{-1}^{2} |xe^x-e^x|dx$$

의 값을 구하여라.

1863

수능기출

함수 $f(x)$가

$$f(x)=\int_0^x \frac{1}{1+e^{-t}}dt$$

일 때, $(f\circ f)(a)=\ln 5$를 만족시키는 실수 a의 값을 구하여라.

1864

평가원기출

$x>0$에서 정의된 연속함수 $f(x)$가 모든 양수 x에 대하여

$$2f(x)+\frac{1}{x^2}f\left(\frac{1}{x}\right)=\frac{1}{x}+\frac{1}{x^2}$$

을 만족시킬 때, $\int_{\frac{1}{2}}^{2} f(x)dx$의 값을 구하여라.

1865

자연수 n에 대하여 양의 실수 전체의 집합에서 정의된 함수

$$f(x)=\int_1^x \frac{n-\ln t}{t}dt$$

의 최댓값을 $g(n)$이라 하자. $\sum_{n=1}^{12} g(n)$의 값을 구하여라.

1866

수능기출

함수 $f(x)$를 $f(x)=\int_{a}^{x} 2+\sin(t^2)dt$라 하자.

$f''(a)=\sqrt{3}a$일 때, $(f^{-1})'(0)$의 값을 구하여라.

$\left(\text{단, } a\text{는 } 0<a<\sqrt{\frac{\pi}{2}}\text{인 상수이다.}\right)$

1868

수능기출

연속함수 $y=f(x)$의 그래프가 원점에 대하여 대칭이고

모든 실수 x에 대하여

$$f(x)=\frac{\pi}{2}\int_{1}^{x+1} f(t)dt$$

이다. $f(1)=1$일 때, $\pi^2\int_{0}^{1} xf(x+1)dx$의 값을 구하여라.

1867

교육청기출

두 함수 $f(x)$, $g(x)$가 모든 실수 x에 대하여 다음 조건을 만족시킬 때, $f(0)$의 값을 구하여라. (단, a는 상수이다.)

(가) $\int_{\frac{\pi}{2}}^{x} f(t)dt=\{g(x)+a\}\sin x-2$

(나) $g(x)=\int_{0}^{\frac{\pi}{2}} f(t)dt\cos x+3$

1869

평가원기출

구간 $\left[0, \frac{\pi}{2}\right]$에서 연속인 함수 $f(x)$가 다음 조건을 만족시킬 때, $f\left(\frac{\pi}{4}\right)$의 값을 구하여라.

(가) $\int_{0}^{\frac{\pi}{2}} f(t)dt=1$

(나) $\cos x\int_{0}^{x} f(t)dt=\sin x\int_{x}^{\frac{\pi}{2}} f(t)dt$ $\left(\text{단, } 0\le x\le\frac{\pi}{2}\right)$

1870

교육청기출

모든 실수 x에 대하여 연속인 함수 $f(x)$가 다음 조건을 만족시킨다.

(가) 모든 실수 x에 대하여 $f(x+2)=f(x)$이다.
(나) $0 \le x \le 1$일 때, $f(x)=\sin \pi x+1$이다.
(다) $1 < x < 2$일 때, $f'(x) \ge 0$이다.

$\int_0^6 f(x)dx=p+\frac{q}{\pi}$일 때, $p+q$의 값을 구하여라.
(단, p, q는 정수이다.)

1871

실수 전체의 집합에서 연속인 함수 $f(x)$가 다음 조건을 만족시킨다.

(가) 모든 실수 x에 대하여 $f(x+2)=f(x)+1$이다.
(나) $0 \le x \le 1$일 때, $f(x)=\sin\left(\frac{\pi}{2}x\right)$이다.
(다) $1 < x < 2$일 때, $f'(x) \ge 0$이다.

$\int_0^7 f(x)dx=p+\frac{q}{\pi}$일 때, $p+q$의 값을 구하여라.
(단, p, q는 유리수이다.)

1872

평가원기출

양의 실수 전체의 집합에서 미분가능한 두 함수 $f(x)$와 $g(x)$가 모든 양의 실수 x에 대하여 다음 조건을 만족한다.

(가) $\left(\frac{f(x)}{x}\right)'=x^2e^{-x^2}$
(나) $g(x)=\frac{4}{e^4}\int_1^x e^{t^2}f(t)dt$

$f(1)=\frac{1}{e}$일 때, $f(2)-g(2)$의 값을 구하여라.

1873

수능기출

닫힌 구간 $[0, 1]$에서 증가하는 연속함수 $f(x)$가

$$\int_0^1 f(x)dx=2,\ \int_0^1 |f(x)|dx=2\sqrt{2}$$

를 만족시킨다. 함수 $F(x)$가 $F(x)=\int_0^x |f(t)|dt\ (0 \le x \le 1)$

일 때, $\int_0^1 f(x)F(x)dx$의 값을 구하여라.

04 정적분으로 정의된 함수

1874

평가원기출

함수 $f(x)=\frac{5}{2}-\frac{10x}{x^2+4}$와 함수 $g(x)=\frac{4-|x-4|}{2}$의 그래프가 그림과 같다.

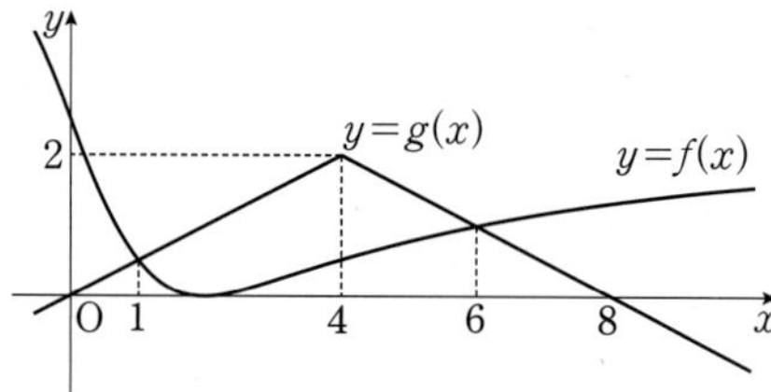

$0\le a\le 8$인 a에 대하여

$$\int_0^a f(x)dx+\int_a^8 g(x)dx$$

의 최솟값이 $p+q\ln 10$일 때, 상수 p, q에 대하여 $p+q$의 값을 구하여라.

1875

평가원기출

두 연속함수 $f(x)$, $g(x)$가

$$g(e^x)=\begin{cases} f(x) & (0\le x<1) \\ g(e^{x-1})+5 & (1\le x\le 2)\end{cases}$$

를 만족시키고 $\int_1^{e^2} g(x)dx=6e^2+4$이다.

$\int_1^e f(\ln x)dx=ae+b$일 때, a^2+b^2의 값을 구하여라.
(단, a, b는 정수이다.)

1876

평가원기출

실수 전체의 집합에서 미분가능한 함수 $f(x)$가 모든 실수 x에 대하여 다음 조건을 만족시킨다.

(가) $f(x)>0$
(나) $\ln f(x)+2\int_0^x (x-t)f(t)dt=0$

[보기]에서 옳은 것만을 있는 대로 고른 것은?

ㄱ. $x>0$에서 함수 $f(x)$는 감소한다.
ㄴ. 함수 $f(x)$의 최댓값은 1이다.
ㄷ. 함수 $F(x)$를 $F(x)=\int_0^x f(t)dt$라 할 때, $f(1)+\{F(1)\}^2=1$이다.

① ㄱ ② ㄱ, ㄴ ③ ㄱ, ㄷ
④ ㄴ, ㄷ ⑤ ㄱ, ㄴ, ㄷ

1877

평가원기출

두 함수 $f(x)$, $g(x)$는 실수 전체의 집합에서 도함수가 연속이고 다음 조건을 만족시킨다.

(가) 모든 실수 x에 대하여 $f(x)g(x)=x^4-1$이다.
(나) $\int_{-1}^{1}\{f(x)\}^2 g'(x)dx=120$

$\int_{-1}^{1} x^3 f(x)dx$의 값을 구하여라.

▶ 해설 내신연계기출

정적분과 급수

유형 01 구분구적법

구분구적법을 이용하여 넓이와 부피를 구하는 순서는 다음과 같다.

(1) 넓이 S

[1단계] 주어진 도형의 구간을 n등분하여 직사각형 (또는 사다리꼴)으로 분할한다.

[2단계] 분할된 n개의 직사각형 (또는 사다리꼴)의 넓이의 합 S_n을 구한다.

[3단계] $S=\lim_{n\to\infty} S_n$의 값을 구한다.

(2) 부피 V

[1단계] 주어진 도형의 구간을 n등분하여 원기둥 (또는 직육면체)으로 분할한다.

[2단계] 분할된 n개의 원기둥 (또는 직육면체)의 넓이의 합 V_n을 구한다.

[3단계] $V=\lim_{n\to\infty} V_n$의 값을 구한다.

1878 학교기출 대표 유형

다음은 곡선 $y=x^2$과 x축 및 직선 $x=1$로 둘러싸인 도형의 넓이 S를 급수의 합을 이용하여 구하는 과정이다.

그림과 같이 닫힌구간 $[0, 1]$을 n등분하면 양 끝점과 각 등분점의 x좌표는 차례로 $0, \frac{1}{n}, \frac{2}{n}, \cdots, \frac{n}{n}(=1)$이고 이에 대응하는 곡선의 y좌표는 각각 $0, \left(\frac{1}{n}\right)^2, \left(\frac{2}{n}\right)^2, \cdots, \left(\frac{n}{n}\right)^2$이다. 그림에서 색칠한 직사각형의 넓이의 합을 S_n이라 하면

$$S_n=\frac{1}{n}\left(\frac{1}{n}\right)^2+\frac{1}{n}\left(\frac{2}{n}\right)^2+\cdots+\frac{1}{n}\left(\frac{n}{n}\right)^2$$

$$=\frac{1}{\boxed{(가)}}(1^2+2^2+\cdots+n^2)=\frac{1}{6}\left(1+\frac{1}{n}\right)\left(\boxed{(나)}\right)$$

따라서 구하는 넓이 S는 $S=\lim_{n\to\infty} S_n=\boxed{(다)}$

위의 (가), (나)에 알맞은 식을 각각 $f(n)$, $g(n)$이라 하고, (다)에 알맞은 수를 a라 할 때, $f(3a)g(3a)$의 값은?

① 3 ② 6 ③ 8
④ 12 ⑤ 14

1879 NORMAL

급수의 합을 이용하여 정적분 $\int_0^2 x^2 dx$의 값을 구하는 과정이다.

$f(x)=x^2$이라 하면 함수 $f(x)$는 닫힌구간 $[0, 2]$에서 연속이다.
이때 $a=0$, $b=2$이므로

$$\Delta x=\frac{b-a}{n}=\frac{2}{n},$$

$$x_k=a+k\Delta x=\boxed{(가)}$$

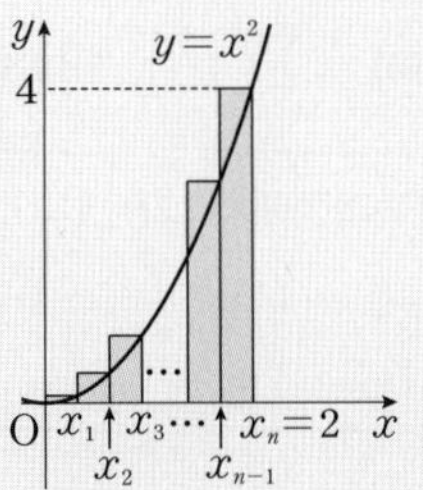

$f(x_k)={x_k}^2=\left(\boxed{(가)}\right)^2$

따라서 정적분과 급수의 합 사이의 관계에 의하여

$$\int_0^2 x^2 dx=\lim_{n\to\infty}\sum_{k=1}^{n} f(x_k)\Delta x$$

$$=\lim_{n\to\infty}\sum_{k=1}^{n}\left(\left(\boxed{(가)}\right)^2\times\frac{2}{n}\right)$$

$$=\lim_{n\to\infty}\frac{8}{n^3}\sum_{k=1}^{n}\boxed{(나)}$$

$$=\frac{4}{3}\lim_{n\to\infty}\left(1+\frac{1}{n}\right)\boxed{(다)}$$

$$=\boxed{(라)}$$

위의 과정에서 (가), (나), (다), (라)에 들어갈 것으로 알맞은 것은?

	(가)	(나)	(다)	(라)
①	$\frac{k}{n}$	k	$1+\frac{2}{n}$	$\frac{4}{3}$
②	$\frac{2k}{n}$	k	$1+\frac{2}{n}$	$\frac{4}{3}$
③	$\frac{k}{2n}$	k^2	$1+\frac{2}{n}$	$\frac{8}{3}$
④	$\frac{2k}{n}$	k^2	$2+\frac{1}{n}$	$\frac{8}{3}$
⑤	$\frac{2k}{n}$	k^3	$2+\frac{1}{n}$	$\frac{8}{3}$

1880 최다빈출 왕중요 NORMAL

다음은 정적분을 이용하여 $\lim_{n\to\infty}\frac{1}{n^3}(1^2+2^2+3^2+\cdots+n^2)$의 값을 구하는 과정이다.

> $\lim_{n\to\infty}\frac{1}{n^3}(1^2+2^2+3^2+\cdots+n^2)=\lim_{n\to\infty}\frac{1}{n^3}\sum_{k=1}^{n}$ (가)
>
> 이때 $f(x)=x^2$, $a=0$, $b=1$이라 하고
>
> $\Delta x=\frac{b-a}{n}=\frac{1}{n}$, $x_k=a+k\Delta x=$ (나) 라 하면
>
> 정적분과 급수의 합 사이의 관계에 의하여
>
> $\lim_{n\to\infty}\frac{1}{n^3}\sum_{k=1}^{n}$ (가) $=\lim_{n\to\infty}\sum_{k=1}^{n}f(x_k)\Delta x=\int_0^1 f(x)dx=$ (다)

위의 과정에서 (가), (나), (다)에 들어갈 것으로 알맞은 것은?

	(가)	(나)	(다)
①	k^2	$\frac{k}{n}$	$\frac{1}{4}$
②	k^2	$1+\frac{k}{n}$	$\frac{1}{4}$
③	k^2	$\frac{k}{n}$	$\frac{1}{3}$
④	k^3	$1+\frac{k}{n}$	$\frac{1}{3}$
⑤	k^3	$\frac{k}{n}$	$\frac{1}{3}$

▶ 해설 내신연계기출

1881 NORMAL

정적분을 이용하여 극한값

$$\lim_{n\to\infty}\left(\frac{1}{n+1}+\frac{1}{n+2}+\frac{1}{n+3}+\cdots+\frac{1}{n+n}\right)$$

의 값을 구하는 과정이다.

> $\lim_{n\to\infty}\left(\frac{1}{n+1+}\frac{1}{n+2}+\frac{1}{n+3}+\cdots+\frac{1}{n+n}\right)$
>
> $=\lim_{n\to\infty}\frac{1}{n}\left(\frac{1}{1+\frac{1}{n}}+\frac{1}{1+\frac{2}{n}}+\frac{1}{1+\frac{3}{n}}+\cdots+\frac{1}{1+\frac{n}{n}}\right)$
>
> $=\lim_{n\to\infty}\frac{1}{n}\sum_{k=1}^{n}$ (가)
>
> 이때 $f(x)=\frac{1}{\text{(나)}}$, $\Delta x=\frac{1}{n}$, $x_k=\frac{k}{n}$라 하면
>
> $\lim_{n\to\infty}\sum_{k=1}^{n}f(x_k)\Delta x=\int_0^{\text{(다)}}f(x)dx=\int_0^{\text{(다)}}\frac{1}{\text{(나)}}dx=$ (라)

위의 과정에서 (가), (나), (다), (라)에 들어갈 것으로 알맞은 것은?

	(가)	(나)	(다)	(라)
①	$\frac{1}{1+\frac{k}{n}}$	x	1	$\ln 2$
②	$\frac{1}{1+\frac{k}{n}}$	$1+x$	1	$\ln 2$
③	$\frac{1}{2+\frac{k}{n}}$	x	2	$\ln 3$
④	$1+\frac{k}{n}$	$1+x$	2	$\ln 3$
⑤	$\frac{k}{n}$	$1+x$	3	$\ln 5$

유형 02 정적분과 급수의 합 사이의 관계

함수 $f(x)$가 닫힌구간 $[a, b]$에서 연속일 때, 정적분의 정의

$$\lim_{n\to\infty}\sum_{k=1}^{n}f(x_k)\Delta x=\int_a^b f(x)dx\ \left(\text{단, }\Delta x=\frac{b-a}{n},\ x_k=a+k\Delta x\right)$$

를 이용하면 다음과 같이 여러 가지 급수의 합을 정적분으로 나타낼 수 있다.

① $\lim_{n\to\infty}\sum_{k=1}^{n}f\left(a+\frac{(b-a)k}{n}\right)\cdot\frac{b-a}{n}=\int_a^b f(x)dx$

② $\lim_{n\to\infty}\sum_{k=1}^{n}f\left(a+\frac{p}{n}k\right)\cdot\frac{p}{n}=\int_a^{a+p}f(x)dx=\int_0^p f(a+x)dx$

③ $\lim_{n\to\infty}\sum_{k=1}^{n}f\left(a+\frac{p}{n}k\right)\cdot\frac{q}{n}=q\int_0^1 f(a+px)dx$

참고 $\lim_{n\to\infty}\sum_{k=1}^{n}$ 이 $\lim_{n\to\infty}\sum_{k=0}^{n-1}$ 로 바뀌어도 같다.

1882 학교기출 대표유형

$\lim_{n\to\infty}\frac{1}{n}\left\{\left(\frac{n+1}{n}\right)^2+\left(\frac{n+2}{n}\right)^2+\left(\frac{n+3}{n}\right)^2+\cdots+\left(\frac{2n}{n}\right)^2\right\}$의 값은?

① 2　② $\frac{7}{3}$　③ $\frac{5}{2}$　④ $\frac{9}{2}$　⑤ 5

▶ 해설 내신연계기출

1883 BASIC

함수 $f(x)=\cos\frac{\pi}{2}x$에 대하여 $\lim_{n\to\infty}\sum_{k=1}^{n}f\left(1+\frac{2k}{n}\right)\frac{1}{n}$의 값은?

① $-\frac{2}{\pi}$　② $-\frac{4}{\pi}$　③ 0　④ $\frac{4}{\pi}$　⑤ $\frac{2}{\pi}$

1884 최다빈출 왕중요 BASIC

함수 $f(x)=\frac{1}{x}$에 대하여 $\lim_{n\to\infty}\sum_{k=1}^{n}f\left(1+\frac{3k}{n}\right)\frac{1}{n}$의 값은?

① $\frac{1}{3}\ln 2$　② $\frac{2}{3}\ln 2$　③ $\ln 2$　④ $2\ln 2$　⑤ $3\ln 2$

▶ 해설 내신연계기출

1885 최다빈출 왕중요 BASIC

함수 $f(x)=e^x+a$에 대하여

$$\lim_{n\to\infty}\frac{1}{n}\sum_{k=1}^{n}f\left(\frac{2k}{n}\right)=\frac{1}{2}e^2$$

일 때, 상수 a의 값은?

① $\frac{1}{4}$ ② $\frac{1}{2}$ ③ 1
④ 2 ⑤ 4

▶ 해설 내신연계기출

1886 BASIC

$\lim_{n\to\infty}\sum_{k=1}^{n}\frac{\pi}{n}\tan^2\frac{k\pi}{4n}$의 값은?

① $4-\pi$ ② $5-\pi$ ③ $2+\pi$
④ $3+\pi$ ⑤ $4+\pi$

1887 최다빈출 왕중요 NORMAL

함수 $f(x)=4x^4+4x^3$에 대하여

$$\lim_{n\to\infty}\sum_{k=1}^{n}\frac{1}{n+k}f\left(\frac{k}{n}\right)$$

의 값은?

① 1 ② 2 ③ 3
④ 4 ⑤ 5

▶ 해설 내신연계기출

1888 최다빈출 왕중요 TOUGH

다음 급수의 합을 정적분으로 나타낸 것이 옳지 않은 것은?

① $\lim_{n\to\infty}\frac{2}{n}\sum_{k=1}^{n}\left(\frac{2k}{n}\right)^3=\int_0^2 x^3dx$

② $\lim_{n\to\infty}\frac{1}{n}\sum_{k=1}^{n}\sin^2\frac{k\pi}{4n}=\int_0^1\sin^2xdx$

③ $\lim_{n\to\infty}\frac{1}{n}\sum_{k=1}^{n}\ln\left(1+\frac{2k}{n}\right)=\int_0^1\ln(1+2x)dx$

④ $\lim_{n\to\infty}\frac{1}{n}\sum_{k=1}^{n}\frac{1}{1+\left(\frac{k}{n}\right)^2}=\int_0^1\frac{1}{1+x^2}dx$

⑤ $\lim_{n\to\infty}\frac{1}{n}\sum_{k=1}^{n}\left(1+\frac{3k}{n}\right)^5=\frac{1}{3}\int_1^4 x^5dx$

▶ 해설 내신연계기출

유형 03 정적분과 급수의 치환적분

[1단계] 급수를 정적분으로 변환한다.

$$\lim_{n\to\infty}\sum_{k=1}^{n}f\left(a+\frac{p}{n}k\right)\cdot\frac{p}{n}=\int_a^{a+p}f(x)dx$$

[2단계] 치환적분을 이용하여 정적분의 값을 구한다.

참고 합이 나열된 경우에는 주어진 식의 합의 기호 $\sum$를 이용하여 $\lim_{n\to\infty}\sum_{k=1}^{n}f\left(a+\frac{p}{n}k\right)\frac{p}{n}$ 꼴로 변형한 후 정적분으로 나타낸다.

1889 학교기출 대표 유형

$\lim_{n\to\infty}\left(\frac{1}{3n+1}+\frac{1}{3n+2}+\frac{1}{3n+3}+\cdots+\frac{1}{4n}\right)$의 값은?

① $\ln\frac{3}{2}$ ② $\ln\frac{4}{3}$ ③ $\ln 2$
④ $\ln 5$ ⑤ $\frac{1}{2}\ln 2$

▶ 해설 내신연계기출

1890 최다빈출 왕중요 BASIC

$\lim_{n\to\infty}\left(\frac{1}{n^2+1^2}+\frac{2}{n^2+2^2}+\cdots+\frac{n}{n^2+n^2}\right)$의 값은?

① $\ln\frac{3}{2}$ ② $\ln\frac{4}{3}$ ③ $\ln 2$
④ $\ln 5$ ⑤ $\frac{1}{2}\ln 2$

▶ 해설 내신연계기출

1891 NORMAL

함수 $f(x)=\frac{4x}{1+x^2}$에 대하여

$$\lim_{n\to\infty}\sum_{k=1}^{n}\left\{f\left(1+\frac{2k}{n}\right)+f\left(1-\frac{2k}{n}\right)\right\}\frac{1}{n}$$

의 값은?

① $\frac{\ln 5}{4}$ ② $\frac{\ln 5}{2}$ ③ $\ln 5$
④ $2\ln 5$ ⑤ $4\ln 5$

1892 TOUGH

$\lim_{n\to\infty}\frac{1}{n^3}\{\sqrt{n^2-1^2}+2\sqrt{n^2-2^2}+\cdots+(n-1)\sqrt{n^2-(n-1)^2}\}$

의 값은?

① $\frac{1}{4}$ ② $\frac{1}{3}$ ③ $\frac{1}{2}$
④ 1 ⑤ 2

유형 04 정적분과 급수의 부분적분

[1단계] 급수를 정적분으로 변형한다.

$$\lim_{n\to\infty}\sum_{k=1}^{n} f\left(a+\frac{p}{n}k\right)\cdot\frac{p}{n}=\int_{a}^{a+p} f(x)dx$$

[2단계] 부분적분을 이용하여 정적분의 값을 구한다.

1893 학교기출 대표 유형

$\lim_{n\to\infty}\left\{\frac{1}{n^2}\left(e^{\frac{2}{n}}+2e^{\frac{4}{n}}+3e^{\frac{6}{n}}+\cdots+ne^{\frac{2n}{n}}\right)\right\}$의 값은?

① $\frac{e^2}{4}-\frac{1}{4}$ ② $\frac{e^2}{4}-\frac{1}{8}$ ③ $\frac{e^2}{4}$
④ $\frac{e^2}{4}+\frac{1}{4}$ ⑤ $\frac{e^2}{4}+\frac{1}{8}$

1894 최다빈출 왕중요 BASIC

$\lim_{n\to\infty}\sum_{k=1}^{n}\frac{2k}{n^2}e^{\frac{k}{n}}$의 값은?

① 1 ② 2 ③ e
④ $2e$ ⑤ $3e$

▶ 해설 내신연계기출

1895 BASIC

$\lim_{n\to\infty}\frac{1}{n}\sum_{k=1}^{n}\ln\left(1+\frac{2k}{n}\right)$의 값은?

① $\ln 3-1$ ② $\frac{3}{2}\ln 3-1$ ③ $2\ln 3-1$
④ $\ln 3+1$ ⑤ $2\ln 3+1$

1896 최다빈출 왕중요 NORMAL

$\lim_{n\to\infty}\sum_{k=1}^{n}\frac{\ln(n+k)-\ln n}{n}$의 값은?

① $\ln 2-2$ ② $\ln 2-1$ ③ $2\ln 2-1$
④ $2\ln 2$ ⑤ $2\ln 2+1$

▶ 해설 내신연계기출

1897 최다빈출 왕중요 NORMAL

$\lim_{n\to\infty}\frac{\pi^2}{n^2}\left(\cos\frac{\pi}{n}+2\cos\frac{2\pi}{n}+3\cos\frac{3\pi}{n}+\cdots+n\cos\frac{n\pi}{n}\right)$의 값은?

① -1 ② -2 ③ $-\pi$
④ -2π ⑤ -3π

▶ 해설 내신연계기출

1898 NORMAL

$\lim_{n\to\infty}\frac{\pi}{n}\left\{\left(\sin\frac{\pi}{n}\right)^3+\left(\sin\frac{2}{n}\pi\right)^3+\left(\sin\frac{3}{n}\pi\right)^3+\cdots+\left(\sin\frac{n}{n}\pi\right)^3\right\}$
의 값은?

① $\frac{1}{2}$ ② $\frac{3}{2}$ ③ $\frac{4}{3}$
④ $\frac{5}{3}$ ⑤ $\frac{7}{2}$

1899 TOUGH

함수 $f(x)=\ln x$에 대하여

$$\lim_{n\to\infty}\sum_{k=1}^{n}\frac{k}{n^2}f\left(1+\frac{k}{n}\right)$$

의 값은?

① $\frac{1}{4}$ ② $\frac{1}{3}$ ③ $\frac{2}{3}$
④ $\frac{5}{4}$ ⑤ $\frac{5}{2}$

유형 05 정적분과 급수의 삼각치환법

[1단계] 급수를 정적분으로 변형한다.

$$\lim_{n\to\infty}\sum_{k=1}^{n} f\left(a+\frac{p}{n}k\right)\cdot\frac{p}{n}=\int_{a}^{a+p} f(x)dx$$

[2단계] 삼각치환을 이용하여 정적분의 값을 구한다.

1900 학교기출 대표 유형

$\lim_{n\to\infty}\frac{4}{n}\sum_{k=1}^{n}\sqrt{2-\left(\frac{k}{n}\right)^2}$ 의 값은?

① $\pi+1$ ② $\pi+2$ ③ $\pi+3$
④ $\pi+4$ ⑤ $\pi+5$

1901 NORMAL

$\lim_{n\to\infty}\sum_{k=1}^{n}\frac{n}{n^2+k^2}$ 의 값은?

① $\frac{\pi}{4}$ ② 1 ③ $\frac{\pi}{2}$
④ 2 ⑤ π

1902 TOUGH

$\lim_{n\to\infty}\sum_{k=1}^{n}\frac{1}{\sqrt{4n^2-(n+k)^2}}$ 의 값은?

① $\frac{\pi}{12}$ ② $\frac{\pi}{6}$ ③ $\frac{\pi}{4}$
④ $\frac{\pi}{3}$ ⑤ $\frac{\pi}{2}$

유형 06 역함수와 정적분의 급수

[1단계] $y=x$에 대한 대칭성을 활용한다.
[2단계] 급수의 합과 정적분의 관계를 이용하여 식을 변형한다.

$$\lim_{n\to\infty}\sum_{k=1}^{n} f\left(a+\frac{(b-a)k}{n}\right)\cdot\frac{b-a}{n}=\int_{a}^{b} f(x)dx$$

1903 학교기출 대표 유형

닫힌구간 $[0, 1]$에서 정의된 연속함수 $f(x)$가 $f(0)=0$, $f(1)=1$이며 열린 구간 $(0, 1)$에서 이계도함수를 갖고 $f'(x)>0$, $f''(x)>0$일 때, $\int_0^1\{f^{-1}(x)-f(x)\}dx$의 값과 같은 것은?

① $\lim_{n\to\infty}\sum_{k=1}^{n}\left\{\frac{k}{n}-f\left(\frac{k}{n}\right)\right\}\frac{1}{2n}$ ② $\lim_{n\to\infty}\sum_{k=1}^{n}\left\{\frac{k}{n}-f\left(\frac{k}{n}\right)\right\}\frac{2}{n}$
③ $\lim_{n\to\infty}\sum_{k=1}^{n}\left\{\frac{k}{n}-f\left(\frac{k}{n}\right)\right\}\frac{1}{n}$ ④ $\lim_{n\to\infty}\sum_{k=1}^{n}\left\{\frac{k}{2n}-f\left(\frac{k}{n}\right)\right\}\frac{1}{n}$
⑤ $\lim_{n\to\infty}\sum_{k=1}^{n}\left\{\frac{2k}{n}-f\left(\frac{k}{n}\right)\right\}\frac{1}{n}$

1904 NORMAL

미분가능한 함수 $f(x)$가 다음 조건을 만족시킨다.

(가) 모든 실수 x에 대하여 $f'(x)>0$, $f''(x)>0$이다.
(나) $f(0)=0$, $f(5)=5$

$\lim_{n\to\infty}\sum_{k=1}^{n}\left\{f\left(\frac{5k}{n}\right)+f^{-1}\left(\frac{5k}{n}\right)\right\}\frac{5}{n}$의 값은?
(단, $f^{-1}(x)$는 $f(x)$의 역함수이다.)

① 20 ② 25 ③ 30
④ 35 ⑤ 45

1905 TOUGH

실수 전체의 집합에서 미분가능한 함수 $f(x)$가 다음 조건을 만족시킨다.

(가) 모든 실수 x에 대하여 $f'(x)>0$, $f''(x)>0$이다.
(나) $f(1)=1$, $f(5)=5$
(다) $\lim_{n\to\infty}\sum_{k=1}^{n} f^{-1}\left(1+\frac{4k}{n}\right)\cdot\frac{3}{n}=12$

$\int_1^5\{x-f(x)\}dx$의 값은? (단, $f^{-1}(x)$는 $f(x)$의 역함수이다.)

① 1 ② 2 ③ 3
④ 4 ⑤ 5

유형 07 정적분과 급수의 활용

[1단계] 주어진 그림에서 $f(x_k)$ 또는 넓이 S_k를 구한다.
[2단계] 정적분과 급수의 관계를 이용하여
$\lim_{n\to\infty}\frac{1}{n}\sum_{k=1}^{n}f(x_k)$의 값을 구한다.

1906 학교기출 대표 유형

오른쪽 그림과 같이 자연수 n에 대하여 직선 $x=n+k$가 두 직선 $y=x+1$, $y=0$과 만나는 점을 각각 A, B라 하자. 선분 AB를 세로로 하고 가로의 길이가 2인 직사각형의 넓이를 $f(k)$라 할 때, $\lim_{n\to\infty}\sum_{k=0}^{n-1}\frac{1}{f(k)}$의 값은?

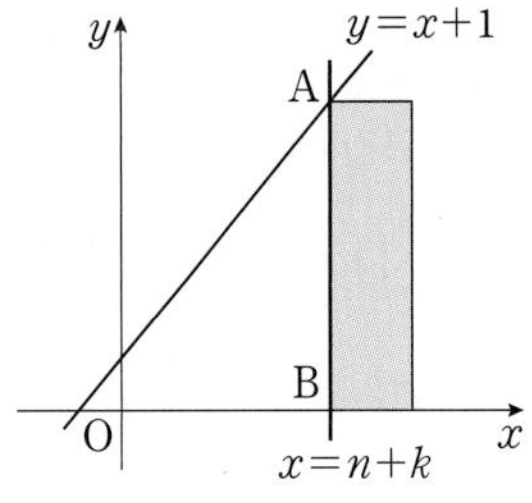

① $\ln 2$ ② $\frac{\ln 2}{2}$ ③ $\frac{\ln 3}{2}$
④ $\frac{\ln 3}{3}$ ⑤ $\ln 3$

1907 NORMAL

다음 그림과 같이 $\overline{AB}=2$, $\overline{BC}=1$, $\angle B=90°$인 직각삼각형 ABC가 있다. 변 AB를 n등분한 점을 각각 $B_1, B_2, B_3, \cdots, B_{n-1}$이라 하고, 각 점에서 변 BC에 평행하게 직선을 그어 변 AC와 만나는 점을 각각 $C_1, C_2, C_3, \cdots, C_{n-1}$이라고 할 때, $\lim_{n\to\infty}\frac{2\pi}{n}\sum_{k=1}^{n-1}\overline{B_kC_k}^2$의 값은?

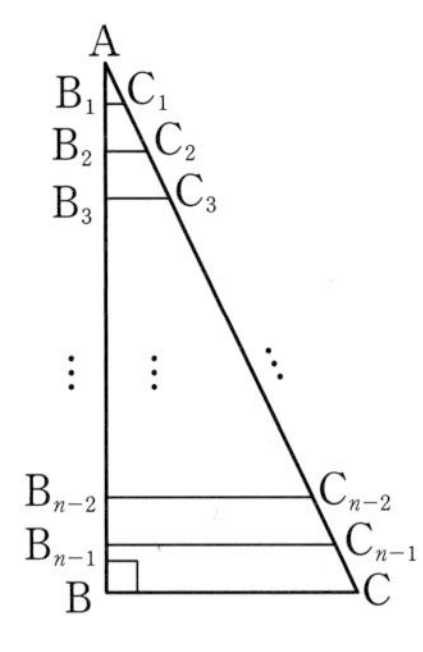

① $\frac{\pi}{6}$ ② $\frac{\pi}{3}$ ③ $\frac{\pi}{2}$
④ $\frac{2}{3}\pi$ ⑤ π

1908 최다빈출 왕중요 NORMAL

다음 그림과 같이 두 점 A$(-1, 0)$, B$(1, 0)$을 지름의 양 끝 점으로 하는 원 $x^2+y^2=1$의 호 AB를 n등분하는 점을 A에서 가까운 점부터 차례대로 $P_1, P_2, P_3, \cdots, P_{n-1}$이라고 하자.
삼각형 $ABP_k$$(k=1, 2, 3, \cdots, n-1)$의 넓이를 S_k라고 할 때, $\lim_{n\to\infty}\frac{1}{n}\sum_{k=1}^{n-1}S_k$의 값은?

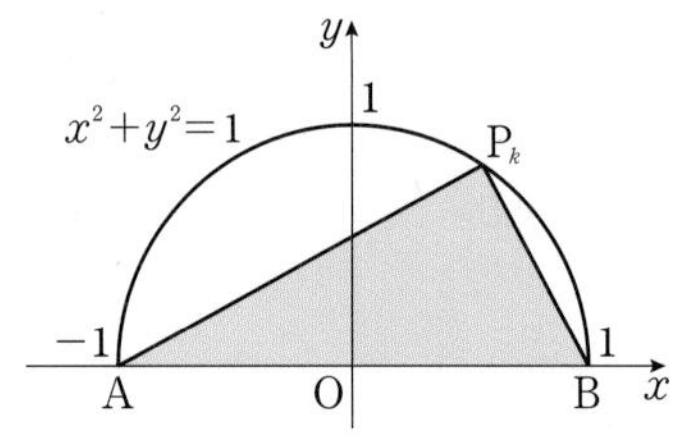

① $\frac{1}{\pi}$ ② $\frac{2}{\pi}$ ③ $\frac{3}{\pi}$
④ $\frac{4}{\pi}$ ⑤ $\frac{5}{\pi}$

▶ 해설 내신연계기출

1909 최다빈출 왕중요 TOUGH

다음 그림과 같이 함수 $f(x)=e^x$이 있다. 2 이상인 자연수 n에 대하여 닫힌구간 $[1, 2]$를 n등분한 각 분점(양 끝점도 포함)을 차례로 $1=x_0, x_1, x_2, \cdots, x_n=2$라 하자.
세 점 $(0, 0)$, $(x_k, 0)$, $(x_k, f(x_k))$를 꼭짓점으로 하는 삼각형의 넓이를 $A_k$$(k=1, 2, \cdots, n)$이라 할 때, $\lim_{n\to\infty}\frac{1}{n}\sum_{k=1}^{n}A_k$의 값은?

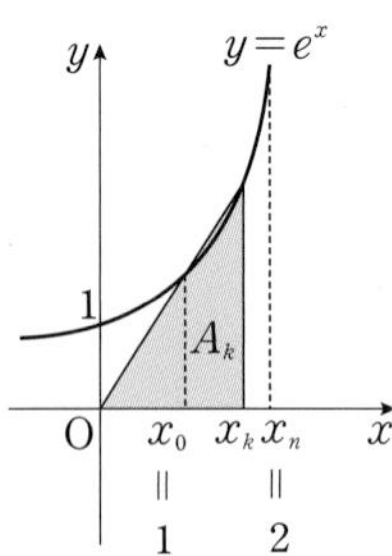

① $\frac{1}{2}e$ ② $\frac{1}{2}e^2$ ③ e
④ e^2 ⑤ $\frac{3}{2}e^2$

▶ 해설 내신연계기출

유형 01 곡선과 x축으로 둘러싸인 넓이

닫힌구간 $[a, b]$에서 연속일 때,
곡선 $y=f(x)$와 x축 및 두 직선 $x=a$, $x=b$로 둘러싸인 도형의 넓이 S는

$$S=\int_a^b |f(x)|dx$$

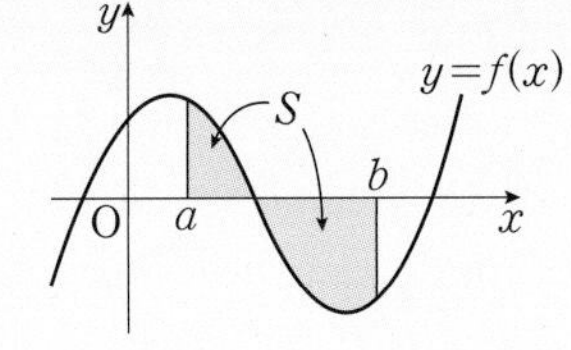

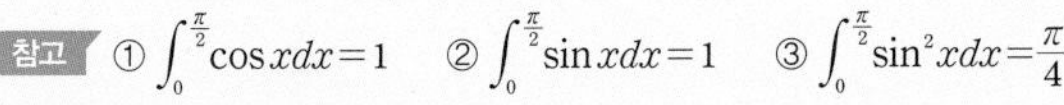

참고 ① $\int_0^{\frac{\pi}{2}} \cos x dx=1$ ② $\int_0^{\frac{\pi}{2}} \sin x dx=1$ ③ $\int_0^{\frac{\pi}{2}} \sin^2 x dx=\frac{\pi}{4}$

1910
학교기출 대표 유형

곡선 $y=\frac{1}{x}(x>0)$과 x축 및 두 직선 $x=1$, $x=a(a>1)$로 둘러싸인 도형의 넓이가 2일 때, 상수 a의 값은?

① 1 ② 2 ③ e
④ $2e$ ⑤ e^2

1911
BASIC

곡선 $y=e^x-1$과 x축 및 직선 $x=1$로 둘러싸인 부분의 넓이는?

① $e-2$ ② $e-1$ ③ e
④ $e+1$ ⑤ $e+2$

1912
NORMAL

곡선 $y=\ln(x+1)$과 x축 및 직선 $x=e-1$로 둘러싸인 부분의 넓이는?

① $\frac{1}{2}$ ② 1 ③ $\frac{3}{2}$
④ 2 ⑤ $\frac{5}{2}$

1913

최다빈출 왕중요 NORMAL

곡선 $y=e^x+4e^{-x}$과 x축, y축 및 직선 $x=a$로 둘러싸인 도형의 넓이가 6일 때, 양수 a의 값은?

① $\ln 2$ ② 1 ③ $2\ln 2$
④ 2 ⑤ $4\ln 2$

▶ 해설 내신연계기출

1914
최다빈출 왕중요 NORMAL

곡선 $y=\sqrt{x}-1$과 x축 및 두 직선 $x=0$, $x=4$로 둘러싸인 도형의 넓이는?

① $\frac{1}{2}$ ② 1 ③ $\frac{3}{2}$
④ 2 ⑤ $\frac{7}{2}$

▶ 해설 내신연계기출

1915
NORMAL

모든 실수 x에 대하여 $f(x)>0$인 연속함수 $f(x)$에 대하여

$$\int_3^5 f(x)dx=36$$

일 때, 곡선 $y=f(2x+1)$과 x축 및 두 직선 $x=1$, $x=2$로 둘러싸인 부분의 넓이는?

① 16 ② 18 ③ 20
④ 22 ⑤ 24

1916

NORMAL

곡선 $y=\frac{2x}{\sqrt{x^2+1}}$와 x축 및 직선 $x=\sqrt{2}$로 둘러싸인 도형의 넓이는?

① $\sqrt{3}-1$　② $2-\sqrt{3}$　③ $2(\sqrt{3}-1)$
④ $3(\sqrt{3}-1)$　⑤ $2(2-\sqrt{3})$

1917

NORMAL

곡선 $y=\frac{\sin\sqrt{x}}{\sqrt{x}}$와 x축 및 두 직선 $x=\pi^2$, $x=4\pi^2$으로 둘러싸인 도형의 넓이는?

① 2　② 4　③ 6
④ 8　⑤ 10

1918

최다빈출 왕중요

NORMAL

함수 $f(x)=\frac{2x-2}{x^2-2x+2}$에 대하여 곡선 $y=f(x)$와 x축 및 y축으로 둘러싸인 영역을 A, 곡선 $y=f(x)$와 x축 및 직선 $x=3$으로 둘러싸인 영역을 B라 하자. 영역 A의 넓이와 영역 B의 넓이의 합은?

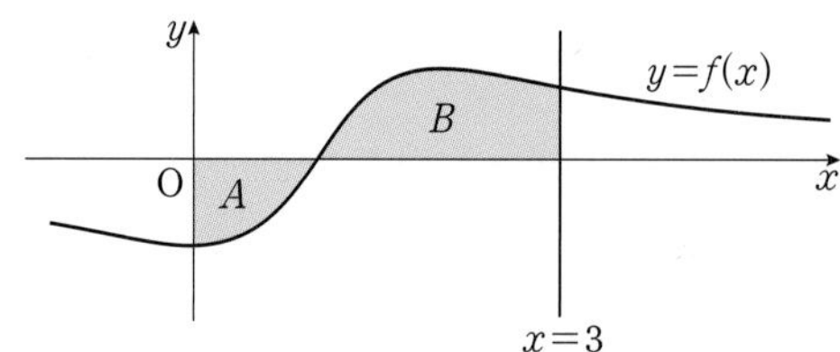

① $2\ln 2$　② $\ln 6$　③ $3\ln 2$
④ $\ln 10$　⑤ $\ln 12$

▶ 해설 내신연계기출

1919

NORMAL

함수 $y=\frac{\ln x}{x}\ (x>0)$의 그래프와 x축 및 두 직선 $x=\frac{1}{e}$, $x=e$로 둘러싸인 부분의 넓이는?

① $\frac{1}{e}$　② $\frac{1}{2}$　③ 1
④ 2　⑤ e

1920

최다빈출 왕중요

NORMAL

오른쪽 그림과 같이 곡선 $y=\frac{\ln x}{x}$와 x축 및 직선 $x=e$, $x=e^{\frac{3}{2}}$로 둘러싸인 부분의 넓이는?

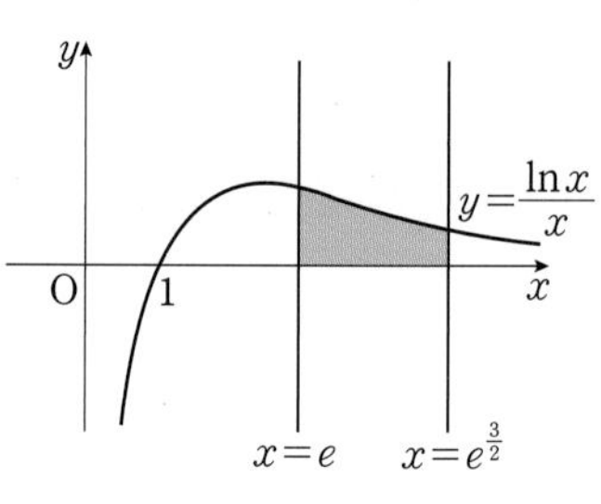

① $\frac{2}{5}$　② $\frac{3}{5}$
③ $\frac{5}{8}$　④ $\frac{6}{8}$
⑤ $\frac{3}{2}$

▶ 해설 내신연계기출

1921

최다빈출 왕중요

NORMAL

곡선 $y=\sin^2 x\cos x\left(0\le x\le\frac{\pi}{2}\right)$와 x축으로 둘러싸인 도형의 넓이는?

① $\frac{1}{4}$　② $\frac{1}{3}$　③ $\frac{1}{2}$
④ 1　⑤ 2

▶ 해설 내신연계기출

1922

NORMAL

곡선 $y=x\ln x\,(x\geq 1)$과 직선 $x=k\,(k>1)$및 x축으로 둘러싸인 도형의 넓이가 $\frac{1}{4}$일 때, 상수 k의 값은?

① $\sqrt[3]{e}$ ② $\sqrt{e}$ ③ e
④ e^2 ⑤ e^3

1923

최다빈출 왕 중요 NORMAL

오른쪽 그림과 같이 구간 $[0,\,2\pi]$에서 곡선 $y=x\sin x$와 x축으로 둘러싸인 도형의 넓이는?

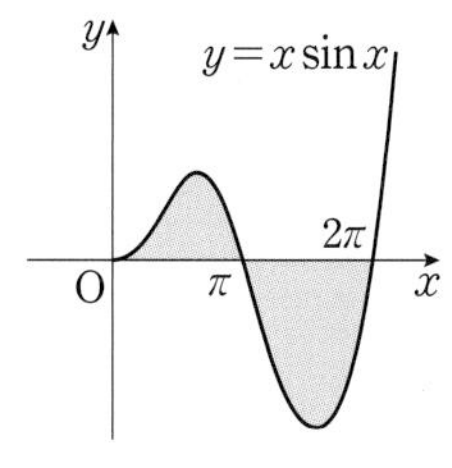

① π ② 2π
③ 3π ④ 4π
⑤ 5π

▶ 해설 내신연계기출

1924

최다빈출 왕 중요 NORMAL

오른쪽 그림과 같이 함수 $y=xe^x$의 그래프와 직선 $y=e$ 및 y축으로 둘러싸인 부분의 넓이는?
(단, e는 자연로그의 밑이다)

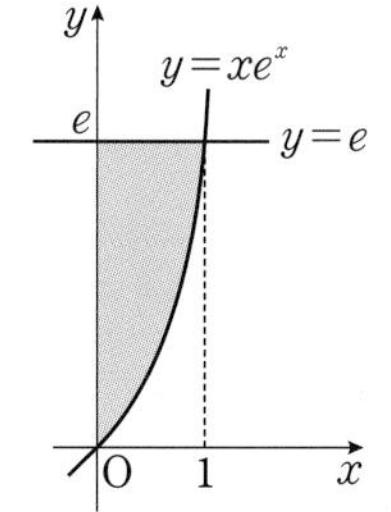

① $2e-3$ ② $2e-\frac{5}{2}$
③ $e-2$ ④ $e-\frac{3}{2}$
⑤ $e-1$

▶ 해설 내신연계기출

1925

최다빈출 왕 중요 NORMAL

오른쪽 그림과 같이 곡선 $y=\tan x\left(-\frac{\pi}{2}<x<\frac{\pi}{2}\right)$와 y축 및 직선 $y=1$로 둘러싸인 도형의 넓이 S는?

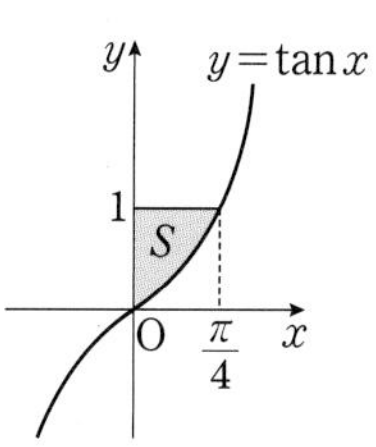

① $\frac{\pi}{4}-\ln\sqrt{2}$ ② $\frac{\pi}{4}-\ln 2$
③ $\frac{\pi}{2}-\ln 2$ ④ $\frac{\pi}{4}+\ln\sqrt{2}$
⑤ $\frac{\pi}{2}+\ln 2$

▶ 해설 내신연계기출

1926

NORMAL

곡선 $y=|\sin 2x|+1$과 x축 및 두 직선 $x=\frac{\pi}{4}$, $x=\frac{5\pi}{4}$로 둘러싸인 부분의 넓이는?

① $\pi+1$ ② $\pi+\frac{3}{2}$ ③ $\pi+2$
④ $\pi+\frac{5}{2}$ ⑤ $\pi+3$

1927

TOUGH

함수 $f(x)=ae^x+be^{-x}$이 $x=1$에서 극솟값 $2e$를 가질 때, 함수 $y=f(x)$의 그래프와 직선 $y=2e$ 및 y축으로 둘러싸인 부분의 넓이는? (단, a, b는 상수이다.)

① e^2-2e-1 ② e^2-2e ③ e^2-2e+1
④ e^2-2e+2 ⑤ e^2-2e+3

유형 02 곡선과 y축으로 둘러싸인 도형의 넓이

함수 $g(y)$가 닫힌구간 $[c, d]$에서 연속일 때, 곡선 $x=g(y)$와 y축 및 두 직선 $y=c$, $y=d$로 둘러싸인 도형의 넓이 S는

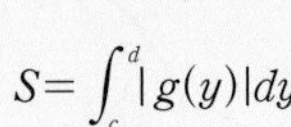

$$S=\int_c^d |g(y)|dy$$

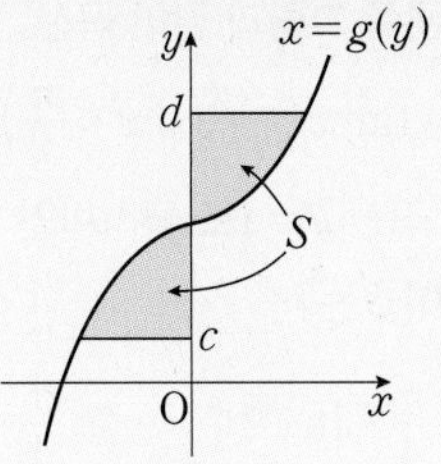

1928 학교기출 대표 유형

곡선 $y=\frac{1}{x-1}$과 y축 및 두 직선 $y=1$, $y=k(k>1)$로 둘러싸인 도형의 넓이를 $S(k)$라고 할 때, $S(k)=k$를 만족시키는 k의 값은?

① $e-1$ ② e ③ $e+1$
④ $e+2$ ⑤ $2e$

1929 최다빈출 왕 중요 NORMAL

상수 $a>1$에 대하여 곡선 $y=\ln(x+a)$와 x축 및 y축으로 둘러싸인 도형의 넓이가 1일 때, a의 값은?

① 2 ② e ③ $2e$
④ $3e+1$ ⑤ $4e+2$

▶ 해설 내신연계기출

1930 최다빈출 왕 중요 NORMAL

곡선 $y=\ln(x+1)$과 y축 및 두 직선 $y=-1$, $y=1$로 둘러싸인 도형의 넓이는?

① $\frac{1}{e}$ ② e ③ $e+\frac{1}{e}-2$
④ $e+\frac{1}{e}$ ⑤ $e+\frac{1}{e}+2$

▶ 해설 내신연계기출

1931 NORMAL

그림과 같이 곡선 $y=\ln(x+e)$와 y축 및 두 직선 $y=0$, $y=2$로 둘러싸인 부분의 넓이는?

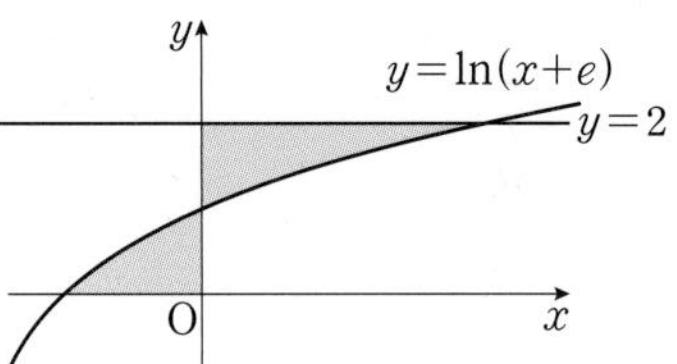

① e^2-2e ② $(e-1)^2$ ③ e^2-e
④ e^2-e+1 ⑤ e^2

1932 최다빈출 왕 중요 NORMAL

곡선 $y=|\ln x|$와 직선 $y=1$로 둘러싸인 부분의 넓이는?

① $e-2$ ② $e+\frac{1}{e}-2$ ③ $\frac{1}{e}+2$
④ $e+\frac{1}{e}$ ⑤ $2e$

▶ 해설 내신연계기출

1933 TOUGH

곡선 $y=|e^x-1|$과 직선 $y=\frac{1}{2}$로 둘러싸인 부분의 넓이는?

① $\frac{3}{2}\ln 3-2\ln 2$ ② $\frac{1}{2}\ln 3-\ln 2$ ③ $2\ln 3-\ln 2$
④ $5\ln 3-2\ln 2$ ⑤ $6\ln 3-3\ln 2$

유형 03 두 곡선으로 둘러싸인 도형의 넓이

두 함수 $f(x)$, $g(x)$가 닫힌구간 $[a, b]$에서 연속일 때, 두 곡선 $y=f(x)$, $y=g(x)$와 두 직선 $x=a$, $x=b$로 둘러싸인 부분의 넓이 S는

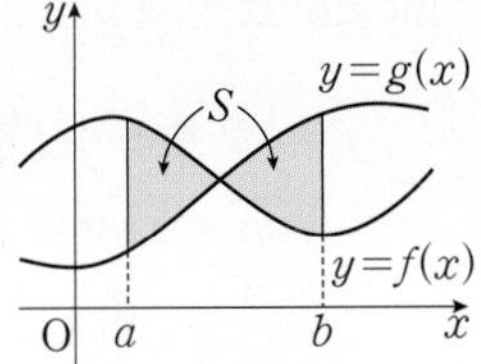

$$S=\int_a^b |f(x)-g(x)|dx$$

← $S=\int_a^b \{(\text{위쪽 그래프의 식})-(\text{아래쪽 그래프의 식})\}dx$

적분변수를 x로 하여 두 곡선 사이의 넓이를 구하는 방법은 다음과 같다.

[1단계] 두 곡선을 그려 위치 관계를 파악한다.

[2단계] 두 곡선의 교점의 x좌표를 구한다.

[3단계] {(위쪽의 식)−(아래쪽의 식)}을 정적분 한다.

참고 두 곡선이 모두 x축 위쪽에 있든, 모두 x축 아래쪽에 있든 x축을 사이에 두고 있든 관계없다.

1934 학교기출 대표 유형

닫힌구간 $[0, \pi]$에서 두 곡선 $y=\sin x$, $y=\cos x$ 및 두 직선 $x=0$, $x=\pi$로 둘러싸인 도형의 넓이는?

① $\sqrt{2}$ ② 2 ③ $2\sqrt{2}$
④ $3\sqrt{2}$ ⑤ $4\sqrt{2}$

▶ 해설 내신연계기출

1935 최다빈출 왕중요

그림과 같이 구간 $[0, \pi]$에서 두 곡선 $y=\sin x$, $y=\sin 2x$로 둘러싸인 도형의 넓이는?

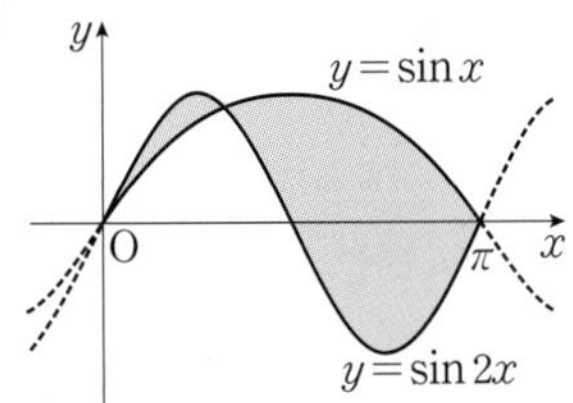

① $\frac{1}{2}$ ② $\frac{2}{3}$ ③ $\frac{4}{3}$
④ $\frac{5}{2}$ ⑤ $\frac{7}{2}$

▶ 해설 내신연계기출

1936

NORMAL

오른쪽 그림과 같이 $0 \le x \le \frac{\pi}{2}$에서 두 곡선 $y=\cos x$, $y=\sin x$ 및 y축으로 둘러싸인 도형의 넓이를 S_1, 두 곡선 $y=\cos x$, $y=\sin x$ 및 x축으로 둘러싸인 도형의 넓이를 S_2라고 하자. 이때 $\frac{S_2}{S_1}$의 값은?

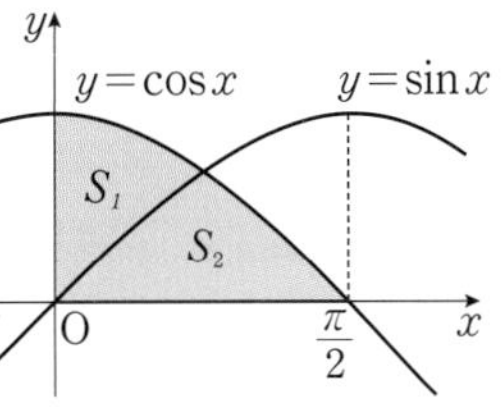

① $\sqrt{2}-1$ ② $\sqrt{2}$ ③ $\sqrt{2}+1$
④ $2\sqrt{2}$ ⑤ $2\sqrt{2}+1$

1937

NORMAL

두 곡선 $y=\frac{1}{x}$, $y=\sqrt{x}$와 두 직선 $x=\frac{1}{4}$, $x=4$로 둘러싸인 도형의 넓이는?

① $\frac{41}{12}$ ② $\frac{7}{2}$ ③ $\frac{9}{2}$
④ $\frac{49}{12}$ ⑤ $\frac{51}{12}$

1938 최다빈출 왕중요

NORMAL

두 곡선 $y=e^x$, $y=e^{-x}$과 두 직선 $x=-1$, $x=1$로 둘러싸인 도형의 넓이는?

① $e-\frac{1}{e}+1$ ② $e+\frac{1}{e}+2$ ③ $2\left(e-\frac{1}{e}+2\right)$
④ $2\left(e+\frac{1}{e}-2\right)$ ⑤ $2\left(e+\frac{1}{e}+2\right)$

1939 최다빈출 왕중요

NORMAL

두 곡선 $y=\ln x$, $y=-\ln x$와 두 직선 $x=\frac{1}{e}$, $x=e$로 둘러싸인 도형의 넓이는?

① $4-\frac{4}{e}$ ② $4+\frac{1}{e}$ ③ $2+\frac{2}{e}$
④ $1+\frac{1}{e}$ ⑤ $4e+\frac{4}{e}$

▶ 해설 내신연계기출

1940 최다빈출 왕중요

NORMAL

두 곡선 $y=e^{x}-2$, $y=3e^{-x}$및 y축으로 둘러싸인 도형의 넓이는?

① $\ln 2$ ② $2\ln 2$ ③ $3\ln 2$
④ $2\ln 3$ ⑤ $4\ln 3$

▶ 해설 내신연계기출

1941 최다빈출 왕중요

NORMAL

오른쪽 그림과 같이 곡선 $y=\frac{2x}{x^2+1}$와 직선 $y=x$로 둘러싸인 도형의 넓이는?

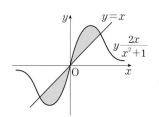

① $2\ln 2-1$ ② $3\ln 2-1$
③ $5\ln 3-1$ ④ $4\ln 2+1$
⑤ $6\ln 3+1$

▶ 해설 내신연계기출

1942 최다빈출 왕중요

TOUGH

오른쪽 그림에서 두 곡선 $y=e^{x}$, $y=xe^{x}$과 y축으로 둘러싸인 부분 A의 넓이를 a, 두 곡선 $y=e^{x}$, $y=xe^{x}$과 직선 $x=2$로 둘러싸인 부분 B의 넓이를 b라 할 때, $b-a$의 값은?

① $\frac{3}{2}$ ② $e-1$
③ 2 ④ $\frac{5}{2}$
⑤ e

▶ 해설 내신연계기출

1943

TOUGH

그림과 같이 두 곡선 $y=(\sin x)\ln x$, $y=\frac{\cos x}{x}$와 두 직선 $x=\frac{\pi}{2}$, $x=\pi$로 둘러싸인 부분의 넓이는?

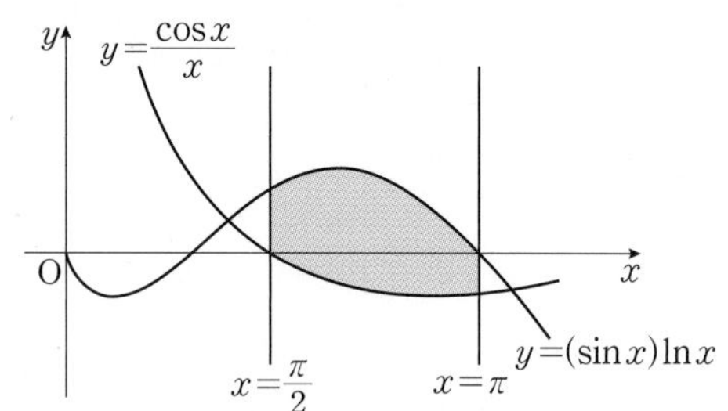

① $\frac{1}{4}\ln\pi$ ② $\frac{1}{2}\ln\pi$ ③ $\frac{3}{4}\ln\pi$
④ $\ln\pi$ ⑤ $\frac{5}{4}\ln\pi$

1944 최다빈출 왕중요

TOUGH

그림과 같이 두 곡선 $y=2^{x}-1$, $y=\left|\sin\frac{\pi}{2}x\right|$가 원점 O와 점 (1, 1)에서 만난다. 두 곡선 $y=2^{x}-1$, $y=\left|\sin\frac{\pi}{2}x\right|$로 둘러싸인 부분의 넓이는?

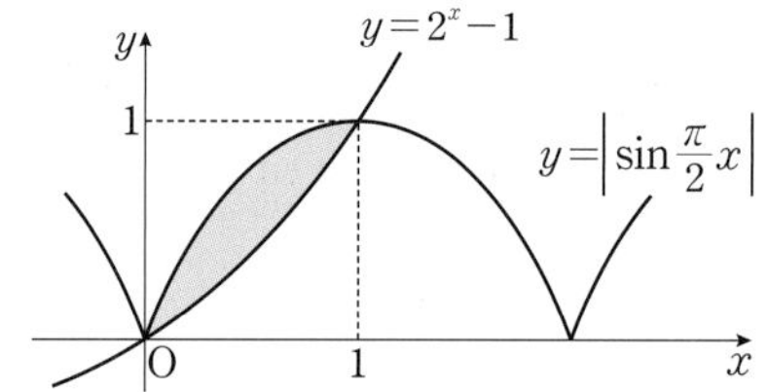

① $-\frac{1}{\pi}+\frac{1}{\ln 2}-1$ ② $\frac{2}{\pi}-\frac{1}{\ln 2}+1$ ③ $\frac{2}{\pi}+\frac{1}{2\ln 2}-1$
④ $\frac{1}{\pi}-\frac{1}{2\ln 2}+1$ ⑤ $\frac{1}{\pi}+\frac{1}{\ln 2}-1$

▶ 해설 내신연계기출

1945

TOUGH

오른쪽 그림과 같이 곡선 $y=\frac{2}{x}\,(x>0)$ 위의 x좌표가 각각 t, $t+2$인 두 점 A, B에 대하여 곡선 AB와 선분 OA, 선분 OB로 둘러싸인 도형의 넓이를 $S(t)$라 할 때, $\lim_{t\to\infty} tS(2t)$의 값은?

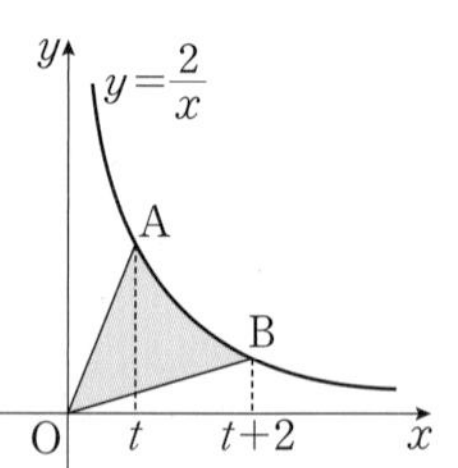

① $\frac{1}{2}$ ② $\frac{\sqrt{2}}{2}$ ③ 1
④ $\sqrt{2}$ ⑤ 2

유형 04 y축으로 둘러싸인 두 곡선 사이의 넓이

두 곡선 $x=g(y)$, $x=h(y)$ 사이의 넓이
두 함수 $x=g(y)$, $x=h(y)$가 구간 $[c, d]$에서 연속일 때,
두 곡선 $x=g(y)$, $x=h(y)$와 두 직선 $y=c$, $y=d$로 둘러싸인
부분의 넓이 S는

$$S=\int_a^b |g(y)-h(y)|dy$$

← $S=\int_a^b \{(\text{오른쪽 그래프의 식})-(\text{왼쪽 그래프의 식})\}dy$

적분변수를 y로 하여 두 곡선 사이의 넓이를 구하는 방법은 다음과 같다.
[1단계] 두 곡선의 교점의 y좌표를 구하여 적분구간을 정한다.
[2단계] 두 곡선의 위치 관계를 파악한다.
[3단계] (오른쪽의 식)−(왼쪽의 식)을 적분한 값을 구한다.

1946 학교기출 대표 유형

곡선 $y=\sqrt{x-1}$와 x축 및 직선 $y=\frac{1}{2}x$로 둘러싸인 부분의 넓이는?

① $\frac{1}{4}$ ② $\frac{1}{3}$ ③ $\frac{1}{2}$
④ 1 ⑤ 3

1947 최다빈출 왕 중요 NORMAL

곡선 $x=y^2-1(y\geq 0)$과 두 직선 $y=0$, $y=x-1$로 둘러싸인 도형의 넓이는?

① $\frac{4}{3}$ ② 2 ③ $\frac{8}{3}$
④ $\frac{10}{3}$ ⑤ 4

▶ 해설 내신연계기출

1948 최다빈출 왕 중요 NORMAL

곡선 $y=e^x$과 세 직선 $y=x$, $y=2$, $y=4$로 둘러싸인 도형의 넓이는?

① $8-6\ln 2$ ② $6-4\ln 2$ ③ $4-2\ln 2$
④ $2-\ln 2$ ⑤ $2+2\ln 2$

▶ 해설 내신연계기출

유형 05 로그함수로 둘러싸인 두 곡선 사이의 넓이

[1단계] 곡선과 직선의 방정식을 연립하여 교점의 x좌표를 구한다.
[2단계] 곡선과 직선 중 어느 것이 위쪽에 있는지 찾고 구간을 나누어 정적분의 값을 구한다.

1949 학교기출 대표 유형

두 곡선 $y=-\ln(x+1)$, $y=\sin x$ 및 직선 $x=\pi$로 둘러싸인 도형의 넓이는?

① $2+(\pi-1)\ln(\pi-1)$
② $2+(\pi-1)\ln(\pi-1)-\pi$
③ $2+(\pi+1)\ln(\pi+1)$
④ $2+(\pi+1)\ln(\pi+1)-\pi$
⑤ $2+(\pi+1)\ln(\pi+1)+\pi$

▶ 해설 내신연계기출

1950 최다빈출 왕 중요 NORMAL

곡선 $y=\ln x$와 이 곡선 위의 두 점 $\mathrm{P}(1, 0)$, $\mathrm{Q}(e, 1)$을 지나는 직선으로 둘러싸인 부분의 넓이는?

① $\frac{3-e}{2}$ ② $\frac{4-e}{2}$ ③ $\frac{5-e}{2}$
④ $\frac{6-e}{2}$ ⑤ $\frac{7-e}{2}$

1951 최다빈출 왕 중요 NORMAL

오른쪽 그림과 같이 두 직선 $x=p$, $x=q$와 x축 및 곡선 $y=\log_a x$로 둘러싸인 부분을 곡선 $y=\log_b x$가 두 부분 A와 B로 나눈다. A와 B의 넓이를 각각 α, β라 할 때, $\frac{\alpha}{\beta}$의 값은?
(단, $1<a<b$, $1<p<q$)

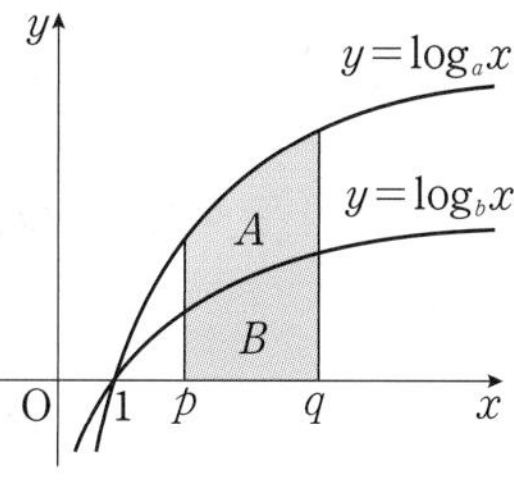

① $\left(\frac{b}{a}-1\right)(q-p)$ ② $\frac{a}{b}-1$
③ $\log_a b-1$ ④ $\log_b a-1$
⑤ $(q-p)\log_b a$

▶ 해설 내신연계기출

유형 06 세 곡선으로 둘러싸인 도형의 넓이

[1단계] 곡선과 직선의 방정식을 연립하여 교점의 x좌표를 구한다.
[2단계] 곡선과 직선 중 어느것이 위쪽에 있는지 찾고 구간을 나누어 정적분의 값을 구한다.

1952 학교기출 대표 유형

오른쪽 그림과 같이 곡선 $y=\frac{2}{x}$와 두 직선 $y=2x$, $y=\frac{1}{2}x$로 둘러싸인 도형의 넓이는? (단, $x>0$, $y>0$)

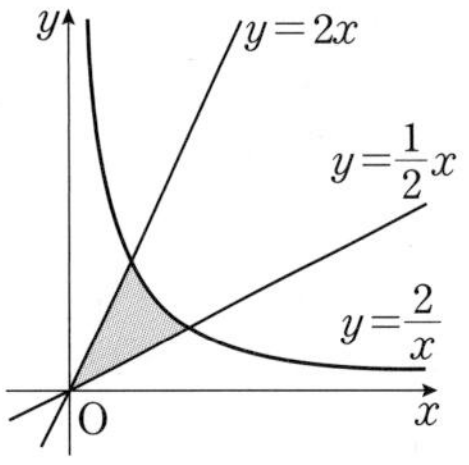

① $\ln 2$　② $2\ln 2$
③ $3\ln 3$　④ $4\ln 2$
⑤ $5\ln 2$

▶ 해설 내신연계기출

1953 NORMAL

곡선 $\ln x+\ln y=1$과 두 직선 $y=ex$, $y=\frac{1}{e}x$로 둘러싸인 도형의 넓이는?

① $\frac{1}{e}$　② 1　③ 2
④ e　⑤ $2e$

1954 NORMAL

곡선 $y=e^x$과 두 직선 $y=ex$, $y=-\frac{1}{e}x$로 둘러싸인 도형의 넓이는?

① $\frac{e}{2}-\frac{3}{2e}$　② $\frac{e}{2}-\frac{3}{e}$　③ $\frac{e}{2}+\frac{3}{e}$
④ 1　⑤ $\frac{e}{2}$

유형 07 곡선과 접선으로 둘러싸인 도형의 넓이

[1단계] 주어진 곡선위의 점에서 접선의 방정식을 구한다.
[2단계] 곡선과 접선의 교점을 구한다.
[3단계] 곡선과 접선으로 둘러싸인 도형의 넓이를 구한다.

1955 학교기출 대표 유형

곡선 $y=3\sqrt{x-9}$와 이 곡선 위의 점 $(18,\ 9)$에서의 접선 및 x축으로 둘러싸인 영역의 넓이는?

① 6　② 9　③ 16
④ 27　⑤ 30

1956 최다빈출 왕중요 NORMAL

원점에서 곡선 $y=\sqrt{x-2}$에 그은 접선을 l이라 할 때, 곡선 $y=\sqrt{x-2}$와 접선 l및 x축으로 둘러싸인 도형의 넓이는?

① $\frac{\sqrt{2}}{3}$　② $\frac{\sqrt{2}}{2}$　③ $\sqrt{2}$
④ $\frac{2\sqrt{2}}{3}$　⑤ $\frac{3\sqrt{3}}{2}$

▶ 해설 내신연계기출

1957 최다빈출 왕중요 NORMAL

곡선 $y=e^x$과 이 곡선 위의 점 $(2,\ e^2)$에서의 접선 및 y축으로 둘러싸인 도형의 넓이는?

① $\frac{e^2}{2}-1$　② e^2-1　③ e
④ $e+1$　⑤ $e+2$

▶ 해설 내신연계기출

1958 최다빈출 왕 중요 NORMAL

곡선 $y=\ln x$와 이 곡선 위의 점 $(e, 1)$에서의 접선 및 x축으로 둘러싸인 도형의 넓이는?

① $\frac{e}{2}-1$　② $\frac{e-1}{2}$　③ $\frac{e}{2}$
④ $\frac{e+1}{2}$　⑤ $\frac{e}{2}+1$

▶ 해설 내신연계기출

1959 NORMAL

곡선 $y=\ln(x-1)$과 이 곡선 위의 점 $(e+1, 1)$에서의 접선 및 x축으로 둘러싸인 부분의 넓이는?

① $e-\frac{1}{2e}$　② $\frac{e}{2}-1$　③ $\frac{e}{2}+1$
④ $e+1$　⑤ $e+2$

1960 TOUGH

오른쪽 그림과 같이 구간 $[0, \pi]$에서 정의된 함수 $f(x)=x\sin x$가 있다. $0<x<\pi$에서 함수 $y=f(x)$의 그래프 위의 점 P에서의 접선 l이 원점을 지날 때, 접선 l과 함수 $f(x)=x\sin x$의 그래프로 둘러싸인 부분의 넓이는?

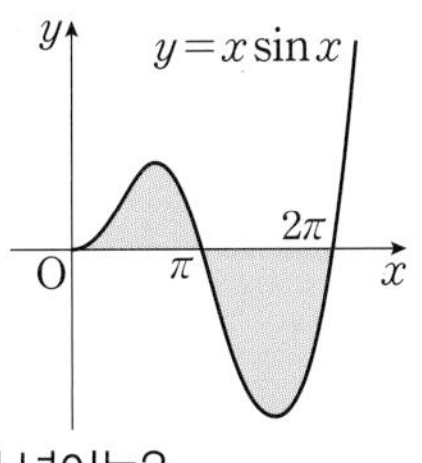

① $\frac{\pi^2-8}{8}$　② $\frac{\pi^2-7}{8}$　③ $\frac{\pi^2-6}{8}$
④ $\frac{\pi^2-5}{8}$　⑤ $\frac{\pi^2-4}{8}$

1961 최다빈출 왕 중요 TOUGH

양의 실수 k에 대하여 곡선 $y=k\ln x$와 직선 $y=x$가 접할 때, 곡선 $y=k\ln x$, 직선 $y=x$ 및 x축으로 둘러싸인 부분의 넓이는 ae^2-be이다. $100ab$의 값은? (단, a와 b는 유리수이다.)

① 25　② 40　③ 50
④ 60　⑤ 75

▶ 해설 내신연계기출

유형 08 두 곡선 사이의 넓이와 급수

두 곡선으로 둘러싸인 넓이와 급수
[1단계] 두 곡선으로 둘러싸인 부분을 정적분을 이용하여 구한다.
[2단계] 급수의 성질을 이용하여 극한값을 구한다.

1962 학교기출 대표 유형

자연수 n에 대하여 함수 $f(x)=x^n(1-x)\,(x\ge 0)$의 그래프와 x축으로 둘러싸인 부분의 넓이를 S_n이라 할 때, $\sum_{n=1}^{\infty}S_n$의 값은?

① $\frac{1}{2}$　② $\frac{1}{3}$　③ $\frac{1}{4}$
④ $\frac{1}{5}$　⑤ $\frac{1}{6}$

1963 NORMAL

자연수 n에 대하여 곡선 $y=n\cos x$와 x축 및 두 직선 $x=0$, $x=\pi$로 둘러싸인 도형의 넓이를 a_n이라고 할 때, $\sum_{k=1}^{10}a_k$의 값은?

① 55　② 110　③ 220
④ 385　⑤ 440

1964 최다빈출 왕 중요 NORMAL

자연수 n에 대하여 구간 $\left[0, \frac{\pi}{n}\right]$에서 $f(x)=\frac{1}{n+1}\sin nx$의 그래프와 x축으로 둘러싸인 도형의 넓이를 S_n이라고 할 때, $\sum_{n=1}^{\infty}S_n$의 값은?

① 2　② 3　③ 4
④ 5　⑤ 6

▶ 해설 내신연계기출

1965 최다빈출 왕 중요 TOUGH

자연수 n에 대하여 닫힌 구간 $[(n-1)\pi, n\pi]$에서 곡선 $y=\left(\frac{1}{2}\right)^n\sin x$와 x축으로 둘러싸인 부분의 넓이를 S_n이라고 할 때, $\sum_{n=1}^{\infty}S_n$은?

① 2　② 5　③ 8
④ 11　⑤ 14

▶ 해설 내신연계기출

06 넓이

유형 09 두 도형의 넓이가 서로 같은 경우

① 곡선과 x축으로 둘러싸인 부분의 넓이가 같을 조건

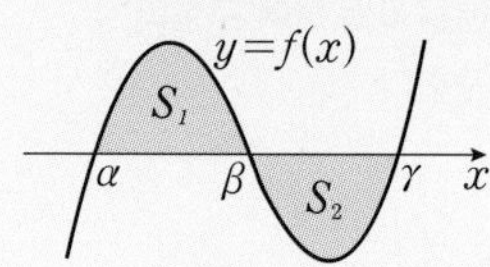

$S_1=S_2$이면 $\int_{\alpha}^{\gamma}f(x)dx=0$

② 곡선과 곡선으로 둘러싸인 부분의 넓이가 같을 조건

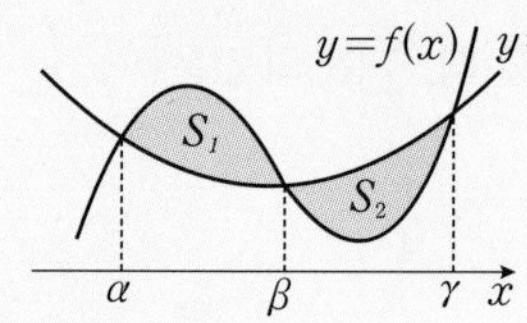

$S_1=S_2$이면 $\int_{\alpha}^{\gamma}\{f(x)-g(x)\}=0$

1966 학교기출 대표 유형

다음 그림과 같이 곡선 $y=\sin\frac{\pi}{2}x$와 직선 $y=k$ 및 두 직선 $x=0$, $x=1$로 둘러싸인 두 도형을 각각 A, B라 하자. 두 도형 A, B의 넓이가 같을 때, 상수 k의 값은? (단, $0<k<1$)

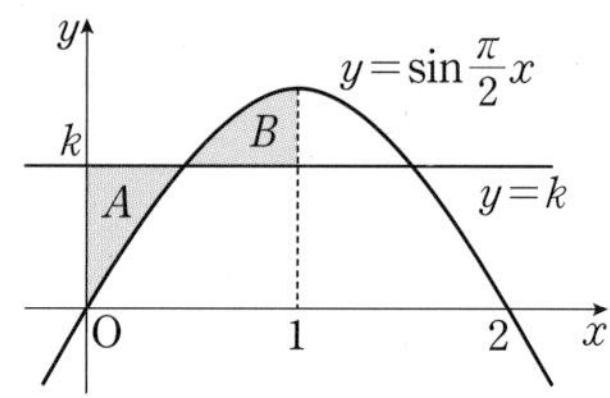

① $\frac{1}{\pi}$ ② $\frac{2}{\pi}$ ③ $\frac{3}{\pi}$
④ $\frac{\pi}{6}$ ⑤ $\frac{\pi}{5}$

1967 NORMAL

다음 그림과 같이 곡선 $y=\sqrt{x}$와 y축 및 두 직선 $x=a$, $y=2$로 둘러싸인 두 도형을 각각 A, B라고 하자. 두 도형 A, B의 넓이가 서로 같을 때, 상수 a의 값은? (단, $a>4$)

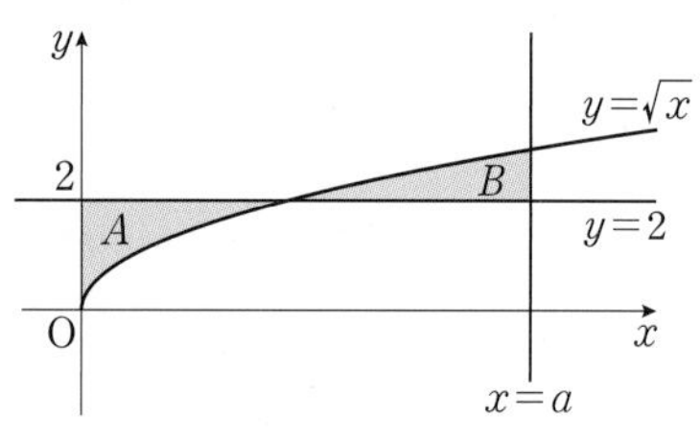

① 5 ② 6 ③ 7
④ 8 ⑤ 9

1968 NORMAL

그림과 같이 곡선 $y=\sqrt{x+1}$과 두 직선 $x=-1$, $y=1$로 둘러싸인 빗금친 부분의 넓이와 곡선 $y=\sqrt{x+1}$과 두 직선 $x=k$, $y=1$로 둘러싸인 색칠된 부분의 넓이가 서로 같을 때, 상수 k의 값은? (단, $k>0$)

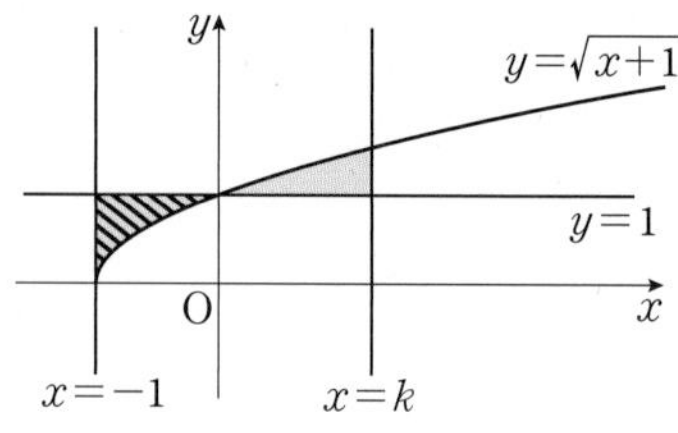

① 1 ② $\frac{9}{8}$ ③ $\frac{5}{4}$
④ $\frac{11}{8}$ ⑤ $\frac{3}{2}$

1969 NORMAL

오른쪽 그림과 같이 곡선 $y=e^{2x}$과 y축 및 직선 $y=-2x+a$로 둘러싸인 영역을 A, 곡선 $y=e^{2x}$과 두 직선 $y=-2x+a$, $x=1$로 둘러싸인 영역을 B라 하자. A의 넓이와 B의 넓이가 같을 때, 상수 a의 값은? (단, $1<a<e^2$)

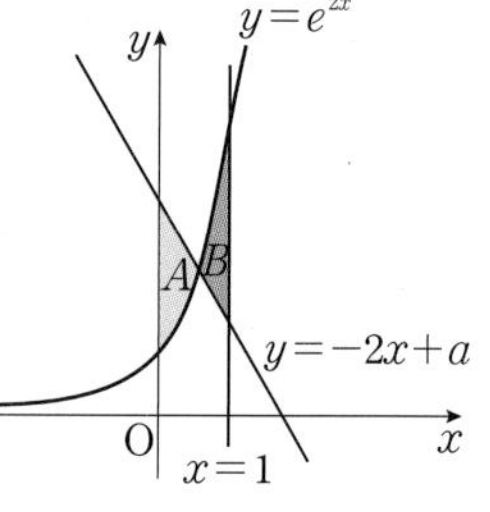

① $\frac{e^2+1}{2}$ ② $\frac{2e^2+1}{4}$ ③ $\frac{e^2}{2}$
④ $\frac{2e^2-1}{4}$ ⑤ $\frac{e^2-1}{2}$

1970 NORMAL

오른쪽 그림과 같이 곡선 $y=e^{-2x}$에 대하여 이 곡선과 y축, 직선 $y=\sqrt{e}$로 둘러싸인 도형을 A, 이 곡선과 x축 및 직선 $x=k(k>0)$로 둘러싸인 도형을 B라 할 때, A의 넓이와 B의 넓이가 서로 같을 때, k의 값은?

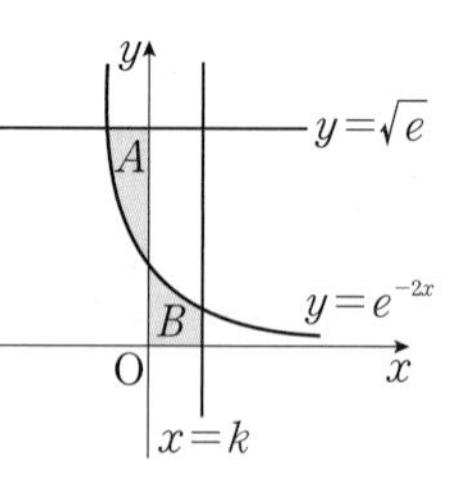

① $-\frac{1}{2}\ln\frac{\sqrt{e}}{2}$ ② $-\frac{1}{3}\ln\frac{\sqrt{e}}{3}$ ③ $-\ln\frac{\sqrt{e}}{3}$
④ $-\ln\frac{\sqrt{e}}{2}$ ⑤ $-\ln\frac{\sqrt{e}}{4}$

1971 최다빈출 왕중요 NORMAL

곡선 $y=\ln(x+1)$과 두 직선 $x=0$, $y=a$로 둘러싸인 부분의 넓이와 곡선 $y=\ln(x+1)$과 두 직선 $x=e-1$, $y=a$로 둘러싸인 부분의 넓이가 서로 같을 때, 실수 a의 값은?

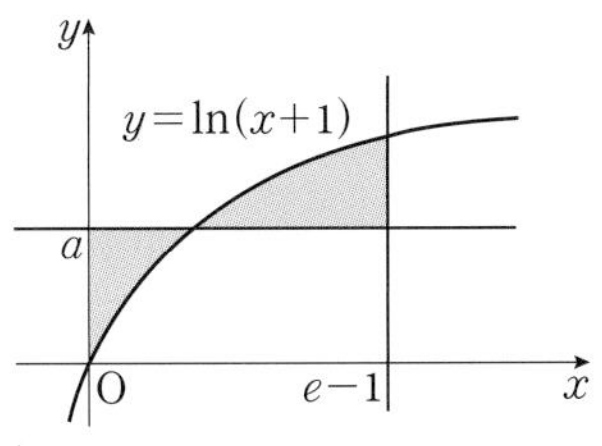

① $\frac{1}{e-1}$ ② $\frac{2}{e-1}$ ③ $\frac{2}{e}$
④ $\frac{1}{e+1}$ ⑤ $\frac{2}{e+1}$

▶ 해설 내신연계기출

1972 최다빈출 왕중요 NORMAL

두 곡선 $y=a\sin x$와 $y=\cos x$ 및 두 직선 $x=0$과 $x=\frac{\pi}{3}$로 둘러싸인 도형에서 색칠한 두 부분의 넓이가 같을 때, 상수 a의 값은? (단, $a>1$)

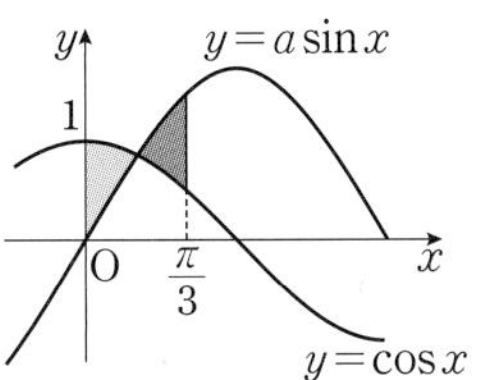

① $\sqrt{2}$ ② $\frac{3}{2}$
③ $\sqrt{3}$ ④ $2\sqrt{2}$
⑤ $2\sqrt{3}$

▶ 해설 내신연계기출

1973 최다빈출 왕중요 NORMAL

그림과 같이 직선 $y=x\sin x(0\le x\le\pi)$와 점 $(\pi, 0)$을 지나고 기울기가 음수인 직선 l이 있다. 곡선 $y=x\sin x$와 y축 및 직선 l로 둘러싸인 영역을 A, 곡선 $y=x\sin x$와 직선 l로 둘러싸인 영역을 B라 하자. 두 영역 A, B의 넓이가 같을 때, 직선 l의 기울기는?

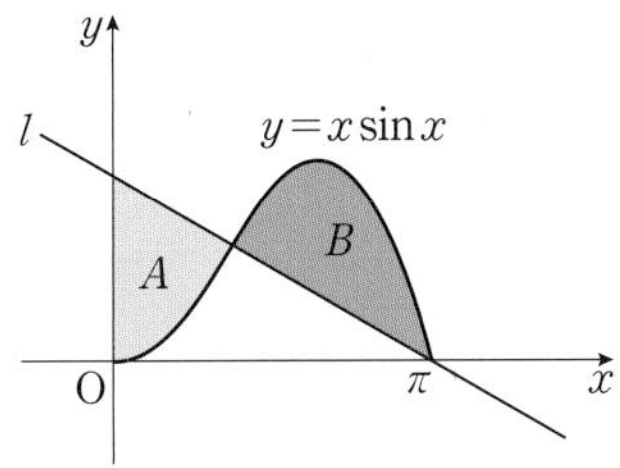

① $-\frac{1}{4}$ ② $-\frac{1}{\pi}$ ③ $-\frac{1}{3}$
④ $-\frac{1}{2}$ ⑤ $-\frac{2}{\pi}$

▶ 해설 내신연계기출

1974 TOUGH

다음 그림과 같이 곡선 $y=\sin\frac{\pi}{2}x(0\le x\le 2)$와 직선 $y=k(0<k<1)$가 있다. 곡선 $y=\sin\frac{\pi}{2}x$와 직선 $y=k$, y축으로 둘러싸인 부분의 넓이를 S_1, 곡선 $y=\sin\frac{\pi}{2}x$와 직선 $y=k$로 둘러싸인 부분의 넓이를 S_2라 하자. $S_2=2S_1$일 때, 상수 k의 값은?

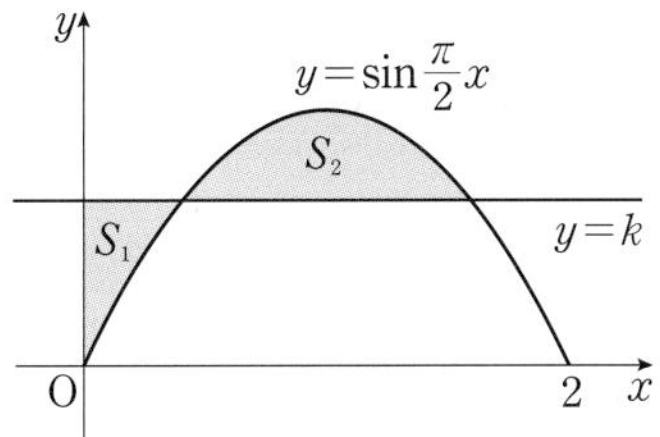

① $\frac{1}{2\pi}$ ② $\frac{1}{\pi}$ ③ $\frac{3}{2\pi}$
④ $\frac{2}{\pi}$ ⑤ $\frac{5}{2}\pi$

1975 최다빈출 왕중요 TOUGH

그림과 같이 곡선 $y=x\sin x\left(0\le x\le\frac{\pi}{2}\right)$에 대하여 이 곡선과 x축, 직선 $x=k$로 둘러싸인 영역을 A, 이 곡선과 직선 $x=k$, 직선 $y=\frac{\pi}{2}$로 둘러싸인 영역을 B라 하자. A의 넓이와 B의 넓이가 같을 때, 상수 k의 값은? $\left(\text{단, } 0\le k\le\frac{\pi}{2}\right)$

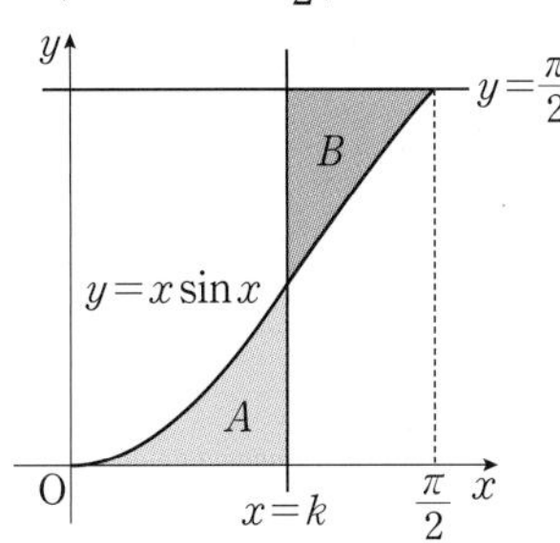

① $\frac{\pi}{4}-\frac{1}{\pi}$ ② $\frac{\pi}{4}$ ③ $\frac{\pi}{2}-\frac{2}{\pi}$
④ $\frac{\pi}{4}+\frac{1}{\pi}$ ⑤ $\frac{\pi}{2}-\frac{1}{\pi}$

▶ 해설 내신연계기출

06 넓이

유형 10 도형의 넓이를 이등분하는 경우

오른쪽 그림에서 곡선 $y=f(x)$와 x축으로 둘러싸인 도형의 넓이를 곡선 $y=g(x)$가 이등분하면

$$\int_a^k \{f(x)-g(x)\}dx=\frac{1}{2}\int_a^b f(x)dx$$

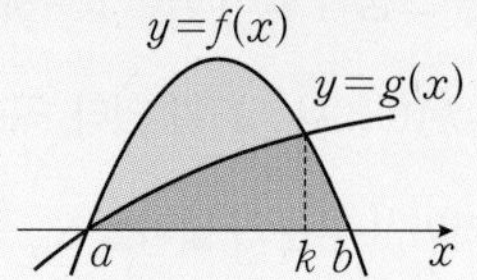

1976 학교기출 대표 유형

곡선 $y=\sqrt{x}$와 x축 및 직선 $x=9$로 둘러싸인 영역의 넓이를 곡선 $y=\sqrt{ax}$가 이등분할 때, 양수 a의 값은?

① $\frac{1}{4}$ ② $\frac{1}{2}$ ③ $\frac{2}{3}$
④ $\frac{3}{4}$ ⑤ $\frac{5}{3}$

▶ 해설 내신연계기출

1977 최다빈출 왕 중요 NORMAL

함수 $y=e^x$의 그래프와 x축, y축 및 직선 $x=1$로 둘러싸인 영역의 넓이가 직선 $y=ax\,(0<a<e)$에 의하여 이등분될 때, 상수 a의 값은?

① $e-\frac{1}{3}$ ② $e-\frac{1}{2}$ ③ $e-1$
④ $e-\frac{4}{3}$ ⑤ $e-\frac{3}{2}$

▶ 해설 내신연계기출

1978 최다빈출 왕 중요 NORMAL

곡선 $y=\frac{e^x}{\sqrt{e^x+1}}$과 x축 및 두 직선 $x=\ln 3$, $x=\ln 8$로 둘러싸인 도형의 넓이를 직선 $y=\frac{1}{\ln a}$이 이등분할 때, 양수 a의 값은?

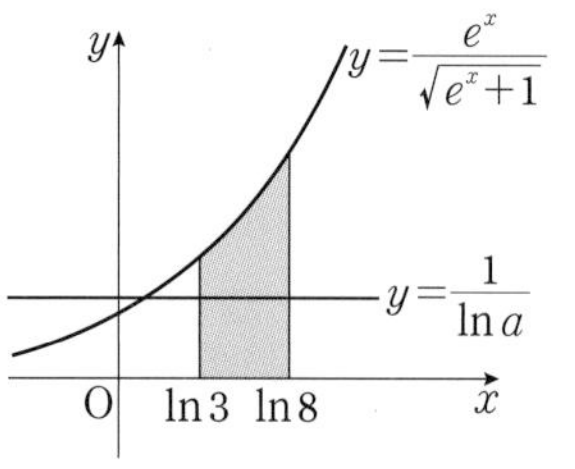

① $\frac{1}{2}$ ② $\frac{2}{3}$ ③ $\frac{3}{4}$
④ $\frac{5}{3}$ ⑤ $\frac{8}{3}$

▶ 해설 내신연계기출

1979 NORMAL

오른쪽 그림과 같이 곡선 $y=\frac{\ln x}{x}$와 x축 및 두 직선 $x=k$, $x=e^2$으로 둘러싸인 두 부분 A와 B의 넓이가 서로 같도록 하는 실수 k의 값은? (단, $1<k<e^2$)

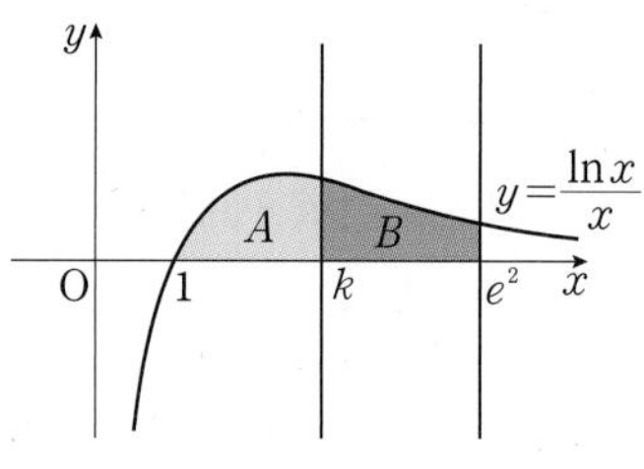

① $\sqrt{e}$ ② e ③ $e\sqrt{e}$
④ $e^{\sqrt{2}}$ ⑤ $e^{\sqrt{2}-1}$

1980 최다빈출 왕 중요 TOUGH

오른쪽 그림과 같이 곡선 $y=k\cos x\left(0\le x\le\frac{\pi}{2}\right)$와 x축, y축으로 둘러싸인 부분이 곡선 $y=\sin x$에 의해 잘린 두 부분의 넓이가 서로 같을 때, $\frac{100}{k}$의 값은? (단, $k>0$)

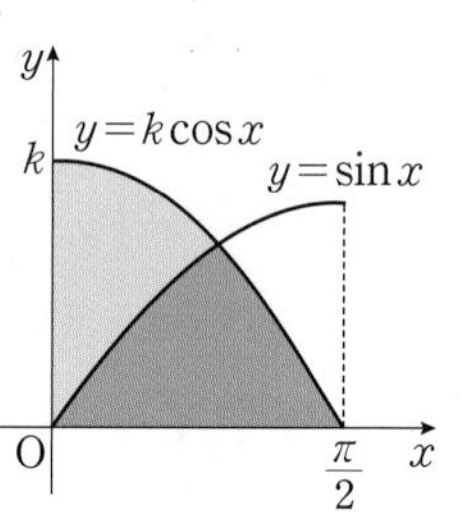

① 15 ② 25 ③ 35
④ 55 ⑤ 75

▶ 해설 내신연계기출

1981 최다빈출 왕 중요 TOUGH

그림과 같이 곡선 $y=\sin x\left(0\le x\le\frac{\pi}{2}\right)$와 x축 및 직선 $x=\frac{\pi}{2}$로 둘러싸인 도형의 넓이를 곡선 $y=a\cos x$가 이등분할 때, 양수 a의 값은?

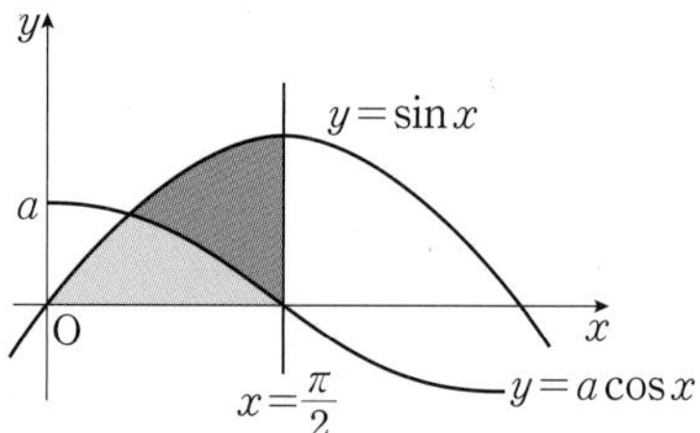

① $\frac{3}{4}$ ② $\frac{4}{5}$ ③ 1
④ $\frac{5}{4}$ ⑤ $\frac{4}{3}$

▶ 해설 내신연계기출

유형 11 역함수 관계인 함수로 둘러싸인 부분의 넓이

$y=f(x)$의 역함수를 $g(x)$라 할 때, $y=f(x)$와 $y=g(x)$로 둘러싸인 부분의 넓이 ⇨ 두 함수의 그래프가 $y=x$에 대하여 대칭관계임을 이용

참고 $x=a$와 $x=b$에서 $y=f(x)$와 그 역함수 $y=g(x)$가 만날 때 구간 $[a, b]$에서 두 곡선 $y=f(x)$, $y=g(x)$로 둘러싸인 부분의 넓이 S는 직선 $y=x$와 곡선 $y=f(x)$로 둘러싸인 부분의 넓이의 2배이다.

$$S=\int_a^b |f(x)-g(x)|dx=2\int_a^b |f(x)-x|dx$$

1982 학교기출 대표 유형

함수 $y=e^{\frac{x}{e}}$의 그래프와 그 역함수의 그래프가 점 (e, e)를 지나고 점 (e, e)에서 공통인 접선을 가질 때, 이 두 곡선과 x축, y축으로 둘러싸인 도형의 넓이는?

① e^2-2e ② e^2-e ③ e^2
④ e^2+e ⑤ e^2+2e

1983 최다빈출 왕 중요 NORMAL

함수 $f(x)=e^{ax}$과 그 역함수 $y=g(x)$가 $x=e$에서 서로 접할 때, 두 곡선 $y=f(x)$, $y=g(x)$와 x축 및 y축으로 둘러싸인 부분의 넓이는?

① e^2+1 ② $2e-1$ ③ $e+1$
④ e^2-2e ⑤ e^2+e

▶ 해설 내신연계기출

1984 NORMAL

함수 $f(x)=x+\sin x$의 역함수를 $g(x)$라 할 때, 두 곡선 $y=f(x)$와 $y=g(x)$로 둘러싸인 도형의 넓이는? (단, $0\le x\le \pi$)

① 2 ② 4 ③ 6
④ 8 ⑤ 10

1985 최다빈출 왕 중요 NORMAL

함수 $f(x)=\frac{-3}{x-5}+1$의 역함수를 $y=g(x)$라 하자.
두 함수 $y=f(x)$, $y=g(x)$의 그래프로 둘러싸인 도형의 넓이는?

① $4-3\ln 3$ ② $2(4-3\ln 3)$ ③ $4+3\ln 2$
④ $2(4+2\ln 2)$ ⑤ $2(4+3\ln 3)$

▶ 해설 내신연계기출

1986 TOUGH

실수 전체의 집합에서 연속이고 역함수가 존재하는 함수 $f(x)$에 대하여 $f(1)=1$, $f(10)=10$일 때,

$$\lim_{n\to\infty}\frac{1}{n}\sum_{k=1}^{n}\left\{f\left(1+\frac{9k}{n}\right)+f^{-1}\left(1+\frac{9k}{n}\right)\right\}$$

의 값은? (단, $f^{-1}(x)$는 $f(x)$의 역함수이다.)

① 10 ② 11 ③ 12
④ 13 ⑤ 14

1987 최다빈출 왕 중요 TOUGH

모든 실수에서 연속이고 역함수가 존재하는 함수 $y=f(x)$의 그래프는 제 1사분면에 있는 두 점 $(2, a)$, $(4, a+8)$을 지난다.
함수 $f(x)$의 역함수를 $g(x)$라 할 때,

$$\lim_{n\to\infty}\frac{2}{n}\sum_{k=1}^{n}f\left(2+\frac{2k}{n}\right)+\lim_{n\to\infty}\frac{8}{n}\sum_{k=1}^{n}g\left(a+\frac{8k}{n}\right)=50$$

을 만족시키는 상수 a의 값은?

① 7 ② 8 ③ 9
④ 10 ⑤ 11

▶ 해설 내신연계기출

유형 12 역함수로 표현된 정적분 계산

닫힌구간 $[a, b]$에서 함수 $f(x)$와 그 역함수를 $f^{-1}(y)$라 하면
다음이 성립한다.

$$\int_a^b f(x)dx+\int_{f(a)}^{f(b)} f^{-1}(y)dy=bf(b)-af(a)$$ ⬅ 두 직사각형의 넓이의 차

참고 구간 $[a, b]$에서 곡선 $y=f(x)$의 정적분 $\int_a^b f(x)dx$이다.
구간 $[f(a), f(b)]$에서 곡선 $x=f^{-1}(y)$의 정적분 $\int_{f(a)}^{f(b)} f^{-1}(y)dx$이다.

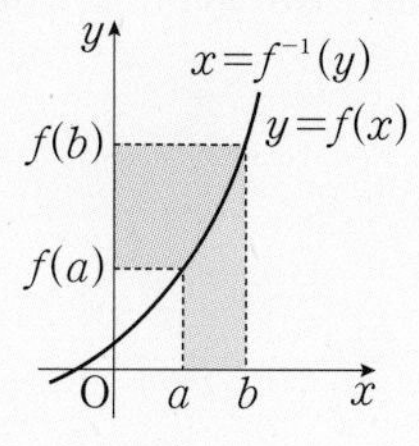

1988 학교기출 대표 유형

함수 $f(x)=e^x+1$의 역함수를 $g(x)$라고 할 때,
$\int_0^1 f(x)dx+\int_2^{e+1} g(x)dx$의 값은?

① e ② $e-1$ ③ $e+1$
④ $2e+1$ ⑤ $3e+2$

▶ 해설 내신연계기출

1989 NORMAL

함수 $f(x)=\ln x-1$의 역함수를 $g(x)$라 할 때,
$\int_e^{e^2} f(x)dx+\int_0^1 g(x)dx$의 값은?

① e ② e^2 ③ e^2-e
④ e^2+e ⑤ e^2+2e

1990 TOUGH

$0\le x\le\frac{\pi}{3}$에서 함수 $f(x)=\tan x$의 역함수를 $g(x)$라 할 때,
$\int_1^{\sqrt{3}} g(x)dx+\int_{g(1)}^{g(\sqrt{3})} \tan x dx$의 값은?

① $\frac{\sqrt{3}}{12}\pi$ ② $\frac{\sqrt{3}-1}{12}\pi$ ③ $\frac{3\sqrt{3}+1}{12}\pi$
④ $\frac{2\sqrt{3}-3}{12}\pi$ ⑤ $\frac{4\sqrt{3}-3}{12}\pi$

유형 13 역함수를 직접 구하지 않고 넓이 구하기

연속함수 $y=f(x)$가 연속인 역함수를 가질 때, 오른쪽 그림과 같이 색칠한 부분의 넓이를 정적분을 이용하여 표현하면

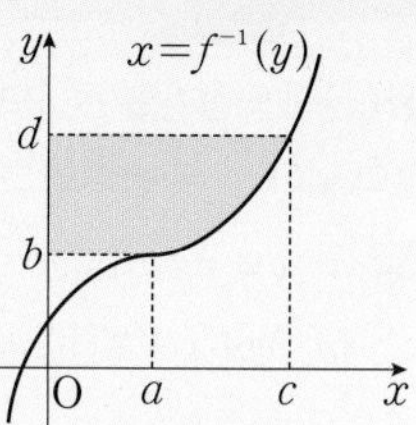

$$\int_b^d f^{-1}(y)dy=cf(c)-af(a)-\int_a^c f(x)dx$$

참고 역함수를 직접 구하지 않고도 이 넓이를 구할 수 있다.

1991 학교기출 대표 유형

오른쪽 그림과 같이 곡선 $y=\sin x$와 y축 및 두 직선 $y=\frac{1}{2}$, $y=1$로 둘러싸인 도형의 넓이는?

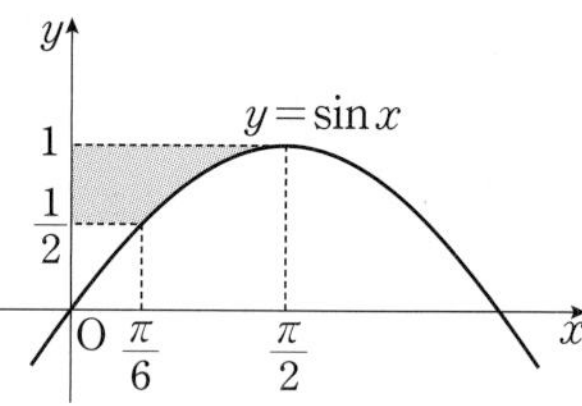

① $\frac{5}{12}\pi-\frac{1}{2}$ ② $\frac{1}{12}\pi-\frac{\sqrt{3}}{2}$ ③ $\frac{\pi}{2}-\frac{\sqrt{3}}{2}$
④ $\frac{5}{12}\pi-\frac{\sqrt{3}}{2}$ ⑤ $\frac{7}{12}\pi-1$

1992 NORMAL

오른쪽 그림은 함수 $f(x)=xe^x\ (0\le x\le 1)$의 그래프이다. 함수 $f(x)$의 역함수를 $g(x)$라 할 때,  $\int_0^e g(x)dx$의 값은?

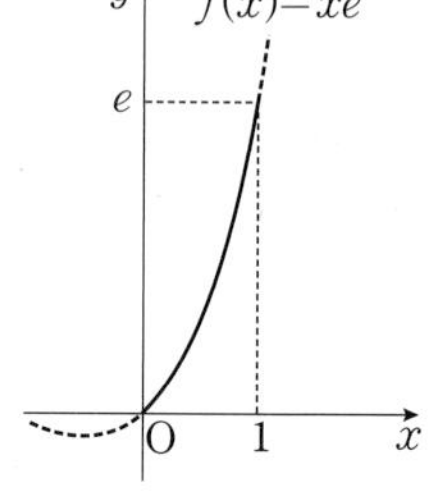

① $e-1$ ② $e-2$
③ $2e-1$ ④ $2e-2$
⑤ $2e-3$

1993 최다빈출 왕 중요 TOUGH

실수 전체의 집합에서 정의된 함수 $f(x)=(x^2+a)e^x$의 역함수가 존재하기 위한 상수 a의 최솟값을 m이라 하자.
함수 $g(x)=(x^2+m)e^x$의 역함수를 $h(x)$라 할 때,
$\int_m^{2e} h(x)dx$의 값은?

① 2 ② 3 ③ 4
④ 5 ⑤ 6

▶ 해설 내신연계기출

07 입체도형의 부피

학교내신기출 객관식 핵심문제총정리

STEP 1 내신정복 기출유형

유형 01 밑면과 평행한 평면으로 자른 단면의 넓이가 주어진 입체도형의 부피

닫힌구간 $[a,\ b]$의 임의의 점 x에서 x축에 수직인 평면으로 자른 단면의 넓이가 $S(x)$일 때, 입체도형의 부피 V는 다음과 같다.

$$V=\int_a^b S(x)dx$$

밑면으로부터의 높이가 x인 곳에서 밑면과 평행한 평면으로 자른 단면의 넓이가 $S(x)$인 입체도형에서 밑면으로 부터의 높이가 a일 때의 부피는 $\int_0^a S(x)dx$

1994 학교기출 대표 유형

높이가 3인 입체도형의 밑면으로부터 높이가 x인 지점에서 밑면에 평행한 평면으로 자를 때, 생기는 단면의 넓이 $S(x)$는

$$S(x)=\sin\frac{\pi}{6}x+1$$

로 나타낼 수 있다. 이 입체도형의 부피는?

① $1+\frac{\pi}{6}$ ② $3+\frac{6}{\pi}$ ③ $2+\frac{3}{\pi}$
④ $4+\frac{6}{\pi}$ ⑤ $3+\frac{2}{\pi}$

1995 최다빈출 왕중요 NORMAL

높이가 3인 어떤 입체를 높이가 $x\,(0\le x\le 3)$인 지점에서 밑면에 평행한 평면으로 자른 단면의 넓이가

$$S(x)=x\sqrt{9-x^2}$$

일 때, 이 입체의 부피는?

① 6 ② 9 ③ 12
④ 15 ⑤ 18

▶ 해설 내신연계기출

1996 NORMAL

높이가 2인 입체도형이 있다. 밑면으로부터 높이가 x인 지점에서 밑면에 평행한 평면으로 자른 단면의 넓이가 $\frac{x^2+2x+2}{x+1}$일 때, 이 입체도형의 부피는?

① $\ln 3$ ② $2+\ln 3$ ③ $3+\ln 2$
④ $4+\ln 3$ ⑤ $5+2\ln 3$

1997 NORMAL

어떤 그릇에 물을 부었더니, 물의 깊이가 $x\,\text{cm}\,(0\le x\le\pi)$일 때의 수면의 넓이가 $x\sin x\,\text{cm}^2$라고 한다. 물의 깊이가 $\frac{\pi}{2}\text{cm}$일 때, 이 그릇에 담긴 물의 부피는? (단, 단위는 cm^3)

① 1 ② 2 ③ 3
④ 4 ⑤ 5

1998 최다빈출 왕중요 TOUGH

어떤 그릇에 높이가 $x\,\text{cm}$가 되도록 물을 넣으면 물의 부피가 $\frac{1}{2\ln 2}(4^x+2^{x+1}-3)\,\text{cm}^3$이라 한다. 수면의 넓이가 $72\,\text{cm}^2$일 때의 채워진 물의 높이는? (단위는 cm)

① 2 ② 3 ③ 4
④ 5 ⑤ 6

▶ 해설 내신연계기출

유형 02 밑면과 평행한 평면으로 자른 단면의 한 변의 길이가 주어진 입체도형의 부피

[1단계] 밑면으로부터의 높이가 x인 곳에서 단면의 넓이 $S(x)$ (정삼각형, 정사각형, 이등변삼각형)를 구한다.

[2단계] 밑면으로부터의 높이가 a일 때의 부피는 $\int_0^a S(x)dx$

1999 학교기출 대표 유형

어떤 입체도형을 밑면으로부터 높이가 x인 곳에서 밑면과 평행한 평면으로 자를 때 생기는 단면은 한 변의 길이가 $\sqrt{16-x}$인 정사각형이다. 이 입체도형의 높이가 10일 때, 부피는?

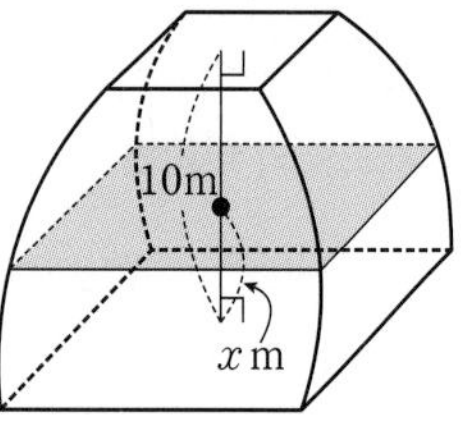

① 80 ② 90 ③ 100
④ 110 ⑤ 120

2000 NORMAL

높이가 $\frac{\pi}{3}$인 입체도형을 밑면으로부터 x인 지점에서 밑면에 평행한 평면으로 자른 단면이 한 변의 길이가 $2\tan x$인 정삼각형일 때, 이 입체도형의 부피는?

① $3-\frac{\sqrt{3}}{3}\pi$ ② $2-\frac{\sqrt{3}}{3}\pi$ ③ $1+\frac{\sqrt{3}}{3}\pi$
④ $1+\frac{1}{3}\pi$ ⑤ $2+\frac{2}{3}\pi$

2001 NORMAL

높이가 e^3-e인 어떤 용기가 있다. 밑면으로부터 높이가 x인 지점에서 밑면과 평행한 평면으로 자른 단면이 반지름의 길이가 $\frac{\ln(x+e)}{\sqrt{x+e}}$인 원일 때, 이 용기의 부피는?

① $\frac{25}{3}\pi$ ② $\frac{26}{3}\pi$ ③ 9π
④ 14π ⑤ 15π

2002 최다빈출 왕중요 NORMAL

어떤 용기에 물을 넣으면 깊이가 $x(0\le x\le\pi)$일 때, 수면은 반지름의 길이가 $\sqrt{x\sin x}$인 원이라고 한다. 물의 깊이가 π일 때, 용기에 담긴 물의 부피는?

① π ② 2π ③ $\frac{1}{2}\pi^2$
④ π^2 ⑤ π^2+1

▶ 해설 내신연계기출

2003 NORMAL

높이가 8cm인 용기를 높이가 x cm인 지점에서 밑면에 평행하게 자를 때 생기는 단면은 한 변의 길이가 $\sqrt{x+1}\,e^{\frac{x}{4}}$cm인 정사각형이다. 이 용기의 부피는?

① $(14e^4-2)\text{cm}^3$ ② $14e^4\text{cm}^3$ ③ $(14e^4+2)\text{cm}^3$
④ $(18e^4-2)\text{cm}^3$ ⑤ $18e^4\text{cm}^3$

2004 NORMAL

오른쪽 그림과 같이 높이가 $e-1$인 그릇이 있다. 그릇에 담긴 물의 깊이가 x일 때, 수면은 한 변의 길이가 $\sqrt{\ln(x+1)}$인 정사각형이다. 이 그릇의 부피는?

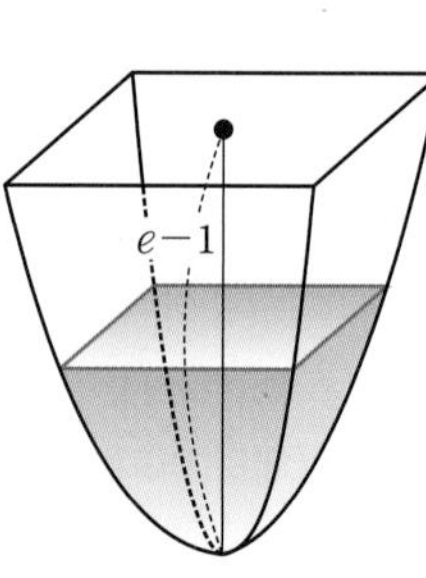

① 1 ② 2
③ e ④ $2e$
⑤ $3e$

유형 03 원기둥에서 x축에 수직인 평면으로 자른 단면이 주어진 입체도형의 부피

[1단계] x축과 원점을 정한다.

[2단계] x축 위의 점 $(x,\ 0)$을 지나 x축에 수직인 평면으로 잘린 입체의 단면의 넓이 $S(x)$를 구한다.

[3단계] 필요한 구간에서 단면의 넓이 $S(x)$를 적분한다.

즉 $V=\int_a^b S(x)dx$

속해법 **원기둥의 밑부분을 잘라낸 작은 쪽의 입체의 부피 공식**

밑면의 반지름의 길이가 r인 원기둥에서 밑면의 중심을 지나고 밑면과 θ의 각을 이루는 평면으로 이 원기둥을 자를 때, 작은 입체의 부피 V는

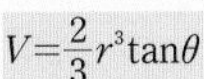

$V=\frac{2}{3}r^3\tan\theta$

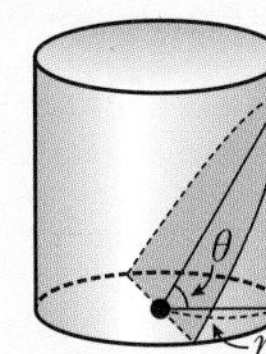

2005

학교기출 대표 유형

오른쪽 그림과 같이 밑면의 반지름의 길이가 1이고 높이가 2인 원기둥이 있다. 이 원기둥을 밑면의 중심을 지나고 밑면과 $60°$의 각을 이루는 평면으로 자를 때, 생기는 두 입체도형 중에서 작은 것의 부피는?

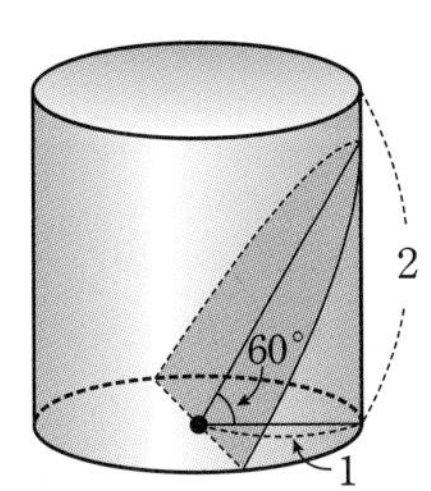

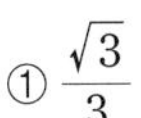

① $\frac{\sqrt{3}}{3}$ ② $\frac{\sqrt{3}}{2}$ ③ $\frac{2\sqrt{3}}{3}$

④ $\frac{3\sqrt{3}}{4}$ ⑤ $\sqrt{3}$

2006

NORMAL

밑면의 지름의 길이가 $2a$, 높이가 $5a$인 원기둥이 있다. 이 원기둥을 밑면의 지름을 지나고 밑면과 $30°$의 각을 이루는 평면으로 잘랐을 때, 생기는 두 입체도형 중 작은 입체도형의 부피는?

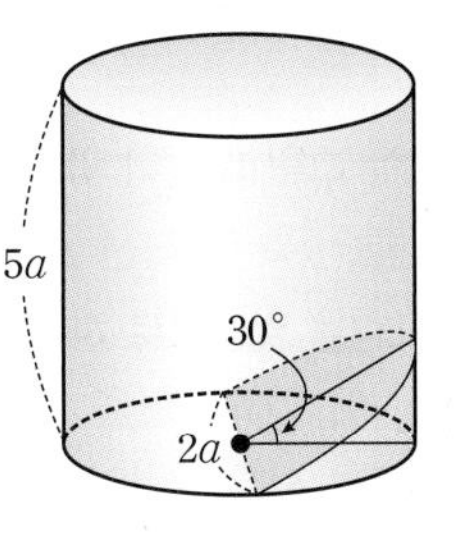

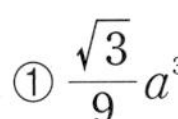

① $\frac{\sqrt{3}}{9}a^3$ ② $\frac{2\sqrt{3}}{9}a^3$

③ $\frac{\sqrt{3}}{3}a^3$ ④ $\frac{4\sqrt{3}}{9}a^3$

⑤ $\frac{5\sqrt{3}}{9}a^3$

2007

최다빈출 왕중요 TOUGH

밑면의 반지름의 길이가 r이고 높이가 $2r$인 원기둥 모양의 물통이 있다. 이 물통에 물을 가득 담은 후 오른쪽 그림과 같이 수면이 밑면의 중심을 지날 때까지 기울여 물을 쏟아 내었다. 이때 남은 물의 부피는?

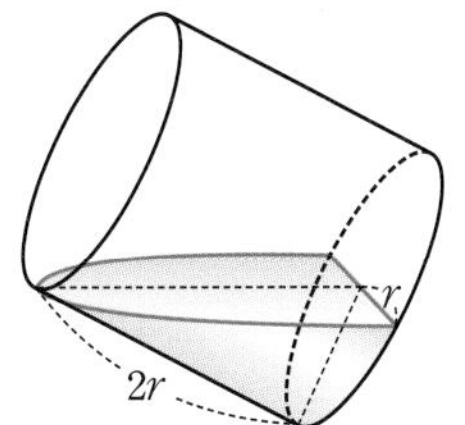

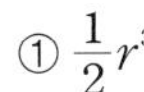

① $\frac{1}{2}r^3$ ② $\frac{3}{2}r^3$ ③ $\frac{4}{3}r^3$

④ $\frac{5}{3}r^3$ ⑤ $\frac{5}{2}r^3$

▶ 해설 내신연계기출

2008

최다빈출 왕중요 TOUGH

밑면의 반지름의 길이가 4, 높이가 4인 원기둥 모양의 그릇에 물이 가득 담겨 있다. 오른쪽 그림과 같이 이 그릇을 $45°$의 각도로 기울였을 때, 그릇에 남아 있는 물의 부피는?

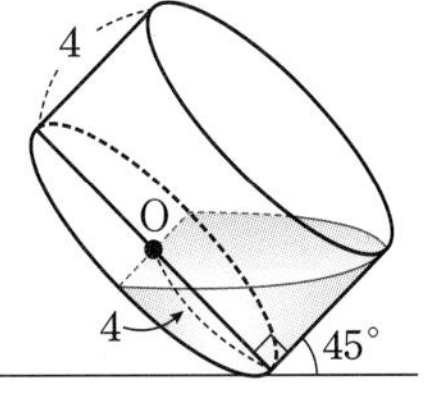

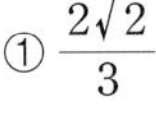

① $\frac{2\sqrt{2}}{3}$ ② $\frac{56}{3}$ ③ $\frac{64}{3}$

④ $\frac{64\sqrt{2}}{3}$ ⑤ $\frac{128}{3}$

▶ 해설 내신연계기출

2009

TOUGH

다음 그림과 같이 반지름의 길이가 6cm인 반구 모양의 그릇에 물을 가득 채운 후 $30°$만큼 기울여 물을 흘려보낼 때, 남아 있는 물의 양은 몇 cm^3인지 구하면? (단, 그릇의 두께는 고려하지 않는다.)

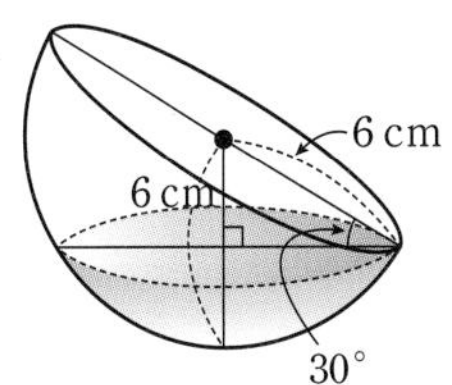

① 35π ② 40π ③ 45π

④ 50π ⑤ 55π

유형 04 x축에 수직인 평면으로 자른 단면이 주어진 입체도형의 부피

입체도형의 부피를 구하는 방법은 다음과 같다.

[1단계] x축과 원점을 정한다.

[2단계] x축 위의 점 $(x, 0)$을 지나 x축에 수직인 평면으로 잘린 입체의 단면의 넓이 $S(x)$를 구한다.

[3단계] 필요한 구간에서 단면의 넓이 $S(x)$를 적분한다.

즉, $V=\int_a^b S(x)dx$ (단, $S(x)$는 구간 $[a, b]$에서 연속)

2010 학교기출 대표유형

그림과 같이 곡선 $y=2\sqrt{\sin x}(0 \le x \le \pi)$와 x축으로 둘러싸인 도형을 밑면으로 하는 입체도형이 있다. 이 입체도형을 x축에 수직인 평면으로 자른 단면이 모두 정삼각형일 때, 이 입체도형의 부피는?

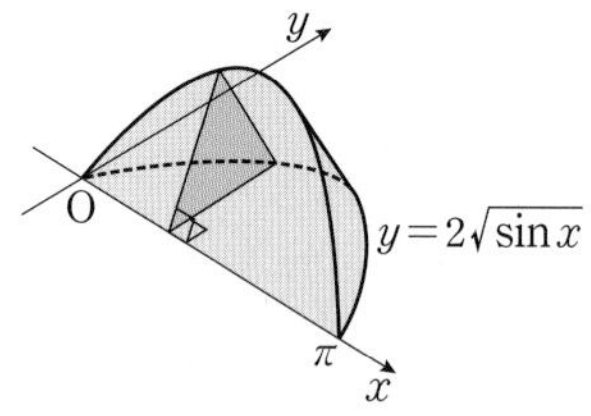

① $2\sqrt{2}$ ② $2\sqrt{3}$ ③ 4
④ $2+\sqrt{3}$ ⑤ $3+2\sqrt{3}$

2011 최다빈출 왕중요 NORMAL

반지름의 길이가 a인 원의 지름 AB에 수직인 현을 한 변으로 하는 정삼각형이 지름 AB와 수직인 상태로 점 A에서 점 B까지 움직일 때, 생기는 입체도형의 부피는?

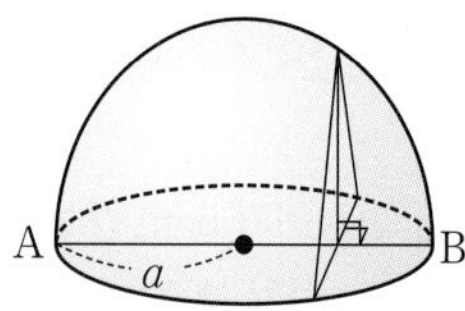

① $2\sqrt{3}a^3$ ② $\frac{4}{3}a^2$ ③ $\frac{4\sqrt{3}}{3}a^3$
④ $\frac{\sqrt{3}}{3}a^3$ ⑤ $\frac{4\sqrt{2}}{3}a^3$

▶ 해설 내신연계기출

2012 최다빈출 왕중요 NORMAL

오른쪽 그림과 같이 닫힌구간 $[0, 1]$에서 곡선 $y=\frac{2}{x+1}$ 위의 점 $\mathrm{P}\left(x, \frac{2}{x+1}\right)$에서 x축 위에 내린 수선의 발을 H라 하고 선분 PH를 한 변으로 하는 정삼각형을 x축에 수직인 평면 위에 그린다.

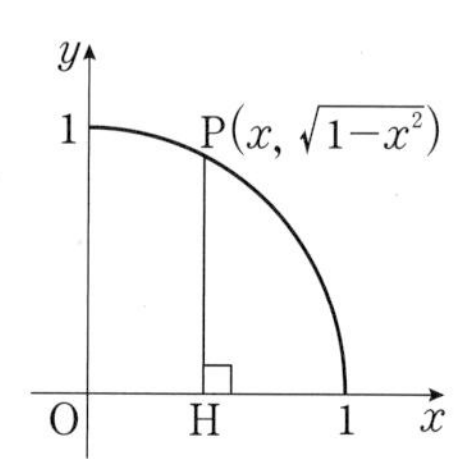

점 P의 x좌표가 $x=0$에서 $x=1$까지 변할 때, 이 정삼각형이 만드는 입체도형의 부피는?

① $\frac{1}{2}$ ② $\frac{\sqrt{3}}{2}$ ③ $\frac{3}{2}$
④ $\frac{5}{3}$ ⑤ 2

▶ 해설 내신연계기출

2013 최다빈출 왕중요 NORMAL

오른쪽 그림과 같이 곡선 $y=\sqrt{1-x^2}\,(0 \le x \le 1)$ 위의 점 $\mathrm{P}(x, \sqrt{1-x^2})$에서 x축에 내린 수선의 발을 H라 하고, 선분 PH를 한 변으로 하는 정삼각형을 x축에 수직인 평면 위에 그린다.

점 P의 x좌표가 $x=0$에서 $x=1$까지 변할 때, 이 정삼각형이 만드는 입체도형의 부피는?

① $\frac{\sqrt{3}}{8}$ ② $\frac{\sqrt{3}}{6}$ ③ $\frac{\sqrt{3}}{4}$
④ $\frac{\sqrt{3}}{2}$ ⑤ $\frac{3}{2}$

▶ 해설 내신연계기출

2014 NORMAL

오른쪽 그림과 같이 곡선 $y=\sqrt{x}+1$과 x축, y축 및 직선 $x=1$로 둘러싸인 도형을 밑면으로 하는 입체도형이 있다. 이 입체도형을 x축에 수직인 평면으로 자른 단면이 모두 정사각형일 때, 이 입체도형의 부피는?

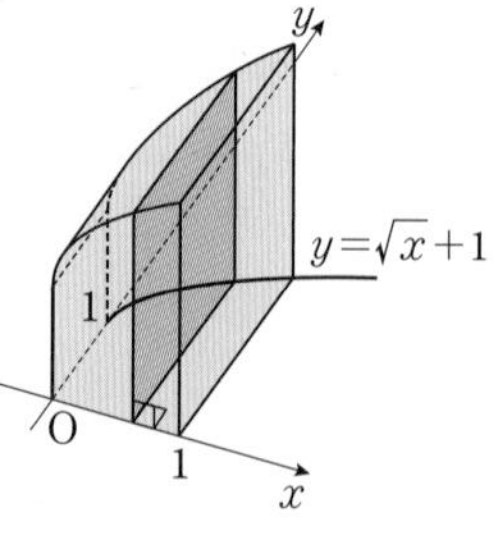

① $\frac{7}{3}$ ② $\frac{5}{2}$
③ $\frac{8}{3}$ ④ $\frac{17}{6}$
⑤ 3

2015 최다빈출 왕중요

NORMAL

두 곡선 $y=\sqrt{x}$와 $y=-\sqrt{x}$및 직선 $x=4$로 둘러싸인 도형을 밑면으로 하는 입체도형이 있다. 이 도형을 x축에 수직인 평면으로 자른 단면이 모두 정사각형일 때, 이 입체도형의 부피는?

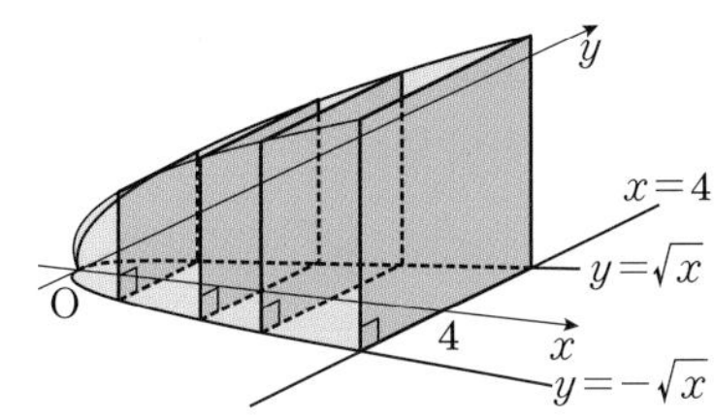

① 16　② 24　③ 32　④ 36　⑤ 42

▶ 해설 내신연계기출

2016

NORMAL

오른쪽 그림과 같이 높이가 6인 입체도형이 있다. 밑면으로부터의 높이가 x인 지점에서 밑면에 평행한 평면으로 자른 단면이 반지름의 길이와 호의 길이가 모두 $\frac{1}{2}(6-x)$인 부채꼴일 때, 이 입체도형의 부피는?

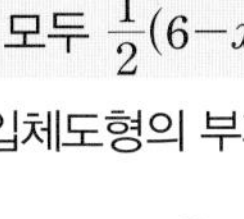

① 6　② 9　③ 18　④ 27　⑤ 81

2017 최다빈출 왕중요

NORMAL

곡선 $y=\tan x\left(0\le x\le\frac{\pi}{4}\right)$와 x축 및 직선 $x=\frac{\pi}{4}$로 둘러싸인 도형을 밑면으로 하는 입체도형이 있다. 이 도형을 x축에 수직인 평면으로 자른 단면의 모양이 정사각형일 때, 이 입체도형의 부피는?

① $1-\frac{\pi}{4}$　② $\frac{\pi}{4}$　③ $1+\frac{\pi}{8}$　④ $1+\frac{\pi}{4}$　⑤ $1+\frac{\pi}{2}$

▶ 해설 내신연계기출

2018

NORMAL

그림과 같이 양수 k에 대하여 곡선 $y=\sqrt{\frac{e^x}{e^x+1}}$과 x축, y축 및 직선 $x=k$로 둘러싸인 부분을 밑면으로 하고, x축에 수직인 평면으로 자른 단면이 모두 정사각형인 입체도형의 부피가 $\ln 7$일 때, k의 값은?

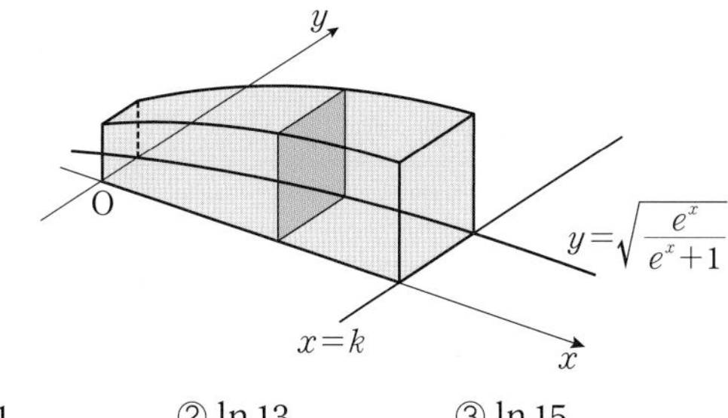

① $\ln 11$　② $\ln 13$　③ $\ln 15$　④ $\ln 17$　⑤ $\ln 19$

2019

NORMAL

그림과 같이 양수 k에 대하여 함수 $f(x)=2\sqrt{x}\,e^{kx^2}$의 그래프와 x축 및 두 직선 $x=\frac{1}{\sqrt{2k}}$, $x=\frac{1}{\sqrt{k}}$로 둘러싸인 부분을 밑면으로 하고 x축에 수직인 평면으로 자른 단면이 모두 정삼각형인 입체도형의 부피가 $\sqrt{3}(e^2-e)$일 때, k의 값은?

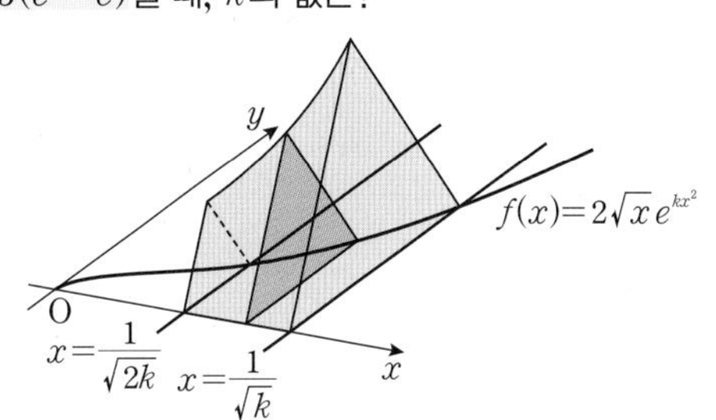

① $\frac{1}{12}$　② $\frac{1}{6}$　③ $\frac{1}{4}$　④ $\frac{1}{3}$　⑤ $\frac{1}{2}$

07 입체도형의 부피

2020 최다빈출 왕중요

NORMAL

곡선 $f(x)=\sqrt{x\sin x}\,(0\le x\le\pi)$와 x축으로 둘러싸인 부분을 밑면으로 하는 입체도형이 있다.
두 점 $\mathrm{P}(x,\ 0)$, $\mathrm{Q}(x,\ f(x))$를 지나고 x축에 수직인 평면으로 이 입체도형을 자른 단면은 선분 PQ를 지름으로 하는 반원일 때, 이 입체도형의 부피는?

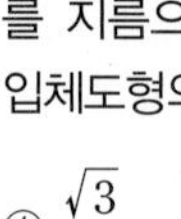

① $\dfrac{\sqrt{3}}{8}\pi$ ② $\dfrac{\pi^2}{16}$ ③ $\dfrac{\pi}{8}$
④ $\dfrac{\pi^2}{8}$ ⑤ π

▶ 해설 내신연계기출

2021

NORMAL

오른쪽 그림과 같이 x축 위의 점 $\mathrm{P}(x,\ 0)$을 지나면서 x축과 수직인 직선이 곡선 $y=\sin x$와 만나는 점을 Q, 직선 $y=-x$와 만나는 점을 R이라고 하자.
x축을 접는 선으로 하여 좌표평면을 접어 두 평면이 서로 수직이 되도록 하고 점 P가 원점 O에서 점 $(\pi,\ 0)$까지 움직일 때, 삼각형 PQR에 의하여 만들어지는 입체도형의 부피는?

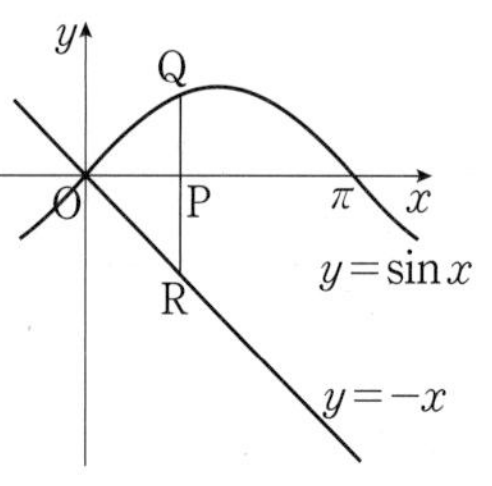

① $\dfrac{\pi}{4}$ ② 1 ③ $\dfrac{\pi}{2}$
④ 2 ⑤ π

2022 최다빈출 왕중요

TOUGH

원 $x^2+y^2=1$의 경계와 내부로 둘러싸인 영역을 밑면으로 하는 입체도형을 x축에 수직으로 자른 단면이 오른쪽 그림과 같이 정삼각형 PQR에서 정삼각형 PQR에 내접하는 원을 제외한 도형과 같을 때, 이 입체도형의 부피는?

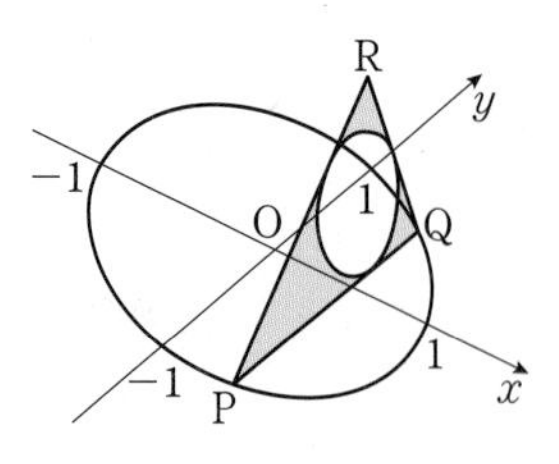

① $\dfrac{2\sqrt{3}}{3}-\dfrac{4}{9}\pi$ ② $\dfrac{2\sqrt{3}}{3}-\dfrac{2}{3}\pi$ ③ $\dfrac{4\sqrt{3}}{3}-\dfrac{4}{9}\pi$
④ $\dfrac{4\sqrt{2}}{2}-\dfrac{2}{9}\pi$ ⑤ $\dfrac{4\sqrt{2}}{3}-\dfrac{4}{3}\pi$

▶ 해설 내신연계기출

2023

TOUGH

그림과 같이 함수 $f(x)=\sqrt{x(x^2+1)\sin(x^2)}\,(0\le x\le\sqrt{\pi})$에 대하여 곡선 $y=f(x)$와 x축으로 둘러싸인 부분을 밑면으로 하는 입체도형이 있다. 두 점 $\mathrm{P}(x,\ 0)$, $\mathrm{Q}(x,\ f(x))$를 지나고 x축에 수직인 평면으로 입체도형을 자른 단면이 선분 PQ를 한 변으로 하는 정삼각형이다. 이 입체도형의 부피는?

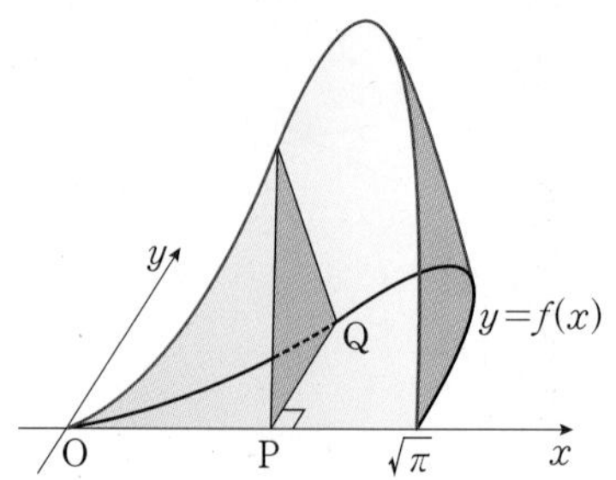

① $\dfrac{\sqrt{3}(\pi+2)}{8}$ ② $\dfrac{\sqrt{3}(\pi+3)}{8}$ ③ $\dfrac{\sqrt{3}(\pi+4)}{8}$
④ $\dfrac{\sqrt{3}(\pi+2)}{4}$ ⑤ $\dfrac{\sqrt{3}(\pi+3)}{4}$

2024 최다빈출 왕중요

TOUGH

다음 그림과 같이 곡선

$$f(x)=\begin{cases}\sqrt{-x+1} & (x<0)\\ e^x & (x\ge 0)\end{cases}$$

위의 임의의 점 $\mathrm{P}(x,\ f(x))$에서 x축에 내린 수선의 발을 H라 하고, 선분 PH를 한 변으로 하는 정사각형을 x축에 수직인 평면 위에 그린다. 점 P의 x좌표가 $x=-1$에서 $x=\ln 2$까지 변할 때, 이 정사각형이 만드는 입체도형의 부피는?

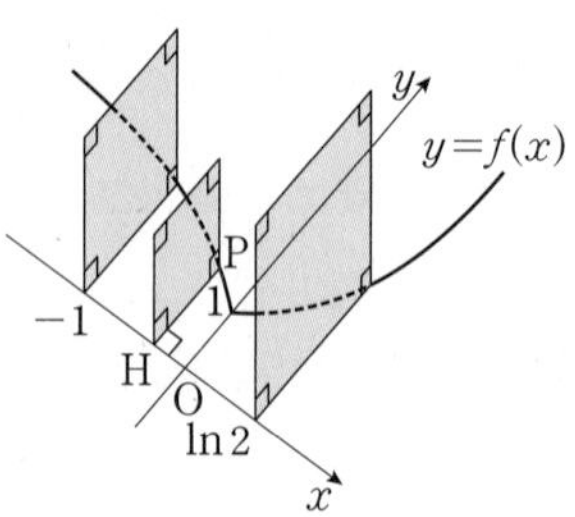

① 2 ② 3 ③ 4
④ 5 ⑤ 6

▶ 해설 내신연계기출

유형 01 수직선 위의 운동에서 점이 움직인 거리

수직선 위를 움직이는 점 P의 시각 t에서의 속도가 $v(t)$이고
시각 $t=a$에서의 점 P의 위치가 x_0일 때,
시각 t에서 점 P의 위치 $x(t)$와 시각 $t=a$부터 시각 $t=b$까지 점 P가 움직인 거리 s는 다음과 같다.

① 시각 t에서 점 P의 위치 x는

$x=x_0+\int_a^b v(t)dt$ ← x_0은 출발점의 위치

② 시각 $t=a$부터 시각 $t=b$까지 점 P의 위치의 변화량은

$\int_a^b v(t)dt$ ← 정적분의 값

③ 시각 $t=a$부터 시각 $t=b$까지 점 P가 움직인 거리는

$s=\int_a^b |v(t)|dt$ ← 넓이의 합

2025 학교기출 대표 유형

그림은 원점을 출발하여 수직선 위를 움직이는 점 P의 시각 t에서의 속도 $v(t)=\cos\frac{\pi}{2}t$의 그래프에서 옳은 것만을 [보기]에서 있는 대로 고른 것은? (단, $0\le t\le 7$)

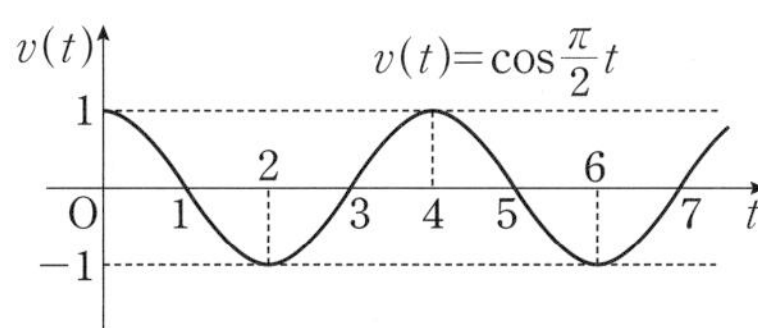

ㄱ. $0<t<5$에서 점 P가 원점을 3번 통과하였다.
ㄴ. 점 P가 $t=1$에서 $t=3$까지 움직인 거리와 $t=4$에서 $t=6$까지 움직인 거리는 같다.
ㄷ. $0<t<6$에서 점 P는 운동방향을 3번 바꿨다.
ㄹ. $t=5$일 때, 점 P의 위치는 $\frac{1}{2}$이다.

① ㄱ ② ㄱ, ㄹ ③ ㄴ, ㄷ
④ ㄱ, ㄷ, ㄹ ⑤ ㄱ, ㄴ, ㄷ, ㄹ

▶ 해설 내신연계기출

2026 최다빈출 왕중요 NORMAL

원점을 출발하여 수직선 위를 움직이는 점 P의 시각 t에서의 속도 $v(t)$가

$v(t)=2\sin\left(t-\frac{\pi}{3}\right)+\sqrt{3}$ (단, $0\le t\le 2\pi$)

일 때, [보기]에서 옳은 것만을 있는 대로 고른 것은?

ㄱ. 점 P는 운동 방향을 2번 바꾼다.
ㄴ. 점 P는 $t=\frac{5}{3}\pi$일 때, 원점에서 가장 멀리 떨어져 있다.
ㄷ. 점 P가 원점에서 가장 멀리 떨어져 있을 때의 위치는 $\frac{5\sqrt{3}}{3}\pi+2$이다.
ㄹ. $t=2\pi$일 때, 점 P의 위치는 $2\sqrt{3}\pi$이다.

① ㄱ ② ㄴ, ㄷ ③ ㄷ, ㄹ
④ ㄴ, ㄷ, ㄹ ⑤ ㄱ, ㄴ, ㄷ, ㄹ

▶ 해설 내신연계기출

2027 NORMAL

원점에서 출발하여 수직선 위를 움직이는 점 P의 시각 t에서의 속도 $v(t)$가

$v(t)=(t-1)e^t$

일 때, 시각 $t=0$에서 $t=3$까지 점 P가 움직인 거리는?

① $e+1$ ② e^3+1 ③ e^3-2e
④ e^3+2e-2 ⑤ e^3+e+1

2028 최다빈출 왕중요 NORMAL

수직선 위를 움직이는 점 P의 시각 t에서의 속도 $v(t)$가

$v(t)=\cos\pi t$

일 때, 출발한 후 두 번째로 운동 방향을 바꿀 때까지 움직인 거리는?

① $\frac{1}{\pi}$ ② $\frac{2}{\pi}$ ③ $\frac{3}{\pi}$
④ $\frac{\pi}{3}$ ⑤ $\frac{\pi}{2}$

▶ 해설 내신연계기출

유형 02 평면 위를 움직이는 점의 움직인 거리

좌표평면 위를 움직이는 점 $P(x, y)$의 시각 t에서의 위치가 $x=f(t)$, $y=g(t)$일 때, 점 P가 시각 $t=a$에서 $t=b(a<b)$까지 움직인 거리 s는

$$s=\int_a^b \sqrt{\left(\frac{dx}{dt}\right)^2+\left(\frac{dy}{dt}\right)^2}\,dt=\int_a^b \sqrt{\{f'(t)\}^2+\{g'(t)\}^2}\,dt$$

2029 학교기출 대표 유형

좌표평면 위를 움직이는 점 P의 시각 t에서의 위치 (x, y)가

$$x=\frac{8}{3}t\sqrt{t},\ y=\frac{1}{2}t^2-4t$$

일 때, $t=0$에서 $t=2$까지 점 P가 움직인 거리는?

① 6 ② 8 ③ 10
④ 12 ⑤ 14

2030 NORMAL

시각 t에서 좌표평면 위를 움직이는 점 P의 x좌표와 y좌표가

$$x=3t^2,\ y=t^3-3t$$

일 때, 점 P의 속력이 30이 될 때까지 점 P가 움직인 거리는?

① 9 ② 12 ③ 24
④ 36 ⑤ 48

2031 최다빈출 왕 중요 NORMAL

좌표평면 위를 움직이는 점 P의 시각 t에서 위치가 (x, y)이고

$$x=\sqrt{3}\sin t+\cos t,\ y=\sqrt{3}\cos t-\sin t$$

일 때, $t=0$에서 $t=2\pi$까지 점 P가 움직인 거리는?

① π ② 2π ③ 3π
④ 4π ⑤ 5π

▶ 해설 내신연계기출

2032 최다빈출 왕 중요 NORMAL

좌표평면 위를 움직이는 점 P의 시각 t에서 위치가 (x, y)이고,

$$x=\sin t-t\cos t,\ y=t\sin t+\cos t$$

일 때, $t=0$에서 $t=\pi$까지 점 P가 움직인 거리는?

① $\frac{\pi^2}{4}$ ② $\frac{\pi^2}{2}$ ③ π^2
④ $2\pi^2$ ⑤ $4\pi^2$

▶ 해설 내신연계기출

2033 NORMAL

좌표평면 위에서 점 P의 시각 t에서의 좌표 (x, y)가

$$x=4(\cos t+\sin t),\ y=\cos 2t$$

일 때, 시각 $t=0$에서 $t=2\pi$까지 점 P가 움직인 거리는?

① 2π ② 4π ③ 6π
④ 8π ⑤ 10π

2034 최다빈출 왕 중요 NORMAL

좌표평면 위를 움직이는 점 P의 시각 t에서의 위치 (x, y)가

$$x=e^t-t,\ y=4e^{\frac{t}{2}}$$

일 때, $t=0$에서 $t=2$까지 점 P가 움직인 거리는?

① $e-1$ ② $e+1$ ③ $2e+1$
④ e^2 ⑤ e^2+1

▶ 해설 내신연계기출

2035 최다빈출 왕중요

NORMAL

좌표평면 위를 움직이는 점 $\mathrm{P}(x,\ y)$의 시각 t에서의 위치가

$$x=\ln t,\ y=\frac{1}{2}\left(t+\frac{1}{t}\right)$$

이다. 점 P가 시각 $t=\frac{1}{e}$에서 시각 $t=e$까지 움직인 거리는? (단, $t>0$)

① $\frac{1}{e}$　② $\frac{1}{2}\left(e-\frac{1}{e}\right)$　③ $e-\frac{1}{e}$
④ $e+\frac{1}{e}$　⑤ $2\left(e+\frac{1}{e}\right)$

▶ 해설 내신연계기출

2036

NORMAL

$1\le t\le 2$일 때, 곡선

$$x=2\ln t,\ y=t+\frac{1}{t}$$

의 길이는?

① $\frac{1}{2}$　② 1　③ $\frac{3}{2}$
④ 2　⑤ $\frac{5}{2}$

2037 최다빈출 왕중요

NORMAL

좌표평면 위를 움직이는 점 $\mathrm{P}(x,\ y)$의 시각 t에서의 좌표가

$$x=\cos^3 t,\ y=\sin^3 t$$

일 때, $t=0$에서 $t=\frac{\pi}{2}$까지 점 P가 움직인 거리는?

① $\frac{1}{3}$　② $\frac{1}{2}$　③ 1
④ $\frac{3}{2}$　⑤ 2

▶ 해설 내신연계기출

2038

NORMAL

좌표평면 위를 움직이는 점 P의 시각 t에서의 위치 $(x,\ y)$가

$$x=\sin^3 t,\ y=\cos^3 t$$

일 때, 점 P가 $t=0$에서 출발하여 속력이 처음으로 0이 될 때까지 움직인 거리는?

① $\frac{1}{2}$　② $\frac{3}{2}$　③ $\frac{4}{3}$
④ 2　⑤ $\frac{5}{2}$

2039 최다빈출 왕중요

NORMAL

좌표평면 위를 움직이는 점 $\mathrm{P}(x,\ y)$의 시각 t에서의 위치가

$$x=e^t\cos t,\ y=e^t\sin t$$

일 때, 시각 $t=0$에서 $t=1$까지 점 P가 움직인 거리는?

① $e-1$　② e　③ $\sqrt{2}(e-1)$
④ $\sqrt{2}e$　⑤ $e+1$

▶ 해설 내신연계기출

2040

TOUGH

좌표평면 위를 움직이는 점 $\mathrm{P}(x,\ y)$의 시각 t에서의 위치가

$$x=e^{-t}\cos t,\ y=e^{-t}\sin t$$

일 때, 점 P가 시각 $t=0$에서 $t=a\ (a>0)$까지 움직인 거리를 $s(a)$라 하자. 이때 $\lim_{a\to\infty}s(a)$의 값은?

① $\frac{1}{e}$　② 1　③ $\sqrt{2}$
④ e　⑤ $\sqrt{2}e$

유형 03 움직인 거리를 이용한 미지수 구하기

좌표평면 위를 움직이는 점 P의 시각 t에서의 좌표 (x, y)가

$$x=f(t),\ y=g(t)$$

일 때, 시각 $t=a$에서 $t=b$까지 점 P가 움직인 거리 s는

$$s=\int_a^b \sqrt{\left(\frac{dx}{dt}\right)^2+\left(\frac{dy}{dt}\right)^2}\,dt=\int_a^b \sqrt{\{f'(t)\}^2+\{g'(t)\}^2}\,dt$$

2041 학교기출 대표 유형

좌표평면 위를 움직이는 점 $P(x, y)$의 시각 t에서의 위치가

$$x=3\sin t,\ y=2-3\cos t$$

로 주어질 때, $t=0$부터 $t=a$까지 점 P가 움직인 거리가 3π가 되도록 하는 양수 a의 값은?

① $\frac{\pi}{6}$ ② $\frac{\pi}{3}$ ③ $\frac{\pi}{2}$
④ π ⑤ $\frac{3}{2}\pi$

2042 NORMAL

시각 t에서 좌표평면 위를 움직이는 점 P의 x좌표와 y좌표가

$$x=\frac{1}{2}t^2-2t,\ y=\frac{4\sqrt{2}}{3}t\sqrt{t}$$

일 때, 시각 $t=0$에서 $t=a$까지 점 P가 움직인 거리가 6이 되도록 하는 양수 a의 값은?

① 1 ② 2 ③ 3
④ 4 ⑤ 5

2043 최다빈출 왕중요 NORMAL

좌표평면 위를 움직이는 점 P의 시각 t에서 위치가 (x, y)이고,

$$\frac{dx}{dt}=\frac{\cos t}{t^2+t},\ \frac{dy}{dt}=\frac{\sin t}{t^2+t}$$

이다. $t=1$에서 $t=2$까지 점 P가 움직인 거리가 $\ln a$일 때, 실수 a의 값은?

① $\frac{1}{2}$ ② $\frac{2}{3}$ ③ $\frac{4}{3}$
④ 2 ⑤ $\frac{5}{2}$

▶ 해설 내신연계기출

2044 NORMAL

좌표평면 위를 움직이는 점 P의 시각 $t\,(t>0)$에서의 위치 (x, y)가

$$x=\sin t-t\cos t,\ y=\cos t+t\sin t$$

일 때, $t=k$에서의 점 P의 속력이 3이다. $t=1$에서 $t=k$까지 점 P가 움직인 거리는?

① 3 ② $\frac{7}{2}$ ③ 4
④ $\frac{9}{2}$ ⑤ 5

2045 TOUGH

좌표평면 위를 움직이는 점 $P(x, y)$의 시각 t에서의 위치가

$$x=a\cos^3 t,\ y=a\sin^3 t$$

이다. 점 P가 시각 $t=0$에서 시각 $t=\frac{\pi}{2}$까지 움직인 거리가 12일 때, 양수 a의 값은?

① 6 ② 8 ③ 10
④ 12 ⑤ 14

유형 04 치환적분을 이용한 움직인 거리

좌표평면 위를 움직이는 점 P의 시각 t에서의 좌표 (x, y)가

$x=f(t),\ y=g(t)$

일 때, 시각 $t=a$에서 $t=b$까지 점 P가 움직인 거리 s는

$$s=\int_a^b \sqrt{\left(\frac{dx}{dt}\right)^2+\left(\frac{dy}{dt}\right)^2}\,dt=\int_a^b \sqrt{\{f'(t)\}^2+\{g'(t)\}^2}\,dt$$

2046 학교기출 대표 유형

매개변수 t로 나타내어진 곡선

$x=t^3,\ y=2t^2$

에 대하여 $t=0$에서 $t=1$까지의 곡선의 길이는?

① $\frac{25}{27}$ ② $\frac{61}{27}$ ③ $\frac{61}{9}$
④ $\frac{82}{27}$ ⑤ $\frac{122}{3}$

▶ 해설 내신연계기출

2047 NORMAL

좌표평면 위를 움직이는 점 $P(x, y)$의 시각 $t\left(0\le t\le \frac{\pi}{2}\right)$에서의 위치가

$x=2\cos^3 t,\ y=2\sin^3 t$

일 때, 점 P의 속력이 최대가 될 때까지 점 P가 실제로 움직인 거리는?

① $\frac{1}{3}$ ② $\frac{1}{2}$ ③ 1
④ $\frac{3}{2}$ ⑤ 2

2048 TOUGH

매개변수 t로 나타낸 곡선

$x=k(2\cos t+\cos 2t),\ y=k(2\sin t+\sin 2t)$

에 대하여 $t=0$에서 $t=\pi$까지의 곡선의 길이가 16일 때, $t=0$에서 $t=3\pi$까지의 곡선의 길이는? (단, k는 양의 상수)

① 20 ② 25 ③ 36
④ 48 ⑤ 50

유형 05 곡선의 길이

① 매개변수로 나타내어진 곡선의 길이

곡선 $x=f(t),\ y=g(t)\,(a\le t\le b)$의 겹치는 부분이 없을 때 길이 l은 다음과 같다.

$$l=\int_a^b \sqrt{\left(\frac{dx}{dt}\right)^2+\left(\frac{dy}{dt}\right)^2}\,dt=\int_a^b \sqrt{\{f'(t)\}^2+\{g'(t)\}^2}\,dt$$

② 곡선 $\boldsymbol{y=f(x)\,(a\le x\le b)}$의 길이

$x=a$에서 $x=b$까지의 곡선 $y=f(x)$의 길이 l은 다음과 같다

$$l=\int_a^b \sqrt{1+\left(\frac{dy}{dx}\right)^2}\,dx=\int_a^b \sqrt{1+\{f'(x)\}^2}\,dx$$

참고 곡선 $y=f(x)\,(a\le x\le b)$는 점 $P(x, y)$의 시각 t에서의 위치가

$x=t,\ y=f(t)\,(a\le t\le b)$

로 주어지는 곡선으로 볼 수 있으므로 곡선의 길이 l은 다음과 같다.

$$l=\int_a^b \sqrt{\left(\frac{dx}{dt}\right)^2+\left(\frac{dy}{dt}\right)^2}\,dt=\int_a^b \sqrt{1+\{f'(t)\}^2}\,dt$$
$$=\int_a^b \sqrt{1+\{f'(x)\}^2}\,dx$$

2049 학교기출 대표 유형

실수 전체의 집합에서 이계도함수를 갖고 $f(0)=0,\ f(3)=4$를 만족시키는 모든 함수 $f(x)$에 대하여 $\int_0^3 \sqrt{1+\{f'(x)\}^2}\,dx$의 최솟값은?

① 1 ② 3 ③ 5
④ 7 ⑤ 9

▶ 해설 내신연계기출

2050 NORMAL

곡선 $y=\frac{4}{3}x\sqrt{x}\,(0\le x\le 2)$의 길이는?

① $\frac{13}{3}$ ② $\frac{14}{3}$ ③ 5
④ $\frac{15}{2}$ ⑤ $\frac{16}{3}$

2051 최다빈출 왕중요 NORMAL

곡선 $y=\frac{1}{3}(x^2+2)^{\frac{3}{2}}\,(0\le x\le 3)$의 길이는?

① 10 ② 11 ③ 12
④ 13 ⑤ 14

▶ 해설 내신연계기출

2052 최다빈출 왕중요 NORMAL

곡선

$$f(x)=\frac{1}{2}(e^{x}+e^{-x})$$

의 $x=0$에서 $x=1$까지의 길이는?

① $e-\frac{1}{e}$ ② $\frac{1}{2}\left(e-\frac{1}{e}\right)$ ③ $\frac{1}{e}$
④ e ⑤ $\frac{1}{2}\left(e+\frac{1}{e}\right)$

▶ 해설 내신연계기출

2053 NORMAL

곡선

$$y=\frac{1}{2}(e^{x}+e^{-x})(-a\le x\le a)$$

의 길이가 $e^{3}-e^{-3}$일 때, 양수 a의 값은?

① 2 ② 3 ③ 4
④ 5 ⑤ 6

2054 최다빈출 왕중요 NORMAL

곡선 $y=x^{2}-\frac{1}{8}\ln x(1\le x\le e)$의 길이는?

① $e^{2}-1$ ② $e^{2}-\frac{7}{8}$ ③ $e^{2}-\frac{3}{4}$
④ $e^{2}-\frac{5}{8}$ ⑤ $e^{2}-\frac{1}{2}$

▶ 해설 내신연계기출

2055 최다빈출 왕중요 NORMAL

곡선

$$f(x)=\frac{1}{4}x^{2}-\frac{1}{2}\ln x$$

의 $x=1$에서 $x=4$까지의 길이는?

① $\ln 2$ ② $\frac{11}{2}+\ln 2$ ③ $\ln 3$
④ $\frac{11}{4}+\ln 3$ ⑤ $\frac{15}{4}+\ln 2$

▶ 해설 내신연계기출

2056 최다빈출 왕중요 NORMAL

좌표평면 위의 곡선

$$y=\ln(1-x^{2})$$

에 대하여 $x=0$에서 $x=\frac{1}{2}$까지의 곡선의 길이는?

① $\ln 3-\frac{1}{2}$ ② $\ln 3+\frac{1}{2}$ ③ $\ln 3+1$
④ $\ln\sqrt{3}-\frac{1}{2}$ ⑤ $\ln\sqrt{3}+\frac{1}{2}$

▶ 해설 내신연계기출

2057 NORMAL

곡선

$$y=\int_{0}^{x}\sqrt{\sec^{4}t-1}\,dt$$

에 대하여 $x=-\frac{\pi}{4}$에서 $x=\frac{\pi}{4}$까지의 곡선의 길이는?

① 1 ② $\frac{\pi}{2}$ ③ 2
④ π ⑤ 4

2058 최다빈출 왕중요 TOUGH

$x\ge 0$에서 정의된 미분가능한 함수 $f(x)$에 대하여 곡선 $y=f(x)$ 위의 $x=0$인 점에서 곡선 위의 임의의 점 (x, y)까지의 곡선의 길이가 $x^{2}+y+3$일 때, $f'\left(\frac{1}{2}\right)$의 값은?

① -4 ② -1 ③ 0
④ $\frac{3}{4}$ ⑤ 1

▶ 해설 내신연계기출

2059 TOUGH

미분가능한 함수 $f(x)$가

$$\lim_{h\to 0}\frac{f(x+h)-f(x-h)}{h}=2x\sqrt{x^{2}+2}$$

를 만족시킬 때, $0\le x\le 3$에서의 곡선 $y=f(x)$의 길이는?

① $\frac{14}{3}$ ② $\frac{23}{3}$ ③ 10
④ 12 ⑤ 24

유형 06 사이클로이드

사이클로이드는 그림과 같이 반지름의 길이가 r인 원을 직선을 따라 미끄러지지 않도록 굴릴 때, 그 원 위의 고정된 한 점 P가 그리는 곡선이다. 이를 매개변수 t를 이용하여 다음과 같이 표현할 수 있다.

$x=r(t-\sin t)$, $y=r(1-\cos t)$ (단, r은 원의 반지름)

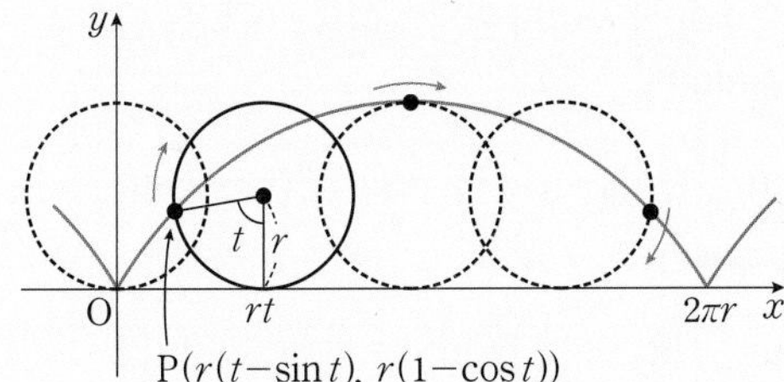

① $0 \le t \le 2\pi r$일 때, 점 P가 그리는 곡선의 길이는 $8r$

$$l=\int_0^{2\pi}\sqrt{\left(\frac{dx}{dt}\right)^2+\left(\frac{dy}{dt}\right)^2}\,dt=8r$$

② 점 P가 그리는 곡선과 x축으로 둘러싸인 넓이는 $3\pi r^2$

$$\int_0^{2\pi} r^2(1-\cos t)^2 dt=3\pi r^2$$

2060 학교기출 대표 유형

반지름의 길이가 1인 원이 직선을 따라 한 바퀴 회전할 때, 원점에서 출발한 원 위의 한 점 P가 그리는 곡선을 좌표평면에서 매개변수 t로 나타내면

$x=t-\sin t$, $y=1-\cos t\,(0 \le t \le 2\pi)$

이다. $1-\cos x=2\sin^2\dfrac{x}{2}$를 이용하여 이 곡선의 길이를 구하면?

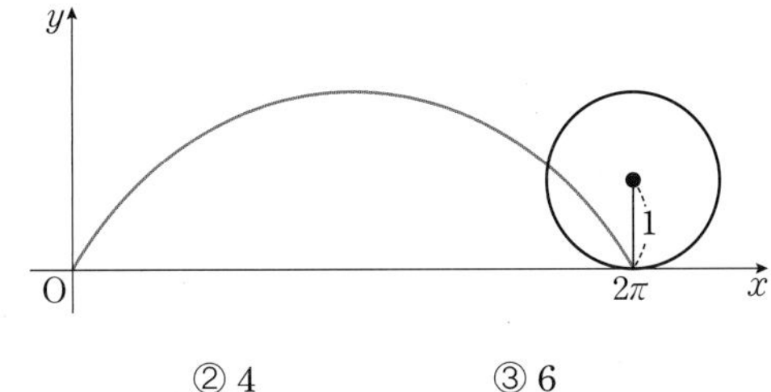

① 2 ② 4 ③ 6
④ 8 ⑤ 10

▶ 해설 내신연계기출

2061 NORMAL

다음 그림은 어느 미끄럼틀을 설계할 때 이용한 곡선이다.
이 곡선 위를 움직이는 점 P(x, y)의 시각 t에서의 위치가

$x=3(t-\sin t)$, $y=3(1-\cos t)$

일 때, 시각 $t=0$에서 $t=\pi$까지의 점 P가 움직인 거리는?

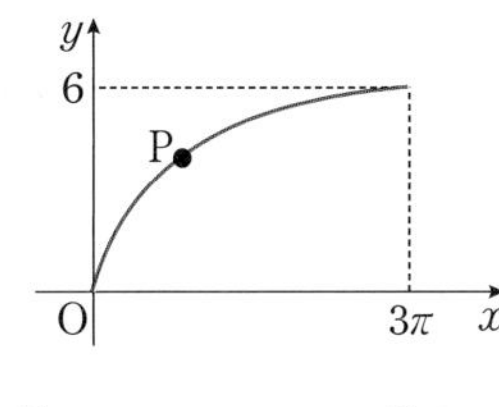

① 4 ② 6 ③ 8
④ 10 ⑤ 12

2062 TOUGH

좌표평면 위를 움직이는 점 P의 시각 t에서 위치가 (x, y)이고,

$x=a(t-\sin t)$, $y=a(1-\cos t)$

이다. 점 P의 속력은 $t=k$에서 최대이고 최댓값은 6일 때, $t=0$에서 $t=k$까지 점 P가 움직인 거리는?
(단, $a>0$, $0 \le t \le 2\pi$)

① 8 ② 10 ③ 12
④ 14 ⑤ 16

2063

곡선 $y=x^2$ 과 직선 $x=1$ 및 x축으로 둘러싸인 도형의 넓이 S를 급수의 합을 이용하여 구하는 과정을 다음 단계로 서술하여라.

[1단계] [그림1]과 같이 닫힌구간 $[0, 1]$을 n등분할 때, 각 구간의 오른쪽 끝점의 x좌표와 그에 대응하는 y의 값을 차례로 구한다.

[2단계] [그림1]에서 색칠한 직사각형의 넓이의 합 U_n을 n에 대한 식으로 나타낸다.

[3단계] [그림2]와 같이 닫힌구간 $[0, 1]$을 n등분할 때, 각 구간의 왼쪽 끝점의 x좌표와 그에 대응하는 y의 값을 차례로 구한다.

[4단계] [그림 2]에서 색칠한 직사각형의 넓이의 합 L_n을 n에 대한 식으로 나타낸다.

[5단계] 도형의 넓이 S를 구한다.

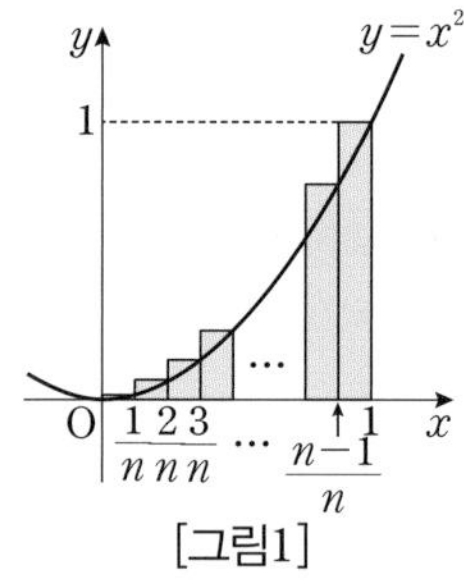

[그림1]

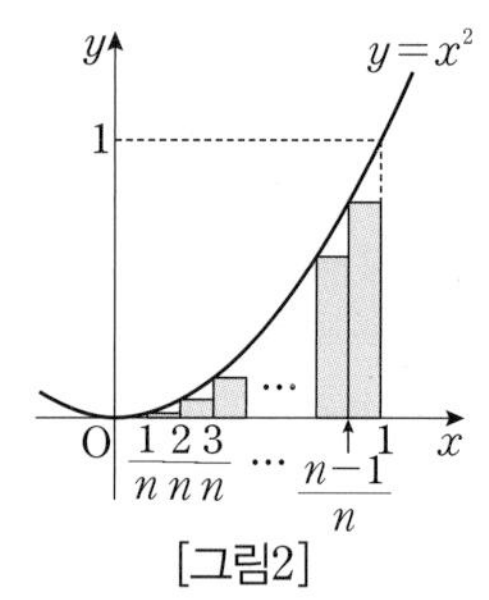

[그림2]

2064

정적분과 급수의 합 사이의 관계를 이용하여 다음 단계로 구하는 과정을 서술하여라.

[1단계] $\lim_{n\to\infty}\sum_{k=1}^{n}\frac{1}{n+k}$의 값을 구한다.

[2단계] $\lim_{n\to\infty}\sum_{k=1}^{n}\frac{2k}{n^2+k^2}$의 값을 구한다.

[3단계] $\lim_{n\to\infty}\sum_{k=1}^{n}\frac{n}{n^2+k^2}$의 값을 구한다.

2065

정적분과 급수의 합 사이의 관계를 이용하여 다음 단계로 구하는 과정을 서술하여라.

[1단계] $\lim_{n\to\infty}\frac{1}{n}\left(\sin\frac{\pi}{n}+\sin\frac{2\pi}{n}+\sin\frac{3\pi}{n}+\cdots+\sin\frac{n\pi}{n}\right)$ 을 구한다.

[2단계] $\lim_{n\to\infty}\frac{1}{n}\left\{\ln\left(1+\frac{1}{n}\right)+\ln\left(1+\frac{2}{n}\right)+\cdots+\ln\left(1+\frac{n}{n}\right)\right\}$ 을 구한다.

[3단계] $\lim_{n\to\infty}\frac{\pi}{n^2}\left(\sin\frac{\pi}{n}+2\sin\frac{2\pi}{n}+\cdots+n\sin\frac{n\pi}{n}\right)$ 을 구한다.

2066

구간 $0\le x\le\frac{\pi}{2}$에서 두 곡선 $y=\sin x$와 $y=\sin^3 x$로 둘러싸인 도형의 넓이를 구하는 과정을 다음 단계로 서술하여라.

[1단계] 구간 $0\le x\le\frac{\pi}{2}$에서 두 곡선 $y=\sin x$, $y=\sin^3 x$의 위치관계를 구한다.

[2단계] 두 곡선 $y=\sin x$와 $y=\sin^3 x$로 둘러싸인 도형의 넓이 S를 정적분으로 나타낸다.

[3단계] 치환적분을 이용하여 도형의 넓이를 구한다.

2067

두 곡선 $y=\ln x$, $y=3\ln x$와 직선 $x=t(t>1)$로 둘러싸인 도형의 넓이를 $S(t)$라고 하자. 실수 a에 대하여 $S'(a)=4$일 때, $S(a)$의 값을 구하는 과정을 다음 단계로 서술하여라.

[1단계] $S(t)$를 적분기호를 사용하여 나타낸다.

[2단계] $S'(t)$를 구하고 $S'(a)=4$를 이용하여 실수 a의 값을 구한다.

[3단계] $S(a)$의 값을 구한다.

2068

곡선 $y=\sqrt{x}$와 x축 및 직선 $y=x-2$로 둘러싸인 도형의 넓이 S를 구하는 과정을 다음 세 가지 방법으로 서술하여라.

[방법1] 두 부분으로 나눠 각각의 넓이를 구한 다음 더하는 방법으로 넓이 S를 구한다.

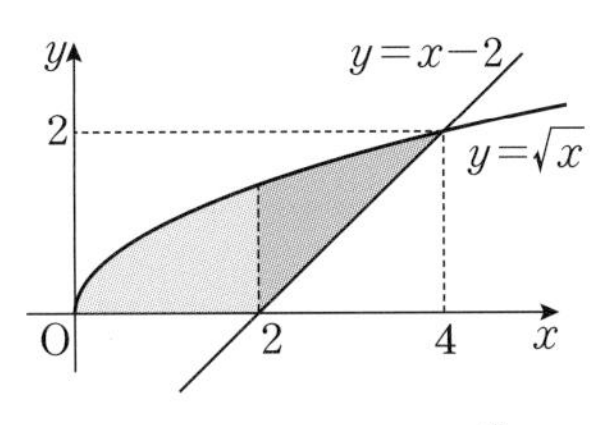

[방법2] 곡선 $y=\sqrt{x}$와 x축 및 직선 $x=4$로 둘러싸인 도형의 넓이에서 삼각형의 넓이를 빼는 방법으로 넓이 S를 구한다.

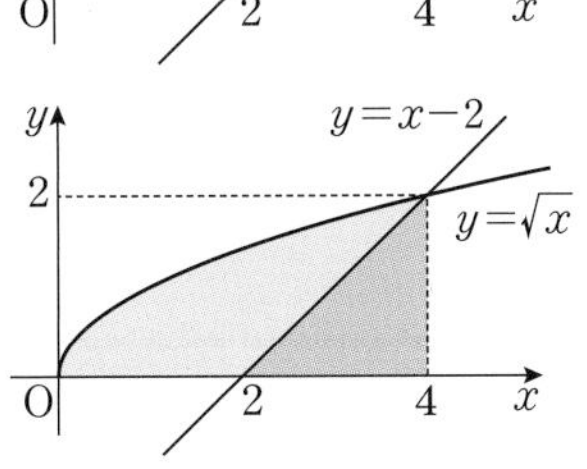

[방법3] 두 함수 $y=\sqrt{x}$, $y=x-2$를 $x=g(y)$꼴로 변형하고 y에 대하여 적분해서 넓이 S를 구한다.

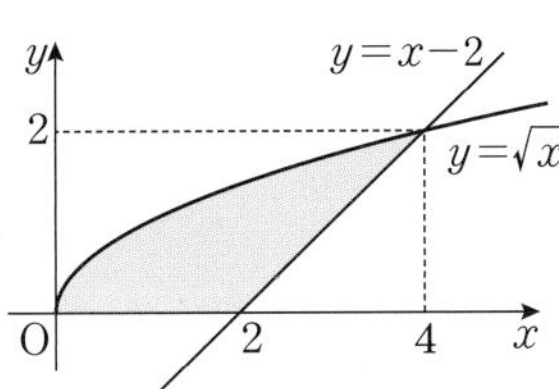

2069

곡선 $y=\ln x$와 x축 및 직선 $y=\frac{1}{e}x$로 둘러싸인 도형의 넓이 S를 구하는 과정을 다음 세 가지 방법으로 서술하여라.

[방법1] 두 부분으로 나눠 각각의 넓이를 구한 다음 더하는 방법으로 넓이 S를 구한다.

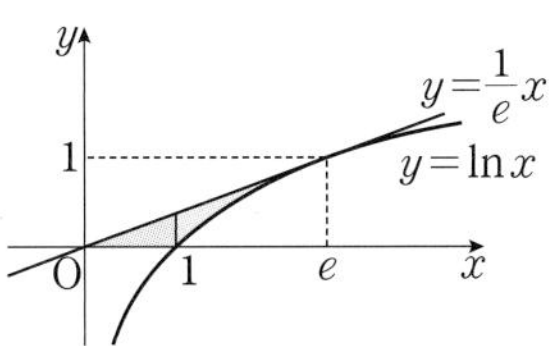

[방법2] 삼각형의 넓이에서 곡선 $y=\ln x$와 x축 및 직선 $x=1$, $x=e$로 둘러싸인 도형의 넓이를 빼는 방법으로 넓이 S를 구한다.

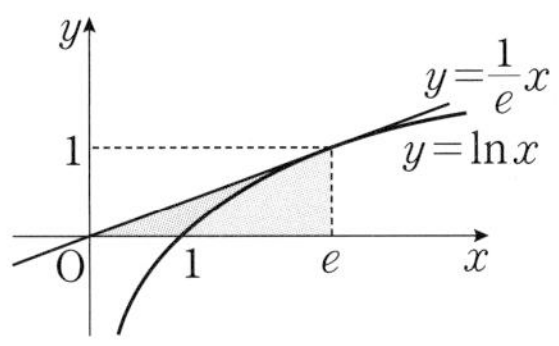

[방법3] 두 함수 $y=\frac{1}{e}x$, $y=\ln x$를 $x=g(y)$꼴로 변형하고 y에 대하여 적분해서 넓이 S를 구한다.

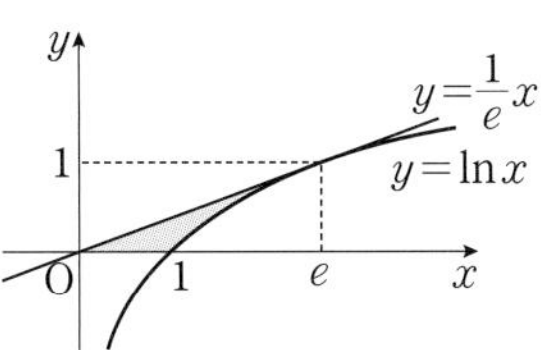

2070

다음은 곡선 $y=e^x$과 원점에서 이 곡선에 그은 접선 및 y축으로 둘러싸인 도형의 넓이를 구하는 과정이다. (가), (나), (다), (라)에 알맞은 것을 써넣어라.

오른쪽 그림과 같이 접점의 좌표를 $(t,\ e^t)$으로 놓으면 접선의 방정식은

$y=$ (가) $\times(x-t)+e^t$이다.

이 직선이 원점을 지나므로 $x=0$, $y=0$을 대입하여 t의 값을 구하면

$t=$ (나) 이다.

따라서 구하는 넓이는 $\int_0^{(나)}(e^x-$ (다) $)dx=$ (라)

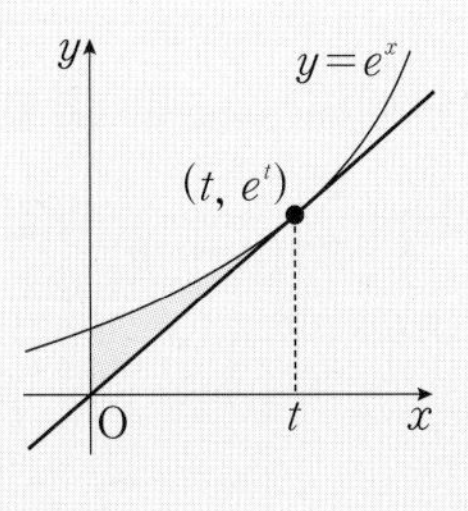

2071

미분가능한 함수 $f(x)$가 다음 조건을 만족할 때, 함수 $f(x)$와 y축 및 원점을 지나는 접선으로 둘러싸인 부분의 넓이를 구하는 과정을 다음 단계로 서술하여라.

(가) 모든 실수 x에 대하여 $f(x)>0$, $f'(x)=f(x)$
(나) $f(0)=3$

[1단계] 조건 (가), (나)를 이용하여 함수 $f(x)$를 구한다.
[2단계] 원점에서 함수 $y=f(x)$에 그은 접선의 방정식을 구한다.
[3단계] 함수 $f(x)$와 y축 및 원점을 지나는 접선으로 둘러싸인 부분의 넓이를 구한다.

2072

자연수 n에 대하여 닫힌구간 $[0, \pi]$에서 곡선 $y=n\cos x$와 x축 및 두 직선 $x=0$, $x=\pi$로 둘러싸인 도형의 넓이를 a_n이라 할 때, $\sum_{n=1}^{\infty}\frac{1}{(n+1)a_n}$의 값을 구하는 과정을 다음 단계로 서술하여라.

[1단계] 곡선과 x축으로 둘러싸인 부분의 넓이 a_n를 구한다.
[2단계] $\sum_{n=1}^{\infty}\frac{1}{(n+1)a_n}$의 값을 구한다.

2073

닫힌구간 $\left[0, \frac{\pi}{2}\right]$에서 곡선 $y=\sin 2x$와 x축으로 둘러싸인 도형의 넓이를 곡선 $y=k\cos x$가 이등분할 때, 상수 k의 값을 구하는 과정을 다음 단계로 서술하여라. (단, $0<k<1$)

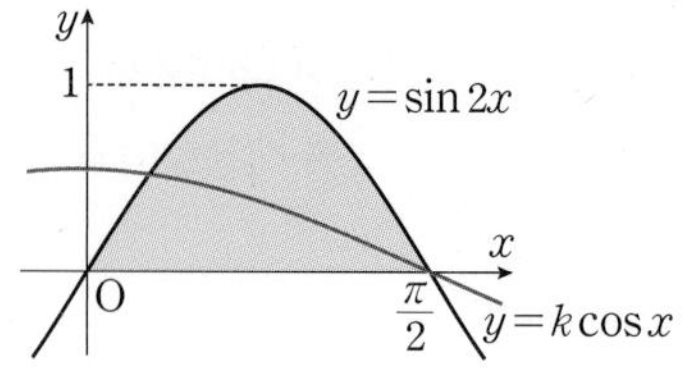

[1단계] 닫힌구간 $\left[0, \frac{\pi}{2}\right]$에서 곡선 $y=\sin 2x$와 x축으로 둘러싸인 도형의 넓이를 구한다.
[2단계] 두 곡선 $y=\sin 2x$, $y=k\cos x$의 교점의 x좌표를 α라고 할 때, $\sin\alpha$를 k로 나타낸다. $\left(\text{단, } \alpha\neq\frac{\pi}{2}\right)$
[3단계] 상수 k의 값을 구한다.

2074

다음 그림은 $0\le x\le 1$에서 정의된 함수 $f(x)=xe^x$의 그래프이다. 함수 $f(x)$의 역함수를 $g(x)$라고 할 때, 다음 단계로 구하는 과정을 서술하여라.

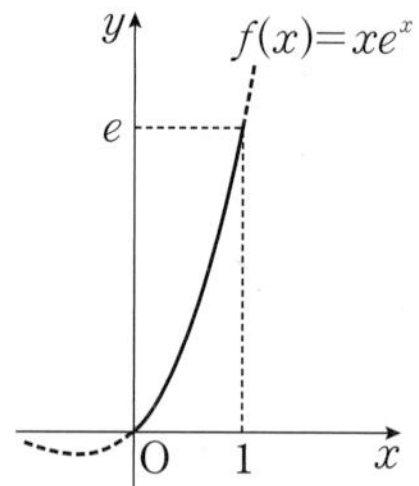

[1단계] 정적분 $\int_0^1 f(x)dx+\int_0^e g(x)dx$의 값을 구한다.
[2단계] $\int_0^e g(x)dx$의 값을 구한다.

2075

두 함수 $f(x)=ax^2$과 $g(x)=\ln x$에 대하여

$$f(k)=g(k),\ f'(k)=g'(k)$$

를 만족하는 실수 k의 값이 한 개 존재할 때, 다음 단계로 구하는 과정을 서술하여라.

[1단계] 상수 a의 값을 구한다.

[2단계] 두 함수 $f(x)$, $g(x)$의 그래프와 x축으로 둘러싸인 도형의 넓이를 구한다.

2076

그림과 같이 반지름의 길이가 r인 반구의 밑면으로부터 높이가 x인 지점을 지나고 밑면에 평행한 평면으로 반구를 자를 때 생기는 단면의 넓이를 $S(x)$라 할 때, 반지름의 길이가 r인 구의 부피가 $\frac{4}{3}\pi r^3$임을 다음 단계로 서술하여라.

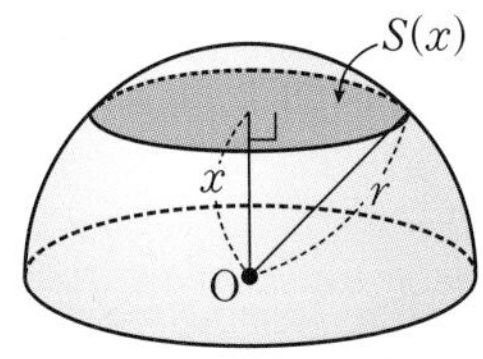

[1단계] 단면의 넓이 $S(x)$를 x, r에 관한 식으로 나타낸다.

[2단계] 반구의 부피를 정적분 기호를 이용하여 나타낸다.

[3단계] 2단계를 이용하여 반지름의 길이가 r인 구의 부피를 구한다.

2077

그림과 같이 곡선 $y=\sqrt{x}e^{\frac{x}{2}}\,(1\le x\le \ln 6)$과 x축으로 둘러싸인 도형을 밑면으로 하는 입체도형을 x축에 수직인 평면으로 자른 단면이 정사각형일 때, 이 입체도형의 부피를 구하는 과정을 다음 단계로 서술하여라.

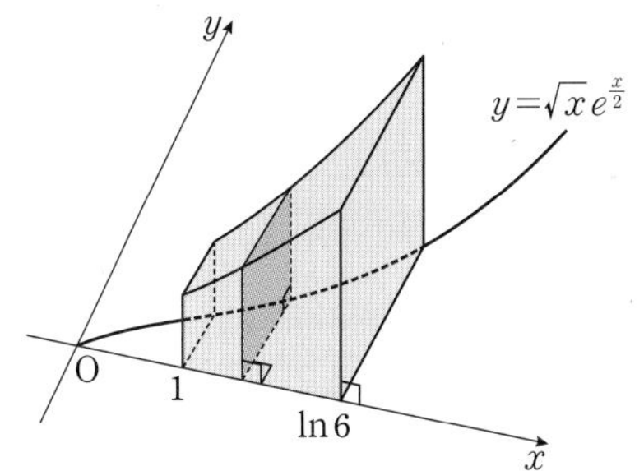

[1단계] 원점에서 $x\,(1\le x\le \ln 6)$ 만큼 떨어진 x축에 수직인 평면으로 자른 단면의 넓이 $S(x)$를 구한다.

[2단계] $1\le x\le \ln 6$에서 입체도형의 부피 V를 식으로 정리한다.

[3단계] 부분적분법을 이용하여 부피를 구한다.

2078

그림과 같이 두 곡선 $y=\sec x$, $y=-\tan x$와 두 직선 $x=0$, $x=\frac{\pi}{4}$로 둘러싸인 도형을 밑면으로 하는 입체도형이 있다. 이 입체도형을 x축에 수직인 평면으로 자른 단면이 모두 정사각형일 때, 이 입체도형의 부피를 구하는 과정을 다음 단계로 서술하여라.

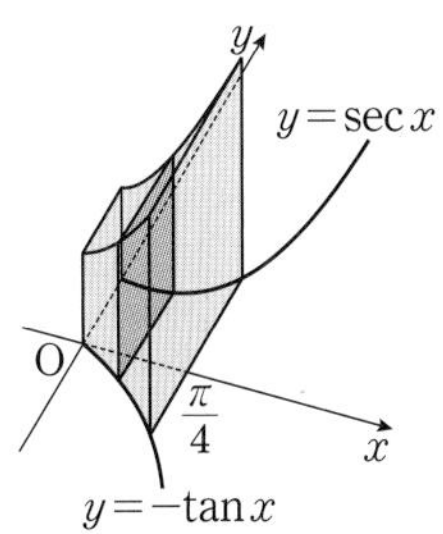

[1단계] 원점에서 $x\left(0\le x\le \frac{\pi}{4}\right)$만큼 떨어진 x축에 수직인 평면으로 자른 단면의 넓이 $S(x)$를 구한다.

[2단계] $0\le x\le \frac{\pi}{4}$에서 입체도형의 부피 V를 식으로 정리한다.

[3단계] 삼각함수의 정적분을 이용하여 부피를 구한다.

2079

밑면의 반지름의 길이가 a이고, 높이가 $2a$인 원기둥을 밑면의 중심을 지나는 평면으로 자를 때 생기는 두 입체도형 중에서 작은 쪽을 T라 하자. 또, 도형 T를 밑면의 지름에 수직인 평면으로 자를 때, 생기는 단면은 한 내각의 크기가 $60°$인 직각삼각형이 된다고 한다. 다음 단계로 구하는 과정을 서술하여라.

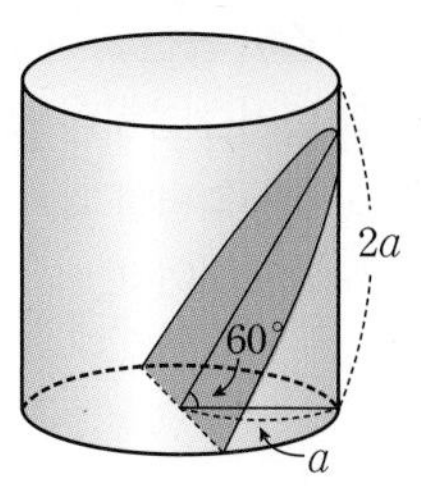

[1단계] 그림과 같이 주어진 원기둥의 밑면의 중심을 원점, 밑면의 지름을 x축으로 하고, x좌표가 x인 점을 지나고 x축에 수직인 평면으로 도형 T를 자른 단면의 넓이 $S(x)$를 구한다.

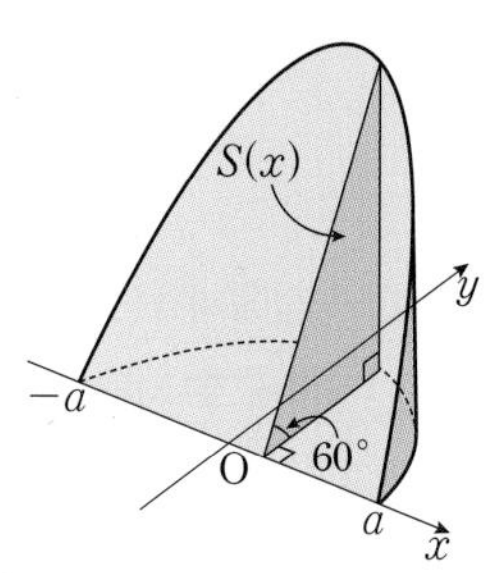

[2단계] 1단계의 결과를 이용하여 도형 T의 부피를 구한다.

[3단계] 두 입체도형 중에서 작은 쪽의 부피를 V_1, 큰 쪽의 부피를 V_2라 할 때, $\frac{V_2}{V_1}$의 값을 구한다.

2080

높이가 2인 그릇에 물을 채우는데. 물의 깊이가 x일 때 수면은 반지름의 길이가 $\sqrt{\frac{4x+2}{(2x+1)^2+4}}$인 원이라고 한다.

이 그릇에 물을 채우기 시작하여 수면의 넓이가 최대가 되었을 때, 채워진 물의 부피를 구하는 과정을 다음 단계로 서술하여라.

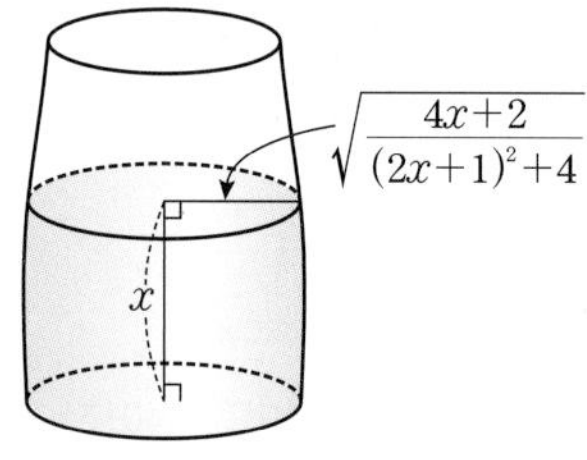

[1단계] 수면의 높이가 x일 때, 수면의 넓이를 $S(x)$라 할 때, $S(x)$를 구한다.

[2단계] $S(x)$의 증감표를 작성하여 수면의 넓이가 최대가 되는 x의 값을 구한다.

[3단계] 수면의 넓이가 최대가 되었을 때, 채워진 물의 부피를 구한다.

2081

원점을 출발하여 수직선 위를 움직이는 점 P의 시각 t에서의 속도 $v(t)$m/s가

$$v(t)=\sin t(2\cos t-1)$$

일 때, 원점과 점 P사이의 최대 거리를 구하는 과정을 다음 단계로 서술하여라. (단, $0\le t\le 4$)

[1단계] 점 P가 움직이는 방향이 바뀌는 시각을 구한다.

[2단계] 움직이는 방향이 바뀌는 시각에서 점 P의 위치를 구한다.

[3단계] 원점과 점 P 사이의 최대 거리를 구한다.

2082

좌표평면 위를 움직이는 점 P의 시각 t에서 위치가 (x, y)이고,

$$x=a\cos^3 t,\ y=a\sin^3 t\,(a>0)$$

일 때, $t=0$에서 $t=\frac{\pi}{2}$까지 점 P가 움직인 거리가 3이라고 한다.

다음 단계로 그 과정을 서술하여라.

[1단계] $\frac{dx}{dt}$, $\frac{dy}{dt}$을 구한다.

[2단계] 상수 a의 값을 구한다.

[3단계] $t=0$에서 $t=\frac{3}{4}\pi$까지 점 P가 움직인 거리를 구한다.

2083

다음 그림과 같이 자연수 n에 대하여 사분원

$$x^2+y^2=4(x\ge 0,\ y\ge 0)$$

의 호 AB를 n등분하여 양 끝점과 각 분점을 차례로
$\mathrm{A}(=\mathrm{P}_0)$, P_1, P_2, $\cdots$, P_{n-1}, $\mathrm{B}(=\mathrm{P}_n)$라 하자.
원 위의 점 $\mathrm{P}_k(1\le k\le n-1)$에서의 접선과 x축, y축으로 둘러싸인 부분의 넓이를 S_k라 할 때, 극한값 $\lim_{n\to\infty}\frac{1}{n}\sum_{k=1}^{n-1}\frac{1}{S_k}$을 구하여라.
(단, 두 점 A, B의 좌표는 각각 (2, 0), (0, 2)이다.)

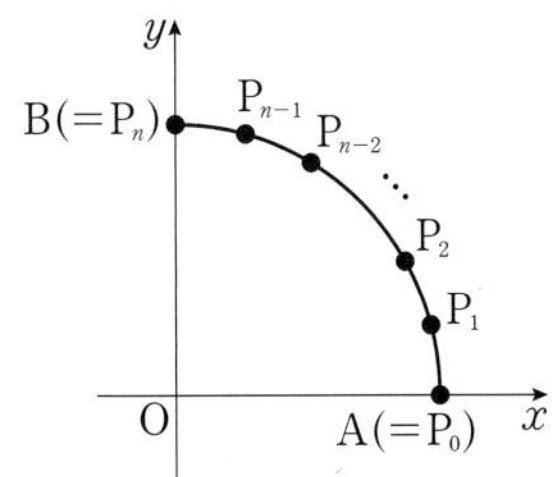

2084

실수 전체의 집합에서 미분가능한 함수 $f(x)$와 그 도함수 $f'(x)$가 다음 조건을 만족시킨다.

> (가) 모든 실수 x에 대하여 $f'(-x)=-f'(x)$이다.
> (나) $\int_0^1 f'(x)dx=-\frac{1}{2}$, $\int_0^1 f(x)dx=-1$

$\lim_{n\to\infty}\sum_{k=1}^{n}\frac{k}{n^2}f'\left(\frac{2k}{n}-1\right)$의 값을 구하여라. (단, $f(0)=0$)

2085

수능기출

양수 a에 대하여 함수

$$f(x)=\int_0^x (a-t)e^t dt$$

의 최댓값이 32이다. 곡선 $y=3e^x$과 두 직선 $x=a$, $y=3$으로 둘러싸인 부분의 넓이를 구하여라.

2086

세 수 a, b, c가 이 순서대로 등비수열을 이룬다.
곡선 $y=\frac{1}{x}(x>0)$과 두 직선 $y=ax$, $y=bx$로 둘러싸인 도형의 넓이를 S_1, 곡선 $y=\frac{1}{x}(x>0)$과 두 직선 $y=bx$, $y=cx$로 둘러싸인 도형의 넓이를 S_2라고 할 때, $\frac{S_1}{S_2}$을 구하여라.
(단, $a>b>c>0$)

2087

평가원기출

좌표평면에서 곡선 $y=\frac{xe^{x^2}}{e^{x^2}+1}$과 직선 $y=\frac{2}{3}x$로 둘러싸인 두 부분의 넓이의 합은?

① $\frac{5}{3}\ln 2-\ln 3$ ② $2\ln 3-\frac{5}{3}\ln 2$ ③ $\frac{5}{3}\ln 2+\ln 3$

④ $2\ln 3+\frac{5}{3}\ln 2$ ⑤ $\frac{7}{3}\ln 2-\ln 3$

2088

교육청기출

닫힌구간 $\left[0, \frac{\pi}{2}\right]$에서 정의된 함수 $f(x)=\sin x$의 그래프 위의 한 점 $\mathrm{P}(a, \sin a)\left(0<a<\frac{\pi}{2}\right)$에서의 접선을 l이라 하자.
곡선 $y=f(x)$와 x축 및 직선 l로 둘러싸인 부분의 넓이와 곡선 $y=f(x)$와 x축 및 직선 $x=a$로 둘러싸인 부분의 넓이가 같을 때, $\cos a$의 값을 구하여라.

2089

수능기출

함수 $f(x)=e^{-x}$과 자연수 n에 대하여 점 P_n, Q_n을 각각 $\mathrm{P}_n(n, f(n))$, $\mathrm{Q}_n(n+1, f(n))$이라 하자. 삼각형 $\mathrm{P}_n\mathrm{P}_{n+1}\mathrm{Q}_n$의 넓이를 A_n, 선분 $\mathrm{P}_n\mathrm{P}_{n+1}$과 함수 $y=f(x)$의 그래프로 둘러싸인 도형의 넓이를 B_n이라 할 때, 다음 중 옳은 것을 모두 고른 것은?

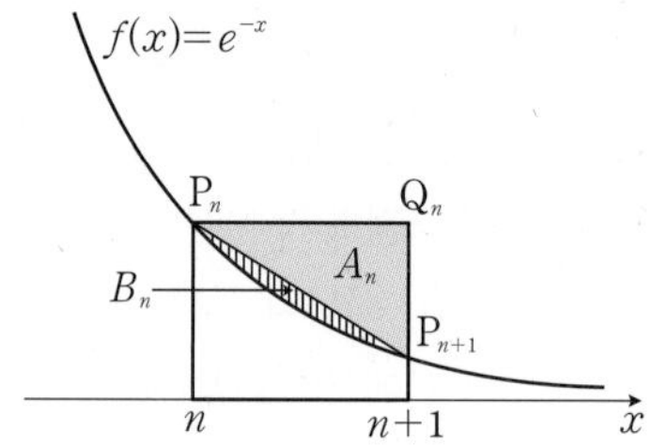

ㄱ. $\int_{n}^{n+1} f(x)dx=f(n)-(A_n+B_n)$

ㄴ. $\sum_{n=1}^{\infty} A_n=\frac{1}{2e}$

ㄷ. $\sum_{n=1}^{\infty} B_n=\frac{3-e}{2e(e-1)}$

① ㄱ ② ㄱ, ㄴ ③ ㄱ, ㄷ
④ ㄴ, ㄷ ⑤ ㄱ, ㄴ, ㄷ

2090

다음 그림과 같이 반지름의 길이가 15cm인 반구모양의 그릇에 바닥으로부터의 높이가 12cm인 지점까지 물이 채워져 있다.
이 물을 밑면의 반지름의 길이가 12cm이고 높이가 15cm인 원기둥 모양의 그릇에 옮겨 부을 때 물의 높이를 구하여라.

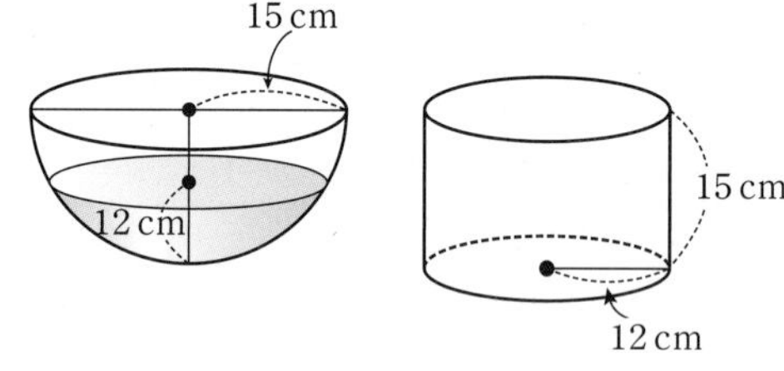

2091

좌표평면 위를 움직이는 점 P의 시각 t에서의 위치 $(x,\ y)$가

$$x=e^t(\sin t-\cos t)+1,\ y=e^t(\sin t+\cos t)-1$$

이다. 점 P가 시각 $t=0$에서 $t=a$까지 움직인 거리를 l이라 하고 시각 $t=a$에서의 점 P의 위치에서 원점까지의 거리를 d라 하자. $l^2=2d^2$일 때, 실수 a의 값을 구하여라. (단, $0<a\leq 2\pi$)

2092

다음 그림은 곡선 $y=\ln\left(\frac{9}{5}-\frac{9}{5}x^2\right)$을 나타낸 것이다.

이 곡선과 x축으로 둘러싸인 도형의 둘레의 길이를 구하여라.

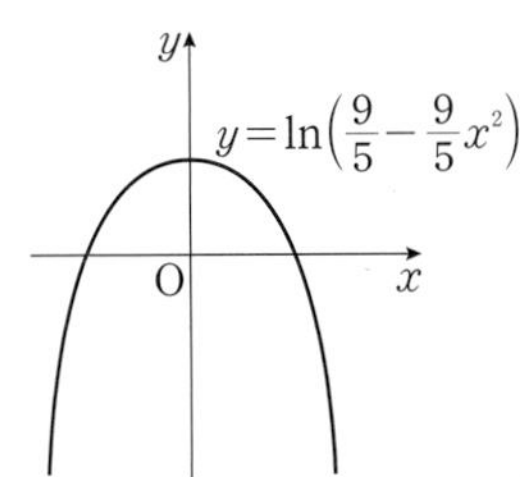

2093

좌표평면 위를 움직이는 점 $\mathrm{P}(x,\ y)$의 시각 t에서의 위치가

$$x=t,\ y=\frac{2}{3}(t^2+1)^{\frac{3}{2}}$$

으로 나타낸다. $t=0$에서 $t=a$까지 점 P의 이동거리가 $\frac{5}{3}$라고 할 때, $t=a$에서의 속력을 구하여라.

2094

좌표평면 위를 움직이는 점 $\mathrm{P}(x,\ y)$의 시각 t에서의 위치가

$$x=8t,\ y=\frac{1}{2}(t+2)^2-\ln(t+2)^{16}$$

일 때, $t=0$에서 점 P의 속력이 최소일 때까지 점 P의 이동거리를 구하여라.

99° + 1°

젊음이 끓어오르는 온도

길들여진다는 것 - 어린왕자

내 생활은 너무 단조롭단다. 나는 병아리를 쫓고 사람들은 나를 쫓지. 병아리들은 모두 똑같고 사람들도 모두 똑같아.

그래서 난 좀 심심해.

하지만 네가 나를 길들인다면 내 생활은 환하게 밝아질 꺼야. 다른 모든 발자국 소리와 구별되는 발자국 소리를 나는 알게 되겠지. 다른 발자국 소리들은 나를 땅 밑으로 기어 들어가게 만들 테지만 너의 발자국 소리는 땅 밑 굴에서 음악소리처럼 나를 밖으로 불러낼 꺼야! 그리고 저길 봐! 저기 밀밭이 보이지! 난 빵은 먹지 않아. 밀은 내겐 아무 소용이 없는 거야. 밀밭은 나에게 아무것도 생각나게 하지 않아. 그건 서글픈 일이지! 그런데 너는 금빛 머리칼을 가졌어. 그러니 네가 나를 길들인다면 정말 근사할 거야! 밀은 금빛이니까 나에게 너를 생각나게 할거거든.

그럼 난 밀밭 사이를 스치는 바람 소리를 사랑하게 될 거야.

© Photo by katerina Bartosova on Unsplash

SYNERGY FINAL TEST

내신 1등급

수열의 극한 모의평가

총 3회 / 회당 24문제 5지선다형 20문제(4점) 서술형 4문제(5점)

SYNERGY FINAL TEST

01 수열의 극한 모의평가

MAPL; SYNERGY

대상 고등학교 3학년
과목코드 01
시간 50분
배점 100점 만점 총 24문제 (4점 × 20문제 - 객관식) (5점 × 04문제 - 서술형)

01

5지선다 4점

다음 수열 중에서 발산하는 수열은?

① $\frac{3}{1}, \frac{4}{2}, \frac{5}{3}, \cdots, \frac{n+2}{n}, \cdots$

② $2, \frac{2}{3}, \frac{2}{5}, \cdots, \frac{2}{2n-1}, \cdots$

③ $3, 3, 3, \cdots, 3, \cdots$

④ $-1, \frac{1}{4}, -\frac{1}{9}, \cdots, \frac{(-1)^n}{n^2}, \cdots$

⑤ $\{1+(-1)^{n+1}\}$

02

5지선다 4점

두 수열 $\{a_n\}$, $\{b_n\}$에 대하여 $\lim_{n\to\infty} a_n=3$, $\lim_{n\to\infty} b_n=-2$일 때, 다음 중 극한값이 옳지 않은 것은? (단, $b_n \neq 0$)

① $\lim_{n\to\infty} a_nb_n=-6$

② $\lim_{n\to\infty}(2a_n+b_n)=4$

③ $\lim_{n\to\infty}(3b_n-a_n)=-9$

④ $\lim_{n\to\infty}\frac{2a_n}{b_n}=-3$

⑤ $\lim_{n\to\infty}\frac{2a_n+b_n}{b_n}=-\frac{3}{2}$

03

5지선다 4점

자연수 n에 대하여 x에 대한 이차방정식

$$x^2+(2n^2+n)x-n^2=0$$

의 두 근을 α_n, β_n이라고 할 때, 극한값 $\lim_{n\to\infty}\left(\frac{1}{\alpha_n}+\frac{1}{\beta_n}\right)$의 값은?

① 1 ② 2 ③ 3 ④ 4 ⑤ 5

04

5지선다 4점

다음 조건을 만족하는 극한값을 a, b라 할 때, $a+b$의 값은?

(가) $\lim_{n\to\infty}\frac{1+3+5+\cdots+(2n-1)}{2+4+6+\cdots+2n}=a$

(나) $\lim_{n\to\infty}\frac{1^2+2^2+3^2+\cdots+n^2}{1\cdot2+2\cdot3+\cdots+n(n+1)}=b$

① 2 ② 8 ③ 12 ④ 20 ⑤ 25

05

5지선다 4점

다음 조건을 만족하는 상수 a, b에 대하여 ab의 값은?

(가) $\lim_{n\to\infty}(\sqrt{n^2+3n+5}-n)=a$

(나) $\lim_{n\to\infty}\frac{4}{\sqrt{n^2+2n+3}-n}=b$

① $\frac{3}{2}$ ② 2 ③ 3 ④ 4 ⑤ 6

06

5지선다 4점

수열 $\{a_n\}$에 대하여 $\lim_{n\to\infty} na_n=5$일 때, $\lim_{n\to\infty}(3+2n)a_n$의 값은?

① 10 ② 11 ③ 12 ④ 13 ⑤ 14

07

5지선다 4점

모든 자연수 n에 대하여 수열 $\{a_n\}$이 부등식

$$n-2\le na_n\le\sqrt{n^2+\frac{n}{2}}$$

을 만족시킬 때, $\lim_{n\to\infty}\frac{(2n^2-n)a_n}{n^2+2n+3}$의 값은?

① -1 ② 0 ③ 1
④ 2 ⑤ 3

08

5지선다 4점

두 수열 $\{a_n\}$, $\{b_n\}$에 대하여 다음 [보기] 중 옳은 것을 있는 대로 고른 것은?

ㄱ. $\lim_{n\to\infty}(a_n-b_n)=0$이면 $\lim_{n\to\infty}\frac{b_n}{a_n}=1$이다.
ㄴ. 두 수열 $\{a_n\}$, $\{b_n\}$이 수렴할 때,
$a_n<b_n$이면 $\lim_{n\to\infty}a_n<\lim_{n\to\infty}b_n$이다.
ㄷ. $\lim_{n\to\infty}a_nb_n=0$이면 $\lim_{n\to\infty}a_n=0$ 또는 $\lim_{n\to\infty}b_n=0$이다.
ㄹ. $\lim_{n\to\infty}a_n=0$, $\lim_{n\to\infty}\frac{b_n}{a_n}=1$이면 $\lim_{n\to\infty}(a_n-b_n)=0$이다.

① ㄴ ② ㄹ ③ ㄴ, ㄷ
④ ㄱ, ㄷ, ㄹ ⑤ ㄱ, ㄴ, ㄷ, ㄹ

09

5지선다 4점

오른쪽 그림과 같이 자연수 n에 대하여 직선 $x=2-\frac{1}{n}$과 원 $x^2+y^2=4$의 두 교점을 각각 A_n, B_n이라 할 때, $\lim_{n\to\infty}n\overline{\mathrm{A}_n\mathrm{B}_n}^2$의 값은?

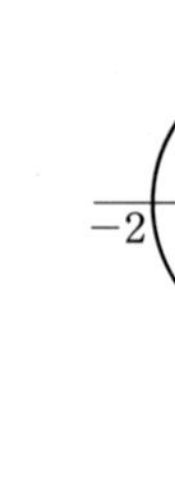
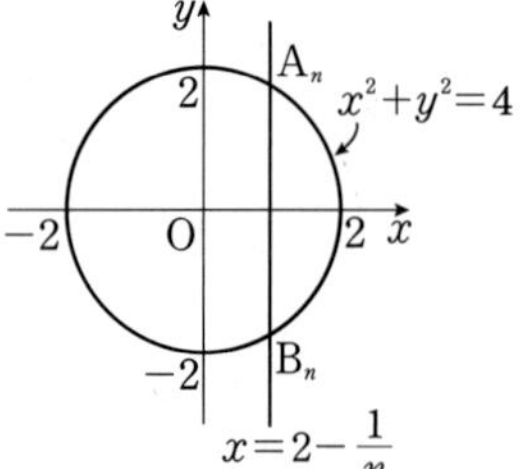

① 12 ② 14 ③ 16
④ 18 ⑤ 20

10

5지선다 4점

실수 a, b에 대하여

$$\lim_{n\to\infty}\frac{4^n+3^{n+1}}{3^n-2^{2n}}=a,\ \lim_{n\to\infty}(a^{2n}-a^{2n+1})=b$$

일 때, $a+b$의 값은?

① -2 ② -1 ③ 0
④ 1 ⑤ 2

11

5지선다 4점

두 급수 $\sum_{n=1}^{\infty}a_n$, $\sum_{n=1}^{\infty}b_n$이 수렴하고

$$\sum_{n=1}^{\infty}(2a_n-3b_n)=17,\ \sum_{n=1}^{\infty}(a_n+b_n)=6$$

일 때, 급수 $\sum_{n=1}^{\infty}(a_n-b_n)$의 값은?

① 4 ② 6 ③ 8
④ 10 ⑤ 12

12

5지선다 4점

다음 조건을 만족하는 급수의 합을 a, b라 할 때 $a+b$의 값은?

(가) $\sum_{n=1}^{\infty}\frac{1}{(2n-1)(2n+1)}=a$
(나) $\sum_{n=1}^{\infty}\left(\frac{1}{\sqrt{n}}-\frac{1}{\sqrt{n+1}}\right)=b$

① $\frac{1}{4}$ ② $\frac{1}{2}$ ③ $\frac{3}{4}$
④ 1 ⑤ $\frac{3}{2}$

13

5지선다 4점

다음 [보기]의 급수의 합에서 옳은 것을 모두 고르면?

ㄱ. $\frac{2}{2^2-1}+\frac{2}{3^2-1}+\frac{2}{4^2-1}+\cdots=\frac{3}{2}$

ㄴ. $\frac{1}{3}+\frac{1}{15}+\frac{1}{35}+\frac{1}{63}+\frac{1}{99}+\cdots=\frac{1}{2}$

ㄷ. $\frac{3}{1\cdot 4}+\frac{3}{4\cdot 7}+\frac{3}{7\cdot 10}+\frac{3}{10\cdot 13}+\cdots=1$

① ㄱ ② ㄴ ③ ㄷ
④ ㄴ, ㄷ ⑤ ㄱ, ㄴ, ㄷ

14

5지선다 4점

급수 $\sum_{n=1}^{\infty}a_n=7$이고 이 급수의 n항까지의 합을 S_n이라고 할 때, $\lim_{n\to\infty}\frac{3a_n+2S_n}{5a_n+S_n}$의 값은?

① 0 ② 1 ③ 2
④ 3 ⑤ 4

15

5지선다 4점

다음 조건을 만족하는 극한값 a, b에 대하여 ab의 값은?

(가) 두 수열 $\{a_n\}$, $\{b_n\}$에 대하여

$\lim_{n\to\infty}\frac{a_n}{n}=1$, $\sum_{n=1}^{\infty}\frac{b_n}{n}=2$일 때, $\lim_{n\to\infty}\frac{a_n+4n}{b_n+3n-2}=a$

(나) 모든 항이 양수인 수열 $\{a_n\}$에 대하여

$\sum_{n=1}^{\infty}(3^n a_n-2)$가 수렴할 때, $\lim_{n\to\infty}\frac{6a_n+5\cdot 4^{-n}}{a_n+3^{-n}}=b$

① $\frac{5}{3}$ ② $\frac{10}{3}$ ③ $\frac{16}{3}$
④ $\frac{20}{3}$ ⑤ $\frac{25}{3}$

16

5지선다 4점

수열 $\{(x+3)^n\}$과 급수 $\sum_{n=1}^{\infty}\left(\frac{1}{3}x+1\right)^{n-1}$이 모두 수렴하는 정수 x의 개수는?

① 1 ② 2 ③ 3
④ 4 ⑤ 5

17

5지선다 4점

자연수 n에 대하여 x^n을 $2x-1$로 나누었을 때의 나머지를 a_n이라 할 때, $\sum_{n=1}^{\infty}a_n$의 값은?

① 1 ② 2 ③ 3
④ 4 ⑤ 5

18

5지선다 4점

자연수 n에 대하여 이차방정식

$$x^2-(2^n+3^n)x+6^n=0$$

의 서로 다른 두 실근을 α_n, β_n이라 할 때, $\sum_{n=1}^{\infty}\left(\frac{1}{\alpha_n}+\frac{1}{\beta_n}\right)$의 값은?

① $\frac{1}{2}$ ② 1 ③ $\frac{3}{2}$
④ 2 ⑤ $\frac{5}{2}$

19

5지선다 4점

등비급수 $\sum_{n=1}^{\infty} a_n$에 대하여

$$\sum_{n=1}^{\infty} a_n = 2, \ \sum_{n=1}^{\infty} a_n^2 = \frac{4}{3}$$

일 때, $\sum_{n=1}^{\infty} a_n^3$의 값은?

① $\frac{1}{8}$ ② $\frac{3}{8}$ ③ $\frac{5}{8}$
④ $\frac{8}{7}$ ⑤ $\frac{7}{6}$

20

5지선다 4점

$\frac{43}{99}$을 소수로 나타낼 때 소수점 아래 n번째 자리의 숫자를 a_n이라 하자. 수열 $\{a_n\}$에 대하여 $\sum_{n=1}^{\infty} \frac{a_n}{6^n}$의 값은?

① $\frac{1}{36}$ ② $\frac{1}{12}$ ③ $\frac{7}{6}$
④ $\frac{1}{3}$ ⑤ $\frac{27}{35}$

서 술 형

21번 ~ 24번 5점

21

서술형 5점

수열 $\{a_n\}$의 일반항이

$$a_n = \log \frac{n+1}{n}$$

일 때, $\lim_{n\to\infty} \frac{5n-2}{10^{a_1+a_2+a_3+\cdots+a_n}}$의 값을 구하는 과정을 다음 단계로 서술하여라.

[1단계] $a_1+a_2+a_3+\cdots+a_n$을 구한다.
[2단계] $10^{a_1+a_2+a_3+\cdots+a_n}$을 구한다.
[3단계] 극한값 $\lim_{n\to\infty} \frac{5n-2}{10^{a_1+a_2+a_3+\cdots+a_n}}$를 구한다.

22

서술형 5점

수열 $\{a_n\}$에 대하여 다항식 $a_n x^2 + 2a_n x - 3$을 $x-n$으로 나누었을 때의 나머지가 1일 때, $\sum_{n=1}^{\infty} a_n$의 값을 구하는 과정을 다음 단계로 서술하여라.

[1단계] 다항식 $a_n x^2 + 2a_n x - 3$을 $x-n$으로 나누었을 때의 나머지를 구한다.
[2단계] 나머지가 1임을 이용하여 a_n을 구한다.
[3단계] 부분합을 이용하여 $\sum_{n=1}^{\infty} a_n$의 값을 구한다.

23

서술형 5점

등비급수

$$1 + \frac{1-x}{2} + \frac{(1-x)^2}{4} + \frac{(1-x)^3}{8} + \cdots$$

에 대하여 다음 단계로 서술하여라.

[1단계] 급수가 수렴하도록 하는 실수 x의 값의 범위를 구한다.
[2단계] 이 급수가 $\frac{2}{3}$로 수렴할 때, x의 값을 구한다.

24

서술형 5점

다음 그림과 같이 $\overline{OP}=2$, $\overline{OQ}=1$이고 $\angle QOP=90°$인 직각삼각형 OPQ에 정사각형 $OA_1B_1C_1$을 내접시키고, 다시 직각삼각형 A_1PB_1에 정사각형 $A_1A_2B_2C_2$를 내접시킨다.
이와 같은 방법으로 정사각형을 계속 만들어 나갈 때, 이들 정사각형의 넓이의 합을 구하는 과정을 다음 단계로 서술하여라.

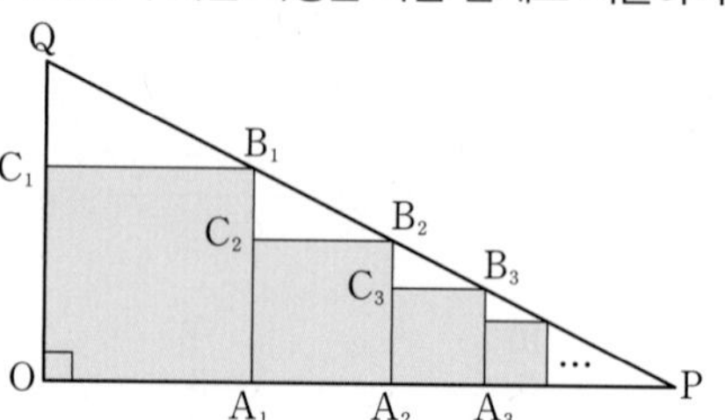

[1단계] 정사각형 $OA_1B_1C_1$의 한 변의 길이를 x_1이라 할 때, x_1의 값을 구한다.
[2단계] 이들 정사각형의 넓이의 공비를 구한다.
[3단계] 정사각형의 넓이의 합을 구한다.

FINAL STEP

02 수열의 극한 모의평가

MAPL; SYNERGY

대상 고등학교 3학년
과목코드 01
시간 50분
배점 100점 만점 총 24문제 (4점 × 20문제 – 객관식) (5점 × 04문제 – 서술형)

01

5지선다 4점

수렴하는 두 수열 $\{a_n\}$, $\{b_n\}$에 대하여

$$\lim_{n\to\infty}(2a_n-3)=5,\ \lim_{n\to\infty}(2b_n-3a_n)=4$$

일 때, $\lim_{n\to\infty} a_n b_n$의 값은?

① 8 ② 16 ③ 24
④ 32 ⑤ 40

02

5지선다 4점

$\lim_{n\to\infty}\frac{an^2+bn+1}{2n-3}=2$가 성립하도록 하는 상수 a, b에 대하여 $a+b$의 값은?

① 2 ② 4 ③ 6
④ 8 ⑤ 10

03

5지선다 4점

수열 $\{a_n\}$의 첫째항부터 제 n항까지의 합 S_n이

$$S_n=2n^2+n$$

일 때, $\lim_{n\to\infty}\frac{{a_n}^2}{S_n}$의 값은?

① 2 ② 4 ③ 6
④ 8 ⑤ 10

04

5지선다 4점

상수 a, b에 대하여

$$\lim_{n\to\infty}(\sqrt{n^2+an}-n)=\frac{3}{2},\ \lim_{n\to\infty}\frac{1}{\sqrt{n^2+bn}-n}=\frac{1}{4}$$

을 만족할 때, $a+b$의 값은?

① 5 ② 7 ③ 9
④ 11 ⑤ 13

05

5지선다 4점

두 수열 $\{a_n\}$, $\{b_n\}$에 대하여

$$\lim_{n\to\infty} a_n=\infty,\ \lim_{n\to\infty}(a_n-b_n)=3$$

일 때, $\lim_{n\to\infty}\frac{a_n+b_n}{a_n-3b_n}$의 값은?

① -3 ② -2 ③ -1
④ 1 ⑤ 3

06

5지선다 4점

자연수 n에 대하여 x에 대한 이차방정식

$$x^2-10nx+n^2+1=0$$

의 두 근을 α_n, β_n이라 할 때, $\lim_{n\to\infty}\left(\frac{\beta_n}{\alpha_n}+\frac{\alpha_n}{\beta_n}\right)$의 값은?

① 64 ② 70 ③ 82
④ 92 ⑤ 98

07

5지선다 4점

두 수열 $\{a_n\}$, $\{b_n\}$에 대한 다음 [보기]의 설명 중 옳은 것만을 있는 대로 고른 것은?

ㄱ. $\lim_{n\to\infty}(a_n-b_n)=0$, $\lim_{n\to\infty}a_n=\alpha$이면 $\lim_{n\to\infty}b_n=\alpha$이다.

ㄴ. $\lim_{n\to\infty}a_n=\infty$, $\lim_{n\to\infty}(a_n-b_n)=\alpha$이면 $\lim_{n\to\infty}\frac{b_n}{a_n}=1$이다.

ㄷ. $\lim_{n\to\infty}\frac{b_n}{a_n}=\alpha$, $\lim_{n\to\infty}a_n=\infty$이면 $\lim_{n\to\infty}b_n=0$이다. (단, $a_n\neq 0$)

ㄹ. 두 수열 $\{a_n\}$, $\{b_n\}$이 수렴할 때, $a_n<b_n$이면 $\lim_{n\to\infty}a_n\leq\lim_{n\to\infty}b_n$이다.

① ㄱ ② ㄱ, ㄴ ③ ㄱ, ㄴ, ㄹ
④ ㄴ, ㄷ, ㄹ ⑤ ㄱ, ㄴ, ㄷ, ㄹ

08

5지선다 4점

수열 $\{a_n\}$의 첫째항부터 제 n항까지의 합이 S_n일 때, 다음 [보기] 중 옳은 것만을 있는 대로 고른 것은?

ㄱ. 수열 $\{a_n\}$이 모든 자연수 n에 대하여 $n<a_n<n+1$을 만족시킬 때, $\lim_{n\to\infty}\frac{n^2}{S_n}$의 값은 2이다.

ㄴ. $S_n=2n+\frac{1}{2^n}$일 때, $\lim_{n\to\infty}a_n$의 값은 2이다.

ㄷ. 자연수 n에 대하여 x에 대한 다항식 $3x^{n+1}+2x$를 일차식 $x-2$로 나눈 나머지를 a_n이라 할 때, $\lim_{n\to\infty}\frac{a_n}{2^n+1}$의 값은 3이다.

① ㄱ ② ㄴ ③ ㄱ, ㄴ
④ ㄴ, ㄷ ⑤ ㄱ, ㄴ, ㄷ

09

5지선다 4점

자연수 n에 대하여 $\sqrt{4n^2-4n+3}$의 정수부분을 a_n, 소수부분을 b_n이라 할 때, $\lim_{n\to\infty}a_nb_n$의 값은?

① $-\frac{1}{2}$ ② $-\frac{1}{4}$ ③ 1
④ $\frac{1}{4}$ ⑤ $\frac{1}{2}$

10

5지선다 4점

다음 조건을 만족하는 극한값 a, b에 대하여 $a+b$의 값은?

(가) $\lim_{n\to\infty}\frac{3\cdot 2^{n+1}+1}{2^n}=a$

(나) $\lim_{n\to\infty}\frac{2\cdot 5^{n+1}+3^n}{5^{n-1}+4^n}=b$

① 6 ② 10 ③ 12
④ 50 ⑤ 56

11

5지선다 4점

수열 $\{a_n\}$에 대하여 곡선 $y=4x^2-2(n-1)x+a_n$은 x축과 만나지 않고, 곡선 $y=x^2-2nx+4a_n$은 x축과 만날 때 $\lim_{n\to\infty}\frac{a_n+n^2}{\sqrt{25n^4+1}}$의 값은?

① $\frac{1}{5}$ ② $\frac{1}{4}$ ③ $\frac{4}{5}$
④ $\frac{1}{2}$ ⑤ $\frac{5}{4}$

12

5지선다 4점

함수 $f(x)$에 대하여 $f(x)=\lim_{n\to\infty}\frac{x^{n+1}-1}{x^n+x+1}$일 때, $f\left(\frac{1}{2}\right)+f(1)+f(2)$의 값은? (단, n은 자연수이다.)

① $\frac{5}{4}$ ② $\frac{4}{3}$ ③ $\frac{3}{2}$
④ 2 ⑤ $\frac{5}{2}$

13

5지선다 4점

수열 $\{a_n\}$에서

$$\sum_{k=1}^{n} a_k = 2n^2 - n$$

일 때, 급수 $\sum_{n=1}^{\infty} \frac{1}{a_n a_{n+1}}$의 값은?

① $\frac{1}{4}$ ② $\frac{1}{2}$ ③ $\frac{2}{3}$
④ $\frac{3}{4}$ ⑤ $\frac{4}{5}$

14

5지선다 4점

급수 $\sum_{n=1}^{\infty} \frac{an^2+2}{n^2+2n}$가 수렴할 때, 이 급수의 합은?
(단, a는 상수이다.)

① $\frac{1}{2}$ ② $\frac{3}{4}$ ③ 1
④ $\frac{5}{4}$ ⑤ $\frac{3}{2}$

15

5지선다 4점

모든 자연수 n에 대하여 수열 $\{a_n\}$은 다음 두 조건을 만족시킨다.
이때 $\sum_{n=1}^{\infty} a_n$의 값은?

(가) $a_n \neq 0$
(나) x에 대한 다항식 $a_n x^2 + a_n x + 2$를 $x-n$으로 나눈 나머지가 20이다.

① 10 ② 12 ③ 14
④ 16 ⑤ 18

16

5지선다 4점

다음 조건을 만족하는 극한값 a, b에 대하여 ab의 값은?

(가) 수열 $\{a_n\}$이 $\sum_{n=1}^{\infty}\left(a_n - \frac{n}{2n+1}\right) = 2$를 만족시킬 때,
$\lim_{n\to\infty} a_n = a$
(나) 수열 $\{a_n\}$이 $\sum_{n=1}^{\infty}\left(2 - \frac{a_n}{9^n}\right) = 1$을 만족시킬 때,
$\lim_{n\to\infty} \frac{9^n}{2a_n+1} = b$

① $\frac{1}{8}$ ② $\frac{1}{4}$ ③ $\frac{1}{2}$
④ 4 ⑤ 8

17

5지선다 4점

다음 [보기]의 급수 중 수렴하는 것만을 있는 대로 고른 것은?

ㄱ. $\sum_{n=1}^{\infty} \frac{2n}{2n-1}$ ㄴ. $\sum_{n=1}^{\infty} \frac{3^n}{2^{2n-1}}$ ㄷ. $\sum_{n=1}^{\infty} \frac{5^n+2^n}{5^n-2^n}$

① ㄱ ② ㄴ ③ ㄱ, ㄴ
④ ㄴ, ㄷ ⑤ ㄱ, ㄴ, ㄷ

18

5지선다 4점

다음 조건을 만족하는 상수 a, b에 대하여 $a+b$의 값은?

(가) 수열 $\left\{\left(\frac{x^2-x}{2}\right)^n\right\}$이 수렴하기 위한 정수 x의 개수를 a
(나) 급수 $\sum_{n=1}^{\infty}(x+2)\left(\frac{x-2}{3}\right)^{n-1}$이 수렴하도록 하는 모든 정수 x의 개수를 b

① 10 ② 12 ③ 14
④ 16 ⑤ 18

19

5지선다 4점

급수 $\sum_{n=1}^{\infty}\frac{1+3+3^2+\cdots+3^n}{6^n}$의 합은?

① $\frac{3}{5}$　② $\frac{7}{5}$　③ $\frac{11}{5}$

④ 3　⑤ $\frac{19}{5}$

20

5지선다 4점

오른쪽 그림과 같이 한 변의 길이가 1인 정사각형 $OA_1B_1C_1$의 내부에 점 O를 중심으로 하고 선분 OA_1을 반지름으로 하는 사분원을 그린 다음 그 사분원에 내접하는 정사각형 $OA_2B_2C_2$를 그린다. 이와 같은 방법으로 정사각형과 사분원을 한없이 그릴 때, 색칠한 부분의 넓이의 합은?

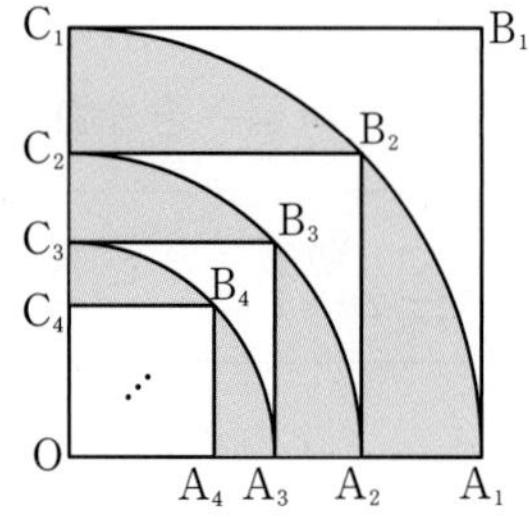

① $\frac{\pi}{2}-1$　② $\pi-1$　③ $\frac{\pi}{2}+2$

④ $\pi+1$　⑤ $\frac{3}{2}\pi-1$

서 술 형

21번 ~ 24번　5점

21

서술형 5점

수열 $\{a_n\}$이 모든 자연수 n에 대하여

$$2n-1 < na_n < \sqrt{4n^2+3n}$$

을 만족시킬 때, $\lim_{n\to\infty}\frac{(n^2+n)a_n}{4n^2-2}$의 값을 구하는 과정을 다음 단계로 서술하여라.

[1단계] a_n의 범위를 구한다.

[2단계] 수열의 극한의 대소 관계를 이용하여 $\lim_{n\to\infty}a_n$을 구한다.

[3단계] $\lim_{n\to\infty}\frac{(n^2+n)a_n}{4n^2-2}$의 값을 구한다.

22

서술형 5점

급수

$$1-\frac{1}{2}+\frac{1}{2}-\frac{1}{3}+\frac{1}{3}-\frac{1}{4}+\frac{1}{4}-\cdots$$

의 수렴, 발산을 다음 단계로 서술하여라.

[1단계] 짝수 항까지의 합 S_{2k}를 구하여 극한값 $\lim_{k\to\infty}S_{2k}$를 구한다.

[2단계] 홀수 항까지의 합 S_{2k-1}을 구하여 극한값 $\lim_{k\to\infty}S_{2k-1}$을 구한다.

[3단계] 위 급수가 수렴하는지 발산하는지를 조사한다.

23

서술형 5점

수열 $\{a_n\}$이 $a_n=\sum_{k=1}^{n}10^{k-1}\,(n=1, 2, 3, \cdots)$으로 정의될 때, a_n을 3으로 나눈 나머지를 b_n이라 하자. $\sum_{n=1}^{\infty}\frac{b_n}{3^n}$의 값을 구하는 과정을 다음 단계로 서술하여라.

[1단계] a_n의 값을 구한다.

[2단계] a_n을 3으로 나눈 나머지 b_n을 구한다.

[3단계] $\sum_{n=1}^{\infty}\frac{b_n}{3^n}$의 값을 구한다.

24

서술형 5점

오른쪽 그림에서 좌표평면 위에서 원점 O를 출발한 동점 P가 $\overline{OP_1}=2$, $\overline{P_1P_2}=2\left(\frac{2}{3}\right)$, $\overline{P_2P_3}=2\left(\frac{2}{3}\right)^2$, $\overline{P_3P_4}=2\left(\frac{2}{3}\right)^3$, $\cdots$ 을 만족하면서 P_1, P_2, P_3, P_4, $\cdots$로 움직인다.

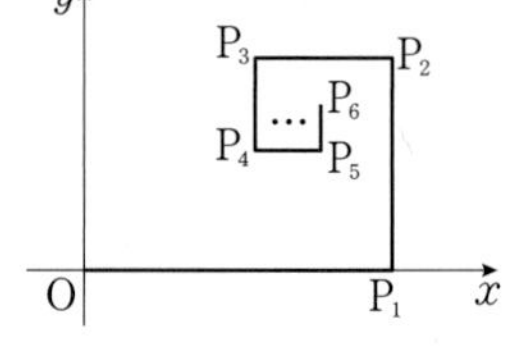

이때 n이 한없이 커질 때, 점 $P_n(x_n, y_n)$이 가까워지는 점의 좌표의 극한을 구하는 과정이다.

(가), (나)에 알맞은 수를 a, b라 할 때, $a+b$의 값을 구하여라.

> 점 A_n의 좌표를 (x_n, y_n)이라고 하면
>
> $x_1=\overline{OP_1}=2$, $x_2=x_1$,
>
> $x_3=x_2-\overline{P_2P_3}=2-2\left(\frac{2}{3}\right)^2$, $x_4=x_3$,
>
> $x_5=x_4+\overline{P_4P_5}=2-2\left(\frac{2}{3}\right)^2+2\left(\frac{2}{3}\right)^4$, $\cdots$
>
> 즉 $\lim_{n\to\infty}x_n=$ (가)
>
> 마찬가지 방법으로 y좌표를 구하여 A_n의 좌표의 극한을 구하면
>
> ((가) , (나))이다.

FINAL STEP

03 수열의 극한 모의평가

MAPL; SYNERGY

대상 고등학교 3학년
과목코드 01
시간 50분
배점 100점 만점 총 24문제 (4점 × 20문제 – 객관식) (5점 × 04문제 – 서술형)

01

5지선다 4점

다음 수열의 수렴과 발산에 대한 설명으로 옳지 않은 것은?

① 수열 $\{(-1)^n \cos n\pi\}$는 수렴한다.

② 수열 $\left\{\frac{1}{n}\cdot\sin\left(\frac{2n-1}{2}\right)\pi\right\}$는 수렴한다.

③ 수열 $\left\{\sin\left(\frac{2n-1}{2}\right)\pi\cdot\sin\left(\frac{2n+1}{2}\right)\pi\right\}$는 수렴한다.

④ 수열 $\left\{\frac{2n-1}{2}\cdot\sin\left(\frac{2n-1}{2}\right)\pi\right\}$는 수렴한다.

⑤ 수열 $\left\{\frac{(-1)^n}{\log 4n}\right\}$은 수렴한다.

02

5지선다 4점

다음 [보기]에서 옳은 것은?

ㄱ. $\lim_{n\to\infty}\frac{1^2+2^2+3^2+\cdots+n^2}{n^3}=\frac{1}{3}$

ㄴ. $\lim_{n\to\infty}\frac{1+3+5+\cdots+(2n-1)}{2+4+6+\cdots+2n}=1$

ㄷ. $\lim_{n\to\infty}\frac{n(1^2+2^2+3^2+\cdots+n^2)}{4(1^3+2^3+3^3+\cdots+n^3)}=\frac{1}{3}$

① ㄱ ② ㄴ ③ ㄱ, ㄴ
④ ㄴ, ㄷ ⑤ ㄱ, ㄴ, ㄷ

03

5지선다 4점

다음 중 옳지 않은 것은?

① $\lim_{n\to\infty}\frac{2n+1}{\sqrt{4n^2+1}+n}=\frac{2}{3}$

② $\lim_{n\to\infty}\frac{1}{n-\sqrt{n^2+2}}=1$

③ $\lim_{n\to\infty}\frac{n^3}{1^2+2^2+3^2+\cdots+n^2}=3$

④ 자연수 n에 대하여

$$2n^2+n+1\le\frac{n^3+1}{n}a_n\le 2n^2+3n+3$$

을 만족할 때, $\lim_{n\to\infty}a_n=2$이다.

⑤ $\lim_{n\to\infty}\frac{3\times 6^n+4^{n+1}}{6^n-2\times 3^n}=3$

04

5지선다 4점

두 상수 a, b에 대하여

$$\lim_{n\to\infty}\{\sqrt{4n^2+4n-1}-(an+b)\}=6$$

일 때, $a+b$의 값은?

① -3 ② -2 ③ 0
④ 2 ⑤ 3

05

5지선다 4점

수열 $\{a_n\}$에 대하여 다음 중 옳지 않은 것은?

① $\lim_{n\to\infty}\left(\frac{1}{2}\right)^n \cos n\pi=0$

② $\lim_{n\to\infty}\frac{3a_n+1}{2a_n-1}=2$일 때, $\lim_{n\to\infty}a_n=3$이다.

③ $\lim_{n\to\infty}na_n=2$일 때, $\lim_{n\to\infty}(4n-3)a_n=8$이다.

④ $\lim_{n\to\infty}a_n=\infty$, $\lim_{n\to\infty}(a_n-b_n)=1$일 때, $\lim_{n\to\infty}\frac{b_n}{a_n}=1$이다.

⑤ $a_n=\sin\frac{n\pi}{2}$일 때, $\lim_{n\to\infty}a_{2n-1}=0$이다.

06

5지선다 4점

수렴하는 수열 $\{a_n\}$에 대하여 $\lim_{n\to\infty}\frac{5^{n+1}+3^n a_n}{3^{n+1}-5^n a_n}=10$일 때, $\lim_{n\to\infty}a_n$의 값은?

① $-\frac{1}{3}$ ② $-\frac{1}{2}$ ③ $-\frac{1}{5}$

④ $\frac{1}{5}$ ⑤ $\frac{1}{3}$

07

5지선다 4점

다음 [보기] 중 옳은 것만을 있는 대로 고른 것은?

ㄱ. $\lim_{n\to\infty}\frac{1+2+2^2+2^3+\cdots+2^n}{2^n}=2$

ㄴ. 수열 $\{a_n\}$에 대하여 첫째항부터 제 n항까지의 합 S_n이 $S_n=(n+1)\times 2^n$일 때, $\lim_{n\to\infty}\frac{S_n}{a_n}$의 값은 2이다.

ㄷ. 자연수 n에 대하여 3^n의 양의 약수의 총합을 S_n이라 할 때, $\lim_{n\to\infty}\frac{3^n}{S_n}$의 값은 $\frac{2}{3}$이다.

① ㄱ ② ㄴ ③ ㄱ, ㄴ

④ ㄴ, ㄷ ⑤ ㄱ, ㄴ, ㄷ

08

5지선다 4점

자연수 k에 대하여

$$a_k=\lim_{n\to\infty}\frac{\left(\frac{5}{k}\right)^{n+1}}{\left(\frac{5}{k}\right)^n+4}$$

이라 할 때, $\sum_{k=1}^{15}ka_k$의 값은?

① 21 ② 22 ③ 23

④ 25 ⑤ 27

09

5지선다 4점

그림과 같이 자연수 n에 대하여 곡선 $y=2x^2$ 위의 점 $\mathrm{P}(n,\ 2n^2)$을 지나고 선분 OP에 수직인 직선 l이 y축과 만나는 점을 Q라고 할 때, $\lim_{n\to\infty}(\overline{\mathrm{OP}}-\overline{\mathrm{OQ}})$의 값은? (단, O는 원점이다.)

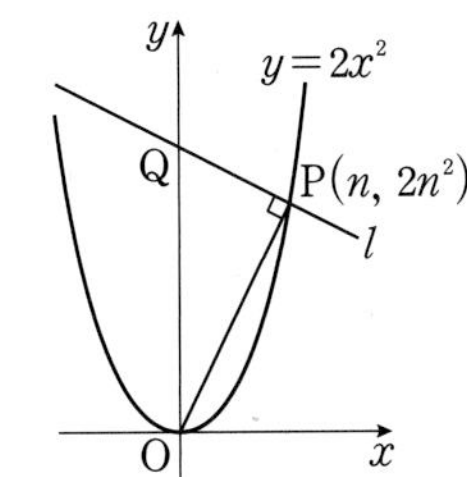

① $-\frac{1}{6}$ ② $-\frac{1}{5}$ ③ $-\frac{1}{4}$

④ $-\frac{1}{3}$ ⑤ $-\frac{1}{2}$

10

5지선다 4점

수열 $\{a_n\}$이 모든 자연수 n에 대하여

$$a_n>0,\ \frac{a_{n+1}}{a_n}<\frac{2023}{2025}$$

을 만족할 때, $\lim_{n\to\infty}\frac{3a_n+12n+5}{2a_n+4n-3}$의 값은?

① $\frac{3}{2}$ ② $\frac{5}{2}$ ③ 3

④ 4 ⑤ 5

11

5지선다 4점

$-1\le x\le 7$에서 정의된 함수 $y=f(x)$의 그래프가 다음과 같을 때,

$\lim_{n\to\infty}\frac{2^n f(a)+|2^n f(a)+1|}{4\times 2^{n-1}}=1$을 만족시키는 모든 상수 a의 개수는?

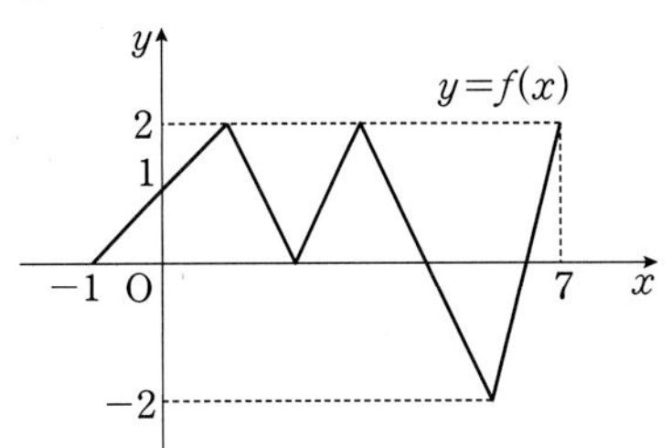

① 1 ② 2 ③ 3

④ 4 ⑤ 5

12

5지선다 4점

다음 [보기]의 설명 중 옳은 것만을 있는 대로 고른 것은?

ㄱ. 수열 $\{a_n\}$의 첫째항부터 제 n항까지의 합 S_n이 $S_n=\frac{2n-1}{\sqrt{n^2+1}+n}$일 때, 급수 $\sum_{n=1}^{\infty}a_n$의 값은 1이다.

ㄴ. 수열 $\{a_n\}$에 대하여 $a_1=8$이고 $\lim_{n\to\infty}a_n=3$일 때, $\sum_{n=1}^{\infty}(a_n-a_{n+1})$의 값은 5이다.

ㄷ. 급수 $\frac{1}{3^2-1}+\frac{1}{5^2-1}+\frac{1}{7^2-1}+\cdots$의 합은 $\frac{1}{4}$이다.

ㄹ. 수열 $\{a_n\}$에 대하여 $\sum_{n=1}^{\infty}(a_n-1)=2$일 때, $\lim_{n\to\infty}\frac{a_n+2}{3a_n-2}$의 값은 -1이다.

① ㄱ ② ㄴ, ㄷ ③ ㄷ, ㄹ

④ ㄱ, ㄴ, ㄷ ⑤ ㄱ, ㄴ, ㄷ, ㄹ

13

5지선다 4점

모든 항이 양수인 수열 $\{a_n\}$에 대하여 급수 $\sum_{n=1}^{\infty}\left(2-\frac{a_n}{3^n}\right)$이 수렴할 때, $\lim_{n\to\infty}\frac{4a_n-3^{n+1}}{3a_n+2^n}$의 값은?

① $\frac{1}{3}$ ② $\frac{1}{2}$ ③ $\frac{2}{3}$
④ $\frac{4}{3}$ ⑤ $\frac{5}{6}$

14

5지선다 4점

다음 급수 중 수렴하는 것은?

① $\frac{3}{2}+\frac{4}{5}+\frac{5}{8}+\cdots+\frac{n+2}{3n-1}+\cdots$

② $\sum_{n=1}^{\infty}\frac{n^2}{2n^2-1}$

③ $\sum_{n=1}^{\infty}(\sqrt{n^2+n}-n)$

④ $\sum_{n=1}^{\infty}\frac{2}{(n+1)(n+2)}$

⑤ $\sum_{n=1}^{\infty}\frac{n^3}{n^2+1}$

15

5지선다 4점

수열 $\{a_n\}$에 대하여 다음 중 옳지 않은 것은?

① $\sum_{n=1}^{\infty}a_n$이 수렴하면 $\lim_{n\to\infty}a_n=0$이다.

② $\lim_{n\to\infty}a_n\neq 0$이면 $\sum_{n=1}^{\infty}a_n$은 발산한다.

③ 두 급수 $\sum_{n=1}^{\infty}a_n$, $\sum_{n=1}^{\infty}b_n$이 수렴하면 $\sum_{n=1}^{\infty}(a_n+b_n)$도 수렴한다.

④ $\sum_{n=1}^{\infty}\frac{1}{a_n}$이 수렴하면 $\sum_{n=1}^{\infty}a_n$은 발산한다.

⑤ $\sum_{n=1}^{\infty}a_n$, $\sum_{n=1}^{\infty}b_n$이 수렴하면 $\sum_{n=1}^{\infty}a_n\times\sum_{n=1}^{\infty}b_n=\sum_{n=1}^{\infty}a_nb_n$이다.

16

5지선다 4점

다음 [보기] 중 급수의 합이 옳은 것만을 있는 대로 고른 것은?

ㄱ. $\frac{1}{2^2+2}+\frac{1}{3^2+3}+\frac{1}{4^2+4}+\cdots=\frac{1}{2}$

ㄴ. $\frac{1}{2^2-1}+\frac{1}{3^2-1}+\frac{1}{4^2-1}+\cdots=\frac{3}{4}$

ㄷ. $\frac{1}{3}+\frac{1}{15}+\frac{1}{35}+\frac{1}{63}+\frac{1}{99}+\cdots=\frac{1}{2}$

① ㄱ ② ㄴ ③ ㄱ, ㄴ
④ ㄴ, ㄷ ⑤ ㄱ, ㄴ, ㄷ

17

5지선다 4점

급수

$$\sum_{n=1}^{\infty}\left(\frac{1}{2}\right)^n \sin\frac{n\pi}{2}+\sum_{n=1}^{\infty}\left(\frac{1+\cos n\pi}{5}\right)^n$$

의 합이 $\frac{p}{q}$일 때, $p+q$의 값은? (단, p, q는 서로소인 양의 정수)

① 160 ② 167 ③ 172
④ 178 ⑤ 187

18

5지선다 4점

1보다 큰 자연수 n에 대하여 방정식

$$x^n=(-3)^{n-1}$$

의 실근의 개수를 a_n이라 할 때, $\sum_{n=2}^{\infty}\frac{2a_n}{5^n}$의 값은?

① $\frac{1}{80}$ ② $\frac{1}{70}$ ③ $\frac{1}{60}$
④ $\frac{1}{50}$ ⑤ $\frac{1}{40}$

19

5지선다 4점

이차방정식 $9x^2-7x+1=0$의 두 근을 α, β라고 할 때,

$\frac{1}{\beta-\alpha}\sum_{n=1}^{\infty}(\beta^n-\alpha^n)$의 값은?

① $\frac{2}{3}$ ② 2 ③ $\frac{5}{3}$
④ $\frac{7}{2}$ ⑤ 3

20

5지선다 4점

한 번 생산된 알루미늄은 80%가 수거되고 수거된 알루미늄의 75%가 재처리 과정을 거쳐서 재생산된다고 하자. 10000kg의 알루미늄으로 이와 같은 수거와 재처리 과정을 한없이 반복할 때, 재생산되는 알루미늄의 총 무게의 합은?

① 15000kg ② 20000kg ③ 25000kg
④ 30000kg ⑤ 35000kg

서 술 형 21번 ~ 24번 5점

21

서술형 5점

수열 $\{a_n\}$에 대하여 이차함수 $y=x^2-3(n+1)x+a_n$의 그래프는 x축과 만나고, 이차함수 $y=x^2-3nx+a_n$의 그래프는 x축과 만나지 않는다. $\lim_{n\to\infty}\frac{a_n}{n^2}$의 값을 구하는 과정을 다음 단계로 서술하여라.

[1단계] 이차함수 $y=x^2-3(n+1)x+a_n$의 그래프가 x축과 만나도록 하는 a_n의 범위를 구한다.

[2단계] 이차함수 $y=x^2-3nx+a_n$의 그래프는 x축과 만나지 않도록 하는 a_n의 범위를 구한다.

[3단계] $\lim_{n\to\infty}\frac{a_n}{n^2}$의 값을 구한다.

[4단계] 구한 답이 문제의 뜻에 맞는지 확인한다.

22

서술형 5점

등비수열 $\left\{\left(\frac{2x+1}{5}\right)^n\right\}$과 등비급수 $\sum_{n=1}^{\infty}(x-3)\left(3-\frac{x}{4}\right)^{n-1}$이 수렴하도록 하는 정수의 개수를 각각 a, b라 할 때, $a+b$의 값을 구하는 과정을 다음 단계로 서술하여라.

[1단계] 등비수열 $\left\{\left(\frac{2x+1}{5}\right)^n\right\}$이 수렴하도록 하는 정수 x의 개수 a를 구한다.

[2단계] 등비급수 $\sum_{n=1}^{\infty}(x-3)\left(3-\frac{x}{4}\right)^{n-1}$이 수렴하도록 하는 정수 x의 개수 b를 구한다.

[3단계] $a+b$의 값을 구한다.

23

서술형 5점

공비가 같은 두 등비수열 $\{a_n\}$, $\{b_n\}$에 대하여

$$a_1-b_1=6,\ \sum_{n=1}^{\infty}a_n=14,\ \sum_{n=1}^{\infty}b_n=2$$

일 때, $\sum_{n=1}^{\infty}a_nb_n$의 값을 구하는 과정을 다음 단계로 서술하여라.

[1단계] 조건을 만족하는 두 등비수열 $\{a_n\}$, $\{b_n\}$의 첫째항과 공비를 구한다.

[2단계] 두 등비수열의 일반항 a_n, b_n을 구한다.

[3단계] 등비급수 $\sum_{n=1}^{\infty}a_nb_n$을 구한다.

24

서술형 5점

그림과 같이 $\overline{A_1B_1}=3$, $\overline{B_1C_1}=1$인 직사각형 $OA_1B_1C_1$이 있다. 중심이 C_1이고 반지름의 길이가 $\overline{B_1C_1}$인 원과 선분 OC_1의 교점을 D_1, 중심이 O이고 반지름의 길이가 $\overline{OD_1}$인 원과 선분 A_1B_1의 교점을 E_1이라 하자. 직사각형 $OA_1B_1C_1$에 호 B_1D_1, 호 D_1E_1, 선분 B_1E_1로 둘러싸인 ◸ 모양의 도형을 그리고 색칠하여 얻은 그림을 R_1이라 하자. 그림 R_1에 선분 OA_1 위의 점 A_2와 호 D_1E_1 위의 점 B_2, 선분 OD_1 위의 점 C_2와 점 O를 꼭짓점으로 하고 $\overline{A_2B_2}:\overline{B_2C_2}=3:1$인 직사각형 $OA_2B_2C_2$를 그리고, 그림 R_1을 얻은 것과 같은 방법으로 직사각형 $OA_2B_2C_2$에 ◸ 모양의 도형을 그리고 색칠하여 얻은 그림을 R_2라 하자. 이와 같은 과정을 계속하여 n번째 얻은 그림 R_n에 색칠되어 있는 부분의 넓이를 S_n이라 할 때, $\lim_{n\to\infty}S_n$의 값을 구하는 과정을 다음 단계로 서술하여라.

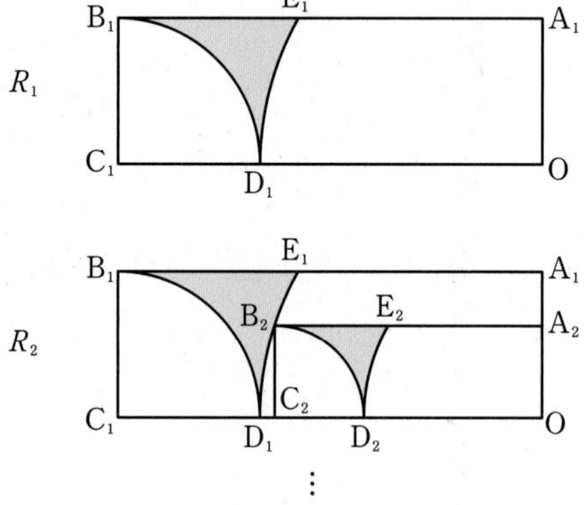

[1단계] S_1의 값을 구한다.

[2단계] 닮음을 이용하여 공비를 구한다.

[3단계] $\lim_{n\to\infty}S_n$의 값을 구한다.

SYNERGY FINAL TEST

내신 1등급
미분법
모의평가

총 3회 / 회당 24문제 5지선다형 20문제(4점) 서술형 4문제(5점)

SYNERGY FINAL TEST

FINAL STEP

01 미분법 모의평가

MAPL; SYNERGY

대상 고등학교 3학년
과목코드 01
시간 50분
배점 100점 만점 총 24문제
(4점 × 20문제 – 객관식)
(5점 × 04문제 – 서술형)

01

5지선다 4점

$\lim_{x\to0}\dfrac{e^{6x}-1}{\ln(1+3x)}$의 값은?

① 1　② 2　③ 3
④ 4　⑤ 5

02

5지선다 4점

두 상수 a, b에 대하여

$$f(x)=\begin{cases}\dfrac{e^{2x}-\sin3x+a}{2x} & (x\neq0)\\ b & (x=0)\end{cases}$$

가 $x=0$에서 연속일 때, $a+b$의 값은?

① -2　② $-\dfrac{3}{2}$　③ -1
④ $-\dfrac{1}{2}$　⑤ 0

03

5지선다 4점

$\sin\alpha+\cos\beta=\dfrac{1}{2}$, $\cos\alpha+\sin\beta=\dfrac{1}{4}$일 때,

$\sin(\alpha+\beta)$의 값은?

① $-\dfrac{15}{16}$　② $-\dfrac{7}{8}$　③ $-\dfrac{13}{16}$
④ $-\dfrac{27}{32}$　⑤ $-\dfrac{25}{32}$

04

5지선다 4점

자연수 n에 대하여

$$f(n)=\lim_{x\to0}\frac{\sin x+\sin2x+\sin3x+\cdots+\sin nx}{x}$$

일 때, $f(n)=45$를 만족시키는 자연수 n의 값은?

① 7　② 8　③ 9
④ 10　⑤ 11

05

5지선다 4점

다음 극한값이 가장 큰 것은?

① $\lim_{x\to0}\dfrac{\sin(x^2+4x)}{3x^2-2x}$

② $\lim_{x\to0}\dfrac{\sin5x-\sin3x}{\ln(1+2x)}$

③ $\lim_{x\to0}\dfrac{2(\tan x-\sin x)}{x^3}$

④ $\lim_{x\to\pi}\dfrac{(x-\pi)\sin2x}{1+\cos x}$

⑤ $-\dfrac{\sin\left(\dfrac{\pi}{2}+\theta\right)\tan\theta}{\sin(2\pi-\theta)\cos^2(-\theta)}+\dfrac{\sin(\pi+\theta)\tan^2(\pi-\theta)}{\cos\left(\dfrac{\pi}{2}-\theta\right)}$

06

5지선다 4점

오른쪽 그림과 같이 반지름의 길이가 1이고 중심각의 크기가 $\dfrac{\pi}{2}$인 부채꼴 OAB가 있다. 호 AB 위의 점 P에 대하여 직선 OA에 수직이고 점 A를 지나는 직선이 직선 OP와 만나는 점을 Q라 하자.

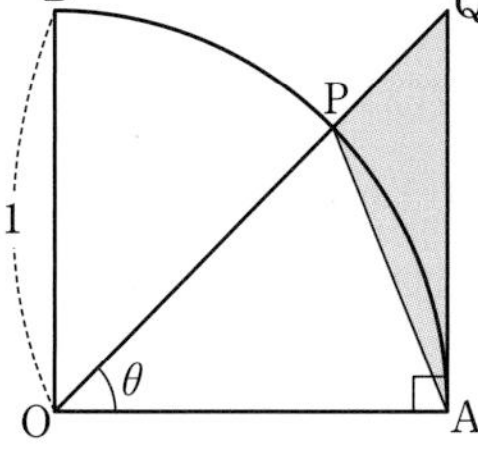

$\angle\mathrm{AOP}=\theta\left(0<\theta<\dfrac{\pi}{2}\right)$일 때,

삼각형 AQP의 넓이를 $S(\theta)$라 하자. $\lim_{\theta\to0+}\dfrac{S(\theta)}{\theta^3}$의 값은?

① $\dfrac{1}{5}$　② $\dfrac{1}{4}$　③ $\dfrac{1}{2}$
④ 4　⑤ 5

07

5지선다 4점

미분가능한 두 함수 $f(x)$와 $g(x)$가

$$f(2)=4,\ f'(2)=1,\ g(1)=2,\ g'(1)=5$$

를 만족시킬 때, $\lim_{x\to1}\frac{f(g(x))-4}{x-1}$의 값은?

① 1 ② 2 ③ 3
④ 4 ⑤ 5

08

5지선다 4점

함수 $f(x)=xe^{ax+b}$가

$$f'(0)=e^4,\ f''(0)=8e^4$$

을 만족시킬 때, 상수 a, b에 대하여 ab의 값은?

① 4 ② 12 ③ 16
④ $4e^2$ ⑤ $12e$

09

5지선다 4점

함수 $f(x)=x^3+x\ln(2x-1)$에 대하여

$\lim_{h\to0}\frac{f(1+2h)-f(1)}{h}$의 값은?

① 4 ② 6 ③ 8
④ 10 ⑤ 12

10

5지선다 4점

자연수 n에 대하여 매개변수 $t(t>0)$로 나타내어진 곡선

$$x=nt^2+t,\ y=\frac{n}{3}t^3+8t-10$$

에서 $t=3$에 대응하는 점에서의 접선의 기울기를 $f(n)$이라 하자. $\lim_{n\to\infty}f(n)$의 값은?

① 1 ② $\frac{1}{2}$ ③ $\frac{3}{2}$
④ 2 ⑤ 2

11

5지선다 4점

방정식

$$x^3+y^3+axy+b=0$$

의 그래프 위의 점 $(1,\ 2)$에서의 접선의 기울기가 $\frac{1}{10}$일 때, 상수 a, b에 대하여 $a+b$의 값은?

① -7 ② -3 ③ 0
④ 3 ⑤ 5

12

5지선다 4점

실수 전체의 집합에서 증가하고 미분가능한 함수 $f(x)$에 대하여 곡선 $y=f(x)$ 위의 점 $(9,\ 2)$에서의 접선의 기울기가 $\frac{2}{3}$이다. 함수 $f(3x)$의 역함수를 $g(x)$라고 할 때, 곡선 $y=g(x)$ 위의 점 $(2,\ a)$에서의 접선의 기울기는 b이다. 이때 상수 a, b에 대하여 $a+2b$의 값은?

① 1 ② 2 ③ 3
④ 4 ⑤ 5

13

5지선다 4점

점 (3, 0)에서 곡선 $y=xe^{3x}$에 그은 두 접선의 기울기를 m_1, m_2라 고 할 때, m_1m_2의 값은?

① $\frac{1}{e}$　② 1　③ e^3　④ e^6　⑤ e^9

14

5지선다 4점

함수

$$f(x)=(x^2-3a)e^x$$

이 극댓값과 극솟값을 모두 갖도록 하는 실수 a의 값은?

① $a>-\frac{1}{3}$　② $a>-\frac{1}{2}$　③ $a>-1$　④ $a<\frac{1}{2}$　⑤ $a<1$

15

5지선다 4점

곡선 $y=(\ln ax)^2$의 변곡점이 직선 $y=3x-2$ 위에 있을 때, 양수 a의 값은?

① $\frac{e}{2}$　② e　③ $2e$　④ $3e$　⑤ $4e$

16

5지선다 4점

함수 $f(x)=\frac{1}{x}\ln x$에 대하여 옳은 것을 [보기]에서 고른 것은?

ㄱ. 함수 $f(x)$의 최댓값은 $\frac{1}{e}$이다.

ㄴ. $2020^{2022}>2022^{2020}$

ㄷ. $0<a<b<e$일 때, $f\left(\frac{a+b}{2}\right)>\frac{f(a)+f(b)}{2}$이다.

① ㄱ　② ㄷ　③ ㄱ, ㄴ　④ ㄴ, ㄷ　⑤ ㄱ, ㄴ, ㄷ

17

5지선다 4점

모든 실수 x에 대하여 부등식

$$ke^x\geq x$$

가 성립할 때, 상수 k의 최솟값은?

① 1　② e　③ $\frac{1}{e}$　④ $\frac{2}{e^2}$　⑤ $2e^2$

18

5지선다 4점

닫힌구간 $[\pi, 3\pi]$에서 함수

$$f(x)=x\sin x+\cos x$$

의 최댓값을 M, 최솟값을 m이라 할 때, $M+m$의 값은?

① $-\pi$　② $-\frac{\pi}{2}$　③ $\frac{\pi}{2}$　④ π　⑤ 2π

19

5지선다 4점

방정식 $x^2-\frac{2}{x}+k=0$의 서로 다른 실근의 개수가 2 이상이 되도록 하는 실수 k의 값의 범위는?

① $k>-3$　② $k\geq-2$　③ $k\leq-1$
④ $k\leq-3$　⑤ $k\leq-2$

20

5지선다 4점

좌표평면 위를 움직이는 점 P의 시각 t에서의 위치 (x, y)가

$$x=3t+1,\ y=t-\frac{1}{3}t^3$$

이다. 점 P의 속도의 크기가 3일 때의 가속도의 크기는?

① $\sqrt{2}$　② $\sqrt{3}$　③ 2
④ $\sqrt{5}$　⑤ $\sqrt{6}$

서 술 형

21번 ~ 24번　5점

21

서술형 5점

곡선 $y=e^{1-x^2}$의 두 변곡점에서의 접선과 x축으로 둘러싸인 부분의 넓이를 구하는 과정을 다음 단계로 서술하여라.

[1단계] 곡선의 두 변곡점의 좌표를 구한다.
[2단계] 두 변곡점에서의 접선의 방정식을 구한다.
[3단계] 두 변곡점에서의 접선과 x축으로 둘러싸인 부분의 넓이를 구한다.

22

서술형 5점

오른쪽 그림과 같이 길이가 5m인 막대가 지면에 수직인 벽에 걸쳐 있다. 지면과 닿아 있는 막대의 한쪽 끝과 벽으로부터의 거리가 xm일 때, 벽에 닿아 있는 다른 한 쪽 끝의 높이를 ym라 하자.

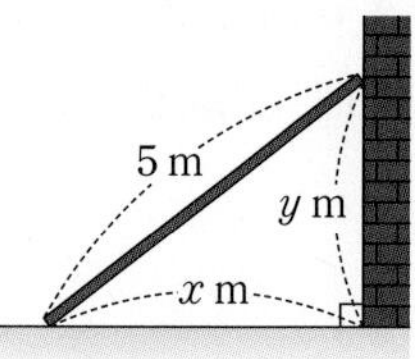

이 막대가 지면과 벽을 따라 미끄러질 때, 다음 단계로 구하는 과정을 서술하여라. (단, 막대의 두께는 고려하지 않는다.)

[1단계] x, y 사이의 관계식을 구한다.

[2단계] x에 대한 y의 변화율 $\frac{dy}{dx}$를 구한다.

[3단계] $x=4$일 때, $\frac{dy}{dx}$의 값을 구한다.

23

서술형 5점

함수 $f(x)=\ln(e^x+1)$의 역함수를 $g(x)$라고 할 때, 양수 a에 대하여 $\frac{1}{f'(a)}+\frac{1}{g'(a)}$의 값을 구하는 과정을 다음 단계로 서술하여라.

[1단계] 양수 a에 대하여 $f'(a)$를 구한다.

[2단계] 두 함수 $f(x)$와 $g(x)$가 서로 역함수 관계임을 이용하여 $\frac{1}{g'(a)}$의 값을 구한다.

[3단계] $\frac{1}{f'(a)}+\frac{1}{g'(a)}$의 값을 구한다.

24

서술형 5점

오른쪽 그림은 반지름의 길이가 1인 반원에서 지름 AB를 한 변으로 하고 반원에 내접하며 $\overline{AD}=\overline{BC}$인 사다리꼴 ABCD의 넓이의 최댓값을 구하는 과정을 다음 단계로 서술하여라.

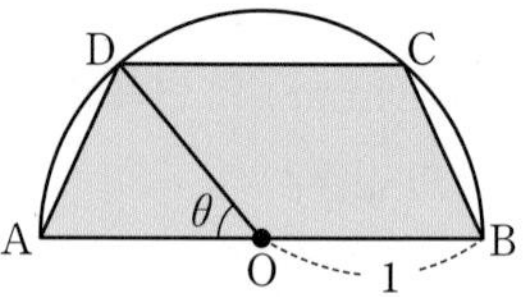

[1단계] $\angle AOD=\theta$라 할 때, 사다리꼴 ABCD의 넓이를 $S(\theta)$라 할 때, $S(\theta)$를 θ에 관한 삼각함수로 나타낸다.

[2단계] $S(\theta)$가 최대가 되는 θ의 값을 구한다.

[3단계] $S(\theta)$의 최댓값을 구한다.

미분법 모의평가

대상 고등학교 3학년
과목코드 01
시간 50분
배점 100점 만점 총 24문제 (4점 × 20문제 – 객관식) (5점 × 04문제 – 서술형)

01

5지선다 4점

다음 극한값이 가장 큰 것은?

① $\lim_{x\to0}\frac{e^{2x}-e^{-2x}}{x}$

② $\lim_{x\to0}\frac{\ln(1+10x)}{e^{2x}-1}$

③ $\lim_{x\to0}\frac{(e^{x}-1)\ln(1-2x)}{x^2}$

④ $\lim_{x\to\infty}x\{\ln(x+2)-\ln x\}$

⑤ $\lim_{x\to0}\frac{e^{4x}-e^{x}}{\ln(3x+1)}$

02

5지선다 4점

자연수 n에 대하여

$$f(n)=\lim_{x\to0}\frac{x}{\ln(1+x)+\ln(1+2x)+\cdots+\ln(1+nx)}$$

이 성립할 때, $\sum_{n=1}^{\infty}f(n)$의 값은?

① 2 ② 3 ③ 4 ④ 5 ⑤ 6

03

5지선다 4점

다음 그림과 같이 벽에 세로의 길이가 hm인 액자가 걸려있다. 바닥에서 액자의 아래 끝까지의 높이는 2.5m이고, 바닥에서 흥민이의 눈까지의 높이는 1.5m이다. 흥민이가 벽에서 5m떨어진 지점에서 액자를 올려다 볼 때 액자의 아래 끝과 위 끝을 바라본 시선이 이루는 각의 크기를 θ라 하면 $\tan\theta=\frac{1}{6}$이다. 액자의 세로의 길이는?

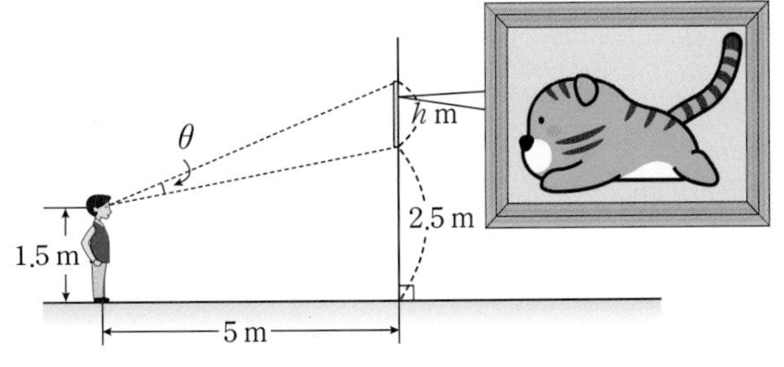

① $\frac{13}{17}$m ② $\frac{23}{29}$m ③ $\frac{26}{29}$m ④ $\frac{27}{29}$m ⑤ $\frac{13}{12}$m

04

5지선다 4점

함수

$$f(x)=\begin{cases}ax^2+1 & (x\le1)\\ \ln bx & (x>1)\end{cases}$$

가 $x=1$에서 미분가능할 때, 상수 a, b에 대하여 ab의 값은?

① $\frac{1}{2}\sqrt{e}$ ② $\frac{1}{2}e$ ③ $\frac{1}{2}e\sqrt{e}$ ④ $2e\sqrt{e}$ ⑤ $5e$

05

5지선다 4점

다음 조건을 만족하는 극한값을 a, b, c, d라 할 때, $abcd$의 값은?

(가) $\lim_{x\to0}\frac{2x+\sin3x}{\sin x}=a$

(나) $\lim_{x\to0}\frac{1-\cos2x}{x^2}=b$

(다) $\lim_{x\to\frac{\pi}{2}}\frac{\sin x-1}{\left(x-\frac{\pi}{2}\right)^2}=c$

(라) $\lim_{x\to\frac{\pi}{2}}(\pi-2x)\tan x=d$

① -10 ② -8 ③ -4 ④ 8 ⑤ 10

06

5지선다 4점

함수 $f(x)=e^{x}\cos x$에 대하여 $\lim_{h\to0}\frac{f(\pi+h)-f(\pi-h)}{h}$의 값은?

① $-2e^{\pi}$ ② $-2e^{\frac{\pi}{2}}$ ③ $2e^{\pi}$ ④ $2e^{\frac{3}{2}\pi}$ ⑤ $e^{3\pi}$

07
5지선다 4점

다음 두 조건을 만족하는 상수 a, b에 대하여 $2a+e^2b$의 값은?

(가) $f(x)=\ln(x^2+2x)$일 때, $\sum_{n=1}^{\infty}\frac{f'(n)}{n+1}$의 값은 a이다.

(나) 함수 $f(x)=\frac{\ln x}{x^n}$(n은 자연수)의 극값을 a_n이라 할 때, $\sum_{n=1}^{\infty}a_n a_{n+1}$의 값은 b이다.

① 1 ② 2 ③ 3
④ 4 ⑤ 5

08
5지선다 4점

매개변수 $t(t>0)$으로 나타내어진 함수

$$x=t^2+1,\ y=\frac{2}{3}t^3+10t-1$$

에서 $t=1$일 때, $\frac{dy}{dx}$의 값은?

① 1 ② 2 ③ 3
④ 6 ⑤ 7

09
5지선다 4점

곡선

$$x^3-2x^2y+y^2=9$$

위의 한 점 $(1,\ a)$에서 $\frac{dy}{dx}$의 값이 $\frac{11}{6}$일 때, a의 값은?

① -2 ② -1 ③ 1
④ 2 ⑤ 4

10
5지선다 4점

두 함수

$$f(x)=\cos x,\ g(x)=\frac{2x}{x^2+1}$$

에 대하여 함수 $h(x)$를 $h(x)=(g\circ f)(x)$라 할 때, $h'\left(\frac{\pi}{2}\right)$의 값은?

① -2 ② -1 ③ 0
④ 1 ⑤ 2

11
5지선다 4점

함수 $f(x)$가 미분가능하고

$$\lim_{x\to 3}\frac{f(x)-5}{x-3}=\frac{1}{4}$$

이다. 함수 $f(x)$의 역함수를 $g(x)$라고 할 때, $g(5)+g'(5)$의 값은?

① 1 ② 3 ③ 5
④ 7 ⑤ 9

12
5지선다 4점

곡선 $y=\ln(x+a)$가 직선 $y=x+1$에 접할 때, 상수 a의 값은?

① -2 ② -1 ③ 0
④ 1 ⑤ 2

13

5지선다 4점

원점에서 곡선

$$y=(x-a)e^{-x}$$

에 접선을 그을 수 없도록 하는 정수 a의 개수는?

① 2 ② 3 ③ 4
④ 5 ⑤ 6

14

5지선다 4점

함수 $f(x)=\frac{x^2+ax+b}{x-1}$가 $x=3$에서 극솟값 11을 가질 때, 상수 a, b에 대하여 ab의 값은?

① -10 ② -8 ③ -6
④ -4 ⑤ -2

15

5지선다 4점

함수 $f(x)=\ln(1+4x^2)-ax$가 극값을 갖지 않을 때, 양수 a의 최솟값은?

① 1 ② 2 ③ 3
④ 4 ⑤ 5

16

5지선다 4점

함수 $f(x)=ax^2+bx+\ln x$가 $x=1$에서 극대이고, 곡선 $y=f(x)$의 변곡점의 좌표가 $(2,\ f(2))$일 때, 상수 a, b에 대하여 $a-b$의 값은?

① $\frac{11}{8}$ ② $\frac{3}{2}$ ③ $\frac{13}{8}$
④ $\frac{7}{4}$ ⑤ $\frac{15}{8}$

17

5지선다 4점

함수 $f(x)=xe^x$에 대한 다음 설명 중 옳은 것을 모두 고르면?

ㄱ. $f(x)$는 $x=-1$에서 극솟값을 갖는다.
ㄴ. 함수 $f(x)=xe^x$의 변곡점은 존재하지 않는다.
ㄷ. $a<b<-2$에서 $f\left(\frac{a+b}{2}\right)>\frac{f(a)+f(b)}{2}$이다.

① ㄱ ② ㄴ ③ ㄱ, ㄷ
④ ㄴ, ㄷ ⑤ ㄱ, ㄴ, ㄷ

18

5지선다 4점

곡선 $y=\ln x^2$ 위의 점 $(a,\ \ln a^2)(0<a<e)$에서 그은 접선이 x축, y축과 만나는 점을 각각 P, Q라 할 때, 삼각형 POQ의 넓이의 최댓값은?

① $\frac{1}{e^3}$ ② $\frac{2}{e^2}$ ③ $\frac{4}{e}$
④ $\frac{e}{2}$ ⑤ e

19

5지선다 4점

방정식

$$x-\ln x-k=0$$

이 서로 다른 두 실근을 갖도록 하는 실수 k의 값의 범위는?

① $k<-1$ ② $k<-2$ ③ $k=2$
④ $k>1$ ⑤ $k>2$

20

5지선다 4점

좌표평면 위를 움직이는 점 P의 시각 t에서의 위치 $(x,\ y)$가

$$x=\cos t+t\sin t,\ y=\sin t-t\cos t$$

일 때, 시각 $t=\frac{\pi}{3}$에서의 점 P의 속력은?

① $\frac{\pi}{6}$ ② $\frac{\pi}{3}$ ③ $\frac{\pi}{2}$
④ $\frac{2\pi}{3}$ ⑤ π

서 술 형

21번 ~ 24번 5점

21

서술형 5점

오른쪽 그림과 같이 반지름의 길이가 8인 사분원 위의 한 점 A에서 반지름 OB에 내린 수선의 발을 H라 하고 $\angle AOB=\theta$라고 할 때, $\lim_{\theta \to 0+}\frac{\overline{BH}}{\theta^2}$의 값을 구하는 과정을 다음 단계로 서술하여라.

[1단계] 직각삼각형 OHA에서 $\overline{OH}$의 길이를 구한다.

[2단계] $\overline{BH}$의 길이를 구한다.

[3단계] $\lim_{\theta \to 0+}\frac{\overline{BH}}{\theta^2}$의 값을 구한다.

22

서술형 5점

다음 도함수를 정의를 이용하여 구하는 과정을 서술하여라.

[1단계] $y=e^x$의 도함수를 $\lim_{x \to 0}\frac{e^x-1}{x}=1$을 이용하여 구한다.

[2단계] $y=e^{2x+1}$의 도함수를 $\lim_{x \to 0}\frac{e^x-1}{x}=1$을 이용하여 구한다.

[3단계] $y=\ln x$의 도함수를 $\lim_{x \to 0}(1+x)^{\frac{1}{x}}=e$를 이용하여 구한다.

23

서술형 5점

모든 양의 실수 x에 대하여 부등식

$$(\ln x)^2-4\ln x \geq k$$

가 성립하도록 하는 실수 k의 최댓값을 구하는 과정을 다음 단계로 서술하여라.

[1단계] $f(x)=(\ln x)^2-4\ln x$로 놓고 $x>0$에서 증감표를 작성한다.

[2단계] $x>0$에서 함수 $y=f(x)$의 최솟값을 구한다.

[3단계] 실수 k의 범위를 구하여 k의 최댓값을 구한다.

24

서술형 5점

그림과 같이 곡선 $y=e^x$ 위를 움직이는 점 P와 직선 $y=x-1$ 사이의 거리의 최솟값을 구하는 과정을 다음 단계로 서술하여라.

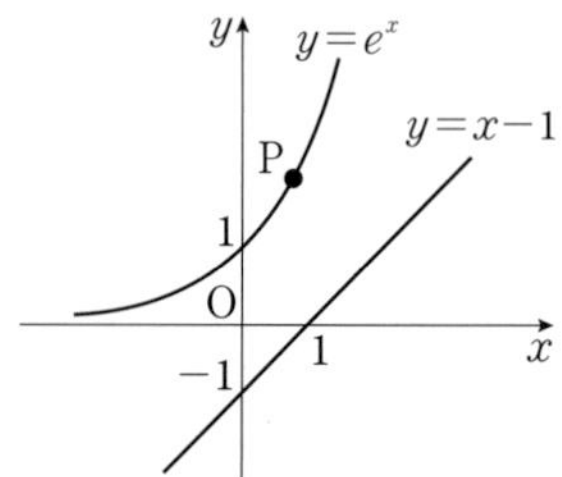

[1단계] 거리가 최소일 때, 점 P의 위치를 서술한다.

[2단계] 점 P에서 직선 $y=x-1$까지 거리가 최소가 될 때 점 P의 좌표를 구한다.

[3단계] 거리의 최솟값을 구한다.

03 미분법 모의평가

M A P L ; S Y N E R G Y

대상 고등학교 3학년
과목코드 01
시간 50분
배점 100점 만점 총 24문제 (4점 × 20문제 – 객관식) (5점 × 04문제 – 서술형)

01

5지선다 4점

다음 극한값이 가장 큰 것은?

① $\lim_{x\to0}\frac{\ln(1+2x)}{x^2+x}$

② $\lim_{x\to0}\frac{2x\sin x}{1-\cos x}$

③ $\lim_{x\to0}\frac{\ln(e+x)-\ln e}{x}$

④ $\lim_{x\to1}\frac{\ln x}{1-x}$

⑤ $\lim_{x\to4}\left(\frac{x}{4}\right)^{\frac{3}{4-x}}$

02

5지선다 4점

$\tan(\alpha+\beta)=\sqrt{3}$이고 $\tan\alpha=\frac{\sqrt{3}}{2}$일 때, $\tan\beta$의 값은?

$\left(\text{단, } 0<\alpha<\frac{\pi}{2},\ 0<\beta<\frac{\pi}{2}\right)$

① $\frac{\sqrt{2}}{5}$ ② $\frac{\sqrt{3}}{5}$ ③ $\frac{\sqrt{3}}{4}$

④ $\frac{\sqrt{2}}{2}$ ⑤ $\frac{\sqrt{2}}{3}$

03

5지선다 4점

두 상수 a, b에 대하여

$$\lim_{x\to0}\frac{(e^x-1)\ln(1+x)}{a+b\cos^2 x}=\frac{1}{3}$$

일 때, ab의 값은?

① -9 ② -6 ③ -3

④ 1 ⑤ 9

04

5지선다 4점

함수 $f(x)=\ln(x^3+1)-2x$에 대하여

$\lim_{h\to0}\frac{f(1+h)-f(1-h)}{h}$의 값은?

① -1 ② $-\frac{1}{2}$ ③ 0

④ $\frac{1}{2}$ ⑤ 1

05

5지선다 4점

오른쪽 그림과 같이 $\angle C=\frac{\pi}{2}$, $\angle B=\theta$, $\overline{BC}=10$인 직각삼각형 ABC가 있다. 점 C에서 변 AB에 내린 수선의 발을 H라 할 때, $\lim_{\theta\to0+}\frac{\overline{AH}}{\theta^2}$의 값은?

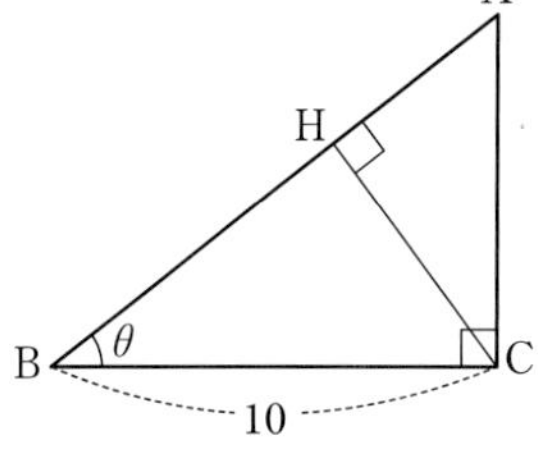

① 1 ② 2 ③ 5

④ 10 ⑤ 20

06

5지선다 4점

함수 $y=\frac{x(x-1)^2}{(x+1)^3}$에 대하여 $x=2$에서의 미분계수는?

① $\frac{1}{12}$ ② $\frac{1}{10}$ ③ $\frac{1}{9}$

④ $\frac{4}{7}$ ⑤ $\frac{2}{9}$

07

5지선다 4점

함수 $f(x)=\frac{x^2+a}{x+1}$에 대하여 방정식 $f'(x)=0$의 한 근이 2일 때, $f'(x)=0$의 나머지 근은? (단, a는 상수)

① -6　② -5　③ -4　④ -3　⑤ -2

08

5지선다 4점

다음 조건을 만족하는 상수 a, b에 대하여 $\frac{b}{a}$의 값은?

(가) 곡선 $x+y+y^2=3$ 위의 점 $(1, -2)$에서의 접선의 기울기가 a이다.

(나) 함수 $f(x)=\frac{\sin x}{1+\cos x}$에 대하여 $x=\frac{\pi}{3}$에서의 접선의 기울기가 b이다.

① $\frac{1}{9}$　② $\frac{1}{2}$　③ $\frac{2}{3}$　④ 2　⑤ 3

09

5지선다 4점

실수 전체의 집합에서 미분가능한 두 함수 $f(x)$, $g(x)$가

$$\lim_{x\to 3}\frac{f(x)-4}{x-3}=2,\ (g\circ f)(x)=16x+1$$

을 만족시킬 때, $g'(4)$의 값은?

① 4　② 5　③ 6　④ 7　⑤ 8

10

5지선다 4점

매개변수 t로 나타낸 곡선

$$x=\ln t,\ y=t^2-4t$$

위의 임의의 점에서의 접선의 기울기를 $m(t)$라 하자. $m(t)$가 최소가 되도록 하는 곡선 위의 점을 $\mathrm{P}(a, b)$라 하고, $m(t)$의 최솟값을 c라 할 때. $a+b+c$의 값은?

① -5　② -3　③ -1　④ 1　⑤ 3

11

5지선다 4점

함수

$$f(x)=\begin{cases} x^2+ax+b & (x\geq 1) \\ \sin\pi x & (x<1)\end{cases}$$

가 $x=1$에서 미분가능할 때, 상수 a, b에 대하여 $a+2b$의 값은?

① -2π　② $-\pi-2$　③ $-\pi$　④ π　⑤ $\pi+2$

12

5지선다 4점

$x>0$에서 함수 $f(x)=x-\frac{2}{x}$의 역함수를 $g(x)$라 하자. 함수 $h(x)=\{g(x)\}^2$에 대하여 $h'(1)$의 값은?

① $\frac{7}{3}$　② $\frac{8}{3}$　③ 3　④ $\frac{10}{3}$　⑤ $\frac{11}{3}$

13

5지선다 4점

곡선 $y=\sin(\ln x^2)+1$ 위의 점 $(1, 1)$에서의 접선과 x축, y축으로 둘러싸인 도형의 넓이는?

① $\frac{1}{8}$ ② $\frac{1}{4}$ ③ $\frac{3}{8}$
④ $\frac{1}{2}$ ⑤ 1

14

5지선다 4점

실수 전체의 집합에서 정의된 두 함수

$$f(x)=\frac{x-1}{x^2+3},\ g(x)=-4\sin x-4\cos^2 x+4$$

에 대하여 함수 $(f\circ g)(x)$의 최댓값을 M, 최솟값을 m이라 할 때, Mm의 값은?

① $-\frac{2}{3}$ ② $-\frac{1}{3}$ ③ $-\frac{1}{12}$
④ $\frac{1}{6}$ ⑤ $\frac{2}{3}$

15

5지선다 4점

함수

$$f(x)=\ln x+\frac{a}{x}-x$$

가 극댓값과 극솟값을 모두 가질 때, a값의 범위는?

① $0<a<\frac{1}{6}$ ② $0<a<\frac{1}{4}$ ③ $0<a<\frac{1}{2}$
④ $a>2$ ⑤ $a>6$

16

5지선다 4점

다음은 열린구간 $(0, 2\pi)$에서 정의된 함수

$$f(x)=x+\sin x$$

에 대한 설명이다. [보기]에서 옳은 것은?

ㄱ. 함수 $f(x)$는 $x=\pi$에서 극값을 갖는다.
ㄴ. 함수 $f(x)$의 그래프는 아래로 볼록하다.
ㄷ. 함수 $(f\circ f)(x)$는 증가한다.
ㄹ. 곡선 $y=f(x)$의 변곡점에서의 접선은 $y=\pi$이다.

① ㄱ ② ㄷ ③ ㄷ, ㄹ
④ ㄴ, ㄷ ⑤ ㄱ, ㄴ, ㄷ

17

5지선다 4점

함수

$$f(x)=\frac{1}{2}ax^2+3\sin x+x$$

의 그래프가 변곡점을 갖도록 하는 정수 a의 개수는?

① 3 ② 4 ③ 5
④ 6 ⑤ 7

18

5지선다 4점

다음 그림과 같이 두 곡선 $y=e^x\ (x<0)$과 $y=e^{-x}\ (x>0)$ 위에 두 꼭짓점 A, B가 각각 놓여 있고, x축 위에 나머지 두 꼭짓점 C, D가 놓여 있는 직사각형 ABCD의 넓이의 최댓값은?

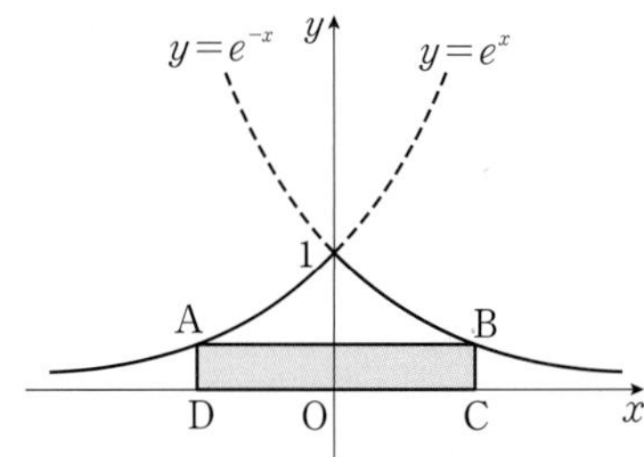

① $\frac{e}{2}$ ② e ③ 1
④ $\frac{1}{e}$ ⑤ $\frac{2}{e}$

19

5지선다 4점

직선 $y=kx$가 두 곡선 $y=e^x$, $y=\ln x$와 모두 만나지 않을 때, 양수 k의 값의 범위는?

① $\frac{1}{e}<k<e$　② $1<k<e$　③ $\frac{1}{e}<k<1$

④ $\frac{1}{e}<k<e^2$　⑤ $\frac{1}{e^2}<k<e^2$

20

5지선다 4점

그림과 같이 두 점 $\mathrm{O}(0,\ 0)$, $\mathrm{A}(2,\ 0)$을 지름의 양 끝 점으로 하는 원 위의 점 중 제 1사분면의 점을 P라 하자.

반직선 OP 위의 점 $\overline{\mathrm{PQ}}=2$를 만족시킨다. $\angle\mathrm{POA}=\theta$일 때, 점 Q의 y좌표를 $f(\theta)$라 하자. $f(\theta)$의 최댓값은?

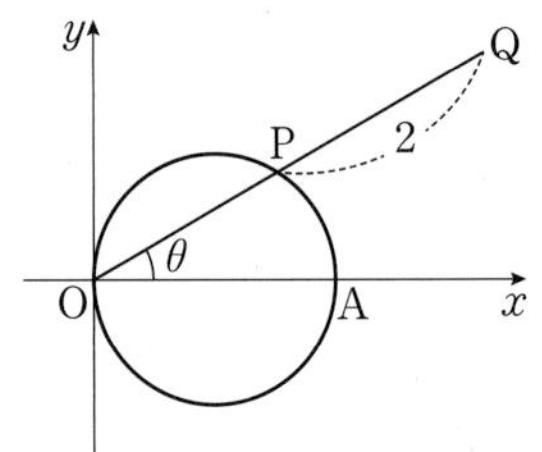

① $\sqrt{3}$　② $\frac{5\sqrt{3}}{4}$　③ $\frac{3\sqrt{3}}{2}$

④ $\frac{7\sqrt{3}}{4}$　⑤ $2\sqrt{3}$

서 술 형

21번 ~ 24번　5점

21

서술형 5점

오른쪽 그림과 같이 반지름의 길이가 2인 원 O에서 부채꼴 QOP의 넓이에서 부채꼴 BOA의 넓이를 뺀 값, 즉 색칠한 부분의 넓이를 $S(\theta)$라고 할 때, 다음 단계로 그 과정을 서술하여라.

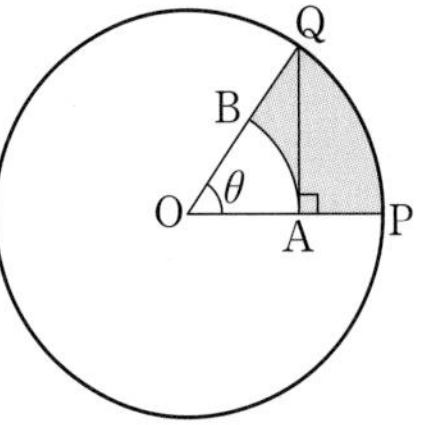

[1단계] 부채꼴 QOP, BOA의 넓이를 이용하여 색칠한 부분의 넓이 $S(\theta)$를 구한다.

[2단계] $\lim_{\theta\to0+}\frac{S(\theta)}{\theta^3}$를 구한다.

[3단계] $\lim_{\theta\to0+}\frac{S(\theta)}{\tan^3\theta}$를 구한다.

[4단계] $\lim_{\theta\to0+}\frac{(1-\cos\theta)S(\theta)}{\theta^5}$를 구한다.

22

서술형 5점

그림과 같이

$$\overline{\mathrm{AD}}\,/\!/\,\overline{\mathrm{BC}},\ \overline{\mathrm{AB}}=\overline{\mathrm{AD}}=\overline{\mathrm{DC}}=4$$

인 사다리꼴 ABCD에서 $\angle\mathrm{ABE}=\theta\left(0<\theta<\frac{\pi}{2}\right)$일 때, 넓이의 최댓값을 구하는 과정을 다음 단계로 서술하여라.

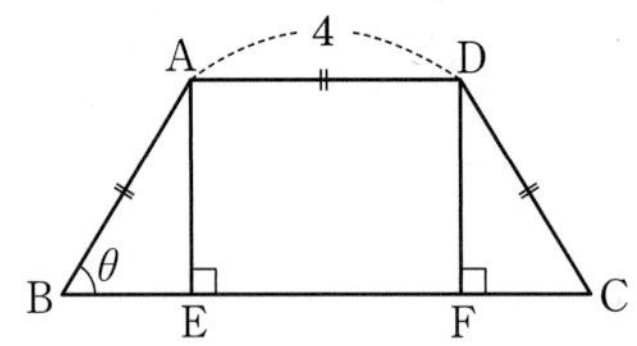

[1단계] 사다리꼴 ABCD의 넓이를 θ를 이용하여 나타낸다.

[2단계] $0<\theta<\frac{\pi}{2}$에서 넓이를 $S(\theta)$라 할 때, 증감표를 작성한다.

[3단계] 넓이의 최댓값을 구한다.

23

서술형 5점

$x\geq0$에서 $e^x\geq\frac{1}{2}x^2+x+k$이 성립하도록 하는 실수 k의 최댓값을 구하는 과정을 다음 단계로 서술하여라.

[1단계] 부등식을 $f(x)\geq k$의 꼴로 정리하여 $f'(x)$, $f''(x)$ 구한다.

[2단계] $x\geq0$에서 함수 $f(x)$의 최솟값을 구한다.

[3단계] $x\geq0$에서 $f(x)\geq k$가 성립하기 위한 실수 k의 최댓값을 구한다.

24

서술형 5점

좌표평면 위를 움직이는 점 $\mathrm{P}(x,\ y)$의 시각 t에서의 위치가

$$x=t+\sin t,\ y=2\cos t$$

일 때, 점 P의 속력이 최대가 되는 시각에서의 가속도의 크기를 다음 단계로 서술하여라.

[1단계] 점 P의 속도를 구한다.

[2단계] 점 P의 속력이 최대가 되는 $\cos t$의 값을 구한다.

[3단계] 점 P의 가속도를 구한다.

[4단계] 2단계에서의 속력이 최대가 되는 시각에서 점 P의 가속도의 크기를 구한다.

SYNERGY FINAL TEST

내신 1등급

적분법 모의평가

총 3회 / 회당 24문제 5지선다형 20문제(4점) 서술형 4문제(5점)

SYNERGY FINAL TEST

FINAL STEP 01

M A P L ; S Y N E R G Y

적분법 모의평가

대상 고등학교 3학년
과목코드 01
시간 50분
배점 100점 만점 총 24문제 (4점 × 20문제 – 객관식) (5점 × 04문제 – 서술형)

01

5지선다 4점

미분가능한 함수 $f(x)$에 대하여 $f(x)$의 한 부정적분 $F(x)$가

$$F(x)=xf(x)-\sqrt{x},\ F(1)=0$$

을 만족할 때, $f\left(\frac{1}{4}\right)$은?

① -2 ② -1 ③ 0
④ 1 ⑤ 2

02

5지선다 4점

함수

$$f(x)=(\ln 2)\int 2^x dx$$

에 대하여 $f(0)=1$일 때, $\sum_{n=1}^{\infty}\frac{1}{f(n)}$의 값은?

① $\frac{1}{2}$ ② 1 ③ $\frac{3}{2}$
④ 2 ⑤ $\frac{4}{3}$

03

5지선다 4점

다음 부정적분 중 옳은 것을 모두 고른 것은? (단, C는 적분상수)

ㄱ. $\int \frac{1}{x}dx=\ln x+C$

ㄴ. $\int \sec x dx=\tan x+C$

ㄷ. $\int \tan^2 x dx=\tan x-x+C$

ㄹ. $\int \frac{\sin^2 x}{1-\cos x}dx=x+\sin x+C$

① ㄱ ② ㄴ, ㄷ ③ ㄷ, ㄹ
④ ㄱ, ㄷ, ㄹ ⑤ ㄱ, ㄴ, ㄷ, ㄹ

04

5지선다 4점

곡선 $y=f(x)$ 위의 점 $(x,\ y)$에서의 접선의 기울기가 $(x+1)e^x$이다. 이 곡선이 점 $(0,\ 4)$를 지날 때, $f(1)$의 값은?

① $e-4$ ② $e-2$ ③ e
④ $e+2$ ⑤ $e+4$

05

5지선다 4점

연속함수 $f(x)$가

$$f(x)+f(-x)=x^2-1$$

을 만족할 때, $\int_{-1}^{1}f(x)dx$의 값은?

① -2 ② $-\frac{4}{3}$ ③ -1
④ $-\frac{2}{3}$ ⑤ $-\frac{1}{2}$

06

5지선다 4점

$f(x)=e^{-2x}$, $g(x)=\frac{1}{1+x}$일 때, $\int_{0}^{\ln 3}g(f(x))dx$의 값은?

① 1 ② $\ln 2$ ③ $\ln 5$
④ $\ln\sqrt{2}$ ⑤ $\ln\sqrt{5}$

07

5지선다 4점

다음 조건을 만족하는 정적분의 값 a, b에 대하여 $a+b$의 값은?

(가) $\int_{1}^{e}\frac{(\ln x)^2}{x}dx=a$

(나) $\int_{0}^{\frac{\pi}{2}}\cos^2 x\sin x dx=b$

① $\frac{1}{2}$ ② $\frac{2}{3}$ ③ 1 ④ 3 ⑤ 4

08

5지선다 4점

정적분 $\int_{0}^{\frac{\pi}{3}}x\sin 2x dx$의 값은?

① $\frac{\pi}{12}-\frac{\sqrt{3}}{8}$ ② $\frac{\pi}{10}-\frac{\sqrt{3}}{6}$ ③ $\frac{\pi}{8}+\frac{\sqrt{2}}{8}$ ④ $\frac{\pi}{12}+\frac{\sqrt{3}}{8}$ ⑤ $\frac{\pi}{10}+\frac{\sqrt{3}}{8}$

09

5지선다 4점

정적분 $\int_{0}^{1}\frac{1}{\sqrt{2-x^2}}dx$의 값을 α라고 할 때, $\cos\alpha$의 값은?

① $\frac{1}{2}$ ② $\frac{\sqrt{2}}{2}$ ③ $\frac{\sqrt{3}}{2}$ ④ $\sqrt{3}$ ⑤ 1

10

5지선다 4점

함수 $f(x)$가

$$f(x)=x\cos x+\int_{0}^{\frac{\pi}{2}}f(t)dt$$

를 만족시킬 때, $f\left(\frac{\pi}{2}\right)$의 값은?

① -4 ② -2 ③ -1 ④ $-\frac{1}{2}$ ⑤ $-\frac{1}{4}$

11

5지선다 4점

$x>0$에서 정의되고, 미분가능한 함수 $f(x)$가

$$xf(x)-x=\int_{1}^{x}f(t)dt$$

를 만족시킬 때, $f\left(\frac{1}{e}\right)+f(e)$의 값은? (단, e는 자연로그의 밑)

① -2 ② -1 ③ 2 ④ 3 ⑤ 4

12

5지선다 4점

다음은 곡선 $y=x^2$과 x축 및 직선 $x=2$로 둘러싸인 도형의 넓이 S를 구분구적법을 이용하여 구하는 과정이다.

오른쪽 그림과 같이 닫힌구간 $[0, 2]$를 n등분하면 양 끝점과 각 등분점의 x좌표는 차례로

$0, \frac{2}{n}, \frac{4}{n}, \cdots, \frac{2n}{n}(=2)$

이고, 이에 대응하는 곡선의 y좌표는 각각

$0, \left(\frac{2}{n}\right)^2, \left(\frac{4}{n}\right)^2, \cdots, \left(\frac{2n}{n}\right)^2$

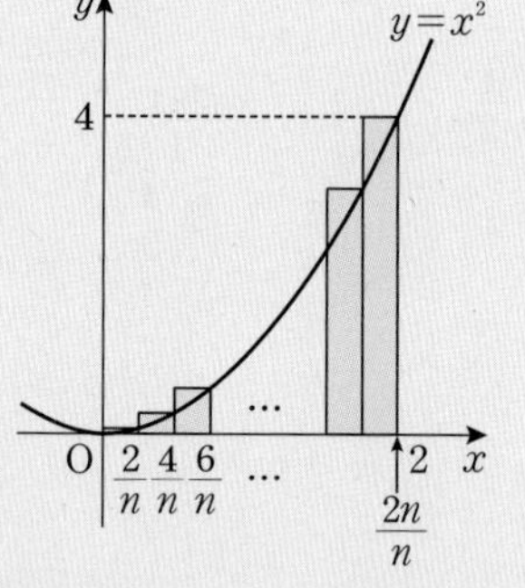

이다. 그림에서 색칠한 직사각형의 넓이의 합을 S_n이라 하면

$$S_n=\frac{2}{n}\left(\frac{2}{n}\right)^2+\frac{2}{n}\left(\frac{4}{n}\right)^2+\cdots+\frac{2}{n}\left(\frac{2n}{n}\right)^2$$

$$=\frac{8}{\boxed{(가)}}(1^2+2^2+\cdots+n^2)$$

$$=\frac{4}{3}\left(1+\frac{1}{n}\right)\left(\boxed{(나)}\right)$$

따라서 구하는 넓이 S는 $S=\lim_{n\to\infty}S_n=\boxed{(다)}$

위의 (가), (나), (다)에 알맞은 식을 각각 $f(n)$, $g(n)$이라 하고, (다)에 알맞은 수를 a라 할 때, $f\left(\frac{3}{4}a\right)g\left(\frac{3}{4}a\right)$의 값은?

① 14 ② 16 ③ 18 ④ 20 ⑤ 22

13

5지선다 4점

함수 $f(x)=e^x$에 대하여 $\lim_{n \to \infty}\sum_{k=1}^{n}\frac{k}{n^2}f\left(\frac{2k}{n}\right)$의 값은?

① $\frac{e^2+1}{5}$ ② $\frac{e^2+1}{4}$ ③ $\frac{e^2+1}{3}$

④ $\frac{e^2+1}{2}$ ⑤ e^2+1

14

5지선다 4점

오른쪽 그림과 같이 곡선 $y=e^x$과 y축 및 직선 $y=e$로 둘러싸인 부분의 넓이는?

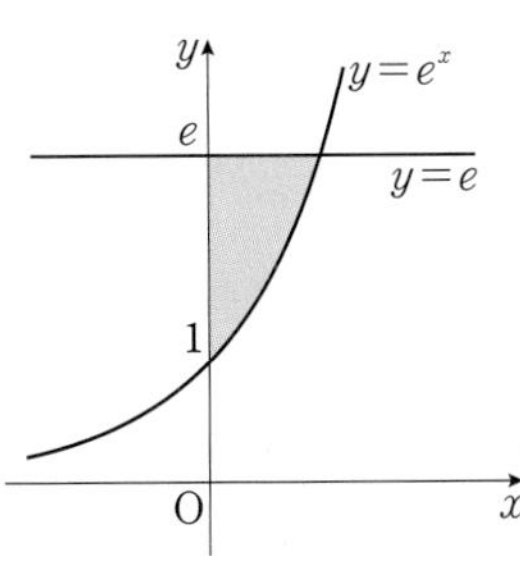

① 1 ② e

③ $2e$ ④ $3e$

⑤ $4e$

15

5지선다 4점

오른쪽 그림과 같이 곡선

$$y=x\sin 2x\,(0 \le x \le \pi)$$

와 x축으로 둘러싸인 도형의 넓이는?

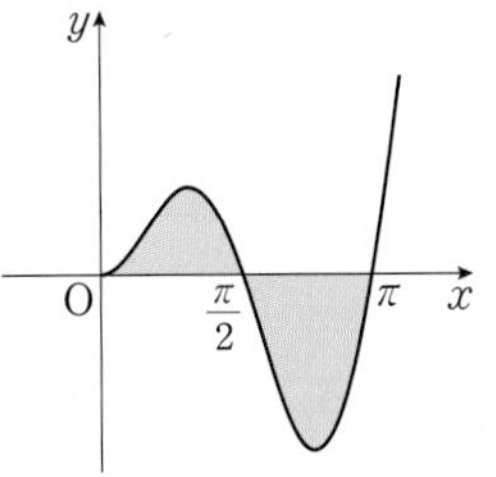

① π ② 2π

③ 3π ④ 4π

⑤ 5π

16

5지선다 4점

오른쪽 그림과 같이 곡선 $y=\sin\frac{\pi}{4}x$와 직선 $y=k$ 및 두 직선 $x=0$, $x=2$로 둘러싸인 두 도형을 각각 A, B라고 하자. 두 도형 A, B의 넓이가 같을 때, 상수 k의 값은? (단, $0<k<1$)

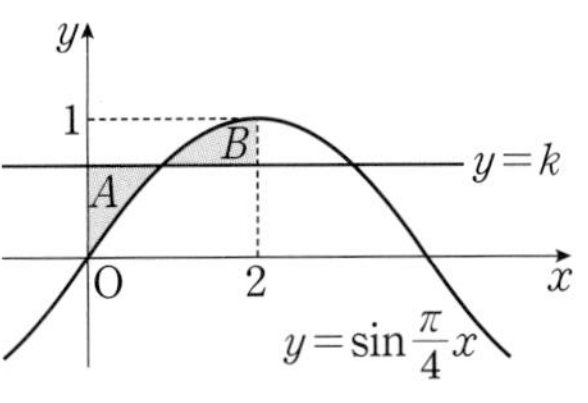

① $\frac{1}{\pi}$ ② $\frac{2}{\pi}$ ③ $\frac{3}{\pi}$

④ $\frac{\pi}{6}$ ⑤ $\frac{\pi}{5}$

17

5지선다 4점

오른쪽 그림은 함수 $f(x)=2xe^{2x}\,(x \ge 0)$의 그래프이다. 함수 $f(x)$의 역함수를 $g(x)$라 할 때, 정적분 $\int_0^e g(x)dx$의 값은?

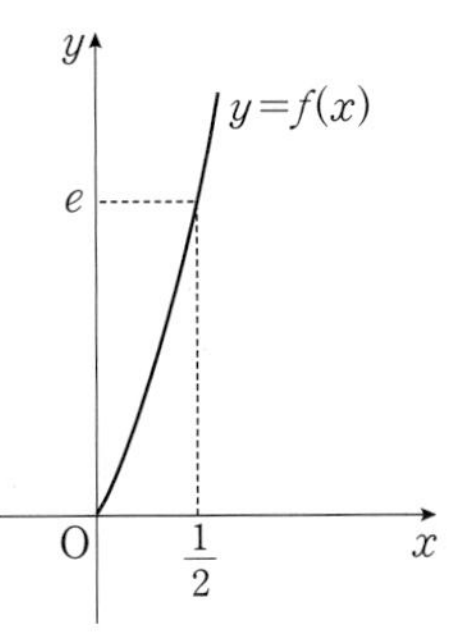

① $\frac{1}{2}$ ② $\frac{1}{2}(e-1)$

③ $\frac{1}{2}e$ ④ e

⑤ $e+1$

18

5지선다 4점

오른쪽 그림과 같이 높이가 1인 입체를 밑면으로부터 높이가 x인 지점에서 밑면에 평행한 평면으로 자른 단면이 반지름의 길이가 e^x인 원일 때, 이 입체도형의 부피는?

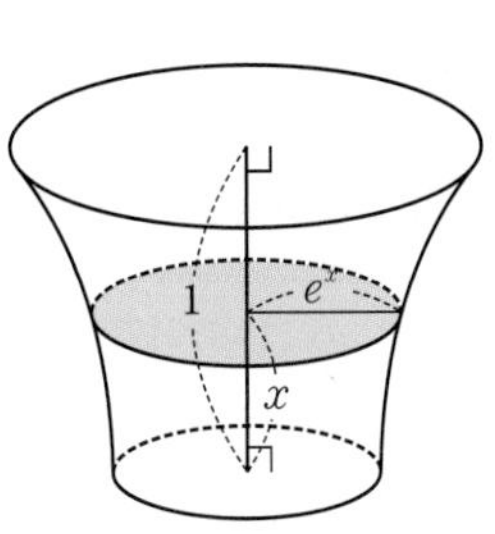

① $\frac{\pi}{4}(e-1)$ ② $\frac{\pi}{2}(e-1)$

③ $\frac{\pi}{4}(e^2-1)$ ④ $\pi(e-1)$

⑤ $\frac{\pi}{2}(e^2-1)$

19

5지선다 4점

그림과 같이 곡선

$y=\sqrt{x^2+\dfrac{(\ln x)^2}{x}}$과 x축 및 두 직선 $x=1$, $x=e$로 둘러싸인 도형을 밑면으로 하는 입체도형이 있다. 이 입체도형을 x축에 수직인 평면으로 자른 단면이 모두 정삼각형일 때, 이 입체도형의 부피는?

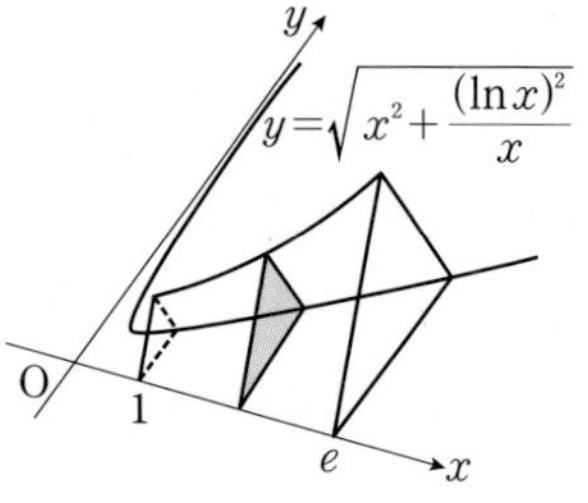

① $\dfrac{\sqrt{3}}{4}e^3$　② $\dfrac{\sqrt{3}}{8}e^3$　③ $\dfrac{\sqrt{3}}{12}e^3$

④ $\dfrac{\sqrt{3}}{16}e^3$　⑤ $\dfrac{\sqrt{3}}{20}e^3$

20

5지선다 4점

곡선

$$f(x)=x^2-\frac{1}{8}\ln x$$

의 $x=1$에서 $x=4$까지의 길이는?

① $\dfrac{1}{2}\ln 2$　② $11+\ln 2$　③ $15+\dfrac{1}{4}\ln 2$

④ $16+\dfrac{1}{4}\ln 2$　⑤ $15+\dfrac{1}{4}\ln 3$

서 술 형

21번 ~ 24번　5점

21

서술형 5점

미분가능한 함수 $f(x)$가

$$f(1)=0\text{이고 }\int f(x)dx=xf(x)-x^2e^{-x}$$

를 만족시킬 때, $f(3)$의 값을 구하는 과정을 다음 단계로 서술하여라. (단, $x\neq 0$)

[1단계] $\int f(x)dx=xf(x)-x^2e^{-x}$의 양변을 x에 대하여 미분하여 도함수 $f'(x)$를 구한다.

[2단계] 부정적분을 이용하여 $f(x)$를 구한다.

[3단계] $f(1)=0$을 이용하여 $f(x)$의 적분상수를 구한다.

[4단계] $f(3)$의 값을 구한다.

22

서술형 5점

곡선 $y=3\sqrt{x-9}$와 이 곡선 위의 점 $(18,\ 9)$에서의 접선 및 x축으로 둘러싸인 도형의 넓이를 구하는 과정을 다음 단계로 서술하여라.

[1단계] $y=3\sqrt{x-9}$의 도함수 y'을 구한다.

[2단계] 점 $(18,\ 9)$에서의 접선의 방정식을 구한다.

[3단계] 정적분을 이용하여 도형의 넓이를 구한다.

23

서술형 5점

반지름의 길이가 r인 구의 부피가 $\dfrac{4}{3}\pi r^3$임을 적분을 이용하여 구하는 과정을 다음 단계로 서술하여라.

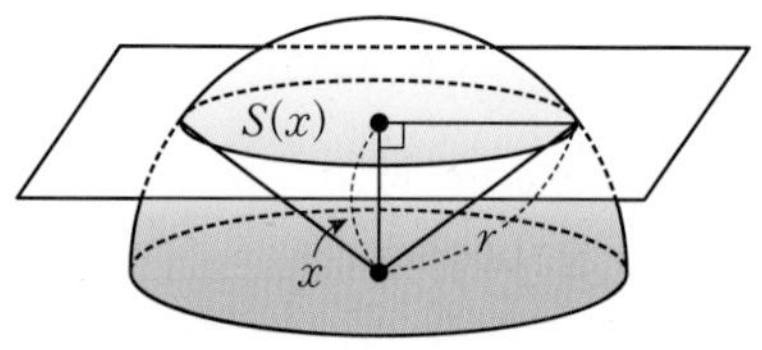

[1단계] 반구의 중심으로부터의 높이가 x일 때, 단면의 넓이를 구한다.

[2단계] 반지름의 길이가 r인 반구의 부피를 적분을 이용하여 구한다.

[3단계] 구의 부피를 구한다.

24

서술형 5점

다음과 같이 곡선 $y=x^2$과 x축 및 두 직선 $x=0$, $x=1$로 둘러싸인 도형의 넓이 S를 구하려고 한다. 도형의 넓이 S를 다음 방법으로 서술하여라.

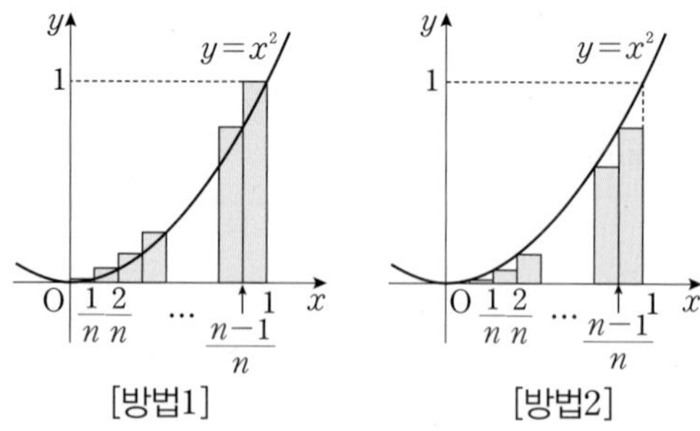

[방법1] 닫힌구간 $[0,\ 1]$을 n등분할 때, 각 구간의 오른쪽 끝점의 x좌표와 그에 대응하는 y의 값을 차례로 구하여 직사각형의 넓이의 합을 이용하여 도형의 넓이 구하기

[방법2] 닫힌구간 $[0,\ 1]$을 n등분할 때, 각 구간의 왼쪽 끝점의 x좌표와 그에 대응하는 y의 값을 차례로 구하여 직사각형의 넓이의 합을 이용하여 도형의 넓이 구하기

FINAL STEP

02

MAPL; SYNERGY

적분법 모의평가

대상 고등학교 3학년
과목코드 01
시간 50분
배점 100점 만점 총 24문제 (4점 × 20문제 – 객관식) (5점 × 04문제 – 서술형)

01

5지선다 4점

함수 $f(x)$에 대하여

$$f'(x)=\frac{x}{\sqrt{1-x^2}},\ f(0)=0$$

이 성립할 때, 방정식 $f(x)=\frac{1}{2}$을 만족시키는 양수 x의 값은?

① $\frac{1}{2}$ ② $\frac{\sqrt{3}}{2}$ ③ 1
④ 2 ⑤ $\sqrt{3}$

02

5지선다 4점

미분가능한 함수 $f(x)$의 부정적분 $F(x)$에 대하여

$$F(x)=xf(x)-x-\ln x,\ f(1)=3$$

일 때, $f(e^{-4})$의 값은?

① $-e^5$ ② $-e^4$ ③ $-e^3$
④ e^3 ⑤ e^4

03

5지선다 4점

곡선 $y=f(x)$ 위의 임의의 점 $(x,\ y)$에서의 접선의 기울기가 $x\cos x$일 때, $f(2\pi)-f(\pi)$의 값은?

① -2 ② -1 ③ 0
④ 1 ⑤ 2

04

5지선다 4점

정적분 $\int_0^{\frac{\pi}{2}}(\sin^3 x+1)\cos x\,dx$의 값은?

① $\frac{3}{4}$ ② 1 ③ $\frac{5}{4}$
④ $\frac{3}{2}$ ⑤ $\frac{7}{4}$

05

5지선다 4점

정적분 $\int_0^1 x^2 e^{x^3}dx$의 값은?

① $e-1$ ② $\frac{1}{3}(e-1)$ ③ $\frac{e}{2}$
④ $e+2$ ⑤ $\frac{1}{2}(e+1)$

06

5지선다 4점

다음 삼각치환을 이용하여 다음 조건을 만족하는 정적분의 값을 a, b라 할 때, $a+b$의 값은?

(가) $\int_0^1 \frac{1}{\sqrt{4-x^2}}dx=a$

(나) $\int_0^3 \frac{4}{x^2+9}dx=b$

① $\frac{\pi}{3}$ ② $\frac{\pi}{2}$ ③ $\frac{3}{4}\pi$
④ $\frac{2}{3}\pi$ ⑤ $\frac{5}{6}\pi$

07

5지선다 4점

함수 $f(x)=xe^{-x}$에 대하여

$$\int_e^{10} f(x)dx-\int_1^{10} f(x)dx+\int_0^e f(x)dx$$

의 값은?

① $1-\frac{2}{e}$ ② $1-\frac{1}{e}$ ③ $1+\frac{1}{e}$
④ $1+\frac{2}{e}$ ⑤ $2+\frac{2}{e}$

08

5지선다 4점

자연수 n에 대하여

$$a_n=\int_1^e \frac{(\ln x)^n}{x}dx$$

라 할 때, $\sum_{n=1}^{\infty} a_n a_{n+1}$의 값은?

① $\frac{1}{6}$ ② $\frac{1}{3}$ ③ $\frac{1}{2}$
④ 1 ⑤ $\frac{4}{3}$

09

5지선다 4점

함수 $f(x)$가

$$f(x)=\sin x+2\int_0^{\frac{\pi}{2}} f(x)\cos x dx$$

을 만족시킬 때, $f\left(\frac{\pi}{6}\right)$의 값은?

① -1 ② $-\frac{1}{2}$ ③ $-\frac{\sqrt{3}}{2}$
④ $\frac{1}{2}$ ⑤ $\frac{\sqrt{3}}{2}$

10

5지선다 4점

양의 실수 전체의 집합에서 미분가능한 함수 $f(x)$가 모든 양수 x에 대하여

$$xf(x)=3x+\int_a^x f(t)dt$$

가 성립하고 $f(1)=-3$일 때, 양수 a의 값은?

① 1 ② 2 ③ e
④ $2e$ ⑤ e^2

11

5지선다 4점

임의의 실수 x에 대하여 $f(x)>0$이고 미분가능한 함수 $f(x)$가

$$\int_0^x f(t)dt=x+\int_0^x (x-t)f(t)dt$$

를 만족할 때, $f(\ln 3)$의 값은?

① $\frac{1}{4}$ ② $\frac{1}{2}$ ③ 2
④ 3 ⑤ 4

12

5지선다 4점

실수 전체의 집합에서 연속인 함수

$$f(x)=\begin{cases} \sin x & \left(x<\frac{\pi}{2}\right) \\ \cos x+k & \left(x\geq\frac{\pi}{2}\right) \end{cases} \quad (k\text{는 상수})$$

에 대하여 정적분 $\int_0^{\pi} f(x)dx$의 값은?

① $\frac{\pi}{6}$ ② $\frac{\pi}{4}$ ③ $\frac{\pi}{2}$
④ $\frac{2}{3}\pi$ ⑤ π

13

5지선다 4점

$\lim_{x \to e} \frac{1}{x-e} \int_e^x t^2 \ln t dt$의 값은?

① $\frac{1}{e^2}$ ② $\frac{1}{e}$ ③ 0
④ e ⑤ e^2

14

5지선다 4점

다음 극한값을 구하면?

$$\lim_{n \to \infty} \frac{1}{n}\left\{\ln\left(1+\frac{1}{n}\right)+\ln\left(1+\frac{2}{n}\right)+\ln\left(1+\frac{3}{n}\right)+\cdots+\ln\left(1+\frac{n}{n}\right)\right\}$$

① $2\ln 2$ ② $2\ln 2-1$ ③ $\ln 2$
④ $2\ln 5$ ⑤ $3\ln 2+1$

15

5지선다 4점

닫힌구간 $[0, \pi]$에서 두 곡선 $y=\sin x$, $y=\cos x$ 및 두 직선 $x=0$, $x=\pi$로 둘러싸인 도형의 넓이는?

① $\sqrt{2}$ ② 2 ③ $2\sqrt{2}$
④ $3\sqrt{2}$ ⑤ $4\sqrt{2}$

16

5지선다 4점

곡선 $y=e^{2x+1}$과 이 곡선 위의 점 $(1, e^3)$에서의 접선 및 y축으로 둘러싸인 부분의 넓이는? (단, e는 자연로그의 밑이다.)

① $\frac{1}{2}(e^3-e^2)$ ② $\frac{1}{2}(e^3-e)$ ③ $\frac{1}{2}(e^3-1)$
④ $\frac{2}{3}(e^3-e^2)$ ⑤ $\frac{2}{3}(e^3-e)$

17

5지선다 4점

높이가 4인 입체도형이 있다. 밑면으로부터의 높이가 x인 지점에서 밑면에 평행한 평면으로 자른 단면의 넓이가 $x\sqrt{16-x^2}$일 때, 이 입체도형의 부피는?

① $\frac{62}{3}$ ② 21 ③ $\frac{64}{3}$
④ $\frac{65}{3}$ ⑤ 33

18

5지선다 4점

곡선 $y=\sqrt{x\sin 2x}\left(-\frac{\pi}{2} \le x \le \frac{\pi}{2}\right)$와 x축으로 둘러싸인 도형을 밑면으로 하는 입체도형이 있다. 이 입체도형을 x축에 수직인 평면으로 자른 단면이 정사각형일 때, 이 입체도형의 부피는?

① $\frac{\sqrt{3}}{2}\pi$ ② $\frac{\pi}{4}$ ③ $\frac{\pi}{3}$
④ $\frac{\pi}{2}$ ⑤ $\frac{3}{2}\pi$

19
5지선다 4점

좌표평면 위에서 점 P의 시각 t에서의 좌표 (x, y)가

$$x=\frac{1}{2}\left(t+\frac{1}{t}\right),\ y=\ln t\,(t>0)$$

일 때, 시각 $t=\frac{1}{2}$에서 $t=2$까지 점 P가 움직인 거리는?

① $\frac{2}{3}$ ② $\frac{1}{2}$ ③ $\frac{3}{4}$
④ $\frac{3}{2}$ ⑤ 2

20
5지선다 4점

좌표평면 위를 움직이는 점 $\mathrm{P}(x, y)$의 시각 t에서의 위치가

$$x=\cos^3 t,\ y=\sin^3 t$$

일 때, 점 P가 움직이기 시작하여 속력이 처음으로 0이 될 때까지 움직인 거리는? (단, $0<t<2\pi$)

① $\frac{1}{3}$ ② $\frac{1}{2}$ ③ 1
④ $\frac{3}{2}$ ⑤ 2

서 술 형
21번 ~ 24번 5점

21
서술형 5점

$x>0$에서 정의된 미분가능한 함수 $f(x)$의 한 부정적분 $F(x)$에 대하여

$$F(x)=xf(x)-x^2\sin x,\ F\left(\frac{\pi}{2}\right)=-\frac{\pi}{2}$$

가 성립할 때, $f(\pi)$의 값을 구하는 과정을 다음 단계로 서술하여라.

[1단계] $F(x)=xf(x)-x^2\sin x$의 양변을 x에 대하여 미분하여 도함수 $f'(x)$을 구한다.

[2단계] 부분적분을 이용하여 $f(x)$를 구한다.

[3단계] $F\left(\frac{\pi}{2}\right)=-\frac{\pi}{2}$를 이용하여 $f(x)$의 적분상수를 구한다.

[4단계] $f(\pi)$의 값을 구한다.

22
서술형 5점

모든 실수 x에 대하여 미분가능한 함수 $f(x)$가

$$xf(x)=x^2e^x+\int_1^x f(t)dt$$

를 만족시킬 때, $f(-1)$의 값을 구하는 과정을 다음 단계로 서술하여라.

[1단계] 양변을 x에 대하여 미분하여 $f'(x)$를 구한다.

[2단계] 부분적분을 이용하여 $f(x)$를 적분상수로 나타낸다.

[3단계] $f(1)$의 값을 구한다.

[4단계] 적분상수를 결정하여 $f(-1)$의 값을 구한다.

23
서술형 5점

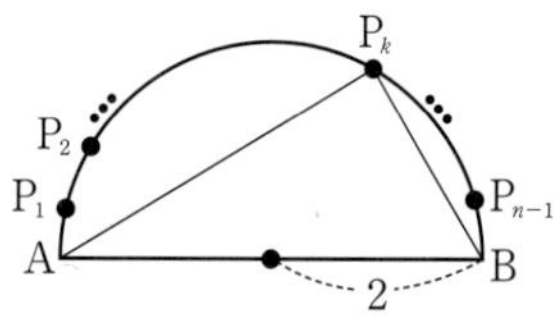

오른쪽 그림과 같이 선분 AB를 지름으로 하고 반지름의 길이가 2인 반원의 호 AB를 n등분한 점들을 $\mathrm{P}_k(k=1, 2, 3, \cdots, n-1)$라고 한다. 삼각형 ABP_k의 넓이를 S_k라고 할 때, $\lim_{n\to\infty}\frac{1}{n}\sum_{k=1}^{n-1}S_k$의 값을 구하는 과정을 다음 단계로 서술하여라.

[1단계] 삼각형 ABP_k의 넓이 S_k를 구한다.

[2단계] 정적분과 급수의 합을 이용하여 정적분으로 나타낸다.

[3단계] $\lim_{n\to\infty}\frac{1}{n}\sum_{k=1}^{n-1}S_k$의 값을 구한다.

24
서술형 5점

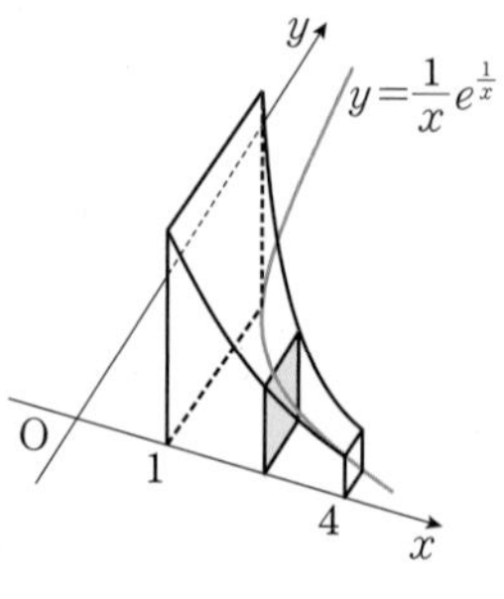

그림과 같이 곡선 $y=\frac{1}{x}e^{\frac{1}{x}}\,(x>0)$과 x축 및 두 직선 $x=1$, $x=4$로 둘러싸인 도형을 밑면으로 하는 입체도형이 있다. 이 입체도형을 x축에 수직인 평면으로 자른 단면이 모두 정사각형일 때, 이 입체도형의 부피를 구하는 과정을 다음 단계로 서술하여라.

[1단계] 원점에서 $x(1\le x\le 4)$ 만큼 떨어진 x축에 수직인 평면으로 자른 단면의 넓이 $S(x)$를 구한다.

[2단계] $1\le x\le 4$에서 입체도형의 부피 V를 정적분으로 나타낸다.

[3단계] 치환적분을 이용하면 부피를 구한다.

FINAL STEP

03 M A P L ; S Y N E R G Y 적분법 모의평가

대상 고등학교 3학년
과목코드 01
시간 50분
배점 100점 만점 총 24문제 (4점 × 20문제 – 객관식) (5점 × 04문제 – 서술형)

01

5지선다 4점

곡선 $y=f(x)$ 위의 임의의 점 $(x,\ f(x))$에서의 접선의 기울기가 $x\ln x$이고 $f(1)=\frac{1}{4}$일 때, $f(e)$의 값은?

① $\frac{e^2}{4}-\frac{1}{2}$ ② $\frac{e^2-1}{2}$ ③ $\frac{e^2}{2}$
④ $\frac{e^2}{4}+\frac{1}{2}$ ⑤ $\frac{e^2+1}{2}$

02

5지선다 4점

$0<x<2\pi$에서 정의된 함수 $f(x)$에 대하여

$$f'(x)=\sin 2x-\sin x$$

이고 $f(x)$의 극솟값이 -1일 때, $f(x)$의 극댓값은?

① $\frac{1}{4}$ ② $\frac{3}{4}$ ③ 1
④ $\frac{5}{4}$ ⑤ 2

03

5지선다 4점

구간 $\left[-\frac{\pi}{2},\ \frac{\pi}{2}\right]$에서 정의된 함수 $f(x)$의 도함수 $f'(x)$가

$$f'(x)=\tan x+\tan^2 x+\tan^3 x$$

이다. $f(0)=\frac{\pi}{4}$일 때, $f\left(\frac{\pi}{4}\right)$의 값은?

① $\frac{1}{2}$ ② $\frac{2}{3}$ ③ 1
④ $\frac{3}{2}$ ⑤ 2

04

5지선다 4점

곡선 $y=f(x)$가

$$f'(x)=e^x\sin x$$

을 만족시키고 $f(0)=-\frac{1}{2}$일 때, $f(\pi)$의 값은?

① $-e^{\pi}$ ② $-\frac{1}{2}e^{\pi}$ ③ 1
④ $\frac{1}{2}e^{\pi}$ ⑤ e^{π}

05

5지선다 4점

점 $(1,\ e)$를 지나는 곡선 $y=f(x)$ 위의 임의의 점 $(x,\ f(x))$에서의 접선의 기울기가 $(2-x^2)e^x$일 때, $f(2)$의 값은?

① $-e^2-4$ ② $-e+2$ ③ 0
④ $e-2$ ⑤ e^2-4

06

5지선다 4점

연속함수 $f(x)$에 대하여

$$f(x)+f(-x)=\cos\frac{x}{4}$$

를 만족할 때, 정적분 $\int_{-\pi}^{\pi} f(x)dx$의 값은?

① -1 ② $-\sqrt{2}$ ③ 1
④ $\sqrt{2}$ ⑤ $2\sqrt{2}$

07

5지선다 4점

정적분 $\int_0^{\frac{\pi}{2}} \cos^3 x dx$의 값은?

① $\frac{2}{9}$ ② $\frac{1}{3}$ ③ $\frac{4}{9}$
④ $\frac{5}{9}$ ⑤ $\frac{2}{3}$

08

5지선다 4점

정적분 $\int_1^{e^2} \frac{2}{x(2+\ln x)^2} dx$의 값은?

① $\frac{1}{2}$ ② 1 ③ e
④ $e+1$ ⑤ $2e$

09

5지선다 4점

정적분 $\int_{-a}^{a} \frac{1}{a^2+x^2} dx = \frac{\pi}{6}$일 때, 상수 a의 값은?

① 1 ② 2 ③ 3
④ 4 ⑤ 5

10

5지선다 4점

$n \geq 2$인 자연수 n에 대하여

$$\mathrm{I}_n = \int_0^1 x^n e^x dx$$

라고 할 때, $10\mathrm{I}_4 + 2\mathrm{I}_5$의 값은?

① $e-1$ ② e ③ $e+1$
④ $2e$ ⑤ $2e+1$

11

5지선다 4점

연속함수 $f(x)$가 모든 실수 x에 대하여 $f(x-1)=f(x+1)$을 만족시키고, $-1 \leq x \leq 1$에서 $f(x)=\frac{1}{2}(e^x+e^{-x})$이다.

이때 $\int_{-1}^{11} f(x) dx$의 값은?

① $2\left(e-\frac{1}{e}\right)$ ② $4\left(e-\frac{1}{e}\right)$ ③ $6\left(e-\frac{1}{e}\right)$
④ $8\left(e-\frac{1}{e}\right)$ ⑤ $12\left(e-\frac{1}{e}\right)$

12

5지선다 4점

함수 $f(x)$에 대하여 $f'(x)=\frac{1}{x(x+3)^2}$이고 함수 $g(x)=x$일 때,

$$\int_0^2 f(x) g'(x) dx = 1$$

이다. 이때 $f(2)$의 값이 $\frac{p}{q}$일 때, 서로소인 자연수 p, q에 대하여 $p+q$의 값은?

① 17 ② 30 ③ 45
④ 47 ⑤ 50

13

5지선다 4점

연속함수 $f(x)$가 모든 실수 x에 대하여

$$\int_0^x f(t)dt=(\sin x-2\cos x)^2+a$$

를 만족시킬 때, $f(a\pi)$의 값은? (단, a는 상수이다.)

① -8　② -6　③ -4　④ 6　⑤ 8

14

5지선다 4점

정적분을 이용하여 극한값 $\lim_{n\to\infty}\frac{1}{n^5}(1^4+2^4+3^4+\cdots+n^4)$의 값을 구하는 과정이다.

$\lim_{n\to\infty}\frac{1}{n^5}(1^4+2^4+3^4+\cdots+n^4)=\lim_{n\to\infty}\frac{1}{n^5}\sum_{k=1}^{n}$ (가)

이때 $f(x)=x^4$, $a=0$, $b=1$이라 하고

$\Delta x=\frac{b-a}{n}=\frac{1}{n}$, $x_k=a+k\Delta x=$ (나) 라 하면

정적분과 급수의 합 사이의 관계에 의하여

$\lim_{n\to\infty}\frac{1}{n^5}\sum_{k=1}^{n}$ (가) $=\lim_{n\to\infty}\sum_{k=1}^{n}f(x_k)\Delta x=\int_0^1 f(x)dx=$ (다)

위의 과정에서 (가), (나), (다)에 들어갈 것으로 알맞은 것은?

	(가)	(나)	(다)
①	k^4	$\frac{k}{n}$	$\frac{1}{4}$
②	k^4	$1+\frac{k}{n}$	$\frac{1}{4}$
③	k^4	$\frac{k}{n}$	$\frac{1}{5}$
④	k^5	$1+\frac{k}{n}$	$\frac{1}{4}$
⑤	k^5	$\frac{k}{n}$	$\frac{1}{5}$

15

5지선다 4점

함수 $f(x)=\sqrt{x+1}\ln x$에 대하여

$$\lim_{x\to 2}\frac{1}{x^2-4}\int_2^x f(t)dt$$

의 값은?

① $\frac{\sqrt{3}}{4}\ln 2$　② $\frac{\ln 2}{2}$　③ $\frac{\sqrt{5}}{4}\ln 2$　④ $\frac{\sqrt{6}}{4}\ln 2$　⑤ $\frac{\sqrt{7}}{4}\ln 2$

16

5지선다 4점

다음 조건을 만족하는 극한값을 a, b라 할 때, $a+b$의 값은?

(가) $\lim_{n\to\infty}\frac{\pi^2}{n^2}\left(\cos\frac{\pi}{n}+2\cos\frac{2\pi}{n}+\cdots+n\cos\frac{n\pi}{n}\right)=a$

(나) $\lim_{n\to\infty}\frac{\pi}{n^2}\left(\sin\frac{\pi}{n}+2\sin\frac{2\pi}{n}+\cdots+n\sin\frac{n\pi}{n}\right)=b$

① -3　② -2　③ -1　④ 2　⑤ 3

17

5지선다 4점

그림과 같이 두 곡선 $y=\frac{1}{2e}x^2$, $y=\ln x$는 $x=\sqrt{e}$에서 접한다.

두 곡선 $y=\frac{1}{2e}x^2$, $y=\ln x$와 x축으로 둘러싸인 부분의 넓이는?

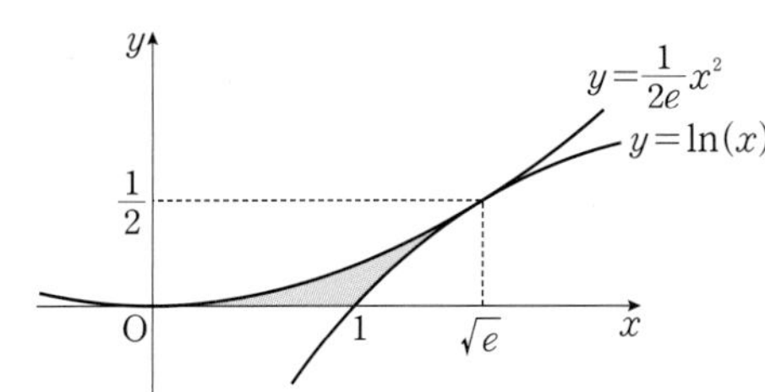

① $\frac{\sqrt{e}}{3}-1$　② $\frac{2\sqrt{e}}{3}-1$　③ $\sqrt{e}-1$　④ $\frac{4\sqrt{e}}{3}-1$　⑤ $\frac{5\sqrt{e}}{3}-1$

18

5지선다 4점

닫힌구간 $[0, \pi]$에서 정의된 함수 $f(x)=x\sin x$가 있다.
$0<x<\pi$에서 함수 $y=f(x)$의 그래프 위의 점 P에서의 접선 l이 원점을 지날 때, 접선 l과 함수 $f(x)=x\sin x$의 그래프로 둘러싸인 부분의 넓이는?

① $\frac{\pi^2-8}{8}$　② $\frac{\pi^2-7}{8}$　③ $\frac{\pi^2-6}{8}$　④ $\frac{\pi^2-5}{8}$　⑤ $\frac{\pi^2-4}{8}$

19

5지선다 4점

그림과 같이 반지름의 길이가 3인 원을 밑면으로 하고, 지름 AB에 수직인 평면으로 입체도형을 자른 단면이 정삼각형일 때, 이 입체도형의 부피는?

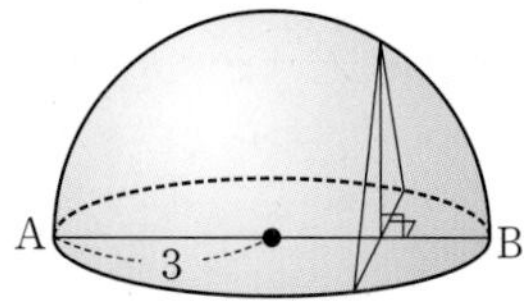

① $16\sqrt{3}$　② $18\sqrt{3}$　③ $24\sqrt{3}$
④ $36\sqrt{3}$　⑤ $42\sqrt{3}$

20

5지선다 4점

좌표평면 위를 움직이는 점 P의 시각 $t(t>0)$에서의 위치 $(x,\ y)$가

$$x=\sin t-t\cos t,\ y=\cos t+t\sin t$$

일 때, $t=k$에서의 점 P의 속력이 5이다. $t=1$에서 $t=k$까지 점 P가 움직인 거리는?

① 4　② 6　③ 8
④ 10　⑤ 12

서 술 형

21번 ~ 24번　5점

21

서술형 5점

$x>0$에서 정의된 미분가능한 함수 $f(x)$의 한 부정적분을 $F(x)$라 하면

$$F(x)=xf(x)-2x\ln x$$

가 성립한다. $f(e)=5$일 때, $f(x)$의 최솟값을 구하는 과정을 다음 단계로 서술하여라.

[1단계] 양변을 x에 대하여 미분하여 도함수 $f'(x)$를 구한다.
[2단계] 치환적분을 이용하여 $f(x)$를 적분상수로 나타낸다.
[3단계] $f(e)=5$를 만족하는 적분상수를 구한다.
[4단계] $f(x)$의 최솟값을 구한다.

22

서술형 5점

연속함수 $f(x)$가 모든 실수 x에 대하여

$$f(x)=5x\cos x+\int_0^{\frac{\pi}{2}}f(t)dt$$

를 만족시킬 때, $f(0)$의 값을 구하는 과정을 다음 단계로 서술하여라.

[1단계] $\int_0^{\frac{\pi}{2}}f(t)dt=a$($a$는 상수)로 놓고 $f(x)$를 a를 포함한 식으로 나타낸다.
[2단계] 부분적분을 이용하여 상수 a의 값을 구한다.
[3단계] $f(0)$의 값을 구한다.

23

서술형 5점

곡선 $y=x^3$과 직선 $x=1$ 및 x축으로 둘러싸인 도형의 넓이 S를 급수의 합을 이용하여 다음 단계로 구하는 과정을 서술하여라.

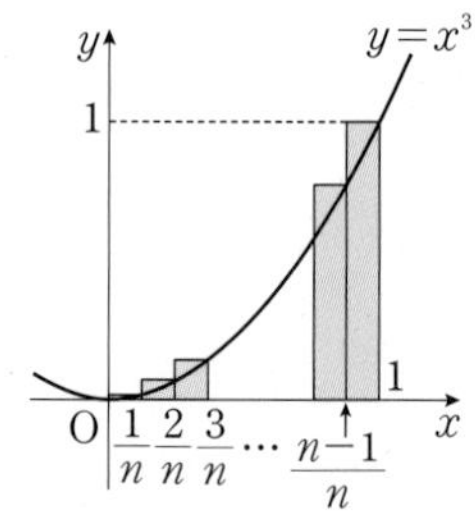

[1단계] 닫힌구간 $[0,\ 1]$을 n등분할 때, 각 구간의 오른쪽 끝점의 x좌표와 그에 대응하는 y의 값을 차례로 구한다.
[2단계] 그림에서 색칠한 직사각형의 넓이의 합 U_n을 n에 대한 식으로 나타낸다.
[3단계] 도형의 넓이 S를 구한다.

24

서술형 5점

곡선 $y=e^x-1$과 곡선 $y=\ln x$ 위의 점 $\mathrm{P}(1,\ 0)$에서의 접선 l이 있다. 그림과 같이 곡선 $y=e^x-1$ 및 접선 l과 두 직선 $x=0,\ x=2$로 둘러싸인 도형을 밑면으로 하는 입체도형을 x축에 수직인 평면으로 자른 단면이 모두 정삼각형일 때, 이 입체도형의 부피를 구하는 과정을 다음 단계로 서술하여라.

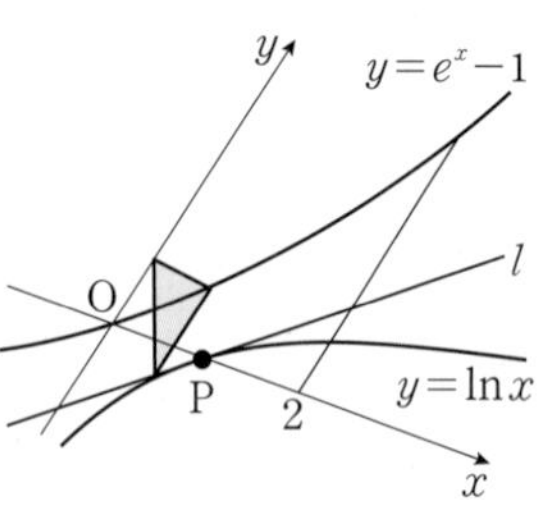

[1단계] 곡선 $y=\ln x$ 위의 점 $\mathrm{P}(1,\ 0)$에서의 접선 l의 방정식을 구한다.
[2단계] 원점에서 $x(0\le x\le 2)$만큼 떨어진 x축에 수직인 평면으로 자른 단면의 넓이 $S(x)$를 구한다.
[3단계] $0\le x\le 2$에서 입체도형의 부피 V를 식으로 정리한다.
[4단계] 부분적분법을 이용하면 부피를 구한다.

SYNERGY FINAL TEST

내신 1등급
중간고사 기말고사
모의평가

중간고사 2회
기말고사 2회
회당 24문제

5지선다형 20문제(4점) 서술형 4문제(5점)

SYNERGY FINAL TEST

01 MAPL; SYNERGY 미적분 중간고사

대상 고등학교 3학년
과목코드 01
시간 50분
배점 100점 만점 총 24문제 (4점 × 20문제 – 객관식) (5점 × 04문제 – 서술형)

01

5지선다 4점

다음 [보기]의 수열 중에서 수렴하는 것은 모두 고르면?

ㄱ. $\left\{\dfrac{(-1)^{n-1}}{2n-1}\right\}$

ㄴ. $\{(-1)^{n+1}+(-1)^{n}\}$

ㄷ. $\dfrac{3}{1}, \dfrac{5}{2}, \dfrac{7}{3}, \dfrac{9}{4}, \cdots$

ㄹ. $\dfrac{1\cdot1}{2\cdot3}, \dfrac{2\cdot3}{3\cdot4}, \dfrac{3\cdot5}{4\cdot5}, \dfrac{4\cdot7}{5\cdot6}, \cdots$

① ㄱ ② ㄴ ③ ㄱ, ㄷ
④ ㄱ, ㄷ, ㄹ ⑤ ㄱ, ㄴ, ㄷ, ㄹ

02

5지선다 4점

다음 중 옳지 않은 것은?

① $\lim_{n\to\infty}\dfrac{(3n+4)(n-5)}{(2n-1)^2}=\dfrac{3}{4}$

② $\lim_{n\to\infty}\dfrac{4^{n+1}-3^{n-1}}{2^{2n}-3^n}=4$

③ $\lim_{n\to\infty}(\sqrt{n^2+16n}-n)=8$

④ $\lim_{n\to\infty}\dfrac{2n^2+1}{1+2+3+\cdots+n}=4$

⑤ $\lim_{n\to\infty}\dfrac{1}{\sqrt{n+1}-\sqrt{n}}=1$

03

5지선다 4점

모든 자연수 n에 대하여 수열 $\{a_n\}$이 부등식

$$2n-1<na_n<\sqrt{4n^2+5n}$$

을 만족시킬 때, $\lim_{n\to\infty}\dfrac{(n^2+2n)a_n}{5n^2+3}$의 값은?

① $\dfrac{2}{5}$ ② $\dfrac{1}{2}$ ③ 1
④ $\dfrac{3}{2}$ ⑤ 3

04

5지선다 4점

이차방정식 $x^2-5x+6=0$의 두 근을 a, b라 할 때,

$\lim_{n\to\infty}\dfrac{a^n+b^n}{a^{n-1}+b^{n-1}}$의 값은?

① 1 ② 2 ③ 3
④ 4 ⑤ 5

05

5지선다 4점

두 수열 $\{a_n\}$, $\{b_n\}$에 대하여 다음 [보기]의 극한값이 옳은 것을 모두 고르면?

ㄱ. 수열 $\{a_n\}$이 모든 자연수 n에 대하여 $n<a_n<n+1$을 만족시킬 때, $\lim_{n\to\infty}\dfrac{n^2}{a_1+a_2+\cdots+a_n}$의 값은 2이다.

ㄴ. 수열 $\left\{\left(\dfrac{3x-2}{5}\right)^n\right\}$이 수렴하도록 하는 정수 x의 개수는 3이다.

ㄷ. $\sum_{n=1}^{\infty}\dfrac{a_n}{5^n}=3$일 때, $\lim_{n\to\infty}\dfrac{5^{n+1}-3^n+a_n}{5^{n-1}+3^{n+1}}$의 값은 5이다.

① ㄱ ② ㄴ ③ ㄱ, ㄴ
④ ㄴ, ㄷ ⑤ ㄱ, ㄴ, ㄷ

06

5지선다 4점

다음 급수의 합이 옳지 않은 것은?

① $\dfrac{1}{3}+\dfrac{1}{3+5}+\dfrac{1}{3+5+7}+\dfrac{1}{3+5+7+9}+\cdots=\dfrac{3}{4}$

② $\sum_{n=1}^{\infty}\left(\dfrac{1}{\sqrt{n}}-\dfrac{1}{\sqrt{n+1}}\right)=1$

③ $\dfrac{1}{3}+\dfrac{1}{15}+\dfrac{1}{35}+\dfrac{1}{63}+\dfrac{1}{99}+\cdots=\dfrac{1}{2}$

④ $1+\dfrac{1}{\sqrt{2}}+\dfrac{1}{2}+\dfrac{1}{2\sqrt{2}}+\dfrac{1}{4}+\cdots=\sqrt{2}+1$

⑤ $\sum_{n=1}^{\infty}\left\{\left(\dfrac{\sqrt{3}}{2}\right)^n+\left(\dfrac{2}{3}\right)^{n-1}\right\}=6+2\sqrt{3}$

07

5지선다 4점

첫째항이 4인 등비수열 $\{a_n\}$에 대하여 $\sum_{n=1}^{\infty} a_n = \frac{16}{3}$일 때,

$\sum_{n=1}^{\infty} \sqrt{a_n}$의 값은?

① 2 ② 3 ③ 4
④ 5 ⑤ 6

08

5지선다 4점

수열 $\{a_n\}$에 대하여

$$f(x) = \lim_{n \to \infty} \frac{1-x^n}{1+x^{n+2}}$$

일 때, $f\left(\frac{1}{2}\right) + f(\sqrt{2}) + f(2)$의 값은?

① $\frac{1}{8}$ ② $\frac{1}{4}$ ③ $\frac{1}{2}$
④ 1 ⑤ $\frac{4}{3}$

09

5지선다 4점

급수

$$\sum_{n=1}^{\infty} (x^2-3x-4)\left(\frac{x-1}{2}\right)^{n-1}$$

의 합이 존재하도록 하는 모든 정수 x의 개수는?

① 1 ② 2 ③ 3
④ 4 ⑤ 5

10

5지선다 4점

오른쪽 그림과 같이 $\overline{OP} = \overline{OQ} = 1$인 직각이등변삼각형 OPQ에서 점 O와 각 변의 중점을 꼭짓점으로 하는 정사각형 $OA_1B_1C_1$을 만든다.
또, 직각이등변삼각형 A_1PB_1에서 점 A_1과 각 변의 중점을 꼭짓점으로 하는 정사각형 $A_1A_2B_2C_2$를 만든다. 이와 같은 과정을 한없이 반복할 때, 이들 정사각형의 넓이의 합은?

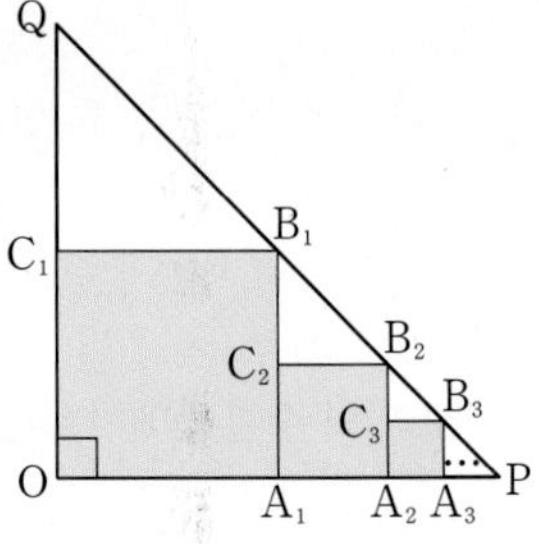

① $\frac{1}{12}$ ② $\frac{1}{8}$ ③ $\frac{1}{6}$
④ $\frac{1}{4}$ ⑤ $\frac{1}{3}$

11

5지선다 4점

$\lim_{x \to 0} \frac{\ln(x^a+1)}{(1-\cos x)\tan bx} = \frac{1}{3}$을 만족시키는 상수 a, b에 대하여 $a+b$의 값은?

① $\frac{1}{9}$ ② $\frac{1}{6}$ ③ 1
④ 6 ⑤ 9

12

5지선다 4점

오른쪽 그림과 같이 탑의 밑 부분의 중심으로부터 6m 떨어진 지점에서 눈높이가 1.5m인 학생이 눈높이를 기준으로 탑의 밑 부분의 중심을 내려다본 각의 크기가 θ이고, 눈높이를 기준으로 탑의 꼭대기를 올려다 본 각의 크기가 $\theta + \frac{\pi}{4}$이다. 이 탑의 높이를 hm라 할 때, $10h$의 값은? (단, 탑의 밑 부분의 중심과 꼭대기를 지나는 직선은 지면에 수직이다.)

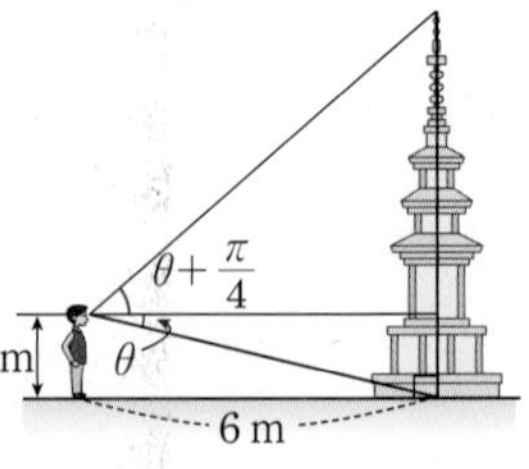

① 110 ② 115 ③ 130
④ 150 ⑤ 160

13

5지선다 4점

함수

$$f(x)=\begin{cases} \dfrac{e^{4x}-1}{\sin 2x} & (x \neq 0) \\ a & (x=0) \end{cases}$$

가 $x=0$에서 연속일 때, 상수 a의 값은?

① 1　② 2　③ e
④ 3　⑤ 4

14

5지선다 4점

미분가능한 함수 $f(x)$가 모든 실수 x에 대하여

$$f(2x-1)=(x^2+1)^2$$

을 만족시킬 때, $f'(5)$의 값은?

① 20　② 30　③ 40
④ 50　⑤ 60

15

5지선다 4점

미분가능한 두 함수 $f(x)$, $g(x)$에 대하여

$$f(2)=4,\ f'(2)=5,\ g(-2)=2,\ g'(-2)=1$$

이 성립할 때, $\lim_{x \to -2} \dfrac{f(g(x))-4}{x+2}$의 값은?

① 2　② 3　③ 4
④ 5　⑤ 8

16

5지선다 4점

매개변수로 나타낸 함수

$$x=\cos^3 t,\ y=\sin^3 t$$

에서 $t=\dfrac{\pi}{4}$일 때, $\dfrac{dy}{dx}$의 값은?

① $-\sqrt{2}$　② -1　③ $\dfrac{1}{2}$
④ $\dfrac{\sqrt{2}}{2}$　⑤ $\sqrt{2}$

17

5지선다 4점

곡선

$$x^2+axy+y^2+b=0$$

위의 점 $(-3,\ 0)$에서 $\dfrac{dy}{dx}$의 값이 3일 때, 상수 a, b에 대하여 ab의 값은?

① -6　② -3　③ -1
④ 3　⑤ 6

18

5지선다 4점

오른쪽 그림과 같이 점 A$(1,\ 0)$을 지나고 기울기가 양수인 직선 l이 곡선 $y=2\sqrt{x}$와 만나는 점을 B, 점 B에서 x축에 내린 수선의 발을 C라고 하자. 점 C의 x좌표가 t일 때의 삼각형 ABC의 넓이를 $f(t)$라 할 때, $f'(4)$의 값은?

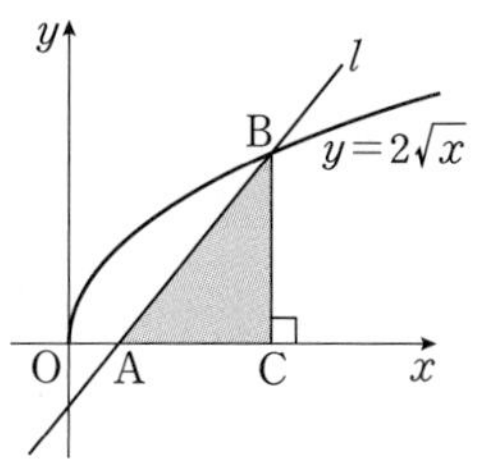

① 2　② $\dfrac{5}{2}$　③ $\dfrac{11}{4}$
④ 3　⑤ 4

19

5지선다 4점

함수 $f(x)=e^x \cos x$에 대하여 방정식

$$f(x)=f''(x)$$

의 실근을 α라 할 때, $\tan\alpha$의 값은?

① $-\dfrac{1}{2}$　② $-\dfrac{1}{4}$　③ 0
④ $\dfrac{1}{4}$　⑤ $\dfrac{1}{2}$

20

5지선다 4점

함수 $f(x)=x^3-2x^2+2x-1$과 실수 전체의 집합에서 미분가능한 함수 $g(x)$가 모든 실수 x에 대하여 $(f \circ g)(2x)=x$를 만족시킬 때, $g'(0)$의 값은?

① $\dfrac{1}{4}$　② $\dfrac{1}{2}$　③ $\dfrac{3}{4}$
④ 1　⑤ $\dfrac{5}{4}$

서 술 형

21번 ~ 24번 5점

21

서술형 5점

다음은 함수의 극한에 대한 성질을 이용하여 $\lim_{x\to 0}\frac{\sin x}{x}$의 값을 구하는 과정의 일부이다. 다음 단계로 구하는 과정을 서술하여라.

> 오른쪽 그림과 같이 단위원 O에서 부채꼴 AOB의 중심각의 크기를 x라디안이라 하고 점 A에서의 접선과 선분 OB의 연장선의 교점을 T라고 하자.
>
> 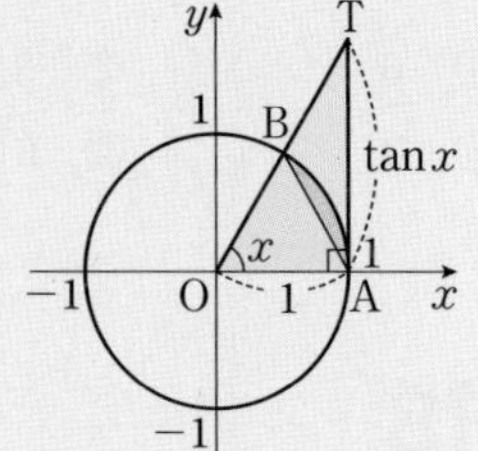
>
>
> $0<x<\frac{\pi}{2}$일 때, △OAB,
>
> 부채꼴 OAB, △OAT의 넓이 사이에
>
> (△OAB의 넓이)<(부채꼴 OAB의 넓이)<(△OAT의 넓이)
>
> 인 관계가 성립하므로 다음 부등식을 얻는다.
>
> $\frac{1}{2}\sin x<\frac{1}{2}x<\frac{1}{2}\tan x$, 즉 $\sin x<x<\tan x$

[1단계] $\lim_{x\to 0+}\frac{\sin x}{x}=1$을 이용하여

$-\frac{\pi}{2}<x<0$일 때, $\lim_{x\to 0-}\frac{\sin x}{x}=1$임을 증명하여라.

[2단계] $\lim_{x\to 0}\frac{\sin x}{x}$의 값을 이용하여

$\lim_{x\to 0}\frac{1-\cos x}{x}$, $\lim_{x\to 0}\frac{1-\cos x}{x^2}$의 값을 구하여라.

[3단계] 함수 $f(x)=\sin x$의 도함수가 $f'(x)=\cos x$임을

사인함수의 덧셈정리와 $\lim_{x\to 0}\frac{\sin x}{x}=1$, $\lim_{x\to 0}\frac{1-\cos x}{x}=0$

임을 이용하여 서술한다.

22

서술형 5점

그림과 같이 $\overline{AB}=1$, $\angle B=\frac{\pi}{2}$인 직각삼각형 ABC에서 $\angle C$를 이등분하는 직선과 선분 AB의 교점을 D, 중심이 A이고 반지름의 길이가 $\overline{AD}$인 원과 선분 AC의 교점을 E라 하자. $\angle A=\theta$일 때, 부채꼴 ADE의 넓이를 $S(\theta)$, 삼각형 BCE의 넓이를 $T(\theta)$라 하자. $\lim_{\theta\to 0+}\frac{\{S(\theta)\}^2}{T(\theta)}$의 값을 구하는 과정을 다음 단계로 서술하여라.

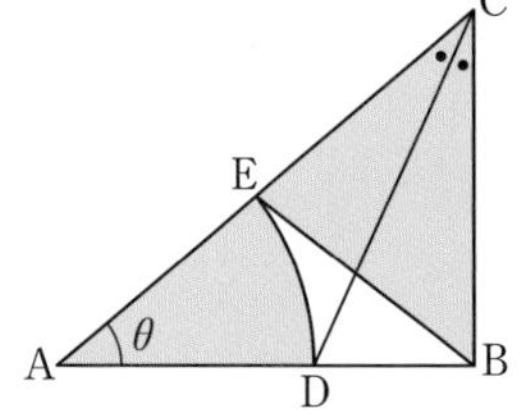

[1단계] 각의 이등분선의 성질을 이용하여 $\overline{AD}$의 길이를 구한다.

[2단계] 부채꼴 ADE의 넓이 $S(\theta)$, 삼각형 BCE의 넓이 $T(\theta)$를 구한다.

[3단계] $\lim_{\theta\to 0}\frac{\sin\theta}{\theta}=1$, $\lim_{\theta\to 0}\frac{1-\cos\theta}{\theta}=0$을 이용하여 $\lim_{\theta\to 0+}\frac{\{S(\theta)\}^2}{T(\theta)}$의 값을 구한다.

23

서술형 5점

좌표평면에서 자연수 n에 대하여 두 직선 $y=\frac{1}{n}x$와 $x=n$이 만나는 점을 A_n, 직선 $x=n$과 x축이 만나는 점을 B_n이라 하자. 삼각형 A_nOB_n에 내접하는 원의 중심을 C_n이라 하고 삼각형 A_nOC_n의 넓이를 S_n이라 하자. $\lim_{n\to\infty}\frac{S_n}{n}$의 값을 구하는 과정을 다음 단계로 서술하어라.

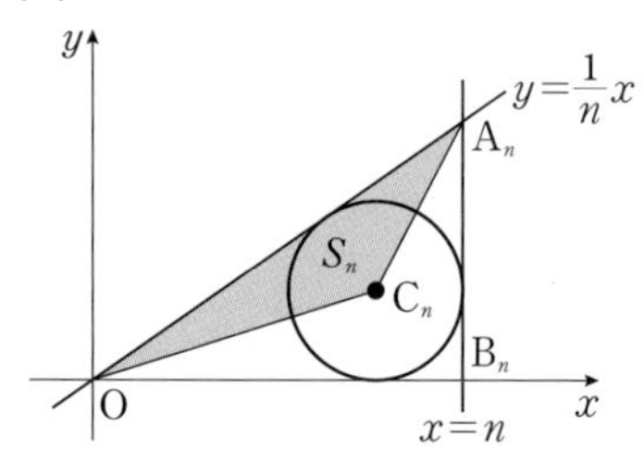

[1단계] 삼각형 A_nOB_n에 내접하는 원의 반지름의 길이를 구한다.

[2단계] 삼각형 A_nOC_n의 넓이 S_n를 구한다.

[3단계] $\lim_{n\to\infty}\frac{S_n}{n}$의 값을 구한다.

24

서술형 5점

그림과 같이 $\overline{OA_1}=4$, $\overline{OB_1}=4\sqrt{3}$인 직각삼각형 OA_1B_1이 있다. 중심이 O이고 반지름의 길이가 $\overline{OA_1}$인 원이 선분 OB_1과 만나는 점을 B_2라 하자. 삼각형 OA_1B_1의 내부와 부채꼴 OA_1B_2의 내부에서 공통된 부분을 제외한 ◣ 모양의 도형에 색칠하여 얻은 그림을 R_1이라 하자.

그림 R_1에서 점 B_2를 지나고 선분 A_1B_1에 평행한 직선이 선분 OA_1과 만나는 점을 A_2, 중심이 O이고 반지름의 길이가 $\overline{OA_2}$인 원이 선분 OB_2와 만나는 점을 B_3라 하자.

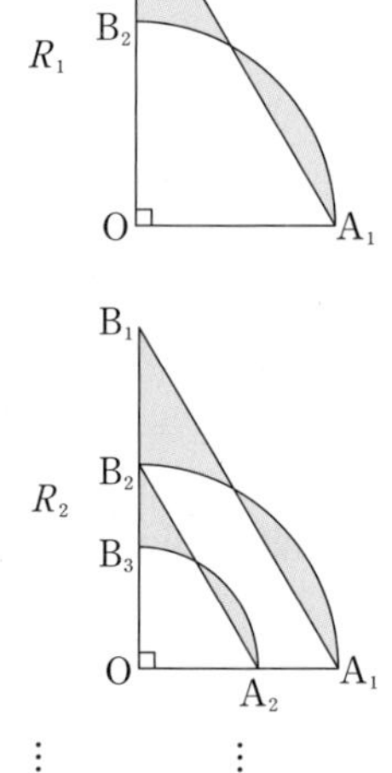

삼각형 OA_2B_2의 내부와 부채꼴 OA_2B_3의 내부에서 공통된 부분을 제외한 ◣ 모양의 도형에 색칠하여 얻은 그림을 R_2라 하자.

이와 같은 과정을 계속하여 n번째 얻은 그림 R_n에 색칠되어 있는 부분의 넓이를 S_n이라 할 때, $\lim_{n\to\infty}S_n$의 값을 구하는 과정을 다음 단계로 서술하여라.

[1단계] S_1을 구한다.

[2단계] 닮음을 이용하여 공비를 구한다.

[3단계] $\lim_{n\to\infty}S_n$을 구한다.

02 M A P L ; S Y N E R G Y 미적분 중간고사

대상 고등학교 3학년
과목코드 01
시간 50분
배점 100점 만점 총 24문제 (4점 × 20문제 – 객관식) (5점 × 04문제 – 서술형)

01

5지선다 4점

다음 중 옳지 않은 것은?

① $\lim_{n\to\infty}\frac{(-1)^{n+1}}{n^2}=0$

② $\lim_{n\to\infty}\frac{4n^2+3n}{1+2+3+\cdots+n}=8$

③ $\lim_{n\to\infty}\sqrt{n+1}(\sqrt{n+3}-\sqrt{n})=\frac{3}{2}$

④ $\lim_{n\to\infty}\frac{1}{\sqrt{4n^2+n}-2n}=2$

⑤ $\lim_{n\to\infty}\frac{2^{2n+2}-3^n}{2^n+3^n+4^n}=4$

02

5지선다 4점

등차수열 $\{a_n\}$에 대하여

$$a_1+a_5=12,\ \lim_{n\to\infty}\frac{na_n}{2n^2-3}=4$$

일 때, a_{10}의 값은?

① 56 ② 58 ③ 60 ④ 62 ⑤ 64

03

5지선다 4점

수렴하는 수열 $\{a_n\}$에 대하여 $\lim_{n\to\infty}\frac{5a_n-1}{a_n+1}=3$일 때, $\lim_{n\to\infty}(3a_n+2)$의 값은?

① 4 ② 6 ③ 8 ④ 10 ⑤ 12

04

5지선다 4점

수열 $\{a_n\}$이 모든 자연수 n에 대하여

$$|a_n-3n^2-n|<5$$

을 만족시킬 때, $\lim_{n\to\infty}\frac{a_n+n^2}{a_n-n^2}$의 값은?

(단, 모든 자연수 n에 대하여 $a_n\neq n^2$이다.)

① 1 ② $\frac{3}{2}$ ③ 2 ④ $\frac{5}{2}$ ⑤ 3

05

5지선다 4점

다음 [보기] 중에서 옳은 것을 모두 고르면?

ㄱ. 수열 $\left\{(x-2)\left(\frac{2x+1}{3}\right)^n\right\}$이 수렴하도록 하는 정수 x의 개수는 3이다.

ㄴ. n이 자연수일 때, 함수 $f(x)=\lim_{n\to\infty}\frac{x^n+5}{x^n+2}$에서 $f(3)+f\left(-\frac{1}{2}\right)+f(1)$의 값은 $\frac{11}{2}$이다.

ㄷ. $\lim_{n\to\infty}\frac{3\times2^{n+1}+3}{2^n+a\times3^{n-1}}=6$를 만족하는 상수 a는 0이다.

① ㄱ ② ㄱ, ㄴ ③ ㄴ, ㄷ ④ ㄱ, ㄷ ⑤ ㄱ, ㄴ, ㄷ

06

5지선다 4점

두 급수 $\sum_{n=1}^{\infty}a_n$, $\sum_{n=1}^{\infty}b_n$이 수렴하고

$$\sum_{n=1}^{\infty}(a_n-3b_n)=10,\ \sum_{n=1}^{\infty}(3a_n-2b_n)=9$$

일 때, $\sum_{n=1}^{\infty}(a_n-b_n)$의 값은?

① 3 ② 4 ③ 5 ④ 6 ⑤ 7

07

5지선다 4점

수열 $\left\{\left(\frac{x+3}{2}\right)^n\right\}$과 급수 $\sum_{n=1}^{\infty}\left(\frac{x+1}{4}\right)^n$이 모두 수렴하도록 하는 정수 x의 합은?

① -12　② -10　③ -8　④ -6　⑤ -4

08

5지선다 4점

다음 조건을 만족하는 급수를 a, b라 할 때 $a+b$의 값은?

(가) $\sum_{n=1}^{\infty}\frac{1}{(n+1)(n+2)}=a$

(나) $\sum_{n=1}^{\infty}\frac{3}{(3n-2)(3n+1)}=b$

① $\frac{1}{5}$　② $\frac{1}{2}$　③ $\frac{3}{4}$　④ 1　⑤ $\frac{3}{2}$

09

5지선다 4점

다음 [보기]의 설명 중 옳은 것만을 있는 대로 고른 것은?

ㄱ. 수열 $\{a_n\}$에 대하여 첫째항부터 제 n항까지의 합 S_n이 $S_n=\frac{1+2+3+\cdots+n}{n^2+3n}$일 때, $\sum_{n=1}^{\infty}a_n$의 값은 $\frac{1}{2}$이다.

ㄴ. $\sum_{n=1}^{\infty}\frac{1}{1+2+3+\cdots+n}$의 값은 2이다.

ㄷ. $\sum_{n=1}^{\infty}a_n=3$일 때, $\lim_{n\to\infty}\frac{2a_n+6n+1}{a_n-3n+2}$의 값은 -2이다.

① ㄱ　② ㄴ　③ ㄱ, ㄴ　④ ㄴ, ㄷ　⑤ ㄱ, ㄴ, ㄷ

10

5지선다 4점

자연수 n에 대하여 다항식 $\left(\frac{1}{2}x+\frac{7}{2}\right)^n$을 $x-1$로 나누었을 때의 나머지를 a_n, $x+1$로 나누었을 때의 나머지를 b_n이라 할 때, $\sum_{n=1}^{\infty}\frac{b_n}{a_n}$의 값은?

① 1　② 2　③ 3　④ 4　⑤ 5

11

5지선다 4점

오른쪽 그림과 같이 $\angle\mathrm{ABC}=\theta$, $\angle\mathrm{ACB}=3\theta$인 삼각형 ABC에 대하여 $\lim_{\theta\to0+}\frac{\overline{\mathrm{AB}}}{\overline{\mathrm{AC}}}$의 값은?

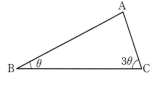

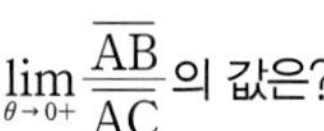

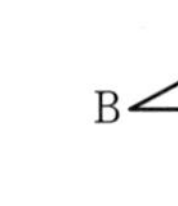

① $\frac{1}{3}$　② $\frac{1}{2}$　③ 1　④ $\frac{3}{2}$　⑤ 3

12

5지선다 4점

이차방정식 $x^2-2x-2=0$의 두 근이 $\tan\alpha$, $\tan\beta$일 때, $\tan(\alpha-\beta)$의 값은? (단, $\tan\alpha>\tan\beta$)

① $-3\sqrt{2}$　② $-2\sqrt{3}$　③ $-2\sqrt{2}$　④ -3　⑤ -2

13

5지선다 4점

삼각형 ABC에서 $0 < A < \frac{\pi}{2}$, $0 < B < \frac{\pi}{2}$이고

$$\sin A = \frac{1}{2},\ \sin B = \frac{2}{3}$$

을 만족한다. $\cos C$의 값이 $\frac{-\sqrt{15}+a}{b}$일 때, 자연수 a, b에 대하여 $a+b$의 값은?

① 4 ② 6 ③ 8
④ 10 ⑤ 12

16

5지선다 4점

함수 $f(x)=\ln|\tan x|$에 대하여

$\lim_{h \to 0} \frac{f\left(\frac{\pi}{4}+h\right)-f\left(\frac{\pi}{4}-h\right)}{h}$의 값은?

① 2 ② 4 ③ 6
④ 8 ⑤ 10

14

5지선다 4점

양의 정수 n에 대하여

$$f(n)=\lim_{x \to 0} \frac{x}{\sin x + \sin 2x + \cdots + \sin nx}$$

라고 할 때, $\sum_{n=1}^{\infty} f(n)$의 값은?

① $\frac{1}{2}$ ② $\frac{3}{4}$ ③ 1
④ 2 ⑤ $\frac{5}{2}$

17

5지선다 4점

매개변수 $\theta\left(0 < \theta \le \frac{\pi}{2}\right)$로 나타낸 곡선

$$x=\tan\theta,\ y=\sec\theta$$

위의 점 $(a,\ b)$에서의 접선의 기울기가 $\frac{\sqrt{3}}{2}$일 때, ab의 값은?

① $\sqrt{3}$ ② $\frac{3\sqrt{3}}{2}$ ③ $2\sqrt{3}$
④ $\frac{5\sqrt{3}}{2}$ ⑤ $3\sqrt{3}$

15

5지선다 4점

다음 중 옳지 않은 것은?

① $\lim_{x \to 0} \frac{1-\cos 2x}{x\ln(1+x)}=2$

② $\lim_{x \to 0} \frac{1-\cos x}{x \sin x}=\frac{1}{2}$

③ $\lim_{x \to \pi} \frac{(x-\pi)\sin 2x}{1+\cos x}=4$

④ $\lim_{x \to \frac{\pi}{2}} \frac{\cos x}{x-\frac{\pi}{2}}=-1$

⑤ $\lim_{x \to 0} \frac{2(\tan x - \sin x)}{x^3}=2$

18

5지선다 4점

곡선

$$x^3+y^3+axy+b=0$$

위의 점 $(1,\ 2)$에서의 접선의 기울기가 $\frac{5}{8}$일 때, 상수 a, b에 대하여 ab의 값은?

① 2 ② 4 ③ 5
④ 6 ⑤ 8

19

5지선다 4점

실수 전체의 집합에서 미분가능하고 역함수가 존재하는 두 함수 $f(x)$, $g(x)$가 다음 조건을 만족시킨다.

(가) $f(4)=2$, $g(2)=9$

(나) $f'(4)=\frac{1}{4}$, $g'(2)=8$

함수 $F(x)=(g\circ f)(x)$의 역함수를 $G(x)$라 할 때, $G'(9)$의 값은? (단, 두 함수 $f(x)$, $g(x)$의 역함수는 미분가능하다.)

① $\frac{1}{6}$ ② $\frac{1}{3}$ ③ $\frac{1}{2}$

④ $\frac{2}{3}$ ⑤ $\frac{5}{6}$

20

5지선다 4점

실수 전체의 집합에서 이계도함수를 갖는 함수 $f(x)$가

$$\lim_{x\to1}\frac{f'(f(x))-1}{x-1}=3$$

을 만족시키고 $f(1)=2$, $f'(1)=3$일 때, $f''(2)$의 값은?

① -2 ② -1 ③ 0

④ 1 ⑤ 2

서 술 형

21번 ~ 24번 5점

21

서술형 5점

집합 $\{x|x$는 -1이 아닌 실수$\}$에서 정의된 함수 $f(x)$가

$$f(x)=\lim_{n\to\infty}\frac{x^{n+1}+2x+1}{x^n+1}$$

있다. 함수 $y=f(x)$의 그래프와 직선 $y=mx$가 만나지 않도록 하는 m의 값의 범위를 구하는 과정을 다음 단계로 서술하여라. (단, n은 자연수이다.)

[1단계] $|x|>1$, $x=1$, $|x|<1$을 나누어 함수 $f(x)$를 구한다.

[2단계] 함수 $y=f(x)$의 그래프를 그린다.

[3단계] 직선 $y=mx$가 함수 $y=f(x)$의 그래프와 만나지 않도록 하는 m의 범위를 구한다.

22

서술형 5점

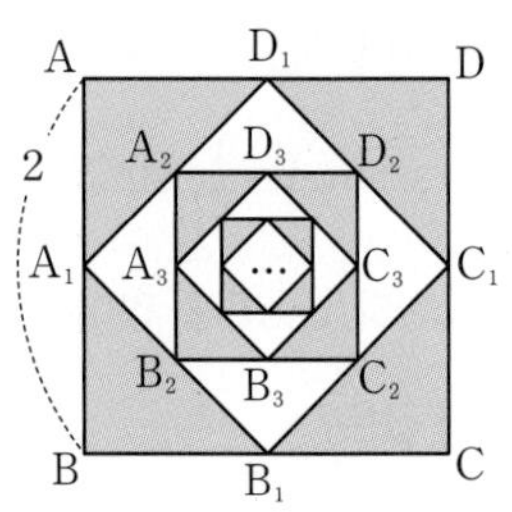

오른쪽 그림에서 한 변의 길이가 2인 정사각형 ABCD의 각변의 중점을 연결하여 정사각형 $A_1B_1C_1D_1$을 만든다.
또, 정사각형 $A_1B_1C_1D_1$의 각변의 중점을 연결하여 정사각형 $A_2B_2C_2D_2$를 만든다.
이와 같은 과정을 한없이 반복할 때, 다음 단계로 서술하여라.

[1단계] 각 정사각형의 한 변의 길이의 합 $\overline{A_1B_1}+\overline{A_2B_2}+\overline{A_3B_3}+\cdots$의 값을 구하여라.

[2단계] 색칠한 부분의 넓이의 합을 구하여라.

23

서술형 5점

두 함수 $f(x)$, $g(x)$가 미분가능하고 실수 전체의 집합에서 증가하는 함수 $f(x)$의 역함수를 $g(x)$라 하고 $f(a)=b$일 때, 다음 단계로 서술하여라.

[1단계] 역함수의 정의를 이용하여 $g'(b)=\frac{1}{f'(a)}$임을 서술한다.

[2단계] 함수 $f(x)=x^3+2x-1$의 역함수를 $g(x)$라 할 때, $g'(2)$의 값을 구한다.

24

서술형 5점

두 곡선 $y^2=x$와 $3x^2-3xy+y^2=1$이 만나는 제1사분면 위의 점을 P라 하고, 점 P에서의 두 접선을 각각 l_1, l_2라 하자.
두 직선 l_1, l_2가 이루는 예각의 크기를 θ라 할 때, $\tan\theta$의 값을 구하는 과정을 다음 단계로 서술하여라.

[1단계] 두 곡선이 만나는 제1사분면 위의 점 P의 좌표를 구한다.

[2단계] 곡선 $y^2=x$ 위의 점 P에서의 접선 l_1이 x축의 양의 방향과 이루는 각의 크기를 α라 할 때, $\tan\alpha$의 값을 구한다.

[3단계] 곡선 $3x^2-3xy+y^2=1$ 위의 점 P에서의 접선 l_2이 x축의 양의 방향과 이루는 각의 크기를 β라 할 때, $\tan\beta$의 값을 구한다.

[4단계] 두 직선 l_1, l_2가 이루는 예각의 크기를 θ라 할 때, $\tan\theta$의 값을 구한다.

FINAL STEP

01 미적분 기말고사

M A P L ; S Y N E R G Y

대상 고등학교 3학년
과목코드 01
시간 50분
배점 100점 만점 총 24문제 (4점 × 20문제 – 객관식) (5점 × 04문제 – 서술형)

01

5지선다 4점

함수

$$f(x)=(x^2-ax+3a-4)e^{-x}$$

이 실수전체의 집합에서 감소하도록 하는 정수 a의 개수는?

① 6 ② 7 ③ 8
④ 9 ⑤ 10

02

5지선다 4점

함수 $f(x)=-x\ln x$의 극댓값은?

① $\frac{1}{e}$ ② 1 ③ 2
④ e ⑤ 3

03

5지선다 4점

자연수 n에 대하여 함수

$$f(x)=\sin^{n+1}x\left(0<x<\frac{\pi}{2}\right)$$

의 변곡점의 x좌표를 α라 할 때, $\lim_{n\to\infty}f(\alpha)$의 값은?

① $\frac{1}{\sqrt{e}}$ ② $\frac{2}{\sqrt{e}}$ ③ $\frac{3}{\sqrt{e}}$
④ $\frac{4}{\sqrt{e}}$ ⑤ $\frac{5}{\sqrt{e}}$

04

5지선다 4점

함수 $f(x)=\frac{2x}{x^2+1}$의 그래프에 대한 설명으로 옳은 것만을 [보기]에서 고르면?

ㄱ. $x=1$에서 극댓값을 갖는다.
ㄴ. 함수 $y=f(x)$에 대하여 $f(-x)=-f(x)$를 만족한다.
ㄷ. 모든 실수 x에 대하여 부등식 $f(x)\geq-1$이 성립한다.
ㄹ. $0<a<b<\sqrt{3}$에서 $f\left(\frac{a+b}{2}\right)>\frac{f(a)+f(b)}{2}$이다.

① ㄱ ② ㄷ ③ ㄱ, ㄴ, ㄷ
④ ㄱ, ㄷ, ㄹ ⑤ ㄱ, ㄴ, ㄷ, ㄹ

05

5지선다 4점

x축 위의 점 $(k,\ 0)$에서 곡선 $y=(x-1)e^x$에 두 개의 접선을 그을 수 있도록 하는 실수 k의 값의 범위가 될 수 없는 정수 k의 개수는? (단, $\lim_{x\to-\infty}(x-1)e^x=0$)

① 2 ② 4 ③ 5
④ 6 ⑤ 8

06

5지선다 4점

함수 $f(x)=e^{2x-1}$의 역함수를 $g(x)$라 할 때, 곡선 $y=g(x)$ 위의 점 $\left(1,\ \frac{1}{2}\right)$에서의 접선의 방정식이 $(2,\ a)$를 지날 때, a의 값은?

① -3 ② -2 ③ -1
④ 1 ⑤ 2

07

5지선다 4점

방정식

$$x\ln x=2x+5-n$$

이 실근을 갖도록 하는 자연수 n의 개수는? (단, $2<e<3$)

① 5 ② 6 ③ 7 ④ 8 ⑤ 9

08

5지선다 4점

좌표평면 위를 움직이는 점 P의 시각 t에서의 위치 (x, y)가

$$x=\frac{\sin t}{2+\cos t},\ y=3+\sin 2t-2\cos^2 t$$

일 때, $t=\pi$에서의 점 P의 속력은?

① 1 ② $\sqrt{2}$ ③ $\sqrt{3}$ ④ 2 ⑤ $\sqrt{5}$

09

5지선다 4점

$x>0$에서 미분가능한 함수 $f(x)$의 한 부정적분을 $F(x)$라고 하면

$$F(x)=xf(x)-x^3+\ln x$$

인 관계가 성립한다고 한다. $f(2)=\frac{1}{2}$일 때, $f(1)$의 값은?

① $-\frac{9}{2}$ ② $-\frac{7}{2}$ ③ -2 ④ $\frac{7}{2}$ ⑤ $\frac{9}{2}$

10

5지선다 4점

다음 부정적분 중 옳지 않은 것은? (단, C는 적분상수이다.)

① $\int \tan x\sec^2 x dx=\frac{1}{2}\tan^2 x+C$ $\left(\text{또는 } \frac{1}{2}\sec^2 x+C\right)$

② $\int \frac{(\ln x)^2}{x}dx=\frac{1}{3}(\ln x)^3+C$

③ $\int \tan x dx=\ln|\cos x|+C$

④ $\int \frac{1}{(x+1)(x+2)}dx=\ln\left|\frac{x+1}{x+2}\right|+C$

⑤ $\int x\sqrt{x+3}\,dx=\frac{2}{5}(x-2)(x+3)\sqrt{x+3}+C$

11

5지선다 4점

열린구간 $(0, \infty)$에서 미분가능한 함수 $f(x)$가 다음 조건을 만족시킬 때, $f(\pi)$의 값은?

(가) $f\left(\frac{\pi}{2}\right)=1$

(나) $f(x)+xf'(x)=x\cos x$

① $-\frac{2}{\pi}$ ② $-\frac{1}{\pi}$ ③ 0 ④ $\frac{1}{\pi}$ ⑤ $\frac{2}{\pi}$

12

5지선다 4점

정적분 $\int_e^{e^2}\frac{\ln x}{x^2}dx$의 값은?

① $\frac{2}{e}-\frac{3}{e^2}$ ② $\frac{1}{e}-\frac{1}{e^2}$ ③ $\frac{1}{e}+\frac{1}{e^2}$ ④ $\frac{2}{e}+\frac{3}{e^2}$ ⑤ $e+\frac{2}{e^2}$

13

5지선다 4점

그림은 $0 \le x \le 5$에서 정의된 함수 $y=f(x)$의 그래프이다.

$\int_0^{\frac{\pi}{2}} f(5\sin x+1)\cos x dx$의 값은?

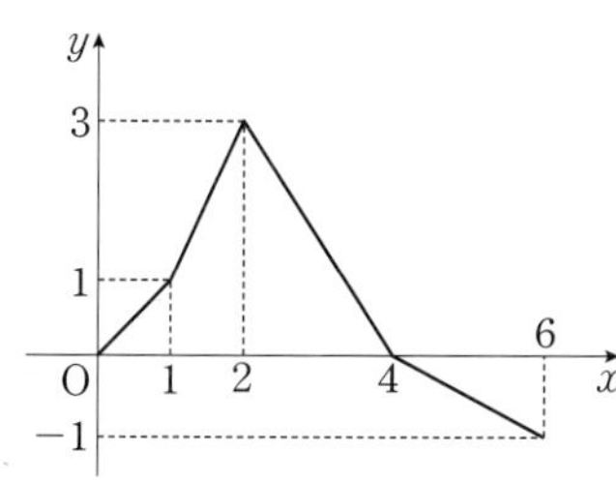

① $\frac{3}{4}$ ② $\frac{4}{5}$ ③ 2
④ 4 ⑤ 5

14

5지선다 4점

다음 정적분의 값이 옳지 않은 것은?

① $\int_1^e \ln x dx = 1$

② $\int_0^{\frac{\pi}{2}} \frac{\cos^2 x}{1+\sin x} dx = \frac{\pi}{2}-1$

③ $\int_1^3 \frac{1}{x(x+3)} dx = \frac{1}{3}\ln 2$

④ $\int_{\frac{\pi}{6}}^{\frac{\pi}{2}} \frac{\cos x}{\sin^2 x} dx = 2$

⑤ $\int_0^{\frac{\pi}{2}} \cos^4 x \sin x dx = \frac{1}{5}$

15

5지선다 4점

연속함수 $f(x)$가 모든 실수 x에 대하여

$$\int_0^x f(t)dt = \cos 2x + ax^2 + a$$

를 만족시킬 때, $f\left(\frac{\pi}{2}\right)$의 값은? (단, a는 상수)

① $-\frac{3}{2}\pi$ ② $-\pi$ ③ $-\frac{\pi}{2}$
④ 0 ⑤ $\frac{\pi}{2}$

16

5지선다 4점

함수 $f(x)=\int_0^x (t+a)e^{t^2-2t}dt$가 $x=1$에서 극솟값 b를 가질 때, 두 실수 a, b에 대하여 $a+b$의 값은?

① $\frac{1-e}{2e}$ ② $\frac{1-2e}{2e}$ ③ $\frac{1-3e}{2e}$
④ $\frac{1-4e}{2e}$ ⑤ $\frac{1-5e}{2e}$

17

5지선다 4점

$\lim_{x\to\infty} \frac{1}{n}\sum_{k=1}^{n} \tan^2\left(\frac{k\pi}{4n}\right)$의 값은?

① $\frac{4}{\pi}-2$ ② $\frac{4}{\pi}-1$ ③ $\frac{4}{\pi}$
④ $\frac{4}{\pi}+1$ ⑤ $\frac{4}{\pi}+2$

18

5지선다 4점

다음 그림과 같이 닫힌구간 $[0, \pi]$에서 두 곡선

$$y=\sin x,\ y=\sin 2x$$

로 둘러싸인 도형의 넓이는?

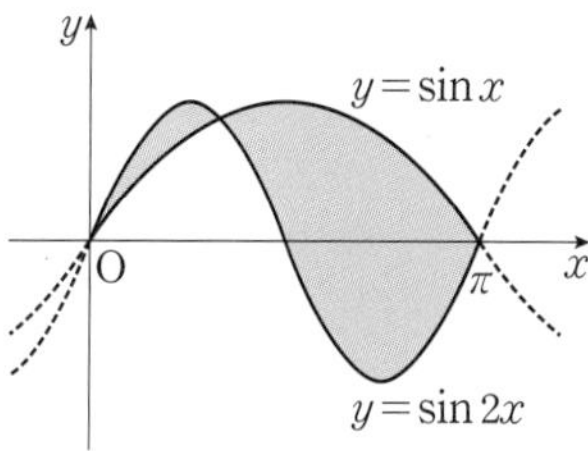

① $\frac{1}{2}$ ② $\frac{2}{3}$ ③ $\frac{4}{3}$
④ $\frac{5}{2}$ ⑤ $\frac{7}{2}$

19

5지선다 4점

그림과 같이 $0 \le x \le \pi$에서 두 곡선 $y=a\cos x$, $y=e^x-1$과 y축으로 둘러싸인 도형의 넓이를 S_1, $0 \le x \le \pi$에서 두 곡선 $y=a\cos x$, $y=e^x-1$과 x축 및 직선 $x=\pi$로 둘러싸인 도형의 넓이를 S_2라 하자. $S_1=S_2$일 때, 양수 a의 값은?

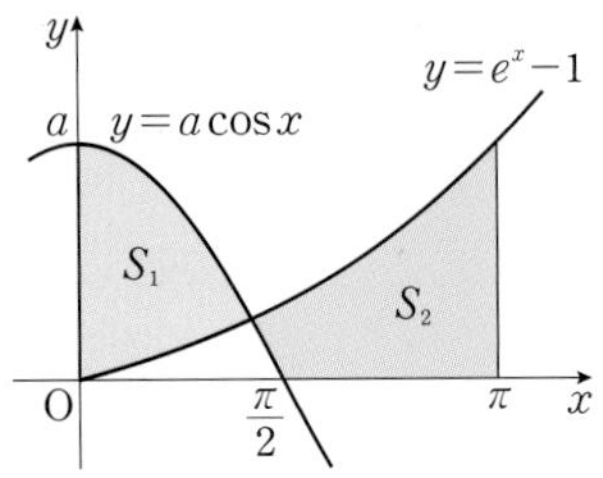

① $e^{\frac{\pi}{2}}-2\pi-2$　② $e^{\frac{\pi}{2}}-\pi-1$　③ $e^{\pi}-2\pi-2$
④ $e^{\pi}-\pi-1$　⑤ $e^{2\pi}-2\pi-1$

20

5지선다 4점

좌표평면 위를 움직이는 점 P의 시각 t에서 위치가 (x, y)이고,

$$x=\frac{1}{2}t^2-t,\ y=\frac{4}{3}t\sqrt{t}$$

일 때, $t=0$에서 $t=1$까지 점 P가 움직인 거리는?

① $\frac{3}{4}$　② 1　③ $\frac{3}{2}$
④ 2　⑤ $\frac{5}{2}$

서 술 형

21번 ~ 24번　5점

21

서술형 5점

함수 $f(x)=x(\ln x)^2$의 그래프에 대하여 이 함수가 극소인 점을 A라고 하고, 변곡점에서 접하는 접선이 x축, y축과 만나는 점을 각각 B, C라 할 때, 삼각형 ABC의 넓이를 구하는 과정을 다음 단계로 서술하여라.

[1단계] 함수 $f(x)$의 극소인 점 A의 좌표를 구한다.
[2단계] 함수 $f(x)$의 변곡점의 좌표를 구한다.
[3단계] 변곡점에서 접하는 접선의 방정식을 이용하여 점 B, C의 좌표를 구한다.
[4단계] 삼각형 ABC의 넓이를 구한다.

22

서술형 5점

함수

$$f(x)=\ln(4-x^2)$$

의 그래프의 개형을 그리는 과정을 다음 단계로 서술하여라.
(단, 증가와 감소, 오목과 볼록을 나타내는 표를 그려라.)

[1단계] 함수 $y=f(x)$의 정의역과 좌표축과의 교점을 구한다.
[2단계] $f'(x)=0$인 x의 값과 $f''(x)$를 이용하여 곡선의 오목과 볼록을 구한다.
[3단계] 함수 $y=f(x)$의 증가와 감소, 극대와 극소, 오목과 볼록, 변곡점을 나타내는 표를 작성한다.
[4단계] $\lim_{x\to 2-}f(x)$, $\lim_{x\to -2+}f(x)$를 구하여 점근선을 찾는다.
[5단계] 그래프의 개형을 그린다.

23

서술형 5점

양의 실수 전체의 집합에서 연속인 함수 $f(x)$가

$$f(x)=\ln\frac{1}{x}+\int_1^e f(t)dt$$

를 만족시킬 때, $f(1)$의 값을 구하는 과정을 다음 단계로 서술하여라.

[1단계] $\int_1^e f(t)dt=k$(k는 상수)로 놓고 $f(x)$를 k로 나타낸다.
[2단계] 상수 k의 값을 구한다.
[3단계] $f(1)$의 값을 구한다.

24

서술형 5점

곡선 $y=2\sin x(0 \le x \le \pi)$와 x축으로 둘러싸인 영역에 밑면이 있는 입체도형이 있다. 이 입체도형을 x축에 수직인 평면으로 자른 단면이 다음 그림과 같이 $\overline{PQ}=\overline{QR}$인 직각이등변삼각형에서 점 Q를 중심으로 하고 변 PR에 접하는 사분원을 제외한 도형과 같을 때, 이 입체도형의 부피를 구하는 과정을 다음 단계로 서술하여라.

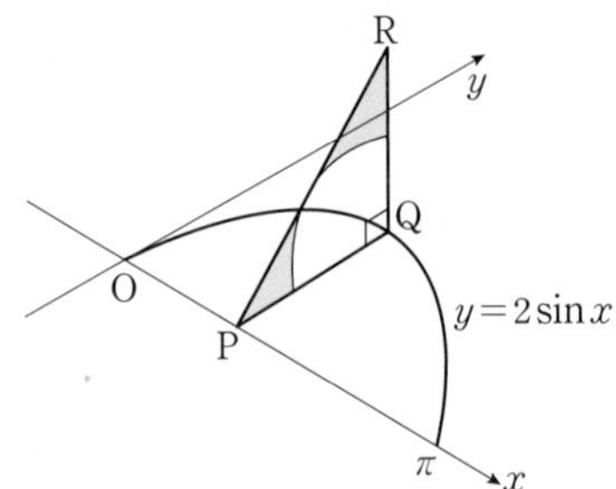

[1단계] 원점에서 $x(0 \le x \le \pi)$만큼 떨어진 x축에 수직인 평면으로 자른 단면의 넓이 $S(x)$를 구한다.
[2단계] $0 \le x \le \pi$에서 입체도형의 부피 V를 식으로 정리한다.
[3단계] 부분적분법을 이용하여 부피를 구한다.

MAPL; SYNERGY

미적분 기말고사

대상 고등학교 3학년
과목코드 01
시간 50분
배점 100점 만점 총 24문제 (4점 × 20문제 – 객관식) (5점 × 04문제 – 서술형)

01

5지선다 4점

원점에서 곡선 $y=\frac{1}{2}(\ln x)^2-4$에 그은 두 접선의 기울기를 m_1, m_2라 할 때, m_1m_2의 값은?

① $-\frac{8}{e^2}$ ② $-\frac{7}{e^2}$ ③ $-\frac{6}{e^2}$
④ $-\frac{5}{e^2}$ ⑤ $-\frac{4}{e^2}$

02

5지선다 4점

함수

$$f(x)=x^2\ln x+\frac{1}{2}x^2$$

이 $x=a$에서 극솟값 b를 가질 때, ab의 값은?

① $-\frac{1}{2}e^{-2}$ ② $-\frac{1}{2}e^{-3}$ ③ $\frac{1}{2}e^{-3}$
④ e^{-3} ⑤ e^{-2}

03

5지선다 4점

곡선

$$y=ax^2+x+2\sin x$$

가 구간 $(0, 2\pi)$에서 변곡점을 가지도록 하는 상수 a의 값의 범위는?

① $a<-3$ ② $-1<a<1$ ③ $0<a<3$
④ $a>-3$ ⑤ $-3<a<3$

04

5지선다 4점

곡선 $y=\left(\ln\frac{1}{ax}\right)^2$의 변곡점이 직선 $y=3x$ 위에 있을 때, 양수 a의 값은?

① e ② $\frac{3}{2}e$ ③ $3e$
④ $4e$ ⑤ $5e$

05

5지선다 4점

닫힌구간 $[1, e^4]$에서 함수

$$f(x)=x\ln\sqrt{x}-x$$

의 최댓값을 M, 최솟값을 m이라 할 때, Mm의 값은?

① $-\frac{e^5}{2}$ ② $-\frac{e^3}{2}$ ③ $-\frac{e}{2}$
④ $-\frac{1}{2e}$ ⑤ $-\frac{1}{2e^3}$

06

5지선다 4점

오른쪽 그림과 같이 길이가 2인 선분 AB를 지름으로 하는 반원에 내접하는 등변사다리꼴 ABCD의 넓이의 최댓값을 M이라 할 때, $64M^2$의 값은? $\left(단, 0<\theta<\frac{\pi}{2}\right)$

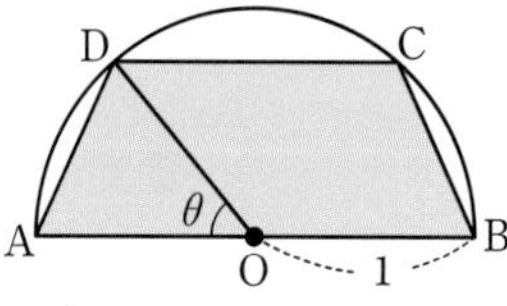

① 64 ② 86 ③ 96
④ 108 ⑤ 122

07

5지선다 4점

방정식

$$ke^{x}=x^{2}$$

이 서로 다른 세 실근을 갖도록 하는 상수 k의 값의 범위는? (단, $\lim_{x\to\infty}x^{2}e^{-x}=0$)

① $1<k<e^{2}$ ② $0<k<\frac{4}{e^{2}}$ ③ $\frac{4}{e^{2}}<k<1$
④ $1<k<\frac{4}{e}$ ⑤ $0<k<\frac{1}{e}$

08

5지선다 4점

$x>-1$인 모든 실수 x에 대하여 부등식

$$2x+k\geq\ln(x+1)$$

이 성립하도록 하는 실수 k의 최솟값은?

① $1-\ln 2$ ② $2-\ln 2$ ③ $\ln 2$
④ $3-2\ln 2$ ⑤ $2\ln 2$

09

5지선다 4점

좌표평면 위를 움직이는 점 P의 시각 t에서의 위치 $(x,\ y)$가

$$x=e^{t}\cos t,\ y=e^{t}\sin t$$

이다. 점 P의 속력이 $\sqrt{2}e^{6}$일 때, 시각 t는?

① 2 ② 3 ③ 4
④ 5 ⑤ 6

10

5지선다 4점

미분가능한 함수 $f(x)$의 한 부정적분 $F(x)$에 대하여

$$F(x)=xf(x)-\sin x+x\cos x,\ F(\pi)=\pi$$

일 때, $f\left(\frac{\pi}{2}\right)$의 값은?

① π ② $\frac{\pi}{2}$ ③ 1
④ $-\frac{\pi}{2}$ ⑤ -1

11

5지선다 4점

실수 전체의 집합에서 연속인 함수 $f(x)$에 대하여

$$f'(x)=\begin{cases}\cos x & (x>0)\\ \sin x+1 & (x<0)\end{cases}$$

이다. $f(-\pi)=1$일 때, $f\left(\frac{\pi}{2}\right)$의 값은?

① 0 ② $\frac{\pi}{3}$ ③ $\frac{\pi}{4}$
④ $\frac{\pi}{2}$ ⑤ π

12

5지선다 4점

정적분 $\int_{1}^{e^{2}}|\ln x-1|dx$의 값은?

① $e-1$ ② $2e-2$ ③ $3e-3$
④ $4e-4$ ⑤ $5e-5$

13

5지선다 4점

다음 조건을 만족하는 정적분의 값을 a, b라 할 때, $a+b$의 값은?

(가) $\int_0^{\sqrt{3}} \frac{4x}{\sqrt{x^2+1}}dx=a$

(나) $\int_1^{e} \frac{3(\ln x+1)^2}{x}dx=b$

① 7 ② 9 ③ 11 ④ 13 ⑤ 15

14

5지선다 4점

정적분 $\int_0^3 \frac{4}{x^2+9}dx$의 값을 α라고 할 때, $\cos\alpha$의 값은?

① $-\frac{1}{2}$ ② 0 ③ $\frac{1}{2}$ ④ $\frac{\sqrt{3}}{2}$ ⑤ 1

15

5지선다 4점

연속함수 $f(x)$가

$$f(x)=e^{x^2}+\int_0^1 tf(t)dt$$

를 만족시킬 때, 정적분 $\int_0^1 xf(x)dx$의 값은?

① $e-2$ ② $\frac{e-1}{2}$ ③ $\frac{e}{2}$ ④ $e-1$ ⑤ $\frac{e+1}{2}$

16

5지선다 4점

양의 실수 전체의 집합에서 연속인 함수 $f(x)$가 모든 양의 실수 x에 대하여

$$\int_2^x xf(t)dt=\ln x+ax$$

를 만족시킬 때, $2f(2)+a$의 값은? (단, a는 상수이다.)

① $\frac{1}{8}-\ln 2$ ② $\frac{1}{4}-\ln 2$ ③ $\frac{3}{8}-\ln 2$ ④ $\frac{1}{2}-\ln 2$ ⑤ $\frac{5}{8}-\ln 2$

17

5지선다 4점

곡선 $y=a\cos x\left(0\le x\le\frac{\pi}{2}\right)$ 및 x축과 y축으로 둘러싸인 도형의 넓이를 곡선 $y=\sin x$가 이등분할 때, 양수 a의 값은?

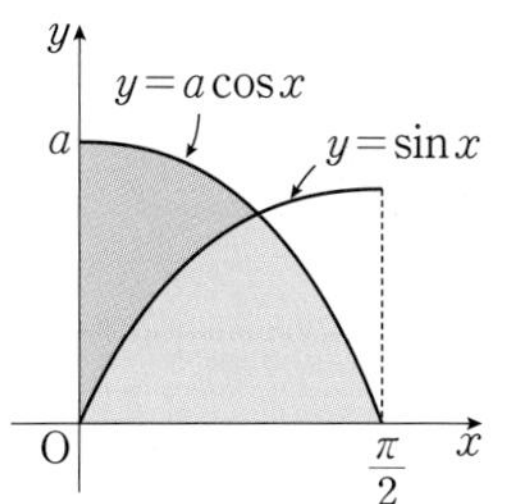

① $\frac{1}{2}$ ② $\frac{2}{3}$ ③ $\frac{4}{3}$ ④ $\frac{5}{3}$ ⑤ 2

18

5지선다 4점

$0\le x\le\frac{\pi}{2}$에서 두 곡선 $y=\sin x$, $y=\sin x\cos x$ 및 직선 $x=\frac{\pi}{2}$로 둘러싸인 부분의 넓이는?

① 1 ② $\frac{1}{2}$ ③ $\frac{1}{3}$ ④ $\frac{1}{4}$ ⑤ $\frac{1}{5}$

19

5지선다 4점

밑면의 반지름의 길이가 6, 높이가 6인 원기둥 모양의 그릇에 물이 가득 담겨있다. 그림과 같이 이 그릇을 45°의 각도로 기울였을 때, 그릇에 남아 있는 물의 부피는?

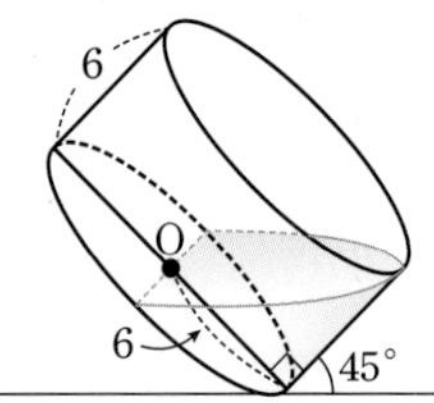

① 81 ② 96 ③ 121
④ 144 ⑤ 169

20

5지선다 4점

좌표평면 위를 움직이는 점 $\mathrm{P}(x, y)$의 시각 t에서의 위치가

$$x=\ln t,\ y=\frac{1}{2}\left(t+\frac{1}{t}\right)(t>0)$$

일 때, 시각 $t=\frac{1}{e}$에서 $t=e$까지 점 P가 움직인 거리는?

① $1-\frac{1}{e}$ ② $1+\frac{1}{e}$ ③ $e-\frac{1}{e}$
④ $e+\frac{1}{e}$ ⑤ $2\left(e+\frac{1}{e}\right)$

서 술 형

21번 ~ 24번 5점

21

서술형 5점

x축 위의 점 $(a, 0)$에서 곡선 $y=e^{-x^2}$에 그을 수 있는 접선의 개수를 실수 a의 범위에 따라 구하는 과정을 다음 단계로 서술하여라.

[1단계] 접점의 x좌표를 t라고 할 때, 접선의 방정식을 구한다.
[2단계] 점 $(a, 0)$을 접선의 방정식에 대입하여 t에 대한 이차방정식을 구한다.
[3단계] 점 $(a, 0)$에서 곡선 $y=e^{-x^2}$에 서로 다른 두 개의 접선, 한 개의 접선, 접선을 그을 수 없도록 하는 a의 범위를 각각 구한다.

22

서술형 5점

함수 $f(x)=ax^2+bx-\ln x$가 $x=1$에서 극대이고 곡선 $y=f(x)$의 변곡점의 x좌표가 $\frac{1}{4}$일 때, 함수 $f(x)$의 극솟값을 구하는 과정을 다음 단계로 서술하여라. (단, a, b는 상수)

[1단계] 함수 $f(x)$가 $x=1$에서 극대 $x=\frac{1}{4}$에서 변곡점을 가짐을 이용하여 상수 a, b의 값을 구한다.
[2단계] 함수 $f(x)$의 증감표를 작성한다.
[3단계] 함수 $f(x)$의 극솟값을 구한다.

23

서술형 5점

함수 $f(x)$가 $f(x)=\cos x+\int_0^{\frac{\pi}{3}} f(t)\sin t\,dt$를 만족시키는 함수 $f(x)$에 대하여 $f\left(\frac{\pi}{3}\right)$의 값을 구하는 과정을 다음 단계로 서술하여라.

[1단계] $\int_0^{\frac{\pi}{3}} f(t)\sin t\,dt=k$($k$는 상수)로 놓고 $f(x)$를 k를 포함한 식으로 나타낸다.
[2단계] k의 값을 구한다.
[3단계] 함수 $f(x)$를 구하여 $f\left(\frac{\pi}{3}\right)$의 값을 구한다.

24

서술형 5점

그림과 같이 2 이상의 자연수 n에 대하여 곡선 $y=\sin x$ 위의 점 $\mathrm{P}_k\left(\frac{k\pi}{n}, \sin\frac{k\pi}{n}\right)(k=1, 2, 3, \cdots, n)$에서의 접선이 y축과 만나는 점을 Q_k라 하고, 점 $\mathrm{P}_k(k=1, 2, 3, \cdots, n-1)$에서 x축에 내린 수선의 발을 R_k라 하자. 두 삼각형 $\mathrm{OP}_k\mathrm{Q}_k$, $\mathrm{OP}_k\mathrm{R}_k$의 넓이를 각각 S_k, T_k라 할 때, $\lim_{n\to\infty}\frac{1}{n}\sum_{k=1}^{n}(S_k-T_k)$의 값을 구하는 과정을 다음 단계로 서술하여라. (단, O는 원점이고 $T_n=0$이다.)

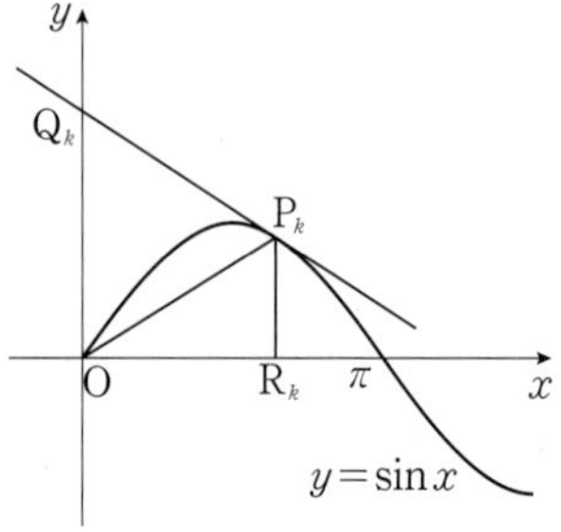

[1단계] 곡선 $y=\sin x$ 위의 점 $\mathrm{P}_k\left(\frac{k\pi}{n}, \sin\frac{k\pi}{n}\right)$에서 접선의 방정식을 구한다.
[2단계] 접선이 y축과 만나는 점 Q_k의 좌표를 구한다.
[3단계] 두 삼각형 $\mathrm{OP}_k\mathrm{Q}_k$, $\mathrm{OP}_k\mathrm{R}_k$의 넓이 S_k, T_k를 구한다.
[4단계] $\lim_{n\to\infty}\frac{1}{n}\sum_{k=1}^{n}(S_k-T_k)$의 값을 구한다.

SYNERGY'S SPEED CHECK

MAPL SYNERGY SERIES
미적분

I 수열의 극한

0001	④	0002	④	0003	⑤	0004	③
0005	⑤	0006	②	0007	②	0008	④
0009	③	0010	①	0011	⑤	0012	①
0013	①	0014	③	0015	①	0016	⑤
0017	③	0018	③	0019	⑤	0020	④
0021	④	0022	①	0023	②	0024	②
0025	⑤	0026	④	0027	③	0028	⑤
0029	④	0030	②	0031	⑤	0032	①
0033	②	0034	①	0035	③	0036	⑤
0037	④	0038	②	0039	⑤	0040	②
0041	②	0042	②	0043	③	0044	②
0045	②	0046	④	0047	④	0048	⑤
0049	④	0050	②	0051	④	0052	③
0053	④	0054	③	0055	②	0056	①
0057	②	0058	⑤	0059	②	0060	③
0061	③	0062	⑤	0063	⑤	0064	③
0065	①	0066	②	0067	③	0068	③
0069	④	0070	②	0071	①	0072	③
0073	①	0074	⑤	0075	③	0076	⑤
0077	①	0078	③	0079	①	0080	②
0081	①	0082	④	0083	③	0084	①
0085	①	0086	⑤	0087	⑤	0088	①
0089	①	0090	④	0091	⑤	0092	⑤
0093	④	0094	①	0095	③	0096	③
0097	③	0098	④	0099	③	0100	⑤
0101	⑤	0102	④	0103	②		
0104	③	0105	⑤	0106	⑤	0107	①
0108	①	0109	③	0110	③	0111	③
0112	③	0113	②	0114	②	0115	④
0116	⑤	0117	④	0118	③	0119	③
0120	①	0121	③	0122	③	0123	①
0124	③	0125	④	0126	②	0127	④
0128	④	0129	⑤	0130	④	0131	②
0132	⑤	0133	⑤	0134	⑤	0135	④
0136	②	0137	③	0138	①	0139	⑤
0140	⑤	0141	③	0142	③	0143	④
0144	④	0145	④	0146	①	0147	④
0148	④	0149	④	0150	⑤	0151	③
0152	③	0153	①	0154	④	0155	③
0156	④	0157	④	0158	⑤	0159	①
0160	②	0161	②	0162	②	0163	①

0164	④	0165	④	0166	③	0167	②
0168	③	0169	④	0170	③	0171	①
0172	⑤	0173	②				
0174	해설참조			0175	해설참조		
0176	해설참조			0177	해설참조		
0178	162			0179	해설참조		
0180	해설참조			0181	해설참조		
0182	해설참조			0183	해설참조		
0184	해설참조			0185	해설참조		
0186	해설참조			0187	$\frac{1}{6}$	0188	2
0189	20	0190	$\frac{1}{12}$	0191	2	0192	8
0193	4	0194	6	0195	2	0196	1
0197	4	0198	π	0199	1	0200	4
0201	120						
0202	①	0203	⑤	0204	②	0205	①
0206	①	0207	③	0208	②	0209	⑤
0210	③	0211	①	0212	④	0213	④
0214	③	0215	⑤	0216	③	0217	②
0218	①	0219	①	0220	②	0221	②
0222	①	0223	④	0224	③	0225	①
0226	④	0227	⑤	0228	⑤	0229	①
0230	②	0231	②	0232	②	0233	④
0234	①	0235	②	0236	③	0237	③
0238	①	0239	①	0240	⑤	0241	②
0242	②	0243	①	0244	①	0245	③
0246	③	0247	⑤	0248	③	0249	①
0250	①	0251	①	0252	⑤	0253	⑤
0254	②	0255	③	0256	②	0257	②
0258	①	0259	⑤	0260	①	0261	⑤
0262	③	0263	①	0264	②	0265	⑤
0266	③	0267	③	0268	④	0269	②
0270	①	0271	③	0272	①	0273	②
0274	②	0275	③	0276	③	0277	①
0278	①	0279	④	0280	③	0281	④
0282	③	0283	②	0284	②	0285	②
0286	④	0287	⑤	0288	①	0289	④
0290	④	0291	①				
0292	⑤	0293	①	0294	④	0295	②
0296	④	0297	④	0298	③	0299	③
0300	②	0301	⑤	0302	⑤	0303	④
0304	③	0305	②	0306	③	0307	⑤
0308	③	0309	⑤	0310	③	0311	④

0312	③	0313	②	0314	④	0315	②
0316	②	0317	①	0318	②	0319	②
0320	③	0321	②	0322	④	0323	②
0324	⑤	0325	④	0326	③	0327	④
0328	④	0329	②	0330	⑤	0331	④
0332	②	0333	②	0334	①	0335	⑤
0336	④	0337	①	0338	④	0339	④
0340	⑤	0341	③	0342	④	0343	①
0344	⑤	0345	③	0346	④	0347	④
0348	④	0349	③	0350	⑤	0351	④
0352	③	0353	⑤	0354	②	0355	③
0356	①	0357	③	0358	④	0359	①
0360	③	0361	①	0362	②	0363	①
0364	④	0365	①	0366	①	0367	③
0368	②	0369	⑤	0370	①	0371	①
0372	④	0373	②	0374	②		
0375	③	0376	②	0377	④	0378	④
0379	⑤	0380	③	0381	⑤	0382	③
0383	②	0384	①	0385	②	0386	①
0387	⑤	0388	④	0389	①	0390	①
0391	②	0392	⑤	0393	②	0394	①
0395	③	0396	④	0397	③	0398	④
0399	④	0400	②	0401	③	0402	⑤
0403	①	0404	①	0405	②	0406	④
0407	②	0408	⑤	0409	②	0410	②
0411	⑤	0412	③	0413	②	0414	③
0415	④	0416	②	0417	③	0418	⑤
0419	②	0420	①	0421	④	0422	④
0423	③			0424	해설참조		
0425	해설참조			0426	해설참조		
0427	해설참조			0428	해설참조		
0429	해설참조			0430	해설참조		
0431	해설참조			0432	해설참조		
0433	해설참조			0434	해설참조		
0435	해설참조			0436	해설참조		
0437	해설참조			0438	해설참조		
0439	해설참조			0440	해설참조		
0441	해설참조			0442	$\frac{1}{2}$	0443	$\frac{1}{2}$
0444	25	0445	3	0446	4	0447	$\frac{1}{2}$
0448	1010	0449	$\frac{17}{6}$	0450	$\frac{1}{6}$	0451	2
0452	④	0453	③	0454	②	0455	⑤

II 미분법

0456	③	0457	②	0458	③	0459	③
0460	④	0461	①	0462	②	0463	③
0464	①	0465	⑤	0466	③	0467	③
0468	④	0469	①	0470	④	0471	⑤
0472	②	0473	③	0474	⑤	0475	③
0476	①	0477	⑤	0478	③	0479	④
0480	④	0481	④	0482	⑤	0483	④
0484	④	0485	⑤	0486	③	0487	①
0488	③	0489	⑤	0490	①	0491	④
0492	③	0493	②	0494	②	0495	②
0496	③	0497	②	0498	②	0499	②
0500	⑤	0501	④	0502	②	0503	④
0504	①	0505	①	0506	④	0507	①
0508	③	0509	②	0510	①	0511	②
0512	③	0513	③	0514	①	0515	③
0516	⑤	0517	③	0518	③	0519	④
0520	②	0521	③	0522	②	0523	⑤
0524	②	0525	⑤	0526	④	0527	⑤
0528	④	0529	⑤	0530	②	0531	⑤
0532	②	0533	②	0534	①	0535	④
0536	④	0537	②	0538	③	0539	③
0540	④	0541	②	0542	①	0543	②
0544	③	0545	④	0546	④	0547	④
0548	①	0549	①	0550	①	0551	②
0552	③	0553	②	0554	④	0555	⑤
0556	②	0557	⑤	0558	②	0559	③
0560	②	0561	④				
0562	①	0563	④	0564	②	0565	③
0566	②	0567	①	0568	②	0569	⑤
0570	④	0571	⑤	0572	①	0573	⑤
0574	⑤	0575	②	0576	②	0577	③
0578	④	0579	④	0580	①	0581	③
0582	③	0583	④	0584	①	0585	⑤
0586	④	0587	②	0588	②	0589	①
0590	①	0591	⑤	0592	③	0593	③
0594	③	0595	②	0596	③	0597	④
0598	⑤	0599	③	0600	④	0601	③
0602	④	0603	④	0604	④		
0605	해설참조			0606	해설참조		
0607	해설참조			0608	해설참조		
0609	해설참조			0610	해설참조		
0611	해설참조			0612	해설참조		
0613	-1	0614	9	0615	(1) 11 (2) 13 (3) 17		

0616	⑤	0617	2	0618	5	0619	9
0620	③	0621	②	0622	2		
0623	④	0624	⑤	0625	③	0626	③
0627	③	0628	③	0629	③	0630	⑤
0631	④	0632	⑤	0633	④	0634	②
0635	③	0636	④	0637	③	0638	①
0639	②	0640	②	0641	①	0642	③
0643	④	0644	①	0645	④	0646	③
0647	④	0648	③	0649	①	0650	②
0651	⑤	0652	①	0653	①	0654	③
0655	②	0656	①	0657	②	0658	①
0659	④	0660	③	0661	④	0662	④
0663	②	0664	⑤	0665	④	0666	③
0667	③	0668	②	0669	①	0670	④
0671	③	0672	②	0673	①	0674	③
0675	②	0676	⑤	0677	①	0678	④
0679	③	0680	③	0681	④	0682	②
0683	①	0684	⑤	0685	④	0686	⑤
0687	②	0688	③	0689	③	0690	③
0691	④	0692	①	0693	④	0694	②
0695	③	0696	②	0697	①		
0698	④	0699	①	0700	②	0701	②
0702	②	0703	⑤	0704	②	0705	③
0706	③	0707	⑤	0708	②	0709	④
0710	⑤	0711	⑤	0712	④	0713	④
0714	④	0715	④	0716	②	0717	②
0718	④	0719	⑤	0720	⑤	0721	⑤
0722	①	0723	③	0724	③	0725	④
0726	②	0727	③	0728	②	0729	⑤
0730	⑤	0731	④	0732	⑤	0733	④
0734	④	0735	④	0736	③	0737	③
0738	③	0739	⑤	0740	⑤	0741	③
0742	②	0743	⑤	0744	⑤	0745	④
0746	②	0747	⑤	0748	⑤	0749	⑤
0750	④	0751	③	0752	⑤	0753	⑤
0754	③	0755	①	0756	③	0757	③
0758	④	0759	③	0760	②	0761	③
0762	⑤	0763	④	0764	③	0765	③
0766	②	0767	④	0768	⑤	0769	③
0770	③	0771	②	0772	⑤	0773	④
0774	②	0775	④	0776	③	0777	②
0778	④	0779	③	0780	③	0781	③
0782	④	0783	②	0784	④	0785	①
0786	③	0787	③	0788	②	0789	②

0790	②	0791	①	0792	①	0793	④
0794	④	0795	⑤	0796	③	0797	⑤
0798	④	0799	③	0800	①	0801	③
0802	③	0803	④	0804	①	0805	②
0806	④	0807	30	0808	30	0809	⑤
0810	①	0811	④	0812	④	0813	④
0814	$\frac{2}{\pi}$	0815	①	0816	④	0817	20
0818	②	0819	④	0820	①	0821	⑤
0822	④	0823	②	0824	①	0825	⑤
0826	②	0827	②	0828	④	0829	④
0830	⑤	0831	②	0832	⑤	0833	②
0834	③	0835	①	0836	②		
0837	①	0838	⑤	0839	③	0840	④
0841	②	0842	①	0843	⑤	0844	④
0845	⑤	0846	④	0847	①	0848	②
0849	②	0850	④	0851	②	0852	①
0853	②	0854	④	0855	③	0856	①
0857	③	0858	⑤	0859	②	0860	②
0861	④	0862	④	0863	④	0864	⑤
0865	④	0866	④	0867	②	0868	④
0869	②	0870	②	0871	④	0872	③
0873	⑤	0874	②	0875	③	0876	⑤
0877	해설참조			0878	해설참조		
0879	해설참조			0880	해설참조		
0881	해설참조			0882	해설참조		
0883	해설참조			0884	해설참조		
0885	해설참조			0886	해설참조		
0887	해설참조			0888	해설참조		
0889	해설참조			0890	해설참조		
0891	해설참조			0892	해설참조		
0893	해설참조			0894	해설참조		
0895	해설참조			0896	$\frac{8}{11}$	0897	$\frac{3}{4}$
0898	$\frac{3}{4}$	0899	$2+2\sqrt{2}$	0900	$\frac{3}{2}$	0901	③
0902	8	0903	36	0904	$\frac{\sqrt{3}}{2}\pi$	0905	$\frac{1}{4}$
0906	$\frac{1}{16}$	0907	$\frac{1}{8}$	0908	40	0909	25
0910	16	0911	$\frac{\pi^2}{2}$				
0912	②	0913	①	0914	②	0915	②
0916	②	0917	③	0918	③	0919	③
0920	③	0921	②	0922	①	0923	④
0924	③	0925	③	0926	⑤	0927	④
0928	①	0929	②	0930	⑤	0931	⑤
0932	①	0933	①	0934	⑤	0935	①

0936	②	0937	①	0938	③	0939	①
0940	②	0941	⑤	0942	①	0943	④
0944	①	0945	③	0946	⑤	0947	②
0948	④	0949	②	0950	③	0951	⑤
0952	③	0953	③	0954	⑤	0955	①
0956	⑤	0957	③	0958	⑤	0959	⑤
0960	①	0961	②	0962	③	0963	④
0964	①	0965	④	0966	②	0967	⑤
0968	④	0969	①	0970	④	0971	②
0972	⑤	0973	④	0974	⑤	0975	③
0976	②	0977	②	0978	⑤	0979	①
0980	④	0981	④	0982	①	0983	②
0984	③	0985	⑤	0986	③	0987	⑤
0988	②	0989	③	0990	④	0991	④
0992	②	0993	⑤	0994	①	0995	③
0996	②	0997	①	0998	⑤	0999	③
1000	③	1001	⑤	1002	③	1003	⑤
1004	①	1005	④	1006	④	1007	②
1008	⑤	1009	②	1010	③	1011	⑤
1012	①	1013	③	1014	⑤	1015	①
1016	③	1017	②	1018	②	1019	⑤
1020	⑤	1021	②	1022	⑤	1023	④
1024	④	1025	①	1026	①	1027	⑤
1028	①	1029	①	1030	②	1031	②
1032	①	1033	⑤	1034	⑤	1035	④
1036	⑤	1037	①	1038	④		
1039	⑤	1040	①	1041	③	1042	③
1043	②	1044	①	1045	④	1046	⑤
1047	④	1048	①	1049	①	1050	②
1051	②	1052	①	1053	③	1054	②
1055	④	1056	①	1057	②	1058	②
1059	①	1060	②	1061	⑤	1062	①
1063	④	1064	①	1065	②	1066	③
1067	④	1068	③	1069	③	1070	③
1071	⑤	1072	④	1073	③		
1074	③	1075	①	1076	④	1077	①
1078	⑤	1079	⑤	1080	①	1081	⑤
1082	②	1083	①	1084	⑤	1085	③
1086	②	1087	①	1088	①	1089	④
1090	②	1091	①	1092	①	1093	②
1094	⑤	1095	①	1096	④	1097	②
1098	⑤	1099	①	1100	①	1101	③
1102	①	1103	①				
1104	②	1105	②	1106	⑤	1107	③
1108	③	1109	④	1110	③	1111	④

1112	③	1113	②	1114	③	1115	④
1116	④	1117	④	1118	④	1119	②
1120	⑤	1121	②	1122	②	1123	④
1124	②	1125	③	1126	①	1127	④
1128	②	1129	②	1130	③	1131	②
1132	⑤	1133	③	1134	③	1135	③
1136	②	1137	④	1138	①	1139	①
1140	①	1141	③	1142	④	1143	②
1144	①	1145	②	1146	③	1147	⑤
1148	③	1149	③	1150	③	1151	②
1152	①	1153	①	1154	②	1155	④
1156	①	1157	①	1158	④	1159	④
1160	④	1161	④	1162	⑤	1163	①
1164	②	1165	①	1166	⑤	1167	④
1168	③	1169	①	1170	②	1171	⑤
1172	⑤	1173	④	1174	③	1175	③
1176	②	1177	②	1178	①	1179	④
1180	②	1181	①	1182	⑤	1183	②
1184	②	1185	④	1186	해설참조		
1187	해설참조			1188	해설참조		
1189	해설참조			1190	해설참조		
1191	해설참조			1192	해설참조		
1193	해설참조			1194	해설참조		
1195	해설참조			1196	해설참조		
1197	해설참조			1198	해설참조		
1199	해설참조			1200	해설참조		
1201	해설참조			1202	해설참조		
1203	해설참조			1204	해설참조		
1205	해설참조			1206	해설참조		
1207	해설참조			1208	$-e$	1209	2
1210	4	1211	15	1212	$\frac{97}{12}$	1213	$\frac{8}{25}$
1214	①	1215	⑤	1216	⑤	1217	①
1218	④	1219	①	1220	③	1221	②
1222	①	1223	①	1224	⑤	1225	③
1226	③	1227	③	1228	④	1229	④
1230	⑤	1231	③	1232	③	1233	⑤
1234	②	1235	④	1236	②	1237	③
1238	①	1239	③	1240	③	1241	④
1242	②	1243	⑤	1244	⑤	1245	②
1246	⑤	1247	⑤	1248	③	1249	②
1250	④	1251	①	1252	④	1253	⑤
1254	②	1255	③	1256	①	1257	③
1258	①	1259	④	1260	④	1261	④
1262	③	1263	④	1264	③	1265	③

1266	②	1267	①	1268	③	1269	③
1270	①	1271	③	1272	①	1273	②
1274	③	1275	②	1276	②	1277	④
1278	①	1279	④	1280	③	1281	③
1282	①	1283	②				
1284	④	1285	④	1286	⑤	1287	③
1288	②	1289	②	1290	①	1291	①
1292	④	1293	③	1294	②	1295	④
1296	③	1297	②	1298	③	1299	⑤
1300	①	1301	①	1302	③	1303	④
1304	②	1305	①	1306	②	1307	④
1308	①	1309	②	1310	③	1311	③
1312	①	1313	①	1314	③	1315	⑤
1316	③	1317	①	1318	③	1319	④
1320	②	1321	③	1322	②	1323	③
1324	②	1325	②	1326	①	1327	④
1328	③	1329	⑤	1330	⑤	1331	④
1332	⑤	1333	①	1334	②	1335	②
1336	①	1337	③	1338	②	1339	①
1340	④	1341	⑤	1342	④	1343	③
1344	⑤	1345	⑤	1346	③	1347	③
1348	①	1349	⑤	1350	②	1351	③
1352	①	1353	③	1354	③	1355	①
1356	⑤	1357	②	1358	②	1359	③
1360	①	1361	④	1362	①	1363	⑤
1364	④	1365	③	1366	①	1367	①
1368	⑤	1369	④	1370	④	1371	⑤
1372	③	1373	⑤	1374	④	1375	④
1376	③	1377	⑤	1378	③	1379	②
1380	①	1381	④	1382	③	1383	②
1384	③	1385	②	1386	①	1387	③
1388	③	1389	⑤	1390	②	1391	①
1392	③	1393	③	1394	④	1395	③
1396	④	1397	②	1398	②	1399	③
1400	⑤	1401	③	1402	③	1403	③
1404	⑤	1405	④	1406	⑤	1407	②
1408	②	1409	②	1410	④	1411	⑤
1412	③	1413	④	1414	④	1415	②
1416	①	1417	③	1418	④	1419	②
1420	②	1421	⑤	1422	④	1423	①
1424	④	1425	②	1426	⑤	1427	③
1428	④	1429	④	1430	②	1431	⑤
1432	④	1433	③	1434	⑤	1435	②
1436	⑤	1437	⑤	1438	④	1439	③
1440	③	1441	②	1442	⑤		

1443	해설참조			1444	해설참조		
1445	해설참조			1446	해설참조		
1447	해설참조			1448	해설참조		
1449	해설참조			1450	해설참조		
1451	해설참조			1452	해설참조		
1453	해설참조			1454	해설참조		
1455	해설참조			1456	해설참조		
1457	해설참조			1458	해설참조		
1459	해설참조			1460	해설참조		
1461	해설참조			1462	해설참조		
1463	해설참조			1464	해설참조		
1465	6	1466	$-\frac{1}{12}$	1467	$\frac{\sqrt{6}}{6}$	1468	395
1469	-9	1470	64	1471	$\sqrt{2}$	1472	$\frac{\pi}{3}-\frac{\sqrt{3}}{6}$
1473	③	1474	52	1475	e^2	1476	$-\frac{\sqrt{e}}{4}$
1477	-24	1478	$\sqrt{14}$	1479	$6\pi+9\sqrt{3}$	1480	$5\sqrt{5}$
1481	④	1482	③	1483	③	1484	②
1485	⑤	1486	④	1487	②	1488	②
1489	③	1490	④	1491	④	1492	③
1493	③	1494	⑤	1495	④	1496	②
1497	②	1498	①	1499	①	1500	③
1501	①	1502	④	1503	④	1504	①
1505	①	1506	①	1507	④	1508	③
1509	②	1510	③	1511	①	1512	②
1513	②	1514	②	1515	⑤	1516	④
1517	④	1518	③	1519	④	1520	④
1521	③	1522	⑤	1523	③	1524	③
1525	①	1526	②	1527	④	1528	④
1529	⑤	1530	①	1531	⑤	1532	③
1533	④	1534	③	1535	③	1536	①
1537	③	1538	③	1539	①	1540	②
1541	③	1542	③	1543	①	1544	④
1545	④	1546	③	1547	④	1548	③
1549	①	1550	④	1551	해설참조		
1552	해설참조			1553	해설참조		
1554	해설참조			1555	해설참조		
1556	해설참조			1557	해설참조		
1558	해설참조			1559	해설참조		
1560	해설참조			1561	해설참조		
1562	해설참조			1563	3	1564	3
1565	25	1566	15	1567	$\sqrt{2}$		
1568	$\frac{90\sqrt{109}}{109}\,\mathrm{m/s}$						

III 적분법

1569	②	1570	②	1571	①	1572	③
1573	②	1574	②	1575	①	1576	⑤
1577	①	1578	②	1579	③	1580	②
1581	③	1582	⑤	1583	④	1584	①
1585	①	1586	②	1587	④	1588	④
1589	④	1590	③	1591	①	1592	①
1593	⑤	1594	⑤	1595	④	1596	①
1597	③	1598	③	1599	③	1600	③
1601	①						
1602	①	1603	②	1604	①	1605	⑤
1606	④	1607	①	1608	④	1609	①
1610	⑤	1611	③	1612	②	1613	①
1614	①	1615	③	1616	④	1617	①
1618	⑤	1619	④	1620	①	1621	②
1622	②	1623	⑤	1624	⑤	1625	④
1626	④	1627	④	1628	③	1629	③
1630	①	1631	②	1632	③	1633	②
1634	③	1635	③	1636	③	1637	⑤
1638	①	1639	①	1640	④	1641	⑤
1642	③	1643	②	1644	②	1645	③
1646	③	1647	③	1648	①	1649	③
1650	②	1651	③	1652	④	1653	①
1654	②	1655	⑤	1656	②	1657	⑤
1658	②	1659	③	1660	②	1661	③
1662	④	1663	②	1664	③	1665	⑤
1666	③	1667	③	1668	②	1669	②
1670	③	1671	①	1672	④	1673	②
1674	해설참조			1675	해설참조		
1676	해설참조			1677	해설참조		
1678	해설참조			1679	해설참조		
1680	해설참조			1681	해설참조		
1682	해설참조			1683	해설참조		
1684	해설참조			1685	해설참조		
1686	해설참조			1687	16mm	1688	1
1689	$-e^2$	1690	$2e^3$	1691	e^{12}	1692	72
1693	$8e$	1694	④				
1695	③	1696	②	1697	③	1698	③
1699	②	1700	③	1701	⑤	1702	③
1703	③	1704	④	1705	①	1706	④
1707	①	1708	④	1709	②	1710	②
1711	④	1712	②	1713	④	1714	③
1715	③	1716	②	1717	④	1718	③

1719	②	1720	⑤	1721	①	1722	③
1723	①	1724	③	1725	②	1726	②
1727	③	1728	②	1729	④	1730	③
1731	①	1732	③	1733	①	1734	②
1735	③	1736	③	1737	④	1738	②
1739	②	1740	②	1741	⑤	1742	②
1743	②	1744	④	1745	⑤	1746	②
1747	②	1748	①	1749	③	1750	②
1751	②	1752	②	1753	⑤	1754	④
1755	②	1756	②	1757	④	1758	②
1759	②	1760	③	1761	③	1762	②
1763	③	1764	③	1765	②	1766	④
1767	⑤	1768	⑤	1769	④	1770	③
1771	⑤	1772	⑤	1773	③	1774	⑤
1775	①	1776	⑤	1777	③	1778	③
1779	②	1780	④	1781	②	1782	②
1783	①	1784	②	1785	①	1786	③
1787	⑤	1788	④	1789	⑤	1790	⑤
1791	③	1792	③	1793	④	1794	②
1795	①	1796	③	1797	④	1798	④
1799	③	1800	⑤	1801	②		
1802	②	1803	①	1804	⑤	1805	②
1806	③	1807	②	1808	③	1809	①
1810	①	1811	③	1812	④	1813	①
1814	②	1815	②	1816	②	1817	②
1818	③	1819	②	1820	④	1821	①
1822	②	1823	④	1824	⑤	1825	④
1826	④	1827	②	1828	②	1829	①
1830	③	1831	②	1832	②	1833	①
1834	②	1835	⑤	1836	①	1837	③
1838	③	1839	②	1840	②	1841	⑤
1842	①	1843	④	1844	⑤	1845	②
1846	해설참조			1847	해설참조		
1848	해설참조			1849	해설참조		
1850	해설참조			1851	해설참조		
1852	해설참조			1853	해설참조		
1854	해설참조			1855	해설참조		
1856	해설참조			1857	해설참조		
1858	해설참조			1859	해설참조		
1860	$\sqrt{2}$	1861	9π	1862	$2e-\frac{3}{e}$	1863	$\ln 17$
1864	$\frac{2\ln 2}{3}+\frac{1}{2}$			1865	325	1866	$\frac{2}{5}$
1867	4	1868	$2(\pi-2)$	1869	$\frac{1}{2}$	1870	12
1871	20	1872	$\frac{20}{3e^4}$	1873	$1+2\sqrt{2}$	1874	11
1875	17	1876	⑤	1877	15		

1878	①	1879	④	1880	③	1881	②
1882	②	1883	①	1884	②	1885	②
1886	①	1887	①	1888	②	1889	②
1890	⑤	1891	③	1892	②	1893	④
1894	②	1895	②	1896	③	1897	②
1898	③	1899	①	1900	②	1901	①
1902	④	1903	②	1904	②	1905	④
1906	②	1907	④	1908	②	1909	②
1910	⑤	1911	①	1912	②	1913	③
1914	④	1915	②	1916	③	1917	②
1918	④	1919	③	1920	③	1921	②
1922	②	1923	④	1924	⑤	1925	①
1926	③	1927	①	1928	②	1929	②
1930	③	1931	②	1932	②	1933	①
1934	③	1935	④	1936	②	1937	④
1938	④	1939	①	1940	④	1941	①
1942	③	1943	④	1944	②	1945	⑤
1946	②	1947	④	1948	①	1949	④
1950	①	1951	③	1952	②	1953	④
1954	①	1955	④	1956	④	1957	②
1958	①	1959	②	1960	①	1961	③
1962	①	1963	②	1964	①	1965	①
1966	②	1967	⑤	1968	③	1969	①
1970	①	1971	①	1972	③	1973	⑤
1974	④	1975	③	1976	①	1977	③
1978	⑤	1979	④	1980	⑤	1981	①
1982	①	1983	④	1984	②	1985	②
1986	②	1987	③	1988	③	1989	②
1990	⑤	1991	④	1992	①	1993	②
1994	②	1995	②	1996	④	1997	①
1998	②	1999	④	2000	①	2001	②
2002	④	2003	③	2004	①	2005	③
2006	②	2007	③	2008	⑤	2009	③
2010	②	2011	③	2012	②	2013	②
2014	④	2015	③	2016	②	2017	①
2018	②	2019	③	2020	④	2021	③
2022	③	2023	①	2024	②		
2025	③	2026	④	2027	④	2028	③
2029	③	2030	④	2031	④	2032	②
2033	④	2034	⑤	2035	③	2036	③
2037	④	2038	②	2039	③	2040	③
2041	④	2042	②	2043	③	2044	③
2045	②	2046	②	2047	④	2048	④
2049	③	2050	①	2051	③	2052	②
2053	②	2054	②	2055	⑤	2056	①
2057	③	2058	③	2059	④	2060	④

2061	⑤	2062	③	2063	해설참조		
2064	해설참조			2065	해설참조		
2066	해설참조			2067	해설참조		
2068	해설참조			2069	해설참조		
2070	해설참조			2071	해설참조		
2072	해설참조			2073	해설참조		
2074	해설참조			2075	해설참조		
2076	해설참조			2077	해설참조		
2078	해설참조			2079	해설참조		
2080	해설참조			2081	해설참조		
2082	해설참조			2083	$\frac{1}{2\pi}$	2084	$\frac{1}{4}$
2085	96	2086	1	2087	①	2088	$\frac{1}{3}$
2089	⑤	2090	11cm	2091	2π	2092	$2\ln 5$
2093	3	2094	$6+16\ln 2$				

MAPL; SYNERGY

01 수열의 극한 모의평가

01	⑤	02	⑤	03	②	04	①	05	⑤
06	①	07	④	08	②	09	③	10	④
11	③	12	⑤	13	⑤	14	③	15	④
16	②	17	①	18	③	19	④	20	⑤

서술형

21	해설참조	22	해설참조
23	해설참조	24	해설참조

MAPL; SYNERGY

02 수열의 극한 모의평가

01	④	02	②	03	④	04	④	05	③
06	⑤	07	③	08	③	09	③	10	⑤
11	②	12	②	13	①	14	⑤	15	⑤
16	①	17	②	18	①	19	②	20	①

서술형

21	해설참조	22	해설참조
23	해설참조	24	해설참조

MAPL; SYNERGY

03 수열의 극한 모의평가

01	④	02	⑤	03	②	04	①	05	⑤
06	②	07	⑤	08	①	09	③	10	③
11	⑤	12	④	13	⑤	14	④	15	⑤
16	⑤	17	②	18	③	19	⑤	20	①

서술형

21	해설참조	22	해설참조
23	해설참조	24	해설참조

MAPL; SYNERGY

01 미분법 모의평가

01	②	02	②	03	④	04	③	05	④
06	②	07	⑤	08	③	09	④	10	③
11	①	12	④	13	⑤	14	①	15	②
16	⑤	17	③	18	④	19	④	20	③

서술형

21	해설참조	22	해설참조
23	해설참조	24	해설참조

MAPL; SYNERGY

02 미분법 모의평가

01	②	02	①	03	③	04	③	05	①
06	①	07	④	08	④	09	①	10	①
11	④	12	⑤	13	②	14	①	15	②
16	①	17	③	18	③	19	④	20	②

서술형

21	해설참조	22	해설참조
23	해설참조	24	해설참조

MAPL; SYNERGY

03 미분법 모의평가

01	②	02	②	03	①	04	①	05	④
06	③	07	③	08	④	09	⑤	10	①
11	④	12	②	13	②	14	③	15	②
16	③	17	③	18	⑤	19	①	20	③

서술형

21	해설참조	22	해설참조
23	해설참조	24	해설참조

MAPL; SYNERGY

01 적분법 모의평가

01	③	02	②	03	③	04	⑤	05	④
06	⑤	07	②	08	④	09	②	10	③
11	③	12	④	13	②	14	①	15	①
16	②	17	②	18	⑤	19	③	20	③

서술형

21	해설참조	22	해설참조
23	해설참조	24	해설참조

MAPL; SYNERGY

02 적분법 모의평가

01	②	02	②	03	⑤	04	③	05	②
06	②	07	①	08	③	09	②	10	⑤
11	④	12	③	13	⑤	14	②	15	③
16	②	17	③	18	④	19	④	20	④

서술형

21	해설참조	22	해설참조
23	해설참조	24	해설참조

MAPL; SYNERGY

03 적분법 모의평가

01	④	02	④	03	④	04	④	05	③
06	⑤	07	⑤	08	①	09	③	10	④
11	③	12	④	13	③	14	③	15	①
16	③	17	②	18	①	19	④	20	⑤

서술형

21	해설참조	22	해설참조
23	해설참조	24	해설참조

MAPL; SYNERGY

01 중간고사 모의평가

01	⑤	02	⑤	03	①	04	③	05	③
06	④	07	③	08	②	09	⑤	10	⑤
11	⑤	12	②	13	②	14	⑤	15	④
16	②	17	⑤	18	③	19	①	20	②

서술형

21	해설참조	22	해설참조
23	해설참조	24	해설참조

MAPL; SYNERGY

02 중간고사 모의평가

01	④	02	④	03	③	04	③	05	③
06	②	07	②	08	⑤	09	⑤	10	③
11	⑤	12	②	13	③	14	④	15	⑤
16	②	17	③	18	②	19	③	20	④

서술형

21	해설참조	22	해설참조
23	해설참조	24	해설참조

MAPL; SYNERGY

01 기말고사 모의평가

01	④	02	①	03	①	04	⑤	05	③
06	④	07	③	08	⑤	09	②	10	③
11	②	12	①	13	②	14	④	15	②
16	③	17	②	18	④	19	④	20	③

서술형

21	해설참조	22	해설참조
23	해설참조	24	해설참조

MAPL; SYNERGY

02 기말고사 모의평가

01	①	02	②	03	②	04	③	05	①
06	④	07	②	08	①	09	⑤	10	③
11	⑤	12	②	13	③	14	③	15	④
16	④	17	③	18	②	19	④	20	③

서술형

21	해설참조	22	해설참조
23	해설참조	24	해설참조

Education is the most powerful weapon which you can use to change the world.

Nelson Mandela

masterplan

마플 시너지 내신문제집

MAPL SYNERGY SERIES

미적분

2094Q

최다 빈출 문제로 이루어진 내신연계기출

도움을 주신 분들

정영필 김민석 강승혁 이승효 김성진 서혜원

내신 일등급을 위한 최고의 교재

마플시너지

미적분

마플시너지 내신문제집 미적분

ISBN : 978-89-94845-77-7 (53410)

발행일 : 2020년 4월 27일(1판 1쇄)

인쇄일 : 2024년 8월 5일

판/쇄 : 1판 9쇄

펴낸곳
희망에듀출판부 *(Heemang Institute, inc. Publishing dept.)*

펴낸이
임정선

주소 경기도 부천시 석천로 174 하성빌딩
[174, Seokcheon-ro, Bucheon-si, Gyeonggi-do, Republic of Korea]

교재 오류 및 문의
mapl@heemangedu.co.kr

희망에듀 홈페이지
http://www.heemangedu.co.kr

마플교재 인터넷 구입처
http://www.mapl.co.kr

교재 구입 문의
오성서적
Tel 032) 653-6653
Fax 032) 655-4761

YOUR
MASTER
PLAN

YOUR
MASTER
PLAN

마플 시너지 내신문제집

MAPL SYNERGY SERIES

미적분

2094Q

최다 빈출 문제로 이루어진 내신연계기출

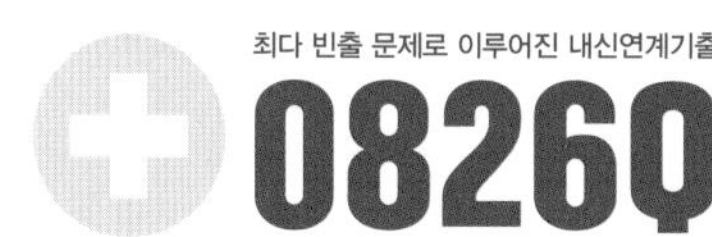

도움을 주신 분들

정영필 김민석 강승혁 이승효 김성진 서혜원

내신 일등급을 위한 최고의 교재

마플시너지

미적분

마플시너지 내신문제집 미적분

ISBN : 978-89-94845-77-7 (53410)

발행일 : 2020년 4월 27일(1판 1쇄)

인쇄일 : 2024년 8월 5일

판/쇄 : 1판 9쇄

펴낸곳
희망에듀출판부 *(Heemang Institute, inc. Publishing dept.)*

펴낸이
임정선

주소 경기도 부천시 석천로 174 하성빌딩
[174, Seokcheon-ro, Bucheon-si, Gyeonggi-do, Republic of Korea]

교재 오류 및 문의
mapl@heemangedu.co.kr

희망에듀 홈페이지
http://www.heemangedu.co.kr

마플교재 인터넷 구입처
http://www.mapl.co.kr

교재 구입 문의
오성서적
Tel 032) 653-6653
Fax 032) 655-4761

YOUR
MASTER
PLAN

YOUR
MASTER
PLAN

정답과 해설

mapl SYNERGY

YOUR MASTER PLAN

CONTENTS

01 수열의 극한

STEP 1 내신정복 기출유형

0001

정답 ④

STEP A **n이 한없이 커질 때 a_n이 어떤 일정한 값에 가까워지면 수렴, 그렇지 않으면 발산함을 이용하여 가까워지는 값 구하기**

① 수열 $\left\{\left(-\frac{5}{6}\right)^n\right\}$에서 n이 한없이 커지면 $\left(-\frac{5}{6}\right)^n$의 값은 0에 한없이 가까워지므로 0에 수렴한다. [참]

② 수열 $\{2+(-2)^n\}$에서 n이 한없이 커지면 $(-2)^n$은 양의 무한대나 음의 무한대로 발산하므로 $2+(-2)^n$은 발산한다. [참]

③ 수열 $\left\{\frac{(-1)^n+1}{n+1}\right\}$에서 n이 한없이 커지면 $\frac{(-1)^n+1}{n+1}$의 값은 0에 한없이 가까워지므로 0에 수렴한다. [참]

④ 수열 $\left\{\frac{n^2}{n+1}\right\}$에서 n이 한없이 커지면 분자의 차수가 크므로 양의 무한대로 발산한다. [거짓]

⑤ 수열 $\left\{1-\frac{(-1)^n}{n}\right\}$에서 n이 한없이 커지면 $\frac{(-1)^n}{n}$의 값은 0에 한없이 가까워지므로 $1-\frac{(-1)^n}{n}$은 1에 수렴한다. [참]

따라서 옳지 않은 것은 ④이다.

0002

STEP A **n이 한없이 커질 때 a_n이 어떤 일정한 값에 가까워지면 수렴, 그렇지 않으면 발산함을 이용하여 가까워지는 값 구하기**

① $a_n=\frac{(-1)^n}{n^2}$이라 하면 n이 한없이 커질 때, a_n의 값은 0에 한없이 가까워지므로 이 수열은 0에 수렴한다.

$\therefore \lim_{n\to\infty}\frac{(-1)^n}{n^2}=0$ ⬅ $-1, \frac{1}{4}, -\frac{1}{9}, \frac{1}{16}, -\frac{1}{25}, \cdots$

② $a_n=2+\frac{1}{n+1}$이라 하면 n이 한없이 커질 때, a_n의 값은 2에 한없이 가까워지므로 이 수열은 2에 수렴한다.

$\therefore \lim_{n\to\infty}\left\{2+\frac{1}{n+1}\right\}=2$ ⬅ $2+\frac{1}{2}, 2+\frac{1}{3}, 2+\frac{1}{4}, 2+\frac{1}{5}, 2+\frac{1}{6}, \cdots$

③ $a_n=1+\frac{1}{(-2)^n}$이라 하면 n이 한없이 커질 때, a_n의 값은 1에 한없이 가까워지므로 이 수열은 1에 수렴한다.

$\therefore \lim_{n\to\infty}\left\{1+\frac{1}{(-2)^n}\right\}=1$ ⬅ $1-\frac{1}{2}, 1+\frac{1}{4}, 1-\frac{1}{8}, 1+\frac{1}{16}, 1-\frac{1}{32}, \cdots$

④ $a_n=\frac{1+(-1)^n}{2}$이라 하면 n이 한없이 커질 때, a_n의 값은 수렴하지도 않고 양의 무한대나 음의 무한대로 발산하지도 않으므로 이 수열은 진동(발산)한다.

$\therefore \lim_{n\to\infty}\left\{\frac{1+(-1)^n}{2}\right\}=$발산한다. ⬅ $0, 1, 0, 1, 0, \cdots$

⑤ $a_n=\frac{(-1)^n+1}{n}$이라 하면 n이 한없이 커질 때, a_n의 값은 0에 한없이 가까워지므로 이 수열은 0에 수렴한다.

$\therefore \lim_{n\to\infty}\left\{\frac{(-1)^n+1}{n}\right\}=0$ ⬅ $0, 1, 0, \frac{1}{2}, 0, \frac{1}{3}, \cdots$

따라서 발산하는 것은 ④이다.

0003

STEP A **n이 한없이 커질 때 a_n이 어떤 일정한 값에 가까워지면 수렴, 그렇지 않으면 발산함을 이용하여 가까워지는 값 구하기**

① $a_n=(-1)^{n-1}\frac{1}{n}$이라 하면 n이 한없이 커지면 a_n의 값은 0에 한없이 가까워지므로 이 수열은 0에 수렴한다.

② $a_n=\left(-\frac{1}{2}\right)^{n-1}$이라 하면 n이 한없이 커지면 a_n의 값은 0에 한없이 가까워지므로 이 수열은 0에 수렴한다.

③ $a_n=1+\frac{1}{n+1}$이라 하면 n이 한없이 커지면 a_n은 1에 한없이 가까워지므로 이 수열은 1로 수렴한다.

④ $a_n=\frac{(-1)^n}{\log 2n}$이라 하면 n이 한없이 커지면 a_n의 값은 0에 한없이 가까워지므로 이 수열은 0에 수렴한다.

⑤ $a_n=(-1)^{n-1}$이라 하면 n이 한없이 커지면 a_n의 값은 1과 -1이 교대로 나타내므로 a_n은 발산한다.

따라서 발산하는 수열은 ⑤이다.

내신연계 출제문항 001

다음 수열 중 수렴하는 것은?

① $1, -2, 4, -8, \cdots, (-2)^{n-1}$

② $1+\frac{1}{1}, 2+\frac{1}{2}, 3+\frac{1}{3}, \cdots, n+\frac{1}{n}$

③ $1, 0, 1, 0, \cdots, \frac{1-(-1)^n}{2}$

④ $-8, -5, -2, 1, \cdots, 3n-11$

⑤ $1, -\frac{1}{2}, \frac{1}{3}, -\frac{1}{4}, \cdots, \frac{-(-1)^n}{n}$

STEP A **n이 한없이 커질 때 a_n이 수렴하는지 확인하기**

① $a_n=(-2)^{n-1}$이라 하면 n이 한없이 커질 때, a_n의 값은 양의 무한대나 음의 무한대로 발산한다.

$\therefore \lim_{n\to\infty}(-2)^{n-1}=$발산

② $a_n=n+\frac{1}{n}$이라 하면 n이 한없이 커질 때, a_n의 값은 양의 무한대로 발산한다.

$\therefore \lim_{n\to\infty}\left\{n+\frac{1}{n}\right\}=\infty$

③ $a_n=\frac{1-(-1)^n}{2}$이라 하면 n이 한없이 커질 때, a_n의 값은 0과 1이 교대로 나타나므로 이 수열은 진동(발산)한다.

$\therefore \lim_{n\to\infty}\left\{\frac{1-(-1)^n}{2}\right\}=$진동

④ $a_n=3n-11$이라 하면 n이 한없이 커질 때, a_n의 값은 양의 무한대로 발산한다.

$\therefore \lim_{n\to\infty}(3n-11)=\infty$

⑤ $a_n=-\frac{(-1)^n}{n}$이라 하면 n이 한없이 커질 때, a_n의 값은 0에 한없이 가까워지므로 이 수열은 0에 수렴한다.

$\therefore \lim_{n\to\infty}\left\{\frac{-(-1)^n}{n}\right\}=0$

따라서 수렴하는 것은 ⑤이다.

정답 ⑤

0004

정답 ③

STEP A **수열의 극한에 대한 기본 성질을 이용하여 극한값 계산하기**

① $\lim_{n\to\infty}(3a_n+2b_n-5)=3\lim_{n\to\infty}a_n+2\lim_{n\to\infty}b_n-5$

$=3\cdot3+2\cdot(-2)-5=0$

② $\lim_{n\to\infty}\{a_n(a_n-3b_n)\}=\lim_{n\to\infty}a_n\lim_{n\to\infty}a_n-3\lim_{n\to\infty}a_n\lim_{n\to\infty}b_n$

$=3\cdot3-3\cdot3\cdot(-2)=27$

③ $\lim_{n\to\infty}\dfrac{7a_n-1}{{b_n}^2}=\dfrac{7\lim_{n\to\infty}a_n-1}{\lim_{n\to\infty}b_n\cdot b_n}=\dfrac{7\cdot3-1}{-2\cdot(-2)}=5$

④ $\lim_{n\to\infty}(a_nb_n-2b_n)=\lim_{n\to\infty}a_n\lim_{n\to\infty}b_n-2\lim_{n\to\infty}b_n$

$=3\cdot(-2)-2\cdot(-2)=-2$

⑤ $\lim_{n\to\infty}\dfrac{2a_n}{a_n+b_n}=\dfrac{2\lim_{n\to\infty}a_n}{\lim_{n\to\infty}a_n+\lim_{n\to\infty}b_n}=\dfrac{2\cdot3}{3-2}=6$

따라서 옳지 않은 것은 ③이다.

0005

 ⑤

STEP A **수열의 극한에 대한 기본 성질을 이용하여 $\lim_{n\to\infty}b_n$의 값 구하기**

두 수열 $\{a_n\}$, $\{b_n\}$이 수렴하므로 $\lim_{n\to\infty}a_n=5$, $\lim_{n\to\infty}b_n=\beta$라 하면

$\lim_{n\to\infty}\dfrac{3a_n-1}{2b_n}=\dfrac{3\cdot5-1}{2\beta}=\dfrac{1}{2}$이므로 $28=2\beta$

$\therefore\ \beta=14$

STEP B **주어진 극한값 구하기**

따라서 $\lim_{n\to\infty}b_n=\beta=14$

0006

 ②

STEP A **$\lim_{n\to\infty}a_n$, $\lim_{n\to\infty}b_n$의 값 구하기**

$a_n=\dfrac{2}{n}-1$, $b_n=6-\dfrac{(2n+1)^2}{n^2}$에서 $\lim_{n\to\infty}a_n=-1$, $\lim_{n\to\infty}b_n=2$

STEP B **수열의 극한에 대한 기본 성질을 이용하여 구하기**

따라서 $\lim_{n\to\infty}a_n(4a_n-3b_n)=\lim_{n\to\infty}4a_n\cdot a_n-3\lim_{n\to\infty}a_nb_n$

$=4\cdot(-1)\cdot(-1)-3\cdot(-1)\cdot2=10$

내신연계 출제문항 002

두 수열 $\{a_n\}$, $\{b_n\}$의 일반항이 각각

$$a_n=5-\frac{3}{n},\ b_n=\frac{(3n+1)^2}{n^2}-5$$

일 때, $\lim_{n\to\infty}(3a_n-2b_n)$의 값은?

① 5 ② 7 ③ 9
④ 11 ⑤ 13

STEP A **$\lim_{n\to\infty}a_n$, $\lim_{n\to\infty}b_n$의 값 구하기**

$a_n=5-\dfrac{3}{n}$, $b_n=\dfrac{(3n+1)^2}{n^2}-5$에서 $\lim_{n\to\infty}a_n=5$, $\lim_{n\to\infty}b_n=4$

STEP B **수열의 극한에 대한 기본 성질을 이용하여 구하기**

따라서 $\lim_{n\to\infty}(3a_n-2b_n)=3\lim_{n\to\infty}a_n-2\lim_{n\to\infty}b_n=3\cdot5-2\cdot4=7$

 ②

0007

정답 ②

STEP A **수열의 극한의 성질을 이용하여 $\lim_{n\to\infty}a_n$, $\lim_{n\to\infty}b_n$ 구하기**

$a_n-1=c_n$이라 하면 $a_n=c_n+1$

$\lim_{n\to\infty}(a_n-1)=2$에서 $\lim_{n\to\infty}c_n=2$

$\therefore\ \lim_{n\to\infty}a_n=\lim_{n\to\infty}(c_n+1)=2+1=3$

$a_n+2b_n=d_n$이라 하면 $b_n=\dfrac{1}{2}(d_n-a_n)$

$\lim_{n\to\infty}(a_n+2b_n)=9$에서 $\lim_{n\to\infty}d_n=9$

$\therefore\ \lim_{n\to\infty}b_n=\lim_{n\to\infty}\dfrac{1}{2}(d_n-a_n)=\dfrac{1}{2}(9-3)=3$

STEP B **$\lim_{n\to\infty}a_n(1+b_n)$의 값 구하기**

따라서 $\lim_{n\to\infty}a_n(1+b_n)=\lim_{n\to\infty}a_n\times\lim_{n\to\infty}(1+b_n)=3\times(1+3)=12$

0008

 ④

STEP A **수열의 극한에 대한 기본 성질을 이용하여 $\lim_{n\to\infty}(a_n+b_n)$의 값 구하기**

$\lim_{n\to\infty}(a_n+2b_n)=9$, $\lim_{n\to\infty}(2a_n+b_n)=90$이므로

$\lim_{n\to\infty}(a_n+2b_n)+\lim_{n\to\infty}(2a_n+b_n)=\lim_{n\to\infty}\{(a_n+2b_n)+(2a_n+b_n)\}$

$=\lim_{n\to\infty}3(a_n+b_n)$

그러므로 $\lim_{n\to\infty}3(a_n+b_n)=9+90=99$

따라서 $\lim_{n\to\infty}(a_n+b_n)=\dfrac{1}{3}\lim_{n\to\infty}3(a_n+b_n)=\dfrac{1}{3}\times99=33$

다른풀이 $a_n+2b_n=c_n$, $2a_n+b_n=d_n$이라 놓고 변형하여 풀이하기

$a_n+2b_n=c_n$ …… ㉠

$2a_n+b_n=d_n$ …… ㉡

이라 하면

$\lim_{n\to\infty}c_n=\lim_{n\to\infty}(a_n+2b_n)=9$, $\lim_{n\to\infty}d_n=\lim_{n\to\infty}(2a_n+b_n)=90$

$2\times$㉡$-$㉠에서 $3a_n=2d_n-c_n$이므로 $a_n=\dfrac{1}{3}(2d_n-c_n)$

$2\times$㉠$-$㉡에서 $3b_n=2c_n-d_n$이므로 $b_n=\dfrac{1}{3}(2c_n-d_n)$

따라서 $a_n+b_n=\dfrac{1}{3}(c_n+d_n)$이므로

$\lim_{n\to\infty}(a_n+b_n)=\lim_{n\to\infty}\dfrac{1}{3}(c_n+d_n)=\dfrac{1}{3}(\lim_{n\to\infty}c_n+\lim_{n\to\infty}d_n)=\dfrac{1}{3}\times(9+90)=33$

0009

 ③

STEP A **두 극한을 치환하여 주어진 조건을 정리하기**

두 수열 $\{a_n\}$, $\{b_n\}$이 수렴하므로 $\lim_{n\to\infty}a_n=\alpha$, $\lim_{n\to\infty}b_n=\beta$라고 하면

$\lim_{n\to\infty}(a_n+b_n)=\lim_{n\to\infty}a_n+\lim_{n\to\infty}b_n=\alpha+\beta=3$

$\lim_{n\to\infty}a_nb_n=\lim_{n\to\infty}a_n\lim_{n\to\infty}b_n=\alpha\beta=2$

STEP B **수열의 극한에 대한 기본 성질을 이용하여 극한값 계산하기**

따라서 $\lim_{n\to\infty}({a_n}^2+{b_n}^2)=\lim_{n\to\infty}{a_n}^2+\lim_{n\to\infty}{b_n}^2$

$=\lim_{n\to\infty}a_n\cdot a_n+\lim_{n\to\infty}b_n\cdot b_n$

$=\alpha^2+\beta^2=(\alpha+\beta)^2-2\alpha\beta$

$=3^2-2\cdot2=5$

내신연계 출제문항 003

두 수열 $\{a_n\}$, $\{b_n\}$이 모두 수렴하고

$$\lim_{n\to\infty}(a_n+b_n)=2,\ \lim_{n\to\infty}a_nb_n=-3$$

일 때, $\lim_{n\to\infty}(a_n{}^2-b_n{}^2)$의 값은?

(단, 모든 자연수 n에 대하여 $a_n>b_n$이다.)

① 3 ② 6 ③ 8
④ 10 ⑤ 12

STEP A 두 극한을 치환하여 주어진 조건을 정리하기

$\lim_{n\to\infty}a_n=\alpha$, $\lim_{n\to\infty}b_n=\beta$ (α, β는 실수, $\alpha\geq\beta$)라고 하면

$\lim_{n\to\infty}(a_n+b_n)=\alpha+\beta=2$, $\lim_{n\to\infty}a_nb_n=\alpha\beta=-3$

STEP B 이차방정식을 이용하여 α, β의 값 구하기

이때 α, β는 이차방정식 $t^2-2t-3=0$의 두 근이므로 $(t-3)(t+1)=0$

$\therefore\ \alpha=3,\ \beta=-1\ (\because\ \alpha>\beta)$

STEP C 수열의 극한에 대한 기본 성질을 이용하여 극한값 계산하기

따라서 $\lim_{n\to\infty}(a_n{}^2-b_n{}^2)=\lim_{n\to\infty}a_n{}^2-\lim_{n\to\infty}b_n{}^2=\lim_{n\to\infty}a_n\cdot a_n-\lim_{n\to\infty}b_n\cdot b_n$

$=\alpha^2-\beta^2=3^2-(-1)^2=8$ 정답 ③

0010

 ①

STEP A 수열의 극한에 대한 기본 성질을 이용하여 극한값 계산하기

두 수열 $\{a_n\}$, $\{b_n\}$이 수렴하므로 $\lim_{n\to\infty}a_n=\alpha$, $\lim_{n\to\infty}b_n=\beta$라 하면

$\lim_{n\to\infty}(a_n+b_n)=\lim_{n\to\infty}a_n+\lim_{n\to\infty}b_n=\alpha+\beta=2$

$\lim_{n\to\infty}a_nb_n=\lim_{n\to\infty}a_n\lim_{n\to\infty}b_n=\alpha\beta=-1$

STEP B 곱셈공식의 정리를 이용하여 극한값 구하기

따라서 $\lim_{n\to\infty}\left(\frac{1}{a_n{}^2}+\frac{1}{b_n{}^2}\right)=\lim_{n\to\infty}\frac{1}{a_n{}^2}+\lim_{n\to\infty}\frac{1}{b_n{}^2}=\frac{1}{\alpha^2}+\frac{1}{\beta^2}$

$=\frac{\alpha^2+\beta^2}{(\alpha\beta)^2}=\frac{(\alpha+\beta)^2-2\alpha\beta}{(\alpha\beta)^2}$

$=\frac{2^2+2}{(-1)^2}=6$

0011

 ⑤

STEP A 수열의 극한에 대한 기본 성질을 이용하여 극한값 계산하기

두 수열 $\{a_n\}$, $\{b_n\}$이 수렴하므로 $\lim_{n\to\infty}a_n=\alpha$, $\lim_{n\to\infty}b_n=\beta$라 하면

$\lim_{n\to\infty}(a_n-b_n)=\lim_{n\to\infty}a_n-\lim_{n\to\infty}b_n=\alpha-\beta=2$

$\lim_{n\to\infty}a_nb_n=\lim_{n\to\infty}a_n\lim_{n\to\infty}b_n=\alpha\beta=4$

STEP B $\alpha^3-\beta^3=(\alpha-\beta)^3+3\alpha\beta(\alpha-\beta)$을 이용하여 극한값 구하기

따라서 $\lim_{n\to\infty}(a_n^3-b_n^3)=\lim_{n\to\infty}a_n\cdot a_n\cdot a_n-\lim_{n\to\infty}b_n\cdot b_n\cdot b_n$

$=\alpha^3-\beta^3=(\alpha-\beta)^3+3\alpha\beta(\alpha-\beta)$

$=2^3+3\cdot4\cdot2=8+24=32$

0012

 ①

STEP A 주어진 수열을 b_n으로 놓고 a_n 구하기

$\frac{a_n+5}{2a_n+1}=b_n$로 놓으면 $\lim_{n\to\infty}b_n=3$이고 $a_n=\frac{-b_n+5}{2b_n-1}$

STEP B 수열의 극한에 대한 성질을 이용하여 $\lim_{n\to\infty}a_n$ 값 구하기

따라서 $\lim_{n\to\infty}a_n=\lim_{n\to\infty}\frac{-b_n+5}{2b_n-1}=\frac{-3+5}{2\cdot3-1}=\frac{2}{5}$

다른풀이 $\lim_{n\to\infty}a_n=\alpha$라 두고 식에 대입하여 α의 값 구하기

수열 $\{a_n\}$이 수렴하므로 $\lim_{n\to\infty}a_n=\alpha$라고 하면

$\lim_{n\to\infty}\frac{a_n+5}{2a_n+1}=\frac{\lim_{n\to\infty}a_n+5}{2\lim_{n\to\infty}a_n+1}=\frac{\alpha+5}{2\alpha+1}=3$

$\alpha+5=6\alpha+3\quad\therefore\ \alpha=\frac{2}{5}$

따라서 $\lim_{n\to\infty}a_n=\frac{2}{5}$

0013

 ①

STEP A $\lim_{n\to\infty}a_n=\alpha$이면 $\lim_{n\to\infty}a_{n+1}=\alpha$임을 이용하기

수열 $\{a_n\}$이 수렴하므로 $\lim_{n\to\infty}a_n=\alpha$ (α는 실수)라 하면 $\lim_{n\to\infty}a_{n+1}=\alpha$

$\lim_{n\to\infty}\frac{3a_{n+1}+1}{a_n+2}=2$에서 $\frac{3\alpha+1}{\alpha+2}=2$

$3\alpha+1=2(\alpha+2)\quad\therefore\ \alpha=3$

따라서 $\lim_{n\to\infty}a_n=3$

0014

 ③

STEP A 주어진 수열을 b_n으로 놓고 a_n 구하기

$\frac{3a_n+2}{a_n-3}=b_n$이라 하면 $\lim_{n\to\infty}b_n=6$이고

$3a_n+2=(a_n-3)b_n$

$a_n(-b_n+3)=-3b_n-2\quad\therefore\ a_n=\frac{3b_n+2}{b_n-3}$

STEP B 수열의 극한에 대한 성질을 이용하여 $\lim_{n\to\infty}a_n$ 값 구하기

$\lim_{n\to\infty}a_n=\lim_{n\to\infty}\frac{3b_n+2}{b_n-3}=\frac{3\lim_{n\to\infty}b_n+\lim_{n\to\infty}2}{\lim_{n\to\infty}b_n-\lim_{n\to\infty}3}=\frac{3\times6+2}{6-3}=\frac{20}{3}$

따라서 $\lim_{n\to\infty}(3a_n+4)=3\lim_{n\to\infty}a_n+\lim_{n\to\infty}4=3\times\frac{20}{3}+4=24$

내신연계 출제문항 004

수렴하는 수열 $\{a_n\}$에 대하여

$$\lim_{n\to\infty}\frac{5a_n-1}{a_n+1}=3$$

일 때, $\lim_{n\to\infty}(3a_n+4)$의 값은?

① 5 ② 10 ③ 15
④ 20 ⑤ 25

STEP A 주어진 수열을 b_n으로 놓고 a_n 구하기

$\lim_{n\to\infty}\frac{5a_n-1}{a_n+1}=b_n$으로 놓으면 $5a_n-1=b_n(a_n+1)$에서 $a_n=\frac{b_n+1}{5-b_n}$

STEP B 수열의 극한에 대한 성질을 이용하여 $\lim_{n\to\infty}a_n$ 값 구하기

이때 $\lim_{n\to\infty}b_n=3$, 즉 수열 $\{b_n\}$은 수렴하므로

$\therefore\ \lim_{n\to\infty}a_n=\lim_{n\to\infty}\frac{b_n+1}{5-b_n}=\frac{\lim_{n\to\infty}b_n+\lim_{n\to\infty}1}{\lim_{n\to\infty}5-\lim_{n\to\infty}b_n}=\frac{3+1}{5-3}=2$

따라서 $\lim_{n\to\infty}(3a_n+4)=3\lim_{n\to\infty}a_n+4=3\times2+4=10$ 정답 ②

0015

정답 ①

STEP A $\lim_{n\to\infty} a_n=\alpha$라 두고 식에 대입하여 α의 값 구하기

수열 $\{a_n\}$이 수렴하므로 $\lim_{n\to\infty} a_n=\alpha$라 하면

$$\lim_{n\to\infty}\frac{2a_n-3}{a_n+1}=\frac{2\lim_{n\to\infty} a_n-\lim_{n\to\infty} 3}{\lim_{n\to\infty} a_n+\lim_{n\to\infty} 1}=\frac{2\alpha-3}{\alpha+1}=-\frac{1}{2}$$

$4\alpha-6=-\alpha-1,\ 5\alpha=5,\ \alpha=1 \quad \therefore \lim_{n\to\infty} a_n=1$

STEP B 주어진 극한값 구하기

따라서 $\lim_{n\to\infty}\frac{a_n+n^2-1}{a_n n^2+2n-3}=\lim_{n\to\infty}\frac{1+n^2-1}{n^2+2n-3}=1$

0016

정답 ⑤

STEP A 급수가 수렴할 조건을 이용하여 극한값 구하기

급수 $\sum_{n=1}^{\infty}\frac{4a_n-8}{3a_n+10}$이 3으로 수렴하므로 $\lim_{n\to\infty}\frac{4a_n-8}{3a_n+10}=0$

STEP B 수열의 극한에 대한 성질을 이용하여 $\lim_{n\to\infty} a_n$값 구하기

이때 수열 $\{a_n\}$이 수렴하므로 $\lim_{n\to\infty} a_n=\alpha$라 하면

$$\lim_{n\to\infty}\frac{4a_n-8}{3a_n+10}=\frac{4\alpha-8}{3\alpha+10}=0$$

따라서 $4\alpha-8=0$이므로 $\lim_{n\to\infty} a_n=\alpha=2$

0017

③

STEP A 자연수의 거듭제곱근의 합을 이용하고 분모, 분자를 n^2으로 나누어 극한값 구하기

$$\frac{1+2+3+\cdots+n}{n^2+3}=\frac{\frac{n(n+1)}{2}}{n^2+3}=\frac{n^2+n}{2n^2+6}$$ 이므로

$$\lim_{n\to\infty}\frac{2a_n+3}{3a_n-2}=\lim_{n\to\infty}\frac{n^2+n}{2n^2+6}=\frac{1}{2}$$

STEP B 수열의 극한에 대한 성질을 이용하여 $\lim_{n\to\infty} a_n$값 구하기

$\frac{2a_n+3}{3a_n-2}=b_n$으로 놓으면 $\lim_{n\to\infty} b_n=\frac{1}{2}$이고

$2a_n+3=b_n(3a_n-2),\ (2-3b_n)a_n=-2b_n-3 \quad \therefore a_n=\frac{2b_n+3}{3b_n-2}$

따라서 $\lim_{n\to\infty} a_n=\lim_{n\to\infty}\frac{2b_n+3}{3b_n-2}=\lim_{n\to\infty}\frac{2\times\frac{1}{2}+3}{3\times\frac{1}{2}-2}=\frac{4}{-\frac{1}{2}}=-8$

다른풀이 $\lim_{n\to\infty} a_n=\alpha$라 두고 식에 대입하여 α의 값 구하기

수열 $\{a_n\}$은 수렴하는 수열이므로 $\lim_{n\to\infty} a_n=\alpha$($\alpha$는 실수)로 놓으면

$\lim_{n\to\infty}\frac{2a_n+3}{3a_n-2}=\frac{1}{2}$에서 $\frac{2\alpha+3}{3\alpha-2}=\frac{1}{2},\ 4\alpha+6=3\alpha-2$

$\therefore \alpha=\lim_{n\to\infty} a_n=-8$

내/신/연/계/ 출제문항 005

수렴하는 수열 $\{a_n\}$에 대하여

$$\frac{3a_n-4}{2a_n+1}=\frac{1\times2+2\times3+3\times4+\cdots+n(n+1)}{1^2+2^2+3^2+\cdots+n^2}$$

성립할 때, $\lim_{n\to\infty} a_n$의 값은?

① 3 ② 4 ③ 5
④ 6 ⑤ 7

STEP A 자연수의 거듭제곱근의 합을 이용하고 분모, 분자를 $n(n+1)$로 나누어 극한값 구하기

$$\frac{1\times2+2\times3+3\times4+\cdots+n(n+1)}{1^2+2^2+3^2+\cdots+n^2}=\frac{\frac{n(n+1)(n+2)}{3}}{\frac{n(n+1)(2n+1)}{6}}=\frac{2n+4}{2n+1}$$

← $\frac{\sum_{k=1}^{n}k(k+1)}{\sum_{k=1}^{n}k^2}$

이므로 $\lim_{n\to\infty}\frac{3a_n-4}{2a_n+1}=\lim_{n\to\infty}\frac{2n+4}{2n+1}=1$

STEP B 수열의 극한에 대한 성질을 이용하여 $\lim_{n\to\infty} a_n$값 구하기

$\frac{3a_n-4}{2a_n+1}=b_n$으로 놓으면 $\lim_{n\to\infty} b_n=1$이고

$3a_n-4=b_n(2a_n+1),\ (3-2b_n)a_n=b_n+4$

$\therefore a_n=\frac{b_n+4}{3-2b_n}$

따라서 $\lim_{n\to\infty} a_n=\lim_{n\to\infty}\frac{b_n+4}{3-2b_n}=\frac{1+4}{3-2\cdot1}=5$

다른풀이 $\lim_{n\to\infty} a_n=\alpha$라 두고 식에 대입하여 α의 값 구하기

수열 $\{a_n\}$은 수렴하는 수열이므로 $\lim_{n\to\infty} a_n=\alpha$($\alpha$는 실수)라 하자.

$\lim_{n\to\infty}\frac{3a_n-4}{2a_n+1}=1$에서 $\frac{3\alpha-4}{2\alpha+1}=1$

$3\alpha-4=2\alpha+1$

따라서 $\alpha=\lim_{n\to\infty} a_n=5$

③

0018

③

STEP A 분모, 분자를 n^2으로 나누어 극한값 구하기

조건 (가)에서 분모와 분자를 n^2으로 나누면

$$\lim_{n\to\infty}\frac{3n^2+5}{n^2+2n}=\lim_{n\to\infty}\frac{3+\frac{5}{n^2}}{1+\frac{2}{n}}=3$$

$\therefore a=3$

STEP B 분모, 분자를 n으로 나누어 극한값 구하기

조건 (나)에서 분모와 분자를 n으로 나누면

$$\lim_{n\to\infty}\frac{\sqrt{n^2-n}+2n}{\sqrt{n^2+1}}=\lim_{n\to\infty}\frac{\sqrt{1-\frac{1}{n}}+2}{\sqrt{1+\frac{1}{n^2}}}=3$$

$\therefore b=3$

따라서 $ab=9$

0019

⑤

STEP A 근과 계수의 관계를 이용하여 α_n, β_n 사이의 관계식 구하기

이차방정식 $x^2-(2n^2+1)x+n^2=0$의 근과 계수의 관계에 의하여

$\alpha_n+\beta_n=2n^2+1,\ \alpha_n\beta_n=n^2$이므로

$$\frac{1}{\alpha_n}+\frac{1}{\beta_n}=\frac{\alpha_n+\beta_n}{\alpha_n\beta_n}=\frac{2n^2+1}{n^2}$$

STEP B 주어진 극한값 구하기

따라서 $\lim_{n\to\infty}\left(\frac{1}{\alpha_n}+\frac{1}{\beta_n}\right)=\lim_{n\to\infty}\left(\frac{2n^2+1}{n^2}\right)=2$

내/신/연/계/ 출제문항 006

자연수 n에 대하여 x에 대한 이차방정식

$$x^2-(3n^2+2n+1)x+n^2=0$$

의 두 근을 α_n, β_n이라 할 때, $\lim_{n\to\infty}\left(\frac{1}{\alpha_n}+\frac{1}{\beta_n}\right)$의 값은?

① -3 ② -2 ③ 0
④ 2 ⑤ 3

STEP Ⓐ **근과 계수의 관계를 이용하여 α_n, β_n 사이의 관계식 구하기**

이차방정식 $x^2-(3n^2+2n+1)x+n^2=0$의 근과 계수의 관계에 의하여

$\alpha_n+\beta_n=3n^2+2n+1$, $\alpha_n\beta_n=n^2$이므로

$$\frac{1}{\alpha_n}+\frac{1}{\beta_n}=\frac{\alpha_n+\beta_n}{\alpha_n\beta_n}=\frac{3n^2+2n+1}{n^2}$$

STEP Ⓑ **주어진 극한값 구하기**

따라서 $\lim_{n\to\infty}\left(\frac{1}{\alpha_n}+\frac{1}{\beta_n}\right)=\lim_{n\to\infty}\frac{3n^2+2n+1}{n^2}=3$  정답 ⑤

0020

 정답 ④

STEP Ⓐ **등차수열의 일반항 구하기**

두 등차수열 $\{a_n\}$, $\{b_n\}$의 공차가 각각 3, 4이므로

첫째항을 각각 a_1, b_1이라고 하면

$a_n=a_1+(n-1)\times3=3n+a_1-3$, $b_n=b_1+(n-1)\times4=4n+b_1-4$

STEP Ⓑ **$\frac{\infty}{\infty}$ 꼴의 극한값 구하기**

$$\text{따라서 }\lim_{n\to\infty}\frac{b_n}{a_n+b_n}=\lim_{n\to\infty}\frac{4n+b_1-4}{(3n+a_1-3)+(4n+b_1-4)}$$

$$=\lim_{n\to\infty}\frac{4n+b_1-4}{7n+a_1+b_1-7}=\frac{4}{7}$$

0021

 정답 ④

STEP Ⓐ **등차수열의 합 구하기**

첫째항이 3, 공차가 4인 등차수열 이므로

$$a_1+a_2+a_3+\cdots+a_n=\frac{n\{2\cdot3+(n-1)\cdot4\}}{2}=2n^2+n$$

STEP Ⓑ **$\frac{\infty}{\infty}$ 꼴의 극한값 구하기**

$$\text{따라서 }\lim_{n\to\infty}\frac{a_1+a_2+a_3+\cdots+a_n}{n^2}=\lim_{n\to\infty}\frac{2n^2+n}{n^2}=2$$

0022

정답 ①

STEP Ⓐ **수열 $\{a_n\}$의 일반항 구하기**

$a_{n+2}-a_{n+1}=a_{n+1}-a_n$에서 $2a_{n+1}=a_n+a_{n+2}$이므로

수열 $\{a_n\}$은 첫째항이 1이고 공차가 2인 등차수열이다.

즉 일반항은 $a_n=2n-1$

STEP Ⓑ **식을 대입하고 분모, 분자를 n^2으로 나누어 극한값 구하기**

$$1+2+3+\cdots+n=\sum_{k=1}^{n}k=\frac{n(n+1)}{2}$$

$$\text{따라서 }\lim_{n\to\infty}\frac{a_na_{n+1}}{2+4+6+\cdots+2n}=\lim_{n\to\infty}\frac{(2n-1)(2n+1)}{2\cdot\frac{n(n+1)}{2}}$$

$$=\lim_{n\to\infty}\frac{(2n-1)(2n+1)}{n(n+1)}$$

$$=4$$

내/신/연/계/ 출제문항 007

첫째항이 2이고 공차가 3인 등차수열 $\{a_n\}$의 첫째항부터 제 n항까지의 합을 S_n이라 할 때, $\lim_{n\to\infty}\frac{S_n}{a_na_{n+1}}$의 값은?

① 2 ② 1 ③ $\frac{1}{2}$
④ $\frac{1}{3}$ ⑤ $\frac{1}{6}$

STEP Ⓐ **등차수열의 일반항과 합의 공식을 이용하여 구하기**

수열 $\{a_n\}$은 $a_1=2$, $d=3$인 등차수열이므로

$a_n=2+(n-1)\cdot3=3n-1$

$a_{n+1}=3n+2$

첫째항부터 제 n항까지 등차수열의 합 S_n은

$$S_n=\frac{n(2+3n-1)}{2}=\frac{3n^2+n}{2}$$

STEP Ⓑ **극한값 구하기**

$$\text{따라서 }\lim_{n\to\infty}\frac{S_n}{a_na_{n+1}}=\lim_{n\to\infty}\frac{\frac{3n^2+n}{2}}{(3n-1)(3n+2)}=\lim_{n\to\infty}\frac{3+\frac{1}{n}}{18+\frac{6}{n}-\frac{4}{n^2}}=\frac{1}{6}$$

 정답 ⑤

0023

 정답 ②

STEP Ⓐ **$2nf(a)-1\ge0$, $2nf(a)-1<0$인 경우로 나누기**

(i) $2nf(a)-1\ge0$일 때,

$$\lim_{n\to\infty}\frac{|2nf(a)-1|-nf(a)}{3n-2}=\lim_{n\to\infty}\frac{2nf(a)-1-nf(a)}{3n-2}$$

$$=\lim_{n\to\infty}\frac{nf(a)-1}{3n-2}$$

$$=\frac{1}{3}f(a)$$

$\frac{1}{3}f(a)=2$에서 $f(a)=6$

이때 $f(a)=6$은 정의되어 있지 않으므로 $f(a)=6$은 모순이다.

(ii) $2nf(a)-1<0$일 때,

$$\lim_{n\to\infty}\frac{|2nf(a)-1|-nf(a)}{3n-2}=\lim_{n\to\infty}\frac{-2nf(a)+1-nf(a)}{3n-2}$$

$$=\lim_{n\to\infty}\frac{-3nf(a)+1}{3n-2}$$

$$=-f(a)=2$$

STEP Ⓑ **$f(a)=-2$를 만족하는 상수 a의 개수 구하기**

(i), (ii)에서 $f(a)=-2$를 만족하는 a의 개수는 $y=f(x)$와 $y=-2$의 교점의 x의 개수와 같으므로 다음 그래프에서 조건을 만족하는 실수 a의 개수는 2

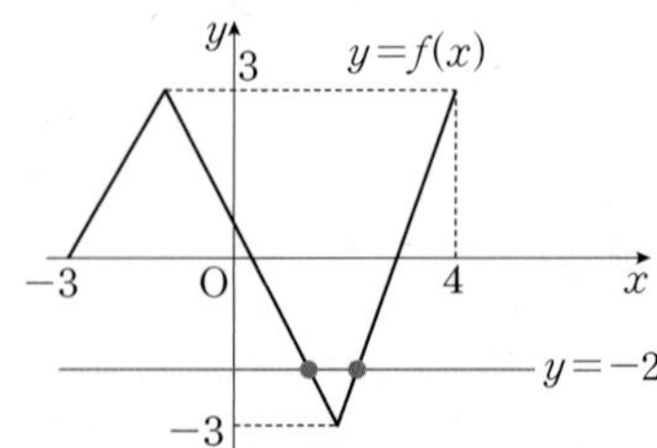

내신연계 출제문항 008

닫힌구간 $[-2, 5]$에서 정의된 함수 $y=f(x)$의 그래프가 그림과 같다.

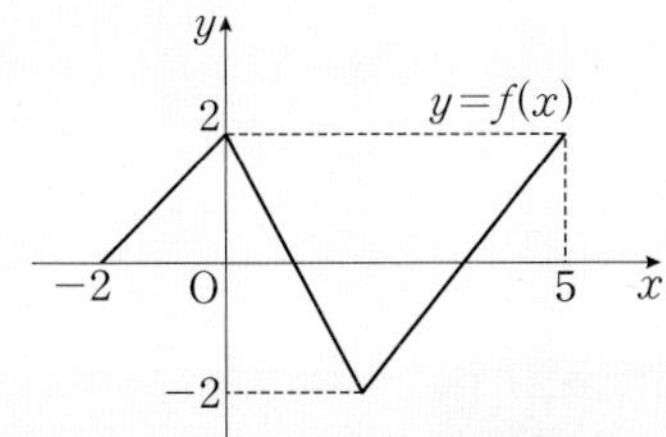

$\lim_{n\to\infty}\frac{|nf(a)-1|-nf(a)}{2n+3}=1$을 만족시키는 상수 a의 개수는?

① 1 ② 2 ③ 3
④ 4 ⑤ 5

STEP A $nf(a)-1\geq 0$, $nf(a)-1<0$인 경우로 나누기

$\lim_{n\to\infty}\frac{|nf(a)-1|-nf(a)}{2n+3}=1$에서

$nf(a)-1\geq 0$, $nf(a)-1<0$인 경우로 나누어 생각한다.

(i) $nf(a)-1\geq 0$일 때,

$$\lim_{n\to\infty}\frac{|nf(a)-1|-nf(a)}{2n+3}=\lim_{n\to\infty}\frac{nf(a)-1-nf(a)}{2n+3}=\lim_{n\to\infty}\frac{-1}{2n+3}=0\neq 1$$

이므로 주어진 조건을 만족하는 상수 a는 존재하지 않는다.

(ii) $nf(a)-1<0$일 때,

$$\lim_{n\to\infty}\frac{|nf(a)-1|-nf(a)}{2n+3}=\lim_{n\to\infty}\frac{-nf(a)+1-nf(a)}{2n+3}=\lim_{n\to\infty}\frac{-2nf(a)+1}{2n+3}=-f(a)=1$$

$\therefore f(a)=-1$

STEP B $f(a)=-1$을 만족하는 상수 a의 개수 구하기

따라서 $f(a)=-1$을 만족하는 a의 개수는 $y=f(x)$와 $y=-1$의 교점의 x의 개수와 같으므로 다음 그래프에서 조건을 만족하는 상수 a는 α, β이므로 2개 존재한다.

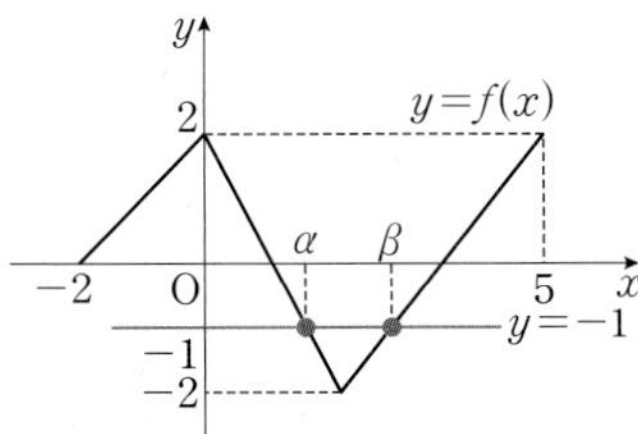

다른풀이 식을 변형하여 절댓값의 성질을 이용하여 풀이하기

STEP A $|nf(a)|=n|f(a)|$를 이용하여 절댓값의 극한 구하기

$|nf(a)-1|=n\left|f(a)-\frac{1}{n}\right|$이므로

$$\lim_{n\to\infty}\frac{|nf(a)-1|-nf(a)}{2n+3}=\lim_{n\to\infty}\frac{n\left|f(a)-\frac{1}{n}\right|-nf(a)}{2n+3}=\lim_{n\to\infty}\frac{\left|f(a)-\frac{1}{n}\right|-f(a)}{2+\frac{3}{n}}=\frac{|f(a)|-f(a)}{2}=1$$

$\therefore |f(a)|-f(a)=2$

STEP B $f(a)=-1$을 만족하는 상수 a의 개수 구하기

$|f(a)|=k(k\geq 0)$라 하면

(i) $f(a)\geq 0$인 경우

$f(a)=k$이므로 $|f(a)|-f(a)=k-k=0\neq 2$

(ii) $f(a)<0$인 경우

$f(a)=-k$이므로 $|f(a)|-f(a)=k-(-k)=2k=2$ $\therefore k=1$

(i), (ii)에서 $k=1$이므로 $f(a)=-1$

따라서 $f(a)=-1$을 만족하는 상수 a는 α, β이므로 개수는 2

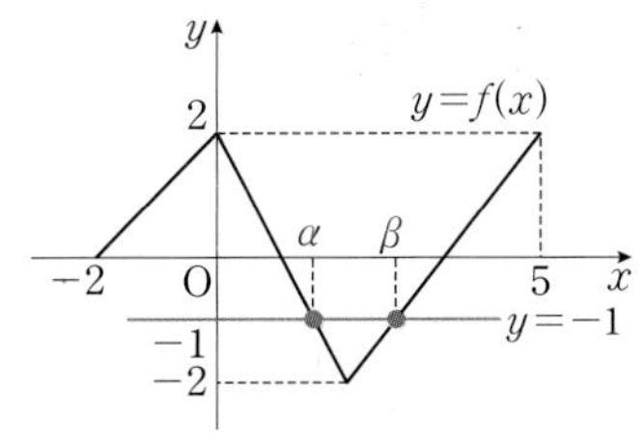

정답 ②

0024

정답 ②

STEP A 자연수의 거듭제곱의 합을 이용하고 분모, 분자를 n으로 나누어 극한값 구하기

$1+2+3+\cdots+n=\sum_{k=1}^{n}k=\frac{n(n+1)}{2}$

이므로 조건 (가)에서

$$\lim_{n\to\infty}\frac{1+2+3+\cdots+n}{n^2}=\lim_{n\to\infty}\frac{\frac{n(n+1)}{2}}{n^2}=\lim_{n\to\infty}\frac{n+1}{2n}=\lim_{n\to\infty}\frac{1+\frac{1}{n}}{2}=\frac{1}{2}$$

STEP B 자연수의 거듭제곱의 합을 이용하고 분모, 분자를 n^3으로 나누어 극한값 구하기

$1^2+2^2+3^2+\cdots+n^2=\sum_{k=1}^{n}k^2=\frac{n(n+1)(2n+1)}{6}$

이므로 조건 (나)에서

$$\lim_{n\to\infty}\frac{1^2+2^2+3^2+\cdots+n^2}{n^3}=\lim_{n\to\infty}\frac{\frac{n(n+1)(2n+1)}{6}}{n^3}=\lim_{n\to\infty}\frac{2n^3+3n^2+n}{6n^3}=\lim_{n\to\infty}\frac{2+\frac{3}{n}+\frac{1}{n^2}}{6}=\frac{1}{3}$$

따라서 $a=\frac{1}{2}$, $b=\frac{1}{3}$이므로 $a+b=\frac{1}{2}+\frac{1}{3}=\frac{5}{6}$

0025

정답 ⑤

STEP A 자연수의 합을 이용하고 분모, 분자를 n으로 나누어 극한값 구하기

$1+3+5+\cdots+(2n-1)=\sum_{k=1}^{n}(2k-1)=2\cdot\frac{n(n+1)}{2}-n=n^2$

$1+2+3+\cdots+n=\sum_{k=1}^{n}k=\frac{n(n+1)}{2}$

이므로 조건 (가)에서

$$\lim_{n\to\infty}\frac{1+3+5+\cdots+(2n-1)}{1+2+3+\cdots+n}=\lim_{n\to\infty}\frac{n^2}{\frac{n(n+1)}{2}}=\lim_{n\to\infty}\frac{2n}{n+1}=\lim_{n\to\infty}\frac{2}{1+\frac{1}{n}}=2$$

STEP B 자연수의 거듭제곱의 합을 이용하고 분모, 분자를 n^2으로 나누어 극한값 구하기

$1\cdot2+2\cdot3+\cdots+n\cdot(n+1)=\sum_{k=1}^{n}k(k+1)=\frac{n(n+1)(n+2)}{3}$

이므로 조건 (나)에서

$$\lim_{n\to\infty}\frac{n^3}{1\cdot2+2\cdot3+\cdots+n\cdot(n+1)}=\frac{n^3}{\frac{n(n+1)(n+2)}{3}}=\lim_{n\to\infty}\frac{3n^2}{n^2+3n+2}=\lim_{n\to\infty}\frac{3}{1+\frac{3}{n}+\frac{2}{n^2}}=3$$

따라서 $a+b=2+3=5$

내신연계 출제문항 009

다음 조건을 만족하는 극한값을 a, b라 할 때, $a+b$의 값은?

(가) $\lim_{n\to\infty}\frac{1^2+2^2+3^2+\cdots+n^2}{n(1+2+3+\cdots+n)}=a$

(나) $\lim_{n\to\infty}\frac{n(1^2+2^2+3^2+\cdots+n^2)}{1^3+2^3+3^3+\cdots+n^3}=b$

① 1 ② 2 ③ 3
④ 4 ⑤ 5

STEP A 자연수의 거듭제곱의 합을 이용하고 분모, 분자를 n으로 나누어 극한값 구하기

$1^2+2^2+3^2+\cdots+n^2=\sum_{k=1}^{n}k^2=\frac{n(n+1)(2n+1)}{6}$

$1+2+3+\cdots+n=\sum_{k=1}^{n}k=\frac{n(n+1)}{2}$

이므로 조건 (가)에서

$$\lim_{n\to\infty}\frac{1^2+2^2+3^2+\cdots+n^2}{n(1+2+3+\cdots+n)}=\lim_{n\to\infty}\frac{\frac{n(n+1)(2n+1)}{6}}{n\cdot\frac{n(n+1)}{2}}=\lim_{n\to\infty}\frac{2n+1}{3n}=\frac{2}{3}$$

STEP B 자연수의 거듭제곱근의 합을 이용하고 분모, 분자를 $n^2(n+1)^2$으로 나누어 극한값 구하기

$1^2+2^2+3^2+\cdots+n^2=\sum_{k=1}^{n}k^2=\frac{n(n+1)(2n+1)}{6}$

$1^3+2^3+3^3+\cdots+n^3=\sum_{k=1}^{n}k^3=\left\{\frac{n(n+1)}{2}\right\}^2$

이므로 조건 (나)에서

$$\lim_{n\to\infty}\frac{n(1^2+2^2+3^2+\cdots+n^2)}{1^3+2^3+3^3+\cdots+n^3}=\frac{n\cdot\frac{n(n+1)(2n+1)}{6}}{\left\{\frac{n(n+1)}{2}\right\}^2}=\frac{\frac{2n+1}{6}}{\frac{n+1}{4}}=\frac{4}{3}$$

따라서 $a=\frac{2}{3}$, $b=\frac{4}{3}$이므로 $a+b=2$

 ②

0026

 ④

STEP A 자연수의 거듭제곱의 합을 이용하고 분모, 분자를 n^2으로 나누어 극한값 구하기

$$\begin{aligned}1+2+\cdots+(n-1)+n+(n-1)+\cdots+2+1&=2\{1+2+\cdots+(n-1)\}+n-n\\&=2\cdot\frac{n(n+1)}{2}-n\\&=n^2\end{aligned}$$

$1+4+7+\cdots+(3n-2)=\sum_{k=1}^{n}(3k-2)=3\cdot\frac{n(n+1)}{2}-2n=\frac{1}{2}(3n^2-n)$

이므로

$$\lim_{n\to\infty}\frac{1+2+\cdots+(n-1)+n+(n-1)+\cdots+2+1}{1+4+7+\cdots+(3n-2)}=\lim_{n\to\infty}\frac{n^2}{\frac{1}{2}(3n^2-n)}=\frac{2}{3}$$

0027

정답 ③

STEP A 자연수의 거듭제곱의 합을 이용하고 분모, 분자를 n으로 나누어 극한값 구하기

$(n+1)+(n+2)+\cdots+2n=\sum_{k=1}^{n}(n+k)=n\cdot n+\frac{n(n+1)}{2}=\frac{3n^2+n}{2}$

$1+2+3+\cdots+n=\sum_{k=1}^{n}k=\frac{n(n+1)}{2}$이므로

$$\begin{aligned}\lim_{n\to\infty}\frac{(n+1)+(n+2)+\cdots+2n}{1+2+3+\cdots+n}&=\lim_{n\to\infty}\frac{\frac{3n^2+n}{2}}{\frac{n(n+1)}{2}}=\lim_{n\to\infty}\frac{3n+1}{n+1}\\&=\lim_{n\to\infty}\frac{3+\frac{1}{n}}{1+\frac{1}{n}}=3\end{aligned}$$

내신연계 출제문항 010

$\lim_{n\to\infty}\frac{(n+1)^2+(n+2)^2+(n+3)^2+\cdots+(2n)^2}{n^3}$의 값은?

① $\frac{1}{2}$ ② 1 ③ $\frac{3}{2}$
④ $\frac{5}{3}$ ⑤ $\frac{7}{3}$

STEP A 자연수의 거듭제곱의 합을 이용하고 분모, 분자를 n으로 나누어 극한값 구하기

$$\begin{aligned}&(n+1)^2+(n+2)^2+(n+3)^2+\cdots+(2n)^2\\&=\sum_{k=1}^{n}(n+k)^2\\&=\sum_{k=1}^{n}(n^2+2nk+k^2)\\&=\sum_{k=1}^{n}n^2+\sum_{k=1}^{n}2nk+\sum_{k=1}^{n}k^2\\&=n^2\times n+2n\times\frac{n(n+1)}{2}+\frac{n(n+1)(2n+1)}{6}\\&=n^3+n^2(n+1)+\frac{n(n+1)(2n+1)}{6}\end{aligned}$$

이므로

$$\begin{aligned}&\lim_{n\to\infty}\frac{(n+1)^2+(n+2)^2+(n+3)^2+\cdots+(2n)^2}{n^3}\\&=\lim_{n\to\infty}\frac{n^3+n^2(n+1)+\frac{n(n+1)(2n+1)}{6}}{n^3}\\&=\lim_{n\to\infty}\left\{1+\left(1+\frac{1}{n}\right)+\frac{1}{6}\left(1+\frac{1}{n}\right)\left(2+\frac{1}{n}\right)\right\}\\&=1+1+\frac{2}{6}=\frac{7}{3}\end{aligned}$$

다른풀이 시그마의 성질을 이용하여 풀이하기

$$\begin{aligned}&(n+1)^2+(n+2)^2+(n+3)^2+\cdots+(2n)^2\\&=\sum_{k=1}^{2n}k^2-\sum_{k=1}^{n}k^2\\&=\frac{2n(2n+1)(4n+1)}{6}-\frac{n(n+1)(2n+1)}{6}\end{aligned}$$

이므로

$$\begin{aligned}&\lim_{n\to\infty}\frac{(n+1)^2+(n+2)^2+(n+3)^2+\cdots+(2n)^2}{n^3}\\&=\lim_{n\to\infty}\left\{\frac{1}{3}\left(2+\frac{1}{n}\right)\left(4+\frac{1}{n}\right)-\frac{1}{6}\left(1+\frac{1}{n}\right)\left(2+\frac{1}{n}\right)\right\}\\&=\frac{8}{3}-\frac{1}{3}=\frac{7}{3}\end{aligned}$$

다른풀이 정적분과 급수의 합을 이용하여 풀이하기

$$\begin{aligned}&\lim_{n\to\infty}\frac{(n+1)^2+(n+2)^2+(n+3)^2+\cdots+(2n)^2}{n^3}\\&=\lim_{n\to\infty}\frac{1}{n^3}\sum_{k=1}^{n}(n+k)^2=\lim_{n\to\infty}\frac{1}{n}\sum_{k=1}^{n}\left(1+\frac{k}{n}\right)^2\\&=\int_1^2 x^2dx=\left[\frac{1}{3}x^3\right]_1^2\\&=\frac{8}{3}-\frac{1}{3}=\frac{7}{3}\end{aligned}$$

정답 ⑤

0028

정답 ⑤

STEP Ⓐ **자연수의 거듭제곱의 합을 이용하고 분모, 분자를 n으로 나누어 극한값 구하기**

$3+6+9+\cdots+3n=3(1+2+3+\cdots n)=3\sum_{k=1}^{n}k=3\cdot\frac{n(n+1)}{2}$

이므로

$$\lim_{n\to\infty}\frac{kn^2}{3+6+9+\cdots+3n}=\lim_{n\to\infty}\frac{kn^2}{3\cdot\frac{n(n+1)}{2}}=\lim_{n\to\infty}\frac{2kn^2}{3n(n+1)}=\frac{2k}{3}$$

따라서 $\frac{2k}{3}=8$이므로 $k=12$

0029

 ④

STEP Ⓐ **인수분해를 통해 주어진 식을 정리하여 극한값 구하기**

$$\lim_{n\to\infty}\left(1-\frac{1}{2^2}\right)\left(1-\frac{1}{3^2}\right)\left(1-\frac{1}{4^2}\right)\times\cdots\times\left(1-\frac{1}{n^2}\right)$$
$$=\lim_{n\to\infty}\left(\frac{2^2-1}{2^2}\right)\left(\frac{3^2-1}{3^2}\right)\left(\frac{4^2-1}{4^2}\right)\times\cdots\times\left(\frac{n^2-1}{n^2}\right)$$
$$=\lim_{n\to\infty}\left\{\frac{(2-1)(2+1)}{2\times2}\times\frac{(3-1)(3+1)}{3\times3}\times\cdots\times\frac{(n-2)n}{(n-1)(n-1)}\times\frac{(n-1)(n+1)}{n\times n}\right\}$$
$$=\lim_{n\to\infty}\frac{n+1}{2n}$$
$$=\frac{1}{2}$$

0030

 ②

STEP Ⓐ **분모의 최고차항으로 분자, 분모를 나누기**

분모의 최고차항 n으로 분자, 분모를 각각 나누면

$$\lim_{n\to\infty}\frac{an^2+bn+7}{3n+1}=\lim_{n\to\infty}\frac{an+b+\frac{7}{n}}{3+\frac{1}{n}}=4$$

STEP Ⓑ **극한값이 존재할 조건을 이용하여 a, b의 값 구하기**

이때 극한값이 존재하려면 $a=0$이고 극한값은 $\frac{b}{3}$이므로

$\frac{b}{3}=4$에서 $b=12$

따라서 $a+b=12$

0031

 ⑤

STEP Ⓐ **극한값이 존재할 조건을 이용하여 a의 값 구하기**

$\lim_{n\to\infty}\frac{bn+2}{an^2+2n-1}=3$이므로 극한값이 존재하려면 $a=0$

STEP Ⓑ **분모, 분자를 n으로 나누어 b의 값 구하기**

$a=0$을 주어진 식에 대입하면

$$\lim_{n\to\infty}\frac{bn+2}{2n-1}=\lim_{n\to\infty}\frac{b+\frac{2}{n}}{2-\frac{1}{n}}=\frac{b}{2}=3$$

$\therefore b=6$

따라서 $a+b=6$

0032

정답 ①

STEP Ⓐ **$\frac{\infty}{\infty}$ 꼴의 극한값이 0 아닌 실수이면 분모와 분자의 차수가 같음을 이용하기**

$\lim_{n\to\infty}\frac{an^2+bn+2}{6n+5}$가 수렴하므로 $a=0$

$$\lim_{n\to\infty}\frac{an^2+bn+2}{6n+5}=\lim_{n\to\infty}\frac{bn+2}{6n+5}=\lim_{n\to\infty}\frac{b+\frac{2}{n}}{6+\frac{5}{n}}=\frac{b}{6}$$

즉 $\frac{b}{6}=\frac{1}{2}$에서 $b=3$

STEP Ⓑ **주어진 극한값 구하기**

따라서 $\lim_{n\to\infty}\frac{9n^2+3n+1}{(bn+a)^2}=\lim_{n\to\infty}\frac{9n^2+3n+1}{9n^2}=\lim_{n\to\infty}\frac{9+\frac{3}{n}+\frac{1}{n^2}}{9}=1$

내/신/연/계/ 출제문항 011

등식 $\lim_{n\to\infty}\frac{an^2+4n+1}{2n+5}=b$가 성립하도록 하는 두 상수 a, b에 대하여 $\lim_{n\to\infty}\frac{8n^2-2n+3}{(bn+a)^2}$의 값은?

① 2　　② 3　　③ 4
④ 5　　⑤ 6

STEP Ⓐ **$\frac{\infty}{\infty}$ 꼴의 극한값이 0 아닌 실수이면 분모와 분자의 차수가 같음을 이용하기**

$a\neq0$이면 주어진 극한은 발산하므로 $a=0$

$\lim_{n\to\infty}\frac{an^2+4n+1}{2n+5}=\lim_{n\to\infty}\frac{4n+1}{2n+5}=\lim_{n\to\infty}\frac{4+\frac{1}{n}}{2+\frac{5}{n}}=2$이므로

$b=2$

STEP Ⓑ **주어진 극한값 구하기**

따라서 $\lim_{n\to\infty}\frac{8n^2-2n+3}{(bn+a)^2}=\lim_{n\to\infty}\frac{8n^2-2n+3}{4n^2}=\lim_{n\to\infty}\frac{8-\frac{2}{n}+\frac{3}{n^2}}{4}=2$

정답 ①

0033

 ②

STEP Ⓐ **분모의 최고차항으로 분자, 분모를 나누기**

$$\lim_{n\to\infty}\frac{(a^2-2a-3)n^2+(a+1)n+5}{n+2}=\lim_{n\to\infty}\frac{(a-3)(a+1)n^2+(a+1)n+5}{n+2}$$

분모의 최고차항 n으로 분자, 분모를 각각 나누면

$$\lim_{n\to\infty}\frac{(a-3)(a+1)n+(a+1)+\frac{5}{n}}{1+\frac{2}{n}}=b$$

STEP Ⓑ **극한값이 존재할 조건을 이용하여 a, b의 값 구하기**

극한값이 존재하려면 $(a-3)(a+1)=0$, $a+1=b(b\neq0)$이어야 한다.

따라서 $a=3$, $b=4$이므로 $a+b=3+4=7$

내/신/연/계/ 출제문항 012

$\lim_{n\to\infty}\frac{an^{c+1}+bn^{c}+2}{2n^{2}-n+1}=3$일 때, $a+b+c$의 값은?
(단, $c>1$인 자연수이고 a, b는 실수이다.)

① 4 ② 6 ③ 8
④ 10 ⑤ 12

STEP A 극한값이 존재하기 위한 자연수 c의 값 구하기

$c\geq 3$이면

$\lim_{n\to\infty}\frac{an^{c+1}+bn^{c}+2}{2n^{2}-n+1}=3$의 극한값이 존재하기 위해서는 $a=b=0$이어야 하고

이때 극한값은 0이 되므로 모순이다.

$\therefore c=2(\because c>1$인 자연수)

STEP B $\frac{\infty}{\infty}$ 꼴의 극한값이 0아닌 실수이면 분모와 분자의 차수가 같음을 이용하여 a, b의 값 구하기

즉 $\lim_{n\to\infty}\frac{an^{c+1}+bn^{c}+2}{2n^{2}-n+1}=\lim_{n\to\infty}\frac{an^{3}+bn^{2}+2}{2n^{2}-n+1}=3$

$a\neq 0$이면 $\lim_{n\to\infty}\frac{an^{3}+bn^{2}+2}{2n^{2}-n+1}$ 은 발산하므로 모순이다. $\therefore a=0$

즉 $\lim_{n\to\infty}\frac{an^{3}+bn^{2}+2}{2n^{2}-n+1}=\lim_{n\to\infty}\frac{bn^{2}+2}{2n^{2}-n+1}=\frac{b}{2}=3$ $\therefore b=6$

STEP C $a+b+c$의 값 구하기

따라서 $a+b+c=0+6+2=8$

 ③

0034

 ①

STEP A 주어진 식을 정리하기

$$\lim_{n\to\infty}\frac{1}{n^{k}}\left\{\left(n+\frac{1}{n}\right)^{5}-\frac{1}{n^{5}}\right\}=\lim_{n\to\infty}\frac{\{(n^{2}+1)^{5}-1\}}{n^{k+5}}$$

STEP B 등비수열이 수렴할 조건을 이용하여 k값의 범위 구하기

$\lim_{n\to\infty}\frac{\{(n^{2}+1)^{5}-1\}}{n^{k+5}}$이 수렴하기 위해서는 $k+5\geq 10$

$\therefore k\geq 5$

따라서 최솟값은 5

0035

 ③

STEP A 주어진 극한값이 존재할 조건을 이해하기

$\lim_{n\to\infty}\frac{n^{4}(n^{2}+2)}{(an^{2}+n+7)^{k}}=\frac{1}{8}$이므로 분자의 차수와 분모의 차수가 같아야 한다.

STEP B $a=0$일 때, 극한값 계산하기

분자의 차수가 6이므로

(ⅰ) $a=0$이면 $k=6$

이때 $\lim_{n\to\infty}\frac{n^{4}(n^{2}+2)}{(n+7)^{6}}=1\neq\frac{1}{8}$이므로 모순

STEP C $a\neq 0$일 때, 극한값을 계산하여 a의 값 구하기

(ⅱ) $a\neq 0$이고 $2k=6$에서 $k=3$

즉 $\lim_{n\to\infty}\frac{n^{4}(n^{2}+2)}{(an^{2}+n+7)^{3}}=\lim_{n\to\infty}\frac{n^{6}+2n^{4}}{(an^{2}+n+7)^{3}}=\lim_{n\to\infty}\frac{1+\frac{2}{n^{2}}}{\left(a+\frac{1}{n}+\frac{7}{n^{2}}\right)^{3}}=\frac{1}{a^{3}}$

이때 $\frac{1}{a^{3}}=\frac{1}{8}$에서 $a=2$

따라서 $ak=3\cdot 2=6$

내/신/연/계/ 출제문항 013

$\lim_{n\to\infty}\frac{\sqrt{n^{2}+n}+2n}{n^{a}}=b$일 때, 상수 a, b에 대하여 $a+b$의 값은?
(단, $b\neq 0$)

① 2 ② 3 ③ 4
④ 5 ⑤ 6

STEP A 수렴하기 위한 a의 값 구하기

$a>1$이면 $\lim_{n\to\infty}\frac{\sqrt{n^{2}+n}+2n}{n^{a}}=0$

$a<1$이면 $\lim_{n\to\infty}\frac{\sqrt{n^{2}+n}+2n}{n^{a}}=\infty$

즉 0이 아닌 상수 b로 수렴하기 위해서는 $a=1$이어야 한다.

STEP B 분모를 유리화하고 분모, 분자를 n으로 나누어 극한값 구하기

$$\lim_{n\to\infty}\frac{\sqrt{n^{2}+n}+2n}{n^{a}}=\lim_{n\to\infty}\frac{\sqrt{n^{2}+n}+2n}{n}=\lim_{n\to\infty}\frac{\sqrt{1+\frac{1}{n}}+2}{1}=3=b$$

따라서 $a+b=1+3=4$

정답 ③

0036

 ⑤

STEP A 분자를 유리화하고 분모, 분자를 n으로 나누어 극한값 구하기

조건 (가)에서

$$\lim_{n\to\infty}(\sqrt{n^{2}+2n}-n)=\lim_{n\to\infty}\frac{(\sqrt{n^{2}+2n}-n)(\sqrt{n^{2}+2n}+n)}{\sqrt{n^{2}+2n}+n}=\lim_{n\to\infty}\frac{2n}{\sqrt{n^{2}+2n}+n}=\lim_{n\to\infty}\frac{2}{\sqrt{1+\frac{2}{n}}+1}=1$$

$\therefore a=1$

STEP B 분모를 유리화하고 분모, 분자를 n으로 나누어 극한값 구하기

조건 (나)에서

$$\lim_{n\to\infty}\frac{1}{\sqrt{n^{2}+3n}-n}=\lim_{n\to\infty}\frac{\sqrt{n^{2}+3n}+n}{(\sqrt{n^{2}+3n}-n)(\sqrt{n^{2}+3n}+n)}=\lim_{n\to\infty}\frac{\sqrt{n^{2}+3n}+n}{3n}=\lim_{n\to\infty}\frac{\sqrt{1+\frac{3}{n}}+1}{3}=\frac{2}{3}$$

$\therefore b=\frac{2}{3}$

따라서 $a+3b=1+3\cdot\frac{2}{3}=3$

내/신/연/계/ 출제문항 014

다음 조건을 만족하는 상수 a, b에 대하여 ab의 값은?

> (가) $\lim_{n\to\infty}(\sqrt{n^{2}+3n+5}-n)=a$
>
> (나) $\lim_{n\to\infty}\frac{2}{\sqrt{n^{2}+2n}-\sqrt{n^{2}+1}}=b$

① $\frac{1}{2}$ ② 1 ③ $\frac{3}{2}$
④ 2 ⑤ 3

STEP A 분자를 유리화하고 분모, 분자를 n으로 나누어 극한값 구하기

조건 (가)에서

$$\lim_{n\to\infty}\frac{(\sqrt{n^2+3n+5}-n)(\sqrt{n^2+3n+5}+n)}{\sqrt{n^2+3n+5}+n}=\lim_{n\to\infty}\frac{3n+5}{\sqrt{n^2+3n+5}+n}$$
$$=\lim_{n\to\infty}\frac{3+\frac{5}{n}}{\sqrt{1+\frac{3}{n}+\frac{5}{n^2}}+1}$$
$$=\frac{3}{2}$$

$\therefore a=\frac{3}{2}$

STEP B 분모를 유리화하고 분모, 분자를 n으로 나누어 극한값 구하기

조건 (나)에서

$$\lim_{n\to\infty}\frac{2}{\sqrt{n^2+2n}-\sqrt{n^2+1}}=\lim_{n\to\infty}\frac{2(\sqrt{n^2+2n}+\sqrt{n^2+1})}{(n^2+2n)-(n^2+1)}$$
$$=\lim_{n\to\infty}\frac{2(\sqrt{n^2+2n}+\sqrt{n^2+1})}{2n-1}$$
$$=\lim_{n\to\infty}\frac{2\left(\sqrt{1+\frac{2}{n}}+\sqrt{1+\frac{1}{n^2}}\right)}{2-\frac{1}{n}}$$
$$=\frac{2(1+1)}{2}=2$$

$\therefore b=2$

따라서 $a=\frac{3}{2}$, $b=2$이므로 $ab=\frac{3}{2}\cdot 2=3$

정답 ⑤

0037

정답 ④

STEP A 분자를 유리화하고 분모, 분자를 $\sqrt{n}$으로 나누어 극한값 구하기

$$\lim_{n\to\infty}\sqrt{n+1}(\sqrt{n+3}-\sqrt{n-1})$$
$$=\lim_{n\to\infty}\frac{\sqrt{n+1}(\sqrt{n+3}-\sqrt{n-1})(\sqrt{n+3}+\sqrt{n-1})}{\sqrt{n+3}+\sqrt{n-1}}$$
$$=\lim_{n\to\infty}\frac{4\sqrt{n+1}}{\sqrt{n+3}+\sqrt{n-1}}=\lim_{n\to\infty}\frac{4\sqrt{1+\frac{1}{n}}}{\sqrt{1+\frac{3}{n}}+\sqrt{1-\frac{1}{n}}}$$
$$=\frac{4}{1+1}=2$$

내/신/연/계/ 출제문항 015

$\lim_{n\to\infty}\sqrt{n}(\sqrt{2n+1}-\sqrt{2n-1})$의 값은?

① $\frac{1}{2}$　② $\frac{\sqrt{2}}{2}$　③ $\sqrt{2}$
④ $2\sqrt{2}$　⑤ 4

STEP A 분모를 유리화한 후 극한값 구하기

$$\lim_{n\to\infty}\sqrt{n}(\sqrt{2n+1}-\sqrt{2n-1})$$
$$=\lim_{n\to\infty}\frac{\sqrt{n}(\sqrt{2n+1}-\sqrt{2n-1})(\sqrt{2n+1}+\sqrt{2n-1})}{\sqrt{2n+1}+\sqrt{2n-1}}$$
$$=\lim_{n\to\infty}\frac{2\sqrt{n}}{\sqrt{2n+1}+\sqrt{2n-1}}=\lim_{n\to\infty}\frac{2}{\sqrt{2+\frac{1}{n}}+\sqrt{2-\frac{1}{n}}}$$
$$=\frac{2}{2\sqrt{2}}=\frac{\sqrt{2}}{2}$$

정답 ②

0038

정답 ②

STEP A 분모, 분자를 유리화하여 극한값 구하기

$$\lim_{n\to\infty}\frac{n-\sqrt{n^2+2021}}{\sqrt{n^2+2022}-n}$$
$$=\lim_{n\to\infty}\frac{(n-\sqrt{n^2+2021})(n+\sqrt{n^2+2021})(\sqrt{n^2+2022}+n)}{(\sqrt{n^2+2022}-n)(\sqrt{n^2+2022}+n)(n+\sqrt{n^2+2021})}$$
$$=\lim_{n\to\infty}\frac{-2021(\sqrt{n^2+2022}+n)}{2022(n+\sqrt{n^2+2021})}$$
$$=\lim_{n\to\infty}\frac{-2021\left(\sqrt{1+\frac{2022}{n^2}}+1\right)}{2022\left(1+\sqrt{1+\frac{2021}{n^2}}\right)}$$
$$=\frac{-2021\times 2}{2022\times 2}=-\frac{2021}{2022}$$

0039

정답 ⑤

STEP A 근과 계수의 관계를 이용하여 합과 곱의 관계식 구하기

이차방정식 $x^2-x+\sqrt{n^2+n}-n=0$의 근과 계수의 관계에 의하여

$\alpha_n+\beta_n=1$, $\alpha_n\beta_n=\sqrt{n^2+n}-n$

STEP B 분모를 유리화하고 분모, 분자를 n으로 나누어 극한값 구하기

따라서 $\lim_{n\to\infty}\left(\frac{1}{\alpha_n}+\frac{1}{\beta_n}\right)=\lim_{n\to\infty}\frac{\alpha_n+\beta_n}{\alpha_n\beta_n}=\lim_{n\to\infty}\frac{1}{\sqrt{n^2+n}-n}$

$$=\lim_{n\to\infty}\frac{\sqrt{n^2+n}+n}{(\sqrt{n^2+n}-n)(\sqrt{n^2+n}+n)}$$
$$=\lim_{n\to\infty}\frac{\sqrt{n^2+n}+n}{n}=\lim_{n\to\infty}\frac{\sqrt{1+\frac{1}{n}}+1}{1}$$
$$=2$$

내/신/연/계/ 출제문항 016

n이 자연수일 때, 이차방정식

$$x^2-3x+n-\sqrt{n^2+2n}=0$$

의 두 근을 α_n, β_n이라 할 때, $\lim_{n\to\infty}\left(\frac{1}{\alpha_n}+\frac{1}{\beta_n}\right)$의 값은?

① -3　② -2　③ 0
④ 2　⑤ 3

STEP A 근과 계수의 관계를 이용하여 합과 곱의 관계식 구하기

이차방정식 $x^2-3x+n-\sqrt{n^2+2n}=0$의 두 근이 α_n, β_n이므로

이차방정식의 근과 계수의 관계에 의하여

$\alpha_n+\beta_n=3$, $\alpha_n\beta_n=n-\sqrt{n^2+2n}$ …… ㉠

STEP B 분모를 유리화하고 분모, 분자를 n으로 나누어 극한값 구하기

따라서 $\lim_{n\to\infty}\left(\frac{1}{\alpha_n}+\frac{1}{\beta_n}\right)=\lim_{n\to\infty}\frac{\alpha_n+\beta_n}{\alpha_n\beta_n}=\lim_{n\to\infty}\frac{3}{n-\sqrt{n^2+2n}}$

$$=\lim_{n\to\infty}\frac{3(n+\sqrt{n^2+2n})}{(n-\sqrt{n^2+2n})(n+\sqrt{n^2+2n})}$$
$$=\lim_{n\to\infty}\frac{3(n+\sqrt{n^2+2n})}{-2n}$$
$$=\lim_{n\to\infty}\frac{3\left(1+\sqrt{1+\frac{2}{n}}\right)}{-2}$$
$$=-3$$

정답 ①

0040

 ②

STEP A 근의 공식을 이용하여 양의 실근 a_n의 식 구하기

$x^2+2nx-4n=0$ …… ㉠

이차방정식의 근의 공식을 이용하면 $x=-n\pm\sqrt{n^2+4n}$

방정식 ㉠의 양의 실근이 a_n이므로 $a_n=-n+\sqrt{n^2+4n}$

STEP B 분자를 유리화하고 분모, 분자를 n으로 나누어 극한값 구하기

따라서 $\lim_{n\to\infty}a_n=\lim_{n\to\infty}(-n+\sqrt{n^2+4n})$

$$=\lim_{n\to\infty}\frac{(\sqrt{n^2+4n}-n)(\sqrt{n^2+4n}+n)}{\sqrt{n^2+4n}+n}$$

$$=\lim_{n\to\infty}\frac{4n}{\sqrt{n^2+4n}+n}$$

$$=\lim_{n\to\infty}\frac{4}{\sqrt{1+\frac{4}{n}}+1}$$

$$=\frac{4}{1+1}=2$$

0041

 ②

STEP A 두 점 사이의 거리 구하기

두 점 $(1, 0)$, $(n, 1)$ 사이의 거리

$f(n)=\sqrt{(n-1)^2+1}=\sqrt{n^2-2n+2}$

STEP B 분모를 1로 보고 유리화하고 분모, 분자를 n으로 나누어 극한값 구하기

따라서 $\lim_{n\to\infty}\{f(n)-n\}=\lim_{n\to\infty}\{\sqrt{n^2-2n+2}-n\}$

$$=\lim_{n\to\infty}\frac{(\sqrt{n^2-2n+2}-n)(\sqrt{n^2-2n+2}+n)}{\sqrt{n^2-2n+2}+n}$$

$$=\lim_{n\to\infty}\frac{-2n+2}{\sqrt{n^2-2n+2}+n}$$

$$=\lim_{n\to\infty}\frac{-2+\frac{2}{n}}{\sqrt{1-\frac{2}{n}+\frac{2}{n^2}}+1}$$

$$=\frac{-2}{1+1}=-1$$

0042

 ②

STEP A 등차수열 $\{a_n\}$의 일반항 구하기

첫째항이 1, 공차가 2인 등차수열 $\{a_n\}$에서

$a_n=1+(n-1)\cdot 2=2n-1$이므로

$a_{n+1}=2(n+1)-1=2n+1$

STEP B 분자를 유리화하고 분모, 분자를 $\sqrt{n}$으로 나누어 극한값 구하기

따라서 $\lim_{n\to\infty}\{\sqrt{n}(\sqrt{a_{n+1}}-\sqrt{a_n})\}=\lim_{n\to\infty}\{\sqrt{n}(\sqrt{2n+1}-\sqrt{2n-1})\}$

$$=\lim_{n\to\infty}\left\{\sqrt{n}\cdot\frac{(2n+1)-(2n-1)}{\sqrt{2n+1}+\sqrt{2n-1}}\right\}$$

$$=\lim_{n\to\infty}\left\{\frac{2\sqrt{n}}{\sqrt{2n+1}+\sqrt{2n-1}}\right\}$$

$$=\lim_{n\to\infty}\left\{\frac{2}{\sqrt{2+\frac{1}{n}}+\sqrt{2-\frac{1}{n}}}\right\}$$

$$=\frac{\sqrt{2}}{2}$$

내신연계 출제문항 017

등차수열 $\{a_n\}$이 $a_3=5$, $a_6=11$일 때,

$$\lim_{n\to\infty}\{\sqrt{n}(\sqrt{a_{n+1}}-\sqrt{a_n})\}$$

의 값은?

① $\frac{1}{2}$ ② $\frac{\sqrt{2}}{2}$ ③ 1
④ $\sqrt{2}$ ⑤ 2

STEP A 등차수열 $\{a_n\}$의 일반항 구하기

등차수열 $\{a_n\}$의 첫째항을 a, 공차를 d라 하면

$a_n=a+(n-1)d$

$a_3=5$에서 $a_3=a+2d=5$ …… ㉠

$a_6=11$에서 $a_6=a+5d=11$ …… ㉡

㉠, ㉡을 연립하여 풀면 $a=1$, $d=2$ $\therefore a_n=2n-1$

STEP B 분자를 유리화하여 극한값 구하기

따라서 $\lim_{n\to\infty}\sqrt{n}(\sqrt{a_{n+1}}-\sqrt{a_n})$

$$=\lim_{n\to\infty}\sqrt{n}(\sqrt{2n+1}-\sqrt{2n-1})$$

$$=\lim_{n\to\infty}\frac{\sqrt{n}(\sqrt{2n+1}-\sqrt{2n-1})(\sqrt{2n+1}+\sqrt{2n-1})}{\sqrt{2n+1}+\sqrt{2n-1}}$$

$$=\lim_{n\to\infty}\frac{2\sqrt{n}}{\sqrt{2n+1}+\sqrt{2n-1}}$$

$$=\lim_{n\to\infty}\frac{2}{\sqrt{2+\frac{1}{n}}+\sqrt{2-\frac{1}{n}}}$$ ← 분모, 분자를 $\sqrt{n}$으로 나눈다.

$$=\frac{\sqrt{2}}{2}$$

 ②

0043

 ③

STEP A 등차수열의 합 공식을 이용하여 S_n, S_{n+2}의 식 구하기

첫째항이 0이고, 공차가 2인 등차수열의 첫째항부터 제 n항까지의 합을

$S_n=\frac{n\{2\cdot 0+(n-1)\cdot 2\}}{2}=n^2-n$이므로 $S_{n+2}=(n+2)^2-(n+2)=n^2+3n+2$

STEP B 분자를 유리화하고 분모, 분자를 n으로 나누어 극한값 구하기

따라서 $\lim_{n\to\infty}(\sqrt{S_{n+2}}-\sqrt{S_n})$

$$=\lim_{n\to\infty}(\sqrt{n^2+3n+2}-\sqrt{n^2-n})$$

$$=\lim_{n\to\infty}\frac{(\sqrt{n^2+3n+2}-\sqrt{n^2-n})(\sqrt{n^2+3n+2}+\sqrt{n^2-n})}{\sqrt{n^2+3n+2}+\sqrt{n^2-n}}$$

$$=\lim_{n\to\infty}\frac{4n+2}{\sqrt{n^2+3n+2}+\sqrt{n^2-n}}$$

$$=\lim_{n\to\infty}\frac{4+\frac{2}{n}}{\sqrt{1+\frac{3}{n}+\frac{2}{n^2}}+\sqrt{1-\frac{1}{n}}}=2$$

내신연계 출제문항 018

수열 $\{a_n\}$의 첫째항부터 제 n항까지의 합이 $S_n=n^2$일 때,

$$\lim_{n\to\infty}(\sqrt{a_2+a_4+a_6+\cdots+a_{2n}}-\sqrt{a_1+a_3+a_5+\cdots+a_{2n-1}})$$

의 값은?

① $\frac{\sqrt{2}}{2}$ ② 1 ③ $\frac{3}{2}$
④ 2 ⑤ 3

STEP A $a_n=S_n-S_{n-1}$을 이용하여 a_n의 식 구하기

$S_n=n^2$에서 $a_n=S_n-S_{n-1}=n^2-(n-1)^2=2n-1\,(n\ge 2)$

$a_1=S_1=1$이므로 $a_n=2n-1$

STEP B **자연수의 거듭제곱의 합을 이용하고 분모, 분자를 n으로 나누어 극한값 구하기**

따라서 $\lim_{n\to\infty}(\sqrt{a_2+a_4+a_6+\cdots+a_{2n}}-\sqrt{a_1+a_3+a_5+\cdots+a_{2n-1}})$

$$=\lim_{n\to\infty}\left(\sqrt{\sum_{k=1}^{n}a_{2k}}-\sqrt{\sum_{k=1}^{n}a_{2k-1}}\right)=\lim_{n\to\infty}\left(\sqrt{\sum_{k=1}^{n}(4k-1)}-\sqrt{\sum_{k=1}^{n}(4k-3)}\right)$$

$$=\lim_{n\to\infty}\left(\sqrt{4\cdot\frac{n(n+1)}{2}-n}-\sqrt{4\cdot\frac{n(n+1)}{2}-3n}\right)$$

$$=\lim_{n\to\infty}(\sqrt{2n^2+n}-\sqrt{2n^2-n})$$

$$=\lim_{n\to\infty}\frac{2n}{\sqrt{2n^2+n}+\sqrt{2n^2-n}}=\frac{\sqrt{2}}{2}$$

정답 ①

0044

 ②

STEP A $\frac{\infty}{\infty}$, $\infty-\infty$**꼴의 극한의 진위판단하기**

① $\lim_{n\to\infty}\frac{(2n-1)(n+2)}{n^2-2n}=\lim_{n\to\infty}\frac{2n^2+3n-2}{n^2-2n}=\lim_{n\to\infty}\frac{2+\frac{3}{n}-\frac{2}{n^2}}{1-\frac{2}{n}}=\frac{2}{1}=2$

② $\lim_{n\to\infty}\frac{3-2n}{4n^2+2}=\lim_{n\to\infty}\frac{\frac{3}{n^2}-\frac{2}{n}}{4+\frac{2}{n^2}}=\frac{0}{4}=0$

③ $\lim_{n\to\infty}\frac{5n-1}{\sqrt{4n^2-1}+\sqrt{9n^2+1}}=\lim_{n\to\infty}\frac{5-\frac{1}{n}}{\sqrt{4-\frac{1}{n^2}}+\sqrt{9+\frac{1}{n^2}}}$

$$=\frac{5}{\sqrt{4}+\sqrt{9}}=\frac{5}{5}=1$$

④ $\lim_{n\to\infty}\sqrt{n}(\sqrt{n+1}-\sqrt{n})=\lim_{n\to\infty}\frac{\sqrt{n}(\sqrt{n+1}-\sqrt{n})(\sqrt{n+1}+\sqrt{n})}{\sqrt{n+1}+\sqrt{n}}$

$$=\lim_{n\to\infty}\frac{\sqrt{n}}{\sqrt{n+1}+\sqrt{n}}=\lim_{n\to\infty}\frac{\sqrt{1}}{\sqrt{1+\frac{1}{n}}+\sqrt{1}}=\frac{1}{2}$$

⑤ $\lim_{n\to\infty}\left\{\frac{6n+(-1)^n}{2n}\right\}=\lim_{n\to\infty}\left\{3+\frac{(-1)^n}{2n}\right\}=3$

따라서 옳지 않은 것은 ②이다.

0045

정답 ②

STEP A $\frac{\infty}{\infty}$, $\infty-\infty$**꼴의 극한의 진위판단하기**

① $\lim_{n\to\infty}\frac{1}{\sqrt{n^2+2n}-n}=\lim_{n\to\infty}\frac{\sqrt{n^2+2n}+n}{(\sqrt{n^2+2n}-n)(\sqrt{n^2+2n}+n)}$

$$=\lim_{n\to\infty}\frac{\sqrt{n^2+2n}+n}{(n^2+2n)-n^2}=\lim_{n\to\infty}\frac{\sqrt{n^2+2n}+n}{2n}$$

$$=\lim_{n\to\infty}\frac{\sqrt{1+\frac{2}{n}}+1}{2}=\frac{2}{2}=1$$

② $\lim_{n\to\infty}(\sqrt{n^2-3n}-\sqrt{n^2+1})$

$$=\lim_{n\to\infty}\frac{(\sqrt{n^2-3n}-\sqrt{n^2+1})(\sqrt{n^2-3n}+\sqrt{n^2+1})}{\sqrt{n^2-3n}+\sqrt{n^2+1}}$$

$$=\lim_{n\to\infty}\frac{(n^2-3n)-(n^2+1)}{\sqrt{n^2-3n}+\sqrt{n^2+1}}=\lim_{n\to\infty}\frac{-3n-1}{\sqrt{n^2-3n}+\sqrt{n^2+1}}$$

$$=\lim_{n\to\infty}\frac{-3-\frac{1}{n}}{\sqrt{1-\frac{3}{n}}+\sqrt{1+\frac{1}{n^2}}}=\frac{-3}{1+1}=-\frac{3}{2}$$

③ $\lim_{n\to\infty}\sqrt{n}(\sqrt{4n+2}-\sqrt{4n-2})$

$$=\lim_{n\to\infty}\frac{\sqrt{n}(\sqrt{4n+2}-\sqrt{4n-2})(\sqrt{4n+2}+\sqrt{4n-2})}{\sqrt{4n+2}+\sqrt{4n-2}}$$

$$=\lim_{n\to\infty}\frac{4\sqrt{n}}{\sqrt{4n+2}+\sqrt{4n-2}}=\lim_{n\to\infty}\frac{4}{\sqrt{4+\frac{2}{n}}+\sqrt{4-\frac{2}{n}}}$$

$$=\frac{4}{\sqrt{4}+\sqrt{4}}=1$$

④ $\lim_{n\to\infty}\frac{7-n^2}{(n+2)(2n-1)}=\lim_{n\to\infty}\frac{7-n^2}{2n^2+3n-2}=\lim_{n\to\infty}\frac{\frac{7}{n^2}-1}{2+\frac{3}{n}-\frac{2}{n^2}}=-\frac{1}{2}$

⑤ $-\frac{2n-1}{n^2+1}\le\frac{2n-1}{n^2+1}\times(-1)^n\le\frac{2n-1}{n^2+1}$이고

$\lim_{n\to\infty}\left(-\frac{2n-1}{n^2+1}\right)=0$, $\lim_{n\to\infty}\frac{2n-1}{n^2+1}=0$이므로 $\lim_{n\to\infty}\left\{\frac{2n-1}{n^2+1}\times(-1)^n\right\}=0$

따라서 옳지 않은 것은 ②이다.

내신연계 출제문항 019

다음 중 옳지 않은 것은?

① $\lim_{n\to\infty}\frac{(-1)^{n+1}}{n^2}=0$

② $\lim_{n\to\infty}\frac{4n^2+3n}{1+2+3+\cdots+n}=8$

③ $\lim_{n\to\infty}\sqrt{n+1}(\sqrt{n+3}-\sqrt{n})=\frac{3}{2}$

④ $\lim_{n\to\infty}\frac{1}{\sqrt{4n^2+n}-2n}=2$

⑤ $\lim_{n\to\infty}\frac{2^{2n+2}-3^n}{2^n+3^n+4^n}=4$

STEP A $\frac{\infty}{\infty}$, $\infty-\infty$**꼴의 극한의 진위판단하기**

① $\frac{(-1)^{n+1}}{n^2}$에서 n이 한없이 커질 때,

분자 $(-1)^{n+1}$의 값은 1, -1이 교대로 나타나고

분모 n^2의 값은 한없이 커지므로 $\lim_{n\to\infty}\frac{(-1)^{n+1}}{n^2}=0$

② $1+2+3+\cdots+n=\frac{n(n+1)}{2}$이므로

$$\lim_{n\to\infty}\frac{4n^2+3n}{1+2+3+\cdots+n}=\lim_{n\to\infty}\frac{4n^2+3n}{\frac{n(n+1)}{2}}=\lim_{n\to\infty}\frac{8n^2+6n}{n^2+n}=\lim_{n\to\infty}\frac{8+\frac{6}{n}}{1+\frac{1}{n}}=8$$

③ $\lim_{n\to\infty}\sqrt{n+1}(\sqrt{n+3}-\sqrt{n})=\lim_{n\to\infty}\frac{\sqrt{n+1}(n+3-n)}{\sqrt{n+3}+\sqrt{n}}$

$$=\lim_{n\to\infty}\frac{3\sqrt{n+1}}{\sqrt{n+3}+\sqrt{n}}$$

$$=\lim_{n\to\infty}\frac{3\sqrt{1+\frac{1}{n}}}{\sqrt{1+\frac{3}{n}}+1}=\frac{3}{2}$$

④ $\lim_{n\to\infty}\frac{1}{\sqrt{4n^2+n}-2n}=\lim_{n\to\infty}\frac{\sqrt{4n^2+n}+2n}{(\sqrt{4n^2+n}-2n)(\sqrt{4n^2+n}+2n)}$

$$=\lim_{n\to\infty}\frac{\sqrt{4n^2+n}+2n}{(4n^2+n)-4n^2}=\lim_{n\to\infty}\frac{\sqrt{4n^2+n}+2n}{n}$$

$$=\lim_{n\to\infty}\frac{\sqrt{4+\frac{1}{n}}+2}{1}=\sqrt{4}+2=4\ [\text{거짓}]$$

⑤ $\lim_{n\to\infty}\frac{2^{2n+2}-3^n}{2^n+3^n+4^n}=\lim_{n\to\infty}\frac{4-\left(\frac{3}{4}\right)^n}{\left(\frac{1}{2}\right)^n+\left(\frac{3}{4}\right)^n+1}=4$

따라서 선지 중 옳지 않은 것은 ④이다.

정답 ④

0046

정답 ④

STEP A 분자를 유리화하고 분모, 분자를 n으로 나누기

$$\lim_{n\to\infty}(\sqrt{an^2-bn}-2n)=\lim_{n\to\infty}\frac{(\sqrt{an^2-bn}-2n)(\sqrt{an^2-bn}+2n)}{\sqrt{an^2-bn}+2n}$$
$$=\lim_{n\to\infty}\frac{an^2-bn-4n^2}{\sqrt{an^2-bn}+2n}$$
$$=\lim_{n\to\infty}\frac{(a-4)n^2-bn}{\sqrt{an^2-bn}+2n}$$
$$=\lim_{n\to\infty}\frac{(a-4)n-b}{\sqrt{a-\frac{b}{n}}+2}$$

STEP B 극한값이 존재할 조건을 이용하여 a, b의 값 구하기

이 식이 -3에 수렴하려면 $a-4=0$이므로 $a=4$이어야 한다.

이때 $\lim_{n\to\infty}\frac{-b}{\sqrt{4-\frac{b}{n}}+2}=\frac{-b}{4}=-3 \quad \therefore b=12$

따라서 $ab=4\cdot 12=48$

0047

정답 ④

STEP A 분모를 유리화하고 분모, 분자를 n으로 나누어 극한값 구하기

$$\lim_{n\to\infty}\frac{\sqrt{kn+1}}{n(\sqrt{n+1}-\sqrt{n-1})}=\lim_{n\to\infty}\frac{\sqrt{kn+1}(\sqrt{n+1}+\sqrt{n-1})}{n(n+1-n+1)}$$
$$=\lim_{n\to\infty}\frac{\sqrt{kn+1}(\sqrt{n+1}+\sqrt{n-1})}{2n}$$
$$=\lim_{n\to\infty}\frac{\sqrt{k+\frac{1}{n}}\left(\sqrt{1+\frac{1}{n}}+\sqrt{1-\frac{1}{n}}\right)}{2}$$
$$=\sqrt{k}=5$$

따라서 $k=25$

내신연계 출제문항 020

실수 a, b에 대하여

$$\lim_{n\to\infty}\frac{1}{\sqrt{an^2+2n+1}-\sqrt{n^2+bn}}=-\frac{1}{2}$$

일 때, $a+b$의 값은?

① 5 ② 6 ③ 7
④ 8 ⑤ 9

STEP A 분모를 유리화하고 분모, 분자를 n으로 나누어 극한값 구하기

$$\lim_{n\to\infty}\frac{1}{\sqrt{an^2+2n+1}-\sqrt{n^2+bn}}$$
$$=\lim_{n\to\infty}\frac{\sqrt{an^2+2n+1}+\sqrt{n^2+bn}}{(\sqrt{an^2+2n+1}-\sqrt{n^2+bn})(\sqrt{an^2+2n+1}+\sqrt{n^2+bn})}$$
$$=\lim_{n\to\infty}\frac{\sqrt{an^2+2n+1}+\sqrt{n^2+bn}}{(a-1)n^2+(2-b)n+1}$$
$$=\lim_{n\to\infty}\frac{\sqrt{a+\frac{2}{n}+\frac{1}{n^2}}+\sqrt{1+\frac{b}{n}}}{(a-1)n+(2-b)+\frac{1}{n}}$$

이 극한값이 $-\frac{1}{2}$이므로 $a-1=0$, $\frac{\sqrt{a}+1}{2-b}=-\frac{1}{2}$

위의 두 식을 연립하여 풀면 $a=1$, $b=6$

따라서 $a+b=1+6=7$

정답 ③

0048

정답 ⑤

STEP A 분자를 유리화하고 분모, 분자를 n으로 나누기

$$\lim_{n\to\infty}(\sqrt{n^2+an}-bn)=\lim_{n\to\infty}\frac{(\sqrt{n^2+an}-bn)(\sqrt{n^2+an}+bn)}{\sqrt{n^2+an}+bn}$$
$$=\lim_{n\to\infty}\frac{(1-b^2)n^2+an}{\sqrt{n^2+an}+bn}$$
$$=\lim_{n\to\infty}\frac{(1-b^2)n+a}{\sqrt{1+\frac{a}{n}}+b}$$

STEP B 극한값이 존재할 조건을 이용하여 b의 값 구하기

위 극한값이 존재하므로 $1-b^2=0$

이때 $b<0$이면 $\lim_{n\to\infty}(\sqrt{n^2+an}-bn)=\infty$이므로 $b\ge 0$에서 $b=1$이다.

STEP C 극한값을 구하여 a의 값 구하기

$\lim_{n\to\infty}\frac{a}{\sqrt{1+\frac{a}{n}}+1}=2$이므로 $\frac{a}{2}=2 \quad \therefore a=4$

따라서 $a=4$, $b=1$이므로 $a+b=4+1=5$

0049

정답 ④

STEP A a의 범위 구하기

$a\le 0$이면

$\lim_{n\to\infty}\{\sqrt{n^2+6n}-(an+b)\}=\infty$이므로 $a>0$

STEP B $\frac{\infty}{\infty}$꼴로 변형한 다음 극한값이 0이 아닌 실수이면 분모와 분자의 차수가 같음을 이용하기

$$\lim_{n\to\infty}\{\sqrt{n^2+6n}-(an+b)\}$$
$$=\lim_{n\to\infty}\frac{\{\sqrt{n^2+6n}-(an+b)\}\{\sqrt{n^2+6n}+(an+b)\}}{\sqrt{n^2+6n}+(an+b)}$$
$$=\lim_{n\to\infty}\frac{(1-a^2)n^2+(6-2ab)n-b^2}{\sqrt{n^2+6n}+(an+b)}$$
$$=-2$$

즉 $1-a^2=0$이므로 $(1-a)(1+a)=0$

$a>0$이므로 $a=1$

$$\lim_{n\to\infty}\frac{(6-2b)n-b^2}{\sqrt{n^2+6n}+(n+b)}=\lim_{n\to\infty}\frac{6-2b-\frac{b^2}{n}}{\sqrt{1+\frac{6}{n}}+1+\frac{b}{n}}=\frac{6-2b}{2}=3-b$$

즉 $3-b=-2$이므로 $b=5$

STEP C $a+b$의 값 구하기

따라서 $a=1$, $b=5$이므로 $a+b=6$

내신연계 출제문항 021

실수 a, b에 대하여

$$\lim_{n\to\infty}\{\sqrt{4n^2+n}-(an+b)\}=\frac{9}{4}$$

일 때, ab의 값은?

① -9 ② -6 ③ -4
④ 0 ⑤ 6

STEP A a의 범위 구하기

$a\le 0$이면

$\lim_{n\to\infty}\{\sqrt{4n^2+n}-(an+b)\}=\infty$이므로 $a>0$

STEP B $\frac{\infty}{\infty}$ 꼴로 변형한 다음 극한값이 0이 아닌 실수이면 분모와 분자의 차수가 같음을 이용하기

$\lim_{n\to\infty}\{\sqrt{4n^2+n}-(an+b)\}$

$=\lim_{n\to\infty}\frac{\{\sqrt{4n^2+n}-(an+b)\}\{\sqrt{4n^2+n}+(an+b)\}}{\sqrt{4n^2+n}+(an+b)}$

$=\lim_{n\to\infty}\frac{(4-a^2)n^2+(1-2ab)n-b^2}{\sqrt{4n^2+n}+(an+b)}=\frac{9}{4}$

즉 $4-a^2=0$이므로 $(2-a)(2+a)=0$

$a>0$이므로 $a=2$

$\lim_{n\to\infty}\frac{(1-4b)n-b^2}{\sqrt{4n^2+n}+(2n+b)}=\lim_{n\to\infty}\frac{(1-4b)-\frac{b^2}{n}}{\sqrt{4+\frac{1}{n}}+2+\frac{b}{n}}=\frac{1-4b}{4}$

즉 $\frac{1-4b}{4}=\frac{9}{4}$이므로 $b=-2$

STEP C ab의 값 구하기

따라서 $a=2$, $b=-2$이므로 $ab=-4$  ③

0050

 ②

STEP A a의 범위 구하기

$a\le 0$이면

$\lim_{n\to\infty}(an+b-\sqrt{n^2-4n+2})=-\infty$이므로 $a>0$

STEP B 분자를 유리화하고 극한값이 존재할 조건을 이용하여 a의 값 구하기

$\lim_{n\to\infty}(an+b-\sqrt{n^2-4n+2})=\lim_{n\to\infty}\frac{(an+b)^2-(n^2-4n+2)}{an+b+\sqrt{n^2-4n+2}}$

$=\lim_{n\to\infty}\frac{(a^2-1)n^2+(2ab+4)n+b^2-2}{an+b+\sqrt{n^2-4n+2}}$

이 극한값이 존재하려면 $a^2-1=0$

$\therefore a=1(\because a>0)$ …… ㉠

STEP C 극한값을 구하여 b의 값 구하기

$\lim_{n\to\infty}\frac{(2ab+4)n+b^2-2}{an+b+\sqrt{n^2-4n+2}}=\frac{2ab+4}{a+1}=5$ …… ㉡

㉠, ㉡에서 $\frac{2b+4}{2}=5$ $\therefore b=3$

따라서 $a=1$, $b=3$이므로 $a+b=4$

내신연계 출제문항 022

실수 a, b에 대하여

$$\lim_{n\to\infty}(an-\sqrt{4n^2+bn})=-4$$

일 때, $a+b$의 값은?

① 12 ② 14 ③ 16
④ 18 ⑤ 20

STEP A a의 범위 구하기

$a\le 0$이면

$\lim_{n\to\infty}(an-\sqrt{4n^2+bn})=-\infty$이므로 $a>0$

STEP B 분자를 유리화하고 극한값이 존재할 조건을 이용하여 a의 값 구하기

$\lim_{n\to\infty}(an-\sqrt{4n^2+bn})=\lim_{n\to\infty}\frac{(an-\sqrt{4n^2+bn})(an+\sqrt{4n^2+bn})}{an+\sqrt{4n^2+bn}}$

$=\lim_{n\to\infty}\frac{(a^2-4)n^2-bn}{an+\sqrt{4n^2+bn}}$ …… ㉠

㉠의 값이 존재하려면 $a^2-4=0$이어야 하므로 $a=2$ 또는 $a=-2$

이때 $a>0$이므로 $a=2$

STEP C 극한값을 구하여 b의 값 구하기

$a=2$를 ㉠에 대입하면

$\lim_{n\to\infty}\frac{(a^2-4)n^2-bn}{an+\sqrt{4n^2+bn}}=\lim_{n\to\infty}\frac{-bn}{2n+\sqrt{4n^2+bn}}$

$=\lim_{n\to\infty}\frac{-b}{2+\sqrt{4+\frac{b}{n}}}$

$=\frac{-b}{2+2}=-4$

이므로 $b=16$

따라서 $a=2$, $b=16$이므로 $a+b=2+16=18$ 정답 ④

0051

 ④

STEP A b의 범위 구하기

$b\ge 0$이면

$\lim_{n\to\infty}(\sqrt{n^2+an}+bn-4)=\infty$이므로 $b<0$

STEP B $\frac{\infty}{\infty}$ 꼴로 변형한 다음 극한값이 0이 아닌 실수이면 분모와 분자의 차수가 같음을 이용하기

$\lim_{n\to\infty}\{\sqrt{n^2+an}+bn-4\}$

$=\lim_{n\to\infty}\frac{\{\sqrt{n^2+an}+(bn-4)\}\{\sqrt{n^2+an}-(bn-4)\}}{\sqrt{n^2+an}-(bn-4)}$

$=\lim_{n\to\infty}\frac{n^2+an-(bn-4)^2}{\sqrt{n^2+an}-(bn-4)}$

$=\lim_{n\to\infty}\frac{(1-b^2)n^2+(a+8b)n-16}{\sqrt{n^2+an}-(bn-4)}$

$=\lim_{n\to\infty}\frac{(1-b^2)n+(a+8b)-\frac{16}{n}}{\sqrt{1+\frac{a}{n}}-\left(b-\frac{4}{n}\right)}$

이 수열의 극한이 존재하려면 $1-b^2=0$이어야 하므로 $(1-b)(1+b)=0$

이때 $b<0$이므로 $b=-1$

$\lim_{n\to\infty}\{\sqrt{n^2+an}+(bn-4)\}=\lim_{n\to\infty}\frac{(a-8)-\frac{16}{n}}{\sqrt{1+\frac{a}{n}}-\left(-1-\frac{4}{n}\right)}=\frac{a-8}{1+1}=\frac{a-8}{2}$

이때 주어진 수열의 극한값이 5이므로 $\frac{a-8}{2}=5$에서 $a=18$

따라서 $a+b=18+(-1)=17$

0052

 ③

STEP A $\sqrt{n^2+n+1}$의 소수부분 a_n의 식 구하기

$n^2<n^2+n+1<n^2+2n+1$이므로 $n^2<n^2+n+1<(n+1)^2$

즉 $n<\sqrt{n^2+n+1}<n+1$

이때 $\sqrt{n^2+n+1}$의 정수부분이 n이므로 소수부분 a_n은

$a_n=\sqrt{n^2+n+1}-n$

STEP B 분자를 유리화하고 분모, 분자를 n으로 나누어 극한값 구하기

따라서 $\lim_{n\to\infty}a_n=\lim_{n\to\infty}(\sqrt{n^2+n+1}-n)=\lim_{n\to\infty}\frac{n+1}{\sqrt{n^2+n+1}+n}$

$=\lim_{n\to\infty}\frac{1+\frac{1}{n}}{\sqrt{1+\frac{1}{n}+\frac{1}{n^2}}+1}=\frac{1}{2}$

0053

정답 ④

STEP A a_n의 값 구하기

$\sqrt{(2n)^2}<\sqrt{4n^2+3n+1}<\sqrt{(2n+1)^2}$ 이므로 $a_n=2n$

STEP B $\infty-\infty$꼴의 극한값 구하기

따라서 $\lim_{n\to\infty}(\sqrt{4n^2+3n+1}-a_n)$

$$=\lim_{n\to\infty}(\sqrt{4n^2+3n+1})-2n$$

$$=\lim_{n\to\infty}\frac{(\sqrt{4n^2+3n+1}-2n)(\sqrt{4n^2+3n+1}+2n)}{\sqrt{4n^2+3n+1}+2n}$$

$$=\lim_{n\to\infty}\frac{3n+1}{\sqrt{4n^2+3n+1}+2n}$$

$$=\lim_{n\to\infty}\frac{3+\frac{1}{n}}{\sqrt{4+\frac{3}{n}+\frac{1}{n}}+2}=\frac{3}{4}$$

내/신/연/계/ 출제문항 023

자연수 n에 대하여 $\sqrt{n^2+3n+1}$의 정수부분을 a_n이라고 할 때,

$$\lim_{n\to\infty}(\sqrt{n^2+3n+1}-a_n)$$

의 값은?

① $\frac{1}{3}$ ② $\frac{1}{2}$ ③ 1

④ $\frac{3}{2}$ ⑤ 2

STEP A $\sqrt{n^2+3n+1}$의 정수부분 구하기

$\sqrt{n^2+2n+1}<\sqrt{n^2+3n+1}<\sqrt{n^2+4n+4}$

즉 $n+1<\sqrt{n^2+3n+1}<n+2$

이때 $\sqrt{n^2+3n+1}$의 정수부분이 $n+1$이므로 $a_n=n+1$

STEP B 분자를 유리화하고 분모, 분자를 n으로 나누어 극한값 구하기

따라서 $\lim_{n\to\infty}(\sqrt{n^2+3n+1}-a_n)$

$$=\lim_{n\to\infty}\{\sqrt{n^2+3n+1}-(n+1)\}$$

$$=\lim_{n\to\infty}\frac{\{\sqrt{n^2+3n+1}-(n+1)\}\{\sqrt{n^2+3n+1}+(n+1)\}}{\sqrt{n^2+3n+1}+(n+1)}$$

$$=\lim_{n\to\infty}\frac{n}{\sqrt{n^2+3n+1}+(n+1)}=\lim_{n\to\infty}\frac{1}{\sqrt{1+\frac{3}{n}+\frac{1}{n^2}}+1+\frac{1}{n}}$$

$$=\frac{1}{1+1}=\frac{1}{2}$$

정답 ②

0054

정답 ③

STEP A $\sqrt{4n^2+4n+2}$의 정수부분 a_n, 소수부분 b_n의 식 구하기

$\sqrt{(2n+1)^2}<\sqrt{4n^2+4n+2}<\sqrt{(2n+2)^2}$

즉 $2n+1<\sqrt{4n^2+4n+2}<2n+2$이므로

정수부분 $a_n=2n+1$, 소수부분 $b_n=\sqrt{4n^2+4n+2}-(2n+1)$

STEP B 분자를 유리화하고 분모, 분자를 n으로 나누어 극한값 구하기

따라서 $\lim_{n\to\infty}a_nb_n=\lim_{n\to\infty}(2n+1)\{\sqrt{4n^2+4n+2}-(2n+1)\}$

$$=\lim_{n\to\infty}\frac{2n+1}{\sqrt{4n^2+4n+2}+2n+1}$$

$$=\lim_{n\to\infty}\frac{2+\frac{1}{n}}{\sqrt{4+\frac{4}{n}+\frac{2}{n^2}}+2+\frac{1}{n}}=\frac{1}{2}$$

0055

정답 ②

STEP A a_n을 포함한 식을 b_n으로 놓고 수열의 극한의 기본 성질을 이용하여 극한값 구하기

$(3n+2)a_n=b_n$으로 놓으면 $\lim_{n\to\infty}b_n=6$이고 $a_n=\frac{b_n}{3n+2}$이므로

$$\lim_{n\to\infty}(4n+5)a_n=\lim_{n\to\infty}(4n+5)\cdot\frac{b_n}{3n+2}=\lim_{n\to\infty}\frac{4n+5}{3n+2}\cdot b_n$$

$$=\lim_{n\to\infty}\frac{4n+5}{3n+2}\cdot\lim_{n\to\infty}b_n=\lim_{n\to\infty}\frac{4+\frac{5}{n}}{3+\frac{2}{n}}\cdot\lim_{n\to\infty}b_n=\frac{4}{3}\cdot6=8$$

0056

정답 ①

STEP A a_n을 포함한 식을 b_n으로 놓고 수열의 극한의 기본 성질을 이용하여 극한값 구하기

$(n^2+1)a_n=b_n$으로 놓으면 $a_n=\frac{b_n}{n^2+1}$

이때 $\lim_{n\to\infty}b_n=3$이므로

$$\lim_{n\to\infty}\frac{1}{(4n^2-1)a_n}=\lim_{n\to\infty}\left\{\frac{n^2+1}{4n^2-1}\times\frac{1}{b_n}\right\}=\lim_{n\to\infty}\frac{1+\frac{1}{n^2}}{4-\frac{1}{n^2}}\times\lim_{n\to\infty}\frac{1}{b_n}$$

$$=\frac{1}{4}\times\frac{1}{3}=\frac{1}{12}$$

0057

정답 ②

STEP A a_n을 포함한 식을 b_n으로 놓고 수열의 극한의 기본 성질을 이용하여 극한값 구하기

$(n^2+4n+3)a_n=b_n$으로 놓으면 $a_n=\frac{b_n}{n^2+4n+3}$

이때 $\lim_{n\to\infty}b_n=4$이므로 $\lim_{n\to\infty}(2n^2+3n)a_n=\lim_{n\to\infty}(2n^2+3n)\times\frac{b_n}{n^2+4n+3}$

$$=\lim_{n\to\infty}\frac{2n^2+3n}{n^2+4n+3}\times\lim_{n\to\infty}b_n$$

$$=\lim_{n\to\infty}\frac{2+\frac{3}{n}}{1+\frac{4}{n}+\frac{3}{n^2}}\times\lim_{n\to\infty}b_n$$

$$=2\times4=8$$

내/신/연/계/ 출제문항 024

수열 $\{a_n\}$에 대하여

$$\lim_{n\to\infty}(3n^2-n)a_n=3$$

일 때, $\lim_{n\to\infty}n^2a_n$의 값은?

① $\frac{1}{3}$ ② $\frac{1}{2}$ ③ 1

④ 2 ⑤ 3

STEP A $(3n^2-n)a_n=b_n$으로 치환하고 주어진 식 정리하기

$(3n^2-n)a_n=b_n$으로 놓으면 $\lim_{n\to\infty}b_n=3$이고 $a_n=\frac{b_n}{3n^2-n}$

STEP B 식을 대입하여 극한값 구하기

따라서 $\lim_{n\to\infty}n^2a_n=\lim_{n\to\infty}\left(n^2\times\frac{b_n}{3n^2-n}\right)=\lim_{n\to\infty}\frac{n^2}{3n^2-n}\times\lim_{n\to\infty}b_n$

$$=\frac{1}{3}\times3=1$$

정답 ③

0058

정답 ⑤

STEP A a_n, b_n을 c_n, d_n에 대한 식으로 나타내기

$\frac{a_n}{2n+3}=c_n$으로 놓으면 $a_n=(2n+3)c_n$이고 $\lim_{n\to\infty}c_n=4$

$\frac{b_n}{3n+1}=d_n$으로 놓으면 $b_n=(3n+1)d_n$이고 $\lim_{n\to\infty}d_n=6$

STEP B c_n, d_n을 대입하여 극한값의 성질을 이용하여 구하기

따라서 $\lim_{n\to\infty}\frac{a_nb_n}{12n^2+25}=\lim_{n\to\infty}\frac{(2n+3)c_n\times(3n+1)d_n}{12n^2+25}$

$=\lim_{n\to\infty}\frac{c_nd_n(2n+3)(3n+1)}{12n^2+25}$

$=\lim_{n\to\infty}c_nd_n\times\lim_{n\to\infty}\frac{6n^2+11n+3}{12n^2+25}$

$=4\times6\times\frac{6}{12}$

$=12$

0059

 ②

STEP A $(2n-1)a_n=c_n$, $(n^2+2n)b_n=d_n$로 치환하고 주어진 식 정리하기

$(2n-1)a_n=c_n$으로 놓으면 $a_n=\frac{c_n}{2n-1}$이고 $\lim_{n\to\infty}c_n=10$

$(n^2+2n)b_n=d_n$으로 놓으면 $b_n=\frac{d_n}{n^2+2n}$이고 $\lim_{n\to\infty}d_n=2$

STEP B 식을 대입하여 극한값 구하기

따라서 $\lim_{n\to\infty}\frac{(5n+1)b_n}{a_n}=\lim_{n\to\infty}\frac{(5n+1)\times\frac{d_n}{n^2+2n}}{\frac{c_n}{2n-1}}$

$=\lim_{n\to\infty}\frac{(5n+1)(2n-1)}{n^2+2n}\times\frac{d_n}{c_n}$

$=10\times\frac{2}{10}$

$=2$

다른풀이 수열의 극한에 대한 기본 성질을 이용하여 극한값 구하기

$\lim_{n\to\infty}(2n-1)a_n=10$, $\lim_{n\to\infty}(n^2+2n)b_n=2$이므로

$\lim_{n\to\infty}\frac{(5n+1)b_n}{a_n}=\lim_{n\to\infty}\frac{(n^2+2n)b_n}{(2n-1)a_n}\times\frac{(2n-1)(5n+1)}{n^2+2n}$

$=\lim_{n\to\infty}\frac{(n^2+2n)b_n}{(2n-1)a_n}\times\lim_{n\to\infty}\frac{(2n-1)(5n+1)}{n^2+2n}$

$=2\times\frac{1}{10}\times10$

$=2$

내신연계 출제문항 025

두 수열 $\{a_n\}$, $\{b_n\}$에 대하여

$$\lim_{n\to\infty}(n+1)a_n=3,\ \lim_{n\to\infty}(n^2+1)b_n=7$$

을 만족할 때, $\lim_{n\to\infty}\frac{(9n-2)b_n}{a_n}$의 값은? (단, $a_n\neq0$)

① 12 ② 14 ③ 16
④ 18 ⑤ 21

STEP A $(n+1)a_n=c_n$, $(n^2+1)b_n=d_n$으로 치환하고 주어진 식 정리하기

$(n+1)a_n=c_n$으로 놓으면 $a_n=\frac{c_n}{n+1}$, $\lim_{n\to\infty}c_n=3$

$(n^2+1)b_n=d_n$으로 놓으면 $b_n=\frac{d_n}{n^2+1}$, $\lim_{n\to\infty}d_n=7$

STEP B 식을 대입하여 극한값 구하기

따라서 $\lim_{n\to\infty}\frac{(9n-2)b_n}{a_n}=\lim_{n\to\infty}\frac{(9n-2)\times\frac{d_n}{n^2+1}}{\frac{c_n}{n+1}}$

$=\lim_{n\to\infty}\frac{(9n-2)(n+1)}{n^2+1}\times\frac{d_n}{c_n}$

$=9\times\frac{7}{3}=21$

다른풀이 수열의 극한에 대한 기본 성질을 이용하여 극한값 구하기

$\lim_{n\to\infty}(n+1)a_n=3$, $\lim_{n\to\infty}(n^2+1)b_n=7$이므로

$\lim_{n\to\infty}\frac{(9n-2)b_n}{a_n}=\lim_{n\to\infty}\frac{(n^2+1)b_n}{(n+1)a_n}\times\frac{(9n-2)(n+1)}{n^2+1}$

$=\lim_{n\to\infty}\frac{(n^2+1)b_n}{(n+1)a_n}\times\lim_{n\to\infty}\frac{(9n-2)(n+1)}{n^2+1}$

$=\frac{7}{3}\times9=21$

정답 ⑤

0060

정답 ③

STEP A $\frac{a_n}{n}=b_n$으로 치환하고 주어진 식 정리하기

$\frac{a_n}{n}=b_n$으로 놓으면 $\lim_{n\to\infty}b_n=\frac{1}{2}$이고 $a_n=nb_n$

$\lim_{n\to\infty}\frac{\sqrt{9n^2+n}-n}{a_n}=\lim_{n\to\infty}\frac{\sqrt{9n^2+n}-n}{nb_n}$

STEP B 분모, 분자를 n으로 나누어 극한값 구하기

따라서 분모, 분자를 각각 n으로 나누면 $\lim_{n\to\infty}\frac{\sqrt{9+\frac{1}{n}}-1}{b_n}=\frac{3-1}{\frac{1}{2}}=4$

내신연계 출제문항 026

수열 $\{a_n\}$에 대하여

$$\lim_{n\to\infty}\frac{a_n}{n}=\frac{1}{3}$$

일 때, $\lim_{n\to\infty}\frac{\sqrt{9n^2+n}-n}{a_n}$의 값은?

① $\frac{1}{6}$ ② $\frac{1}{4}$ ③ $\frac{1}{3}$
④ 3 ⑤ 6

STEP A $\lim_{n\to\infty}\frac{a_n}{n}=\frac{1}{3}$을 이용하기 위하여 구하는 식을 변형하여 구하기

분모, 분자를 각각 n으로 나누면

$\lim_{n\to\infty}\frac{\sqrt{9n^2+n}-n}{a_n}=\lim_{n\to\infty}\frac{\sqrt{9+\frac{1}{n}}-1}{\frac{a_n}{n}}$

STEP B 수열의 극한에 대한 성질을 이용하여 극한값 구하기

이때 $\lim_{n\to\infty}\frac{a_n}{n}=\frac{1}{3}$이고 $\lim_{n\to\infty}\left(\sqrt{9+\frac{1}{n}}-1\right)=2$이므로

$\lim_{n\to\infty}\frac{\sqrt{9n^2+n}-n}{a_n}=\lim_{n\to\infty}\frac{\sqrt{9+\frac{1}{n}}-1}{\frac{a_n}{n}}=\frac{\lim_{n\to\infty}\left(\sqrt{9+\frac{1}{n}}-1\right)}{\lim_{n\to\infty}\frac{a_n}{n}}=\frac{2}{\frac{1}{3}}=6$

정답 ⑤

0061

정답 ③

STEP Ⓐ $a_n-b_n=c_n$으로 치환하고 주어진 식 정리하기

$a_n-b_n=c_n$으로 놓으면 $b_n=a_n-c_n$

이때 $\lim_{n\to\infty}c_n=5$이고 $\lim_{n\to\infty}a_n=\infty$이므로 $\lim_{n\to\infty}\frac{c_n}{a_n}=0$

STEP Ⓑ 식을 대입하여 극한값 구하기

따라서 $\lim_{n\to\infty}\frac{a_n+b_n}{a_n-3b_n}=\lim_{n\to\infty}\frac{a_n+a_n-c_n}{a_n-3(a_n-c_n)}=\lim_{n\to\infty}\frac{2a_n-c_n}{-2a_n+3c_n}$

$$=\lim_{n\to\infty}\frac{2-\frac{c_n}{a_n}}{-2+\frac{3c_n}{a_n}}=\frac{2}{-2}=-1$$

다른풀이 극한값이 존재할 조건을 이용하여 극한값 구하기

$\lim_{n\to\infty}a_n=\infty$에서 $\lim_{n\to\infty}(a_n-b_n)=5$일 때,

$\lim_{n\to\infty}\frac{a_n-b_n}{a_n}=0$이므로 $\lim_{n\to\infty}\left(1-\frac{b_n}{a_n}\right)=0$ $\therefore \lim_{n\to\infty}\frac{b_n}{a_n}=1$

따라서 $\lim_{n\to\infty}\frac{a_n+b_n}{a_n-3b_n}=\lim_{n\to\infty}\frac{1+\frac{b_n}{a_n}}{1-\frac{3b_n}{a_n}}=-1$

0062

정답 ⑤

STEP Ⓐ $a_n+2b_n=c_n$으로 치환하고 주어진 식 정리하기

$a_n+2b_n=c_n$으로 놓으면 $a_n=c_n-2b_n$

이때 $\lim_{n\to\infty}c_n=3$이고 $\lim_{n\to\infty}a_n=\infty$이므로 $\lim_{n\to\infty}b_n=-\infty$ $\therefore \lim_{n\to\infty}\frac{c_n}{b_n}=0$

STEP Ⓑ 식을 대입하여 극한값 구하기

따라서 $\lim_{n\to\infty}\frac{3a_n-b_n}{a_n+b_n}=\lim_{n\to\infty}\frac{3c_n-7b_n}{c_n-b_n}=\lim_{n\to\infty}\frac{3\cdot\frac{c_n}{b_n}-7}{\frac{c_n}{b_n}-1}=7$

다른풀이 극한값이 존재할 조건을 이용하여 극한값 구하기

$\lim_{n\to\infty}a_n=\infty$, $\lim_{n\to\infty}(a_n+2b_n)=3$일 때,

$\lim_{n\to\infty}\frac{a_n+2b_n}{a_n}=0$이므로 $\lim_{n\to\infty}\left(1+\frac{2b_n}{a_n}\right)=0$ $\therefore \lim_{n\to\infty}\frac{b_n}{a_n}=-\frac{1}{2}$

따라서 $\lim_{n\to\infty}\frac{3a_n-b_n}{a_n+b_n}=\lim_{n\to\infty}\frac{3-\frac{b_n}{a_n}}{1+\frac{b_n}{a_n}}=\frac{3+\frac{1}{2}}{1-\frac{1}{2}}=7$

내신연계 출제문항 027

모든 항이 양수인 두 수열 $\{a_n\}$과 $\{b_n\}$에 대하여

$$\lim_{n\to\infty}a_n=\infty,\ \lim_{n\to\infty}(a_n-b_n)=1$$

일 때, $\lim_{n\to\infty}\frac{3a_n-b_n}{a_n+2b_n}$의 값은?

① $\frac{1}{3}$ ② $\frac{2}{3}$ ③ $\frac{3}{2}$
④ $\frac{4}{3}$ ⑤ 3

STEP Ⓐ $a_n-b_n=c_n$으로 치환하여 $\lim_{n\to\infty}\frac{c_n}{a_n}=0$임을 구하기

$a_n-b_n=c_n$으로 놓으면 $b_n=a_n-c_n$

이때 $\lim_{n\to\infty}c_n=1$이므로 $\lim_{n\to\infty}\frac{c_n}{a_n}=0$

STEP Ⓑ 분모, 분자를 a_n으로 나누어 극한값 구하기

따라서 구하는 극한값은

$\lim_{n\to\infty}\frac{3a_n-b_n}{a_n+2b_n}=\lim_{n\to\infty}\frac{3a_n-(a_n-c_n)}{a_n+2(a_n-c_n)}=\lim_{n\to\infty}\frac{2a_n+c_n}{3a_n-2c_n}=\lim_{n\to\infty}\frac{2+\frac{c_n}{a_n}}{3-2\times\frac{c_n}{a_n}}=\frac{2}{3}$

다른풀이 극한값이 존재할 조건을 이용하여 극한값 구하기

$\lim_{n\to\infty}a_n=\infty$에서 $\lim_{n\to\infty}(a_n-b_n)=1$일 때,

$\lim_{n\to\infty}\frac{a_n-b_n}{a_n}=0$이므로 $\lim_{n\to\infty}\left(1-\frac{b_n}{a_n}\right)=0$ $\therefore \lim_{n\to\infty}\frac{b_n}{a_n}=1$

따라서 $\lim_{n\to\infty}\frac{3a_n-b_n}{a_n+2b_n}=\lim_{n\to\infty}\frac{3-\frac{b_n}{a_n}}{1+2\cdot\frac{b_n}{a_n}}=\frac{3-1}{1+2\cdot1}=\frac{2}{3}$

정답 ②

0063

정답 ⑤

STEP Ⓐ $b_n-a_n=c_n$으로 치환하여 극한값 구하기

$b_n-a_n=c_n$으로 놓으면 $b_n=c_n+a_n$

이때 $\lim_{n\to\infty}c_n=5$이고 $\lim_{n\to\infty}a_n=\infty$이므로 $\lim_{n\to\infty}\frac{c_n}{a_n}=0$

STEP Ⓑ 곱셈공식의 변형을 이용하여 극한값 구하기

따라서 $\lim_{n\to\infty}\left(\frac{b_n^{\ 2}}{a_n}-\frac{a_n^{\ 2}}{b_n}\right)=\lim_{n\to\infty}\frac{b_n^{\ 3}-a_n^{\ 3}}{a_nb_n}$

$$=\lim_{n\to\infty}\frac{(b_n-a_n)(b_n^{\ 2}+a_nb_n+a_n^{\ 2})}{a_nb_n}$$

$$=\lim_{n\to\infty}c_n\left(\frac{b_n}{a_n}+1+\frac{a_n}{b_n}\right)$$

$$=\lim_{n\to\infty}c_n\left(\frac{c_n+a_n}{a_n}+1+\frac{a_n}{c_n+a_n}\right)$$

$$=\lim_{n\to\infty}c_n\left(\frac{c_n}{a_n}+1+1+\frac{1}{\frac{c_n}{a_n}+1}\right)$$

$$=5(0+1+1+1)=15$$

다른풀이 극한값이 존재할 조건을 이용하여 극한값 구하기

$\lim_{n\to\infty}a_n=\infty$에서 $\lim_{n\to\infty}(b_n-a_n)=5$일 때,

$\lim_{n\to\infty}\frac{b_n-a_n}{a_n}=0$이므로 $\lim_{n\to\infty}\left(\frac{b_n}{a_n}-1\right)=0$ $\therefore \lim_{n\to\infty}\frac{b_n}{a_n}=1$

$\therefore \lim_{n\to\infty}\left(\frac{b_n^2}{a_n}-\frac{a_n^2}{b_n}\right)=\lim_{n\to\infty}\frac{b_n^3-a_n^3}{a_nb_n}=\lim_{n\to\infty}\frac{(b_n-a_n)(b_n^2+a_nb_n+a_n^2)}{a_nb_n}$

$$=\lim_{n\to\infty}(b_n-a_n)\left(\frac{b_n}{a_n}+1+\frac{a_n}{b_n}\right)$$

$$=5(1+1+1)=15$$

내신연계 출제문항 028

두 수열 $\{a_n\}$, $\{b_n\}$에 대하여

$$\lim_{n\to\infty}a_n=\infty,\ \lim_{n\to\infty}(b_n-a_n)=3$$

일 때, $\lim_{n\to\infty}\left(\frac{b_n^{\ 2}}{a_n}-\frac{a_n^{\ 2}}{b_n}\right)$의 값은?

① 3 ② 6 ③ 9
④ 12 ⑤ 15

STEP Ⓐ 수열의 극한의 성질을 이용하여 $\lim_{n\to\infty}\frac{b_n}{a_n}$의 값 구하기

$\lim_{n\to\infty}a_n=\infty$, $\lim_{n\to\infty}(b_n-a_n)=3$일 때,

$\lim_{n\to\infty}\frac{b_n-a_n}{a_n}=0$이므로 $\lim_{n\to\infty}\left(\frac{b_n}{a_n}-1\right)=0$ $\therefore \lim_{n\to\infty}\frac{b_n}{a_n}=1$

STEP B 곱셈공식의 변형을 이용하여 극한값 구하기

따라서 $\lim_{n\to\infty}\left(\frac{b_n^2}{a_n}-\frac{a_n^2}{b_n}\right)=\lim_{n\to\infty}\left(\frac{b_n^3-a_n^3}{a_nb_n}\right)=\lim_{n\to\infty}\frac{(b_n-a_n)(b_n^2+b_na_n+a_n^2)}{a_nb_n}$

$=\lim_{n\to\infty}(b_n-a_n)\left(\frac{b_n}{a_n}+1+\frac{a_n}{b_n}\right)$

$=3\times(1+1+1)=9$ 정답 ③

0064

정답 ③

STEP A $\sin n\theta$의 값의 범위를 구하여 대소 관계를 나타내기

모든 자연수 n에 대하여 $-1\le\sin n\theta\le1$이므로

$-\frac{2n}{n^2+1}\le\frac{2n}{n^2+1}\sin n\theta\le\frac{2n}{n^2+1}$ ← 부등식의 각 변을 $\frac{2n}{n^2+1}$로 곱하면

STEP B 수열의 극한의 대소 관계를 이용하여 극한값 구하기

따라서 $\lim_{n\to\infty}\left(-\frac{2n}{n^2+1}\right)=0$, $\lim_{n\to\infty}\frac{2n}{n^2+1}=0$이므로

수열의 극한의 대소 관계에 의하여 $\lim_{n\to\infty}\frac{2n}{n^2+1}\sin n\theta=0$

0065

 ①

STEP A $-1\le\cos n\pi\le1$임을 이용하여 범위 구하기

$-1\le\cos n\pi\le1$에서 $-n\le n\cos n\pi\le n$

$n^2-n\le n^2+n\cos n\pi\le n^2+n$

$\frac{n^2-n}{n^2+1}\le\frac{n^2+n\cos n\pi}{n^2+1}\le\frac{n^2+n}{n^2+1}$ ← $\frac{n^2+n\cos n\pi}{n^2+1}=\frac{n(n+\cos n\pi)}{n^2+1}$

STEP B 수열의 극한의 대소 관계를 이용하여 극한값 구하기

$\frac{n^2-n}{n^2+1}\le\frac{n(n+\cos n\pi)}{n^2+1}\le\frac{n^2+n}{n^2+1}$

수열의 극한값의 대소 관계에 의하여

$\lim_{n\to\infty}\frac{n^2-n}{n^2+1}\le\lim_{n\to\infty}\frac{n(n+\cos n\pi)}{n^2+1}\le\lim_{n\to\infty}\frac{n^2+n}{n^2+1}$

따라서 $\lim_{n\to\infty}\frac{n^2-n}{n^2+1}=\lim_{n\to\infty}\frac{n^2+n}{n^2+1}=1$이므로 극한의 대소 관계에 의하여

$\lim_{n\to\infty}\frac{n(n+\cos n\pi)}{n^2+1}=1$

내신연계 출제문항 029

$\lim_{n\to\infty}\frac{\cos(n+1)\theta}{n^2+1}$의 값은?

① -2　② -1　③ 0

④ 1　⑤ 2

STEP A $\cos(n+1)\theta$의 값의 범위를 구하여 대소 관계를 나타내기

모든 자연수 n에 대하여 $-1\le\cos(n+1)\theta\le1$이므로

부등식의 각 변을 n^2+1로 나누면

$-\frac{1}{n^2+1}\le\frac{\cos(n+1)\theta}{n^2+1}\le\frac{1}{n^2+1}$

STEP B 수열의 극한의 대소 관계를 이용하여 극한값 구하기

따라서 $\lim_{n\to\infty}\left(-\frac{1}{n^2+1}\right)=0$, $\lim_{n\to\infty}\frac{1}{n^2+1}=0$이므로

수열의 극한의 대소 관계에 의하여 $\lim_{n\to\infty}\frac{\cos(n+1)\theta}{n^2+1}=0$  ③

0066

 ②

STEP A 부등식의 각 변을 n으로 나누기

$2n-\frac{1}{n}\le na_n\le 2n+\frac{1}{n}$의 각 변을 n으로 나누면

$2-\frac{1}{n^2}\le a_n\le 2+\frac{1}{n^2}$

STEP B 수열의 극한의 대소 관계를 이용하여 $\lim_{n\to\infty}a_n$의 값 구하기

$\lim_{n\to\infty}\left(2-\frac{1}{n^2}\right)\le\lim_{n\to\infty}a_n\le\lim_{n\to\infty}\left(2+\frac{1}{n^2}\right)$

이때 $\lim_{n\to\infty}\left(2-\frac{1}{n^2}\right)=\lim_{n\to\infty}\left(2+\frac{1}{n^2}\right)=2$

따라서 수열의 극한의 대소 관계에 의하여 $\lim_{n\to\infty}a_n=2$

0067

 ③

STEP A 부등식의 각 변에 $3n+1$을 곱하기

$\frac{1}{n+1}\le\frac{a_n+1}{3n+1}\le\frac{1}{n}$의 각 변에 $3n+1$을 곱하면

$\frac{3n+1}{n+1}\le a_n+1\le\frac{3n+1}{n}$

$\therefore\ \frac{3n+1}{n+1}-1\le a_n\le\frac{3n+1}{n}-1$

STEP B 수열의 극한의 대소 관계를 이용하여 $\lim_{n\to\infty}a_n$의 값 구하기

$\lim_{n\to\infty}\left(\frac{3n+1}{n+1}-1\right)\le\lim_{n\to\infty}a_n\le\lim_{n\to\infty}\left(\frac{3n+1}{n}-1\right)$

따라서 $\lim_{n\to\infty}\left(\frac{3n+1}{n+1}-1\right)=3-1=2$, $\lim_{n\to\infty}\left(\frac{3n+1}{n}-1\right)=3-1=2$이므로

수열의 극한의 대소 관계에 의하여 $\lim_{n\to\infty}a_n=2$

0068

 ③

STEP A 부등식의 각 변의 역수를 취하고 $n(n^2+1)$을 곱하기

$2n^3+1<\frac{n}{a_n}<2n^3+3$의 역수를 취하면

$\frac{1}{2n^3+3}<\frac{a_n}{n}<\frac{1}{2n^3+1}$의 각 변에 $n(n^2+1)$을 곱하면

$\frac{n(n^2+1)}{2n^3+3}<(n^2+1)a_n<\frac{n(n^2+1)}{2n^3+1}$

STEP B 수열의 극한의 대소 관계를 이용하여 $\lim_{n\to\infty}(n^2+1)a_n$의 값 구하기

따라서 $\lim_{n\to\infty}\frac{n(n^2+1)}{2n^3+3}=\frac{1}{2}$, $\lim_{n\to\infty}\frac{n(n^2+1)}{2n^3+1}=\frac{1}{2}$이므로

수열의 극한의 대소 관계에 의해 $\lim_{n\to\infty}(n^2+1)a_n=\frac{1}{2}$

0069

 ④

STEP A $\frac{a_n}{n}$의 범위 구하기

$|a_n-3n|\le6$에서 $-6\le a_n-3n\le6$

$3n-6\le a_n\le3n+6$의 각 변을 n으로 나누면

$3-\frac{6}{n}\le\frac{a_n}{n}\le3+\frac{6}{n}$

STEP B 수열의 극한의 대소 관계를 이용하여 극한값 구하기

따라서 $\lim_{n\to\infty}\left(3-\frac{6}{n}\right)=3$, $\lim_{n\to\infty}\left(3+\frac{6}{n}\right)=3$이므로

수열의 극한의 대소 관계에 의하여 $\lim_{n\to\infty}\frac{a_n}{n}=3$

내신연계 출제문항 030

모든 항이 양수인 수열 $\{a_n\}$이 모든 자연수 n에 대하여 부등식

$$\sqrt{9n^2+4} < \sqrt{na_n} < 3n+2$$

를 만족시킬 때, $\lim_{n\to\infty}\frac{a_n}{n}$의 값은?

① 6　② 7　③ 8
④ 9　⑤ 10

STEP A $\frac{a_n}{n}$의 범위 구하기

수열 $\{a_n\}$이 모든 자연수 n에 대하여

$\sqrt{9n^2+4} < \sqrt{na_n} < 3n+2$를 만족하므로 각 변을 제곱하면

$9n^2+4 < na_n < (3n+2)^2$

$n^2 > 0$이므로 양변을 n^2으로 나누면 $\frac{9n^2+4}{n^2} < \frac{a_n}{n} < \frac{(3n+2)^2}{n^2}$

STEP B 수열의 극한의 대소 관계를 이용하여 극한값 구하기

따라서 $\lim_{n\to\infty}\frac{9n^2+4}{n^2} = \lim_{n\to\infty}\frac{(3n+2)^2}{n^2} = 9$이므로

수열의 극한의 대소 관계에 의하여 $\lim_{n\to\infty}\frac{a_n}{n} = 9$　정답 ④

0070

 ②

STEP A 부등식의 각 변을 $3n-2$로 나누기

첫째항이 1이고 공차가 3인 등차수열 $\{a_n\}$에 대하여

$a_n = 1+3(n-1) = 3n-2$이므로

부등식 $n+1 < (3n-2)b_n < n+2$의 각 변을 $3n-2$로 나누면

$\frac{n+1}{3n-2} < b_n < \frac{n+2}{3n-2}$

STEP B 수열의 극한의 대소 관계를 이용하여 $\lim_{n\to\infty} b_n$의 값 구하기

따라서 $\lim_{n\to\infty}\frac{n+1}{3n-2} = \lim_{n\to\infty}\frac{n+2}{3n-2} = \frac{1}{3}$이므로

수열의 극한의 대소 관계에 의하여 $\lim_{n\to\infty} b_n = \frac{1}{3}$

내신연계 출제문항 031

등차수열 $\{a_n\}$의 첫째항이 3, 공차가 4이고, 수열 $\{b_n\}$이 모든 자연수 n에 대하여

$$2n-1 < a_nb_n < 2n+3$$

을 만족시킬 때, $\lim_{n\to\infty} b_n$의 값은?

① $\frac{1}{2}$　② $\frac{1}{3}$　③ $\frac{1}{4}$
④ $\frac{1}{5}$　⑤ $\frac{1}{6}$

STEP A 부등식의 각 변을 $4n-1$로 나누기

첫째항이 3이고 공차가 4인 등차수열 $\{a_n\}$에 대하여

$a_n = 3+(n-1)\cdot 4 = 4n-1$이므로 부등식 $2n-1 < (4n-1)b_n < 2n+3$

각 변을 $4n-1$로 나누면 $\frac{2n-1}{4n-1} < b_n < \frac{2n+3}{4n-1}$

STEP B 수열의 극한의 대소 관계를 이용하여 $\lim_{n\to\infty} b_n$의 값 구하기

따라서 $\lim_{n\to\infty}\frac{2n-1}{4n-1} = \frac{1}{2}$, $\lim_{n\to\infty}\frac{2n+3}{4n-1} = \frac{1}{2}$이므로

수열의 극한의 대소 관계에 의하여 $\lim_{n\to\infty} b_n = \frac{1}{2}$　정답 ①

0071

 ①

STEP A 부등식의 각 변을 n으로 나누기

$2n-4 < na_n < \sqrt{4n^2+2n}$의 각 변을 n으로 나누면

$2-\frac{4}{n} < a_n < \sqrt{4+\frac{2}{n}}$

STEP B 수열의 극한의 대소 관계를 이용하여 극한값 구하기

이때 $\lim_{n\to\infty}\left(2-\frac{4}{n}\right) = 2$, $\lim_{n\to\infty}\sqrt{4+\frac{2}{n}} = 2$이므로 $\lim_{n\to\infty} a_n = 2$

따라서 $\lim_{n\to\infty}\frac{(n-1)a_n}{2n+5} = \lim_{n\to\infty}\left(\frac{n-1}{2n+5}\times a_n\right)$

$= \lim_{n\to\infty}\frac{n-1}{2n+5}\times\lim_{n\to\infty} a_n$

$= \frac{1}{2}\cdot 2 = 1$

내신연계 출제문항 032

수열 $\{a_n\}$이 모든 자연수 n에 대하여

$$3n+5 < na_n < \sqrt{9n^2-2n}$$

을 만족시킬 때, $\lim_{n\to\infty}\frac{(6n^2+3)a_n}{2n^2-n+3}$의 값은?

① 2　② 3　③ 6
④ 9　⑤ 12

STEP A 부등식의 각 변을 n으로 나누기

$3n+5 < na_n < \sqrt{9n^2-2n}$에서 양변을 n으로 나누면

$\frac{3n+5}{n} < a_n < \frac{\sqrt{9n^2-2n}}{n}$

STEP B 수열의 극한의 대소 관계를 이용하여 극한값 구하기

이때 $\lim_{n\to\infty}\frac{3n+5}{n} = 3$, $\lim_{n\to\infty}\frac{\sqrt{9n^2-2n}}{n} = 3$이므로 $\lim_{n\to\infty} a_n = 3$

따라서 $\lim_{n\to\infty}\frac{(6n^2+3)a_n}{2n^2-n+3} = \lim_{n\to\infty}\left(\frac{6n^2+3}{2n^2-n+3}\times a_n\right)$

$= \lim_{n\to\infty}\frac{6n^2+3}{2n^2-n+3}\times\lim_{n\to\infty} a_n$

$= \frac{6}{2}\times 3 = 9$　정답 ④

0072

 ③

STEP A 주어진 식을 이용하여 b_n에 대한 부등식 세우기

$20-\frac{1}{n} < a_n+b_n < 20+\frac{1}{n}$ …… ㉠

$10-\frac{1}{n} < a_n-b_n < 10+\frac{1}{n}$ …… ㉡

㉠－㉡을 하면

$\left(20-\frac{1}{n}\right)-\left(10+\frac{1}{n}\right) < 2b_n < \left(20+\frac{1}{n}\right)-\left(10-\frac{1}{n}\right)$

$10-\frac{2}{n} < 2b_n < 10+\frac{2}{n}$

$\therefore 5-\frac{1}{n} < b_n < 5+\frac{1}{n}$

STEP B 수열의 극한의 대소 관계를 이용하여 $\lim_{n\to\infty} b_n$의 값 구하기

$\lim_{n\to\infty}\left(5-\frac{1}{n}\right) \le \lim_{n\to\infty} b_n \le \lim_{n\to\infty}\left(5+\frac{1}{n}\right)$

이때 $\lim_{n\to\infty}\left(5-\frac{1}{n}\right) = 5$, $\lim_{n\to\infty}\left(5+\frac{1}{n}\right) = 5$

따라서 수열의 극한의 대소 관계에 의하여 $\lim_{n\to\infty} b_n = 5$

다른풀이 극한의 성질을 이용하여 풀이하기

STEP Ⓐ 수열의 극한의 대소 관계를 이용하여 극한값 구하기

조건 (가)에서 $\lim_{n\to\infty}\left(20-\frac{1}{n}\right)=\lim_{n\to\infty}\left(20+\frac{1}{n}\right)=20$

이므로 $\lim_{n\to\infty}(a_n+b_n)=20$

조건 (나)에서 $\lim_{n\to\infty}\left(10-\frac{2}{n}\right)=\lim_{n\to\infty}\left(10+\frac{2}{n}\right)=10$

이므로 $\lim_{n\to\infty}(a_n-b_n)=10$

STEP Ⓑ 수열의 극한의 기본 성질을 이용하여 $\lim_{n\to\infty}b_n$의 값 구하기

$\lim_{n\to\infty}(a_n+b_n)-\lim_{n\to\infty}(a_n-b_n)=\lim_{n\to\infty}2b_n=2\lim_{n\to\infty}b_n=20-10=10$

따라서 $\lim_{n\to\infty}b_n=5$

내/신/연/계/ 출제문항 033

수렴하는 두 수열 $\{a_n\}$, $\{b_n\}$이 모든 자연수 n에 대하여 다음 조건을 만족시킬 때, $\lim_{n\to\infty}a_n$의 값은?

(가) $10+\frac{1}{n}<a_n+b_n<10+\frac{2}{n}$
(나) $\lim_{n\to\infty}(a_n-b_n)=6$

① 1 ② 3 ③ 5 ④ 8 ⑤ 10

STEP Ⓐ 수열의 극한의 대소 관계를 이용하여 $\lim_{n\to\infty}(a_n+b_n)$의 값 구하기

조건 (가)에서 $10+\frac{1}{n}<a_n+b_n<10+\frac{2}{n}$

$\lim_{n\to\infty}\left(10+\frac{1}{n}\right)\le\lim_{n\to\infty}(a_n+b_n)\le\lim_{n\to\infty}\left(10+\frac{2}{n}\right)$

이때 $\lim_{n\to\infty}\left(10+\frac{1}{n}\right)=10$, $\lim_{n\to\infty}\left(10+\frac{2}{n}\right)=10$이므로 $\lim_{n\to\infty}(a_n+b_n)=10$

STEP Ⓑ 수열의 극한에 대한 기본 성질을 이용하여 $\lim_{n\to\infty}a_n$의 값 구하기

$\therefore \lim_{n\to\infty}a_n+\lim_{n\to\infty}b_n=10$ ...... ㉠

조건 (나)에서 $\lim_{n\to\infty}(a_n-b_n)=6$이므로

$\lim_{n\to\infty}a_n-\lim_{n\to\infty}b_n=6$ ...... ㉡

㉠+㉡을 하면 $2\lim_{n\to\infty}a_n=16$

따라서 $\lim_{n\to\infty}a_n=8$

정답 ④

0073

정답 ①

STEP Ⓐ S_n 구하기

$S_n=\sum_{k=1}^{n}a_k=\sum_{k=1}^{n}(5-8k)=5n-8\cdot\frac{n(n+1)}{2}=-4n^2+n$이므로

$S_{n+1}=-4(n+1)^2+(n+1)=-4n^2-7n-3$

STEP Ⓑ 수열의 극한값의 대소 관계를 이용하여 $\lim_{n\to\infty}b_n$의 값 구하기

이때 n이 자연수이므로 $\frac{S_{n+1}}{n^2}<b_n<\frac{S_n}{n^2}$

$\lim_{n\to\infty}\frac{S_n}{n^2}=\lim_{n\to\infty}\frac{-4n^2+n}{n^2}=-4$, $\lim_{n\to\infty}\frac{S_{n+1}}{n^2}=\lim_{n\to\infty}\frac{-4n^2-7n-3}{n^2}=-4$

수열의 극한값의 대소 관계에 의하여 $\lim_{n\to\infty}b_n=-4$

STEP Ⓒ 극한값 구하기

따라서 $\lim_{n\to\infty}\frac{nb_n+1}{1-2n}=\lim_{n\to\infty}\frac{-4n+1}{1-2n}=2$

0074

정답 ⑤

STEP Ⓐ 이차방정식의 판별식을 이용하여 a_n에 대한 부등식 세우기

이차방정식 $x^2-(n+1)x+a_n=0$의 판별식을 D_1이라 하면

$D_1=(n+1)^2-4a_n\ge0$에서 $a_n\le\frac{(n+1)^2}{4}$ ...... ㉠

또 이차방정식 $x^2-nx+a_n=0$의 판별식을 D_2이라 하면

$D_2=n^2-4a_n<0$에서 $a_n>\frac{n^2}{4}$ ...... ㉡

㉠, ㉡에 의하여 $\frac{n^2}{4}<a_n\le\frac{(n+1)^2}{4}$

STEP Ⓑ 부등식의 각 변을 n^2으로 나누기

각 변을 n^2으로 나누면 $\frac{n^2}{4n^2}<\frac{a_n}{n^2}\le\frac{(n+1)^2}{4n^2}$

STEP Ⓒ 수열의 극한의 대소 관계를 이용하여 $\lim_{n\to\infty}\frac{a_n}{n^2}$의 값 구하기

$\lim_{n\to\infty}\frac{n^2}{4n^2}\le\lim_{n\to\infty}\frac{a_n}{n^2}\le\lim_{n\to\infty}\frac{(n+1)^2}{4n^2}$

이때 $\lim_{n\to\infty}\frac{n^2}{4n^2}=\lim_{n\to\infty}\frac{(n+1)^2}{4n^2}=\frac{1}{4}$

따라서 수열의 극한의 대소 관계에 의하여 $\lim_{n\to\infty}\frac{a_n}{n^2}=\frac{1}{4}$

0075

정답 ③

STEP Ⓐ 수열의 극한의 대소 관계를 이용하여 $\lim_{n\to\infty}a_nb_n$의 값 구하기

조건 (나)의 부등식의 각 변에 $4n^2$을 곱하면

$\frac{4n^2}{2n^2+1}\le a_nb_n\le\frac{4n^2}{2n^2-1}$

이때 $\lim_{n\to\infty}\frac{4n^2}{2n^2+1}=2$, $\lim_{n\to\infty}\frac{4n^2}{2n^2-1}=2$이므로

수열의 극한의 대소 관계에 의하여 $\lim_{n\to\infty}a_nb_n=2$

STEP Ⓑ 수열의 극한의 성질을 이용하여 구하기

따라서 $\lim_{n\to\infty}(a_n^2+a_nb_n+b_n^2)=\lim_{n\to\infty}\{(a_n+b_n)^2-a_nb_n\}$

$=\lim_{n\to\infty}(a_n+b_n)^2-\lim_{n\to\infty}a_nb_n$

$=3^2-2=7$

내/신/연/계/ 출제문항 034

두 수열 $\{a_n\}$, $\{b_n\}$이 모든 자연수 n에 대하여 다음 조건을 만족시킨다.

(가) $\lim_{n\to\infty}(3n^2-2)a_n=5$
(나) $2n-1<b_n<2n+1\,(n=1, 2, 3, \cdots)$

$\lim_{n\to\infty}\frac{n^3a_n+2}{b_n+3n}$의 값은?

① $\frac{1}{3}$ ② $\frac{1}{2}$ ③ $\frac{2}{3}$ ④ 1 ⑤ $\frac{3}{2}$

STEP Ⓐ 조건을 이용하여 $\lim_{n\to\infty}n^2a_n$, $\lim_{n\to\infty}\frac{b_n}{n}$의 값 구하기

조건 (가)에서 $(3n^2-2)a_n=c_n$이라 하면

$\lim_{n\to\infty}c_n=5$이고 $a_n=\frac{c_n}{3n^2-2}$에서

$\lim_{n\to\infty}n^2a_n=\lim_{n\to\infty}\frac{n^2c_n}{3n^2-2}=\lim_{n\to\infty}\frac{n^2}{3n^2-2}\times\lim_{n\to\infty}c_n=\frac{1}{3}\times5=\frac{5}{3}$

조건 (나)에서 $\frac{2n-1}{n}<\frac{b_n}{n}<\frac{2n+1}{n}$이고

$\lim_{n\to\infty}\frac{2n-1}{n}=\lim_{n\to\infty}\frac{2n+1}{n}=2$이므로

수열의 극한의 대소 관계에 의하여 $\lim_{n\to\infty}\frac{b_n}{n}=2$

STEP Ⓑ **주어진 극한값 구하기**

따라서 $\lim_{n\to\infty}\frac{n^3a_n+2}{b_n+3n}=\lim_{n\to\infty}\frac{n^2a_n+\frac{2}{n}}{\frac{b_n}{n}+3}=\frac{\frac{5}{3}+0}{2+3}=\frac{1}{3}$

정답 ①

0076

STEP Ⓐ **수열의 극한의 여러 성질을 이용하여 참, 거짓 판단하기**

① 모든 자연수 n에 대하여 $-1\le\cos n\theta\le 1$이므로

$-\frac{1}{n}\le\frac{\cos n\theta}{n}\le\frac{1}{n}$

그런데 $\lim_{n\to\infty}\left(-\frac{1}{n}\right)=0$이고 $\lim_{n\to\infty}\frac{1}{n}=0$이므로

수열의 극한의 대소 관계에 의하여 $\lim_{n\to\infty}\frac{\cos n\theta}{n}=0$ [참]

② $\frac{3a_n+1}{2a_n-1}=b_n$으로 놓으면 $\lim_{n\to\infty}b_n=2$이고

$3a_n+1=b_n(2a_n-1)$에서 $(2b_n-3)a_n=b_n+1$

$\therefore a_n=\frac{b_n+1}{2b_n-3}$

즉 $\lim_{n\to\infty}a_n=\lim_{n\to\infty}\frac{b_n+1}{2b_n-3}=\frac{2+1}{2\cdot2-3}=3$ [참]

③ $na_n=b_n$으로 놓으면 $a_n=\frac{b_n}{n}$

이때 $\lim_{n\to\infty}b_n=2$이므로

$$\begin{aligned}\lim_{n\to\infty}(4n-3)a_n&=\lim_{n\to\infty}(4n-3)\times\frac{b_n}{n}\\&=\lim_{n\to\infty}\frac{4n-3}{n}\times\lim_{n\to\infty}b_n\\&=4\times2=8\ [\text{참}]\end{aligned}$$

④ $\lim_{n\to\infty}a_n=\infty$, $\lim_{n\to\infty}(b_n-a_n)=2$일 때,

$\lim_{n\to\infty}\frac{b_n-a_n}{a_n}=0$이므로 $\lim_{n\to\infty}\left(\frac{b_n}{a_n}-1\right)=0$

$\therefore \lim_{n\to\infty}\frac{b_n}{a_n}=1$

$$\begin{aligned}\text{즉 }\lim_{n\to\infty}\left(\frac{b_n^2}{a_n}-\frac{a_n^2}{b_n}\right)&=\lim_{n\to\infty}\frac{b_n^3-a_n^3}{a_nb_n}\\&=\lim_{n\to\infty}\frac{(b_n-a_n)(b_n^2+a_nb_n+a_n^2)}{a_nb_n}\\&=\lim_{n\to\infty}(b_n-a_n)\left(\frac{b_n}{a_n}+1+\frac{a_n}{b_n}\right)\\&=2\times(1+1+1)=6\ [\text{참}]\end{aligned}$$

⑤ $2n-1<na_n<\sqrt{4n^2+5n}$에서 $2-\frac{1}{n}<a_n<\sqrt{4+\frac{5}{n}}$ ⬅ n은 자연수

이때 $\lim_{n\to\infty}\left(2-\frac{1}{n}\right)=2$, $\lim_{n\to\infty}\sqrt{4+\frac{5}{n}}=2$이므로

수열의 극한의 대소 관계에 의하여 $\lim_{n\to\infty}a_n=2$

$$\begin{aligned}\text{즉 }\lim_{n\to\infty}\frac{(n^2+2n)a_n}{5n^2+3}&=\lim_{n\to\infty}\frac{n^2+2n}{5n^2+3}\times a_n\\&=\lim_{n\to\infty}\frac{n^2+2n}{5n^2+3}\times\lim_{n\to\infty}a_n\\&=\frac{1}{5}\times2=\frac{2}{5}\ [\text{거짓}]\end{aligned}$$

따라서 옳지 않은 것은 ⑤이다.

내신연계 출제문항 035

두 수열 $\{a_n\}$, $\{b_n\}$에 대하여 다음 중 옳지 않은 것은?

① $\lim_{n\to\infty}\frac{\sin n\theta}{n}=0$이다. (단, θ는 실수)

② $\lim_{n\to\infty}\frac{4a_n+3}{2-a_n}=2$일 때, $\lim_{n\to\infty}a_n=\frac{1}{6}$이다. (단, $a_n\ne2$)

③ $\lim_{n\to\infty}n^2a_n=2$일 때, $\lim_{n\to\infty}(5n^2+n-3)a_n=\frac{5}{2}$이다.

④ $\lim_{n\to\infty}a_n=\infty$, $\lim_{n\to\infty}(a_n+b_n)=3$일 때, $\lim_{n\to\infty}\frac{2a_n-3b_n}{a_n+2b_n}=-5$

⑤ 수열 $\{a_n\}$이 모든 자연수 n에 대하여

$5n^2+2<(n^2+2n)a_n<5n^2+2n+1$일 때, $\lim_{n\to\infty}a_n=5$이다.

STEP Ⓐ **수열의 극한의 여러 성질을 이용하여 참, 거짓 판단하기**

① 모든 자연수 n에 대하여 $-1\le\sin n\theta\le1$이므로

부등식의 각 변을 $\frac{1}{n}$로 곱하면 $-\frac{1}{n}\le\frac{1}{n}\sin n\theta\le\frac{1}{n}$

$\lim_{n\to\infty}\left(-\frac{1}{n}\right)=0$, $\lim_{n\to\infty}\frac{1}{n}=0$이므로 수열의 극한의 대소 관계에 의하여

$\lim_{n\to\infty}\frac{\sin n\theta}{n}=0$ [참]

② $\frac{4a_n+3}{2-a_n}=b_n$이라 하면 $\lim_{n\to\infty}b_n=2$

$4a_n+3=2b_n-a_nb_n$, $a_n(b_n+4)=2b_n-3$

$\therefore a_n=\frac{2b_n-3}{b_n+4}$

$\therefore \lim_{n\to\infty}a_n=\lim_{n\to\infty}\frac{2b_n-3}{b_n+4}=\frac{2\cdot2-3}{2+4}=\frac{1}{6}$

③ $n^2a_n=b_n$으로 놓으면 $a_n=\frac{b_n}{n^2}$

이때 $\lim_{n\to\infty}b_n=2$이므로

$$\begin{aligned}\lim_{n\to\infty}(5n^2+n-3)a_n&=\lim_{n\to\infty}(5n^2+n-3)\times\frac{b_n}{n^2}\\&=\lim_{n\to\infty}\frac{5n^2+n-3}{n^2}\times b_n\\&=\lim_{n\to\infty}\frac{5n^2+n-3}{n^2}\times\lim_{n\to\infty}b_n\\&=5\times2=10\ [\text{거짓}]\end{aligned}$$

④ $\lim_{n\to\infty}a_n=\infty$, $\lim_{n\to\infty}(a_n+b_n)=3$일 때,

$\lim_{n\to\infty}\frac{a_n+b_n}{a_n}=0$이므로 $\lim_{n\to\infty}\left(1+\frac{b_n}{a_n}\right)=0$

$\therefore \lim_{n\to\infty}\frac{b_n}{a_n}=-1$

$\therefore \lim_{n\to\infty}\frac{2a_n-3b_n}{a_n+2b_n}=\lim_{n\to\infty}\frac{2-3\times\frac{b_n}{a_n}}{1+2\times\frac{b_n}{a_n}}=\frac{2-3\times(-1)}{1+2\times(-1)}=-5$ [참]

⑤ $5n^2+2<(n^2+2n)a_n<5n^2+2n+1$의 각 변을 n^2+2n으로 나누면

$\frac{5n^2+2}{n^2+2n}<a_n<\frac{5n^2+2n+1}{n^2+2n}$

즉 $\lim_{n\to\infty}\frac{5n^2+2}{n^2+2n}=5$, $\lim_{n\to\infty}\frac{5n^2+2n+1}{n^2+2n}=5$이므로

수열의 극한의 대소 관계에 의하여 $\lim_{n\to\infty}a_n=5$ [참]

따라서 옳지 않은 것은 ③이다.

0077

정답 ①

STEP A $n=1, 2, 3, \cdots$을 대입한 후 각 변을 더하여 부등식 세우기

$n < a_n < n+1$에서

$1 < a_1 < 2$

$2 < a_2 < 3$

$\vdots$

$n < a_n < n+1$

각 변끼리 더하면

$1+2+3+\cdots+n < a_1+a_2+a_3+\cdots+a_n < 2+3+\cdots+(n+1)$

$\sum_{k=1}^{n} k < a_1+a_2+\cdots+a_n < \sum_{k=1}^{n}(k+1)$

STEP B 부등식의 각 변을 n^2으로 나누기

$\frac{n(n+1)}{2} < a_1+a_2+\cdots+a_n < \frac{n(n+3)}{2}$의 각 변을 n^2으로 나누면

$\frac{n(n+1)}{2n^2} < \frac{a_1+a_2+\cdots+a_n}{n^2} < \frac{n(n+3)}{2n^2}$

STEP C 수열의 극한의 대소 관계를 이용하여 극한값 구하기

따라서 $\lim_{n\to\infty}\frac{n(n+1)}{2n^2} = \lim_{n\to\infty}\frac{n(n+3)}{2n^2} = \frac{1}{2}$이므로

수열의 극한의 대소 관계에 의해 $\lim_{n\to\infty}\frac{a_1+a_2+\cdots+a_n}{n^2} = \frac{1}{2}$

내신연계 출제문항 036

모든 자연수 n에 대하여 수열 $\{a_n\}$이 부등식

$n+10 < a_n < n+100$

을 만족시킬 때, $\lim_{n\to\infty}\frac{n^2}{a_1+a_2+\cdots+a_n}$의 값은?

① 2 ② 3 ③ 4
④ 5 ⑤ 6

STEP A $n=1, 2, 3, \cdots$을 대입한 후 각 변을 더하여 부등식 세우기

$n+10 < a_n < n+100$이 성립하므로

부등식에 $n=1, 2, 3, \cdots, n$을 대입하여 각 변끼리 더하면

$\sum_{k=1}^{n}(k+10) < a_1+a_2+\cdots+a_n < \sum_{k=1}^{n}(k+100)$

$\frac{n(n+21)}{2} < a_1+a_2+\cdots+a_n < \frac{n(n+201)}{2}$

STEP B 부등식의 각 변의 역수를 취하고 n^2을 곱하기

각 변의 역수를 취하고 n^2을 곱하면

$\frac{2n^2}{n^2+21n} > \frac{n^2}{a_1+a_2+\cdots+a_n} > \frac{2n^2}{n^2+201n}$

STEP C 수열의 극한의 대소 관계를 이용하여 극한값 구하기

따라서 $\lim_{n\to\infty}\frac{2n^2}{n^2+21n} = 2$, $\lim_{n\to\infty}\frac{2n^2}{n^2+201n} = 2$이므로

수열의 극한의 대소 관계에 의하여 $\lim_{n\to\infty}\frac{n^2}{a_1+a_2+\cdots+a_n} = 2$

정답 ①

0078

정답 ③

STEP A $n=1, 2, 3, \cdots$을 대입한 후 각 변을 더하여 부등식 세우기

$n^2-n-2 < a_n < n^2+2n+2$이 성립하므로

부등식에 $n=1, 2, 3, \cdots, n$을 대입하여 각 변끼리 더하면

$\sum_{k=1}^{n}(k^2-k-2) < a_1+a_2+\cdots+a_n < \sum_{k=1}^{n}(k^2+2k+2)$

$\sum_{k=1}^{n}(k^2-k-2) = \frac{n(n+1)(2n+1)}{6} - \frac{n(n+1)}{2} - 2n = \frac{n^3-7n}{3}$

$\sum_{k=1}^{n}(k^2+2k+2) = \frac{n(n+1)(2n+1)}{6} + 2\cdot\frac{n(n+1)}{2} + 2n$

$= \frac{2n^3+9n^2+19n}{6}$

$\frac{n^3-7n}{3} < a_1+a_2+\cdots+a_n < \frac{2n^3+9n^2+19n}{6}$

STEP B 부등식의 각 변의 역수를 취하고 n^3을 곱하기

각 변의 역수를 취하고 n^3을 곱하면

$\frac{3n^3}{n^3-7n} > \frac{n^3}{a_1+a_2+\cdots+a_n} > \frac{6n^3}{2n^3+9n^2+19n}$

STEP C 수열의 극한의 대소 관계를 이용하여 극한값 구하기

따라서 $\lim_{n\to\infty}\frac{3n^3}{n^3-7n} = 3$, $\lim_{n\to\infty}\frac{6n^3}{2n^3+9n^2+19n} = 3$이므로

수열의 극한의 대소 관계에 의하여 $\lim_{n\to\infty}\frac{n^3}{a_1+a_2+\cdots+a_n} = 3$

0079

정답 ①

STEP A 유리화하고 축차대입한 후 각 변을 더하여 부등식 세우기

$\frac{1}{\sqrt{n+2}+\sqrt{n+3}} < a_n < \frac{1}{\sqrt{n+1}+\sqrt{n+2}}$에서 유리화하면

$\sqrt{n+3}-\sqrt{n+2} < a_n < \sqrt{n+2}-\sqrt{n+1}$

부등식에 $n=1, 2, 3, \cdots, n$을 대입하면

$\sqrt{4}-\sqrt{3} < a_1 < \sqrt{3}-\sqrt{2}$

$\sqrt{5}-\sqrt{4} < a_2 < \sqrt{4}-\sqrt{3}$

$\sqrt{6}-\sqrt{5} < a_3 < \sqrt{5}-\sqrt{4}$

$\vdots$

$\sqrt{n+3}-\sqrt{n+2} < a_n < \sqrt{n+2}-\sqrt{n+1}$

이때 각 변끼리 더하면

$\sqrt{n+3}-\sqrt{3} < a_1+a_2+\cdots+a_n < \sqrt{n+2}-\sqrt{2}$

STEP B 부등식의 각 변을 $\sqrt{n+1}$으로 나누기

각 변을 $\sqrt{n+1}$으로 나누면

$\frac{\sqrt{n+3}-\sqrt{3}}{\sqrt{n+1}} < \frac{a_1+a_2+\cdots+a_n}{\sqrt{n+1}} < \frac{\sqrt{n+2}-\sqrt{2}}{\sqrt{n+1}}$

STEP C 수열의 극한의 대소 관계를 이용하여 극한값 구하기

따라서 $\lim_{n\to\infty}\frac{\sqrt{n+3}-\sqrt{3}}{\sqrt{n+1}} = 1$, $\lim_{n\to\infty}\frac{\sqrt{n+2}-\sqrt{2}}{\sqrt{n+1}} = 1$이므로

수열의 극한의 대소 관계에 의하여 $\lim_{n\to\infty}\frac{a_1+a_2+a_3+\cdots+a_n}{\sqrt{n+1}} = 1$

내신연계 출제문항 037

모든 자연수 n에 대하여 $1\le k\le n$일 때, 다음 부등식이 성립한다.

$$\sqrt{n^2+1}\le\sqrt{n^2+k}\le\sqrt{n^2+n}$$

이를 이용하여 $\lim_{n\to\infty}\sum_{k=1}^{n}\frac{1}{\sqrt{n^2+k}}$의 값은?

① 1 ② $\sqrt{2}$ ③ 2
④ 3 ⑤ $2\sqrt{2}$

STEP Ⓐ $n=1, 2, 3, \cdots$을 대입한 후 각 변을 더하여 부등식 세우기

$\sqrt{n^2+1}\le\sqrt{n^2+k}\le\sqrt{n^2+n}$에서

$\frac{1}{\sqrt{n^2+n}}\le\frac{1}{\sqrt{n^2+k}}\le\frac{1}{\sqrt{n^2+1}}$이 성립하므로

$\sum_{k=1}^{n}\frac{1}{\sqrt{n^2+n}}\le\sum_{k=1}^{n}\frac{1}{\sqrt{n^2+k}}\le\sum_{k=1}^{n}\frac{1}{\sqrt{n^2+1}}$

← $\sum_{k=1}^{n}\frac{1}{\sqrt{n^2+n}}=\frac{n}{\sqrt{n^2+n}}$, $\sum_{k=1}^{n}\frac{1}{\sqrt{n^2+1}}=\frac{n}{\sqrt{n^2+1}}$ 상수의 시그마 성질

$\therefore \frac{n}{\sqrt{n^2+n}}\le\sum_{k=1}^{n}\frac{1}{\sqrt{n^2+k}}\le\frac{n}{\sqrt{n^2+1}}$

STEP Ⓑ 수열의 극한의 대소 관계를 이용하여 극한값 구하기

$\lim_{n\to\infty}\frac{n}{\sqrt{n^2+n}}\le\lim_{n\to\infty}\sum_{k=1}^{n}\frac{1}{\sqrt{n^2+k}}\le\lim_{n\to\infty}\frac{n}{\sqrt{n^2+1}}$

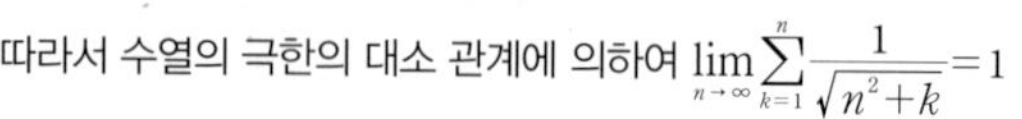

이때 $\lim_{n\to\infty}\frac{n}{\sqrt{n^2+n}}=1$, $\lim_{n\to\infty}\frac{n}{\sqrt{n^2+1}}=1$

따라서 수열의 극한의 대소 관계에 의하여 $\lim_{n\to\infty}\sum_{k=1}^{n}\frac{1}{\sqrt{n^2+k}}=1$ 정답 ①

0080

정답 ②

STEP Ⓐ 수열의 극한의 성질을 이용하여 참, 거짓 판단하기

ㄱ. 반례 $a_n=n$, $b_n=\frac{1}{n}$이면 $\lim_{n\to\infty}a_n=\infty$, $\lim_{n\to\infty}b_n=0$이지만

$\lim_{n\to\infty}a_nb_n=1$ [거짓]

ㄴ. 반례 $a_n=n^2$, $b_n=n$이라 하면 $\lim_{n\to\infty}a_n=\infty$, $\lim_{n\to\infty}b_n=\infty$이지만

$\lim_{n\to\infty}\frac{a_n}{b_n}=\lim_{n\to\infty}n=\infty$ [거짓]

ㄷ. $a_n-b_n=c_n$으로 놓으면 $\lim_{n\to\infty}c_n=5$이고

$\lim_{n\to\infty}a_n=\infty$, $b_n=a_n-c_n$이므로

$\lim_{n\to\infty}\frac{b_n}{a_n}=\lim_{n\to\infty}\frac{a_n-c_n}{a_n}=\lim_{n\to\infty}\left(1-\frac{c_n}{a_n}\right)=\lim_{n\to\infty}\left(1-\frac{5}{a_n}\right)=1$ [참]

따라서 옳은 것은 ㄷ이다.

0081

정답 ①

STEP Ⓐ 수열의 극한의 기본 성질을 이용하여 진위판단하기

ㄱ. $a_n-b_n=c_n$이라고 하면 $\lim_{n\to\infty}c_n=0$이므로

$\lim_{n\to\infty}b_n=\lim_{n\to\infty}(a_n-c_n)=\lim_{n\to\infty}a_n-\lim_{n\to\infty}c_n=\alpha-0=\alpha$ [참]

ㄴ. 반례 $a_n=\frac{1}{n}$, $b_n=\frac{2}{n}$이면 $a_n<b_n$이지만 $\lim_{n\to\infty}a_n=0$, $\lim_{n\to\infty}b_n=0$이므로

$\lim_{n\to\infty}a_n<\lim_{n\to\infty}b_n$이 성립하지 않는다. [거짓]

ㄷ. 반례 $\{a_n\}$: 1, 0, 1, 0, 1, 0, $\cdots$이고

$\{b_n\}$: 0, 1, 0, 1, 0, 1, $\cdots$이면

$a_nb_n=0$이므로 $\lim_{n\to\infty}a_nb_n=0$이지만 $\lim_{n\to\infty}a_n\ne0$, $\lim_{n\to\infty}b_n\ne0$ [거짓]

따라서 옳은 것은 ㄱ이다.

0082

정답 ④

STEP Ⓐ 수열의 극한의 성질을 이용하여 참, 거짓 판단하기

ㄱ. $a_n<b_n$이므로 $\lim_{n\to\infty}a_n=\infty$이면 $\lim_{n\to\infty}b_n=\infty$이다. [참]

ㄴ. 두 수열 $\{a_n\}$, $\{b_n\}$이 수렴하고 $a_n<b_n$이므로

$\lim_{n\to\infty}a_n-\lim_{n\to\infty}b_n=\lim_{n\to\infty}(a_n-b_n)\le0$ $\quad\therefore \lim_{n\to\infty}a_n\le\lim_{n\to\infty}b_n$ [참]

STEP Ⓑ 반례를 찾아 거짓임을 증명하기

ㄷ. 반례 $a_n=n+\frac{1}{n}$, $b_n=n$이면 $\lim_{n\to\infty}\left(n+\frac{1}{n}-n\right)=\lim_{n\to\infty}\frac{1}{n}=0$이지만

수열 $\{a_n\}$, $\{b_n\}$은 극한값이 존재하지 않으므로 $\lim_{n\to\infty}a_n\ne\lim_{n\to\infty}b_n$

[거짓]

따라서 옳은 것은 ㄱ, ㄴ이다.

0083

정답 ③

STEP Ⓐ 수열의 극한의 성질을 이용하여 참, 거짓 판단하기

ㄱ. 반례 $a_n=n^2$, $b_n=\frac{1}{n}$이면 $\lim_{n\to\infty}a_n=\infty$, $\lim_{n\to\infty}b_n=0$이지만

$\lim_{n\to\infty}a_nb_n=\lim_{n\to\infty}n=\infty$이다. [거짓]

ㄴ. $\lim_{n\to\infty}\frac{a_n-b_n}{a_n}=0$이므로 $\lim_{n\to\infty}\left(1-\frac{b_n}{a_n}\right)=0$ $\quad\therefore \lim_{n\to\infty}\frac{b_n}{a_n}=1$ [참]

ㄷ. 반례 $a_n=(-1)^n$이면 $\lim_{n\to\infty}a_n^{\ 2}=1$이지만 수열 $\{a_n\}$은 발산(진동)한다.

[거짓]

ㄹ. $\lim_{n\to\infty}(a_n-b_n)=0$이고 수열 $\{a_n\}$이 수렴하므로

$\lim_{n\to\infty}b_n=\lim_{n\to\infty}\{a_n-(a_n-b_n)\}=\lim_{n\to\infty}a_n-\lim_{n\to\infty}(a_n-b_n)=\lim_{n\to\infty}a_n$ [참]

따라서 옳은 것은 ㄴ, ㄹ이다.

내신연계 출제문항 038

두 수열 $\{a_n\}$, $\{b_n\}$에 대하여 다음 [보기]에서 옳은 것만을 있는 대로 고른 것은?

ㄱ. 두 수열 $\{a_n\}$, $\{b_n\}$이 모두 수렴하면 수열 $\{a_nb_n\}$은 수렴한다.
ㄴ. 두 수열 $\{a_n\}$, $\{b_n\}$이 모두 발산하면 수열 $\{a_nb_n\}$은 발산한다.
ㄷ. 두 수열 $\{a_n\}$, $\{b_n\}$이 모두 수렴하고 모든 자연수 n에 대하여 $a_n<b_n$이면 $\lim_{n\to\infty}a_n<\lim_{n\to\infty}b_n$이다.
ㄹ. 수열 $\{a_n\}$이 수렴하고 수열 $\{a_n-b_n\}$이 0에 수렴하면 수열 $\{b_n\}$은 수렴한다.

① ㄱ ② ㄴ ③ ㄱ, ㄹ
④ ㄷ, ㄹ ⑤ ㄱ, ㄴ, ㄷ, ㄹ

STEP Ⓐ 수열의 극한의 성질을 이용하여 참, 거짓 판단하기

ㄱ. $\lim_{n\to\infty}a_n=\alpha$, $\lim_{n\to\infty}b_n=\beta$라고 하면 $\lim_{n\to\infty}a_nb_n=\lim_{n\to\infty}a_n\lim_{n\to\infty}b_n=\alpha\beta$이므로

수열 $\{a_nb_n\}$은 수렴한다. [참]

ㄴ. 반례 $a_n=(-1)^n$, $b_n=(-1)^n$일 때, 두 수열 $\{a_n\}$, $\{b_n\}$은 모두 진동하여 발산하지만 수열 $\{a_nb_n\}$은 1에 수렴한다. [거짓]

ㄷ. 반례 $a_n=\frac{1}{n}$, $b_n=\frac{2}{n}$일 때, 모든 자연수 n에 대하여 $a_n<b_n$이지만

$\lim_{n\to\infty}a_n=\lim_{n\to\infty}b_n=0$ [거짓]

ㄹ. $\lim_{n\to\infty}a_n=\alpha$이라 하면

$\lim_{n\to\infty}b_n=\lim_{n\to\infty}\{a_n-(a_n-b_n)\}=\lim_{n\to\infty}a_n-\lim_{n\to\infty}(a_n-b_n)=\alpha-0=\alpha$이므로

수열 $\{b_n\}$은 α에 수렴한다. [참]

따라서 옳은 것은 ㄱ, ㄹ이다.

정답 ③

0084

정답 ①

STEP A 수열의 극한의 성질을 이용하여 참, 거짓 판단하기

ㄱ. 반례 $a_n=(-1)^n$이면 $\lim_{n\to\infty}|a_n|=1$로 수렴하지만 $\lim_{n\to\infty}a_n$은 진동한다. [거짓]

ㄴ. $a_n-b_n=p_n$으로 놓으면 $\lim_{n\to\infty}p_n=0$이고 $b_n=a_n-p_n$

또한, $\lim_{n\to\infty}a_n=\alpha$라 하면

$\lim_{n\to\infty}b_n=\lim_{n\to\infty}(a_n-p_n)=\lim_{n\to\infty}a_n-\lim_{n\to\infty}p_n=\alpha-0=\alpha$ [참]

ㄷ. 반례 $a_n=\frac{1}{n}$, $b_n=n$이면 $\lim_{n\to\infty}a_nb_n=1$, $\lim_{n\to\infty}a_n=0$이지만 $\lim_{n\to\infty}b_n=\infty$ [거짓]

ㄹ. 반례 $a_n=n$, $b_n=-n$이면 $\lim_{n\to\infty}a_n=\infty$, $\lim_{n\to\infty}b_n=-\infty$이지만 $\lim_{n\to\infty}(a_n+b_n)=\lim_{n\to\infty}(n-n)=0$ [거짓]

따라서 옳은 것은 ㄴ이다.

0085

정답 ①

STEP A $\frac{b_n}{a_n}=p_n$으로 치환하고 수열의 극한에 대한 기본 성질 이용하기

ㄱ. $\frac{b_n}{a_n}=p_n$으로 놓으면 $b_n=a_np_n$

이때 $\lim_{n\to\infty}a_n=0$이고 $\lim_{n\to\infty}p_n=\alpha$이므로

$\lim_{n\to\infty}b_n=\lim_{n\to\infty}a_np_n=\lim_{n\to\infty}a_n\cdot\lim_{n\to\infty}p_n=\alpha\cdot0=0$ [참]

STEP B 반례를 찾아 거짓임을 증명하기

ㄴ. 반례 $a_n=-\frac{2n}{n+1}$, $c_n=(-1)^n$, $b_n=\frac{2n}{n+1}$이라 하면

$a_n\le c_n\le b_n$, $\lim_{n\to\infty}a_n=-2$, $\lim_{n\to\infty}b_n=2$이지만

수열 $\{c_n\}$은 진동 (발산)한다. [거짓]

ㄷ. 반례 $a_n=\frac{1}{n}$, $b_n=\frac{2}{n}$이라 하면

$\lim_{n\to\infty}a_n=0$, $\lim_{n\to\infty}b_n=0$이므로 $\alpha=\beta$이다. [거짓]

ㄹ. 반례 $a_n=2+(-1)^n$, $b_n=\frac{5n}{n+1}$이라 하면 $0<a_n<b_n$이고 $\lim_{n\to\infty}\frac{5n}{n+1}=5$

이지만 수열 $\{a_n\}$은 진동한다. [거짓]

따라서 옳은 것은 ㄱ이다.

내신연계 출제문항 039

두 수열 $\{a_n\}$, $\{b_n\}$의 극한에 대한 다음 [보기]의 설명 중 옳은 것만을 있는 대로 고른 것은?

> ㄱ. $\lim_{n\to\infty}(a_n-b_n)=0$이면 두 수열 $\{a_n\}$, $\{b_n\}$은 모두 수렴한다.
> ㄴ. 수열 $\{a_nb_n\}$이 수렴하면 수열 $\{a_n\}$ 또는 $\{b_n\}$이 수렴한다.
> ㄷ. $\lim_{n\to\infty}\frac{b_n}{a_n}=1$이고 수열 $\{a_n\}$이 수렴하면 수열 $\{b_n\}$도 수렴한다.
> ㄹ. $\lim_{n\to\infty}a_{2n}=\alpha$로 수렴하면 $\lim_{n\to\infty}a_n=\alpha$로 수렴한다.

① ㄱ　② ㄷ　③ ㄴ, ㄹ
④ ㄱ, ㄴ, ㄷ　⑤ ㄱ, ㄴ, ㄷ, ㄹ

STEP A 수열의 극한의 성질을 이용하여 참, 거짓 판단하기

ㄱ. 반례 $a_n=n+\frac{1}{n}$, $b_n=n-\frac{1}{n}$이라 하면 $\lim_{n\to\infty}(a_n-b_n)=0$이지만 두 수열 $\{a_n\}$, $\{b_n\}$은 모두 발산한다. [거짓]

ㄴ. 반례 $a_n=(-1)^{n-1}$, $b_n=(-1)^n$이라 하면 $\lim_{n\to\infty}a_nb_n=-1$로 수열 $\{a_nb_n\}$은 수렴하지만 두 수열 $\{a_n\}$, $\{b_n\}$은 모두 발산한다. [거짓]

ㄷ. $\lim_{n\to\infty}a_n=\alpha$($\alpha$는 실수), $\frac{b_n}{a_n}=c_n$이라 하면 $\lim_{n\to\infty}c_n=1$, $b_n=a_nc_n$이므로

$\lim_{n\to\infty}b_n=\lim_{n\to\infty}a_nc_n=\lim_{n\to\infty}a_n\lim_{n\to\infty}c_n=\alpha$

수열 $\{b_n\}$은 수렴한다. [참]

ㄹ. 반례 수열 $\{a_n\}$에서 $a_n=(-1)^n$이라 하면

$\lim_{n\to\infty}a_{2n}=\lim_{n\to\infty}(-1)^{2n}=\lim_{n\to\infty}1^n=1$이지만

수열 $\{a_n\}$은 $-1, 1, -1, 1, \cdots$이므로 발산한다. [거짓]

따라서 옳은 것은 ㄷ이다.

정답 ②

0086

정답 ⑤

STEP A 두 점 사이의 거리 공식을 이용하여 a_n의 식 구하기

두 점 $P(n, 3n^2)$, $Q(n+1, 3(n+1)^2)$ 사이의 거리가 a_n이므로

$a_n=\sqrt{\{(n+1)-n\}^2+\{3(n+1)^2-3n^2\}^2}$

$=\sqrt{1+(6n+3)^2}=\sqrt{36n^2+36n+10}$

STEP B 분모, 분자를 n으로 나누어 극한값 구하기

따라서 $\lim_{n\to\infty}\frac{a_n}{n}=\lim_{n\to\infty}\frac{\sqrt{36n^2+36n+10}}{n}=\lim_{n\to\infty}\frac{\sqrt{36+\frac{36}{n}+\frac{10}{n^2}}}{1}=6$

0087

정답 ⑤

STEP A 직선의 기울기를 구하여 a_n의 식 구하기

두 점 $P(n, f(n))$, $Q(n+1, f(n+1))$을 지나는 직선의 기울기가 a_n이므로

$a_n=\frac{f(n+1)-f(n)}{(n+1)-n}=f(n+1)-f(n)$

$=3(n+1)^2-2(n+1)-(3n^2-2n)$

$=6n+1$

STEP B 주어진 극한값 구하기

따라서 $\lim_{n\to\infty}\frac{a_n}{n}=\lim_{n\to\infty}\frac{6n+1}{n}=6$

0088

정답 ①

STEP A 곡선과 직선을 연립하여 이차방정식의 근과 계수의 관계 이용하기

곡선 $y=\frac{2}{x}$와 직선 $y=-x+2n$의 교점의 x좌표를 α, β라 하면

두 점의 좌표는 $A_n(\alpha, -\alpha+2n)$, $B_n(\beta, -\beta+2n)$

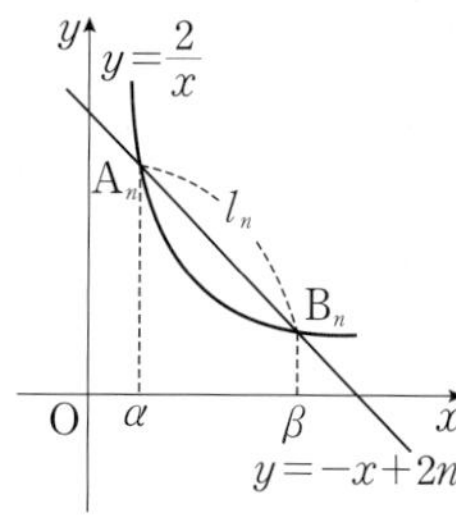

또한, α, β는 방정식 $\frac{2}{x}=-x+2n$의 두 근이므로 이차방정식

$x^2-2nx+2=0$의 근과 계수의 관계에 의하여 $\alpha+\beta=2n$, $\alpha\beta=2$

STEP B 두 교점 사이의 거리를 구하여 극한값 구하기

선분 A_nB_n의 길이가 l_n이므로 $l_n=\sqrt{(\beta-\alpha)^2+(-\beta+\alpha)^2}=\sqrt{2(\beta-\alpha)^2}$

이때 $(\beta-\alpha)^2=(\alpha+\beta)^2-4\alpha\beta=4n^2-8$이므로 $l_n=\sqrt{2(4n^2-8)}$

따라서 $\lim_{n\to\infty}\frac{l_n}{n}=\lim_{n\to\infty}\frac{\sqrt{8n^2-16}}{n}=\lim_{n\to\infty}\sqrt{8-\frac{16}{n^2}}=2\sqrt{2}$

내신연계 출제문항 040

자연수 n에 대하여 곡선 $y=x^2$과 직선 $y=-x+n$이 만나서 생기는 두 교점 사이의 거리를 l_n이라 할 때, $\lim_{n\to\infty}\frac{l_n^2}{n}$의 값은?

① 5 ② 6 ③ 7
④ 8 ⑤ 9

STEP A 곡선과 직선을 연립하여 이차방정식의 근과 계수의 관계 이용하기

$y=x^2$과 $y=-x+n$의 교점의 x좌표를 α_n, β_n이라 하면
교점의 좌표는 $(\alpha_n, -\alpha_n+n)$, $(\beta_n, -\beta_n+n)$

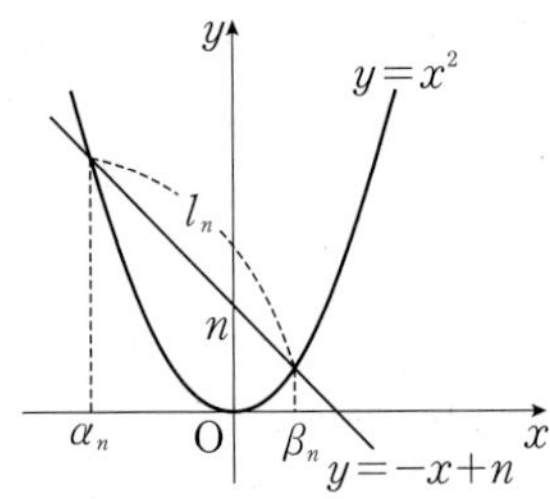

또한, α_n, β_n는 $x^2=-x+n$의 두 근이므로 이차방정식 $x^2+x-n=0$의 근과 계수의 관계에 의하여 $\alpha_n+\beta_n=-1$, $\alpha_n\beta_n=-n$

STEP B 두 교점 사이의 거리를 구하여 극한값 구하기

두 교점 사이의 거리

$l_n=\sqrt{(\alpha_n-\beta_n)^2+(-\alpha_n+n+\beta_n-n)^2}=\sqrt{2(\alpha_n-\beta_n)^2}$

$l_n^2=2(\alpha_n-\beta_n)^2=2\{(\alpha_n+\beta_n)^2-4\alpha_n\beta_n\}=8n+2$

따라서 $\lim_{n\to\infty}\frac{l_n^2}{n}=\lim_{n\to\infty}\frac{8n+2}{n}=8$

 ④

0089

 ①

STEP A 접선의 방정식이 x축, y축과 만나는 점의 좌표 구하기

곡선 $f(x)=x^2$이라 하면

$f'(x)=2x$이므로 접점의 좌표를 (a, a^2)이라 하면

직선의 기울기가 $f'(a)=2a$이므로 $2a=n$

$\therefore a=\frac{n}{2}$

즉 접점의 좌표는 $\left(\frac{n}{2}, \frac{n^2}{4}\right)$이므로 접선의 방정식은

$y-\frac{n^2}{4}=n\left(x-\frac{n}{2}\right)$, $y=nx-\frac{n^2}{4}$

이 접선이 x축, y축과 만나는 점의 좌표는 $P_n\left(\frac{n}{4}, 0\right)$, $Q_n\left(0, -\frac{n^2}{4}\right)$이므로

$l_n=\sqrt{\left(0-\frac{n}{4}\right)^2+\left(\frac{-n^2}{4}-0\right)^2}=\frac{n\sqrt{1+n^2}}{4}$

STEP B 극한값 구하기

따라서 $\lim_{n\to\infty}\frac{l_n}{2n^2}=\lim_{n\to\infty}\frac{\frac{n\sqrt{1+n^2}}{4}}{2n^2}=\lim_{n\to\infty}\frac{\sqrt{\frac{1}{n^2}+1}}{8}=\frac{1}{8}$

내신연계 출제문항 041

자연수 n에 대하여 함수 $y=2x^2$ 위의 점 $P_n\left(\frac{1}{n}, \frac{2}{n^2}\right)$를 지나고 직선 OP_n에 수직인 직선의 y절편을 a_n이라고 할 때, $\lim_{n\to\infty}a_n$의 값은?
(단, O는 원점이다.)

① $\frac{1}{4}$ ② $\frac{1}{2}$ ③ $\frac{3}{4}$
④ $\frac{5}{4}$ ⑤ $\frac{3}{2}$

STEP A 직선 OP_n에 수직인 직선의 기울기 구하기

함수 $y=2x^2$ 위의 점 $P_n\left(\frac{1}{n}, \frac{2}{n^2}\right)$에서 직선 OP_n의 기울기는 $\frac{\frac{2}{n^2}}{\frac{1}{n}}=\frac{2}{n}$

이때 수직인 직선의 기울기를 m이라 하면

$m\cdot\frac{2}{n}=-1$ $\therefore m=-\frac{n}{2}$

STEP B 점 P_n을 지나고 기울기가 $-\frac{n}{2}$인 직선의 방정식 구하기

즉 점 $P_n\left(\frac{1}{n}, \frac{2}{n^2}\right)$을 지나고 기울기가 $-\frac{n}{2}$인 직선의 방정식은

$y-\frac{2}{n^2}=-\frac{n}{2}\left(x-\frac{1}{n}\right)$ $\therefore y=-\frac{n}{2}x+\frac{1}{2}+\frac{2}{n^2}$

STEP C 직선의 y절편 a_n의 식을 구하여 극한값 구하기

따라서 이 직선의 y절편 $a_n=\frac{1}{2}+\frac{2}{n^2}$이므로 $\lim_{n\to\infty}a_n=\lim_{n\to\infty}\left(\frac{1}{2}+\frac{2}{n^2}\right)=\frac{1}{2}$

 ②

0090

 ④

STEP A 점 P를 지나고 직선 OP에 수직인 직선의 방정식 구하기

직선 $y=2nx$ 위의 점 $P(n, 2n^2)$을 지나고 이 직선과 수직인 직선은

$y=-\frac{1}{2n}(x-n)+2n^2$

STEP B 직선과 x축이 만나는 교점 Q의 좌표 구하기

점 Q는 이 직선의 x축과 만나는 교점이므로 $Q(4n^3+n, 0)$

STEP C 선분 OQ의 길이 l_n의 식을 구하여 극한값 구하기

선분 OQ의 길이는 $l_n=4n^3+n$

따라서 $\lim_{n\to\infty}\frac{l_n}{n^3}=\lim_{n\to\infty}\frac{4n^3+n}{n^3}=4$

다른풀이 직각삼각형의 성질을 이용하여 l_n의 식 구하기

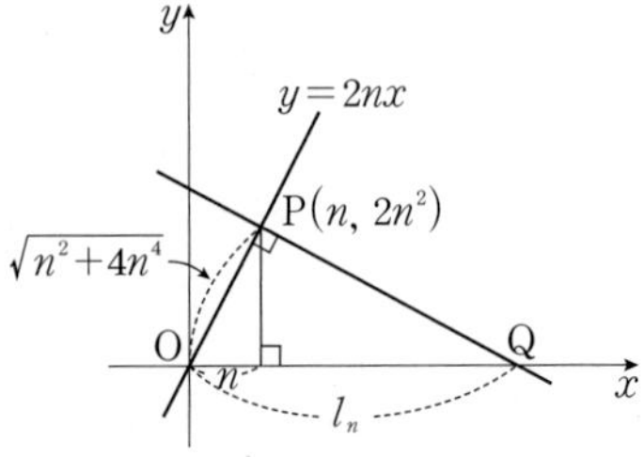

$(\sqrt{n^2+4n^4})^2=n\times l_n$에서 $l_n=4n^3+n$

참고 직각삼각형의 성질 (닮음)

① $a^2=ce$
② $b^2=de$
③ $h^2=cd$
④ $ab=eh$

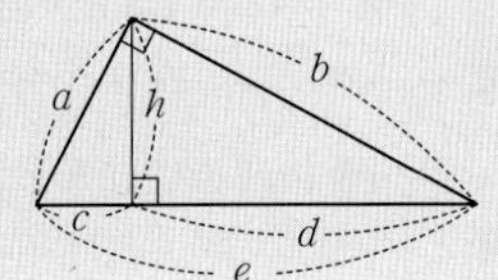

0091

정답 ⑤

STEP A 점 P_n의 y좌표 구하기

$\begin{cases} x+y=2 \\ y=\dfrac{3n}{n+2}x \end{cases}$를 연립하여 풀면 $x+\dfrac{3n}{n+2}x=2$

$x\left(1+\dfrac{3n}{n+2}\right)=x\left(\dfrac{4n+2}{n+2}\right)=2$

$\therefore\ x=\dfrac{n+2}{2n+1}$

두 직선의 교점의 좌표는 $P_n\left(\dfrac{n+2}{2n+1},\ \dfrac{3n}{2n+1}\right)$

STEP B $\triangle OAP_n$의 넓이 S_n을 구하여 극한값 구하기

또한, 직선 $x+y=2$의 x절편이 $A(2,\ 0)$

이때 삼각형 OAP_n의 넓이는 $S_n=\dfrac{1}{2}\cdot 2\cdot\dfrac{3n}{2n+1}=\dfrac{3n}{2n+1}$

따라서 $\lim\limits_{n\to\infty}S_n=\lim\limits_{n\to\infty}\dfrac{3n}{2n+1}=\dfrac{3}{2}$

내신연계 출제문항 042

오른쪽 그림과 같이 좌표평면에서 자연수 n에 대하여 곡선 $y=\dfrac{1}{n}x^2$과 원 $x^2+y^2=1$이 제 1사분면에서 만나는 점을 P_n이라 하자.
점 $A(1,\ 0)$에 대하여 삼각형 OAP_n의 넓이를 S_n이라 할 때, $\lim\limits_{n\to\infty}nS_n$의 값은? (단, O는 원점)

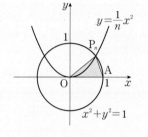

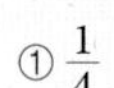 ① $\dfrac{1}{4}$ ② $\dfrac{1}{2}$ ③ 1

 ④ 2 ⑤ 4

STEP A 점 P_n의 y좌표 구하기

점 P_n의 y좌표는 $ny=1-y^2$에서 $y^2+ny-1=0$

$\therefore\ y=\dfrac{-n+\sqrt{n^2+4}}{2}$ ⬅ 제 1사분면

STEP B $\triangle OAP_n$의 넓이 S_n을 구하여 극한값 구하기

삼각형 OAP_n의 넓이는

$S_n=\dfrac{1}{2}\cdot 1\cdot\dfrac{-n+\sqrt{n^2+4}}{2}=\dfrac{\sqrt{n^2+4}-n}{4}$

따라서 $\lim\limits_{n\to\infty}nS_n=\lim\limits_{n\to\infty}\dfrac{n(\sqrt{n^2+4}-n)}{4}$

$=\lim\limits_{n\to\infty}\dfrac{n(\sqrt{n^2+4}-n)(\sqrt{n^2+4}+n)}{4(\sqrt{n^2+4}+n)}$

$=\lim\limits_{n\to\infty}\dfrac{n}{\sqrt{n^2+4}+n}$

$=\lim\limits_{n\to\infty}\dfrac{1}{\sqrt{1+\dfrac{4}{n}}+1}$

$=\dfrac{1}{2}$

 정답 ②

0092

정답 ⑤

STEP A 원 위의 점에서 접선의 방정식을 구하여 넓이 S_n 구하기

원 $x^2+y^2=4n^2$ 위의 점 $P(n,\ \sqrt{3}n)$에서의 접선의 방정식은

$nx+\sqrt{3}ny=4n^2$이고

점 A의 좌표는 $(4n,\ 0)$

점 B의 좌표는 $\left(0,\ \dfrac{4\sqrt{3}}{3}n\right)$

이므로 삼각형 OAB의 넓이 a_n은

$a_n=\dfrac{1}{2}\cdot\overline{OA}\cdot\overline{OB}=\dfrac{1}{2}\cdot 4n\cdot\dfrac{4\sqrt{3}}{3}n=\dfrac{8\sqrt{3}}{3}n^2$

STEP B $\dfrac{\infty}{\infty}$꼴의 극한값 구하기

따라서 $\lim\limits_{n\to\infty}\dfrac{a_n}{\sqrt{3}n^2+1}=\lim\limits_{n\to\infty}\dfrac{\dfrac{8\sqrt{3}}{3}n^2}{\sqrt{3}n^2+1}=\dfrac{8}{3}$

내신연계 출제문항 043

자연수 n에 대하여 점 $(2n,\ 0)$을 지나고 원 $x^2+y^2=n^2$에 접하는 직선의 y절편을 a_n이라 할 때, $\lim\limits_{n\to\infty}\dfrac{a_n}{n+1}$의 값은? (단, $a_n>0$)

① $\sqrt{2}$ ② $\dfrac{2\sqrt{2}}{3}$ ③ $\dfrac{2\sqrt{3}}{3}$

④ $\sqrt{3}$ ⑤ $\dfrac{4\sqrt{3}}{3}$

STEP A 원에 접하는 접선의 y절편 a_n 구하기

점 $(2n,\ 0)$을 지나고 기울기가 k인 접선의 방정식을

$y=k(x-2n)$(k는 상수)이라 하면

접선의 y절편은 $a_n=-2kn$이고 $a_n>0$이므로 $k<0$

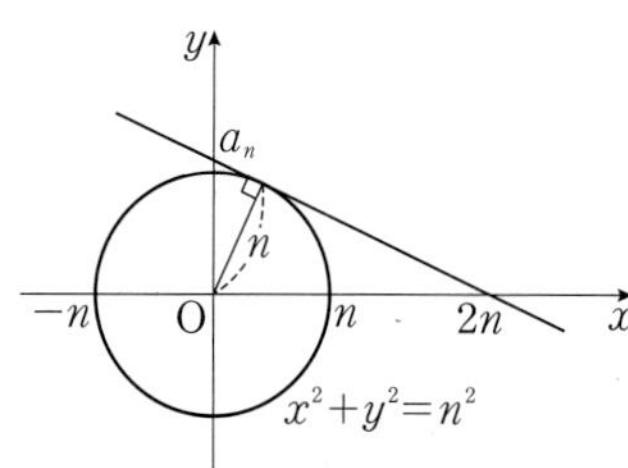

이때 원점과 접선 사이의 거리는 원의 반지름의 길이와 같으므로

$\dfrac{|2kn|}{\sqrt{k^2+1}}=n$

양변을 제곱하여 정리하면

$4k^2n^2=n^2(k^2+1),\ 3k^2=1$

그런데 $k<0$이므로 $k=-\dfrac{\sqrt{3}}{3}$

$a_n=-2kn=\dfrac{2\sqrt{3}}{3}n$

STEP B $\lim\limits_{n\to\infty}\dfrac{a_n}{n+1}$의 값 구하기

따라서 $\lim\limits_{n\to\infty}\dfrac{a_n}{n+1}=\lim\limits_{n\to\infty}\dfrac{\dfrac{2\sqrt{3}}{3}n}{n+1}=\lim\limits_{n\to\infty}\dfrac{\dfrac{2\sqrt{3}}{3}}{1+\dfrac{1}{n}}=\dfrac{2\sqrt{3}}{3}$

정답 ③

0093

정답 ④

STEP A 점과 직선 사이의 거리를 이용하여 접선의 방정식 구하기

기울기가 n이고 원에 접하는 접선의 방정식을 $y=nx+k(k>0)$이라 하면
원의 접선 $nx-y+k=0$과 원의 중심 $(0,\ 0)$ 사이의 거리는 n이므로

$n=\dfrac{|k|}{\sqrt{n^2+1}}$에서 $|k|=n\sqrt{n^2+1}$

$\therefore\ k=n\sqrt{n^2+1}\ (\because\ k>0)$

즉 접선의 방정식은 $y=nx+n\sqrt{n^2+1}$

STEP B 두 점 P_n, Q_n의 좌표를 구하여 l_n 구하기

점 P_n은 접선의 x절편이므로 $y=0$일 때,

$0=nx+n\sqrt{n^2+1}$에서 $x=-\sqrt{n^2+1}$ $\quad\therefore\ \mathrm{P}_n(-\sqrt{n^2+1}, 0)$

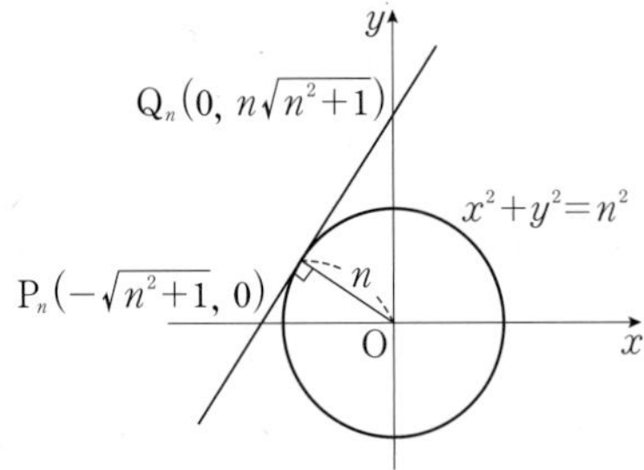

마찬가지로 점 Q_n은 접선의 y절편이므로 $x=0$일 때, $y=n\sqrt{n^2+1}$

$\therefore\ \mathrm{Q}_n(0,\ n\sqrt{n^2+1})$

$l_n=\overline{\mathrm{P}_n\mathrm{Q}_n}=\sqrt{(\sqrt{n^2+1})^2+(n\sqrt{n^2+1})^2}=\sqrt{n^4+2n^2+1}$

$\quad=\sqrt{(n^2+1)^2}=n^2+1$

STEP C 극한값 구하기

따라서 $\lim\limits_{n\to\infty}\dfrac{l_n}{2n^2}=\lim\limits_{n\to\infty}\dfrac{n^2+1}{2n^2}=\lim\limits_{n\to\infty}\dfrac{1+\frac{1}{n^2}}{2}=\dfrac{1}{2}$

0094

정답 ①

STEP A 원의 중심에서 접선까지의 거리가 원의 반지름의 길이와 같음을 이해하기

원 C_n의 중심이 $\mathrm{P}_n(n,\ n^2)$이고 y축에 접하므로 반지름의 길이는 n이다.
또, 원점을 지나고 기울기가 a_n인 직선의 방정식은 $y=a_nx$
즉 $a_nx-y=0$
원 C_n과 직선 $a_nx-y=0$이 접하므로
원의 중심 $\mathrm{P}_n(n,\ n^2)$에서
직선 $a_nx-y=0$에 이르는 거리가
원의 반지름의 길이와 같다.

STEP B 식을 세우고 풀어 a_n의 식 구하기

즉 $\dfrac{|na_n-n^2|}{\sqrt{a_n^2+1}}=n$에서 n이 자연수이므로

$\dfrac{|a_n-n|}{\sqrt{a_n^2+1}}=1$, $|a_n-n|=\sqrt{a_n^2+1}$

양변을 제곱하여 정리하면

$a_n^2-2na_n+n^2=a_n^2+1 \quad \therefore\ a_n=\dfrac{n^2-1}{2n}$

STEP C 식을 대입하여 주어진 극한값 구하기

따라서 $\lim\limits_{n\to\infty}\dfrac{a_n}{n}=\lim\limits_{n\to\infty}\dfrac{n^2-1}{2n^2}=\lim\limits_{n\to\infty}\dfrac{1-\frac{1}{n^2}}{2}=\dfrac{1}{2}$

다른풀이 원과 직선을 연립하고 판별식을 이용하여 a_n의 식 구하기

원의 방정식이 $(x-n)^2+(y-n^2)^2=n^2$이므로 직선 $y=a_nx$를 원에 대입하면
$(x-n)^2+(a_nx-n^2)^2=n^2$, $x^2-2nx+n^2+a_n^2x^2-2n^2a_nx+n^4=n^2$
$(1+a_n^2)x^2-2(n+n^2a_n)x+n^4=0$
직선과 원이 접하므로 판별식을 D라 하면

$\dfrac{D}{4}=(n+n^2a_n)^2-n^4(1+a_n^2)=0$

$2n^3a_n=n^4-n^2 \quad \therefore\ a_n=\dfrac{n^2-1}{2n}$

따라서 $\lim\limits_{n\to\infty}\dfrac{a_n}{n}=\lim\limits_{n\to\infty}\dfrac{n^2-1}{2n^2}=\dfrac{1}{2}$

0095

정답 ③

STEP A 원과 곡선을 연립하여 교점의 x좌표 구하기

원 $x^2+y^2=n^2$과 곡선 $y=\sqrt{x+n}$이 만나는 교점의 x좌표는
$x^2+(\sqrt{x+n})^2=n^2$, $x^2+x+n-n^2=0$
$(x+n)(x-n+1)=0 \quad \therefore\ x=-n$ 또는 $x=n-1$

STEP B 두 점 사이의 거리 a_n과 원의 지름의 길이 b_n의 식 구하기

이때 두 점은 $(-n,\ 0)$, $(n-1,\ \sqrt{2n-1})$이므로
두 점 사이의 거리 $a_n=\sqrt{(n-1+n)^2+(\sqrt{2n-1})^2}=\sqrt{4n^2-2n}$이고
원의 지름의 길이 $b_n=2n$

STEP C 분자를 유리화하고 분모, 분자를 n으로 나누어 극한값 구하기

따라서 $\lim\limits_{n\to\infty}(b_n-a_n)=\lim\limits_{n\to\infty}(2n-\sqrt{4n^2-2n})$

$=\lim\limits_{n\to\infty}\dfrac{(2n-\sqrt{4n^2-2n})(2n+\sqrt{4n^2-2n})}{2n+\sqrt{4n^2-2n}}$

$=\lim\limits_{n\to\infty}\dfrac{2n}{2n+\sqrt{4n^2-2n}}$

$=\lim\limits_{n\to\infty}\dfrac{2}{2+\sqrt{4-\frac{2}{n}}}=\dfrac{1}{2}$

0096

정답 ③

STEP A 교점의 x좌표 a_n 구하기

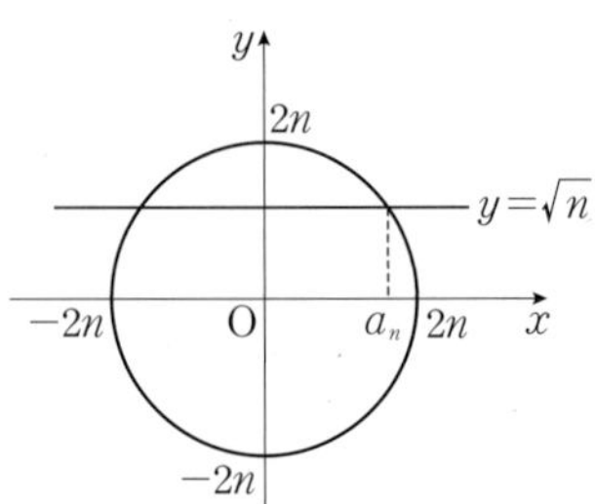

점 $(a_n,\ \sqrt{n})$이 원 $x^2+y^2=4n^2$ 위의 점이므로 $(a_n)^2+(\sqrt{n})^2=4n^2$
$a_n>0$이므로 $a_n=\sqrt{4n^2-n}$

STEP B 분자를 유리화하고 분모, 분자를 각각 n으로 나누어 극한값 구하기

따라서 $\lim\limits_{n\to\infty}(2n-a_n)=\lim\limits_{n\to\infty}(2n-\sqrt{4n^2-n})$

$=\lim\limits_{n\to\infty}\dfrac{(2n-\sqrt{4n^2-n})(2n+\sqrt{4n^2-n})}{2n+\sqrt{4n^2-n}}$

$=\lim\limits_{n\to\infty}\dfrac{n}{2n+\sqrt{4n^2-n}}$

$=\lim\limits_{n\to\infty}\dfrac{1}{2+\sqrt{4-\frac{1}{n}}}=\dfrac{1}{4}$

내신연계 출제문항 044

그림과 같이 2 이상의 자연수 n에 대하여 원 $x^2+y^2=n^2$과 직선 $x=\sqrt{n}$이 제1사분면에서 만나는 점을 $P_n(a_n, b_n)$이라고 할 때, $\lim_{n\to\infty}(a_n^2-b_n)$의 값은?

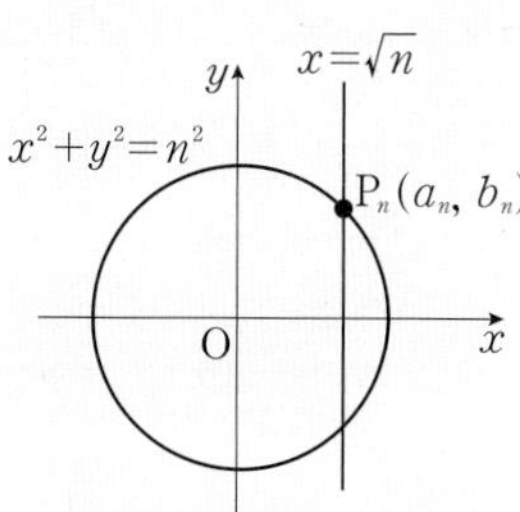

① $\frac{1}{3}$ ② $\frac{1}{2}$ ③ $\frac{3}{4}$
④ $\frac{5}{3}$ ⑤ $\frac{3}{2}$

STEP A b_n의 식 구하기

$a_n=\sqrt{n}$이고 $a_n^2+b_n^2=n^2$이므로

$b_n=\sqrt{n^2-a_n^2}=\sqrt{n^2-n}$

STEP B 분자를 유리화하고 분모, 분자를 n으로 나누어 극한값 구하기

따라서 $\lim_{n\to\infty}(a_n^2-b_n)=\lim_{n\to\infty}(n-\sqrt{n^2-n})$

$$=\lim_{n\to\infty}\frac{(n-\sqrt{n^2-n})(n+\sqrt{n^2-n})}{n+\sqrt{n^2-n}}$$

$$=\lim_{n\to\infty}\frac{n}{n+\sqrt{n^2-n}}$$

$$=\lim_{n\to\infty}\frac{1}{1+\sqrt{1-\frac{1}{n}}}$$

$$=\frac{1}{2}$$

정답 ②

내신연계 출제문항 045

자연수 n에 대하여 직선 $y=nx$와 곡선 $y=\frac{1}{x}$이 만나는 서로 다른 두 점 사이의 거리를 a_n이라 할 때, $\lim_{n\to\infty}(\sqrt{n+1}\,a_{n+1}-\sqrt{n}\,a_n)$의 값은?

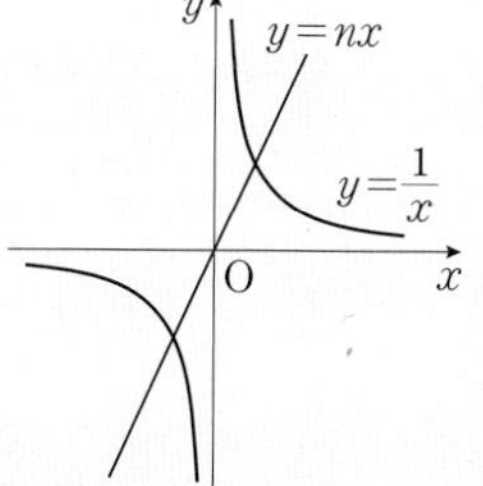

① 2 ② 3
③ 4 ④ 5
⑤ 6

STEP A 곡선과 직선의 교점의 좌표를 구하여 두 점 사이의 거리 a_n 구하기

직선 $y=nx$와 곡선 $y=\frac{1}{x}$이 만나는 점의 x좌표는 $nx=\frac{1}{x}$

즉 $x^2=\frac{1}{n}$에서 $x=-\frac{\sqrt{n}}{n}$ 또는 $x=\frac{\sqrt{n}}{n}$

두 점 $\left(-\frac{\sqrt{n}}{n}, -\sqrt{n}\right)$, $\left(\frac{\sqrt{n}}{n}, \sqrt{n}\right)$ 사이의 거리 a_n은

$a_n=\sqrt{\left(\frac{2\sqrt{n}}{n}\right)^2+(2\sqrt{n})^2}=2\sqrt{\frac{1}{n}+n}=\frac{2\sqrt{1+n^2}}{\sqrt{n}}$ $\therefore \sqrt{n}\,a_n=2\sqrt{n^2+1}$

STEP B $\sqrt{n}\,a_n=2\sqrt{n^2+1}$을 이용하여 $\sqrt{n+1}\,a_{n+1}$의 값 구하기

즉 $\sqrt{n}\,a_n=2\sqrt{n^2+1}$이므로 $\sqrt{n+1}\,a_{n+1}=2\sqrt{(n+1)^2+1}=2\sqrt{n^2+2n+2}$

STEP C 무리식을 유리화하여 극한값 구하기

따라서 $\lim_{n\to\infty}(\sqrt{n+1}a_{n+1}-\sqrt{n}\,a_n)=2\lim_{n\to\infty}(\sqrt{n^2+2n+2})-\sqrt{n^2+1}$

$$=2\lim_{n\to\infty}\frac{2n+1}{\sqrt{n^2+2n+2}+\sqrt{n^2+1}}$$

$$=2\lim_{n\to\infty}\frac{2+\frac{1}{n}}{\sqrt{1+\frac{2}{n}+\frac{2}{n^2}}+\sqrt{1+\frac{1}{n^2}}}$$

$$=2\times\frac{2}{1+1}=2$$

정답 ①

0097

정답 ③

STEP A 두 곡선을 연립하여 교점의 x좌표 구하기

두 곡선 $y=\frac{2n}{x}$, $y=-\frac{x}{n}+3$이 만나는 교점의 x좌표는

$\frac{2n}{x}=-\frac{x}{n}+3$ (단, $x\neq0$, n은 자연수)

$2n^2=-x^2+3nx$, $x^2-3nx+2n^2=0$, $(x-n)(x-2n)=0$

$\therefore x=n$ 또는 $x=2n$

STEP B 두 점 사이의 거리 l_n의 식 구하기

이때 두 점은 $A_n(n, 2)$, $B_n(2n, 1)$이므로 두 점 사이의 거리는

$l_n=\sqrt{(2n-n)^2+(1-2)^2}=\sqrt{n^2+1}$

STEP C 분자를 유리화하고 분모, 분자를 n으로 나누어 극한값 구하기

따라서 $\lim_{n\to\infty}(l_{n+1}-l_n)=\lim_{n\to\infty}(\sqrt{(n+1)^2+1}-\sqrt{n^2+1})$

$$=\lim_{n\to\infty}(\sqrt{n^2+2n+2}-\sqrt{n^2+1})$$

$$=\lim_{n\to\infty}\frac{2n+1}{\sqrt{n^2+2n+2}+\sqrt{n^2+1}}$$

$$=\lim_{n\to\infty}\frac{2+\frac{1}{n}}{\sqrt{1+\frac{2}{n}+\frac{2}{n^2}}+\sqrt{1+\frac{1}{n^2}}}$$

$$=\frac{2}{1+1}=1$$

0098

정답 ④

STEP A 삼각형 OP_nQ_n에 내접하는 원의 반지름 구하기

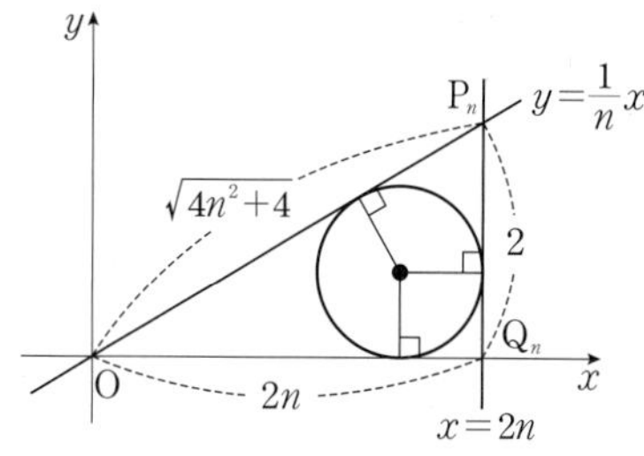

그림과 같이 삼각형 OP_nQ_n은 직각삼각형이고 점 P_n의 좌표는 $(2n, 2)$이므로 이 삼각형에 내접하는 원의 반지름의 길이를 r_n이라 하면

삼각형 OP_nQ_n의 넓이는 $\frac{1}{2}\overline{OQ_n}\times\overline{P_nQ_n}=\frac{1}{2}\times r_n\times(\overline{OQ_n}+\overline{P_nQ_n}+\overline{OP_n})$

$\frac{1}{2}\times2n\times2=\frac{1}{2}\times r_n\times(2n+2+\sqrt{4n^2+4})$

$2n=r_n\times(n+1+\sqrt{n^2+1})$ $\therefore r_n=\frac{2n}{n+1+\sqrt{n^2+1}}$

STEP B $\lim_{n\to\infty}a_n$의 값 구하기

원의 중심의 y좌표는 r_n과 같으므로 $a_n=\frac{2n}{n+1+\sqrt{n^2+1}}$

따라서

$$\lim_{n\to\infty}a_n=\lim_{n\to\infty}\frac{2n}{n+1+\sqrt{n^2+1}}=\lim_{n\to\infty}\frac{2}{1+\frac{1}{n}+\sqrt{1+\frac{1}{n^2}}}=\frac{2}{1+0+\sqrt{1+0}}=1$$

0099

정답 ③

STEP Ⓐ **삼각형 A_nOB_n에 내접하는 원의 반지름 구하기**

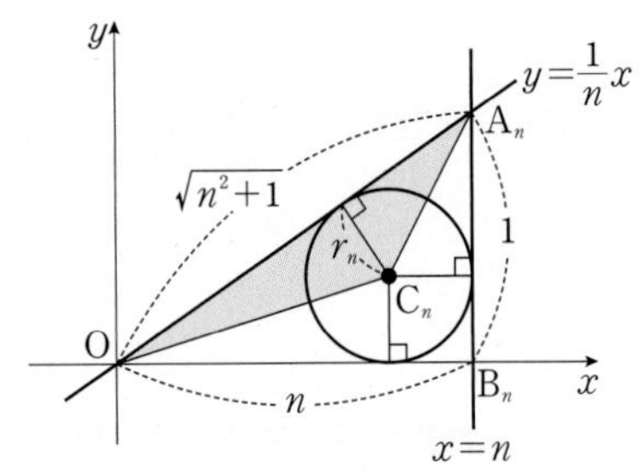

삼각형 A_nOB_n에 내접하는 원의 반지름의 길이를 r_n이라 하면

$A_n(n, 1)$, $B_n(n, 0)$, $\overline{OA_n}=\sqrt{n^2+1}$

$\triangle A_nOB_n=\triangle A_nOC_n+\triangle C_nOB_n+\triangle A_nC_nB_n$

$\frac{1}{2}\times n\times 1=\frac{1}{2}\times\sqrt{n^2+1}\times r_n+\frac{1}{2}\times n\times r_n+\frac{1}{2}\times 1\times r_n$

$(\sqrt{n^2+1}+n+1)r_n=n$

$\therefore r_n=\frac{n}{\sqrt{n^2+1}+n+1}$

STEP Ⓑ **S_n 구하기**

삼각형 A_nOC_n의 넓이를 S_n이라 하면

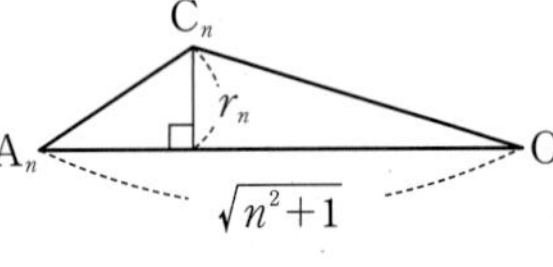

$$S_n=\frac{1}{2}\times\overline{OA_n}\times r_n$$
$$=\frac{1}{2}\times\sqrt{n^2+1}\times\frac{n}{\sqrt{n^2+1}+n+1}$$
$$=\frac{n\sqrt{n^2+1}}{2(\sqrt{n^2+1}+n+1)}$$

STEP Ⓒ **극한값 구하기**

따라서 $\lim_{n\to\infty}\frac{S_n}{n}=\lim_{n\to\infty}\frac{n\sqrt{n^2+1}}{2n(\sqrt{n^2+1}+n+1)}=\lim_{n\to\infty}\frac{\sqrt{n^2+1}}{2(\sqrt{n^2+1}+n+1)}$

$$=\lim_{n\to\infty}\frac{\sqrt{1+\frac{1}{n^2}}}{2\left(\sqrt{1+\frac{1}{n^2}}+1+\frac{1}{n}\right)}=\frac{1}{2(1+1)}=\frac{1}{4}$$

다른풀이 원 밖의 점에서 원에 그은 접선의 길이가 같음을 이용하여 원의 반지름 구하기

내접원의 반지름의 길이를 r_n이라 하면 원 밖의 한 점에서 원에 그은 두 접선의 길이는 같으므로 다음 그림과 같이 선분의 길이를 정하면

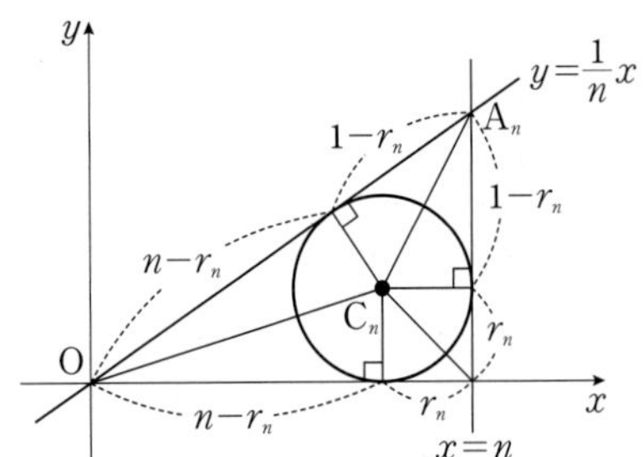

$\overline{OA_n}=\sqrt{n^2+1}$이므로 $\sqrt{n^2+1}=(n-r_n)+(1-r_n)=n+1-2r_n$

$\therefore r_n=\frac{(n+1)-\sqrt{n^2+1}}{2}$

$$S_n=\frac{1}{2}\times\overline{OA_n}\times r_n=\frac{1}{2}\times\sqrt{n^2+1}\times\frac{(n+1)-\sqrt{n^2+1}}{2}$$
$$=\frac{(n+1-\sqrt{n^2+1})\sqrt{n^2+1}}{4}$$

따라서 $\lim_{n\to\infty}\frac{S_n}{n}=\lim_{n\to\infty}\frac{(n+1-\sqrt{n^2+1})\sqrt{n^2+1}}{4n}$

$$=\lim_{n\to\infty}\frac{\sqrt{n^2+1}}{2(n+1+\sqrt{n^2+1})}=\frac{1}{4}$$

내접원의 반지름 구하기

삼각형 ABC에 내접원 중심이 I, 내접하는 원의 반지름의 길이를 r, 세 변의 길이가 각각 a, b, c이고 넓이가 S일 때, $\triangle ABC$의 넓이는 세 삼각형 $\triangle ABI$, $\triangle BCI$, $\triangle CAI$의 넓이의 합과 같다.

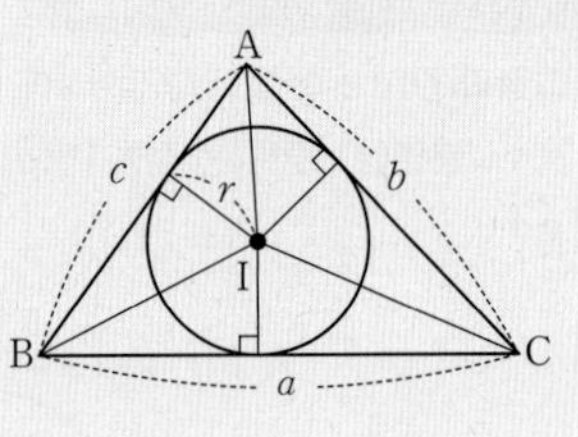

$S=\frac{1}{2}ar+\frac{1}{2}br+\frac{1}{2}cr=\frac{1}{2}(a+b+c)r$

$\therefore r=\frac{2S}{a+b+c}$

0100

정답 ⑤

STEP Ⓐ **규칙을 찾아 a_n의 식 구하기**

n번째 만든 도형의 모든 점의 개수가 a_n이므로

$a_1=1+2$

$a_2=1+2+3$

$a_3=1+2+3+4$

⋮

$a_n=1+2+3+4+\cdots+n+(n+1)=\frac{(n+1)(n+2)}{2}$

STEP Ⓑ **주어진 극한값 구하기**

따라서 $\lim_{n\to\infty}\frac{a_n}{n^2+1}=\lim_{n\to\infty}\frac{\frac{(n+1)(n+2)}{2}}{n^2+1}$

$$=\lim_{n\to\infty}\frac{(n+1)(n+2)}{2(n^2+1)}$$
$$=\frac{1}{2}$$

0101

정답 ⑤

STEP Ⓐ **규칙을 찾아 a_n, b_n의 식 구하기**

한 변의 길이가 1인 정사각형의 개수는

$a_1=1$, $a_2=4$, $a_3=9$, $\cdots$, $a_n=n^2$

한 변의 길이가 1인 정사각형들의 꼭짓점의 개수는

$b_1=4$, $b_2=9$, $b_3=16$, $\cdots$, $b_n=(n+1)^2$

STEP Ⓑ **주어진 극한값 구하기**

따라서 $\lim_{n\to\infty}\frac{b_n}{a_n}=\lim_{n\to\infty}\frac{(n+1)^2}{n^2}=\lim_{n\to\infty}\frac{n^2+2n+1}{n^2}$

$$=\lim_{n\to\infty}\left(1+\frac{2}{n}+\frac{1}{n^2}\right)$$
$$=1$$

내신연계 출제문항 046

다음 그림은 자연수 n에 대하여 한 변의 길이가 1인 정사각형의 각 변을 n등분하여 각 변에 평행한 선분을 나타낸 것이다.

한 변의 길이가 $\frac{1}{n}$인 모든 정사각형의 개수를 a_n, 한 변의 길이가 $\frac{1}{n}$인 모든 정사각형의 꼭짓점의 개수를 b_n이라고 할 때, $\lim_{n\to\infty}\frac{b_n}{a_n}$의 값은?

(단, 중복되는 꼭짓점은 한 번만 센다.)

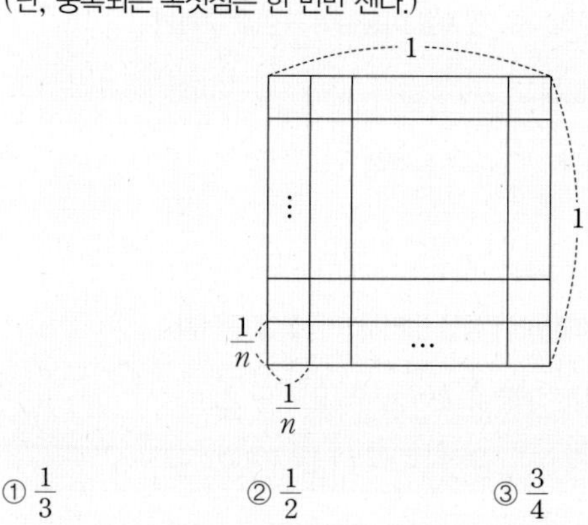

① $\frac{1}{3}$ ② $\frac{1}{2}$ ③ $\frac{3}{4}$

④ 1 ⑤ $\frac{3}{2}$

STEP A **규칙을 찾아 a_n, b_n의 식 구하기**

$n=1, 2, 3, \cdots$일 때, 한 변의 길이가 $\frac{1}{n}$인 모든 정사각형의 개수는 $1, 4, 9, \cdots$이므로 $a_n=n\times n=n^2$

이때 한 변의 길이가 $\frac{1}{n}$인 모든 정사각형의 꼭짓점의 개수는 전체 꼭짓점의 개수와 같으므로 $b_n=(n+1)\times(n+1)=n^2+2n+1$

STEP B **주어진 극한값 구하기**

따라서 $\lim_{n\to\infty}\frac{b_n}{a_n}=\lim_{n\to\infty}\frac{n^2+2n+1}{n^2}=\lim_{n\to\infty}\left(1+\frac{2}{n}+\frac{1}{n^2}\right)=1$

정답 ④

0102

정답 ④

STEP A **규칙을 찾아 a_n, b_n의 식 구하기**

n번째 만든 모양에서 모든 점의 개수는

$a_{n+1}=a_n+2$에서 수열 $\{a_n\}$은 $a_1=4$,

공차가 2인 등차수열이므로 $a_n=4+2(n-1)=2n+2$

길이가 1인 모든 선분의 개수는

$b_{n+1}=b_n+3$에서 수열 $\{b_n\}$은 $b_1=4$,

공차가 3인 등차수열이므로 $b_n=4+3(n-1)=3n+1$

STEP B **주어진 극한값 구하기**

따라서 $\lim_{n\to\infty}\frac{a_n}{b_n}=\frac{2n+2}{3n+1}=\frac{2}{3}$

내신연계 출제문항 047

그림과 같이 한 변의 길이가 1인 정사각형을 이어 붙여서 가로의 길이가 1씩 커지는 직사각형 모양을 만든다고 하자. n번째 만든 모양에서 모든 점의 개수를 a_n, 길이가 1인 모든 선분의 개수를 b_n이라 할 때, $\lim_{n\to\infty}\frac{a_nb_n}{n^2+1}$의 값은?

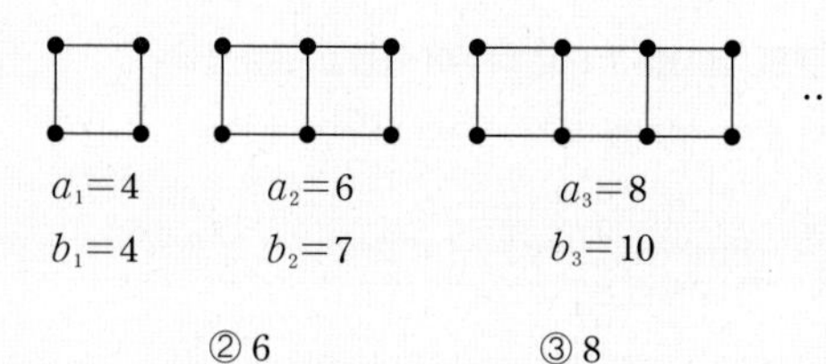

$a_1=4$ $a_2=6$ $a_3=8$

$b_1=4$ $b_2=7$ $b_3=10$

① 4 ② 6 ③ 8

④ 10 ⑤ 12

STEP A **규칙을 찾아 a_n, b_n의 식 구하기**

$a_{n+1}=a_n+2$에서 수열 $\{a_n\}$은 첫째항이 $a_1=4$이고

공차가 2인 등차수열이므로 $a_n=4+2(n-1)=2n+2$

$b_{n+1}=b_n+3$에서 수열 $\{b_n\}$은 첫째항이 $b_1=4$이고

공차가 3인 등차수열이므로 $b_n=4+3(n-1)=3n+1$

STEP B **주어진 극한값 구하기**

따라서 $\lim_{n\to\infty}\frac{a_nb_n}{n^2+1}=\lim_{n\to\infty}\frac{(2n+2)(3n+1)}{n^2+1}=6$

정답 ②

0103

정답 ②

STEP A **규칙을 찾아 a_n, b_n의 식 구하기**

[n단계]에서 사용한 성냥개비의 개수가 a_n이므로

$a_1=4$, $a_2=4+6$, $a_3=4+6+8$, $\cdots$에서

$a_n=4+6+8+\cdots+(2n+2)$

$=\sum_{k=1}^{n}(2k+2)$

$=2\cdot\frac{n(n+1)}{2}+2n$

$=n^2+3n$

[n단계]에 있는 한 변의 길이가 1인 정사각형의 개수가 b_n이므로

$b_1=1$, $b_2=1+2$, $b_3=1+2+3$, $\cdots$에서

$b_n=1+2+3+\cdots+n=\sum_{k=1}^{n}k=\frac{n(n+1)}{2}$

STEP B **주어진 극한값 구하기**

따라서 $\lim_{n\to\infty}\frac{4b_n}{a_n}=\lim_{n\to\infty}\frac{2n^2+2n}{n^2+3n}=\lim_{n\to\infty}\frac{2+\frac{2}{n}}{1+\frac{3}{n}}=2$

0104

정답 ③

STEP Ⓐ 분모, 분자를 5^n으로 나누어 극한값 구하기

조건 (가)에서 분모, 분자를 각각 5^n으로 나누면

$$\lim_{n\to\infty}\frac{2\cdot5^n-3^n}{5^{n+1}+2^n}=\lim_{n\to\infty}\frac{2-\left(\frac{3}{5}\right)^n}{5+\left(\frac{2}{5}\right)^n}=\frac{2-0}{5+0}=\frac{2}{5}$$

조건 (나)에서 분모, 분자를 각각 5^n으로 나누면

$$\lim_{n\to\infty}\frac{2^{n+1}-5^{n+1}}{2^n+5^n}=\lim_{n\to\infty}\frac{2\cdot\left(\frac{2}{5}\right)^n-5}{\left(\frac{2}{5}\right)^n+1}=-5$$

따라서 $a=\frac{2}{5}$, $b=-5$이므로 $ab=-2$

내/신/연/계/ 출제문항 048

다음 조건을 만족하는 극한값 a, b에 대하여 ab의 값은?

(가) $\lim_{n\to\infty}\frac{4^{n+1}-1}{(2^n+1)(2^n-1)}=a$

(나) $\lim_{n\to\infty}\frac{4\cdot3^n+5\cdot4^n}{2\cdot2^{2n}-3^n}=b$

① 5 ② 8 ③ 10
④ 15 ⑤ 20

STEP Ⓐ 분모, 분자를 4^n으로 나누어 극한값 구하기

조건 (가)에서

$\lim_{n\to\infty}\frac{4^{n+1}-1}{(2^n+1)(2^n-1)}=\lim_{n\to\infty}\frac{4^{n+1}-1}{4^n-1}$의 분모, 분자를 각각 4^n으로 나누면

$$\lim_{n\to\infty}\frac{4-\frac{1}{4^n}}{1-\frac{1}{4^n}}=4$$

조건 (나)에서

$\lim_{n\to\infty}\frac{4\cdot3^n+5\cdot4^n}{2\cdot2^{2n}-3^n}=\lim_{n\to\infty}\frac{4\cdot3^n+5\cdot4^n}{2\cdot4^n-3^n}$의 분모, 분자를 각각 4^n으로 나누면

$$\lim_{n\to\infty}\frac{4\cdot\left(\frac{3}{4}\right)^n+5}{2-\left(\frac{3}{4}\right)^n}=\frac{0+5}{2-0}=\frac{5}{2}$$

따라서 $a=4$, $b=\frac{5}{2}$이므로 $ab=10$ 정답 ③

0105

정답 ⑤

STEP Ⓐ 거듭제곱근의 극한값 구하기

주어진 수열은 $5^{\frac{1}{2}}$, $5^{\frac{1}{2}+\frac{1}{4}}$, $5^{\frac{1}{2}+\frac{1}{4}+\frac{1}{8}}$, $\cdots$이므로

이 수열의 일반항을 a_n이라고 하면

$a_n=5^{1-\left(\frac{1}{2}\right)^n}$ ← $\frac{1}{2}+\frac{1}{2^2}+\frac{1}{2^3}+\cdots+\frac{1}{2^n}=\frac{\frac{1}{2}\left\{1-\left(\frac{1}{2}\right)^n\right\}}{1-\frac{1}{2}}=1-\left(\frac{1}{2}\right)^n$

따라서 $\lim_{n\to\infty}a_n=\lim_{n\to\infty}5^{1-\left(\frac{1}{2}\right)^n}=5$

0106

정답 ⑤

STEP Ⓐ 등비수열의 합을 구하여 극한값 계산하기

ㄱ. $2+2^2+2^3+\cdots+2^n=\frac{2(2^n-1)}{2-1}=2^{n+1}-2$이므로

$$\lim_{n\to\infty}\frac{2+2^2+2^3+\cdots+2^n}{2^n}=\lim_{n\to\infty}\frac{2^{n+1}-2}{2^n}=2$$

STEP Ⓑ 수열의 극한의 대소 관계를 이용하여 극한값 구하기

ㄴ. 모든 자연수 n에 대하여 $-\frac{1}{n^2+n}\le\frac{(-1)^n}{n^2+n}\le\frac{1}{n^2+n}$이고

$\lim_{n\to\infty}\left(-\frac{1}{n^2+n}\right)=\lim_{n\to\infty}\frac{1}{n^2+n}=0$이므로

$\lim_{n\to\infty}\frac{(-1)^n}{n^2+n}=0$

STEP Ⓒ 합 공식을 이용하여 식을 정리하고 극한값 구하기

ㄷ. $1\cdot2+2\cdot3+\cdots+n(n+1)=\sum_{k=1}^{n}k(k+1)=\sum_{k=1}^{n}k^2+\sum_{k=1}^{n}k$

$$=\frac{n(n+1)(2n+1)}{6}+\frac{n(n+1)}{2}=\frac{n^3+3n^2+2n}{3}$$

$$\lim_{n\to\infty}\frac{n^3}{1\cdot2+2\cdot3+\cdots+n(n+1)}=\lim_{n\to\infty}\frac{3n^3}{n^3+3n^2+2n}=3$$

따라서 극한값이 존재하는 것은 ㄱ, ㄴ, ㄷ이다.

내/신/연/계/ 출제문항 049

다음 [보기] 중에서 극한값이 옳은 것을 있는 대로 고른 것은?

ㄱ. $\lim_{n\to\infty}\frac{2^n(2^n+3^{n+1})}{(2^{n-1}-3)(3^{n-1}+2)}=18$

ㄴ. $\lim_{n\to\infty}\frac{(-3)^{n+2}+2^{n+1}}{(-3)^n+2^{n-1}}=9$

ㄷ. $\lim_{n\to\infty}\frac{2^{n+2}+3^{n-1}}{1+3+3^2+\cdots+3^n}=\frac{2}{9}$

① ㄱ ② ㄴ ③ ㄷ
④ ㄴ, ㄷ ⑤ ㄱ, ㄴ, ㄷ

STEP Ⓐ 공비의 절댓값이 가장 큰 것으로 분모, 분자를 나누어 구하기

ㄱ. $$\lim_{n\to\infty}\frac{2^n(2^n+3^{n+1})}{(2^{n-1}-3)(3^{n-1}+2)}=\lim_{n\to\infty}\frac{4^n+3\times6^n}{\frac{1}{6}\times6^n+2^n-3^n-6}$$

$$=\lim_{n\to\infty}\frac{\left(\frac{2}{3}\right)^n+3}{\frac{1}{6}+\left(\frac{1}{3}\right)^n-\left(\frac{1}{2}\right)^n-6\times\left(\frac{1}{6}\right)^n}=\frac{3}{\frac{1}{6}}=18$$

ㄴ. $$\lim_{n\to\infty}\frac{(-3)^{n+2}+2^{n+1}}{(-3)^n+2^{n-1}}=\lim_{n\to\infty}\frac{(-3)^2+2\left(-\frac{2}{3}\right)^n}{1+\frac{1}{2}\left(-\frac{2}{3}\right)^n}$$

$$=\frac{\lim_{n\to\infty}(-3)^2+2\lim_{n\to\infty}\left(-\frac{2}{3}\right)^n}{\lim_{n\to\infty}1+\frac{1}{2}\lim_{n\to\infty}\left(-\frac{2}{3}\right)^n}=\frac{9+2\times0}{1+\frac{1}{2}\times0}=9$$

ㄷ. $1+3+3^2+\cdots+3^n$은 첫째항이 1이고 공비가 3인 등비수열에서 첫째항부터 $(n+1)$번째 항까지의 합이므로

$$\frac{1\times(3^{n+1}-1)}{3-1}=\frac{3^{n+1}-1}{2}$$

$$\lim_{n\to\infty}\frac{2^{n+2}+3^{n-1}}{1+3+3^2+\cdots+3^n}=\lim_{n\to\infty}\frac{2^{n+2}+3^{n-1}}{\frac{3^{n+1}-1}{2}}=\lim_{n\to\infty}\frac{2\left(4\times2^n+\frac{1}{3}\times3^n\right)}{3\times3^n-1}$$

$$=\lim_{n\to\infty}\frac{8\times2^n+\frac{2}{3}\times3^n}{3\times3^n-1}=\lim_{n\to\infty}\frac{8\times\left(\frac{2}{3}\right)^n+\frac{2}{3}}{3-\left(\frac{1}{3}\right)^n}$$

$$=\frac{\frac{2}{3}}{3}=\frac{2}{9}$$

따라서 옳은 것은 ㄱ, ㄴ, ㄷ이다.  정답 ⑤

0107

정답 ①

STEP Ⓐ 두 식을 연립하여 a_n, b_n의 식 구하기

$a_n+b_n=4^n$ …… ㉠

$a_n-b_n=3^{n+1}$ …… ㉡

㉠+㉡을 하면 $2a_n=4^n+3^{n+1}$ $\therefore a_n=\frac{4^n+3^{n+1}}{2}$

㉠−㉡을 하면 $2b_n=4^n-3^{n+1}$ $\therefore b_n=\frac{4^n-3^{n+1}}{2}$

STEP Ⓑ 주어진 극한값 구하기

따라서 $\lim_{n\to\infty}\frac{b_n}{a_n}=\lim_{n\to\infty}\frac{4^n-3^{n+1}}{4^n+3^{n+1}}=\lim_{n\to\infty}\frac{1-3\left(\frac{3}{4}\right)^n}{1+3\left(\frac{3}{4}\right)^n}=1$

내/신/연/계/ 출제문항 050

자연수 n에 대하여 두 직선 $2x+y=4^n$, $x-2y=2^n$이 만나는 점의 좌표를 (a_n, b_n)이라 할 때, $\lim_{n\to\infty}\frac{b_n}{a_n}=p$이다. $60p$의 값은?

① 20　② 25　③ 30
④ 35　⑤ 40

STEP Ⓐ 두 직선을 연립하여 a_n, b_n의 식 구하기

$2x+y=4^n$ …… ㉠

$x-2y=2^n$ …… ㉡

㉠−㉡×2에서 $y=b_n=\frac{4^n-2^{n+1}}{5}$

㉠×2+㉡에서 $x=a_n=\frac{2\cdot4^n+2^n}{5}$

STEP Ⓑ 식을 대입하고 분모, 분자를 4^n으로 나누어 극한값 구하기

$$\lim_{n\to\infty}\frac{b_n}{a_n}=\lim_{n\to\infty}\frac{\frac{4^n-2^{n+1}}{5}}{\frac{2\cdot4^n+2^n}{5}}=\lim_{n\to\infty}\frac{4^n-2^{n+1}}{2\cdot4^n+2^n}=\lim_{n\to\infty}\frac{1-2\left(\frac{1}{2}\right)^{n+1}}{2+\left(\frac{1}{2}\right)^n}=\frac{1}{2}$$

따라서 $p=\frac{1}{2}$이므로 $60p=60\times\frac{1}{2}=30$

다른풀이 두 직선을 연립하여 $\frac{b_n}{a_n}$에 관한 식을 구하고 양변에 극한 취하기

두 직선 $2x+y=4^n$, $x-2y=2^n$의 교점의 좌표가 (a_n, b_n)이므로

$2a_n+b_n=4^n$ …… ㉠

$a_n-2b_n=2^n$ …… ㉡

㉡÷㉠을 하면 $\frac{a_n-2b_n}{2a_n+b_n}=\frac{2^n}{4^n}$

양변을 a_n으로 분모, 분자를 나누면

$$\frac{1-2\cdot\frac{b_n}{a_n}}{2+\frac{b_n}{a_n}}=\left(\frac{1}{2}\right)^n,\ \lim_{n\to\infty}\frac{1-2\cdot\frac{b_n}{a_n}}{2+\frac{b_n}{a_n}}=\lim_{n\to\infty}\left(\frac{1}{2}\right)^n=0$$

이때 $\lim_{n\to\infty}\frac{b_n}{a_n}=p$이므로 $\frac{1-2p}{2+p}=0$ $\therefore p=\frac{1}{2}$

따라서 $60p=60\times\frac{1}{2}=30$

정답 ③

0108

정답 ①

STEP Ⓐ 이차방정식의 두 근 구하기

$a_n+b_n=2^{n+1}$, $a_nb_n=4^n-9^n$에서 두 근 a_n, b_n은 이차방정식

$x^2-2^{n+1}x+(2^n+3^n)(2^n-3^n)=0$의 두 근이다.

즉 $(x-2^n+3^n)(x-2^n-3^n)=0$

이때 $a_n>b_n$이므로 $a_n=2^n+3^n$, $b_n=2^n-3^n$

STEP Ⓑ 극한값 구하기

따라서 $\lim_{n\to\infty}\frac{b_n}{a_n}=\lim_{n\to\infty}\frac{2^n-3^n}{2^n+3^n}=\lim_{n\to\infty}\frac{\left(\frac{2}{3}\right)^n-1}{\left(\frac{2}{3}\right)^n+1}=-1$

내/신/연/계/ 출제문항 051

이차방정식 $x^2-(3+3^{n+1})x+(2+3^{n-1})=0$의 두 근을 α_n, β_n이라 할 때,

$\lim_{n\to\infty}\left(\frac{1}{\alpha_n}+\frac{1}{\beta_n}\right)$의 값은?

① $\frac{1}{9}$　② $\frac{1}{2}$　③ $\frac{3}{2}$
④ 4　⑤ 9

STEP Ⓐ 근과 계수의 관계에 의하여 합과 곱 구하기

이차방정식 $x^2-(3+3^{n+1})x+(2+3^{n-1})=0$의 근과 계수의 관계에 의하여

$\alpha_n+\beta_n=3+3^{n+1}$, $\alpha_n\beta_n=2+3^{n-1}$

$\therefore \frac{1}{\alpha_n}+\frac{1}{\beta_n}=\frac{\alpha_n+\beta_n}{\alpha_n\beta_n}=\frac{3+3^{n+1}}{2+3^{n-1}}$

STEP Ⓑ 극한값 구하기

따라서 $\lim_{n\to\infty}\left(\frac{1}{\alpha_n}+\frac{1}{\beta_n}\right)=\lim_{n\to\infty}\frac{3+3^{n+1}}{2+3^{n-1}}=\lim_{n\to\infty}\frac{\frac{3}{3^{n-1}}+9}{\frac{2}{3^{n-1}}+1}=9$  정답 ⑤

0109

정답 ③

STEP Ⓐ 분모, 분자를 6^n으로 나누어 극한값 구하기

$\lim_{n\to\infty}\frac{a\cdot6^{n+1}-5^n}{6^n+5^n}$의 분모, 분자를 각각 6^n으로 나누면

$$\lim_{n\to\infty}\frac{a\cdot6^{n+1}-5^n}{6^n+5^n}=\lim_{n\to\infty}\frac{a\cdot6-\left(\frac{5}{6}\right)^n}{1+\left(\frac{5}{6}\right)^n}=6a=4$$

따라서 $a=\frac{2}{3}$

0110

정답 ③

STEP **A** **분모, 분자를 3^n으로 나누어 극한값 구하기**

분모, 분자를 3^n으로 나누면

$$\lim_{n\to\infty}\frac{a\times 3^{n+2}-2^n}{3^n-3\times 2^n}=\lim_{n\to\infty}\frac{9a-\left(\frac{2}{3}\right)^n}{1-3\left(\frac{2}{3}\right)^n}=9a=207$$

즉 $9a=207$이므로 $a=23$

STEP **B** **분모, 분자를 6^n으로 나누어 극한값 구하기**

$$\lim_{n\to\infty}\frac{b\times 6^{n+1}-2^n}{2^n(3^n+2^n)}=\lim_{n\to\infty}\frac{b\times 6^{n+1}-2^n}{6^n+4^n}=\lim_{n\to\infty}\frac{b\times 6-\left(\frac{1}{3}\right)^n}{1+\left(\frac{2}{3}\right)^n}=\frac{6b-0}{1+0}=6b$$

즉 $6b=12$에서 $b=2$

따라서 $a+b=23+2=25$

0111

STEP **A** **$0<a<b$을 이용하여 $\lim_{n\to\infty}\left(\frac{a}{b}\right)^n$의 값 구하기**

$0<a<b$에서 $0<\frac{a}{b}<1$이므로 $\lim_{n\to\infty}\left(\frac{a}{b}\right)^n=0$

STEP **B** **분모, 분자를 b^n으로 나누어 극한값 구하기**

밑의 절댓값이 큰 b^n으로 분모, 분자를 나눈다.

$$\lim_{n\to\infty}\frac{a^{n+1}+2b^n}{a^n+b^{n+1}}=\lim_{n\to\infty}\frac{a\left(\frac{a}{b}\right)^n+2}{\left(\frac{a}{b}\right)^n+b}=\frac{2}{b}$$

따라서 $\frac{2}{b}=1$이므로 $b=2$

0112

STEP **A** **분모, 분자를 5^n으로 나누어 극한값 구하기**

$\lim_{n\to\infty}a_n=3$이므로 분모, 분자를 각각 5^n으로 나누면

$$\lim_{n\to\infty}\frac{5^na_n+3^n}{a_n+2\cdot 5^n}=\lim_{n\to\infty}\frac{a_n+\left(\frac{3}{5}\right)^n}{a_n\cdot\left(\frac{1}{5}\right)^n+2}=\frac{3+0}{3\cdot 0+2}=\frac{3}{2}$$

0113

STEP **A** **0 아닌 극한값을 가질 a의 값 구하기**

$\left\{\frac{3^{n+1}}{(\log_2 x-1)^n}\right\}$은 첫째항이 $\frac{3^2}{\log_2 x-1}$, 공비가 $\frac{3}{\log_2 x-1}$인 등비수열이므로

0아닌 극한값을 가지려면 공비가 1이어야 한다.

즉 $\frac{3}{\log_2 x-1}=1$에서 $\log_2 x=4$, $x=2^4=16$ $\quad\therefore a=16$

STEP **B** **극한값 b의 값 구하기**

그때 극한값은 $\frac{3}{\log_2 x-1}=1$이면

$$\lim_{n\to\infty}\frac{3^{n+1}}{(\log_2 x-1)^n}=\lim_{n\to\infty}3\left(\frac{3}{\log_2 x-1}\right)^n=3\times 1=3 \qquad \therefore b=3$$

따라서 $a=16$, $b=3$이므로 $a+b=19$

참고 $-1<\frac{3}{\log_2 x-1}<1$이면

$$\lim_{n\to\infty}\frac{3^{n+1}}{(\log_2 x-1)^n}=\lim_{n\to\infty}3\left(\frac{3}{\log_2 x-1}\right)^n=3\times 0=0$$

내/신/연/계/ 출제문항 052

n이 자연수일 때, $\lim_{n\to\infty}\frac{4^{n+1}}{(4-\sqrt{3}+2\sin\theta)^n}$이 0 아닌 극한값을 갖도록 하는 실수 θ를 a, 이때 극한값을 b라 할 때, ab의 값은? (단, $0<\theta<\frac{\pi}{2}$)

① $\frac{\pi}{3}$ ② $\frac{\pi}{2}$ ③ $\frac{2}{3}\pi$

④ $\frac{4}{3}\pi$ ⑤ $\frac{3}{2}\pi$

STEP **A** **0 아닌 극한값을 가질 a의 값 구하기**

$\left\{\frac{4^{n+1}}{(4-\sqrt{3}+2\sin\theta)^n}\right\}$은 첫째항이 $\frac{4^2}{4-\sqrt{3}+2\sin\theta}$,

공비가 $\frac{4}{4-\sqrt{3}+2\sin\theta}$인 등비수열이므로 0이 아닌 극한값을 가지려면

공비가 1이어야 한다.

즉 $\frac{4}{4-\sqrt{3}+2\sin\theta}=1$에서 $\sin\theta=\frac{\sqrt{3}}{2}$, $\theta=\frac{\pi}{3}$ $\quad\therefore a=\frac{\pi}{3}$

STEP **B** **극한값 b의 값 구하기**

이때 극한값은 $\frac{4}{4-\sqrt{3}+2\sin\theta}=1$이면

$$\lim_{n\to\infty}\frac{4^{n+1}}{(4-\sqrt{3}+2\sin\theta)^n}=\lim_{n\to\infty}4\left(\frac{4}{4-\sqrt{3}+2\sin\theta}\right)^n=4\times 1=4 \qquad \therefore b=4$$

따라서 $a=\frac{\pi}{3}$, $b=4$이므로 $ab=\frac{4}{3}\pi$

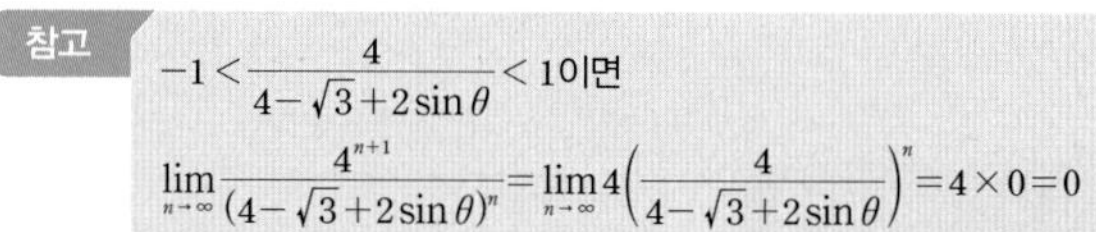

참고 $-1<\frac{4}{4-\sqrt{3}+2\sin\theta}<1$이면

$$\lim_{n\to\infty}\frac{4^{n+1}}{(4-\sqrt{3}+2\sin\theta)^n}=\lim_{n\to\infty}4\left(\frac{4}{4-\sqrt{3}+2\sin\theta}\right)^n=4\times 0=0$$

0114

STEP **A** **분모, 분자를 5^n으로 나누어 극한값 구하기**

$\lim_{n\to\infty}a_n=\alpha$이라 하면 분모, 분자를 각각 5^n으로 나누면

$$\lim_{n\to\infty}\frac{5^{n+1}+3^na_n}{3^{n+1}-5^na_n}=\lim_{n\to\infty}\frac{5+\left(\frac{3}{5}\right)^na_n}{3\left(\frac{3}{5}\right)^n-a_n}=\frac{5+0\cdot\alpha}{0-\alpha}=\frac{5}{-\alpha}=5$$

따라서 $\lim_{n\to\infty}a_n=\alpha=-1$

내/신/연/계/ 출제문항 053

수열 $\{a_n\}$에 대하여 $\lim_{n\to\infty}a_n=\alpha$, $\lim_{n\to\infty}\frac{4^{n+1}a_n+3^{n+1}}{3^na_n+4^n}=2$일 때, 상수 α의 값은? (단, 모든 자연수 n에 대하여 $3^na_n+4^n\neq 0$이다.)

① $\frac{1}{3}$ ② $\frac{1}{2}$ ③ 1

④ 2 ⑤ 3

STEP **A** **분모, 분자를 4^n으로 나누어 극한값 구하기**

$\lim_{n\to\infty}a_n=\alpha$, $\lim_{n\to\infty}\left(\frac{3}{4}\right)^n=0$이므로

$$\lim_{n\to\infty}\frac{4^{n+1}a_n+3^{n+1}}{3^na_n+4^n}=\lim_{n\to\infty}\frac{4a_n+3\left(\frac{3}{4}\right)^n}{\left(\frac{3}{4}\right)^na_n+1}=\frac{4\times\alpha+3\times 0}{0\times\alpha+1}=4\alpha$$

따라서 $4\alpha=2$이므로 $\alpha=\frac{1}{2}$

정답 ②

0115

정답 ④

STEP Ⓐ 이차방정식의 두 근을 구하여 식에 대입하기

$x^2-6x+8=0$에서 $(x-2)(x-4)=0$

두 근이 a, b이므로 $a<b$라 하면

$a=2$, $b=4$

$$\lim_{n\to\infty}\frac{a^n+b^n}{a^{n-1}+b^{n-1}}=\lim_{n\to\infty}\frac{2^n+4^n}{2^{n-1}+4^{n-1}}$$

STEP Ⓑ 분모, 분자를 4^n으로 나누어 극한값 구하기

따라서 분모, 분자를 각각 4^n으로 나누면

$$\lim_{n\to\infty}\frac{2^n+4^n}{2^{n-1}+4^{n-1}}=\lim_{n\to\infty}\frac{\left(\frac{1}{2}\right)^n+1}{\frac{1}{2}\left(\frac{1}{2}\right)^n+\frac{1}{4}}=4$$

0116

정답 ⑤

STEP Ⓐ 근의 공식을 이용하여 이차방정식의 두 근을 구하기

$x^2-4x-1=0$에서 근의 공식에 의하여

$x=2\pm\sqrt{5}$

STEP Ⓑ 분모, 분자를 β^n으로 나누어 극한값 구하기

$\alpha=2-\sqrt{5}$, $\beta=2+\sqrt{5}$라고 하면

$-1<\frac{\alpha}{\beta}<0$이므로 $\lim_{n\to\infty}\left(\frac{\alpha}{\beta}\right)^n=0$

따라서 $\lim_{n\to\infty}\frac{\alpha^{n+1}+\beta^{n+1}}{\alpha^n+\beta^n}$의 분모, 분자를 각각 β^n으로 나누면

$$\lim_{n\to\infty}\frac{\alpha^{n+1}+\beta^{n+1}}{\alpha^n+\beta^n}=\lim_{n\to\infty}\frac{\alpha\left(\frac{\alpha}{\beta}\right)^n+\beta}{\left(\frac{\alpha}{\beta}\right)^n+1}=\frac{0+\beta}{0+1}=2+\sqrt{5}$$

0117

STEP Ⓐ $a>b$일 때, 분모, 분자를 a^n으로 나누어 극한값 구하기

(ⅰ) $a>b$일 때, $\lim_{n\to\infty}\left(\frac{b}{a}\right)^n=0$

$$\lim_{n\to\infty}\frac{a^{n+1}+b^{n+1}}{2\cdot a^n+b^n}=\lim_{n\to\infty}\frac{a+b\left(\frac{b}{a}\right)^n}{2+\left(\frac{b}{a}\right)^n}=\frac{a+0}{2+0}=\frac{a}{2}=4$$

$\therefore a=8$, 즉 순서쌍 (a, b)는

$(8, 7)$, $(8, 6)$, $(8, 5)$, $(8, 4)$, $(8, 3)$, $(8, 2)$, $(8, 1)$이므로 7개이다.

STEP Ⓑ $b>a$일 때, 분모, 분자를 b^n으로 나누어 극한값 구하기

(ⅱ) $b>a$일 때, $\lim_{n\to\infty}\left(\frac{a}{b}\right)^n=0$

$$\lim_{n\to\infty}\frac{a^{n+1}+b^{n+1}}{2\cdot a^n+b^n}=\lim_{n\to\infty}\frac{a\left(\frac{a}{b}\right)^n+b}{2\left(\frac{a}{b}\right)^n+1}=\frac{0+b}{0+1}=b=4$$

$\therefore b=4$, 즉 순서쌍 (a, b)는 $(1, 4)$, $(2, 4)$, $(3, 4)$이므로 3개이다.

STEP Ⓒ $a=b$일 때, 식을 정리하여 극한값 구하기

(ⅲ) $a=b$일 때,

$$\lim_{n\to\infty}\frac{a^{n+1}+b^{n+1}}{2\cdot a^n+b^n}=\lim_{n\to\infty}\frac{(a+a)a^n}{3a^n}=\frac{2a}{3}=4$$

$\therefore a=6$, 즉 순서쌍 (a, b)는 $(6, 6)$이므로 1개이다.

(ⅰ)~(ⅲ)에서 $7+3+1=11$

내신연계 출제문항 054

자연수 a, b에 대하여 $\lim_{n\to\infty}\frac{a^{n+1}+b^{n+2}}{2a^n+b^n}=4$를 만족하는 순서쌍 (a, b)의 개수는?

① 5 ② 7 ③ 9
④ 11 ⑤ 13

STEP Ⓐ $a>b$일 때, 분모, 분자를 a^n으로 나누어 극한값 구하기

(ⅰ) $a>b$일 때, $\lim_{n\to\infty}\left(\frac{b}{a}\right)^n=0$

$$\lim_{n\to\infty}\frac{a^{n+1}+b^{n+2}}{2\cdot a^n+b^n}=\lim_{n\to\infty}\frac{a+b^2\left(\frac{b}{a}\right)^n}{2+\left(\frac{b}{a}\right)^n}=\frac{a+0}{2+0}=\frac{a}{2}=4$$

$\therefore a=8$, 즉 순서쌍 (a, b)는

$(8, 7)$, $(8, 6)$, $(8, 5)$, $(8, 4)$, $(8, 3)$, $(8, 2)$, $(8, 1)$이므로 7개이다.

STEP Ⓑ $b>a$일 때, 분모, 분자를 b^n으로 나누어 극한값 구하기

(ⅱ) $b>a$일 때, $\lim_{n\to\infty}\left(\frac{a}{b}\right)^n=0$

$$\lim_{n\to\infty}\frac{a^{n+1}+b^{n+2}}{2\cdot a^n+b^n}=\lim_{n\to\infty}\frac{a\left(\frac{a}{b}\right)^n+b^2}{2\left(\frac{a}{b}\right)^n+1}=\frac{0+b^2}{0+1}=b^2=4$$

$\therefore b=2$, 즉 순서쌍 (a, b)는 $(1, 2)$이므로 1개이다.

STEP Ⓒ $a=b$일 때, 식을 정리하여 극한값 구하기

(ⅲ) $a=b$일 때,

$$\lim_{n\to\infty}\frac{a^{n+1}+b^{n+2}}{2\cdot a^n+b^n}=\lim_{n\to\infty}\frac{(a+a^2)a^n}{3a^n}=\frac{a+a^2}{3}=4$$

$a^2+a-12=0$, $(a-3)(a+4)=0$

$\therefore a=3$($\because$ a는 자연수), 즉 순서쌍 (a, b)는 $(3, 3)$이므로 1개이다.

(ⅰ)~(ⅲ)에서 순서쌍의 개수는 $7+1+1=9$

0118

STEP Ⓐ 이차방정식의 판별식을 이용하여 등비수열의 일반항 구하기

이차방정식 $x^2+3\sqrt{a_n}x+a_{n+1}=0$의 판별식을 D라 하면

$D=9a_n-4a_{n+1}=0$에서 $a_{n+1}=\frac{9}{4}a_n$

즉 수열 $\{a_n\}$은 첫째항이 9이고 공비가 $\frac{9}{4}$인 등비수열이므로

$a_n=9\times\left(\frac{9}{4}\right)^{n-1}=4\times\left(\frac{9}{4}\right)^n$

STEP Ⓑ $\frac{\infty}{\infty}$꼴의 극한값 구하기

따라서 $\lim_{n\to\infty}\frac{2^na_n+3^{2n+1}}{4^na_n-2^n}=\lim_{n\to\infty}\frac{4\times\left(\frac{9}{2}\right)^n+3\times9^n}{4\times9^n-2^n}$

$$=\lim_{n\to\infty}\frac{4\times\left(\frac{1}{2}\right)^n+3}{4-\left(\frac{2}{9}\right)^n}$$

$$=\frac{4\times0+3}{4-0}=\frac{3}{4}$$

0119

정답 ③

STEP A 치환하여 극한값 구하기

$(4^n+1)a_n=c_n$, $(2^n+3)b_n=d_n$이라 하면

$\lim_{n\to\infty}c_n=2$, $\lim_{n\to\infty}d_n=12$이고 $a_n=\dfrac{c_n}{4^n+1}$, $b_n=\dfrac{d_n}{2^n+3}$

STEP B 수열의 극한의 성질을 이용하여 극한값 구하기

따라서 $\lim_{n\to\infty}\dfrac{b_n}{(2^{n+1}-3)a_n}=\lim_{n\to\infty}\left\{\dfrac{d_n}{2^n+3}\times\dfrac{1}{2^{n+1}-3}\times\dfrac{4^n+1}{c_n}\right\}$

$=\lim_{n\to\infty}\left\{\dfrac{4^n+1}{(2^n+3)(2^{n+1}-3)}\times\dfrac{d_n}{c_n}\right\}$

$=\lim_{n\to\infty}\dfrac{1+\dfrac{1}{4^n}}{\left(1+\dfrac{3}{2^n}\right)\left(2-\dfrac{3}{2^n}\right)}\times\dfrac{12}{2}$

$=\dfrac{1}{2}\times6=3$

0120

STEP A 등비수열의 일반항 a_n과 합 S_n 구하기

첫째항이 1, 공비가 2인 등비수열 $\{a_n\}$에 대하여

$a_n=1\cdot2^{n-1}$

$S_n=\dfrac{2^n-1}{2-1}=2^n-1$

STEP B $\dfrac{\infty}{\infty}$ 꼴의 등비수열의 극한 구하기

따라서 $\lim_{n\to\infty}\dfrac{S_n}{a_n}=\lim_{n\to\infty}\dfrac{2^n-1}{2^{n-1}}=\lim_{n\to\infty}\left\{2-\left(\dfrac{1}{2}\right)^{n-1}\right\}=2$

내신연계 출제문항 055

첫째항이 1이고, 공비가 $\dfrac{1}{3}$인 등비수열 $\{a_n\}$에 대하여 첫째항부터 제 n항까지의 합을 S_n이라 할 때, $\lim_{n\to\infty}\dfrac{2a_n+4S_n}{3a_n-2S_{n-1}}$의 값은?

① -2 ② -1 ③ $-\dfrac{1}{3}$

④ $-\dfrac{1}{2}$ ⑤ $-\dfrac{2}{3}$

STEP A 등비수열의 일반항 a_n과 합 S_n 구하기

첫째항이 1, 공비가 $\dfrac{1}{3}$인 등비수열 $\{a_n\}$에 대하여

$a_n=1\times\left(\dfrac{1}{3}\right)^{n-1}$이고

$S_n=\dfrac{1\times\left\{1-\left(\dfrac{1}{3}\right)^n\right\}}{1-\dfrac{1}{3}}=\dfrac{3}{2}\left\{1-\left(\dfrac{1}{3}\right)^n\right\}$

STEP B $\dfrac{\infty}{\infty}$ 꼴의 등비수열의 극한 구하기

따라서 $\lim_{n\to\infty}\dfrac{2a_n+4S_n}{3a_n-2S_{n-1}}=\lim_{n\to\infty}\dfrac{2\times\left(\dfrac{1}{3}\right)^{n-1}+4\times\dfrac{3}{2}\left\{1-\left(\dfrac{1}{3}\right)^n\right\}}{3\times\left(\dfrac{1}{3}\right)^{n-1}-2\times\dfrac{3}{2}\left\{1-\left(\dfrac{1}{3}\right)^{n-1}\right\}}$

$=\dfrac{4\times\dfrac{3}{2}}{-2\times\dfrac{3}{2}}=-2$

정답 ①

0121

정답 ③

STEP A 등비수열 $\{a_n\}$의 일반항과 합 구하기

등비수열 $\{a_n\}$의 첫째항을 $a(a\neq0)$, 공비를 $r(r>1)$이라 하면

$a_n=ar^{n-1}$, $S_n=\dfrac{a(r^n-1)}{r-1}$

STEP B 식을 대입하고 분모, 분자를 r^{n-1}으로 나누어 극한값 구하기

$\lim_{n\to\infty}\dfrac{S_n}{a_n}=\lim_{n\to\infty}\dfrac{a(r^n-1)}{ar^{n-1}(r-1)}=\lim_{n\to\infty}\dfrac{r^n-1}{r^n-r^{n-1}}=\lim_{n\to\infty}\dfrac{r-\dfrac{1}{r^{n-1}}}{r-1}=\dfrac{r}{r-1}=\dfrac{13}{12}$

따라서 $12r=13r-13$이므로 $r=13$

0122

STEP A 등비수열 $\{a_n\}$의 일반항 구하기

첫째항이 a_1이고 공비가 3이므로 등비수열 $\{a_n\}$의 일반항은

$a_n=a_1\times3^{n-1}$

STEP B 등비수열의 극한을 이용하여 a_1 구하기

$\lim_{n\to\infty}\dfrac{a_n-2}{3^{n+1}+2a_n}=\lim_{n\to\infty}\dfrac{a_1\times3^{n-1}-2}{3^{n+1}+2a_1\times3^{n-1}}$

$=\lim_{n\to\infty}\dfrac{a_1-\dfrac{2}{3^{n-1}}}{9+2a_1}$ ← 분모, 분자를 3^{n-1}으로 나눈다.

$=\dfrac{a_1}{9+2a_1}$

따라서 $\dfrac{a_1}{9+2a_1}=\dfrac{2}{5}$이므로 $a_1=18$

0123

STEP A 등비수열의 합 공식을 이용하여 S_n의 식 구하기

$a_k=4^k-2^k$이므로

$S_n=\sum_{k=1}^{n}(4^k-2^k)=\sum_{k=1}^{n}4^k-\sum_{k=1}^{n}2^k=\dfrac{4(4^n-1)}{4-1}-\dfrac{2(2^n-1)}{2-1}=\dfrac{4^{n+1}}{3}-2^{n+1}+\dfrac{2}{3}$

STEP B 식을 대입하여 주어진 극한값 구하기

따라서 $\lim_{n\to\infty}\dfrac{S_n}{4^{n+1}}=\lim_{n\to\infty}\dfrac{\dfrac{4^{n+1}}{3}-2^{n+1}+\dfrac{2}{3}}{4^{n+1}}=\dfrac{\dfrac{1}{3}-0+0}{1}=\dfrac{1}{3}$

0124

STEP A 등비수열의 a_n, S_n 구하기

등비수열 $\{a_n\}$의 첫째항 1, 공비 $r(r>1)$이므로 $a_n=1\cdot r^{n-1}=r^{n-1}$

$S_n=\dfrac{1\cdot(r^n-1)}{r-1}=\dfrac{r^n-1}{r-1}$

STEP B $r>1$임을 이용하여 극한값 구하기

$\lim_{n\to\infty}\dfrac{a_n}{S_n}=\lim_{n\to\infty}\dfrac{r^{n-1}}{\dfrac{r^n-1}{r-1}}=\lim_{n\to\infty}\dfrac{r^n-r^{n-1}}{r^n-1}$

$=\lim_{n\to\infty}\dfrac{r-1}{r-\left(\dfrac{1}{r}\right)^{n-1}}$ ← $\lim_{n\to\infty}\left(\dfrac{1}{r}\right)^{n-1}=0$

$=\dfrac{r-1}{r}$

이때 $\dfrac{r-1}{r}=\dfrac{3}{4}$이므로 $4r-4=3r$

따라서 $r=4$

내/신/연/계/ 출제문항 056

첫째항이 3이고 공비가 $r(r>1)$인 등비수열 $\{a_n\}$의 첫째항부터 제 n항까지의 합을 S_n이라 할 때, $\lim_{n\to\infty}\frac{a_n}{S_n}=\frac{4}{5}$이다. r의 값은?

① 2 ② 3 ③ 4
④ 5 ⑤ 6

STEP A 등비수열의 a_n, S_n 구하기

등비수열 $\{a_n\}$의 첫째항 1, 공비 $r(r>1)$이므로 $a_n=3\cdot r^{n-1}=3r^{n-1}$

$S_n=\frac{3(r^n-1)}{r-1}$

STEP B $r>1$임을 이용하여 극한값 구하기

$$\lim_{n\to\infty}\frac{a_n}{S_n}=\lim_{n\to\infty}\frac{3r^{n-1}}{\frac{3(r^n-1)}{r-1}}=\lim_{n\to\infty}\frac{r^n-r^{n-1}}{r^n-1}$$

$$=\lim_{n\to\infty}\frac{r-1}{r-\left(\frac{1}{r}\right)^{n-1}} \quad \Leftarrow \lim_{n\to\infty}\left(\frac{1}{r}\right)^{n-1}=0$$

$$=1-\frac{1}{r}$$

이때 $1-\frac{1}{r}=\frac{4}{5}$이므로 $\frac{1}{r}=\frac{1}{5}$

따라서 $r=5$

정답 ④

0125

정답 ④

STEP A 합 공식을 이용하여 a_n의 식을 구하고 극한값 구하기

ㄱ. $a_n=n$에서 $a_1+a_2+\cdots+a_n=\frac{n(n+1)}{2}$

$\therefore \lim_{n\to\infty}\frac{a_1+a_2+\cdots+a_n}{n}=\lim_{n\to\infty}\frac{n(n+1)}{2n}=\lim_{n\to\infty}\frac{n+1}{2}=\infty$

STEP B 등비수열의 합 공식을 이용하여 a_n의 식 구하고 극한값 구하기

ㄴ. $a_n=\frac{1}{2^n}=\left(\frac{1}{2}\right)^n$에서 $a_1+a_2+\cdots+a_n=\frac{\frac{1}{2}\left\{1-\left(\frac{1}{2}\right)^n\right\}}{1-\frac{1}{2}}=1-\left(\frac{1}{2}\right)^n$

$\therefore \lim_{n\to\infty}\frac{a_1+a_2+\cdots+a_n}{n}=\lim_{n\to\infty}\frac{1-\left(\frac{1}{2}\right)^n}{n}=0$

STEP C n이 짝수, 홀수일 때로 경우를 나누어 극한값 구하기

ㄷ. $a_n=(-1)^n$에서

n이 짝수일 때, $a_1+a_2+\cdots+a_n=0$

n이 홀수일 때, $a_1+a_2+\cdots+a_n=-1$

$\therefore \lim_{n\to\infty}\frac{a_1+a_2+\cdots+a_n}{n}=0$

따라서 극한값이 존재하는 것은 ㄴ, ㄷ이다.

내/신/연/계/ 출제문항 057

수열 $\{a_n\}$에서 첫째항부터 제 n항까지의 합을 S_n이라 할 때, $\lim_{n\to\infty}\frac{S_n}{a_n}$의 값이 존재하는 것을 [보기]에서 모두 고른 것은?

ㄱ. $a_n=2^n$
ㄴ. $a_n=(-1)^n$
ㄷ. $S_n=3^n-1$

① ㄱ ② ㄷ ③ ㄱ, ㄷ
④ ㄴ, ㄷ ⑤ ㄱ, ㄴ, ㄷ

STEP A a_n을 대입하여 극한값이 존재하는 것 구하기

ㄱ. $a_n=2^n$인 경우

$S_n=\sum_{k=1}^{n}2^k=\frac{2(2^n-1)}{2-1}=2^{n+1}-2$

$\lim_{n\to\infty}\frac{S_n}{a_n}=\lim_{n\to\infty}\frac{2^{n+1}-2}{2^n}=\lim_{n\to\infty}\left(2-\frac{1}{2^{n-1}}\right)=2$ [수렴]

ㄴ. $a_n=(-1)^n$인 경우

$S_n=\begin{cases}n\text{이 짝수이면 } 0\\ n\text{이 홀수이면 } -1\end{cases}$ 이므로 $\lim_{n\to\infty}\frac{S_n}{a_n}$은 1 또는 0으로 진동한다.

ㄷ. $S_n=3^n-1$인 경우

$a_n=S_n-S_{n-1}=3^n-1-(3^{n-1}-1)=2\cdot 3^{n-1}(n\ge 1)$

$\lim_{n\to\infty}\frac{S_n}{a_n}=\lim_{n\to\infty}\frac{3^n-1}{2\cdot 3^{n-1}}=\lim_{n\to\infty}\frac{1}{2}\left(3-\frac{1}{3^{n-1}}\right)=\frac{3}{2}$ [수렴]

따라서 극한값이 존재하는 것은 ㄱ, ㄷ이다.

정답 ③

0126

정답 ②

STEP A $a_n=S_n-S_{n-1}$을 이용하여 일반항 a_n의 식 구하기

$a_1=S_1=3$

$a_n=S_n-S_{n-1}=(n^2+2n)-\{(n-1)^2+2(n-1)\}=2n+1(n\ge 2)$

$\therefore a_n=2n+1(n\ge 1)$

STEP B 식을 대입하여 주어진 극한값 구하기

따라서 $\lim_{n\to\infty}\frac{na_n}{S_n}=\lim_{n\to\infty}\frac{n(2n+1)}{n^2+2n}=\lim_{n\to\infty}\frac{2n+1}{n+2}=2$

내/신/연/계/ 출제문항 058

수열 $\{a_n\}$의 첫째항부터 제 n항까지의 합 S_n이 $S_n=3n^2+n$이고 수열 $\{b_n\}$이 $\lim_{n\to\infty}a_nb_n=4$를 만족시킬 때, $\lim_{n\to\infty}(12n-5)b_n$의 값은?

① 2 ② 4 ③ 6
④ 8 ⑤ 10

STEP A $a_n=S_n-S_{n-1}$을 이용하여 일반항 a_n의 식 구하기

$a_n=S_n-S_{n-1}$

$=(3n^2+n)-\{3(n-1)^2+(n-1)\}$

$=6n-2(n\ge 2)$

$a_1=S_1=4$이므로 $a_n=6n-2(n\ge 1)$

STEP B 주어진 극한값 구하기

따라서 $\lim_{n\to\infty}a_nb_n=\lim_{n\to\infty}(6n-2)b_n=4$이므로

$\lim_{n\to\infty}(12n-5)b_n=\lim_{n\to\infty}\left\{(6n-2)b_n\times\frac{12n-5}{6n-2}\right\}=4\times 2=8$

정답 ④

0127

정답 ④

STEP A $S_n-S_{n-1}=a_n(n\ge 2)$을 이용하여 일반항 a_n의 식 구하기

$S_n=2\cdot 3^n-2$에서

(i) $n\ge 2$일 때, $a_n=S_n-S_{n-1}=(2\cdot 3^n-2)-(2\cdot 3^{n-1}-2)=4\cdot 3^{n-1}$

(ii) $n=1$일 때, $a_1=S_1=4$

(i), (ii)에서 $a_n=4\cdot 3^{n-1}(n\ge 1)$

STEP B 극한값 구하기

따라서 $\lim_{n\to\infty}\frac{S_n}{a_n}=\lim_{n\to\infty}\frac{2\cdot 3^n-2}{4\cdot 3^{n-1}}=\lim_{n\to\infty}\frac{6-2\left(\frac{1}{3}\right)^{n-1}}{4}=\frac{3}{2}$

내신연계 출제문항 059

수열 $\{a_n\}$의 첫째항부터 제 n항까지의 합 S_n이

$$S_n=5^n-1$$

일 때, $\lim_{n\to\infty}\frac{a_n}{5^n-3}$의 값은?

① $\frac{1}{5}$ ② $\frac{2}{5}$ ③ $\frac{3}{5}$
④ $\frac{4}{5}$ ⑤ 1

STEP A $S_n-S_{n-1}=a_n\,(n\ge 2)$을 이용하여 a_n 구하기

$S_n=5^n-1$에서

(i) $n\ge 2$일 때, $a_n=S_n-S_{n-1}=(5^n-1)-(5^{n-1}-1)=5^n-5^{n-1}$

(ii) $n=1$일 때, $a_1=S_1=4$

(i), (ii)에서 $a_n=5^n-5^{n-1}\,(n\ge 1)$

STEP B 극한값 구하기

따라서 $\lim_{n\to\infty}\frac{a_n}{5^n-3}=\lim_{n\to\infty}\frac{5^n-5^{n-1}}{5^n-3}=\lim_{n\to\infty}\frac{1-\frac{1}{5}}{1-\frac{3}{5^n}}=\frac{4}{5}$

정답 ④

0128

정답 ④

STEP A $a_n=S_n-S_{n-1}$을 이용하여 일반항 a_n의 식 구하기

$a_n=S_n-S_{n-1}=(2^n+3^n)-(2^{n-1}+3^{n-1})=2^{n-1}+2\cdot 3^{n-1}\,(n\ge 2)$

STEP B 식을 대입하고 분모, 분자를 3^{n-1}으로 나누어 극한값 구하기

따라서 $\lim_{n\to\infty}\frac{a_n}{S_n}=\lim_{n\to\infty}\frac{2^{n-1}+2\cdot 3^{n-1}}{2^n+3^n}=\lim_{n\to\infty}\frac{\left(\frac{2}{3}\right)^{n-1}+2}{2\cdot\left(\frac{2}{3}\right)^{n-1}+3}=\frac{2}{3}$

0129

정답 ⑤

STEP A $a_n=S_n-S_{n-1}$을 이용하여 일반항 a_n의 식 구하기

$$\begin{aligned}a_n&=S_n-S_{n-1}\\&=2n+2^n-2(n-1)-2^{n-1}\\&=2^n+2-2^{n-1}\\&=2^{n-1}+2\,(n\ge 2)\end{aligned}$$

STEP B 식을 대입하여 주어진 극한값 구하기

따라서 $\lim_{n\to\infty}\frac{a_n}{2^n}=\lim_{n\to\infty}\frac{2^{n-1}+2}{2^n}=\lim_{n\to\infty}\left(\frac{1}{2}+\frac{1}{2^{n-1}}\right)=\frac{1}{2}$

0130

정답 ④

STEP A $a_n=S_n-S_{n-1}$을 이용하여 일반항 a_n의 식 구하기

$$\begin{aligned}a_n&=S_n-S_{n-1}\\&=n\cdot 2^n-(n-1)\cdot 2^{n-1}\\&=(2n-n+1)\cdot 2^{n-1}\\&=(n+1)2^{n-1}\,(n\ge 2)\end{aligned}$$

$a_1=S_1=2$이므로 $a_n=(n+1)\cdot 2^{n-1}\,(n\ge 1)$

STEP B 식을 대입하여 주어진 극한값 구하기

따라서 $\lim_{n\to\infty}\frac{S_n}{a_n}=\lim_{n\to\infty}\frac{n\cdot 2^n}{(n+1)\cdot 2^{n-1}}=\lim_{n\to\infty}\frac{2n}{n+1}=2$

0131

정답 ②

STEP A $a_n=S_n-S_{n-1}$을 이용하여 일반항 a_n의 식 구하기

$S_n=\sum_{k=1}^{n}a_k=n\cdot 3^n$에서 $a_1=S_1=3$

$$\begin{aligned}a_n&=S_n-S_{n-1}\\&=n\cdot 3^n-(n-1)3^{n-1}\\&=(2n+1)3^{n-1}\,(n\ge 2)\end{aligned}$$

$\therefore a_n=(2n+1)3^{n-1}\,(n\ge 1)$

STEP B 식을 대입하여 주어진 극한값 구하기

따라서 $\lim_{n\to\infty}\frac{2(a_1+a_2+a_3+\cdots+a_n)}{a_n}=\lim_{n\to\infty}\frac{2S_n}{a_n}=\lim_{n\to\infty}\frac{2n\cdot 3^n}{(2n+1)3^{n-1}}$

$=\lim_{n\to\infty}\frac{6n}{2n+1}=3$

0132

정답 ⑤

STEP A $a_n=S_n-S_{n-1}$을 이용하여 일반항 a_n의 식 구하기

수열 $\{a_n\}$의 첫째항부터 제 n항까지의 합을 S_n이라 하면

$\sum_{k=1}^{n}a_k=S_n=2^n-1$

(i) $n=1$일 때, $a_1=S_1=2^1-1=1$

(ii) $n\ge 2$일 때, $a_n=S_n-S_{n-1}=(2^n-1)-(2^{n-1}-1)=2^{n-1}$

(i), (ii)에서 $a_n=2^{n-1}\,(n\ge 1)$

STEP B 식을 대입하여 주어진 극한값 구하기

따라서 $\lim_{n\to\infty}\frac{a_n(a_{n+1}+b_n)}{3^n+4^n}=\lim_{n\to\infty}\frac{a_na_{n+1}+a_nb_n}{3^n+4^n}=\lim_{n\to\infty}\frac{2^{n-1}\cdot 2^n+(2^n)^2}{3^n+4^n}$

$=\frac{3}{2}\lim_{n\to\infty}\frac{4^n}{3^n+4^n}=\frac{3}{2}\lim_{n\to\infty}\frac{1}{\left(\frac{3}{4}\right)^n+1}=\frac{3}{2}$

0133

정답 ⑤

STEP A 등비수열의 합 공식을 이용하여 S_n의 식 구하기

6^n의 양의 약수의 총합은 6^n을 소인수분해한 다음,
각 인수들의 약수들을 모두 짝을 지어 더한 것을 곱하면 된다.
$6^n=(2\times 3)^n=2^n\times 3^n$이므로 양의 약수의 총합 S_n은

$$\begin{aligned}S_n&=(1+2+2^2+\cdots+2^n)(1+3+3^2+\cdots+3^n)\\&=\frac{2^{n+1}-1}{2-1}\cdot\frac{3^{n+1}-1}{3-1}\\&=\frac{1}{2}(2^{n+1}-1)(3^{n+1}-1)\end{aligned}$$

STEP B 식을 대입하여 주어진 극한값 구하기

따라서 $\lim_{n\to\infty}\frac{S_n}{6^n}=\lim_{n\to\infty}\frac{1}{2}\cdot\frac{(2^{n+1}-1)(3^{n+1}-1)}{6^n}$

$=\frac{1}{2}\lim_{n\to\infty}\frac{6^{n+1}-3^{n+1}-2^{n+1}+1}{6^n}$

$=\frac{1}{2}\cdot 6=3$

내/신/연/계/ 출제문항 060

자연수 n에 대하여 10^n의 양의 약수의 총합을 S_n이라 할 때, $\lim_{n\to\infty}\frac{S_n}{10^n}$의 값은?

① $\frac{1}{5}$　② $\frac{1}{2}$　③ 1　④ 2　⑤ $\frac{5}{2}$

STEP A **등비수열의 합 공식을 이용하여 S_n의 식 구하기**

10^n의 양의 약수의 총합은 10^n을 소인수분해한 다음,
각 인수들의 약수들을 모두 짝을 지어 더한 것을 곱하면 된다.
$10^n=(2\times5)^n=2^n\times5^n$이므로 양의 약수의 총합 S_n은

$$S_n=(1+2+2^2+\cdots+2^n)(1+5+5^2+\cdots+5^n)$$
$$=\frac{2^{n+1}-1}{2-1}\cdot\frac{5^{n+1}-1}{5-1}$$
$$=\frac{1}{4}(2^{n+1}-1)(5^{n+1}-1)$$

STEP B **식을 대입하여 주어진 극한값 구하기**

따라서 $\lim_{n\to\infty}\frac{S_n}{10^n}=\lim_{n\to\infty}\frac{1}{4}\cdot\frac{(2^{n+1}-1)(5^{n+1}-1)}{10^n}$
$=\frac{1}{4}\lim_{n\to\infty}\frac{10^{n+1}-2^{n+1}-5^{n+1}+1}{10^n}$
$=\frac{1}{4}\cdot10=\frac{5}{2}$

정답 ⑤

0134

정답 ⑤

STEP A **나머지 정리를 이용하여 a_n의 식 구하기**

다항식 $2x^{n+1}+x$를 일차식 $x-3$으로 나눈 나머지 a_n은 나머지 정리에 의하여
$a_n=2\cdot3^{n+1}+3$

STEP B **식을 대입하여 주어진 극한값 구하기**

따라서 $\lim_{n\to\infty}\frac{a_n}{3^n-1}=\lim_{n\to\infty}\frac{2\cdot3^{n+1}+3}{3^n-1}=\lim_{n\to\infty}\frac{2\cdot3+\frac{3}{3^n}}{1-\frac{1}{3^n}}=6$

내/신/연/계/ 출제문항 061

자연수 n에 대하여 x에 대한 다항식 $3x^{n+1}+x$를 일차식 $x-2$로 나눈 나머지를 a_n이라고 할 때, $\lim_{n\to\infty}\frac{a_n}{2^n-1}$의 값은?

① 0　② 1　③ 2　④ 3　⑤ 6

STEP A **나머지 정리를 이용하여 a_n 구하기**

다항식 $3x^{n+1}+x$를 일차식 $x-2$로 나눈 나머지 a_n은 나머지 정리에 의하여
$a_n=3\cdot2^{n+1}+2$

STEP B **식을 대입하여 주어진 극한값 구하기**

따라서 $\lim_{n\to\infty}\frac{a_n}{2^n-1}=\lim_{n\to\infty}\frac{3\cdot2^{n+1}+2}{2^n-1}=\lim_{n\to\infty}\frac{6+\frac{1}{2^{n-1}}}{1-\frac{1}{2^n}}=6$

정답 ⑤

0135

정답 ④

STEP A **나머지 정리를 이용하여 a_n, b_n의 식 구하기**

$f(x)=2^nx^2+3^nx+1$을 $(x-\alpha)$로 나눈 나머지는 $f(\alpha)$이므로
$f(x)$를 $x-1$로 나눈 나머지는 $f(1)=2^n+3^n+1=a_n$
$f(x)$를 $x-2$로 나눈 나머지는 $f(2)=4\cdot2^n+2\cdot3^n+1=b_n$

STEP B **식을 대입하고 분모, 분자를 3^n으로 나누어 극한값 구하기**

따라서 $\lim_{n\to\infty}\frac{a_n}{b_n}=\lim_{n\to\infty}\frac{2^n+3^n+1}{4\cdot2^n+2\cdot3^n+1}=\lim_{n\to\infty}\frac{\left(\frac{2}{3}\right)^n+1+\left(\frac{1}{3}\right)^n}{4\cdot\left(\frac{2}{3}\right)^n+2\cdot1+\left(\frac{1}{3}\right)^n}=\frac{1}{2}$

0136

정답 ②

STEP A **몫을 임의로 두고 주어진 조건을 이용하여 식 세우기**

$f(x)=x^{n+1}+x^n$이라 하고 x^2-5x+6으로 나눈 몫을 $Q(x)$라 하면
$f(x)=x^{n+1}+x^n=(x-2)(x-3)Q(x)+a_nx+b_n$ …… ㉠

STEP B **양변에 $x=2$, 3을 대입하여 a_n, b_n의 식 구하기**

㉠의 양변에 $x=2$를 대입하면
$f(2)=2^{n+1}+2^n=3\cdot2^n=2a_n+b_n$ …… ㉡
㉠의 양변에 $x=3$을 대입하면
$f(3)=3^{n+1}+3^n=4\cdot3^n=3a_n+b_n$ …… ㉢
㉡, ㉢을 연립하면 $a_n=4\cdot3^n-3\cdot2^n$, $b_n=-8\cdot3^n+9\cdot2^n$

STEP C **식을 대입하여 주어진 극한값 구하기**

따라서 $\lim_{n\to\infty}\frac{b_n}{a_n}=\lim_{n\to\infty}\frac{-8\cdot3^n+9\cdot2^n}{4\cdot3^n-3\cdot2^n}=-2$

내/신/연/계/ 출제문항 062

다항식 $x^{n+2}+x^{n+1}$을 x^2-5x+6으로 나눈 나머지를 a_nx+b_n이라 할 때, $\lim_{n\to\infty}\frac{a_n}{b_n}$의 값은? (단, n은 자연수이다.)

① -1　② $-\frac{1}{2}$　③ $-\frac{1}{3}$　④ $-\frac{1}{4}$　⑤ $-\frac{1}{5}$

STEP A **몫을 임의로 두고 주어진 조건을 이용하여 식 세우기**

$x^{n+2}+x^{n+1}=x^{n+1}(x+1)$을 x^2-5x+6으로 나눈 몫을 $Q(x)$라 하면
나머지가 a_nx+b_n이므로
$x^{n+1}(x+1)=(x^2-5x+6)Q(x)+a_nx+b_n$
$=(x-2)(x-3)Q(x)+a_nx+b_n$ …… ㉠

STEP B **양변에 $x=2$, 3을 대입하여 a_n, b_n의 식 구하기**

㉠의 양변에 $x=2$, $x=3$을 각각 대입하면
$2^{n+1}\times3=2a_n+b_n$
$3^{n+1}\times4=3a_n+b_n$
두 식을 연립하여 풀면
$a_n=4\times3^{n+1}-3\times2^{n+1}$, $b_n=9\times2^{n+1}-8\times3^{n+1}$

STEP C **식을 대입하여 주어진 극한값 구하기**

따라서 $\lim_{n\to\infty}\frac{a_n}{b_n}=\lim_{n\to\infty}\frac{4\times3^{n+1}-3\times2^{n+1}}{9\times2^{n+1}-8\times3^{n+1}}=\lim_{n\to\infty}\frac{4-3\times\left(\frac{2}{3}\right)^{n+1}}{9\times\left(\frac{2}{3}\right)^{n+1}-8}$
$=\frac{4}{-8}=-\frac{1}{2}$

정답 ②

0137

정답 ③

STEP A 다항식의 양변에 $x=3,\ 1$을 대입하여 $a_n,\ b_n$의 식 구하기

다항식 $(x-1)^{2n}+(x+1)^n$에 $x=3$을 대입하면

$a_n=(3-1)^{2n}+(3+1)^n=2\cdot4^n$

다항식 $(x-1)^{2n}+(x+1)^n$에 $x=1$을 대입하면

$b_n=(1-1)^{2n}+(1+1)^n=2^n$

STEP B $\log_2 a_n,\ \log_2 b_n$의 식 구하기

$\log_2 a_n=\log_2 2\cdot4^n=\log_2 2^{1+2n}=1+2n$

$\log_2 b_n=\log_2 2^n=n$

STEP C 식을 대입하여 주어진 극한값 구하기

따라서 $\lim\limits_{n\to\infty}\dfrac{\log_2 a_n+\log_2 b_n}{n}=\lim\limits_{n\to\infty}\dfrac{3n+1}{n}=3$

0138

STEP A 각 변을 $3^{n+1}+7^n$으로 나누기

$7^{n+1}-3^n<(3^{n+1}+7^n)a_n<3^n+7^{n+1}$에서 각 변을 $3^{n+1}+7^n$으로 나누면

$\dfrac{7^{n+1}-3^n}{3^{n+1}+7^n}<a_n<\dfrac{3^n+7^{n+1}}{3^{n+1}+7^n}$

STEP B 수열의 극한의 대소 관계를 이용하여 극한값 구하기

$\lim\limits_{n\to\infty}\dfrac{7^{n+1}-3^n}{3^{n+1}+7^n}\le\lim\limits_{n\to\infty}a_n\le\lim\limits_{n\to\infty}\dfrac{3^n+7^{n+1}}{3^{n+1}+7^n}$

$\lim\limits_{n\to\infty}\dfrac{7^{n+1}-3^n}{3^{n+1}+7^n}=7,\ \lim\limits_{n\to\infty}\dfrac{3^n+7^{n+1}}{3^{n+1}+7^n}=7$

따라서 수열의 극한의 대소 관계에 의하여 $\lim\limits_{n\to\infty}a_n=7$

0139

STEP A 각 변을 $2^{n+1}+5^n$으로 나누기

$5^{n+1}-4^n<(2^{n+1}+5^n)a_n<2^n+5^{n+1}$에서 각 변을 $2^{n+1}+5^n$으로 나누면

$\dfrac{5^{n+1}-4^n}{2^{n+1}+5^n}<a_n<\dfrac{2^n+5^{n+1}}{2^{n+1}+5^n}$

STEP B 수열의 극한의 대소 관계를 이용하여 극한값 구하기

$\lim\limits_{n\to\infty}\dfrac{5^{n+1}-4^n}{2^{n+1}+5^n}\le\lim\limits_{n\to\infty}a_n\le\lim\limits_{n\to\infty}\dfrac{2^n+5^{n+1}}{2^{n+1}+5^n}$

$\lim\limits_{n\to\infty}\dfrac{5^{n+1}-4^n}{2^{n+1}+5^n}=5,\ \lim\limits_{n\to\infty}\dfrac{2^n+5^{n+1}}{2^{n+1}+5^n}=5$

따라서 수열의 극한의 대소 관계에 의하여 $\lim\limits_{n\to\infty}a_n=5$

내신연계 출제문항 063

모든 자연수 n에 대하여 수열 $\{a_n\}$이

$$1+3^{n+1}<(3^n+2^{n+1})a_n<3^{n+1}-2^n$$

을 만족시킬 때, $\lim\limits_{n\to\infty}a_n$의 값은?

① 1 ② 2 ③ 3
④ 4 ⑤ 5

STEP A 각 변을 3^n+2^{n+1}으로 나누기

$1+3^{n+1}<(3^n+2^{n+1})a_n<3^{n+1}-2^n$에서 각 변을 3^n+2^{n+1}으로 나누면

$\dfrac{1+3^{n+1}}{3^n+2^{n+1}}<a_n<\dfrac{3^{n+1}-2^n}{3^n+2^{n+1}}$

STEP B 수열의 극한의 대소 관계를 이용하여 극한값 구하기

$\lim\limits_{n\to\infty}\dfrac{1+3^{n+1}}{3^n+2^{n+1}}\le\lim\limits_{n\to\infty}a_n\le\lim\limits_{n\to\infty}\dfrac{3^{n+1}-2^n}{3^n+2^{n+1}}$

따라서 $\lim\limits_{n\to\infty}\dfrac{1+3^{n+1}}{3^n+2^{n+1}}=\lim\limits_{n\to\infty}\dfrac{3^{n+1}-2^n}{3^n+2^{n+1}}=3$이므로 $\lim\limits_{n\to\infty}a_n=3$

0140

STEP A 수열의 극한의 대소 관계를 이용하기

$a_n-\dfrac{2^{n-1}+3^{n+1}}{2^n+3^n}=b_n$이라 하면 $|b_n|<\left(\dfrac{1}{2}\right)^n$에서 모든 자연수 n에 대하여

$-\left(\dfrac{1}{2}\right)^n<b_n<\left(\dfrac{1}{2}\right)^n$이고 $\lim\limits_{n\to\infty}\left\{-\left(\dfrac{1}{2}\right)^n\right\}=\lim\limits_{n\to\infty}\left(\dfrac{1}{2}\right)^n=0$이므로

수열의 극한의 대소 관계에 의하여 $\lim\limits_{n\to\infty}b_n=0$

STEP B 수열의 극한의 성질을 이용하여 $\lim\limits_{n\to\infty}a_n$의 값 구하기

따라서 $a_n=b_n+\dfrac{2^{n-1}+3^{n+1}}{2^n+3^n}$에서

$\lim\limits_{n\to\infty}\dfrac{2^{n-1}+3^{n+1}}{2^n+3^n}=\lim\limits_{n\to\infty}\dfrac{\frac{1}{2}\left(\frac{2}{3}\right)^n+3}{\left(\frac{2}{3}\right)^n+1}=\dfrac{0+3}{0+1}=3$이므로

$\lim\limits_{n\to\infty}a_n=\lim\limits_{n\to\infty}\left(b_n+\dfrac{2^{n-1}+3^{n+1}}{2^n+3^n}\right)=0+3=3$

0141

STEP A 수열의 극한의 대소 관계를 이용하여 $\lim\limits_{n\to\infty}\dfrac{a_n}{4^n},\ \lim\limits_{n\to\infty}\dfrac{b_n}{2^n}$의 값 구하기

조건 (가)에서 $4^n<a_n<4^n+1$의 양변을 4^n으로 나누면 $1<\dfrac{a_n}{4^n}<1+\dfrac{1}{4^n}$

$\lim\limits_{n\to\infty}1=\lim\limits_{n\to\infty}\left(1+\dfrac{1}{4^n}\right)=1$이므로 수열의 극한의 대소 관계에 의하여

$\lim\limits_{n\to\infty}\dfrac{a_n}{4^n}=1$ …… ㉠

조건 (나)에서 $2+2^2+2^3+\cdots+2^n=\dfrac{2(2^n-1)}{2-1}=2^{n+1}-2$

$\therefore\ 2^{n+1}-2<b_n<2^{n+1}$

양변을 2^n으로 나누면 $2-\dfrac{2}{2^n}<\dfrac{b_n}{2^n}<2$

$\lim\limits_{n\to\infty}\left(2-\dfrac{2}{2^n}\right)=\lim\limits_{n\to\infty}2=2$이므로 수열의 극한의 대소 관계에 의하여

$\lim\limits_{n\to\infty}\dfrac{b_n}{2^n}=2$ …… ㉡

STEP B 극한값 구하기

따라서 ㉠, ㉡에 의하여

$\lim\limits_{n\to\infty}\dfrac{4a_n+b_n}{2a_n+2^nb_n}=\lim\limits_{n\to\infty}\dfrac{\frac{4a_n+b_n}{4^n}}{\frac{2a_n+2^nb_n}{4^n}}=\lim\limits_{n\to\infty}\dfrac{4\cdot\frac{a_n}{4^n}+\frac{b_n}{2^n}\cdot\frac{1}{2^n}}{2\cdot\frac{a_n}{4^n}+\frac{b^n}{2^n}}=\dfrac{4\cdot1+2\cdot0}{2\cdot1+2}=1$

0142

STEP A 수열의 극한의 대소 관계를 이용하여 극한값 구하기

$\dfrac{3^n-1}{2^{n+1}+2\cdot3^n}<\sum\limits_{k=1}^{n}a_k<\dfrac{2\cdot3^n+2^{n+1}}{4\cdot3^n}$

$\lim\limits_{n\to\infty}\dfrac{3^n-1}{2^{n+1}+2\cdot3^n}\le\lim\limits_{n\to\infty}\sum\limits_{k=1}^{n}a_k\le\lim\limits_{n\to\infty}\dfrac{2\cdot3^n+2^{n+1}}{4\cdot3^n}$

$\lim\limits_{n\to\infty}\dfrac{3^n-1}{2^{n+1}+2\cdot3^n}=\dfrac{1}{2},\ \lim\limits_{n\to\infty}\dfrac{2\cdot3^n+2^{n+1}}{4\cdot3^n}=\dfrac{1}{2}$

따라서 수열의 극한의 대소 관계에 의하여 $\lim\limits_{n\to\infty}\sum\limits_{k=1}^{n}a_k=\sum\limits_{n=1}^{\infty}a_n=\dfrac{1}{2}$

0143

정답 ④

STEP A 조건을 만족하는 n대신 $1, 2, 3, \cdots, n-1$을 차례로 대입하여 양변을 각각 곱하여 정리하기

조건 (가), (나)에서 $0 < a_{n+1} \le \frac{1}{2}a_n$

n대신 $1, 2, 3, \cdots, n-1$을 차례로 대입하여 양변을 각각 곱하면

$$0 < a_2 \le \frac{1}{2}a_1$$
$$0 < a_3 \le \frac{1}{2}a_2$$
$$0 < a_4 \le \frac{1}{2}a_3$$
$$\vdots$$
$$\times \big)\ 0 < a_n \le \frac{1}{2}a_{n-1}$$
$$0 < a_2 \times a_3 \times \cdots \times a_n < \left(\frac{1}{2}\right)^{n-1} a_1 \times a_2 \times \cdots \times a_{n-1}$$
$$0 < a_n \le \left(\frac{1}{2}\right)^{n-1} a_1$$

STEP B 수열의 대소 관계의 성질을 이용하여 구하기

$\lim_{n\to\infty} 0 = 0$, $\lim_{n\to\infty}\left(\frac{1}{2}\right)^{n-1} a_1 = 0$이므로

수열의 대소 관계에 의하여 $\lim_{n\to\infty} a_n = 0$

따라서 $\lim_{n\to\infty}\frac{a_n+4n+1}{3a_n+2n+5} = \lim_{n\to\infty}\frac{4n+1}{2n+5} = \frac{4}{2} = 2$

내신연계 출제문항 064

수열 $\{a_n\}$이 모든 자연수 n에 대하여

$$a_n > 0\text{이고 } \frac{a_{n+1}}{a_n} \le \frac{2023}{2025}$$

을 만족할 때, $\lim_{n\to\infty}\frac{5a_n+2n+3}{2a_n+6n+1}$의 값은?

① $\frac{1}{5}$　② $\frac{1}{2}$　③ $\frac{1}{3}$
④ 3　⑤ $\frac{5}{2}$

STEP A 조건을 만족하는 n대신 $1, 2, 3, \cdots, n-1$을 차례로 대입하여 양변을 각각 곱하여 정리하기

$\frac{a_{n+1}}{a_n} \le \frac{2023}{2025}$에서

n대신 $1, 2, 3, \cdots, n-1$을 차례로 대입하여 양변을 각각 곱하면

$$\frac{a_2}{a_1} \times \frac{a_3}{a_2} \times \frac{a_4}{a_3} \times \cdots \times \frac{a_n}{a_{n-1}} \le \left(\frac{2023}{2025}\right)^{n-1}$$
$$\therefore 0 < a_n \le a_1\left(\frac{2023}{2025}\right)^{n-1}$$

STEP B 수열의 대소 관계의 성질을 이용하여 구하기

$\lim_{n\to\infty} 0 = 0$, $\lim_{n\to\infty}\left\{a_1 \times \left(\frac{2023}{2025}\right)^{n-1}\right\} = 0$ ← $-1 < r < 1$일 때, $\lim_{n\to\infty} r^n = 0$

이므로 수열의 대소 관계에 의하여 $\lim_{n\to\infty} a_n = 0$

따라서 $\lim_{n\to\infty}\frac{5a_n+2n+3}{2a_n+6n+1} = \lim_{n\to\infty}\frac{2n+3}{6n+1} = \frac{1}{3}$

 ③

0144

정답 ④

STEP A 공비 r의 범위에 따라 극한값 구하기

① $-1 < r < 0$일 때, $\lim_{n\to\infty} r^n = 0$, $\lim_{n\to\infty} r^{2n} = 0$이므로

$$\lim_{n\to\infty}\frac{1-r^{2n}}{1+r^n} = \frac{1-0}{1+0} = 1\ [\text{수렴}]$$

② $0 < r < 1$일 때, $\lim_{n\to\infty} r^n = 0$, $\lim_{n\to\infty} r^{2n} = 0$이므로

$$\lim_{n\to\infty}\frac{1-r^{2n}}{1+r^n} = \frac{1-0}{1+0} = 1\ [\text{수렴}]$$

③ $r = 1$일 때, $\lim_{n\to\infty} r^n = 1$, $\lim_{n\to\infty} r^{2n} = 1$이므로 $\lim_{n\to\infty}\frac{1-r^{2n}}{1+r^n} = \frac{1-1}{1+1} = 0$ [수렴]

④ $r < -1$일 때, n이 홀수이면 $\lim_{n\to\infty} r^n = -\infty$, $\lim_{n\to\infty} r^{2n} = \infty$이므로

$$\lim_{n\to\infty}\frac{1-r^{2n}}{1+r^n} = \lim_{n\to\infty}\frac{\frac{1}{r^n}-r^n}{\frac{1}{r^n}+1} = \infty$$

n이 짝수이면 $\lim_{n\to\infty} r^n = \infty$, $\lim_{n\to\infty} r^{2n} = \infty$이므로

$$\lim_{n\to\infty}\frac{1-r^{2n}}{1+r^n} = \lim_{n\to\infty}\frac{\frac{1}{r^n}-r^n}{\frac{1}{r^n}+1} = -\infty$$

즉 주어진 수열은 $r < -1$일 때, 발산(진동)한다.

⑤ $r > 1$일 때, $\lim_{n\to\infty} r^n = \infty$, $\lim_{n\to\infty} r^{2n} = \infty$이므로

$$\lim_{n\to\infty}\frac{1-r^{2n}}{1+r^n} = \lim_{n\to\infty}\frac{\frac{1}{r^n}-r^n}{\frac{1}{r^n}+1} = -\infty\ [\text{발산}]$$

즉 ④에서 $r < -1$일 때도 발산하므로

주어진 수열은 $|r| > 1$일 때도 발산한다.

따라서 옳지 않은 것은 ④이다.

내신연계 출제문항 065

$\lim_{n\to\infty}\frac{1-2r^n}{1+r^n}$에 대한 설명 중 [보기]에서 옳은 것만을 있는 대로 고른 것은? (단, $r \ne -1$)

ㄱ. $r > 1$이면 극한값은 -2이다.
ㄴ. $r = 1$이면 극한값은 $-\frac{1}{2}$이다.
ㄷ. $-1 < r < 1$이면 극한값은 1이다.
ㄹ. $r < -1$이면 극한값은 존재하지 않는다.

① ㄱ　② ㄴ　③ ㄱ, ㄴ, ㄷ
④ ㄴ, ㄷ, ㄹ　⑤ ㄱ, ㄴ, ㄷ, ㄹ

STEP A 공비 r의 범위에 따라 극한값 구하기

ㄱ. $r > 1$이면 $\lim_{n\to\infty} r^n = \infty$에서 $\lim_{n\to\infty}\frac{1}{r^n} = 0$이므로

$$\lim_{n\to\infty}\frac{1-2r^n}{1+r^n} = \lim_{n\to\infty}\frac{\frac{1}{r^n}-2}{\frac{1}{r^n}+1} = -2\ [\text{참}]$$

ㄴ. $r = 1$이면 $\lim_{n\to\infty} r^n = 1$이므로 $\lim_{n\to\infty}\frac{1-2r^n}{1+r^n} = \frac{1-2}{1+1} = -\frac{1}{2}$ [참]

ㄷ. $-1 < r < 1$이면 $\lim_{n\to\infty} r^n = 0$이므로 $\lim_{n\to\infty}\frac{1-2r^n}{1+r^n} = \frac{1-0}{1+0} = 1$ [참]

ㄹ. $r < -1$이면 $\lim_{n\to\infty}|r^n| = \infty$에서 $\lim_{n\to\infty}\frac{1}{r^n} = 0$이므로

$$\lim_{n\to\infty}\frac{1-2r^n}{1+r^n} = \lim_{n\to\infty}\frac{\frac{1}{r^n}-2}{\frac{1}{r^n}+1} = -2\ [\text{거짓}]$$

따라서 옳은 것은 ㄱ, ㄴ, ㄷ이다.

정답 ③

0145

정답 ④

STEP A 공비 r의 범위에 따라 극한값 구하기

ㄱ. $|x|>1$일 때, $\lim_{n\to\infty}\left(\frac{1}{x}\right)^{2n}=0$이므로

$$f(x)=\lim_{n\to\infty}\frac{x^{2n-1}-1}{x^{2n}+1}=\lim_{n\to\infty}\frac{\frac{1}{x}-\frac{1}{x^{2n}}}{1+\frac{1}{x^{2n}}}=\frac{1}{x}\ [\text{거짓}]$$

ㄴ. $|x|<1$일 때, $\lim_{n\to\infty}x^{2n-1}=0$, $\lim_{n\to\infty}x^{2n}=0$이므로

$$f(x)=\lim_{n\to\infty}\frac{x^{2n-1}-1}{x^{2n}+1}=-1\ [\text{참}]$$

ㄷ. $x=1$일 때, $f(1)=\lim_{n\to\infty}\frac{1^{2n-1}-1}{1^{2n}+1}=0$ [참]

따라서 보기 중 옳은 것은 ㄴ, ㄷ이다.

0146

정답 ①

STEP A 공비 r의 범위에 따라 극한값 구하기

$$f\left(\frac{1}{2}\right)=\lim_{n\to\infty}\frac{\left(\frac{1}{2}\right)^{2n+1}+6}{\left(\frac{1}{2}\right)^{2n}+3}=\frac{0+6}{0+3}=2$$

$$f(2)=\lim_{n\to\infty}\frac{2^{2n+1}+6}{2^{2n}+3}=\lim_{n\to\infty}\frac{2+\frac{6}{2^{2n}}}{1+\frac{3}{2^{2n}}}=\frac{2+0}{1+0}=2$$

따라서 $f\left(f\left(\frac{1}{2}\right)\right)=f(2)=2$

0147

정답 ④

STEP A 공비 r의 범위에 따라 극한값 구하기

(ⅰ) $0<r<1$일 때, $\lim_{n\to\infty}r^n=0$이므로

$$f(r)=\lim_{n\to\infty}\frac{r^{n+1}+1}{r^{n-1}+r}=\frac{1}{r}$$

(ⅱ) $r=1$일 때, $f(1)=\lim_{n\to\infty}\frac{1^{n+1}+1}{1^{n-1}+1}=\frac{1+1}{1+1}=1$

(ⅲ) $r>1$일 때, $\lim_{n\to\infty}\frac{1}{r^n}=0$이므로

$$f(r)=\lim_{n\to\infty}\frac{r^{n+1}+1}{r^{n-1}+r}=\lim_{n\to\infty}\frac{r^2+\frac{1}{r^{n-1}}}{1+\frac{r}{r^{n-1}}}=r^2$$

STEP B r값이 포함되는 범위에 따라 함숫값을 구하기

(ⅰ)~(ⅲ)에 의하여 $f\left(\frac{1}{3}\right)=3$, $f\left(\frac{1}{2}\right)=2$, $f(1)=1$, $f(2)=4$

따라서 $f\left(\frac{1}{3}\right)+f\left(\frac{1}{2}\right)+f(1)+f(2)=3+2+1+4=10$

내신연계 출제문항 066

함수

$$f(r)=\lim_{n\to\infty}\frac{1-r^n}{1+r^{n+2}}$$

에 대하여 $f\left(\frac{1}{3}\right)+f(\sqrt{2})+f(2)$의 값은?

① $\frac{1}{6}$　② $\frac{1}{4}$　③ $\frac{1}{3}$
④ 1　⑤ $\frac{3}{2}$

STEP A 공비 r의 범위에 따라 극한값 구하기

$f(r)=\lim_{n\to\infty}\frac{1-r^n}{1+r^{n+2}}$에서

(ⅰ) $-1<r<1$일 때, $\lim_{n\to\infty}r^n=0$이므로

$$f(r)=\lim_{n\to\infty}\frac{1-r^n}{1+r^{n+2}}=\frac{1-0}{1+0}=1,\ \text{즉 } f\left(\frac{1}{3}\right)=1$$

(ⅱ) $r>1$일 때, $\lim_{n\to\infty}r^n=\infty$이므로

$$f(r)=\lim_{n\to\infty}\frac{1-r^n}{1+r^{n+2}}=\lim_{n\to\infty}\frac{\frac{1}{r^n}-1}{\frac{1}{r^n}+r^2}=-\frac{1}{r^2}$$

즉 $f(\sqrt{2})=-\frac{1}{2}$, $f(2)=-\frac{1}{4}$

STEP B r값이 포함되는 범위에 따라 함숫값을 구하기

(ⅰ), (ⅱ)에 의하여 $f\left(\frac{1}{3}\right)+f(\sqrt{2})+f(2)=1+\left(-\frac{1}{2}\right)+\left(-\frac{1}{4}\right)=\frac{1}{4}$ 정답 ②

0148

정답 ④

STEP A 공비 x의 범위에 따라 극한값 구하기

(ⅰ) $x<-1$ 또는 $x>1$일 때, $\lim_{n\to\infty}x^n=\infty$이므로

$$f(x)=\lim_{n\to\infty}\frac{x+\frac{2}{x^{2n-1}}+\frac{3}{x^{2n}}}{1+\frac{1}{x^{2n}}}=x$$

(ⅱ) $x=1$일 때, $f(1)=\lim_{n\to\infty}\frac{1^{2n+1}+2+3}{1^{2n}+1}=3$

(ⅲ) $-1<r<1$일 때, $\lim_{n\to\infty}x^n=0$이므로

$$f(x)=\lim_{n\to\infty}\frac{x^{2n+1}+2x+3}{x^{2n}+1}=2x+3$$

STEP B x값이 포함되는 범위에 따라 함숫값을 구하기

(ⅰ)~(ⅲ)에 의하여 $f(-2)+f\left(\frac{1}{2}\right)+f(1)=-2+4+3=5$

내신연계 출제문항 067

n이 자연수일 때, 함수

$$f(x)=\lim_{n\to\infty}\frac{x^{2n+1}-x+1}{x^{2n}+2}$$

에 대하여 $f(2)f\left(\frac{1}{2}\right)f(-1)$의 값은?

① $\frac{1}{6}$　② $\frac{1}{4}$　③ $\frac{1}{3}$
④ $\frac{1}{2}$　⑤ 2

STEP A 공비 r의 범위에 따라 극한값 구하기

(ⅰ) $f(2)=\lim_{n\to\infty}\frac{2^{2n+1}-2+1}{2^{2n}+2}=\lim_{n\to\infty}\frac{2-\frac{2}{2^{2n}}+\frac{1}{2^{2n}}}{1+\frac{2}{2^{2n}}}=2$

(ⅱ) $f\left(\frac{1}{2}\right)=\lim_{n\to\infty}\frac{\left(\frac{1}{2}\right)^{2n+1}-\frac{1}{2}+1}{\left(\frac{1}{2}\right)^{2n}+2}=\frac{1}{4}$

(ⅲ) $f(-1)=\lim_{n\to\infty}\frac{(-1)^{2n+1}-(-1)+1}{(-1)^{2n}+2}=\frac{1}{3}$

STEP B r값이 포함되는 범위에 따라 함숫값을 구하기

(ⅰ)~(ⅲ)에서 $f(2)f\left(\frac{1}{2}\right)f(-1)=2\times\frac{1}{4}\times\frac{1}{3}=\frac{1}{6}$ 정답 ①

0149

정답 ④

STEP A 공비 x의 범위에 따라 극한값 구하기

(ⅰ) $0<x<1$일 때, $\lim_{n\to\infty}x^n=\lim_{n\to\infty}x^{n+1}=0$에서

$$f(x)=\lim_{n\to\infty}\frac{x^{n+1}-1}{x^n+1}=\frac{0-1}{0+1}=-1$$

(ⅱ) $x=1$일 때, $f(1)=\lim_{n\to\infty}\frac{1-1}{1+1}=0$

(ⅲ) $x>1$일 때, $f(x)=\lim_{n\to\infty}\frac{x^{n+1}-1}{x^n+1}=\lim_{n\to\infty}\frac{x-\frac{1}{x^n}}{1+\frac{1}{x^n}}=x$

STEP B x값이 포함되는 범위에 따라 함숫값을 구하기

(ⅰ)~(ⅲ)에 의하여

$$f(1)+f(2)+f(3)+\cdots+f(10)=0+2+3+4+\cdots+10$$
$$=\frac{9(2+10)}{2}=54$$

0150

정답 ⑤

STEP A 공비 r의 범위에 따라 극한값 구하기

(ⅰ) $0<r<3$일 때, $\lim_{n\to\infty}\left(\frac{r}{3}\right)^n=0$이므로

$$f(r)=\lim_{n\to\infty}\frac{r^{n+1}-3^n}{r^n+3^n}=\lim_{n\to\infty}\frac{r\left(\frac{r}{3}\right)^n-1}{\left(\frac{r}{3}\right)^n+1}=\lim_{n\to\infty}\frac{0-1}{0+1}=-1$$

(ⅱ) $r=3$일 때, $f(3)=\lim_{n\to\infty}\frac{3^{n+1}-3^n}{3^n+3^n}=1$

(ⅲ) $r>3$일 때, $\lim_{n\to\infty}\left(\frac{3}{r}\right)^n=0$이므로

$$f(r)=\lim_{n\to\infty}\frac{r^{n+1}-3^n}{r^n+3^n}=\lim_{n\to\infty}\frac{r-\left(\frac{3}{r}\right)^n}{1+\left(\frac{3}{r}\right)^n}=r$$

(ⅰ)~(ⅲ)에 의하여 $f(r)=\begin{cases}-1 & (0<r<3)\\ 1 & (r=3)\\ r & (r>3)\end{cases}$

STEP B r값이 포함되는 범위에 따라 함숫값을 구하기

따라서 $\sum_{r=1}^{10}f(r)=f(1)+f(2)+f(3)+f(4)+f(5)+\cdots+f(10)$

$=(-1)+(-1)+1+4+5+6+7+8+9+10$

$=48$

내/신/연/계/ 출제문항 068

함수

$$f(x)=\lim_{n\to\infty}\frac{x^{n+1}+x+1}{x^n+1}$$

에 대하여 $\sum_{k=1}^{10}f\left(\frac{k}{5}\right)$의 값은?

① $\frac{17}{2}$ ② $\frac{43}{5}$ ③ $\frac{31}{2}$
④ $\frac{53}{2}$ ⑤ $\frac{67}{4}$

STEP A 공비 x의 범위에 따라 극한값 구하기

(ⅰ) $|x|>1$일 때, $\lim_{n\to\infty}x^n=\infty$이므로

$$f(x)=\lim_{n\to\infty}\frac{x^{n+1}+x+1}{x^n+1}=\lim_{n\to\infty}\frac{x+\frac{1}{x^{n-1}}+\frac{1}{x^n}}{1+\frac{1}{x^n}}=x$$

(ⅱ) $x=1$일 때, $f(1)=\lim_{n\to\infty}\frac{1^{n+1}+1+1}{1^n+1}=\frac{3}{2}$

(ⅲ) $|x|<1$일 때, $\lim_{n\to\infty}x^n=0$이므로 $f(x)=\lim_{n\to\infty}\frac{x^{n+1}+x+1}{x^n+1}=x+1$

(ⅰ)~(ⅲ)에 의하여 $f(x)=\begin{cases}x & (|x|>1)\\ \frac{3}{2} & (x=1)\\ x+1 & (|x|<1)\end{cases}$

STEP B x값이 포함되는 범위에 따라 함숫값을 구하기

따라서 $\sum_{k=1}^{10}f\left(\frac{k}{5}\right)=f\left(\frac{1}{5}\right)+f\left(\frac{2}{5}\right)+f\left(\frac{3}{5}\right)+\cdots+f\left(\frac{5}{5}\right)+f\left(\frac{6}{5}\right)+\cdots+f\left(\frac{10}{5}\right)$

$=\left(\frac{1}{5}+1\right)+\left(\frac{2}{5}+1\right)+\left(\frac{3}{5}+1\right)+\left(\frac{4}{5}+1\right)+\frac{3}{2}$

$+\frac{6}{5}+\frac{7}{5}+\frac{8}{5}+\frac{9}{5}+\frac{10}{5}=\frac{31}{2}$

정답 ③

0151

정답 ③

STEP A 공비 r의 범위에 따라 극한값 구하기

(ⅰ) $|r|<1$일 때, $\lim_{n\to\infty}r^{2n}=0$이므로 $\lim_{n\to\infty}\frac{r^{2n-1}+3}{r^{2n}+2}=\frac{0+3}{0+2}=\frac{3}{2}$

(ⅱ) $r=1$일 때, $\lim_{n\to\infty}\frac{r^{2n-1}+3}{r^{2n}+2}=\frac{1+3}{1+2}=\frac{4}{3}$

(ⅲ) $r=-1$일 때, $\lim_{n\to\infty}\frac{r^{2n-1}+3}{r^{2n}+2}=\frac{-1+3}{1+2}=\frac{2}{3}$

(ⅳ) $|r|>1$일 때, $\lim_{n\to\infty}r^{2n}=\infty$이므로

$$\lim_{n\to\infty}\frac{r^{2n-1}+3}{r^{2n}+2}=\lim_{n\to\infty}\frac{\frac{1}{r}+\frac{3}{r^{2n}}}{1+\frac{2}{r^{2n}}}=\frac{\frac{1}{r}+0}{1+0}=\frac{1}{r}$$

이때 $r=\frac{5}{2}$이면 극한값은 $\frac{2}{5}$이다.

따라서 주어진 수열의 극한값이 될 수 없는 것은 ③이다.

내/신/연/계/ 출제문항 069

수열 $\left\{\frac{5^n+2r^n}{5^n+r^n}\right\}$의 극한값이 2보다 작도록 하는 정수 r의 개수는? (단, $r\neq-5$)

① 6 ② 7 ③ 8
④ 9 ⑤ 10

STEP A r의 범위를 나누어 극한값 구하기

(ⅰ) $|r|<5$일 때,

$$\lim_{n\to\infty}\left(\frac{r}{5}\right)^n=0\text{이므로 }\lim_{n\to\infty}\frac{5^n+2r^n}{5^n+r^n}=\lim_{n\to\infty}\frac{1+2\cdot\left(\frac{r}{5}\right)^n}{1+\left(\frac{r}{5}\right)^n}=\frac{1+0}{1+0}=1$$

(ⅱ) $r=5$일 때,

$$\lim_{n\to\infty}\left(\frac{r}{5}\right)^n=1\text{이므로 }\lim_{n\to\infty}\frac{5^n+2r^n}{5^n+r^n}=\lim_{n\to\infty}\frac{1+2\cdot\left(\frac{r}{5}\right)^n}{1+\left(\frac{r}{5}\right)^n}=\frac{1+2}{1+1}=\frac{3}{2}$$

(ⅲ) $|r|>5$일 때,

$$\lim_{n\to\infty}\left(\frac{5}{r}\right)^n=0\text{이므로 }\lim_{n\to\infty}\frac{5^n+2r^n}{5^n+r^n}=\lim_{n\to\infty}\frac{\left(\frac{5}{r}\right)^n+2}{\left(\frac{5}{r}\right)^n+1}=\frac{0+2}{0+1}=2$$

STEP B 정수 r의 개수 구하기

(ⅰ)~(ⅲ)에서 $\lim_{n\to\infty}\frac{5^n+2r^n}{5^n+r^n}<2$를 만족시키는 r의 값의 범위는

$-5<r\leq5$이므로 구하는 정수 r의 개수는 10

정답 ⑤

0152

정답 ③

STEP A r의 값의 범위에 따라 극한값 구하기

(i) $r>1$일 때, $\lim_{n\to\infty} r^n=\infty$이므로 $\lim_{n\to\infty}\frac{1}{r^n}=0$

주어진 수열의 일반항의 분모, 분자를 r^n으로 나누면

$$\lim_{n\to\infty}\frac{r^{n+1}-r^n+4}{r^n+1}=\lim_{n\to\infty}\frac{r-1+\frac{4}{r^n}}{1+\frac{1}{r^n}}=r-1$$

즉 $r-1=2$이므로 $r=3$

(ii) $r=1$일 때, $\lim_{n\to\infty} r^n=1$이므로 $\lim_{n\to\infty}\frac{r^{n+1}-r^n+4}{r^n+1}=\frac{1-1+4}{1+1}=2$

즉 $r=1$

(iii) $0<r<1$일 때, $\lim_{n\to\infty} r^n=0$이므로 $\lim_{n\to\infty}\frac{r^{n+1}-r^n+4}{r^n+1}=\frac{0-0+4}{0+1}=4$

STEP B 조건을 만족하는 양수 r의 합 구하기

(i)~(iii)에 의하여 양수 r의 값의 합은 $3+1=4$

내/신/연/계/ 출제문항 070

$r>-1$일 때,

$$\lim_{n\to\infty}\frac{2r^{n+1}-2r+1}{r^n+2}=\frac{1}{3}$$

을 만족시키는 모든 실수 r의 값의 합은?

① $\frac{1}{6}$ ② $\frac{5}{6}$ ③ $\frac{7}{6}$

④ $\frac{5}{3}$ ⑤ $\frac{14}{6}$

STEP A r의 값의 범위에 따라 극한값 구하기

(i) $-1<r<1$이면 $\lim_{n\to\infty} r^n=0$이므로 $\lim_{n\to\infty}\frac{2r^{n+1}-2r+1}{r^n+2}=\frac{-2r+1}{2}$

즉 $\frac{-2r+1}{2}=\frac{1}{3}$이므로 $r=\frac{1}{6}$

(ii) $r=1$이면 $\lim_{n\to\infty} r^n=1$이므로 $\lim_{n\to\infty}\frac{2r^{n+1}-2r+1}{r^n+2}=\frac{2-2+1}{1+2}=\frac{1}{3}$

(iii) $r>1$이면 $\lim_{n\to\infty} r^n=\infty$이므로

$$\lim_{n\to\infty}\frac{2r^{n+1}-2r+1}{r^n+2}=\lim_{n\to\infty}\frac{2r-\frac{2}{r^{n-1}}+\frac{1}{r^n}}{1+\frac{2}{r^n}}=2r$$

즉 $2r=\frac{1}{3}$에서 $r=\frac{1}{6}$은 $r>1$에 모순이다.

STEP B 조건을 만족하는 r의 합 구하기

(i)~(iii)에서 주어진 등식을 만족시키는 모든 실수 r의 값은 $\frac{1}{6}$, 1이므로

합은 $\frac{7}{6}$

정답 ③

0153

정답 ①

STEP A $\frac{m}{5}$의 범위에 다른 극한값이 2가 되도록 하도록 자연수 m의 값 구하기

(i) $0<\frac{m}{5}<1$일 때, $\lim_{n\to\infty}\left(\frac{m}{5}\right)^n=0$이므로

$$\lim_{n\to\infty}\frac{\left(\frac{m}{5}\right)^{n+1}+2}{\left(\frac{m}{5}\right)^n+1}=\frac{0+2}{0+1}=2$$

즉 $0<m<5$에서 자연수 m의 값은 1, 2, 3, 4

(ii) $\frac{m}{5}=1$일 때, $\lim_{n\to\infty}\left(\frac{m}{5}\right)^n=1$이므로 $\lim_{n\to\infty}\frac{\left(\frac{m}{5}\right)^{n+1}+2}{\left(\frac{m}{5}\right)^n+1}=\frac{1+2}{1+1}=\frac{3}{2}$

즉 $m=5$이면 극한값이 $\frac{3}{2}$이므로 $m\neq5$

(iii) $\frac{m}{5}>1$ 일 때, $\lim_{n\to\infty}\left(\frac{m}{5}\right)^n=\infty$이므로

$$\lim_{n\to\infty}\frac{\left(\frac{m}{5}\right)^{n+1}+2}{\left(\frac{m}{5}\right)^n+1}=\lim_{n\to\infty}\frac{\frac{m}{5}+\frac{2}{\left(\frac{m}{5}\right)^n}}{1+\frac{1}{\left(\frac{m}{5}\right)^n}}=\frac{\frac{m}{5}+0}{1+0}=\frac{m}{5}$$

즉 $\frac{m}{5}=2$에서 $m=10$

STEP B 조건을 만족하는 자연수 m의 개수 구하기

따라서 $\lim_{n\to\infty}\frac{\left(\frac{m}{5}\right)^{n+1}+2}{\left(\frac{m}{5}\right)^n+1}=2$가 되도록 하는 자연수 m은 1, 2, 3, 4, 10이므로

개수는 5

0154

정답 ④

STEP A 분자를 유리화하여 식을 정리하기

$$\begin{aligned}\lim_{n\to\infty}(\sqrt{16^n+a^n}-4^n)&=\lim_{n\to\infty}\frac{16^n+a^n-16^n}{\sqrt{16^n+a^n}+4^n}\\&=\lim_{n\to\infty}\frac{a^n}{\sqrt{16^n+a^n}+4^n}\\&=\lim_{n\to\infty}\frac{\left(\frac{a}{4}\right)^n}{\sqrt{1+\left(\frac{a}{16}\right)^n}+1}\end{aligned}$$

STEP B a의 범위에 따라 극한값 구하기

(i) $0<\frac{a}{4}<1$, 즉 $0<a<4$일 때,

$$\lim_{n\to\infty}\frac{\left(\frac{a}{4}\right)^n}{\sqrt{1+\left(\frac{a}{16}\right)^n}+1}=\frac{0}{\sqrt{1+0}+1}=0\text{으로 수렴한다.}$$

(ii) $\frac{a}{4}=1$, 즉 $a=4$일 때,

$$\lim_{n\to\infty}\frac{\left(\frac{a}{4}\right)^n}{\sqrt{1+\left(\frac{a}{16}\right)^n}+1}=\frac{1}{\sqrt{1+0}+1}=\frac{1}{2}\text{로 수렴한다.}$$

(iii) $\frac{a}{4}>1$, $0<\frac{a}{16}\leq1$, 즉 $4<a\leq16$일 때,

$$\lim_{n\to\infty}\frac{\left(\frac{a}{4}\right)^n}{\sqrt{1+\left(\frac{a}{16}\right)^n}+1}\text{에서}$$

(분자)$\to\infty$이고 (분모)$\to2$ 또는 $\sqrt{2}+1$이므로 ∞로 발산한다.

(iv) $\frac{a}{16}>1$, 즉 $a>16$일 때, 분모, 분자를 $\left(\frac{a}{4}\right)^n$으로 나누면

$$\lim_{n\to\infty}\frac{1}{\sqrt{\left(\frac{16}{a^2}\right)^n+\left(\frac{1}{a}\right)^n}+\left(\frac{4}{a}\right)^n}$$

$n\to\infty$일 때, (분모)$\to0$이므로 ∞로 발산한다.

STEP C 극한값이 수렴하도록 하는 a의 값의 범위 구하기

(i)~(iv)에서 구하는 극한값이 수렴하도록 하는 a의 값의 범위는 $0<a\leq4$이므로 자연수 a는 1, 2, 3, 4이므로 개수는 4

0155

정답 ③

STEP A 등비수열의 극한을 이용하여 ka_k를 정리하기

$a_k=\lim_{n\to\infty}\frac{5^{n+1}}{5^nk+4k^{n+1}}$에서 $ka_k=\lim_{n\to\infty}\frac{5^{n+1}}{5^n+4k^n}$이므로

$1\le k\le 4$이면 $ka_k=\lim_{n\to\infty}\frac{5^{n+1}}{5^n+4k^n}=\lim_{n\to\infty}\frac{5}{1+4\left(\frac{k}{5}\right)^n}=5$ ← $\lim_{n\to\infty}4\left(\frac{k}{5}\right)^n=0$

$k=5$이면 $5a_5=\frac{5}{1+4}=1$

$k\ge 6$이면 $ka_k=\lim_{n\to\infty}\frac{5^{n+1}}{5^n+4k^n}=\lim_{n\to\infty}\frac{5}{1+4\left(\frac{k}{5}\right)^n}=0$ ← $\lim_{n\to\infty}4\left(\frac{k}{5}\right)^n=\infty$

STEP B $\sum_{k=1}^{10}ka_k$의 값 구하기

따라서 $\sum_{k=1}^{10}ka_k=5+5+5+5+1+0+\cdots+0=21$

0156

정답 ④

STEP A k의 범위에 따라 극한값 구하기

$a_k=\lim_{n\to\infty}\frac{\left(\frac{6}{k}\right)^{n+1}}{\left(\frac{6}{k}\right)^n+1}$에서 공비가 $\frac{6}{k}$이므로 각 경우로 나누면 다음과 같다.

(ⅰ) $\frac{6}{k}<1$, 즉 $k>6$일 때, $\lim_{n\to\infty}\left(\frac{6}{k}\right)^n=0$이므로

$$a_k=\lim_{n\to\infty}\frac{\left(\frac{6}{k}\right)^{n+1}}{\left(\frac{6}{k}\right)^n+1}=\frac{0}{0+1}=0$$

(ⅱ) $\frac{6}{k}=1$, 즉 $k=6$일 때, $\lim_{n\to\infty}\left(\frac{6}{k}\right)^n=1$이므로 $a_k=\lim_{n\to\infty}\frac{1^{n+1}}{1^n+1}=\frac{1}{2}$

(ⅲ) $\frac{6}{k}>1$, 즉 $k<6$일 때, $\lim_{n\to\infty}\left(\frac{6}{k}\right)^n=\infty$이므로

$$a_k=\lim_{n\to\infty}\frac{\left(\frac{6}{k}\right)^{n+1}}{\left(\frac{6}{k}\right)^n+1}=\lim_{n\to\infty}\frac{\left(\frac{6}{k}\right)}{1+\frac{1}{\left(\frac{6}{k}\right)^n}}=\frac{\frac{6}{k}}{1+0}=\frac{6}{k}$$

STEP B k값이 포함되는 범위에 따라 a_k의 값 구하기

따라서 $\sum_{k=1}^{10}ka_k=1\cdot a_1+2\cdot a_2+\cdots+10\cdot a_{10}$

$=1\cdot\frac{6}{1}+2\cdot\frac{6}{2}+3\cdot\frac{6}{3}+4\cdot\frac{6}{4}+5\cdot\frac{6}{5}$

$+6\cdot\frac{1}{2}+7\cdot 0+8\cdot 0+9\cdot 0+10\cdot 0$

$=6+6+6+6+6+3=33$

참고 $\frac{6}{k}=-1$일 때는 함숫값이 존재하지 않는다.

내/신/연/계/ 출제문항 071

자연수 k에 대하여

$$a_k=\lim_{n\to\infty}\frac{2\times\left(\frac{k}{10}\right)^{2n+1}+\left(\frac{k}{10}\right)^n}{\left(\frac{k}{10}\right)^{2n}+\left(\frac{k}{10}\right)^n+1}$$

이라 할 때, $\sum_{k=1}^{20}a_k$의 값은?

① 26 ② 28 ③ 30
④ 32 ⑤ 34

STEP A $\frac{k}{10}$의 범위에 따른 a_k 구하기

$a_k=\lim_{n\to\infty}\frac{2\times\left(\frac{k}{10}\right)^{2n+1}+\left(\frac{k}{10}\right)^n}{\left(\frac{k}{10}\right)^{2n}+\left(\frac{k}{10}\right)^n+1}$에서

(ⅰ) $0<\frac{k}{10}<1$일 때, 즉 $0<k<10$일 때,

$$a_k=\lim_{n\to\infty}\frac{2\times\left(\frac{k}{10}\right)^{2n+1}+\left(\frac{k}{10}\right)^n}{\left(\frac{k}{10}\right)^{2n}+\left(\frac{k}{10}\right)^n+1}=\frac{2\times0+0}{0+0+1}=0$$

(ⅱ) $\frac{k}{10}=1$일 때, 즉 $k=10$일 때, $a_k=\lim_{n\to\infty}\frac{2\times1^{2n+1}+1^n}{1^{2n}+1^n+1}=\frac{3}{3}=1$

(ⅲ) $\frac{k}{10}>1$, 즉 $k>10$일 때,

$$a_k=\lim_{n\to\infty}\frac{2\times\left(\frac{k}{10}\right)^{2n+1}+\left(\frac{k}{10}\right)^n}{\left(\frac{k}{10}\right)^{2n}+\left(\frac{k}{10}\right)^n+1}=\lim_{n\to\infty}\frac{2\times\left(\frac{k}{10}\right)+\frac{1}{\left(\frac{k}{10}\right)^n}}{1+\frac{1}{\left(\frac{k}{10}\right)^n}+\frac{1}{\left(\frac{k}{10}\right)^{2n}}}$$

$$=\frac{\frac{k}{5}+0}{1+0+0}=\frac{k}{5}$$

(ⅰ)~(ⅲ)에서 $a_k=\begin{cases}0 & (k<10)\\ 1 & (k=10)\\ \frac{k}{5} & (k>10)\end{cases}$

STEP B $\sum_{k=1}^{20}a_k$의 값 구하기

따라서 $\sum_{k=1}^{20}a_k=\sum_{k=1}^{9}a_k+a_{10}+\sum_{k=11}^{20}a_k=\sum_{k=1}^{9}0+1+\sum_{k=11}^{20}\frac{k}{5}$

$=1+\left(\sum_{k=1}^{20}\frac{k}{5}-\sum_{k=1}^{10}\frac{k}{5}\right)=1+\frac{1}{5}\left(\sum_{k=1}^{20}k-\sum_{k=1}^{10}k\right)$

$=1+\frac{1}{5}\left(\frac{20\times21}{2}-\frac{10\times11}{2}\right)=1+31=32$

정답 ④

0157

정답 ④

STEP A 등비수열이 수렴하려면 $-1<$(공비)≤ 1임을 이용하기

등비수열 $\{(-1+\log x)^n\}$은 첫째항과 공비가 모두 $-1+\log x$이므로

이 수열이 수렴하려면 $-1<-1+\log x\le 1$이어야 한다.

즉 $0<\log x\le 2$이므로 $1<x\le 100$

따라서 정수 x의 개수는 $100-1=99$

내/신/연/계/ 출제문항 072

등비수열

$$\left\{\left(\frac{\log_3 2x-1}{2}\right)^n\right\}$$

이 수렴하도록 하는 모든 정수 x의 개수는?

① 10 ② 11 ③ 12
④ 13 ⑤ 14

STEP A 등비수열이 수렴하려면 $-1<$(공비)≤ 1임을 이용하기

등비수열 $\left\{\left(\frac{\log_3 2x-1}{2}\right)^n\right\}$은 첫째항과 공비가 모두 $\frac{\log_3 2x-1}{2}$이므로

이 수열이 수렴하려면 $-1<\frac{\log_3 2x-1}{2}\le 1$이어야 한다.

즉 $-2<\log_3 2x-1\le 2$, $-1<\log_3 2x\le 3$이므로 $\frac{1}{3}<2x\le 27$

$\therefore \frac{1}{6}<x\le\frac{27}{2}$

따라서 정수 x의 개수는 $1, 2, 3, \cdots, 13$이므로 13

정답 ④

0158

정답 ⑤

STEP Ⓐ **등비수열이 수렴하려면 $-1<$(공비)≤ 1임을 이용하기**

등비수열 $\{(\log_3 x)^n\}$의 공비가 $\log_3 x$이므로 수렴하려면

$-1<\log_3 x\le 1$, $\log_3 \frac{1}{3}<\log_3 x\le \log_3 3$

$\therefore\ \frac{1}{3}<x\le 3$ ...... ㉠

등비수열 $\left\{\left(\frac{x}{2}\right)^n\right\}$의 공비가 $\frac{x}{2}$이므로 수렴하려면

$-1<\frac{x}{2}\le 1$

$\therefore\ -2<x\le 2$ ...... ㉡

㉠, ㉡의 공통범위를 구하면 $\frac{1}{3}<x\le 2$

따라서 $\alpha=\frac{1}{3}$, $\beta=2$이므로 $\alpha+\beta=\frac{7}{3}$

0159

정답 ①

STEP Ⓐ **등비수열이 수렴할 조건을 이용하여 부등식 세우기**

등비수열 $\left\{\left(\frac{x^2+x}{6}\right)^n\right\}$은 첫째항과 공비가 모두 $\frac{x^2+x}{6}$이므로

등비수열이 수렴하려면 $-1<\frac{x^2+x}{6}\le 1$이어야 한다.

$\therefore\ -6<x^2+x\le 6$

STEP Ⓑ **부등식을 풀어 주어진 수열이 수렴하는 정수 x의 합 구하기**

(ⅰ) $-6<x^2+x$에서 $x^2+x+6>0$이고

$x^2+x+6=\left(x+\frac{1}{2}\right)^2+\frac{23}{4}>0$

즉 모든 실수 x에 대하여 성립한다.

(ⅱ) $x^2+x\le 6$에서 $x^2+x-6\le 0$이므로

$(x+3)(x-2)\le 0$ $\therefore\ -3\le x\le 2$

(ⅰ), (ⅱ)에서 공통범위를 구하면 $-3\le x\le 2$

따라서 구하는 정수 x는 $-3, -2, -1, 0, 1, 2$이므로 정수 x의 합은 -3

내신연계 출제문항 073

수열

$$\left\{\left(\frac{x^2-2x}{3}\right)^n\right\}$$

이 수렴할 때, 정수 x의 개수는?

① 3 ② 4 ③ 5
④ 6 ⑤ 7

STEP Ⓐ **수렴하는 x의 범위 구하기**

수열 $\left\{\left(\frac{x^2-2x}{3}\right)^n\right\}$이 수렴하므로 $-1<\frac{x^2-2x}{3}\le 1$

$-3<x^2-2x\le 3$

$x^2-2x+3>0$은 만족하는 모든 실수 x에 대하여 성립한다.

$x^2-2x-3\le 0$, $(x+1)(x-3)\le 0$

$\therefore\ -1\le x\le 3$

STEP Ⓑ **정수 x의 개수 구하기**

따라서 정수 x는 $-1, 0, 1, 2, 3$이므로 개수는 5  정답 ③

0160

정답 ②

STEP Ⓐ **수열 $\{r^n\}$이 수렴하기 위한 조건 $-1<r\le 1$임을 이해하기**

등비수열 $\left\{\left(\sqrt{2}\sin\frac{\pi}{8}x\right)^n\right\}$이 수렴하므로 $-1<\sqrt{2}\sin\frac{\pi}{8}x\le 1$이어야 한다.

즉 $-\frac{1}{\sqrt{2}}<\sin\frac{\pi}{8}x\le\frac{1}{\sqrt{2}}$ ⬅ $\sin\frac{\pi}{8}x$의 주기는 $\frac{2\pi}{\frac{\pi}{8}}=16$

STEP Ⓑ **부등식을 풀어 주어진 수열이 수렴하는 정수 x의 개수 구하기**

이때 $0<x<16$에서 $0<\frac{\pi}{8}x<2\pi$이므로

부등식의 해는 $0<\frac{\pi}{8}x\le\frac{\pi}{4}$ 또는 $\frac{3}{4}\pi\le\frac{\pi}{8}x<\frac{5}{4}\pi$ 또는 $\frac{7}{4}\pi<\frac{\pi}{8}x<2\pi$

즉 $0<x\le 2$ 또는 $6\le x<10$ 또는 $14<x<16$

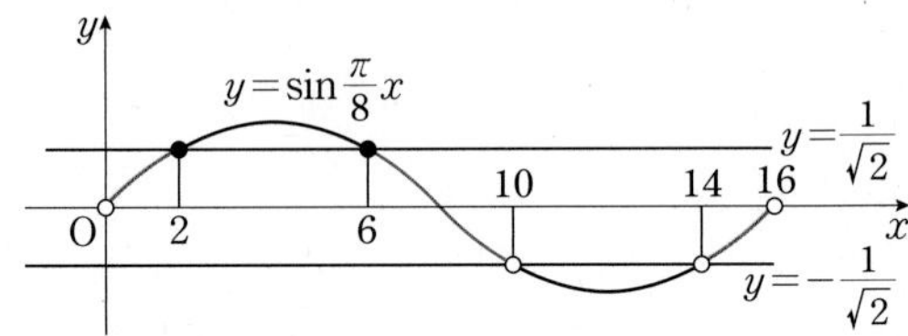

따라서 구하는 자연수 x의 개수 $1, 2, 6, 7, 8, 9, 15$이므로 7

내신연계 출제문항 074

등비수열

$$\left\{\left(-\sin\frac{k\pi}{4}\right)^n\right\}$$

이 수렴하도록 하는 10 이하의 자연수 k의 개수는?

① 5 ② 6 ③ 7
④ 8 ⑤ 9

STEP Ⓐ **수열 $\{r^n\}$이 수렴하기 위한 조건 $-1<r\le 1$임을 이해하기**

등비수열 $\left\{\left(-\sin\frac{k\pi}{4}\right)^n\right\}$이 수렴하므로 $-1<-\sin\frac{k\pi}{4}\le 1$이어야 한다.

즉 $-1\le\sin\frac{\pi}{4}k<1$ ⬅ $\sin\frac{\pi}{4}k$의 주기는 $\frac{2\pi}{\frac{\pi}{4}}=8$

STEP Ⓑ **연립부등식의 해를 구하기**

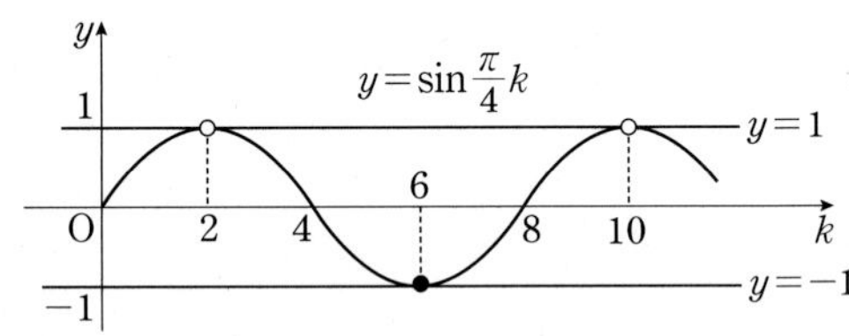

$-1\le\sin\frac{\pi}{4}k<1$을 만족하는 부등식의 해는

$0<x<2$ 또는 $2<x<10$

따라서 10 이하의 자연수 k는 $1, 3, 4, 5, 6, 7, 8, 9$이므로 개수는 8 정답 ④

0161

정답 ②

STEP Ⓐ **등비수열이 수렴할 조건을 이용하여 부등식 세우기**

수열 $\{(x-3)(2x-3)^{n-1}\}$은 첫째항이 $x-3$이고 공비가 $2x-3$이므로

수렴하려면 $x-3=0$ 또는 $-1<2x-3\le 1$이어야 한다.

STEP Ⓑ **부등식을 풀어 주어진 수열이 수렴하는 정수 x의 개수 구하기**

(ⅰ) $x-3=0$에서 $x=3$

(ⅱ) $-1<2x-3\le 1$에서 $2<2x\le 4$이므로 $1<x\le 2$

(ⅰ), (ⅱ)에서 수렴하도록 하는 정수 x는 $2, 3$이므로 2

내신연계 출제문항 075

수열

$$\left\{(x+4)\left(\frac{2x-1}{3}\right)^{n-1}\right\}$$

이 수렴하도록 하는 모든 정수 x의 값의 합은?

① -3 ② -1 ③ 0
④ 1 ⑤ 3

STEP Ⓐ **등비수열이 수렴할 조건을 이용하여 부등식 세우기**

수열 $\left\{(x+4)\left(\frac{2x-1}{3}\right)^{n-1}\right\}$은 첫째항이 $x+4$이고 공비가 $\frac{2x-1}{3}$이므로

수렴하려면 $x+4=0$ 또는 $-1<\frac{2x-1}{3}\le 1$이어야 한다.

STEP Ⓑ **부등식을 풀어 주어진 수열이 수렴하는 정수 x의 합 구하기**

(ⅰ) $x+4=0$에서 $x=-4$

(ⅱ) $-1<\frac{2x-1}{3}\le 1$에서 $-3<2x-1\le 3$이므로 $-1<x\le 2$

(ⅰ), (ⅱ)에서 수렴하도록 하는 정수 x는 $0, 1, 2, -4$이므로 합은

$0+1+2+(-4)=-1$

 ②

0162

 ②

STEP Ⓐ **등비수열 $\{ar^{n-1}\}$이 수렴 조건 $a=0$ 또는 $-1<r\le 1$ 구하기**

$\{(x+2)(x^2-4x+3)^{n-1}\}$은 첫째항이 $x+2$, 공비가 x^2-4x+3인 등비수열이므로 이 수열이 수렴하기 위해서는 $x+2=0$ 또는 $-1<x^2-4x+3\le 1$을 만족해야 한다.

STEP Ⓑ **모든 정수 x의 합 구하기**

$x+2=0$일 때, $x=-2$이고 $-1<x^2-4x+3\le 1$인 경우

(ⅰ) $x^2-4x+4>0$이고 $x^2-4x+2\le 0$

$x^2-4x+4>0$에서 $(x-2)^2>0$ $\therefore x\ne 2$인 모든 실수

(ⅱ) $x^2-4x+2\le 0$에서 $2-\sqrt{2}\le x\le 2+\sqrt{2}$

(ⅰ), (ⅱ)를 동시에 만족하는 정수 x는 $1, 3$

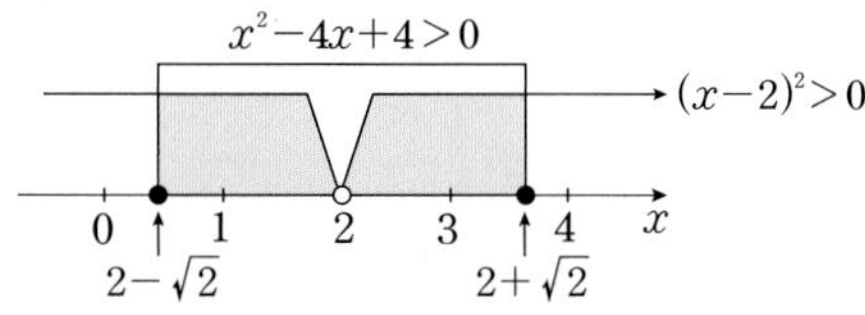

따라서 조건을 만족하는 정수 x는 $-2, 1, 3$이므로 모든 정수 x의 합은

$-2+1+3=2$

내신연계 출제문항 076

수열

$$\{(x-4)(x^2-3)^{n-1}\}$$

이 수렴하도록 하는 모든 정수 x의 개수는?

① 2 ② 3 ③ 4
④ 5 ⑤ 6

STEP Ⓐ **등비수열이 수렴할 조건을 이용하여 부등식 세우기**

수열 $\{(x-4)(x^2-3)^{n-1}\}$은 첫째항이 $x-4$이고 공비가 x^2-3이므로

수렴하려면 $x=4$ 또는 $-1<x^2-3\le 1$

STEP Ⓑ **부등식을 풀어 주어진 수열이 수렴하는 정수 x의 개수 구하기**

이때 $-1<x^2-3\le 1$, 즉 $2<x^2\le 4$에서 $-2\le x<-\sqrt{2}$ 또는 $\sqrt{2}<x\le 2$

즉 정수 x는 $-2, 2, 4$이므로 그 개수는 3

정답 ②

0163

 ①

STEP Ⓐ **r의 범위 구하기**

등비수열 $\{r^n\}$이 수렴하므로 $-1<r\le 1$ …… ㉠

STEP Ⓑ **반드시 수렴하는 수열 구하기**

ㄱ. 공비가 $-r$이고 ㉠에서 $-1\le -r<1$

이때 $-r=-1$, 즉 $r=1$이면 수열 $\{(-r)^n\}$은 발산(진동)한다.

ㄴ. 공비가 $\frac{r-1}{3}$이고 ㉠에서 $-2<r-1\le 0$

$\therefore -\frac{2}{3}<\frac{r-1}{3}\le 0$

즉 수열 $\left\{\left(\frac{r-1}{3}\right)^n\right\}$은 수렴한다.

ㄷ. 공비가 $\frac{r}{2}-1$이고 ㉠에서 $-\frac{1}{2}<\frac{r}{2}\le\frac{1}{2}$

$\therefore -\frac{3}{2}<\frac{r}{2}-1\le -\frac{1}{2}$

즉 $-\frac{3}{2}<\frac{r}{2}-1\le -1$이면 수열 $\left\{\left(\frac{r}{2}-1\right)^n\right\}$은 발산(진동)한다.

ㄹ. 공비가 $\frac{1}{r}$이고 ㉠에서 $\frac{1}{r}<-1$ 또는 $\frac{1}{r}\ge 1$이므로

수열 $\left\{\left(\frac{1}{r}\right)^n\right\}$은 발산한다.

따라서 반드시 수렴하는 수열은 ㄴ이다.

내신연계 출제문항 077

등비수열 $\{r^n\}$이 수렴할 때, 다음 중 항상 수렴하는 수열이 아닌 것은?

① $\{r^{2n}\}$ ② $\left\{\left(\frac{r}{2}\right)^n\right\}$ ③ $\{(r-1)^n\}$
④ $\left\{\left(\frac{r-1}{3}\right)^n\right\}$ ⑤ $\left\{\left(\frac{1-r}{2}\right)^n\right\}$

STEP Ⓐ **r의 범위 구하기**

등비수열 r^n이 수렴하므로 $-1<r\le 1$ …… ㉠

STEP Ⓑ **항상 수렴하지 않은 수열 구하기**

① 공비가 r^2이므로 ㉠에서 $0\le r^2\le 1$

즉 수열 $\{r^{2n}\}$은 항상 수렴한다.

② 공비가 $\frac{r}{2}$이므로 ㉠에서 $-\frac{1}{2}<\frac{r}{2}\le\frac{1}{2}$

즉 수열 $\left\{\left(\frac{r}{2}\right)^n\right\}$은 항상 수렴한다.

③ 공비가 $r-1$이므로 ㉠에서 $-2<r-1\le 0$

즉 수열 $\{(r-1)^n\}$은 항상 수렴하는 수열이 아니다.

④ 공비가 $\frac{r-1}{3}$이므로 ㉠에서 $-\frac{2}{3}<\frac{r-1}{3}\le 0$

즉 수열 $\left\{\left(\frac{r-1}{3}\right)^n\right\}$은 항상 수렴한다.

⑤ 공비가 $\frac{1-r}{2}$이므로 ㉠에서 $0\le\frac{1-r}{2}<1$

즉 수열 $\left\{\left(\frac{1-r}{2}\right)^n\right\}$은 항상 수렴한다.

따라서 항상 수렴하는 수열이 아닌 것은 ③이다.

 ③

0164

 정답 ④

STEP A r의 범위 구하기

수열 $\{r^{2n}\}$이 수렴하므로 $0 \le r^2 \le 1$

즉 $-1 \le r \le 1$

STEP B 반드시 수렴하는 수열 구하기

ㄱ. $-1 \le r \le 1$에서 $-\frac{1}{3} \le \frac{r}{3} \le \frac{1}{3}$

즉 $\left\{\left(\frac{r}{3}\right)^n\right\}$은 수렴한다.

ㄴ. $-1 \le r \le 1$에서 $-\frac{2}{3} \le \frac{r-1}{3} \le 0$

즉 수열 $\left\{\left(\frac{r-1}{3}\right)^n\right\}$은 수렴한다.

ㄷ. $-1 \le r \le 1$에서 $-1 \le \frac{r-1}{2} \le 0$이므로

$r=-1$일 때, $\frac{r-1}{2}=-1$이므로 진동(발산)한다.

ㄹ. $-1 \le r \le 1$에서 $-\frac{1}{3} \le \frac{2r+1}{3} \le 1$이므로

즉 수열 $\left\{\left(\frac{2r+1}{3}\right)^n\right\}$은 수렴한다.

따라서 반드시 수렴하는 수열은 ㄱ, ㄴ, ㄹ이다.

0165

 정답 ④

STEP A 두 지수함수 $y=4^x$, $y=3^x$의 그래프와 직선 $x=n$의 교점 P_n, Q_n의 좌표 구하기

두 지수함수 $y=4^x$, $y=3^x$의 그래프와 직선 $x=n$의 교점 P_n, Q_n의 좌표는 $P_n(n,\ 4^n)$, $Q_n(n,\ 3^n)$이므로 $\overline{P_nQ_n}=4^n-3^n$

또, 두 점 P_{n+1}, Q_{n+1}의 좌표는 $P_{n+1}(n+1,\ 4^{n+1})$, $Q_{n+1}(n+1,\ 3^{n+1})$이므로

$\overline{P_{n+1}Q_{n+1}}=4^{n+1}-3^{n+1}$

STEP B 극한값 구하기

따라서 구하는 극한값은

$$\lim_{n\to\infty}\frac{\overline{P_{n+1}Q_{n+1}}}{\overline{P_nQ_n}}=\lim_{n\to\infty}\frac{4^{n+1}-3^{n+1}}{4^n-3^n}=\lim_{n\to\infty}\frac{4-3\left(\frac{3}{4}\right)^n}{1-\left(\frac{3}{4}\right)^n}=4$$

0166

 정답 ③

STEP A 무리함수의 그래프 위의 두 점 사이의 거리를 구하기

두 점 P_n, P_{n+1}의 좌표가 각각 $P_n(4^n,\ 2^n)$, $P_{n+1}(4^{n+1},\ 2^{n+1})$이므로

$$\begin{aligned}(L_n)^2=\overline{P_nP_{n+1}}^2&=(4^{n+1}-4^n)^2+(2^{n+1}-2^n)^2\\&=(3\times4^n)^2+(2^n)^2\\&=9\times16^n+4^n\end{aligned}$$

STEP B 등비수열의 극한을 이용하여 극한값 구하기

$$\begin{aligned}\text{따라서 }\lim_{n\to\infty}\left(\frac{L_{n+1}}{L_n}\right)^2&=\lim_{n\to\infty}\frac{(L_{n+1})^2}{(L_n)^2}=\lim_{n\to\infty}\frac{9\times16^{n+1}+4^{n+1}}{9\times16^n+4^n}\\&=\lim_{n\to\infty}\frac{9\times16+4\times\left(\frac{1}{4}\right)^n}{9+\left(\frac{1}{4}\right)^n}\\&=\frac{9\times16+4\times0}{9+0}\\&=16\end{aligned}$$

내/신/연/계/ 출제문항 078

다음 그림과 같이 자연수 n에 대하여 두 로그함수 $y=\log_2 x$, $y=\log_4 x$의 그래프와 직선 $y=n$의 교점을 각각 P_n, Q_n이라 하자.

이때 $\lim_{n\to\infty}\frac{\overline{P_nQ_n}}{\overline{P_{n+1}Q_{n+1}}}$의 값은?

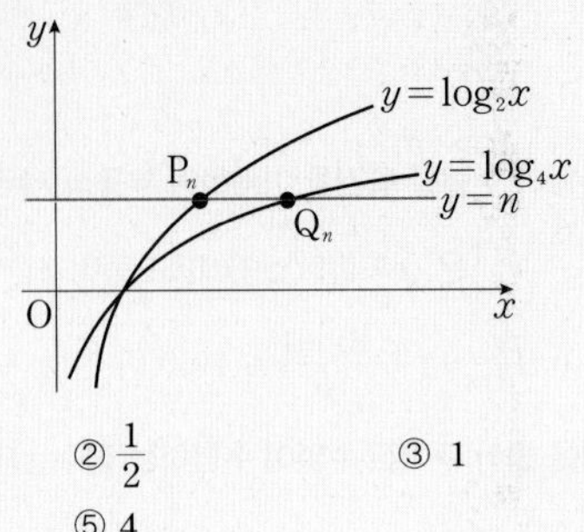

① $\frac{1}{4}$ ② $\frac{1}{2}$ ③ 1 ④ 2 ⑤ 4

STEP A 두 로그함수 $y=\log_2 x$, $y=\log_4 x$의 그래프와 직선 $y=n$의 교점 P_n, Q_n의 좌표 구하기

두 로그함수 $y=\log_2 x$, $y=\log_4 x$의 그래프와 직선 $y=n$의 교점 P_n, Q_n의 좌표는 $P_n(2^n,\ n)$, $Q_n(4^n,\ n)$ ← $\log_2 x=n$, $\log_4 x=n$에서 $x=2^n$, $x=4^n$

이므로 $\overline{P_nQ_n}=4^n-2^n$

또, 두 점 P_{n+1}, Q_{n+1}의 좌표는 $P_{n+1}(2^{n+1},\ n+1)$, $Q_{n+1}(4^{n+1},\ n+1)$이므로

$\overline{P_{n+1}Q_{n+1}}=4^{n+1}-2^{n+1}$

STEP B 극한값 구하기

$$\begin{aligned}\text{따라서 구하는 극한값은 }\lim_{n\to\infty}\frac{\overline{P_nQ_n}}{\overline{P_{n+1}Q_{n+1}}}&=\lim_{n\to\infty}\frac{4^n-2^n}{4^{n+1}-2^{n+1}}\\&=\lim_{n\to\infty}\frac{1-\left(\frac{1}{2}\right)^n}{4-2\left(\frac{1}{2}\right)^n}\\&=\frac{1-0}{4-0}=\frac{1}{4}\end{aligned}$$

 정답 ①

0167

 정답 ②

STEP A 삼각형 OA_nB_n의 넓이 a_n 구하기

$\log_2 x=n$에서 $x=2^n$이고

$\log_3 x-1=n$에서 $x=3^{n+1}$이므로

$\overline{A_nB_n}=3^{n+1}-2^n$

$\therefore a_n=\frac{1}{2}n(3^{n+1}-2^n)$

STEP B $\lim_{n\to\infty}\frac{a_n}{a_{n+1}}$의 값 구하기

$$\begin{aligned}\text{따라서 }\lim_{n\to\infty}\frac{a_n}{a_{n+1}}&=\lim_{n\to\infty}\frac{\frac{1}{2}n(3^{n+1}-2^n)}{\frac{1}{2}(n+1)(3^{n+2}-2^{n+1})}\\&=\lim_{n\to\infty}\frac{n}{n+1}\times\lim_{n\to\infty}\frac{3-\left(\frac{2}{3}\right)^n}{9-2\times\left(\frac{2}{3}\right)^n}\\&=\frac{1}{3}\end{aligned}$$

내/신/연/계/ 출제문항 079

자연수 n에 대하여 x축 위의 점 $P_n(4^n, 0)$과 곡선 $y=\sqrt{x}+\frac{1}{2^{n-1}}$ 위의 점 Q_n이 $\overline{OQ_n}=\overline{P_nQ_n}$을 만족시킨다. 삼각형 OP_nQ_n의 넓이를 S_n이라 할 때, $\lim_{n\to\infty}\frac{S_n}{8^n}$의 값은? (단, O는 원점이다.)

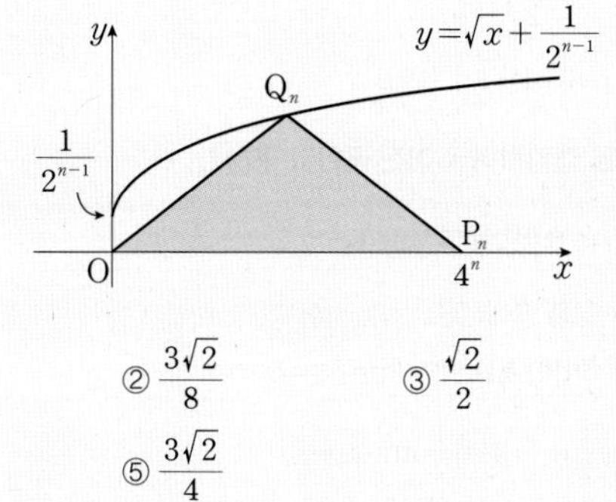

① $\frac{\sqrt{2}}{4}$ ② $\frac{3\sqrt{2}}{8}$ ③ $\frac{\sqrt{2}}{2}$
④ $\frac{5\sqrt{2}}{8}$ ⑤ $\frac{3\sqrt{2}}{4}$

STEP A **삼각형 OP_nQ_n의 넓이 S_n 구하기**

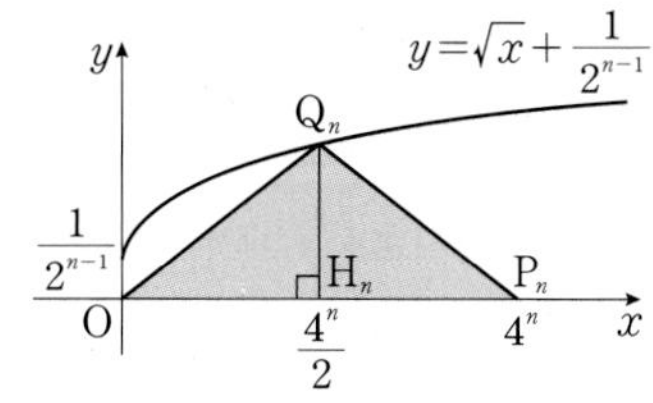

삼각형 OP_nQ_n은 $\overline{OQ_n}=\overline{P_nQ_n}$인 이등변삼각형이므로
점 Q_n에서 x축에 내린 수선의 발을 H_n이라 하면
점 H_n의 x좌표는 $\frac{4^n}{2}$
이때 삼각형 OP_nQ_n의 넓이 S_n은

$$S_n=\frac{1}{2}\times\overline{OP_n}\times\overline{Q_nH_n}=\frac{1}{2}\times4^n\times\left(\sqrt{\frac{4^n}{2}}+\frac{1}{2^{n-1}}\right)=\frac{\sqrt{2}}{4}\times8^n+2^n$$

STEP B **극한값 구하기**

따라서 $\lim_{n\to\infty}\frac{S_n}{8^n}=\lim_{n\to\infty}\frac{\frac{\sqrt{2}}{4}\times8^n+2^n}{8^n}=\lim_{n\to\infty}\left\{\frac{\sqrt{2}}{4}+\left(\frac{1}{4}\right)^n\right\}=\frac{\sqrt{2}}{4}$ 정답 ①

0168

정답 ③

STEP A **두 곡선의 교점의 x좌표 구하기**

두 곡선 $y=a^{x-1}$과 $y=3^x$의 교점의 x좌표가 k이므로
$a^{k-1}=3^k$
이때 $\frac{a}{3}>1$이므로 $\lim_{n\to\infty}\left(\frac{a}{3}\right)^n=\infty$

STEP B **주어진 극한값 구하기**

따라서 $\lim_{n\to\infty}\frac{\left(\frac{a}{3}\right)^{n+k}}{\left(\frac{a}{3}\right)^{n+1}+1}=\lim_{n\to\infty}\frac{\left(\frac{a}{3}\right)^{k-1}}{1+\frac{1}{\left(\frac{a}{3}\right)^{n+1}}}=\left(\frac{a}{3}\right)^{k-1}=\frac{a^{k-1}}{3^{k-1}}=\frac{3^k}{3^{k-1}}=3$

0169

 ④

STEP A **주어진 그래프에서 a_1, a_2, a_3를 구하여 수열 $\{a_n\}$이 가까워지는 점 구하기**

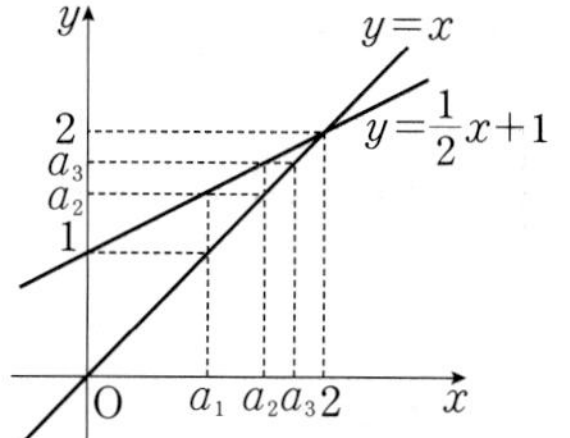

$\lim_{n\to\infty}a_n=\alpha$라고 하면 α의 값은
두 직선 $y=x$, $y=\frac{1}{2}x+1$의
교점의 x좌표와 같으므로
$\frac{1}{2}\alpha+1=\alpha$, $\alpha=2$
따라서 $\lim_{n\to\infty}a_n=2$

0170

정답 ③

STEP A **주어진 그래프에서 a_1, a_2, a_3를 구하여 수열 $\{a_n\}$이 가까워지는 점 구하기**

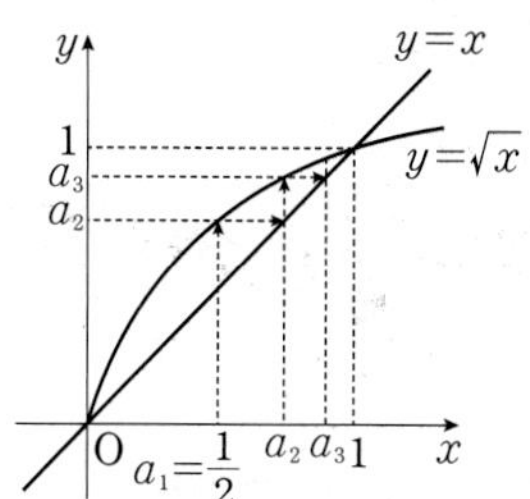

주어진 수열 $\{a_n\}$을 그래프로 나타내면 오른쪽 그래프와 같다.
따라서 $a_1, a_2, a_3, \cdots$은 $y=x$와 $y=\sqrt{x}$의 교점 $(1, 1)$의 x좌표에 가까이 간다.
따라서 $\lim_{n\to\infty}a_n=1$

내/신/연/계/ 출제문항 080

수열 $\{a_n\}$이

$$a_1=0,\ a_{n+1}=\sqrt{2a_n+8}\ (n\geq1)$$

을 만족할 때, 두 함수 $y=\sqrt{2x+8}$, $y=x$의 그래프를 이용하여 수열 $\{a_n\}$의 극한값 $\lim_{n\to\infty}a_n$의 값은?

① 1 ② 2 ③ 3
④ 4 ⑤ 5

STEP A **주어진 그래프에서 a_1, a_2, a_3를 구하여 수열 $\{a_n\}$이 가까워지는 점 구하기**

$a_1=0$
$a_2=\sqrt{2a_1+8}$
$a_3=\sqrt{2a_2+8}$
⋮
이므로 다음 그림과 같이 a_n의 값은 $x>0$인 부분에서 두 그래프의 교점의 x좌표에 가까워진다.

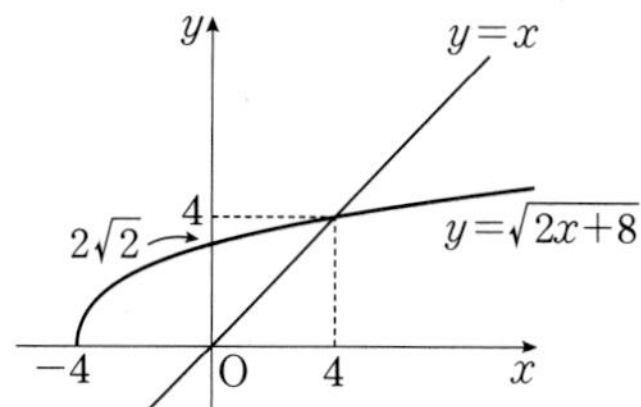

STEP B **곡선과 직선을 연립하여 교점의 x좌표 구하기**

이때 $\sqrt{2x+8}=x$의 양변을 제곱하면 $2x+8=x^2$
$x^2-2x-8=0$, $(x-4)(x+2)=0$
$\therefore x=4\ (\because a_n>0)$
따라서 $\lim_{n\to\infty}a_n=4$ 정답 ④

0171

정답 ①

STEP Ⓐ a_n과 a_{n+1} 사이의 관계식을 구하기

주어진 수열의 일반항을 $\{a_n\}$이라고 하면

$a_{n+1}=2+\frac{1}{a_n}$이므로 $\lim_{n\to\infty}a_{n+1}=\lim_{n\to\infty}\left(2+\frac{1}{a_n}\right)$

STEP Ⓑ 극한값을 임의로 두고 식을 풀어 극한값 구하기

이때 조건에서 수열 $\{a_n\}$은 수렴한다고 했으므로

$\lim_{n\to\infty}a_n=\lim_{n\to\infty}a_{n+1}=\alpha$이라 하면

$\alpha=2+\frac{1}{\alpha}$에서 $\alpha^2-2\alpha-1=0$

$\therefore \alpha=1\pm\sqrt{2}$

$a_n\ge 2$이므로 $\alpha=\lim_{n\to\infty}a_n\ge\lim_{n\to\infty}2=2$

따라서 $\alpha=1+\sqrt{2}$

내/신/연/계/ 출제문항 081

수렴하는 다음 수열의 극한값은?

$$3,\ 3+\frac{1}{3},\ 3+\cfrac{1}{3+\cfrac{1}{3}},\ 3+\cfrac{1}{3+\cfrac{1}{3+\cfrac{1}{3}}},\ \cdots$$

① $\frac{3+\sqrt{2}}{2}$ ② $\frac{1+2\sqrt{13}}{2}$ ③ $\frac{2+\sqrt{13}}{2}$
④ $\frac{3+\sqrt{13}}{2}$ ⑤ $2+3\sqrt{13}$

STEP Ⓐ a_n과 a_{n+1} 사이의 관계식을 구하기

주어진 수열의 일반항을 $\{a_n\}$이라고 하면

$a_{n+1}=3+\frac{1}{a_n}$이므로 $\lim_{n\to\infty}a_{n+1}=\lim_{n\to\infty}\left(3+\frac{1}{a_n}\right)$

STEP Ⓑ 극한값을 임의로 두고 식을 풀어 극한값 구하기

이때 수열 $\{a_n\}$은 수렴한다고 했으므로 $\lim_{n\to\infty}a_n=\lim_{n\to\infty}a_{n+1}=\alpha$라고 하면

$\alpha=3+\frac{1}{\alpha}$에서 $\alpha^2-3\alpha-1=0$

$\therefore \alpha=\frac{3\pm\sqrt{13}}{2}$

따라서 $a_n\ge 3$이므로 $\alpha=\lim_{n\to\infty}a_n\ge\lim_{n\to\infty}3=3$ $\therefore \alpha=\frac{3+\sqrt{13}}{2}$  ④

0172

정답 ⑤

STEP Ⓐ $a_{n+1}=pa_n+q$를 변형하여 a_n의 식 구하기

$a_{n+1}=\frac{1}{2}a_n+3$에서 $a_{n+1}-6=\frac{1}{2}(a_n-6)$

$\therefore a_n-6=(a_1-6)\left(\frac{1}{2}\right)^{n-1}$

$a_1=2$이므로 $a_n=(-4)\left(\frac{1}{2}\right)^{n-1}+6$

STEP Ⓑ 식을 대입하여 주어진 극한값 구하기

따라서 $\lim_{n\to\infty}\left(\frac{1}{2}\right)^{n-1}=0$이므로 $\lim_{n\to\infty}a_n=6$

다른풀이 극한값을 임의로 두고 식을 풀어 극한값 구하기

$\lim_{n\to\infty}a_n=\alpha$라고 하면 $\lim_{n\to\infty}a_{n+1}=\lim_{n\to\infty}a_n=\alpha$

$\lim_{n\to\infty}a_{n+1}=\lim_{n\to\infty}\left(\frac{1}{2}a_n+3\right)=\frac{1}{2}\lim_{n\to\infty}a_n+3$

따라서 $\alpha=\frac{1}{2}\alpha+3$이므로 $\alpha=6$

0173

 ②

STEP Ⓐ $D=0$임을 이용하여 a_n과 a_{n+1} 사이의 관계식을 구하기

이차방정식 $x^2-\sqrt{a_n}x+(a_{n+1}-1)=0$이 중근을 가지려면 판별식

$D=(\sqrt{a_n})^2-4(a_{n+1}-1)=0$

$\therefore a_{n+1}=\frac{1}{4}a_n+1$

STEP Ⓑ $a_{n+1}=pa_n+q$를 변형하여 a_n의 식 구하기

이때 $a_{n+1}-\frac{4}{3}=\frac{1}{4}\left(a_n-\frac{4}{3}\right)$이므로 $a_n-\frac{4}{3}=\left(a_1-\frac{4}{3}\right)\left(\frac{1}{4}\right)^{n-1}$

즉 $a_n=\frac{2}{3}\left(\frac{1}{4}\right)^{n-1}+\frac{4}{3}$

STEP Ⓒ 식을 대입하여 주어진 극한값 구하기

따라서 $\lim_{n\to\infty}a_n=\frac{4}{3}$

STEP 2 서술형 기출유형

0174

정답 해설참조

1단계	a_n과 a_{n+1} 사이의 관계식을 구한다.	◀ 40%

이차부등식 $a_nx^2-3a_{n+1}x+a_n>0$ $(a_n>0)$이 항상 성립하려면
이차방정식 $a_nx^2-3a_{n+1}x+a_n=0$이 실근을 갖지 않아야 한다.
이 이차방정식의 판별식을 D라 하면

$D=9a_{n+1}^2-4a_n^2<0$

$(3a_{n+1}+2a_n)(3a_{n+1}-2a_n)<0$

이때 $3a_{n+1}+2a_n>0$ ($\because$ $a_n>0$)이므로 $3a_{n+1}-2a_n<0$

$\therefore a_{n+1}<\frac{2}{3}a_n$ …… ㉠

2단계	$\lim_{n\to\infty}a_n$의 값을 구한다.	◀ 40%

㉠의 식의 n에 1, 2, 3, ⋯, $n-1$을 차례로 대입하여 변끼리 곱하면

$$a_2<\frac{2}{3}a_1$$
$$a_3<\frac{2}{3}a_2$$
$$\vdots$$
$$\times\ a_n<\frac{2}{3}a_{n-1}$$
$$a_n<\left(\frac{2}{3}\right)^{n-1}\times a_1$$

$\therefore 0<a_n<\left(\frac{2}{3}\right)^{n-1}\times a_1$

이때 $\lim_{n\to\infty}0=\lim_{n\to\infty}\left(\frac{2}{3}\right)^{n-1}\times a_1=0$이므로 $\lim_{n\to\infty}a_n=0$

3단계	$\lim_{n\to\infty}\frac{2a_n+3n^2+1}{a_n+n^2+2n}$의 값을 구한다.	◀ 20%

따라서 $\lim_{n\to\infty}a_n=0$이므로

$$\lim_{n\to\infty}\frac{2a_n+3n^2+1}{a_n+n^2+2n}=\lim_{n\to\infty}\frac{3n^2+1}{n^2+2n}=\lim_{n\to\infty}\frac{3+\frac{1}{n^2}}{1+\frac{2}{n}}=3$$

0175

정답 해설참조

1단계	수열 $\{a_n\}$이 수렴하도록 하는 k의 범위를 구한다.	◀ 20%

$k\ge 0$이면 $\lim_{n\to\infty}a_n=\infty$이므로 $k<0$

2단계	$\lim_{n\to\infty}a_n$이 수렴하도록 하는 k의 값을 구한다.	◀ 50%

$$\lim_{n\to\infty}a_n=\lim_{n\to\infty}\{\sqrt{(2n+3)(2n-5)}+kn\}$$
$$=\lim_{n\to\infty}\frac{(4-k^2)n^2-4n-15}{\sqrt{4n^2-4n-15}-kn}$$
$$=\lim_{n\to\infty}\frac{(4-k^2)n-4-\frac{15}{n}}{\sqrt{4-\frac{4}{n}-\frac{15}{n^2}}-k}$$

이때 수열 $\{a_n\}$이 수렴하므로 $4-k^2=0$
그런데 $k<0$이므로 $k=-2$

3단계	$\lim_{n\to\infty}a_n$의 극한값을 구한다.	◀ 30%

따라서 $\lim_{n\to\infty}a_n=\frac{-4}{2+2}=-1$

0176

정답 해설참조

1단계	이차방정식 $x^2-(n+1)x+a_n=0$이 실근을 가질 a_n의 범위를 구한다.	◀ 30%

$x^2-(n+1)x+a_n=0$의 판별식을 D_1이라 하면

$D_1=\{-(n+1)\}^2-4a_n\ge 0$

$\therefore a_n\le\frac{(n+1)^2}{4}$ …… ㉠

2단계	이차방정식 $x^2-nx+a_n=0$이 허근을 가질 a_n의 범위를 구한다.	◀ 30%

$x^2-nx+a_n=0$의 판별식을 D_2라 하면

$D_2=(-n)^2-4a_n<0$

$\therefore a_n>\frac{n^2}{4}$ …… ㉡

3단계	$\frac{a_n}{n^2+n}$의 범위를 구한다.	◀ 20%

㉠, ㉡에서 $\frac{n^2}{4}<a_n\le\frac{(n+1)^2}{4}$

$$\frac{n^2}{4(n^2+n)}<\frac{a_n}{n^2+n}\le\frac{(n+1)^2}{4(n^2+n)}$$

4단계	수열의 극한의 대소 관계를 이용하여 $\lim_{n\to\infty}\frac{a_n}{n^2+n}$의 값을 구한다.	◀ 20%

따라서 $\lim_{n\to\infty}\frac{n^2}{4(n^2+n)}=\frac{1}{4}$, $\lim_{n\to\infty}\frac{(n+1)^2}{4(n^2+n)}=\frac{1}{4}$이므로 $\lim_{n\to\infty}\frac{a_n}{n^2+n}=\frac{1}{4}$

0177

정답 해설참조

1단계	두 점 P, Q 사이의 거리를 a_n이라 할 때, $\lim_{n\to\infty}\frac{a_n}{n}$의 값을 구한다.	◀ 50%

두 점 $P(n, 3n^2-2n)$, $Q(n+1, 3(n+1)^2-2(n+1))$ 사이의 거리가 a_n이므로

$$a_n=\sqrt{\{(n+1)-n\}^2+\{3(n+1)^2-2(n+1)-3n^2+2n\}^2}$$
$$=\sqrt{1+(6n+1)^2}$$
$$=\sqrt{36n^2+12n+2}$$

따라서 $\lim_{n\to\infty}\frac{a_n}{n}=\lim_{n\to\infty}\frac{\sqrt{36n^2+12n+2}}{n}=6$

2단계	두 점 P, Q를 지나는 직선의 기울기를 b_n이라고 할 때, $\lim_{n\to\infty}\frac{b_n}{n}$의 값을 구한다.	◀ 50%

두 점 $P(n, f(n))$, $Q(n+1, f(n+1))$을 지나는 직선의 기울기가 b_n이므로

$$b_n=\frac{f(n+1)-f(n)}{(n+1)-n}$$
$$=f(n+1)-f(n)$$
$$=3(n+1)^2-2(n+1)-(3n^2-2n)$$
$$=6n+1$$

따라서 $\lim_{n\to\infty}\frac{b_n}{n}=\lim_{n\to\infty}\frac{6n+1}{n}=6$

0178

정답 162

STEP A **빈칸의 $f(n)$, $g(n)$, k의 값 구하기**

등비수열 $\{a_n\}$의 첫째항이 2, 공비가 3이므로

$a_n=\boxed{2\times3^{n-1}}$, $a_{n+1}=2\times3^n$

$a_1+a_2+a_3+\cdots+a_n=\frac{2(3^n-1)}{3-1}=\boxed{3^n-1}$

$$\lim_{n\to\infty}\frac{a_1+a_2+a_3+\cdots+a_n}{a_n+a_{n+1}}=\lim_{n\to\infty}\frac{\boxed{3^n-1}}{\boxed{2\times3^{n-1}}+2\times3^n}$$
$$=\lim_{n\to\infty}\frac{3-\frac{1}{3^{n-1}}}{2+2\times3}=\boxed{\frac{3}{8}}$$

STEP B **$f(4)g(2)k$의 값 구하기**

따라서 $f(n)=2\times3^{n-1}$, $g(n)=3^n-1$, $k=\frac{3}{8}$이므로

$f(4)g(2)k=2\times3^3\times8\times\frac{3}{8}=162$

0179

정답 해설참조

1단계 나머지 $R_n(x)$를 구한다. ◀ 50%

다항식 $(x+1)^n$을 x^2-x로 나누었을 때의 몫을 $Q(x)$, 나머지를 $R_n(x)=ax+b$(a, b는 상수)라 하면

$(x+1)^n=(x^2-x)Q(x)+ax+b$

$=x(x-1)Q(x)+ax+b$ ...... ㉠

㉠의 양변에 $x=0$을 대입하면 $1=b$

㉠의 양변에 $x=1$을 대입하면 $2^n=a+b$

$\therefore a=2^n-1$

따라서 나머지는 $R_n(x)=(2^n-1)x+1$

2단계 $R_n(2)$의 값을 구한다. ◀ 20%

$R_n(2)=(2^n-1)\times2+1=2^{n+1}-1$

3단계 $\lim_{n\to\infty}\frac{2^{n+2}+1}{2^n+R_n(2)}$의 값을 구한다. ◀ 30%

$$\lim_{n\to\infty}\frac{2^{n+2}+1}{2^n+R_n(2)}=\lim_{n\to\infty}\frac{2^{n+2}+1}{2^n+(2^{n+1}-1)}$$
$$=\lim_{n\to\infty}\frac{4+\frac{1}{2^n}}{1+2-\frac{1}{2^n}}=\frac{4}{3}$$

0180

정답 해설참조

1단계 삼각형 PAB의 넓이가 최대가 되도록 하는 점 P의 위치에 관하여 서술하여라. ◀ 40%

점 P에서 직선 AB에 내린 수선의 발을 H라 하자.

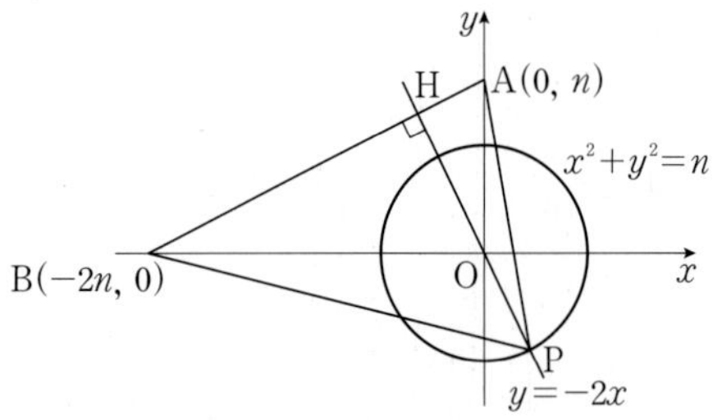

삼각형 PAB의 넓이는 $\frac{1}{2}\times\overline{AB}\times\overline{PH}$이고 선분 PH의 길이는 직선 PH가 원의 중심 O를 지날 때, 최대이다.

2단계 점 P의 x좌표 a_n을 구한다. ◀ 30%

직선 AB의 기울기가 $\frac{1}{2}$이므로 점 P는 직선 $y=-2x$와 원 $x^2+y^2=n$이 만나는 점 중 x좌표가 양수인 점이다.

점 $P(a_n, -2a_n)$이라 하면 $a_n^2+4a_n^2=n$

$\therefore a_n=\frac{\sqrt{n}}{\sqrt{5}}$ ($\because a_n$이 양수)

3단계 $\lim_{n\to\infty}\sqrt{n}(a_{n+1}-a_n)$의 값을 구한다. ◀ 30%

따라서 $\lim_{n\to\infty}\sqrt{n}(a_{n+1}-a_n)=\lim_{n\to\infty}\sqrt{n}\left(\frac{\sqrt{n+1}-\sqrt{n}}{\sqrt{5}}\right)$

$$=\lim_{n\to\infty}\frac{\sqrt{n}}{\sqrt{5}(\sqrt{n+1}+\sqrt{n})}=\frac{\sqrt{5}}{10}$$

0181

정답 해설참조

1단계 이차방정식 $x^2+2nx-n=0$의 서로 다른 두 실근 α_n, β_n($\alpha_n<\beta_n$)를 구한다. ◀ 30%

$x^2+2nx-n=0$에서 $x=-n\pm\sqrt{n^2+n}$이므로

$\alpha_n=-n-\sqrt{n^2+n}$, $\beta_n=-n+\sqrt{n^2+n}$

2단계 $A(\alpha_n)$, $B(\beta_n)$에 대하여 선분 AB를 $n:1$로 내분하는 점인 $P(p_n)$에서 p_n을 구한다. ◀ 30%

두 점 $A(\alpha_n)$, $B(\beta_n)$에 대하여 선분 AB를 $n:1$로 내분하는 점 P의 좌표 p_n은

$$p_n=\frac{n(-n+\sqrt{n^2+n})+(-n-\sqrt{n^2+n})}{n+1}$$

3단계 $\lim_{n\to\infty}p_n$의 값을 구한다. ◀ 40%

$$\lim_{n\to\infty}p_n=\lim_{n\to\infty}\frac{n(-n+\sqrt{n^2+n})+(-n-\sqrt{n^2+n})}{n+1}$$
$$=\lim_{n\to\infty}\frac{n(\sqrt{n^2+n}-n)}{n+1}-\lim_{n\to\infty}\frac{n+\sqrt{n^2+n}}{n+1}$$

이때 $\lim_{n\to\infty}\frac{n(\sqrt{n^2+n}-n)}{n+1}=\lim_{n\to\infty}\frac{n^2}{(n+1)(\sqrt{n^2+n}+n)}$

$$=\lim_{n\to\infty}\frac{1}{\left(1+\frac{1}{n}\right)\left(\sqrt{1+\frac{1}{n}}+1\right)}$$
$$=\frac{1}{1\cdot2}=\frac{1}{2}$$

$$\lim_{n\to\infty}\frac{\sqrt{n^2+n}+n}{n+1}=\lim_{n\to\infty}\frac{\sqrt{1+\frac{1}{n}}+1}{1+\frac{1}{n}}=\frac{1+1}{1+0}=2$$

따라서 $\lim_{n\to\infty}p_n=\frac{1}{2}-2=-\frac{3}{2}$

0182

정답 해설참조

1단계 선분 P_nP_{n+1}의 길이를 L_n이라 할 때, $\lim_{n\to\infty}\left(\frac{L_{n+1}}{L_n}\right)^2$의 값을 구한다. ◀ 40%

두 점 P_n, P_{n+1}의 좌표가 각각 $P_n(9^n, 3^n)$, $P_{n+1}(9^{n+1}, 3^{n+1})$이므로

$(L_n)^2=\overline{P_nP_{n+1}}^2=(9^{n+1}-9^n)^2+(3^{n+1}-3^n)^2=(8\times9^n)^2+(2\times3^n)^2$

$=64\times81^n+4\times9^n$

따라서 $\lim_{n\to\infty}\left(\frac{L_{n+1}}{L_n}\right)^2=\lim_{n\to\infty}\frac{(L_{n+1})^2}{(L_n)^2}=\lim_{n\to\infty}\frac{64\times81^{n+1}+4\times9^{n+1}}{64\times81^n+4\times9^n}$

$$=\lim_{n\to\infty}\frac{64\times81+36\times\left(\frac{1}{9}\right)^n}{64+\left(\frac{1}{9}\right)^n}$$
$$=\frac{64\times81+36\times0}{64+0}=81$$

2단계	사각형 $P_nQ_nQ_{n+1}P_{n+1}$의 넓이를 a_n라 할 때, a_n을 구한다.	◀ 30%

두 점 P_n, P_{n+1}의 좌표가 각각 $P_n(9^n, 3^n)$, $P_{n+1}(9^{n+1}, 3^{n+1})$이므로
사각형 $P_nQ_nQ_{n+1}P_{n+1}$의 넓이 a_n은

$$a_n=\frac{1}{2}(\sqrt{9^n}+\sqrt{9^{n+1}})(9^{n+1}-9^n)$$
$$=\frac{1}{2}(3^n+3^{n+1})(9^{n+1}-9^n)$$
$$=\frac{1}{2}\times3^n\times(1+3)\times9^n\times(9-1)$$
$$=16\times27^n$$

3단계	$\lim_{n\to\infty}\frac{a_{n+1}-9^n}{a_n+9^n}$의 값을 구한다.	◀ 30%

따라서 $\lim_{n\to\infty}\frac{a_{n+1}-9^n}{a_n+9^n}=\lim_{n\to\infty}\frac{16\times27^{n+1}-9^n}{16\times27^n+9^n}=\lim_{n\to\infty}\frac{16\times27-\left(\frac{1}{3}\right)^n}{16+\left(\frac{1}{3}\right)^n}=27$

0183

정답 해설참조

1단계	두 곡선과 직선 $y=n$이 만나는 점 A_n, B_n의 x좌표를 각각 구한다.	◀ 40%

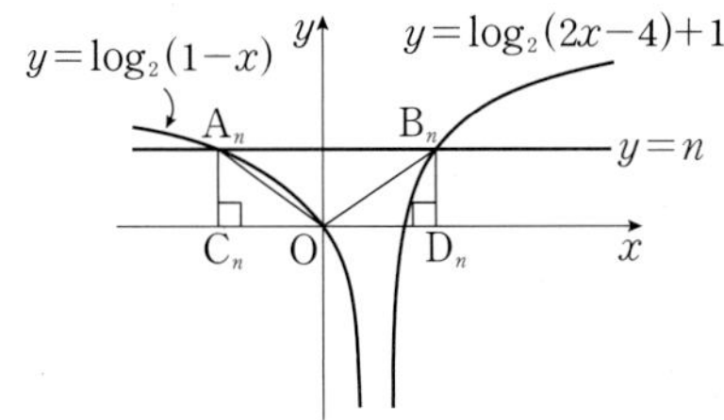

점 A_n의 x좌표는 $\log_2(1-x)=n$에서 $1-x=2^n$ $\therefore x=1-2^n$
점 B_n의 x좌표는 $\log_2(2x-4)+1=n$에서 $\log_2(2x-4)=n-1$
$2x-4=2^{n-1}$ $\therefore x=2^{n-2}+2$

2단계	삼각형 OA_nC_n의 넓이 S_n, 삼각형 OB_nD_n의 넓이 T_n을 n에 관한 식으로 나타낸다.	◀ 30%

$S_n=\frac{1}{2}\times|1-2^n|\times n=\frac{1}{2}\times(2^n-1)\times n$
$T_n=\frac{1}{2}\times|2^{n-2}+2|\times n=\frac{1}{2}\times(2^{n-2}+2)\times n$

3단계	$\lim_{n\to\infty}\frac{S_n}{T_n}$의 극한값을 구한다.	◀ 30%

따라서 $\frac{S_n}{T_n}=\frac{\frac{1}{2}\times(2^n-1)\times n}{\frac{1}{2}\times(2^{n-2}+2)\times n}=\frac{2^n-1}{2^{n-2}+2}$이므로

$$\lim_{n\to\infty}\frac{S_n}{T_n}=\lim_{n\to\infty}\frac{2^n-1}{2^{n-2}+2}=\lim_{n\to\infty}\frac{1-\frac{1}{2^n}}{\frac{1}{4}+\frac{1}{2^{n-1}}}=\frac{1-0}{\frac{1}{4}+0}=4$$

0184

정답 해설참조

순서1	a_1, b_1의 값을 구한다.	◀ 30%

$a_1=3\cdot\frac{3}{2}=\frac{9}{2}$

$b_1=\frac{\sqrt{3}}{4}\cdot1^2\cdot\frac{3}{4}=\frac{3\sqrt{3}}{16}$

순서2	두 수열 $\{a_n\}$, $\{b_n\}$을 각각 귀납적으로 정의한다.	◀ 30%

$a_1=\frac{9}{2}$, $a_{n+1}=\frac{3}{2}a_n$

$b_1=\frac{3\sqrt{3}}{16}$, $b_{n+1}=\frac{3}{4}b_n$

순서3	두 수열 $\{a_n\}$, $\{b_n\}$의 수렴, 발산을 각각 조사한다.	◀ 40%

수열 $\{a_n\}$은 첫째항이 $\frac{9}{2}$이고 공비가 $\frac{3}{2}$인 등비수열이다.

$a_n=\frac{9}{2}\left(\frac{3}{2}\right)^{n-1}$이므로 $\lim_{n\to\infty}a_n=\lim_{n\to\infty}\frac{9}{2}\left(\frac{3}{2}\right)^{n-1}=\infty$

수열 $\{b_n\}$은 첫째항이 $\frac{3\sqrt{3}}{16}$이고 공비가 $\frac{3}{4}$인 등비수열이다.

$b_n=\frac{3\sqrt{3}}{16}\left(\frac{3}{4}\right)^{n-1}$이므로 $\lim_{n\to\infty}b_n=\lim_{n\to\infty}\frac{3\sqrt{3}}{16}\left(\frac{3}{4}\right)^{n-1}=0$

따라서 수열 $\{a_n\}$은 양의 무한대로 발산, 수열 $\{b_n\}$은 0으로 수렴한다.

0185

정답 해설참조

순서1	[n단계]에서 만들어진 종잇조각 1개의 둘레의 길이 a_n을 구한다.	◀ 30%

매단계 중심각이 절반이 되므로 n단계에서 만들어진 하나의 종잇조각은 중심각이 $\left(\frac{1}{2}\right)^n\pi$인 부채꼴이다.

따라서 둘레의 길이는 $a_n=1+1+1\times\left(\frac{1}{2}\right)^n\pi=2+\left(\frac{1}{2}\right)^n\pi$

순서2	[n단계]에서 만들어진 종잇조각 1개의 넓이 b_n을 구한다.	◀ 30%

마찬가지로 하나의 종잇조각의 넓이 b_n을 구하면
$b_n=\frac{1}{2}\times1^2\times\left(\frac{1}{2}\right)^n\pi=\left(\frac{1}{2}\right)^{n+1}\pi$

순서3	$\lim_{n\to\infty}(2^na_n-1)b_n$의 값을 구한다.	◀ 40%

따라서 $\lim_{n\to\infty}(2^na_n-1)b_n=\lim_{n\to\infty}(2^{n+1}+\pi-1)\left(\frac{1}{2}\right)^{n+1}\pi$
$$=\lim_{n\to\infty}\left\{\pi+(\pi-1)\left(\frac{1}{2}\right)^{n+1}\pi\right\}$$
$$=\pi-0=\pi$$

0186

정답 해설참조

1단계	n번 반복했을 때의 종잇조각의 개수 a_n을 구한다.	◀ 40%

과정을 n번 반복했을 때의 종잇조각의 개수가 a_n이므로
$a_1=2$, $a_{n+1}=2a_n\,(n=1, 2, 3, \cdots)$을 만족시킨다.
즉 수열 $\{a_n\}$은 첫째항이 2이고 공비가 2인 등비수열이다.
즉 $a_n=2\cdot2^{n-1}=2^n$

2단계	n번 반복했을 때의 종잇조각 하나의 넓이 b_n을 구한다.	◀ 40%

처음 주어진 직사각형 모양의 종이의 넓이가 10이고 과정을 n번 반복했을 때, 종잇조각의 개수는 a_n, 종잇조각 하나의 넓이가 b_n이므로

$a_nb_n=10$, 즉 $b_n=\frac{10}{a_n}=\frac{10}{2^n}$

3단계	$\lim_{n\to\infty}(2a_n-1)b_n$의 값을 구한다.	◀ 20%

따라서 $\lim_{n\to\infty}(2a_n-1)b_n=\lim_{n\to\infty}(2a_nb_n-b_n)$
$$=\lim_{n\to\infty}\left(20-\frac{10}{2^n}\right)$$
$$=\lim_{n\to\infty}20-10\lim_{n\to\infty}\frac{1}{2^n}$$
$$=20$$

STEP 3 행복한 1등급 문제

0187

정답 $\frac{1}{6}$

STEP A 수열의 극한에 대한 기본 성질을 이용하여 식을 변형하기

$\lim_{n\to\infty}(4n-1)a_n=4$, $\lim_{n\to\infty}(n^3+2n+1)b_n=6$이므로

$$\lim_{n\to\infty}\frac{a_n}{(n^2+1)b_n}=\lim_{n\to\infty}\left\{\frac{(4n-1)a_n}{(n^3+2n+1)b_n}\times\frac{(n^3+2n+1)}{(4n-1)(n^2+1)}\right\}$$

$$=\lim_{n\to\infty}\frac{(4n-1)a_n}{(n^3+2n+1)b_n}\times\lim_{n\to\infty}\frac{(n^3+2n+1)}{(4n-1)(n^2+1)}$$

$$=\frac{4}{6}\times\frac{1}{4}=\frac{1}{6}$$

0188

정답 2

STEP A 분자를 유리화하여 극한값 구하기

$$\lim_{n\to\infty}(\sqrt{n^2+an}-\sqrt{n^2+bn})=\lim_{n\to\infty}\frac{(a-b)n}{\sqrt{n^2+an}+\sqrt{n^2+bn}}=\frac{a-b}{2}$$

즉 $\frac{a-b}{2}=1$이므로 $a-b=2$

STEP B 점과 직선 사이의 거리를 이용하여 최솟값 구하기

$a^2+b^2=k$이라 하면 순서쌍 (a, b)는 중심이 원점이고 반지름이 $\sqrt{k}$인 원이고 직선 $a-b-2=0$에서 원의 중심까지 거리가 가장 작은 원의 반지름이므로

$$\frac{|-2|}{\sqrt{1^2+(-1)^2}}=\sqrt{2}$$

따라서 a^2+b^2의 최솟값은 2

0189

정답 20

STEP A 곡선과 직선이 만나는 두 점의 x좌표의 합을 구하기

곡선 $y=x^2-\left(4+\frac{1}{n}\right)x+\frac{4}{n}$와 직선 $y=\frac{1}{n}x+1$이 만나는 두 점 P_n, Q_n의 x좌표를 α_n, β_n라 하면

$P_n\left(\alpha_n, \frac{\alpha_n}{n}+1\right)$, $Q_n\left(\beta_n, \frac{\beta_n}{n}+1\right)$

이때 α_n, β_n은 방정식 $x^2-\left(4+\frac{1}{n}\right)x+\frac{4}{n}=\frac{1}{n}x+1$

즉 $x^2-\left(4+\frac{2}{n}\right)x+\frac{4}{n}-1=0$의 두 근이다.

이차방정식의 근과 계수의 관계에 의해 $\alpha_n+\beta_n=4+\frac{2}{n}$

STEP B 삼각형 OP_nQ_n의 무게중심의 y좌표 a_n 구하기

삼각형 OP_nQ_n의 무게중심의 y좌표

$$a_n=\frac{1}{3}\left\{0+\left(\frac{\alpha_n}{n}+1\right)+\left(\frac{\beta_n}{n}+1\right)\right\}$$

$$=\frac{1}{3}\left(\frac{\alpha_n+\beta_n}{n}+2\right)$$

$$=\frac{1}{3}\left(\frac{4+\frac{2}{n}}{n}+2\right)$$

$$=\frac{1}{3}\left(\frac{4}{n}+\frac{2}{n^2}+2\right)$$

STEP C 극한값 구하기

따라서 $30\lim_{n\to\infty}a_n=30\lim_{n\to\infty}\frac{1}{3}\left(\frac{4}{n}+\frac{2}{n^2}+2\right)=10(0+0+2)=20$

0190

정답 $\frac{1}{12}$

STEP A 합 공식을 이용하여 주어진 식 정리하기

$$f(x)=\sum_{k=1}^{n}\left(x-\frac{k}{n}\right)^2=\sum_{k=1}^{n}\left(x^2-\frac{2k}{n}x+\frac{k^2}{n^2}\right)$$

$$=\sum_{k=1}^{n}x^2-\frac{2x}{n}\sum_{k=1}^{n}k+\frac{1}{n^2}\sum_{k=1}^{n}k^2$$

$$=nx^2-\frac{2}{n}\cdot\frac{n(n+1)}{2}x+\frac{n(n+1)(2n+1)}{6n^2}$$

$$=nx^2-(n+1)x+\frac{(n+1)(2n+1)}{6n}$$

$$=n\left(x-\frac{n+1}{2n}\right)^2+\frac{(n+1)(2n+1)}{6n}-\frac{(n+1)^2}{4n}$$

STEP B 이차함수의 최솟값 a_n의 식 구하기

이차함수 $f(x)$는 $x=\frac{n+1}{2n}$에서 최솟값을 가지므로

최솟값은 $a_n=\frac{2(n+1)(2n+1)-3(n+1)^2}{12n}=\frac{n^2-1}{12n}$

STEP C 식을 대입하여 주어진 극한값 구하기

따라서 $\lim_{n\to\infty}\frac{a_n}{n}=\lim_{n\to\infty}\frac{n^2-1}{12n^2}=\frac{1}{12}$

0191

정답 2

STEP A 주어진 조건에서 함수 $f(x)$의 그래프 그리기

$f(x+2)=f(x)$이므로 함수 $f(x)$는 주기가 2인 주기함수이다.

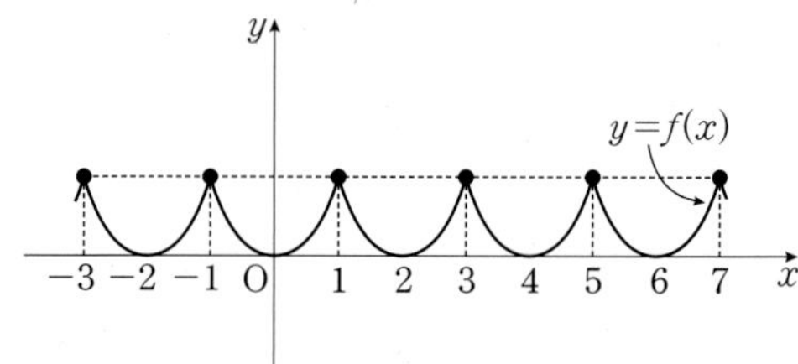

STEP B $n=1, 2, 3$을 대입하여 규칙을 찾아 a_n의 식 구하기

$y=f(x)$의 그래프가 위의 그림과 같고 직선 $y=\frac{1}{2n}x+\frac{1}{4n}$과 $y=f(x)$의 그래프의 교점의 개수가 a_n이므로

$n=1$일 때, 직선 $y=\frac{1}{2}x+\frac{1}{4}$과의 교점의 개수 a_1은 $a_1=3$

$n=2$일 때, 직선 $y=\frac{1}{4}x+\frac{1}{8}$과의 교점의 개수 a_2는 $a_2=5$

$n=3$일 때, 직선 $y=\frac{1}{6}x+\frac{1}{12}$과의 교점의 개수 a_3은 $a_3=7$

⋮

이므로 $a_n=2n+1$

STEP C 식을 대입하여 주어진 극한값 구하기

따라서 $\lim_{n\to\infty}\frac{a_n}{n}=\lim_{n\to\infty}\frac{2n+1}{n}=2$

0192

정답 8

STEP A a_n, b_n 구하기

$A_n(n, \sqrt{5n+4})$, $B_n(n, \sqrt{2n-1})$이므로

선분 OA_n의 길이를

$a_n=\sqrt{(n-0)^2+(\sqrt{5n+4}-0)^2}=\sqrt{n^2+5n+4}$

선분 OB_n의 길이를

$b_n=\sqrt{(n-0)^2+(\sqrt{2n-1}-0)^2}=\sqrt{n^2+2n-1}$

STEP B 분모를 유리화하여 극한값 구하기

따라서 $\lim_{n\to\infty}\frac{12}{a_n-b_n}=\lim_{n\to\infty}\frac{12}{\sqrt{n^2+5n+4}-\sqrt{n^2+2n-1}}$

$=\lim_{n\to\infty}\frac{12(\sqrt{n^2+5n+4}+\sqrt{n^2+2n-1})}{3n+5}$

$=\lim_{n\to\infty}\frac{12\left(\sqrt{1+\frac{5}{n}+\frac{4}{n^2}}+\sqrt{1+\frac{2}{n}-\frac{1}{n^2}}\right)}{3+\frac{5}{n}}$

$=\frac{12\times(1+1)}{3}=8$

0193

 4

STEP A 세 점을 지나는 이차함수의 식 작성하기

두 점 $(-2, 0)$, $(6, 0)$을 지나는 이차함수 $f(x)=a(x+2)(x-6)$이라 하면

이차함수 $f(x)$가 점 $(0, -6)$을 지나므로 $f(0)=-12a=-6$

$\therefore a=\frac{1}{2}$

즉 $f(x)=\frac{1}{2}(x+2)(x-6)=\frac{1}{2}(x^2-4x-12)$

STEP B 등비수열이 수렴할 조건을 이용하여 부등식 세우기

$\left\{\left(\frac{f(x)+3}{3}\right)^{n-1}\right\}=\left\{\left(\frac{x^2-4x-6}{6}\right)^{n-1}\right\}$이 수렴하므로

$-1<\frac{x^2-4x-6}{6}\le 1$, $-6<x^2-4x-6\le 6$

STEP C 부등식을 풀어 주어진 수열이 수렴하는 정수 x의 개수 구하기

이때 $-6<x^2-4x-6$, $x^2-4x-6\le 6$

$0<x(x-4)$에서 $x<0$ 또는 $x>4$ …… ㉠

$x^2-4x-6\le 6$, $x^2-4x-12\le 0$

$(x-6)(x+2)\le 0$에서 $-2\le x\le 6$ …… ㉡

㉠, ㉡에서 $-2\le x<0$ 또는 $4<x\le 6$

따라서 정수 x는 $-2, -1, 5, 6$의 4

오답 $\left\{\left(\frac{f(x)+3}{3}\right)^{n-1}\right\}$이 수렴하므로 $-1<\frac{f(x)+3}{3}\le 1$

$-3<f(x)+3\le 3$, $-6<f(x)\le 0$

이때 $f(x)=-5$, $f(x)=-4$, $\cdots$, $f(x)=0$이라 하여

두 곡선 $y=f(x)$와 $y=-5$, $y=-4$, $\cdots$, $y=0$의 교점의 개수를 구하면 안 된다.

x가 정수이지만 함수 $f(x)$의 값이 정수조건이 없기 때문이다.

0194

 6

STEP A x_2, x_3, x_n을 구하여 수열 $\{x_n\}$이 등비수열임을 이해하기

등비수열의 수렴 조건은 $-1<$공비≤ 1임을 이용한다.

$y_1=\frac{1}{3}kx_1=\frac{2}{3}k=x_2$

$y_2=\frac{1}{3}kx_2=2\left(\frac{1}{3}k\right)^2=x_3$

$\vdots$

$y_{n-1}=\frac{1}{3}kx_{n-1}=2\left(\frac{1}{3}k\right)^{n-1}=x_n$

즉 수열 $\{x_n\}$은 첫째항이 2이고 공비가 $\frac{1}{3}k$인 등비수열이다.

STEP B 등비수열이 수렴할 조건을 이용하여 정수 k의 개수 구하기

$\lim_{n\to\infty}x_n$이 수렴하려면 공비 $\frac{1}{3}k$가 $-1<\frac{1}{3}k\le 1$이어야 하므로 $-3<k\le 3$

따라서 구하는 정수 k의 개수는 $-2, -1, 0, 1, 2, 3$의 6

0195

 2

STEP A a_{2n-1}, a_{2n}의 값 구하기

$a_1=1$이므로

$a_3=3\times1=3$, $a_5=3\times3=3^2$, $\cdots$, $a_{2n-1}=3^{n-1}$

$a_2=3$이므로

$a_4=3\times3=3^2$, $a_6=3\times3^2=3^3$, $\cdots$, $a_{2n}=3^n$

STEP B $\sum_{n=1}^{2n}a_k$의 값 구하기

$\sum_{n=1}^{2n}a_k=(a_1+a_3+a_5+\cdots+a_{2n-1})+(a_2+a_4+a_6+\cdots+a_{2n})$

$=(1+3+3^2+\cdots+3^{n-1})+(3+3^2+3^3+\cdots+3^n)$

$=\frac{3^n-1}{3-1}+\frac{3(3^n-1)}{3-1}$

$=2(3^n-1)$

STEP C 극한값 구하기

따라서 $\lim_{n\to\infty}\frac{1}{a_{2n}}\sum_{k=1}^{2n}a_k=\lim_{n\to\infty}\frac{2(3^n-1)}{3^n}=\lim_{n\to\infty}2\left(1-\frac{1}{3^n}\right)=2$

0196

 1

STEP A $\overline{BC_n}$, $\overline{AC_n}$, $\overline{D_1E_n}$의 길이 구하기

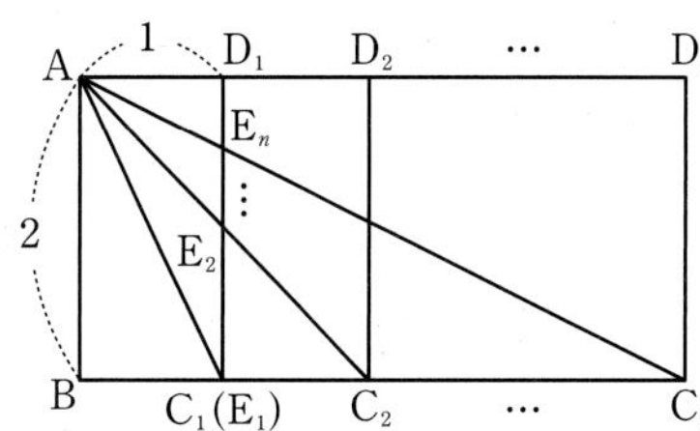

직사각형 ABC_nD_n의 가로의 길이가 $\overline{BC_n}=n$

직각삼각형 ABC_n에서 $\overline{AB}=2$이므로 피타고라스 정리에 의하여

$\overline{AC_n}=\sqrt{\overline{AB}^2+\overline{BC_n}^2}=\sqrt{n^2+4}$

또, 삼각형 AD_1E_n과 삼각형 AD_nC_n이 서로 닮음이므로

$\overline{AD_1}:\overline{AD_n}=\overline{D_1E_n}:\overline{D_nC_n}$, $1:n=\overline{D_1E_n}:2$

$\therefore \overline{D_1E_n}=\frac{2}{n}$

STEP B $\infty-\infty$꼴의 극한값 구하기

따라서 $\lim_{n\to\infty}\frac{\overline{AC_n}-\overline{BC_n}}{\overline{D_1E_n}}=\lim_{n\to\infty}\frac{\sqrt{n^2+4}-n}{\frac{2}{n}}$

$=\lim_{n\to\infty}\frac{n(\sqrt{n^2+4}-n)}{2}$

$=\lim_{n\to\infty}\frac{2n}{\sqrt{n^2+4}+n}$

$=\lim_{n\to\infty}\frac{2}{\sqrt{1+\frac{4}{n^2}}+1}$

$=1$

0197

정답 4

STEP Ⓐ **삼각형 QOA의 넓이가 삼각형 POA의 넓이의 $\frac{n}{n+2}$일 때, 점 Q의 좌표 구하기**

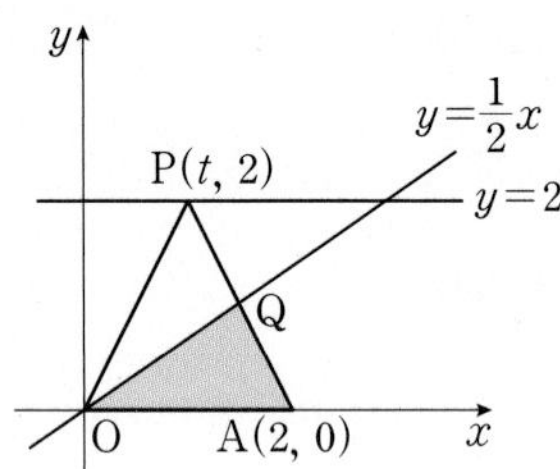

$\triangle POA=\frac{1}{2}\cdot 2\cdot 2=2$이고

삼각형 QOA의 넓이가 삼각형 POA의 넓이의 $\frac{n}{n+2}$일 때,

t의 값이 t_n이므로 두 점 P, Q의 좌표를 $P(t_n, 2)$, $Q(x_n, y_n)$라 하면

$\triangle QOA=\frac{n}{n+2}\triangle POA$

$\frac{1}{2}\times 2\times y_n=\frac{n}{n+2}\times 2 \quad \therefore y_n=\frac{2n}{n+2}$

$y=\frac{1}{2}x$에 대입하면

$x_n=2\times\frac{2n}{n+2}=\frac{4n}{n+2} \quad \therefore Q\left(\frac{4n}{n+2}, \frac{2n}{n+2}\right)$

STEP Ⓑ **t_n 구하기**

두 점 A(2, 0), $Q\left(\frac{4n}{n+2}, \frac{2n}{n+2}\right)$을 지나는 직선의 방정식은

$$y-0=\frac{\frac{2n}{n+2}-0}{\frac{4n}{n+2}-2}(x-2) \quad \therefore y=\frac{n}{n-2}(x-2)$$

이 직선이 점 $P(t_n, 2)$를 지나므로 $2=\frac{n}{n-2}(t_n-2)$

$t_n=\frac{2n-4}{n}+2=\frac{4n-4}{n}$

STEP Ⓒ **극한값 구하기**

따라서 $\lim_{n\to\infty}t_n=\lim_{n\to\infty}\frac{4n-4}{n}=4$

다른풀이 내분점을 이용하여 풀이하기

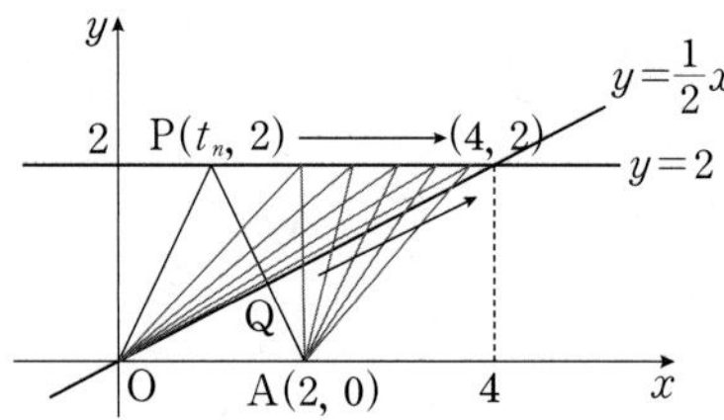

삼각형 QOA의 넓이가 삼각형 POA의 넓이의 $\frac{n}{n+2}$이므로

$\triangle QOA=\frac{n}{n+2}\triangle POA$

즉 $\frac{\triangle QOA}{\triangle POA}=\frac{n}{n+2}$이므로 점 Q는 $\overline{AP}$를 $n:2$로 내분하는 점이다.

즉 $Q\left(\frac{nt_n+4}{n+2}, \frac{2n}{n+2}\right)$

따라서 $n\to\infty$일 때, $Q\to(t_n, 2)$이므로 두 점 P, Q는 모두 점 (4, 2)로 수렴하므로 $\lim_{n\to\infty}t_n=4$

0198

정답 π

STEP Ⓐ **a_n의 값의 범위 구하기**

주어진 그래프에서 $a_1, a_2, a_3, \cdots$의 값의 범위를 구하면

$0<a_1<\frac{\pi}{2}$

$\pi<a_2<\frac{3}{2}\pi$

$2\pi<a_3<\frac{5}{2}\pi$

$\vdots$

$(n-1)\pi<a_n<(n-1)\pi+\frac{\pi}{2}$

$\therefore (n-1)\pi<a_n<\frac{(2n-1)\pi}{2}$

STEP Ⓑ **$\lim_{n\to\infty}\frac{a_n}{n}$의 값 구하기**

부등식의 각 변에 $\frac{1}{n}$을 곱하면

$\frac{(n-1)\pi}{n}<\frac{a_n}{n}<\frac{(2n-1)\pi}{2n}$

이때 $\lim_{n\to\infty}\frac{(n-1)\pi}{n}=\lim_{n\to\infty}\frac{(2n-1)\pi}{2n}=\pi$

따라서 수열의 극한값의 대소 관계에 의하여 $\lim_{n\to\infty}\frac{a_n}{n}=\pi$

다른풀이 $y=\tan x$의 그래프를 이용하여 풀이하기

$y=\tan x$의 주기가 π이고 $\frac{(n-1)\pi}{2}$(n은 정수)마다 점근선이 있으므로

다음 그림에서와 같이 $\lim_{n\to\infty}\{a_n-(n-1)\pi\}=\frac{\pi}{2}$

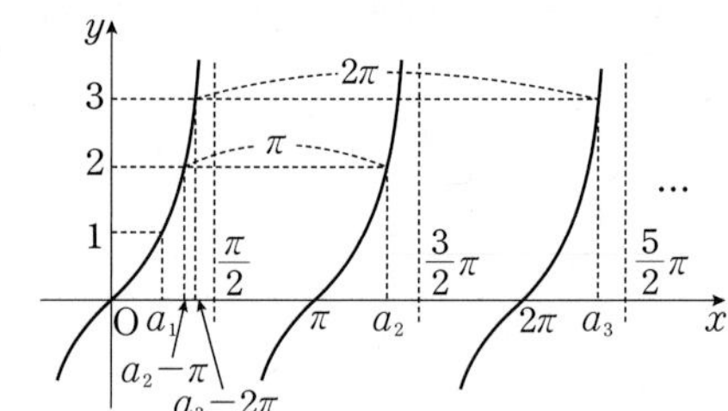

따라서 $\lim_{n\to\infty}\frac{a_n}{n}=\lim_{n\to\infty}\frac{\{a_n-(n-1)\pi+(n-1)\pi\}}{n}$

$=\lim_{n\to\infty}\frac{\left\{\frac{\pi}{2}+(n-1)\pi\right\}}{n}=\pi$

0199

정답 1

STEP Ⓐ **등비수열의 합 공식을 이용하여 $\overline{OA_n}$의 식 구하기**

$y=a_nx$에서 a_n은 원점에서 점 B_n을 잇는 기울기이므로

$\overline{OA_1}=1$, $\overline{A_1A_2}=\frac{1}{2}$, $\overline{A_2A_3}=\left(\frac{1}{2}\right)^2$, $\cdots$, $\overline{A_nA_{n+1}}=\left(\frac{1}{2}\right)^n$, $\cdots$이므로

$$\overline{OA_n}=1+\frac{1}{2}+\left(\frac{1}{2}\right)^2+\cdots+\left(\frac{1}{2}\right)^{n-1}=\frac{1-\left(\frac{1}{2}\right)^n}{1-\frac{1}{2}}=\frac{2^n-1}{2^{n-1}}$$

STEP Ⓑ **점 B_n을 지나는 직선의 기울기 a_n의 식 구하기**

원점 O를 점 A_0이라고 할 때, $\overline{A_nB_n}=\overline{A_{n-1}A_n}=\frac{1}{2^{n-1}}$이므로

직선 $y=a_nx$의 기울기 a_n은 $a_n=\frac{\overline{A_nB_n}}{\overline{OA_n}}=\frac{1}{2^n-1}$

STEP Ⓒ **식을 대입하여 주어진 극한값 구하기**

따라서 $\lim_{n\to\infty}2^na_n=\lim_{n\to\infty}\frac{2^n}{2^n-1}=1$

0200

정답 4

STEP Ⓐ 원 O_n의 방정식 구하기

자연수 n에 대하여 점 $(3n,\ 4n)$을 중심으로 하고
y축에 접하는 원 O_n의 방정식은 $(x-3n)^2+(y-4n)^2=(3n)^2$

STEP Ⓑ 원 밖의 점과 원 위의 점 사이의 거리의 최댓값과 최솟값 구하기

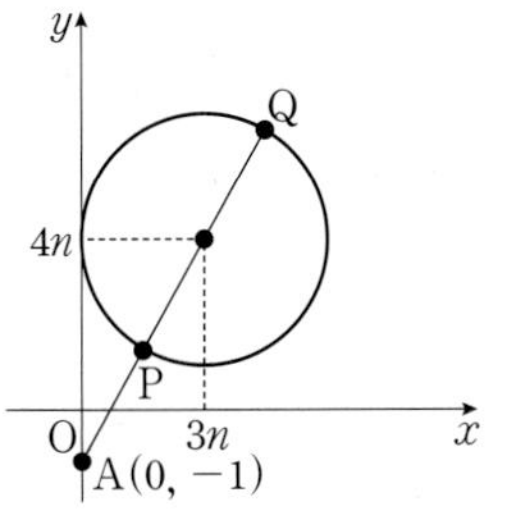

점 $(3n,\ 4n)$과 원 밖의 점 $(0,\ -1)$ 사이의 거리는
$\sqrt{(3n)^2+(4n+1)^2}=\sqrt{25n^2+8n+1}$
원 밖의 점 $(0,\ -1)$과 원 O_n 위를 움직이는 점 사이의 거리의 최댓값은
점 $(0,\ -1)$과 원의 중심 사이의 거리에 반지름의 길이를 더한 값이므로
$a_n=\overline{AQ}=\sqrt{25n^2+8n+1}+3n$
원 밖의 점 $(0,\ -1)$과 원 O_n 위를 움직이는 점 사이의 거리의 최솟값은
점 $(0,\ -1)$과 원의 중심 사이의 거리에 반지름의 길이를 뺀 값이므로
$b_n=\overline{AP}=\sqrt{25n^2+8n+1}-3n$

STEP Ⓒ $\frac{\infty}{\infty}$ 꼴이므로 분모, 분자의 최고차항으로 나누어 극한값 구하기

따라서 $\lim_{n\to\infty}\frac{a_n}{b_n}=\lim_{n\to\infty}\frac{\sqrt{25n^2+8n+1}+3n}{\sqrt{25n^2+8n+1}-3n}$

$=\lim_{n\to\infty}\frac{\sqrt{25+\frac{8}{n}+\frac{1}{n^2}}+3}{\sqrt{25+\frac{8}{n}+\frac{1}{n^2}}-3}$

$=\frac{5+3}{5-3}=4$

0201

정답 120

STEP Ⓐ 두 점 P_n, Q_n을 지나는 직선의 방정식 구하기

$P_n(2n,\ 0)$, $Q_n(0,\ 4n^2)$이므로 직선 P_nQ_n의 기울기는
$\frac{0-4n^2}{2n-0}=\frac{-4n^2}{2n}=-2n$이고 y절편은 $4n^2$이므로
직선 P_nQ_n의 방정식은 $y=\boxed{-2n}\times x+4n^2$

STEP Ⓑ x좌표가 k일 때, y좌표가 자연수인 점의 개수 구하기

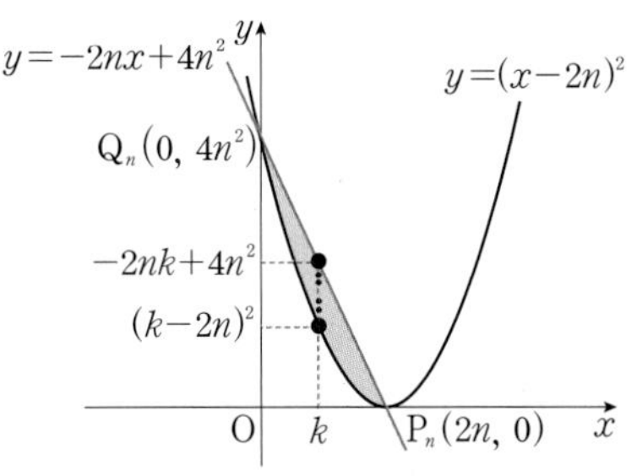

x좌표가 k(k는 $2n-1$ 이하의 자연수)일 때,
영역에 속하는 점의 y좌표는
$(k-2n)^2$부터 $-2nk+4n^2$까지이므로 ← $-2nk+4n^2$, $(k-2n)^2$은 자연수이다.
그 개수는 $-2nk+4n^2-(k-2n)^2+1=\boxed{-k^2+1}+2nk$
← a, b가 자연수일 때, $a\le x\le b$인 자연수의 개수는 $(b-a)+1$이다.

STEP Ⓒ 시그마의 성질을 이용하여 a_n 구하기

$a_n=\sum_{k=1}^{2n-1}(\boxed{-k^2+1}+2nk)$

$=-\frac{(2n-1)\times 2n\times(4n-1)}{6}+(2n-1)+2n\times\frac{(2n-1)\times 2n}{2}$

$=-\frac{n(2n-1)(4n-1)}{3}+(2n-1)+2n^2(2n-1)$

$=(2n-1)\left\{2n^2-\frac{n(4n-1)}{3}+1\right\}$

$=(2n-1)\left(\frac{2}{3}n^2+\frac{n}{3}+1\right)$

STEP Ⓓ 극한값 구하기

$\lim_{n\to\infty}\frac{a_n}{n^3}=\lim_{n\to\infty}\frac{(2n-1)\left(\frac{2}{3}n^2+\frac{n}{3}+1\right)}{n^3}=\boxed{\frac{4}{3}}$

즉 $f(n)=-2n$, $g(k)=-k^2+1$, $p=\frac{4}{3}$이므로
$f(3)=-6$, $g(4)=-15$
따라서 $p\times f(3)\times g(4)=\frac{4}{3}\times(-6)\times(-15)=120$

I 수열의 극한

03 급수

STEP 1 내신정복기출유형

0202

정답 ①

STEP Ⓐ 급수의 성질을 이용하여 구하기

$\sum_{n=1}^{\infty}(3a_n-7b_n)=3\sum_{n=1}^{\infty}a_n-7\sum_{n=1}^{\infty}b_n=3\times5-7\times2=1$

0203

정답 ⑤

STEP Ⓐ 급수의 성질을 이용하여 $\sum_{n=1}^{\infty}a_n$의 값 구하기

$\sum_{n=1}^{\infty}b_n=2$, $\sum_{n=1}^{\infty}(2a_n-3b_n)=4$로 수렴하므로

$\sum_{n=1}^{\infty}\{(2a_n-3b_n)+3b_n\}=\sum_{n=1}^{\infty}2a_n$도 수렴한다.

이때 $\sum_{n=1}^{\infty}a_n=\alpha$($\alpha$는 상수)이라 하면

$\sum_{n=1}^{\infty}(2a_n-3b_n)=2\sum_{n=1}^{\infty}a_n-3\sum_{n=1}^{\infty}b_n=2\alpha-3\cdot2=4$

따라서 $\sum_{n=1}^{\infty}a_n=\alpha=5$

0204

정답 ②

STEP Ⓐ 급수의 성질을 이용하여 $\sum_{n=1}^{\infty}a_n$, $\sum_{n=1}^{\infty}b_n$의 값 구하기

$\sum_{n=1}^{\infty}a_n=\alpha$, $\sum_{n=1}^{\infty}b_n=\beta$라고 하면

$\sum_{n=1}^{\infty}(2a_n+b_n)=2\alpha+\beta=6$ …… ㉠

$\sum_{n=1}^{\infty}(a_n-b_n)=\alpha-\beta=6$ …… ㉡

㉠, ㉡을 연립하여 풀면 $\alpha=4$, $\beta=-2$

STEP Ⓑ 주어진 식의 값 구하기

따라서 $\sum_{n=1}^{\infty}(a_n+b_n)=\alpha+\beta=4-2=2$

내/신/연/계/ 출제문항 082

두 급수 $\sum_{n=1}^{\infty}a_n$, $\sum_{n=1}^{\infty}b_n$이 수렴하고

$$\sum_{n=1}^{\infty}(2a_n-b_n)=6,\ \sum_{n=1}^{\infty}(a_n+2b_n)=4$$

일 때, $\sum_{n=1}^{\infty}a_n+\sum_{n=1}^{\infty}b_n$의 값은?

① $\frac{3}{5}$ ② 1 ③ $\frac{8}{5}$
④ 2 ⑤ $\frac{18}{5}$

STEP Ⓐ 급수의 성질을 이용하여 $\sum_{n=1}^{\infty}a_n$, $\sum_{n=1}^{\infty}b_n$의 값 구하기

$\sum_{n=1}^{\infty}a_n=\alpha$, $\sum_{n=1}^{\infty}b_n=\beta$($\alpha$, β실수)라고 하면

$\sum_{n=1}^{\infty}(2a_n-b_n)=2\alpha-\beta=6$ …… ㉠

$\sum_{n=1}^{\infty}(a_n+2b_n)=\alpha+2\beta=4$ …… ㉡

㉠, ㉡을 연립하여 풀면 $\alpha=\frac{16}{5}$, $\beta=\frac{2}{5}$

STEP Ⓑ 주어진 식의 값 구하기

따라서 $\sum_{n=1}^{\infty}a_n+\sum_{n=1}^{\infty}b_n=\frac{16}{5}+\frac{2}{5}=\frac{18}{5}$

정답 ⑤

0205

정답 ①

STEP Ⓐ 급수의 성질을 이용하여 $\sum_{n=1}^{\infty}a_n$, $\sum_{n=1}^{\infty}b_n$의 값 구하기

$\sum_{n=1}^{\infty}a_n=\alpha$, $\sum_{n=1}^{\infty}b_n=\beta$라 하면

$\sum_{n=1}^{\infty}(2a_n-b_n)=2\sum_{n=1}^{\infty}a_n-\sum_{n=1}^{\infty}b_n=2\alpha-\beta=4$ …… ㉠

$\sum_{n=1}^{\infty}(a_n+b_n)=\sum_{n=1}^{\infty}a_n+\sum_{n=1}^{\infty}b_n=\alpha+\beta=5$ …… ㉡

㉠, ㉡을 연립하여 풀면 $\alpha=3$, $\beta=2$

STEP Ⓑ $\sum_{n=1}^{\infty}(a_n-b_n)$의 값 구하기

따라서 $\sum_{n=1}^{\infty}a_n=3$, $\sum_{n=1}^{\infty}b_n=2$이므로 $\sum_{n=1}^{\infty}(a_n-b_n)=\sum_{n=1}^{\infty}a_n-\sum_{n=1}^{\infty}b_n=3-2=1$

0206

정답 ①

STEP Ⓐ 급수의 성질을 이용하여 $\sum_{n=1}^{\infty}a_n$, $\sum_{n=1}^{\infty}b_n$의 값 구하기

$\sum_{n=1}^{\infty}a_n=\alpha$, $\sum_{n=1}^{\infty}b_n=\beta$로 놓으면

$\sum_{n=1}^{\infty}(2a_n-b_n)=1$에서 $2\alpha-\beta=1$ …… ㉠

$\sum_{n=1}^{\infty}(3a_n+2b_n)=5$에서 $3\alpha+2\beta=5$ …… ㉡

㉠, ㉡을 연립하여 풀면 $\alpha=1$, $\beta=1$

STEP Ⓑ 주어진 식의 값 구하기

따라서 $\sum_{n=1}^{\infty}(5a_n+3b_n)=5\alpha+3\beta=8$

내/신/연/계/ 출제문항 083

두 급수 $\sum_{n=1}^{\infty}a_n$, $\sum_{n=1}^{\infty}b_n$이 모두 수렴하고

$$\sum_{n=1}^{\infty}(a_n-2b_n)=1,\ \sum_{n=1}^{\infty}(2a_n-b_n)=3$$

일 때, $\sum_{n=1}^{\infty}(4a_n-5b_n)$의 값은?

① 4 ② 5 ③ 6
④ 7 ⑤ 8

STEP Ⓐ 급수의 성질을 이용하여 $\sum_{n=1}^{\infty}a_n$, $\sum_{n=1}^{\infty}b_n$의 값 구하기

$\sum_{n=1}^{\infty}a_n=\alpha$, $\sum_{n=1}^{\infty}b_n=\beta$($\alpha$, β는 실수)라 하자.

$\sum_{n=1}^{\infty}(a_n-2b_n)=\alpha-2\beta=1$ …… ㉠

$\sum_{n=1}^{\infty}(2a_n-b_n)=2\alpha-\beta=3$ …… ㉡

㉠, ㉡을 연립하여 풀면 $\alpha=\frac{5}{3}$, $\beta=\frac{1}{3}$

STEP Ⓑ $\sum_{n=1}^{\infty}(4a_n-5b_n)$의 값 구하기

따라서 $\sum_{n=1}^{\infty}(4a_n-5b_n)=4\sum_{n=1}^{\infty}a_n-\sum_{n=1}^{\infty}b_n=4\times\frac{5}{3}-5\times\frac{1}{3}=5$

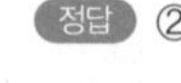
정답 ②

0207

정답 ③

STEP A $\sum_{n=1}^{\infty} a_n = \lim_{n\to\infty} S_n$ 임을 이용하여 극한값 구하기

$\sum_{n=1}^{\infty} a_n = \lim_{n\to\infty} S_n = \lim_{n\to\infty} \frac{3n^2-2}{n^2+1}$ 이므로

분모, 분자를 n^2으로 나누면

$$\sum_{n=1}^{\infty} a_n = \lim_{n\to\infty} \frac{3-\frac{2}{n^2}}{1+\frac{1}{n^2}} = \frac{3}{1} = 3$$

0208

정답 ②

STEP A $\sum_{n=1}^{\infty} a_n = \lim_{n\to\infty} S_n$ 임을 이용하여 극한값 구하기

$\sum_{n=1}^{\infty} a_n = \lim_{n\to\infty} S_n = \lim_{n\to\infty} \frac{3n^2+5n}{2(n+1)(n+2)}$ 이므로

분모, 분자를 n^2으로 나누면

$$\sum_{n=1}^{\infty} a_n = \lim_{n\to\infty} \frac{3+\frac{5}{n}}{2\left(1+\frac{1}{n}\right)\left(1+\frac{2}{n}\right)} = \frac{3}{2}$$

0209

정답 ⑤

STEP A 합 공식을 이용하여 식을 정리하기

$$S_n = \frac{2n^2+3}{1+2+3+\cdots+n} = \frac{2n^2+3}{\frac{1}{2}n(n+1)} = \frac{4n^2+6}{n^2+n}$$

STEP B $\sum_{n=1}^{\infty} a_n = \lim_{n\to\infty} S_n$ 임을 이용하여 극한값 구하기

따라서 $\sum_{n=1}^{\infty} a_n = \lim_{n\to\infty} S_n = \lim_{n\to\infty} \frac{4n^2+6}{n^2+n} = \lim_{n\to\infty} \frac{4+\frac{6}{n^2}}{1+\frac{1}{n}} = \frac{4}{1} = 4$

내/신/연/계/ 출제문항 084

수열 $\{a_n\}$에 대하여 첫째항부터 제 n항까지의 합 S_n이

$$S_n = \frac{1+2+3+\cdots+n}{n^2+3n}$$

일 때, $\sum_{n=1}^{\infty} a_n$의 값은?

① $\frac{1}{2}$　② 1　③ 2
④ 3　⑤ 4

STEP A 제 n항까지의 부분합 S_n 구하기

$$S_n = \frac{1+2+3+\cdots+n}{n^2+3n} = \frac{n(n+1)}{2(n^2+3n)} = \frac{n+1}{2(n+3)}$$

STEP B $\sum_{n=1}^{\infty} a_n = \lim_{n\to\infty} S_n$ 임을 이용하여 극한값 구하기

따라서 $\sum_{n=1}^{\infty} a_n = \lim_{n\to\infty} S_n = \lim_{n\to\infty} \frac{n+1}{2(n+3)} = \lim_{n\to\infty} \frac{1+\frac{1}{n}}{2\left(1+\frac{3}{n}\right)} = \frac{1}{2}$

정답 ①

0210

정답 ③

STEP A 제 n항까지의 부분합 S_n 구하기

주어진 급수의 제 n항까지의 부분합을 S_n이라 하면

$$S_n = \sum_{k=1}^{n} (a_{k+1}-a_k)$$
$$= (a_2-a_1)+(a_3-a_2)+(a_4-a_3)+\cdots+(a_{n+1}-a_n)$$
$$= a_{n+1}-a_1$$

이고 수열 $\{a_n\}$이 수렴하므로 $\lim_{n\to\infty} a_{n+1} = \lim_{n\to\infty} a_n = 15$

STEP B $\sum_{n=1}^{\infty} (a_{n+1}-a_n)$의 값 구하기

따라서 $\sum_{n=1}^{\infty} (a_{n+1}-a_n) = \lim_{n\to\infty} (a_{n+1}-a_1) = 15-7 = 8$

내/신/연/계/ 출제문항 085

수열 $\{a_n\}$에 대하여 $a_1=1$이고 $\lim_{n\to\infty} a_n = 10$일 때,

$$\sum_{n=1}^{\infty} (a_{n+1}-a_n)$$

의 값은?

① 1　② 6　③ 9
④ 10　⑤ 11

STEP A 제 n항까지의 부분합 구하기

$$\sum_{k=1}^{n} (a_{k+1}-a_k) = (a_2-a_1)+(a_3-a_2)+\cdots+(a_{n+1}-a_n)$$
$$= a_{n+1}-a_1$$

STEP B $\sum_{n=1}^{\infty} (a_{n+1}-a_n)$의 값 구하기

따라서 $\lim_{n\to\infty} a_{n+1} = \lim_{n\to\infty} a_n = 10$이므로

$\sum_{n=1}^{\infty} (a_{n+1}-a_n) = \lim_{n\to\infty} (a_{n+1}-a_1) = \lim_{n\to\infty} a_{n+1} - \lim_{n\to\infty} a_1 = 10-1 = 9$　정답 ③

0211

정답 ①

STEP A 제 n항까지의 부분합 S_n 구하기

주어진 급수의 제 n항까지의 부분합을 S_n이라 하자.

$$S_n = \sum_{k=1}^{n} \left(\frac{1}{\sqrt{k}} - \frac{1}{\sqrt{k+1}}\right)$$
$$= \left(1-\frac{1}{\sqrt{2}}\right)+\left(\frac{1}{\sqrt{2}}-\frac{1}{\sqrt{3}}\right)+\left(\frac{1}{\sqrt{3}}-\frac{1}{\sqrt{4}}\right)+\cdots+\left(\frac{1}{\sqrt{n}}-\frac{1}{\sqrt{n+1}}\right)$$
$$= 1-\frac{1}{\sqrt{n+1}}$$

STEP B $\lim_{n\to\infty} S_n$의 값 구하기

따라서 $\lim_{n\to\infty} S_n = \lim_{n\to\infty} \left(1-\frac{1}{\sqrt{n+1}}\right) = 1$이므로 급수 $\sum_{n=1}^{\infty} \left(\frac{1}{\sqrt{n}} - \frac{1}{\sqrt{n+1}}\right)$의 값은 1

내/신/연/계/ 출제문항 086

급수 $\sum_{n=1}^{\infty}\left(\frac{n+1}{n+2}-\frac{n+2}{n+3}\right)$의 값은?

① $-\frac{2}{3}$ ② $-\frac{1}{3}$ ③ 0

④ $\frac{1}{3}$ ⑤ $\frac{2}{3}$

STEP Ⓐ **제 n항까지의 부분합 S_n 구하기**

주어진 급수의 제 n항까지의 부분합을 S_n이라 하면

$$S_n=\sum_{k=1}^{n}\left(\frac{k+1}{k+2}-\frac{k+2}{k+3}\right)$$
$$=\left(\frac{2}{3}-\frac{3}{4}\right)+\left(\frac{3}{4}-\frac{4}{5}\right)+\left(\frac{4}{5}-\frac{5}{6}\right)+\cdots+\left(\frac{n+1}{n+2}-\frac{n+2}{n+3}\right)$$
$$=\frac{2}{3}-\frac{n+2}{n+3}$$

STEP Ⓑ **$\lim_{n\to\infty}S_n$의 값 구하기**

따라서 $\sum_{n=1}^{\infty}\left(\frac{n+1}{n+2}-\frac{n+2}{n+3}\right)=\lim_{n\to\infty}S_n=\lim_{n\to\infty}\left(\frac{2}{3}-\frac{n+2}{n+3}\right)=\frac{2}{3}-1=-\frac{1}{3}$

 ②

0212

 ④

STEP Ⓐ **제 n항까지의 부분합 S_n 구하기**

수열 $\{a_n\}$은 첫째항이 1이고 공차가 3인 등차수열이므로 일반항 a_n은

$a_n=1+(n-1)\times3=3n-2$이고

$a_{n+1}=3(n+1)-2=3n+1$이므로

주어진 급수의 제 n항까지의 부분합을 S_n이라 하면

$$S_n=\sum_{k=1}^{n}\left(\frac{1}{a_k}-\frac{1}{a_{k+1}}\right)=\sum_{k=1}^{n}\left(\frac{1}{3k-2}-\frac{1}{3k+1}\right)$$
$$=\left(\frac{1}{1}-\frac{1}{4}\right)+\left(\frac{1}{4}-\frac{1}{7}\right)+\left(\frac{1}{7}-\frac{1}{10}\right)+\cdots+\left(\frac{1}{3n-2}-\frac{1}{3n+1}\right)$$
$$=1-\frac{1}{3n+1}$$

STEP Ⓑ **$\sum_{n=1}^{\infty}\left(\frac{1}{a_n}-\frac{1}{a_{n+1}}\right)$의 값 구하기**

따라서 $\sum_{n=1}^{\infty}\left(\frac{1}{a_n}-\frac{1}{a_{n+1}}\right)=\lim_{n\to\infty}S_n=\lim_{n\to\infty}\left(1-\frac{1}{3n+1}\right)=1$

0213

 ④

STEP Ⓐ **합 공식을 이용하여 일반항의 식을 정리하기**

주어진 급수의 일반항은 $a_n=\frac{1}{1+2+3+\cdots+n}=\frac{2}{n(n+1)}$

STEP Ⓑ **제 n항까지의 부분합 S_n 구하기**

$$S_n=\sum_{k=1}^{n}a_k=\sum_{k=1}^{n}\frac{2}{k(k+1)}=\sum_{k=1}^{n}2\left(\frac{1}{k}-\frac{1}{k+1}\right)$$
$$=2\left\{\left(\frac{1}{1}-\frac{1}{2}\right)+\left(\frac{1}{2}-\frac{1}{3}\right)+\cdots+\left(\frac{1}{n}-\frac{1}{n+1}\right)\right\}$$
$$=2\left(1-\frac{1}{n+1}\right)$$

STEP Ⓒ **$\lim_{n\to\infty}S_n$의 값 구하기**

따라서 $\sum_{k=1}^{\infty}\frac{2}{n(n+1)}=\lim_{n\to\infty}S_n=\lim_{n\to\infty}2\left(1-\frac{1}{n+1}\right)=\lim_{n\to\infty}2\left(1-\frac{1}{n+1}\right)=2$

내/신/연/계/ 출제문항 087

급수 $\frac{1}{2}+\frac{1}{2+4}+\frac{1}{2+4+6}+\frac{1}{2+4+6+8}+\cdots$의 합은?

① $\frac{1}{2}$ ② $\frac{2}{3}$ ③ 1

④ $\frac{5}{4}$ ⑤ 2

STEP Ⓐ **합 공식을 이용하여 일반항의 식을 정리하기**

주어진 급수의 일반항은

$$a_n=\frac{1}{2+4+6+\cdots+2n}=\frac{1}{2\cdot\frac{n(n+1)}{2}}=\frac{1}{n(n+1)}$$

STEP Ⓑ **제 n항까지의 부분합 S_n 구하기**

$$S_n=\sum_{k=1}^{n}a_k=\sum_{k=1}^{n}\frac{1}{k(k+1)}=\sum_{k=1}^{n}\left(\frac{1}{k}-\frac{1}{k+1}\right)$$
$$=\left(\frac{1}{1}-\frac{1}{2}\right)+\left(\frac{1}{2}-\frac{1}{3}\right)+\cdots+\left(\frac{1}{n}-\frac{1}{n+1}\right)$$
$$=1-\frac{1}{n+1}$$

STEP Ⓒ **$\lim_{n\to\infty}S_n$의 값 구하기**

따라서 $\lim_{n\to\infty}S_n=\lim_{n\to\infty}\left(1-\frac{1}{n+1}\right)=1$

 ③

0214

 ③

STEP Ⓐ **일반항의 식을 정리하기**

주어진 급수의 일반항은 $a_n=\frac{1}{n^2+2n}=\frac{1}{n(n+2)}$

STEP Ⓑ **제 n항까지의 부분합 S_n 구하기**

$$S_n=\sum_{k=1}^{n}a_k=\sum_{k=1}^{n}\frac{1}{k(k+2)}=\sum_{k=1}^{n}\frac{1}{2}\left(\frac{1}{k}-\frac{1}{k+2}\right)$$
$$=\frac{1}{2}\left\{\left(\frac{1}{1}-\frac{1}{3}\right)+\left(\frac{1}{2}-\frac{1}{4}\right)+\left(\frac{1}{3}-\frac{1}{5}\right)+\left(\frac{1}{4}-\frac{1}{6}\right)+\cdots\right.$$
$$\left.+\left(\frac{1}{n-1}-\frac{1}{n+1}\right)+\left(\frac{1}{n}-\frac{1}{n+2}\right)\right\}$$
$$=\frac{1}{2}\left\{1+\frac{1}{2}-\left(\frac{1}{n+1}+\frac{1}{n+2}\right)\right\}$$

STEP Ⓒ **$\lim_{n\to\infty}S_n$의 값 구하기**

따라서 $\lim_{n\to\infty}S_n=\lim_{n\to\infty}\frac{1}{2}\left\{1+\frac{1}{2}-\left(\frac{1}{n+1}+\frac{1}{n+2}\right)\right\}=\frac{3}{4}$

0215

 ⑤

STEP Ⓐ **일반항의 식을 정리하기**

주어진 급수의 일반항 a_n은 $a_n=\frac{2}{(n+1)^2-1}=\frac{2}{n(n+2)}$

STEP Ⓑ **제 n항까지의 부분합 S_n 구하기**

$$S_n=\sum_{k=1}^{n}a_k=\sum_{k=1}^{n}\frac{2}{k(k+2)}=\sum_{k=1}^{n}\left(\frac{1}{k}-\frac{1}{k+2}\right)$$
$$=\left\{\left(\frac{1}{1}-\frac{1}{3}\right)+\left(\frac{1}{2}-\frac{1}{4}\right)+\left(\frac{1}{3}-\frac{1}{5}\right)+\left(\frac{1}{4}-\frac{1}{6}\right)+\cdots\right.$$
$$\left.+\left(\frac{1}{n-1}-\frac{1}{n+1}\right)+\left(\frac{1}{n}-\frac{1}{n+2}\right)\right\}$$
$$=\left\{1+\frac{1}{2}-\left(\frac{1}{n+1}+\frac{1}{n+2}\right)\right\}$$

STEP Ⓒ **$\lim_{n\to\infty}S_n$의 값 구하기**

따라서 $\lim_{n\to\infty}S_n=\lim_{n\to\infty}\left\{1+\frac{1}{2}-\left(\frac{1}{n+1}+\frac{1}{n+2}\right)\right\}=\frac{3}{2}$

0216

정답 ③

STEP Ⓐ 제 n항까지의 부분합 S_n 구하기

$$S_n=\sum_{k=1}^{n}\frac{2}{(2k-1)(2k+1)}=\sum_{k=1}^{n}\left(\frac{1}{2k-1}-\frac{1}{2k+1}\right)$$
$$=\left(1-\frac{1}{3}\right)+\left(\frac{1}{3}-\frac{1}{5}\right)+\cdots+\left(\frac{1}{2n-1}-\frac{1}{2n+1}\right)$$
$$=\left(1-\frac{1}{2n+1}\right)$$

STEP Ⓑ $\lim_{n\to\infty}S_n$의 값 구하기

따라서 $\lim_{n\to\infty}S_n=\lim_{n\to\infty}\left(1-\frac{1}{2n+1}\right)=1$

0217

정답 ②

STEP Ⓐ 일반항의 식을 정리하기

$$a_n=\frac{1}{(2n)^2-1}=\frac{1}{(2n-1)(2n+1)}=\frac{1}{2}\left(\frac{1}{2n-1}-\frac{1}{2n+1}\right)$$

STEP Ⓑ 제 n항까지의 부분합 S_n 구하기

$$S_n=\sum_{k=1}^{n}\frac{1}{2}\left(\frac{1}{2k-1}-\frac{1}{2k+1}\right)$$
$$=\frac{1}{2}\left\{\left(\frac{1}{1}-\frac{1}{3}\right)+\left(\frac{1}{3}-\frac{1}{5}\right)+\left(\frac{1}{5}-\frac{1}{7}\right)+\cdots+\left(\frac{1}{2n-1}-\frac{1}{2n+1}\right)\right\}$$
$$=\frac{1}{2}\left(1-\frac{1}{2n+1}\right)$$

STEP Ⓒ $\lim_{n\to\infty}S_n$의 값 구하기

따라서 $\sum_{n=1}^{\infty}\frac{1}{(2n-1)(2n+1)}=\lim_{n\to\infty}\frac{1}{2}\left(1-\frac{1}{2n+1}\right)=\frac{1}{2}$

참고

$$\sum_{n=1}^{\infty}\frac{1}{(2n-1)(2n+1)}=\lim_{n\to\infty}\sum_{k=1}^{n}\frac{1}{(2k-1)(2k+1)}$$
$$=\frac{1}{2}\lim_{n\to\infty}\sum_{k=1}^{n}\left(\frac{1}{2k-1}-\frac{1}{2k+1}\right)$$
$$=\frac{1}{2}\lim_{n\to\infty}\left(1-\frac{1}{2n+1}\right)=\frac{1}{2}$$

내신연계 출제문항 088

다음 조건을 만족하는 급수의 합을 a, b라 할 때 $a+b$의 값은?

(가) $\sum_{n=1}^{\infty}\frac{12}{n(n+2)}=a$

(나) $\sum_{n=1}^{\infty}\frac{100}{4n^2-1}=b$

① 48 ② 50 ③ 59
④ 62 ⑤ 69

STEP Ⓐ 부분분수 공식을 이용하고 축차 대입하여 급수의 값 구하기

조건 (가)에서

$$\sum_{n=1}^{\infty}\frac{12}{n(n+2)}=12\lim_{n\to\infty}\sum_{k=1}^{n}\frac{1}{k(k+2)}=12\lim_{n\to\infty}\frac{1}{2}\left(\frac{1}{1}+\frac{1}{2}-\frac{1}{n+1}-\frac{1}{n+2}\right)=9$$

조건 (나)에서

$$\sum_{n=1}^{\infty}\frac{100}{4n^2-1}=\lim_{n\to\infty}\sum_{k=1}^{n}\frac{100}{(2k-1)(2k+1)}=\lim_{n\to\infty}\sum_{k=1}^{n}50\left(\frac{1}{2k-1}-\frac{1}{2k+1}\right)$$
$$=\lim_{n\to\infty}50\left(1-\frac{1}{2n+1}\right)=50$$

따라서 $a=9$, $b=50$이므로 $a+b=59$

정답 ③

0218

정답 ①

STEP Ⓐ 일반항 a_n 구하기

$$a_n=\frac{1}{(3n-1)(3n+2)}=\frac{1}{3}\left(\frac{1}{3n-1}-\frac{1}{3n+2}\right)$$

STEP Ⓑ 제 n항까지의 부분합 S_n 구하기

$$S_n=\sum_{k=1}^{n}\frac{1}{3}\left(\frac{1}{3k-1}-\frac{1}{3k+2}\right)$$
$$=\frac{1}{3}\left\{\left(\frac{1}{2}-\frac{1}{5}\right)+\left(\frac{1}{5}-\frac{1}{8}\right)+\left(\frac{1}{8}-\frac{1}{11}\right)+\cdots+\left(\frac{1}{3n-1}-\frac{1}{3n+2}\right)\right\}$$
$$=\frac{1}{3}\left(\frac{1}{2}-\frac{1}{3n+2}\right)$$

STEP Ⓒ $\lim_{n\to\infty}S_n$의 값 구하기

따라서 $\sum_{n=1}^{\infty}\frac{1}{(3n-1)(3n+2)}=\lim_{n\to\infty}\frac{1}{3}\left(\frac{1}{2}-\frac{1}{3k+2}\right)=\frac{1}{6}$

참고

$$\sum_{n=1}^{\infty}\frac{1}{(3n-1)(3n+2)}=\lim_{n\to\infty}\sum_{k=1}^{n}\frac{1}{(3k-1)(3k+2)}$$
$$=\lim_{n\to\infty}\sum_{k=1}^{n}\left(\frac{1}{3k-1}-\frac{1}{3k+2}\right)$$
$$=\lim_{n\to\infty}\left(\frac{1}{2}-\frac{1}{3n+2}\right)=\frac{1}{2}$$

내신연계 출제문항 089

첫째항이 2, 공차가 3인 등차수열 $\{a_n\}$에 대하여 급수 $\sum_{n=1}^{\infty}\frac{1}{a_na_{n+1}}$의 값은?

① $\frac{1}{6}$ ② $\frac{1}{4}$ ③ $\frac{1}{2}$
④ $\frac{3}{4}$ ⑤ 1

STEP Ⓐ 등차수열의 일반항 a_n 구하기

첫째항이 2, 공차가 3인 등차수열의 일반항은

$a_n=2+(n-1)\cdot3=3n-1$이고

$a_{n+1}=3(n+1)-1=3n+2$

STEP Ⓑ 제 n항까지의 부분합 S_n 구하기

$$\frac{1}{a_na_{n+1}}=\frac{1}{(3n-1)(3n+2)}=\frac{1}{3}\left(\frac{1}{3n-1}-\frac{1}{3n+2}\right)$$

$$S_n=\sum_{k=1}^{n}\frac{1}{3}\left(\frac{1}{3k-1}-\frac{1}{3k+2}\right)$$
$$=\frac{1}{3}\left\{\left(\frac{1}{2}-\frac{1}{5}\right)+\left(\frac{1}{5}-\frac{1}{8}\right)+\left(\frac{1}{8}-\frac{1}{11}\right)+\cdots+\left(\frac{1}{3n-1}-\frac{1}{3n+2}\right)\right\}$$
$$=\frac{1}{3}\left(\frac{1}{2}-\frac{1}{3n+2}\right)$$

STEP Ⓒ $\lim_{n\to\infty}S_n$의 값 구하기

따라서 $\sum_{n=1}^{\infty}\frac{1}{a_na_{n+1}}=\sum_{n=1}^{\infty}\frac{1}{(3n-1)(3n+2)}=\lim_{n\to\infty}\frac{1}{3}\left(\frac{1}{2}-\frac{1}{3k+2}\right)=\frac{1}{6}$

정답 ①

0219

정답 ①

STEP A 일반항 a_n 구하기

$$a_n=\frac{4}{(4n-3)(4n+1)}=\frac{1}{4n-3}-\frac{1}{4n+1}$$

STEP B 제 n항까지의 부분합 S_n 구하기

주어진 급수의 제 n항까지의 부분합을 S_n이라 하면

$$\begin{aligned}S_n&=\sum_{k=1}^{n}\left(\frac{1}{4k-3}-\frac{1}{4k+1}\right)\\&=\left(1-\frac{1}{5}\right)+\left(\frac{1}{5}-\frac{1}{9}\right)+\left(\frac{1}{9}-\frac{1}{13}\right)+\cdots+\left(\frac{1}{4n-3}-\frac{1}{4n+1}\right)\\&=\left(1-\frac{1}{4n+1}\right)\end{aligned}$$

STEP C $\lim_{n\to\infty}S_n$의 값 구하기

따라서 $\sum_{n=1}^{\infty}\frac{4}{(4n-3)(4n+1)}=\lim_{n\to\infty}S_n=\lim_{n\to\infty}\left(1-\frac{1}{4n+1}\right)=1$

0220

STEP A 일반항의 식을 정리하기

$$\begin{aligned}a_n&=\frac{1}{n\sqrt{n+1}+(n+1)\sqrt{n}}\\&=\frac{n\sqrt{n+1}-(n+1)\sqrt{n}}{(n\sqrt{n+1}+(n+1)\sqrt{n})(n\sqrt{n+1}-(n+1)\sqrt{n})}\\&=\frac{n\sqrt{n+1}-(n+1)\sqrt{n}}{n^2(n+1)-(n+1)^2n}=\frac{n\sqrt{n+1}-(n+1)\sqrt{n}}{-n(n+1)}\\&=\frac{\sqrt{n}}{n}-\frac{\sqrt{n+1}}{n+1}\end{aligned}$$

STEP B 제 n항까지의 부분합 S_n 구하기

이때 급수의 제 n항까지의 부분합을 S_n이라 하면

$$\begin{aligned}S_n&=\sum_{k=1}^{n}a_k=\sum_{k=1}^{n}\left(\frac{\sqrt{k}}{k}-\frac{\sqrt{k+1}}{k+1}\right)\\&=\left(\frac{1}{1}-\frac{\sqrt{2}}{2}\right)+\left(\frac{\sqrt{2}}{2}-\frac{\sqrt{3}}{3}\right)+\cdots+\left(\frac{\sqrt{n}}{n}-\frac{\sqrt{n+1}}{n+1}\right)\\&=\frac{1}{1}-\frac{\sqrt{n+1}}{n+1}\end{aligned}$$

STEP C $\lim_{n\to\infty}S_n$의 값 구하기

따라서 주어진 급수의 합은 $\lim_{n\to\infty}S_n=\lim_{n\to\infty}\left(\frac{1}{1}-\frac{\sqrt{n+1}}{n+1}\right)=1$

0221

STEP A 주어진 수열의 일반항 a_n 구하기

주어진 수열의 일반항을 a_n이라 하면

$$a_n=\log\frac{n^2}{n^2-1}=\log\frac{n\times n}{(n-1)(n+1)}=\log\left(\frac{n}{n-1}\times\frac{n}{n+1}\right)$$

STEP B 급수 $\sum_{n=1}^{\infty}a_n$의 제 n항까지의 부분합을 S_n이라 할 때, $\sum_{n=1}^{\infty}a_n=\lim_{n\to\infty}S_n$임을 이용하여 구하기

$$\begin{aligned}S_n&=\sum_{k=2}^{n}\log\left(\frac{k}{k-1}\cdot\frac{k}{k+1}\right)\\&=\log\left(\frac{2}{1}\cdot\frac{2}{3}\right)+\log\left(\frac{3}{2}\cdot\frac{3}{4}\right)+\log\left(\frac{4}{3}\cdot\frac{4}{5}\right)+\cdots+\log\left(\frac{n}{n-1}\cdot\frac{n}{n+1}\right)\\&=\log\left(\frac{2}{1}\cdot\frac{2}{3}\cdot\frac{3}{2}\cdot\frac{3}{4}\cdot\frac{4}{3}\cdot\frac{5}{4}\cdots\frac{n}{n-1}\cdot\frac{n}{n+1}\right)=\log\frac{2n}{n+1}\end{aligned}$$

따라서 $\lim_{n\to\infty}S_n=\lim_{n\to\infty}\log\frac{2n}{n+1}=\log 2$

내신연계 출제문항 090

$\sum_{n=1}^{\infty}\log_2\left\{1-\frac{1}{(n+1)^2}\right\}$의 값은?

① -2 ② -1 ③ $-\frac{1}{2}$

④ 1 ⑤ 2

STEP A 주어진 수열의 일반항 a_n 구하기

주어진 수열의 일반항을 a_n이라 하면

$$\begin{aligned}a_n&=\log_2\left\{1-\frac{1}{(n+1)^2}\right\}=\log_2\left(1-\frac{1}{n+1}\right)\left(1+\frac{1}{n+1}\right)\\&=\log_2\left(\frac{n}{n+1}\cdot\frac{n+2}{n+1}\right)\end{aligned}$$

STEP B 급수 $\sum_{n=1}^{\infty}a_n$의 제 n항까지의 부분합을 S_n이라 할 때, $\sum_{n=1}^{\infty}a_n=\lim_{n\to\infty}S_n$임을 이용하여 구하기

$$\begin{aligned}S_n&=\sum_{k=1}^{n}\log_2\left(\frac{k}{k+1}\cdot\frac{k+2}{k+1}\right)\\&=\log_2\left(\frac{1}{2}\cdot\frac{3}{2}\right)+\log_2\left(\frac{2}{3}\cdot\frac{4}{3}\right)+\log_2\left(\frac{3}{4}\cdot\frac{5}{4}\right)+\cdots+\log_2\left(\frac{n}{n+1}\cdot\frac{n+2}{n+1}\right)\\&=\log_2\left(\frac{1}{2}\cdot\frac{3}{2}\cdot\frac{2}{3}\cdot\frac{4}{3}\cdot\frac{3}{4}\cdot\frac{5}{4}\cdots\frac{n}{n+1}\cdot\frac{n+2}{n+1}\right)\\&=\log_2\frac{n+2}{2(n+1)}\end{aligned}$$

따라서 $\lim_{n\to\infty}S_n=\lim_{n\to\infty}\log_2\frac{n+2}{2(n+1)}=\log_2\frac{1}{2}=-1$

0222

STEP A 일반항의 식을 정리하기

$$\frac{1}{n(n+1)(n+2)}=\frac{1}{2}\left\{\frac{1}{n(n+1)}-\frac{1}{(n+1)(n+2)}\right\}$$

STEP B 제 n항까지의 부분합 S_n 구하기

따라서 $\sum_{n=1}^{\infty}\frac{1}{n(n+1)(n+2)}$

$$\begin{aligned}&=\lim_{n\to\infty}\sum_{k=1}^{n}\frac{1}{k(k+1)(k+2)}\\&=\lim_{n\to\infty}\sum_{k=1}^{n}\frac{1}{2}\left\{\frac{1}{k(k+1)}-\frac{1}{(k+1)(k+2)}\right\}\\&=\frac{1}{2}\lim_{n\to\infty}\left\{\left(\frac{1}{1\cdot2}-\frac{1}{2\cdot3}\right)+\left(\frac{1}{2\cdot3}-\frac{1}{3\cdot4}\right)+\cdots\right.\\&\qquad\left.+\left(\frac{1}{n(n+1)}-\frac{1}{(n+1)(n+2)}\right)\right\}\\&=\lim_{n\to\infty}\frac{1}{2}\left\{\frac{1}{2}-\frac{1}{(n+1)(n+2)}\right\}\\&=\frac{1}{4}\end{aligned}$$

내/신/연/계/ 출제문항 091

이차방정식 $x^2-2(n+2)x+n(n+1)=0$의 두 근을 α_n, β_n이라 할 때,

급수 $\displaystyle\sum_{n=1}^{\infty}\frac{1}{\alpha_n{}^2\beta_n+\alpha_n\beta_n{}^2}$의 값은?

① $\frac{1}{8}$　② $\frac{1}{4}$　③ $\frac{1}{2}$

④ $\frac{3}{4}$　⑤ $\frac{3}{2}$

STEP Ⓐ **이차방정식의 근과 계수의 관계를 이용하여 합과 곱 구하기**

이차방정식 $x^2-2(n+2)x+n(n+1)=0$의 두 근이 α_n, β_n이므로

$\alpha_n+\beta_n=2(n+2)$, $\alpha_n\beta_n=n(n+1)$

STEP Ⓑ **제 n항까지의 부분합 S_n 구하기**

따라서 $\displaystyle\sum_{n=1}^{\infty}\frac{1}{\alpha_n{}^2\beta_n+\alpha_n\beta_n{}^2}=\frac{1}{2}\sum_{n=1}^{\infty}\frac{1}{\alpha_n\beta_n(\alpha_n+\beta_n)}=\frac{1}{2}\sum_{n=1}^{\infty}\frac{1}{n(n+1)(n+2)}$

$\displaystyle=\frac{1}{4}\sum_{n=1}^{\infty}\left\{\frac{1}{n(n+1)}-\frac{1}{(n+1)(n+2)}\right\}$

$\displaystyle=\frac{1}{4}\lim_{n\to\infty}\left\{\left(\frac{1}{1\cdot2}-\frac{1}{2\cdot3}\right)+\left(\frac{1}{2\cdot3}-\frac{1}{3\cdot4}\right)+\cdots+\left(\frac{1}{n(n+1)}-\frac{1}{(n+1)(n+2)}\right)\right\}$

$\displaystyle=\frac{1}{4}\lim_{n\to\infty}\left(\frac{1}{1\cdot2}-\frac{1}{(n+1)(n+2)}\right)$

$\displaystyle=\frac{1}{8}$

정답 ①

0223

정답 ④

STEP Ⓐ **부분합의 극한값 $\lim_{n\to\infty}S_n$ 구하기**

① 주어진 급수의 일반항을 a_n이라 하면

$\displaystyle a_n=\frac{1}{n^2+2n}=\frac{1}{n(n+2)}=\frac{1}{2}\left(\frac{1}{n}-\frac{1}{n+2}\right)$

이므로 제 n항까지의 부분합 S_n은

$\displaystyle S_n=\sum_{k=1}^{n}a_k=\frac{1}{2}\left\{\left(1-\frac{1}{3}\right)+\left(\frac{1}{2}-\frac{1}{4}\right)+\left(\frac{1}{3}-\frac{1}{5}\right)+\cdots+\left(\frac{1}{n-1}-\frac{1}{n+1}\right)+\left(\frac{1}{n}-\frac{1}{n+2}\right)\right\}$

$\displaystyle=\frac{1}{2}\left(1+\frac{1}{2}-\frac{1}{n+1}-\frac{1}{n+2}\right)$

즉 주어진 급수의 합은 $\displaystyle\lim_{n\to\infty}S_n=\lim_{n\to\infty}\frac{1}{2}\left(1+\frac{1}{2}-\frac{1}{n+1}-\frac{1}{n+2}\right)=\frac{3}{4}$ [참]

② 주어진 급수의 일반항을 a_n이라 하면

$\displaystyle a_n=\frac{1}{(3n-1)(3n+2)}=\frac{1}{3}\left(\frac{1}{3n-1}-\frac{1}{3n+2}\right)$

이므로 제 n항까지의 부분합 S_n은

$\displaystyle S_n=\frac{1}{3}\sum_{k=1}^{n}\left(\frac{1}{3k-1}-\frac{1}{3k+2}\right)$

$\displaystyle=\frac{1}{3}\left\{\left(\frac{1}{2}-\frac{1}{5}\right)+\left(\frac{1}{5}-\frac{1}{8}\right)+\left(\frac{1}{8}-\frac{1}{11}\right)+\cdots+\left(\frac{1}{3n-1}-\frac{1}{3n+2}\right)\right\}$

$\displaystyle=\frac{1}{3}\left(\frac{1}{2}-\frac{1}{3n+2}\right)$

즉 $\displaystyle\lim_{n\to\infty}S_n=\lim_{n\to\infty}\frac{1}{3}\left(\frac{1}{2}-\frac{1}{3n+2}\right)=\frac{1}{6}$ [참]

③ 제 n항까지의 부분합 S_n은

$\displaystyle S_n=\left(1-\frac{1}{2^2}\right)+\left(\frac{1}{2^2}-\frac{1}{3^2}\right)+\cdots+\left(\frac{1}{n^2}-\frac{1}{(n+1)^2}\right)=1-\frac{1}{(n+1)^2}$

따라서 $\displaystyle\lim_{n\to\infty}S_n=\lim_{n\to\infty}\left\{1-\frac{1}{(n+1)^2}\right\}=1$ [참]

④ 주어진 급수의 제 n항을 a_n이라 하면

$\displaystyle a_n=\frac{1}{(2n)^2-1}=\frac{1}{(2n-1)(2n+1)}=\frac{1}{2}\left(\frac{1}{2n-1}-\frac{1}{2n+1}\right)$

제 n항까지의 부분합 S_n은

$\displaystyle S_n=\frac{1}{2}\left\{\left(1-\frac{1}{3}\right)+\left(\frac{1}{3}-\frac{1}{5}\right)+\cdots+\left(\frac{1}{2n-1}-\frac{1}{2n+1}\right)\right\}=\frac{1}{2}\left(1-\frac{1}{2n+1}\right)$

즉 $\displaystyle\lim_{n\to\infty}S_n=\lim_{n\to\infty}\frac{1}{2}\left(1-\frac{1}{2n+1}\right)=\frac{1}{2}$ [거짓]

⑤ 주어진 급수의 일반항을 a_n이라 하면

$\displaystyle a_n=\frac{1}{(n+1)^2+(n+1)}=\frac{1}{(n+1)(n+2)}=\frac{1}{n+1}-\frac{1}{n+2}$

이므로 제 n항까지의 부분합 S_n은

$\displaystyle S_n=\sum_{k=1}^{n}a_k=\left(\frac{1}{2}-\frac{1}{3}\right)+\left(\frac{1}{3}-\frac{1}{4}\right)+\left(\frac{1}{4}-\frac{1}{5}\right)+\cdots+\left(\frac{1}{n+1}-\frac{1}{n+2}\right)$

$\displaystyle=\frac{1}{2}-\frac{1}{n+2}$

즉 주어진 급수의 합은 $\displaystyle\lim_{n\to\infty}S_n=\lim_{n\to\infty}\left(\frac{1}{2}-\frac{1}{n+2}\right)=\frac{1}{2}$ [참]

따라서 옳지 않은 것은 ④이다.

0224

정답 ③

STEP Ⓐ **$\sum_{n=1}^{\infty}a_n$이 수렴하면 $\lim_{n\to\infty}a_n=0$임을 이용하여 a의 값 구하기**

급수 $\displaystyle\sum_{n=1}^{\infty}\frac{an^2+4}{n^2+2n}$가 수렴하므로 $\displaystyle\lim_{n\to\infty}\frac{an^2+4}{n^2+2n}=0$

즉 $\frac{a}{1}=0$이므로 $a=0$

STEP Ⓑ **부분합의 극한값 $\lim_{n\to\infty}S_n$ 구하기**

$\displaystyle\sum_{n=1}^{\infty}\frac{4}{n^2+2n}$에서 일반항 a_n이라 하면

$\displaystyle a_n=\frac{4}{n^2+2n}=\frac{4}{n(n+2)}=2\left(\frac{1}{n}-\frac{1}{n+2}\right)$이고

주어진 급수의 제 n항까지의 부분합을 S_n이라 하면

$\displaystyle S_n=2\sum_{k=1}^{n}\left(\frac{1}{k}-\frac{1}{k+2}\right)$

$\displaystyle=2\left\{\left(1-\frac{1}{3}\right)+\left(\frac{1}{2}-\frac{1}{4}\right)+\left(\frac{1}{3}-\frac{1}{5}\right)+\cdots+\left(\frac{1}{n-1}-\frac{1}{n+1}\right)+\left(\frac{1}{n}-\frac{1}{n+2}\right)\right\}$

$\displaystyle=2\left(1+\frac{1}{2}-\frac{1}{n+1}-\frac{1}{n+2}\right)$

따라서 $\displaystyle\sum_{n=1}^{\infty}\frac{4}{n^2+2n}=\lim_{n\to\infty}S_n=\lim_{n\to\infty}2\left(\frac{1}{1}+\frac{1}{2}-\frac{1}{n+1}-\frac{1}{n+2}\right)=3$

0225

정답 ①

STEP Ⓐ **$\sum_{n=1}^{\infty}a_n$이 수렴하면 $\lim_{n\to\infty}a_n=0$임을 이용하여 a의 값 구하기**

$\displaystyle\sum_{n=1}^{\infty}\frac{an^2+4}{(4n-3)(4n+1)}$가 수렴하므로

$\displaystyle\lim_{n\to\infty}\frac{an^2+4}{(4n-3)(4n+1)}=0$

즉 $\frac{a}{16}=0$이므로 $a=0$

STEP Ⓑ **부분합의 극한값 $\lim_{n\to\infty}S_n$ 구하기**

$\displaystyle\sum_{n=1}^{\infty}\frac{4}{(4n-3)(4n+1)}$에서 일반항 a_n이라 하면

$\displaystyle a_n=\frac{4}{(4n-3)(4n+1)}=\frac{1}{4n-3}-\frac{1}{4n+1}$이고

주어진 급수의 제 n항까지의 부분합을 S_n이라 하면

$\displaystyle S_n=\sum_{k=1}^{n}\left(\frac{1}{4k-3}-\frac{1}{4k+1}\right)$

$\displaystyle=\left\{\left(1-\frac{1}{5}\right)+\left(\frac{1}{5}-\frac{1}{9}\right)+\left(\frac{1}{9}-\frac{1}{13}\right)+\cdots+\left(\frac{1}{4n-3}-\frac{1}{4n+1}\right)\right\}$

$\displaystyle=1-\frac{1}{4n+1}$

따라서 $\displaystyle\sum_{n=1}^{\infty}\frac{4}{(4n-3)(4n+1)}=\lim_{n\to\infty}S_n=\lim_{n\to\infty}\left(1-\frac{1}{4n+1}\right)=1$

내/신/연/계/ 출제문항 092

급수 $\sum_{n=1}^{\infty}\frac{an^2+24}{(2n+1)(2n+3)}$가 수렴할 때, 이 급수의 값은?

① 1　② 2　③ 3
④ 4　⑤ 5

STEP A $\sum_{n=1}^{\infty}a_n$**이 수렴하면** $\lim_{n\to\infty}a_n=0$**임을 이용하여** a**의 값 구하기**

$\sum_{n=1}^{\infty}\frac{an^2+24}{(2n+1)(2n+3)}$가 수렴하므로

$\lim_{n\to\infty}\frac{an^2+24}{(2n+1)(2n+3)}=0$

즉 $\frac{a}{4}=0$이므로 $a=0$

STEP B 부분합의 극한값 $\lim_{n\to\infty}S_n$ **구하기**

$\sum_{n=1}^{\infty}\frac{24}{(2n+1)(2n+3)}$에서 일반항 a_n이라 하면

$a_n=\frac{24}{(2n+1)(2n+3)}=12\left(\frac{1}{2n+1}-\frac{1}{2n+3}\right)$이고

주어진 급수의 제 n항까지의 부분합을 S_n이라 하면

$$\begin{aligned}S_n&=\sum_{k=1}^{n}12\left(\frac{1}{2k+1}-\frac{1}{2k+3}\right)\\&=12\left\{\left(\frac{1}{3}-\frac{1}{5}\right)+\left(\frac{1}{5}-\frac{1}{7}\right)+\left(\frac{1}{7}-\frac{1}{9}\right)+\cdots+\left(\frac{1}{2n+1}-\frac{1}{2n+3}\right)\right\}\\&=12\left(\frac{1}{3}-\frac{1}{2n+3}\right)\end{aligned}$$

따라서 $\sum_{n=1}^{\infty}\frac{24}{(2n+1)(2n+3)}=12\lim_{n\to\infty}\left(\frac{1}{3}-\frac{1}{2n+3}\right)=12\times\frac{1}{3}=4$　정답 ④

0226

 ④

STEP A $\sum_{n=1}^{\infty}a_n$**이 수렴하면** $\lim_{n\to\infty}a_n=0$**임을 이용하여** a**의 값 구하기**

$\sum_{n=1}^{\infty}\frac{an^2+2}{9n^2+3n-2}$가 수렴하므로 $\lim_{n\to\infty}\frac{an^2+2}{9n^2+3n-2}=0$

즉 $\frac{a}{9}=0$이므로 $a=0$

STEP B 부분합의 극한값 $\lim_{n\to\infty}S_n$ **구하기**

$\sum_{n=1}^{\infty}\frac{2}{9n^2+3n-2}$에서 일반항 a_n이라 하면

$a_n=\frac{2}{9n^2+3n-2}=\frac{2}{(3n-1)(3n+2)}=\frac{2}{3}\left(\frac{1}{3n-1}-\frac{1}{3n+2}\right)$이고

주어진 급수의 제 n항까지의 부분합을 S_n이라 하면

$$\begin{aligned}S_n&=\frac{2}{3}\sum_{k=1}^{n}\left(\frac{1}{3k-1}-\frac{1}{3k+2}\right)\\&=\frac{2}{3}\left\{\left(\frac{1}{2}-\frac{1}{5}\right)+\left(\frac{1}{5}-\frac{1}{8}\right)+\left(\frac{1}{8}-\frac{1}{11}\right)+\cdots+\left(\frac{1}{3n-1}-\frac{1}{3n+2}\right)\right\}\\&=\frac{2}{3}\left(\frac{1}{2}-\frac{1}{3n+2}\right)\end{aligned}$$

따라서 $\lim_{n\to\infty}S_n=\lim_{n\to\infty}\frac{2}{3}\left(\frac{1}{2}-\frac{1}{3n+2}\right)=\frac{1}{3}$

0227

 ⑤

STEP A 나머지 정리를 이용하여 a_n **구하기**

$a_nx^2+a_nx+2$를 $x-n$으로 나눈 나머지가 20이므로 나머지 정리에 의하여

$a_nn^2+a_nn+2=20$, $n(n+1)a_n=18$

$\therefore a_n=\frac{18}{n(n+1)}$

STEP B 부분합의 극한값을 이용하여 급수의 합 구하기

따라서 $\sum_{n=1}^{\infty}a_n=18\sum_{n=1}^{\infty}\frac{1}{n(n+1)}=18\lim_{n\to\infty}\sum_{k=1}^{n}\left(\frac{1}{k}-\frac{1}{k+1}\right)$

$$\begin{aligned}&=18\lim_{n\to\infty}\left\{\left(1-\frac{1}{2}\right)+\left(\frac{1}{2}-\frac{1}{3}\right)+\cdots+\left(\frac{1}{n}-\frac{1}{n+1}\right)\right\}\\&=18\lim_{n\to\infty}\left(1-\frac{1}{n+1}\right)=18\end{aligned}$$

0228

 ⑤

STEP A 나머지 정리를 이용하여 일반항 a_n **구하기**

$f(x)=a_nx^2+a_nx+2$라고 하면

$f(x)$를 $x-n$으로 나눈 나머지는 $f(n)=a_nn^2+a_nn+2=20$

$\therefore a_n=\frac{18}{n(n+1)}$

STEP B 급수 $\sum_{n=1}^{\infty}a_n$**의 제** n**항까지의 부분합을** S_n**이라 할 때,** $\sum_{n=1}^{\infty}a_n=\lim_{n\to\infty}S_n$**임을 이용하여 구하기**

따라서 $\sum_{n=1}^{\infty}a_n=\sum_{n=1}^{\infty}\frac{18}{n(n+1)}=\lim_{n\to\infty}\sum_{k=1}^{n}18\left(\frac{1}{k}-\frac{1}{k+1}\right)$

$$\begin{aligned}&=18\lim_{n\to\infty}\left\{\left(1-\frac{1}{2}\right)+\left(\frac{1}{2}-\frac{1}{3}\right)+\cdots+\left(\frac{1}{n}-\frac{1}{n+1}\right)\right\}\\&=18\lim_{n\to\infty}\left(1-\frac{1}{n+1}\right)=18\end{aligned}$$

내/신/연/계/ 출제문항 093

수열 $\{a_n\}$에 대하여 다항식 $a_nx^2+2a_nx+1$을 $x-n$으로 나눈 나머지가 5일 때, $\sum_{n=1}^{\infty}a_n$의 값은?

① 2　② 3　③ 4
④ 5　⑤ 6

STEP A 나머지 정리를 이용하여 일반항 a_n **구하기**

$f(x)=a_nx^2+2a_nx+1$이라고 하면

$f(x)$를 $x-n$으로 나눈 나머지는 $f(n)=a_nn^2+2a_nn+1=5$

$\therefore a_n=\frac{4}{n(n+2)}$

STEP B 부분합의 극한값을 이용하여 급수의 합 구하기

따라서

$\sum_{n=1}^{\infty}a_n=\sum_{n=1}^{\infty}\frac{4}{n(n+2)}=\lim_{n\to\infty}\sum_{k=1}^{n}2\left(\frac{1}{k}-\frac{1}{k+2}\right)$

$$\begin{aligned}&=2\lim_{n\to\infty}\left\{\left(1-\frac{1}{3}\right)+\left(\frac{1}{2}-\frac{1}{4}\right)+\cdots+\left(\frac{1}{n-1}-\frac{1}{n+1}\right)+\left(\frac{1}{n}-\frac{1}{n+2}\right)\right\}\\&=2\lim_{n\to\infty}\left(1+\frac{1}{2}-\frac{1}{n+1}-\frac{1}{n+2}\right)=3\end{aligned}$$

정답 ②

0229

 ①

STEP A $3^n\cdot5^{n+1}$**의 모든 양의 약수의 개수 구하기**

$3^n\cdot5^{n+1}$의 모든 양의 약수의 개수는 $a_n=(n+1)(n+2)$

STEP B 부분합의 극한값을 이용하여 급수의 합 구하기

따라서 $\sum_{n=1}^{\infty}\frac{1}{a_n}=\lim_{n\to\infty}\sum_{k=1}^{n}\frac{1}{a_k}=\lim_{n\to\infty}\sum_{k=1}^{n}\frac{1}{(k+1)(k+2)}$

$$=\lim_{n\to\infty}\sum_{k=1}^{n}\left(\frac{1}{k+1}-\frac{1}{k+2}\right)=\lim_{n\to\infty}\left(\frac{1}{2}-\frac{1}{n+2}\right)=\frac{1}{2}$$

내신연계 출제문항 094

자연수 n에 대하여 6^n의 모든 양의 약수 중 짝수의 개수를 $f(n)$, 홀수의 개수를 $g(n)$이라 할 때, 수열 $\{a_n\}$을 $a_n=f(n)-g(n)$으로 정의하자. $\sum_{n=2}^{\infty}\frac{1}{a_n}$의 값은?

① $\frac{1}{4}$　② $\frac{1}{2}$　③ $\frac{3}{4}$
④ 1　⑤ $\frac{5}{4}$

STEP A **약수 중 짝수의 개수 $f(n)$, 홀수의 개수 $g(n)$ 구하기**

$6^n=2^n3^n$이므로 전체 약수의 개수는 $(n+1)^2$

전체 약수 중 홀수는 3^n의 약수이므로 $g(n)=n+1$

전체 약수 중 짝수의 개수는

2^n3^n의 전체 약수의 개수에서 홀수의 개수를 빼면 되므로

$f(n)=(n+1)^2-(n+1)=n(n+1)$

$\therefore\ a_n=f(n)-g(n)=n(n+1)-(n+1)=n^2-1$

STEP B **부분합의 극한값을 이용하여 급수의 합 구하기**

따라서 $\sum_{n=2}^{\infty}\frac{1}{a_n}=\lim_{n\to\infty}\sum_{k=2}^{n}\frac{1}{k^2-1}=\lim_{n\to\infty}\sum_{k=2}^{n}\frac{1}{2}\left(\frac{1}{k-1}-\frac{1}{k+1}\right)$

$=\frac{1}{2}\lim_{n\to\infty}\left(1+\frac{1}{2}-\frac{1}{n}-\frac{1}{n+1}\right)$

$=\frac{1}{2}\cdot\left(1+\frac{1}{2}\right)=\frac{3}{4}$

정답 ③

0230

정답 ②

STEP A **자연수인 점의 순서쌍 a_n, b_n의 값 구하기**

$x-3y+3=0$에서 $x=3y-3=3(y-1)$

직선 $x-3y+3=0$ 위의 점 중에서 x, y좌표가 모두 자연수인 점의 좌표는

$(3,\ 2)$, $(6,\ 3)$, $(9,\ 4)$, $\cdots$, $(3n,\ n+1)$, $\cdots$이므로

$a_n=3n$, $b_n=n+1$

STEP B **부분합의 극한값을 이용하여 급수의 합 구하기**

따라서 구하는 급수의 합은

$\sum_{n=1}^{\infty}\frac{1}{a_nb_n}=\sum_{n=1}^{\infty}\frac{1}{3n(n+1)}=\frac{1}{3}\lim_{n\to\infty}\sum_{k=1}^{n}\left(\frac{1}{k}-\frac{1}{k+1}\right)$

$=\frac{1}{3}\lim_{n\to\infty}\left\{\left(1-\frac{1}{2}\right)+\left(\frac{1}{2}-\frac{1}{3}\right)+\cdots+\left(\frac{1}{n}-\frac{1}{n+1}\right)\right\}$

$=\frac{1}{3}\lim_{n\to\infty}\left(1-\frac{1}{n+1}\right)=\frac{1}{3}$

0231

정답 ②

STEP A **주어진 직선의 x절편, y절편 구하기**

$(2n-1)x+(2n+1)y=1$에서

$x=0$일 때, $y=\frac{1}{2n+1}$이고 $y=0$일 때, $x=\frac{1}{2n-1}$

STEP B **일반항 a_n 구하기**

오른쪽 그림에서

$a_n=\frac{1}{2}\cdot\frac{1}{2n-1}\cdot\frac{1}{2n+1}$

$=\frac{1}{4}\left(\frac{1}{2n-1}-\frac{1}{2n+1}\right)$

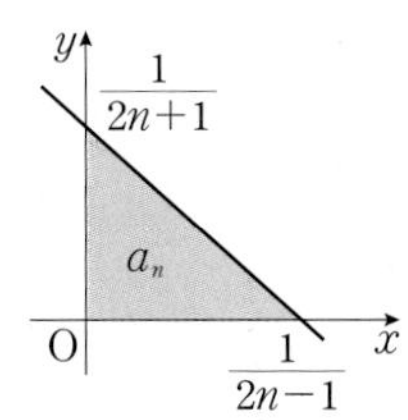

STEP C **부분합의 극한값을 이용하여 급수의 합 구하기**

$\sum_{k=1}^{n}a_k=\sum_{k=1}^{n}\frac{1}{4}\left(\frac{1}{2n-1}-\frac{1}{2n+1}\right)$

$=\frac{1}{4}\left\{\left(\frac{1}{1}-\frac{1}{3}\right)+\left(\frac{1}{3}-\frac{1}{5}\right)+\cdots+\left(\frac{1}{2n-1}-\frac{1}{2n+1}\right)\right\}$

$=\frac{1}{4}\left(1-\frac{1}{2n+1}\right)$

따라서 $\sum_{n=1}^{\infty}a_n=\lim_{n\to\infty}\sum_{k=1}^{n}a_k=\lim_{n\to\infty}\frac{1}{4}\left(1-\frac{1}{2n+1}\right)=\frac{1}{4}$

내신연계 출제문항 095

자연수 n에 대하여 두 직선

$\frac{n}{3}x+(n+1)y=1$,

$nx-(n+1)y=-1$ 및 x축으로 둘러싸인 부분의 넓이를 S_n이라 고 할 때, $\sum_{n=1}^{\infty}S_n$의 값은?

① $\frac{1}{4}$　② $\frac{1}{2}$
③ 1　④ 2
⑤ 4

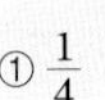

STEP A **삼각형의 넓이 S_n의 식 구하기**

두 직선 $\frac{n}{3}x+(n+1)y=1$,

$nx-(n+1)y=-1$ 및 x축으로

둘러싸인 부분의 넓이를

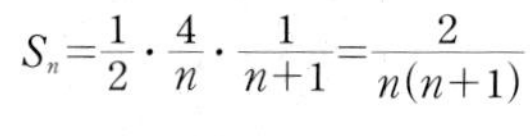
$S_n=\frac{1}{2}\cdot\frac{4}{n}\cdot\frac{1}{n+1}=\frac{2}{n(n+1)}$

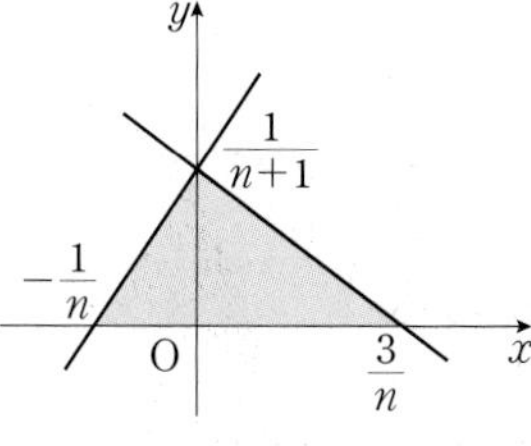

STEP B **부분합의 극한값을 이용하여 급수의 합 구하기**

따라서 $\sum_{n=1}^{\infty}S_n=\sum_{n=1}^{\infty}\frac{2}{n(n+1)}=2\lim_{n\to\infty}\sum_{n=1}^{\infty}\frac{1}{k(k+1)}$

$=2\lim_{n\to\infty}\sum_{k=1}^{n}\left(\frac{1}{k}-\frac{1}{k+1}\right)$

$=2\lim_{n\to\infty}\left\{\left(1-\frac{1}{2}\right)+\left(\frac{1}{2}-\frac{1}{3}\right)+\cdots+\left(\frac{1}{n}-\frac{1}{n+1}\right)\right\}$

$=2\lim_{n\to\infty}\left(1-\frac{1}{n+1}\right)=2$

정답 ④

0232

정답 ②

STEP A **직사각형의 넓이 S_n 구하기**

$S_n=2\left(\frac{1}{n}-\frac{1}{n+1}\right)$이므로

$\sum_{k=1}^{n}S_k=2\left\{\left(1-\frac{1}{2}\right)+\left(\frac{1}{2}-\frac{1}{3}\right)+\cdots+\left(\frac{1}{n}-\frac{1}{n+1}\right)\right\}$

$=2\left(1-\frac{1}{n+1}\right)$

STEP B **부분합의 극한값을 이용하여 급수의 합 구하기**

따라서 $\sum_{n=1}^{\infty}S_n=\lim_{n\to\infty}\sum_{k=1}^{n}S_k=\lim_{n\to\infty}2\left(1-\frac{1}{n+1}\right)=2$

0233

정답 ④

STEP A 원 C와 원 C_n의 공통현의 길이 l_n 구하기

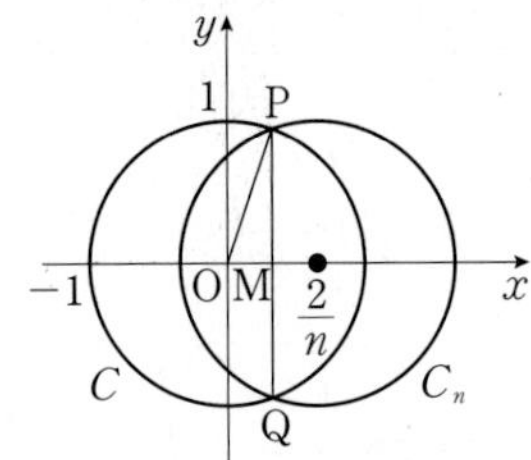

삼각형 POM은 직각삼각형이고 $\overline{OP}=1$, $\overline{OM}=\frac{1}{n}$

$\overline{PM}=\sqrt{1-\frac{1}{n^2}}$에서 $l_n=2\overline{PM}=2\sqrt{1-\frac{1}{n^2}}$

또한, $(nl_n)^2=n^2l_n^2=n^2\times4\times\frac{n^2-1}{n^2}=4(n^2-1)$

STEP B $\sum_{n=2}^{\infty}\frac{1}{(nl_n)^2}$의 값 구하기

$$\sum_{n=2}^{\infty}\frac{1}{(nl_n)^2}=\sum_{n=2}^{\infty}\frac{1}{4(n^2-1)}=\lim_{n\to\infty}\sum_{k=2}^{n}\frac{1}{4(k^2-1)}$$
$$=\lim_{n\to\infty}\frac{1}{4}\sum_{k=2}^{n}\frac{1}{2}\left(\frac{1}{k-1}-\frac{1}{k+1}\right)$$
$$=\lim_{n\to\infty}\frac{1}{8}\left\{\left(1-\frac{1}{3}\right)+\left(\frac{1}{2}-\frac{1}{4}\right)+\left(\frac{1}{3}-\frac{1}{5}\right)+\cdots+\left(\frac{1}{n-1}-\frac{1}{n+1}\right)\right\}$$
$$=\lim_{n\to\infty}\frac{1}{8}\left(1+\frac{1}{2}-\frac{1}{n}-\frac{1}{n+1}\right)=\frac{3}{16}$$

따라서 $p+q=16+3=19$

내신연계 출제문항 096

그림과 같이 원점 O에서 중심이 $C_n(2n+1,\ 0)$이고 반지름의 길이가 1인 원에 그은 두 접선의 접점을 각각 P_n, Q_n이라 하자.

사각형 $OQ_nC_nP_n$의 넓이를 S_n이라 할 때, $\sum_{n=1}^{\infty}\frac{1}{S_n^2}$의 값은?

(단, n은 자연수이다.)

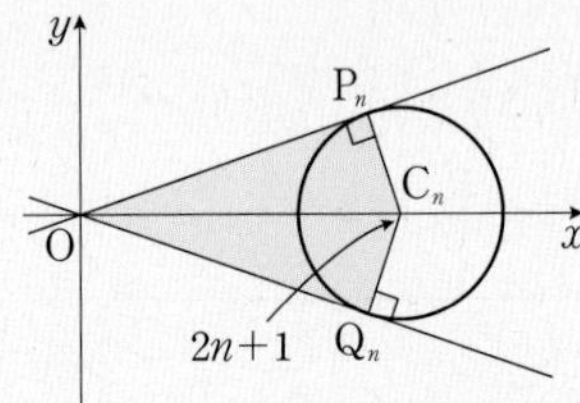

① $\frac{1}{6}$　② $\frac{1}{5}$　③ $\frac{1}{4}$
④ $\frac{1}{3}$　⑤ $\frac{1}{2}$

STEP A 사각형 $OQ_nC_nP_n$의 넓이 S_n 구하기

직각삼각형 OC_nP_n에서

$\overline{OP_n}^2=\overline{OC_n}^2-\overline{C_nP_n}^2=(2n+1)^2-1^2=4n(n+1)$

사각형 $OQ_nC_nP_n$의 넓이 S_n에 대하여

$S_n^2=\left(2\times\frac{1}{2}\times\overline{OP_n}\times\overline{C_nP_n}\right)^2=\overline{OP_n}^2=4n(n+1)$

STEP B 부분합의 극한값을 이용하여 급수의 합 구하기

따라서 $\sum_{n=1}^{\infty}\frac{1}{S_n^2}=\sum_{n=1}^{\infty}\frac{1}{4n(n+1)}=\lim_{n\to\infty}\sum_{k=1}^{n}\frac{1}{4k(k+1)}=\lim_{n\to\infty}\sum_{k=1}^{n}\frac{1}{4}\left(\frac{1}{k}-\frac{1}{k+1}\right)$
$$=\lim_{n\to\infty}\frac{1}{4}\left\{\left(\frac{1}{1}-\frac{1}{2}\right)+\left(\frac{1}{2}-\frac{1}{3}\right)+\left(\frac{1}{3}-\frac{1}{4}\right)+\cdots+\left(\frac{1}{n}-\frac{1}{n+1}\right)\right\}$$
$$=\lim_{n\to\infty}\frac{1}{4}\left(1-\frac{1}{n+1}\right)=\frac{1}{4}$$

정답 ③

0234

정답 ①

STEP A 주어진 조건을 이용하여 등차수열의 일반항 a_n의 식 구하기

등차수열 $\{a_n\}$의 공차를 d라 하면

$a_4-a_2=(a_1+3d)-(a_1+d)=2d=4$

$\therefore d=2$

$a_1=4$이므로 등차수열 $\{a_n\}$의 일반항 a_n은

$a_n=4+(n-1)\cdot2=2n+2$

STEP B 부분합의 극한값을 이용하여 급수의 합 구하기

따라서 $\sum_{n=1}^{\infty}\frac{2}{na_n}=\sum_{n=1}^{\infty}\frac{2}{n(2n+2)}=\sum_{n=1}^{\infty}\frac{1}{n(n+1)}$
$$=\lim_{n\to\infty}\sum_{k=1}^{n}\frac{1}{k(k+1)}=\lim_{n\to\infty}\sum_{k=1}^{n}\left(\frac{1}{k}-\frac{1}{k+1}\right)$$
$$=\lim_{n\to\infty}\left\{\left(\frac{1}{1}-\frac{1}{2}\right)+\left(\frac{1}{2}-\frac{1}{3}\right)+\left(\frac{1}{3}-\frac{1}{4}\right)+\cdots+\left(\frac{1}{n}-\frac{1}{n+1}\right)\right\}$$
$$=\lim_{n\to\infty}\left(1-\frac{1}{n+1}\right)=1$$

0235

정답 ②

STEP A 주어진 조건을 만족하는 등차수열 $\{a_n\}$의 일반항 구하기

등차수열 $\{a_n\}$의 공차를 d라 하면

$a_2+a_4=10$에서 $a_2+a_4=(1+d)+(1+3d)=10$이므로 $d=2$

등차수열 $\{a_n\}$의 첫째항은 1이고 공차가 2이므로

$a_n=1+(n-1)\times2=2n-1$

STEP B 부분합의 극한값을 이용하여 급수의 합 구하기

따라서 $\sum_{n=1}^{\infty}\frac{1}{a_na_{n+1}}=\sum_{n=1}^{\infty}\frac{1}{(2n-1)(2n+1)}$
$$=\lim_{n\to\infty}\sum_{k=1}^{n}\frac{1}{(2k-1)(2k+1)}$$
$$=\lim_{n\to\infty}\sum_{k=1}^{n}\frac{1}{2}\left(\frac{1}{2k-1}-\frac{1}{2k+1}\right)$$
$$=\frac{1}{2}\lim_{n\to\infty}\left\{\left(\frac{1}{1}-\frac{1}{3}\right)+\left(\frac{1}{3}-\frac{1}{5}\right)+\left(\frac{1}{5}-\frac{1}{7}\right)+\cdots+\left(\frac{1}{2n-1}-\frac{1}{2n+1}\right)\right\}$$
$$=\frac{1}{2}\lim_{n\to\infty}\left(1-\frac{1}{2n+1}\right)=\frac{1}{2}$$

0236

정답 ③

STEP A 주어진 조건을 이용하여 등차수열의 일반항 a_n의 식 구하기

수열 $\{a_n\}$은 첫째항이 6, 공차가 4인 등차수열이므로

$S_n=\frac{n\{2\cdot6+(n-1)\cdot4\}}{2}=2n(n+2)$

STEP B 부분합의 극한값을 이용하여 급수의 합 구하기

따라서 $\sum_{n=1}^{\infty}\frac{4}{S_n}=\sum_{n=1}^{\infty}\frac{4}{2n(n+2)}=\sum_{n=1}^{\infty}\left(\frac{1}{n}-\frac{1}{n+2}\right)$
$$=\lim_{n\to\infty}\left\{\left(1-\frac{1}{3}\right)+\left(\frac{1}{2}-\frac{1}{4}\right)+\left(\frac{1}{3}-\frac{1}{5}\right)+\cdots+\left(\frac{1}{n-1}-\frac{1}{n+1}\right)+\left(\frac{1}{n}-\frac{1}{n+2}\right)\right\}$$
$$=\lim_{n\to\infty}\left(1+\frac{1}{2}-\frac{1}{n+1}-\frac{1}{n+2}\right)$$
$$=1+\frac{1}{2}=\frac{3}{2}$$

내신연계 출제문항 097

첫째항이 3이고 공차가 2인 등차수열 $\{a_n\}$에 대하여

급수 $\sum_{n=1}^{\infty}\frac{1}{a_na_{n+1}}$의 값은?

① $\frac{1}{6}$ ② $\frac{1}{5}$ ③ $\frac{1}{4}$

④ $\frac{1}{3}$ ⑤ $\frac{1}{2}$

STEP A **등차수열 $\{a_n\}$의 일반항 구하기**

첫째항이 3이고 공차가 2인 등차수열의 일반항은

$a_n=3+2(n-1)=2n+1$

주어진 급수의 일반항은

$$\frac{1}{a_na_{n+1}}=\frac{1}{(2n+1)(2n+3)}=\frac{1}{2}\left(\frac{1}{2n+1}-\frac{1}{2n+3}\right)$$

STEP B **부분합의 극한값을 이용하여 급수의 합 구하기**

주어진 급수의 제 n항까지의 부분합을 S_n이라 하면

$$S_n=\sum_{k=1}^{n}\frac{1}{2}\left(\frac{1}{2k+1}-\frac{1}{2k+3}\right)$$
$$=\frac{1}{2}\left\{\left(\frac{1}{3}-\frac{1}{5}\right)+\left(\frac{1}{5}-\frac{1}{7}\right)+\left(\frac{1}{7}-\frac{1}{9}\right)+\cdots+\left(\frac{1}{2n+1}-\frac{1}{2n+3}\right)\right\}$$
$$=\frac{1}{2}\left(\frac{1}{3}-\frac{1}{2n+3}\right)$$

따라서 $\sum_{n=1}^{\infty}\frac{1}{a_na_{n+1}}=\lim_{n\to\infty}S_n=\frac{1}{2}\left(\frac{1}{3}-\frac{1}{2n+3}\right)=\frac{1}{6}$

정답 ①

0237

정답 ③

STEP A **$a_n=S_n-S_{n-1}$임을 이용하여 a_n의 식 구하기**

수열 $\{a_n\}$에서 첫째항부터 제 n항까지의 합을 S_n이라고 하면

$S_n=\sum_{k=1}^{n}a_k=n^2$이므로

$a_n=S_n-S_{n-1}=n^2-(n-1)^2=2n-1$ (단, $n\geq 2$)

$n=1$일 때, $a_1=S_1=1$이므로 $a_n=2n-1(n\geq 1)$

STEP B **부분합의 극한값을 이용하여 급수의 합 구하기**

따라서 $\sum_{n=1}^{\infty}\frac{1}{a_na_{n+1}}=\sum_{n=1}^{\infty}\frac{1}{(2n-1)(2n+1)}=\frac{1}{2}\sum_{n=1}^{\infty}\left(\frac{1}{2n-1}-\frac{1}{2n+1}\right)$

$$=\frac{1}{2}\lim_{n\to\infty}\left(1-\frac{1}{2n+1}\right)=\frac{1}{2}$$

0238

정답 ①

STEP A **$a_n=S_n-S_{n-1}$임을 이용하여 a_n의 식 구하기**

(i) $a_1=S_1=3$

(ii) $n\geq 2$일 때, $a_n=S_n-S_{n-1}=n^2+2n-\{(n-1)^2+2(n-1)\}$
$=2n+1$

(i), (ii)에 의하여 $a_n=2n+1(n\geq 1)$

STEP B **부분합의 극한값을 이용하여 급수의 합 구하기**

$$\sum_{k=1}^{n}\frac{2}{a_ka_{k+1}}=\sum_{k=1}^{n}\frac{2}{(2k+1)(2k+3)}=\sum_{k=1}^{n}\left(\frac{1}{2k+1}-\frac{1}{2k+3}\right)$$
$$=\left(\frac{1}{3}-\frac{1}{5}\right)+\left(\frac{1}{5}-\frac{1}{7}\right)+\left(\frac{1}{7}-\frac{1}{9}\right)+\cdots+\left(\frac{1}{2n+1}-\frac{1}{2n+3}\right)$$
$$=\frac{1}{3}-\frac{1}{2n+3}$$

따라서 $\sum_{n=1}^{\infty}\frac{2}{a_na_{n+1}}=\lim_{n\to\infty}\sum_{k=1}^{n}\frac{2}{a_ka_{k+1}}=\lim_{n\to\infty}\left(\frac{1}{3}-\frac{1}{2n+3}\right)=\frac{1}{3}$

내신연계 출제문항 098

수열 $\{a_n\}$에 대하여

$$\sum_{k=1}^{n}a_k=n^2+n$$

일 때, $\sum_{n=1}^{\infty}\frac{1}{a_na_{n+1}}$의 값은?

① $\frac{1}{4}$ ② $\frac{1}{2}$ ③ $\frac{2}{3}$

④ $\frac{3}{4}$ ⑤ $\frac{4}{5}$

STEP A **$a_n=S_n-S_{n-1}$임을 이용하여 a_n의 식 구하기**

수열 $\{a_n\}$에서 첫째항부터 제 n항까지의 합을 S_n이라고 하면

$S_n=\sum_{k=1}^{n}a_k=n^2+n$이므로

$a_n=S_n-S_{n-1}=n^2+n-(n-1)^2-(n-1)=2n$ (단, $n\geq 2$)

$n=1$일 때, $a_1=S_1=2$이므로 $a_n=2n(n\geq 1)$

STEP B **부분합의 극한값을 이용하여 급수의 합 구하기**

따라서 $\sum_{n=1}^{\infty}\frac{1}{a_na_{n+1}}=\sum_{n=1}^{\infty}\frac{1}{2n(2n+2)}=\frac{1}{4}\sum_{n=1}^{\infty}\frac{1}{n(n+1)}$

$$=\frac{1}{4}\lim_{n\to\infty}\sum_{k=1}^{n}\left(\frac{1}{k}-\frac{1}{k+1}\right)$$
$$=\frac{1}{4}\lim_{n\to\infty}\left(1-\frac{1}{n+1}\right)=\frac{1}{4}$$

정답 ①

0239

정답 ①

STEP A **$a_n=S_n-S_{n-1}$임을 이용하여 a_n의 식 구하기**

수열 $\{a_n\}$에서 첫째항부터 제 n항까지의 합을 S_n이라고 하면

$S_n=\sum_{k=1}^{n}a_k=2n^2+n$이므로

$a_n=S_n-S_{n-1}=2n^2+n-2(n-1)^2-(n-1)=4n-1$ (단, $n\geq 2$)

$n=1$일 때, $a_1=S_1=3$이므로 $a_n=4n-1(n\geq 1)$

STEP B **부분합의 극한값을 이용하여 급수의 합 구하기**

따라서 $\sum_{n=1}^{\infty}\frac{1}{a_ka_{k+1}}=\sum_{n=1}^{\infty}\frac{1}{(4n-1)(4n+3)}=\lim_{n\to\infty}\sum_{k=1}^{n}\frac{1}{(4k-1)(4k+3)}$

$$=\frac{1}{4}\lim_{n\to\infty}\sum_{k=1}^{n}\left(\frac{1}{4k-1}-\frac{1}{4k+3}\right)$$
$$=\frac{1}{4}\lim_{n\to\infty}\left(\frac{1}{3}-\frac{1}{4n+3}\right)=\frac{1}{12}$$

0240

정답 ⑤

STEP A **$a_n=S_n-S_{n-1}$임을 이용하여 a_n의 식 구하기**

$$a_n=S_n-S_{n-1}=\frac{6n}{n+1}-\frac{6(n-1)}{n}=\frac{6n^2-6(n^2-1)}{n(n+1)}=\frac{6}{n(n+1)}(n\geq 2)$$

$n=1$일 때, $a_1=S_1=3$이므로 $a_n=\frac{6}{n(n+1)}(n\geq 1)$

STEP B **부분분수 공식을 이용하여 a_n+a_{n+1}의 식 정리하기**

$$\therefore\ a_n+a_{n+1}=\frac{6}{n(n+1)}+\frac{6}{(n+1)(n+2)}=6\left(\frac{1}{n}-\frac{1}{n+1}\right)+6\left(\frac{1}{n+1}-\frac{1}{n+2}\right)$$
$$=6\left(\frac{1}{n}-\frac{1}{n+2}\right)$$

STEP C **부분합의 극한값을 이용하여 급수의 합 구하기**

따라서 $\sum_{n=1}^{\infty}(a_n+a_{n+1})=6\sum_{n=1}^{\infty}\left(\frac{1}{n}-\frac{1}{n+2}\right)=6\lim_{n\to\infty}\sum_{k=1}^{n}\left(\frac{1}{k}-\frac{1}{k+2}\right)$

$$=6\lim_{n\to\infty}\left(1+\frac{1}{2}-\frac{1}{n+1}-\frac{1}{n+2}\right)=6\left(1+\frac{1}{2}\right)=9$$

다른풀이 $S_n=\sum_{k=1}^{n}a_k$임을 이용하여 극한값 구하기

$\lim_{n\to\infty}S_n=\lim_{n\to\infty}\frac{6n}{n+1}=6$이고 $\lim_{n\to\infty}S_{n+1}=\lim_{n\to\infty}\frac{6n+6}{n+2}=6$이므로

$$\begin{aligned}\sum_{n=1}^{\infty}(a_n+a_{n+1})&=\lim_{n\to\infty}\sum_{k=1}^{n}(a_k+a_{k+1})\\&=\lim_{n\to\infty}\left(\sum_{k=1}^{n}a_k+\sum_{k=1}^{n}a_{k+1}\right)\\&=\lim_{n\to\infty}(S_n+S_{n+1}-a_1)\\&=\lim_{n\to\infty}S_n+\lim_{n\to\infty}S_{n+1}-a_1\\&=6+6-3=9\ (\because a_1=S_1=3)\end{aligned}$$

0241

정답 ②

STEP Ⓐ $a_n=S_n-S_{n-1}$임을 이용하여 a_n의 식 구하기

$$\begin{aligned}\frac{a_n}{n}=\sum_{k=1}^{n}\frac{a_k}{k}-\sum_{k=1}^{n-1}\frac{a_k}{k}&=n^2+3n-\{(n-1)^2+3(n-1)\}\\&=2n+2\ (n\ge 2)\end{aligned}$$

이때 $a_1=4$이므로 $a_n=2n^2+2n\ (n\ge 1)$

STEP Ⓑ 부분합의 극한값을 이용하여 급수의 합 구하기

$$\lim_{n\to\infty}\sum_{k=1}^{n}\frac{1}{a_k}=\lim_{n\to\infty}\left\{\frac{1}{2}\sum_{k=1}^{n}\frac{1}{k(k+1)}\right\}=\frac{1}{2}\lim_{n\to\infty}\left(\frac{1}{1}-\frac{1}{n+1}\right)=\frac{1}{2}$$

따라서 $\sum_{n=1}^{\infty}\frac{1}{a_n}=\frac{1}{2}$

내신연계 출제문항 099

수열 $\{a_n\}$에 대하여

$$\sum_{k=1}^{n}\frac{a_k}{k+1}=n^2+5n$$

일 때, 급수 $\sum_{n=1}^{\infty}\frac{1}{a_n}$의 값은?

① $\frac{1}{4}$ ② $\frac{1}{2}$ ③ $\frac{3}{4}$ ④ 1 ⑤ $\frac{5}{4}$

STEP Ⓐ $a_n=S_n-S_{n-1}$을 이용하여 일반항 a_n 구하기

$\sum_{k=1}^{n}\frac{a_k}{k+1}=S_n$이라 하면

$$\begin{aligned}\frac{a_n}{n+1}=S_n-S_{n-1}&=(n^2+5n)-\{(n-1)^2+5(n-1)\}\\&=2n+4\ (n\ge 2)\end{aligned}$$

$a_n=2(n+1)(n+2)\ (n\ge 2)$이고 $\frac{a_1}{2}=S_1=6$에서 $a_1=12$이므로

$a_n=2(n+1)(n+2)\ (n\ge 1)$

STEP Ⓑ 부분합의 극한값을 이용하여 급수의 합 구하기

따라서

$$\begin{aligned}\sum_{n=1}^{\infty}\frac{1}{a_n}=\sum_{n=1}^{\infty}\frac{1}{2(n+1)(n+2)}&=\frac{1}{2}\lim_{n\to\infty}\sum_{k=1}^{n}\frac{1}{(k+1)(k+2)}\\&=\frac{1}{2}\lim_{n\to\infty}\sum_{k=1}^{n}\left(\frac{1}{k+1}-\frac{1}{k+2}\right)\\&=\frac{1}{2}\lim_{n\to\infty}\left\{\left(\frac{1}{2}-\frac{1}{3}\right)+\left(\frac{1}{3}-\frac{1}{4}\right)+\left(\frac{1}{4}-\frac{1}{5}\right)+\cdots+\left(\frac{1}{n+1}-\frac{1}{n+2}\right)\right\}\\&=\frac{1}{2}\lim_{n\to\infty}\left(\frac{1}{2}-\frac{1}{n+2}\right)\\&=\frac{1}{2}\times\frac{1}{2}=\frac{1}{4}\end{aligned}$$

정답 ①

0242

정답 ②

STEP Ⓐ $a_n=S_n-S_{n-1}$을 이용하여 일반항 a_n 구하기

$\sum_{k=1}^{n}a_k=S_n$이라 하면

$$\begin{aligned}a_n=S_n-S_{n-1}&=(n^2+2n-1)-\{(n-1)^2+2(n-1)-1\}\\&=2n+1\ (n\ge 2)\end{aligned}$$

STEP Ⓑ 부분합의 극한값을 이용하여 급수의 합 구하기

따라서 $a_1=S_1=2$, $a_2=5$이므로

$$\begin{aligned}\sum_{n=1}^{\infty}\frac{1}{a_na_{n+1}}&=\frac{1}{a_1a_2}+\sum_{n=2}^{\infty}\frac{1}{a_na_{n+1}}\\&=\frac{1}{2\cdot5}+\sum_{n=2}^{\infty}\frac{1}{(2n+1)(2n+3)}\\&=\frac{1}{10}+\sum_{n=2}^{\infty}\frac{1}{2}\left(\frac{1}{2n+1}-\frac{1}{2n+3}\right)\\&=\frac{1}{10}+\frac{1}{2}\lim_{n\to\infty}\left(\frac{1}{5}-\frac{1}{2n+3}\right)\\&=\frac{1}{5}\end{aligned}$$

0243

정답 ①

STEP Ⓐ 근과 계수의 관계를 이용하여 $\alpha_n\beta_n$의 식 구하기

이차방정식 $(n^2+2n)x^2-2x-1=0$의 두 근이 α_n, β_n이므로

근과 계수의 관계에 의하여 $\alpha_n\beta_n=-\frac{1}{n^2+2n}$

STEP Ⓑ 부분분수 공식을 이용하고 축차 대입하여 급수의 값 구하기

따라서
$$\begin{aligned}\sum_{n=1}^{\infty}\alpha_n\beta_n&=-\sum_{n=1}^{\infty}\frac{1}{n^2+2n}\\&=-\lim_{n\to\infty}\sum_{k=1}^{n}\frac{1}{k(k+2)}\\&=-\frac{1}{2}\lim_{n\to\infty}\sum_{k=1}^{n}\left(\frac{1}{k}-\frac{1}{k+2}\right)\\&=-\frac{1}{2}\lim_{n\to\infty}\left(1+\frac{1}{2}-\frac{1}{n+1}-\frac{1}{n+2}\right)\\&=-\frac{3}{4}\end{aligned}$$

0244

정답 ①

STEP Ⓐ 근과 계수의 관계를 이용하여 α_n, β_n 사이의 관계식 구하기

$x^2+(n-1)x+n^2=0$의 두 근을 α_n, β_n이므로

근과 계수의 관계에 의하여 $\alpha_n+\beta_n=-(n-1)$, $\alpha_n\beta_n=n^2$

STEP Ⓑ 부분합의 극한값을 이용하여 급수의 합 구하기

따라서
$$\begin{aligned}\sum_{n=1}^{\infty}\frac{1}{(\alpha_n-1)(\beta_n-1)}&=\sum_{n=1}^{\infty}\frac{1}{\alpha_n\cdot\beta_n-(\alpha_n+\beta_n)+1}\\&=\sum_{n=1}^{\infty}\frac{1}{n(n+1)}\\&=\lim_{n\to\infty}\sum_{k=1}^{n}\left(\frac{1}{k}-\frac{1}{k+1}\right)\\&=\lim_{n\to\infty}\left(1-\frac{1}{n+1}\right)\\&=1\end{aligned}$$

내/신/연/계/ 출제문항 100

x에 대한 이차방정식

$$x^2-(2n-1)x+n^2=0$$

의 두 근을 α_n, β_n이라 할 때, 급수 $\sum_{n=1}^{\infty}\frac{1}{(\alpha_n+1)(\beta_n+1)}$의 값은?

① $\frac{1}{2}$ ② 1 ③ $\frac{3}{4}$

④ $\frac{3}{2}$ ⑤ 2

STEP Ⓐ 이차방정식의 근과 계수 관계를 이용하여 $\alpha_n+\beta_n$, $\alpha_n\beta_n$의 값 구하기

이차방정식의 근과 계수의 관계에 의하여

$\alpha_n+\beta_n=2n-1$, $\alpha_n\beta_n=n^2$이므로

$$\begin{aligned}(\alpha_n+1)(\beta_n+1)&=\alpha_n\beta_n+(\alpha_n+\beta_n)+1\\&=n^2+(2n-1)+1\\&=n^2+2n\\&=n(n+2)\end{aligned}$$

STEP Ⓑ $\sum_{n=1}^{\infty}\frac{1}{(\alpha_n+1)(\beta_n+1)}$의 값 구하기

따라서 $\sum_{n=1}^{\infty}\frac{1}{(\alpha_n+1)(\beta_n+1)}=\lim_{n\to\infty}\sum_{k=1}^{n}\frac{1}{k(k+2)}=\lim_{n\to\infty}\sum_{k=1}^{n}\frac{1}{2}\left(\frac{1}{k}-\frac{1}{k+2}\right)$

$$\begin{aligned}&=\lim_{n\to\infty}\frac{1}{2}\left\{\left(1-\frac{1}{3}\right)+\left(\frac{1}{2}-\frac{1}{4}\right)+\left(\frac{1}{3}-\frac{1}{5}\right)+\cdots+\left(\frac{1}{n-1}-\frac{1}{n+1}\right)+\left(\frac{1}{n}-\frac{1}{n+2}\right)\right\}\\&=\lim_{n\to\infty}\frac{1}{2}\left(1+\frac{1}{2}-\frac{1}{n+1}-\frac{1}{n+2}\right)\\&=\frac{1}{2}\times\frac{3}{2}=\frac{3}{4}\end{aligned}$$

정답 ③

0245

STEP Ⓐ 근과 계수의 관계를 이용하여 α_n, β_n 사이의 관계식 구하기

이차방정식 $(4n^2-1)x^2-4nx+1=0$의 두 근을 α_n, β_n이므로

근과 계수의 관계에 의하여

$\alpha_n+\beta_n=\frac{4n}{4n^2-1}$, $\alpha_n\beta_n=\frac{1}{4n^2-1}$

$(\alpha_n-\beta_n)^2=(\alpha_n+\beta_n)^2-4\alpha_n\beta_n=\left(\frac{4n}{4n^2-1}\right)^2-\frac{4}{4n^2-1}=\left(\frac{2}{4n^2-1}\right)^2$

이때 $\alpha_n>\beta_n$이므로 $\alpha_n-\beta_n=\frac{2}{4n^2-1}=\frac{1}{2n-1}-\frac{1}{2n+1}$

STEP Ⓑ $\sum_{n=1}^{\infty}(\alpha_n-\beta_n)$의 값 구하기

따라서 $\sum_{n=1}^{\infty}(\alpha_n-\beta_n)$

$$\begin{aligned}&=\sum_{n=1}^{\infty}\left(\frac{1}{2n-1}-\frac{1}{2n+1}\right)\\&=\lim_{n\to\infty}\sum_{k=1}^{n}\left(\frac{1}{2k-1}-\frac{1}{2k+1}\right)\\&=\lim_{n\to\infty}\left\{\left(\frac{1}{1}-\frac{1}{3}\right)+\left(\frac{1}{3}-\frac{1}{5}\right)+\left(\frac{1}{5}-\frac{1}{7}\right)+\cdots+\left(\frac{1}{2n-1}-\frac{1}{2n+1}\right)\right\}\\&=\lim_{n\to\infty}\left(1-\frac{1}{2n+1}\right)\\&=1\end{aligned}$$

내/신/연/계/ 출제문항 101

자연수 n에 대하여 이차방정식

$$x^2-4nx+n+2=0$$

의 서로 다른 두 근을 α_n, β_n이라 할 때, $\sum_{n=1}^{\infty}\frac{1}{n^2}\left(\frac{1}{\alpha_n}+\frac{1}{\beta_n}\right)$의 값은?

① $\frac{3}{2}$ ② 2 ③ $\frac{5}{2}$

④ 3 ⑤ $\frac{7}{2}$

STEP Ⓐ 근과 계수의 관계를 이용하여 α_n, β_n 사이의 관계식 구하기

이차방정식 $x^2-4nx+n+2=0$의 두 근이 α_n, β_n이므로

근과 계수의 관계에 의하여

$\alpha_n+\beta_n=4n$, $\alpha_n\beta_n=n+2$

STEP Ⓑ 부분합의 극한값을 이용하여 급수의 합 구하기

따라서 $\sum_{n=1}^{\infty}\frac{1}{n^2}\left(\frac{1}{\alpha_n}+\frac{1}{\beta_n}\right)=\sum_{n=1}^{\infty}\frac{\alpha_n+\beta_n}{n^2\alpha_n\beta_n}=\sum_{n=1}^{\infty}\frac{4n}{n^2(n+2)}$

$$\begin{aligned}&=\sum_{n=1}^{\infty}\frac{4}{n(n+2)}\\&=\lim_{n\to\infty}\sum_{k=1}^{n}\frac{4}{k(k+2)}\\&=\lim_{n\to\infty}\sum_{k=1}^{n}2\left(\frac{1}{k}-\frac{1}{k+2}\right)\\&=\lim_{n\to\infty}2\left\{\left(\frac{1}{1}-\frac{1}{3}\right)+\left(\frac{1}{2}-\frac{1}{4}\right)+\left(\frac{1}{3}-\frac{1}{5}\right)+\cdots+\left(\frac{1}{n-1}-\frac{1}{n+1}\right)+\left(\frac{1}{n}-\frac{1}{n+2}\right)\right\}\\&=2\lim_{n\to\infty}\left(1+\frac{1}{2}-\frac{1}{n+1}-\frac{1}{n+2}\right)\\&=2\left(1+\frac{1}{2}-0-0\right)=3\end{aligned}$$

정답 ④

0246

STEP Ⓐ S_{2n-1}, S_{2n}의 합 구하기

$S_{2n-1}=1-\frac{1}{3}+\frac{1}{3}-\frac{2}{5}+\frac{2}{5}-\cdots-\frac{n-1}{2n-1}+\frac{n-1}{2n-1}=1$

$S_{2n}=1-\frac{1}{3}+\frac{1}{3}-\frac{2}{5}+\frac{2}{5}-\cdots+\frac{n-1}{2n-1}-\frac{n}{2n+1}=1-\frac{n}{2n+1}$

STEP Ⓑ $\lim_{n\to\infty}S_{2n-1}+\lim_{n\to\infty}S_{2n}$의 값 구하기

따라서 $\lim_{n\to\infty}S_{2n-1}=1$, $\lim_{n\to\infty}S_{2n}=\lim_{n\to\infty}\left(1-\frac{n}{2n+1}\right)=1-\frac{1}{2}=\frac{1}{2}$

$\therefore \lim_{n\to\infty}S_{2n-1}+\lim_{n\to\infty}S_{2n}=1+\frac{1}{2}=\frac{3}{2}$

참고 $\lim_{n\to\infty}S_{2n-1}\neq\lim_{n\to\infty}S_{2n}$이므로 주어진 급수는 발산한다.

0247

정답 ⑤

STEP A 부분합 S_n을 구하여 수렴하는 것 구하기

주어진 급수의 제 n항까지의 부분합을 S_n이라 하면

ㄱ. $S_{2n-1}=1+(-1+1)+(-1+1)+\cdots+(-1+1)=1$

$S_{2n}=(1-1)+(1-1)+\cdots+(1-1)=0$

$\therefore \lim\limits_{n\to\infty}S_{2n-1}=1,\ \lim\limits_{n\to\infty}S_{2n}=0$

즉 $\lim\limits_{n\to\infty}S_{2n-1}\neq\lim\limits_{n\to\infty}S_{2n}$이므로 주어진 급수는 발산한다.

ㄴ. $S_n=1-0-0-0-\cdots-0=1$이므로 $\lim\limits_{n\to\infty}S_n=1$

즉 주어진 급수는 1에 수렴한다.

ㄷ. $S_{2n-1}=1-\frac{1}{3}+\frac{1}{3}-\frac{1}{5}+\frac{1}{5}-\cdots-\frac{1}{2n-1}+\frac{1}{2n-1}=1$

$S_{2n}=1-\frac{1}{3}+\frac{1}{3}-\frac{1}{5}+\frac{1}{5}-\cdots+\frac{1}{2n-1}-\frac{1}{2n+1}=1-\frac{1}{2n+1}$

$\therefore \lim\limits_{n\to\infty}S_{2n-1}=1,\ \lim\limits_{n\to\infty}S_{2n}=\lim\limits_{n\to\infty}\left(1-\frac{1}{2n+1}\right)=1$

즉 주어진 급수는 1에 수렴한다.

따라서 수렴하는 것은 ㄴ, ㄷ이다.

0248

정답 ③

STEP A 부분합 S_n을 구하여 수렴하는 것 구하기

주어진 급수의 제 n항까지의 부분합을 S_n이라 하자.

ㄱ. $S_n=\sum\limits_{k=1}^{n}\frac{1}{\sqrt{2k+1}+\sqrt{2k-1}}$

$=\sum\limits_{n=1}^{n}\frac{\sqrt{2k+1}-\sqrt{2k-1}}{(\sqrt{2k+1}+\sqrt{2k-1})(\sqrt{2k+1}-\sqrt{2k-1})}$

$=\frac{1}{2}\sum\limits_{k=1}^{n}(\sqrt{2k+1}-\sqrt{2k-1})$

$=\frac{1}{2}(\sqrt{2n+1}-1)$

이므로 $\lim\limits_{n\to\infty}S_n=\lim\limits_{n\to\infty}\frac{1}{2}(\sqrt{2n+1}-1)=\infty$

즉 주어진 급수는 발산한다.

ㄴ. $\sum\limits_{n=1}^{\infty}\frac{1}{n}=1+\frac{1}{2}+\frac{1}{3}+\frac{1}{4}+\frac{1}{5}+\frac{1}{6}+\frac{1}{7}+\frac{1}{8}+\cdots+\frac{1}{n}+\cdots$

← 각 군의 마지막 항이 $\left(\frac{1}{2}\right)^n$이 되도록 묶는다.

$=1+\frac{1}{2}+\left(\frac{1}{3}+\frac{1}{4}\right)+\left(\frac{1}{5}+\frac{1}{6}+\frac{1}{7}+\frac{1}{8}\right)+\left(\frac{1}{9}+\cdots+\frac{1}{16}\right)+\cdots$

$>1+\frac{1}{2}+\left(\frac{1}{4}+\frac{1}{4}\right)+\left(\frac{1}{8}+\frac{1}{8}+\frac{1}{8}+\frac{1}{8}\right)+\left(\frac{1}{16}+\cdots+\frac{1}{16}\right)+\cdots$

$=1+\frac{1}{2}+\frac{1}{2}+\frac{1}{2}+\frac{1}{2}+\cdots=\infty$

즉 주어진 급수는 발산한다.

ㄷ. 수열 $\{S_{2n-1}\}$은 $1, 1, 1, \cdots$이고

수열 $\{S_{2n}\}$은 $1-\frac{1}{2}, 1-\frac{1}{3}, 1-\frac{1}{4}, \cdots$이므로 $\lim\limits_{n\to\infty}S_{2n-1}=\lim\limits_{n\to\infty}S_{2n}=1$

즉 $\lim\limits_{n\to\infty}S_n=1$

즉 주어진 급수는 수렴하고 그 합은 1이다.

따라서 수렴하는 급수는 ㄷ이다.

내신연계 출제문항 102

다음 [보기] 중에서 수렴하는 급수를 있는 대로 고른 것은?

ㄱ. $\left(1-\frac{1}{2}\right)+\left(\frac{1}{2}-\frac{1}{3}\right)+\left(\frac{1}{3}-\frac{1}{4}\right)+\cdots$

ㄴ. $\frac{1}{2}+\frac{1}{2+4}+\frac{1}{2+4+6}+\frac{1}{2+4+6+8}+\cdots$

ㄷ. $\frac{1}{1+\sqrt{2}}+\frac{1}{\sqrt{2}+\sqrt{3}}+\frac{1}{\sqrt{3}+\sqrt{4}}+\frac{1}{\sqrt{4}+\sqrt{5}}+\cdots$

ㄹ. $2-\frac{3}{2}+\frac{3}{2}-\frac{4}{3}+\frac{4}{3}-\frac{5}{4}+\frac{5}{4}-\cdots$

① ㄱ　　② ㄱ, ㄴ　　③ ㄷ, ㄹ
④ ㄱ, ㄴ, ㄷ　　⑤ ㄴ, ㄷ, ㄹ

STEP A 부분합 S_n을 구하여 수렴하는 것 구하기

ㄱ. $S_n=\left(1-\frac{1}{2}\right)+\left(\frac{1}{2}-\frac{1}{3}\right)+\left(\frac{1}{3}-\frac{1}{4}\right)+\cdots+\left(\frac{1}{n}-\frac{1}{n+1}\right)=1-\frac{1}{n+1}$

$\therefore \lim\limits_{n\to\infty}S_n=1$

즉 주어진 급수는 수렴하고 그 합은 1이다.

ㄴ. 주어진 급수의 일반항을 a_n이라 하면

$a_n=\frac{1}{2+4+6+\cdots+2n}=\frac{1}{\sum\limits_{k=1}^{n}2k}=\frac{1}{n(n+1)}=\frac{1}{n}-\frac{1}{n+1}$에서

$\lim\limits_{n\to\infty}a_n=0$

급수의 제 n항까지의 부분합을 S_n이라 하면

$S_n=\sum\limits_{k=1}^{n}a_k=\left(1-\frac{1}{2}\right)+\left(\frac{1}{2}-\frac{1}{3}\right)+\left(\frac{1}{3}-\frac{1}{4}\right)+\cdots+\left(\frac{1}{n}-\frac{1}{n+1}\right)$

$=1-\frac{1}{n+1}$

$\therefore \lim\limits_{n\to\infty}S_n=\lim\limits_{n\to\infty}\left(1-\frac{1}{n+1}\right)=1$

즉 주어진 급수는 수렴하고 그 합은 1이다.

ㄷ. 주어진 급수의 일반항을 a_n이라 하면

$a_n=\frac{1}{\sqrt{n}+\sqrt{n+1}}$에서 $\lim\limits_{n\to\infty}a_n=0$

급수의 제 n항까지의 부분합을 S_n이라 하면

$S_n=\sum\limits_{k=1}^{n}a_k=\sum\limits_{k=1}^{n}(\sqrt{n+1}-\sqrt{n})$

$=(\sqrt{2}-1)+(\sqrt{3}-\sqrt{2})+\cdots+(\sqrt{n+1}-\sqrt{n})$

$=\sqrt{n+1}-1$

$\therefore \lim\limits_{n\to\infty}S_n=\lim\limits_{n\to\infty}(\sqrt{n+1}-1)=\infty$

즉 주어진 급수는 발산한다.

ㄹ. 주어진 급수의 제 n항까지의 부분합을 S_n이라 하면

$S_{2n-1}=2-\frac{3}{2}+\frac{3}{2}-\frac{4}{3}+\frac{4}{3}-\cdots-\frac{n+1}{n}+\frac{n+1}{n}=2$

$S_{2n}=2-\frac{3}{2}+\frac{3}{2}-\frac{4}{3}+\frac{4}{3}-\cdots+\frac{n+1}{n}-\frac{n+2}{n+1}=2-\frac{n+2}{n+1}$

$\therefore \lim\limits_{n\to\infty}S_{2n-1}=2,\ \lim\limits_{n\to\infty}S_{2n}=\lim\limits_{n\to\infty}\left(2-\frac{n+2}{n+1}\right)=2-1=1$

즉 $\lim\limits_{n\to\infty}S_{2n-1}\neq\lim\limits_{n\to\infty}S_{2n}$이므로 주어진 급수는 발산한다.

따라서 수렴하는 급수는 ㄱ, ㄴ이다.

정답 ②

0249

정답 ①

STEP Ⓐ $\lim_{n\to\infty} a_n=0$이지만 $\sum_{n=1}^{\infty} a_n$이 발산하는 a_n 구하기

$\lim_{n\to\infty} a_n=0$이지만 $\sum_{n=1}^{\infty} a_n$이 발산하는 것은 ㄴ이다.

ㄱ. $a_n=\frac{n}{2n-1}$이라 하면

$\lim_{n\to\infty} a_n=\frac{1}{2}$이므로 반례로 적합하지 않다.

ㄴ. $\lim_{n\to\infty}\frac{1}{\sqrt{n+1}+\sqrt{n}}=0$이지만

$\sum_{n=1}^{\infty}\frac{1}{\sqrt{n+1}+\sqrt{n}}$

$=\sum_{n=1}^{\infty}(\sqrt{n+1}-\sqrt{n})$

$=\lim_{n\to\infty}\{(\sqrt{2}-1)+(\sqrt{3}-\sqrt{2})+(2-\sqrt{3})+\cdots+(\sqrt{n+1}-\sqrt{n})\}$

$=\lim_{n\to\infty}(-1+\sqrt{n+1})=\infty$

즉 반례로 적합하다.

ㄷ. $a_n=\frac{1}{n(n+1)}$이라 하면 $\lim_{n\to\infty} a_n=0$이지만

$\sum_{n=1}^{\infty}\frac{1}{n(n+1)}=1$로 수렴하므로 반례로 적합하지 않다.

따라서 반례로 적당한 것은 ㄴ이다.

0250

 ①

STEP Ⓐ 급수 $\sum_{n=1}^{\infty} a_n$이 수렴하면 $\lim_{n\to\infty} a_n=0$임을 이용하여 구하기

$\sum_{n=1}^{\infty} a_n$이 수렴하므로 $\lim_{n\to\infty} a_n=0$

STEP Ⓑ 주어진 식의 분모, 분자를 n으로 나누어 극한값 구하기

따라서 $\lim_{n\to\infty}\frac{3a_n+5n+1}{a_n-3n+2}=\lim_{n\to\infty}\frac{5+\frac{1}{n}}{-3+\frac{2}{n}}=-\frac{5}{3}$

0251

 ①

STEP Ⓐ 급수가 수렴할 조건을 이용하여 극한값 구하기

$\sum_{n=1}^{\infty}(a_n-2)$가 수렴하므로 $\lim_{n\to\infty}(a_n-2)=0$

$\lim_{n\to\infty} a_n=\lim_{n\to\infty}\{(a_n-2)+2\}=\lim_{n\to\infty}(a_n-2)+\lim_{n\to\infty}2=0+2=2$

$\therefore \lim_{n\to\infty} a_n=2$

STEP Ⓑ 수렴하는 극한의 성질을 이용하여 구하기

따라서 $\lim_{n\to\infty}(2a_n+3)=2\lim_{n\to\infty}a_n+\lim_{n\to\infty}3=2\cdot2+3=7$

내신연계 출제문항 103

급수

$(a_1+3)+(a_2+3)+(a_3+3)+\cdots$

가 수렴할 때, $\lim_{n\to\infty}(4a_n+3)$의 값은?

① -9 ② -7 ③ -5
④ -3 ⑤ -1

STEP Ⓐ 급수가 수렴할 조건을 이용하여 극한값 구하기

$(a_1+3)+(a_2+3)+(a_3+3)+\cdots=\sum_{n=1}^{\infty}(a_n+3)$이 수렴하므로

$\lim_{n\to\infty}(a_n+3)=0$

$\lim_{n\to\infty}a_n=\lim_{n\to\infty}\{(a_n+3)-3\}=\lim_{n\to\infty}(a_n+3)+\lim_{n\to\infty}(-3)=0-3=-3$

$\therefore \lim_{n\to\infty}a_n=-3$

STEP Ⓑ 수렴하는 극한의 성질을 이용하여 구하기

따라서 $\lim_{n\to\infty}(4a_n+3)=4\lim_{n\to\infty}a_n+3=4\cdot(-3)+3=-9$ 정답 ①

0252

 ⑤

STEP Ⓐ 급수가 수렴할 조건을 이용하여 극한값 구하기

급수 $\sum_{n=1}^{\infty}\frac{3a_n-6}{a_n+5}$이 10으로 수렴하므로

$\lim_{n\to\infty}\frac{3a_n-6}{a_n+5}=0$

STEP Ⓑ 수렴하는 극한의 성질을 이용하여 구하기

이때 수열 $\{a_n\}$이 수렴하므로 $\lim_{n\to\infty}a_n=\alpha$라 하면

$\lim_{n\to\infty}\frac{3a_n-6}{a_n+5}=\frac{3\alpha-6}{\alpha+5}=0$

따라서 $3\alpha-6=0$이므로 $\lim_{n\to\infty}a_n=\alpha=2$

0253

 ⑤

STEP Ⓐ 급수가 수렴할 조건을 이용하여 극한값 구하기

수열 $\{a_n\}$이 수렴하므로 $\lim_{n\to\infty}a_n=\alpha$($\alpha$는 상수)라 하면

$\lim_{n\to\infty}(a_n+8)=\alpha+8$

이때 $\sum_{n=1}^{\infty}a_n=\alpha+8$이므로 급수 $\sum_{n=1}^{\infty}a_n$은 수렴한다.

따라서 $\lim_{n\to\infty}a_n=0$에서 $\alpha=0$이므로 $\sum_{n=1}^{\infty}a_n=\alpha+8=8$

내신연계 출제문항 104

수열 $\{a_n\}$이 수렴하고 $\sum_{n=1}^{\infty}a_n=\lim_{n\to\infty}(2a_n+6)$을 만족시킬 때,

$\sum_{n=1}^{\infty}a_n$의 값은?

① 2 ② 4 ③ 6
④ 8 ⑤ 10

STEP Ⓐ 급수가 수렴할 조건을 이용하여 극한값 구하기

수열 $\{a_n\}$이 수렴하므로 $\lim_{n\to\infty}a_n=\alpha$($\alpha$는 상수)라 하면

$\lim_{n\to\infty}(2a_n+6)=2\lim_{n\to\infty}a_n+\lim_{n\to\infty}6=2\alpha+6$

이때 $\sum_{n=1}^{\infty}a_n=2\alpha+6$이므로 급수 $\sum_{n=1}^{\infty}a_n$은 수렴한다.

따라서 $\lim_{n\to\infty}a_n=0$에서 $\alpha=0$이므로 $\sum_{n=1}^{\infty}a_n=6$ 정답 ③

0254

정답 ②

STEP A 급수가 수렴할 조건을 이용하여 극한값 구하기

$\sum_{n=1}^{\infty}(2a_n-3)$이 수렴하므로 $\lim_{n\to\infty}(2a_n-3)=0$

$\lim_{n\to\infty}a_n=\lim_{n\to\infty}\left\{\frac{1}{2}(2a_n-3)+\frac{3}{2}\right\}=\frac{1}{2}\lim_{n\to\infty}(2a_n-3)+\lim_{n\to\infty}\frac{3}{2}=\frac{1}{2}\times0+\frac{3}{2}$

$\therefore \lim_{n\to\infty}a_n=\frac{3}{2}$

STEP B 수렴하는 극한의 성질을 이용하여 구하기

따라서 $\lim_{n\to\infty}\frac{4a_n-1}{2a_n+3}=\frac{4\cdot\frac{3}{2}-1}{2\cdot\frac{3}{2}+3}=\frac{5}{6}$

내신연계 출제문항 105

수열 $\{a_n\}$에 대하여 $\sum_{n=1}^{\infty}(a_n+1)=-5$일 때, $\lim_{n\to\infty}\frac{a_n-2}{2a_n}$의 값은?

① $\frac{5}{4}$ ② $\frac{3}{2}$ ③ $\frac{7}{4}$
④ 2 ⑤ $\frac{9}{4}$

STEP A 급수 $\sum_{n=1}^{\infty}a_n$이 수렴하면 $\lim_{n\to\infty}a_n=0$임을 이용하기

$\sum_{n=1}^{\infty}(a_n+1)=-5$이므로 $\lim_{n\to\infty}(a_n+1)=0$ $\therefore \lim_{n\to\infty}a_n=-1$

$\lim_{n\to\infty}a_n=\lim_{n\to\infty}\{(a_n+1)-1\}=\lim_{n\to\infty}(a_n+1)+\lim_{n\to\infty}(-1)=0+(-1)=-1$

$\therefore \lim_{n\to\infty}a_n=-1$

STEP B 수렴하는 극한의 성질을 이용하여 구하기

따라서 $\lim_{n\to\infty}\frac{a_n-2}{2a_n}=\frac{-1-2}{2\cdot(-1)}=\frac{3}{2}$

정답 ②

0255

정답 ③

STEP A 급수가 수렴할 조건을 이용하여 극한값 구하기

$\sum_{n=1}^{\infty}\left(3-\frac{a_n}{2}\right)=5$이므로 $\lim_{n\to\infty}\left(3-\frac{a_n}{2}\right)=0$ $\therefore \lim_{n\to\infty}a_n=6$

$\lim_{n\to\infty}a_n=\lim_{n\to\infty}\left\{6-2\left(-\frac{1}{2}a_n+3\right)\right\}=\lim_{n\to\infty}6-2\lim_{n\to\infty}\left(-\frac{1}{2}a_n+3\right)=6-2\cdot0=6$

$\therefore \lim_{n\to\infty}a_n=6$

STEP B 수렴하는 극한의 성질을 이용하여 구하기

따라서 $\lim_{n\to\infty}(3a_n-7)=3\lim_{n\to\infty}a_n-7=3\cdot6-7=11$

0256

정답 ②

STEP A 급수가 수렴할 조건을 이용하여 극한값 구하기

$\sum_{n=1}^{\infty}(a_n-3)=2$이므로 $\lim_{n\to\infty}(a_n-3)=0$

$\lim_{n\to\infty}a_n=\lim_{n\to\infty}\{(a_n-3)+3\}=\lim_{n\to\infty}(a_n-3)+\lim_{n\to\infty}3=0+3=3$

STEP B 수렴하는 극한의 성질을 이용하여 구하기

따라서 $\lim_{n\to\infty}\frac{n+4}{na_n+3}=\lim_{n\to\infty}\frac{1+\frac{4}{n}}{a_n+\frac{3}{n}}=\frac{1}{3}$

0257

정답 ②

STEP A 급수가 수렴할 조건을 이용하여 극한값 구하기

급수 $\sum_{n=1}^{\infty}(b_n-3)=2$로 수렴하므로 $\lim_{n\to\infty}(b_n-3)=0$

$\therefore \lim_{n\to\infty}b_n=3$

급수 $\sum_{n=1}^{\infty}(3a_n-b_n)=5$로 수렴하므로 $\lim_{n\to\infty}(3a_n-b_n)=0$

$\lim_{n\to\infty}3a_n=\lim_{n\to\infty}\{(3a_n-b_n)+b_n\}=0+3=3$

$\therefore \lim_{n\to\infty}a_n=1$

STEP B 수렴하는 극한의 성질을 이용하여 구하기

따라서 $\lim_{n\to\infty}(3a_n+2b_n)=3\lim_{n\to\infty}a_n+2\lim_{n\to\infty}b_n=3\times1+2\times3=9$

내신연계 출제문항 106

두 수열 $\{a_n\}$, $\{b_n\}$에 대하여

$$\sum_{n=1}^{\infty}(a_n-2)=3,\ \sum_{n=1}^{\infty}(3a_n+2b_n)=5$$

일 때, $\lim_{n\to\infty}(2a_n-3b_n)$의 값은?

① 7 ② 9 ③ 11
④ 13 ⑤ 15

STEP A 급수가 수렴할 조건을 이용하여 극한값 구하기

급수 $\sum_{n=1}^{\infty}(a_n-2)=3$ 로 수렴하므로 $\lim_{n\to\infty}(a_n-2)=0$

$\therefore \lim_{n\to\infty}a_n=2$

급수 $\sum_{n=1}^{\infty}(3a_n+2b_n)=5$로 수렴하므로 $\lim_{n\to\infty}(3a_n+2b_n)=0$

$\lim_{n\to\infty}2b_n=\lim_{n\to\infty}\{(3a_n+2b_n)-3a_n\}=0-3\cdot2=-6$

$\therefore \lim_{n\to\infty}b_n=-3$

STEP B 수렴하는 극한의 성질을 이용하여 구하기

따라서 $\lim_{n\to\infty}(2a_n-3b_n)=2\lim_{n\to\infty}a_n-3\lim_{n\to\infty}b_n=2\times2-3\times(-3)=13$

정답 ④

0258

정답 ①

STEP A 급수가 수렴할 조건을 이용하여 극한값 구하기

$\sum_{n=1}^{\infty}(a_n+b_n-1)=3$, $\sum_{n=1}^{\infty}(a_n-b_n-3)=2$가 모두 수렴하므로

$\lim_{n\to\infty}(a_n+b_n-1)=0$ …… ㉠

$\lim_{n\to\infty}(a_n-b_n-3)=0$ …… ㉡

STEP B 극한의 성질을 이용하여 구하기

㉠+㉡을 하면

$\lim_{n\to\infty}(a_n+b_n-1)+\lim_{n\to\infty}(a_n-b_n-3)=\lim_{n\to\infty}(2a_n-4)=0$

$2\lim_{n\to\infty}a_n=4$ $\therefore \lim_{n\to\infty}a_n=2$ …… ㉢

㉠−㉢을 하면 $\lim_{n\to\infty}(a_n+b_n-1)-\lim_{n\to\infty}a_n=-2$

$\lim_{n\to\infty}(b_n-1)=-2$ $\therefore \lim_{n\to\infty}b_n=-1$

STEP C 수렴하는 극한의 성질을 이용하여 구하기

따라서 $\lim_{n\to\infty}(2a_n-3b_n)=2\lim_{n\to\infty}a_n-3\lim_{n\to\infty}b_n=2\cdot2-3\cdot(-1)=7$

0259

정답 ⑤

STEP A 급수가 수렴할 조건을 이용하여 극한값 구하기

조건 (가)에서 급수 $\sum_{n=1}^{\infty}(a_n+b_n)$이 수렴하므로

$\lim_{n\to\infty}(a_n+b_n)=0$

STEP B 수열의 극한의 대소 관계를 이용하기

조건 (나)에서 모든 자연수 n에 대하여

$\frac{1-3n^2}{2n^2+4}<b_n<\frac{2n-3n^2}{2n^2+4}$이고 $\lim_{n\to\infty}\frac{1-3n^2}{2n^2+4}=\lim_{n\to\infty}\frac{2n-3n^2}{2n^2+4}=-\frac{3}{2}$이므로

수열의 극한의 대소 관계에 의하여 $\lim_{n\to\infty}b_n=-\frac{3}{2}$

STEP C 수열의 극한에 대한 기본 성질을 이용하여 극한값 구하기

$\lim_{n\to\infty}a_n=\lim_{n\to\infty}\{(a_n+b_n)-b_n\}=\lim_{n\to\infty}(a_n+b_n)-\lim_{n\to\infty}b_n=0-\left(-\frac{3}{2}\right)=\frac{3}{2}$

따라서 $\lim_{n\to\infty}\{2a_n-3b_n\}=2\lim_{n\to\infty}a_n-3\lim_{n\to\infty}b_n=2\cdot\frac{3}{2}-3\left(-\frac{3}{2}\right)=3+\frac{9}{2}=\frac{15}{2}$

내신연계 출제문항 107

두 수열 $\{a_n\}$, $\{b_n\}$이 다음 조건을 만족시킨다.

(가) $\lim_{n\to\infty}a_n=\infty$

(나) $\sum_{n=1}^{\infty}(a_n-2b_n)=6$

이때 $\lim_{n\to\infty}\frac{3a_n+6b_n-3}{a_n-6b_n+2}$의 값은?

① -5 ② -3 ③ 0
④ 3 ⑤ 5

STEP A 급수가 수렴할 조건을 이용하여 극한값 구하기

조건 (나)에서 급수 $\sum_{n=1}^{\infty}(a_n-2b_n)$이 6으로 수렴하므로

$\lim_{n\to\infty}(a_n-2b_n)=0$

STEP B 수렴하는 극한의 성질을 이용하여 구하기

$a_n-2b_n=c_n$이라 하면 $b_n=\frac{a_n-c_n}{2}$이고 $\lim_{n\to\infty}c_n=0$

따라서 $\lim_{n\to\infty}\frac{3a_n+6b_n-3}{a_n-6b_n+2}=\lim_{n\to\infty}\frac{3a_n+3(a_n-c_n)-3}{a_n-3(a_n-c_n)+2}$

$=\lim_{n\to\infty}\frac{6a_n-3c_n-3}{-2a_n+3c_n+2}$

$=\lim_{n\to\infty}\frac{6-\frac{3c_n}{a_n}-\frac{3}{a_n}}{-2+\frac{3c_n}{a_n}+\frac{2}{a_n}}$

$=-3$

정답 ②

0260

정답 ①

STEP A 급수가 수렴할 조건을 이용하여 극한값 구하기

$\sum_{n=1}^{\infty}\frac{a_n-n^2+2n}{n^2}$이 수렴하므로

$\lim_{n\to\infty}\frac{a_n-n^2+2n}{n^2}=0$, $\lim_{n\to\infty}\left(\frac{a_n}{n^2}-1+\frac{2}{n}\right)=0$

한편 $\lim_{n\to\infty}\left(1-\frac{2}{n}\right)=1$이므로

$\lim_{n\to\infty}\frac{a_n}{n^2}=\lim_{n\to\infty}\left\{\left(\frac{a_n}{n^2}-1+\frac{2}{n}\right)+\left(1-\frac{2}{n}\right)\right\}=0+1=1$

STEP B $\frac{\infty}{\infty}$ 꼴의 극한값 구하기

따라서 $\lim_{n\to\infty}\frac{3n^2+2n-4a_n}{n^2+a_n}=\lim_{n\to\infty}\frac{3+\frac{2}{n}-4\times\frac{a_n}{n^2}}{1+\frac{a_n}{n^2}}=\frac{3+0-4}{1+1}=-\frac{1}{2}$

0261

정답 ⑤

STEP A 급수가 수렴할 조건을 이용하여 극한값 구하기

$\sum_{n=1}^{\infty}a_n=5$이므로 $\lim_{n\to\infty}a_n=0$

STEP B $\lim_{n\to\infty}S_n=\sum_{n=1}^{\infty}a_n$임을 이용하여 극한값 구하기

$\sum_{n=1}^{\infty}a_n=\lim_{n\to\infty}\sum_{k=1}^{n}a_k=\lim_{n\to\infty}S_n=\lim_{n\to\infty}S_{n-1}=5$

STEP C 주어진 극한값 구하기

따라서 구하는 극한값은 $\lim_{n\to\infty}\frac{2S_n+a_n+2}{S_{n-1}-a_n-3}=\frac{2\times5+0+2}{5-0-3}=\frac{12}{2}=6$

내신연계 출제문항 108

수열 $\{a_n\}$에 대하여

$$S_n=\sum_{k=1}^{n}a_k,\ \sum_{n=1}^{\infty}a_n=2$$

일 때, $\lim_{n\to\infty}\frac{2a_n-3S_{n-1}}{3a_n+4S_n}$의 값은?

① $-\frac{4}{3}$ ② $-\frac{5}{6}$ ③ $-\frac{4}{5}$
④ $-\frac{3}{4}$ ⑤ $-\frac{1}{2}$

STEP A 급수가 수렴할 조건을 이용하여 극한값 구하기

$\sum_{n=1}^{\infty}a_n$이 수렴하므로 $\lim_{n\to\infty}a_n=0$

STEP B $\lim_{n\to\infty}S_n=\lim_{n\to\infty}S_{n-1}=\sum_{n=1}^{\infty}a_n$임을 이용하여 극한값 구하기

$\sum_{n=1}^{\infty}a_n=2$이므로 $\lim_{n\to\infty}S_n=\lim_{n\to\infty}S_{n-1}=2$

따라서 $\lim_{n\to\infty}\frac{2a_n-3S_{n-1}}{3a_n+4S_n}=\frac{0-3\cdot2}{0+4\cdot2}=-\frac{3}{4}$

정답 ④

0262

정답 ③

STEP A 급수가 수렴할 조건을 이용하여 극한값 구하기

$\lim_{n\to\infty}\sum_{k=1}^{n}a_k=\sum_{n=1}^{\infty}a_n=2022$으로 수렴하므로 $\lim_{n\to\infty}a_n=0$

$\therefore\ \lim_{n\to\infty}a_n^2=\lim_{n\to\infty}a_n^3=0$

STEP B 분모, 분자를 각각 $(-3)^n$으로 나누어 극한값 구하기

따라서 $\lim_{n\to\infty}\frac{3a_n^2-(-3)^n+1}{a_n^3+(-3)^{n+1}-(-2)^n}=\lim_{n\to\infty}\frac{-(-3)^n+1}{(-3)^{n+1}-(-2)^n}$

$=\lim_{n\to\infty}\frac{-1+\left(-\frac{1}{3}\right)^n}{-3-\left(\frac{2}{3}\right)^n}$

$=\frac{1}{3}$

I 수열의 극한

0263

 ①

STEP Ⓐ **급수가 수렴할 조건을 이용하여 극한값 구하기**

급수 $\sum_{n=1}^{\infty}\left(S_n-\frac{2n+1}{n-1}\right)=3$으로 수렴하므로

$\lim_{n\to\infty}\left(S_n-\frac{2n+1}{n-1}\right)=0$에서 $\lim_{n\to\infty}S_n=2$

STEP Ⓑ **$\sum_{n=1}^{\infty}a_n=\lim_{n\to\infty}S_n$임을 이용하여 구하기**

즉 $\sum_{n=1}^{\infty}a_n=\lim_{n\to\infty}S_n=2$이므로 $\lim_{n\to\infty}a_n=0$

따라서 $\lim_{n\to\infty}(a_n+S_n)=0+2=2$

0264

 ②

STEP Ⓐ **급수가 수렴할 조건을 이용하여 극한값 구하기**

급수 $\sum_{n=1}^{\infty}\left(4-\frac{a_n}{n}\right)$이 수렴하므로 $\lim_{n\to\infty}\left(4-\frac{a_n}{n}\right)=0$

$\therefore \lim_{n\to\infty}\frac{a_n}{n}=4$

STEP Ⓑ **분모, 분자를 n으로 나누어 극한값 구하기**

따라서 $\lim_{n\to\infty}\frac{3a_n+6n+1}{4a_n-4n-5}=\lim_{n\to\infty}\frac{3\cdot\frac{a_n}{n}+6+\frac{1}{n}}{4\cdot\frac{a_n}{n}-4-\frac{5}{n}}=\frac{3\cdot4+6+0}{4\cdot4-4-0}=\frac{3}{2}$

다른풀이 치환하여 풀이하기

STEP Ⓐ **급수가 수렴할 조건을 이용하여 극한값 구하기**

급수 $\sum_{n=1}^{\infty}\left(4-\frac{a_n}{n}\right)$이 수렴하므로 $\lim_{n\to\infty}\left(4-\frac{a_n}{n}\right)=0$

STEP Ⓑ **$4-\frac{a_n}{n}=b_n$으로 치환하고 식 정리하기**

$4-\frac{a_n}{n}=b_n$이라 하면

$a_n=4n-nb_n$이고 $\lim_{n\to\infty}b_n=0$

STEP Ⓒ **주어진 극한값 구하기**

따라서 $\lim_{n\to\infty}\frac{3a_n+6n+1}{4a_n-4n-5}=\lim_{n\to\infty}\frac{3(4n-nb_n)+6n+1}{4(4n-nb_n)-4n-5}$

$=\lim_{n\to\infty}\frac{18n+1-3nb_n}{12n-5-4nb_n}=\lim_{n\to\infty}\frac{18+\frac{1}{n}-3b_n}{12-\frac{5}{n}-4b_n}$

$=\frac{18}{12}=\frac{3}{2}$

0265

 ⑤

STEP Ⓐ **급수가 수렴할 조건을 이용하여 극한값 구하기**

$\sum_{n=1}^{\infty}\left(a_n-\frac{5n}{n+1}\right)$이 수렴하므로 $\lim_{n\to\infty}\left(a_n-\frac{5n}{n+1}\right)=0$

$\lim_{n\to\infty}a_n=\lim_{n\to\infty}\left\{\left(a_n-\frac{5n}{n+1}\right)+\frac{5n}{n+1}\right\}$

$=\lim_{n\to\infty}\left(a_n-\frac{5n}{n+1}\right)+\lim_{n\to\infty}\frac{5n}{n+1}$

$=0+5=5$

$\therefore \lim_{n\to\infty}a_n=5$

STEP Ⓑ **수열의 극한의 성질을 이용하여 극한값 구하기**

따라서 $\lim_{n\to\infty}\frac{a_n+3}{a_n-1}=\frac{5+3}{5-1}=2$

다른풀이 치환하여 풀이하기

STEP Ⓐ **급수가 수렴할 조건을 이용하여 극한값 구하기**

$\sum_{n=1}^{\infty}\left(a_n-\frac{5n}{n+1}\right)$이 수렴하므로 $\lim_{n\to\infty}\left(a_n-\frac{5n}{n+1}\right)=0$

STEP Ⓑ **치환을 이용하여 $\lim_{n\to\infty}a_n$의 값 구하기**

$b_n=a_n-\frac{5n}{n+1}$이라 하면 $\lim_{n\to\infty}b_n=0$

$a_n=b_n+\frac{5n}{n+1}$이고 $\lim_{n\to\infty}\frac{5n}{n+1}=5$

$\lim_{n\to\infty}a_n=\lim_{n\to\infty}\left(b_n+\frac{5n}{n+1}\right)$

$=\lim_{n\to\infty}b_n+\lim_{n\to\infty}\frac{5n}{n+1}$

$=0+5=5$

STEP Ⓒ **주어진 극한값 구하기**

따라서 $\lim_{n\to\infty}\frac{a_n+3}{a_n-1}=\frac{\lim_{n\to\infty}(a_n+3)}{\lim_{n\to\infty}(a_n-1)}=\frac{5+3}{5-1}=2$

내신연계 출제문항 109

수열 $\{a_n\}$에 대하여 급수 $\sum_{n=1}^{\infty}\left(a_n-\frac{2n}{n+1}\right)$이 수렴할 때,

$\lim_{n\to\infty}(2a_n{}^2)+3a_n-1$의 값은?

① 11 ② 13 ③ 15

④ 17 ⑤ 19

STEP Ⓐ **급수가 수렴할 조건을 이용하여 극한값 구하기**

$\sum_{n=1}^{\infty}\left(a_n-\frac{2n}{n+1}\right)$이 수렴하므로 $\lim_{n\to\infty}\left(a_n-\frac{2n}{n+1}\right)=0$

$\lim_{n\to\infty}a_n=\lim_{n\to\infty}\left\{\left(a_n-\frac{2n}{n+1}\right)+\frac{2n}{n+1}\right\}$

$=\lim_{n\to\infty}\left(a_n-\frac{2n}{n+1}\right)+\lim_{n\to\infty}\frac{2n}{n+1}$

$=0+2=2$

$\therefore \lim_{n\to\infty}a_n=2$

STEP Ⓑ **수열의 극한의 성질을 이용하여 극한값 구하기**

따라서 $\lim_{n\to\infty}(2a_n{}^2+3a_n-1)=2\cdot2^2+3\cdot2-1=13$

다른풀이 치환하여 풀이하기

STEP Ⓐ **급수가 수렴할 조건을 이용하여 극한값 구하기**

$\sum_{n=1}^{\infty}\left(a_n-\frac{2n}{n+1}\right)$이 수렴하므로 $\lim_{n\to\infty}\left(a_n-\frac{2n}{n+1}\right)=0$

STEP Ⓑ **치환을 이용하여 $\lim_{n\to\infty}a_n$의 값 구하기**

$a_n-\frac{2n}{n+1}=b_n$이라 하면

$a_n=\frac{2n}{n+1}+b_n$, $\lim_{n\to\infty}b_n=0$

$\therefore \lim_{n\to\infty}a_n=\lim_{n\to\infty}\left(\frac{2n}{n+1}+b_n\right)=2+0=2$

STEP Ⓒ **수열의 극한의 성질을 이용하여 극한값 구하기**

따라서 $\lim_{n\to\infty}(2a_n{}^2+3a_n-1)=2\cdot2^2+3\cdot2-1=13$

정답 ②

0266

정답 ③

STEP A 급수가 수렴할 조건을 이용하여 극한값 구하기

$\sum_{n=1}^{\infty}(5na_n-1)=3$이 수렴하므로 $\lim_{n\to\infty}(5na_n-1)=0$

$\therefore \lim_{n\to\infty} na_n=\frac{1}{5}$

STEP B 분모, 분자를 n으로 나누어 극한값 구하기

따라서 $\lim_{n\to\infty}\frac{n^2a_n}{2n+1}=\lim_{n\to\infty}\frac{na_n}{2+\frac{1}{n}}=\frac{\frac{1}{5}}{2}=\frac{1}{10}$

다른풀이 치환하여 풀이하기

STEP A 급수가 수렴할 조건을 이용하여 극한값 구하기

$\sum_{n=1}^{\infty}(5na_n-1)=3$이 수렴하므로 $\lim_{n\to\infty}(5na_n-1)=0$

STEP B $5na_n-1=b_n$으로 치환하고 식 정리하기

$5na_n-1=b_n$이라 하면

$a_n=\frac{1}{5n}+\frac{b_n}{5n}$이고 $\lim_{n\to\infty}b_n=0$

STEP C 주어진 극한값 구하기

따라서 $\lim_{n\to\infty}\frac{n^2a_n}{2n+1}=\lim_{n\to\infty}\frac{n^2\left(\frac{1}{5n}+\frac{b_n}{5n}\right)}{2n+1}=\lim_{n\to\infty}\frac{n+nb_n}{10n+5}$

$=\lim_{n\to\infty}\frac{1+b_n}{10+\frac{5}{n}}=\frac{1}{10}$

0267

STEP A 급수가 수렴할 조건을 이용하여 극한값 구하기

$\sum_{n=1}^{\infty}\left(na_n-\frac{2n^2+1}{n+3}\right)=4$가 수렴하므로 $\lim_{n\to\infty}\left(na_n-\frac{2n^2+1}{n+3}\right)=0$

$\lim_{n\to\infty}a_n=\lim_{n\to\infty}\left\{\frac{1}{n}\left(na_n-\frac{2n^2+1}{n+3}\right)+\frac{2n^2+1}{n(n+3)}\right\}$

$=\lim_{n\to\infty}\frac{1}{n}\left(na_n-\frac{2n^2+1}{n+3}\right)+\lim_{n\to\infty}\frac{2n^2+1}{n(n+3)}$

$=0+2=2$

$\therefore \lim_{n\to\infty}a_n=2$

STEP B 수열의 극한의 성질을 이용하여 극한값 구하기

따라서 $\lim_{n\to\infty}(a_n{}^2+2a_n+2)=2^2+2\cdot2+2=10$

다른풀이 치환하여 풀이하기

STEP A 급수가 수렴할 조건을 이용하여 극한값 구하기

$\sum_{n=1}^{\infty}\left(na_n-\frac{2n^2+1}{n+3}\right)=4$가 수렴하므로 $\lim_{n\to\infty}\left(na_n-\frac{2n^2+1}{n+3}\right)=0$

STEP B 치환을 이용하여 $\lim_{n\to\infty}a_n$의 값 구하기

$na_n-\frac{2n^2+1}{n+3}=b_n$이라 하면

$a_n=\frac{b_n}{n}+\frac{2n^2+1}{n^2+3n}$, $\lim_{n\to\infty}b_n=0$

$\therefore \lim_{n\to\infty}a_n=\lim_{n\to\infty}\left(\frac{b_n}{n}+\frac{2n^2+1}{n^2+3n}\right)=0+2=2$

STEP C 수열의 극한의 성질을 이용하여 극한값 구하기

따라서 $\lim_{n\to\infty}(a_n{}^2+2a_n+2)=2^2+2\cdot2+2=10$

내/신/연/계/ 출제문항 110

수열 $\{a_n\}$에 대하여 $\sum_{n=1}^{\infty}\left(na_n-\frac{n^2+1}{2n+1}\right)=3$일 때,

$\lim_{n\to\infty}4a_n{}^2+6a_n+2$의 값은?

① 4 ② 6 ③ 8
④ 10 ⑤ 12

STEP A 급수가 수렴할 조건을 이용하여 극한값 구하기

$\sum_{n=1}^{\infty}\left(na_n-\frac{n^2+1}{2n+1}\right)$이 수렴하므로 $\lim_{n\to\infty}\left(na_n-\frac{n^2+1}{2n+1}\right)=0$

$\lim_{n\to\infty}a_n=\lim_{n\to\infty}\left\{\frac{1}{n}\left(na_n-\frac{n^2+1}{2n+1}\right)+\frac{n^2+1}{n(2n+1)}\right\}$

$=\lim_{n\to\infty}\frac{1}{n}\left(na_n-\frac{n^2+1}{2n+1}\right)+\lim_{n\to\infty}\frac{n^2+1}{n(2n+1)}$

$=0+\frac{1}{2}=\frac{1}{2}$

$\therefore \lim_{n\to\infty}a_n=\frac{1}{2}$

STEP B 수열의 극한의 성질을 이용하여 극한값 구하기

따라서 $\lim_{n\to\infty}(4a_n{}^2+6a_n+2)=4\left(\lim_{n\to\infty}a_n{}^2\right)+6\lim_{n\to\infty}a_n+2$

$=4\cdot\frac{1}{4}+6\cdot\frac{1}{2}+2=6$

0268

STEP A 급수가 수렴할 조건을 이용하여 극한값 구하기

$\sum_{n=1}^{\infty}\frac{a_n}{4^n}=2$가 수렴하므로 $\lim_{n\to\infty}\frac{a_n}{4^n}=0$

STEP B 주어진 식의 분모, 분자를 각각 4^n으로 나누어 극한값 구하기

따라서 주어진 식의 분모, 분자를 각각 4^n으로 나누면

$\lim_{n\to\infty}\frac{a_n+4^{n+1}-3^{n-1}}{4^{n-1}+3^{n+1}}=\lim_{n\to\infty}\frac{\frac{a_n}{4^n}+4-\frac{1}{4}\left(\frac{3}{4}\right)^{n-1}}{\frac{1}{4}+3\left(\frac{3}{4}\right)^n}=\frac{0+4-0}{\frac{1}{4}+0}=16$

내/신/연/계/ 출제문항 111

모든 항이 양수인 수열 $\{a_n\}$에 대하여 $\sum_{n=1}^{\infty}\frac{a_n}{3^n}=2$가 수렴할 때,

$\lim_{n\to\infty}\frac{3^{n+1}-2^n+a_n}{3^{n-1}+2^{n+1}}$의 값은?

① 3 ② 4 ③ 6
④ 9 ⑤ 16

STEP A 급수가 수렴할 조건을 이용하여 극한값 구하기

$\sum_{n=1}^{\infty}\frac{a_n}{3^n}=2$가 수렴하므로 $\lim_{n\to\infty}\frac{a_n}{3^n}=0$

STEP B 주어진 식의 분모, 분자를 각각 3^n으로 나누어 극한값 구하기

따라서 주어진 식의 분모, 분자를 각각 3^n으로 나누면

$\lim_{n\to\infty}\frac{3^{n+1}-2^n+a_n}{3^{n-1}+2^{n+1}}=\lim_{n\to\infty}\frac{3-\left(\frac{2}{3}\right)^n+\frac{a_n}{3^n}}{\frac{1}{3}+2\left(\frac{2}{3}\right)^n}=\frac{3-0+0}{\frac{1}{3}+0}=9$

0269

 ②

STEP A 급수가 수렴할 조건을 이용하여 극한값 구하기

급수 $\sum_{n=1}^{\infty}(2-4^n a_n)$이 3으로 수렴하므로 $\lim_{n\to\infty}(2-4^n a_n)=0$

이때 $\lim_{n\to\infty}4^n a_n=\lim_{n\to\infty}\{2-(2-4^n a_n)\}=\lim_{n\to\infty}2-\lim_{n\to\infty}(2-4^n a_n)$

$=2-0=2$

STEP B 주어진 극한값 구하기

따라서 $\lim_{n\to\infty}\dfrac{a_n+4^{1-n}}{2a_n+5^{-n}}=\lim_{n\to\infty}\dfrac{4^n a_n+4}{2\cdot 4^n a_n+\left(\dfrac{4}{5}\right)^n}$ ⬅ 분모, 분자에 4^n을 곱한다.

$=\dfrac{2+4}{2\cdot 2+0}=\dfrac{3}{2}$

내신연계 출제문항 112

모든 항이 양수인 수열 $\{a_n\}$에 대하여 $\sum_{n=1}^{\infty}(3^n a_n-2)$가 수렴할 때, $\lim_{n\to\infty}\dfrac{6a_n+5\cdot 4^{-n}}{a_n+3^{-n}}$의 값은?

① 2 ② 3 ③ 4
④ 5 ⑤ 6

STEP A 급수가 수렴할 조건을 이용하여 극한값 구하기

급수 $\sum_{n=1}^{\infty}(3^n a_n-2)$가 수렴하므로 $\lim_{n\to\infty}(3^n a_n-2)=0$

$\lim_{n\to\infty}3^n a_n=\lim_{n\to\infty}\{(3^n a_n-2)+2\}=\lim_{n\to\infty}(3^n a_n-2)+\lim_{n\to\infty}2=0+2=2$

$\therefore \lim_{n\to\infty}3^n a_n=2$

STEP B 분모, 분자에 3^n을 곱하여 극한값 구하기

따라서 $\lim_{n\to\infty}\dfrac{6a_n+5\times 4^{-n}}{a_n+3^{-n}}=\lim_{n\to\infty}\dfrac{6\times 3^n a_n+5\left(\dfrac{3}{4}\right)^n}{3^n a_n+1}=\dfrac{6\times 2}{2+1}=4$

정답 ③

0270

정답 ①

STEP A 급수가 수렴할 조건을 이용하여 극한값 구하기

급수 $\sum_{n=1}^{\infty}\left(2-\dfrac{a_n}{3^n}\right)$이 수렴하므로 $\lim_{n\to\infty}\left(2-\dfrac{a_n}{3^n}\right)=0$

$\lim_{n\to\infty}\dfrac{a_n}{3^n}=\lim_{n\to\infty}\left\{2-\left(2-\dfrac{a_n}{3^n}\right)\right\}=\lim_{n\to\infty}2-\lim_{n\to\infty}\left(2-\dfrac{a_n}{3^n}\right)=2-0=2$

$\therefore \lim_{n\to\infty}\dfrac{a_n}{3^n}=2$

STEP B 분모, 분자를 3^n으로 나누어 극한값 구하기

따라서 $\lim_{n\to\infty}\dfrac{2a_n-3^{n+1}}{3a_n+2^n}=\lim_{n\to\infty}\dfrac{2\times\dfrac{a_n}{3^n}-3}{3\times\dfrac{a_n}{3^n}+\left(\dfrac{2}{3}\right)^n}=\dfrac{2\times 2-3}{3\times 2+0}=\dfrac{1}{6}$

내신연계 출제문항 113

수열 $\{a_n\}$에 대하여 $\sum_{n=1}^{\infty}\left(7-\dfrac{a_n}{2^n}\right)=19$일 때, $\lim_{n\to\infty}\dfrac{a_n}{2^{n+1}}$의 값은?

① 2 ② $\dfrac{5}{2}$ ③ 3
④ $\dfrac{7}{2}$ ⑤ 4

STEP A 급수가 수렴할 조건을 이용하여 극한값 구하기

수열 $\{a_n\}$에 대하여 급수 $\sum_{n=1}^{\infty}\left(7-\dfrac{a_n}{2^n}\right)$이 수렴하므로

$\lim_{n\to\infty}\left(7-\dfrac{a_n}{2^n}\right)=0$

$\lim_{n\to\infty}\dfrac{a_n}{2^n}=\lim_{n\to\infty}\left\{7-\left(7-\dfrac{a_n}{2^n}\right)\right\}=\lim_{n\to\infty}7-\lim_{n\to\infty}\left(7-\dfrac{a_n}{2^n}\right)=7-0=7$

STEP B $\lim_{n\to\infty}\dfrac{a_n}{2^{n+1}}$의 극한값 구하기

따라서 $\lim_{n\to\infty}\dfrac{a_n}{2^{n+1}}=\dfrac{1}{2}\times\lim_{n\to\infty}\dfrac{a_n}{2^n}=\dfrac{1}{2}\times 7=\dfrac{7}{2}$

정답 ④

참고
$b_n=7-\dfrac{a_n}{2^n}$이라 하면 $\dfrac{a_n}{2^n}=7-b_n$
$\lim_{n\to\infty}\dfrac{a_n}{2^n}=\lim_{n\to\infty}(7-b_n)=7$

0271

 ③

STEP A 급수가 수렴할 조건을 이용하여 극한값 구하기

$\sum_{n=1}^{\infty}(2a_n-3)$은 수렴하므로 $\lim_{n\to\infty}(2a_n-3)=0$

$\lim_{n\to\infty}a_n=\lim_{n\to\infty}\left\{\dfrac{1}{2}(2a_n-3)+\dfrac{3}{2}\right\}=\lim_{n\to\infty}\dfrac{1}{2}(2a_n-3)+\lim_{n\to\infty}\dfrac{3}{2}=0+\dfrac{3}{2}=\dfrac{3}{2}$

$\therefore \lim_{n\to\infty}a_n=\dfrac{3}{2}=r$

STEP B 등비수열의 극한 구하기

따라서 $\lim_{n\to\infty}\dfrac{r^{n+2}-1}{r^n+1}=\lim_{n\to\infty}\dfrac{\left(\dfrac{3}{2}\right)^{n+2}-1}{\left(\dfrac{3}{2}\right)^n+1}=\lim_{n\to\infty}\dfrac{\dfrac{9}{4}-\left(\dfrac{2}{3}\right)^n}{1+\left(\dfrac{2}{3}\right)^n}=\dfrac{\dfrac{9}{4}-0}{1+0}=\dfrac{9}{4}$

참고
$2a_n-3=b_n$이라 하면 $\lim_{n\to\infty}b_n=0$이고 $a_n=\dfrac{1}{2}(b_n+3)$이므로
$\lim_{n\to\infty}a_n=\lim_{n\to\infty}\dfrac{1}{2}(b_n+3)=\dfrac{1}{2}(0+3)=\dfrac{3}{2}$ $\therefore \lim_{n\to\infty}a_n=\dfrac{3}{2}=r$

0272

 ①

STEP A 급수가 수렴할 조건을 이용하여 극한값 구하기

급수 $\sum_{n=1}^{\infty}\left(\dfrac{a_n}{n}-4\right)$가 수렴하므로 $\lim_{n\to\infty}\dfrac{a_n}{n}=4$

또, 급수 $\sum_{n=1}^{\infty}\left(\dfrac{n}{b_n}+1\right)$이 수렴하므로 $\lim_{n\to\infty}\dfrac{n}{b_n}=-1$

STEP B 수열의 극한의 성질을 이용하여 극한값 구하기

따라서 $\lim_{n\to\infty}\left(\dfrac{a_n}{b_n}+1\right)=\lim_{n\to\infty}\left(\dfrac{a_n}{n}\times\dfrac{n}{b_n}+1\right)=4\cdot(-1)+1=-3$

0273

 ②

STEP A 급수가 수렴할 조건을 이용하여 극한값 구하기

$\sum_{n=1}^{\infty}\left(na_n-\dfrac{2n^2}{n+1}\right)=5$이므로 $\lim_{n\to\infty}\left(na_n-\dfrac{2n^2}{n+1}\right)=0$

$\lim_{n\to\infty}a_n=\lim_{n\to\infty}\left\{\dfrac{1}{n}\left(na_n-\dfrac{2n^2}{n+1}\right)+\dfrac{2n^2}{n(n+1)}\right\}$

$=\lim_{n\to\infty}\dfrac{1}{n}\left(na_n-\dfrac{2n^2}{n+1}\right)+\lim_{n\to\infty}\dfrac{2n^2}{n(n+1)}$

$=0+2=2$

$\therefore \lim_{n\to\infty}a_n=2$

STEP B **수열의 극한의 성질을 이용하여 극한값 구하기**

$\lim\limits_{n\to\infty}(3a_n-5b_n)=3$이므로

$$\begin{aligned}\lim_{n\to\infty}b_n&=\lim_{n\to\infty}\left\{\frac{3}{5}a_n-\frac{1}{5}(3a_n-5b_n)\right\}\\&=\lim_{n\to\infty}\frac{3}{5}a_n-\lim_{n\to\infty}\frac{1}{5}(3a_n-5b_n)\\&=\frac{3}{5}\cdot2-\frac{1}{5}\cdot3=\frac{3}{5}\end{aligned}$$

따라서 $\lim\limits_{n\to\infty}\dfrac{2a_n+5b_n}{a_n+10b_n}=\dfrac{2\cdot2+5\cdot\frac{3}{5}}{2+10\cdot\frac{3}{5}}=\dfrac{7}{8}$

다른풀이 치환하여 풀이하기

STEP A **$\sum\limits_{n=1}^{\infty}a_n$이 수렴하면 $\lim\limits_{n\to\infty}a_n=0$임을 이용하여 구하기**

(ⅰ) $\sum\limits_{n=1}^{\infty}\left(na_n-\dfrac{2n^2}{n+1}\right)=2$이므로 $\lim\limits_{n\to\infty}\left(na_n-\dfrac{2n^2}{n+1}\right)=0$

$na_n-\dfrac{2n^2}{n+1}=c_n$이라 하면 $\lim\limits_{n\to\infty}c_n=0$이므로

$\lim\limits_{n\to\infty}a_n=\lim\limits_{n\to\infty}\left\{\dfrac{c_n}{n}+\dfrac{2n^2}{n(n+1)}\right\}=2$

(ⅱ) $\lim\limits_{n\to\infty}(3a_n-5b_n)=3$에서 $3a_n-5b_n=d_n$이라 하면

$\lim\limits_{n\to\infty}d_n=3$이고 (ⅰ)에서 $\lim\limits_{n\to\infty}a_n=2$이므로

$\lim\limits_{n\to\infty}b_n=\lim\limits_{n\to\infty}\left(\dfrac{3}{5}a_n-\dfrac{1}{5}d_n\right)=\dfrac{3}{5}$

STEP B **극한값 구하기**

따라서 $\lim\limits_{n\to\infty}\dfrac{2a_n+5b_n}{a_n+10b_n}=\dfrac{2\times2+5\times\frac{3}{5}}{2+10\times\frac{3}{5}}=\dfrac{7}{8}$

내/신/연/계/ 출제문항 114

두 수열 $\{a_n\}$, $\{b_n\}$에 대하여

급수 $\sum\limits_{n=1}^{\infty}\left(a_n-\dfrac{3n}{n+1}\right)$과 $\sum\limits_{n=1}^{\infty}(a_n+b_n)$이 모두 수렴할 때,

$\lim\limits_{n\to\infty}\dfrac{3-b_n}{a_n}$의 값은? (단, $a_n\neq0$)

① 1 ② 2 ③ 3
④ 4 ⑤ 5

STEP A **급수가 수렴할 조건을 이용하여 극한값 구하기**

급수 $\sum\limits_{n=1}^{\infty}\left(a_n-\dfrac{3n}{n+1}\right)$가 수렴하므로 $\lim\limits_{n\to\infty}\left(a_n-\dfrac{3n}{n+1}\right)=0$

$$\begin{aligned}\lim_{n\to\infty}a_n&=\lim_{n\to\infty}\left\{\left(a_n-\frac{3n}{n+1}\right)+\frac{3n}{n+1}\right\}\\&=\lim_{n\to\infty}\left(a_n-\frac{3n}{n+1}\right)+\lim_{n\to\infty}\frac{3n}{n+1}\\&=0+3=3\end{aligned}$$

$\therefore\ \lim\limits_{n\to\infty}a_n=3$

또, $\sum\limits_{n=1}^{\infty}(a_n+b_n)$이 수렴하므로 $\lim\limits_{n\to\infty}(a_n+b_n)=0$

$$\begin{aligned}\lim_{n\to\infty}b_n&=\lim_{n\to\infty}\{(a_n+b_n)-a_n\}\\&=\lim_{n\to\infty}(a_n+b_n)-\lim_{n\to\infty}a_n\\&=0-3=-3\end{aligned}$$

$\therefore\ \lim\limits_{n\to\infty}b_n=-3$

STEP B **극한값 구하기**

따라서 $\lim\limits_{n\to\infty}\dfrac{3-b_n}{a_n}=\dfrac{3-(-3)}{3}=2$

정답 ②

0274

정답 ②

STEP A **급수와 수열의 극한 사이의 관계 이용하기**

조건 (가)에서 급수 $\sum\limits_{n=1}^{\infty}(a_n-2b_n)=3$이 수렴하므로

$\lim\limits_{n\to\infty}(a_n-2b_n)=0$

STEP B **수열의 극한의 대소 관계를 이용하여 $\lim\limits_{n\to\infty}a_nb_n$의 값 구하기**

조건 (나)에서 모든 자연수 n에 대하여

$\dfrac{3n^2+1}{n^2+2}<a_nb_n<\dfrac{3n^2+2n}{n^2+1}$이고 $\lim\limits_{n\to\infty}\dfrac{3n^2+1}{n^2+2}=3$, $\lim\limits_{n\to\infty}\dfrac{3n^2+2n}{n^2+1}=3$

이므로 수열의 극한의 대소 관계에 의하여 $\lim\limits_{n\to\infty}a_nb_n=3$

STEP C **수열의 극한의 성질을 이용하여 극한값 구하기**

$$\begin{aligned}\text{따라서 }\lim_{n\to\infty}(a_n^2+4b_n^2)&=\lim_{n\to\infty}\{(a_n-2b_n)^2+4a_nb_n\}\\&=\lim_{n\to\infty}(a_n-2b_n)^2+4\lim_{n\to\infty}a_nb_n\\&=0+4\times3=12\end{aligned}$$

내/신/연/계/ 출제문항 115

두 수열 $\{a_n\}$, $\{b_n\}$이 다음 조건을 만족시킬 때, $\lim\limits_{n\to\infty}a_n$의 값은?

> (가) 모든 자연수 n에 대하여 $\dfrac{2n^3+3}{1^2+2^2+3^2+\cdots+n^2}<a_n<2b_n$
>
> (나) $\sum\limits_{n=1}^{\infty}(b_n-3)=2$

① 3 ② 4 ③ 5
④ 6 ⑤ 7

STEP A **조건 (나)에서 $\lim\limits_{n\to\infty}b_n$의 값 구하기**

조건 (나)에서 급수 $\sum\limits_{n=1}^{\infty}(b_n-3)$이 수렴하므로 $\lim\limits_{n\to\infty}(b_n-3)=0$

$\therefore\ \lim\limits_{n\to\infty}b_n=3$

STEP B **수열의 극한값의 대소 관계를 이용하여 극한값 구하기**

조건 (가)에서

$\dfrac{2n^3+3}{1^2+2^2+3^2+\cdots+n^2}<a_n<2b_n$

$\dfrac{2n^3+3}{\frac{n(n+1)(2n+1)}{6}}<a_n<2b_n$

$\dfrac{12n^3+18}{n(n+1)(2n+1)}<a_n<2b_n$

따라서 $\lim\limits_{n\to\infty}\dfrac{6(2n^3+3)}{n(n+1)(2n+1)}=6$이고 $\lim\limits_{n\to\infty}2b_n=6$이므로

수열의 극한의 대소 관계에 의하여 $\lim\limits_{n\to\infty}a_n=6$

정답 ④

0275

정답 ③

STEP A **수열의 극한의 대소 관계를 이용하여 $\sum\limits_{n=1}^{\infty}a_n$의 값 구하기**

$\dfrac{2n-1}{n+1}<\sum\limits_{k=1}^{n}a_k<\dfrac{2n+1}{n}$에서 $\lim\limits_{n\to\infty}\dfrac{2n-1}{n+1}\leq\lim\limits_{n\to\infty}\sum\limits_{k=1}^{n}a_k\leq\lim\limits_{n\to\infty}\dfrac{2n+1}{n}$

$\lim\limits_{n\to\infty}\dfrac{2n-1}{n+1}=2$, $\lim\limits_{n\to\infty}\dfrac{2n+1}{n}=2$이므로 수열의 극한의 대소 관계에 의하여

$\therefore\ \lim\limits_{n\to\infty}\sum\limits_{k=1}^{n}a_k=\sum\limits_{n=1}^{\infty}a_n=2$

즉 $\sum\limits_{n-1}^{\infty}a_n$가 수렴하므로 $\lim\limits_{n\to\infty}a_n=0$

STEP B 급수가 수렴할 조건을 이용하여 극한값 구하기

또한, $\sum_{n=1}^{\infty}\left(b_n-\frac{n}{2n+1}\right)=5$이므로 $\lim_{n\to\infty}\left(b_n-\frac{n}{2n+1}\right)=0$

$$\lim_{n\to\infty}b_n=\lim_{n\to\infty}\left\{\left(b_n-\frac{n}{2n+1}\right)+\frac{n}{2n+1}\right\}$$
$$=\lim_{n\to\infty}\left(b_n-\frac{n}{2n+1}\right)+\lim_{n\to\infty}\frac{n}{2n+1}$$
$$=0+\frac{1}{2}=\frac{1}{2}$$

$\therefore \lim_{n\to\infty}b_n=\frac{1}{2}$

STEP C 수열의 극한의 성질을 이용하여 극한값 구하기

따라서 $\lim_{n\to\infty}\frac{a_n+b_n}{a_n-2b_n}=\frac{0+\frac{1}{2}}{0-2\cdot\frac{1}{2}}=-\frac{1}{2}$

0276

 정답 ③

STEP A 급수가 수렴할 조건을 이용하여 극한값 구하기

$\sum_{n=1}^{\infty}\left\{a_n-\frac{2+4+\cdots+2n}{(2n-1)^2}\right\}$이 수렴하므로

$$\lim_{n\to\infty}\left\{a_n-\frac{2+4+\cdots+2n}{(2n-1)^2}\right\}=0$$

즉 $\lim_{n\to\infty}\left\{a_n-\frac{n(n+1)}{4n^2-4n+1}\right\}=0$ ← $2+4+6+\cdots+2n=2\cdot\frac{n(n+1)}{2}=n(n+1)$

STEP B 수열의 극한의 성질을 이용하여 극한값 구하기

따라서 $\lim_{n\to\infty}a_n=\lim_{n\to\infty}\left\{\left(a_n-\frac{n^2+n}{4n^2-4n+1}\right)+\frac{n^2+n}{4n^2-4n+1}\right\}$

$$=\lim_{n\to\infty}\left\{a_n-\frac{n^2+n}{4n^2-4n+1}\right\}+\lim_{n\to\infty}\frac{n^2+n}{4n^2-4n+1}$$
$$=0+\frac{1}{4}=\frac{1}{4}$$

0277

 정답 ①

STEP A 급수가 수렴할 조건을 이용하여 극한값 구하기

$\sum_{n=1}^{\infty}\left(\frac{a_n}{n}-\frac{2+4+6+\cdots+2n}{n^2}\right)=\sum_{n=1}^{\infty}\left(\frac{a_n}{n}-\frac{n+1}{n}\right)=5$이므로

$$\lim_{n\to\infty}\left(\frac{a_n}{n}-\frac{n+1}{n}\right)=0$$

$$\lim_{n\to\infty}\frac{a_n}{n}=\lim_{n\to\infty}\left\{\left(\frac{a_n}{n}-\frac{n+1}{n}\right)+\frac{n+1}{n}\right\}$$
$$=\lim_{n\to\infty}\left(\frac{a_n}{n}-\frac{n+1}{n}\right)+\lim_{n\to\infty}\frac{n+1}{n}$$
$$=0+1=1$$

STEP B 수열의 극한의 성질을 이용하여 극한값 구하기

따라서 $\lim_{n\to\infty}\frac{2n-a_n}{2n+a_n}=\lim_{n\to\infty}\frac{2-\frac{a_n}{n}}{2+\frac{a_n}{n}}=\frac{2-1}{2+1}=\frac{1}{3}$

0278

 정답 ①

STEP A 급수가 수렴할 조건을 이용하여 극한값 구하기

$\sum_{n=1}^{\infty}\left\{\frac{a_n}{2n}-\frac{1+2+3+\cdots+n}{(2n-1)^2}\right\}$이 수렴하므로

$$\lim_{n\to\infty}\left(\frac{a_n}{2n}-\frac{1+2+3+\cdots+n}{(2n-1)^2}\right)=0$$

$\therefore \lim_{n\to\infty}\left(\frac{a_n}{2n}-\frac{n(n+1)}{2(2n-1)^2}\right)=0$ ← $1+2+3+\cdots+n=\frac{n(n+1)}{2}$

$$\lim_{n\to\infty}\frac{a_n}{2n}=\lim_{n\to\infty}\left\{\left(\frac{a_n}{2n}-\frac{n(n+1)}{2(2n-1)^2}\right)+\frac{n(n+1)}{2(2n-1)^2}\right\}$$
$$=\lim_{n\to\infty}\left(\frac{a_n}{2n}-\frac{n(n+1)}{2(2n-1)^2}\right)+\lim_{n\to\infty}\frac{n(n+1)}{2(2n-1)^2}$$
$$=0+\frac{1}{8}=\frac{1}{8}$$

$\therefore \lim_{n\to\infty}\frac{a_n}{n}=\frac{1}{4}$

STEP B 수열의 극한의 성질을 이용하여 극한값 구하기

따라서 $\lim_{n\to\infty}\frac{n+a_n}{n-a_n}=\lim_{n\to\infty}\frac{1+\frac{a_n}{n}}{1-\frac{a_n}{n}}=\frac{1+\frac{1}{4}}{1-\frac{1}{4}}=\frac{5}{3}$

내신연계 출제문항 116

수열 $\{a_n\}$에 대하여 급수

$$\left(a_1-\frac{1^3}{1^4}\right)+\left(2a_2-\frac{1^3+2^3}{2^4}\right)+\left(3a_3-\frac{1^3+2^3+3^3}{3^4}\right)+\cdots+\left(na_n-\frac{1^3+2^3+3^3+\cdots+n^3}{n^4}\right)+\cdots$$

이 수렴할 때, $\lim_{n\to\infty}\frac{5+8na_n}{2-4na_n}$의 값은?

① 4　② 5　③ 6
④ 7　⑤ 8

STEP A 급수가 수렴할 조건을 이용하여 극한값 구하기

급수 $\sum_{n=1}^{\infty}\left(na_n-\frac{1^3+2^3+3^3+\cdots+n^3}{n^4}\right)$이 수렴하므로

$$\lim_{n\to\infty}\left(na_n-\frac{1^3+2^3+3^3+\cdots+n^3}{n^4}\right)=0$$

즉 $\lim_{n\to\infty}\left\{na_n-\frac{n^2(n+1)^2}{4n^4}\right\}=0$ ← $1^3+2^3+3^3+\cdots+n^3=\left\{\frac{n(n+1)}{2}\right\}^2=\frac{n^2(n+1)^2}{4}$

$$\lim_{n\to\infty}na_n=\lim_{n\to\infty}\left\{\left(na_n-\frac{n^2(n+1)^2}{4n^4}\right)+\frac{n^2(n+1)^2}{4n^4}\right\}$$
$$=\lim_{n\to\infty}\left(na_n-\frac{n^2(n+1)^2}{4n^4}\right)+\lim_{n\to\infty}\frac{n^2(n+1)^2}{4n^4}$$
$$=0+\frac{1}{4}=\frac{1}{4}$$

STEP B 수열의 극한의 성질을 이용하여 극한값 구하기

따라서 $\lim_{n\to\infty}\frac{5+8na_n}{2-4na_n}=\frac{5+8\times\frac{1}{4}}{2-4\times\frac{1}{4}}=7$

정답 ④

0279

 정답 ④

STEP A 급수의 수렴, 발산의 판정법을 이용하여 빈칸추론하기

주어진 급수의 일반항을 a_n이라 하면

분자는 1, 2, 3, 4, 5, …이므로 n

분모는 2, 5, 8, 11, 14, …에서 첫째항이 2이고

공차가 3인 등차수열이므로 $3n-1$

$a_n=\boxed{\frac{n}{3n-1}}$이므로 $\lim_{n\to\infty}a_n=\lim_{n\to\infty}\boxed{\frac{n}{3n-1}}=\boxed{\frac{1}{3}}$

따라서 $\lim_{n\to\infty}a_n\neq\boxed{0}$이므로 주어진 급수는 발산한다.

(가) : $\frac{n}{3n-1}$, (나) : $\frac{1}{3}$, (다) : 0

따라서 $f(n)=\frac{n}{3n-1}$, $\alpha=\frac{1}{3}$, $\beta=0$이므로

$$f(10)+3\alpha+\beta=\frac{10}{29}+3\times\frac{1}{3}+0=\frac{39}{29}$$

0280

정답 ③

STEP A 급수의 수렴, 발산의 판정법을 이용하기

① $\lim_{n\to\infty}\frac{1}{\sqrt{n+1}+\sqrt{n}}=0$이므로 제 n항까지의 부분합을 S_n이라고 하면

$$S_n=\sum_{n=1}^{n}\frac{1}{\sqrt{k+1}+\sqrt{k}}=\sum_{n=1}^{n}\frac{\sqrt{k+1}-\sqrt{k}}{(\sqrt{k+1}+\sqrt{k})(\sqrt{k+1}-\sqrt{k})}$$

$$=\sum_{k=1}^{n}(\sqrt{k+1}-\sqrt{k})=(\sqrt{2}-1)+(\sqrt{3}-\sqrt{2})+\cdots+(\sqrt{n+1}-\sqrt{n})$$

$$=\sqrt{n+1}-1$$

$\therefore \lim_{n\to\infty}S_n=\lim_{n'rtaw'\infty}(\sqrt{n+1}-1)=\infty$은 발산한다.

② $a_n=\sqrt{n^2+n}-n=\frac{n}{\sqrt{n^2+n}+n}$이므로 $\lim_{n\to\infty}a_n=\lim_{n\to\infty}\frac{n}{\sqrt{n^2+n}+n}=\frac{1}{2}\neq 0$

즉 $\sum_{n=1}^{\infty}(\sqrt{n^2+n}-n)$는 발산한다.

③ $\lim_{n\to\infty}\left(\frac{n}{n+1}-\frac{n+1}{n+2}\right)=0$이므로 제 n항까지의 부분합을 S_n이라고 하면

$$S_n=\sum_{k=1}^{n}\left(\frac{k}{k+1}-\frac{k+1}{k+2}\right)$$

$$=\left(\frac{1}{2}-\frac{2}{3}\right)+\left(\frac{2}{3}-\frac{3}{4}\right)+\cdots+\left(\frac{n}{n+1}-\frac{n+1}{n+2}\right)=\frac{1}{2}-\frac{n+1}{n+2}$$

$\therefore \sum_{n=1}^{\infty}\left(\frac{n}{n+1}-\frac{n+1}{n+2}\right)=\lim_{n\to\infty}\left(\frac{1}{2}-\frac{n+1}{n+2}\right)=\frac{1}{2}-1=-\frac{1}{2}$

④ $\lim_{n\to\infty}\frac{2n^2}{n(n+1)}=2\neq 0$이므로 $\sum_{n=1}^{\infty}\frac{2n^2}{n(n+1)}$은 발산한다.

⑤ $a_n=\frac{n+1}{3n-1}$이므로 $\lim_{n\to\infty}\frac{n+1}{3n-1}=\frac{1}{3}\neq 0$이므로 주어진 급수는 발산한다.

따라서 수렴하는 것은 ③이다.

내신연계 출제문항 117

다음 [보기]의 급수 중 수렴하는 것만을 있는 대로 고른 것은?

ㄱ. $\frac{1}{3}+\frac{2}{5}+\frac{3}{7}+\cdots+\frac{n}{2n+1}+\cdots$

ㄴ. $\sum_{n=1}^{\infty}\frac{1}{(2n-1)(2n+1)}$

ㄷ. $\sum_{n=1}^{\infty}\frac{n^2}{1+2+3+\cdots+n}$

ㄹ. $\sum_{n=1}^{\infty}\frac{\sqrt{n+1}-\sqrt{n}}{\sqrt{n^2+n}}$

① ㄱ　② ㄴ, ㄷ　③ ㄴ, ㄹ
④ ㄴ, ㄷ, ㄹ　⑤ ㄱ, ㄴ, ㄷ, ㄹ

STEP A 급수의 수렴 판정법과 부분분수로 이용하여 구하기

ㄱ. $\lim_{n\to\infty}\frac{n}{2n+1}=\frac{1}{2}\neq 0$이므로 $\sum_{n=1}^{\infty}\frac{n}{2n+1}$은 발산한다.

ㄴ. $S_n=\sum_{k=1}^{n}\frac{1}{(2k-1)(2k+1)}=\sum_{k=1}^{n}\frac{1}{2}\left(\frac{1}{2k-1}-\frac{1}{2k+1}\right)$

$$=\frac{1}{2}\left\{\left(1-\frac{1}{3}\right)+\left(\frac{1}{3}-\frac{1}{5}\right)+\cdots+\left(\frac{1}{2n-1}-\frac{1}{2n+1}\right)\right\}=\frac{1}{2}\left(1-\frac{1}{2n+1}\right)$$

$\therefore \lim_{n\to\infty}S_n=\lim_{n\to\infty}\frac{1}{2}\left(1-\frac{1}{2n+1}\right)=\frac{1}{2}$

ㄷ. $\lim_{n\to\infty}\frac{n^2}{1+2+3+\cdots+n}=\lim_{n\to\infty}\frac{2n^2}{n(n+1)}=2\neq 0$이므로

$\sum_{n=1}^{\infty}\frac{n^2}{1+2+3+\cdots+n}$은 발산한다.

ㄹ. $\sum_{n=1}^{\infty}\frac{\sqrt{n+1}-\sqrt{n}}{\sqrt{n^2+n}}=\sum_{n=1}^{\infty}\frac{\sqrt{n+1}-\sqrt{n}}{\sqrt{n}\sqrt{n+1}}=\sum_{n=1}^{\infty}\left(\frac{1}{\sqrt{n}}-\frac{1}{\sqrt{n+1}}\right)$

$$=\lim_{n\to\infty}\left\{\left(\frac{1}{1}-\frac{1}{\sqrt{2}}\right)+\left(\frac{1}{\sqrt{2}}-\frac{1}{\sqrt{3}}\right)+\cdots+\left(\frac{1}{\sqrt{n}}-\frac{1}{\sqrt{n+1}}\right)\right\}$$

$$=\lim_{n\to\infty}\left(\frac{1}{1}-\frac{1}{\sqrt{n+1}}\right)=1$$

따라서 수렴하는 것은 ㄴ, ㄹ이다.

정답 ③

0281

정답 ④

STEP A 급수의 수렴 판정법과 부분분수로 이용하여 구하기

ㄱ. $\lim_{n\to\infty}\frac{n^2+3n}{n^2+4n+1}=1\neq 0$이므로 $\sum_{n=1}^{\infty}\frac{n^2+3n}{n^2+4n+1}$은 발산한다.

ㄴ. $\lim_{n\to\infty}\frac{1}{n^2-1}=0$이므로 제 n항까지의 부분합을 S_n이라 하면

$$\sum_{n=2}^{\infty}\frac{1}{n^2-1}=\lim_{n\to\infty}\sum_{k=2}^{n}\frac{1}{k^2-1}=\lim_{n\to\infty}\sum_{k=2}^{n}\frac{1}{(k-1)(k+1)}$$

$$=\frac{1}{2}\lim_{n\to\infty}\sum_{k=2}^{n}\left(\frac{1}{k-1}-\frac{1}{k+1}\right)$$

$$=\frac{1}{2}\lim_{n\to\infty}\left(1+\frac{1}{2}-\frac{1}{n}-\frac{1}{n+1}\right)=\frac{3}{4}$$

ㄷ. $S_n=(\sqrt{2}-1)+(\sqrt{3}-\sqrt{2})+\cdots+(\sqrt{n+1}-\sqrt{n})=\sqrt{n+1}-1$

$\lim_{n\to\infty}S_n=\infty$이므로 $\sum_{n=1}^{\infty}(\sqrt{n+1}-\sqrt{n})$은 발산한다.

ㄹ. 주어진 급수의 일반항은

$a_n=\frac{2}{(n+1)(n+2)}$이고 $\lim_{n\to\infty}a_n=\lim_{n\to\infty}\frac{2}{(n+1)(n+2)}=0$

이때 급수의 제 n항까지의 부분합을 S_n이라 하면

$$S_n=\sum_{k=1}^{n}a_k=\sum_{k=1}^{n}2\left(\frac{1}{k+1}-\frac{1}{k+2}\right)$$

$$=2\left\{\left(\frac{1}{2}-\frac{1}{3}\right)+\left(\frac{1}{3}-\frac{1}{4}\right)+\left(\frac{1}{4}-\frac{1}{5}\right)+\cdots+\left(\frac{1}{n+1}-\frac{1}{n+2}\right)\right\}$$

$$=2\left(\frac{1}{2}-\frac{1}{n+2}\right)$$

주어진 급수의 합은 $\lim_{n\to\infty}S_n=\lim_{n\to\infty}2\left(\frac{1}{2}-\frac{1}{n+2}\right)=1$

따라서 수렴하는 것은 ㄴ, ㄹ이다.

0282

정답 ③

STEP A 부분 분수 공식을 이용하고 축차 대입하여 극한값 구하기

ㄱ. $\lim_{n\to\infty}\frac{1}{n^2-1}=0$이므로 제 n항까지의 부분합을 S_n이라 하면

$$\sum_{n=2}^{\infty}\frac{1}{n^2-1}=\lim_{n\to\infty}\sum_{k=2}^{n}\frac{1}{k^2-1}=\lim_{n\to\infty}\sum_{k=2}^{n}\frac{1}{(k-1)(k+1)}$$

$$=\frac{1}{2}\lim_{n\to\infty}\sum_{k=2}^{n}\left(\frac{1}{k-1}-\frac{1}{k+1}\right)$$

$=\frac{1}{2}\lim_{n\to\infty}\left(1+\frac{1}{2}-\frac{1}{n}-\frac{1}{n+1}\right)=\frac{3}{4}$ [수렴]

STEP B 부등식을 이용하여 주어진 급수가 발산함을 증명하기

ㄴ. $\sum_{n=1}^{\infty}\frac{1}{n}=1+\frac{1}{2}+\frac{1}{3}+\frac{1}{4}+\frac{1}{5}+\frac{1}{6}+\frac{1}{7}+\frac{1}{8}+\cdots+$

$$=1+\frac{1}{2}+\left(\frac{1}{3}+\frac{1}{4}\right)+\left(\frac{1}{5}+\frac{1}{6}+\frac{1}{7}+\frac{1}{8}\right)+\cdots$$

$$>1+\frac{1}{2}+\left(\frac{1}{4}+\frac{1}{4}\right)+\left(\frac{1}{8}+\frac{1}{8}+\frac{1}{8}+\frac{1}{8}\right)+\cdots$$

$$=1+\frac{1}{2}+\frac{1}{2}+\frac{1}{2}+\frac{1}{2}+\cdots=\infty$$

$\therefore \sum_{n=1}^{\infty}\frac{1}{n}=\infty$ [발산]

STEP C (등비급수의 공비 r)>1이면 발산함을 이해하기

ㄷ. $\sum_{n=1}^{\infty}\frac{1+(-4)^n}{3^n}=\sum_{n=1}^{\infty}\left\{\left(\frac{1}{3}\right)^n+\left(-\frac{4}{3}\right)^n\right\}$에서 $-\frac{4}{3}<-1$이므로

등비급수에서 발산한다.

ㄹ. $\lim_{n\to\infty}\sum_{k=1}^{n}\frac{1}{1+2+\cdots+k}=\lim_{n\to\infty}\sum_{k=1}^{n}\frac{2}{k(k+1)}=2\lim_{n\to\infty}\sum_{k=1}^{n}\left(\frac{1}{k}-\frac{1}{k+1}\right)$

$=2\lim_{n\to\infty}\left(\frac{1}{1}-\frac{1}{n+1}\right)=2$ [수렴]

따라서 수렴하는 것은 ㄱ, ㄹ이다.

내신연계 출제문항 118

다음 [보기]의 급수 중 수렴하는 것만을 있는 대로 고른 것은?

ㄱ. $\sum_{n=2}^{\infty}\log\frac{n^2}{n^2-1}$

ㄴ. $\sum_{n=1}^{\infty}(\sqrt{2n+1}-\sqrt{2n-1})$

ㄷ. $\sum_{n=1}^{\infty}\left(\frac{n+1}{n}-\frac{n+2}{n+1}\right)$

① ㄱ　② ㄴ　③ ㄱ, ㄴ
④ ㄱ, ㄷ　⑤ ㄱ, ㄴ, ㄷ

STEP A 주어진 급수의 부분합 S_n을 구하고 $\lim_{n\to\infty}S_n$을 조사하기

ㄱ. $a_n=\log\frac{n^2}{n^2-1}=\log\frac{n^2}{(n-1)(n+1)}=\log\left(\frac{n}{n-1}\times\frac{n}{n+1}\right)$

$S_n=\sum_{k=2}^{n}\log\left(\frac{k}{k-1}\times\frac{k}{k+1}\right)$

$=\log\left(\frac{2}{1}\times\frac{2}{3}\right)+\log\left(\frac{3}{2}\times\frac{3}{4}\right)+\log\left(\frac{4}{3}\times\frac{4}{5}\right)+\cdots+\log\left(\frac{n}{n-1}\times\frac{n}{n+1}\right)$

$=\log\left[\left(\frac{2}{1}\times\frac{2}{3}\right)\times\left(\frac{3}{2}\times\frac{3}{4}\right)\times\left(\frac{4}{3}\times\frac{4}{5}\right)\cdots\times\left(\frac{n}{n-1}\times\frac{n}{n+1}\right)\right]$

$=\log\frac{2n}{n+1}$

$\therefore \lim_{n\to\infty}S_n=\lim_{n\to\infty}\log\frac{2n}{n+1}=\log 2$

ㄴ. $S_n=\sum_{k=1}^{n}(\sqrt{2k+1}-\sqrt{2k-1})$

$=(\sqrt{3}-\sqrt{1})+(\sqrt{5}-\sqrt{3})+(\sqrt{10}-\sqrt{5})+\cdots+(\sqrt{2n+1}-\sqrt{2n-1})$

$=\sqrt{2n+1}-1$

$\therefore \lim_{n\to\infty}S_n=\lim_{n\to\infty}(\sqrt{2n+1}-1)=\infty$

ㄷ. $S_n=\sum_{k=1}^{n}\left(\frac{k+1}{k}-\frac{k+2}{k+1}\right)$

$=\left(\frac{2}{1}-\frac{3}{2}\right)+\left(\frac{3}{2}-\frac{4}{3}\right)+\left(\frac{4}{3}-\frac{5}{4}\right)+\cdots+\left(\frac{n+1}{n}-\frac{n+2}{n+1}\right)=2-\frac{n+2}{n+1}$

$\therefore \lim_{n\to\infty}S_n=\lim_{n\to\infty}\left(2-\frac{n+2}{n+1}\right)=2-1=1$

따라서 급수가 수렴하는 것은 ㄱ, ㄷ이다.　정답 ④

0283

정답 ②

STEP A 주어진 급수의 부분합 S_n을 구하고 $\lim_{n\to\infty}S_n$을 조사하기

ㄱ. $S_n=\sum_{k=1}^{n}\left(\frac{k+1}{k}-\frac{k+2}{k+1}\right)$

$=\left(\frac{2}{1}-\frac{3}{2}\right)+\left(\frac{3}{2}-\frac{4}{3}\right)+\left(\frac{4}{3}-\frac{5}{4}\right)+\cdots+\left(\frac{n+1}{n}-\frac{n+2}{n+1}\right)=2-\frac{n+2}{n+1}$

$\therefore \lim_{n\to\infty}S_n=\lim_{n\to\infty}\left(2-\frac{n+2}{n+1}\right)=2-1=1$

ㄴ. $S_n=\sum_{k=1}^{n}\frac{1}{\sqrt{k+4}+\sqrt{k+3}}=\sum_{k=1}^{n}(\sqrt{k+4}-\sqrt{k+3})$

$=(\sqrt{5}-\sqrt{4})+(\sqrt{6}-\sqrt{5})+(\sqrt{7}-\sqrt{6})+\cdots+(\sqrt{n+4}-\sqrt{n+3})$

$=\sqrt{n+4}-2$

$\therefore \lim_{n\to\infty}S_n=\lim_{n\to\infty}(\sqrt{n+4}-2)=\infty$

ㄷ. $S_n=\sum_{k=1}^{n}\left(\frac{1}{k+1}-\frac{1}{k+2}\right)$

$=\left(\frac{1}{2}-\frac{1}{3}\right)+\left(\frac{1}{3}-\frac{1}{4}\right)+\left(\frac{1}{4}-\frac{1}{5}\right)+\cdots+\left(\frac{1}{n+1}-\frac{1}{n+2}\right)=\frac{1}{2}-\frac{1}{n+2}$

$\therefore \lim_{n\to\infty}S_n=\lim_{n\to\infty}\left(\frac{1}{2}-\frac{1}{n+2}\right)=\frac{1}{2}$

ㄹ. $\lim_{n\to\infty}\frac{2\sqrt{n}}{\sqrt{n+1}+\sqrt{n-1}}=1\neq 0$이므로 $\sum_{n=1}^{\infty}\frac{2\sqrt{n}}{\sqrt{n+1}+\sqrt{n-1}}$는 발산한다.

따라서 급수가 수렴하는 것은 ㄱ, ㄷ이다.

0284

정답 ②

STEP A 급수의 성질을 이용하여 참, 거짓 판단하기

ㄱ. 반례 $a_n=\frac{2}{n}$, $b_n=\frac{1}{n}$이라고 하면 $a_n>b_n$이지만

$\lim_{n\to\infty}a_n=\lim_{n\to\infty}b_n=0$, 즉 $\alpha=\beta$ [거짓]

ㄴ. $\sum_{n=1}^{\infty}a_n-\sum_{n=1}^{\infty}b_n=\sum_{n=1}^{\infty}(a_n-b_n)>0$　$\therefore \alpha>\beta$ [참]

ㄷ. $\sum_{n=1}^{\infty}a_n=\alpha$, $\sum_{n=1}^{\infty}b_n=\beta$이면 $\lim_{n\to\infty}a_n=\lim_{n\to\infty}b_n=0$ [거짓]

따라서 옳은 것은 ㄴ뿐이다.

0285

정답 ②

STEP A 급수의 성질을 이용하여 참, 거짓 판단하기

ㄱ. 반례 $a_n=\frac{1}{\sqrt{n+1}+\sqrt{n}}$로 놓으면 $\lim_{n\to\infty}a_n=\lim_{n\to\infty}\frac{1}{\sqrt{n+1}+\sqrt{n}}=0$이지만

$\sum_{n=1}^{\infty}\frac{1}{\sqrt{n+1}+\sqrt{n}}=\infty$이므로 $\sum_{n=1}^{\infty}a_n$은 발산한다. [거짓]

ㄴ. $\sum_{n=1}^{\infty}a_n=\alpha$, $\sum_{n=1}^{\infty}b_n=\beta$로 놓으면 $\sum_{n=1}^{\infty}(a_n-b_n)=\sum_{n=1}^{\infty}a_n-\sum_{n=1}^{\infty}b_n=\alpha-\beta$ [참]

ㄷ. 급수 $\sum_{n=1}^{\infty}a_nb_n$이 수렴하면 $\lim_{n\to\infty}a_nb_n=0$

반례 $\{a_n\}$: 1, 0, 1, 0, ⋯이고 $\{b_n\}$: 0, 1, 0, 1, ⋯이면 $\lim_{n\to\infty}a_nb_n=0$

이므로 0에 수렴하고 $\lim_{n\to\infty}a_n\neq 0$이지만 $\lim_{n\to\infty}b_n\neq 0$ [거짓]

따라서 옳은 것은 ㄴ뿐이다.

0286

정답 ④

STEP A 급수의 성질을 이용하여 참, 거짓 판단하기

ㄱ. $\sum_{n=1}^{\infty}a_n$이 수렴하면 $\lim_{n\to\infty}a_n=0$이다. [참]

ㄴ. $\lim_{n\to\infty}a_n\neq 0$이면 $\sum_{n=1}^{\infty}a_n$은 발산한다. [참]

ㄷ. 반례 $\sum_{n=1}^{\infty}\frac{1}{\sqrt{n+1}+\sqrt{n}}$은 양의 무한대로 발산하지만

$\lim_{n\to\infty}\frac{1}{\sqrt{n+1}+\sqrt{n}}=0$이다.

ㄹ. $\sum_{n=1}^{\infty}\frac{1}{a_n}$이 수렴하므로 $\lim_{n\to\infty}\frac{1}{a_n}=0$이다. 즉 수열 $\{a_n\}$은 발산한다. [참]

따라서 옳은 것은 ㄱ, ㄴ, ㄹ이다.

내신연계 출제문항 119

다음 [보기]에서 옳은 것만을 있는 대로 고른 것은?

ㄱ. 급수 $\sum_{n=1}^{\infty}a_n$이 수렴하면 수열 $\{a_n\}$은 수렴한다.

ㄴ. 수열 $\{a_n\}$이 양의 무한대로 발산하면 급수 $\sum_{n=1}^{\infty}\frac{1}{a_n}$은 수렴한다.

ㄷ. $\sum_{n=1}^{\infty}\frac{1}{a_n}$이 수렴하면 $\sum_{n=1}^{\infty}a_n$은 발산한다.

ㄹ. 급수 $\sum_{n=1}^{\infty}a_n$, $\sum_{n=1}^{\infty}b_n$이 각각 수렴하면 $\sum_{n=1}^{\infty}a_nb_n=\sum_{n=1}^{\infty}a_n\times\sum_{n=1}^{\infty}b_n$이다.

① ㄱ　② ㄱ, ㄷ　③ ㄴ, ㄷ
④ ㄱ, ㄴ, ㄹ　⑤ ㄱ, ㄴ, ㄷ, ㄹ

STEP A 급수의 성질을 이용하여 참, 거짓 판단하기

ㄱ. 급수 $\sum_{n=1}^{\infty}a_n$이 수렴하면 $\lim_{n\to\infty}a_n=0$이므로 수열 $\{a_n\}$은 수렴한다. [참]

ㄴ. 반례 $a_n=\sqrt{n+1}+\sqrt{n}$이면 $\lim_{n\to\infty} a_n=\infty$이지만

$$\sum_{n=1}^{\infty}\frac{1}{a_n}=\sum_{n=1}^{\infty}\frac{1}{\sqrt{n+1}+\sqrt{n}}=\sum_{n=1}^{\infty}(\sqrt{n+1}-\sqrt{n})$$
$$=\lim_{n\to\infty}(\sqrt{n+1}-1)=\infty \text{ [거짓]}$$

ㄷ. $\sum_{n=1}^{\infty}\frac{1}{a_n}$이 수렴하므로 $\lim_{n\to\infty}\frac{1}{a_n}=0$이다.

즉 수열 $\{a_n\}$은 발산한다. [참]

ㄹ. 반례 $a_n=\left(\frac{1}{2}\right)^n$, $b_n=\left(\frac{1}{3}\right)^n$이라 하면 $a_nb_n=\left(\frac{1}{6}\right)^n$

이때 $\sum_{n=1}^{\infty}\left(\frac{1}{2}\right)^n=\frac{\frac{1}{2}}{1-\frac{1}{2}}=1$, $\sum_{n=1}^{\infty}\left(\frac{1}{3}\right)^n=\frac{\frac{1}{3}}{1-\frac{1}{3}}=\frac{1}{2}$이지만

$\sum_{n=1}^{\infty}\left(\frac{1}{6}\right)^n=\frac{\frac{1}{6}}{1-\frac{1}{6}}=\frac{1}{5}$ [거짓]

따라서 옳은 것은 ㄱ, ㄷ이다. 정답 ②

0287

정답 ⑤

STEP A 급수의 성질을 이용하여 참, 거짓 판단하기

① 반례 $a_n=\frac{1}{\sqrt{n+1}+\sqrt{n}}$로 놓으면 $\lim_{n\to\infty}a_n=\lim_{n\to\infty}\frac{1}{\sqrt{n+1}+\sqrt{n}}=0$이지만

$\sum_{n=1}^{\infty}\frac{1}{\sqrt{n+1}+\sqrt{n}}=\infty$이므로 $\sum_{n=1}^{\infty}a_n$은 발산한다. [거짓]

② 반례 $\{a_n\}:1,\ 0,\ 1,\ 0,\ \cdots$이고 $\{b_n\}:0,\ 1,\ 0,\ 1,\ \cdots$이면

$\sum_{n=1}^{\infty}a_nb_n=0$으로 수렴하고 $\lim_{n\to\infty}a_n\neq0$이지만 $\lim_{n\to\infty}b_n\neq0$ [거짓]

③ 급수 $\sum_{n=1}^{\infty}(a_n-2)$이 수렴하면 $\lim_{n\to\infty}(a_n-2)=0$이다.

즉 $\lim_{n\to\infty}a_n=2\neq0$이므로 급수 $\sum_{n=1}^{\infty}a_n$은 발산한다. [거짓]

④ 반례 $\{a_n\}:-1,\ 1,\ -1,\ 1,\ \cdots$이고 $\{b_n\}:1,\ -1,\ 1,\ -1,\ \cdots$이면

급수 $\sum_{n=1}^{\infty}a_n$, $\sum_{n=1}^{\infty}b_n$은 모두 발산하지만 $\{a_n+b_n\}=0,\ 0,\ 0,\ \cdots$이므로

$\sum_{n=1}^{\infty}(a_n+b_n)=0$으로 수렴한다. [거짓]

⑤ $\sum_{n=1}^{\infty}a_n=\alpha$, $\sum_{n=1}^{\infty}(a_n+b_n)=\beta$로 놓으면

$\sum_{n=1}^{\infty}b_n=\sum_{n=1}^{\infty}\{(a_n+b_n)-a_n\}=\sum_{n=1}^{\infty}(a_n+b_n)-\sum_{n=1}^{\infty}a_n=\beta-\alpha$로 수렴한다. [참]

따라서 옳은 것은 ⑤이다.

내신연계 출제문항 120

두 수열 $\{a_n\}$, $\{b_n\}$에 대하여 다음 [보기]에서 옳은 것을 있는 대로 고른 것은?

ㄱ. $\sum_{n=1}^{\infty}a_n$, $\sum_{n=1}^{\infty}b_n$이 모두 수렴하면 $\lim_{n\to\infty}a_nb_n=0$이다.

ㄴ. $\sum_{n=1}^{\infty}a_n$, $\sum_{n=1}^{\infty}(a_n+b_n)$이 모두 수렴하면 $\sum_{n=1}^{\infty}b_n$도 수렴한다.

ㄷ. $\sum_{n=1}^{\infty}a_n$, $\sum_{n=1}^{\infty}b_n$이 각각 α, β에 수렴하면 $\sum_{n=1}^{\infty}a_nb_n=\alpha\beta$이다.

ㄹ. 두 급수 $\sum_{n=1}^{\infty}a_n$, $\sum_{n=1}^{\infty}b_n$이 모두 수렴하고 $\sum_{n=1}^{\infty}a_n<\sum_{n=1}^{\infty}b_n$이면 $\lim_{n\to\infty}a_n<\lim_{n\to\infty}b_n$이다.

① ㄱ　② ㄷ　③ ㄱ, ㄴ
④ ㄱ, ㄷ, ㄹ　⑤ ㄴ, ㄷ, ㄹ

STEP A 급수의 성질을 이용하여 참, 거짓 판단하기

ㄱ. $\sum_{n=1}^{\infty}a_n$, $\sum_{n=1}^{\infty}b_n$이 모두 수렴하므로 $\lim_{n\to\infty}a_n=0$, $\lim_{n\to\infty}b_n=0$

$\therefore \lim_{n\to\infty}a_nb_n=\lim_{n\to\infty}a_n\cdot\lim_{n\to\infty}b_n=0$ [참]

ㄴ. $\sum_{n=1}^{\infty}a_n=\alpha$, $\sum_{n=1}^{\infty}(a_n+b_n)=\beta$라 하면

$\sum_{n=1}^{\infty}b_n=\sum_{n=1}^{\infty}\{(a_n+b_n)-a_n\}=\beta-\alpha$, 즉 $\sum_{n=1}^{\infty}b_n$은 수렴한다. [참]

ㄷ. 반례 $a_n=\left(\frac{1}{2}\right)^n$, $b_n=\left(\frac{1}{3}\right)^n$이라고 하면

$$\alpha=\sum_{n=1}^{\infty}a_n=\frac{\frac{1}{2}}{1-\frac{1}{2}}=1,\ \beta=\sum_{n=1}^{\infty}b_n=\frac{\frac{1}{3}}{1-\frac{1}{3}}=\frac{1}{2}$$

이때 $a_nb_n=\left(\frac{1}{6}\right)^n$이므로 $\sum_{n=1}^{\infty}a_nb_n=\frac{\frac{1}{6}}{1-\frac{1}{6}}=\frac{1}{5}$

$\therefore \sum_{n=1}^{\infty}a_nb_n\neq\alpha\beta$ [거짓]

ㄹ. 반례 $a_n=\left(\frac{1}{3}\right)^n$, $b_n=\left(\frac{1}{2}\right)^n$이면 $\sum_{n=1}^{\infty}a_n=\frac{\frac{1}{3}}{1-\frac{1}{3}}=\frac{1}{2}<\sum_{n=1}^{\infty}b_n=\frac{\frac{1}{2}}{1-\frac{1}{2}}=1$

이지만 $\lim_{n\to\infty}a_n=\lim_{n\to\infty}b_n=0$ [거짓]

따라서 옳은 것은 ㄱ, ㄴ이다. 정답 ③

0288

정답 ①

STEP A 급수의 성질을 이용하여 참, 거짓 판단하기

ㄱ. $\lim_{n\to\infty}a_n$과 $\lim_{n\to\infty}b_n$이 모두 수렴하면 $\lim_{n\to\infty}a_nb_n$도 수렴하므로

$\lim_{n\to\infty}a_nb_n$이 발산하면 $\lim_{n\to\infty}a_n$이 발산하거나 $\lim_{n\to\infty}b_n$이 발산한다.

ㄴ. 반례 $a_n=\frac{n}{n+1}$, $b_n=\frac{n+1}{n}$이면 $\lim_{n\to\infty}a_nb_n\neq0$이므로 $\sum_{n=1}^{\infty}a_nb_n$이 발산하지만 $\lim_{n\to\infty}a_n=\lim_{n\to\infty}b_n=1$이므로 $\lim_{n\to\infty}a_n$과 $\lim_{n\to\infty}b_n$은 모두 수렴한다.

ㄷ. 반례 $a_n=\frac{1}{4^n}$, $b_n=2^n$이면 $a_nb_n=\frac{1}{2^n}$이므로

$\sum_{n=1}^{\infty}a_nb_n$은 수렴하지만 $\sum_{n=1}^{\infty}b_n$은 발산한다.

따라서 옳은 것은 ㄱ 뿐이다.

0289

정답 ④

STEP A 급수의 성질을 이용하여 참, 거짓 판단하기

① 급수 $\sum_{n=1}^{\infty}a_n$이 S에 수렴할 때, 급수의 제 n항까지의 부분합을 S_n이라 하면

$\lim_{n\to\infty}S_n=S$, $\lim_{n\to\infty}S_{n-1}=S$이고 $a_n=S_n-S_{n-1}(n\geq2)$

$\therefore \lim_{n\to\infty}a_n=\lim_{n\to\infty}(S_n-S_{n-1})=S-S=0$ [참]

② 급수 $\sum_{n=1}^{\infty}a_nb_n$이 수렴하면 $\lim_{n\to\infty}a_nb_n=0$ [참]

③ 급수 $\sum_{n=1}^{\infty}a_n$이 수렴하면 $\lim_{n\to\infty}a_n=0$이지만

$\lim_{n\to\infty}\frac{1}{a_n}\neq0$이므로 $\sum_{n=1}^{\infty}\frac{1}{a_n}$은 발산한다. [참]

④ 급수 $\sum_{n=1}^{\infty}(a_n-5)$이 수렴하면 $\lim_{n\to\infty}(a_n-5)=0$이다.

즉 $\lim_{n\to\infty}a_n=5\neq0$이므로 급수 $\sum_{n=1}^{\infty}a_n$은 발산한다. [거짓]

⑤ 두 급수 $\sum_{n=1}^{\infty}a_n$과 $\sum_{n=1}^{\infty}b_n$이 수렴하므로 $\lim_{n\to\infty}a_n=0$, $\lim_{n\to\infty}b_n=0$이다.

$\therefore \lim_{n\to\infty}a_n=\lim_{n\to\infty}b_n$ [참]

따라서 옳지 않은 것은 ④이다.

내신연계 출제문항 121

두 수열 $\{a_n\}$, $\{b_n\}$에 대하여 옳지 않은 것은? (단, α, β는 상수)

① 상수 α, β에 대하여 급수 $\sum_{n=1}^{\infty} a_n=\alpha$, $\lim_{n\to\infty} b_n=\beta$이면 $\lim_{n\to\infty} a_nb_n=0$이다.

② $\sum_{n=1}^{\infty} a_n=\alpha$, $\lim_{n\to\infty} b_n=\beta$이면 $\lim_{n\to\infty} a_nb_n=0$이다.

③ $\sum_{n=1}^{\infty}(2a_n+b_n)$과 $\sum_{n=1}^{\infty}(a_n-2b_n)$이 수렴하면 $\sum_{n=1}^{\infty} a_n$과 $\sum_{n=1}^{\infty} b_n$이 수렴한다.

④ 급수 $\sum_{n=1}^{\infty}(3a_n+b_n)$과 $\sum_{n=1}^{\infty}(5a_n-2b_n)$이 모두 수렴하면 두 수열 $\{a_n\}$, $\{b_n\}$이 수렴한다.

⑤ 급수 $\sum_{n=1}^{\infty}(a_n-2)$이 수렴하면 급수 $\sum_{n=1}^{\infty} a_n$도 수렴한다.

STEP Ⓐ 급수의 성질을 이용하여 진위판단하기

① $\sum_{n=1}^{\infty} a_n=\alpha$이므로 $\lim_{n\to\infty} a_n=0$이고 $\lim_{n\to\infty} b_n=\beta$이면

$\lim_{n\to\infty} a_nb_n=\lim_{n\to\infty} a_n \times \lim_{n\to\infty} b_n=0\times\beta=0$ [참]

② $\sum_{n=1}^{\infty} a_n$이 수렴하므로 $\lim_{n\to\infty} a_n=0$

$\therefore \lim_{n\to\infty} a_nb_n=\lim_{n\to\infty} a_n\cdot\lim_{n\to\infty} b_n=0$ [참]

③ $2a_n+b_n=c_n$, $a_n-2b_n=d_n$이라 하고 두 식을 연립하면

$a_n=\dfrac{2c_n+d_n}{5}$, $b_n=\dfrac{c_n-2d_n}{5}$

또한, $\sum_{n=1}^{\infty} c_n=\alpha$, $\sum_{n=1}^{\infty} d_n=\beta$라 하면

$\sum_{n=1}^{\infty} a_n=\sum_{n=1}^{\infty}\dfrac{2c_n+d_n}{5}=\dfrac{2}{5}\alpha+\dfrac{1}{5}\beta$

$\sum_{n=1}^{\infty} b_n=\sum_{n=1}^{\infty}\dfrac{c_n-2d_n}{5}=\dfrac{1}{5}\alpha-\dfrac{2}{5}\beta$

즉 $\sum_{n=1}^{\infty} a_n$과 $\sum_{n=1}^{\infty} b_n$은 수렴한다. [참]

④ 급수 $\sum_{n=1}^{\infty}(3a_n+b_n)$과 $\sum_{n=1}^{\infty}(5a_n-2b_n)$이 수렴하므로

$\lim_{n\to\infty}(3a_n+b_n)=0$, $\lim_{n\to\infty}(5a_n-2b_n)=0$이다.

$\lim_{n\to\infty} 11a_n=\lim_{n\to\infty}\{2(3a_n+b_n)+(5a_n-2b_n)\}$

$=2\lim_{n\to\infty}(3a_n+b_n)+\lim_{n\to\infty}(5a_n-2b_n)=0$

즉 $\lim_{n\to\infty} a_n=0$

한편 $\lim_{n\to\infty} b_n=\lim_{n\to\infty}\{(3a_n+b_n)-3a_n\}=\lim_{n\to\infty}(3a_n+b_n)-3\lim_{n\to\infty} a_n=0$

즉 두 수열 $\{a_n\}$, $\{b_n\}$은 모두 0으로 수렴한다.

⑤ 급수 $\sum_{n=1}^{\infty}(a_n-2)$이 수렴하면 $\lim_{n\to\infty}(a_n-2)=0$이다.

즉 $\lim_{n\to\infty} a_n=2\neq0$이므로 급수 $\sum_{n=1}^{\infty} a_n$은 발산한다. [거짓]

따라서 옳지 않은 것은 ⑤이다. 정답 ⑤

0290

정답 ④

STEP Ⓐ 급수의 성질을 이용하여 참, 거짓 판단하기

① $\lim_{n\to\infty} a_n=\alpha$, $\lim_{n\to\infty} b_n=\beta(\beta\neq0)$이면 $\lim_{n\to\infty}\dfrac{a_n}{b_n}=\dfrac{\lim_{n\to\infty} a_n}{\lim_{n\to\infty} b_n}=\dfrac{\alpha}{\beta}$이다. [참]

② $\sum_{n=1}^{\infty} a_n=\alpha$, $\sum_{n=1}^{\infty} a_{2n}=\beta$로 놓으면

$\sum_{n=1}^{\infty} a_{2n-1}=\sum_{n=1}^{\infty} a_n-\sum_{n=1}^{\infty} a_{2n}=\alpha-\beta$로 수렴한다. [참]

③ $\sum_{n=1}^{\infty} a_n=\alpha$, $\sum_{n=1}^{\infty} b_n-\beta$로 놓으면

$\sum_{n=1}^{\infty}(a_n+b_n)=\sum_{n=1}^{\infty} a_n+\sum_{n=1}^{\infty} b_n=\alpha+\beta$로 수렴한다. [참]

④ **반례** $a_n=\left(\dfrac{1}{2}\right)^n$, $b_n=\left(\dfrac{1}{3}\right)^n$이라 하면 $\sum_{n=1}^{\infty} a_n$, $\sum_{n=1}^{\infty} b_n$은 모두 수렴하지만

$\dfrac{a_n}{b_n}=\left(\dfrac{3}{2}\right)^n$이므로 $\sum_{n=1}^{\infty}\dfrac{a_n}{b_n}=\sum_{n=1}^{\infty}\left(\dfrac{3}{2}\right)^n$은 발산한다. [거짓]

⑤ $\sum_{n=1}^{\infty} a_n-\sum_{n=1}^{\infty} b_n=\sum_{n=1}^{\infty}(a_n-b_n)>0$이므로 $\sum_{n=1}^{\infty} a_n>\sum_{n=1}^{\infty} b_n$이다. [참]

따라서 옳지 않은 것은 ④이다.

0291

정답 ①

STEP Ⓐ $\lim_{n\to\infty} a_n\neq0$이면 주어진 급수는 발산함을 이해하기

ㄱ. $a_n\neq0$이고 $\sum_{n=1}^{\infty} a_n$이 수렴하면 $\lim_{n\to\infty} a_n=0$

즉 $\lim_{n\to\infty}\dfrac{1}{a_n}\neq0$이므로 급수 $\sum_{n=1}^{\infty}\dfrac{1}{a_n}$은 발산한다. [참]

STEP Ⓑ 급수가 수렴할 조건을 이용하여 극한값 구하기

ㄴ. $\sum_{n=1}^{\infty}\left(a_n-\dfrac{1}{2}\right)=\dfrac{3}{2}$이면 $\lim_{n\to\infty}\left(a_n-\dfrac{1}{2}\right)=0$

$\therefore \lim_{n\to\infty} a_n=\dfrac{1}{2}$ [거짓]

STEP Ⓒ 반례를 찾아 주어진 명제가 거짓임을 증명하기

ㄷ. 급수 $\sum_{n=1}^{\infty} a_nb_n$이 수렴하면 $\lim_{n\to\infty} a_nb_n=0$이다.

반례 $\{a_n\}:1, 0, 1, 0, \cdots$이고 $\{b_n\}:0, 1, 0, 1, \cdots$이면

$\lim_{n\to\infty} a_nb_n=0$이므로 0에 수렴하고 $\lim_{n\to\infty} a_n\neq0$이지만

$\lim_{n\to\infty} b_n\neq0$ [거짓]

따라서 옳은 것은 ㄱ이다.

내신연계 출제문항 122

두 급수 $\sum_{n=1}^{\infty}(a_n-1)$, $\sum_{n=1}^{\infty}(b_n+1)$가 모두 수렴할 때, [보기]에서 옳은 것을 모두 고른 것은?

> ㄱ. $\lim_{n\to\infty} a_n=1$이다.
>
> ㄴ. $\sum_{n=1}^{\infty} b_n$은 발산한다.
>
> ㄷ. $\sum_{n=1}^{\infty}(a_n+b_n)$은 수렴한다.

① ㄱ ② ㄱ, ㄴ ③ ㄱ, ㄷ
④ ㄴ, ㄷ ⑤ ㄱ, ㄴ, ㄷ

STEP Ⓐ 급수가 수렴할 조건을 이용하여 극한값 구하기

ㄱ. $\sum_{n=1}^{\infty}(a_n-1)$이 수렴하므로 $\lim_{n\to\infty}(a_n-1)=0$

$\therefore \lim_{n\to\infty} a_n=1$ [참]

ㄴ. $\sum_{n=1}^{\infty}(b_n+1)$이 수렴하므로 $\lim_{n\to\infty}(b_n+1)=0$

$\therefore \lim_{n\to\infty} b_n=-1$

즉 $\lim_{n\to\infty} b_n\neq0$이므로 $\sum_{n=1}^{\infty} b_n$은 발산한다. [참]

ㄷ. $\sum_{n=1}^{\infty}(a_n-1)$, $\sum_{n=1}^{\infty}(b_n+1)$이 모두 수렴하므로

$\sum_{n=1}^{\infty}(a_n-1)+\sum_{n=1}^{\infty}(b_n+1)=\sum_{n=1}^{\infty}\{(a_n-1)+(b_n+1)\}=\sum_{n=1}^{\infty}(a_n+b_n)$

즉 $\sum_{n=1}^{\infty}(a_n+b_n)$은 수렴한다. [참]

따라서 옳은 것은 ㄱ, ㄴ, ㄷ이다.

정답 ⑤

04 등비급수

STEP 1 내신정복 기출유형

0292

정답 ⑤

STEP Ⓐ $-1<$(공비)<1이면 등비급수가 수렴함을 이용하기

등비급수 $\sum_{n=1}^{\infty} ar^{n-1}$은 첫째항이 a이고 공비가 r이므로

$a=0$이거나 공비 r가 $-1<r<1$을 만족시킬 때만 수렴한다.

따라서 옳지 않은 것은 ⑤이다.

0293

정답 ①

STEP Ⓐ $-1<$(공비)<1이면 급수가 수렴함을 이용하기

공비가 $-3x$이므로 주어진 등비급수가 수렴하려면 $-1<-3x<1$

따라서 $-\frac{1}{3}<x<\frac{1}{3}$

0294

정답 ④

STEP Ⓐ $-1<$(공비)<1이면 급수가 수렴함을 이용하기

① 수열 $\left\{\frac{3}{2^n}\right\}$의 공비가 $\frac{1}{2}$로 $-1<\frac{1}{2}<1$이므로 급수 $\sum_{n=1}^{\infty}\frac{3}{2^n}$은 수렴한다.

② 수열 $\left\{\left(-\frac{\sqrt{7}}{4}\right)^n\right\}$의 공비가 $-\frac{\sqrt{7}}{4}$로 $-1<-\frac{\sqrt{7}}{4}<1$이므로

급수 $\sum_{n=1}^{\infty}\left(-\frac{\sqrt{7}}{4}\right)^n$은 수렴한다.

③ $\left(\frac{2}{3}\right)^{2n}\left(\frac{1}{4}\right)^n=\left(\frac{4}{9}\times\frac{1}{4}\right)^n=\left(\frac{1}{9}\right)^n$이므로 수열 $\left\{\left(\frac{1}{9}\right)^n\right\}$의 공비가 $\frac{1}{9}$로

$-1<\frac{1}{9}<1$이므로 급수 $\sum_{n=1}^{\infty}\left(\frac{2}{3}\right)^{2n}\left(\frac{1}{4}\right)^n$은 수렴한다.

④ $\lim_{n\to\infty}\frac{3^n-2^n}{3^n+2^n}=\lim_{n\to\infty}\frac{1-\left(\frac{2}{3}\right)^n}{1+\left(\frac{2}{3}\right)^n}=1\neq0$이므로 급수 $\sum_{n=1}^{\infty}\frac{3^n-2^n}{3^n+2^n}$은 발산한다.

⑤ $\cos n\pi=\begin{cases}1 & (n\text{은 짝수})\\ -1 & (n\text{은 홀수})\end{cases}$이므로 $\cos n\pi=(-1)^n$

수열 $\left\{\frac{\cos n\pi}{2^n}\right\}=\left\{\left(-\frac{1}{2}\right)^n\right\}$의 공비가 $-\frac{1}{2}$이므로

$-1<-\frac{1}{2}<1$이므로 급수 $\sum_{n=1}^{\infty}\frac{\cos n\pi}{2^n}$는 수렴한다.

따라서 수렴하지 않는 것은 ④이다.

0295

정답 ②

STEP Ⓐ $-1<$(공비)<1이면 급수가 수렴함을 이용하기

ㄱ. 수열 $\left\{\left(\frac{1}{\sqrt{2}}\right)^{n-1}\right\}$의 공비가 $\frac{1}{\sqrt{2}}$로 $-1<\frac{1}{\sqrt{2}}<1$이므로 급수 $\sum_{n=1}^{\infty}\left(\frac{1}{\sqrt{2}}\right)^{n-1}$은 수렴한다.

ㄴ. 수열 $\{(\sqrt{3})^n\}$의 공비가 $\sqrt{3}$로 $\sqrt{3}>1$이므로 급수 $\sum_{n=1}^{\infty}(\sqrt{3})^n$은 발산한다.

ㄷ. 수열 $\{(-1+\sqrt{2})^{n-1}\}$의 공비가 $-1+\sqrt{2}$로 $-1<-1+\sqrt{2}<1$이므로

급수 $\sum_{n=1}^{\infty}(-1+\sqrt{2})^{n-1}=\frac{1}{1-(-1+\sqrt{2})}=\frac{2+\sqrt{2}}{2}$로 수렴한다.

ㄹ. 수열 $\left\{\left(-\frac{3}{2}\right)^n\right\}$의 공비가 $-\frac{3}{2}$로 $-\frac{3}{2}<-1$이므로 급수 $\sum_{n=1}^{\infty}\left(-\frac{3}{2}\right)^n$은 발산한다.

따라서 수렴하는 급수는 ㄱ, ㄷ이다.

0296

정답 ④

STEP Ⓐ $-1<$(공비)<1이면 등비급수가 수렴함을 이용하기

$\sum_{n=1}^{\infty}\left(\frac{2x-1}{5}\right)^n$의 첫째항과 공비가 모두 $\frac{2x-1}{5}$이므로

등비급수가 수렴하려면 $-1<\frac{2x-1}{5}<1$

$-5<2x-1<5$, $-4<2x<6$

$\therefore -2<x<3$

따라서 정수 x는 -1, 0, 1, 2이므로 개수는 4

내신연계 출제문항 123

급수 $\sum_{n=1}^{\infty}\left(\frac{2x-5}{7}\right)^n$이 수렴하도록 하는 정수 x의 개수는?

① 3 ② 4 ③ 5
④ 6 ⑤ 7

STEP Ⓐ $-1<$(공비)<1이면 등비급수가 수렴함을 이용하기

$\sum_{n=1}^{\infty}\left(\frac{2x-5}{7}\right)^n$의 첫째항과 공비가 모두 $\frac{2x-5}{7}$이므로

등비급수가 수렴하려면 $-1<\frac{2x-5}{7}<1$

즉 $-7<2x-5<7$이므로 $-1<x<6$

따라서 정수 x는 0, 1, 2, 3, 4, 5이므로 개수는 6 정답 ④

0297

 ④

STEP Ⓐ $-1<$(공비)<1이면 등비급수가 수렴함을 이용하기

$\sum_{n=1}^{\infty}\left(\frac{1-\log_2 x^2}{2}\right)^n$의 첫째항과 공비가 모두 $\frac{1-\log_2 x^2}{2}$이므로

등비급수가 수렴하려면 $-1<\frac{1-\log_2 x^2}{2}<1$

$-2<1-\log_2 x^2<2$, $-1<\log_2 x^2<3$

$\frac{1}{2}<x^2<8$이므로

$-2\sqrt{2}<x<-\frac{\sqrt{2}}{2}$ 또는 $\frac{\sqrt{2}}{2}<x<2\sqrt{2}$

따라서 정수 x는 -2, -1, 1, 2이므로 개수는 4

0298

 ③

STEP Ⓐ 등비수열 $\{r^n\}$의 수렴조건은 $-1<r\leq1$ 이용하기

수열 $\left\{\left(\frac{x}{2}-1\right)^n\right\}$이 수렴하면

$-1<\frac{x}{2}-1\leq1$에서 $0<x\leq4$ …… ㉠

STEP Ⓑ 등비급수 $\sum_{n=1}^{\infty}r^n$의 수렴조건은 $-1<r<1$임을 이용하기

급수 $\sum_{n=1}^{\infty}\left(\frac{x-4}{3}\right)^{n+1}$이 수렴하면

$-1<\frac{x-4}{3}<1$에서 $1<x<7$ …… ㉡

㉠, ㉡을 동시에 만족하는 x의 값의 범위는 $1<x\leq4$

따라서 구하는 정수 x는 2, 3, 4이므로 개수는 3

내신연계 출제문항 124

등비수열 $\left\{\left(\frac{x-8}{3}\right)^n\right\}$과 등비급수 $\sum_{n=1}^{\infty}\left(\frac{5-x}{3}\right)^n$이 모두 수렴하도록 하는 모든 정수 x의 값의 합은?

① 10 ② 11 ③ 12
④ 13 ⑤ 14

STEP Ⓐ 등비수열 $\{r^n\}$의 수렴조건은 $-1 < r \leq 1$ 이용하기

등비수열 $\left\{\left(\frac{x-8}{3}\right)^n\right\}$의 공비가 $\frac{x-8}{3}$이므로 수렴하려면

$-1 < \frac{x-8}{3} \leq 1$, $-3 < x-8 \leq 3$

$\therefore 5 < x \leq 11$ ...... ㉠

STEP Ⓑ 등비급수 $\sum_{n=1}^{\infty}r^n$의 수렴조건은 $-1 < r < 1$임을 이용하기

등비급수 $\sum_{n=1}^{\infty}\left(\frac{5-x}{3}\right)^n$의 공비가 $\frac{5-x}{3}$이므로 수렴하려면

$-1 < \frac{5-x}{3} < 1$

$-3 < 5-x < 3$, $-8 < -x < -2$

$\therefore 2 < x < 8$ ...... ㉡

㉠, ㉡을 동시에 만족하는 x의 값의 범위는 $5 < x < 8$

따라서 조건을 만족시키는 정수 x는 6, 7이므로 구하는 합은 $6+7=13$

정답 ④

0299

정답 ③

STEP Ⓐ 등비수열 $\lim_{n\to\infty}r^n$의 수렴 조건은 $-1 < r \leq 1$임을 이용하기

수열 $\{(1-\log_2 x)^n\}$이 수렴하려면 $-1 < 1-\log_2 x \leq 1$

$0 \leq \log_2 x < 2$ $\therefore 1 \leq x < 4$ ...... ㉠

STEP Ⓑ 등비급수 $\sum_{n=1}^{\infty}r^n$의 수렴 조건 $-1 < r < 1$임을 이용하기

등비급수 $1+\frac{x}{3}+\left(\frac{x}{3}\right)^2+\left(\frac{x}{3}\right)^3+\cdots$의 공비는 $\frac{x}{3}$이므로

이 등비급수가 수렴하려면

$-1 < \frac{x}{3} < 1$ $\therefore -3 < x < 3$ ...... ㉡

따라서 ㉠, ㉡을 동시에 만족하는 x의 값의 범위는 $1 \leq x < 3$

0300

정답 ②

STEP Ⓐ 등비급수 $\sum_{n=1}^{\infty}r^n$의 수렴 조건은 $-1 < r < 1$임을 이용하기

급수 $\sum_{n=1}^{\infty}\left(\frac{x^2-x}{2}\right)^n$이 수렴하려면 $-1 < \frac{x^2-x}{2} < 1$

즉 $-2 < x^2-x < 2$

(i) $-2 < x^2-x$에서 $x^2-x+2 > 0$, $\left(x-\frac{1}{2}\right)^2+\frac{7}{4} > 0$

모든 실수 x에 대하여 성립한다.

(ii) $x^2-x < 2$에서 $x^2-x-2 < 0$, $(x-2)(x+1) < 0$

$\therefore -1 < x < 2$

(i), (ii)에서 $-1 < x < 2$

따라서 $\alpha=-1$, $\beta=2$이므로 $\alpha\beta=(-1)\cdot 2=-2$

내신연계 출제문항 125

등비급수 $\sum_{n=1}^{\infty}\left(\frac{x^2-4x-1}{4}\right)^n$이 수렴하도록 하는 x의 범위가 $a < x < b$ 또는 $c < x < d$일 때, $ac+bd$의 값은?

① 1 ② 2 ③ 3
④ 4 ⑤ 5

STEP Ⓐ 등비급수 $\sum_{n=1}^{\infty}r^n$의 수렴 조건은 $-1 < r < 1$임을 이용하기

등비급수 $\sum_{n=1}^{\infty}\left(\frac{x^2-4x-1}{4}\right)^n$의 첫째항과 공비는 $\frac{x^2-4x-1}{4}$이므로

급수가 수렴하려면 $-1 < \frac{x^2-4x-1}{4} < 1$을 만족시켜야 한다.

$-4 < x^2-4x-1 < 4$에서

(i) $-4 < x^2-4x-1$인 경우

$x^2-4x+3 > 0$, $(x-1)(x-3) > 0$

$\therefore x < 1$ 또는 $x > 3$ ...... ㉠

(ii) $x^2-4x-1 < 4$인 경우

$x^2-4x-5 < 0$, $(x+1)(x-5) < 0$

$\therefore -1 < x < 5$ ...... ㉡

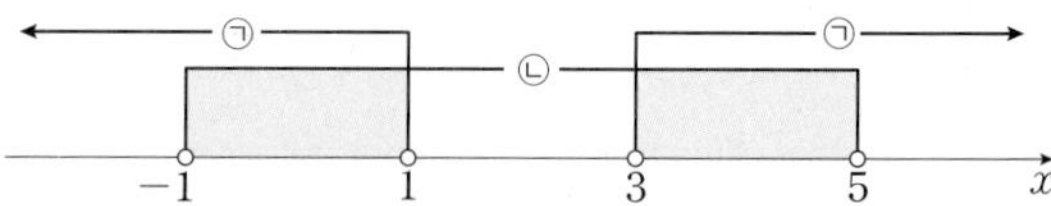

㉠, ㉡을 동시에 만족시키는 x의 값의 범위는

$-1 < x < 1$ 또는 $3 < x < 5$

따라서 $a=-1$, $b=1$, $c=3$, $d=5$이므로 $ac+bd=-3+5=2$

정답 ②

0301

정답 ⑤

STEP Ⓐ 등비급수 $\sum_{n=1}^{\infty}r^n$의 수렴조건은 $-1 < r < 1$임을 이용하여 $\tan x$ 구하기

등비급수 $\sum_{n=1}^{\infty}(\sqrt{3}\tan x-2)^n$의 첫째항과 공비는 $\sqrt{3}\tan x-2$이므로

급수가 수렴하려면 $-1 < \sqrt{3}\tan x-2 < 1$을 만족시켜야 한다.

위의 부등식을 정리하면 $1 < \sqrt{3}\tan x < 3$

$\therefore \frac{1}{\sqrt{3}} < \tan x < \sqrt{3}$ ...... ㉠

STEP Ⓑ 함수 $y=\tan x$의 그래프를 이용하여 부등식의 해 구하기

$0 < x < 2\pi$에서 함수 $y=\tan x$의 그래프는 다음과 같다.

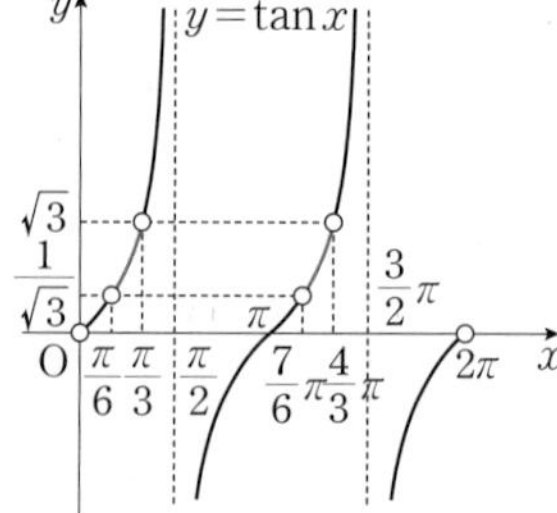

위 그래프에서 ㉠을 만족시키는 x의 값의 범위는

$\frac{\pi}{6} < x < \frac{\pi}{3}$ 또는 $\frac{7}{6}\pi < x < \frac{4}{3}\pi$

STEP Ⓒ $a+b+c+d$의 값 구하기

따라서 $a+b+c+d=\frac{\pi}{6}+\frac{\pi}{3}+\frac{7}{6}\pi+\frac{4}{3}\pi=\frac{18}{6}\pi=3\pi$

0302

정답 ⑤

STEP A $-1<$(등비급수의 공비 r)<1이면 급수가 수렴함을 이용하기

조건 (가)에서 급수 $\sum_{n=1}^{\infty}\left(\frac{r-5}{8}\right)^n$이 수렴하려면

$-1<\frac{r-5}{8}<1$이므로 $-3<r<13$ …… ㉠

STEP B r의 범위를 나누어 극한값 구하기

조건 (나)에서

(i) $r<7$일 때,

$$\lim_{n\to\infty}\frac{r^{n+1}-7^n+2}{r^n+7^{n+1}+2^{n-1}}=\lim_{n\to\infty}\frac{r\left(\frac{r}{7}\right)^n-1+\frac{2}{7^n}}{\left(\frac{r}{7}\right)^n+7+\frac{1}{2}\left(\frac{2}{7}\right)^n}=-\frac{1}{7}$$

(ii) $r=7$일 때,

$$\lim_{n\to\infty}\frac{7^{n+1}-7^n+2}{7^n+7^{n+1}+2^{n-1}}=\lim_{n\to\infty}\frac{6\times7^n+2}{8\times7^n+2^{n-1}}=\frac{3}{4}$$

(iii) $7<r$일 때,

$$\lim_{n\to\infty}\frac{r-\left(\frac{7}{r}\right)^n+\frac{2}{r^n}}{1+7\left(\frac{7}{r}\right)^n+\frac{1}{2}\left(\frac{2}{r}\right)^n}=r$$

(i)~(iii)에서 $r<7$ …… ㉡

STEP C 두 조건을 동시에 만족시키는 모든 정수 r의 값의 합 구하기

㉠, ㉡의 공통범위는 $-3<r<7$
따라서 정수 r은 $-2, -1, 0, 1, 2, 3, 4, 5, 6$이므로 합은 18

0303

정답 ④

STEP A 등비급수 $\sum_{n=1}^{\infty}ar^{n-1}$의 수렴 조건인 $a=0$ 또는 $-1<r<1$임을 이용하여 정수 x의 개수 구하기

등비급수 $\sum_{n=1}^{\infty}(x+1)\left(\frac{x-1}{2}\right)^{n-1}$의 첫째항 $x+1$,

공비가 $\frac{x-1}{2}$이므로 수렴하려면

$x+1=0$ 또는 $-1<\frac{x-1}{2}<1$이어야 한다.

(i) $x+1=0$에서 $x=-1$일 때, 수렴한다.

(ii) $-1<\frac{x-1}{2}<1$에서 $-2<x-1<2$
즉 $-1<x<3$일 때, 수렴한다.

(i), (ii)에서 $-1\le x<3$
따라서 정수 x는 $-1, 0, 1, 2$이므로 개수는 4

내신연계 출제문항 126

등비급수

$$\sum_{n=1}^{\infty}(x+3)\left(\frac{1-x}{3}\right)^{n-1}$$

이 수렴하도록 하는 정수 x의 개수는?

① 3 ② 4 ③ 5
④ 6 ⑤ 7

STEP A 등비급수 $\sum_{n=1}^{\infty}ar^{n-1}$이 수렴할 조건 $a=0$ 또는 $-1<r<1$임을 이용하기

주어진 등비급수는 첫째항이 $x+3$,

공비가 $\frac{1-x}{3}$이므로 급수가 수렴하려면

$x+3=0$ 또는 $-1<\frac{1-x}{3}<1$을 만족시켜야 한다.

STEP B 급수가 수렴하도록 하는 정수의 개수 구하기

위의 부등식을 정리하면
$-3<1-x<3$, $-4<-x<2$
$\therefore -2<x<4$
따라서 주어진 급수가 수렴하도록 하는 정수 x는
$-3, -1, 0, 1, 2, 3$이므로 개수는 6

정답 ④

0304

정답 ③

STEP A 등비급수 $\sum_{n=1}^{\infty}ar^{n-1}$의 수렴조건 $a=0$ 또는 $-1<r<1$임을 이용하여 정수 x의 개수 구하기

등비급수 $\sum_{n=1}^{\infty}\frac{(x+2)(x-3)^n}{5^n}=\sum_{n=1}^{\infty}(x+2)\left(\frac{x-3}{5}\right)^n$이

첫째항 $(x+2)\left(\frac{x-3}{5}\right)$, 공비가 $\frac{x-3}{5}$이므로 수렴하려면

$(x+2)\left(\frac{x-3}{5}\right)=0$ 또는 $-1<\frac{x-3}{5}<1$

(i) $(x+2)\left(\frac{x-3}{5}\right)=0$에서 $x=-2$ 또는 $x=3$일 때, 수렴한다.

(ii) $-1<\frac{x-3}{5}<1$에서 $-5<x-3<5$
$\therefore -2<x<8$

(i), (ii)에서 $x=-2$ 또는 $-2<x<8$일 때, 수렴하므로 이를 만족하는 모든 정수 x는 $-2, -1, 0, 1, \cdots, 7$이므로 그 개수는 10

0305

정답 ②

STEP A 등비급수 $\sum_{n=1}^{\infty}ar^{n-1}$의 수렴조건 $a=0$ 또는 $-1<r<1$임을 이용하여 정수 x의 개수 구하기

$\sum_{n=1}^{\infty}(x^2-16)\left(\frac{x-2}{2}\right)^{n-1}$의 첫째항 x^2-16,

공비가 $\frac{x-2}{2}$이므로 수렴하려면

$x^2-16=0$ 또는 $-1<\frac{x-2}{2}<1$

(i) $x^2-16=0$에서 $x=-4$ 또는 $x=4$

(ii) $-1<\frac{x-2}{2}<1$에서 $0<x<4$

(i), (ii)에서 $x=-4$ 또는 $x=4$ 또는 $0<x<4$
따라서 정수 x는 $-4, 1, 2, 3, 4$이므로 그 개수는 5

0306

정답 ③

STEP A 등비급수 $\sum_{n=1}^{\infty}ar^{n-1}$의 수렴조건 $a=0$ 또는 $-1<r<1$임을 이용하여 정수 x의 개수 구하기

이 급수는 첫째항이 x, 공비가 $1-\log(x+1)$

(i) $x=0$일 때, $0+0+0+\cdots=0$이므로 수렴한다.

(ii) $x\neq0$일 때, 공비가 $1-\log(x+1)$이므로
주어진 등비급수가 수렴하려면
$-1<1-\log(x+1)<1$, $-2<-\log(x+1)<0$
$0<\log(x+1)<2$, $1<x+1<100$
$\therefore 0<x<99$

(i), (ii)에서 구하는 실수 x의 값의 범위는 $0\le x<99$
따라서 정수 a의 개수는 99

0307

정답 ⑤

STEP A 등비급수 $\sum_{n=1}^{\infty} r^n$의 수렴 조건 $-1<r<1$임을 이용하여 수렴하는 급수 구하기

등비급수 $\sum_{n=1}^{\infty} r^n$이 수렴하므로 $-1<r<1$ …… ㉠

① $\sum_{n=1}^{\infty}(-r)^n$의 공비가 $-r$이고 ㉠에 의하여 $-1<-r<1$이므로

등비급수 $\sum_{n=1}^{\infty}(-r)^n$은 수렴한다.

② $0 \le r^2<1$이므로 $\sum_{n=1}^{\infty} r^{2n}$은 수렴한다.

$\sum_{n=1}^{\infty}(r^n-2r^{2n})=\sum_{n=1}^{\infty} r^n-2\sum_{n=1}^{\infty} r^{2n}$이므로 수렴한다.

③ $\sum_{n=1}^{\infty}\frac{r^n+(-r)^n}{2}=\frac{1}{2}\sum_{n=1}^{\infty} r^n+\frac{1}{2}\sum_{n=1}^{\infty}(-r)^n$에서 $\sum_{n=1}^{\infty}(-r)^n$의 공비 $-r$은

$-1<r<1$이므로 $\sum_{n=1}^{\infty} r^n$과 $\sum_{n=1}^{\infty}(-r)^n$은 모두 수렴한다.

즉 등비급수는 $\sum_{n=1}^{\infty}\frac{r^n+(-r)^n}{2}$은 수렴한다.

④ $\sum_{n=1}^{\infty}\left(\frac{r}{2}\right)^n$의 공비가 $\frac{r}{2}$이고 ㉠에 의하여 $-\frac{1}{2}<\frac{r}{2}<\frac{1}{2}$이므로

등비급수 $\sum_{n=1}^{\infty}\left(\frac{r}{2}\right)^n$은 수렴한다.

⑤ $\sum_{n=1}^{\infty}\left(\frac{r}{2}+1\right)^n$의 공비가 $\frac{r}{2}+1$이고 ㉠에 의하여 $\frac{1}{2}<\frac{r}{2}+1<\frac{3}{2}$이므로

등비급수 $\sum_{n=1}^{\infty}\left(\frac{r}{2}+1\right)^n$이 항상 수렴하는 것은 아니다.

따라서 반드시 수렴한다고 할 수 없는 것은 ⑤이다.

0308

정답 ③

STEP A 등비급수 $\sum_{n=1}^{\infty} r^n$의 수렴 조건 $-1<r<1$임을 이용하여 수렴하는 급수 구하기

$\sum_{n=1}^{\infty} r^n$이 수렴하므로 $-1<r<1$ …… ㉠

ㄱ. $\sum_{n=1}^{\infty} r^{2n-1}$의 공비가 r^2인 등비급수이므로 ㉠에서 $0 \le r^2<1$

즉 급수 $\sum_{n=1}^{\infty}(r^n+r^{2n-1})$는 수렴한다.

ㄴ. $\sum_{n=1}^{\infty}\left(\frac{1}{r}\right)^n (r \ne 0)$의 공비는 $\frac{1}{r}$이고 $\frac{1}{r}<-1$ 또는 $\frac{1}{r}>1$이므로 발산한다.

ㄷ. 급수 $\sum_{n=1}^{\infty}\left(\frac{r+2}{3}\right)^n$의 공비는 $\frac{r+2}{3}$이고 ㉠에 의해

$1<r+2<3$, $\frac{1}{3}<\frac{r+2}{3}<1$, 즉 주어진 급수는 수렴한다.

ㄹ. $\sum_{n=1}^{\infty}\left(\frac{r}{4}-1\right)^n$은 공비가 $\frac{r}{4}-1$인 등비급수이므로 ㉠에서

$-\frac{5}{4}<\frac{r}{4}-1<-\frac{3}{4}$

즉 주어진 급수는 항상 수렴한다고 할 수 없다.

따라서 항상 수렴한 것은 ㄱ, ㄷ이다.

내신연계 출제문항 127

등비급수 $\sum_{n=1}^{\infty} r^n (r \ne 0)$이 수렴할 때, 다음 중 반드시 수렴한다고 할 수 없는 것은?

① $\sum_{n=1}^{\infty} r^{2n-1}$ ② $\sum_{n=1}^{\infty}(-r)^n$ ③ $\sum_{n=1}^{\infty}\left(\frac{r-1}{2}\right)^n$

④ $\sum_{n=1}^{\infty}\left(\frac{r+2}{3}\right)^n$ ⑤ $\sum_{n=1}^{\infty}\left(\frac{r+4}{4}\right)^n$

STEP A 등비급수 $\sum_{n=1}^{\infty} r^n$의 수렴 조건 $-1<r<1$임을 이용하여 수렴하는 급수 구하기

등비급수 $\sum_{n=1}^{\infty} r^n (r \ne 0)$이 수렴하므로 공비 r은

$-1<r<1$ …… ㉠

① $\sum_{n=1}^{\infty} r^{2n-1}$의 공비는 r^2이고 $0<r^2<1$이므로 수렴한다.

② 급수 $\sum_{n=1}^{\infty}(-r)^n$의 공비는 $-r$이고

㉠에 의해 $-1<-r<1$이므로 급수 $\sum_{n=1}^{\infty}(-r)^n$은 반드시 수렴한다.

③ 급수 $\sum_{n=1}^{\infty}\left(\frac{r-1}{2}\right)^n$의 공비는 $\frac{r-1}{2}$이고

㉠에 의해 $-2<r-1<0$, $-1<\frac{r-1}{2}<0$이므로

급수 $\sum_{n=1}^{\infty}\left(\frac{r-1}{2}\right)^n$은 반드시 수렴한다.

④ 급수 $\sum_{n=1}^{\infty}\left(\frac{r+2}{3}\right)^n$의 공비는 $\frac{r+2}{3}$이고

㉠에 의해 $1<r+2<3$, $\frac{1}{3}<\frac{r+2}{3}<1$이므로

급수 $\sum_{n=1}^{\infty}\left(\frac{r+2}{3}\right)^n$은 반드시 수렴한다.

⑤ 급수 $\sum_{n=1}^{\infty}\left(\frac{r+4}{4}\right)^n$의 공비는 $\frac{r+4}{4}$이고

㉠에 의해 $3<r+4<5$, $\frac{3}{4}<\frac{r+4}{4}<\frac{5}{4}$이므로

급수 $\sum_{n=1}^{\infty}\left(\frac{r+4}{4}\right)^n$은 반드시 수렴한다고 할 수 없다.

따라서 반드시 수렴한다고 할 수 없는 것은 ⑤이다.

정답 ⑤

0309

정답 ⑤

STEP A 수열 $\{a_n\}$, $\{b_n\}$의 일반항의 식 세우기

수열 $\{a_n\}$은 첫째항 1, 공비 $\frac{1}{3}$인 등비수열이므로 $a_n=\left(\frac{1}{3}\right)^{n-1}$

수열 $\{b_n\}$은 첫째항 1, 공비 $\frac{1}{2}$인 등비수열이므로 $b_n=\left(\frac{1}{2}\right)^{n-1}$

등비급수 $\sum_{n=1}^{\infty} r^n$이 수렴하려면 $-1<r<1$

STEP B 각 급수의 값을 구하여 수렴함을 확인하기

① $\sum_{n=1}^{\infty} 2a_n=2\sum_{n=1}^{\infty}\left(\frac{1}{3}\right)^{n-1}$이므로 공비가 $\frac{1}{3}$이다.

이때 $-1<\frac{1}{3}<1$이므로 급수 $\sum_{n=1}^{\infty} 2a_n$은 수렴한다.

② $\sum_{n=1}^{\infty}(a_n-b_n)=\sum_{n=1}^{\infty}\left\{\left(\frac{1}{3}\right)^{n-1}-\left(\frac{1}{2}\right)^{n-1}\right\}=\sum_{n=1}^{\infty}\left(\frac{1}{3}\right)^{n-1}-\sum_{n=1}^{\infty}\left(\frac{1}{2}\right)^{n-1}$이므로

공비가 각각 $\frac{1}{3}$, $\frac{1}{2}$이므로 $\sum_{n=1}^{\infty}(a_n-b_n)$은 수렴한다.

③ $\sum_{n=1}^{\infty}(-1)^n b_n=-\sum_{n=1}^{\infty}\left(-\frac{1}{2}\right)^{n-1}$이므로 공비가 $-\frac{1}{2}$이다.

이때 $-1<-\frac{1}{2}<1$이므로 급수 $\sum_{n=1}^{\infty}(-1)^n b_n$은 수렴한다.

④ $\sum_{n=1}^{\infty} a_n b_n=\sum_{n=1}^{\infty}\left(\frac{1}{3}\right)^{n-1}\left(\frac{1}{2}\right)^{n-1}=\sum_{n=1}^{\infty}\left(\frac{1}{6}\right)^{n-1}$이므로 공비가 $\frac{1}{6}$이다.

이때 $-1<\frac{1}{6}<1$이므로 급수 $\sum_{n=1}^{\infty} a_n b_n$은 수렴한다.

⑤ $\frac{b_n}{a_n}=\frac{\left(\frac{1}{2}\right)^{n-1}}{\left(\frac{1}{3}\right)^{n-1}}=\left(\frac{3}{2}\right)^{n-1}$이므로 공비가 $\frac{3}{2}$이다.

이때 $\frac{3}{2}>1$이므로 $\sum_{n=1}^{\infty}\frac{b_n}{a_n}$은 발산한다.

따라서 수렴하지 않는 것은 ⑤이다.

0310

정답 ③

STEP Ⓐ **등비급수의 수렴조건을 이용하여 참, 거짓 판단하기**

ㄱ. 등비수열 $\{a_n\}$의 첫째항을 a, 공비를 r이라 하면

일반항은 $a_n=ar^{n-1}$

급수 $\sum_{n=1}^{\infty}a_n$이 수렴하면 $a=0$ 또는 $-1<r<1$이다.

$a=0$일 때, $\sum_{n=1}^{\infty}a_{2n}=0+0+\cdots=0$이므로 $\sum_{n=1}^{\infty}a_{2n}$도 수렴한다.

$-1<r<1$일 때, $a_{2n}=ar^{2n-1}=ar\times(r^2)^{n-1}$에서 공비 r^2은

$0\le r^2<1$이므로 $\sum_{n=1}^{\infty}a_{2n}$도 수렴한다. [참]

ㄴ. $\sum_{n=1}^{\infty}a_n$이 발산하면 $r\le-1$ 또는 $r\ge1$이다.

등비수열 $\{a_{2n}\}$의 공비 r^2은 $r^2\ge1$이므로 $\sum_{n=1}^{\infty}a_{2n}$도 발산한다. [참]

ㄷ. **반례** $\sum_{n=1}^{\infty}a_n$이 수렴하므로 $a_n=\left(\frac{1}{2}\right)^n$이라 하면

$a_n+\frac{1}{2}=\left(\frac{1}{2}\right)^n+\frac{1}{2}$

이때 $\lim_{n\to\infty}\left(a_n+\frac{1}{2}\right)=\frac{1}{2}\ne0$이므로 $\sum_{n=1}^{\infty}\left(a_n+\frac{1}{2}\right)$은 발산한다. [거짓]

> **참고**
> $\sum_{n=1}^{\infty}a_n$이 수렴하므로 $\lim_{n\to\infty}a_n=0$이다.
> 이때 $\lim_{n\to\infty}\left(a_n+\frac{1}{2}\right)=\frac{1}{2}\ne0$이므로 $\sum_{n=1}^{\infty}\left(a_n+\frac{1}{2}\right)$은 발산한다.

따라서 옳은 것은 ㄱ, ㄴ이다.

0311

정답 ④

STEP Ⓐ $-1<$**(등비급수의 공비** r**)**<1**이면 급수가 수렴함을 이용하기**

등비수열 $\{a_n\}$의 초항을 a, 공비를 r, 등비수열 $\{b_n\}$의 초항을 b,

공비를 s라 하면 $a_n=ar^{n-1}$, $b_n=bs^{n-1}$

ㄱ. 두 등비급수 $\sum_{n=1}^{\infty}a_n$, $\sum_{n=1}^{\infty}b_n$이 수렴하므로 $-1<r<1$, $-1<s<1$

이때 $a_nb_n=ab(rs)^{n-1}$에서 $-1<rs<1$

수열 $\{a_nb_n\}$은 초항이 ab이고 공비가 rs이므로

$\sum_{n=1}^{\infty}a_nb_n=\frac{ab}{1-rs}$이므로 수렴한다. [참]

STEP Ⓑ **반례를 찾아 주어진 명제가 거짓임을 증명하기**

ㄴ. **반례** $a_n=(-1)^{n+1}$, $b_n=(-1)^n$이라 하면

$\lim_{n\to\infty}a_n\ne0$, $\lim_{n\to\infty}b_n\ne0$이므로 $\sum_{n=1}^{\infty}a_n$, $\sum_{n=1}^{\infty}b_n$은 발산하지만

$a_n+b_n=(-1)^{n+1}+(-1)^n=0$

$\therefore \lim_{n\to\infty}(a_n+b_n)=0$ [거짓]

STEP Ⓒ $-1<$**(등비급수의 공비** r**)**<1**이면 급수가 수렴함을 이용하기**

ㄷ. 수열 $\{a_n^3\}$의 공비는 r^3이고 등비급수 $\sum_{n=1}^{\infty}a_n^3$이 수렴하므로

$-1<r^3<1$에서 $-1<r<1$ …… ㉠

수열 $\{b_n\}$의 공비는 s^3이고 등비급수 $\sum_{n=1}^{\infty}b_n^3$이 수렴하므로

$-1<s^3<1$에서 $-1<s<1$ …… ㉡

㉠, ㉡에서 $\sum_{n=1}^{\infty}a_n$, $\sum_{n=1}^{\infty}b_n$이 수렴하므로

$\sum_{n=1}^{\infty}(a_n+b_n)=\sum_{n=1}^{\infty}a_n+\sum_{n=1}^{\infty}b_n$은 수렴한다. [참]

따라서 옳은 것은 ㄱ, ㄷ이다.

내신연계 출제문항 128

두 등비수열 $\{a_n\}$, $\{b_n\}$에 대하여 [보기]에서 옳은 것만을 있는 대로 고른 것은?

> ㄱ. $\sum_{n=1}^{\infty}a_n$이 수렴하면 급수 $\sum_{n=1}^{\infty}a_{2n}$도 수렴한다.
> ㄴ. 두 급수 $\sum_{n=1}^{\infty}a_n$, $\sum_{n=1}^{\infty}b_n$이 수렴하면 급수 $\sum_{n=1}^{\infty}(a_n^3+b_n^3)$은 수렴한다.
> ㄷ. 급수 $\sum_{n=1}^{\infty}a_n$이 발산하면 급수 $\sum_{n=1}^{\infty}a_{2n}$도 발산한다.

① ㄱ ② ㄱ, ㄴ ③ ㄱ, ㄷ
④ ㄴ, ㄷ ⑤ ㄱ, ㄴ, ㄷ

STEP Ⓐ **등비급수의 수렴조건을 이용하여 참, 거짓 판단하기**

ㄱ. 등비수열 $\{a_n\}$의 첫째항을 a, 공비를 r이라 하면 일반항은 $a_n=ar^{n-1}$

급수 $\sum_{n=1}^{\infty}a_n$이 수렴하면 $a=0$ 또는 $-1<r<1$

$a=0$일 때, $\sum_{n=1}^{\infty}a_{2n}=0+0+\cdots=0$이므로 $\sum_{n=1}^{\infty}a_{2n}$도 수렴한다.

$-1<r<1$일 때, $a_{2n}=ar^{2n-1}=ar\times(r^2)^{n-1}$에서 공비 r^2은

$0\le r^2<1$이므로 $\sum_{n=1}^{\infty}a_{2n}$도 수렴한다. [참]

ㄴ. 두 등비수열 $\{a_n\}$, $\{b_n\}$의 공비를 각각 r_1, r_2라 하면

두 급수 $\sum_{n=1}^{\infty}a_n$, $\sum_{n=1}^{\infty}b_n$이 수렴하므로 $-1<r_1<1$, $-1<r_2<1$

이때 $-1<r_1^3<1$, $-1<r_2^3<1$이므로 $\sum_{n=1}^{\infty}a_n^3$, $\sum_{n=1}^{\infty}b_n^3$이 모두 수렴하고

그 값을 각각 α, β라 하면 $\sum_{n=1}^{\infty}(a_n^3+b_n^3)=\sum_{n=1}^{\infty}a_n^3+\sum_{n=1}^{\infty}b_n^3=\alpha+\beta$로

수렴한다. [참]

ㄷ. 등비수열 $\{a_n\}$의 첫째항을 a, 공비를 r라 하면 일반항은 $a_n=ar^{n-1}$

급수 $\sum_{n=1}^{\infty}a_n$이 발산하므로 $r\le-1$ 또는 $r\ge1$

이때 $a_{2n}=ar^{2n-1}$이고 $\sum_{n=1}^{\infty}a_{2n}=\sum_{n=1}^{\infty}ar^{2n-1}$은 공비가 r^2은 $r^2\ge1$이므로

급수 $\sum_{n=1}^{\infty}a_{2n}$도 발산한다. [참]

따라서 옳은 것은 ㄱ, ㄴ, ㄷ이다. 정답 ⑤

0312

정답 ③

STEP Ⓐ **급수가 수렴할 조건을 이용하여 극한값 구하기**

ㄱ. 두 급수 $\sum_{n=1}^{\infty}a_n$, $\sum_{n=1}^{\infty}b_n$이 수렴하면 $\lim_{n\to\infty}a_n=0$, $\lim_{n\to\infty}b_n=0$이므로

$\lim_{n\to\infty}(a_n+b_n)=\lim_{n\to\infty}a_n+\lim_{n\to\infty}b_n=0$ [참]

STEP Ⓑ $\lim_{n\to\infty}a_n\ne0$**이면 주어진 급수는 발산함을 이해하기**

ㄴ. 급수 $\sum_{n=1}^{\infty}\frac{1}{a_n}$이 수렴하면 $\lim_{n\to\infty}\frac{1}{a_n}=0$이다.

즉 $\lim_{n\to\infty}a_n\ne0$이므로 급수 $\sum_{n=1}^{\infty}a_n$은 발산한다. [참]

STEP Ⓒ **공비를 임의로 두고 주어진 식을 계산하여 값이 다름을 보이기**

ㄷ. 등비급수 $\sum_{n=1}^{\infty}a_n$, $\sum_{n=1}^{\infty}b_n$의 공비를 각각 r_1, $r_2(|r_1|<1, |r_2|<1)$라 하면

$\sum_{n=1}^{\infty}a_nb_n$은 첫째항이 a_1b_1, 공비가 $r_1r_2(|r_1r_2|<1)$인 등비급수이므로

$\sum_{n=1}^{\infty}a_nb_n=\frac{a_1b_1}{1-r_1r_2}$

$\sum_{n=1}^{\infty}a_n\cdot\sum_{n=1}^{\infty}b_n=\frac{a_1}{1-r_1}\cdot\frac{b_1}{1-r_2}=\frac{a_1b_1}{1-r_1-r_2+r_1r_2}$이므로

$\sum_{n=1}^{\infty}a_nb_n\ne\sum_{n=1}^{\infty}a_n\cdot\sum_{n=1}^{\infty}b_n$ [거짓]

ㄹ. $a_n=ar^{n-1}$이라 하면 $r=1$일 때, $\lim_{n\to\infty}a_n=a$, $\lim_{n\to\infty}a_n\neq 0$이므로

급수 $\sum_{n=1}^{\infty}a_n=\sum_{n=1}^{\infty}ar^{n-1}$은 발산한다. [거짓]

따라서 옳은 것은 ㄱ, ㄴ이다.

0313

정답 ②

STEP A 등비급수의 수렴조건을 이용하여 참, 거짓 판단하기

두 등비수열 $\{a_n\}$, $\{b_n\}$의 공비를 각각 r_1, r_2라 하자.

① 두 급수 $\sum_{n=1}^{\infty}a_n$, $\sum_{n=1}^{\infty}b_n$이 모두 수렴하면 $\lim_{n\to\infty}a_n=0$, $\lim_{n\to\infty}b_n=0$이므로

$\lim_{n\to\infty}a_nb_n=\lim_{n\to\infty}a_n\times\lim_{n\to\infty}b_n=0$ [참]

② 등비급수 $\sum_{n=1}^{\infty}ar^{n-1}(a\neq0)$은 $-1<r<1$일 때, 수렴한다. [거짓]

③ 등비수열 $\{a_n\}$의 공비를 r이라 하면 $\sum_{n=1}^{\infty}{a_n}^2$이 수렴하므로 $0\leq r^2<1$

$\therefore -1<r<1$이므로 $\sum_{n=1}^{\infty}a_n$도 수렴한다. [참]

④ 등비수열 $\{a_n\}$의 공비를 r이라 하고 등비수열 $\{b_n\}$의 공비를 s라 하면 등비수열 $\{a_nb_n\}$의 공비는 rs이다.

$\sum_{n=1}^{\infty}a_n$, $\sum_{n=1}^{\infty}b_n$이 수렴하므로 $-1<r<1$, $-1<s<1$

$\therefore -1<rs<1$이므로 $\sum_{n=1}^{\infty}a_nb_n$도 수렴한다. [참]

⑤ 두 등비급수 $\sum_{n=1}^{\infty}a_n$, $\sum_{n=1}^{\infty}b_n$이 모두 발산한다고 하면 $|r_1|\geq1$, $|r_2|\geq1$

이때 $|r_1r_2|=|r_1||r_2|\geq1$이므로 급수 $\sum_{n=1}^{\infty}a_nb_n$은 발산한다.

즉 급수 $\sum_{n=1}^{\infty}a_nb_n$이 수렴하면 두 등비급수 $\sum_{n=1}^{\infty}a_n$, $\sum_{n=1}^{\infty}b_n$ 중에서 적어도 하나는 수렴한다. [참] ⬅ 대우

따라서 옳지 않은 것은 ②이다.

0314

정답 ④

STEP A 등비급수 $\sum_{n=1}^{\infty}ar^{n-1}(a\neq0)=\frac{a}{1-r}(-1<r<1)$을 이용하기

공비는 $r=\frac{3}{4}$이므로 $\left|\frac{3}{4}\right|<1$

따라서 주어진 등비급수는 수렴하고 합은 $\sum_{n=1}^{\infty}5\left(\frac{3}{4}\right)^{n-1}=\frac{5}{1-\frac{3}{4}}=20$

0315

정답 ②

STEP A 등비급수 $\sum_{n=1}^{\infty}ar^{n-1}(a\neq0)=\frac{a}{1-r}(-1<r<1)$을 이용하기

$\log_4\sqrt{2}+\log_4\sqrt{\sqrt{2}}+\log_4\sqrt{\sqrt{\sqrt{2}}}+\cdots=\frac{1}{4}+\frac{1}{8}+\frac{1}{16}+\cdots=\frac{\frac{1}{4}}{1-\frac{1}{2}}=\frac{1}{2}$

0316

정답 ②

STEP A 이차방정식의 근과 계수의 관계를 이용하여 합과 곱 구하기

이차방정식 $3x^2+x-6=0$의 두 근은 α, β이다.

근과 계수의 관계에서 $\alpha+\beta=-\frac{1}{3}$, $\alpha\beta=-2$이므로

$\frac{1}{\alpha}+\frac{1}{\beta}=\frac{\alpha+\beta}{\alpha\beta}=\frac{-\frac{1}{3}}{-2}=\frac{1}{6}$

STEP B 등비급수의 합 구하기

따라서 $\sum_{n=1}^{\infty}\left(\frac{1}{\alpha}+\frac{1}{\beta}\right)^n=\sum_{n=1}^{\infty}\left(\frac{1}{6}\right)^n=\frac{\frac{1}{6}}{1-\frac{1}{6}}=\frac{1}{5}$

0317

정답 ①

STEP A 주어진 급수를 $\sum_{n=1}^{\infty}ar^{n-1}(a\neq0)$의 꼴로 나타내고 $-1<r<1$이면 그 합은 $\frac{a}{1-r}$임을 이용하기

$\sum_{n=1}^{\infty}r^{n-1}=\frac{1}{1-r}(-1<r<1)$ …… ㉠

① $\frac{1}{1-r}=\frac{2}{3}$이면 $3=2-2r$이므로 $r=-\frac{1}{2}$, 즉 ㉠을 만족한다.

② $\frac{1}{1-r}=\frac{1}{2}$이면 $2=1-r$이므로 $r=-1$, 즉 ㉠을 만족하지 않는다.

③ $\frac{1}{1-r}=\frac{1}{3}$이면 $3=1-r$이므로 $r=-2$, 즉 ㉠을 만족하지 않는다.

④ $\frac{1}{1-r}=-\frac{2}{5}$이면 $5=2r-2$이므로 $r=\frac{7}{2}$, 즉 ㉠을 만족하지 않는다.

⑤ $\frac{1}{1-r}=-1$이면 $1-r=-1$이므로 $r=2$, 즉 ㉠을 만족하지 않는다.

따라서 합이 될 수 있는 것은 ①이다.

다른풀이 유리함수의 그래프를 이용하여 풀이하기

등비급수 $\sum_{n=1}^{\infty}r^{n-1}$의 공비는 r이고 급수가 수렴하므로 $-1<r<1$을 만족시킨다.

이때 급수의 합은 $\frac{1}{1-r}$이므로 $y=\frac{1}{1-r}$라 하면 그래프는 오른쪽 그림과 같다.

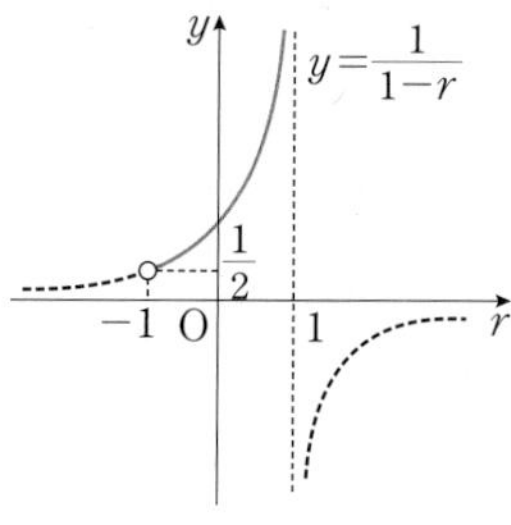

$-1<r<1$일 때, $y>\frac{1}{2}$이므로

$\frac{1}{1-r}$이 될 수 있는 것은 ①이다.

내신연계 출제문항 129

등비급수 $\sum_{n=1}^{\infty}r^n$이 수렴할 때, 다음 중 이 등비급수의 합이 될 수 없는 것은?

① $-\frac{3}{2}$ ② $-\frac{1}{3}$ ③ $\frac{1}{4}$

④ $\frac{1}{2}$ ⑤ 1

STEP A 주어진 급수를 $\sum_{n=1}^{\infty}ar^{n-1}(a\neq0)$의 꼴로 나타내고 $-1<r<1$이면 그 합은 $\frac{a}{1-r}$임을 이용하기

등비급수 $\sum_{n=1}^{\infty}r^n$의 공비는 r이고 급수가 수렴하므로 $-1<r<1$을 만족시킨다.

이때 급수의 합은 $\frac{r}{1-r}$이므로 $y=\frac{r}{1-r}$라 하면 함수 $y=\frac{r}{1-r}=-1+\frac{1}{1-r}(-1<r<1)$의 그래프는 오른쪽 그림과 같다.

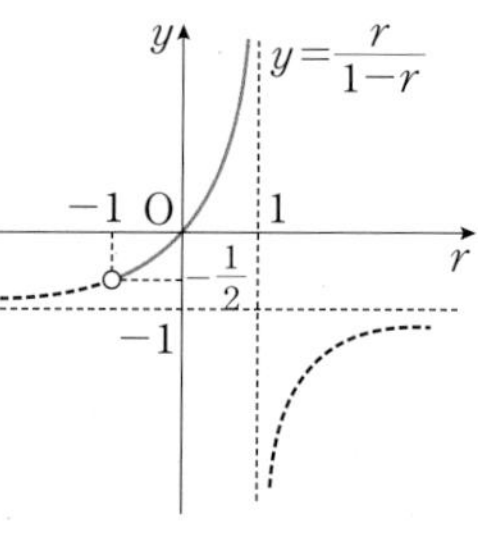

$-1<r<1$일 때, $y>-\frac{1}{2}$이므로

급수의 합 $\frac{r}{1-r}$이 될 수 없는 것은 ①이다.

정답 ①

0318

정답 ②

STEP A 주어진 등비급수에 $n=1, 2, 3, \cdots$을 대입하여 등비수열의 합 구하기

$\sum_{n=1}^{\infty}\left(\frac{1}{3}\right)^n \sin\frac{n\pi}{2}$

$=\frac{1}{3}\sin\frac{\pi}{2}+\left(\frac{1}{3}\right)^2\sin\pi+\left(\frac{1}{3}\right)^3\sin\frac{3}{2}\pi+\left(\frac{1}{3}\right)^4\sin 2\pi+\left(\frac{1}{3}\right)^5\sin\frac{5}{2}\pi+\cdots$

$=\frac{1}{3}+0-\left(\frac{1}{3}\right)^3+0+\left(\frac{1}{3}\right)^5+\cdots$

$=\frac{1}{3}-\left(\frac{1}{3}\right)^3+\left(\frac{1}{3}\right)^5-\cdots$

$=\frac{\frac{1}{3}}{1-\left(-\frac{1}{9}\right)}=\frac{3}{10}$

내/신/연/계/ 출제문항 130

급수 $\sum_{n=1}^{\infty}\left(\frac{1}{2}\right)^n\cos\frac{n}{2}\pi$의 합은?

① $-\frac{1}{5}$　② $-\frac{2}{5}$　③ $-\frac{3}{5}$
④ $-\frac{4}{5}$　⑤ $-\frac{3}{4}$

STEP A 주어진 등비급수에 $n=1, 2, 3, \cdots$을 대입하여 등비수열의 합 구하기

$\sum_{n=1}^{\infty}\left(\frac{1}{2}\right)^n\cos\frac{n}{2}\pi=\frac{1}{2}\cos\frac{\pi}{2}+\left(\frac{1}{2}\right)^2\cos\pi+\left(\frac{1}{2}\right)^3\cos\frac{3}{2}\pi+\left(\frac{1}{4}\right)^4\cos 2\pi+\cdots$

$=0-\left(\frac{1}{2}\right)^2+0+\left(\frac{1}{2}\right)^4+0-\left(\frac{1}{2}\right)^6+0+\left(\frac{1}{2}\right)^8-\cdots$

$=-\left(\frac{1}{2}\right)^2+\left(\frac{1}{2}\right)^4-\left(\frac{1}{2}\right)^6+\left(\frac{1}{2}\right)^8-\cdots$

$=\frac{-\frac{1}{4}}{1-\left(-\frac{1}{4}\right)}=-\frac{1}{5}$

정답 ①

0319

정답 ②

STEP A 주어진 등비급수에 $n=1, 2, 3, \cdots$을 대입하여 등비수열의 합 구하기

$\sum_{n=1}^{\infty}\left(-\frac{1}{5}\right)^n\cos\left(n\pi+\frac{\pi}{3}\right)$

$=\left(-\frac{1}{5}\right)\cos\left(\pi+\frac{\pi}{3}\right)+\left(-\frac{1}{5}\right)^2\cos\left(2\pi+\frac{\pi}{3}\right)+\left(-\frac{1}{5}\right)^3\cos\left(3\pi+\frac{\pi}{3}\right)+\cdots$

$=\left(-\frac{1}{5}\right)\times\left(-\frac{1}{2}\right)+\left(-\frac{1}{5}\right)^2\times\frac{1}{2}+\left(-\frac{1}{5}\right)^3\times\left(-\frac{1}{2}\right)+\cdots$

$=\frac{1}{5}\times\frac{1}{2}+\left(\frac{1}{5}\right)^2\times\frac{1}{2}+\left(\frac{1}{5}\right)^3\times\frac{1}{2}+\cdots$

$=\frac{\frac{1}{10}}{1-\frac{1}{5}}=\frac{1}{8}$

0320

정답 ③

STEP A $\sum_{n=1}^{\infty}ar^{n-1}(a\neq 0)=\frac{a}{1-r}$ 임을 이용하기

수열 $\{(\cos\theta)^{2n-1}\}$은 첫째항이 $\cos\theta$, 공비가 $\cos^2\theta$인 등비수열이다.

$0<\theta<\pi$이므로 $0\le\cos^2\theta<1$

$\therefore \sum_{n=1}^{\infty}(\cos\theta)^{2n-1}=\frac{\cos\theta}{1-\cos^2\theta}$

STEP B 조건을 만족하는 θ의 값 구하기

$\frac{\cos\theta}{1-\cos^2\theta}=\frac{2}{3}$이므로 $3\cos\theta=2-2\cos^2\theta$

$2\cos^2\theta+3\cos\theta-2=0$, $(2\cos\theta-1)(\cos\theta+2)=0$

따라서 $\cos\theta=\frac{1}{2}$ ($\because \cos\theta\neq -2$)이므로 $\theta=\frac{\pi}{3}$ ($\because 0<\theta<\pi$)

내/신/연/계/ 출제문항 131

$0<\theta<\frac{\pi}{2}$에 대하여 $\sum_{n=1}^{\infty}\cos^2\theta(\sin\theta)^{n-1}=\frac{18}{13}$을 만족시킬 때, $24\tan\theta$의 값은?

① 6　② 8　③ 10
④ 12　⑤ 14

STEP A $\sum_{n=1}^{\infty}ar^{n-1}=\frac{a}{1-r}$ 임을 이용하기

등비급수는 첫째항이 $\cos^2\theta$, 공비가 $\sin\theta$인 등비급수이고

$0<\theta<\frac{\pi}{2}$에서 $0<\sin\theta<1$이므로

$\sum_{n=1}^{\infty}\cos^2\theta(\sin\theta)^{n-1}=\frac{\cos^2\theta}{1-\sin\theta}=\frac{1-\sin^2\theta}{1-\sin\theta}=1+\sin\theta=\frac{18}{13}$

$\therefore \sin\theta=\frac{5}{13}$

STEP B 삼각함수 사이의 관계를 이용하여 구하기

$\sin^2\theta+\cos^2\theta=1$이므로 $\cos\theta=\frac{12}{13}$ $\left(\because 0<\theta<\frac{\pi}{2}\right)$

따라서 $24\tan\theta=24\times\frac{\sin\theta}{\cos\theta}=24\times\frac{\frac{5}{13}}{\frac{12}{13}}=10$

정답 ③

0321

정답 ②

STEP A 등비급수의 성질을 이용하여 합 구하기

$\sum_{n=1}^{\infty}\frac{1+(-1)^n}{3^n}=\sum_{n=1}^{\infty}\left\{\left(\frac{1}{3}\right)^n+\left(-\frac{1}{3}\right)^n\right\}=\sum_{n=1}^{\infty}\left(\frac{1}{3}\right)^n+\sum_{n=1}^{\infty}\left(-\frac{1}{3}\right)^n$

$=\frac{\frac{1}{3}}{1-\frac{1}{3}}+\frac{-\frac{1}{3}}{1-\left(-\frac{1}{3}\right)}=\frac{1}{4}$

다른풀이 축차 대입하여 주어진 급수가 등비급수임을 이해하기

$\sum_{n=1}^{\infty}\frac{1+(-1)^n}{3^n}=\frac{2}{3^2}+\frac{2}{3^4}+\frac{2}{3^6}+\frac{2}{3^8}+\cdots$이므로

이 급수는 첫째항이 $\frac{2}{9}$이고 공비가 $\frac{1}{9}$인 등비급수이다.

$\sum_{n=1}^{\infty}\frac{1+(-1)^n}{3^n}=\frac{\frac{2}{9}}{1-\frac{1}{9}}=\frac{1}{4}$

내/신/연/계/ 출제문항 132

급수 $\sum_{n=1}^{\infty}\frac{3^{n+1}-6^n}{15^n}$의 값은?

① $\frac{1}{13}$　② $\frac{1}{12}$　③ $\frac{1}{5}$
④ 1　⑤ 3

STEP A 등비급수의 성질을 이용하여 합 구하기

$\sum_{n=1}^{\infty}\frac{3^{n+1}-6^n}{15^n}=\sum_{n=1}^{\infty}3\left(\frac{1}{5}\right)^n-\sum_{n=1}^{\infty}\left(\frac{2}{5}\right)^n=3\cdot\frac{\frac{1}{5}}{1-\frac{1}{5}}-\frac{\frac{2}{5}}{1-\frac{2}{5}}=\frac{1}{12}$

정답 ②

0322

정답 ④

STEP A 등비급수의 성질을 이용하여 합 구하기

조건 (가)에서

$$\sum_{n=1}^{\infty}\frac{2^n+(-1)^n}{3^n}=\sum_{n=1}^{\infty}\left(\frac{2}{3}\right)^n+\sum_{n=1}^{\infty}\left(-\frac{1}{3}\right)^n=\frac{\frac{2}{3}}{1-\frac{2}{3}}+\frac{-\frac{1}{3}}{1-\left(-\frac{1}{3}\right)}=\frac{7}{4}$$

$\therefore a=\frac{7}{4}$

조건 (나)에서

$$\sum_{n=1}^{\infty}\left(\frac{3^{n+1}}{4^n}+\frac{6}{3^n}\right)=3\sum_{n=1}^{\infty}\left(\frac{3}{4}\right)^n+6\sum_{n=1}^{\infty}\left(\frac{1}{3}\right)^n$$

$$=3\cdot\frac{\frac{3}{4}}{1-\frac{3}{4}}+6\cdot\frac{\frac{1}{3}}{1-\frac{1}{3}}$$

$$=3\cdot3+6\cdot\frac{1}{2}=12$$

$\therefore b=12$

따라서 $a=\frac{7}{4}$, $b=12$이므로 $ab=\frac{7}{4}\cdot12=21$

내/신/연/계/ 출제문항 133

다음 중 급수의 합이 큰 것부터 나열하면?

$$A=\sum_{n=1}^{\infty}\left(\frac{1+2^{n-1}}{4^n}\right)$$
$$B=\sum_{n=1}^{\infty}\left(\frac{1}{2^n}-\frac{1}{4^n}\right)$$
$$C=\sum_{n=1}^{\infty}(2^{n+1}-1)\left(\frac{1}{4}\right)^n$$

① A > B > C ② A > C > B ③ C > B > A
④ C > A > B ⑤ B > C > A

STEP A 주어진 급수를 변형하고 공식을 이용하여 등비급수의 합 구하기

$$A=\sum_{n=1}^{\infty}\left(\frac{1+2^{n-1}}{4^n}\right)=\sum_{n=1}^{\infty}\left(\frac{1}{4}\right)^n+\frac{1}{4}\sum_{n=1}^{\infty}\left(\frac{1}{2}\right)^{n-1}=\frac{5}{6}$$

$$B=\sum_{n=1}^{\infty}\left(\frac{1}{2^n}-\frac{1}{4^n}\right)=\sum_{n=1}^{\infty}\left(\frac{1}{2}\right)^n-\sum_{n=1}^{\infty}\left(\frac{1}{4}\right)^n=\frac{2}{3}$$

$$C=\sum_{n=1}^{\infty}(2^{n+1}-1)\left(\frac{1}{4}\right)^n=2\sum_{n=1}^{\infty}\left(\frac{1}{2}\right)^n-\sum_{n=1}^{\infty}\left(\frac{1}{4}\right)^n=\frac{5}{3}$$

따라서 합이 큰 것부터 순서대로 쓰면 C > A > B

정답 ④

0323

정답 ②

STEP A 주어진 급수를 변형하고 공식을 이용하여 등비급수의 합 구하기

주어진 급수를 2개의 등비급수의 합으로 바꾸어 계산한다.

$1\le a<5$에서 $\frac{1}{5}\le\frac{a}{5}<1$이므로

$$\sum_{n=1}^{\infty}\frac{a^n+3^n}{5^n}=\sum_{n=1}^{\infty}\left(\frac{a}{5}\right)^n+\sum_{n=1}^{\infty}\left(\frac{3}{5}\right)^n=\frac{\frac{a}{5}}{1-\frac{a}{5}}+\frac{\frac{3}{5}}{1-\frac{3}{5}}=\frac{a}{5-a}+\frac{3}{2}$$

이때 $\frac{a}{5-a}+\frac{3}{2}=\frac{13}{6}$, $\frac{a}{5-a}=\frac{2}{3}$

따라서 $3a=10-2a$, $5a=10$이므로 $a=2$

0324

정답 ⑤

STEP A 등비급수의 성질을 이용하여 합 구하기

$$\frac{1}{3}+\frac{2}{3^2}+\frac{1}{3^3}+\frac{2}{3^4}+\frac{1}{3^5}+\frac{2}{3^6}+\cdots+\frac{1}{3^{2n-1}}+\frac{2}{3^{2n}}+\cdots$$

$$=\left(\frac{1}{3}+\frac{1}{3^3}+\frac{1}{3^5}+\cdots+\frac{1}{3^{2n-1}}+\cdots\right)+\left(\frac{2}{3^2}+\frac{2}{3^4}+\frac{2}{3^6}+\cdots+\frac{2}{3^{2n}}+\cdots\right)$$

$$=\frac{\frac{1}{3}}{1-\frac{1}{9}}+\frac{\frac{2}{9}}{1-\frac{1}{9}}=\frac{5}{8}$$

0325

정답 ④

STEP A 합성함수의 함수식 구하기

두 함수 $f(x)=x^2+3x, g(x)=\left(\frac{1}{2}\right)^{x+1}$이므로

$$f(g(n))=f\left\{\left(\frac{1}{2}\right)^{n+1}\right\}=\left(\frac{1}{2}\right)^{2n+2}+3\left(\frac{1}{2}\right)^{n+1}$$

STEP B 등비급수의 성질을 이용하여 합 구하기

따라서 $\displaystyle\sum_{n=1}^{\infty}f(g(n))=\sum_{n=1}^{\infty}\left(\frac{1}{2}\right)^{2n+2}+\sum_{n=1}^{\infty}3\left(\frac{1}{2}\right)^{n+1}=\frac{\left(\frac{1}{2}\right)^4}{1-\frac{1}{4}}+3\cdot\frac{\left(\frac{1}{2}\right)^2}{1-\frac{1}{2}}=\frac{19}{12}$

0326

정답 ③

STEP A 등비수열의 합 공식을 이용하여 식을 정리하기

$$1+3+3^2+\cdots+3^{n-1}=\frac{3^n-1}{3-1}=\frac{1}{2}(3^n-1)$$

STEP B 등비급수의 성질을 이용하여 합 구하기

따라서 $\displaystyle\sum_{n=1}^{\infty}\frac{1+3+3^2+\cdots+3^{n-1}}{5^n}=\sum_{n=1}^{\infty}\frac{3^n-1}{2\cdot5^n}=\sum_{n=1}^{\infty}\frac{1}{2}\cdot\left(\frac{3}{5}\right)^n-\sum_{n=1}^{\infty}\frac{1}{2}\cdot\left(\frac{1}{5}\right)^n$

$$=\frac{\frac{1}{2}\cdot\frac{3}{5}}{1-\frac{3}{5}}-\frac{\frac{1}{2}\cdot\frac{1}{5}}{1-\frac{1}{5}}=\frac{3}{4}-\frac{1}{8}=\frac{5}{8}$$

내/신/연/계/ 출제문항 134

급수 $\displaystyle\sum_{n=1}^{\infty}\frac{1+2+4+8+\cdots2^{n-1}}{3^{n-1}}$의 합은?

① 2 ② $\frac{5}{2}$ ③ 3
④ 4 ⑤ $\frac{9}{2}$

STEP A 등비수열의 합 구하기

$$1+2+4+8+\cdots+2^{n-1}=\frac{1\cdot(2^n-1)}{2-1}=2^n-1$$

STEP B 등비급수의 성질을 이용하여 합 구하기

따라서 $\displaystyle\sum_{n=1}^{\infty}\frac{1+2+4+8+\cdots+2^{n-1}}{3^{n-1}}=\sum_{n=1}^{\infty}\frac{2^n-1}{3^{n-1}}$

$$=\sum_{n=1}^{\infty}2\cdot\left(\frac{2}{3}\right)^{n-1}-\sum_{n=1}^{\infty}\left(\frac{1}{3}\right)^{n-1}$$

$$=\frac{2}{1-\frac{2}{3}}-\frac{1}{1-\frac{1}{3}}$$

$$=6-\frac{3}{2}=\frac{9}{2}$$

정답 ⑤

0327

정답 ④

STEP A 등비수열의 합 구하기

3^n의 양의 약수의 총합이 a_n이므로

$$a_n=1+3+3^2+\cdots+3^n=\frac{3^{n+1}-1}{3-1}=\frac{3^{n+1}-1}{2}$$

STEP B 등비급수의 성질을 이용하여 합 구하기

따라서 $\displaystyle\sum_{n=1}^{\infty}\frac{1+3+3^2+\cdots+3^n}{9^n}=\sum_{n=1}^{\infty}\frac{3^{n+1}-1}{2\cdot 9^n}=\frac{3}{2}\sum_{n=1}^{\infty}\left(\frac{1}{3}\right)^n-\frac{1}{2}\sum_{n=1}^{\infty}\left(\frac{1}{9}\right)^n$

$$=\frac{3}{2}\cdot\frac{\frac{1}{3}}{1-\frac{1}{3}}-\frac{1}{2}\cdot\frac{\frac{1}{9}}{1-\frac{1}{9}}=\frac{11}{16}$$

0328

정답 ④

STEP A 등비수열의 합 구하기

등비수열 $\{a_n\}$의 첫째항부터 제 n항까지의 합은

$$a_1+a_2+a_3+\cdots+a_n=\frac{2(3^n-1)}{3-1}=3^n-1$$

STEP B 등비급수의 성질을 이용하여 합 구하기

따라서 $\displaystyle\sum_{n=1}^{\infty}\frac{3^n-1}{4^n}=\sum_{n=1}^{\infty}\left\{\left(\frac{3}{4}\right)^n-\left(\frac{1}{4}\right)^n\right\}=\sum_{n=1}^{\infty}\left(\frac{3}{4}\right)^n-\sum_{n=1}^{\infty}\left(\frac{1}{4}\right)^n$

$$=\frac{\frac{3}{4}}{1-\frac{3}{4}}-\frac{\frac{1}{4}}{1-\frac{1}{4}}=3-\frac{1}{3}=\frac{8}{3}$$

내신연계 출제문항 135

첫째항이 3, 공비가 4인 등비수열 $\{a_n\}$에 대하여

$\displaystyle\sum_{n=1}^{\infty}\frac{a_1+a_2+a_3+\cdots+a_n}{5^n}$의 값은?

① 1　② $\frac{7}{5}$　③ $\frac{13}{5}$

④ $\frac{15}{4}$　⑤ 5

STEP A 등비수열의 합 구하기

등비수열 $\{a_n\}$의 첫째항부터 제 n항까지의 합은

$$a_1+a_2+a_3+\cdots+a_n=\frac{3(4^n-1)}{4-1}=4^n-1$$

STEP B 등비급수의 성질을 이용하여 합 구하기

따라서 $\displaystyle\sum_{n=1}^{\infty}\frac{4^n-1}{5^n}=\sum_{n=1}^{\infty}\left\{\left(\frac{4}{5}\right)^n-\left(\frac{1}{5}\right)^n\right\}=\sum_{n=1}^{\infty}\left(\frac{4}{5}\right)^n-\sum_{n=1}^{\infty}\left(\frac{1}{5}\right)^n$

$$=\frac{\frac{4}{5}}{1-\frac{4}{5}}-\frac{\frac{1}{5}}{1-\frac{1}{5}}=4-\frac{1}{4}=\frac{15}{4}$$

정답 ④

0329

STEP A 이차방정식의 근과 계수를 이용하여 $\alpha_n+\beta_n$, $\alpha_n\beta_n$의 값 구하기

x에 대한 이차방정식 $x^2+(3^n-2^n)x-4^n=0$의 서로 다른 두 실근이 α_n, β_n이므로 이차방정식의 근과 계수의 관계에 의하여

$\alpha_n+\beta_n=-3^n+2^n$, $\alpha_n\beta_n=-4^n$

$$\frac{1}{\alpha_n}+\frac{1}{\beta_n}=\frac{\alpha_n+\beta_n}{\alpha_n\beta_n}=\frac{-3^n+2^n}{-4^n}=\left(\frac{3}{4}\right)^n-\left(\frac{1}{2}\right)^n$$

STEP B 등비급수의 성질을 이용하여 합 구하기

따라서 $\displaystyle\sum_{n=1}^{\infty}\left(\frac{1}{\alpha_n}+\frac{1}{\beta_n}\right)=\sum_{n=1}^{\infty}\left\{\left(\frac{3}{4}\right)^n-\left(\frac{1}{2}\right)^n\right\}=\sum_{n=1}^{\infty}\left(\frac{3}{4}\right)^n-\sum_{n=1}^{\infty}\left(\frac{1}{2}\right)^n$

$$=\frac{\frac{3}{4}}{1-\frac{3}{4}}-\frac{\frac{1}{2}}{1-\frac{1}{2}}=3-1=2$$

내신연계 출제문항 136

자연수 n에 대하여 이차방정식

$$x^2+(2^n-3^n)x-4^n=0$$

의 서로 다른 두 실근을 α_n, β_n이라 할 때, $\displaystyle\sum_{n=1}^{\infty}\left(\frac{1}{\alpha_n}+\frac{1}{\beta_n}\right)$의 값은?

① -3　② -2　③ -1

④ 1　⑤ 2

STEP A 이차방정식의 근과 계수를 이용하여 $\alpha_n+\beta_n$, $\alpha_n\beta_n$의 값 구하기

x에 대한 이차방정식 $x^2+(2^n-3^n)x-4^n=0$의 서로 다른 두 실근이 α_n, β_n이므로 이차방정식의 근과 계수의 관계에 의하여

$\alpha_n+\beta_n=-(2^n-3^n)$, $\alpha_n\beta_n=-4^n$

STEP B 등비급수의 성질을 이용하여 합 구하기

따라서 $\displaystyle\sum_{n=1}^{\infty}\left(\frac{1}{\alpha_n}+\frac{1}{\beta_n}\right)=\sum_{n=1}^{\infty}\frac{\alpha_n+\beta_n}{\alpha_n\beta_n}=\sum_{n=1}^{\infty}\frac{2^n-3^n}{4^n}=\sum_{n=1}^{\infty}\left\{\left(\frac{1}{2}\right)^n-\left(\frac{3}{4}\right)^n\right\}$

$$=\frac{\frac{1}{2}}{1-\frac{1}{2}}-\frac{\frac{3}{4}}{1-\frac{3}{4}}=1-3=-2$$

정답 ②

0330

STEP A 이차방정식의 근과 계수를 이용하여 $\alpha_n+\beta_n$, $\alpha_n\beta_n$의 값 구하기

이차방정식 $2^nx^2+4^nx-1=0$의 두 근이 α_n, β_n일 때,

$\alpha_n+\beta_n=-\dfrac{4^n}{2^n}=-2^n$, $\alpha_n\beta_n=-\dfrac{1}{2^n}$이므로

$$(\alpha_n-\beta_n)^2=(\alpha_n+\beta_n)^2-4\alpha_n\beta_n=4^n+\frac{4}{2^n}$$

STEP B 등비급수의 성질을 이용하여 합 구하기

$$\sum_{n=1}^{\infty}\frac{4^n+\frac{4}{2^n}}{5^n}=\sum_{n=1}^{\infty}\left(\frac{4}{5}\right)^n+4\sum_{n=1}^{\infty}\left(\frac{1}{10}\right)^n=\frac{\frac{4}{5}}{1-\frac{4}{5}}+4\cdot\frac{\frac{1}{10}}{1-\frac{1}{10}}=4+\frac{4}{9}=\frac{40}{9}$$

0331

STEP A 이차방정식에서 두 근을 구하고 -1과 1 사이인지 확인하기

$8x^2-4x-1=0$의 두 근이 $x=\dfrac{1\pm\sqrt{3}}{4}$

두 근이 $|\alpha|<1$, $|\beta|<1$이므로 $\displaystyle\sum_{n=1}^{\infty}\beta^n$, $\displaystyle\sum_{n=1}^{\infty}\alpha^n$은 각각 수렴한다.

STEP B 근과 계수의 관계를 이용하여 α, β 사이의 관계식 구하기

근과 계수의 관계에 의하여 $\alpha+\beta=\dfrac{1}{2}$, $\alpha\beta=-\dfrac{1}{8}$

STEP C 공식을 이용하여 등비급수의 합 구하기

따라서 $\displaystyle\frac{1}{\beta-\alpha}\sum_{n=1}^{\infty}(\beta^n-\alpha^n)=\frac{1}{\beta-\alpha}\left(\sum_{n=1}^{\infty}\beta^n-\sum_{n=1}^{\infty}\alpha^n\right)=\frac{1}{\beta-\alpha}\left(\frac{\beta}{1-\beta}-\frac{\alpha}{1-\alpha}\right)$

$$=\frac{1}{\beta-\alpha}\left\{\frac{\beta-\alpha\beta-\alpha+\alpha\beta}{(1-\beta)(1-\alpha)}\right\}=\frac{1}{1-(\alpha+\beta)+\alpha\beta}$$

$$=\frac{1}{1-\frac{1}{2}-\frac{1}{8}}=\frac{8}{3}$$

내신연계 출제문항 137

이차방정식 $4x^2-2x-1=0$의 두 근을 α, β라고 할 때, $\dfrac{1}{\alpha-\beta}\sum_{n=1}^{\infty}(\alpha^{n-1}-\beta^{n-1})$의 값은?

① $\dfrac{1}{2}$　② $\dfrac{7}{4}$　③ 2
④ 3　⑤ 4

STEP Ⓐ **이차방정식에서 두 근을 구하고 -1과 1 사이인지 확인하기**

$4x^2-2x-1=0$에서 $x=\dfrac{1\pm\sqrt{5}}{4}$이므로

$|\alpha|<1$, $|\beta|<1$

STEP Ⓑ **근과 계수의 관계를 이용하여 α, β 사이의 관계식 구하기**

또, 이차방정식의 근과 계수의 관계에 의하여

$\alpha+\beta=\dfrac{1}{2}$, $\alpha\beta=-\dfrac{1}{4}$

STEP Ⓒ **공식을 이용하여 등비급수의 합 구하기**

따라서 $\dfrac{1}{\alpha-\beta}\sum_{n=1}^{\infty}(\alpha^{n-1}-\beta^{n-1})=\dfrac{1}{\alpha-\beta}\left(\sum_{n=1}^{\infty}\alpha^{n-1}-\sum_{n=1}^{\infty}\beta^{n-1}\right)$

$=\dfrac{1}{\alpha-\beta}\left(\dfrac{1}{1-\alpha}-\dfrac{1}{1-\beta}\right)$

$=\dfrac{1}{1-(\alpha+\beta)+\alpha\beta}$

$=\dfrac{1}{1-\frac{1}{2}-\frac{1}{4}}=4$

정답 ⑤

0332

정답 ②

STEP Ⓐ **이차방정식에서 두 근을 구하고 그 역수가 -1과 1 사이인지 확인하기**

이차방정식 $x^2-2x-4=0$의 두 근은 $x=1\pm\sqrt{5}$

즉 α, β의 값이 $1\pm\sqrt{5}$이므로 $\left|\dfrac{1}{\alpha}\right|<1$, $\left|\dfrac{1}{\beta}\right|<1$

STEP Ⓑ **근과 계수의 관계를 이용하여 α, β 사이의 관계식 구하기**

또한, 근과 계수의 관계에 의하여 $\alpha+\beta=2$, $\alpha\beta=-4$

$\alpha^2+\beta^2=(\alpha+\beta)^2-2\alpha\beta=2^2-2\cdot(-4)=12$

STEP Ⓒ **공식을 이용하여 등비급수의 합 구하기**

따라서 $\sum_{n=1}^{\infty}\left\{\left(\dfrac{1}{\alpha}\right)^n+\left(\dfrac{1}{\beta}\right)^n\right\}^2=\sum_{n=1}^{\infty}\left\{\left(\dfrac{1}{\alpha}\right)^{2n}+2\left(\dfrac{1}{\alpha\beta}\right)^n+\left(\dfrac{1}{\beta}\right)^{2n}\right\}$

$=\sum_{n=1}^{\infty}\left\{\left(\dfrac{1}{\alpha}\right)^{2n}+\left(\dfrac{1}{\beta}\right)^{2n}+2\left(\dfrac{1}{-4}\right)^n\right\}$

$=\dfrac{\left(\frac{1}{\alpha}\right)^2}{1-\left(\frac{1}{\alpha}\right)^2}+\dfrac{\left(\frac{1}{\beta}\right)^2}{1-\left(\frac{1}{\beta}\right)^2}+2\cdot\dfrac{-\frac{1}{4}}{1-\left(-\frac{1}{4}\right)}$

$=\dfrac{1}{\alpha^2-1}+\dfrac{1}{\beta^2-1}-\dfrac{2}{5}$

$=\dfrac{\alpha^2+\beta^2-2}{(\alpha\beta)^2-(\alpha^2+\beta^2)+1}-\dfrac{2}{5}$

$=\dfrac{12-2}{16-12+1}-\dfrac{2}{5}$

$=2-\dfrac{2}{5}=\dfrac{8}{5}$

0333

정답 ②

STEP Ⓐ **등비급수의 합 공식을 이용하여 r의 값 구하기**

등비급수 $\sum_{n=1}^{\infty}r^n$의 합이 $\dfrac{1}{3}$이므로 $\dfrac{r}{1-r}=\dfrac{1}{3}$, 즉 $r=\dfrac{1}{4}$

STEP Ⓑ **주어진 등비급수의 합 구하기**

따라서 $\sum_{n=1}^{\infty}r^{2n}=\sum_{n=1}^{\infty}\left(\dfrac{1}{4}\right)^{2n}=\dfrac{\frac{1}{16}}{1-\frac{1}{16}}=\dfrac{1}{15}$

0334

정답 ①

STEP Ⓐ **등비급수의 합 공식을 이용하여 a의 값 구하기**

등비급수 $a+a^2+a^3+a^4+\cdots=2$은 첫째항이 a, 공비가 a이고

등비급수가 수렴하므로 $-1<a<1$

$a+a^2+a^3+a^4+\cdots=\dfrac{a}{1-a}=2$이므로 $a=2-2a$　$\therefore a=\dfrac{2}{3}$

STEP Ⓑ **주어진 등비급수의 공비를 구하여 합 구하기**

따라서 등비급수의 공비가 $-a=-\dfrac{2}{3}$이므로

$a-a^2+a^3-a^4+\cdots=\dfrac{a}{1-(-a)}=\dfrac{\frac{2}{3}}{1+\frac{2}{3}}=\dfrac{2}{5}$

내신연계 출제문항 138

실수 a에 대하여

$a-a^2+a^3-a^4+\cdots=-1$

일 때, 등비급수 $a+a^2+a^3+a^4+\cdots$의 합은?

① -1　② $-\dfrac{1}{3}$　③ 0
④ $\dfrac{1}{3}$　⑤ 1

STEP Ⓐ **등비급수의 합 공식을 이용하여 a의 값 구하기**

$a-a^2+a^3-a^4+\cdots=\dfrac{a}{1-(-a)}=\dfrac{a}{1+a}=-1$, $-1-a=a$

$\therefore a=-\dfrac{1}{2}$

STEP Ⓑ **주어진 등비급수의 공비를 구하여 합 구하기**

따라서 $a+a^2+a^3+a^4+\cdots=\dfrac{a}{1-a}=\dfrac{-\frac{1}{2}}{1-\left(-\frac{1}{2}\right)}=-\dfrac{1}{3}$

정답 ②

0335

정답 ⑤

STEP Ⓐ **등비급수의 합 공식을 이용하여 x의 값 구하기**

등비급수 $x+x^2+x^3+x^4+\cdots=5$는 첫째항이 x, 공비가 x이고

등비급수가 수렴하므로 $-1<x<1$

$x+x^2+x^3+x^4+\cdots=\dfrac{x}{1-x}=5$이므로 $x=5-5x$　$\therefore x=\dfrac{5}{6}$

STEP Ⓑ **주어진 등비급수의 공비를 구하여 합 구하기**

구하는 등비급수의 합은

$x-\dfrac{1}{2}x^2+\dfrac{1}{4}x^3-\dfrac{1}{8}x^4+\cdots=\dfrac{x}{1-\left(-\frac{1}{2}x\right)}=\dfrac{\frac{5}{6}}{1+\frac{5}{12}}=\dfrac{10}{17}$

따라서 $p=10$, $q=17$이므로 $p+q=27$

0336

정답 ④

STEP A 주어진 등비급수의 합을 이용하여 공비 구하기

등비수열 $\{a_n\}$의 공비를 r라 하면

$\sum_{n=1}^{\infty} a_n$이 수렴하므로 $-1<r<1$이고

$\sum_{n=1}^{\infty} a_n=\frac{3}{1-r}=\frac{15}{4}$이므로 $12=15-15r \quad \therefore r=\frac{1}{5}$

STEP B $\sum_{n=1}^{\infty} a_{2n}$의 값 구하기

따라서 $a_n=3\times\left(\frac{1}{5}\right)^{n-1}$이므로 $\sum_{n=1}^{\infty} a_{2n}=\sum_{n=1}^{\infty} 3\left(\frac{1}{5}\right)^{2n-1}=\frac{\frac{3}{5}}{1-\frac{1}{25}}=\frac{5}{8}$

내신연계 출제문항 139

첫째항이 4인 등비수열 $\{a_n\}$에 대하여 $\sum_{n=1}^{\infty} a_n=\frac{16}{3}$일 때,

$\sum_{n=1}^{\infty} \sqrt{a_n}$의 값은?

① 2　② 3　③ 4
④ 5　⑤ 6

STEP A 주어진 등비급수의 합을 이용하여 공비 구하기

등비수열 $\{a_n\}$의 공비를 r라 하면 $\sum_{n=1}^{\infty} a_n$이 수렴하므로 $-1<r<1$이고

$\sum_{n=1}^{\infty} a_n=\frac{4}{1-r}=\frac{16}{3}$이므로 $12=16-16r \quad \therefore r=\frac{1}{4}$

STEP B $\sum_{n=1}^{\infty} \sqrt{a_n}$의 값 구하기

이때 $a_n=4\times\left(\frac{1}{4}\right)^{n-1}=4^{2-n}$이므로 $\sqrt{a_n}=\sqrt{4^{2-n}}=4^{\frac{2-n}{2}}=(2^2)^{\frac{2-n}{2}}=2^{2-n}$

따라서 $\sum_{n=1}^{\infty} \sqrt{a_n}=\sum_{n=1}^{\infty} 2^{2-n}=\frac{2}{1-\frac{1}{2}}=4$ ← 수열 $\{\sqrt{a_n}\}$은 첫째항이 $2^{2-1}=2$, 공비가 $2^{-1}=\frac{1}{2}$인 등비수열

정답 ③

0337

정답 ①

STEP A 등비수열 $\{a_n\}$의 첫째항과 공비 구하기

등비수열 $\{a_n\}$에 대하여 $a_1=3$, $a_2=1$이므로

첫째항은 3, 공비는 $\frac{1}{3} \quad \therefore a_n=3\cdot\left(\frac{1}{3}\right)^{n-1}$

STEP B 등비급수의 합 구하기

따라서 $\sum_{n=1}^{\infty} a_n^2=\sum_{n=1}^{\infty} 9\cdot\left(\frac{1}{9}\right)^{n-1}=\frac{9}{1-\frac{1}{9}}=\frac{81}{8}$

0338

정답 ④

STEP A 등비수열의 일반항 구하기

등비수열 $\{a_n\}$의 첫째항과 공비가 모두 $\frac{1}{3}$이므로 $a_n=\frac{1}{3}\times\left(\frac{1}{3}\right)^{n-1}=\left(\frac{1}{3}\right)^n$

STEP B 등비급수의 합 구하기

따라서 $a_n+a_{n+2}=\left(\frac{1}{3}\right)^n+\left(\frac{1}{3}\right)^{n+2}=\left(\frac{1}{3}\right)^n+\frac{1}{9}\times\left(\frac{1}{3}\right)^n=\frac{10}{9}\times\left(\frac{1}{3}\right)^n$이므로

$\sum_{n=1}^{\infty}(a_n+a_{n+2})=\frac{10}{9}\sum_{n=1}^{\infty}\left(\frac{1}{3}\right)^n=\frac{10}{9}\cdot\frac{\frac{1}{3}}{1-\frac{1}{3}}=\frac{10}{9}\cdot\frac{1}{2}=\frac{5}{9}$

내신연계 출제문항 140

모든 항이 양수이고 공비가 $\frac{1}{2}$인 등비수열 $\{a_n\}$에 대하여

$\sum_{n=1}^{\infty} a_n a_{n+1} a_{n+2}=49$일 때, a_4의 값은?

① $\frac{3}{8}$　② $\frac{1}{2}$　③ $\frac{5}{8}$
④ $\frac{3}{4}$　⑤ $\frac{7}{8}$

STEP A 등비수열의 일반항 구하기

등비수열 $\{a_n\}$의 공비가 $\frac{1}{2}$이므로

$a_n=a_1\times\left(\frac{1}{2}\right)^{n-1}$

이때 $a_n a_{n+1} a_{n+2}=a_1\times\left(\frac{1}{2}\right)^{n-1}\times a_1\times\left(\frac{1}{2}\right)^n\times a_1\times\left(\frac{1}{2}\right)^{n+1}$

$=(a_1)^3\times\left(\frac{1}{8}\right)^n$

STEP B 등비급수의 합을 이용하여 첫째항 구하기

$\sum_{n=1}^{\infty} a_n a_{n+1} a_{n+2}=(a_1)^3\sum_{n=1}^{\infty}\left(\frac{1}{8}\right)^n=(a_1)^3\times\frac{\frac{1}{8}}{1-\frac{1}{8}}=\frac{1}{7}(a_1)^3$

$\frac{1}{7}(a_1)^3=49$이므로 $(a_1)^3=7^3$, 즉 $a_1=7$

STEP C a_4의 값 구하기

따라서 $a_n=7\times\left(\frac{1}{2}\right)^{n-1}=\frac{7}{2^{n-1}}$이므로 $a_4=\frac{7}{8}$

정답 ⑤

0339

정답 ④

STEP A 등비수열의 첫째항과 공비 구하기

등비수열 $\{a_n\}$의 첫째항을 a, 공비를 r이라 하면

$a_n=ar^{n-1}$이므로

$a_1+a_2=a+ar=a(1+r)=18$ …… ㉠

$a_2+a_3=ar+ar^2=ar(1+r)=9$ …… ㉡

㉡÷㉠에서 $r=\frac{1}{2}$이고 ㉠에서 $a=12$

STEP B 등비급수의 합 구하기

따라서 $\sum_{n=1}^{\infty} a_n=\frac{12}{1-\frac{1}{2}}=24$

0340

정답 ⑤

STEP A 등비수열의 첫째항과 공비 구하기

등비수열 $\{a_n\}$의 공비를 r이라 하면

$a_1+a_3=a_1(1+r^2)=14$ …… ㉠

$a_2+a_4=a_1r(1+r^2)=42$ …… ㉡

㉡÷㉠을 하면 $r=3$, $a_1=\frac{7}{5}$

STEP B 등비급수의 합 구하기

그러므로 $a_n=\frac{7}{5}\times3^{n-1}$에서 $\frac{7}{a_n}=\frac{5}{3^{n-1}}=5\times\left(\frac{1}{3}\right)^{n-1}$

따라서 $\sum_{n=1}^{\infty}\frac{7}{a_n}=\sum_{n=1}^{\infty}\left\{5\times\left(\frac{1}{3}\right)^{n-1}\right\}=\frac{5}{1-\frac{1}{3}}=\frac{15}{2}$

0341

정답 ③

STEP Ⓐ **등비수열의 첫째항, 공비 구하기**

등비수열 $\{a_n\}$의 첫째항을 a, 공비를 r이라 하면

$a_n = ar^{n-1}$이므로

$a_1 + a_2 + a_3 = a + ar + ar^2 = a(1+r+r^2) = 14$ ...... ㉠

$a_2 + a_3 + a_4 = ar + ar^2 + ar^3 = ar(1+r+r^2) = 7$ ...... ㉡

㉡÷㉠에서 $r = \frac{1}{2}$이고 ㉠에서 $a = 8$

STEP Ⓑ **등비급수의 합 구하기**

따라서 $\sum_{n=1}^{\infty} a_n = \frac{8}{1-\frac{1}{2}} = 16$

0342

STEP Ⓐ **등비수열 $\{a_n\}$의 일반항 구하기**

등비수열 $\{a_n\}$의 첫째항을 a_1, 공비를 r이라 하면

$a_n = a_1 \cdot r^{n-1}$이므로

$a_1 + a_2 = a_1 + a_1 r = a_1(1+r) = 20$ ...... ㉠

STEP Ⓑ **등비급수의 합 이용하여 a_1과 r 구하기**

$\sum_{n=3}^{\infty} a_n = \frac{4}{3}$으로 수렴하므로 $-1 < r < 1$이고

$\sum_{n=3}^{\infty} a_n = \frac{a_3}{1-r} = \frac{a_1 r^2}{1-r} = \frac{4}{3}$

$3a_1 r^2 = 4(1-r)$ ...... ㉡

㉠에서 $a_1 = \frac{20}{1+r}$을 ㉡에 대입하면

$3 \cdot \frac{20}{1+r} r^2 = 4(1-r)$, $15r^2 = 1 - r^2$

$16r^2 = 1$ $\therefore r = \frac{1}{4}$($\because$ 조건에 의하여 공비 $r > 0$)

이 값을 ㉠에 대입하여 풀면 $\frac{5}{4} a_1 = 20$

따라서 $a_1 = 16$

내신연계 출제문항 141

공비가 양수이고

$$a_1 + a_2 = 30, \ \sum_{n=3}^{\infty} a_n = 2$$

를 만족시키는 등비수열 $\{a_n\}$에 대하여 a_1의 값은?

① 6 ② 12 ③ 18
④ 24 ⑤ 30

STEP Ⓐ **조건을 만족하는 양수인 공비 구하기**

등비수열 $\{a_n\}$의 첫째항을 a, 공비를 $r(0 < r < 1)$라 하자.

$a_1 + a_2 = a + ar = a(1+r) = 30$ ...... ㉠

$\sum_{n=3}^{\infty} a_n = \frac{a_3}{1-r} = \frac{ar^2}{1-r} = 2$ ...... ㉡

㉠÷㉡을 하면 $a(1+r) \times \frac{1-r}{ar^2} = 15$, $\frac{1-r^2}{r^2} = 15$

$1 - r^2 = 15r^2$, $r^2 = \frac{1}{16}$ $\therefore r = \frac{1}{4}$($\because 0 < r < 1$)

STEP Ⓑ **a_1 구하기**

㉠에 대입하면 $a\left(1+\frac{1}{4}\right) = 30$, $\frac{5}{4}a = 30$

따라서 $a = 24$

정답 ④

0343

정답 ①

STEP Ⓐ **등차수열의 일반항 구하기**

첫째항이 1, 공차가 -1인 등차수열 $\{a_n\}$의 일반항은

$a_n = 1 + (n-1) \cdot (-1) = -n + 2$

STEP Ⓑ **등비급수의 합 구하기**

따라서 $\sum_{n=1}^{\infty} 3^{a_n} = \sum_{n=1}^{\infty} 3^{-n+2} = \sum_{n=1}^{\infty} 9\left(\frac{1}{3}\right)^n = 9 \cdot \frac{\frac{1}{3}}{1-\frac{1}{3}} = \frac{9}{2}$

0344

STEP Ⓐ **수열 $\{a_n\}$의 일반항 구하기**

$a_n = \sum_{k=n}^{\infty} \left(\frac{1}{2}\right)^k = \left(\frac{1}{2}\right)^n + \left(\frac{1}{2}\right)^{n+1} + \cdots$

수열 $\{a_n\}$은 첫째항이 $\left(\frac{1}{2}\right)^n$이고 공비가 $\frac{1}{2}$인 등비급수의 합이므로

$\frac{\left(\frac{1}{2}\right)^n}{1-\frac{1}{2}} = \left(\frac{1}{2}\right)^{n-1}$

STEP Ⓑ **등비급수의 합 구하기**

따라서 $\sum_{n=1}^{\infty} a_n = \sum_{n=1}^{\infty} \left(\frac{1}{2}\right)^{n-1} = \frac{1}{1-\frac{1}{2}} = 2$

내신연계 출제문항 142

첫째항이 3이고 공비가 $\frac{1}{2}$인 등비수열 $\{a_n\}$에 대하여

수열 $\{b_n\}$을 $b_n = \sum_{k=n}^{\infty} a_k$로 정의할 때, $\sum_{n=1}^{\infty} b_n$의 값은?

① 9 ② 12 ③ 18
④ 24 ⑤ 32

STEP Ⓐ **등비수열 $\{a_n\}$, $\{b_n\}$의 일반항 구하기**

첫째항이 3이고 공비가 $\frac{1}{2}$이므로

$a_n = 3 \cdot \left(\frac{1}{2}\right)^{n-1}$

$b_n = \sum_{k=n}^{\infty} a_k = \sum_{k=n}^{\infty} 6 \cdot \left(\frac{1}{2}\right)^k$

수열 $\{b_n\}$은 첫째항이 $6 \cdot \left(\frac{1}{2}\right)^n$이고 공비가 $\frac{1}{2}$인 등비급수의 합이므로

$\frac{6 \cdot \left(\frac{1}{2}\right)^n}{1-\frac{1}{2}} = 6 \cdot \left(\frac{1}{2}\right)^{n-1}$

STEP Ⓑ **등비급수의 합 구하기**

따라서 $\sum_{n=1}^{\infty} b_n = \sum_{n=1}^{\infty} 6 \cdot \left(\frac{1}{2}\right)^{n-1} = \frac{6}{1-\frac{1}{2}} = 12$

0345

정답 ③

STEP A 공식을 이용하여 등비급수, 등비수열의 합 구하기

첫째항이 4, 공비가 $\frac{1}{5}$이므로

$$\sum_{n=1}^{\infty} a_n=\frac{4}{1-\frac{1}{5}}=5,\ \sum_{k=1}^{n} a_k=\frac{4\left(1-\frac{1}{5^n}\right)}{1-\frac{1}{5}}=5\left(1-\frac{1}{5^n}\right)$$

STEP B 식을 대입하여 주어진 부등식을 정리하기

즉 $\left|\sum_{n=1}^{\infty} a_n-\sum_{k=1}^{n} a_k\right|=\left|5-5\left(1-\frac{1}{5^n}\right)\right|=\frac{1}{5^{n-1}}\le 0.001=\frac{1}{1000}$

$\therefore 5^{n-1}\ge 1000$

STEP C 부등식을 만족하는 n의 값 구하기

이때 $5^4=625,\ 5^5=3125$이므로 $n-1\ge 5 \quad \therefore n\ge 6$

따라서 구하는 n의 최솟값은 6

내신연계 출제문항 143

첫째항이 3, 공비가 $\frac{1}{4}$인 등비급수의 합 S와 제 n항까지의 부분합 S_n과의 차가 처음으로 $\frac{1}{1000}$보다 작게 되는 n의 최솟값은?

① 4 ② 5 ③ 6
④ 7 ⑤ 8

STEP A 등비급수의 합 구하기

첫째항이 3, 공비가 $\frac{1}{4}$인 등비급수의 합 $S=\frac{3}{1-\frac{1}{4}}=4$

STEP B 제 n항까지의 부분합 S_n 구하기

제 n항까지의 부분합 S_n은 $S_n=\frac{3\left\{1-\left(\frac{1}{4}\right)^n\right\}}{1-\frac{1}{4}}=4-\left(\frac{1}{4}\right)^{n-1}$

STEP C 조건을 만족하는 n의 값 구하기

$|S-S_n|=\left|4-\left\{4-\left(\frac{1}{4}\right)^{n-1}\right\}\right|=\left(\frac{1}{4}\right)^{n-1}<\frac{1}{1000}$

$\therefore 4^{n-1}>1000$

이때 $4^4=256,\ 4^5=1024$이므로 $n-1\ge 5 \quad \therefore n\ge 6$

따라서 구하는 n의 최솟값은 6

정답 ③

0346

정답 ④

STEP A 등비급수의 합 공식을 이용하여 공비 r의 값 구하기

등비급수 $\sum_{n=1}^{\infty} a_n$의 첫째항이 2이고 공비가 r이라 하면

$\sum_{n=1}^{\infty} a_n=\frac{2}{1-r}=4,\ 2=4(1-r) \quad \therefore r=\frac{1}{2}$

STEP B 주어진 합 구하기

즉 $a_n^2=\left\{2\left(\frac{1}{2}\right)^{n-1}\right\}^2=4\left(\frac{1}{4}\right)^{n-1}$

따라서 $\sum_{n=1}^{\infty} a_n^2=\sum_{n=1}^{\infty} 4\left(\frac{1}{4}\right)^{n-1}=\frac{4}{1-\frac{1}{4}}=\frac{16}{3}$

참고 $\sum_{n=1}^{\infty}(a_n)^2=2^2+2^2\cdot\left(\frac{1}{2}\right)^2+2^2\cdot\left(\frac{1}{2}\right)^4+\cdots=\frac{2^2}{1-\left(\frac{1}{2}\right)^2}=\frac{4}{1-\frac{1}{4}}=\frac{16}{3}$

0347

정답 ④

STEP A 등비급수의 합 공식을 이용하여 a, r의 값 구하기

등비수열 $\{a_n\}$의 첫째항을 a, 공비를 r이라 하면 $a_n=ar^{n-1}$

이때 $a_{2n}=ar^{2n-1}=ar\cdot(r^2)^{n-1}$이므로

$\sum_{n=1}^{\infty} a_n=\frac{a}{1-r}=8$ …… ㉠

$\sum_{n=1}^{\infty} a_{2n}=\frac{ar}{1-r^2}=\frac{ar}{(1+r)(1-r)}=\frac{8}{3}$ …… ㉡

㉠을 ㉡에 대입하면 $\frac{a}{1-r}\cdot\frac{r}{1+r}=\frac{8r}{r+1}=\frac{8}{3} \quad \therefore r=\frac{1}{2}$

㉠에 대입하면 $a=4$

STEP B 주어진 등비급수의 합 구하기

따라서 $a_n=4\left(\frac{1}{2}\right)^{n-1}$이므로 $\sum_{n=1}^{\infty}(a_n)^2=\sum_{n=1}^{\infty} 16\left(\frac{1}{4}\right)^{n-1}=\frac{16}{1-\frac{1}{4}}=\frac{64}{3}$

내신연계 출제문항 144

등비수열 $\{a_n\}$에 대하여

$$\sum_{n=1}^{\infty} a_n=6,\ \sum_{n=1}^{\infty} a_{2n}=2$$

일 때, $\sum_{n=1}^{\infty} a_n^{\ 2}$의 값은?

① 4 ② 6 ③ 8
④ 10 ⑤ 12

STEP A 등비급수의 합 공식을 이용하여 a, r의 값 구하기

등비수열 $\{a_n\}$의 첫째항을 a, 공비를 r이라 하면

$a_n=ar^{n-1}, a_{2n}=ar^{2n-1}=ar\times(r^2)^{n-1}$이므로

$\sum_{n=1}^{\infty} a_n=\frac{a}{1-r}=6$ …… ㉠

$\sum_{n=1}^{\infty} a_{2n}=\frac{ar}{1-r^2}=\frac{ar}{(1+r)(1-r)}=2$ …… ㉡

㉠을 ㉡에 대입하면 $\frac{a}{1-r}\cdot\frac{r}{1+r}=\frac{6r}{r+1}=2 \quad \therefore r=\frac{1}{2}$

㉠에 대입하면 $a=3$

STEP B 주어진 등비급수의 합 구하기

따라서 $a_n=3\left(\frac{1}{2}\right)^{n-1}$이므로 $\sum_{n=1}^{\infty}(a_n)^2=\sum_{n=1}^{\infty} 9\left(\frac{1}{4}\right)^{n-1}=\frac{9}{1-\frac{1}{4}}=12$ 정답 ⑤

0348

정답 ④

STEP A 주어진 등비급수의 합을 이용하여 첫째항과 공비 구하기

등비수열 $\{a_n\}$의 첫째항을 a, 공비를 r이라 하면

$a_n=ar^{n-1},\ a_n^{\ 2}=a^2r^{2n-2}$이므로

$\sum_{n=1}^{\infty} a_n=6$이므로 $\frac{a}{1-r}=6$ …… ㉠

$\sum_{n=1}^{\infty} a_n^{\ 2}=12$이므로 $\frac{a^2}{1-r^2}=12$ …… ㉡

㉠을 ㉡에 대입하면 $\frac{a}{1-r}\cdot\frac{a}{1+r}=12,\ \frac{a}{1+r}=2$

㉠, ㉡을 연립하면 $a=3,\ r=\frac{1}{2}$

STEP B 주어진 등비급수의 합 구하기

따라서 $\sum_{n=1}^{\infty}(-1)^{n-1}a_n=\sum_{n=1}^{\infty}(-1)^{n-1}\cdot 3\cdot\left(\frac{1}{2}\right)^{n-1}=3\sum_{n=1}^{\infty}\left(-\frac{1}{2}\right)^{n-1}=3\cdot\frac{1}{1+\frac{1}{2}}=2$

0349

정답 ③

STEP A 주어진 등비급수의 합을 이용하여 첫째항과 공비 구하기

등비수열 $\{a_n\}$의 첫째항을 a, 공비를 $r(-1<r<1)$라 하면

$a_n=ar^{n-1}$

이때 $a_{2n-1}=ar^{2n-2}=a\cdot(r^2)^{n-1}$이므로

$\sum_{n=1}^{\infty}a_n=a+ar+ar^2+\cdots=\frac{a}{1-r}=8$ …… ㉠

$\sum_{n=1}^{\infty}a_{2n-1}=a+ar^2+ar^4+ar^6+\cdots$

$=\frac{a}{1-r^2}=\frac{32}{5}$ …… ㉡

㉡에서 $\frac{a}{1-r}\cdot\frac{1}{1+r}=\frac{32}{5}$이므로 이 식에 ㉠을 대입하면

$8\times\frac{1}{1+r}=\frac{32}{5}$, $1+r=\frac{5}{4}$

$\therefore r=\frac{1}{4}$

㉠에서 $\frac{a}{1-\frac{1}{4}}=8$이므로 $\frac{4a}{3}=8$

$\therefore a=8\times\frac{3}{4}=6$

STEP B a_2의 값 구하기

따라서 $a_2=ar=6\times\frac{1}{4}=\frac{3}{2}$

0350

정답 ⑤

STEP A 등비급수를 이용하여 a, r의 값 구하기

등비수열 $\{a_n\}$의 첫째항을 a, 공비를 r이라 하면

$\sum_{n=1}^{\infty}a_n=a+ar+ar^2+\cdots=\frac{a}{1-r}=2$ …… ㉠

$\sum_{n=1}^{\infty}a_n^2=a^2+a^2r^2+a^2r^4+\cdots$

$=\frac{a^2}{1-r^2}=\frac{a\times a}{(1-r)(1+r)}=12$ …… ㉡

㉠을 ㉡에 대입하면 $2\times\frac{a}{1+r}=12$

$a=6+6r$ …… ㉢

㉠에서 $a=2-2r$

㉢을 이 식에 대입하여 정리하면

$r=-\frac{1}{2}$, $a=3$

STEP B $\sum_{n=1}^{\infty}a_n^3$의 값 구하기

따라서 $\sum_{n=1}^{\infty}a_n^3=a^3+a^3r^3+a^3r^6+\cdots=\frac{a^3}{1-r^3}=\frac{27}{1+\frac{1}{8}}=24$

내신연계 출제문항 145

등비급수 $\sum_{n=1}^{\infty}a_n$에 대하여

$$\sum_{n=1}^{\infty}a_n=4,\ \sum_{n=1}^{\infty}a_n^2=\frac{16}{3}$$

일 때, $\sum_{n=1}^{\infty}a_n^3$의 값은?

① $\frac{24}{7}$ ② 4 ③ $\frac{32}{7}$ ④ $\frac{36}{7}$ ⑤ $\frac{64}{7}$

STEP A 등비급수의 합 공식을 이용하여 첫째항과 공비 구하기

등비급수의 첫째항을 a, 공비가 r이라 하면

$\sum_{n=1}^{\infty}a_n=a+ar+ar^2+\cdots=\frac{a}{1-r}=4$ …… ㉠

$\sum_{n=1}^{\infty}a_n^2=a^2+a^2r^2+a^2r^4+\cdots$

$=\frac{a^2}{1-r^2}=\frac{a\times a}{(1-r)(1+r)}=\frac{16}{3}$ …… ㉡

㉠을 ㉡에 대입하면 $\frac{4a}{1+r}=\frac{16}{3}$

$3a=4+4r$ …… ㉢

㉠에서 $a=4-4r$

㉠, ㉢을 연립하여 풀면 $a=2$, $r=\frac{1}{2}$

STEP B $\sum_{n=1}^{\infty}a_n^3$의 값 구하기

따라서 $\sum_{n=1}^{\infty}a_n^3=a^3+a^3r^3+a^3r^6+\cdots=\frac{a^3}{1-r^3}=\frac{8}{1-\frac{1}{8}}=\frac{64}{7}$

정답 ⑤

0351

정답 ④

STEP A 등비급수의 합을 이용하여 첫째항과 공비 구하기

등비급수 $\sum_{n=1}^{\infty}a_n$에서 등비수열 $\{a_n\}$의 첫째항을 a, 공비를 r이라 하면

$\sum_{n=1}^{\infty}a_n=3$에서 $\frac{a}{1-r}=3$ …… ㉠

수열 $\{a_n^2\}$의 첫째항은 a^2, 공비는 r^2이므로

$\frac{a^2}{1-r^2}=\frac{a^2}{(1-r)(1+r)}=3$ …… ㉡

㉠을 ㉡에 대입하면 $\frac{3a}{1+r}=3$, $\frac{a}{1+r}=1$ …… ㉢

㉠÷㉢에서 $\frac{\frac{a}{1-r}}{\frac{a}{1+r}}=\frac{3}{1}$, $\frac{1+r}{1-r}=3$, $1+r=3-3r$

$\therefore r=\frac{1}{2}$

$r=\frac{1}{2}$을 ㉠에 대입하면 $a=3-3\times\frac{1}{2}$ $\therefore a=\frac{3}{2}$

즉 수열 $\{a_n^3\}$의 첫째항은 $a^3=\frac{27}{8}$, 공비는 $r^3=\frac{1}{8}$

STEP B 급수의 성질을 이용하여 구하기

따라서 $\sum_{n=1}^{\infty}(2a_n+a_n^3)=2\sum_{n=1}^{\infty}a_n+\sum_{n=1}^{\infty}a_n^3=2\times3+\frac{\frac{27}{8}}{1-\frac{1}{8}}=6+\frac{27}{7}=\frac{69}{7}$

0352

정답 ③

STEP A 수열 $\{a_n\}$의 일반항 구하기

수열 $\{a_n\}$이 $a_1=3$이고 모든 자연수 n에 대하여 $a_{n+1}=\frac{2}{3}a_n$이므로

수열 $\{a_n\}$은 첫째항이 3이고 공비가 $\frac{2}{3}$인 등비수열이다.

$\therefore a_n=3\times\left(\frac{2}{3}\right)^{n-1}$

STEP B 등비급수를 이용하여 $\sum_{n=1}^{\infty}a_{2n-1}$의 값 구하기

$a_{2n-1}=3\times\left(\frac{2}{3}\right)^{(2n-1)-1}=3\times\left(\frac{2}{3}\right)^{2(n-1)}=3\times\left(\frac{4}{9}\right)^{n-1}$

따라서 $\sum_{n=1}^{\infty}a_{2n-1}=\frac{3}{1-\frac{4}{9}}=\frac{27}{5}$

내신연계 출제문항 146

수열 $\{a_n\}$이

$$a_1=3,\ \frac{a_{n+1}}{a_n}=-\frac{1}{2}(n=1,\ 2,\ 3,\ \cdots)$$

일 때, $\sum_{n=1}^{\infty}a_{2n}$의 값은?

① $-\frac{5}{2}$ ② -2 ③ $-\frac{3}{2}$
④ -1 ⑤ $-\frac{1}{2}$

STEP A **수열 $\{a_n\}$의 일반항 구하기**

$\frac{a_{n+1}}{a_n}=-\frac{1}{2}$에서 $a_{n+1}=-\frac{1}{2}a_n$이므로 수열 $\{a_n\}$은 첫째항이 3이고

공비가 $-\frac{1}{2}$인 등비수열이므로 일반항은 $a_n=3\left(-\frac{1}{2}\right)^{n-1}$

STEP B **등비급수의 합 구하기**

$a_{2n}=3\left(-\frac{1}{2}\right)^{2n-1}=-6\left(\frac{1}{4}\right)^n=-\frac{3}{2}\left(\frac{1}{4}\right)^{n-1}$

즉 수열 $\{a_{2n}\}$은 첫째항이 $-\frac{3}{2}$이고 공비가 $\frac{1}{4}$인 등비수열이므로

$$\sum_{n=1}^{\infty}a_{2n}=\frac{-\frac{3}{2}}{1-\frac{1}{4}}=-2$$

 ②

0353

 ⑤

STEP A **나머지 정리를 이용하여 a_n 구하기**

다항식 $x^n(5x^n+3x)$를 $3x-2$로 나눈 나머지가 a_n이므로

$a_n=\left(\frac{2}{3}\right)^n\left\{5\cdot\left(\frac{2}{3}\right)^n+3\cdot\frac{2}{3}\right\}=5\times\left(\frac{4}{9}\right)^n+3\times\left(\frac{2}{3}\right)^{n+1}$

STEP B **등비급수의 성질을 이용하여 합 구하기**

따라서 $\sum_{n=1}^{\infty}a_n=\sum_{n=1}^{\infty}\left\{5\cdot\left(\frac{4}{9}\right)^n+3\cdot\left(\frac{2}{3}\right)^{n+1}\right\}=5\sum_{n=1}^{\infty}\left(\frac{4}{9}\right)^n+3\sum_{n=1}^{\infty}\left(\frac{2}{3}\right)^{n+1}$

$$=5\cdot\frac{\frac{4}{9}}{1-\frac{4}{9}}+3\cdot\frac{\frac{4}{9}}{1-\frac{2}{3}}=5\cdot\frac{4}{5}+3\cdot\frac{4}{3}=8$$

내신연계 출제문항 147

자연수 n에 대하여 다항식 x^2+2x를 4^nx-1로 나눈 나머지를 a_n이라 할 때, $\sum_{n=1}^{\infty}a_n$의 값은?

① $\frac{7}{5}$ ② $\frac{11}{5}$ ③ $\frac{11}{15}$
④ $\frac{10}{7}$ ⑤ $\frac{21}{5}$

STEP A **나머지 정리를 이용하여 a_n 구하기**

$f(x)=x^2+2x$라 하면

$f(x)$를 일차식 4^nx-1로 나눈 나머지는 나머지 정리에 의하여

$a_n=f\left(\frac{1}{4^n}\right)=\left(\frac{1}{4^n}\right)^2+2\cdot\frac{1}{4^n}=\frac{1}{16^n}+\frac{2}{4^n}(n=1,\ 2,\ 3,\ \cdots)$

STEP B **등비급수의 성질을 이용하여 합 구하기**

따라서 $\sum_{n=1}^{\infty}a_n=\sum_{n=1}^{\infty}\left(\frac{1}{16^n}+\frac{2}{4^n}\right)=\sum_{n=1}^{\infty}\frac{1}{16^n}+\sum_{n=1}^{\infty}\frac{2}{4^n}$

$$=\frac{\frac{1}{16}}{1-\frac{1}{16}}+\frac{\frac{1}{2}}{1-\frac{1}{4}}=\frac{1}{15}+\frac{2}{3}=\frac{11}{15}$$

 ③

0354

 ②

STEP A **수열 $\{a_n\}$의 첫째항을 a, 공비를 r이라 두고 식에 대입하기**

수열 $\{a_n\}$의 첫째항을 a, 공비를 r이라 하면

$a_3-a_1=2$에서 $ar^2-a=a(r^2-1)=2$ …… ㉠

STEP B **등비급수의 합을 구하고 두 식을 연립하여 a, r의 값 구하기**

$\sum_{n=1}^{\infty}\frac{1}{a_n}=\sum_{n=1}^{\infty}\frac{1}{ar^{n-1}}=\frac{\frac{1}{a}}{1-\frac{1}{r}}=\frac{r}{a(r-1)}=3$ …… ㉡

㉠에서 $a(r-1)=\frac{2}{r+1}$를 ㉡에 대입하면 $r(r+1)=6$

$r^2+r-6=0,\ (r-2)(r+3)=0\quad\therefore r=2(\because r>0)$

㉠에 대입하면 $a=\frac{2}{3}\quad\therefore a_n=\frac{2}{3}\cdot2^{n-1}=\frac{1}{3}\cdot2^n$

STEP C **공식을 이용하여 등비급수의 합 구하기**

따라서 $\sum_{n=1}^{\infty}\frac{a_n}{12^n}=\sum_{n=1}^{\infty}\frac{1}{3}\cdot\left(\frac{1}{6}\right)^n=\frac{1}{3}\cdot\frac{\frac{1}{6}}{1-\frac{1}{6}}=\frac{1}{15}$

0355

 ③

STEP A **등비급수의 합을 구하고 두 식을 연립하여 a, b, r의 값 구하기**

수열 $\{a_n\}$의 첫째항을 a_1, 공비를 r

수열 $\{b_n\}$의 첫째항을 b_1, 공비를 r이라 하면 $a_1-b_1=1$이고

$\sum_{n=1}^{\infty}a_n=\frac{a}{1-r}=8$ …… ㉠

$\sum_{n=1}^{\infty}b_n=\frac{b}{1-r}=6$ …… ㉡

㉠$-$㉡을 하면 $\frac{a_1-b_1}{1-r}=2$에서 $1-r=\frac{1}{2}\quad\therefore r=\frac{1}{2}$

$r=\frac{1}{2}$을 ㉠, ㉡에 대입하면 $a_1=4,\ b_1=3$

STEP B **등비급수의 합 구하기**

따라서 수열 $\{a_nb_n\}$은 첫째항이 $a_1b_1=4\times3=12$, 공비가 $r^2=\frac{1}{4}$인 등비수열

이므로 $\sum_{n=1}^{\infty}a_nb_n=\sum_{n=1}^{\infty}ar^{n-1}\cdot br^{n-1}=\frac{a_1b_1}{1-r^2}=\frac{12}{1-\frac{1}{4}}=16$

내신연계 출제문항 148

공비가 같은 두 등비급수 $\{a_n\}$, $\{b_n\}$에 대하여

$$a_1+b_1=6,\ \sum_{n=1}^{\infty}a_n=5,\ \sum_{n=1}^{\infty}b_n=4$$

가 성립할 때, $\sum_{n=1}^{\infty}(2a_n^2+b_n^2)$의 값은?

① 25 ② 28 ③ 31
④ 33 ⑤ 34

STEP A **등비급수의 합을 이용하여 첫째항과 공비 구하기**

두 등비급수 $\{a_n\}$, $\{b_n\}$의 공비를 $r(-1<r<1)$라 하면

$\sum_{n=1}^{\infty}a_n=\frac{a_1}{1-r}=5$ …… ㉠

$\sum_{n=1}^{\infty}b_n=\frac{b_1}{1-r}=4$ …… ㉡

㉠$+$㉡을 하면 $\frac{a_1+b_1}{1-r}=\frac{6}{1-r}=9,\ 1-r=\frac{2}{3}$ ← $a_1+b_1=6$

$\therefore r=\frac{1}{3}$

㉠, ㉡에서 $a_1=\frac{10}{3},\ b_1=\frac{8}{3}$

STEP Ⓑ **등비급수의 성질을 이용하여 합 구하기**

따라서 $\sum_{n=1}^{\infty}(2a_n^2+b_n^2)=2\sum_{n=1}^{\infty}a_n^2+\sum_{n=1}^{\infty}b_n^2$

$=2\sum_{n=1}^{\infty}\left(\frac{10}{3}\right)^2\left(\frac{1}{9}\right)^{n-1}+\sum_{n=1}^{\infty}\left(\frac{8}{3}\right)^2\left(\frac{1}{9}\right)^{n-1}$

$=2\times\frac{\left(\frac{10}{3}\right)^2}{1-\frac{1}{9}}+\frac{\left(\frac{8}{3}\right)^2}{1-\frac{1}{9}}=2\times\frac{100}{9}\times\frac{9}{8}+\frac{64}{9}\times\frac{9}{8}$

$=25+8=33$

정답 ④

0356

 ①

STEP Ⓐ **등비급수의 성질을 이용하여 $\sum_{n=1}^{\infty}a_n$, $\sum_{n=1}^{\infty}b_n$의 값 구하기**

조건 (가)에서 $\sum_{n=1}^{\infty}a_n=x$, $\sum_{n=1}^{\infty}b_n=y$라 하면

조건 (나)에서 $\sum_{n=1}^{\infty}(a_n+b_n)=\frac{9}{4}$이므로

$x+y=\frac{9}{4}$ ...... ㉠

$\sum_{n=1}^{\infty}(a_n-b_n)=\frac{3}{4}$이므로 $x-y=\frac{3}{4}$ ...... ㉡

㉠, ㉡에서 $x=\frac{3}{2}$, $y=\frac{3}{4}$

STEP Ⓑ **등비급수의 합을 구하여 수열 $\{a_n\}$, $\{b_n\}$의 공비 구하기**

첫째항이 1인 두 등비수열 $\{a_n\}$, $\{b_n\}$의 공비를 각각 p, q라 하면

$\sum_{n=1}^{\infty}a_n=\frac{1}{1-p}=\frac{3}{2}$ $\quad\therefore p=\frac{1}{3}$

$\sum_{n=1}^{\infty}b_n=\frac{1}{1-q}=\frac{3}{4}$ $\quad\therefore q=-\frac{1}{3}$

즉 $a_n=\left(\frac{1}{3}\right)^{n-1}$, $b_n=\left(-\frac{1}{3}\right)^{n-1}$

STEP Ⓒ **공식을 이용하여 등비급수의 합 구하기**

따라서 $\sum_{n=1}^{\infty}(a_n^2+b_n^2)=2\sum_{n=1}^{\infty}\left(\frac{1}{9}\right)^{n-1}=\frac{2}{1-\frac{1}{9}}=\frac{9}{4}$

다른풀이 $\{a_n\}$, $\{b_n\}$의 공비를 임의로 두고 식을 연립하여 공비 구하기

첫째항이 1인 두 등비수열 $\{a_n\}$, $\{b_n\}$의 공비를 각각 p, q라 하면

$\sum_{n=1}^{\infty}(a_n+b_n)=\sum_{n=1}^{\infty}a_n+\sum_{n=1}^{\infty}b_n=\frac{1}{1-p}+\frac{1}{1-q}=\frac{9}{4}$ ...... ㉠

$\sum_{n=1}^{\infty}(a_n-b_n)=\sum_{n=1}^{\infty}a_n-\sum_{n=1}^{\infty}b_n=\frac{1}{1-p}-\frac{1}{1-q}=\frac{3}{4}$ ...... ㉡

㉠과 ㉡을 연립하여 풀면 $p=\frac{1}{3}$, $q=-\frac{1}{3}$

첫째항이 1인 두 등비수열 $\{a_n\}$, $\{b_n\}$의 공비가 각각 p, q이므로

두 등비수열 $\{a_n^2\}$, $\{b_n^2\}$ 의 공비는 각각 p^2, q^2

따라서 $\sum_{n=1}^{\infty}(a_n^2+b_n^2)=\sum_{n=1}^{\infty}a_n^2+\sum_{n=1}^{\infty}b_n^2=\frac{1}{1-p^2}+\frac{1}{1-q^2}$

$=\frac{1}{1-\frac{1}{9}}+\frac{1}{1-\frac{1}{9}}=\frac{9}{9-1}+\frac{9}{9-1}=\frac{9}{4}$

0357

 ③

STEP Ⓐ **항들을 나열하여 수열 $\{a_n\}$의 규칙성 구하기**

$a_1=1$, $a_na_{n+1}=\left(\frac{1}{5}\right)^n$에서 $n=1, 2, 3, \cdots$을 대입하면

$a_1a_2=\frac{1}{5}$에서 $a_2=\frac{1}{5}$

$a_2a_3=\left(\frac{1}{5}\right)^2$에서 $a_3=\frac{1}{5}$

$a_3a_4=\left(\frac{1}{5}\right)^3$에서 $a_4=\left(\frac{1}{5}\right)^2$

$a_4a_5=\left(\frac{1}{5}\right)^4$에서 $a_5=\left(\frac{1}{5}\right)^2$

$\vdots$

즉 $a_{2n}=\frac{1}{5}\left(\frac{1}{5}\right)^{n-1}=\left(\frac{1}{5}\right)^n$ ⇐ 수열 $\{a_{2n}\}$은 첫째항이 $\frac{1}{5}$이고 공비가 $\frac{1}{5}$인 등비수열이다.

STEP Ⓑ **등비급수의 합 구하기**

이때 짝수항은 $a_2=\frac{1}{5}$, $a_4=\left(\frac{1}{5}\right)^2$, $a_6=\left(\frac{1}{5}\right)^3$, $\cdots$이므로 $a_{2n}=\frac{1}{5}\left(\frac{1}{5}\right)^{n-1}=\left(\frac{1}{5}\right)^n$

따라서 $\sum_{n=1}^{\infty}a_{2n}=\frac{\frac{1}{5}}{1-\frac{1}{5}}=\frac{1}{4}$

다른풀이 a_na_{n+1}, $a_{n+1}a_{n+2}$를 이용하여 a_{2n}의 일반항 구하기

$a_na_{n+1}=\left(\frac{1}{5}\right)^n$ ...... ㉠

$a_{n+1}a_{n+2}=\left(\frac{1}{5}\right)^{n+1}$ ...... ㉡

㉡÷㉠에서 $\frac{a_{n+1}a_{n+2}}{a_na_{n+1}}=\frac{\left(\frac{1}{5}\right)^{n+1}}{\left(\frac{1}{5}\right)^n}=\frac{1}{5}$, $\frac{a_{n+2}}{a_n}=\frac{1}{5}$

$\therefore a_{n+2}=\frac{1}{5}a_n$, 즉 수열 $\{a_{2n}\}$은 공비가 $\frac{1}{5}$인 등비수열이다.

이때 $a_2=\frac{1}{5}$이므로 $a_{2n}=a_2\cdot\left(\frac{1}{5}\right)^{n-1}=\left(\frac{1}{5}\right)^n$

따라서 $\sum_{n=1}^{\infty}a_{2n}=\sum_{n=1}^{\infty}\left(\frac{1}{5}\right)^n=\frac{\frac{1}{5}}{1-\frac{1}{5}}=\frac{1}{4}$

참고

$\sum_{n=1}^{\infty}a_{2n}=a_2+a_4+a_6+\cdots=\frac{1}{5}+\left(\frac{1}{5}\right)^2+\left(\frac{1}{5}\right)^3+\cdots=\frac{\frac{1}{5}}{1-\frac{1}{5}}=\frac{1}{4}$

내/신/연/계/ 출제문항 149

수열 $\{a_n\}$이 $a_1=\frac{1}{8}$이고

$a_na_{n+1}=2^n\ (n\geq 1)$

을 만족시킬 때, $\sum_{n=1}^{\infty}\frac{1}{a_{2n-1}}$의 값은?

① 12 ② 14 ③ 16
④ 18 ⑤ 20

STEP Ⓐ **항들을 나열하여 수열 $\{a_n\}$의 일반항 구하기**

$a_1=\frac{1}{2^3}$

$a_1a_2=2^1$에서 $a_2=\frac{2}{a_1}=2^4$

$a_2a_3=2^2$에서 $a_3=\frac{2^2}{a_2}=\frac{1}{2^2}$

$a_3a_4=2^3$에서 $a_4=\frac{2^3}{a_3}=2^5$

$a_4a_5=2^4$에서 $a_5=\frac{2^4}{a_4}=\frac{1}{2}$

$\vdots$

$\{a_{2n-1}\}: \frac{1}{2^3}, \frac{1}{2^2}, \frac{1}{2^1}, \cdots$이므로 $\left\{\frac{1}{a_{2n-1}}\right\}: 2^3, 2^2, 2^1, \cdots$

즉 수열 $\left\{\frac{1}{a_{2n-1}}\right\}$은 첫째항이 8이고 공비가 $\frac{1}{2}$인 등비수열이다.

STEP Ⓑ **$\sum_{n=1}^{\infty}\frac{1}{a_{2n-1}}$의 값 구하기**

따라서 $\sum_{n=1}^{\infty}\frac{1}{a_{2n-1}}=\frac{8}{1-\frac{1}{2}}=16$

다른풀이 식을 변형하여 일반항을 구하는 풀이하기

STEP A $a_n a_{n+1}=2^n(n\ge1)$을 이용하여 일반항을 찾기

$a_n a_{n+1}=2^n$에서 …… ㉠

n대신에 $n+1$을 대입하면

$a_{n+1}a_{n+2}=2^{n+1}$ …… ㉡

㉡÷㉠을 하면 $\frac{a_{n+1}a_{n+2}}{a_n a_{n+1}}=\frac{2^{n+1}}{2^n}$, $\frac{a_{n+2}}{a_n}=2$이므로 $a_{n+2}=2a_n$

즉 $\{a_{2n-1}\}$과 $\{a_{2n}\}$은 공비가 2인 등비수열이다.

이때 $a_1=\frac{1}{8}$이므로 $a_{2n-1}=\frac{1}{8}\cdot2^{n-1}=2^{n-4}$

따라서 $\sum_{n=1}^{\infty}\frac{1}{a_{2n-1}}=\sum_{n=1}^{\infty}\frac{1}{2^{n-4}}=\frac{8}{1-\frac{1}{2}}=16$  정답 ③

0358

정답 ④

STEP A $a_n=S_n-S_{n-1}$을 이용하여 일반항 a_n 구하기

$S_n=\sum_{k=1}^{n}a_k=3\left\{1-\left(\frac{2}{3}\right)^n\right\}$이므로

(i) $n=1$일 때, $a_1=S_1=1$

(ii) $n\ge2$일 때, $a_n=S_n-S_{n-1}=3\left\{1-\left(\frac{2}{3}\right)^n\right\}-3\left\{1-\left(\frac{2}{3}\right)^{n-1}\right\}=\left(\frac{2}{3}\right)^{n-1}$

(i), (ii)에서 $a_n=\left(\frac{2}{3}\right)^{n-1}(n\ge1)$ $\therefore a_{2n}=\left(\frac{2}{3}\right)^{2n-1}$

STEP B 등비급수의 성질을 이용하여 합 구하기

따라서 $\sum_{n=1}^{\infty}a_{2n}=\sum_{n=1}^{\infty}\left(\frac{2}{3}\right)^{2n-1}=\frac{\frac{2}{3}}{1-\frac{4}{9}}=\frac{6}{5}$

0359

정답 ①

STEP A $a_n=S_n-S_{n-1}$을 이용하여 일반항 a_n 구하기

$\log_2(S_n+1)=3n$에서 $S_n+1=2^{3n}$

$S_n=2^{3n}-1=8^n-1$

(i) $n=1$일 때, $a_1=S_1=7$

(ii) $n\ge2$일 때, $a_n=S_n-S_{n-1}=(8^n-1)-(8^{n-1}-1)=7\times8^{n-1}$

(i), (ii)에서 $a_n=7\times8^{n-1}(n\ge1)$

STEP B 등비급수의 성질을 이용하여 합 구하기

즉 $\frac{1}{a_n}=\frac{1}{7}\left(\frac{1}{8}\right)^{n-1}$이므로 $\sum_{n=1}^{\infty}\frac{1}{a_n}=\frac{\frac{1}{7}}{1-\frac{1}{8}}=\frac{8}{49}$

따라서 $p+q=49+8=57$

내신연계 출제문항 150

수열 $\{a_n\}$의 첫째항부터 제 n항까지의 합을 S_n이라 할 때,

$$\log(S_n+1)=n$$

이다. $\sum_{n=1}^{\infty}\frac{1}{a_n}$의 값은?

① $\frac{1}{9}$ ② $\frac{5}{81}$ ③ $\frac{10}{81}$

④ $\frac{5}{9}$ ⑤ $\frac{10}{9}$

STEP A $a_n=S_n-S_{n-1}$을 이용하여 일반항 a_n 구하기

$\log_2(S_n+1)=n$에서 $S_n+1=10^n$ $\therefore S_n=10^n-1$

(i) $n=1$일 때, $a_1=S_1=9$

(ii) $n\ge2$일 때, $a_n=S_n-S_{n-1}=(10^n-1)-(10^{n-1}-1)=9\times10^{n-1}$

(i), (ii)에서 $a_n=9\times10^{n-1}(n\ge1)$

STEP B 등비급수의 성질을 이용하여 합 구하기

따라서 $\frac{1}{a_n}=\frac{1}{9}\left(\frac{1}{10}\right)^{n-1}$이므로 $\sum_{n=1}^{\infty}\frac{1}{a_n}=\frac{\frac{1}{9}}{1-\frac{1}{10}}=\frac{10}{81}$  정답 ③

0360

정답 ③

STEP A $a_n=S_n-S_{n-1}$을 이용하여 일반항 a_n 구하기

주어진 수열 $\{2^{n-1}a_n\}$의 합을 S_n이라 하자.

$S_n=a_1+2a_2+2^2a_3+\cdots+2^{n-1}a_n=5n$

$S_n-S_{n-1}=5n-5(n-1)=5(n\ge2)$이고 $S_n-S_{n-1}=2^{n-1}a_n(n\ge2)$이므로

$2^{n-1}a_n=5(n\ge2)$, $a_1=S_1=5$, 즉 $a_n=\frac{5}{2^{n-1}}(n\ge1)$

STEP B 등비급수의 성질을 이용하여 합 구하기

따라서 $\sum_{n=1}^{\infty}a_n=\frac{5}{1-\frac{1}{2}}=10$

내신연계 출제문항 151

모든 자연수 n에 대하여 수열 $\{a_n\}$이

$$7a_1+7^2a_2+7^3a_3+\cdots+7^na_n=3^n-1$$

을 만족시킬 때, $\sum_{n=1}^{\infty}a_n$의 값은?

① $\frac{1}{7}$ ② $\frac{1}{6}$ ③ $\frac{1}{3}$

④ $\frac{1}{2}$ ⑤ $\frac{2}{7}$

STEP A $a_n=S_n-S_{n-1}$을 이용하여 일반항 a_n 구하기

주어진 수열 $\{7^na_n\}$의 합을 S_n이라 하자.

$S_n=7a_1+7^2a_2+7^3a_3+\cdots+7^na_n$에서

$S_n-S_{n-1}=3^n-1-(3^{n-1}-1)=2\cdot3^{n-1}(n\ge2)$이고

$S_n-S_{n-1}=7^na_n(n\ge2)$이므로 $7^na_n=2\cdot3^{n-1}=(n\ge2)$, $S_1=7a_1=2$

$\therefore a_n=\frac{2}{7}\left(\frac{3}{7}\right)^{n-1}(n\ge1)$

STEP B 등비급수의 성질을 이용하여 합 구하기

따라서 $\sum_{n=1}^{\infty}a_n=\sum_{n=1}^{\infty}\frac{2}{7}\left(\frac{3}{7}\right)^{n-1}=\frac{2}{7}\cdot\frac{1}{1-\frac{3}{7}}=\frac{1}{2}$  정답 ④

I 수열의 극한

0361

정답 ①

STEP Ⓐ $\sum a_n$이 수렴하면 $\lim_{n\to\infty} a_n=0$임을 이용하여 p의 값 구하기

조건 (나)에서 $\sum_{n=1}^{\infty} a_n=q$이므로 $\lim_{n\to\infty} a_n=0$

즉 $\lim_{n\to\infty} a_n=\lim_{n\to\infty}\left\{\left(\frac{1}{2}\right)^n-2+p\right\}=-2+p=0$

$\therefore\ p=2$

STEP Ⓑ 등비급수의 합 구하기

따라서 조건 (가)에서 $a_n=\left(\frac{1}{2}\right)^n$이므로

$$\sum_{n=1}^{\infty}(-1)^n a_n=\sum_{n=1}^{\infty}(-1)^n\left(\frac{1}{2}\right)^n=\sum_{n=1}^{\infty}\left(-\frac{1}{2}\right)^n=\frac{-\frac{1}{2}}{1-\left(-\frac{1}{2}\right)}=-\frac{1}{3}$$

0362

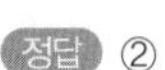 ②

STEP Ⓐ $\sum_{n=1}^{\infty} a_n$이 수렴하면 $\lim_{n\to\infty} a_n=0$임을 이용하여 r의 범위 구하기

등비수열 $\{a_n\}$의 첫째항과 공비를 모두 r이라 하면 $a_n=r^n$

$\sum_{n=1}^{\infty}\frac{a_n-2^{n+1}}{3^n}=\sum_{n=1}^{\infty}\frac{r^n-2^{n+1}}{3^n}$이 수렴하므로

$\lim_{n\to\infty}\frac{r^n-2^{n+1}}{3^n}=\lim_{n\to\infty}\left\{\left(\frac{r}{3}\right)^n-2\left(\frac{2}{3}\right)^n\right\}=0$

이때 $\lim_{n\to\infty}2\left(\frac{2}{3}\right)^n=0$이므로 $\lim_{n\to\infty}\left(\frac{r}{3}\right)^n=0$

⬅ $\lim_{n\to\infty}\left(\frac{r}{3}\right)^n=\lim_{n\to\infty}\left[\left\{\left(\frac{r}{3}\right)^n-2\left(\frac{2}{3}\right)^n\right\}+2\left(\frac{2}{3}\right)^n\right]=\lim_{n\to\infty}\left\{\left(\frac{r}{3}\right)^n-2\left(\frac{2}{3}\right)^n\right\}+\lim_{n\to\infty}2\left(\frac{2}{3}\right)^n=0+0=0$

즉 $\left|\frac{r}{3}\right|<1$이므로 $-3<r<3$

STEP Ⓑ 등비급수의 성질을 이용하여 공비 구하기

$$\sum_{n=1}^{\infty}\frac{a_n-2^{n+1}}{3^n}=\sum_{n=1}^{\infty}\left\{\left(\frac{r}{3}\right)^n-2\left(\frac{2}{3}\right)^n\right\}=\sum_{n=1}^{\infty}\left(\frac{r}{3}\right)^n-2\sum_{n=1}^{\infty}\left(\frac{2}{3}\right)^n$$

$$=\frac{\frac{r}{3}}{1-\frac{r}{3}}-2\times\frac{\frac{2}{3}}{1-\frac{2}{3}}$$

$$=\frac{r}{3-r}-4$$

이므로 $\frac{r}{3-r}-4=1$, 즉 $\frac{r}{3-r}=5$

$r=15-5r$에서 $r=\frac{15}{6}=\frac{5}{2}$

STEP Ⓒ $8a_2$의 값 구하기

따라서 $8a_2=8r^2=8\times\left(\frac{5}{2}\right)^2=50$

0363

 ①

STEP Ⓐ $\sum_{n=1}^{\infty} a_n$이 수렴하면 $\lim_{n\to\infty} a_n=0$임을 이용하여 $\lim_{n\to\infty}\frac{a_n}{n}$의 값 구하기

$\sum_{n=1}^{\infty}\left\{\frac{a_n}{n}-\frac{1+3+5+\cdots+(2n-1)}{(3n-1)^2}\right\}=5$로 수렴하므로

$\lim_{n\to\infty}\left\{\frac{a_n}{n}-\frac{1+3+5+\cdots+(2n-1)}{(3n-1)^2}\right\}=0$

⬅ $1+3+5+\cdots+(2n-1)=\sum_{k=1}^{n}(2k-1)=n^2$

$\lim_{n\to\infty}\left\{\frac{a_n}{n}-\frac{n^2}{(3n-1)^2}\right\}=\lim_{n\to\infty}\frac{a_n}{n}-\lim_{n\to\infty}\frac{n^2}{(3n-1)^2}=0$

즉 $\lim_{n\to\infty}\frac{a_n}{n}-\frac{1}{9}=0$이므로 $\lim_{n\to\infty}\frac{a_n}{n}=\frac{1}{9}$

STEP Ⓑ 공차 구하기

이때 등차수열 $\{a_n\}$의 첫째항이 a, 공차가 d인 등차수열의 일반항은

$a_n=a+(n-1)d$이므로 $\lim_{n\to\infty}\frac{a+(n-1)d}{n}=d=\frac{1}{9}$

STEP Ⓒ 등비급수의 합 구하기

따라서 $\sum_{n=1}^{\infty}d^n=\sum_{n=1}^{\infty}\left(\frac{1}{9}\right)^n=\frac{\frac{1}{9}}{1-\frac{1}{9}}=\frac{1}{8}$

0364

 ④

STEP Ⓐ $n=1, 2, 3, \cdots$을 대입하여 공비 구하기

$$\sum_{n=1}^{\infty}\left\{\frac{1+(-1)^n}{3}\right\}^n=0+\left(\frac{2}{3}\right)^2+0+\left(\frac{2}{3}\right)^4+0+\left(\frac{2}{3}\right)^6+\cdots$$

$$=\left(\frac{2}{3}\right)^2+\left(\frac{2}{3}\right)^4+\left(\frac{2}{3}\right)^6+\cdots$$

주어진 급수는 공비가 $\left(\frac{2}{3}\right)^2$인 등비급수이다.

STEP Ⓑ 공식을 이용하여 등비급수의 합 구하기

따라서 $0<\frac{4}{9}<1$이므로 $S=\frac{\frac{4}{9}}{1-\frac{4}{9}}=\frac{4}{5}$

0365

 ①

STEP Ⓐ $n=1, 2, 3, \cdots$을 대입하여 등비급수의 합 구하기

$$\sum_{n=1}^{\infty}\frac{a_n}{4^n}=\frac{0}{4}+\frac{1}{4^2}+\frac{2}{4^3}+\frac{0}{4^4}+\frac{1}{4^5}+\frac{2}{4^6}+\cdots$$

$$=\left(\frac{1}{4^2}+\frac{1}{4^5}+\frac{1}{4^8}+\cdots\right)+\left(\frac{2}{4^3}+\frac{2}{4^6}+\frac{2}{4^9}+\cdots\right)$$

$$=\frac{\frac{1}{16}}{1-\frac{1}{64}}+\frac{\frac{1}{32}}{1-\frac{1}{64}}$$

$$=\frac{4}{63}+\frac{2}{63}=\frac{2}{21}$$

0366

 ①

STEP Ⓐ 주어진 조건에서 a_{2n}의 식 구하기

7^n을 4로 나눈 나머지를 차례로 구하면

3, 1, 3, 1, $\cdots$이므로 $a_{2n}=1$

STEP Ⓑ 공식을 이용하여 등비급수의 합 구하기

따라서 $\sum_{n=1}^{\infty}\frac{a_{2n}}{3^n}=\sum_{n=1}^{\infty}\left(\frac{1}{3}\right)^n=\frac{\frac{1}{3}}{1-\frac{1}{3}}=\frac{1}{2}$

내신연계 출제문항 152

자연수 n에 대하여 3^{n-1}을 4로 나눈 나머지를 a_n이라고 할 때, $\sum_{n=1}^{\infty}\frac{a_n}{5^n}$의 값은?

① $\frac{1}{3}$　② $\frac{1}{2}$　③ $\frac{2}{3}$
④ $\frac{3}{4}$　⑤ $\frac{8}{3}$

STEP A 3^{n-1}을 4로 나눈 나머지 a_n 구하기

$n=1$일 때, $3^0=1$이므로 4로 나눈 나머지는 1
$n=2$일 때, $3^1=3$이므로 4로 나눈 나머지는 3
$n=3$일 때, $3^2=9$이므로 4로 나눈 나머지는 1
$n=4$일 때, $3^3=27$이므로 4로 나눈 나머지는 3
$n=5$일 때, $3^4=81$이므로 4로 나눈 나머지는 1
$n=6$일 때, $3^5=243$이므로 4로 나눈 나머지는 3
⋮
에서
$a_1=1,\ a_2=3,\ a_3=1,\ a_4=3,\ a_5=1,\ a_6=3,\ \cdots$
즉 수열 $\{a_n\}$은 1, 3이 이 순서대로 반복한다.

STEP B 공식을 이용하여 등비급수의 합 구하기

따라서 $\sum_{n=1}^{\infty}\frac{a_n}{5^n}=\frac{1}{5}+\frac{3}{5^2}+\frac{1}{5^3}+\frac{3}{5^4}+\cdots$

$$=\left(\frac{1}{5}+\frac{1}{5^3}+\frac{1}{5^5}+\cdots\right)+\left(\frac{3}{5^2}+\frac{3}{5^4}+\frac{3}{5^6}+\cdots\right)$$

$$=\frac{\frac{1}{5}}{1-\frac{1}{25}}+\frac{\frac{3}{25}}{1-\frac{1}{25}}$$

$$=\frac{5}{24}+\frac{3}{24}=\frac{8}{24}=\frac{1}{3}$$

정답 ①

0367

 ③

STEP A $n=1,\ 2,\ 3,\ \cdots$을 대입하여 일의 자리의 규칙을 찾기

$n=1$일 때, $3^1=3$이므로 일의 자리수는 3
$n=2$일 때, $3^2=9$이므로 일의 자리수는 9
$n=3$일 때, $3^3=27$이므로 일의 자리수는 7
$n=4$일 때, $3^4=81$이므로 일의 자리수는 1
$n=5$일 때, $3^5=243$이므로 일의 자리수는 3
$n=6$일 때, $3^6=729$이므로 일의 자리수는 9
⋮
에서
$a_1=3,\ a_2=9,\ a_3=7,\ a_4=1,\ a_5=3,\ a_6=9,\ \cdots$
즉 수열 $\{a_n\}$은 3, 9, 7, 1이 이 순서대로 반복한다.

STEP B 등비급수의 합 구하기

따라서 $\sum_{n=1}^{\infty}\frac{a_n}{2^n}=\frac{3}{2}+\frac{9}{2^2}+\frac{7}{2^3}+\frac{1}{2^4}+\frac{3}{2^5}+\frac{9}{2^6}+\frac{7}{2^7}+\frac{1}{2^8}+\cdots$

$$=\left(\frac{3}{2}+\frac{3}{2^5}+\frac{3}{2^9}+\cdots\right)+\left(\frac{9}{2^2}+\frac{9}{2^6}+\frac{9}{2^{10}}+\cdots\right)+\left(\frac{7}{2^3}+\frac{7}{2^7}+\frac{7}{2^{11}}+\cdots\right)+\left(\frac{1}{2^4}+\frac{1}{2^8}+\frac{1}{2^{12}}+\cdots\right)$$

$$=\frac{\frac{3}{2}}{1-\frac{1}{2^4}}+\frac{\frac{9}{2^2}}{1-\frac{1}{2^4}}+\frac{\frac{7}{2^3}}{1-\frac{1}{2^4}}+\frac{\frac{1}{2^4}}{1-\frac{1}{2^4}}$$

$$=\frac{24}{15}+\frac{36}{15}+\frac{14}{15}+\frac{1}{15}$$

$$=\frac{75}{15}=5$$

0368

 ②

STEP A $n=1,\ 2,\ 3,\ \cdots$을 대입하여 나머지 구하기

수열 $\{a_n\}$은 첫째항이 1, 공비가 2인 등비수열이므로
$a_n=1\cdot 2^{n-1}=2^{n-1}$
a_n을 3으로 나누었을 때의 나머지가 b_n이므로
$n=1$일 때, $2^0=1$이므로 3으로 나눈 나머지는 1
$n=2$일 때, $2^1=2$이므로 3으로 나눈 나머지는 2
$n=3$일 때, $2^2=4$이므로 3으로 나눈 나머지는 1
$n=4$일 때, $2^3=8$이므로 3으로 나눈 나머지는 2
$n=5$일 때, $2^4=16$이므로 3으로 나눈 나머지는 1
$n=6$일 때, $2^5=32$이므로 3으로 나눈 나머지는 2
⋮
에서
$b_1=1,\ b_2=2,\ b_3=1,\ b_4=2,\ \cdots$
즉 수열 $\{b_n\}$은 1, 2이 이 순서대로 반복한다.

STEP B 등비급수의 합 구하기

따라서 $\sum_{n=1}^{\infty}\frac{b_n}{5^n}=\frac{1}{5}+\frac{2}{5^2}+\frac{1}{5^3}+\frac{2}{5^4}+\frac{1}{5^5}+\frac{2}{5^6}+\cdots$

$$=\left(\frac{1}{5}+\frac{1}{5^3}+\frac{1}{5^5}+\cdots\right)+\left(\frac{2}{5^2}+\frac{2}{5^4}+\frac{2}{5^6}+\cdots\right)$$

$$=\frac{\frac{1}{5}}{1-\frac{1}{25}}+\frac{\frac{2}{25}}{1-\frac{1}{25}}$$

$$=\frac{5}{24}+\frac{2}{24}=\frac{7}{24}$$

내신연계 출제문항 153

수열 $\{a_n\}$을 다음 조건을 만족한다.

> (가) $a_1=2$
> (나) $a_{n+1}=(a_n^2+a_n$을 5로 나눈 나머지$)\ (n=1,\ 2,\ 3,\ \cdots)$

$\sum_{n=1}^{\infty}\frac{a_n}{3^n}=\frac{q}{p}$일 때, $p+q$의 값은? (단, p, q는 서로소인 자연수이다.)

① 12　② 13　③ 14
④ 15　⑤ 16

STEP A $n=1,\ 2,\ 3,\ \cdots$을 대입하여 나머지 구하기

$a_{n+1}=a_n(a_n+1)$을 5로 나눈 나머지이므로
$n=1$일 때, $a_1(a_1+1)=2\times3=6$이므로 $a_2=1$
$n=2$일 때, $a_2(a_2+1)=1\times2=2$이므로 $a_3=2$
$n=3$일 때, $a_3(a_3+1)=2\times3=6$이므로 $a_4=1$
$n=4$일 때, $a_4(a_4+1)=1\times2=2$이므로 $a_5=2\cdots$
수열 $\{a_n\}$은 2, 1, 2, 1, 2, 1, ⋯반복된다.

STEP B 등비급수의 합 구하기

$$\sum_{n=1}^{\infty}\frac{a_n}{3^n}=\left(\frac{2}{3}+\frac{2}{3^3}+\frac{2}{3^5}+\cdots\right)+\left(\frac{1}{3^2}+\frac{1}{3^4}+\frac{1}{3^6}+\cdots\right)$$

$$=\frac{\frac{2}{3}}{1-\frac{1}{9}}+\frac{\frac{1}{9}}{1-\frac{1}{9}}$$

$$=\frac{3}{4}+\frac{1}{8}=\frac{7}{8}$$

따라서 $p+q=8+7=15$

정답 ④

0369

정답 ⑤

STEP A 등비급수의 합 공식을 이용하여 넣은 물의 양 구하기

비커 A에 넣은 물의 양은

$$\frac{1}{4}+\frac{1}{4}\times\left(\frac{3}{4}\right)^2+\frac{1}{4}\times\left(\frac{3}{4}\right)^4+\cdots=\frac{\frac{1}{4}}{1-\frac{9}{16}}=\frac{4}{7}$$

비커 B에 넣은 물의 양은

$$\frac{3}{4}\times\frac{1}{4}+\left(\frac{3}{4}\right)^3\times\frac{1}{4}+\left(\frac{3}{4}\right)^5\times\frac{1}{4}+\cdots=\frac{\frac{3}{16}}{1-\frac{9}{16}}=\frac{3}{7}$$

따라서 비커 A와 비커 B에 넣은 물의 양의 비는 4 : 3

0370

정답 ①

STEP A 정사각형의 한 대각선의 길이 l_n 구하기

등비수열 $\{a_n\}$의 첫째항이 1이고

공비가 $\frac{1}{16}$이므로 $a_n=\left(\frac{1}{16}\right)^{n-1}$

넓이가 a_n인 정사각형의 한 변의 길이를

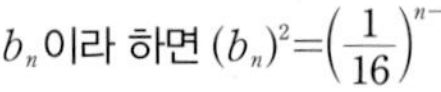
b_n이라 하면 $(b_n)^2=\left(\frac{1}{16}\right)^{n-1}$

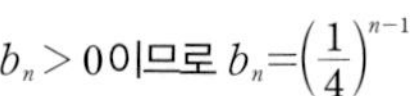
$b_n>0$이므로 $b_n=\left(\frac{1}{4}\right)^{n-1}$

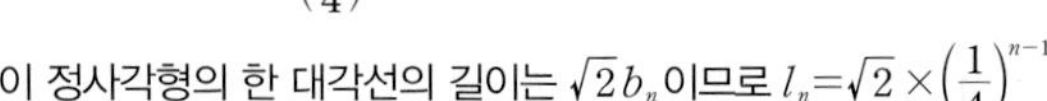
이 정사각형의 한 대각선의 길이는 $\sqrt{2}b_n$이므로 $l_n=\sqrt{2}\times\left(\frac{1}{4}\right)^{n-1}$

STEP B $\sum_{n=1}^{\infty}l_n$의 값 구하기

따라서 수열 $\{l_n\}$은 첫째항이 $\sqrt{2}$이고, 공비가 $\frac{1}{4}$인 등비수열이므로

$$\sum_{n=1}^{\infty}l_n=\frac{\sqrt{2}}{1-\frac{1}{4}}=\frac{4\sqrt{2}}{3}$$

0371

정답 ①

STEP A 정삼각형 $A_nB_nC_n$의 넓이 S_n 구하기

점 A_n에서 x축에 내린 수선의 발을 H_n이라 하면

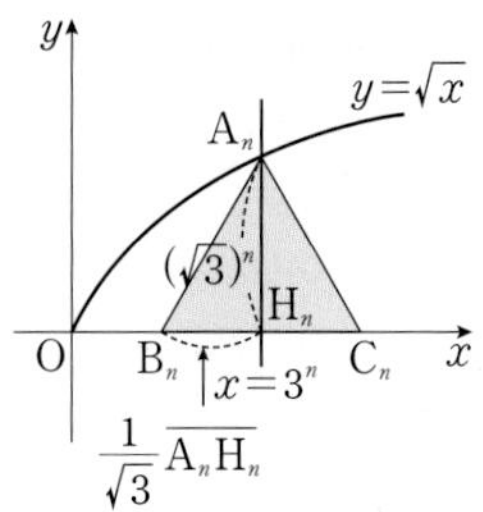

$\overline{A_nH_n}=\sqrt{3^n}=(\sqrt{3})^n$

$\overline{B_nC_n}=2\times\overline{B_nH_n}=2\times\frac{1}{\sqrt{3}}\times\overline{A_nH_n}=2\times(\sqrt{3})^{n-1}$이므로

$$S_n=\frac{1}{2}\times\overline{B_nC_n}\times\overline{A_nH_n}=\frac{1}{2}\times\{2\times(\sqrt{3})^{n-1}\}\times(\sqrt{3})^n=(\sqrt{3})^{2n-1}=\frac{3^n}{\sqrt{3}}$$

STEP B $\sum_{n=1}^{\infty}\frac{1}{S_n}$의 값 구하기

$$\text{따라서 }\sum_{n=1}^{\infty}\frac{1}{S_n}=\sum_{n=1}^{\infty}\frac{\sqrt{3}}{3^n}=\frac{\frac{\sqrt{3}}{3}}{1-\frac{1}{3}}=\frac{\sqrt{3}}{2}$$

내신연계 출제문항 154

오른쪽 그림과 같이 직선 $x=n(n=1, 2, 3, \cdots)$이 지수함수 $y=\left(\frac{1}{2}\right)^x$의 그래프 및 x축과 만나는 점을 각각 A_n, H_n이라 하자.
선분 A_nH_n을 높이로 하는 정삼각형의 넓이를 S_n이라 할 때, $\sum_{n=1}^{\infty}S_n=a$이다.

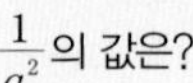
$\frac{1}{a^2}$의 값은?

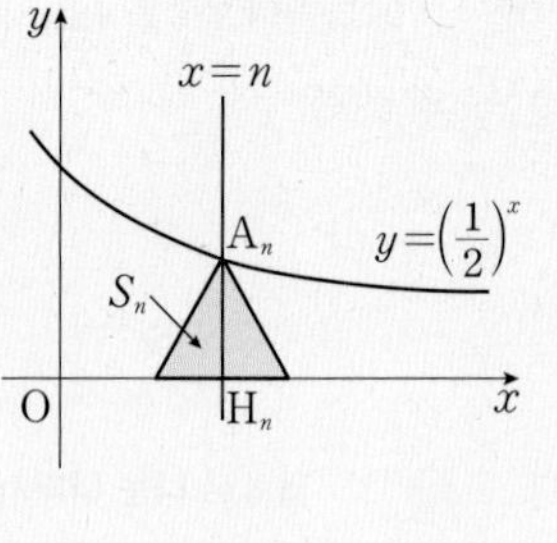

① 4 ② 8 ③ 9
④ 16 ⑤ 27

STEP A 정삼각형의 넓이 S_n 구하기

H_n의 좌표가 $(n, 0)$이고

점 A_n의 좌표는 $\left(n, \left(\frac{1}{2}\right)^n\right)$

선분 $\overline{A_nH_n}=\left(\frac{1}{2}\right)^n$을 높이로 하는

정삼각형의 한 변의 길이를 a라 하면

$a\sin 60°=\left(\frac{1}{2}\right)^n \quad \therefore a=\frac{2}{\sqrt{3}}\left(\frac{1}{2}\right)^n$

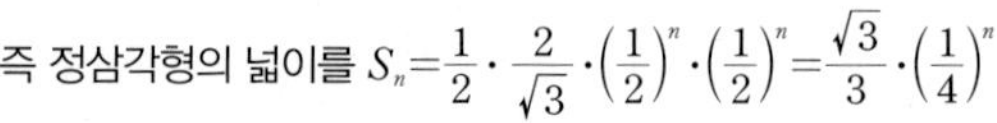
즉 정삼각형의 넓이를 $S_n=\frac{1}{2}\cdot\frac{2}{\sqrt{3}}\cdot\left(\frac{1}{2}\right)^n\cdot\left(\frac{1}{2}\right)^n=\frac{\sqrt{3}}{3}\cdot\left(\frac{1}{4}\right)^n$

STEP B 등비급수의 합 구하기

$$\sum_{n=1}^{\infty}S_n=\sum_{n=1}^{\infty}\frac{\sqrt{3}}{3}\cdot\left(\frac{1}{4}\right)^n=\frac{\frac{\sqrt{3}}{3}\cdot\frac{1}{4}}{1-\frac{1}{4}}=\frac{\sqrt{3}}{9}=a$$

따라서 $\frac{1}{a^2}=27$

정답 ⑤

0372

정답 ④

STEP A 원에 접하는 접선의 방정식 구하기

원의 접선의 방정식을 $y=-x+k(k>0)$라고 하면

직선 $x+y-k=0$과 점 $(0, 0)$ 사이의 거리가 원의 반지름의 길이인 $\left(\frac{1}{2}\right)^n$과 같아야 한다.

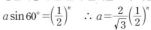

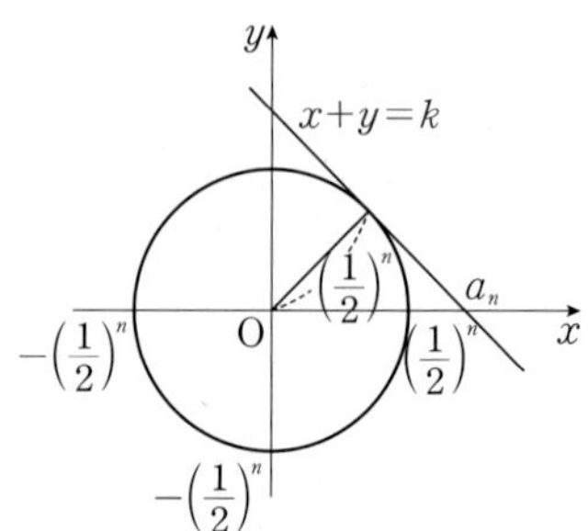

즉 $\frac{|-k|}{\sqrt{2}}=\left(\frac{1}{2}\right)^n$, $k=\sqrt{2}\times\left(\frac{1}{2}\right)^n$

$y=-x+\sqrt{2}\times\left(\frac{1}{2}\right)^n$이므로 $a_n=\sqrt{2}\times\left(\frac{1}{2}\right)^n$

STEP B $\sum_{n=1}^{\infty}a_n$의 값 구하기

$$\text{따라서 }\sum_{n=1}^{\infty}a_n=\sum_{n=1}^{\infty}\sqrt{2}\times\left(\frac{1}{2}\right)^n=\sqrt{2}\times\frac{\frac{1}{2}}{1-\frac{1}{2}}=\sqrt{2}$$

0373

정답 ②

STEP Ⓐ y절편 a_k 구하기

곡선 $y=3^x$을 x축의 방향으로 b_k만큼 평행이동시키면

$y=3^{x-b_k}$

이 곡선이 점 $(k, 2)$를 지난다고 하면

$2=3^{k-b_k}$ $\quad\therefore 3^{-b_k}=\dfrac{2}{3^k}$

이때 곡선 $y=3^{x-b_k}$의 y절편은 3^{-b_k}이므로 $a_k=3^{-b_k}=\dfrac{2}{3^k}$

STEP Ⓑ 등비급수의 합 구하기

따라서 $\displaystyle\sum_{k=1}^{\infty}a_k=\sum_{k=1}^{\infty}\frac{2}{3^k}=2\sum_{k=1}^{\infty}\left(\frac{1}{3}\right)^k=2\cdot\frac{\frac{1}{3}}{1-\frac{1}{3}}=1$

0374

STEP Ⓐ 직선과 이차함수를 연립하여 교점의 x좌표 구하기

$x\neq 1$일 때, 직선과 이차함수의 교점의 x좌표는

$\left(\frac{1}{2}\right)^{n-1}(x-1)=3x(x-1)$에서 $(x-1)\left\{\left(\frac{1}{2}\right)^{n-1}-3x\right\}=0$이므로

그래프의 교점 A, P_n의 x좌표를 각각

$x=1$ 또는 $x=\frac{1}{3}\left(\frac{1}{2}\right)^{n-1}$

STEP Ⓑ 점 P_n의 좌표를 구하고 $\overline{\mathrm{P}_n\mathrm{H}_n}$의 길이 구하기

이때 점 P_n의 y좌표는

$x=\frac{1}{3}\left(\frac{1}{2}\right)^{n-1}$을 직선 $y=\left(\frac{1}{2}\right)^{n-1}(x-1)$에 대입하면

$y=\left(\frac{1}{2}\right)^{n-1}\left\{\frac{1}{3}\left(\frac{1}{2}\right)^{n-1}-1\right\}=\frac{1}{3}\left(\frac{1}{4}\right)^{n-1}-\left(\frac{1}{2}\right)^{n-1}$ ⬅ y좌표가 음수

$\therefore \overline{\mathrm{P}_n\mathrm{H}_n}=\left|\frac{1}{3}\left(\frac{1}{4}\right)^{n-1}-\left(\frac{1}{2}\right)^{n-1}\right|=\left(\frac{1}{2}\right)^{n-1}-\frac{1}{3}\left(\frac{1}{4}\right)^{n-1}$

STEP Ⓒ 등비급수의 합 구하기

$$\begin{aligned}\text{따라서 }\sum_{n=1}^{\infty}\overline{\mathrm{P}_n\mathrm{H}_n}&=\sum_{n=1}^{\infty}\left\{\left(\frac{1}{2}\right)^{n-1}-\frac{1}{3}\left(\frac{1}{4}\right)^{n-1}\right\}\\&=\sum_{n=1}^{\infty}\left(\frac{1}{2}\right)^{n-1}-\frac{1}{3}\sum_{n=1}^{\infty}\left(\frac{1}{4}\right)^{n-1}\\&=\frac{1}{1-\frac{1}{2}}-\frac{1}{3}\cdot\frac{1}{1-\frac{1}{4}}\\&=2-\frac{4}{9}=\frac{14}{9}\end{aligned}$$

내/신/연/계/ 출제문항 155

직선 $x=k(k=1, 2, 3, \cdots)$가 두 곡선 $y=2^{3-x}$과 $y=-3^{-x}$에 의하여 잘린 선분의 길이를 l_k라 하자. $\displaystyle\lim_{n\to\infty}\sum_{k=1}^{n}l_k=\frac{q}{p}$일 때, $p+q$의 값은?

(단, p와 q는 서로소인 자연수)

① 17 ② 18 ③ 19
④ 20 ⑤ 21

STEP Ⓐ 선분의 길이 l_k 구하기

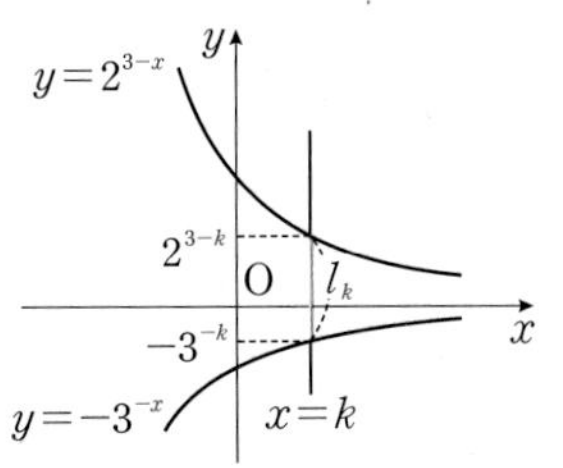

두 곡선 $y=2^{3-x}$과 $y=-3^{-x}$에 의하여 잘린 선분의 길이가 l_k이므로

$l_k=2^{3-k}-(-3^{-k})=8\left(\frac{1}{2}\right)^k+\left(\frac{1}{3}\right)^k$

STEP Ⓑ 등비급수의 합 구하기

$$\begin{aligned}\lim_{n\to\infty}\sum_{k=1}^{n}l_k=\sum_{n=1}^{\infty}l_n&=\sum_{n=1}^{\infty}\left\{8\left(\frac{1}{2}\right)^n+\left(\frac{1}{3}\right)^n\right\}\\&=8\sum_{n=1}^{\infty}\left(\frac{1}{2}\right)^n+\sum_{n=1}^{\infty}\left(\frac{1}{3}\right)^n\\&=8\cdot\frac{\frac{1}{2}}{1-\frac{1}{2}}+\frac{\frac{1}{3}}{1-\frac{1}{3}}\\&=8+\frac{1}{2}=\frac{17}{2}\end{aligned}$$

따라서 $p+q=2+17=19$

I 수열의 극한

05 등비급수의 활용

0375

정답 ③

STEP A $0.\dot{5}=\frac{5}{9}$, $0.\dot{2}=\frac{2}{9}$ 임을 이용하여 구하기

$$0.\dot{5}=0.5+0.05+0.005+\cdots$$
$$=\frac{1}{2}+\frac{1}{20}+\frac{1}{200}+\cdots$$
$$=\sum_{n=1}^{\infty}\frac{1}{2}\left(\frac{1}{10}\right)^{n-1}=\frac{\frac{1}{2}}{1-\frac{1}{10}}=\frac{5}{9}$$

$$0.\dot{2}=0.2+0.02+0.002+\cdots$$
$$=\frac{1}{5}+\frac{1}{50}+\frac{1}{500}+\cdots$$
$$=\sum_{n=1}^{\infty}\frac{1}{5}\left(\frac{1}{10}\right)^{n-1}=\frac{\frac{1}{5}}{1-\frac{1}{10}}=\frac{2}{9}$$

따라서 등비수열 $\{a_n\}$은 첫째항이 $\frac{5}{9}$, 공비가 $\frac{2}{9}$이므로

$$\sum_{n=1}^{\infty}a_n=\frac{\frac{5}{9}}{1-\frac{2}{9}}=\frac{5}{7}$$

0376

 ②

STEP A 등비급수를 두 부분으로 나누고 공식을 이용하여 합 구하기

$0.\dot{3}\dot{4}=0.343434\cdots$에서

$a_1=3,\ a_2=4,\ a_3=3,\ a_4=4,\ a_5=3,\ a_6=4,\ \cdots$

$$\therefore \sum_{n=1}^{\infty}\frac{a_n}{2^n}=\frac{3}{2}+\frac{4}{2^2}+\frac{3}{2^3}+\frac{4}{2^4}+\frac{3}{2^5}+\frac{4}{2^6}+\cdots$$
$$=\left(\frac{3}{2}+\frac{3}{2^3}+\frac{3}{2^5}+\cdots\right)+\left(\frac{4}{2^2}+\frac{4}{2^4}+\frac{4}{2^6}+\cdots\right)$$
$$=\frac{\frac{3}{2}}{1-\frac{1}{4}}+\frac{1}{1-\frac{1}{4}}=2+\frac{4}{3}=\frac{10}{3}$$

0377

 ④

STEP A 등비급수를 두 부분으로 나누어 합 구하기

$\frac{43}{99}=0.\dot{4}\dot{3}=0.434343\cdots$이므로

$$\sum_{n=1}^{\infty}\frac{a_n}{6^n}=\frac{4}{6}+\frac{3}{6^2}+\frac{4}{6^3}+\frac{3}{6^4}+\frac{4}{6^5}+\frac{3}{6^6}+\cdots$$
$$=\left(\frac{4}{6}+\frac{4}{6^3}+\frac{4}{6^5}+\cdots\right)+\left(\frac{3}{6^2}+\frac{3}{6^4}+\frac{3}{6^6}+\cdots\right)$$
$$=\frac{\frac{2}{3}}{1-\frac{1}{36}}+\frac{\frac{1}{12}}{1-\frac{1}{36}}=\frac{24}{35}+\frac{3}{35}=\frac{27}{35}$$

STEP B $p+q$의 값 구하기

따라서 $p=27$, $q=35$이므로 $p+q=27+35=62$

내신연계 출제문항 156

$\frac{23}{99}$을 순환소수로 나타낼 때, 소수 n번째 자리의 수를 a_n이라 하자.

예를 들면 $a_3=2$이다. 이때 $\sum_{n=1}^{\infty}\frac{a_n}{2^n}$의 값은?

① 1 ② $\frac{4}{3}$ ③ $\frac{5}{3}$
④ 2 ⑤ $\frac{7}{3}$

STEP A 등비급수를 두 부분으로 나누어 합 구하기

$\frac{23}{99}=0.\dot{2}\dot{3}=0.232323\cdots$이므로

$$\sum_{n=1}^{\infty}\frac{a_n}{2^n}=\frac{2}{2}+\frac{3}{2^2}+\frac{2}{2^3}+\frac{3}{2^4}+\frac{2}{2^5}+\frac{3}{2^6}+\cdots$$
$$=\left(\frac{2}{2}+\frac{2}{2^3}+\frac{2}{2^5}+\cdots\right)+\left(\frac{3}{2^2}+\frac{3}{2^4}+\frac{3}{2^6}+\cdots\right)$$
$$=\frac{1}{1-\frac{1}{4}}+\frac{\frac{3}{4}}{1-\frac{1}{4}}=\frac{4}{3}+1=\frac{7}{3}$$

정답 ⑤

참고 $$\sum_{n=1}^{\infty}\frac{a_n}{2^n}=\frac{1}{2}+\frac{2}{2^2}+\frac{1}{2^3}+\frac{2}{2^4}+\frac{1}{2^5}+\frac{2}{2^6}+\cdots=2\cdot\frac{1}{2}+2\cdot\frac{1}{2^3}+2\cdot\frac{1}{2^5}+\cdots$$
$$=1+\frac{1}{2^2}+\frac{1}{2^4}+\cdots=\frac{1}{1-\frac{1}{4}}=\frac{4}{3}$$

0378

 ④

STEP A 등비급수를 두 부분으로 나누고 공식을 이용하여 합 구하기

$\frac{4}{33}=\frac{12}{99}=0.\dot{1}\dot{2}=0.121212\cdots$에서

$a_1=1,\ a_2=2,\ a_3=1,\ a_4=2,\ \cdots$

따라서 $$\sum_{n=1}^{\infty}\frac{a_n}{3^n}=\frac{1}{3}+\frac{2}{3^2}+\frac{1}{3^3}+\frac{2}{3^4}+\cdots=\left(\frac{1}{3}+\frac{1}{3^3}+\cdots\right)+\left(\frac{2}{3^2}+\frac{2}{3^4}+\cdots\right)$$
$$=\frac{\frac{1}{3}}{1-\frac{1}{9}}+\frac{\frac{2}{9}}{1-\frac{1}{9}}=\frac{3}{8}+\frac{1}{4}=\frac{5}{8}$$

내신연계 출제문항 157

수열 $\{a_n\}$의 일반항 a_n을

$$a_n=\left(\frac{2}{11}\text{를 소수로 나타낼 때, 소수 }n\text{번째 자리의 수}\right)$$

와 같이 정의할 때, 급수 $\sum_{n=1}^{\infty}\frac{a_n}{4^n}$의 값은?

① $\frac{2}{3}$ ② $\frac{4}{5}$ ③ $\frac{17}{9}$
④ $\frac{19}{6}$ ⑤ $\frac{32}{5}$

STEP A 등비급수를 두 부분으로 나누어 합 구하기

$\frac{2}{11}=0.181818\cdots$이므로 $a_1=1,\ a_2=8,\ a_3=1,\ a_4=8,\ \cdots$

따라서 $$\sum_{n=1}^{\infty}\frac{a_n}{4^n}=\frac{1}{4}+\frac{8}{4^2}+\frac{1}{4^3}+\frac{8}{4^4}+\frac{1}{4^5}+\frac{8}{4^6}+\cdots$$
$$=\left(\frac{1}{4}+\frac{1}{4^3}+\frac{1}{4^5}+\cdots\right)+\left(\frac{8}{4^2}+\frac{8}{4^4}+\frac{8}{4^6}+\cdots\right)$$
$$=\frac{\frac{1}{4}}{1-\frac{1}{16}}+\frac{\frac{1}{2}}{1-\frac{1}{16}}=\frac{4}{15}+\frac{8}{15}=\frac{4}{5}$$

정답 ②

0379

정답 ⑤

STEP A 등비급수를 두 부분으로 나누어 합 구하기

$0.\dot{3}4\dot{5}=0.345345345\cdots$에서

$a_1=3,\ a_2=4,\ a_3=5,\ a_4=3,\ a_5=4,\ a_6=5,\ \cdots$이므로

$$\sum_{n=1}^{\infty}\frac{a_n}{2^n}=\frac{3}{2}+\frac{4}{2^2}+\frac{5}{2^3}+\frac{3}{2^4}+\frac{4}{2^5}+\frac{5}{2^6}+\cdots$$
$$=3\left(\frac{1}{2}+\frac{1}{2^4}+\frac{1}{2^7}+\cdots\right)+4\left(\frac{1}{2^2}+\frac{1}{2^5}+\frac{1}{2^8}+\cdots\right)+5\left(\frac{1}{2^3}+\frac{1}{2^6}+\frac{1}{2^9}+\cdots\right)$$
$$=\frac{\frac{3}{2}}{1-\frac{1}{8}}+\frac{1}{1-\frac{1}{8}}+\frac{\frac{5}{8}}{1-\frac{1}{8}}=\frac{25}{7}$$

내/신/연/계/ 출제문항 158

순환소수 $0.\dot{2}3\dot{5}$의 소수점 아래 첫째 자리의 숫자를 a_1, 둘째 자리 숫자를 a_2, 셋째 자리 숫자를 a_3, $\cdots$라고 할 때, 수열 $\{a_n\}$에 대하여 $\sum_{n=1}^{\infty}\frac{a_n}{3^n}$의 값은?

① $\frac{1}{3}$　② $\frac{12}{13}$　③ $\frac{11}{9}$　④ $\frac{16}{13}$　⑤ $\frac{5}{2}$

STEP A 등비급수를 세 부분으로 나누고 공식을 이용하여 합 구하기

$0.\dot{2}3\dot{5}=0.235235235\cdots$에서

$a_1=2,\ a_2=3,\ a_3=5,\ a_4=2,\ a_5=3,\ a_6=5,\ \cdots$

$$\sum_{n=1}^{\infty}\frac{a_n}{3^n}=\frac{2}{3}+\frac{3}{3^2}+\frac{5}{3^3}+\frac{2}{3^4}+\frac{3}{3^5}+\frac{5}{3^6}+\cdots$$
$$=\left(\frac{2}{3}+\frac{2}{3^4}+\frac{2}{3^7}+\cdots\right)+\left(\frac{3}{3^2}+\frac{3}{3^5}+\frac{3}{3^8}+\cdots\right)+\left(\frac{5}{3^3}+\frac{5}{3^6}+\frac{5}{3^9}+\cdots\right)$$
$$=\frac{\frac{2}{3}}{1-\frac{1}{27}}+\frac{\frac{3}{3^2}}{1-\frac{1}{27}}+\frac{\frac{5}{3^3}}{1-\frac{1}{27}}=\frac{16}{13}$$

정답 ④

0380

정답 ③

STEP A 두 번째부터는 공이 튀어 올랐다가 떨어지므로 공이 움직인 거리는 공의 높이에 두 배하여 구하기

지상 12m인 높이에서 수직으로 떨어뜨린 공이 정지할 때까지 움직인 거리는

$$12+2\left\{12\times\frac{1}{2}+12\times\left(\frac{1}{2}\right)^2+12\times\left(\frac{1}{2}\right)^3+\cdots\right\}$$
$$=12+2\times\frac{12\times\frac{1}{2}}{1-\frac{1}{2}}$$
$$=12+24=36(\mathrm{m})$$

0381

정답 ⑤

STEP A 두 번째부터는 공이 튀어 올랐다가 떨어지므로 공이 움직인 거리는 공의 높이에 두 배하여 구하기

지상 15m인 높이에서 수직으로 떨어뜨린 공이 정지할 때까지 움직인 거리는

$$15+2\left\{15\times\frac{3}{4}+15\times\left(\frac{3}{4}\right)^2+15\times\left(\frac{3}{4}\right)^3+\cdots\right\}$$
$$=15+2\cdot\frac{15\times\frac{3}{4}}{1-\frac{3}{4}}$$
$$=15+2\cdot45=105(\mathrm{m})$$

내/신/연/계/ 출제문항 159

어떤 공을 높이가 hm인 곳에서 수직으로 떨어뜨리면 떨어진 높이의 $\frac{2}{5}$만큼 튀어오다. 이 공이 상하 운동을 계속한다고 할 때, 공이 움직인 거리의 합은 35m이었다. 처음 공이 떨어뜨린 높이 h의 값은?

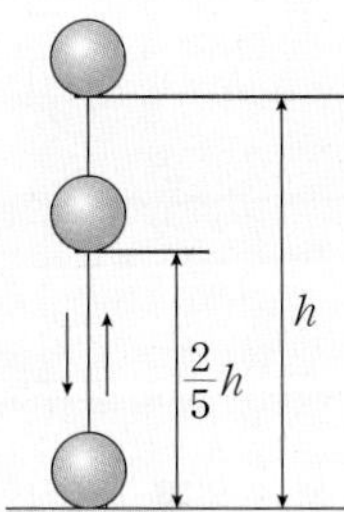

① 15m　② 18m　③ 21m　④ 24m　⑤ 27m

STEP A 수열 $\{l_n\}$의 첫째항과 공비 구하기

공이 처음 지면에 닿을 때까지 움직인 거리를 l, 공이 지면에 n번째 닿은 후 $(n+1)$번째 닿을 때까지 움직인 거리를 l_n이라 하면

$l=h(\mathrm{m})$이고

$$l_1=l\times\frac{2}{5}+l\times\frac{2}{5}=\frac{4}{5}h(\mathrm{m})$$
$$l_2=\frac{l_1}{2}\times\frac{2}{5}+\frac{l_1}{2}\times\frac{2}{5}=l_1\times\frac{2}{5}=\frac{4}{5}h\times\frac{2}{5}(\mathrm{m})$$
$$l_3=\frac{l_2}{2}\times\frac{2}{5}+\frac{l_2}{2}\times\frac{2}{5}=l_2\times\frac{2}{5}=\frac{4}{5}h\times\left(\frac{2}{5}\right)^2(\mathrm{m})$$
$$\vdots$$

STEP B 등비급수의 합 구하기

수열 $\{l_n\}$은 첫째항이 $\frac{4}{5}h$, 공비가 $\frac{2}{5}$인 등비수열이므로

$\sum_{n=1}^{\infty}l_n$은 수렴하고 공이 움직인 거리의 합은

$$l+\sum_{n=1}^{\infty}l_n=h+\frac{\frac{4}{5}h}{1-\frac{2}{5}}=\frac{7}{3}h$$

따라서 $\frac{7}{3}h=35$에서 $h=35\times\frac{3}{7}=15(\mathrm{m})$

정답 ①

0382

정답 ③

STEP A 두 번째부터는 추가 움직인 거리에 두 배하여 구하기

진자의 추가 정지할 때까지 움직인 거리의 합은

$$1\times\theta+2\times\frac{2}{3}\theta+2\times\left(\frac{2}{3}\right)^2\theta+2\times\left(\frac{2}{3}\right)^3\theta+\cdots$$
$$=\theta+2\theta\left\{\frac{2}{3}+\left(\frac{2}{3}\right)^2+\left(\frac{2}{3}\right)^3+\cdots\right\}$$
$$=\theta+2\theta\times\frac{\frac{2}{3}}{1-\frac{2}{3}}=5\theta$$

따라서 이 진자의 추가 정지할 때까지 움직인 거리의 합은 5θm

0383

 ②

STEP A 선분의 길이의 합, 차로 나타낸 후 등비급수의 합을 이용하여 a의 값 구하기

점 A_n의 좌표를 $(x_n,\ y_n)$이라하면

$x_1=\overline{\mathrm{OA}_1}=1,\ x_2=x_1,\ x_3=x_2-\overline{\mathrm{A}_2\mathrm{A}_3}=1-\left(\frac{2}{3}\right)^2,\ x_4=x_3,$

$x_5=x_4+\overline{\mathrm{A}_4\mathrm{A}_5}=1-\left(\frac{2}{3}\right)^2+\left(\frac{2}{3}\right)^4,\ \cdots$

즉 $\lim_{n\to\infty}x_n=\frac{1}{1-\left(-\frac{4}{9}\right)}=\boxed{\frac{9}{13}}$

STEP B 선분의 길이의 합, 차로 나타낸 후 등비급수의 합을 이용하여 b의 값 구하기

또, $y_1=0,\ y_2=\overline{\mathrm{A}_1\mathrm{A}_2}=\frac{2}{3},\ y_3=y_2,\ y_4=y_3-\overline{\mathrm{A}_3\mathrm{A}_4}=\frac{2}{3}-\left(\frac{2}{3}\right)^3,\ y_5=y_4$

$y_6=y_5+\overline{\mathrm{A}_5\mathrm{A}_6}=\frac{2}{3}-\left(\frac{2}{3}\right)^3+\left(\frac{2}{3}\right)^5,\ \cdots$

즉 $\lim_{n\to\infty}y_n=\frac{\frac{2}{3}}{1-\left(-\frac{4}{9}\right)}=\boxed{\frac{6}{13}}$

STEP C $a+b$의 값 구하기

따라서 점 A_n의 좌표의 극한은 $\left(\boxed{\frac{9}{13}},\ \boxed{\frac{6}{13}}\right)$이므로 $a+b=\frac{9}{13}+\frac{6}{13}=\frac{15}{13}$

0384

 ①

STEP A 선분의 길이의 합, 차로 나타낸 후 등비급수의 합을 이용하여 $a,\ b$의 값 구하기

점 P_n이 한없이 가까워지는 점의 좌표를 $(x,\ y)$라 하면

$\overline{\mathrm{P}_{n+1}\mathrm{P}_{n+2}}=\frac{1}{2}\overline{\mathrm{P}_n\mathrm{P}_{n+1}},\ \overline{\mathrm{P}_{n+2}\mathrm{P}_{n+3}}=\frac{1}{2}\overline{\mathrm{P}_{n+1}\mathrm{P}_{n+2}}=\frac{1}{4}\overline{\mathrm{P}_n\mathrm{P}_{n+1}}$이므로

$x=\overline{\mathrm{OP}_1}-\overline{\mathrm{P}_2\mathrm{P}_3}+\overline{\mathrm{P}_4\mathrm{P}_5}-\cdots=1-\frac{1}{4}+\frac{1}{16}-\cdots$

$=\sum_{n=1}^{\infty}\left(-\frac{1}{4}\right)^{n-1}=\frac{1}{1-\left(-\frac{1}{4}\right)}=\frac{4}{5}$

$y=\overline{\mathrm{P}_1\mathrm{P}_2}-\overline{\mathrm{P}_3\mathrm{P}_4}+\overline{\mathrm{P}_5\mathrm{P}_6}-\cdots=\frac{1}{2}-\frac{1}{8}+\frac{1}{32}+\cdots$

$=\sum_{n=1}^{\infty}\frac{1}{2}\left(-\frac{1}{4}\right)^{n-1}=\frac{\frac{1}{2}}{1-\left(-\frac{1}{4}\right)}=\frac{2}{5}$

STEP B $a+b$의 값 구하기

따라서 점 P는 점 $\left(\frac{4}{5},\ \frac{2}{5}\right)$에 한없이 가까워지므로 $a+b=\frac{4}{5}+\frac{2}{5}=\frac{6}{5}$

내신연계 출제문항 160

오른쪽 그림에서 $\overline{\mathrm{OP}_1}=6$이고

$\overline{\mathrm{P}_1\mathrm{P}_2}=\frac{2}{3}\overline{\mathrm{OP}_1},\ \overline{\mathrm{P}_2\mathrm{P}_3}=\frac{2}{3}\overline{\mathrm{P}_1\mathrm{P}_2},\ \cdots,$

$\overline{\mathrm{P}_n\mathrm{P}_{n+1}}=\frac{2}{3}\overline{\mathrm{P}_{n-1}\mathrm{P}_n}$일 때, 점 P_n이 한없이 가까워지는 점의 좌표를 $(a,\ b)$라 할 때, $a+b$의 값은?

(단, $\overline{\mathrm{P}_n\mathrm{P}_{n+1}}$은 x축 또는 y축에 평행하다.)

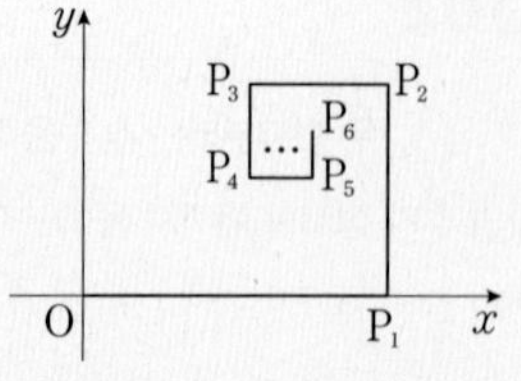

① $\frac{30}{13}$ ② $\frac{36}{13}$ ③ $\frac{54}{17}$

④ $\frac{60}{13}$ ⑤ $\frac{90}{13}$

STEP A 선분의 길이의 합, 차로 나타낸 후 등비급수의 합을 이용하여 $a,\ b$의 값 구하기

점 P_n이 점 $(x,\ y)$에 한없이 가까워진다고 하면

$x=\lim_{n\to\infty}x_n=6-6\cdot\left(\frac{2}{3}\right)^2+6\cdot\left(\frac{2}{3}\right)^4-\cdots=\frac{6}{1-\left(-\frac{4}{9}\right)}=\frac{54}{13}$

$y=\lim_{x\to\infty}y_n=6\cdot\frac{2}{3}-6\cdot\left(\frac{2}{3}\right)^3+6\cdot\left(\frac{2}{3}\right)^5-\cdots=\frac{4}{1-\left(-\frac{4}{9}\right)}=\frac{36}{13}$

따라서 점 P_n이 한없이 가까워지는 점의 좌표가 $\left(\frac{54}{13},\ \frac{36}{13}\right)$이므로

$a+b=\frac{90}{13}$

 ⑤

0385

 ②

STEP A 점 A_n의 x좌표 x_n을 선분의 합으로 표현하기

B_0을 원점으로 하고 점 $\mathrm{A}_1,\ \mathrm{A}_2,\ \cdots$에서 x축에 내린 수선의 발을 각각 $\mathrm{B}_1,\ \mathrm{B}_2,\ \cdots$라고 하면

점 A_n의 x좌표 x_n은

$x_n=\overline{\mathrm{B}_0\mathrm{B}_1}+\overline{\mathrm{B}_1\mathrm{B}_2}+\cdots+\overline{\mathrm{B}_{n-1}\mathrm{B}_n}$

STEP B 선분 $\mathrm{A}_{n-1}\mathrm{A}_n$의 기울기 a_n의 식 구하기

또, 선분 $\mathrm{A}_{n-1}\mathrm{A}_n$의 기울기를 a_n이라고 하면

$a_1=\frac{2}{3},\ a_{n+1}=\frac{3}{2}a_n$이므로

수열 $\{a_n\}$은 첫째항이 $\frac{2}{3}$, 공비가 $\frac{3}{2}$인 등비수열이다.

$a_n=\frac{2}{3}\cdot\left(\frac{3}{2}\right)^{n-1}$

STEP C $\overline{\mathrm{B}_{n-1}\mathrm{B}_n}$의 식을 구하고 공식을 이용하여 등비급수의 합 구하기

이때 $a_n=\frac{1}{\overline{\mathrm{B}_{n-1}\mathrm{B}_n}}$이므로 $\overline{\mathrm{B}_{n-1}\mathrm{B}_n}=\frac{1}{a_n}=\frac{3}{2}\cdot\left(\frac{2}{3}\right)^{n-1}$

따라서 $\lim_{n\to\infty}x_n=\sum_{n=1}^{\infty}\frac{3}{2}\cdot\left(\frac{2}{3}\right)^{n-1}=\frac{\frac{3}{2}}{1-\frac{2}{3}}=\frac{9}{2}$

0386

 ①

STEP A 선분의 길이의 합, 차로 나타낸 후 등비급수의 합을 이용하기

점 P_n의 x좌표 a_n에 대하여

$\lim_{n\to\infty}a_n=\frac{\sqrt{3}}{2}-\frac{1}{2}\times\frac{\sqrt{3}}{2}+\left(\frac{1}{2}\right)^2\times\frac{\sqrt{3}}{2}-\left(\frac{1}{2}\right)^3\times\frac{\sqrt{3}}{2}+\cdots$

$=\frac{\frac{\sqrt{3}}{2}}{1-\left(-\frac{1}{2}\right)}=\frac{\sqrt{3}}{3}$

점 P_n의 y좌표 b_n에 대하여 $\lim_{n\to\infty}b_n=\frac{1}{2}+\left(\frac{1}{2}\right)^2+\left(\frac{1}{2}\right)^3+\cdots=\frac{\frac{1}{2}}{1-\frac{1}{2}}=1$

STEP B $\lim_{n\to\infty}a_nb_n$의 값 구하기

따라서 $\lim_{n\to\infty}a_nb_n=\lim_{n\to\infty}a_n\times\lim_{n\to\infty}b_n=\frac{\sqrt{3}}{3}$

0387

정답 ⑤

STEP A 점 P_n의 x좌표를 a_n이라 하고 각각 좌표 구하기

자연수 k에 대하여 $\overline{OP_1}=4$, $\overline{P_kP_{k+1}}=4\left(\frac{3}{4}\right)^k$이고

선분 $P_{3k}P_{3k+1}$은 x축에 대하여 평행하다.

이때 점 P_n의 x좌표를 a_n이라 하면

$a_1=4$

$a_2=a_1-4\left(\frac{3}{4}\right)\cos 60°=a_1-2\left(\frac{3}{4}\right)$

$a_3=a_2-4\left(\frac{3}{4}\right)^2\cos 60°=a_2-2\left(\frac{3}{4}\right)^2$

$a_4=a_3+4\left(\frac{3}{4}\right)^3$

$a_5=a_4-4\left(\frac{3}{4}\right)^4\cos 60°=a_4-2\left(\frac{3}{4}\right)^4$

$a_6=a_5-4\left(\frac{3}{4}\right)^5\cos 60°=a_5-2\left(\frac{3}{4}\right)^5$

$a_7=a_6+4\left(\frac{3}{4}\right)^6$

$a_8=a_7-4\left(\frac{3}{4}\right)^7\cos 60°=a_7-2\left(\frac{3}{4}\right)^7$

$a_9=a_8-4\left(\frac{3}{4}\right)^8\cos 60°=a_8-2\left(\frac{3}{4}\right)^8$

$a_{10}=a_9+4\left(\frac{3}{4}\right)^9$

⋮

STEP B 등비급수의 합을 이용하여 가까워지는 x좌표 구하기

따라서 점 P_n의 x좌표를 x_n이라 하면

$$\begin{aligned}\lim_{n\to\infty}x_n&=4-2\left(\frac{3}{4}\right)-2\left(\frac{3}{4}\right)^2+4\left(\frac{3}{4}\right)^3-2\left(\frac{3}{4}\right)^4-2\left(\frac{3}{4}\right)^5+4\left(\frac{3}{4}\right)^6-\cdots\\&=\left\{4+4\left(\frac{3}{4}\right)^3+4\left(\frac{3}{4}\right)^6+\cdots\right\}-\left\{2\left(\frac{3}{4}\right)+2\left(\frac{3}{4}\right)^4+\cdots\right\}\\&\quad-\left\{2\left(\frac{3}{4}\right)^2+2\left(\frac{3}{4}\right)^5+\cdots\right\}\\&=\frac{4}{1-\frac{27}{64}}-\frac{\frac{3}{2}}{1-\frac{27}{64}}-\frac{\frac{9}{8}}{1-\frac{27}{64}}=\frac{256-96-72}{37}=\frac{88}{37}\end{aligned}$$

참고

$$\begin{aligned}\lim_{n\to\infty}x_n&=4-3\times\frac{1}{2}-\frac{9}{4}\times\frac{1}{2}+\frac{9}{4}\left(\frac{3}{4}\right)-\frac{9}{4}\left(\frac{3}{4}\right)^2\times\frac{1}{2}-\frac{9}{4}\left(\frac{3}{4}\right)^3\times\frac{1}{2}+\cdots\\&=4\left\{1-\frac{3}{4}\times\frac{1}{2}-\left(\frac{3}{4}\right)^2\times\frac{1}{2}\right\}+\frac{27}{16}\left\{1-\frac{3}{4}\times\frac{1}{2}-\left(\frac{3}{4}\right)^2\times\frac{1}{2}\right\}+\cdots\\&=\frac{\frac{44}{32}}{1-\frac{27}{64}}=\frac{88}{37}\end{aligned}$$

내/신/연/계/ 출제문항 161

다음 그림과 같이 좌표평면 위의 점 P가 원점 O를 출발하여 P_1, P_2, P_3, $\cdots$으로 움직인다.

$$\overline{OP_1}=3,\ \overline{P_1P_2}=\frac{2}{3}\overline{OP_1},\ \overline{P_2P_3}=\frac{2}{3}\overline{P_1P_2},\ \cdots$$

일 때, 점 P_n은 한 점 Q에 한없이 가까워진다. 점 Q의 y좌표는?

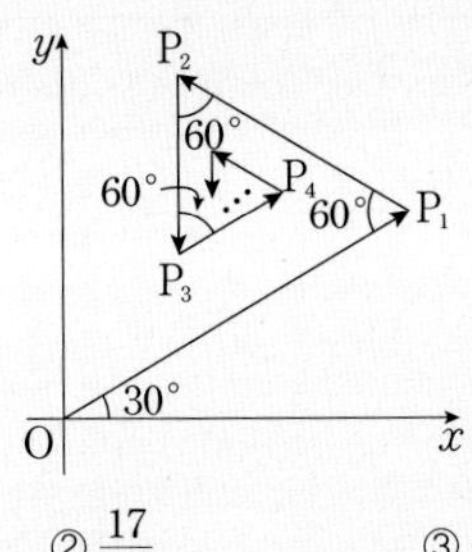

① $\frac{25}{38}$ ② $\frac{17}{19}$ ③ $\frac{17}{12}$
④ $\frac{63}{38}$ ⑤ $\frac{65}{38}$

STEP A 점 P_n의 y좌표를 a_n이라 하고 각각 좌표 구하기

자연수 k에 대하여 $\overline{OP_1}=3$, $\overline{P_kP_{k+1}}=3\left(\frac{2}{3}\right)^k$이고

선분 $P_{3k-1}P_{3k}$는 y축에 대하여 평행하다.

이때 점 P_n의 y좌표를 a_n이라 하면

$a_1=3\times\sin 30°=\frac{3}{2}$

$a_2=a_1+3\times\frac{2}{3}\cos 60°=a_1+\frac{3}{2}\left(\frac{2}{3}\right)$

$a_3=a_2-3\left(\frac{2}{3}\right)^2$

$a_4=a_3+3\left(\frac{2}{3}\right)^3\cos 60°=a_3+\frac{3}{2}\left(\frac{2}{3}\right)^3$

$a_5=a_4+3\left(\frac{2}{3}\right)^4\cos 60°=a_4+\frac{3}{2}\left(\frac{2}{3}\right)^4$

$a_6=a_5-3\left(\frac{2}{3}\right)^5$

$a_7=a_6+3\left(\frac{2}{3}\right)^6\cos 60°=a_6+\frac{3}{2}\left(\frac{2}{3}\right)^6$

$a_8=a_7+3\left(\frac{2}{3}\right)^7\cos 60°=a_7+\frac{3}{2}\left(\frac{2}{3}\right)^7$

$a_9=a_8-3\left(\frac{2}{3}\right)^8$

⋮

STEP B 등비급수의 합을 이용하여 가까워지는 y좌표 구하기

따라서 점 Q의 y좌표는

$$\begin{aligned}\lim_{n\to\infty}a_n&=\frac{3}{2}+\frac{3}{2}\left(\frac{2}{3}\right)-3\left(\frac{2}{3}\right)^2+\frac{3}{2}\left(\frac{2}{3}\right)^3+\frac{3}{2}\left(\frac{2}{3}\right)^4\\&\quad-3\left(\frac{2}{3}\right)^5+\frac{3}{2}\left(\frac{2}{3}\right)^6+\frac{3}{2}\left(\frac{2}{3}\right)^7-3\left(\frac{2}{3}\right)^8+\cdots\\&=\left\{\frac{3}{2}+\frac{3}{2}\left(\frac{2}{3}\right)^3+\frac{3}{2}\left(\frac{2}{3}\right)^6+\cdots\right\}+\left\{\frac{3}{2}\left(\frac{2}{3}\right)+\frac{3}{2}\left(\frac{2}{3}\right)^4+\frac{3}{2}\left(\frac{2}{3}\right)^7+\cdots\right\}\\&\quad-\left\{3\left(\frac{2}{3}\right)^2+3\left(\frac{2}{3}\right)^5+3\left(\frac{2}{3}\right)^8+\cdots\right\}\\&=\frac{\frac{3}{2}}{1-\frac{8}{27}}+\frac{1}{1-\frac{8}{27}}-\frac{\frac{4}{3}}{1-\frac{8}{27}}=\frac{63}{38}\end{aligned}$$

정답 ④

0388

정답 ④

STEP A 삼각함수의 기본성질을 이용하기

$\angle P_0OP_1=\angle P_0P_1P_2=\angle P_1P_2P_3=\cdots=30°$이므로

$\overline{P_0P_1}=\overline{OP_0}\times\sin 30°=2\times\frac{1}{2}=1$

$\overline{P_1P_2}=\overline{P_0P_1}\times\cos 30°=1\times\frac{\sqrt{3}}{2}=\frac{\sqrt{3}}{2}$

$\overline{P_2P_3}=\overline{P_1P_2}\times\cos 30°=\frac{\sqrt{3}}{2}\times\frac{\sqrt{3}}{2}=\left(\frac{\sqrt{3}}{2}\right)^2$

⋮

STEP B 등비급수를 이용하여 구하기

따라서 구하는 수선의 길이의 합은

$$\begin{aligned}\overline{P_0P_1}+\overline{P_1P_2}+\overline{P_2P_3}+\cdots&=1+\frac{\sqrt{3}}{2}+\left(\frac{\sqrt{3}}{2}\right)^2+\cdots\\&=\frac{1}{1-\frac{\sqrt{3}}{2}}=4+2\sqrt{3}\end{aligned}$$

0389

정답 ①

STEP A 정삼각형의 모든 선분의 길이 구하기

$\overline{CB_1}=\frac{\sqrt{3}}{2}\times\overline{BC}=\frac{\sqrt{3}}{2}\times 1=\frac{\sqrt{3}}{2}$

$\overline{C_1B_2}=\frac{\sqrt{3}}{2}\times\overline{B_1C_1}=\frac{\sqrt{3}}{2}\times\frac{1}{2}=\frac{\sqrt{3}}{4}$

$\overline{C_2B_3}=\frac{\sqrt{3}}{2}\times\overline{B_2C_2}=\frac{\sqrt{3}}{2}\times\frac{1}{4}=\frac{\sqrt{3}}{8}$

$\vdots$

STEP B 등비급수의 성질을 이용하여 급수의 합 구하기

따라서 $\overline{CB_1}+\overline{B_1C_1}+\overline{C_1B_2}+\overline{B_2C_2}+\overline{C_2B_3}+\cdots$

$=\{\overline{CB_1}+\overline{C_1B_2}+\overline{C_2B_3}+\cdots\}+\{\overline{B_1C_1}+\overline{B_2C_2}+\overline{B_3C_3}+\cdots\}$

$=\left\{\frac{\sqrt{3}}{2}+\frac{\sqrt{3}}{4}+\frac{\sqrt{3}}{8}+\cdots\right\}+\left\{\frac{1}{2}+\frac{1}{4}+\frac{1}{8}+\cdots\right\}$

$=\frac{\frac{\sqrt{3}}{2}}{1-\frac{1}{2}}+\frac{\frac{1}{2}}{1-\frac{1}{2}}=\sqrt{3}+1$

참고 한 변의 길이가 a인 정삼각형의 높이 h는 $h=\frac{\sqrt{3}}{2}a$

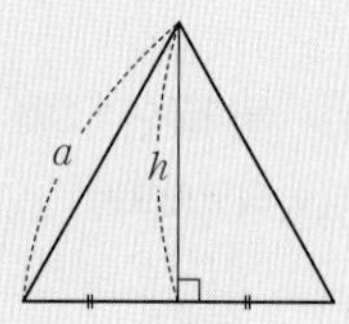

내신연계 출제문항 162

다음 그림과 같이 $\overline{AC}=\overline{AB}=2$인 직각이등변삼각형 ABC에 내접하는 정사각형 $AA_1B_1C_1$을 그리고, 직각이등변삼각형엔 A_1BB_1에 내접하는 정사각형 $A_1A_2B_2C_2$를 그린다.
이와 같은 과정을 반복하여 직각이등변삼각형에 내접하는 정사각형을 한없이 그려갈 때, $\overline{AB_1}+\overline{A_1B_2}+\overline{A_2B_3}+\cdots$의 값은?

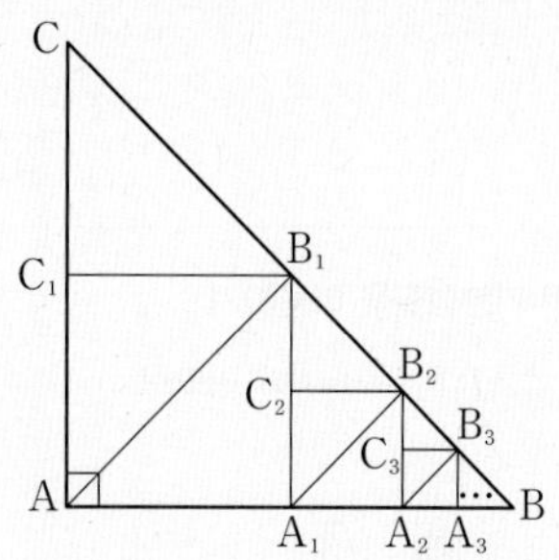

① $\sqrt{2}$　② $2\sqrt{2}$　③ $3\sqrt{2}$
④ $4\sqrt{2}$　⑤ $6\sqrt{2}$

STEP A $\overline{AB_1}$, $\overline{A_1B_2}$, $\overline{A_2B_3}$를 구하여 $\overline{A_nB_{n+1}}$의 식 추론하기

정사각형 $AA_1B_1C_1$에서 $\overline{AA_1}=\frac{1}{2}\overline{AB}=1$이므로 $\overline{AB_1}=\sqrt{2}\,\overline{AA_1}=\sqrt{2}$

또, 정사각형 $A_1A_2B_2C_2$에서 $\overline{A_1A_2}=\frac{1}{2}\overline{A_1B_1}=\frac{1}{2}$이므로 $\overline{A_1B_2}=\frac{\sqrt{2}}{2}$

$\overline{A_2B_3}=\frac{\sqrt{2}}{4}$, $\overline{A_3B_4}=\frac{\sqrt{2}}{8}$, $\cdots$이므로 $\overline{A_nB_{n+1}}=\frac{\sqrt{2}}{2^n}$

STEP B 공식을 이용하여 등비급수의 합 구하기

따라서 구하는 값은 첫째항이 $\sqrt{2}$, 공비가 $\frac{1}{2}$인 등비급수이므로

$\overline{AB_1}+\overline{A_1B_2}+\overline{A_2B_3}+\cdots=\frac{\sqrt{2}}{1-\frac{1}{2}}=2\sqrt{2}$

정답 ②

0390

정답 ①

STEP A 규칙을 파악하여 a_n의 식 구하기

각 과정의 선분의 길이를 차례대로 a_1, a_2, $\cdots$이라 하면

a_n에서는

a_{n-1}에서 생긴 마지막 가지의 길이의 $\frac{2}{5}$배인 가지가 2^{n-1}개 생기므로

$a_n=2^{n-1}\cdot\left(\frac{2}{5}\right)^{n-1}=\left(\frac{4}{5}\right)^{n-1}$

STEP B 등비급수의 합 공식을 이용하여 선분의 길이의 총합 구하기

따라서 선분의 길이의 총합은

$1+2\left(\frac{2}{5}\right)+2^2\left(\frac{2}{5}\right)^2+2^3\left(\frac{2}{5}\right)^3+\cdots=\frac{1}{1-\frac{4}{5}}=5$

내신연계 출제문항 163

그림과 같이 길이가 1인 선분 1개로 만든 도형을 S_0이라고 하자.
도형 S_0의 위쪽 끝에서 세 방향으로 길이가 $\frac{1}{4}$인 선분 3개를 붙여 도형 S_1을 만든다.
이와 같은 방법으로 도형 S_{n-1}의 가장 위쪽에 있는 각 선분의 끝에 길이가 $\left(\frac{1}{4}\right)^n$인 선분 3개를 붙여 도형 S_n을 만든다. 도형 S_n을 이루는 모든 선분의 길이의 합을 l_n이라고 할 때, $\lim_{n\to\infty} l_n$의 값은?

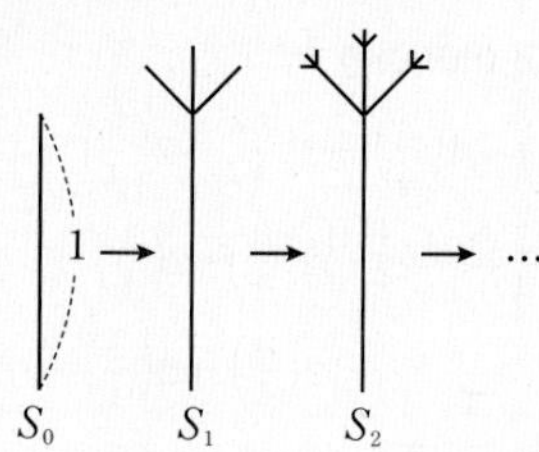

① $\frac{7}{3}$　② $\frac{5}{2}$　③ 3
④ 4　⑤ $\frac{15}{4}$

STEP A 규칙을 파악하여 l_n의 식 구하기

도형 S_n을 이루는 모든 선분의 길이의 합 l_n이므로

$l_1=1+3\times\frac{1}{4}$

$l_2=1+3\times\frac{1}{4}+3^2\times\left(\frac{1}{4}\right)^2$

$\vdots$

STEP B 등비급수를 이용하여 구하기

따라서 $\lim_{n\to\infty} l_n=1+3\times\frac{1}{4}+3^2\times\left(\frac{1}{4}\right)^2+3^3\times\left(\frac{1}{4}\right)^3+\cdots$

$=\frac{1}{1-\frac{3}{4}}=4$

정답 ④

0391

정답 ②

STEP A l_1의 값 구하기

정사각형 $A_nB_nC_nD_n$의 둘레의 길이를 l_n이라 하자.
정사각형 $A_1B_1C_1D_1$의 한 변의 길이가 1이므로 $l_1=4$

STEP B 닮음을 이용하여 공비 구하기

삼각형 AA_1D_1는 빗변이 선분 A_1D_1인 직각이등변삼각형이므로
$\sqrt{2}\times\overline{AD_1}=\overline{A_1D_1}$에서 $\overline{A_1D_1}=1$
만들어지는 정사각형은 모두 서로 닮음이고
닮음비는 정사각형의 한 변의 길이의 비와 같으므로
$\overline{AB}:\overline{A_1D_1}=\sqrt{2}:1$
즉 닮음비는 $1:\dfrac{1}{\sqrt{2}}$

STEP C 정사각형의 둘레의 길이의 합 구하기

따라서 수열 $\{l_n\}$은 첫째항이 4 공비가 $\dfrac{1}{\sqrt{2}}$인 등비수열이므로
모든 정사각형의 둘레의 길이의 합은 $\displaystyle\sum_{n=1}^{\infty}l_n=\frac{4}{1-\frac{1}{\sqrt{2}}}=8+4\sqrt{2}$

0392

정답 ⑤

STEP A a_1의 값 구하기

정삼각형의 세 변의 중점을 이어 만든 정삼각형의 한 변의 길이는
처음 정삼각형의 한 변의 길이의 $\dfrac{1}{2}$이다.
삼각형 $A_1B_1C_1$의 한 변의 길이는 $\overline{A_1B_1}=\dfrac{1}{2}\overline{AB}=\dfrac{1}{2}\times1=\dfrac{1}{2}$이므로
$a_1=\dfrac{1}{2}\times3=\dfrac{3}{2}$

STEP B 닮음비를 이용하여 공비 구하기

마찬가지로 $\overline{A_2B_2}=\dfrac{1}{2}\overline{A_1B_1}=\dfrac{1}{2}\times\dfrac{1}{2}=\dfrac{1}{2^2}$이므로 $a_2=\dfrac{1}{2^2}\times3=\dfrac{3}{2^2}$
즉 공비가 $\dfrac{1}{2}$

STEP C $\displaystyle\sum_{n=1}^{\infty}a_n$의 값 구하기

따라서 수열 $\{a_n\}$은 첫째항이 $\dfrac{3}{2}$, 공비가 $\dfrac{1}{2}$인 등비수열이므로

$$\sum_{n=1}^{\infty}a_n=\frac{3}{2}+\frac{3}{2^2}+\frac{3}{2^3}+\cdots=\frac{\frac{3}{2}}{1-\frac{1}{2}}=3$$

0393

정답 ②

STEP A $\overline{P_nP_{n+1}}=\left(\dfrac{1}{\sqrt{2}}\right)^n$임을 보이기

$\angle P_1OP_2=45°$이고 삼각형 OP_1P_2, OP_2P_3, OP_3P_4, …은
모두 직각이등변삼각형으로 서로 닮음이다.
$\overline{P_1P_2}=\overline{OP_1}\sin45°=1\times\dfrac{1}{\sqrt{2}}$
$\overline{OP_2}=\overline{P_1P_2}$이므로 $\overline{P_2P_3}=\overline{OP_2}\sin45°=\dfrac{1}{\sqrt{2}}\times\dfrac{1}{\sqrt{2}}=\left(\dfrac{1}{\sqrt{2}}\right)^2$
$\overline{OP_3}=\overline{P_2P_3}$이므로 $\overline{P_3P_4}=\overline{OP_3}\sin45°=\left(\dfrac{1}{\sqrt{2}}\right)^2\times\dfrac{1}{\sqrt{2}}=\left(\dfrac{1}{\sqrt{2}}\right)^3$
⋮
$\overline{P_nP_{n+1}}=\overline{OP_n}\sin45°=\left(\dfrac{1}{\sqrt{2}}\right)^n$

STEP B 둘레의 길이의 합 구하기

따라서 $\overline{P_1P_2}+\overline{P_2P_3}+\overline{P_3P_4}+\cdots=\displaystyle\sum_{n=1}^{\infty}a_n=\sum_{n=1}^{\infty}\left(\frac{1}{\sqrt{2}}\right)^n$

$$=\frac{\frac{1}{\sqrt{2}}}{1-\frac{1}{\sqrt{2}}}=\sqrt{2}+1$$

0394

정답 ①

STEP A $\overline{A_2B_2}$, $\overline{A_3B_3}$를 구하여 $\overline{A_nB_n}$의 식 추론하기

$\overline{A_1B_1}=20$이므로
$\overline{A_2B_2}=\dfrac{20}{3}$, $\overline{A_3B_3}=\dfrac{20}{9}$, $\overline{A_4B_4}=\dfrac{20}{27}$, …
즉 수열 $\{\overline{A_nB_n}\}$은 첫째항이 20이고 공비가 $\dfrac{1}{3}$인 등비수열이므로
$\overline{A_nB_n}=20\times\left(\dfrac{1}{3}\right)^{n-1}$

STEP B 공식을 이용하여 등비급수의 합 구하기

따라서 $\displaystyle\sum_{n=1}^{\infty}\overline{A_nB_n}=\frac{20}{1-\frac{1}{3}}=30$

내신연계 출제문항 164

수직선 위에 $\overline{A_1B_1}=15$인 두 점 A_1, B_1이 있다. 선분 A_1B_1을 $3:1$로 내분하는 점을 A_2, $1:3$으로 내분하는 점을 B_2라 하고 선분 A_2B_2를 $3:1$로 내분하는 점을 A_3, $1:3$으로 내분하는 점을 B_3이라고 하자. 이와 같은 과정을 한없이 반복하여 A_4, B_4, A_5, B_5, …를 정할 때, $\displaystyle\sum_{n=1}^{\infty}\overline{A_nB_n}$의 값은?

① 15 ② 20 ③ 30
④ 40 ⑤ 45

STEP A $\overline{A_2B_2}$, $\overline{A_3B_3}$, $\overline{A_4B_4}$를 구하여 $\overline{A_nB_n}$의 식 추론하기

다음 그림에서

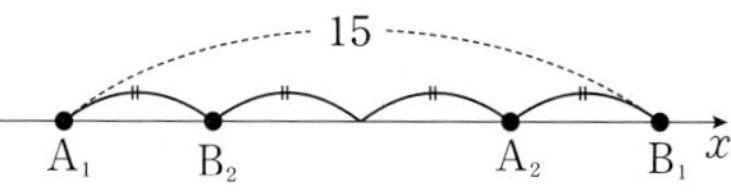

$\overline{A_2B_2}=\dfrac{1}{2}\overline{A_1B_1}$
같은 방법으로
$\overline{A_3B_3}=\dfrac{1}{2}\overline{A_2B_2}=\left(\dfrac{1}{2}\right)^2\overline{A_1B_1}$
$\overline{A_4B_4}=\dfrac{1}{2}\overline{A_3B_3}=\left(\dfrac{1}{2}\right)^3\overline{A_1B_1}$
⋮
$\overline{A_nB_n}=\left(\dfrac{1}{2}\right)^{n-1}\overline{A_1B_1}=15\left(\dfrac{1}{2}\right)^{n-1}$

STEP B 공식을 이용하여 등비급수의 합 구하기

따라서 수열 $\{\overline{A_nB_n}\}$은 첫째항이 15이고 공비가 $\dfrac{1}{2}$인 등비수열이므로
$\displaystyle\sum_{n=1}^{\infty}\overline{A_nB_n}=\frac{15}{1-\frac{1}{2}}=30$

정답 ③

0395

정답 ③

STEP Ⓐ $\overline{A_1A_2}$, $\overline{A_2A_3}$, $\overline{A_3A_4}$, $\cdots$를 이용하여 반원의 호의 길이 l_n 구하기

$\overline{A_1A_2}=4$, $\overline{A_2A_3}=4\left(\frac{3}{4}\right)$, $\overline{A_3A_4}=4\left(\frac{3}{4}\right)^2$, $\cdots$이므로

$l_1=2\pi$, $l_2=2\pi\left(\frac{3}{4}\right)$, $l_3=2\pi\left(\frac{3}{4}\right)^2$, $\cdots$

$\therefore\ l_n=2\pi\left(\frac{3}{4}\right)^{n-1}$

STEP Ⓑ 등비급수의 합 공식을 이용하여 구하기

따라서 구하는 반원의 호의 길이의 합은 $\sum_{n=1}^{\infty}l_n=\frac{2\pi}{1-\frac{3}{4}}=8\pi$

0396

정답 ④

STEP Ⓐ 원 C_1의 둘레의 길이 구하기

원 C_n의 둘레의 길이를 l_n이라 하면

반지름의 길이가 4인 원 C_n의 둘레의 길이는 $l_1=2\pi\cdot4=8\pi$

STEP Ⓑ 닮음을 이용하여 공비 구하기

원 C_1에 내접하는 정삼각형 ABC에서 원의 중심 O에서 선분 BC에 내린 수선의 발을 H라 하면

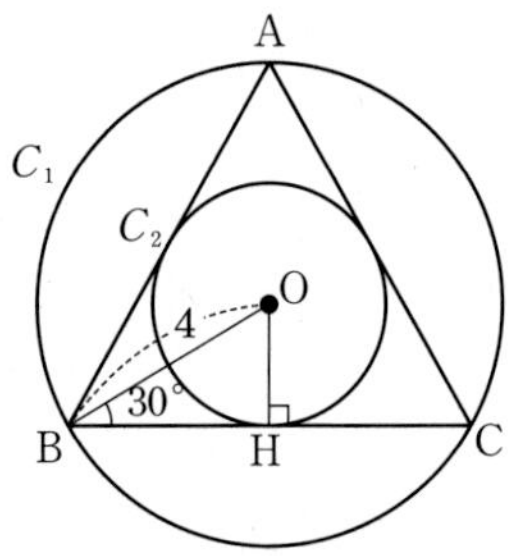

직각삼각형 OHB에 대하여 $\overline{OB}=4$이므로 $\overline{OH}=4\sin30°=2$

즉 원 C_2의 반지름의 길이는 2이므로 원의 둘레의 길이는 $2\pi\cdot2=4\pi$

즉 두 원 C_1, C_2의 둘레의 비는 $8\pi:4\pi$

즉 $1:\frac{1}{2}$

STEP Ⓒ 등비급수의 합 구하기

따라서 C_1, C_2, C_3, $\cdots$의 둘레의 길이의 합은 첫째항이 8π이고 공비가 $\frac{1}{2}$인 등비수열의 합이므로 $\sum_{n=1}^{\infty}l_n=\frac{8\pi}{1-\frac{1}{2}}=16\pi$

0397

정답 ③

STEP Ⓐ 정삼각형의 닮음비를 이용하여 L_n의 식 구하기

$\overline{OB_{n+1}}=\overline{B_nB_{n+1}}=\frac{1}{2}\overline{OB_n}$이므로

두 정삼각형 A_nOB_n, $A_{n+1}OB_{n+1}$의 닮음의 비는 $2:1$

즉 $L_{n+1}=\frac{1}{2}L_n$이고 $L_1=2\pi\times\frac{60°}{360°}=\frac{\pi}{3}$이므로 호 A_nB_n의 길이 L_n은

첫째항이 $L_1=\frac{\pi}{3}$이고 공비가 $\frac{1}{2}$인 등비수열이므로 $L_n=\frac{\pi}{3}\left(\frac{1}{2}\right)^{n-1}$

STEP Ⓑ 공식을 이용하여 등비급수의 합 구하기

따라서 $\sum_{n=1}^{\infty}L_n=\sum_{n=1}^{\infty}\frac{\pi}{3}\left(\frac{1}{2}\right)^{n-1}=\frac{\frac{\pi}{3}}{1-\frac{1}{2}}=\frac{2}{3}\pi$

내신연계 출제문항 165

그림과 같이 직각이등변삼각형 ABC에서 꼭짓점 A를 중심, $\overline{AB}$를 반지름으로 하는 원을 그렸을 때, $\overline{AC}$와 만나는 점을 A_1, $\overline{AC}\perp\overline{A_1B_1}$이면서 $\overline{BC}$ 위에 있는 점을 B_1, 꼭짓점 B_1을 중심, $\overline{A_1B_1}$을 반지름으로 하는 원을 그렸을 때, $\overline{CB_1}$과 만나는 점을 B_2, $\overline{CB_1}\perp\overline{A_2B_2}$이면서 $\overline{A_1C}$ 위에 있는 점을 A_2라고 정한다. 위와 같은 과정을 계속 반복해 나갈 때, $\overline{AB}+\overline{A_1B_1}+\overline{A_2B_2}+\cdots$의 값은? (단, $\overline{AB}=2$)

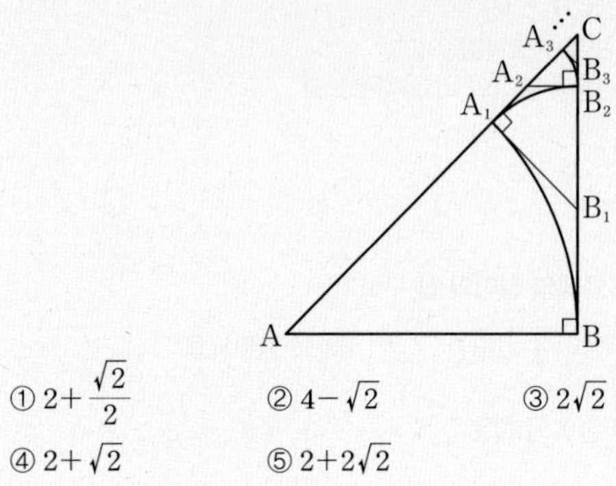

① $2+\frac{\sqrt{2}}{2}$ ② $4-\sqrt{2}$ ③ $2\sqrt{2}$
④ $2+\sqrt{2}$ ⑤ $2+2\sqrt{2}$

STEP Ⓐ $\overline{A_nB_n}$의 값 구하기

$\overline{AB}=2$이고 삼각형 ABC는 직각이등변삼각형이므로 $\overline{AC}=2\sqrt{2}$

$\overline{A_1B_1}=\overline{AC}-\overline{AB}=2\sqrt{2}-2=2(\sqrt{2}-1)$

$\overline{B_1C}=\sqrt{2}(2\sqrt{2}-2)$

$\overline{A_2B_2}=\overline{B_1C}-\overline{A_1B_1}=\sqrt{2}(2\sqrt{2}-2)-(2\sqrt{2}-2)=2(\sqrt{2}-1)^2$

$\vdots$

$\overline{A_nB_n}=2(\sqrt{2}-1)^n$

STEP Ⓑ $\overline{AB}+\overline{A_1B_1}+\overline{A_2B_2}+\cdots$의 값 구하기

$\overline{A_nB_n}$는 첫째항이 2, 공비가 $\sqrt{2}-1$인 등비수열이다.

따라서 $\overline{AB}+\overline{A_1B_1}+\overline{A_2B_2}+\cdots=\sum_{n=0}^{\infty}2(\sqrt{2}-1)^n=\frac{2}{1-(\sqrt{2}-1)}$

$=\frac{2}{2-\sqrt{2}}=2+\sqrt{2}$

참고 닮음비를 이용하여 공비 구하기

$\overline{A_nB_n}:\overline{A_{n+1}B_{n+1}}=\overline{AB}:\overline{A_1B_1}=2:(\overline{AC}-\overline{AA_1})=2:(2\sqrt{2}-2)$

$=1:(\sqrt{2}-1)$

다른풀이 l_{n+1}, l_n의 관계를 이용하여 풀이하기

다음 그림에서 $\overline{A_nB_n}=l_n$, $\overline{A_{n+1}B_{n+1}}=l_{n+1}$이라 하면

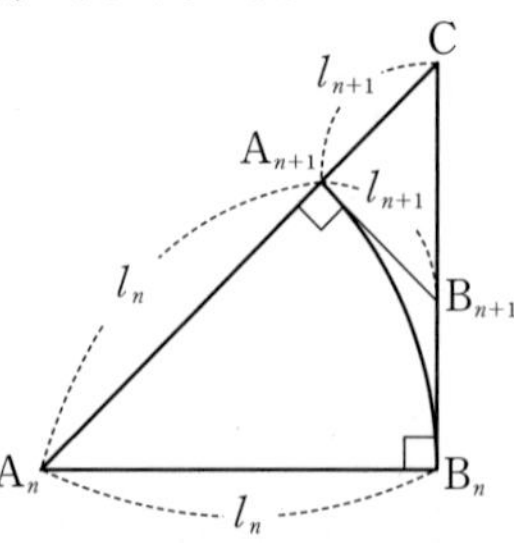

$\triangle A_nB_nC$, $\triangle A_{n+1}B_{n+1}C$가 직각이등변삼각형이므로

$A_{n+1}C=l_{n+1}$이고 $\overline{A_nC}:\overline{A_nB_n}=\sqrt{2}:1$

$(l_n+l_{n+1}):l_n=\sqrt{2}:1$

$\therefore\ l_{n+1}=(\sqrt{2}-1)l_n$, $l_0=\overline{AB}=2$

따라서 $l_n=2\times(\sqrt{2}-1)^n\ (n=0,\ 1,\ 2,\ \cdots)$이므로

$\overline{AB}+\overline{A_1B_1}+\overline{A_2B_2}+\cdots=\sum_{n=0}^{\infty}l_n=\sum_{n=0}^{\infty}2\times(\sqrt{2}-1)^n$

$=\frac{2}{1-(\sqrt{2}-1)}=2+\sqrt{2}$

정답 ④

0398

정답 ④

STEP A A_1의 넓이 S_1 구하기

정사각형 A_n의 한 변의 길이를 a_n, 넓이를 S_n이라 하면

$a_1=4,\ S_1=4^2=16$

오른쪽 그림에서

$2a_2=\sqrt{2}a_1$이므로 $a_2=\frac{\sqrt{2}}{2}a_1=2\sqrt{2}$

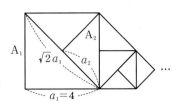

$S_2=(2\sqrt{2})^2=8$

STEP B 닮음비를 이용하여 공비 구하기

두 정사각형의 넓이의 비는 $16:8$, 즉 $1:\frac{1}{2}$ 

STEP C $\sum_{n=1}^{\infty}S_n$의 값 구하기

따라서 수열 $\{S_n\}$은 첫째항이 16, 공비가 $\frac{1}{2}$인 등비수열이므로

$$\sum_{n=1}^{\infty}S_n=\frac{16}{1-\frac{1}{2}}=32$$

0399

정답 ④

STEP A 정삼각형 $A_1B_1C_1$의 한 변의 길이를 구하여 S_1의 값 구하기

한 변의 길이가 4인 정삼각형 ABC의 각 변의 중점을 연결하여 만든 정삼각형 $A_1B_1C_1$의 한 변의 길이가 2이므로 넓이는

$$S_1=\frac{\sqrt{3}}{4}\cdot 2^2=\sqrt{3}$$

STEP B 닮음비를 이용하여 공비 구하기

정삼각형 $A_1B_1C_1$의 각 변의 중점을 연결하여 만든 정삼각형 $A_2B_2C_2$의 한 변의 길이가 1이므로 만들어지는 정사각형은 모두 서로 닮음이고 닮음비는 정사각형의 한 변의 길이의 비와 같으므로 $\overline{AB}:\overline{A_1B_1}=2:1$

즉 닮음비는 $1:\frac{1}{2}$이므로 넓이의 비는 $1:\frac{1}{4}$

STEP C 등비급수의 합 구하기

따라서 수열 $\{S_n\}$는 첫째항이 $\sqrt{3}$이고 공비가 $\frac{1}{4}$인 등비급수이므로

$$\sum_{n=1}^{\infty}S_n=\frac{\sqrt{3}}{1-\frac{1}{4}}=\frac{4\sqrt{3}}{3}$$

내신연계 출제문항 166

오른쪽 그림과 같이 넓이가 1인 삼각형 ABC의 각 변의 중점을 이어 삼각형 $A_1B_1C_1$을 만든다.
또, 삼각형 $A_1B_1C_1$의 각 변의 중점을 이어서 삼각형 $A_2B_2C_2$를 만든다. 이와 같은 과정을 한없이 반복한다고 할 때, 삼각형 $A_1B_1C_1$, 삼각형 $A_2B_2C_2$, 삼각형 $A_3B_3C_3$, …의 넓이의 합은?

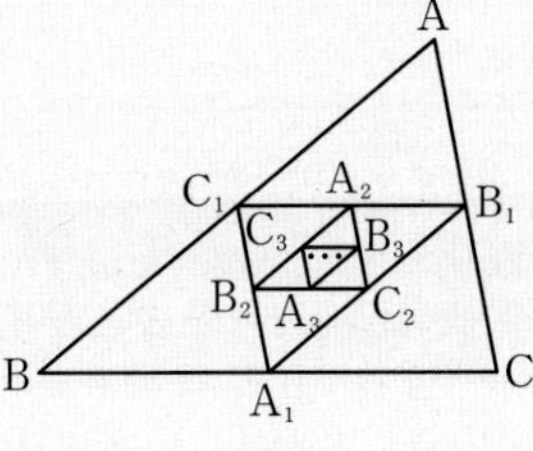

① $\frac{1}{6}$ ② $\frac{1}{5}$ ③ $\frac{1}{4}$
④ $\frac{1}{3}$ ⑤ $\frac{1}{2}$

STEP A S_1 구하기

삼각형 $A_nB_nC_n$의 넓이를 S_n이라 하면 $S_1=1\times\frac{1}{4}=\frac{1}{4}$

STEP B 닮음비를 이용하여 공비 구하기

삼각형 $A_nB_nC_n$과 삼각형 $A_{n+1}B_{n+1}C_{n+1}$은 닮음비가 $2:1$

즉 닮음비는 $1:\frac{1}{2}$이므로 넓이의 비는 $1:\frac{1}{4}$

STEP C 등비급수의 합 구하기

따라서 수열 $\{S_n\}$은 첫째항이 $\frac{1}{4}$이고 공비가 $\frac{1}{4}$인 등비수열이므로

구하는 삼각형의 넓이의 합은 $\sum_{n=1}^{\infty}S_n=\frac{\frac{1}{4}}{1-\frac{1}{4}}=\frac{1}{3}$

0400

STEP A S_1 구하기

원 C_n의 넓이를 S_n이라 하자.

원 C_1의 반지름의 길이가 2이므로 $S_1=4\pi$

STEP B 닮음비를 이용하여 공비 구하기

원 C_2의 지름의 길이는 $\overline{AB_2}=\frac{2}{3}\overline{AB_1}=\frac{2}{3}\times 4=\frac{8}{3}$

그려지는 원은 모두 서로 닮음이고, 닮음비는 지름의 길이의 비와 같으므로

$\overline{AB_1}:\overline{AB_2}=4:\frac{8}{3}$, 즉 닮음비는 $1:\frac{2}{3}$이므로 넓이의 비는 $1:\frac{4}{9}$

STEP C 모든 원의 넓이의 합 구하기

따라서 수열 $\{S_n\}$은 첫째항이 4π, 공비가 $\frac{4}{9}$인 등비수열이므로

모든 원의 넓이의 합은 $\sum_{n=1}^{\infty}S_n=\frac{4\pi}{1-\frac{4}{9}}=\frac{36}{5}\pi$

내신연계 출제문항 167

오른쪽 그림과 같이 길이가 3인 선분 AB_1을 지름으로 하는 원 C_1이 있다. 선분 AB_1을 $2:1$로 내분하는 점을 B_2라 하고 선분 AB_2를 지름으로 하는 원을 C_2라고 하자. 이와 같은 과정을 한없이 반복하여 원을 그릴 때, 모든 원의 둘레의 길이의 합은?

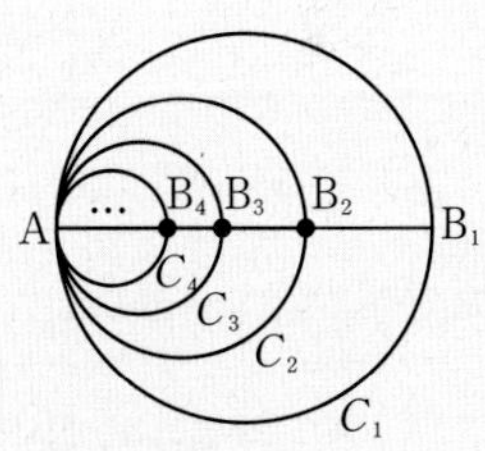

① 6π ② 7π ③ 8π
④ 9π ⑤ 10π

STEP A a_1의 값 구하기

원 C_n의 둘레의 길이를 a_n이라 하면

$\overline{AB_1}=3$이므로 $a_1=2\pi\cdot\frac{3}{2}=3\pi$

STEP B 닮음비를 이용하여 공비 구하기

원 C_2의 지름의 길이는 $\overline{AB_2}=\frac{2}{3}\overline{AB_1}=\frac{2}{3}\times 3=2$

그려지는 원은 모두 서로 닮음이고 닮음비는 지름의 길이의 비와 같으므로

$\overline{AB_1}:\overline{AB_2}=3:2$, 즉 닮음비는 $1:\frac{2}{3}$

STEP C 등비급수의 합 구하기

따라서 수열 $\{a_n\}$은 첫째항이 3π이고 공비가 $\frac{2}{3}$인 등비수열이므로

구하는 모든 원의 둘레의 길이의 합은 $\frac{3\pi}{1-\frac{2}{3}}=9\pi$

0401

정답 ③

STEP Ⓐ a_1 구하기

원 C_n의 넓이를 a_n이라 하자.
원 C_1의 반지름의 길이가 2이므로 $a_1=\pi r_1^2=4\pi$

STEP Ⓑ 닮음비를 이용하여 공비 구하기

원 C_n의 반지름의 길이를 r_n이라고 하면

$r_1=2,\ r_{n+1}=\dfrac{1}{\sqrt{2}}r_n$

$a_{n+1}=\pi r_{n+1}^2=\dfrac{\pi}{2}r_n^2=\dfrac{1}{2}a_n$

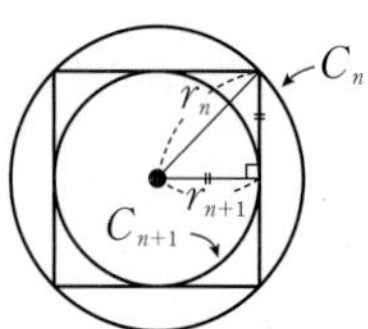

수열 $\{a_n\}$은 공비가 $\dfrac{1}{2}$인 등비수열이다.

STEP Ⓒ 등비급수의 합 구하기

따라서 수열 $\{a_n\}$은 첫째항이 4π, 공비가 $\dfrac{1}{2}$인 등비수열이므로

모든 원의 넓이의 합은 $\displaystyle\sum_{n=1}^{\infty}a_n=\frac{4\pi}{1-\frac{1}{2}}=8\pi$

내신연계 출제문항 168

다음 그림과 같이 반지름의 길이가 3인 원 C_1에 내접하는 정사각형 R_1을 그리고, 이 정사각형에 내접하는 원 C_2를 그린다.
다시 원 C_2에 내접하는 정사각형 R_2를 그리고, 이 정사각형에 내접하는 원 C_3을 그린다. 이와 같은 방법으로 원과 정사각형을 계속하여 그려 나갈 때, 원 C_n의 넓이를 a_n이라 하고, 정사각형 R_n의 넓이를 b_n이라 하자.
이때 $\displaystyle\sum_{n=1}^{\infty}(a_n+b_n)$의 값이 $p\pi+q$일 때, 자연수 p, q에 대하여 p, q의 값은?

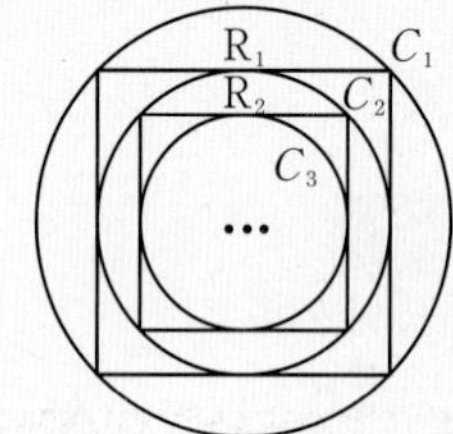

① 36　② 50　③ 54
④ 58　⑤ 62

STEP Ⓐ 원 C_1의 넓이 a_1, 정사각형 R_1의 넓이 b_1의 값 구하기

원 C_1의 반지름의 길이가 3이므로
원 C_1의 넓이는 $a_1=9\pi$
원 C_1의 지름의 길이는 원 C_1에 내접하는 정사각형 R_1의 대각선의 길이와 같으므로
정사각형 R_1의 한 변의 길이는 $\dfrac{6}{\sqrt{2}}=3\sqrt{2}$
정사각형 R_1의 넓이는 $b_1=18$

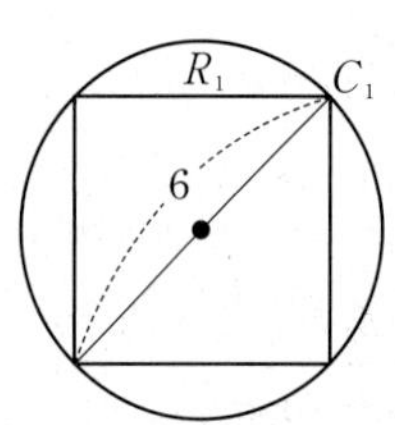

STEP Ⓑ 닮음비를 이용하여 공비 구하기

원 C_2의 지름의 길이는 정사각형 R_1의 한 변의 길이와 같으므로 반지름의 길이는

$\dfrac{3\sqrt{2}}{2}$

그려지는 원은 모두 닮음이고 닮음비는

$3:\dfrac{3\sqrt{2}}{2}$, 즉 $1:\dfrac{\sqrt{2}}{2}$이므로 넓이의 비는

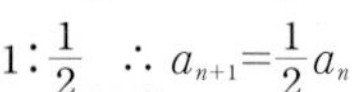
$1:\dfrac{1}{2}$　$\therefore a_{n+1}=\dfrac{1}{2}a_n$

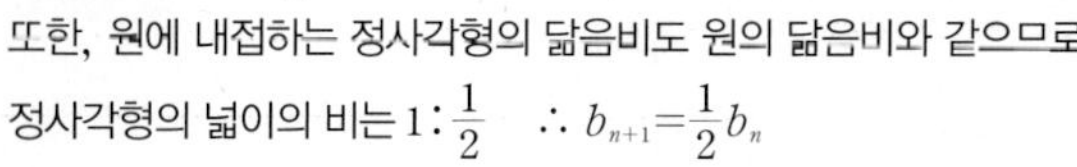
또한, 원에 내접하는 정사각형의 닮음비도 원의 닮음비와 같으므로
정사각형의 넓이의 비는 $1:\dfrac{1}{2}$　$\therefore b_{n+1}=\dfrac{1}{2}b_n$

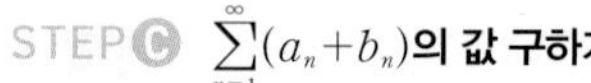
STEP Ⓒ $\displaystyle\sum_{n=1}^{\infty}(a_n+b_n)$의 값 구하기

수열 $\{a_n\}$은 첫째항이 9π, 공비가 $\dfrac{1}{2}$인 등비수열이므로

$\displaystyle\sum_{n=1}^{\infty}a_n=\frac{9\pi}{1-\frac{1}{2}}=18\pi$

수열 $\{b_n\}$은 첫째항이 18, 공비가 $\dfrac{1}{2}$인 등비수열이므로

$\displaystyle\sum_{n=1}^{\infty}b_n=\frac{18}{1-\frac{1}{2}}=36$

따라서 $\displaystyle\sum_{n=1}^{\infty}(a_n+b_n)=\sum_{n=1}^{\infty}a_n+\sum_{n=1}^{\infty}b_n=18\pi+36$

즉 $p=18$, $q=36$이므로 $p+q=54$

정답 ③

0402

정답 ⑤

STEP Ⓐ S_1의 값 구하기

$S_1=$(정사각형 $OA_1B_1C_1$의 넓이)$-$(부채꼴 A_1OB_1의 넓이)

$=4^2-\dfrac{1}{4}\times\pi\times4^2$

$=16-4\pi$

STEP Ⓑ 닮음비를 이용하여 공비 구하기

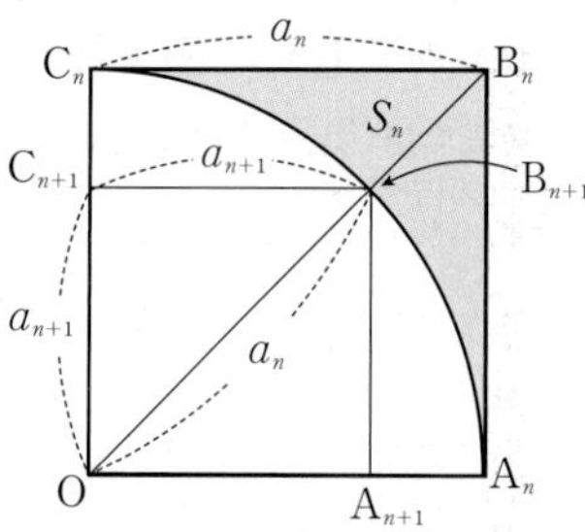

정사각형 $OA_nB_nC_n$의 한 변의 길이를 a_n이라 하고 색칠한 부분의 넓이를 S_n이라 하면 직각삼각형 $OC_{n+1}B_{n+1}$에서 $a_{n+1}^2+a_{n+1}^2=a_n^2$

$a_{n+1}=\dfrac{\sqrt{2}}{2}a_n$

두 정사각형 $OA_nB_nC_n$과 $OA_{n+1}B_{n+1}C_{n+1}$의 닮음비는 $1:\dfrac{\sqrt{2}}{2}$이므로

넓이의 비는 $1^2:\left(\dfrac{\sqrt{2}}{2}\right)^2=1:\dfrac{1}{2}$

STEP Ⓒ $\displaystyle\sum_{n=1}^{\infty}S_n$의 값 구하기

따라서 수열 $\{S_n\}$은 첫째항이 $16-4\pi$, 공비가 $\dfrac{1}{2}$인 등비수열이므로

$\displaystyle\sum_{n=1}^{\infty}S_n=\frac{16-4\pi}{1-\frac{1}{2}}=32-8\pi$

내신연계 출제문항 169

오른쪽 그림과 같이 한 변의 길이가 2인 정사각형 $OA_1B_1C_1$의 내부에 점 O를 중심으로 하고 선분 OA_1을 반지름으로 하는 사분원을 그린 다음 그 사분원에 내접하는 정사각형 $OA_2B_2C_2$를 그린다. 이와 같은 방법으로 정사각형과 사분원을 한없이 그릴 때, 색칠한 부분의 넓이의 합은?

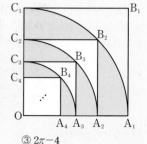

① $\pi-2$　② $2\pi-2$　③ $2\pi-4$
④ $2\pi+1$　⑤ $3\pi-2$

STEP A S_1의 값 구하기

색칠한 부분의 넓이를 S_n이라 하면

S_1=(부채꼴 A_1OC_1의 넓이)−(정사각형 $OA_2B_2C_2$의 넓이)

$=\frac{1}{4}\times\pi\times2^2-\sqrt{2}\times\sqrt{2}$

$=\pi-2$

STEP B 닮음비를 이용하여 공비 구하기

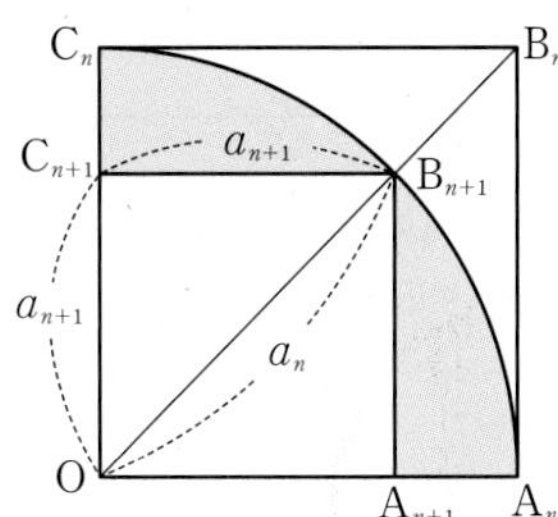

정사각형 $OA_nB_nC_n$의 한 변의 길이를 a_n이라 하고

색칠한 부분의 넓이를 S_n이라 하면 ${a_{n+1}}^2+{a_{n+1}}^2={a_n}^2$

$a_{n+1}=\frac{\sqrt{2}}{2}a_n$

두 정사각형 $OA_nB_nC_n$과 $OA_{n+1}B_{n+1}C_{n+1}$의 닮음비는 $1:\frac{\sqrt{2}}{2}$이므로

넓이의 비는 $1^2:\left(\frac{\sqrt{2}}{2}\right)^2=1:\frac{1}{2}$

STEP C $\sum_{n=1}^{\infty}S_n$의 값 구하기

따라서 수열 $\{S_n\}$은 첫째항이 $\pi-2$, 공비가 $\frac{1}{2}$인 등비수열이므로

$\sum_{n=1}^{\infty}S_n=\frac{\pi-2}{1-\frac{1}{2}}=2\pi-4$

 ③

0403

 ①

STEP A 정사각형 $OA_nB_nC_n$의 한 변의 길이 a_n 구하기

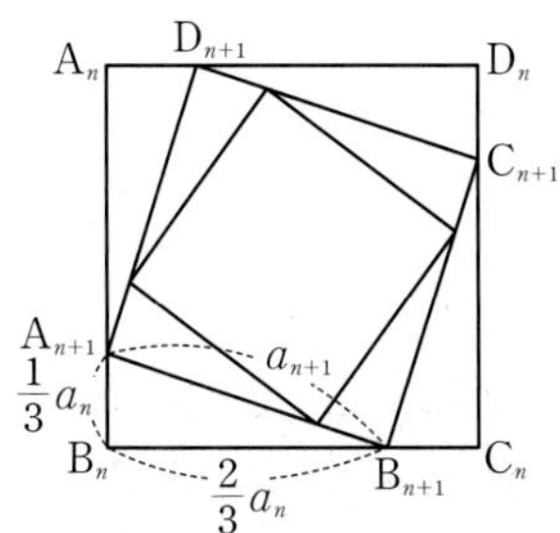

정사각형 $A_1B_1C_1D_1$의 한 변의 길이를 a_1이라 하면

$a_1=\sqrt{\left(\frac{2}{3}\right)^2+\left(\frac{1}{3}\right)^2}=\frac{\sqrt{5}}{3}$

$S_1={a_1}^2=\frac{5}{3^2}=\frac{5}{9}$

정사각형 $A_nB_nC_nD_n$의 한 변의 길이를 a_n이라 하면

정사각형 $A_{n+1}B_{n+1}C_{n+1}D_{n+1}$의 한 변의 길이가 a_{n+1}이므로

$a_{n+1}=\sqrt{\left(\frac{2}{3}a_n\right)^2+\left(\frac{1}{3}a_n\right)^2}=\frac{\sqrt{5}}{3}a_n$

STEP B 등비급수의 합을 구하기

즉 $S_{n+1}=\frac{5}{9}S_n$이므로

수열 $\{S_n\}$은 첫째항이 $\frac{5}{9}$이고 공비가 $\frac{5}{9}$인 등비수열을 이룬다.

따라서 $\sum_{n=1}^{\infty}S_n=\frac{\frac{5}{9}}{1-\frac{5}{9}}=\frac{5}{4}$

0404

 ①

STEP A 정사각형의 넓이의 합 S 구하기

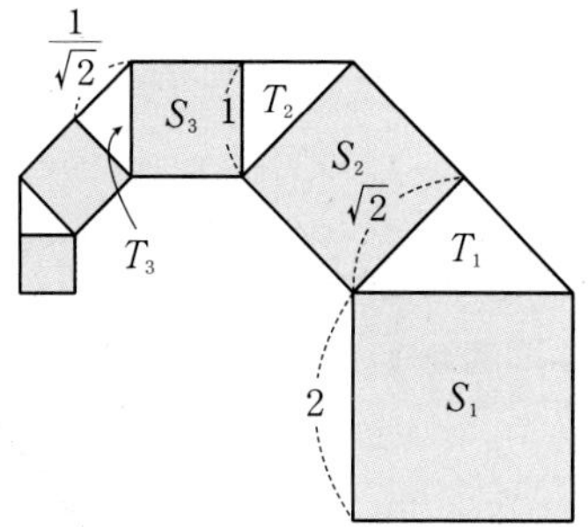

각 변의 길이는 위와 같이 정해진다.

따라서 각 사각형들의 넓이의 합

$S=S_1+S_2+S_3+\cdots=2^2+(\sqrt{2})^2+1^2+\cdots=4+2+1+\cdots=\frac{4}{1-\frac{1}{2}}=8$

STEP B 등비급수의 합 구하기

$T=T_1+T_2+T_3+\cdots=\frac{1}{2}(\sqrt{2})^2+\frac{1}{2}\cdot1^2+\frac{1}{2}\left(\frac{1}{\sqrt{2}}\right)^2+\cdots$

$=1+\frac{1}{2}+\frac{1}{4}+\cdots=\frac{1}{1-\frac{1}{2}}=2$

따라서 $S+T=8+2=10$

내신연계 출제문항 170

한 변의 길이가 4인 정사각형 R_1이 있다. 다음 그림과 같이 R_1의 한 변에 직각이등변삼각형 T_1을 붙이고, 다시 T_1의 빗변이 아닌 한 변에 정사각형 R_2를 붙인다. 이와 같이 T_2, R_3, T_3, R_4, $\cdots$을 계속하여 붙여 나갈 때, 모든 정사각형 R_1, R_2, R_3, $\cdots$의 넓이의 합은?

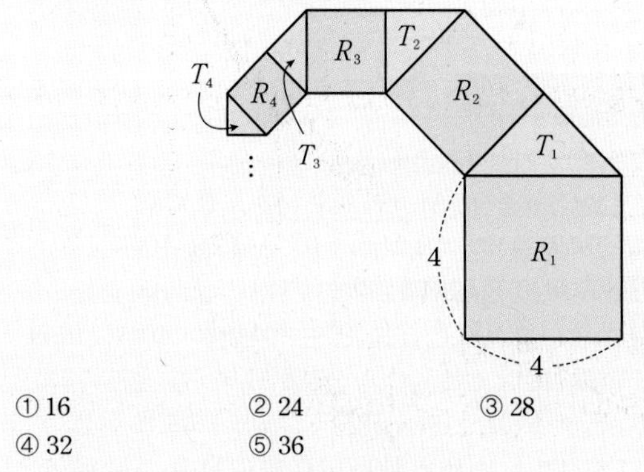

① 16 ② 24 ③ 28
④ 32 ⑤ 36

STEP A 정사각형의 넓이의 합 R 구하기

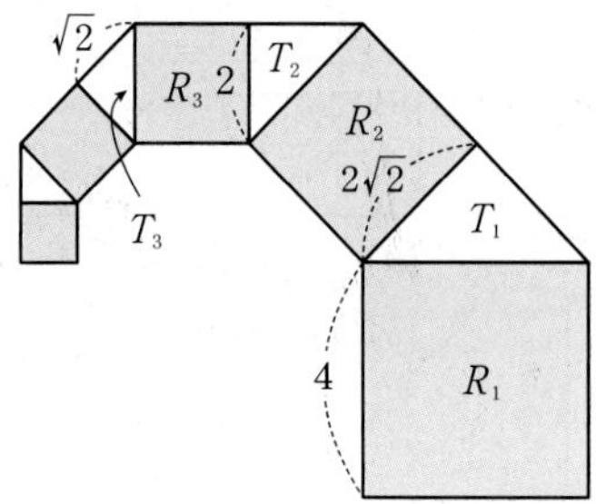

따라서 각 변의 길이는 다음과 같이 정해진다.

$R=R_1+R_2+R_3+\cdots=4^2+(2\sqrt{2})^2+2^2+\cdots$

$=16+8+4+\cdots$

$=\frac{16}{1-\frac{1}{2}}=32$

 ④

0405

정답 ②

STEP A **삼각형 $M_1A_2B_2$의 넓이 S_1 구하기**

정삼각형 $M_1A_2B_2$에서 한 변의 길이가 $\overline{M_1A_2}=\frac{1}{\sin 60°}=\frac{2}{\sqrt{3}}$이므로

넓이는 $S_1=\frac{\sqrt{3}}{4}\cdot\left(\frac{2}{\sqrt{3}}\right)^2=\frac{\sqrt{3}}{3}$

STEP B **닮음비를 이용하여 넓이의 공비 구하기**

정삼각형 $M_nA_{n+1}B_{n+1}$의 한 변의 길이를 r_n이라고 하면

오른쪽 그림에서 $\overline{B_2C_2}=\frac{1}{2}\overline{A_2B_2}$이므로 $\overline{M_3M_2}=\frac{1}{2}r_1$에서

$\frac{1}{2}r_1=r_2\times\cos 30°=\frac{\sqrt{3}}{2}r_2$

$\therefore r_2=\frac{1}{\sqrt{3}}r_1$

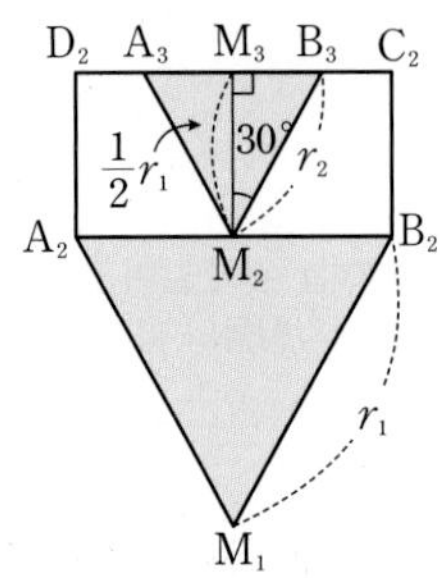

정삼각형 $A_3B_3M_2$와 같은 과정으로 만든 도형이므로 닮음비는 $1:\frac{1}{\sqrt{3}}$

그려지는 정삼각형을 모두 닮음이므로 닮음비는 $1:\frac{1}{\sqrt{3}}$이고 넓이의 비는 $1:\frac{1}{3}$

즉 수열 $\{S_n\}$은 공비가 $\frac{1}{3}$ ⬅ $S_{n+1}=\frac{1}{3}S_n$

STEP C **등비급수의 합 구하기**

따라서 수열 $\{S_n\}$은 첫째항이 $\frac{\sqrt{3}}{3}$이고 공비가 $\frac{1}{3}$인 등비수열이므로

$$\sum_{n=1}^{\infty}S_n=\frac{\frac{\sqrt{3}}{3}}{1-\frac{1}{3}}=\frac{\sqrt{3}}{2}$$

내신연계 출제문항 171

$\overline{A_1B_1}=1, \overline{B_1C_1}=2$인 직사각형 $A_1B_1C_1D_1$이 있다.
그림과 같이 선분 B_1C_1의 중점을 M_1이라 하고 선분 A_1D_1 위에 $\angle A_1M_1B_2=\angle C_2M_1D_1=15°$, $\angle B_2M_1C_2=60°$가 되도록 두 점 B_2, C_2를 정한다. 삼각형 $A_1M_1B_2$의 넓이와 삼각형 $C_2M_1D_1$의 넓이의 합을 S_1이라 하자. 사각형 $A_2B_2C_2D_2$가 $\overline{B_2C_2}=2\overline{A_2B_2}$인 직사각형이 되도록 그림과 같이 두 점 A_2, D_2를 정한다. 선분 B_2C_2의 중점을 M_2라 하고 선분 A_2D_2 위에 $\angle A_2M_2B_3=\angle C_3M_2D_2=15°$, $\angle B_3M_2C_3=60°$가 되도록 두 점 B_3, C_3을 정한다. 삼각형 $A_2M_2B_3$의 넓이와 삼각형 $C_3M_2D_2$의 넓이의 합을 S_2라 하자. 이와 같은 과정을 계속하여 얻은 S_n에 대하여 $\sum_{n=1}^{\infty}S_n$의 값은?

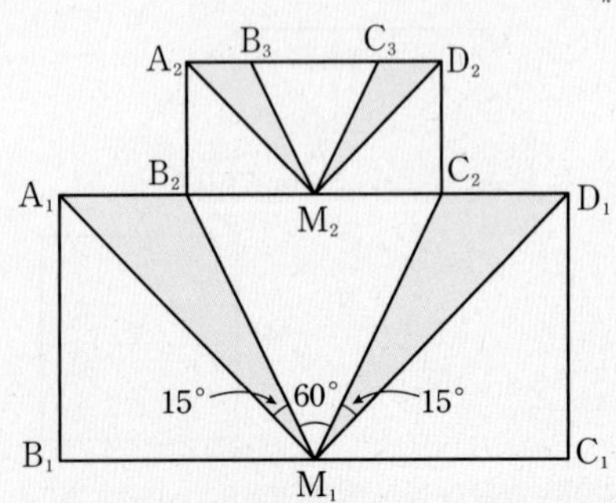

① $\frac{2+\sqrt{3}}{6}$　② $\frac{3-\sqrt{3}}{2}$　③ $\frac{4+\sqrt{3}}{9}$

④ $\frac{5-\sqrt{3}}{5}$　⑤ $\frac{7-\sqrt{3}}{8}$

STEP A **넓이 S_1 구하기**

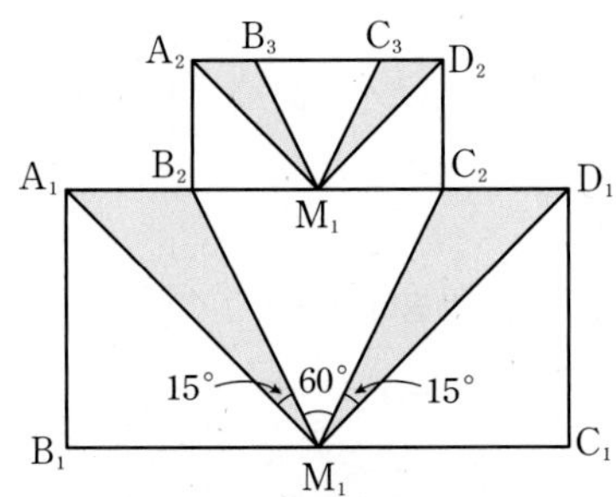

삼각형 $B_2M_1C_2$에서 $\overline{M_1M_2}=1$인 정삼각형이다.
삼각형 $B_2M_1C_2$의 한 변의 길이를 a라 하면

$\frac{\sqrt{3}}{2}a=1 \quad \therefore a=\frac{2}{\sqrt{3}}=\frac{2\sqrt{3}}{3}$

$\overline{A_1B_2}=\overline{D_1C_2}=\frac{1}{2}\left(2-\frac{2\sqrt{3}}{3}\right)=1-\frac{\sqrt{3}}{3}=\frac{3-\sqrt{3}}{3}$

$S_1=2\times\left(\frac{1}{2}\times\frac{3-\sqrt{3}}{3}\times 1\right)=\frac{3-\sqrt{3}}{3}$

STEP B **닮음비를 이용하여 넓이의 공비 구하기**

또, 그림에서 나타나는 직사각형들은 모두 닮음이고 닮음비가 $\overline{B_nC_n}:\overline{B_{n+1}C_{n+1}}=1:\frac{1}{\sqrt{3}}$이므로

넓이의 비는 $S_n:S_{n+1}=1:\left(\frac{1}{\sqrt{3}}\right)^2$이므로 공비는 $\frac{1}{3}$

STEP C **등비급수의 합 구하기**

따라서 수열 $\{S_n\}$은 첫째항이 $\frac{3-\sqrt{3}}{3}$이고 공비가 $\frac{1}{3}$인 등비수열이다.

$$\therefore \sum_{n=1}^{\infty}S_n=\frac{1-\frac{1}{\sqrt{3}}}{1-\frac{1}{3}}=\frac{3-\sqrt{3}}{2}$$

정답 ②

S_1 구하기

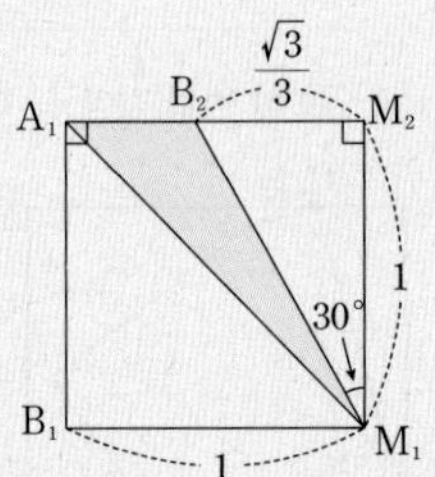

삼각형 $B_2M_1M_2$에서 $\overline{M_1M_2}=1$, $\angle B_2M_1M_2=30°$이므로

$\overline{B_2M_2}=\overline{M_1M_2}\tan 30°=\frac{\sqrt{3}}{3}$

$\therefore \overline{A_1B_2}=1-\frac{\sqrt{3}}{3}=\frac{3-\sqrt{3}}{3}$

$\therefore S_1=2\triangle A_1M_1B_2=2\cdot\left(\frac{1}{2}\cdot\frac{3-\sqrt{3}}{3}\cdot 1\right)=\frac{3-\sqrt{3}}{3}$

그림에서 나타나는 직사각형들은 모두 닮음이고 닮음비는

$\overline{B_1M_1}:\overline{B_2M_2}=1:\frac{\sqrt{3}}{3}$이므로 $\triangle A_1M_1B_2$와 $\triangle A_2M_2B_3$의 넓이의 비는

$1^2:\left(\frac{\sqrt{3}}{3}\right)^2=1:\frac{1}{3}$

0406

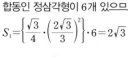

정답 ④

STEP A 정삼각형 APU의 넓이 S_1의 값 구하기

도형 F_1에서 $\triangle$BCF는 직각삼각형이고
$\overline{BC}=2$, $\overline{CF}=4$, $\overline{BF}=2\sqrt{3}$이므로
정삼각형 APU의 한 변의 길이는 $2\sqrt{3}\cdot\frac{1}{3}$
합동인 정삼각형이 6개 있으므로
$S_1=\left\{\frac{\sqrt{3}}{4}\cdot\left(\frac{2\sqrt{3}}{3}\right)^2\right\}\cdot 6=2\sqrt{3}$

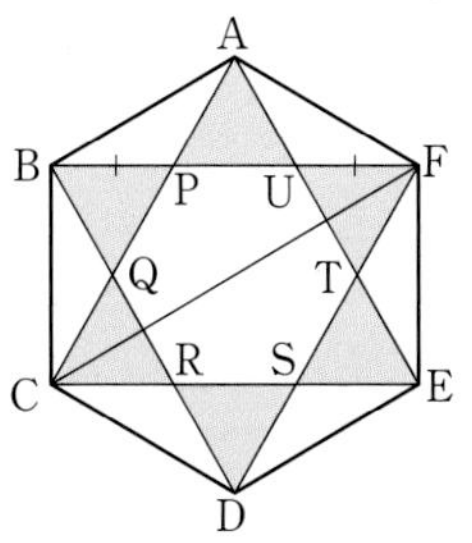

STEP B 닮음비를 이용하여 넓이의 공비 구하기

F_2는 F_1의 한 변의 길이가 $2\sqrt{3}\cdot\frac{1}{3}$인 정육각형 PQRSTU와 같은 과정으로

만든 도형이므로 닮음비는 $2:\frac{2\sqrt{3}}{3}=1:\frac{1}{\sqrt{3}}$에서 넓이의 비는 $1:\frac{1}{3}$

즉 수열 $\{S_n\}$은 공비가 $\frac{1}{3}$이다.  ⬅ $S_{n+1}=\frac{1}{3}S_n$

STEP C 등비급수의 합 구하기

따라서 수열 $\{S_n\}$은 첫째항이 $2\sqrt{3}$이고 공비가 $\frac{1}{3}$인 등비수열이므로

$\sum_{n=1}^{\infty}S_n=\frac{2\sqrt{3}}{1-\frac{1}{3}}=3\sqrt{3}$

0407

정답 ②

STEP A 닮음을 이용하여 x_1을 a, b로 표현하기

다음 그림과 같이 정사각형 D_1, D_2, D_3, …의 한 변의 길이를 각각
x_1, x_2, x_3, …이라고 하자.

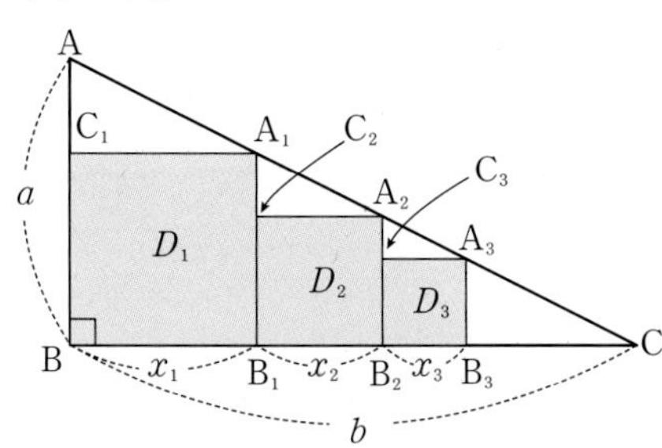

$\triangle ABC\backsim\triangle AC_1A_1$이므로 $b:x_1=a:(a-x_1)$

$\therefore x_1=\frac{ab}{a+b}$

STEP B 닮음비를 이용하여 넓이의 공비 구하기

정사각형에 의하여 만들어지는 직각삼각형은 서로 닮음이다.
정사각형 $A_{n-1}A_nB_nC_n$의 한 변의 길이가 x_n이므로

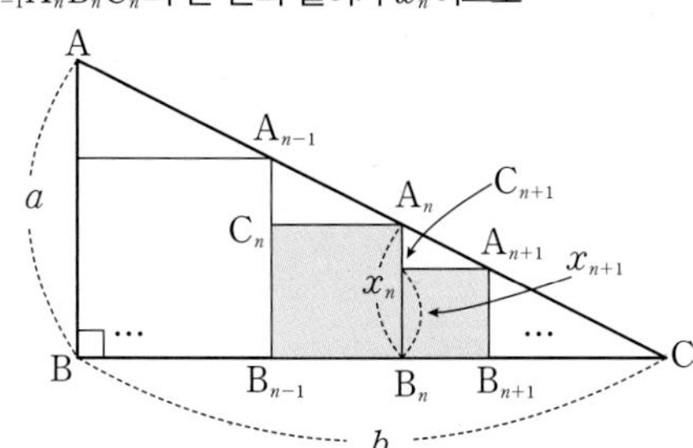

$\triangle ABC\backsim\triangle A_nC_{n+1}A_{n+1}$이므로 $a:b=(x_n-x_{n+1}):x_{n+1}$

$\therefore x_{n+1}=\frac{b}{a+b}x_n$

즉 수열 $\{x_n\}$은 공비가 $\frac{b}{a+b}$이므로 정사각형의 넓이의 공비는 $\left(\frac{b}{a+b}\right)^2$

STEP C 등비급수의 합 구하기

따라서 구하는 정사각형의 넓이의 합은 첫째항이 $x_1^{\ 2}=\left(\frac{ab}{a+b}\right)^2$

공비가 $\left(\frac{b}{a+b}\right)^2$인 등비급수이므로 $\frac{\left(\frac{ab}{a+b}\right)^2}{1-\frac{b^2}{(a+b)^2}}=\frac{ab^2}{a+2b}$

0408

정답 ⑤

STEP A 닮음을 이용하여 x_1의 값 구하기

다음 그림과 같이 정사각형 D_1, D_2, D_3, …의 한 변의 길이를 각각
x_1, x_2, x_3, …이라고 하자.

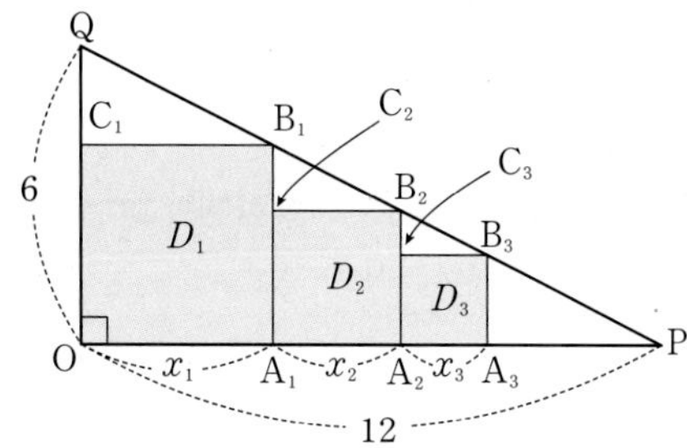

$\triangle QOP\backsim\triangle B_1A_1P$이므로 $6:12=x_1:(12-x_1)$
$\therefore x_1=4$

STEP B 닮음비를 이용하여 넓이의 공비 구하기

정사각형에 의하여 만들어지는 직각삼각형은 서로 닮음이다.
정사각형 $A_{n-1}A_nB_nC_n$의 한 변의 길이가 x_n이므로

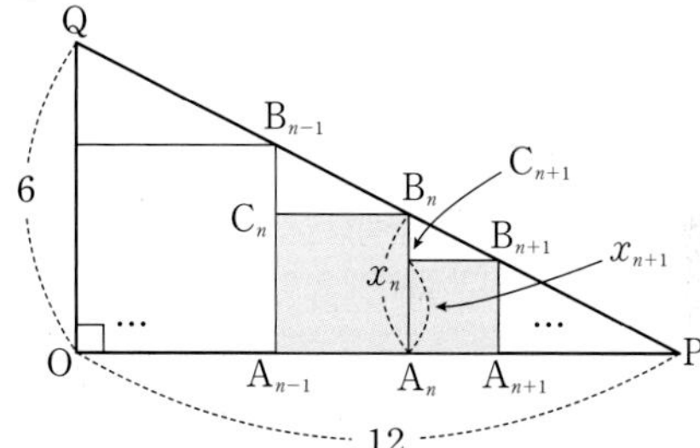

$\triangle QOP\backsim\triangle B_nC_{n+1}B_{n+1}$이므로 $1:2=(x_n-x_{n+1}):x_{n+1}$

$\therefore x_{n+1}=\frac{2}{3}x_n$

즉 수열 $\{x_n\}$은 공비가 $\frac{2}{3}$이므로 정사각형의 넓이의 공비는 $\left(\frac{2}{3}\right)^2$

STEP C 등비급수의 합 구하기

따라서 구하는 정사각형의 넓이의 합은 첫째항이 $x_1^{\ 2}=16$

공비가 $\left(\frac{2}{3}\right)^2$인 등비급수이므로 $\frac{16}{1-\frac{4}{9}}=\frac{144}{5}$

속해법 정사각형의 넓이의 합은 $\frac{ab^2}{a+2b}=\frac{6\cdot 12^2}{6+2\cdot 12}=\frac{144}{5}$

내/신/연/계/ 출제문항 172

그림과 같이 $\overline{AB}=15$, $\overline{BC}=30$인 직각삼각형ABC에 내접하는 정사각형 $A_1B_1BC_1$을 그리고, 직각삼각형 A_1B_1C에 내접하는 정사각형 $A_2B_2B_1C_2$를 그린다. 이와 같이 직각삼각형에 내접하는 정사각형을 한없이 그려갈 때, 각 정사각형의 넓이의 합은?

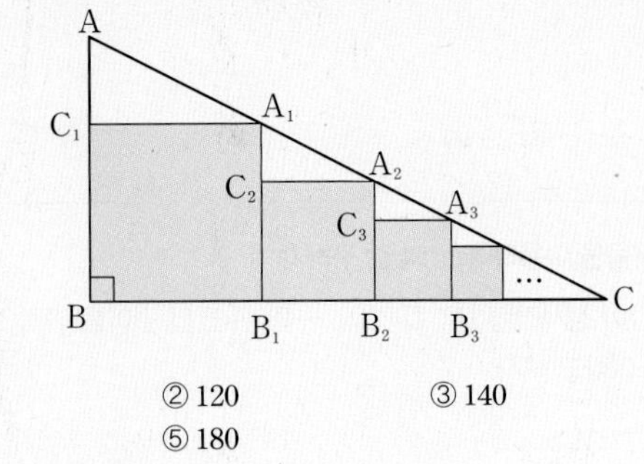

① 100 ② 120 ③ 140
④ 160 ⑤ 180

STEP Ⓐ **닮음을 이용하여 x_1의 값 구하기**

다음 그림과 같이 정사각형 D_1, D_2, D_3, $\cdots$의 한 변의 길이를 각각 x_1, x_2, x_3, $\cdots$이라고 하자.

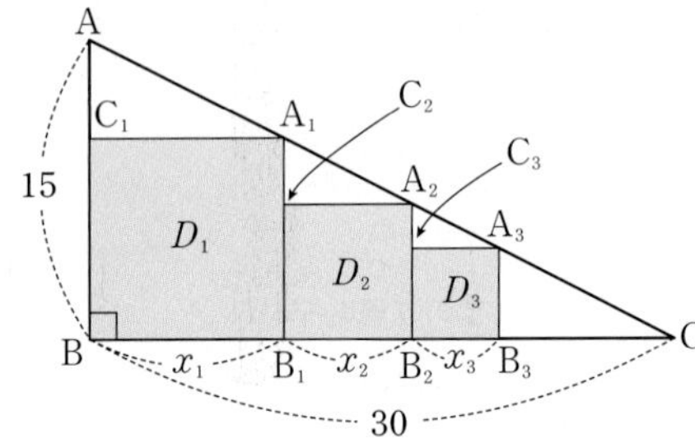

$\triangle ABC \backsim \triangle AC_1A_1$이므로 $30 : x_1 = 15 : (15-x_1)$

$\therefore x_1 = 10$

STEP Ⓑ **닮음을 이용하여 넓이의 공비 구하기**

정사각형에 의하여 만들어지는 직각삼각형은 서로 닮음이다.
정사각형 $A_nB_nB_{n-1}C_n$의 한 변의 길이가 x_n이므로

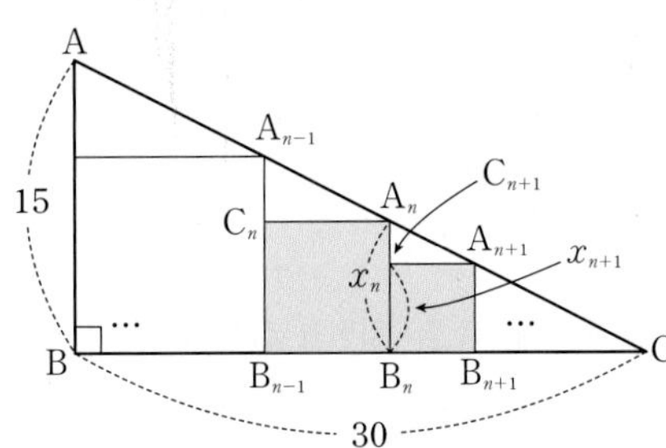

$\triangle ABC \backsim \triangle A_nC_{n+1}A_{n+1}$이므로 $15 : 30 = (x_n - x_{n+1}) : x_{n+1}$

$\therefore x_{n+1} = \frac{2}{3}x_n$

즉 수열 $\{x_n\}$은 공비가 $\frac{2}{3}$이므로 정사각형의 넓이의 공비는 $\left(\frac{2}{3}\right)^2$

STEP Ⓒ **등비급수의 합 구하기**

따라서 구하는 정사각형의 넓이의 합은 첫째항이 $x_1^{\,2}=100$

공비가 $\frac{4}{9}$인 등비급수이므로 $\frac{100}{1-\frac{4}{9}} = \frac{900}{5} = 180$

 ⑤

속해법 정사각형의 넓이의 합은 $\frac{ab^2}{a+2b} = \frac{15 \cdot 30^2}{15+2 \cdot 30} = 180$

0409

 ②

STEP Ⓐ **정사각형 P_1의 넓이 구하기**

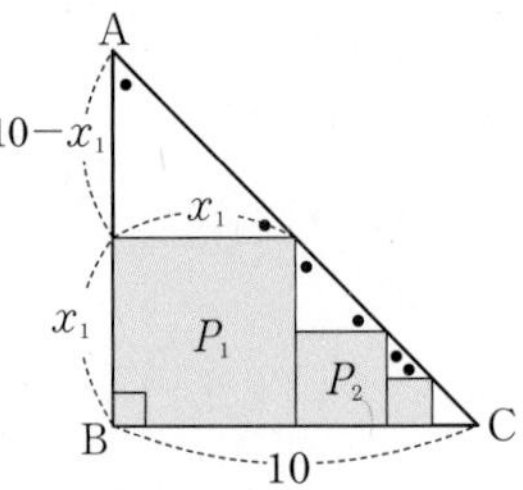

정사각형 P_1의 한 변의 길이를 x_1이라 하면

$x_1 = 10 - x_1 \quad \therefore x_1 = 5$

정사각형 P_n의 넓이를 S_n이라 하면

$S_1 = 5^2 = 25$

STEP Ⓑ **닮음을 이용하여 넓이의 공비 구하기**

정사각형에 의해 만들어지는 직각삼각형은 모두 직각이등변삼각형이므로 서로 닮음이다.

이때 닮음비는 $10:5$, 즉 $1:\frac{1}{2}$이므로 넓이의 비는 $1:\frac{1}{4}$

즉 수열 $\{S_n\}$은 공비가 $\frac{1}{4}$ ⬅ $S_{n+1} = \frac{1}{4}S_n$

STEP Ⓒ **등비급수의 합 구하기**

따라서 수열 $\{S_n\}$은 첫째항이 25, 공비가 $\frac{1}{4}$인 등비수열이므로

모든 정사각형의 넓이의 합은 $\sum_{n=1}^{\infty} S_n = \frac{25}{1-\frac{1}{4}} = \frac{25}{\frac{3}{4}} = \frac{100}{3}$

속해법 정사각형의 넓이의 합은 $\frac{ab^2}{a+2b} = \frac{10 \cdot 10^2}{10+2 \cdot 10} = \frac{100}{3}$

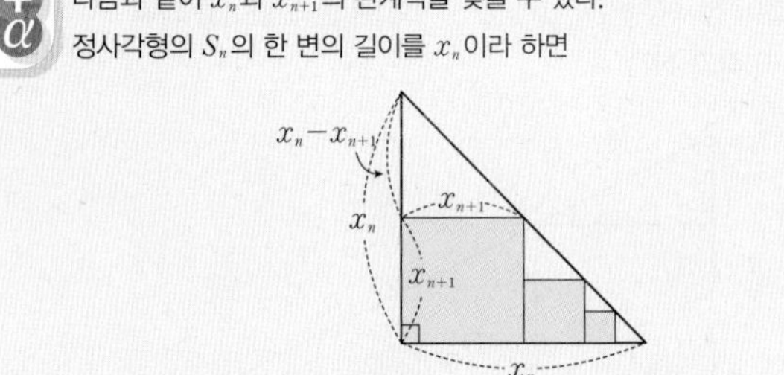

다음과 같이 xₙ과 xₙ₊₁의 관계식을 찾을 수 있다.
정사각형의 Sₙ의 한 변의 길이를 xₙ이라 하면
xₙ−xₙ₊₁
xₙ
xₙ₊₁
xₙ₊₁
xₙ
xₙ₊₁=xₙ−xₙ₊₁ ∴ xₙ₊₁=½xₙ

내/신/연/계/ 출제문항 173

다음 그림과 같이 $\overline{AC}=\overline{BC}=8$인 직각이등변삼각형 ABC의 내부에 정사각형 R_1, R_2, R_3, $\cdots$을 계속해서 한없이 만들 때, 모든 정사각형의 넓이의 합은?

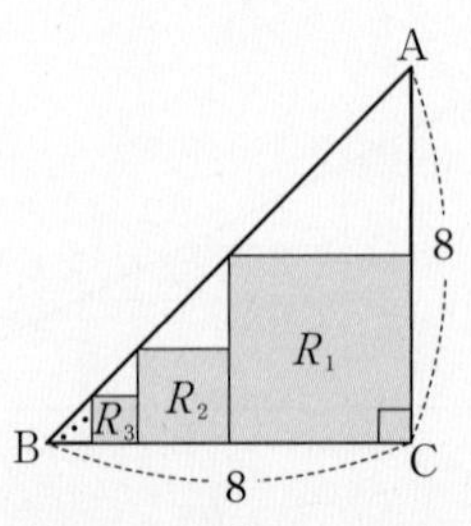

① 18 ② 20 ③ 22
④ $\frac{62}{3}$ ⑤ $\frac{64}{3}$

STEP Ⓐ **정사각형 R_1의 넓이 구하기**

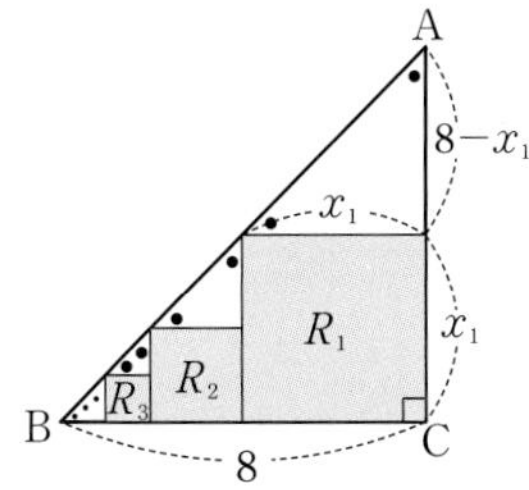

정사각형 R_1의 한 변의 길이를 x_1이라 하면

$x_1=8-x_1 \quad \therefore x_1=4$

정사각형 R_n의 넓이를 S_n이라 하면

$S_1=4^2=16$

STEP Ⓑ **닮음비를 이용하여 넓이의 공비 구하기**

정사각형에 의해 만들어지는 직각삼각형은 모두 직각이등변삼각형이므로 서로 닮음이다.

이때 닮음비는 $8:4$, 즉 $1:\frac{1}{2}$이므로 넓이의 비는 $1:\frac{1}{4}$

즉 수열 $\{S_n\}$은 공비가 $\frac{1}{4}$  $\Leftarrow S_{n+1}=\frac{1}{4}S_n$

STEP Ⓒ **공식을 이용하여 등비급수의 합 구하기**

따라서 수열 $\{S_n\}$은 첫째항이 16, 공비가 $\frac{1}{4}$인 등비수열이므로

모든 정사각형의 넓이의 합은 $\sum_{n=1}^{\infty}S_n=\frac{16}{1-\frac{1}{4}}=\frac{16}{\frac{3}{4}}=\frac{64}{3}$ 정답 ⑤

속해법 정사각형의 넓이의 합은 $\frac{ab^2}{a+2b}=\frac{8\cdot 8^2}{8+2\cdot 8}=\frac{64}{3}$

0410 정답 ②

STEP Ⓐ **정사각형 P_1의 넓이 구하기**

정사각형 P_1의 한 변의 길이를 x_1이라 하면

$x_1=6-x_1 \quad \therefore x_1=3$

정사각형 P_n의 넓이를 S_n이라 하면

$S_1=3^2=9$

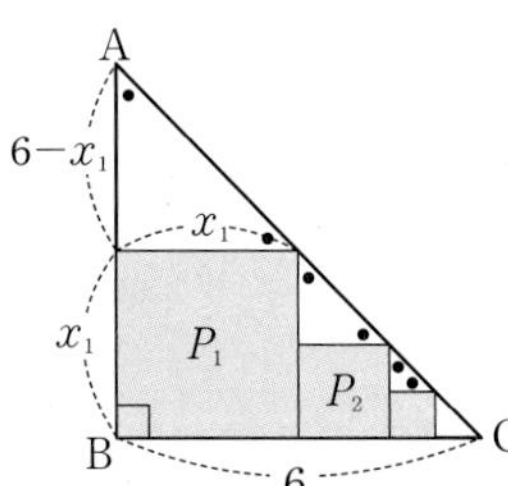

STEP Ⓑ **닮음을 이용하여 넓이의 공비 구하기**

정사각형에 의해 만들어지는 직각삼각형은 모두 직각이등변삼각형이므로 서로 닮음이다.

이때 닮음비는 $6:3$, 즉 $1:\frac{1}{2}$이므로 넓이의 비는 $1:\frac{1}{4}$

즉 수열 $\{S_n\}$은 공비가 $\frac{1}{4}$  $\Leftarrow S_{n+1}=\frac{1}{4}S_n$

STEP Ⓒ **등비급수의 합 구하기**

따라서 수열 $\{S_n\}$은 첫째항이 9, 공비가 $\frac{1}{4}$인 등비수열이므로

모든 정사각형의 넓이의 합은 $\sum_{n=1}^{\infty}S_n=\frac{9}{1-\frac{1}{4}}=\frac{9}{\frac{3}{4}}=12$

STEP Ⓓ **남은 모든 직각삼각형의 넓이 구하기**

따라서 남은 모든 직각삼각형의 넓이의 합은 $\frac{1}{2}\cdot 6\cdot 6-12=6$

속해법 남은 직각삼각형의 넓이의 합은

$$\frac{1}{2}\cdot 6\cdot 6-\frac{ab^2}{a+2b}=18-\frac{6\cdot 6^2}{6+2\cdot 6}=18-12=6$$

0411  정답 ⑤

STEP Ⓐ **S_1의 값 구하기**

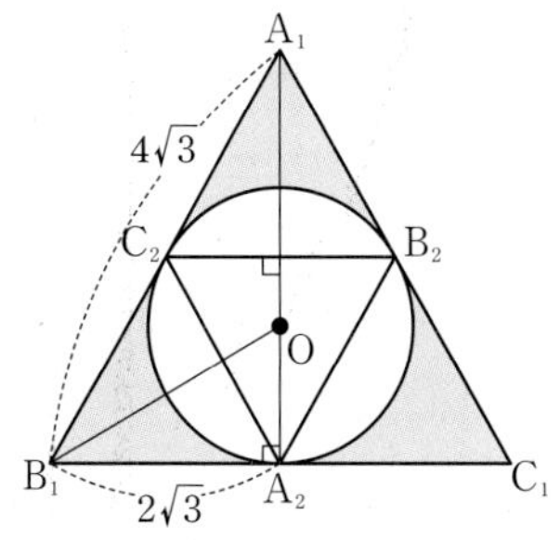

한 변의 길이가 $4\sqrt{3}$인 정삼각형 $A_1B_1C_1$에 내접하는 원의 중심을 O라 하고 원에 내접하는 정삼각형을 삼각형 $A_2B_2C_2$이라 하면

$\overline{B_1A_2}=2\sqrt{3}$이므로 $\overline{OA_2}=2\sqrt{3}\tan 30°=2$, 즉 원의 반지름의 길이가 2이다.

이때 $S_1=$(정삼각형 $A_1B_1C_1$의 넓이)$-$(원의 넓이)

$$=\frac{\sqrt{3}}{4}\cdot(4\sqrt{3})^2-\pi\cdot 2^2=12\sqrt{3}-4\pi$$

STEP Ⓑ **닮음비를 이용하여 공비 구하기**

그려지는 정삼각형을 모두 닮음이므로 닮음비는 $2:1$

즉 $1:\frac{1}{2}$에서 넓이의 비는 $1:\frac{1}{4}$

즉 수열 $\{S_n\}$은 공비가 $\frac{1}{4}$ $\Leftarrow S_{n+1}=\frac{1}{4}S_n$

STEP Ⓒ **등비급수의 합 구하기**

수열 $\{S_n\}$은 첫째항이 $12\sqrt{3}-4\pi$, 공비가 $\frac{1}{4}$인 등비수열이므로

모든 정사각형의 넓이의 합은 $\sum_{n=1}^{\infty}S_n=\frac{12\sqrt{3}-4\pi}{1-\frac{1}{4}}=\frac{48\sqrt{3}-16\pi}{3}$

따라서 $a=48$, $b=16$이므로 $a+b=64$

내/신/연/계/ 출제문항 174

그림과 같이 반지름의 길이가 4인 원에 정삼각형을 내접시키고 그 정삼각형에 다시 원을 내접시킨다. 이와 같은 과정을 무한히 반복할 때, 색칠한 부분의 넓이를 차례로 $S_1, S_2, S_3, \cdots$이라 할 때, $\sum_{n=1}^{\infty}S_n=\frac{a\pi-b\sqrt{3}}{3}$을 만족하는 유리수 a, b에 대하여 $a-b$의 값은?

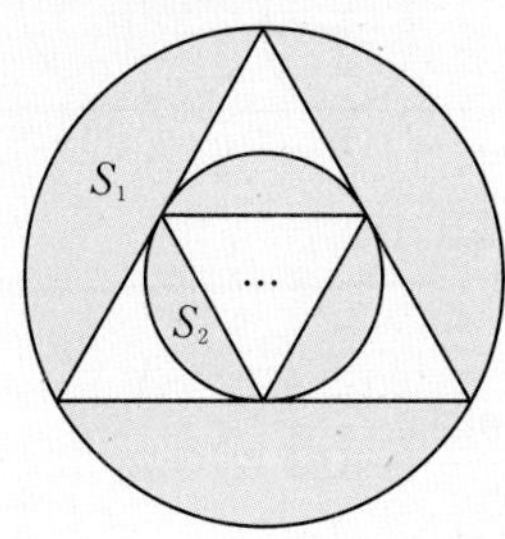

① 8 ② 12 ③ 14
④ 16 ⑤ 18

STEP Ⓐ **S_1의 값 구하기**

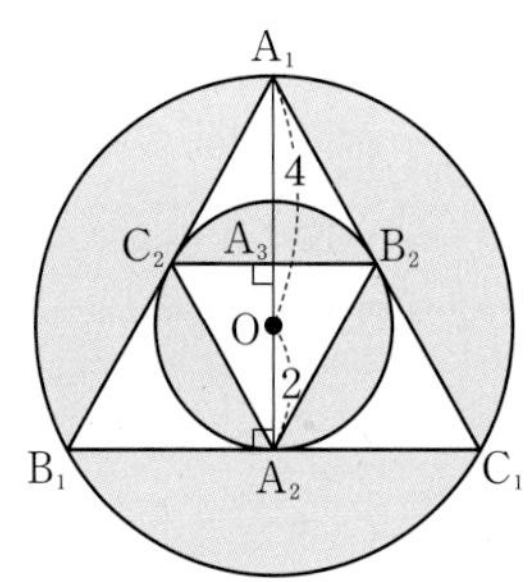

반지름의 길이가 4인 원 O_1의 중심을 O라 하고
원 O_1에 내접하는 정삼각형을 삼각형 $A_1B_1C_1$이라 하면
선분 A_1O는 원 O_1의 반지름이므로 $\overline{A_1O}=4$
점 O에서 선분 B_1C_1에 내린 수선의 발을 A_2라 할 때,
점 O는 삼각형 $A_1B_1C_1$의 무게중심이므로 $\overline{OA_2}=2$
이때 $\overline{A_1A_2}=6$이므로 $\overline{B_1A_2}=6\tan 30°=6\times\frac{1}{\sqrt{3}}=2\sqrt{3}$
즉 정삼각형의 한 변의 길이는 $4\sqrt{3}$
이때 $S_1=$(원의 넓이)$-$(정사각형 $A_1B_1C_1$의 넓이)

$$=\pi\cdot 4^2-\frac{\sqrt{3}}{4}\cdot(4\sqrt{3})^2=16\pi-12\sqrt{3}$$

STEP Ⓑ **닮음비를 이용하여 공비 구하기**

원은 모두 닮음이므로 닮음비는 $\overline{OA_1}:\overline{OA_2}=4:2$
즉 $1:\frac{1}{2}$에서 넓이의 비는 $1:\frac{1}{4}$
즉 수열 $\{S_n\}$은 공비가 $\frac{1}{4}$ ⬅ $S_{n+1}=\frac{1}{4}S_n$

STEP Ⓒ **등비급수의 합 구하기**

수열 $\{S_n\}$은 첫째항이 $12\sqrt{3}-16\pi$, 공비가 $\frac{1}{4}$인 등비수열이므로
모든 정사각형의 넓이의 합은 $\sum_{n=1}^{\infty}S_n=\frac{16\pi-12\sqrt{3}}{1-\frac{1}{4}}=\frac{64\pi-48\sqrt{3}}{3}$
따라서 $a=64$, $b=48$이므로 $a-b=16$

정답 ④

0412

정답 ③

STEP Ⓐ **원 O_1의 넓이 S_1 구하기**

원 O_1의 반지름의 길이가 6이므로
$S_1=\pi\cdot 6^2=36\pi$

STEP Ⓑ **닮음비를 이용하여 넓이의 공비 구하기**

원 O_n의 반지름의 길이를 r_n이라고 하자.

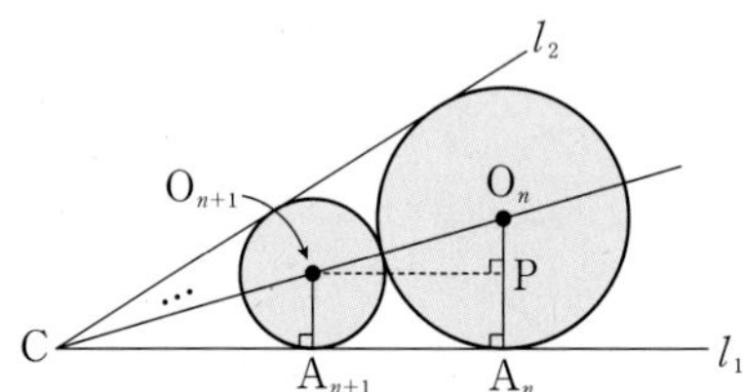

위의 그림의 $\triangle O_nO_{n+1}P$에서
$\overline{O_{n+1}O_n}=r_{n+1}+r_n$, $\overline{O_nP}=r_n-r_{n+1}$
$\triangle O_nO_{n+1}P \backsim \triangle O_1CA_1$이므로 $\frac{\overline{O_{n+1}O_n}}{\overline{O_nP}}=\frac{\overline{CO_1}}{\overline{O_1A_1}}$
$\frac{r_{n+1}+r_n}{r_n-r_{n+1}}=\frac{10}{6}$ $\quad\therefore r_{n+1}=\frac{1}{4}r_n$
즉 수열 $\{r_n\}$은 공비가 $\frac{1}{4}$이므로 원의 넓이의 공비는 $\left(\frac{1}{4}\right)^2$

STEP Ⓒ **등비급수의 합 구하기**

따라서 수열 $\{S_n\}$은 첫째항이 36π, 공비가 $\frac{1}{16}$인 등비수열이므로
모든 원의 넓이의 합은 $\sum_{n=1}^{\infty}S_n=\frac{36\pi}{1-\frac{1}{16}}=\frac{192}{5}\pi$

내/신/연/계/ 출제문항 175

그림과 같이 60°의 각을 이루는 두 반직선 $\overrightarrow{OX}$와 $\overrightarrow{OY}$가 있다.
두 반직선에 접하고 반지름의 길이가 1인 원을 C_1이라 하고 두 반직선에 접하고 원 C_1과 외부에서 접하는 원을 C_1의 왼쪽에 만들어 이를 C_2라고 한다. 이와 같은 방법으로 계속하여 원 C_3, C_4, …를 만들 때, 원 C_n의 넓이를 S_n이라 할 때, $\sum_{n=1}^{\infty}S_n$의 값은?

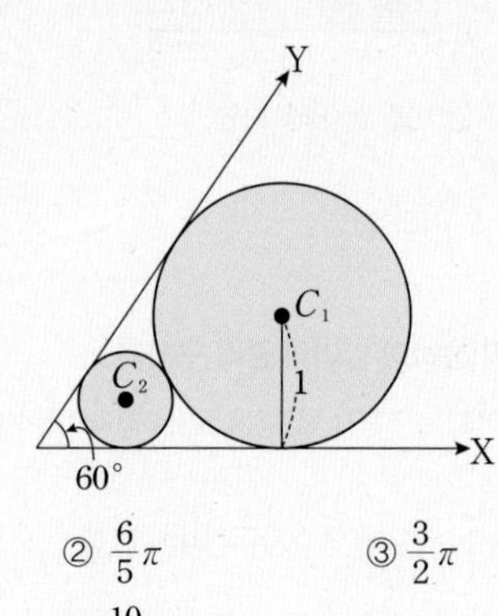

① $\frac{9}{8}\pi$ ② $\frac{6}{5}\pi$ ③ $\frac{3}{2}\pi$
④ $\frac{9}{7}\pi$ ⑤ $\frac{10}{7}\pi$

STEP Ⓐ **원 C_1의 넓이 S_1 구하기**

원 C_1의 반지름의 길이가 1이므로
$S_1=\pi\cdot 1^2=\pi$

STEP Ⓑ **닮음을 이용하여 넓이의 공비 구하기**

원 C_n의 반지름의 길이를 r_n이라고 하면
$(r_{n+1}+r_n):(r_n-r_{n+1})=2:1$
$r_{n+1}+r_n=2r_n-2r_{n+1}$

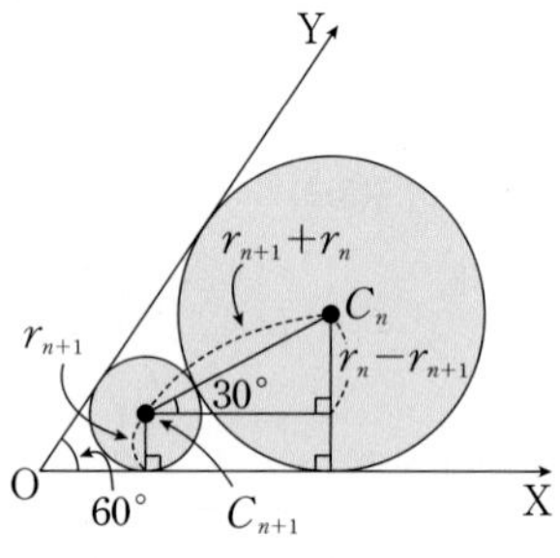

즉 $r_{n+1}=\frac{1}{3}r_n$
즉 수열 $\{r_n\}$은 공비가 $\frac{1}{3}$이므로 원의 넓이의 공비는 $\left(\frac{1}{3}\right)^2$

STEP Ⓒ **등비급수의 합 구하기**

따라서 수열 $\{S_n\}$은 첫째항이 π, 공비가 $\frac{1}{9}$인 등비수열이므로
모든 원의 넓이의 합은 $\sum_{n=1}^{\infty}S_n=\frac{\pi}{1-\frac{1}{9}}=\frac{9}{8}\pi$

정답 ①

0413

정답 ②

STEP A **원 C_1의 넓이 S_1 구하기**

원 C_n의 넓이를 S_n이라 할 때,

원 C_1의 반지름의 길이가 1이므로 $S_1=\frac{1}{2}\pi\cdot1^2=\frac{\pi}{2}$

STEP B **닮음비를 이용하여 넓이의 공비 구하기**

다음 그림과 같이 반원 C_n, C_{n+1}의 중심 O_n, O_{n+1}에서 선분 OA에 내린 수선의 발을 각각 D, E라 하고 점 O_{n+1}에서 선분 DO_n에 내린 수선의 발을 F라고 하자.

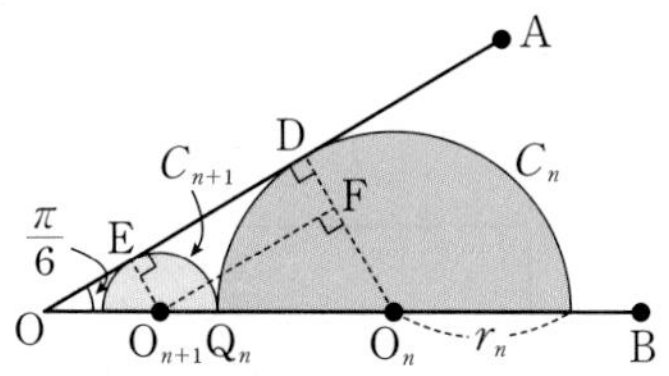

반원 C_n의 반지름의 길이를 r_n이라 하면

$\angle AOB=\frac{\pi}{6}$이므로 직각삼각형 O_nFO_{n+1}에서

$\sin\frac{\pi}{6}=\frac{\overline{O_nF}}{\overline{O_{n+1}O_n}}=\frac{r_n-r_{n+1}}{r_n+r_{n+1}}$

$\sin\frac{\pi}{6}=\frac{1}{2}$이므로 $r_{n+1}=\frac{1}{3}r_n$

즉 수열 $\{r_n\}$은 첫째항이 1이고 공비가 $\frac{1}{3}$인 등비수열이므로 $r_n=\left(\frac{1}{3}\right)^{n-1}$

STEP C **등비급수의 합 구하기**

이때 반원 C_n의 넓이를 a_n이라고 하면

$a_1=\frac{\pi}{2}$, $a_2=\frac{\pi}{2}\times\left(\frac{1}{3}\right)^2$, $a_3=\frac{\pi}{2}\times\left(\frac{1}{3}\right)^4$, $\cdots$

따라서 수열 $\{a_n\}$은 첫째항이 $\frac{\pi}{2}$이고 공비가 $\frac{1}{9}$인 등비수열이므로

$$\sum_{n=1}^{\infty}a_n=\frac{\frac{\pi}{2}}{1-\frac{1}{9}}=\frac{9}{16}\pi$$

0414

정답 ③

STEP A **부채꼴 P_1OP_2의 넓이 S_1 구하기**

부채꼴 P_1OP_2에서 $\angle P_1OP_2=\frac{2}{3}\pi$이므로 넓이 S_1은

$S_1=\frac{1}{2}\times1^2\times\frac{2}{3}\pi=\frac{\pi}{3}$

STEP B **닮음을 이용하여 넓이의 공비 구하기**

부채꼴 P_2OP_3에서 $\angle P_1OP_2=\frac{2}{3^2}\pi$이므로 넓이 S_2은

$S_2=\frac{1}{2}\times1^2\times\frac{2}{3^2}\pi=\frac{\pi}{9}$

부채꼴의 반지름이 1로 길이가 같고 각의 크기가 3 : 1이므로

넓이의 비 3 : 1

즉 공비는 $\frac{1}{3}$

STEP C **등비급수의 합 구하기**

따라서 수열 $\{a_n\}$은 첫째항이 $\frac{\pi}{3}$이고 공비가 $\frac{1}{3}$인 등비수열이므로

$$\sum_{n=1}^{\infty}S_n=\frac{\frac{\pi}{3}}{1-\frac{1}{3}}=\frac{\pi}{2}$$

0415

정답 ④

STEP A **부채꼴 $B_1C_1C_2$의 넓이 S_1 구하기**

오른쪽 그림에서

$S_1=\pi\times6^2\times\frac{60}{360}=6\pi$

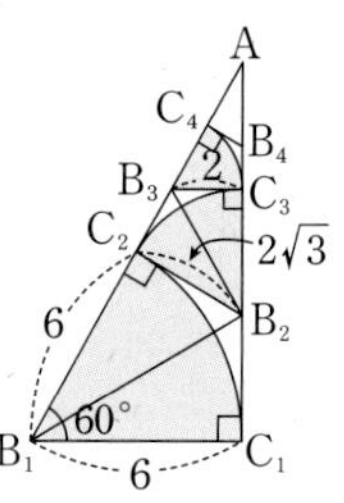

STEP B **닮음을 이용하여 넓이의 공비 구하기**

선분 B_1B_2를 그으면 삼각형 $B_1B_2C_2$에서

$\overline{B_1C_2}:\overline{B_2C_2}=\sqrt{3}:1$, $\overline{B_2C_2}=2\sqrt{3}$, 즉 $S_2=\pi\times(2\sqrt{3})^2\times\frac{60}{360}=2\pi$

모든 부채꼴들은 닮음이고 닮음비는 $6\pi:2\pi=3:1$이고

넓이의 비는 $1:\frac{1}{9}$, 즉 $S_3=\pi\times2^2\times\frac{60}{360}=\frac{2}{3}\pi$

STEP C **등비급수의 합 구하기**

따라서 수열 $\{S_n\}$은 첫째항이 6π, 공비가 $\frac{1}{3}$인 등비수열이므로

$$\sum_{n=1}^{\infty}S_n=\frac{6\pi}{1-\frac{1}{3}}=9\pi$$

0416

정답 ②

STEP A **넓이 S_1 구하기**

두 삼각형 $O_1O_2P_1$, $O_1O_2Q_1$은 한 변의 길이가 1인 정삼각형이므로

$\angle O_1O_2P_1=\angle O_1O_2Q_1=\frac{\pi}{3}$, $\angle P_1O_2Q_1=2\times\frac{\pi}{3}=\frac{2}{3}\pi$

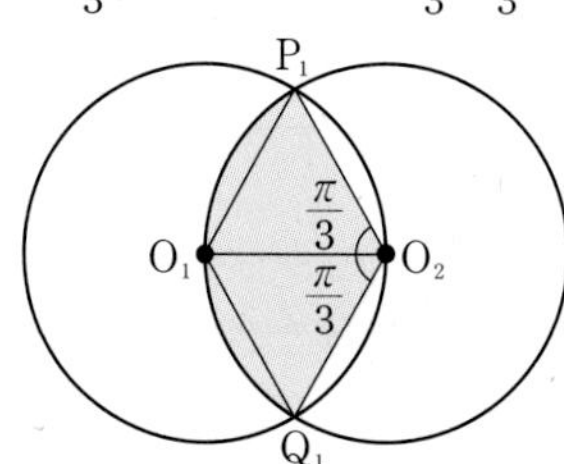

$\therefore$ $S_1=$(부채꼴 $O_2P_1Q_1$의 넓이)$=\frac{1}{2}\times1^2\times\frac{2}{3}\pi=\frac{\pi}{3}$

STEP B **닮음을 이용하여 넓이의 공비 구하기**

중심이 O_2인 원에서 부채꼴 $O_2P_1Q_1$의 중심각의 크기가 $\frac{2}{3}\pi$이므로

원주각의 성질에 의하여 부채꼴 $O_3P_2Q_2$의 중심각의 크기는

$\angle P_2O_3Q_2=\frac{1}{2}\times\frac{2}{3}\pi=\frac{\pi}{3}$

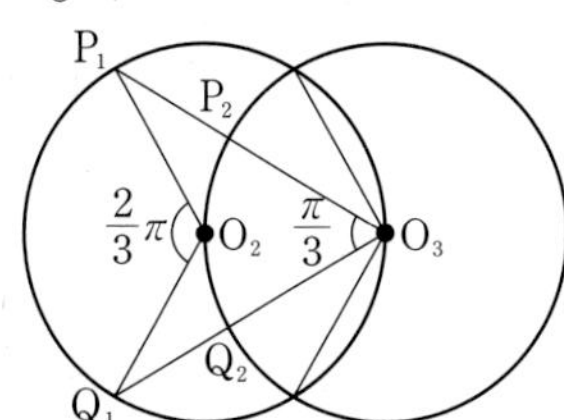

$\therefore$ $S_2=$(부채꼴 $O_3P_2Q_2$의 넓이)$=\frac{1}{2}\times1^2\times\frac{\pi}{3}=\frac{\pi}{6}$

즉 부채꼴은 모두 반지름의 길이가 같고 각의 크기가 2:1이므로

넓이의 비도 2:1

STEP C **등비급수의 합 구하기**

따라서 수열 $\{S_n\}$은 첫째항이 $\frac{\pi}{3}$이고 공비가 $\frac{1}{2}$인 등비수열이므로

$$\sum_{n=1}^{\infty}S_n=\frac{\frac{\pi}{3}}{1-\frac{1}{2}}=\frac{2}{3}\pi$$

0417

정답 ③

STEP Ⓐ 넓이 a_1 구하기

그림 R_n에서 새로 색칠된 도형의 넓이를 a_n이라 하자.
그림 R_1에서 삼각형 ABC와 삼각형 F_1E_1C가 닮음이므로
$\overline{AB}:\overline{F_1E_1}=\overline{BC}:\overline{E_1C}$
마름모 $D_1BE_1F_1$의 한 변의 길이를 x라 하면

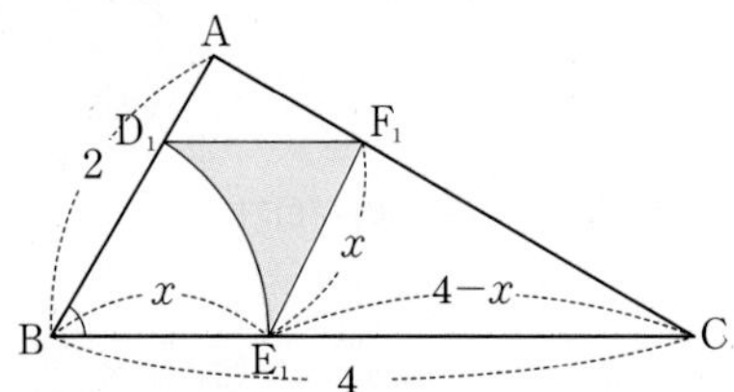

$2:4=x:(4-x)$이므로 $x=\frac{4}{3}$
그림 R_1에서 색칠된 부분의 넓이는 마름모 $D_1BE_1F_1$의 넓이에서 부채꼴 BE_1D_1의 넓이를 뺀 값이므로

$$a_1=\frac{4}{3}\times\frac{4}{3}\sin 60^\circ-\pi\times\left(\frac{4}{3}\right)^2\times\frac{60^\circ}{360^\circ}=\frac{8(3\sqrt{3}-\pi)}{27}$$

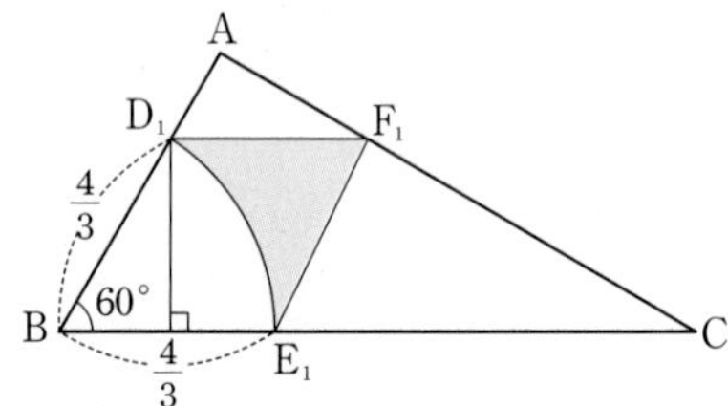

STEP Ⓑ 닮음을 이용하여 공비 구하기

그림 R_2에서 삼각형 ABC와 삼각형 F_1E_1C의 닮음비는 $2:\frac{4}{3}$

즉 $1:\frac{2}{3}$이므로 두 마름모의 넓이의 공비는 $\left(\frac{2}{3}\right)^2=\frac{4}{9}$

⬅ 모든 자연수 n에 대하여 $a_{n+1}=\frac{4}{9}a_n$이 성립한다.

STEP Ⓒ $\lim_{n\to\infty}S_n$의 값 구하기

따라서 수열 $\{a_n\}$은 첫째항이 $\frac{8(3\sqrt{3}-\pi)}{27}$이고 공비가 $\frac{4}{9}$인 등비수열이므로

$$\lim_{n\to\infty}S_n=\sum_{n=1}^{\infty}a_n=\frac{\frac{8(3\sqrt{3}-\pi)}{27}}{1-\frac{4}{9}}=\frac{8(3\sqrt{3}-\pi)}{15}$$

0418

정답 ⑤

STEP Ⓐ R_1의 넓이 S_1 구하기

R_1의 정사각형의 한 변의 길이를 a_1이라 하면
빗변의 길이는 $3a$이므로 $3a_1=\sqrt{2}$에서

$a_1=\frac{\sqrt{2}}{3}$

정사각형의 한 개의 넓이는

$S_1=\left(\frac{\sqrt{2}}{3}\right)^2=\frac{2}{9}$

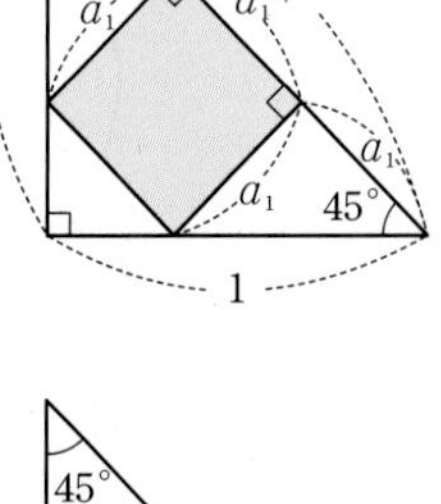

STEP Ⓑ 닮음을 이용하여 공비 구하기

두 번째 정사각형의 한 변의 길이를 a_2라 하면

$a_2+a_2+a_2=\sqrt{2}a_1$, $a_2=\frac{\sqrt{2}}{3}a_1$

$\therefore a_1:a_2=1:\frac{\sqrt{2}}{3}$

닮음비가 $1:\frac{\sqrt{2}}{3}$이므로 넓이의 비는

$1:\left(\frac{\sqrt{2}}{3}\right)^2$

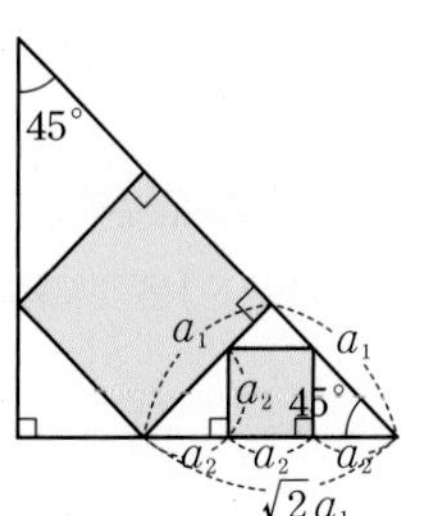

이때 색칠된 정사각형 1개는 넓이가 $\frac{2}{9}$배로 줄면서 개수는 2배로 늘어나므로

공비는 $2\cdot\frac{2}{9}=\frac{4}{9}$

STEP Ⓒ $\lim_{n\to\infty}S_n$의 값 구하기

따라서 $\{S_n\}$은 첫째항이 $\frac{2}{9}$, 공비가 $\frac{4}{9}$인 등비수열이므로 $\lim_{n\to\infty}S_n=\frac{\frac{2}{9}}{1-\frac{4}{9}}=\frac{2}{5}$

0419

정답 ②

STEP Ⓐ 넓이 S_1 구하기

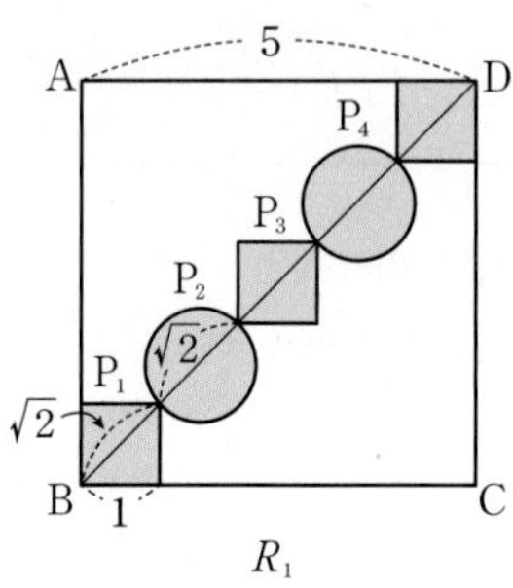

그림 R_1에서 한 변의 길이가 5인 정사각형 ABCD의 대각선 $\overline{BD}=5\sqrt{2}$이므로
선분 $BP_1=P_2P_3=P_4D=\sqrt{2}$를 각각 대각선으로 하는 정사각형의 한 변의 길이는 1이므로 한 정사각형의 넓이는 1^2
또한, 선분 $P_1P_2=P_3P_4=\sqrt{2}$를 각각 지름으로 하는 원의 반지름은
$\frac{\sqrt{2}}{2}$이므로 한 원의 넓이는 $\left(\frac{\sqrt{2}}{2}\right)^2\pi$

$S_1=3\times1+2\left(\frac{\sqrt{2}}{2}\right)^2\pi=3+\pi$

STEP Ⓑ 닮음을 이용하여 공비 구하기

다음 그림과 같이 그림 R_2에서 선분 CQ_2를 대각선으로 하는 정사각형의 꼭짓점 중 두 선분 CB, CD 위의 점을 각각 E, F라고 하자.

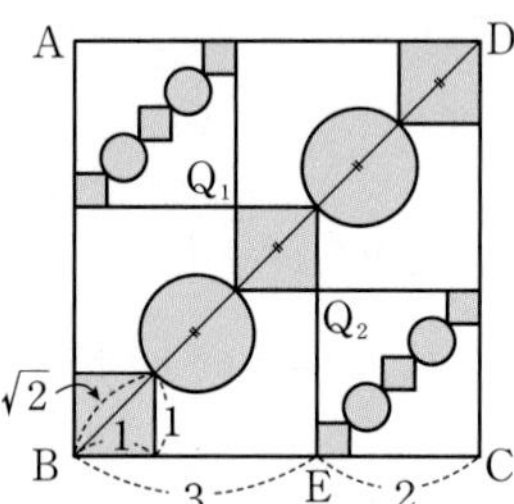

이때 $\overline{CB}:\overline{CE}=5:2$이므로
□ABCD와 □Q_2ECF는 닮음비가 $5:2$

즉 $1:\frac{2}{5}$이므로 넓이의 비는 $1^2:\left(\frac{2}{5}\right)^2=1:\frac{4}{25}$

이때 도형의 개수는 2배씩 늘어나므로 공비는 $\frac{4}{25}\cdot2=\frac{8}{25}$

STEP Ⓒ $\lim_{n\to\infty}S_n$의 값 구하기

따라서 S_n은 첫째항이 $3+\pi$이고 공비가 $\frac{8}{25}$인 등비수열의 합이므로

$$\lim_{n\to\infty}S_n=\frac{3+\pi}{1-\frac{8}{25}}=\frac{25}{17}(\pi+3)$$

0420

정답 ①

STEP Ⓐ 넓이 S_1 구하기

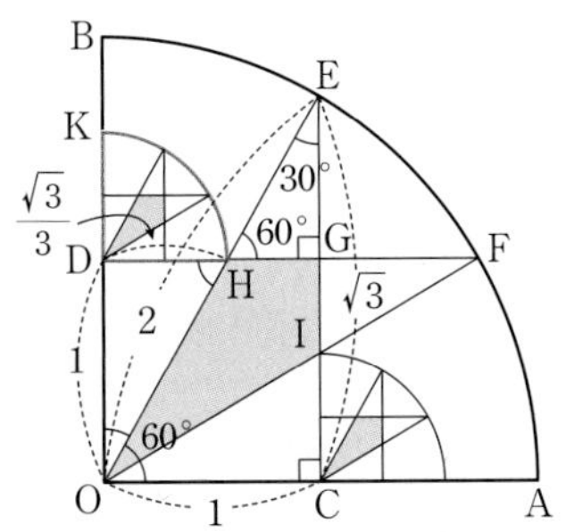

직각삼각형 OCE에서 $\overline{OC}=1$, $\overline{OE}=2$이므로 $\angle COE=60°$
같은 방법으로 생각하면 $\angle DOF=60°$
즉 직각삼각형 ODH에서 $\angle HOD=30°$이므로

$\overline{DH}=1\times\tan30°=\frac{\sqrt{3}}{3}$

$S_1=\square OCGD-\triangle OCI-\triangle OHD$

$=1\times1-2\times\frac{1}{2}\times\frac{\sqrt{3}}{3}\times1$ ⬅ $\triangle OCI\equiv\triangle OHD$

$=1-\frac{\sqrt{3}}{3}=\frac{3-\sqrt{3}}{3}$

STEP Ⓑ 닮음을 이용하여 공비 구하기

부채꼴 DHK의 반지름의 길이는 $\frac{\sqrt{3}}{3}$이므로 S_1과 S_2의 길이의 비는

두 부채꼴의 반지름의 길이의 비와 같으므로 $2:\frac{\sqrt{3}}{3}$

즉 닮음비는 $1:\frac{\sqrt{3}}{6}$이므로 넓이의 비는 $1^2:\left(\frac{\sqrt{3}}{6}\right)^2=1:\frac{1}{12}$이고

부채꼴의 개수는 2배씩 증가하므로 공비는 $2\cdot\frac{1}{12}=\frac{1}{6}$

STEP Ⓒ $\lim_{n\to\infty}S_n$의 값 구하기

따라서 S_n은 첫째항이 $S_1=\frac{3-\sqrt{3}}{3}$이고 공비가 $\frac{1}{6}$인 등비수열의 합이므로

$$\lim_{n\to\infty}S_n=\frac{\frac{3-\sqrt{3}}{3}}{1-\frac{1}{6}}=\frac{2(3-\sqrt{3})}{5}$$

0421

정답 ④

STEP Ⓐ 처음 재생산되는 음료수병의 개수 구하기

n번째 재활용되는 음료수병의 개수를 a_n이라 하면
처음 생산한 병 10000개의 80%를 수거하고 그 중 75%가 재활용되므로
a_1은

$a_1=10000\times\frac{80}{100}\times\frac{75}{100}=6000$

STEP Ⓑ 등비급수의 합 구하기

재활용된 음료수병의 80%를 수거하고 그 중 75%가 재활용되므로

$a_2=a_1\times\frac{80}{100}\times\frac{75}{100}=6000\times\frac{3}{5}$

$a_3=a_2\times\frac{80}{100}\times\frac{75}{100}=6000\times\left(\frac{3}{5}\right)^2$

⋮

따라서 수열 $\{a_n\}$의 일반항 a_n은 $a_n=6000\times\left(\frac{3}{5}\right)^{n-1}$이므로 재활용되는 모든

병의 개수는 $\sum_{n=1}^{\infty}a_n=\sum_{n=1}^{\infty}6000\left(\frac{3}{5}\right)^{n-1}=\frac{6000}{1-\frac{3}{5}}=15000$

내신연계 출제문항 176

어느 음료 회사는 재활용을 위하여 사용한 음료수 캔을 수거하는데 출시된 제품의 80%가 수거된다고 한다.
이렇게 수거된 캔은 재처리 과정을 거쳐서 음료수 캔으로 다시 만들어지는데 수거된 알루미늄 캔의 90%가 재생산된다. 70000개의 캔으로 이와 같은 재처리 과정을 한없이 반복한다고 할 때, 재활용하여 만들어지는 총 캔의 개수는? (단위는 개수)

① 80000　② 120000　③ 140000
④ 160000　⑤ 180000

STEP Ⓐ 처음 재생산되는 알루미늄의 개수 구하기

n번째 재활용되는 알루미늄 캔의 개수를 a_n이라 하고
생산된 알루미늄 캔의 개수를 a라고 하면
수거와 재처리 과정을 한 번 거칠 때, 재생산되는 알루미늄 캔의 개수는

$a\cdot\frac{80}{100}\cdot\frac{90}{100}=\frac{18}{25}a$

STEP Ⓑ 등비급수의 합 구하기

수거와 재처리 과정을 한없이 반복할 때,
재생산되는 알루미늄 캔의 총 개수의 합은

$$\frac{18}{25}a+\left(\frac{18}{25}\right)^2a+\left(\frac{18}{25}\right)^3a+\cdots=\frac{\frac{18}{25}a}{1-\frac{18}{25}}=\frac{18}{7}a$$

따라서 $a=70000$이므로 재활용하여 만들어지는 캔의 최대 수는 180000

정답 ⑤

0422

정답 ④

STEP Ⓐ a_1, a_2, a_3을 구하여 a_n의 식 추론하기

n번째 해에 재활용하여 만들 수 있는 종이 상자의 양을 $a_n$kg이라 하면

$a_1=1000\times\frac{80}{100}\times\frac{45}{100}=360$

$a_2=360\times\frac{80}{100}\times\frac{45}{100}=360\times\frac{36}{100}$

$a_3=360\times\frac{36}{100}\times\frac{80}{100}\times\frac{45}{100}=360\times\left(\frac{36}{100}\right)^2$

⋮

$\therefore a_n=360\times0.36^{n-1}$

STEP Ⓑ 등비급수의 합 구하기

따라서 구하는 종이 상자의 양은 $\frac{360}{1-0.36}=\frac{1125}{2}$(kg)

0423

정답 ③

STEP A 지급하는 장학금 a_1 구하기

기금을 조성한 후 n번째 해에 지급하는 장학금이 a_n억 원이므로

$a_1=12\times\left(1+\frac{10}{100}\right)\times\frac{20}{100}=\frac{66}{25}$

STEP B 등비급수의 합 구하기

$a_2=12\times\left(1+\frac{10}{100}\right)\times\frac{80}{100}\times\left(1+\frac{10}{100}\right)\times\frac{20}{100}=a_1\times\frac{22}{25}$

$a_3=12\times\left\{\left(1+\frac{10}{100}\right)\times\frac{80}{100}\right\}^2\times\left(1+\frac{10}{100}\right)\times\frac{20}{100}=a_2\times\frac{22}{25}$

⋮

즉 수열 $\{a_n\}$은 첫째항이 $\frac{66}{25}$, 공비가 $\frac{22}{25}$인 등비수열이므로

$\sum_{n=1}^{\infty}a_n=\frac{\frac{66}{25}}{1-\frac{22}{25}}=22$

내신연계 출제문항 177

어느 장학 재단이 20억 원의 기금을 조성하였다고 한다. 매년 초에 기금을 운용하여 연말까지 25%의 이익을 내고, 기금과 이익을 합한 금액의 40%를 매년 말에 장학금으로 지급하려고 한다. 장학금으로 지급하고 남은 금액을 기금으로 하여 기금의 운용과 장학금의 지급을 매년 이와 같은 방법으로 무한히 실시할 때 해마다 지급할 장학금의 총액은?

① 28 ② 32 ③ 36
④ 40 ⑤ 44

STEP A 장학금이 a_1 구하기

기금을 조성한 후 n번째 해에 지급하는 장학금이 a_n억 원이라 하면

$a_1=20\times\left(1+\frac{25}{100}\right)\times\frac{40}{100}=20\times\frac{1}{2}=10$

STEP B 등비급수의 합 구하기

$a_2=20\times\left(1+\frac{25}{100}\right)\times\frac{60}{100}\times\left(1+\frac{25}{100}\right)\times\frac{40}{100}=a_1\times\frac{3}{4}$

$a_3=20\times\left\{\left(1+\frac{25}{100}\right)\times\frac{60}{100}\right\}^2\times\left(1+\frac{10}{100}\right)\times\frac{40}{100}=a_2\times\frac{3}{4}$

⋮

즉 수열 $\{a_n\}$은 첫째항이 10, 공비가 $\frac{3}{4}$인 등비수열이므로

$\sum_{n=1}^{\infty}a_n=\frac{10}{1-\frac{3}{4}}=40$

정답 ④

STEP 2 서술형 기출유형

0424

정답 해설참조

1단계	급수 $S=\sum_{n=1}^{\infty}\frac{1}{n}=1+\frac{1}{2}+\frac{1}{3}+\frac{1}{4}+\frac{1}{5}+\frac{1}{6}+\frac{1}{7}+\cdots+\frac{1}{n}+\cdots$ 의 수렴, 발산을 조사하여라.	◀ 50%

분모가 1, 2, 4, 8, …인 것을 기준으로 묶어 생각한다.
이때 3은 4와 묶고 5, 6, 7은 8과 묶는다.
즉 주어진 급수를 다음과 같이 생각한다.

$S=\sum_{n=1}^{\infty}\frac{1}{n}=1+\frac{1}{2}+\frac{1}{3}+\frac{1}{4}+\frac{1}{5}+\frac{1}{6}+\frac{1}{7}+\frac{1}{8}+\cdots+\frac{1}{n}+\cdots$

$=1+\frac{1}{2}+\left(\frac{1}{3}+\frac{1}{4}\right)+\left(\frac{1}{5}+\frac{1}{6}+\frac{1}{7}+\frac{1}{8}\right)+\left(\frac{1}{9}+\frac{1}{10}+\cdots+\frac{1}{16}\right)+\cdots$

이때 $\frac{1}{3}>\frac{1}{4}$, $\frac{1}{5}>\frac{1}{8}$, $\frac{1}{6}>\frac{1}{8}$, $\frac{1}{7}>\frac{1}{8}$, $\frac{1}{9}>\frac{1}{16}$, $\frac{1}{10}>\frac{1}{16}$, …이므로

$S>1+\frac{1}{2}+\left(\frac{1}{4}+\frac{1}{4}\right)+\left(\frac{1}{8}+\frac{1}{8}+\frac{1}{8}+\frac{1}{8}\right)+\left(\frac{1}{16}+\frac{1}{16}+\cdots+\frac{1}{16}\right)\cdots$

$=1+\frac{1}{2}+\frac{1}{2}+\frac{1}{2}+\frac{1}{2}+\cdots$

이 부등식의 우변을 S'이라 하고 S'의 부분합을 S_n'이라고 하면

$S_n'=1+\frac{n}{2}$에서 $\lim_{n\to\infty}S_n'=\lim_{n\to\infty}\left(1+\frac{n}{2}\right)=\infty$

따라서 $S>S'$이고 $\lim_{n\to\infty}S_n'$이 발산하므로 급수 $S=\sum_{n=1}^{\infty}\frac{1}{n}=\infty$

2단계	급수 $S=\sum_{n=1}^{\infty}\frac{1}{n^2}=\frac{1}{1^2}+\frac{1}{2^2}+\frac{1}{3^2}+\frac{1}{4^2}+\cdots+\frac{1}{n^2}+\cdots$ 의 수렴, 발산을 조사하여라.	◀ 50%

$\frac{1}{2^2}<\frac{1}{1\cdot2}$, $\frac{1}{3^2}<\frac{1}{2\cdot3}$, $\frac{1}{4^2}<\frac{1}{3\cdot4}$, …을 이용하면

$S=\sum_{n=1}^{\infty}\frac{1}{n^2}=1+\frac{1}{2^2}+\frac{1}{3^2}+\cdots+\frac{1}{n^2}+\cdots$

$<1+\frac{1}{1\cdot2}+\frac{1}{2\cdot3}+\frac{1}{3\cdot4}+\cdots+\frac{1}{n(n+1)}\cdots$

$=1+\sum_{n=1}^{\infty}\frac{1}{n(n+1)}=2$  $\Leftarrow \sum_{n=1}^{\infty}\frac{1}{n(n+1)}=1$

$\therefore 1<\sum_{n=1}^{\infty}\frac{1}{n^2}<2$이므로 $\sum_{n=1}^{\infty}\frac{1}{n^2}$은 2보다 작은 값에 수렴한다.

0425

정답 해설참조

1단계	급수 $\sum_{n=1}^{\infty}\frac{an^2+2}{(n+1)(n+3)}$가 수렴함을 이용하여 a의 값을 구한다.	◀ 30%

급수 $\sum_{n=1}^{\infty}\frac{an^2+2}{(n+1)(n+3)}$가 수렴하므로 $\lim_{n\to\infty}\frac{an^2+2}{(n+1)(n+3)}=0$

이때 $\lim_{n\to\infty}\frac{an^2+2}{n^2+4n+3}=\lim_{n\to\infty}\frac{a+\frac{2}{n^2}}{1+\frac{4}{n}+\frac{3}{n^2}}=a$이므로 $a=0$

2단계	이 급수의 제 n항까지의 부분합을 $S_n=\sum_{k=1}^{n}a_k$라 할 때, S_n를 구한다.	◀ 50%

$a=0$이므로 $\sum_{n=1}^{\infty}\frac{2}{(n+1)(n+3)}$

이때 급수의 제 n항까지의 부분합을 S_n이라 하면

$S_n=\sum_{k=1}^{n}\frac{2}{(k+1)(k+3)}=\sum_{k=1}^{n}\left(\frac{1}{k+1}-\frac{1}{k+3}\right)$

$=\left(\frac{1}{2}-\frac{1}{4}\right)+\left(\frac{1}{3}-\frac{1}{5}\right)+\left(\frac{1}{4}-\frac{1}{6}\right)+\cdots+\left(\frac{1}{n}-\frac{1}{n+2}\right)+\left(\frac{1}{n+1}-\frac{1}{n+3}\right)$

$=\frac{1}{2}+\frac{1}{3}-\frac{1}{n+2}-\frac{1}{n+3}$

3단계	$\lim_{n\to\infty}S_n$의 값 구한다.	◀ 20%

$\lim_{n\to\infty}S_n=\lim_{n\to\infty}\left(\frac{1}{2}+\frac{1}{3}-\frac{1}{n+2}-\frac{1}{n+3}\right)=\frac{5}{6}$

0426

정답 해설참조

1단계	다항식 $a_nx^2+2a_nx+1$을 $x-n$으로 나누었을 때의 나머지를 구한다.	◀ 30%

$x-n$으로 나누었을 때 나머지는 $n^2a_n+2na_n+1$

2단계	나머지가 5임을 이용하여 a_n을 구한다.	◀ 30%

$n^2a_n+2na_n+1=5$에서

$a_n=\frac{4}{n^2+2n}=\frac{4}{n(n+2)}=2\left(\frac{1}{n}-\frac{1}{n+2}\right)$

3단계	이 급수의 제 n항까지의 부분합 $S_n=\sum_{k=1}^{n}a_k$을 구한다.	◀ 20%

제 n항까지의 부분합을 S_n라 하면

$S_n=2\left\{\left(1-\frac{1}{3}\right)+\left(\frac{1}{2}-\frac{1}{4}\right)+\cdots+\left(\frac{1}{n}-\frac{1}{n+2}\right)\right\}$

$=2\left(1+\frac{1}{2}-\frac{1}{n+1}-\frac{1}{n+2}\right)$

4단계	$\sum_{n=1}^{\infty}a_n$의 값을 구한다.	◀ 20%

따라서 $\sum_{n=1}^{\infty}a_n=\lim_{n\to\infty}S_n=\lim_{n\to\infty}2\left(1+\frac{1}{2}-\frac{1}{n+1}-\frac{1}{n+2}\right)=3$

0427

정답 해설참조

1단계	$\frac{1}{n(n+1)(n+2)}=\frac{a}{n(n+1)}+\frac{b}{(n+1)(n+2)}$일 때, 상수 a, b의 값을 구한다.	◀ 30%

주어진 식의 우변을 간단히 하면

$\frac{a}{n(n+1)}+\frac{b}{(n+1)(n+2)}=\frac{(a+b)n+2a}{n(n+1)(n+2)}$

이므로 $a+b=0$, $2a=1$에서 $a=\frac{1}{2}$, $b=-\frac{1}{2}$

2단계	이 급수의 제 n항까지의 부분합 $S_n=\sum_{k=1}^{n}a_k$을 구한다.	◀ 40%

제 n항까지의 부분합을 S_n이라 하면

$S_n=\sum_{k=1}^{n}\frac{1}{k(k+1)(k+2)}=\sum_{k=1}^{n}\frac{1}{2}\left\{\frac{1}{k(k+1)}-\frac{1}{(k+1)(k+2)}\right\}$

$=\frac{1}{2}\left\{\left(\frac{1}{1\cdot2}-\frac{1}{2\cdot3}\right)+\left(\frac{1}{2\cdot3}-\frac{1}{3\cdot4}\right)+\cdots+\left(\frac{1}{n(n+1)}-\frac{1}{(n+1)(n+2)}\right)\right\}$

$=\frac{1}{2}\left\{\frac{1}{2}-\frac{1}{(n+1)(n+2)}\right\}$

3단계	$\sum_{n=1}^{\infty}a_n$의 값을 구한다.	◀ 30%

$\sum_{n=1}^{\infty}a_n=\lim_{n\to\infty}S_n=\lim_{n\to\infty}\frac{1}{2}\left\{\frac{1}{2}-\frac{1}{(n+1)(n+2)}\right\}=\frac{1}{2}\left(\frac{1}{2}-0\right)=\frac{1}{4}$

따라서 $\sum_{n=1}^{\infty}\frac{1}{n(n+1)(n+2)}=\frac{1}{4}$

0428

정답 해설참조

1단계	주어진 급수의 일반항 a_n이라 할 때, a_n을 구한다.	◀ 30%

주어진 급수의 일반항을 a_n이라 할 때

$a_n=\frac{1}{1\cdot2+2\cdot3+3\cdot4+\cdots+n(n+1)}=\frac{1}{\sum_{k=1}^{n}k(k+1)}$

$=\frac{1}{\frac{n(n+1)(2n+1)}{6}+\frac{n(n+1)}{2}}=\frac{1}{\frac{n(n+1)(n+2)}{3}}$

$=\frac{3}{n(n+1)(n+2)}$

2단계	$\frac{1}{\mathrm{ABC}}=\frac{1}{\mathrm{C-A}}\left(\frac{1}{\mathrm{AB}}-\frac{1}{\mathrm{BC}}\right)$을 이용하여 일반항 a_n을 부분분수로 나눈다.	◀ 20%

$a_n=\frac{3}{n(n+1)(n+2)}=\frac{3}{2}\left\{\frac{1}{n(n+1)}-\frac{1}{(n+1)(n+2)}\right\}$

3단계	주어진 급수의 제 n항까지의 부분합을 $S_n=\sum_{k=1}^{n}a_k$이라 할 때. S_n을 구한다.	◀ 30%

주어진 급수의 제 n항까지의 부분합을 S_n이라 하면

$S_n=\sum_{k=1}^{n}a_k=\sum_{k=1}^{n}\frac{3}{2}\left\{\frac{1}{n(n+1)}-\frac{1}{(n+1)(n+2)}\right\}$

$=\frac{3}{2}\left\{\left(\frac{1}{1\cdot2}-\frac{1}{2\cdot3}\right)+\left(\frac{1}{2\cdot3}-\frac{1}{3\cdot4}\right)+\left(\frac{1}{3\cdot4}-\frac{1}{4\cdot5}\right)+\cdots\right.$

$\left.+\left\{\frac{1}{n(n+1)}-\frac{1}{(n+1)(n+2)}\right\}\right.$

$=\frac{3}{2}\left\{\frac{1}{2}-\frac{1}{(n+1)(n+2)}\right\}$

4단계	$S=\lim_{n\to\infty}S_n$을 구한다.	◀ 20%

주어진 급수의 합은 $S=\lim_{n\to\infty}S_n=\lim_{n\to\infty}\frac{3}{2}\left\{\frac{1}{2}-\frac{1}{(n+1)(n+2)}\right\}=\frac{3}{4}$

0429

정답 해설참조

1단계	$\lim_{n\to\infty}(\sqrt{n+2}-\sqrt{n})$을 구한다.	◀ 30%

$\lim_{n\to\infty}(\sqrt{n+2}-\sqrt{n})=\lim_{n\to\infty}\frac{(\sqrt{n+2}-\sqrt{n})(\sqrt{n+2}+\sqrt{n})}{\sqrt{n+2}+\sqrt{n}}$

$=\lim_{n\to\infty}\frac{n+2-n}{\sqrt{n+2}+\sqrt{n}}$

$=\lim_{n\to\infty}\frac{2}{\sqrt{n+2}+\sqrt{n}}$

$=\lim_{n\to\infty}\frac{\frac{2}{\sqrt{n}}}{\sqrt{1+\frac{2}{n}}+1}$

$=0$

2단계	$\sum_{n=1}^{\infty}(\sqrt{n+2}-\sqrt{n})$을 구한다.	◀ 30%

$\sum_{n=1}^{\infty}(\sqrt{n+2}-\sqrt{n})=\lim_{n\to\infty}\sum_{k=1}^{n}(\sqrt{k+2}-\sqrt{k})$

$=\lim_{n\to\infty}\{(\sqrt{3}-1)+(\sqrt{4}-\sqrt{2})+\cdots+(\sqrt{n+2}-\sqrt{n})\}$

$=\lim_{n\to\infty}\{(\sqrt{n+2}+\sqrt{n+1}-1-\sqrt{2})\}=\infty$

3단계	1단계와 2단계의 결과를 비교하여 수열의 수렴과 급수의 수렴의 관계를 서술하여라.	◀ 40%

급수 $\sum_{n=1}^{\infty}a_n$이 수렴하면 $\lim_{n\to\infty}a_n=0$의

역은 '$\lim_{n\to\infty}a_n=0$이면 급수 $\sum_{n=1}^{\infty}a_n$이 수렴한다.' 이다.

이때 이 명제는 거짓이다.

그 반례가 1단계, 2단계에서

$\lim_{n\to\infty}(\sqrt{n+2}-\sqrt{n})=0$, $\sum_{n=1}^{\infty}(\sqrt{n+2}-\sqrt{n})=\infty$

따라서 $\lim_{n\to\infty}a_n=0$은 급수 $\sum_{n=1}^{\infty}a_n$의 수렴의 필요조건이지만 충분조건은 아니다.

0430

정답 해설참조

1단계 $\lim_{n\to\infty} a_n$의 값을 구하여라. ◀ 30%

$\sum_{n=1}^{\infty}\left(na_n-\frac{3n^2}{2n+1}\right)$이 수렴하므로 $\lim_{n\to\infty}\left(na_n-\frac{3n^2}{2n+1}\right)=0$

$na_n-\frac{3n^2}{2n+1}=b_n$이라 하면 $a_n=\frac{b_n}{n}+\frac{3n^2}{2n^2+n}$, $\lim_{n\to\infty} b_n=0$

$\lim_{n\to\infty} a_n=\lim_{n\to\infty}\left(\frac{b_n}{n}+\frac{3n^2}{2n^2+n}\right)=0+\frac{3}{2}=\frac{3}{2}$

2단계 1단계의 값을 구할 때, 급수의 수렴과 발산에 관한 명제가 사용된다. 이 명제를 '급수'와 '일반항'이라는 용어를 사용하여 구한다. ◀ 30%

일반항 $\{a_n\}$에 대하여 급수 $\sum_{n=1}^{\infty} a_n$이 수렴하면 $\lim_{n\to\infty} a_n=0$

3단계 2단계에서 답한 명제를 증명하여라. ◀ 40%

급수 $\sum_{n=1}^{\infty} a_n$이 S에 수렴할 때, 제 n항까지의 부분합을 S_n이라 하면

$\lim_{n\to\infty} S_n=S$, $\lim_{n\to\infty} S_{n-1}=S$

이때 $a_n=S_n-S_{n-1}(n\ge 2)$이므로

$\lim_{n\to\infty} a_n=\lim_{n\to\infty}(S_n-S_{n-1})=\lim_{n\to\infty} S_n-\lim_{n\to\infty} S_{n-1}=S-S=0$

따라서 급수 $\sum_{n=1}^{\infty} a_n$이 수렴하면 $\lim_{n\to\infty} a_n=0$

0431

정답 해설참조

1단계 두 함수 $y=\frac{|x|}{n}$와 $y=|\sin \pi x|$의 그래프의 교점의 개수 a_n을 구한다. ◀ 30%

$y=\frac{|x|}{n}$와 $y=|\sin \pi x|$의 그래프를 그리면 다음과 같다.

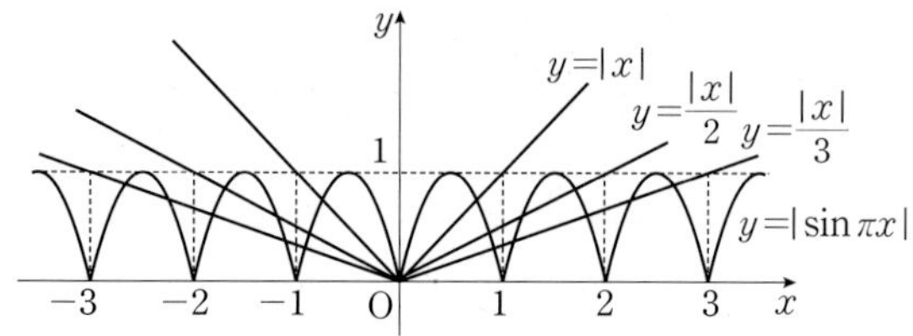

위의 그림에서 교점의 개수는 $a_1=3$, $a_2=7$, $a_3=11$, …이므로

$a_n=4n-1$

2단계 $\sum_{n=1}^{\infty}\frac{1}{a_na_{n+1}}$의 제 n항까지의 부분합을 S_n이라 하면 S_n의 값을 구한다. ◀ 40%

$\sum_{n=1}^{\infty}\frac{1}{a_na_{n+1}}=\sum_{n=1}^{\infty}\frac{1}{(4n-1)(4n+3)}$의 부분합이 S_n이므로

$$S_n=\sum_{k=1}^{n}\frac{1}{(4k-1)(4k+3)}=\sum_{k=1}^{n}\frac{1}{4}\left(\frac{1}{4k-1}-\frac{1}{4k+3}\right)$$
$$=\frac{1}{4}\left\{\left(\frac{1}{3}-\frac{1}{7}\right)+\left(\frac{1}{7}-\frac{1}{11}\right)+\cdots+\left(\frac{1}{4n-1}-\frac{1}{4n+3}\right)\right\}$$
$$=\frac{1}{4}\left(\frac{1}{3}-\frac{1}{4n+3}\right)$$

3단계 $\lim_{n\to\infty} S_n$의 값을 구한다. ◀ 30%

$\lim_{n\to\infty} S_n=\lim_{n\to\infty}\frac{1}{4}\left(\frac{1}{3}-\frac{1}{4n+3}\right)=\frac{1}{4}\left(\frac{1}{3}-0\right)=\frac{1}{12}$

0432

정답 해설참조

등비급수 $\sum_{n=1}^{\infty} ar^{n-1}(a\ne 0)$의 제 n항까지의 부분합을 S_n이라고 하면

$S_n=a+ar+ar^2+\cdots+ar^{n-1}$이므로

$r\ne 1$이면 $S_n=\boxed{\frac{a(1-r^n)}{1-r}}$

$r=1$이면 $S_n=\boxed{a+a+\cdots+a=na}$이다.

따라서 등비급수 $\sum_{n=1}^{\infty} ar^{n-1}(a\ne 0)$의 수렴과 발산은 r의 값에 따라 다음과 같이 결정된다.

① $\boxed{|r|<1}$일 때, $\lim_{n\to\infty} r^n=0$이므로 $\lim_{n\to\infty} S_n=\lim_{n\to\infty}\boxed{\frac{a(1-r^n)}{1-r}}=\boxed{\frac{a}{1-r}}$

따라서 등비급수 $\sum_{n=1}^{\infty} ar^{n-1}(a\ne 0)$은 수렴하고, 그 합은 $\boxed{\frac{a}{1-r}}$이다.

② $r=1$일 때, $S_n=\boxed{na}$이므로 등비급수 $\sum_{n=1}^{\infty} ar^{n-1}(a\ne 0)$은 발산한다.

③ $r>1$일 때, $\lim_{n\to\infty} r^n=\infty$이므로 등비급수 $\sum_{n=1}^{\infty} ar^{n-1}(a\ne 0)$은 발산한다.

④ $r\le -1$일 때, 수열 $\{r^n\}$은 진동하므로 등비급수 $\sum_{n=1}^{\infty} ar^{n-1}(a\ne 0)$은 발산한다.

0433

정답 해설참조

1단계 이 등비급수가 수렴하기 위한 정수 x값의 합을 모두 구한다. ◀ 50%

등비급수 $\sum_{n=1}^{\infty}(x-1)\left(\frac{x+2}{2}\right)^{n-1}$은 첫째항이 $x-1$이고 공비가 $\frac{x+2}{2}$

이 등비급수가 수렴하려면 $x-1=0$ 또는 $-1<\frac{x+2}{2}<1$

$x=1$ 또는 $-4<x<0$

따라서 구하는 모든 정수 x의 값은 -3, -2, -1, 1이므로 합은

$(-3)+(-2)+(-1)+1=-5$

2단계 이 등비급수의 합이 -3일 때, 실수 x의 값을 구한다. ◀ 50%

$\sum_{n=1}^{\infty}(x-1)\left(\frac{x+2}{2}\right)^{n-1}=\frac{x-1}{1-\left(\frac{x+2}{2}\right)}=\frac{2(x-1)}{-x}=-3$

따라서 $2(x-1)=3x$이므로 $x=-2$

0434

정답 해설참조

1단계 등비급수를 이용하여 첫째항 a_1, 공비 r을 구한다. ◀ 40%

등비수열 $\{a_n\}$의 첫째항을 a_1, 공비를 $r(-1<r<1)$라 하면

$\sum_{n=1}^{\infty} a_n=\frac{a}{1-r}=1$에서 $a=1-r$ …… ㉠

$\sum_{n=1}^{\infty} a_n^2=\frac{a^2}{1-r^2}=\frac{1}{2}$ …… ㉡

㉠을 ㉡에 대입하면 $\frac{(1-r)^2}{1-r^2}=\frac{1}{2}$

$2-4r+2r^2=1-r^2$

$3r^2-4r+1=0$, $(3r-1)(r-1)=0$

$\therefore\ r=\frac{1}{3}\ (\because -1<r<1)$

㉠에 대입하면 $a=\frac{2}{3}$

2단계 $\sum_{n=1}^{\infty} a_n(a_n+1)$의 값을 구한다. ◀ 30%

$\sum_{n=1}^{\infty} a_n(a_n+1)=\sum_{n=1}^{\infty}(a_n^2+a_n)=\sum_{n=1}^{\infty} a_n^2+\sum_{n=1}^{\infty} a_n=\frac{1}{2}+1=\frac{3}{2}$

3단계 $\sum_{n=1}^{\infty} a_n^3$의 값을 구한다. ◀ 30%

$\sum_{n=1}^{\infty} a_n^3=\frac{a^3}{1-r^3}=\frac{\left(\frac{2}{3}\right)^3}{1-\left(\frac{1}{3}\right)^3}=\frac{4}{13}$

0435

정답

1단계	점 $(a_n, 2(a_n)^2)$에서의 접선의 방정식 l_n을 구한다.	◀ 30%

$f(x)=2x^2$이라 하면 $f'(x)=4x$

점 $(a_n, 2(a_n)^2)$에서의 접선의 방정식은

$y-2(a_n)^2=4a_n(x-a_n)$

$\therefore\ y=4a_nx-2(a_n)^2$

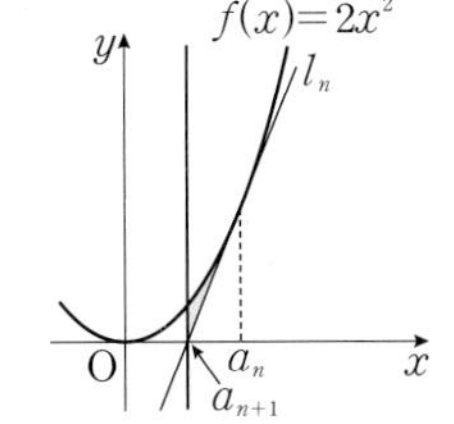

2단계	$a_1=1$이고 직선 l_n의 x절편이 a_{n+1}임을 이용하여 수열 $\{a_n\}$의 일반항 a_n을 구한다.	◀ 20%

$a_1=1$에서 $a_n>0$이므로 $y=0$에서 $x=\frac{1}{2}a_n$

그러므로 $a_{n+1}=\frac{1}{2}a_n$, $a_1=1$에서 $a_n=\left(\frac{1}{2}\right)^{n-1}$

3단계	곡선 $y=2x^2$과 직선 l_n, 직선 $x=a_{n+1}$로 둘러싸인 부분의 넓이 S_n을 구한다.	◀ 30%

$$S_n=\int_{a_{n+1}}^{a_n}\left[2x^2-\{4a_nx-2(a_n)^2\}\right]dx=\left[\frac{2}{3}x^3-2a_nx^2+2(a_n)^2x\right]_{a_{n+1}}^{a_n}$$

$$=\left[\frac{2}{3}x^3-2a_nx^2+2(a_n)^2x\right]_{\frac{a_n}{2}}^{a_n}$$

$$=\frac{1}{12}(a_n)^3=\frac{1}{12}\left(\frac{1}{8}\right)^{n-1}$$

4단계	등비급수를 이용하여 $\sum_{n=1}^{\infty}S_n$의 값을 구한다.	◀ 20%

$$\sum_{n=1}^{\infty}S_n=\frac{\frac{1}{12}}{1-\frac{1}{8}}=\frac{2}{21}$$

0436

정답 해설참조

1단계	등비급수의 합을 계산하는 방법을 사용하여 첫째항 $0.\dot{5}$, 제3항 $0.0\dot{2}$를 각각 분수로 나타낸다.	◀ 20%

$$a_1=0.\dot{5}=0.5+0.05+0.005+\cdots=\frac{\frac{5}{10}}{1-\frac{1}{10}}=\frac{5}{9}$$

$$a_3=0.0\dot{2}=0.02+0.002+0.0002+\cdots=\frac{\frac{2}{100}}{1-\frac{1}{10}}=\frac{1}{45}$$

2단계	1단계의 결과를 이용하여 공비를 구하여 $\sum_{n=1}^{\infty}a_n$의 값을 구한다.	◀ 40%

등비수열 $\{a_n\}$의 공비를 $r(r>0)$이라 하면 $a_n=\frac{5}{9}\cdot r^{n-1}$

$a_3=\frac{5}{9}r^2=\frac{1}{45}$, $r^2=\frac{1}{25}$ $\quad\therefore\ r=\frac{1}{5}$

$$\sum_{n=1}^{\infty}a_n=\frac{\frac{5}{9}}{1-\frac{1}{5}}=\frac{25}{36}$$

3단계	등비급수의 합을 이용하여 순환소수 $0.3\dot{2}\dot{5}$를 분수로 나타낸다.	◀ 40%

주어진 순환소수를 등비급수의 합을 이용하여 나타내면

$$0.3\dot{2}\dot{5}=0.3+0.025+0.00025+\cdots=\frac{3}{10}+\left(\frac{25}{10^3}+\frac{25}{10^5}+\cdots\right)$$

괄호 안의 부분은 첫째항이 $\frac{25}{1000}$이고 공비가 $\frac{1}{100}$인 등비급수이므로

$$0.3\dot{2}\dot{5}=\frac{3}{10}+\frac{\frac{25}{1000}}{1-\frac{1}{100}}=\frac{322}{990}=\frac{161}{495}$$

0437

정답 해설참조

1단계	모든 삼각형의 둘레의 길이의 합을 구한다.	◀ 50%

삼각형 $A_nB_nC_n$의 둘레의 길이를 l_n이라 하자.

삼각형 $A_1B_1C_1$은 정삼각형이고 $\overline{A_1B_1}=2$이므로 $l_1=2\times3=6$

$A_{n+1}B_{n+1}=\frac{1}{2}\overline{A_nB_n}$이므로 $l_{n+1}=\frac{1}{2}l_n$

따라서 수열 $\{l_n\}$은 첫째항이 6, 공비가 $\frac{1}{2}$인 등비수열이므로

$$\sum_{n=1}^{\infty}l_n=\frac{6}{1-\frac{1}{2}}=12$$

2단계	모든 삼각형의 넓이의 합을 구한다.	◀ 50%

삼각형 $A_1B_1C_1$와 삼각형 $A_2B_2C_2$에서

$\overline{A_2B_2}=\frac{1}{2}\overline{A_1B_1}$, $\overline{B_2C_2}=\frac{1}{2}\overline{B_1C_1}$, $\overline{C_2A_2}=\frac{1}{2}\overline{C_1A_1}$이므로

삼각형 $A_1B_1C_1$과 삼각형 $A_2B_2C_2$는 닮음비가 2 : 1인 닮은 삼각형이다.

즉 삼각형 $A_nB_nC_n$과 삼각형 $A_{n+1}B_{n+1}C_{n+1}$은 닮음비가 2 : 1이므로 넓이의 비는 4 : 1이다.

즉 삼각형 $A_nB_nC_n$의 넓이를 S_n이라 하면

$$S_1=\frac{\sqrt{3}}{4}\times2^2=\sqrt{3},\ S_2=\frac{1}{4}S_1=\sqrt{3}\left(\frac{1}{4}\right),\ S_3=\frac{1}{4}S_2=\sqrt{3}\left(\frac{1}{4}\right)^2,\ \cdots$$

⬅ 넓이의 비가 4 : 1이므로 공비는 $\frac{1}{4}$

따라서 구하는 넓이의 합은

$$\sqrt{3}+\frac{\sqrt{3}}{4}+\sqrt{3}\left(\frac{1}{4}\right)^2+\sqrt{3}\left(\frac{1}{4}\right)^3+\cdots=\frac{\sqrt{3}}{1-\frac{1}{4}}=\frac{4\sqrt{3}}{3}$$

[삼각형의 중점 연결정리]

삼각형의 두 변의 중점을 연결한 선분은 나머지 변과 평행하고 그 길이는 나머지 변의 길이의 $\frac{1}{2}$이다.

즉 삼각형 $A_1B_1C_1$에서 점 C_2, B_2가 각각 선분 A_1B_1, 선분 A_1C_1의 중점이면 두 선분 B_1C_1, C_2B_2는 평행하고 $\overline{C_2B_2}=\frac{1}{2}\overline{B_1C_1}$이다.

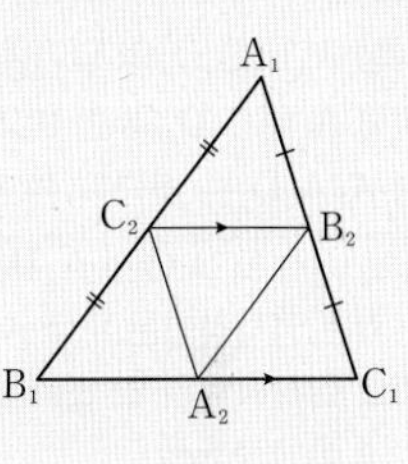

0438

정답 해설참조

1단계 모든 정사각형의 둘레의 길이의 합을 구한다. ◀ 60%

다음 그림과 같이 정사각형 $A_nB_nC_nD_n$의 변의 길이를 a_n이라 하면

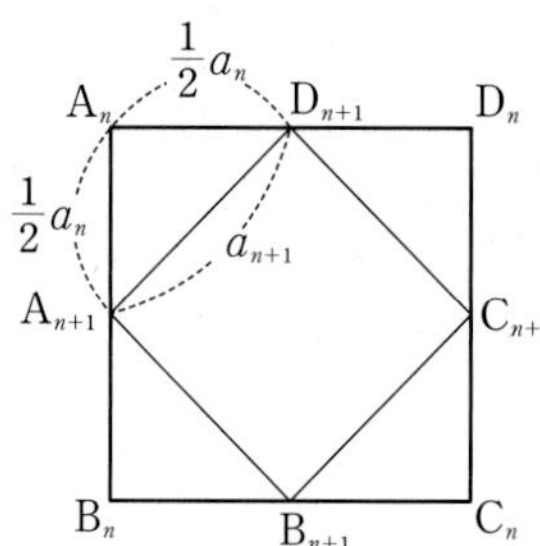

${a_{n+1}}^2=\left(\frac{1}{2}a_n\right)^2+\left(\frac{1}{2}a_n\right)^2=\frac{1}{2}{a_n}^2$이므로 $a_{n+1}=\frac{\sqrt{2}}{2}a_n$

$a_n=a_1\times\left(\frac{\sqrt{2}}{2}\right)^{n-1}=2\times\left(\frac{\sqrt{2}}{2}\right)^{n-1}$

정사각형 $A_nB_nC_nD_n$의 둘레의 길이를 l_n이라 하면

$l_n=4a_n=8\times\left(\frac{\sqrt{2}}{2}\right)^{n-1}$

따라서 모든 정사각형의 둘레의 길이의 합은

$\sum_{n=1}^{\infty}l_n=\sum_{n=1}^{\infty}\left\{8\times\left(\frac{\sqrt{2}}{2}\right)^{n-1}\right\}=\frac{8}{1-\frac{\sqrt{2}}{2}}=\frac{16}{2-\sqrt{2}}$

$=\frac{16(2+\sqrt{2})}{2}=16+8\sqrt{2}$

2단계 모든 정사각형의 넓이의 합을 구한다. ◀ 40%

정사각형 $A_nB_nC_nD_n$의 넓이를 S_n이라 하자.
정사각형 $A_1B_1C_1D_1$의 한 변의 길이가 2이므로 $S_1=4$
삼각형 $A_1A_2D_2$는 빗변이 선분 A_2D_2인 직각이등변삼각형이므로
$\sqrt{2}\times\overline{A_1D_2}=\overline{A_2D_2}$에서 $\overline{A_2D_2}=\sqrt{2}$
만들어지는 정사각형은 모두 서로 닮음이고
닮음비는 정사각형의 한 변의 길이의 비와 같으므로
$\overline{A_1B_1}:\overline{A_2B_2}=2:\sqrt{2}$
즉 닮음비는 $1:\frac{1}{\sqrt{2}}$이므로 넓이의 비는 $1:\frac{1}{2}$

따라서 수열 $\{S_n\}$은 첫째항이 4, 공비가 $\frac{1}{2}$인 등비수열이므로

모든 정사각형의 넓이의 합은 $\sum_{n=1}^{\infty}S_n=\frac{4}{1-\frac{1}{2}}=8$

0439

정답 해설참조

1단계 정사각형 A_1의 한 변의 길이 a_1을 구한다. ◀ 30%

정사각형 A_1의 한 변의 길이를 a라고 하면
다음 그림에서 $1:(1-a)=2:a$ $\therefore a=\frac{2}{3}$

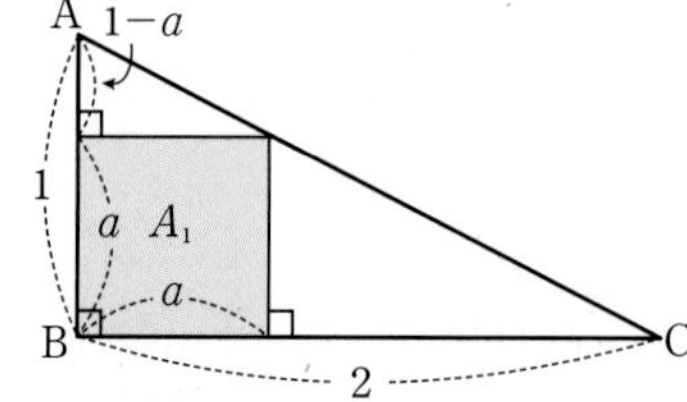

2단계 $\sum_{n=1}^{\infty}l_n$의 값을 구한다. ◀ 50%

$l_1=4\times\frac{2}{3}=\frac{8}{3}$이고 정사각형 A_n의 한 변의 길이를 b_n이라고 하면

다음 그림에서 $1:(b_n-b_{n+1})=2:b_{n+1}$

$b_{n+1}=\frac{2}{3}b_n$

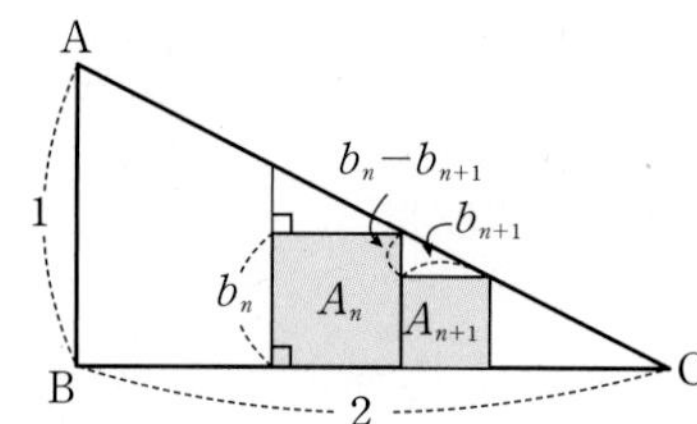

즉 두 정사각형 A_n, A_{n+1}의 닮음비가 $1:\frac{2}{3}$이므로 둘레의 길이의 비도 $1:\frac{2}{3}$

$\sum_{n=1}^{\infty}l_n=\frac{\frac{8}{3}}{1-\frac{2}{3}}=8$

3단계 $\sum_{n=1}^{\infty}S_n$의 값을 구한다. ◀ 20%

$S_1=\left(\frac{2}{3}\right)^2=\frac{4}{9}$이고 두 정사각형 A_n, A_{n+1}의 닮음비가 $1:\frac{2}{3}$이므로

넓이의 비는 $1:\left(\frac{2}{3}\right)^2$, 즉 $1:\frac{4}{9}$

$\sum_{n=1}^{\infty}S_n=\frac{\frac{4}{9}}{1-\frac{4}{9}}=\frac{4}{5}$

0440

정답 해설참조

1단계 선분 P_nQ_n의 길이를 a_n이라 할 때, $\sum_{n=1}^{\infty}a_n$의 합을 구한다. ◀ 60%

직선 $y=-x+4$와 직선 AP_1은 서로 수직이므로
직선 AP_1의 방정식은 $y=x+2$
이때 점 P_1의 좌표는 $(1, 3)$이므로 $a_1=\overline{P_1Q_1}=3$
또, 점 $Q_1(1, 0)$을 지나고 직선 $y=-x+4$와 수직인 직선 Q_1P_2의 방정식은
$y=x-1$

이때 점 P_2의 좌표는 $\left(\frac{5}{2}, \frac{3}{2}\right)$이므로 $a_2=\overline{P_2Q_2}=\frac{3}{2}$

마찬가지로 직선 Q_2P_3의 방정식은 $y=x-\frac{5}{2}$

이때 점 P_3의 좌표는 $\left(\frac{13}{4}, \frac{3}{4}\right)$이므로

두 삼각형 $P_nQ_nP_{n+1}$, $P_{n+1}Q_{n+1}P_{n+2}$의 닮음비가 $1:\frac{1}{2}$이므로 $a_{n+1}=\frac{1}{2}a_n$

즉 수열 $\{a_n\}$은 첫째항이 3이고 공비가 $\frac{1}{2}$인 등비수열이다.

따라서 $\sum_{n=1}^{\infty}a_n=\sum_{n=1}^{\infty}3\left(\frac{1}{2}\right)^{n-1}=\frac{3}{1-\frac{1}{2}}=6$

2단계 삼각형 $P_nQ_nP_{n+1}$의 넓이를 b_n이라 할 때, $\sum_{n=1}^{\infty}b_n$의 합을 구한다. ◀ 40%

직각이등변삼각형 $P_1Q_1P_2$의 빗변 P_1Q_1의 길이가 3이므로

두 변 P_1P_2, Q_1P_2의 길이는 모두 $\frac{3\sqrt{2}}{2}$

따라서 직각이등변삼각형 $P_1Q_1P_2$의 넓이 b_1은 $b_1=\frac{1}{2}\times\frac{3\sqrt{2}}{2}\times\frac{3\sqrt{2}}{2}=\frac{9}{4}$

이때 두 직각이등변삼각형 $P_nQ_nP_{n+1}$, $P_{n+1}Q_{n+1}P_{n+2}$의 닮음비가 $1:\frac{1}{2}$이므로

넓이의 비는 $1:\frac{1}{4}$

즉 $b_{n+1}=\frac{1}{4}b_n$이므로 수열 $\{b_n\}$은 첫째항이 $\frac{9}{4}$이고 공비가 $\frac{1}{4}$인 등비수열이다.

따라서 $\sum_{n=1}^{\infty}b_n=\sum_{n=1}^{\infty}\frac{9}{4}\left(\frac{1}{4}\right)^{n-1}=\frac{\frac{9}{4}}{1-\frac{1}{4}}=3$

0441 정답

1단계 $\sum_{n=1}^{\infty} l_n$의 값을 구한다. ◀ 50%

정사각형 $OA_1B_1C_1$의 한 변의 길이가 1이므로 $l_1=\frac{1}{4}\times 2\pi\times 1=\frac{\pi}{2}$

정사각형 $OA_nB_nC_n$의 한 변의 길이를 a_n이라 하면

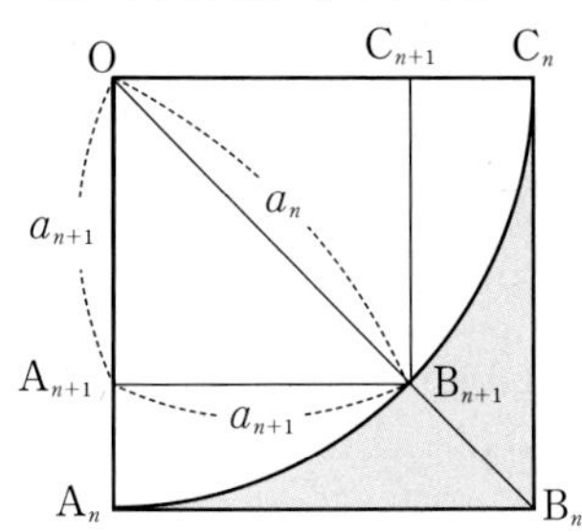

$a_{n+1}^2+a_{n+1}^2=a_n^2$, $a_{n+1}=\frac{\sqrt{2}}{2}a_n$

두 정사각형 $OA_nB_nC_n$과 $OA_{n+1}B_{n+1}C_{n+1}$의 닮음비는 $1:\frac{\sqrt{2}}{2}$

따라서 수열 $\{l_n\}$은 첫째항이 $\frac{\pi}{2}$, 공비가 $\frac{\sqrt{2}}{2}$인 등비수열이므로

$$\sum_{n=1}^{\infty} l_n=\frac{\frac{\pi}{2}}{1-\frac{\sqrt{2}}{2}}=\frac{2+\sqrt{2}}{2}\pi$$

2단계 $\sum_{n=1}^{\infty} S_n$의 값을 구한다. ◀ 50%

$S_1=$(정사각형 $OA_1B_1C_1$의 넓이)$-$(부채꼴 A_1OC_1의 넓이)

$=1^2-\frac{1}{4}\times\pi\times 1^2$

$=1-\frac{\pi}{4}$

두 정사각형 $OA_nB_nC_n$과 $OA_{n+1}B_{n+1}C_{n+1}$의 닮음비는 $1:\frac{\sqrt{2}}{2}$이므로

넓이의 비는 $1^2:\left(\frac{\sqrt{2}}{2}\right)^2=1:\frac{1}{2}$

따라서 수열 $\{S_n\}$은 첫째항이 $1-\frac{\pi}{4}$, 공비가 $\frac{1}{2}$인 등비수열이므로

$$\sum_{n=1}^{\infty} S_n=\frac{1-\frac{\pi}{4}}{1-\frac{1}{2}}=2-\frac{\pi}{2}$$

정사각형 $OA_nB_nC_n$의 한 변의 길이를 a_n이라 하고

정사각형 $OA_nB_nC_n$의 넓이에서 $\overline{OA_n}$을 반지름으로 하는 사분원의 넓이를 뺀 값을 S_n이라고 하자.

$a_1=1$, $a_{n+1}=\frac{1}{\sqrt{2}}a_n$이므로

수열 $\{a_n\}$은 첫째항이 1, 공비가 $\frac{1}{\sqrt{2}}$인 등비수열이다.

즉 $a_n=\left(\frac{1}{\sqrt{2}}\right)^{n-1}$이므로 $S_n=a_n^2-\frac{1}{4}\pi a_n^2=\left(1-\frac{\pi}{4}\right)\left(\frac{1}{2}\right)^{n-1}$

$$\sum_{n=1}^{\infty} S_n=\sum_{n=1}^{\infty}\left(1-\frac{\pi}{4}\right)\left(\frac{1}{2}\right)^{n-1}=\frac{1-\frac{\pi}{4}}{1-\frac{1}{2}}=2-\frac{\pi}{2}$$

STEP 3 행복한 1등급 문제

0442 정답 $\frac{1}{2}$

STEP A 부분합을 구하여 급수의 값 구하기

조건 (가)에서

첫째항이 2이고 공차가 3인 등차수열에서

$a_n=2+3(n-1)=3n-1$

$$\sum_{k=1}^{n}\frac{1}{a_ka_{k+1}}=\sum_{k=1}^{n}\frac{1}{(3k-1)(3k+2)}=\frac{1}{3}\sum_{k=1}^{n}\left(\frac{1}{3k-1}-\frac{1}{3k+2}\right)$$
$$=\frac{1}{3}\left(\frac{1}{2}-\frac{1}{3n+2}\right)$$

$$\sum_{n=1}^{\infty}\frac{1}{a_na_{n+1}}=\lim_{n\to\infty}\sum_{k=1}^{n}\frac{1}{a_ka_{k+1}}=\lim_{n\to\infty}\frac{1}{3}\left(\frac{1}{2}-\frac{1}{3n+2}\right)=\frac{1}{6}\qquad\therefore a=\frac{1}{6}$$

STEP B 부분합을 구하여 급수의 값 구하기

조건 (나)에서

첫째항이 6, 공차가 6인 등차수열에서 제 n항까지의 합을 S_n이므로

$$S_n=\frac{n\{2\cdot 6+(n-1)\cdot 6\}}{2}=3n(n+1)$$

$$\sum_{k=1}^{n}\frac{1}{S_k}=\sum_{k=1}^{n}\frac{1}{3k(k+1)}=\frac{1}{3}\sum_{k=1}^{n}\left(\frac{1}{k}-\frac{1}{k+1}\right)=\frac{1}{3}\left(1-\frac{1}{n+1}\right)$$

$$\sum_{n=1}^{\infty}\frac{1}{S_n}=\lim_{n\to\infty}\sum_{k=1}^{n}\frac{1}{S_k}=\lim_{n\to\infty}\frac{1}{3}\left(1-\frac{1}{n+1}\right)=\frac{1}{3}\qquad\therefore b=\frac{1}{3}$$

따라서 $a+b=\frac{1}{6}+\frac{1}{3}=\frac{3}{6}=\frac{1}{2}$

0443 정답 $\frac{1}{2}$

STEP A 등차수열의 합 구하기

첫째항이 2, 공차가 3인 등차수열이므로 $S_1=a_1=2$이고

$$S_{n+1}=\frac{(n+1)(2\times 2+3n)}{2}=\frac{(n+1)(3n+4)}{2}$$

$$\lim_{n\to\infty}\frac{1}{S_{n+1}}=\lim_{n\to\infty}\frac{2}{(n+1)(3n+4)}=0$$

STEP B $a_{n+1}=S_{n+1}-S_n$ 이용하여 a_{n+1} 구하기

$$\sum_{n=1}^{\infty}\frac{a_{n+1}}{S_nS_{n+1}}=\sum_{k=1}^{n}\frac{S_{k+1}-S_k}{S_kS_{k+1}}=\sum_{k=1}^{n}\left(\frac{1}{S_k}-\frac{1}{S_{k+1}}\right)$$
$$=\left(\frac{1}{S_1}-\frac{1}{S_2}\right)+\left(\frac{1}{S_2}-\frac{1}{S_3}\right)+\left(\frac{1}{S_2}-\frac{1}{S_4}\right)+\cdots+\left(\frac{1}{S_n}-\frac{1}{S_{n+1}}\right)$$
$$=\frac{1}{S_1}-\frac{1}{S_{n+1}}$$

STEP C 부분합을 이용하여 급수의 값 구하기

따라서 $\sum_{n=1}^{\infty}\frac{a_{n+1}}{S_nS_{n+1}}=\lim_{n\to\infty}\sum_{k=1}^{n}\frac{a_{k+1}}{S_kS_{k+1}}=\lim_{n\to\infty}\left(\frac{1}{S_1}-\frac{1}{S_{n+1}}\right)=\frac{1}{S_1}=\frac{1}{2}$

0444 정답 25

STEP A 등비수열의 합 공식을 이용하여 일반항 a_n의 식 구하기

주어진 급수의 제 n항을 먼저 구한다.

수열 $\frac{1}{3}$, $\left(\frac{1}{3^2}+\frac{1}{3^3}\right)$, $\left(\frac{1}{3^3}+\frac{1}{3^4}+\frac{1}{3^5}\right)$, $\cdots$의 제 n항은 첫째항이 $\frac{1}{3^n}$,

공비가 $\frac{1}{3}$, 항의 수가 n개인 등비수열의 합이므로 제 n항을 a_n이라고 할 때,

$$a_n=\frac{\frac{1}{3^n}\left\{1-\left(\frac{1}{3}\right)^n\right\}}{1-\frac{1}{3}}=\frac{1}{2\cdot 3^{n-1}}\left(1-\frac{1}{3^n}\right)=\frac{1}{2\cdot 3^{n-1}}-\frac{1}{2\cdot 3^{2n-1}}$$

STEP B 주어진 급수를 변형하고 공식을 이용하여 등비급수의 합 구하기

주어진 급수의 합 S는

$$S=\sum_{n=1}^{\infty}a_n=\sum_{n=1}^{\infty}\left(\frac{1}{2\cdot 3^{n-1}}-\frac{1}{2\cdot 3^{2n-1}}\right)=\frac{1}{2}\sum_{n=1}^{\infty}\frac{1}{3^{n-1}}-\frac{1}{2}\sum_{n=1}^{\infty}\frac{1}{3^{2n-1}}$$

$$=\frac{1}{2}\cdot\frac{1}{1-\frac{1}{3}}-\frac{1}{2}\cdot\frac{\frac{1}{3}}{1-\frac{1}{9}}$$

$$=\frac{3}{4}-\frac{3}{16}=\frac{9}{16}$$

따라서 $p=9$, $q=16$이므로 $p+q=25$

0445

정답 3

STEP A 합 공식을 이용하여 식을 정리하고 a_n의 범위 구하기

$(2+4+6+\cdots+2n)a_n=2\cdot\frac{n(n+1)}{2}a_n$이므로

조건 (가)에서 $\frac{3n^2+1}{n(n+1)}<a_n$ …… ㉠

조건 (나)에서 $a_n<3-\frac{1}{2}b_n$ …… ㉡

㉠, ㉡에 의하여 $\frac{3n^2+1}{n(n+1)}<a_n<3-\frac{b_n}{2}$

STEP B 수열의 극한의 대소 관계를 이용하여 $\lim_{n\to\infty}a_n$의 값 구하기

$\lim_{n\to\infty}\frac{3n^2+1}{n(n+1)}\le\lim_{n\to\infty}a_n\le\lim_{n\to\infty}\left(3-\frac{b_n}{2}\right)$

조건 (다)에서 급수 $\sum_{n=1}^{\infty}b_n$이 수렴하므로 $\lim_{n\to\infty}b_n=0$

따라서 $3\le\lim_{n\to\infty}a_n\le3$이므로 $\lim_{n\to\infty}a_n=3$

0446

정답 4

STEP A 수열의 극한의 대소 관계를 이용하여 $\frac{a_n}{2^n}$, b_n의 극한값 구하기

$1+2+2^2+\cdots+2^{n-1}<a_n<2^n$에서

$\frac{1\times(2^n-1)}{2-1}<a_n<2^n$이므로 $2^n-1<a_n<2^n$, $1-\frac{1}{2^n}<\frac{a_n}{2^n}<1$

$\lim_{n\to\infty}\left(1-\frac{1}{2^n}\right)=1$, $\lim_{n\to\infty}1=1$이므로

수열의 극한의 대소 관계에 의하여 $\lim_{n\to\infty}\frac{a_n}{2^n}=1$

$\frac{3n-1}{n+1}<\sum_{k=1}^{n}b_k<\frac{3n+1}{n}$에서 $\lim_{n\to\infty}\frac{3n-1}{n+1}\le\lim_{n\to\infty}\sum_{k=1}^{n}b_k\le\lim_{n\to\infty}\frac{3n+1}{n}$

$\lim_{n\to\infty}\frac{3n-1}{n+1}=3$, $\lim_{n\to\infty}\frac{3n+1}{n}=3$이므로 $\lim_{n\to\infty}\sum_{k=1}^{n}b_k=3$

$\lim_{n\to\infty}\sum_{k=1}^{n}b_k=\sum_{n=1}^{\infty}b_n=3$이 수렴하므로 $\lim_{n\to\infty}b_n=0$

STEP B 분모, 분자를 8^n으로 나누어 주어진 극한값 구하기

따라서 $\lim_{n\to\infty}\frac{8^n-1}{4^{n-1}a_n+8^{n+1}b_n}=\lim_{n\to\infty}\frac{1-\frac{1}{8^n}}{\frac{1}{4}\cdot\frac{a_n}{2^n}+8\cdot b_n}=\frac{1-0}{\frac{1}{4}\cdot1+8\cdot0}=4$

0447

정답 $\frac{1}{2}$

STEP A 접선의 길이 $\overline{\mathrm{OP}_n}$을 구하여 $\tan^2\theta_n$의 식 구하기

원점 O에서 원 $(x-2n)^2+y^2=1$에 그은 접선의 길이는

$\overline{\mathrm{OP}_n}=\sqrt{\overline{\mathrm{OC}_n}^2-\overline{\mathrm{C}_n\mathrm{P}_n}^2}=\sqrt{(2n)^2-1}=\sqrt{(2n-1)(2n+1)}$이므로

$\tan\theta_n=\frac{1}{\overline{\mathrm{OP}_n}}$에서 $\tan^2\theta_n=\frac{1}{\overline{\mathrm{OP}_n}^2}=\frac{1}{(2n-1)(2n+1)}$

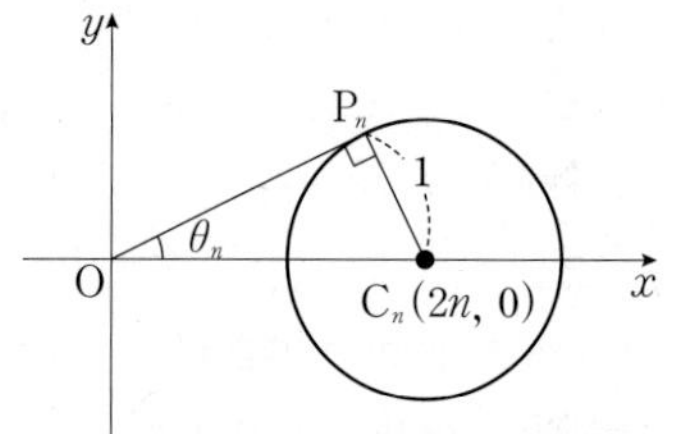

STEP B 부분분수 공식을 이용하고 축차 대입하여 급수의 값 구하기

따라서 $\sum_{n=1}^{\infty}\tan^2\theta_n=\sum_{n=1}^{\infty}\frac{1}{(2n-1)(2n+1)}=\lim_{n\to\infty}\sum_{k=1}^{n}\frac{1}{(2k-1)(2k+1)}$

$$=\lim_{n\to\infty}\sum_{k=1}^{n}\frac{1}{2}\left(\frac{1}{2k-1}-\frac{1}{2k+1}\right)$$

$$=\lim_{n\to\infty}\frac{1}{2}\left\{\left(\frac{1}{1}-\frac{1}{3}\right)+\left(\frac{1}{3}-\frac{1}{5}\right)+\cdots+\left(\frac{1}{2n-1}-\frac{1}{2n+1}\right)\right\}$$

$$=\lim_{n\to\infty}\frac{1}{2}\left(1-\frac{1}{2n+1}\right)=\frac{1}{2}$$

0448

정답 1010

STEP A a_1, a_2, a_3, …의 값 구하기

$a_n=0$ 또는 $1(n=1, 2, 3, \cdots)$이므로

$\frac{4}{3}=1+\frac{1}{3}=a_1+\frac{a_2}{2}+\frac{a_3}{2^2}+\cdots$에서 $a_1=1$

($\because$ $a_1\ne1$일 경우 나머지 모든 항의 값이 1이어도 그 합은 1이기 때문에 $a_1=1$)

$\frac{1}{3}=\frac{a_2}{2}+\frac{a_3}{2^2}+\frac{a_4}{2^3}+\cdots$의 양변에 2를 곱하면

$\frac{2}{3}=a_2+\frac{a_3}{2}+\frac{a_4}{2^2}+\cdots$이므로 $a_2=0$

($\because$ $a_2=1$일 경우 합이 $1+\frac{1}{2}=\frac{3}{2}$ 이상이기 때문에 모순)

$\frac{2}{3}=\frac{a_3}{2}+\frac{a_4}{2^2}+\frac{a_5}{2^3}+\cdots$의 양변에 2를 곱하면

$\frac{4}{3}=1+\frac{1}{3}=a_3+\frac{a_4}{2}+\frac{a_5}{2^2}+\cdots$이므로 $a_3=1$

이와 같은 방법에 의하여 a_n은 1, 0, 1, 0, …이 반복됨을 알 수 있다.

STEP B $\sum_{n=1}^{2020}a_n$의 값 구하기

따라서 $\sum_{n=1}^{2020}a_n=1\times1010+0\times1010=1010$

0449

정답 $\frac{17}{6}$

STEP A 항을 대입하여 a_{2n-1}, a_{2n}의 첫째항과 공비 구하기

점화식 $a_{n+1}a_n=\left(\frac{1}{4}\right)^n$에 항을 직접 대입하면 $a_1=2$

$a_2a_1=\frac{1}{4}$에서 $a_2=\frac{1}{8}$

$a_3a_2=\left(\frac{1}{4}\right)^2$에서 $a_3=\frac{1}{2}$

$a_4a_3=\left(\frac{1}{4}\right)^3$에서 $a_4=\frac{1}{32}$

⋮

a_{2n-1}은 첫째항이 2이고 공비가 $\frac{1}{4}$인 등비수열이다.

a_{2n}은 첫째항이 $\frac{1}{8}$이고 공비가 $\frac{1}{4}$인 등비수열이다.

STEP B 공식을 이용하여 등비급수의 합 구하기

$\sum_{n=1}^{\infty}a_{2n-1}=\frac{2}{1-\frac{1}{4}}=\frac{8}{3}$, $\sum_{n=1}^{\infty}a_{2n}=\frac{\frac{1}{8}}{1-\frac{1}{4}}=\frac{1}{6}$

따라서 $\sum_{n=1}^{\infty}a_{2n-1}+\sum_{n=1}^{\infty}a_{2n}=\frac{8}{3}+\frac{1}{6}=\frac{17}{6}$

0450

정답 $\frac{1}{6}$

STEP A n의 값이 홀수일 때와 짝수일 때로 나누어 규칙 구하기

(i) $n=2k+1$(k는 자연수)일 때, $(-3)^{n-1}=(-3)^{2k}=3^{2k}>0$이므로

양수 3^{2k}의 $(2k+1)$제곱근 중 실수인 것은 $\sqrt[2k+1]{3^{2k}}$의 1개뿐이다.

$\therefore a_{2k+1}=1$

(ii) $n=2k+2$(k는 자연수)일 때, $(-3)^{n-1}=(-3)^{2k+1}=-3^{2k+1}<0$이므로

음수 (-3^{2k+1})의 $(2k+2)$제곱근 중 실수인 것은 없다.

$\therefore a_{2k+2}=0$

(i), (ii)에서 $a_n=\begin{cases} 1 & (n=2k+1) \\ 0 & (n=2(k+1)) \end{cases}$ (단, k는 자연수)

STEP B 등비급수의 합 구하기

따라서 $\displaystyle\sum_{n=3}^{\infty}\frac{a_n}{2^n}=\frac{1}{2^3}+\frac{0}{2^4}+\frac{1}{2^5}+\frac{0}{2^6}+\cdots=\frac{1}{2^3}+\frac{1}{2^5}+\frac{1}{2^7}+\cdots=\frac{\frac{1}{8}}{1-\frac{1}{4}}=\frac{1}{6}$

0451

정답 2

STEP A 점 P_n의 y좌표를 n으로 표현하기

점 P_n의 y좌표를 y_n이라 하면

$y_n=1+\frac{1}{2}+\left(\frac{1}{2}\right)^2+\cdots+\left(\frac{1}{2}\right)^{n-1}$

$=2-\frac{1}{2^{n-1}}$

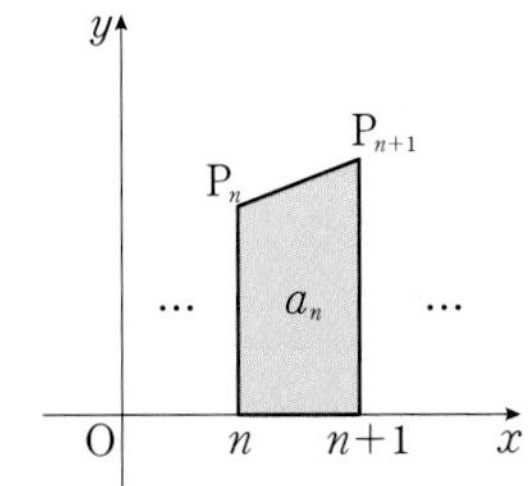

STEP B 사다리꼴의 넓이 a_n의 식 구하기

위의 그림에서 $a_n=\frac{1}{2}(y_n+y_{n+1})=\frac{1}{2}\left(4-\frac{1}{2^{n-1}}-\frac{1}{2^n}\right)=2-\frac{3}{2^{n+1}}$

STEP C 급수가 수렴할 조건을 이용하여 상수 α의 값 구하기

이때 $\displaystyle\sum_{n=1}^{\infty}(a_n-\alpha)$가 수렴하므로 $\displaystyle\lim_{n\to\infty}(a_n-\alpha)=0$

따라서 $\displaystyle\lim_{n\to\infty}a_n=2$이므로 $\alpha=2$

0452

정답 ④

STEP A 넓이 S_1 구하기

오른쪽 그림 R_1에서 부채꼴 OA_1B_2의 호 A_1B_2와 선분 A_1B_1이 만나는 점을 C_1이라 하자.

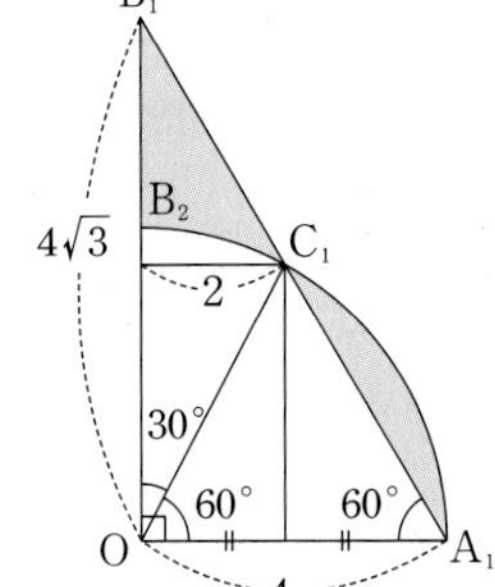

$\angle C_1OA_1=60°$이므로 부채꼴 C_1OA_1의 넓이와 정삼각형 C_1OA_1의 넓이의 차는

$16\pi\times\frac{1}{6}-\frac{\sqrt{3}}{4}\times16=\frac{8}{3}\pi-4\sqrt{3}$ …… ㉠

또, $\angle C_1OB_1=30°$이므로

삼각형 C_1OB_1의 넓이와 부채꼴 C_1OB_2의 넓이의 차는

$\frac{1}{2}\times4\sqrt{3}\times2-16\pi\times\frac{1}{12}=4\sqrt{3}-\frac{4}{3}\pi$ …… ㉡

㉠, ㉡에서 $S_1=\left(\frac{8}{3}\pi-4\sqrt{3}\right)+\left(4\sqrt{3}-\frac{4}{3}\pi\right)=\frac{4}{3}\pi$

STEP B 닮음을 이용하여 공비 구하기

한편, 삼각형 OA_1B_1과 삼각형 OA_2B_2의 닮음비는

$\overline{OB_1}:\overline{OB_2}=4\sqrt{3}:4=\sqrt{3}:1=1:\frac{1}{\sqrt{3}}$

STEP C $\displaystyle\lim_{n\to\infty}S_n$ 구하기

S_n은 첫째항이 $\frac{4}{3}\pi$이고 공비가 $\left(\frac{1}{\sqrt{3}}\right)^2=\frac{1}{3}$인 등비수열의 첫째항부터 제 n항까지의 합이다.

따라서 $\displaystyle\lim_{n\to\infty}S_n=\frac{\frac{4}{3}\pi}{1-\frac{1}{3}}=2\pi$

0453

정답 ③

STEP A 넓이 S_1 구하기

그림 R_1에서 아래 그림과 같이 두 점 C, Q를 연결하여 직각삼각형 QCP를 만든다.

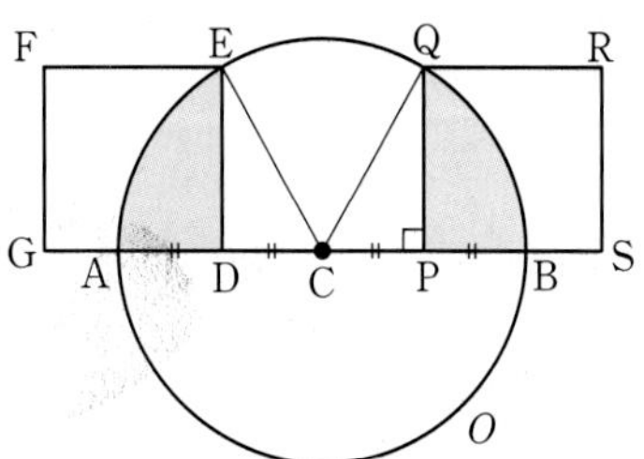

직각삼각형 QCP에서 $\overline{CQ}=2$, $\overline{CP}=1$이므로

$\overline{PQ}=\sqrt{\overline{CQ}^2-\overline{CP}^2}=\sqrt{2^2-1^2}=\sqrt{3}$

이때 $\cos(\angle QCP)=\frac{\overline{CP}}{\overline{CQ}}=\frac{1}{2}$이므로 $\angle QCP=60°$ $(0°<\angle QCP<90°)$

즉 그림 R_1에 색칠된 부분의 넓이는

$S_1=2\{$(부채꼴 QCB의 넓이)$-$(△QCP의 넓이)$\}$

$=2\left\{\pi\times2^2\times\frac{60°}{360°}-\frac{1}{2}\times1\times\sqrt{3}\right\}$

$=\frac{4}{3}\pi-\sqrt{3}$

STEP B 닮음을 이용하여 공비 구하기

한편 그림 R_2에서 새로 그려진 원의 반지름의 길이는

$\frac{1}{2}\overline{DE}=\frac{1}{2}\overline{PQ}=\frac{\sqrt{3}}{2}$

그림 R_1에 있는 원과 그림 R_2에 새로 그려진 원의 반지름의 길이의 비는

$2:\frac{\sqrt{3}}{2}$, 즉 $1:\frac{\sqrt{3}}{4}$

이때 넓이의 비는 $1:\left(\frac{\sqrt{3}}{4}\right)^2$

한편 그림 R_{n+1}에서 새로 생긴 원의 개수는 그림 R_n에서 새로 생긴 원의 개수의 2배이다.

즉 공비는 $\left(\frac{\sqrt{3}}{4}\right)^2\times2=\frac{3}{8}$

STEP C $\displaystyle\lim_{n\to\infty}S_n$의 값 구하기

따라서 $\{S_n\}$은 첫째항이 $\frac{4}{3}\pi-\sqrt{3}$, 공비가 $\frac{3}{8}$인 등비수열이다.

$\therefore \displaystyle\lim_{n\to\infty}S_n=\frac{\frac{4}{3}\pi-\sqrt{3}}{1-\frac{3}{8}}=\frac{32\pi-24\sqrt{3}}{15}$

0454

정답 ②

STEP Ⓐ R_1에서 색칠된 S_1의 값 구하기

$\angle B_1C_1D_1=30^\circ$, $\angle C_1D_1B_1=90^\circ$이므로 직각삼각형 $B_1C_1D_1$에서

$\overline{C_1D_1}=\overline{B_1C_1}\cos 30^\circ=1\times\frac{\sqrt{3}}{2}=\frac{\sqrt{3}}{2}$

한편 두 선분 B_1B_2, B_1D_1과 호 D_1B_2로 둘러싸인 영역의 넓이는

$\triangle B_1C_1D_1-(\text{부채꼴 } B_2C_1D_1)=\frac{1}{2}\times\overline{C_1D_1}\times\overline{D_1B_1}-\overline{C_1D_1}^2\times\pi\times\frac{30^\circ}{360^\circ}$

$=\frac{1}{2}\times\frac{\sqrt{3}}{2}\times\frac{1}{2}-\left(\frac{\sqrt{3}}{2}\right)^2\times\pi\times\frac{1}{12}$

$=\frac{\sqrt{3}}{8}-\frac{\pi}{16}$

$=\frac{2\sqrt{3}-\pi}{16}$ ...... ㉠

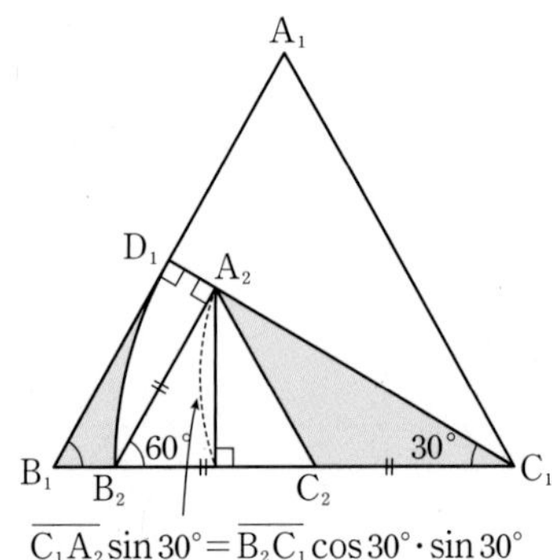

$\overline{C_1A_2}\sin 30^\circ=\overline{B_2C_1}\cos 30^\circ\cdot\sin 30^\circ$

또, 삼각형 $C_1A_2C_2$의 넓이는

$\frac{1}{2}\times\overline{C_2C_1}\times\overline{C_1A_2}\times\sin 30^\circ=\frac{1}{2}\times\left(\frac{1}{2}\overline{B_2C_1}\right)\times\left(\overline{B_2C_1}\cos 30^\circ\right)\times\sin 30^\circ$

$=\frac{1}{2}\times\left(\frac{1}{2}\times\frac{\sqrt{3}}{2}\right)\times\left(\frac{\sqrt{3}}{2}\times\frac{\sqrt{3}}{2}\right)\times\frac{1}{2}$

$=\frac{3\sqrt{3}}{64}$ ...... ㉡

즉 R_1의 넓이 S_1은 ㉠과 ㉡에 의해

$S_1=\frac{2\sqrt{3}-\pi}{16}+\frac{3\sqrt{3}}{64}=\frac{11\sqrt{3}-4\pi}{64}$

STEP Ⓑ R_2에서 정삼각형의 길이를 구하여 닮음비를 이용하여 공비 구하기

한편 직각삼각형 $A_2B_2C_1$에서 $\angle B_2C_1A_2=30^\circ$이므로

$\angle A_2B_2C_1=60^\circ$

또, $\overline{A_2B_2}=\overline{B_2C_1}\sin 30^\circ=\frac{1}{2}\overline{B_2C_1}=\frac{1}{2}\times\frac{\sqrt{3}}{2}=\frac{\sqrt{3}}{4}$

그러므로 삼각형 $A_2B_2C_2$에서 $\angle A_2B_2C_2=60^\circ$이고 $\overline{A_2B_2}=\overline{B_2C_2}$

즉 삼각형 $A_2B_2C_2$은 한 변의 길이가 $\frac{\sqrt{3}}{4}$인 정삼각형이다.

길이의 비가 $1:\frac{\sqrt{3}}{4}$이므로 넓이의 비는 $1:\frac{3}{16}$

STEP Ⓒ $\lim_{n\to\infty}S_n$의 값 구하기

따라서 $\lim_{n\to\infty}S_n$은 첫째항이 $\frac{11\sqrt{3}-4\pi}{64}$이고 공비가 $\frac{3}{16}$인 등비급수이다.

$\therefore \lim_{n\to\infty}S_n=\frac{\frac{11\sqrt{3}-4\pi}{64}}{1-\frac{3}{16}}=\frac{11\sqrt{3}-4\pi}{52}$

0455

정답 ⑤

STEP Ⓐ 넓이 S_1 구하기

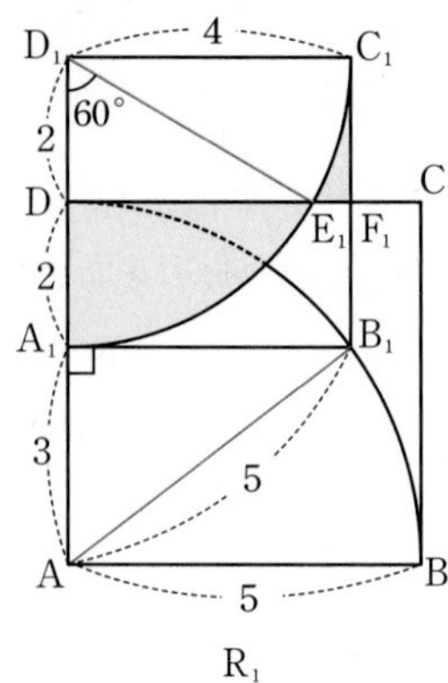

그림 R_1에서 $\overline{AA_1}=3$, $\overline{AB_1}=5$이므로 $\overline{A_1B_1}=4$

즉 $\overline{D_1E_1}=4$, $\overline{D_1D}=2$이므로 $\angle DD_1E_1=60^\circ$, $\angle C_1D_1E_1=30^\circ$

아래 그림과 같이 영역 DA_1E_1, $C_1E_1F_1$의 넓이를 각각 P_1, P_2라 하고

P_1을 다음과 같이 구하면

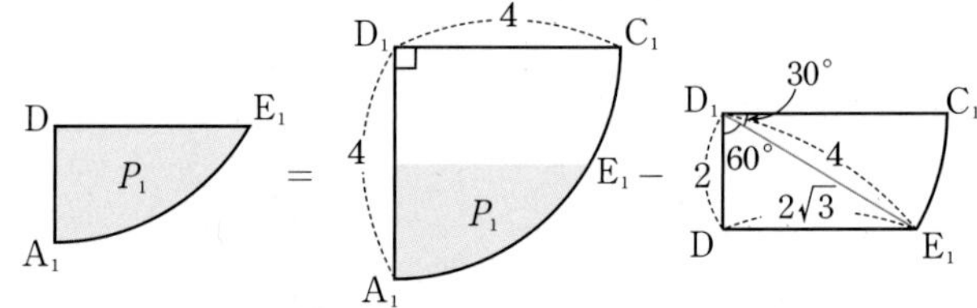

$P_1=4\pi-\left(\frac{1}{2}\cdot 2\sqrt{3}\cdot 2+\frac{1}{2}\cdot 4^2\cdot\frac{\pi}{6}\right)$

$=4\pi-2\sqrt{3}-\frac{4}{3}\pi$

$=\frac{8}{3}\pi-2\sqrt{3}$ ...... ㉠

P_2를 다음과 같이 구하면

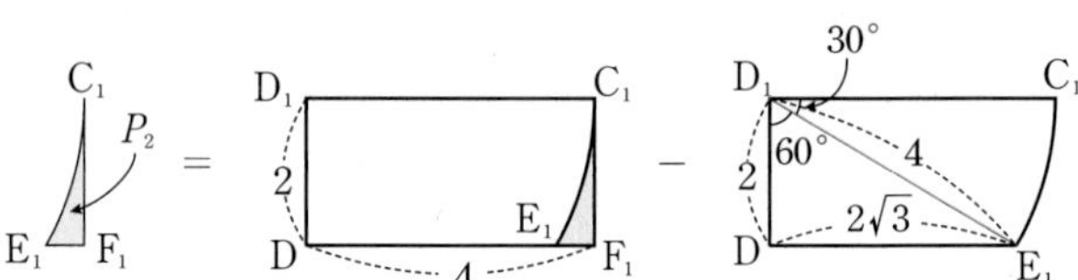

$P_2=2\cdot 4-\left(\frac{1}{2}\cdot 2\sqrt{3}\cdot 2+\frac{1}{2}\cdot 4^2\cdot\frac{\pi}{6}\right)$

$=8-2\sqrt{3}-\frac{4}{3}\pi$ ...... ㉡

㉠, ㉡에서

$S_1=P_1+P_2=\left(\frac{8}{3}\pi-2\sqrt{3}\right)+\left(8-2\sqrt{3}-\frac{4}{3}\pi\right)=8-4\sqrt{3}+\frac{4}{3}\pi$

STEP Ⓑ 닮음비를 이용하여 공비 구하기

정사각형 $A_{n+1}B_{n+1}C_{n+1}D_{n+1}$와 $A_nB_nC_nD_n$의 한 변의 길이의 비는 $5:4$이므로 각 색칠한 부분들의 넓이의 비는 $25:16$이므로

그림 R_{n+1}에서 새로 색칠한 부분의 넓이는

그림 R_n에서 새로 색칠한 부분의 넓이의 $\frac{16}{25}$

STEP Ⓒ $\lim_{n\to\infty}S_n$ 구하기

따라서 S_n은 첫째항이 $8-4\sqrt{3}+\frac{4}{3}\pi$이고 공비가 $\frac{16}{25}$인 등비수열의 첫째항부터 제 n항까지의 합이다.

$\therefore \lim_{n\to\infty}S_n=\frac{8-4\sqrt{3}+\frac{4}{3}\pi}{1-\frac{16}{25}}=\frac{25}{9}\left(8-4\sqrt{3}+\frac{4}{3}\pi\right)=\frac{100}{9}\left(2-\sqrt{3}+\frac{\pi}{3}\right)$

01 STEP 1 내신정복 기출유형 지수 · 로그함수의 극한

0456

 ③

STEP Ⓐ 분자와 분모를 각각 3^x으로 나누기

3^x으로 분모, 분자를 나누면

$$\lim_{x\to\infty}\frac{3^{x+1}+2^{x+1}}{3^x-2^x}=\lim_{x\to\infty}\frac{3+2\left(\frac{2}{3}\right)^x}{1-\left(\frac{2}{3}\right)^x}$$

STEP Ⓑ 극한값 구하기

이때 $0<\frac{2}{3}<1$이므로 $\lim_{x\to\infty}\left(\frac{2}{3}\right)^x=0$

따라서 $\lim_{x\to\infty}\frac{3+2\left(\frac{2}{3}\right)^x}{1-\left(\frac{2}{3}\right)^x}=\frac{3+0}{1-0}=3$

0457

 ②

STEP Ⓐ 분자와 분모를 각각 5^x으로 나누기

5^x으로 분모, 분자를 나누면

$$\lim_{x\to\infty}\frac{a\cdot 5^x+2}{5^{x-2}-3}=\lim_{x\to\infty}\frac{a+2\left(\frac{1}{5}\right)^x}{\frac{1}{5^2}-3\left(\frac{1}{5}\right)^x}$$

STEP Ⓑ 극한값 구하기

이때 $0<\frac{1}{5}<1$이므로 $\lim_{x\to\infty}\left(\frac{1}{5}\right)^x=0$

$$\lim_{x\to\infty}\frac{a+2\left(\frac{1}{5}\right)^x}{\frac{1}{5^2}-3\left(\frac{1}{5}\right)^x}=\frac{a+0}{\frac{1}{25}}=25a$$

따라서 $25a=50$ $\quad\therefore a=2$

0458

 ③

STEP Ⓐ $a>5$, $a=5$, $a<5$로 나누어 극한값 구하기

$f(x)=\frac{5^x}{5^x+a^x}+\frac{a^x}{5^x-1}$으로 놓으면

(ⅰ) $a>5$일 때,

$\lim_{x\to\infty}f(x)=0+\infty=\infty$

(ⅱ) $a=5$일 때,

$\lim_{x\to\infty}f(x)=\lim_{x\to\infty}\left\{\frac{5^x}{5^x+5^x}+\frac{5^x}{5^x-1}\right\}=\frac{1}{2}+1=\frac{3}{2}$

(ⅲ) $a<5$일 때,

$\lim_{x\to\infty}f(x)=\lim_{x\to\infty}\left\{\frac{5^x}{5^x+a^x}+\frac{a^x}{5^x-1}\right\}=1+0=1$

STEP Ⓑ 자연수 a의 개수 구하기

따라서 등식을 만족시키는 자연수 a는 1, 2, 3, 4이므로 4

0459

정답 ③

STEP Ⓐ a가 자연수이므로 $1\le a<6$, $a>6$일 때로 나누어 a의 값 구하기

(ⅰ) $1\le a<6$일 때,

$$\lim_{n\to\infty}\frac{a^{x+2}+6^{x+2}}{6^x+a^x+2}=\lim_{x\to\infty}\frac{a^2\times\left(\frac{a}{6}\right)^x+6^2}{1+\left(\frac{a}{6}\right)^x+\frac{2}{6^x}}=\frac{0+36}{1+0+0}=36$$

이므로 주어진 식을 만족시키는 자연수 a의 값은 1, 2, 3, 4, 5이다.

(ⅱ) $a=6$일 때,

$$\lim_{x\to\infty}\frac{6^{x+2}+6^{x+2}}{6^x+6^x+2}=\lim_{x\to\infty}\frac{2\times 6^{x+2}}{2\times 6^x+2}=\lim_{x\to\infty}\frac{6^2}{1+\frac{1}{6^x}}=\frac{36}{1+0}=36$$

이므로 $a=6$은 주어진 식을 만족시킨다.

(ⅲ) $a>6$일 때,

$$\lim_{x\to\infty}\frac{a^{x+2}+6^{x+2}}{6^x+a^x+2}=\lim_{x\to\infty}\frac{a^2+6^2\times\left(\frac{6}{a}\right)^x}{\left(\frac{6}{a}\right)^x+1+\frac{2}{a^x}}=\frac{a^2+0}{0+1+0}=a^2$$

$a>6$이므로 $a^2=36$을 만족시키는 자연수 a의 값은 없다.

(ⅰ)~(ⅲ)에서 주어진 식을 만족시키는 자연수 a는 1, 2, 3, 4, 5, 6이므로 그 개수는 6

내신연계 출제문항 178

$\lim_{x\to\infty}\frac{a\cdot 3^{x+1}-4}{3^{x-1}+2^x}=18$을 만족시키는 상수 a의 값은?

① 2 ② 3 ③ 4 ④ 6 ⑤ 9

STEP Ⓐ 분자와 분모를 각각 3^x으로 나누기

3^x으로 분모, 분자를 나누면

$$\lim_{x\to\infty}\frac{a\cdot 3^{x+1}-4}{3^{x-1}+2^x}=\lim_{x\to\infty}\frac{a\cdot 3-4\left(\frac{1}{3}\right)^x}{\frac{1}{3}+\left(\frac{2}{3}\right)^x}$$

STEP Ⓑ 극한값 구하기

이때 $0<\frac{1}{3}<1$, $0<\frac{2}{3}<1$이므로 $\lim_{x\to\infty}\left(\frac{1}{3}\right)^x=0$, $\lim_{x\to\infty}\left(\frac{2}{3}\right)^x=0$

$$\lim_{x\to\infty}\frac{a\cdot 3-4\left(\frac{1}{3}\right)^x}{\frac{1}{3}+\left(\frac{2}{3}\right)^x}=\frac{3a+0}{\frac{1}{3}+0}=9a$$

따라서 $9a=18$ $\quad\therefore a=2$

정답 ①

0460

 ④

STEP Ⓐ 4^x으로 묶어서 극한값 구하기

$$\begin{aligned}\lim_{x\to\infty}(4^x+3^x)^{\frac{1}{x}}&=\lim_{x\to\infty}\left[4^x\left\{1+\left(\frac{3}{4}\right)^x\right\}\right]^{\frac{1}{x}}\\&=\lim_{x\to\infty}(4^x)^{\frac{1}{x}}\cdot\lim_{x\to\infty}\left\{1+\left(\frac{3}{4}\right)^x\right\}^{\frac{1}{x}}\\&=4\cdot(1+0)^0=4\end{aligned}$$

다른풀이 샌드위치 법칙에 의하여 극한값 구하기

$4^x<4^x+3^x<4^x+4^x$이므로

$(4^x)^{\frac{1}{x}}<(4^x+3^x)^{\frac{1}{x}}<(2\cdot 4^x)^{\frac{1}{x}}$, 즉 $4<(4^x+3^x)^{\frac{1}{x}}<2^{\frac{1}{x}}\cdot 4$

$\lim_{x\to\infty}4\le\lim_{x\to\infty}(4^x+3^x)^{\frac{1}{x}}\le\lim_{x\to\infty}2^{\frac{1}{x}}\cdot 4$

따라서 $\lim_{x\to\infty}4\le\lim_{x\to\infty}(4^x+3^x)^{\frac{1}{x}}\le 4$이므로 $\lim_{x\to\infty}(4^x+3^x)^{\frac{1}{x}}=4$

내신연계 출제문항 179

$\lim_{x \to \infty}(4^x-3^x)^{\frac{1}{2x}}$의 값은?

① 0　　② 1　　③ $\sqrt{2}$
④ 2　　⑤ 3

STEP Ⓐ 4^x으로 묶어서 극한값 구하기

$$\lim_{x \to \infty}(4^x-3^x)^{\frac{1}{2x}}=\lim_{x \to \infty}\left[4^x\left\{1-\left(\frac{3}{4}\right)^x\right\}\right]^{\frac{1}{2x}}$$
$$=\lim_{x \to \infty}(4^x)^{\frac{1}{2x}}\cdot\lim_{x \to \infty}\left\{1-\left(\frac{3}{4}\right)^x\right\}^{\frac{1}{2x}}$$
$$=4^{\frac{1}{2}}\cdot(1-0)^0=\sqrt{4}$$
$$=2$$

정답 ④

0461

정답 ①

STEP Ⓐ 9^x으로 묶어서 로그의 성질을 이용하여 극한값 구하기

$$\lim_{x \to \infty}\log_3(6^x+9^x)^{\frac{1}{x}}=\lim_{x \to \infty}\log_3\left[9^x\left\{\left(\frac{2}{3}\right)^x+1\right\}\right]^{\frac{1}{x}}$$
$$=\lim_{x \to \infty}\log_3(9^x)^{\frac{1}{x}}+\lim_{x \to \infty}\log_3\left\{\left(\frac{2}{3}\right)^x+1\right\}^{\frac{1}{x}}$$
$$=\log_3 3^2+\log_3 1$$
$$=2+0=2$$

0462

 ②

STEP Ⓐ 로그함수의 성질을 이용하여 $\frac{\infty}{\infty}$ 꼴의 극한값 구하기

$$\lim_{x \to \infty}\{\log_{\frac{1}{2}}(4x+1)-\log_{\frac{1}{2}}(x-1)\}=\lim_{x \to \infty}\log_{\frac{1}{2}}\frac{4x+1}{x-1}$$
$$=\lim_{x \to \infty}\log_{\frac{1}{2}}\frac{4+\frac{1}{x}}{1-\frac{1}{x}}$$
$$=\log_{\frac{1}{2}}4=-2$$

0463

 ③

STEP Ⓐ 로그함수의 성질을 이용하여 $\frac{\infty}{\infty}$ 꼴의 극한값 구하기

조건 (가)에서

$$\lim_{x \to \infty}\{\log_3(3x+5)-\log_3(x+1)\}=\lim_{x \to \infty}\log_3\frac{3x+5}{x+1}$$
$$=\lim_{x \to \infty}\log_3\frac{3+\frac{5}{x}}{1+\frac{1}{x}}$$
$$=\log_3 3=1$$

STEP Ⓑ 로그함수의 성질을 이용하여 $\frac{0}{0}$ 꼴의 극한값 구하기

조건 (나)에서

$$\lim_{x \to 1}\{\log_4(x^2-1)-\log_4(x-1)\}=\lim_{x \to 1}\log_4\frac{x^2-1}{x-1}$$
$$=\lim_{x \to 1}\log_4\frac{(x-1)(x+1)}{x-1}$$
$$=\lim_{x \to 1}\log_4(x+1)$$
$$=\log_4 2=\frac{1}{2}$$

따라서 $a=1$, $b=\frac{1}{2}$이므로 $a+b=\frac{3}{2}$

0464

정답 ①

STEP Ⓐ 분자와 분모를 각각 e^x으로 나누어 극한값 구하기

조건 (가)에서 분모, 분자를 각각 e^x으로 나누면

$$\lim_{x \to \infty}\frac{2^{x+1}-e^x}{2^x+e^x}=\lim_{x \to \infty}\frac{2\left(\frac{2}{e}\right)^x-1}{\left(\frac{2}{e}\right)^x+1}=\frac{0-1}{0+1}=-1$$

STEP Ⓑ 로그함수의 성질을 이용하여 $\frac{\infty}{\infty}$ 꼴의 극한값 구하기

조건 (나)에서

$$\lim_{x \to \infty}\{\log_2(4x^2+1)-\log_2(x^2+4)\}=\lim_{x \to \infty}\log_2\frac{4x^2+1}{x^2+4}$$
$$=\log_2 4=2$$

따라서 $a=-1$, $b=2$이므로 $a+b=1$

내신연계 출제문항 180

다음 조건을 만족하는 극한값 a, b에 대하여 $a+b$의 값은?

> (가) $\lim_{x \to \infty}\frac{2^x+3}{2^{x+1}-1}=a$
> (나) $\lim_{x \to \infty}\{\log_3(\sqrt{3}x-1)+\log_{\frac{1}{3}}(x+3)\}=b$

① $\frac{1}{2}$　　② 1　　③ 2
④ $\frac{5}{2}$　　⑤ 3

STEP Ⓐ 분자와 분모를 각각 2^x으로 나누어 극한값 구하기

조건 (가)에서 분모, 분자를 각각 2^x으로 나누면

$$\lim_{x \to \infty}\frac{2^x+3}{2^{x+1}-1}=\lim_{x \to \infty}\frac{1+\frac{3}{2^x}}{2-\frac{1}{2^x}}=\frac{1}{2}$$

STEP Ⓑ 로그함수의 성질을 이용하여 $\frac{\infty}{\infty}$ 꼴의 극한값 구하기

조건 (나)에서

$$\lim_{x \to \infty}\{\log_3(\sqrt{3}x-1)+\log_{\frac{1}{3}}(x+3)\}=\lim_{x \to \infty}\{\log_3(\sqrt{3}x-1)-\log_3(x+3)\}$$
$$=\lim_{x \to \infty}\log_3\frac{\sqrt{3}x-1}{x+3}$$
$$=\log_3\sqrt{3}=\frac{1}{2}$$

따라서 $a=\frac{1}{2}$, $b=\frac{1}{2}$이므로 $a+b=\frac{1}{2}+\frac{1}{2}=1$

정답 ②

0465

정답 ⑤

STEP Ⓐ 로그함수의 성질을 이용하여 $\frac{\infty}{\infty}$ 꼴의 극한값 구하기

$$\lim_{x \to \infty}\{\log ax-\log(2x+5)\}=\lim_{x \to \infty}\log\frac{ax}{2x+5}$$
$$=\log\frac{a}{2}$$

STEP Ⓑ 양수 a 구하기

따라서 $\log\frac{a}{2}=1$이므로 $\frac{a}{2}=10$　$\therefore a=20$

0466

정답 ③

STEP A $\frac{\infty}{\infty}$꼴 지수함수 극한 구하기

조건 (가)에서 분모, 분자를 각각 3^{2x}으로 나누면

$$\lim_{x\to\infty}\frac{3^{2x}-3^x}{3^{2x}+3^x}=\lim_{x\to\infty}\frac{1-\frac{1}{3^x}}{1+\frac{1}{3^x}}=1$$

STEP B ∞^0꼴 지수함수 극한 구하기

조건 (나)에서 3^x으로 묶으면

$$\lim_{x\to\infty}(3^x+2^x)^{\frac{1}{x}}=\lim_{x\to\infty}\left[3^x\left\{1+\left(\frac{2}{3}\right)^x\right\}\right]^{\frac{1}{x}}=\lim_{x\to\infty}3\left\{1+\left(\frac{2}{3}\right)^x\right\}^{\frac{1}{x}}$$
$$=3\cdot1=3$$

STEP C $\frac{\infty}{\infty}$꼴 로그함수 극한 구하기

조건 (다)에서 $\lim_{x\to0+}\frac{\log_3 x^3-1}{\log_3 3x+1}=\lim_{x\to0+}\frac{3\log_3 x-1}{\log_3 x+2}$

이때 $\lim_{x\to0+}\log_3 x=-\infty$이므로 $\lim_{x\to0+}\frac{1}{\log_3 x}=0$

$$\lim_{x\to0+}\frac{3-\frac{1}{\log_3 x}}{1+\frac{2}{\log_3 x}}=\frac{3-0}{1+0}=3$$

STEP D $\frac{\infty}{\infty}$꼴 로그함수 극한 구하기

조건 (라)에서

$$\lim_{x\to\infty}\{\log_2(4x^2+3)-2\log_2 x\}=\lim_{x\to\infty}\log_2\frac{4x^2+3}{x^2}$$
$$=\log_2\lim_{x\to\infty}\left(4+\frac{3}{x^2}\right)$$
$$=\log_2 4=2$$

따라서 $a=1$, $b=3$, $c=3$, $d=2$이므로 $a+b+c+d=9$

내신연계 출제문항 181

다음 조건을 만족하는 극한값 a, b에 대하여 $a+b$의 값은?

(가) $\lim_{x\to\infty}\frac{6^{x+1}+3^{x+1}}{6^x-3^x}=a$

(나) $\lim_{x\to0+}\frac{\log_2 x^3-2}{\log_2 x+1}=b$

① 3 ② 6 ③ 9
④ 12 ⑤ 16

STEP A 분자와 분모를 각각 6^x으로 나누어 극한값 구하기

조건 (가)에서 분모, 분자를 각각 6^x으로 나누면

$$\lim_{x\to\infty}\frac{6^{x+1}+3^{x+1}}{6^x-3^x}=\lim_{x\to\infty}\frac{6+3\left(\frac{1}{2}\right)^x}{1-\left(\frac{1}{2}\right)^x}=6$$

STEP B $\frac{\infty}{\infty}$꼴의 극한값 구하기

조건 (나)에서 $\lim_{x\to0+}\frac{\log_2 x^3-2}{\log_2 x+1}=\lim_{x\to0+}\frac{3\log_2 x-2}{\log_2 x+1}$

이때 $\lim_{x\to0+}\log_2 x=-\infty$이므로 $\lim_{x\to0+}\frac{1}{\log_2 x}=0$

$$\lim_{x\to0+}\frac{3-\frac{2}{\log_2 x}}{1+\frac{1}{\log_2 x}}=\frac{3-0}{1+0}=3$$

따라서 $a+b=6+3=9$

정답 ③

0467

정답 ③

STEP A $\lim_{x\to0}(1+ax)^{\frac{1}{ax}}=e$임을 이용하여 계산하기

$$\lim_{x\to0}(1+2x)^{\frac{3}{2x}}=\lim_{x\to0}\left\{(1+2x)^{\frac{1}{2x}}\right\}^3=e^3$$

0468

정답 ④

STEP A $\lim_{x\to\infty}\left(1+\frac{1}{ax}\right)^{ax}=e$임을 이용하여 계산하기

$-x=t$로 놓으면 $x\to-\infty$일 때, $t\to\infty$이므로

$$\lim_{x\to-\infty}\left(1-\frac{2}{x}\right)^{-2x}=\lim_{t\to\infty}\left(1+\frac{2}{t}\right)^{2t}=\lim_{x\to\infty}\left\{\left(1+\frac{2}{t}\right)^{\frac{t}{2}}\right\}^4=e^4=k$$

STEP B $\ln k$의 값 구하기

따라서 $\ln k=\ln e^4=4$

0469

정답 ①

STEP A $\lim_{x\to0}(1+ax)^{\frac{1}{ax}}=e$임을 이용하여 계산하기

$$\mathrm{A}=\lim_{x\to0}(1+ax)^{\frac{b}{x}}=\lim_{x\to0}\left\{(1+ax)^{\frac{1}{ax}}\right\}^{ab}=e^{ab}$$

STEP B $\lim_{x\to\infty}\left(1+\frac{1}{ax}\right)^{ax}=e$임을 이용하여 계산하기

$$\mathrm{B}=\lim_{x\to\infty}\left(1+\frac{a}{x}\right)^{bx}=\lim_{x\to\infty}\left\{\left(1+\frac{a}{x}\right)^{\frac{x}{a}}\right\}^{ab}=e^{ab}$$

따라서 $\mathrm{A}=\mathrm{B}$

내신연계 출제문항 182

다음 조건을 만족하는 상수 a, b에 대하여 ab의 값은?

(가) $\lim_{x\to0}(1+2x)^{\frac{a}{x}}=e^3$

(나) $\lim_{x\to\infty}\left(1+\frac{b}{x}\right)^x=e^2$

① $\frac{1}{2}$ ② 1 ③ $\frac{4}{3}$
④ $\frac{3}{2}$ ⑤ 3

STEP A $\lim_{x\to0}(1+ax)^{\frac{1}{ax}}=e$임을 이용하여 계산하기

조건 (가)에서

$$\lim_{x\to0}(1+2x)^{\frac{a}{x}}=\lim_{x\to0}\left\{(1+2x)^{\frac{1}{2x}}\right\}^{2a}=e^{2a}$$

즉 $e^{2a}=e^3$이므로 $2a=3$

$\therefore a=\frac{3}{2}$

STEP B $\lim_{x\to\infty}\left(1+\frac{1}{ax}\right)^{ax}=e$임을 이용하여 계산하기

조건 (나)에서

$$\lim_{x\to\infty}\left(1+\frac{b}{x}\right)^x=\lim_{x\to\infty}\left\{\left(1+\frac{b}{x}\right)^{\frac{x}{b}}\right\}^b=e^b$$

즉 $e^b=e^2$이므로 $b=2$

따라서 $ab=\frac{3}{2}\cdot2=3$

정답 ⑤

0470

정답 ④

STEP A $\lim_{x\to\infty}\left(1+\frac{1}{ax}\right)^{ax}=e$임을 이용하여 계산하기

$\lim_{x\to\infty}\left\{\left(1+\frac{1}{2x}\right)\left(1+\frac{1}{3x}\right)\right\}^{6x}=\lim_{x\to\infty}\left(1+\frac{1}{2x}\right)^{6x}\left(1+\frac{1}{3x}\right)^{6x}$

$=\lim_{x\to\infty}\left\{\left(1+\frac{1}{2x}\right)^{2x}\right\}^{3}\cdot\lim_{x\to\infty}\left\{\left(1+\frac{1}{3x}\right)^{3x}\right\}^{2}$

$=e^3\cdot e^2=e^5$

내/신/연/계/ 출제문항 183

다음 조건을 만족하는 극한값 a, b에 대하여 ab의 값은?

(가) $\lim_{x\to\infty}\left\{\left(1+\frac{1}{3x}\right)\left(1+\frac{1}{5x}\right)\right\}^{15x}=a$

(나) $\lim_{x\to 0}\{(1-x)(1-2x)(1-3x)\}^{\frac{1}{x}}=b$

① $\frac{1}{e^2}$ ② $\frac{1}{e}$ ③ 1
④ e ⑤ e^2

STEP A $\lim_{x\to\infty}\left(1+\frac{1}{ax}\right)^{ax}=e$임을 이용하여 a의 값 구하기

$\lim_{x\to\infty}\left\{\left(1+\frac{1}{3x}\right)\left(1+\frac{1}{5x}\right)\right\}^{15x}=\lim_{x\to\infty}\left\{\left(1+\frac{1}{3x}\right)^{3x}\right\}^{5}\times\lim_{x\to\infty}\left\{\left(1+\frac{1}{5x}\right)^{5x}\right\}^{3}$

$=e^5\times e^3=e^8$

$\therefore a=e^8$

STEP B $\lim_{x\to 0}(1+ax)^{\frac{1}{ax}}=e$임을 이용하여 b의 값 구하기

$\lim_{x\to 0}\{(1-x)(1-2x)(1-3x)\}^{\frac{1}{x}}$

$=\lim_{x\to 0}\left\{(1-x)^{-\frac{1}{x}}\right\}^{-1}\left\{(1-2x)^{-\frac{1}{2x}}\right\}^{-2}\left\{(1-3x)^{-\frac{1}{3x}}\right\}^{-3}$

$=e^{-1}\cdot e^{-2}\cdot e^{-3}=e^{-6}$

$\therefore b=e^{-6}$

따라서 $ab=e^8\cdot e^{-6}=e^{8-6}=e^2$

정답 ⑤

0471

정답 ⑤

STEP A $\lim_{x\to\infty}\left(1+\frac{1}{ax}\right)^{ax}=e$임을 이용하여 계산하기

조건 (가)에서

$\lim_{x\to\infty}x\ln\left(1+\frac{3}{x}\right)=\lim_{x\to\infty}\ln\left(1+\frac{3}{x}\right)^{x}=\lim_{x\to\infty}\ln\left\{\left(1+\frac{3}{x}\right)^{\frac{x}{3}}\right\}^{3}=\ln e^3=3$

조건 (나)에서

$\lim_{x\to\infty}x\{\ln(x+1)-\ln x\}=\lim_{x\to\infty}x\left\{\ln\frac{x+1}{x}\right\}=\lim_{x\to\infty}\ln\left(1+\frac{1}{x}\right)^{x}=\ln e=1$

따라서 $a=3$, $b=1$이므로 $a+b=4$

0472

정답 ②

STEP A $\lim_{x\to\infty}\left(1+\frac{1}{ax}\right)^{ax}=e$임을 이용하여 계산하기

$\lim_{n\to\infty}\left\{\frac{1}{2}\left(1+\frac{1}{n}\right)\left(1+\frac{1}{n+1}\right)\times\cdots\times\left(1+\frac{1}{2n}\right)\right\}^{n}$

$=\lim_{n\to\infty}\left(\frac{1}{2}\times\frac{n+1}{n}\times\frac{n+2}{n+1}\times\cdots\times\frac{2n+1}{2n}\right)^{n}$

$=\lim_{n\to\infty}\left(\frac{2n+1}{2n}\right)^{n}=\lim_{n\to\infty}\left(1+\frac{1}{2n}\right)^{n}$

$=\lim_{n\to\infty}\left\{\left(1+\frac{1}{2n}\right)^{2n}\right\}^{\frac{1}{2}}=e^{\frac{1}{2}}=\sqrt{e}$

내/신/연/계/ 출제문항 184

$\lim_{n\to\infty}\left\{\frac{1}{2}\left(1+\frac{1}{n}\right)\left(1+\frac{1}{n+1}\right)\left(1+\frac{1}{n+2}\right)\cdots\left(1+\frac{1}{2n}\right)\right\}^{2n}$의 값은?

① $\frac{1}{e^2}$ ② $\frac{1}{e}$ ③ 1
④ e ⑤ e^2

STEP A $\lim_{x\to\infty}\left(1+\frac{1}{ax}\right)^{ax}=e$임을 이용하여 계산하기

$\lim_{n\to\infty}\left\{\frac{1}{2}\left(1+\frac{1}{n}\right)\left(1+\frac{1}{n+1}\right)\left(1+\frac{1}{n+2}\right)\cdots\left(1+\frac{1}{2n}\right)\right\}^{2n}$

$=\lim_{n\to\infty}\left(\frac{1}{2}\times\frac{n+1}{n}\times\frac{n+2}{n+1}\times\frac{n+3}{n+2}\times\cdots\times\frac{2n+1}{2n}\right)^{2n}$

$=\lim_{n\to\infty}\left(\frac{2n+1}{2n}\right)^{2n}=\lim_{n\to\infty}\left(1+\frac{1}{2n}\right)^{2n}=e$

정답 ④

0473

정답 ③

STEP A $\lim_{x\to\infty}\left(1+\frac{1}{ax}\right)^{ax}=e$임을 이용하여 극한값 구하기

$f(k)=\lim_{x\to\infty}\left(1+\frac{k}{x}\right)^{x}=\lim_{x\to\infty}\left\{\left(1+\frac{k}{x}\right)^{\frac{x}{k}}\right\}^{k}=e^k$

STEP B 로그의 성질과 시그마의 성질을 이용하여 구하기

따라서 $\ln f(1)+\ln f(2)+\cdots+\ln f(10)=\ln e^1+\ln e^2+\cdots+\ln e^{10}$

$=1+2+\cdots+10$

$=\frac{10(1+10)}{2}=55$

내/신/연/계/ 출제문항 185

함수 $f(x)$에 대하여

$\left(1+\frac{2}{x}\right)^{f(x)}=e^4$

이 성립할 때, $\lim_{x\to\infty}\frac{f(x)}{x}$의 값은?

① $\frac{1}{2}$ ② 1 ③ 2
④ e ⑤ 4

STEP A 로그의 정의에 의하여 $f(x)$ 구하기

$\left(1+\frac{2}{x}\right)^{f(x)}=e^4$에서 $f(x)=\log_{1+\frac{2}{x}}e^4=\frac{4}{\ln\left(1+\frac{2}{x}\right)}$

STEP B $\lim_{x\to\infty}\left(1+\frac{1}{ax}\right)^{ax}=e$임을 이용하여 극한값 구하기

따라서 $\lim_{x\to\infty}\frac{f(x)}{x}=\lim_{x\to\infty}\frac{4}{x\ln\left(1+\frac{2}{x}\right)}=\lim_{x\to\infty}\frac{4}{\ln\left(1+\frac{2}{x}\right)^{x}}$

$=\lim_{x\to\infty}\frac{4}{\ln\left\{\left(1+\frac{2}{x}\right)^{\frac{x}{2}}\right\}^{2}}$

$=\frac{4}{\ln e^2}=\frac{4}{2}=2$

정답 ③

0474

정답 ⑤

STEP A $\lim_{x\to0}\frac{e^x-1}{x}=1$임을 이용하여 극한값 구하기

$$\lim_{x\to0}\frac{e^{3x}-1}{2x}=\lim_{x\to0}\left(\frac{e^{3x}-1}{3x}\cdot\frac{3}{2}\right)=1\cdot\frac{3}{2}=\frac{3}{2}$$

0475

정답 ③

STEP A $\lim_{x\to0}\frac{e^x-1}{x}=1$임을 이용하여 극한값 구하기

$$\lim_{x\to0}\frac{e^{2x}+10x-1}{x}=\lim_{x\to0}\left(\frac{e^{2x}-1}{x}+10\right)=\lim_{x\to0}\left(\frac{e^{2x}-1}{2x}\cdot2+10\right)$$
$$=1\cdot2+10=12$$

0476

 ①

STEP A $\lim_{x\to0}\frac{e^x-1}{x}=1$임을 이용하여 극한값 구하기

$$\lim_{x\to0}\frac{e^{6x}-e^{4x}}{2x}=\lim_{x\to0}\frac{(e^{6x}-1)-(e^{4x}-1)}{2x}=\lim_{x\to0}\frac{e^{6x}-1}{2x}-\lim_{x\to0}\frac{e^{4x}-1}{2x}$$
$$=3\cdot\lim_{x\to0}\frac{e^{6x}-1}{6x}-2\cdot\lim_{x\to0}\frac{e^{4x}-1}{4x}$$
$$=3\cdot1-2\cdot1=1$$

0477

 ⑤

STEP A $\lim_{x\to0}\frac{e^x-1}{x}=1$임을 이용하여 극한값 구하기

$$\lim_{x\to0}\frac{e^{2x}+e^{3x}-2}{2x}=\lim_{x\to0}\frac{(e^{2x}-1)+(e^{3x}-1)}{2x}$$
$$=\lim_{x\to0}\frac{e^{2x}-1}{2x}+\lim_{x\to0}\left(\frac{e^{3x}-1}{3x}\times\frac{3}{2}\right)$$
$$=1+1\times\frac{3}{2}=\frac{5}{2}$$

0478

 ③

STEP A $\lim_{x\to0}\frac{e^x-1}{x}=1$임을 이용하여 극한값 구하기

$$\lim_{x\to0}\frac{x^3+2x}{e^{3x}-1}=\lim_{x\to0}\left\{\frac{1}{3}\cdot\frac{3x}{e^{3x}-1}\cdot(x^2+2)\right\}=\frac{1}{3}\cdot1\cdot2=\frac{2}{3}$$

내/신/연/계/ 출제문항 186

$\lim_{x\to0}\frac{e^x-1}{x(x^2+2)}$의 값은?

① 1 ② $\frac{1}{2}$ ③ $\frac{1}{3}$

④ $\frac{1}{4}$ ⑤ $\frac{1}{5}$

STEP A $\lim_{x\to0}\frac{e^x-1}{x}=1$임을 이용하여 극한값 구하기

$$\lim_{x\to0}\frac{e^x-1}{x(x^2+2)}=\lim_{x\to0}\frac{e^x-1}{x}\cdot\lim_{x\to0}\frac{1}{x^2+2}=1\cdot\frac{1}{2}=\frac{1}{2}$$

정답 ②

0479

정답 ④

STEP A $\lim_{x\to0}\frac{e^x-1}{x}=1$임을 이용하여 극한값 구하기

$$\lim_{x\to0}\frac{e^{2x}-1}{x^2+ax}=\lim_{x\to0}\frac{e^{2x}-1}{x(x+a)}=\lim_{x\to0}\left(\frac{e^{2x}-1}{2x}\cdot\frac{2}{x+a}\right)$$
$$=1\cdot\frac{2}{0+a}=\frac{2}{a}$$

따라서 주어진 조건에 의해 $\frac{2}{a}=\frac{1}{2}$이므로 $a=4$

0480

 ④

STEP A $\lim_{x\to0}\frac{\ln(1+x)}{x}=1$임을 이용하여 극한값 구하기

$$\lim_{x\to0}\frac{\ln(1+12x)}{3x}=\lim_{x\to0}\frac{\ln(1+12x)}{12x}\cdot4=1\cdot4=4$$

0481

 ④

STEP A $\lim_{x\to0}\frac{e^x-1}{x}=1$, $\lim_{x\to0}\frac{\ln(1+x)}{x}=1$임을 이용하여 a의 값 구하기

$\lim_{x\to0}\frac{\ln(1+ax)}{2x}=b$에서 $\frac{a}{2}=b$ …… ㉠

$\lim_{x\to0}\frac{e^x-1}{bx}=a$에서 $\frac{1}{b}=a$ …… ㉡

㉠, ㉡을 연립하여 풀면

$a^2=2$ $\therefore a=\sqrt{2}\,(\because a>0)$

STEP B $a+b$의 값 구하기

$a=\sqrt{2}$를 ㉠에 대입하면 $b=\frac{\sqrt{2}}{2}$

따라서 $a+b=\sqrt{2}+\frac{\sqrt{2}}{2}=\frac{3\sqrt{2}}{2}$

내/신/연/계/ 출제문항 187

다음 조건을 만족하는 극한값 a, b에 대하여 $a+b$의 값은?

(가) $\lim_{x\to0}\frac{e^{3x}-1}{2x}=a$

(나) $\lim_{x\to0}\frac{\ln(1+5x)}{2x}=b$

① $\frac{3}{2}$ ② 2 ③ $\frac{5}{2}$

④ 4 ⑤ 5

STEP A $\lim_{x\to0}\frac{e^x-1}{x}=1$임을 이용하여 극한값 구하기

조건 (가)에서

$$\lim_{x\to0}\frac{e^{3x}-1}{2x}=\lim_{x\to0}\frac{e^{3x}-1}{3x}\cdot\frac{3}{2}=1\cdot\frac{3}{2}=\frac{3}{2}$$

STEP B $\lim_{x\to0}\frac{\ln(1+x)}{x}=1$임을 이용하여 극한값 구하기

조건 (나)에서

$$\lim_{x\to0}\frac{\ln(1+5x)}{2x}=\lim_{x\to0}\frac{\ln(1+5x)}{5x}\cdot\frac{5}{2}=1\cdot\frac{5}{2}=\frac{5}{2}$$

따라서 $a=\frac{3}{2}$, $b=\frac{5}{2}$이므로 $a+b=4$

정답 ④

0482

정답 ⑤

STEP A 함수의 극한의 성질과 $\lim_{x\to0}\frac{\ln(1+x)}{x}=1$임을 이용하여 계산하기

$$\lim_{x\to0}\frac{\ln(1+3x)+9x}{2x}=\lim_{x\to0}\frac{\ln(1+3x)}{2x}+\lim_{x\to0}\frac{9x}{2x}$$
$$=\lim_{x\to0}\left\{\frac{\ln(1+3x)}{3x}\cdot\frac{3}{2}\right\}+\frac{9}{2}$$
$$=1\cdot\frac{3}{2}+\frac{9}{2}=6$$

0483

정답 ④

STEP A $\lim_{x\to0}\frac{e^x-1}{x}=1$, $\lim_{x\to0}\frac{\ln(1+x)}{x}=1$임을 이용하여 구하기

$$\lim_{x\to0}\frac{\ln(1+5x)}{e^{2x}-1}=\lim_{x\to0}\left\{\frac{\ln(1+5x)}{5x}\cdot\frac{2x}{e^{2x}-1}\cdot\frac{5}{2}\right\}$$
$$=\lim_{x\to0}\frac{\ln(1+5x)}{5x}\cdot\lim_{x\to0}\frac{2x}{e^{2x}-1}\cdot\frac{5}{2}$$
$$=1\cdot1\cdot\frac{5}{2}=\frac{5}{2}$$

내신연계 출제문항 188

다음 조건을 만족하는 극한값 a, b, c에 대하여 abc의 값은?

(가) $\lim_{x\to0}\frac{\ln(1+4x)}{e^{2x}-1}=a$

(나) $\lim_{x\to0}\frac{e^{2x}-1}{\ln(1+x)}=b$

(다) $\lim_{x\to0}\frac{e^{2x}-1}{\ln(1+3x)}=c$

① $\frac{2}{3}$ ② $\frac{4}{3}$ ③ $\frac{5}{3}$
④ $\frac{7}{3}$ ⑤ $\frac{8}{3}$

STEP A $\lim_{x\to0}\frac{e^x-1}{x}=1$, $\lim_{x\to0}\frac{\ln(1+x)}{x}=1$임을 이용하여 a, b, c의 값 구하기

조건 (가)에서

$$\lim_{x\to0}\frac{\ln(1+4x)}{e^{2x}-1}=\lim_{x\to0}\frac{\ln(1+4x)}{4x}\cdot\frac{2x}{e^{2x}-1}\cdot2=1\cdot1\cdot2=2$$

조건 (나)에서

$$\lim_{x\to0}\frac{e^{2x}-1}{\ln(1+x)}=\lim_{x\to0}\frac{e^{2x}-1}{2x}\cdot\frac{x}{\ln(1+x)}\cdot2=1\cdot1\cdot2=2$$

조건 (다)에서

$$\lim_{x\to0}\frac{e^{2x}-1}{\ln(1+3x)}=\lim_{x\to0}\frac{e^{2x}-1}{2x}\cdot\frac{3x}{\ln(1+3x)}\cdot\frac{2}{3}=\frac{2}{3}$$

따라서 $a=2$, $b=2$, $c=\frac{2}{3}$이므로 $abc=\frac{8}{3}$

정답 ⑤

0484

정답 ④

STEP A $\lim_{x\to0}\frac{e^x-1}{x}=1$, $\lim_{x\to0}\frac{\ln(1+x)}{x}=1$임을 이용하여 a의 값 구하기

$$\lim_{x\to0}\frac{ax^2}{(e^{3x}-1)\ln(1-2x)}=a\lim_{x\to0}\left\{\frac{1}{\frac{e^{3x}-1}{3x}\cdot3}\cdot\frac{1}{\frac{\ln(1-2x)}{-2x}\cdot(-2)}\right\}$$
$$=a\cdot\left(\frac{1}{3}\cdot\frac{1}{(-2)}\right)=\frac{a}{-6}$$

따라서 $\frac{a}{-6}=5$이므로 $a=-30$

0485

정답 ⑤

STEP A $\lim_{x\to0}\frac{\ln(1+x)}{x}=1$임을 이용하여 극한값 구하기

$$\lim_{x\to0}\frac{\ln(2+x)-\ln2}{x}=\lim_{x\to0}\frac{\ln\left(\frac{2+x}{2}\right)}{x}=\lim_{x\to0}\frac{\ln\left(1+\frac{x}{2}\right)}{x}$$
$$=\lim_{x\to0}\frac{\ln\left(1+\frac{x}{2}\right)}{\frac{1}{2}x}\cdot\frac{1}{2}=\frac{1}{2}$$

$$\lim_{x\to\infty}x\{\ln(x+6)-\ln x\}=\lim_{x\to\infty}x\left\{\ln\left(\frac{x+6}{x}\right)\right\}=\lim_{x\to\infty}\ln\left(1+\frac{6}{x}\right)^x$$
$$=\lim_{x\to\infty}\ln\left\{\left(1+\frac{6}{x}\right)^{\frac{x}{6}}\right\}^6=\ln e^6=6$$

STEP B ab의 값 구하기

따라서 $a=\frac{1}{2}$, $b=6$이므로 $ab=3$

내신연계 출제문항 189

다음 [보기]에서 옳은 것만을 있는 대로 고른 것은?

ㄱ. $\lim_{x\to0}\frac{1}{x}\ln\left(\frac{1+3x}{1+2x}\right)=1$

ㄴ. $\lim_{x\to\infty}x\{\ln(x+3)-\ln x\}=3$

ㄷ. $\lim_{x\to0}\frac{e^{2x}-1}{\log_3(1+x)}=2\ln3$

① ㄱ ② ㄴ ③ ㄱ, ㄷ
④ ㄴ, ㄷ ⑤ ㄱ, ㄴ, ㄷ

STEP A 치환을 이용하여 극한값 구하기

ㄱ. $\lim_{x\to0}\frac{1}{x}\ln\left(\frac{1+3x}{1+2x}\right)=\lim_{x\to0}\frac{\ln(1+3x)-\ln(1+2x)}{x}$

$$=\lim_{x\to0}\frac{\ln(1+3x)}{3x}\cdot3-\lim_{x\to0}\frac{\ln(1+2x)}{2x}\cdot2$$
$$=3-2=1\ [\text{참}]$$

다른풀이 $\lim_{x\to\infty}\left(1+\frac{1}{x}\right)^x=e$임을 이용하여 극한값 구하기

$\frac{1+3x}{1+2x}=\frac{\frac{1}{x}+3}{\frac{1}{x}+2}=1+\frac{1}{\frac{1}{x}+2}$이고 $\frac{1}{x}=t$라 놓으면

$x\to0$일 때, $t\to\infty$이므로

$$\lim_{x\to0}\frac{1}{x}\ln\left(\frac{1+3x}{1+2x}\right)=\lim_{t\to\infty}t\ln\left(1+\frac{1}{t+2}\right)$$
$$=\lim_{t\to\infty}\ln\left\{\left(1+\frac{1}{t+2}\right)^{t+2}\right\}^{\frac{t}{t+2}}$$
$$=\lim_{t\to\infty}\frac{t}{t+2}\ln\left\{\left(1+\frac{1}{t+2}\right)^{t+2}\right\}$$
$$=\lim_{t\to\infty}\frac{t}{t+2}=1\ [\text{참}]$$

ㄴ. $\lim_{x\to\infty}x\{\ln(x+3)-\ln x\}=\lim_{x\to\infty}x\ln\left(\frac{x+3}{x}\right)$

$$=\lim_{x\to\infty}\ln\left(1+\frac{3}{x}\right)^x$$
$$=\lim_{x\to\infty}\ln\left\{\left(1+\frac{3}{x}\right)^{\frac{x}{3}}\right\}^3$$
$$=\ln e^3=3\ [\text{참}]$$

ㄷ. $\lim_{x\to0}\frac{e^{2x}-1}{\log_3(1+x)}=\lim_{x\to0}\frac{e^{2x}-1}{2x}\cdot\frac{x}{\log_3(1+x)}\cdot2$

$$=1\cdot\ln3\cdot2=2\ln3\ [\text{참}]$$

따라서 옳은 것은 ㄱ, ㄴ, ㄷ이다.

정답 ⑤

0486

정답 ③

STEP A 이차방정식의 근과 계수의 관계를 이용하여 구하기

이차방정식 $x^2-x\ln(1+3t)+t=0$의 두 근이 $f(t)$, $g(t)$이므로 근과 계수의 관계에 의하여

$f(t)+g(t)=\ln(1+3t)$, $f(t)g(t)=t$

STEP B $\lim_{x\to0}\frac{\ln(1+x)}{x}=1$임을 이용하여 극한값 구하기

따라서 $\lim_{t\to0}\left\{\frac{1}{f(t)}+\frac{1}{g(t)}\right\}=\lim_{t\to0}\frac{f(t)+g(t)}{f(t)g(t)}=\lim_{t\to0}\frac{\ln(1+3t)}{t}$

$$=\lim_{t\to0}\ln\{(1+3t)^{\frac{1}{3t}}\}^3$$

$$=\ln e^3=3$$

0487

정답 ①

STEP A $\lim_{x\to0}\frac{e^x-1}{x}=1$임을 이용하여 계산하기

(가)에서

$$\lim_{x\to0}\frac{e^{2x}-1}{x^2+2x}=\lim_{x\to0}\frac{e^{2x}-1}{2x}\cdot\frac{2x}{x^2+2x}=\lim_{x\to0}\frac{e^{2x}-1}{2x}\cdot\lim_{x\to0}\frac{2}{x+2}$$

$$=1\cdot1=1$$

(나)에서

$$\lim_{x\to0}\frac{\ln(1+x)}{e^x-1}=\lim_{x\to0}\left\{\frac{\ln(1+x)}{x}\cdot\frac{x}{e^x-1}\right\}=\lim_{x\to0}\frac{\ln(1+x)}{x}\cdot\lim_{x\to0}\frac{x}{e^x-1}$$

$$=\lim_{x\to0}\ln(1+x)^{\frac{1}{x}}\cdot\lim_{t\to0}\frac{\ln(1+t)}{t}$$

$$=\ln e\lim_{t\to0}\ln(1+t)^{\frac{1}{t}}$$

$$=1\cdot\ln e=1$$

따라서 $a=1$, $b=1$이므로 $a+b=2$

내신연계 출제문항 190

다음 조건을 만족하는 극한값 a, b에 대하여 $a+b$의 값은?

(가) $\lim_{x\to0}\frac{e^{4x}-1}{x^2+3x}=a$

(나) $\lim_{x\to0}\frac{x^2+5x}{\ln(1+3x)}=b$

① 2　② 3　③ 4　④ 5　⑤ 6

STEP A $\lim_{x\to0}\frac{e^x-1}{x}=1$임을 이용하여 계산하기

조건 (가)에서

$$\lim_{x\to0}\frac{e^{4x}-1}{x^2+3x}=\lim_{x\to0}\frac{e^{4x}-1}{4x}\cdot\frac{4x}{x^2+3x}=\lim_{x\to0}\frac{e^{4x}-1}{4x}\cdot\lim_{x\to0}\frac{4}{x+3}$$

$$=1\cdot\frac{4}{3}=\frac{4}{3}$$

STEP B $\lim_{x\to0}\frac{\ln(1+x)}{x}=1$임을 이용하여 계산하기

조건 (나)에서

$$\lim_{x\to0}\frac{x^2+5x}{\ln(1+3x)}=\lim_{x\to0}\left\{\frac{3x}{\ln(1+3x)}\cdot\frac{x+5}{3}\right\}=\lim_{x\to0}\frac{3x}{\ln(1+3x)}\cdot\lim_{x\to0}\frac{x+5}{3}$$

$$=1\cdot\frac{5}{3}=\frac{5}{3}$$

따라서 $a+b=\frac{4}{3}+\frac{5}{3}=\frac{9}{3}=3$

정답 ②

0488

정답 ③

STEP A $\lim_{x\to0}\frac{\ln(1+bx)}{ax}=\frac{b}{a}$, $\lim_{x\to0}\frac{e^{bx}-1}{ax}=\frac{b}{a}$임을 이용하여 극한값 구하기

① $\lim_{x\to\infty}\left(1+\frac{1}{2x}\right)^x=\lim_{x\to\infty}\left\{\left(1+\frac{1}{2x}\right)^{2x}\right\}^{\frac{1}{2}}=e^{\frac{1}{2}}$

② $\lim_{x\to0}\frac{e^{3x}-e^x}{\ln(2x+1)}=\lim_{x\to0}\left\{\frac{e^{3x}-e^x}{x}\cdot\frac{2x}{\ln(2x+1)}\cdot\frac{1}{2}\right\}$

$$=\lim_{x\to0}\left\{\frac{e^{3x}-1-(e^x-1)}{x}\cdot\frac{2x}{\ln(2x+1)}\cdot\frac{1}{2}\right\}$$

$$=\lim_{x\to0}\left(\frac{e^{3x}-1}{3x}\cdot3-\frac{e^x-1}{x}\right)\cdot\lim_{x\to0}\frac{2x}{\ln(2x+1)}\cdot\frac{1}{2}$$

$$=(3-1)\cdot\frac{1}{2}=1$$

③ $\lim_{x\to0}\frac{e^{6x}-1}{x^2+2x}=\lim_{x\to0}\frac{e^{6x}-1}{x(x+2)}=\lim_{x\to0}\left(\frac{e^{6x}-1}{6x}\cdot\frac{6}{x+2}\right)=1\cdot\frac{6}{2}=3$

④ $\lim_{x\to0}\frac{\ln(3+x)-\ln3}{x}=\lim_{x\to0}\frac{\ln\left(\frac{3+x}{3}\right)}{x}=\lim_{x\to0}\ln\left(1+\frac{x}{3}\right)^{\frac{1}{x}}$

$$=\lim_{x\to0}\ln\left\{\left(1+\frac{x}{3}\right)^{\frac{3}{x}}\right\}^{\frac{1}{3}}=\ln e^{\frac{1}{3}}=\frac{1}{3}$$

⑤ $\lim_{x\to0}\frac{\ln\{(1-x)(1+3x)\}}{e^{2x}-1}=\lim_{x\to0}\frac{\ln(1-x)+\ln(1+3x)}{e^{2x}-1}$

$$=\lim_{x\to0}\frac{\frac{\ln(1-x)}{x}+\frac{\ln(1+3x)}{x}}{\frac{e^{2x}-1}{x}}$$

$$=\frac{-1+3}{2}=1$$

따라서 가장 큰 것은 ③이다.

내신연계 출제문항 191

다음 중 극한값이 가장 큰 것은?

① $\lim_{x\to\infty}\left(1-\frac{4}{x}\right)^{3x}$　② $\lim_{x\to0}\frac{\ln(1+3x)(1+x)}{e^{2x}-1}$

③ $\lim_{x\to0}\frac{e^{2x}-1}{\ln(1+3x)}$　④ $\lim_{x\to0}\frac{8x}{e^{4x}-e^{2x}}$

⑤ $\lim_{x\to0}\frac{\ln(2+x)-\ln2}{x}$

STEP A $\lim_{x\to0}\frac{\ln(1+bx)}{ax}=\frac{b}{a}$, $\lim_{x\to0}\frac{e^{bx}-1}{ax}=\frac{b}{a}$임을 이용하여 극한값 구하기

① $\lim_{x\to\infty}\left(1-\frac{4}{x}\right)^{3x}=\lim_{x\to\infty}\left\{\left(1-\frac{4}{x}\right)^{-\frac{x}{4}}\right\}^{-12}=e^{-12}$

② $\lim_{x\to0}\frac{\ln(1+3x)(1+x)}{e^{2x}-1}=\lim_{x\to0}\frac{\ln(1+3x)+\ln(1+x)}{e^{2x}-1}$

$$=\lim_{x\to0}\frac{\frac{\ln(1+3x)}{x}+\frac{\ln(1+x)}{x}}{\frac{e^{2x}-1}{x}}=\frac{3+1}{2}=2$$

③ $\lim_{x\to0}\frac{e^{2x}-1}{\ln(1+3x)}=\lim_{x\to0}\frac{e^{2x}-1}{2x}\cdot\frac{3x}{\ln(1+3x)}\cdot\frac{2}{3}=1\cdot1\cdot\frac{2}{3}=\frac{2}{3}$

④ $\lim_{x\to0}\frac{8x}{e^{4x}-e^{2x}}=\lim_{x\to0}\frac{1}{\frac{e^{4x}-1}{8x}-\frac{e^{2x}-1}{8x}}=\frac{1}{\frac{4}{8}-\frac{2}{8}}=4$

⑤ $\lim_{x\to0}\frac{\ln(2+x)-\ln2}{x}=\lim_{x\to0}\frac{\ln\left(\frac{2+x}{2}\right)}{x}=\lim_{x\to0}\ln\left(1+\frac{x}{2}\right)^{\frac{1}{x}}$

$$=\lim_{x\to0}\ln\left\{\left(1+\frac{x}{2}\right)^{\frac{2}{x}}\right\}^{\frac{1}{2}}=\ln e^{\frac{1}{2}}=\frac{1}{2}$$

따라서 가장 큰 것은 ④이다.

정답 ④

0489

정답 ⑤

STEP A $\lim_{x\to0}\frac{e^{bx}-1}{ax}=\frac{b}{a}$ 임을 이용하여 극한값 구하기

$$\lim_{x\to0}\frac{e^{x}+e^{2x}+e^{3x}+\cdots+e^{10x}-10}{x}$$
$$=\lim_{x\to0}\frac{(e^{x}-1)+(e^{2x}-1)+\cdots+(e^{10x}-1)}{x}$$
$$=\lim_{x\to0}\left(\frac{e^{x}-1}{x}+\frac{e^{2x}-1}{2x}\cdot2+\cdots+\frac{e^{10x}-1}{10x}\cdot10\right)$$
$$=1+2+\cdots+10$$
$$=55$$

0490

 ①

STEP A $\lim_{x\to0}\frac{\ln(1+bx)}{ax}=\frac{b}{a}$, $\lim_{x\to0}\frac{e^{bx}-1}{ax}=\frac{b}{a}$ 임을 이용하여 극한값 구하기

$-x^{2}=t$로 놓으면 $x\to0$일 때, $t\to0-$이므로

$$\lim_{x\to0}\frac{\ln(1-2x)(1+2x)}{x^{2}}=\lim_{x\to0}\frac{1}{x^{2}}\ln(1-4x^{2})$$
$$=\lim_{t\to0-}\ln(1+4t)^{-\frac{1}{t}}$$
$$=\lim_{t\to0-}\ln\left\{(1+4t)^{\frac{1}{4t}}\right\}^{-4}$$
$$=\ln e^{-4}$$
$$=-4$$

0491

 ④

STEP A $\lim_{x\to0}\frac{e^{bx}-1}{ax}=\frac{b}{a}$ 임을 이용하여 극한값 구하기

$$\lim_{x\to0}\frac{e^{3x}+e^{2x}+e^{x}-3}{x}=\lim_{x\to0}\frac{e^{3x}-1+e^{2x}-1+e^{x}-1}{x}$$
$$=\lim_{x\to0}\frac{e^{3x}-1}{x}+\lim_{x\to0}\frac{e^{2x}-1}{x}+\lim_{x\to0}\frac{e^{x}-1}{x}$$
$$=3+2+1=6$$

STEP B $\lim_{x\to0}\frac{\ln(1+bx)}{ax}=\frac{b}{a}$ 임을 이용하여 극한값 구하기

$$\lim_{x\to0}\frac{1}{x}\{\ln(1+x)+\ln(1+2x)+\ln(1+3x)+\ln(1+4x)\}$$
$$=\lim_{x\to0}\frac{\ln(1+x)}{x}+2\lim_{x\to0}\frac{\ln(1+2x)}{2x}+3\lim_{x\to0}\frac{\ln(1+3x)}{3x}+4\lim_{x\to0}\frac{\ln(1+4x)}{4x}$$
$$=1+2+3+4$$
$$=10$$

따라서 $a+b=16$

0492

정답 ③

STEP A $\lim_{x\to0}\frac{\ln(1+bx)}{ax}=\frac{b}{a}$, $\lim_{x\to0}\frac{e^{bx}-1}{ax}=\frac{b}{a}$ 임을 이용하여 극한값 구하기

$$\lim_{x\to0}\frac{\ln\{(1+x)(1+3x)(1+5x)(1+7x)\}}{e^{4x}-1}$$
$$=\lim_{x\to0}\frac{\frac{\ln(1+x)+\ln(1+3x)+\ln(1+5x)+\ln(1+7x)}{4x}}{\frac{e^{4x}-1}{4x}}$$
$$=\frac{1+3+5+7}{4}$$
$$=4$$

내신연계 출제문항 192

$\lim_{x\to0}\frac{\ln(1+x)(1+2x)(1+3x)\cdots(1+10x)}{e^{x}+e^{2x}+e^{3x}+\cdots+e^{10x}-10}$의 값은?

① $\frac{1}{55}$ ② 1 ③ 10
④ 55 ⑤ 55^{2}

STEP A $\lim_{x\to0}\frac{\ln(1+bx)}{ax}=\frac{b}{a}$, $\lim_{x\to0}\frac{e^{bx}-1}{ax}=\frac{b}{a}$ 임을 이용하여 극한값 구하기

$$\lim_{x\to0}\frac{\ln(1+x)(1+2x)(1+3x)\cdots(1+10x)}{e^{x}+e^{2x}+e^{3x}+\cdots+e^{10x}-10}$$
$$=\lim_{x\to0}\frac{\frac{\ln(1+x)+\ln(1+2x)+\cdots\ln(1+10x)}{x}}{\frac{e^{x}+e^{2x}+e^{3x}+\cdots+e^{10x}-10}{x}}$$
$$=\lim_{x\to0}\frac{\frac{\ln(1+x)+\ln(1+2x)+\cdots\ln(1+10x)}{x}}{\frac{(e^{x}-1)+(e^{2x}-1)+(e^{3x}-1)+\cdots+(e^{10}x-1)}{x}}$$
$$=\lim_{x\to0}\frac{\frac{\ln(1+x)}{x}+\frac{\ln(1+2x)}{x}+\cdots+\frac{\ln(1+10x)}{x}}{\frac{e^{x}-1}{x}+\frac{e^{2x}-1}{x}+\frac{e^{3x}-1}{x}+\cdots+\frac{e^{10x}-1}{x}}$$
$$=\frac{1+2+3+\cdots+10}{1+2+3+\cdots+10}=\frac{55}{55}=1$$

정답 ②

0493

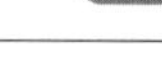 ②

STEP A $\lim_{x\to0}\frac{e^{bx}-1}{ax}=\frac{b}{a}$ 임을 이용하여 극한값 구하기

$$f(n)=\lim_{x\to0}\frac{e^{x}+e^{2x}+e^{3x}+\cdots+e^{nx}-n}{x}$$
$$=\lim_{x\to0}\frac{\frac{e^{x}-1}{x}+\frac{e^{2x}-1}{2x}\cdot2+\cdots+\frac{e^{nx}-1}{nx}\cdot n}{x}$$
$$=1+2+\cdots+n$$
$$=\frac{n(n+1)}{2}$$

STEP B $\frac{\infty}{\infty}$의 극한값 구하기

따라서 $\sum_{n=1}^{\infty}\frac{1}{f(n)}=\sum_{n=1}^{\infty}\frac{2}{n(n+1)}=2\lim_{k\to\infty}\sum_{k=1}^{n}\left(\frac{1}{k}-\frac{1}{k+1}\right)$

$$=2\left(1-\frac{1}{n+1}\right)=2$$

내/신/연/계/ 출제문항 193

양의 정수 n에 대하여

$$f(n)=\lim_{x\to 0}\frac{x}{e^x+e^{2x}+e^{3x}+\cdots+e^{nx}-n}$$

일 때, $\lim_{n\to\infty} n^2 f(n)$의 값은?

① 2　　② 3　　③ 4
④ 5　　⑤ 6

STEP Ⓐ $\lim_{x\to 0}\frac{e^{bx}-1}{ax}=\frac{b}{a}$ 임을 이용하여 극한값 구하기

$$f(n)=\lim_{x\to 0}\frac{x}{e^x+e^{2x}+e^{3x}+\cdots+e^{nx}-n}$$
$$=\lim_{x\to 0}\frac{x}{e^x-1+e^{2x}-1+e^{3x}-1+\cdots+e^{nx}-1}$$
$$=\lim_{x\to 0}\frac{1}{\frac{e^x-1+e^{2x}-1+\cdots+e^{nx}-1}{x}}$$
$$=\lim_{x\to 0}\frac{1}{\frac{e^x-1}{x}+\frac{e^{2x}-1}{2x}\cdot 2+\cdots+\frac{e^{nx}-1}{nx}\cdot n}$$
$$=\frac{1}{1+2+\cdots+n}$$
$$=\frac{2}{n(n+1)}$$

STEP Ⓑ $\frac{\infty}{\infty}$의 극한값 구하기

따라서 $\lim_{n\to\infty} n^2 f(n)=\lim_{n\to\infty}\frac{2n^2}{n(n+1)}=\lim_{n\to\infty}\frac{2}{1+\frac{1}{n}}=2$　　정답 ①

참고 $\sum_{n=1}^{10} f(n)=\sum_{n=1}^{10}\frac{2}{n(n+1)}=\frac{20}{11}$

0494

 ②

STEP Ⓐ $\lim_{x\to 0}\frac{\ln(1+bx)}{ax}=\frac{b}{a}$ 임을 이용하여 극한값 구하기

$$a_n=\lim_{x\to 0}\frac{1}{x}\ln\{(1+x)(1+2x)(1+3x)\cdots(1+nx)\}$$
$$=\lim_{x\to 0}\frac{\ln(1+x)+\ln(1+2x)+\cdots+\ln(1+nx)}{x}$$
$$=\lim_{x\to 0}\left\{\frac{\ln(1+x)}{x}+\frac{\ln(1+2x)}{2x}\cdot 2+\cdots+\frac{\ln(1+nx)}{nx}\cdot n\right\}$$
$$=1+2+3+\cdots+n$$
$$=\frac{n(n+1)}{2}$$

따라서 $\sum_{n=1}^{\infty}\frac{1}{a_n}=\sum_{n=1}^{\infty}\frac{2}{n(n+1)}=2\sum_{n=1}^{\infty}\left(\frac{1}{n}-\frac{1}{n+1}\right)$

$$=2\lim_{n\to\infty}\left\{\left(1-\frac{1}{2}\right)+\left(\frac{1}{2}-\frac{1}{3}\right)+\cdots+\left(\frac{1}{n}-\frac{1}{n+1}\right)\right\}$$
$$=2\lim_{n\to\infty}\left(1-\frac{1}{n+1}\right)$$
$$=2$$

내/신/연/계/ 출제문항 194

함수

$$f(n)=\lim_{x\to 0}\frac{x}{\sum_{k=1}^{2n}\ln(1+kx)}$$

에 대하여 $\lim_{n\to\infty}(4n^2+3n)f(n)$의 값은?

① 1　　② 2　　③ 3
④ 4　　⑤ 5

STEP Ⓐ $\lim_{x\to 0}\frac{\ln(1+bx)}{ax}=\frac{b}{a}$ 임을 이용하여 극한값 구하기

$$f(n)=\lim_{x\to 0}\frac{x}{\sum_{k=1}^{2n}\ln(1+kx)}=\lim_{x\to 0}\frac{1}{\sum_{k=1}^{2n}\frac{\ln(1+kx)}{x}}$$
$$=\frac{1}{\sum_{k=1}^{2n}k}=\frac{1}{\frac{2n(2n+1)}{2}}$$
$$=\frac{1}{n(2n+1)}$$

STEP Ⓑ $\frac{\infty}{\infty}$의 극한값 구하기

따라서 $\lim_{n\to\infty}(4n^2+3n)f(n)=\lim_{n\to\infty}\frac{4n^2+3n}{n(2n+1)}=2$　　정답 ②

0495

 ②

STEP Ⓐ $\lim_{x\to 0}\frac{a^x-1}{x}=\ln a$, $\lim_{x\to 0}\frac{\log_a(1+x)}{x}=\frac{1}{\ln a}$ 임을 이용하여 극한값 구하기

조건 (가)에서
$2^x-1=t$로 놓으면 $2^x=1+t$이므로 $x=\log_2(1+t)$이고
$x\to 0$일 때, $t\to 0$이므로

$$\lim_{x\to 0}\frac{2^x-1}{x}=\lim_{t\to 0}\frac{t}{\log_2(1+t)}=\lim_{t\to 0}\frac{t}{\frac{\ln(1+t)}{\ln 2}}=\frac{\ln 2}{\lim_{t\to 0}\frac{\ln(1+t)}{t}}=\ln 2$$

조건 (나)에서

$$\lim_{x\to 0}\frac{x}{\log_3(1+x)}=\lim_{x\to 0}\frac{x}{\frac{\ln(1+x)}{\ln 3}}=\frac{\ln 3}{\lim_{x\to 0}\frac{\ln(1+x)}{x}}=\ln 3$$

따라서 $a=\ln 2$, $b=\ln 3$이므로 $\frac{a}{b}=\log_3 2$

0496

정답 ③

STEP Ⓐ $\lim_{x\to 0}\frac{a^x-1}{x}=\ln a$, $\lim_{x\to 0}\frac{\log_a(1+x)}{x}=\frac{1}{\ln a}$ 임을 이용하여 극한값 구하기

① $\lim_{x\to\infty}\ln\left(1+\frac{1}{2x}\right)^x=\lim_{x\to\infty}\ln\left\{\left(1+\frac{1}{2x}\right)^{2x}\right\}^{\frac{1}{2}}=\ln e^{\frac{1}{2}}=\frac{1}{2}$ [참]

② $\lim_{x\to 0}\frac{3^x-1}{2^x-1}=\lim_{x\to 0}\frac{3^x-1}{x}\cdot\frac{x}{2^x-1}=\frac{\ln 3}{\ln 2}$ [참]

③ $\lim_{x\to 0}\frac{\log_2(1-x)}{x}=\lim_{x\to 0}\log_2(1-x)^{\frac{1}{x}}$
$$=\lim_{x\to 0}\log_2\left\{(1-x)^{-\frac{1}{x}}\right\}^{-1}$$
$$=\log_2 e^{-1}=-\log_2 e\ \text{[거짓]}$$

④ $\lim_{x\to 0}\frac{5^x-1}{\log_2(1+x)}=\lim_{x\to 0}\frac{5^x-1}{x}\cdot\frac{x}{\log_2(1+x)}=\ln 5\cdot\ln 2$ [참]

⑤ $\lim_{x\to 0}\frac{\log_3(3+x)-1}{x}=\lim_{x\to 0}\frac{\log_3\left(\frac{3+x}{3}\right)}{x}$
$$=\lim_{x\to 0}\log_3\left(1+\frac{x}{3}\right)^{\frac{1}{x}}$$
$$=\lim_{x\to 0}\log_3\left\{\left(1+\frac{x}{3}\right)^{\frac{3}{x}}\right\}^{\frac{1}{3}}$$
$$=\log_3 e^{\frac{1}{3}}$$
$$=\frac{1}{3\ln 3}\ \text{[참]}$$

따라서 옳지 않은 것은 ③이다.

내/신/연/계/ 출제문항 195

다음 중 극한값이 옳지 않은 것은?

① $\lim_{x\to0}\frac{a^{2x}-1}{x}=2\ln a$ (단, $a>0$, $a\neq1$)

② $\lim_{x\to0}\frac{\log_2(1+2x)}{x}=\frac{2}{\ln 2}$

③ $\lim_{x\to0}\frac{3^x-1}{2x}=\frac{1}{2}\ln 3$

④ $\lim_{x\to0}\frac{2^x-1}{\log_2(1+x)}=(\ln 2)^2$

⑤ $\lim_{x\to0}\frac{1-5^x}{e^{-x}-1}=\ln\frac{1}{5}$

STEP A $\lim_{x\to0}\frac{a^x-1}{x}=\ln a$, $\lim_{x\to0}\frac{\log_a(1+x)}{x}=\frac{1}{\ln a}$ **임을 이용하여 극한값 구하기**

① $\lim_{x\to0}\frac{a^{2x}-1}{x}=\lim_{x\to0}\frac{a^{2x}-1}{2x}\cdot2=2\ln a$

② $\lim_{x\to0}\frac{\log_2(1+2x)}{x}=\lim_{x\to0}\frac{\log_2(1+2x)}{2x}\cdot2=\frac{2}{\ln 2}$

③ $\lim_{x\to0}\frac{3^x-1}{2x}=\frac{1}{2}\lim_{x\to0}\frac{3^x-1}{x}=\frac{1}{2}\ln 3$

④ $\lim_{x\to0}\frac{2^x-1}{\log_2(1+x)}=\lim_{x\to0}\frac{2^x-1}{x}\cdot\frac{x}{\log_2(1+x)}=\ln2\cdot\ln2=(\ln 2)^2$

⑤ $\lim_{x\to0}\frac{1-5^x}{e^{-x}-1}=\lim_{x\to0}\left(\frac{5^x-1}{x}\cdot\frac{-x}{e^{-x}-1}\right)=\ln 5$ [거짓]

따라서 극한값이 옳지 않은 것은 ⑤이다. 정답 ⑤

0497

 ②

STEP A $\lim_{x\to0}\frac{a^x-1}{x}=\ln a$, $\lim_{x\to0}\frac{\log_a(1+x)}{x}=\frac{1}{\ln a}$ **임을 이용하여 극한값 구하기**

조건 (가)에서

$$\lim_{x\to0}\frac{\log_5(1+2x)}{\log_5(1+x)}=2\lim_{x\to0}\frac{\log_5(1+2x)}{2x}\cdot\frac{x}{\log_5(1+x)}$$
$$=2\cdot\frac{1}{\ln 5}\cdot\ln5=2$$

조건 (나)에서

$\lim_{x\to\infty}\frac{\ln\left(1+\frac{3}{x}\right)}{\ln\left(1+\frac{2}{x}\right)}$에서 $\frac{1}{x}=t$로 놓으면

$$\lim_{t\to0}\frac{\ln(1+3t)}{\ln(1+2t)}=\lim_{t\to0}\frac{\ln(1+3t)}{3t}\cdot\frac{2t}{\ln(1+2t)}\cdot\frac{3}{2}=\frac{3}{2}$$

따라서 $a=2$, $b=\frac{3}{2}$이므로 $ab=2\cdot\frac{3}{2}=3$

0498

 ②

STEP A $\lim_{x\to0}\frac{a^x-1}{x}=\ln a$ **임을 이용하여 극한값 구하기**

조건 (가)에서

$$\lim_{x\to0}\frac{3^x-2^x}{x}=\lim_{x\to0}\frac{3^x-1+1-2^x}{x}=\lim_{x\to0}\frac{3^x-1}{x}-\lim_{x\to0}\frac{2^x-1}{x}$$
$$=\ln3-\ln2=\ln\frac{3}{2}$$

조건 (나)에서

$$\lim_{x\to0}\frac{e^{2x}-3^x}{x}=\lim_{x\to0}\frac{e^{2x}-1-3^x+1}{x}=\lim_{x\to0}\frac{e^{2x}-1}{x}-\lim_{x\to0}\frac{3^x-1}{x}$$
$$=2-\ln3=\ln\frac{e^2}{3}$$

STEP B $a+b$**의 값 구하기**

따라서 $a=\ln\frac{3}{2}$, $b=\ln\frac{e^2}{3}$이므로

$$a+b=\ln\frac{3}{2}+\ln\frac{e^2}{3}=\ln\left(\frac{3}{2}\times\frac{e^2}{3}\right)=\ln\frac{e^2}{2}$$

0499

정답 ②

STEP A $\lim_{x\to0}\frac{a^x-1}{x}=\ln a$ **임을 이용하여 극한값 구하기**

$$f(x)=\lim_{h\to0}\frac{(\log_2x)^h-1}{h}=\ln(\log_2x)$$

따라서 $f(x^2)-f(x)=\ln(\log_2x^2)-\ln(\log_2x)=\ln\left(\frac{2\log_2x}{\log_2x}\right)=\ln2$

다른풀이 $\lim_{x\to a}\frac{g(x)-g(a)}{x-a}=g'(x)$임을 이용하여 구하기

$g(h)=(\log_2x)^h$로 놓으면 $g(0)=1$

$g'(h)=(\log_2x)^h\ln(\log_2x)$

$$f(x)=\lim_{h\to0}\frac{(\log_2x)^h-1}{h}=\lim_{h\to0}\frac{g(h)-g(0)}{h}=g'(0)=\ln(\log_2x)$$

따라서 $f(x^2)-f(x)=\ln(\log_2x^2)-\ln(\log_2x)=\ln\left(\frac{2\log_2x}{\log_2x}\right)=\ln2$

내/신/연/계/ 출제문항 196

$x>1$에서 함수 $f(x)$를 $f(x)=\lim_{h\to0}\frac{(\log_2x)^h-1}{h}$로 정의할 때, $f(2^e)$의 값은?

① 1 ② 2 ③ 3
④ 4 ⑤ 5

STEP A $\lim_{x\to0}\frac{a^x-1}{x}=\ln a$ **임을 이용하여 극한값 구하기**

$$f(x)=\lim_{h\to0}\frac{(\log_2x)^h-1}{h}=\ln(\log_2x)$$

따라서 $f(2^e)=\ln(\log_2 2^e)=\ln e=1$

다른풀이 $\lim_{x\to a}\frac{g(x)-g(a)}{x-a}=g'(x)$임을 이용하여 구하기

$g(h)=(\log_2x)^h$로 놓으면 $g(0)=1$

$g'(h)=(\log_2x)^h\ln(\log_2x)$

$$f(x)=\lim_{h\to0}\frac{(\log_2x)^h-1}{h}=\lim_{h\to0}\frac{g(h)-g(0)}{h}=g'(0)=\ln(\log_2x)$$

따라서 $f(2^e)=\ln(\log_2 2^e)=\ln e=1$ 정답 ①

0500

 ⑤

STEP A $\lim_{x\to0}\frac{a^x-1}{x}=\ln a$ **임을 이용하여 극한값 구하기**

$$\lim_{x\to0}\frac{(a+12)^x-a^x}{x}=\lim_{x\to0}\frac{(a+12)^x-1-(a^x-1)}{x}$$
$$=\lim_{x\to0}\frac{(a+12)^x-1}{x}-\lim_{x\to0}\frac{a^x-1}{x}$$
$$=\ln(a+12)-\ln a=\ln\frac{a+12}{a}$$

즉 $\ln\frac{a+12}{a}=\ln3$이므로 $\frac{a+12}{a}=3$

따라서 $a=6$

0501

정답 ④

STEP A $\lim_{x\to0}\frac{a^x-1}{x}=\ln a$임을 이용하여 극한값 구하기

$$\lim_{x\to0}\frac{2^x+2^{2x}+2^{3x}+2^{4x}-4}{x}$$
$$=\lim_{x\to0}\left(\frac{2^x-1}{x}+\frac{2^{2x}-1}{x}+\frac{2^{3x}-1}{x}+\frac{2^{4x}-1}{x}\right)$$
$$=\lim_{x\to0}\left(\frac{2^x-1}{x}+\frac{2^{2x}-1}{2x}\cdot2+\frac{2^{3x}-1}{3x}\cdot3+\frac{2^{4x}-1}{4x}\cdot4\right)$$
$$=\ln2+2\ln2+3\ln2+4\ln2$$
$$=\ln2+\ln2^2+\ln2^3+\ln2^4$$
$$=\ln2^{10}$$

STEP B e^a의 값 구하기

따라서 $e^a=e^{\ln2^{10}}=2^{10}$

0502

정답 ②

STEP A $\lim_{x\to0}\frac{a^x-1}{x}=\ln a$임을 이용하여 극한값 구하기

$$\lim_{x\to0}\frac{8^x-4^x-2^x+1}{\ln(1+2x^2)}=\lim_{x\to0}\frac{(4^x-1)(2^x-1)}{\ln(1+2x^2)}$$
$$=\lim_{x\to0}\left\{\frac{2x^2}{\ln(1+2x^2)}\cdot\frac{4^x-1}{x}\cdot\frac{2^x-1}{x}\cdot\frac{1}{2}\right\}$$

이때 $2x^2=t$라 하면 $x\to0$일 때, $t\to0+$이므로

$$\lim_{x\to0}\frac{2x^2}{\ln(1+2x^2)}=\lim_{t\to0+}\frac{t}{\ln(1+t)}=1$$

따라서 $\lim_{x\to0}\frac{8^x-4^x-2^x+1}{\ln(1+2x^2)}=\lim_{x\to0}\left\{\frac{2x^2}{\ln(1+2x^2)}\cdot\frac{4^x-1}{x}\cdot\frac{2^x-1}{x}\cdot\frac{1}{2}\right\}$

$$=1\cdot\ln4\cdot\ln2\cdot\frac{1}{2}$$
$$=(\ln2)^2$$

0503

정답 ④

STEP A $\lim_{x\to\infty}\left(1+\frac{1}{x}\right)^x=e$임을 이용하여 극한값 구하기

조건 (가)에서

$$\lim_{x\to\infty}x\{\log_3(2+3x)-\log_3 3x\}=\lim_{x\to\infty}x\log_3\frac{2+3x}{3x}$$
$$=\lim_{x\to\infty}x\log_3\left(1+\frac{2}{3x}\right)$$

$\frac{2}{3x}=t$로 놓으면 $x\to\infty$일 때, $t\to0$이므로

$$\lim_{x\to\infty}x\log_3\left(1+\frac{2}{3x}\right)=\lim_{t\to0}\frac{2}{3t}\cdot\log_3(1+t)=\lim_{t\to0}\frac{2}{3}\cdot\frac{\log_3(1+t)}{t}$$
$$=\frac{2}{3}\cdot\frac{1}{\ln3}$$

조건 (나)에서

$$\lim_{x\to\infty}x\{\ln(x+1)-\ln(x-2)\}=\lim_{x\to\infty}x\ln\frac{x+1}{x-2}$$
$$=\lim_{x\to\infty}x\ln\left(1+\frac{3}{x-2}\right)\quad\cdots\cdots\ ㉠$$

$\frac{3}{x-2}=t$로 놓으면 $x\to\infty$일 때, $t\to0$이므로 ㉠은

$$\lim_{x\to\infty}x\ln\left(1+\frac{3}{x-2}\right)=\lim_{t\to0}\frac{2t+3}{t}\cdot\ln(1+t)$$
$$=\lim_{t\to0}(2t+3)\cdot\frac{\ln(1+t)}{t}$$
$$=3\cdot1=3$$

따라서 $a=\frac{2}{3\ln3}$, $b=3$이므로 $ab=\frac{2}{\ln3}$

다른풀이 $x=\frac{1}{t}$임을 이용하여 구하기

조건 (나)에서

$x=\frac{1}{t}$로 놓으면 $x\to\infty$일 때, $t\to0$이므로

$$\lim_{x\to\infty}x\{\ln(x+1)-\ln(x-2)\}=\lim_{t\to0}\frac{1}{t}\ln\frac{1+t}{1-2t}$$
$$=\lim_{t\to0}\left\{\frac{\ln(1+t)}{t}-\frac{\ln(1-2t)}{t}\right\}$$
$$=\lim_{t\to0}\frac{\ln(1+t)}{t}-\lim_{t\to0}\frac{\ln(1-2t)}{-2t}\cdot(-2)$$
$$=1+2=3$$

따라서 $a=\frac{2}{3\ln3}$, $b=3$이므로 $ab=\frac{2}{\ln3}$

내/신/연/계/ 출제문항 197

$\lim_{x\to\infty}x\{\ln(2x+5)-\ln(2x-1)\}$의 값은?

① 1 ② 2 ③ 3
④ 4 ⑤ 5

STEP A 로그의 성질과 $\lim_{x\to\infty}\left(1+\frac{1}{x}\right)^x=e$임을 이용하여 극한값 구하기

$$\lim_{x\to\infty}x\{\ln(2x+5)-\ln(2x-1)\}=\lim_{x\to\infty}\left(x\ln\frac{2x+5}{2x-1}\right)$$
$$=\lim_{x\to\infty}\left\{x\ln\left(1+\frac{6}{2x-1}\right)\right\}$$
$$=\lim_{x\to\infty}\ln\left(1+\frac{6}{2x-1}\right)^x$$
$$=\lim_{x\to\infty}\ln\left\{\left(1+\frac{6}{2x-1}\right)^{\frac{2x-1}{6}}\right\}^{\frac{6x}{2x-1}}$$
$$=\lim_{x\to\infty}\left\{\frac{6x}{2x-1}\times\ln\left(1+\frac{6}{2x-1}\right)^{\frac{2x-1}{6}}\right\}$$
$$=\lim_{x\to\infty}\frac{6x}{2x-1}\times\lim_{x\to\infty}\ln\left(1+\frac{6}{2x-1}\right)^{\frac{2x-1}{6}}$$
$$=3\times\ln e=3\times1=3$$

정답 ③

0504

정답 ①

STEP A 역함수 $g(x)$ 구하기

$y=\frac{\ln(x+1)}{4}$로 놓으면 $y=x$에 대칭한 식은 $x=\frac{\ln(y+1)}{4}$

$\ln(y+1)=4x$, $y+1=e^{4x}$이므로 역함수가 $g(x)=e^{4x}-1$

STEP B $\lim_{x\to0}\frac{\ln(1+bx)}{ax}=\frac{b}{a}$, $\lim_{x\to0}\frac{e^{bx}-1}{ax}=\frac{b}{a}$임을 이용하여 극한값 구하기

따라서 $\lim_{x\to0}\frac{f(x)}{g(x)}=\lim_{x\to0}\frac{\ln(x+1)}{4(e^{4x}-1)}=\lim_{x\to0}\frac{1}{4}\left\{\frac{\ln(x+1)}{x}\cdot\frac{4x}{e^{4x}-1}\cdot\frac{1}{4}\right\}=\frac{1}{16}$

0505

정답 ①

STEP A 역함수 $g(x)$ 구하기

$y=e^{2x}-1$로 놓으면 $e^{2x}=1+y$

$2x=\ln(1+y)$, $x=\frac{1}{2}\ln(1+y)\quad\therefore g(x)=\frac{1}{2}\ln(1+x)$

STEP B $\lim_{x\to0}\frac{\ln(1+bx)}{ax}=\frac{b}{a}$임을 이용하여 극한값 구하기

따라서 $\lim_{x\to0}\frac{g(x)}{x}=\frac{1}{2}\lim_{x\to0}\frac{\ln(1+x)}{x}=\frac{1}{2}\lim_{x\to0}\ln(1+x)^{\frac{1}{x}}=\frac{1}{2}\ln e=\frac{1}{2}$

내신연계 출제문항 198

함수 $f(x)=e^{3x}-1$에 대하여 함수 $f(x)$의 역함수를 $f^{-1}(x)$라 할 때, 극한값 $\lim_{x\to0}\frac{f^{-1}(x)}{x}$의 값은?

① $\frac{1}{3}$ ② 1 ③ 2
④ 3 ⑤ 6

STEP A 역함수 $f^{-1}(x)$ 구하기

$y=e^{3x}-1$에서 $e^{3x}=y+1$

$3x=\ln(y+1)$, $x=\frac{\ln(y+1)}{3}$

$\therefore f^{-1}(x)=\frac{\ln(x+1)}{3}$

STEP B $\lim_{x\to0}\frac{\ln(1+x)}{x}=1$을 이용하여 극한값 구하기

따라서 $\lim_{x\to0}\frac{f^{-1}(x)}{x}=\lim_{x\to0}\frac{\ln(x+1)}{3x}=\frac{1}{3}\lim_{x\to0}\frac{\ln(x+1)}{x}=\frac{1}{3}\cdot1=\frac{1}{3}$ 정답 ①

0506

정답 ④

STEP A 역함수 $g(x)$ 구하기

$y=3\ln x$로 놓으면

$x=e^{\frac{y}{3}}$이고 x와 y를 서로 바꾸면 $y=e^{\frac{x}{3}}$

$\therefore g(x)=e^{\frac{x}{3}}$

STEP B $\lim_{x\to0}\frac{\ln(1+bx)}{ax}=\frac{b}{a}$, $\lim_{x\to0}\frac{e^{bx}-1}{ax}=\frac{b}{a}$임을 이용하여 극한값 구하기

따라서 $\lim_{x\to0}\frac{f(1+x)}{g(x)-g(0)}=\lim_{x\to0}\frac{3\ln(1+x)}{e^{\frac{x}{3}}-1}=\lim_{x\to0}\frac{\frac{x}{3}}{e^{\frac{x}{3}}-1}\cdot\frac{\ln(1+x)}{x}\cdot9=9$

0507

정답 ①

STEP A 역함수 $g(x)$ 구하기

$y=\log_3(x+4)$로 놓으면

$x+4=3^y$이고 x와 y를 서로 바꾸면 $y=3^x-4$

$\therefore g(x)=3^x-4$

STEP B $\lim_{x\to0}\frac{a^x-1}{x}=\ln a$, $\lim_{x\to0}\frac{\log_a(1+x)}{x}=\frac{1}{\ln a}$임을 이용하여 극한값 구하기

따라서 $\lim_{x\to0}\frac{f(x-3)}{g(x)+3}=\lim_{x\to0}\frac{\log_3(x+1)}{3^x-1}=\lim_{x\to0}\frac{\log_3(x+1)}{x}\cdot\frac{1}{\frac{3^x-1}{x}}$

$=\frac{1}{\ln3}\cdot\frac{1}{\ln3}=\frac{1}{(\ln3)^2}$

내신연계 출제문항 199

함수 $f(x)=\log_2(x+3)$의 역함수를 $g(x)$라 할 때, $\lim_{x\to0}\frac{f(x-2)}{g(x)+2}$의 값은?

① $(\ln2)^2$ ② $\ln2$ ③ 1
④ $\frac{1}{\ln2}$ ⑤ $\frac{1}{(\ln2)^2}$

STEP A 역함수 $g(x)$ 구하기

$y=\log_2(x+3)$에서 $x+3=2^y$, $x=2^y-3$

x와 y를 바꾸면 $y=2^x-3$

$\therefore g(x)=2^x-3$

STEP B $\lim_{x\to0}\frac{a^x-1}{x}=\ln a$, $\lim_{x\to0}\frac{\log_a(1+x)}{x}=\frac{1}{\ln a}$임을 이용하여 극한값 구하기

따라서 $\lim_{x\to0}\frac{f(x-2)}{g(x)+2}=\lim_{x\to0}\frac{\log_2(x+1)}{2^x-1}=\lim_{x\to0}\frac{\frac{\log_2(x+1)}{x}}{\frac{2^x-1}{x}}$

$=\frac{\lim_{x\to0}\frac{\log_2(x+1)}{x}}{\lim_{x\to0}\frac{2^x-1}{x}}=\frac{\frac{1}{\ln2}}{\ln2}=\frac{1}{(\ln2)^2}$ 정답 ⑤

0508

정답 ③

STEP A 역함수 $g(x)$ 구하기

$f(x)=y=\ln\sqrt[3]{x}$의 역함수 $g(x)$를 구하여 x와 y를 바꾸면

$x=\ln y^{\frac{1}{3}}$에서 $e^x=y^{\frac{1}{3}}$이므로 $y=e^{3x}$

$\therefore g(x)=e^{3x}$

STEP B $\lim_{x\to0}\frac{e^x-1}{x}=1$임을 이용하여 극한값 구하기

$\lim_{x\to0+}\frac{f(g(x))}{g(x)-1}$에서 $g(x)$는 $f(x)$의 역함수이므로 $f(g(x))=x$

따라서 $\lim_{x\to0+}\frac{f(g(x))}{g(x)-1}=\lim_{x\to0+}\frac{x}{e^{3x}-1}=\lim_{x\to0+}\frac{\frac{x}{3x}}{\frac{e^{3x}-1}{3x}}=\frac{\frac{1}{3}}{1}=\frac{1}{3}$

다른풀이 미분계수의 정의를 이용하여 풀이하기

STEP A $f(x)$의 역함수 $g(x)$이므로 $g'(x)=\frac{1}{f'(g(x))}$을 이용하기

$f(x)=\ln\sqrt[3]{x}$에서 $f(1)=0$이고

$g(x)$는 $f(x)$의 역함수이므로 $g(0)=1$

$f(g(x))=x$이므로 양변을 x로 미분하면 $f'(g(x))g'(x)=1$

$g'(x)=\frac{1}{f'(g(x))}$이므로 $g'(0)=\frac{1}{f'(g(0))}=\frac{1}{f'(1)}$

STEP B 미분계수의 정의를 이용하여 극한값 구하기

$\lim_{x\to0+}\frac{f(g(x))}{g(x)-1}=\lim_{x\to0+}\frac{x}{g(x)-g(0)}=\lim_{x\to0+}\frac{1}{\frac{g(x)-g(0)}{x-0}}$

$=\frac{1}{g'(0)}=f'(1)$

$f(x)=\ln\sqrt[3]{x}=\frac{1}{3}\ln x$에서 $f'(x)=\frac{1}{3}\cdot\frac{1}{x}=\frac{1}{3x}$

따라서 $\lim_{x\to0+}\frac{f(g(x))}{g(x)-1}=f'(1)=\frac{1}{3}$

0509

정답 ②

STEP A 치환을 이용하여 극한값 구하기

$x-1=t$로 놓으면 $x\to1$일 때, $t\to0$이고 $x=1+t$

$\lim_{x\to1}\frac{\ln x}{x^2-1}=\lim_{x\to1}\frac{\ln x}{(x+1)(x-1)}=\lim_{t\to0}\frac{\ln(1+t)}{t(t+2)}$

$=\lim_{t\to0}\ln(1+t)^{\frac{1}{t}}\cdot\frac{1}{t+2}=\ln e\cdot\frac{1}{2}=\frac{1}{2}$

0510

정답 ①

STEP Ⓐ 치환을 이용하여 극한값 구하기

$x-1=t$로 놓으면 $x=1+t$이고 $x\to1$일 때, $t\to0$

따라서 $\lim\limits_{x\to1}\dfrac{e^{x-1}-x^2}{x-1}=\lim\limits_{t\to0}\dfrac{e^t-(1+t)^2}{t}$

$=\lim\limits_{t\to0}\dfrac{e^t-1}{t}-\lim\limits_{t\to0}\dfrac{t^2+2t}{t}$

$=1-2=-1$

0511

정답 ②

STEP Ⓐ 치환을 하여 $\lim\limits_{x\to0}\dfrac{e^x-1}{x}=1$임을 이용하여 극한값 구하기

조건 (가)에서

$x-1=t$로 놓으면 $x\to1$일 때, $t\to0$이므로

$\lim\limits_{x\to1}\dfrac{e^{x-1}-1}{x-1}=\lim\limits_{t\to0}\dfrac{e^t-1}{t}=1$

STEP Ⓑ 치환을 하여 $\lim\limits_{x\to0}\dfrac{\ln(1+x)}{x}=1$임을 이용하여 극한값 구하기

조건 (나)에서

$x+1=t$로 놓으면 $x\to-1$일 때, $t\to0$이므로

$\lim\limits_{x\to-1}\dfrac{\ln(x+2)}{x+1}=\lim\limits_{t\to0}\dfrac{\ln(1+t)}{t}=1$

따라서 $a=1$, $b=1$이므로 $a+b=2$

내신연계 출제문항 200

다음 조건을 만족하는 극한값 a, b에 대하여 ab의 값은?

(가) $\lim\limits_{x\to1}\dfrac{\ln(2x-1)}{x^2-1}=a$

(나) $\lim\limits_{x\to1}\dfrac{x^2-e^{x-1}}{x-1}=b$

① 1　② 2　③ 3
④ 4　⑤ 5

STEP Ⓐ 치환을 하여 $\lim\limits_{x\to0}\dfrac{\ln(1+ax)}{bx}=\dfrac{a}{b}$임을 이용하여 극한값 구하기

조건 (가)에서

$x-1=t$로 놓으면 $x\to1$일 때, $t\to0$이고 $x=1+t$

$\lim\limits_{x\to1}\dfrac{\ln(2x-1)}{x^2-1}=\lim\limits_{x\to1}\dfrac{\ln(2x-1)}{(x+1)(x-1)}=\lim\limits_{t\to0}\dfrac{\ln(1+2t)}{t(t+2)}$

$=\lim\limits_{t\to0}\dfrac{\ln(1+2t)}{t}\cdot\dfrac{1}{t+2}=\dfrac{2}{2}=1$

STEP Ⓑ 치환을 하여 $\lim\limits_{x\to0}\dfrac{e^x-1}{x}=1$임을 이용하여 극한값 구하기

조건 (나)에서

$x-1=t$로 놓으면 $x\to1$일 때, $t\to0$

$\lim\limits_{x\to1}\dfrac{x^2-e^{x-1}}{x-1}=\lim\limits_{t\to0}\dfrac{(1+t)^2-e^t}{t}=\lim\limits_{t\to0}\dfrac{t^2+2t+1-e^t}{t}$

$=\lim\limits_{t\to0}(t+2)-\lim\limits_{t\to0}\dfrac{e^t-1}{t}=2-1=1$

따라서 $a=1$, $b=1$이므로 $ab=1$

정답 ①

0512

정답 ③

STEP Ⓐ 치환을 하여 $\lim\limits_{x\to0}\dfrac{e^x-1}{x}=1$임을 이용하여 극한값 구하기

$x-1=t$로 놓으면 $x=1+t$이고 $x\to1$일 때, $t\to0$

따라서 $\lim\limits_{x\to1}\dfrac{xe^x-e}{x-1}=\lim\limits_{t\to0}\dfrac{(1+t)e^{1+t}-e}{t}=\lim\limits_{t\to0}\dfrac{e(e^t+te^t-1)}{t}$

$=e\lim\limits_{t\to0}\left\{\dfrac{e^t-1}{t}+e^t\right\}=\lim\limits_{t\to0}e\cdot\dfrac{e^t-1}{t}+\lim\limits_{t\to0}e\cdot e^t$

$=e\cdot1+e\cdot1=2e$

다른풀이 미분계수의 극한값 구하기

STEP Ⓐ 미분계수의 정의를 이용하여 구하기

$f(x)=xe^x$이라고 하면 $f(1)=e$이므로

$\lim\limits_{x\to1}\dfrac{xe^x-e}{x-1}=\lim\limits_{x\to1}\dfrac{f(x)-f(1)}{x-1}=f'(1)$

STEP Ⓑ 지수함수의 곱의 미분법을 이용하여 구하기

곱의 미분법에 의하여

$f'(x)=e^x+xe^x=(1+x)e^x$이므로 $f'(1)=2e$

따라서 $\lim\limits_{x\to1}\dfrac{xe^x-e}{x-1}=2e$

0513

정답 ③

STEP Ⓐ 치환을 하여 $\lim\limits_{x\to0}\dfrac{\ln(1+x)}{x}=1$임을 이용하여 극한값 구하기

$x-1=t$로 놓으면

$x=1+t$이고 $x\to1$일 때, $t\to0$

따라서 $\lim\limits_{x\to1}\dfrac{x\ln x}{x-1}=\lim\limits_{t\to0}\dfrac{(1+t)\ln(1+t)}{t}=\lim\limits_{t\to0}(1+t)\cdot\dfrac{\ln(1+t)}{t}=1$

다른풀이 미분계수의 극한값 구하기

STEP Ⓐ 미분계수의 정의를 이용하여 구하기

$f(x)=x\ln x$라고 하면 $f(1)=0$이므로

$\lim\limits_{x\to1}\dfrac{x\ln x}{x-1}=\lim\limits_{x\to1}\dfrac{f(x)-f(1)}{x-1}=f'(1)$

STEP Ⓑ 로그함수의 곱의 미분법을 이용하여 구하기

곱의 미분법에 의하여 $f'(x)=\ln x+1$이므로 $f'(1)=1$

따라서 $\lim\limits_{x\to1}\dfrac{x\ln x}{x-1}=1$

0514

정답 ①

STEP Ⓐ **치환을 하여 $\lim_{x\to0}(1+x)^{\frac{1}{x}}=e$임을 이용하여 극한값 구하기**

$x+a=t$로 놓으면 $x\to\infty$일 때, $t\to\infty$

$$\lim_{x\to\infty}\left(\frac{x-a}{x+a}\right)^x=\lim_{t\to\infty}\left(\frac{t-2a}{t}\right)^{t-a}=\lim_{t\to\infty}\left\{\left(1-\frac{2a}{t}\right)^{-\frac{t}{2a}}\right\}^{-\frac{2a(t-a)}{t}}=e^{-2a}$$

따라서 $e^{-2a}=e$이므로 $-2a=1$ $\therefore a=-\frac{1}{2}$

다른풀이 $\frac{x-a}{x+a}=1-\frac{2a}{x+a}$로 변형하여 극한값 구하기

$\frac{x-a}{x+a}=1-\frac{2a}{x+a}$에서 $-\frac{2a}{x+a}=t$로 놓으면

$x=-\frac{2a+at}{t}$이고 $x\to\infty$일 때, $t\to0$

$$\lim_{x\to\infty}\left(\frac{x-a}{x+a}\right)^x=\lim_{t\to0}(1+t)^{-\frac{2a+at}{t}}=\lim_{t\to0}(1+t)^{-\frac{2a}{t}}(1+t)^{-a}$$

$$=\lim_{t\to0}\left\{(1+t)^{\frac{1}{t}}\right\}^{-2a}(1+t)^{-a}=e^{-2a}\times1$$

$$=e^{-2a}=e$$

따라서 $-2a=1$이므로 $a=-\frac{1}{2}$

내신연계 출제문항 201

$\lim_{x\to\infty}\left(\frac{x+1}{x-1}\right)^x$의 값은?

① $\frac{1}{e}$ ② e ③ e^2
④ e^3 ⑤ e^5

STEP Ⓐ **치환을 하여 $\lim_{x\to\infty}\left(1+\frac{1}{x}\right)^x=e$임을 이용하여 극한값 구하기**

$x-1=t$로 놓으면 $x\to\infty$일 때, $t\to\infty$

따라서 $\lim_{x\to\infty}\left(\frac{x+1}{x-1}\right)^x=\lim_{t\to\infty}\left(\frac{t+2}{t}\right)^{t+1}=\lim_{t\to\infty}\left\{\left(1+\frac{2}{t}\right)^{\frac{t}{2}}\right\}^{\frac{2(t+1)}{t}}=e^2$

다른풀이 $\frac{x+1}{x-1}=1+\frac{2}{x-1}$로 변형하여 극한값 구하기

$\frac{x+1}{x-1}=1+\frac{2}{x-1}$에서 $\frac{2}{x-1}=t$로 놓으면

$x=\frac{2}{t}+1$이고 $x\to\infty$일 때, $t\to0$

따라서 $\lim_{x\to\infty}\left(\frac{x+1}{x-1}\right)^x=\lim_{t\to0}(1+t)^{\frac{2}{t}+1}=\lim_{t\to0}\left\{(1+t)^{\frac{1}{t}}\right\}^2\cdot(1+t)=e^2\cdot1=e^2$

 ③

0515

정답 ③

STEP Ⓐ **치환을 하여 $\lim_{x\to\infty}\left(1+\frac{1}{x}\right)^x=e$임을 이용하여 극한값 구하기**

ㄱ. $\lim_{x\to0}(1-x)^{-\frac{1}{x}}$에서 $-x=t$로 놓으면 $x\to0$일 때, $t\to0$이므로

$\lim_{x\to0}(1-x)^{-\frac{1}{x}}=\lim_{t\to0}(1+t)^{\frac{1}{t}}=e$

ㄴ. $\lim_{x\to\infty}\left(\frac{x}{x-1}\right)^x$에서 $x-1=t$로 놓으면 $x\to\infty$일 때, $t\to\infty$이므로

$\lim_{x\to\infty}\left(\frac{x}{x-1}\right)^x=\lim_{t\to\infty}\left(\frac{1+t}{t}\right)^{1+t}=\lim_{t\to\infty}\left\{\left(1+\frac{1}{t}\right)^t\right\}^{\frac{1+t}{t}}=e^1=e$

다른풀이 $\frac{x}{x-1}=1+\frac{1}{x-1}$로 변형하여 극한값 구하기

$\frac{x}{x-1}=1+\frac{1}{x-1}$에서 $\frac{1}{x-1}=t$로 놓으면

$x=\frac{1}{t}+1$이고 $x\to\infty$일 때, $t\to0$이므로

$\lim_{x\to\infty}\left(\frac{x}{x-1}\right)^x=\lim_{t\to0}(1+t)^{\frac{1}{t}+1}=\lim_{t\to0}(1+t)^{\frac{1}{t}}\cdot(1+t)=e\cdot1=e$

ㄷ. $\lim_{x\to2}\left(\frac{x}{2}\right)^{\frac{1}{x-2}}$에서 $x-2=t$로 놓으면 $x\to2$일 때, $t\to0$

$\lim_{x\to2}\left(\frac{x}{2}\right)^{\frac{1}{x-2}}=\lim_{t\to0}\left(\frac{2+t}{2}\right)^{\frac{1}{t}}=\lim_{t\to0}\left\{\left(1+\frac{t}{2}\right)^{\frac{2}{t}}\right\}^{\frac{1}{2}}=e^{\frac{1}{2}}=\sqrt{e}$

따라서 e인 것은 ㄱ, ㄴ이다.

내신연계 출제문항 202

다음 [보기]에서 옳은 것을 모두 고르면?

ㄱ. $\lim_{x\to\infty}(4^x-3^x)^{\frac{1}{x}}=4$

ㄴ. $\lim_{x\to\infty}\left(\frac{x+1}{x-1}\right)^x=e^2$

ㄷ. $f(x)=\log_3(x+2)$에 대하여 함수 $f(x)$의 역함수를 $g(x)$라 할 때,
$\lim_{x\to0}\frac{f(x-1)}{g(x)+1}=(\ln3)^2$

① ㄱ ② ㄴ ③ ㄱ, ㄴ
④ ㄴ, ㄷ ⑤ ㄱ, ㄴ, ㄷ

STEP Ⓐ **치환을 하여 $\lim_{x\to0}(1+x)^{\frac{1}{x}}=e$임을 이용하여 극한값 구하기**

ㄱ. $\lim_{x\to\infty}(4^x-3^x)^{\frac{1}{x}}=\lim_{x\to\infty}\left[4^x\left\{1-\left(\frac{3}{4}\right)\right\}^x\right]^{\frac{1}{x}}=4^1\cdot(1-0)^0=4$ [참]

ㄴ. $x-1=t$로 놓으면 $x\to\infty$일 때, $t\to\infty$이므로

$\lim_{x\to\infty}\left(\frac{x+1}{x-1}\right)^x=\lim_{t\to\infty}\left(\frac{t+2}{t}\right)^{t+1}=\lim_{t\to\infty}\left\{\left(1+\frac{2}{t}\right)^{\frac{t}{2}}\right\}^{\frac{2(t+1)}{t}}=e^2$ [참]

ㄷ. $y=\log_3(x+2)$로 놓으면 $3^y=x+2$

x와 y를 서로 바꾸면 $y=3^x-2$

$\therefore g(x)=3^x-2$

$$\lim_{x\to0}\frac{f(x-1)}{g(x)+1}=\lim_{x\to0}\frac{\log_3(x+1)}{3^x-1}=\lim_{x\to0}\frac{\frac{\log_3(x+1)}{x}}{\frac{3^x-1}{x}}=\frac{\frac{1}{\ln3}}{\ln3}=\frac{1}{(\ln3)^2}$$

[거짓]

따라서 옳은 것은 ㄱ, ㄴ이다.

정답 ③

0516

정답 ⑤

STEP Ⓐ **치환을 이용하여 극한값 구하기**

조건 (가)에서

$x-1=t$로 놓으면 $x\to1$일 때, $t\to0$이므로

$\lim_{x\to1}x^{\frac{1}{1-x}}=\lim_{t\to0}(1+t)^{-\frac{1}{t}}=\lim_{t\to0}\left\{(1+t)^{\frac{1}{t}}\right\}^{-1}=e^{-1}$

STEP Ⓑ **$\lim_{x\to0}\frac{\ln(1+x)}{x}=1$임을 이용하여 극한값 구하기**

$$\lim_{x\to0}\frac{\ln(e+x)-\ln e}{x}=\lim_{x\to0}\frac{\ln\left(\frac{e+x}{e}\right)}{x}=\lim_{x\to0}\frac{\ln\left(1+\frac{1}{e}x\right)}{x}$$

$$\lim_{x\to0}\frac{\ln\left(1+\frac{1}{e}x\right)}{x}=\lim_{x\to0}\frac{\ln\left(1+\frac{1}{e}x\right)}{\frac{1}{e}x}\cdot\frac{1}{e}=\frac{1}{e}$$

따라서 $ab=e^{-1}\cdot\frac{1}{e}=\frac{1}{e^2}$

내신연계 출제문항 203

다음 조건을 만족하는 극한값 a, b, c에 대하여 $\frac{c}{ab}$의 값은?

> (가) $\lim_{x\to1} x^{\frac{1}{x-1}}=a$
>
> (나) $\lim_{x\to1} \frac{\ln x}{x-1}=b$
>
> (다) $\lim_{x\to\infty} \left(\frac{x+1}{x-1}\right)^x=c$

① $\frac{1}{e^2}$　② $\frac{1}{e}$　③ 1
④ e　⑤ e^2

STEP Ⓐ **치환을 이용하여 극한값 구하기**

조건 (가)에서 $x-1=t$로 놓으면 $x\to1$일 때, $t\to0$이므로

$\lim_{x\to1} x^{\frac{1}{x-1}}=\lim_{t\to0}(1+t)^{\frac{1}{t}}=e$

조건 (나)에서 $x-1=t$로 놓으면 $x\to1$일 때, $t\to0$이므로

$\lim_{x\to1}\frac{\ln x}{x-1}=\lim_{t\to0}\frac{\ln(1+t)}{t}=1$

조건 (다)에서 $x-1=t$로 놓으면 $x\to\infty$일 때, $t\to\infty$이므로

$\lim_{x\to\infty}\left(\frac{x+1}{x-1}\right)^x=\lim_{t\to\infty}\left(\frac{t+2}{t}\right)^{t+1}=\lim_{t\to\infty}\left\{\left(1+\frac{2}{t}\right)^{\frac{t}{2}}\right\}^{\frac{2(t+1)}{t}}=e^2$

따라서 $a=e$, $b=1$, $c=e^2$이므로 $\frac{c}{ab}=e$

 ④

0517

 ③

STEP Ⓐ **주어진 식을 변형하기**

$\lim_{x\to1}\frac{x^n-e^{x-1}}{x^2+x-2}=\lim_{x\to1}\frac{(x^n-1)-(e^{x-1}-1)}{(x-1)(x+2)}$

STEP Ⓑ **인수분해와 밑이 e인 지수함수의 극한을 이용하여 식을 간단히 하기**

$\lim_{x\to1}\left\{\frac{x^n-1}{(x-1)(x+2)}-\frac{e^{x-1}-1}{(x-1)(x+2)}\right\}$

$=\lim_{x\to1}\left(\frac{x^{n-1}+x^{n-2}+\cdots+1}{x+2}-\frac{e^{x-1}-1}{x-1}\times\frac{1}{x+2}\right)$

$=\frac{n}{3}-1\times\frac{1}{3}=\frac{n-1}{3}$　⇐ $x^n-1=(x-1)(x^{n-1}+x^{n-2}+\cdots+1)$

STEP Ⓒ **자연수 n의 값 구하기**

이때 $\lim_{x\to1}\frac{x^n-e^{x-1}}{x^2+x-2}=5$에서 $\frac{n-1}{3}=5$

따라서 구하는 자연수 n의 값은 16

0518

 ③

STEP Ⓐ **함수의 극한의 성질을 이용하여 a의 값 구하기**

$\lim_{x\to0}\frac{\ln(a+2x)}{x}=b$에서

$x\to0$일 때, (분모)$\to0$이고 극한값이 존재하므로 (분자)$\to0$이어야 한다.

즉 $\lim_{x\to0}\ln(a+2x)=0$이므로 $\ln a=0$

$\therefore a=1$

STEP Ⓑ $\lim_{x\to0}\frac{\ln(1+x)}{x}=1$**을 이용하여 b의 값 구하기**

$\lim_{x\to0}\frac{\ln(1+2x)}{x}=\lim_{x\to0}\frac{\ln(1+2x)}{2x}\cdot2=1\cdot2=2$

$\therefore b=2$

따라서 $a+b=1+2=3$

0519

 ④

STEP Ⓐ **함수의 극한의 성질을 이용하여 a의 값 구하기**

$\lim_{x\to0}\frac{e^{ax}-1}{x-b}=4$에서

$x\to0$일 때, (분자)$\to0$이고 0 아닌 극한값이 존재하므로 (분모)$\to0$이어야 한다.

즉 $\lim_{x\to0}(x-b)=0$이므로 $b=0$

STEP Ⓑ $\lim_{x\to0}\frac{e^x-1}{x}=1$**을 이용하여 b의 값 구하기**

즉 $\lim_{x\to0}\frac{e^{ax}-1}{x}=\lim_{x\to0}\frac{e^{ax}-1}{ax}\cdot a=1\cdot a$이므로 $a=4$

따라서 $a+b=4$

0520

 ②

STEP Ⓐ **함수의 극한의 성질을 이용하여 a의 값 구하기**

$\lim_{x\to0}\frac{\ln(x+1)}{e^{ax}+b}=\frac{1}{\ln3}$에서

$x\to0$일 때, (분자)$\to0$이고 0아닌 극한값이 존재하므로 (분모)$\to0$이어야 한다.

즉 $\lim_{x\to0}(e^{ax}+b)=0$이므로 $b=-1$

STEP Ⓑ $\lim_{x\to0}\frac{\ln(1+x)}{x}=1$, $\lim_{x\to0}\frac{e^x-1}{x}=1$**을 이용하여 b의 값 구하기**

$\lim_{x\to0}\frac{\ln(x+1)}{e^{ax}-1}=\lim_{x\to0}\frac{\frac{\ln(x+1)}{x}}{\frac{e^{ax}-1}{x}}=\frac{1}{a}=\frac{1}{\ln3}$

$\therefore a=\ln3$

따라서 $a=\ln3$, $b=-1$이므로 $ab=-\ln3$

내신연계 출제문항 204

$\lim_{x\to0}\frac{\ln(1+bx)}{e^{-x}+2a}=4$를 만족하는 상수 a, b에 대해서 ab의 값은?

① 1　② 2　③ 3
④ 4　⑤ 5

STEP Ⓐ **함수의 극한의 성질을 이용하여 a의 값 구하기**

$\lim_{x\to0}\frac{\ln(1+bx)}{e^{-x}+2a}=4$에서

$x\to0$일 때, (분자)$\to0$이고 0아닌 극한값이 존재하므로 (분모)$\to0$이어야 한다.

즉 $\lim_{x\to0}(e^{-x}+2a)=0$이므로 $a=-\frac{1}{2}$

STEP Ⓑ $\lim_{x\to0}\frac{\ln(1+x)}{x}=1$, $\lim_{x\to0}\frac{e^x-1}{x}=1$**을 이용하여 b의 값 구하기**

$\lim_{x\to0}\frac{\ln(1+bx)}{e^{-x}-1}=\lim_{x\to0}\frac{\ln(1+bx)}{bx}\cdot\frac{-x}{e^{-x}-1}\cdot(-b)=-b$

$-b=4$　$\therefore b=-4$

따라서 $ab=-\frac{1}{2}\cdot(-4)=2$

정답 ②

0521

 ③

STEP Ⓐ **함수의 극한의 성질을 이용하여 b의 값 구하기**

$\lim_{x\to0}\frac{e^{3x}-1}{\ln(1+ax)+b}=1$에서

$x\to0$일 때, (분자)$\to0$이고 0아닌 극한값이 존재하므로 (분모)$\to0$이어야 한다.

즉 $\lim_{x\to0}\{\ln(1+ax)+b\}=0$이므로 $b=0$

STEP B $\lim_{x\to0}\frac{\ln(1+x)}{x}=1$, $\lim_{x\to0}\frac{e^x-1}{x}=1$을 이용하여 a의 값 구하기

$b=0$을 주어진 식에 대입하고 분자, 분모를 각각 x로 나누면

$$\lim_{x\to0}\frac{\frac{e^{3x}-1}{x}}{\frac{\ln(1+ax)}{x}}=\lim_{x\to0}\frac{\frac{e^{3x}-1}{3x}\cdot3}{\frac{\ln(1+ax)}{ax}\cdot a}=\frac{3}{a}=1$$

$\therefore a=3$

따라서 $a+b=3$

내신연계 출제문항 205

다음 조건을 만족하는 상수 a, b의 값을 바르게 대응한 것은?

ㄱ. $\lim_{x\to0}\frac{a^x-b}{x}=2 \Longleftrightarrow a=e^2,\ b=1$

ㄴ. $\lim_{x\to0}\frac{\ln(a+4x)}{e^{2x}-1}=b \Longleftrightarrow a=1,\ b=2$

ㄷ. $\lim_{x\to0}\frac{(\ln16)^x-(\ln2)^x}{x+a}=b\,(b\neq0) \Longleftrightarrow a=0,\ b=\ln4$

ㄹ. $\lim_{x\to\infty}\{\log_2(2+ax^2)-b\log_2x\}=3 \Longleftrightarrow a=8,\ b=2$

① ㄱ ② ㄷ ③ ㄱ, ㄴ
④ ㄴ, ㄷ, ㄹ ⑤ ㄱ, ㄴ, ㄷ, ㄹ

STEP A 함수의 극한의 성질과 지수로그 함수의 극한을 이용하여 [보기]의 참, 거짓 판단하기

ㄱ. $x\to0$일 때, (분모)$\to0$이고 극한값이 존재하므로 (분자)$\to0$이어야 한다.
즉 $\lim_{x\to0}(a^x-b)=0$에서 $b=1$

$$\lim_{x\to0}\frac{a^x-1}{x}=\ln a=2$$

$\therefore a=e^2,\ b=1$ [참]

ㄴ. $x\to0$일 때, (분모)$\to0$이고 극한값이 존재하므로 (분자)$\to0$이어야 한다.
즉 $\lim_{x\to0}\ln(a+4x)=0$에서 $a=1$

$$\lim_{x\to0}\frac{\ln(1+4x)}{e^{2x}-1}=\lim_{x\to0}\frac{\frac{\ln(1+4x)}{4x}\cdot4}{\frac{e^{2x}-1}{2x}\cdot2}=\frac{4}{2}=2$$

$\therefore a=1,\ b=2$ [참]

ㄷ. $x\to0$일 때, (분자)$\to0$이고 0이 아닌 극한값이 존재하므로 (분모)$\to0$이어야 한다.
즉 $\lim_{x\to0}(x+a)=0$에서 $a=0$

$$\lim_{x\to0}\frac{(\ln16)^x-(\ln2)^x}{x}=\lim_{x\to0}\frac{(4^x-1)(\ln2)^x}{x}=\lim_{x\to0}\frac{4^x-1}{x}\cdot(\ln2)^x=\ln4$$

$\therefore a=0,\ b=\ln4$ [참]

ㄹ. $\lim_{x\to\infty}\{\log_2(2+ax^2)-b\log_2x\}=\lim_{x\to\infty}\log_2\frac{2+ax^2}{x^b}=3$

이때 극한값이 3이므로 $\lim_{x\to\infty}\frac{2+ax^2}{x^b}=8$에서 $b=2$이고 $a=8$이어야 한다. [참]

따라서 옳은 것은 ㄱ, ㄴ, ㄷ, ㄹ이다. 정답 ⑤

0522

정답 ②

STEP A 함수의 극한의 성질을 이용하여 b의 값 구하기

$\lim_{x\to0}\frac{\ln(1+x)}{\sqrt{ax+b}-1}=2$에서

$x\to0$일 때, (분자)$\to0$이고 0아닌 극한값이 존재하므로 (분모)$\to0$이어야 한다.
즉 $\lim_{x\to0}(\sqrt{ax+b}-1)=0$이므로 $\sqrt{b}-1=0$

$\therefore b=1$

STEP B $\lim_{x\to0}\frac{\ln(1+x)}{x}=1$을 이용하여 a의 값 구하기

$b=1$을 주어진 식에 대입하고 분자, 분모를 각각 x로 나누면

$$\lim_{x\to0}\frac{\frac{\ln(1+x)}{x}}{\frac{\sqrt{ax+1}-1}{x}}=\lim_{x\to0}\frac{\frac{\ln(1+x)}{x}}{\frac{a}{\sqrt{ax+1}+1}}=\frac{2}{a}=2$$

$\therefore a=1$

STEP C $a+b$의 값 구하기

따라서 $a+b=1+1=2$

0523

정답 ⑤ 

STEP A 함수의 극한의 성질을 이용하여 b의 값 구하기

$\lim_{x\to0}\frac{\sqrt{ax+b}-1}{e^x-1}=3$에서

$x\to0$일 때, (분모)$\to0$이고 극한값이 존재하므로 (분자)$\to0$이어야 한다.
즉 $\lim_{x\to0}(\sqrt{ax+b}-1)=0$이므로 $\sqrt{b}-1=0$

$\therefore b=1$

STEP B $\lim_{x\to0}\frac{e^x-1}{x}=1$을 이용하여 a의 값 구하기

$b=1$을 주어진 식에 대입하고 분자, 분모를 각각 x로 나누면

$$\lim_{x\to0}\frac{\frac{\sqrt{ax+1}-1}{x}}{\frac{e^x-1}{x}}=\lim_{x\to0}\frac{\frac{a}{\sqrt{ax+1}+1}}{\frac{e^x-1}{x}}=\frac{a}{2}=3$$

$\therefore a=6$

STEP C $a+b$의 값 구하기

따라서 $a+b=6+1=7$

내신연계 출제문항 206

$\lim_{x\to0}\frac{\sqrt{ax+b}-3}{e^x-1}=1$을 만족시키는 상수 a, b에 대하여 ab의 값은?

① 12 ② 24 ③ 36
④ 48 ⑤ 54

STEP A 함수의 극한의 성질을 이용하여 b의 값 구하기

$\lim_{x\to0}\frac{\sqrt{ax+b}-3}{e^x-1}=1$에서

$x\to0$일 때, (분모)$\to0$이고 극한값이 존재하므로 (분자)$\to0$이어야 한다.
즉 $\lim_{x\to0}(\sqrt{ax+b}-3)=0$이므로 $b=9$

STEP B $\lim_{x\to0}\frac{e^x-1}{x}=1$을 이용하여 a의 값 구하기

$b=9$를 주어진 식에 대입하면

$$\lim_{x\to0}\frac{\sqrt{ax+9}-3}{e^x-1}=\lim_{x\to0}\frac{(\sqrt{ax+9}-3)(\sqrt{ax+9}+3)}{(e^x-1)(\sqrt{ax+9}+3)}$$
$$=\lim_{x\to0}\frac{ax}{(e^x-1)(\sqrt{ax+9}+3)}$$
$$=\lim_{x\to0}\left\{\frac{1}{\frac{e^x-1}{x}}\times\frac{a}{\sqrt{ax+9}+3}\right\}$$
$$=\frac{a}{6}$$

이때 $\frac{a}{6}=1$이므로 $a=6$

STEP C ab의 값 구하기

따라서 $ab=6\times9=54$ 정답 ⑤

0524

정답 ②

STEP Ⓐ **함수의 극한의 성질을 이용하여 b의 값 구하기**

$\lim_{x\to0}\frac{(e^x-1)\ln(1+x)}{ax^2+b}=2$에서

$x\to0$일 때, (분자)$\to0$이고 0아닌 극한값이 존재하므로 (분모)$\to0$이어야 한다.

즉 $\lim_{x\to0}(ax^2+b)=0$이므로 $b=0$

STEP Ⓑ **$\lim_{x\to0}\frac{\ln(1+x)}{x}=1$, $\lim_{x\to0}\frac{e^x-1}{x}=1$을 이용하여 a의 값 구하기**

$b=0$을 주어진 식에 대입하면

$$\lim_{x\to0}\frac{(e^x-1)\ln(1+x)}{ax^2}=\frac{1}{a}\lim_{x\to0}\left\{\frac{e^x-1}{x}\cdot\frac{\ln(1+x)}{x}\right\}=\frac{1}{a}\cdot1\cdot1=2$$

$\therefore a=\frac{1}{2}$

따라서 $2a+b=2\cdot\frac{1}{2}+0=1$

내/신/연/계/ 출제문항 207

$\lim_{x\to0}\frac{(ae^x-a)\ln(1+x)}{x^2+b}=\frac{1}{2}$을 만족시키는 상수 a, b에 대하여 $2a+b$의 값은?

① 1 ② $\frac{3}{2}$ ③ 2
④ $\frac{5}{2}$ ⑤ 4

STEP Ⓐ **함수의 극한의 성질을 이용하여 b의 값 구하기**

$\lim_{x\to0}\frac{(ae^x-a)\ln(1+x)}{x^2+b}=\frac{1}{2}$에서

$x\to0$일 때, (분자)$\to0$이고 0아닌 극한값이 존재하므로 (분모)$\to0$이어야 한다.

즉 $\lim_{x\to0}(x^2+b)=0$이므로 $b=0$

STEP Ⓑ **$\lim_{x\to0}\frac{\ln(1+x)}{x}=1$, $\lim_{x\to0}\frac{e^x-1}{x}=1$을 이용하여 a의 값 구하기**

$b=0$을 주어진 식의 좌변에 대입하면

$$\lim_{x\to0}\frac{(ae^x-a)\ln(1+x)}{x^2}=\lim_{x\to0}\left\{a\cdot\frac{e^x-1}{x}\cdot\frac{\ln(1+x)}{x}\right\}=a\cdot1\cdot1=a$$

$\therefore a=\frac{1}{2}$

따라서 $2a+b=2\cdot\frac{1}{2}+0=1$

정답 ①

0525

정답 ⑤

STEP Ⓐ **함수의 극한의 성질을 이용하여 b의 값 구하기**

$\lim_{x\to0}\frac{ax^2+b-1}{(e^{3x}-1)\ln(1+2x)}=3$에서

$x\to0$일 때, (분모)$\to0$이고 극한값이 존재하므로 (분자)$\to0$이어야 한다.

즉 $\lim_{x\to0}(ax^2+b-1)=0$이므로 $b-1=0$ $\quad\therefore b=1$

STEP Ⓑ **$\lim_{x\to0}\frac{\ln(1+x)}{x}=1$, $\lim_{x\to0}\frac{e^x-1}{x}=1$을 이용하여 a의 값 구하기**

$b=1$을 주어진 식에 대입하면

$$\lim_{x\to0}\frac{ax^2}{(e^{3x}-1)\ln(1+2x)}=a\lim_{x\to0}\left\{\frac{1}{\frac{e^{3x}-1}{3x}\cdot3}\cdot\frac{1}{\frac{\ln(1+2x)}{2x}\cdot2}\right\}$$
$$=a\left(\frac{1}{3}\cdot\frac{1}{2}\right)=\frac{a}{6}$$

이때 $\frac{a}{6}=3$이므로 $a=18$

따라서 $a+b=18+1=19$

0526

정답 ④

STEP Ⓐ **함수의 극한의 성질과 $\lim_{x\to0}\frac{\ln(1+x)}{x}=1$을 이용하여 a, b의 값 구하기**

조건 (가)의 $\lim_{x\to0}\frac{\ln(a+3x)}{x^2+x}=b$에서

$x\to0$일 때, (분모)$\to0$이고 극한값이 존재하므로 (분자)$\to0$이어야 한다.

즉 $\lim_{x\to0}\ln(a+3x)=0$이므로 $a=1$

$$\lim_{x\to0}\frac{\ln(1+3x)}{x^2+x}=\lim_{x\to0}\frac{\ln(1+3x)}{3x}\cdot\frac{3}{x+1}=1\cdot3=3\quad\therefore b=3$$

STEP Ⓑ **함수의 극한의 성질과 $\lim_{x\to0}\frac{e^x-1}{x}=1$을 이용하여 c, d의 값 구하기**

조건 (나)의 $\lim_{x\to0}\frac{cx+d}{e^{3x}-1}=5$에서

$x\to0$일 때, (분모)$\to0$이고 극한값이 존재하므로 (분자)$\to0$이어야 한다.

즉 $\lim_{x\to0}(cx+d)=0$이므로 $d=0$

$$\lim_{x\to0}\frac{cx+d}{e^{3x}-1}=\lim_{x\to0}\frac{cx}{e^{3x}-1}=\frac{c}{3}=5\quad\therefore c=15$$

STEP Ⓒ **$a+b+c+d$의 값 구하기**

따라서 $a+b+c+d=1+3+15+0=19$

내/신/연/계/ 출제문항 208

$\lim_{x\to0}\frac{\ln(a+7x)}{x^2+x}=b$를 만족시키는 두 상수 a, b에 대하여 $a+b$의 값은?

① 5 ② 6 ③ 7
④ 8 ⑤ 9

STEP Ⓐ **함수의 극한의 성질을 이용하여 a의 값 구하기**

$\lim_{x\to0}\frac{\ln(a+7x)}{x^2+x}=b$에서

$x\to0$일 때, (분모)$\to0$이고 극한값이 존재하므로 (분자)$\to0$이어야 한다.

즉 $\lim_{x\to0}\ln(a+7x)=0$이므로 $\ln a=0$ $\quad\therefore a=1$

STEP Ⓑ **$\lim_{x\to0}\frac{\ln(1+x)}{x}=1$을 이용하여 b의 값 구하기**

$$\lim_{x\to0}\frac{\ln(1+7x)}{x^2+x}=\lim_{x\to0}\frac{\ln(1+7x)}{7x}\cdot\frac{7}{x+1}=1\cdot7=7\quad\therefore b=7$$

STEP Ⓒ **$a+b$의 값 구하기**

따라서 $a+b=1+7=8$

정답 ④

0527

정답 ⑤

STEP Ⓐ **$\lim_{x\to0}\frac{e^x-1}{x}=1$을 이용하여 a의 값 구하기**

조건 (가)에서 분자, 분모에 각각 x를 곱하면

$$\lim_{x\to0}\frac{e^{4x}-1}{f(x)}=\lim_{x\to0}\frac{e^{4x}-1}{x}\cdot\frac{x}{f(x)}=\lim_{x\to0}\frac{e^{4x}-1}{4x}\cdot\frac{x}{f(x)}\cdot4$$
$$=1\cdot\frac{1}{2}\cdot4=2$$

STEP Ⓑ **$\lim_{x\to0}\frac{\ln(1+x)}{x}=1$을 이용하여 b의 값 구하기**

조건 (나)에서 분자, 분모에 각각 $2x$를 곱하면

$$\lim_{x\to0}\frac{\ln(1+2x)}{f(x)}=\lim_{x\to0}\frac{\ln(1+2x)}{2x}\cdot2\cdot\frac{x}{f(x)}=1\cdot2\cdot\frac{1}{2}=1$$

따라서 $a=2$, $b=1$이므로 $a+b=3$

0528

정답 ④

STEP Ⓐ $2x-4=t$로 치환하고 $\lim_{x\to0}\frac{\ln(1+x)}{x}=1$임을 이용하여 극한값 구하기

$x\to2$이므로 $2x-4\to0$

즉 $t\to0$

$$\lim_{x\to2}\frac{f(2x-4)}{x-2}=\lim_{t\to0}\frac{f(t)}{\frac{1}{2}t}=2\lim_{t\to0}\frac{f(t)}{t}=2\lim_{t\to0}\frac{\ln(1+t)}{t}\cdot\frac{f(t)}{\ln(1+t)}$$

$$=2\cdot1\cdot5=10$$

0529

 ⑤

STEP Ⓐ $\lim_{x\to0}\frac{\ln(1+bx)}{ax}=\frac{b}{a}$, $\lim_{x\to0}\frac{e^{bx}-1}{ax}=\frac{b}{a}$임을 이용하여 극한값 구하기

$\lim_{x\to0}\frac{f(x)}{\ln(1+x)}=4$이므로

$$\lim_{x\to0}\frac{f(x)+e^x-1}{\ln(1+x)}=\lim_{x\to0}\frac{f(x)}{\ln(1+x)}+\lim_{x\to0}\frac{e^x-1}{\ln(1+x)}$$

$$=\lim_{x\to0}\frac{f(x)}{\ln(1+x)}+\lim_{x\to0}\frac{e^x-1}{x}\cdot\frac{x}{\ln(1+x)}$$

$$=4+1\cdot1=5$$

0530

 ②

STEP Ⓐ $\lim_{x\to0}\frac{\ln(1+bx)}{ax}=\frac{b}{a}$임을 이용하여 극한값 구하기

$$\lim_{x\to0}\frac{f(x)}{\ln(1-2x)}=\lim_{x\to0}\frac{f(x)}{\ln(1+2x)}\cdot\frac{\ln(1+2x)}{\ln(1-2x)}$$

$$=\lim_{x\to0}\frac{f(x)}{\ln(1+2x)}\cdot\frac{\ln\frac{(1+2x)}{2x}}{\ln\frac{(1-2x)}{-2x}}\cdot\frac{2x}{-2x}$$

$$=4\cdot\frac{1}{1}\cdot(-1)=-4$$

내신연계 출제문항 209

연속함수 $f(x)$에 대하여 다음 조건을 만족하는 상수 a, b에 대하여 $a+b$의 값은?

> (가) $\lim_{x\to0}\frac{f(x)}{\ln(1-x)}=4$를 만족할 때, $\lim_{x\to0}\frac{f(x)}{x}=a$
>
> (나) $\lim_{x\to0}\frac{f(x)}{e^x-1}=3$을 만족시킬 때, $\lim_{x\to1}\frac{f(x-1)}{x-1}=b$

① -3　　② -2　　③ -1
④ 1　　⑤ 2

STEP Ⓐ $\lim_{x\to0}\frac{\ln(1+x)}{x}=1$임을 이용하여 극한값 구하기

조건 (가)에서

$$\lim_{x\to0}\frac{f(x)}{\ln(1-x)}=\lim_{x\to0}\frac{\frac{f(x)}{x}}{\frac{\ln(1-x)}{x}}=4$$

$$\lim_{x\to0}\frac{\ln(1-x)}{x}=\lim_{x\to0}\frac{\ln(1-x)}{-x}\cdot(-1)=-\lim_{x\to0}\ln(1-x)^{\frac{1}{-x}}=-1$$

$\therefore \lim_{x\to0}\frac{f(x)}{x}=-4$

STEP Ⓑ $\lim_{x\to0}\frac{e^x-1}{x}=1$임을 이용하여 극한값 구하기

조건 (나)에서

$$\lim_{x\to0}\frac{f(x)}{e^x-1}=\lim_{x\to0}\frac{\frac{f(x)}{x}}{\frac{e^x-1}{x}}=3$$

이때 $\lim_{x\to0}\frac{e^x-1}{x}=1$이므로 $\lim_{x\to0}\frac{f(x)}{x}=3$

$x-1=t$로 놓으면 $x\to1$일 때, $t\to0$

$\therefore \lim_{x\to1}\frac{f(x-1)}{x-1}=\lim_{t\to0}\frac{f(t)}{t}=3$

따라서 $a+b=-4+3=-1$

 ③

0531

 ⑤

STEP Ⓐ 함수의 극한의 성질을 이용하여 $\lim_{x\to0}f(2x)=0$의 값 구하기

$\lim_{x\to0}\frac{\ln\{1+f(2x)\}}{x}=10$에서

$x\to0$일 때, (분모)$\to0$이고 극한값이 존재하므로 (분자)$\to0$이어야 한다.

즉 $\lim_{x\to0}\ln\{1+f(2x)\}=0$이므로 $\lim_{x\to0}f(2x)=0$

STEP Ⓑ $\lim_{x\to0}\frac{\ln(1+x)}{x}=1$임을 이용하여 극한값 구하기

이때 $t=f(2x)$로 놓으면

$$\lim_{x\to0}\frac{\ln\{1+f(2x)\}}{f(2x)}=\lim_{t\to0}\frac{\ln(1+t)}{t}=\lim_{t\to0}\ln(1+t)^{\frac{1}{t}}=\ln e=1$$

이때 $x=2y$로 놓으면

$$\lim_{x\to0}\frac{f(x)}{x}=\lim_{y\to0}\frac{f(2y)}{2y}=\lim_{y\to0}\frac{f(2y)}{\ln\{1+f(2y)\}}\cdot\frac{\ln\{1+f(2y)\}}{y}\cdot\frac{1}{2}$$

$$=1\cdot10\cdot\frac{1}{2}=5$$

다른풀이 $\lim_{x\to0}(1+x)^{\frac{1}{x}}=e$를 이용하여 극한값 구하기

$$\lim_{x\to0}\frac{\ln\{1+f(2x)\}}{x}=\lim_{x\to0}\frac{1}{x}\ln\{1+f(2x)\}$$

$$=\lim_{x\to0}\ln\{1+f(2x)\}^{\frac{1}{x}}$$

$$=\lim_{x\to0}\ln\left[\{1+f(2x)\}^{\frac{1}{f(2x)}}\right]^{\frac{f(2x)}{x}}$$

$$=\lim_{x\to0}\ln\left[\{1+f(2x)\}^{\frac{1}{f(2x)}}\right]^{\frac{f(2x)}{x}}$$

$$=\lim_{x\to0}\ln e^{\frac{f(2x)}{x}}$$

$\therefore \lim_{x\to0}\frac{f(2x)}{x}=10$

이때 $2x=t$로 놓으면 $\lim_{t\to0}\frac{f(t)}{\frac{t}{2}}=\lim_{t\to0}\frac{2f(t)}{t}=10$

따라서 $\lim_{t\to0}\frac{f(t)}{t}=5$

내/신/연/계/ 출제문항 210

연속함수 $f(x)$가 $\lim_{x\to0}\frac{e^{2x}-1}{f(x)}=6$을 만족할 때, $\lim_{x\to0}\frac{f(x)}{x}$의 값은?

① $\frac{1}{6}$ ② $\frac{1}{5}$ ③ $\frac{1}{4}$
④ $\frac{1}{3}$ ⑤ $\frac{1}{2}$

STEP Ⓐ $\lim_{x\to0}\frac{e^x-1}{x}=1$임을 이용하여 계산하기

$$\lim_{x\to0}\frac{e^{2x}-1}{f(x)}=\lim_{x\to0}\frac{\frac{e^{2x}-1}{x}}{\frac{f(x)}{x}}=6$$

이때 $\lim_{x\to0}\frac{e^{2x}-1}{x}=\lim_{x\to0}\frac{e^{2x}-1}{2x}\cdot2=2$

따라서 $\lim_{x\to0}\frac{2}{\frac{f(x)}{x}}=6$이므로 $\lim_{x\to0}\frac{f(x)}{x}=\frac{1}{3}$

정답 ④

0532

정답 ②

STEP Ⓐ 치환하여 $f(x)$식을 정리하기

함수 $h(x)$를 $h(x)=f(x)\ln\left(1+\frac{3}{x}\right)$이라 하면

$\lim_{x\to\infty}h(x)=6$

또한, $f(x)=\frac{h(x)}{\ln\left(1+\frac{3}{x}\right)}$

STEP Ⓑ $\lim_{x\to\infty}\left(1+\frac{1}{x}\right)^x=e$임을 이용하여 구하기

따라서 $\lim_{x\to\infty}\frac{f(x)}{x}=\lim_{x\to\infty}\frac{h(x)}{x\ln\left(1+\frac{3}{x}\right)}=\frac{\lim_{x\to\infty}h(x)}{\lim_{x\to\infty}\ln\left\{\left(1+\frac{3}{x}\right)^{\frac{x}{3}}\right\}^3}=\frac{6}{\ln e^3}=\frac{6}{3}=2$

내/신/연/계/ 출제문항 211

$\lim_{x\to\infty}f(x)\ln\left(1-\frac{2}{x}\right)=3$을 만족하는 함수 $f(x)$에 대하여 $\lim_{x\to\infty}\frac{f(x)}{2x}$의 값은?

① $-\frac{1}{2}$ ② $-\frac{3}{4}$ ③ $-\frac{2}{3}$
④ $\frac{1}{3}$ ⑤ $\frac{3}{2}$

STEP Ⓐ 치환하여 $f(x)$식을 정리하기

함수 $h(x)$를 $h(x)=f(x)\ln\left(1-\frac{2}{x}\right)$이라 하면

$\lim_{x\to\infty}h(x)=3$

또한, $f(x)=\frac{h(x)}{\ln\left(1-\frac{2}{x}\right)}$

STEP Ⓑ $\lim_{x\to\infty}\left(1+\frac{1}{x}\right)^x=e$임을 이용하여 구하기

따라서 $\lim_{x\to\infty}\frac{f(x)}{2x}=\lim_{x\to\infty}\frac{h(x)}{2x\ln\left(1-\frac{2}{x}\right)}=\frac{\lim_{x\to\infty}h(x)}{\lim_{x\to\infty}\ln\left\{\left(1-\frac{2}{x}\right)^{-\frac{x}{2}}\right\}^{-4}}$

$=\frac{3}{\ln e^{-4}}=\frac{3}{-4}=-\frac{3}{4}$

정답 ②

0533

정답 ②

STEP Ⓐ $\lim_{x\to\infty}\left(1+\frac{1}{x}\right)^x=e$임을 이용하여 구하기

$\lim_{x\to\infty}\left\{f(x)\ln\left(1+\frac{1}{2x}\right)\right\}=\lim_{x\to\infty}\left\{\frac{f(x)}{2x}\cdot2x\cdot\ln\left(1+\frac{1}{2x}\right)\right\}$

$\lim_{x\to\infty}\left\{\frac{f(x)}{2x}\ln\left(1+\frac{1}{2x}\right)^{2x}\right\}=4$

이때 $\lim_{x\to\infty}\ln\left(1+\frac{1}{2x}\right)^{2x}=1$이므로 $\lim_{x\to\infty}\frac{f(x)}{2x}=4$

STEP Ⓑ $\lim_{x\to\infty}\frac{f(x)}{x-3}$의 값 구하기

따라서 $\lim_{x\to\infty}\frac{f(x)}{x-3}=\lim_{x\to\infty}\frac{f(x)}{2x}\cdot\frac{2x}{x-3}=\lim_{x\to\infty}\frac{f(x)}{2x}\cdot\lim_{x\to\infty}\frac{2x}{x-3}=4\cdot2=8$

0534

정답 ①

STEP Ⓐ 조건에서 $\lim_{x\to0}\frac{f(x)}{x}$의 값 구하기

$$\lim_{x\to0}\frac{f(x)}{\ln(1+x)}=\lim_{x\to0}\frac{\frac{f(x)}{x}}{\frac{\ln(1+x)}{x}}=\lim_{x\to0}\frac{f(x)}{x}=2$$

STEP Ⓑ [보기]의 참, 거짓 판단하기

ㄱ. $x-\pi=t$로 놓으면 $x\to\pi$일 때, $t\to0$이므로

$\lim_{x\to\pi}\frac{f(x-\pi)}{x-\pi}=\lim_{t\to0}\frac{f(t)}{t}=2$ [참]

ㄴ. $\lim_{x\to0}\frac{f(x)+e^x-1}{\ln(1+x)}=\lim_{x\to0}\left\{\frac{f(x)}{\ln(1+x)}+\frac{e^x-1}{x}\cdot\frac{x}{\ln(1+x)}\right\}$

$=2+1\times1=3$ [거짓]

ㄷ. $\lim_{x\to0}\frac{e^xf(x)}{\{\ln(1+x)\}^2}=\lim_{x\to0}\frac{f(x)}{\ln(1+x)}\cdot\frac{x}{\ln(1+x)}\cdot\frac{e^x}{x}$

이때 $\lim_{x\to0}\frac{e^x}{x}$의 값이 존재하지 않으므로 극한값 $\lim_{x\to0}\frac{e^xf(x)}{\{\ln(1+x)\}^2}$는 존재하지 않는다. [거짓]

따라서 옳은 것은 ㄱ이다.

0535

정답 ④

STEP Ⓐ 조건 (가)에서 b, c의 값 구하기

이차함수 $f(x)=ax^2+bx+c\,(a\neq0)$라 하면

조건 (가)에서

$x\to0$일 때, (분자)→0이고 0아닌 극한값이 존재하므로 (분모)→0이어야 한다.

즉 $\lim_{x\to0}(ax^2+bx+c)=0$이므로 $c=0$

$\lim_{x\to0}\frac{e^x-1}{f(x)}=\lim_{x\to0}\frac{e^x-1}{ax^2+bx}=\lim_{x\to0}\frac{e^x-1}{x}\cdot\frac{1}{ax+b}=\frac{1}{b}=1\quad\therefore b=1$

$\therefore f(x)=ax^2+x$

STEP Ⓑ 조건 (나)에서 a를 구하여 이차함수 $f(x)$ 구하기

조건 (나)에서

$\lim_{x\to\infty}f(x)\ln\left(1+\frac{1}{x^2}\right)=\lim_{x\to\infty}f(x)\left[\ln\left\{\left(1+\frac{1}{x^2}\right)^{x^2}\right\}^{\frac{1}{x^2}}\right]$

$=\lim_{x\to\infty}\frac{f(x)}{x^2}\cdot\lim_{x\to\infty}\ln\left\{\left(1+\frac{1}{x^2}\right)^{x^2}\right\}$

$=\lim_{x\to\infty}\frac{f(x)}{x^2}\cdot\ln e=\lim_{x\to\infty}\frac{f(x)}{x^2}$

이때 $\lim_{x\to\infty}\frac{f(x)}{x^2}=3$이므로 $a=3$

따라서 $f(x)=3x^2+x$이므로 $f(2)=14$

0536

정답 ④

STEP A 함수의 극한의 대소 관계를 이용하여 $\lim_{x \to 0+}\frac{f(x)}{x}$의 값 구하기

$\ln(1+2x) \le f(x) \le e^{2x}-1$에서

(i) $x>0$일 때, 주어진 부등식의 각 변을 x로 나누면

$\frac{\ln(1+2x)}{x} \le \frac{f(x)}{x} \le \frac{e^{2x}-1}{x}$이고 $\lim_{x \to 0+}\frac{\ln(1+2x)}{x}=2$, $\lim_{x \to 0+}\frac{e^{2x}-1}{x}=2$

이므로 함수의 극한의 대소 관계에 의하여 $\lim_{x \to 0+}\frac{f(x)}{x}=2$

STEP B $\lim_{x \to 0-}\frac{f(x)}{x}$의 값 구하기

(ii) $-\frac{1}{2}<x<0$일 때, 주어진 부등식의 각 변을 x로 나누면

$\frac{\ln(1+2x)}{x} \ge \frac{f(x)}{x} \ge \frac{e^{2x}-1}{x}$이고 $\lim_{x \to 0-}\frac{\ln(1+2x)}{x}=2$, $\lim_{x \to 0-}\frac{e^{2x}-1}{x}=2$

이므로 함수의 극한의 대소 관계에 의하여 $\lim_{x \to 0-}\frac{f(x)}{x}=2$

STEP C $\lim_{x \to 0}\frac{f(x)}{x}$의 값 구하기

(i), (ii)에 의하여 $\lim_{x \to 0+}\frac{f(x)}{x}=\lim_{x \to 0-}\frac{f(x)}{x}=2$이므로 $\lim_{x \to 0}\frac{f(x)}{x}=2$

0537

정답 ②

STEP A 함수의 극한의 대소 관계를 이용하여 $\lim_{x \to 1}\frac{f(x)}{x-1}$의 값 구하기

$e\ln x \le f(x) \le e^{x}-e$에서

(i) $x>1$일 때, 주어진 부등식의 각 변을 $x-1$로 나누면

$\frac{e\ln x}{x-1} \le \frac{f(x)}{x-1} \le \frac{e^{x}-e}{x-1}$이고

$\lim_{x \to 1+}\frac{e\ln x}{x-1}=e$, $\lim_{x \to 1+}\frac{e^{x}-e}{x-1}=\lim_{x \to 1+}\frac{e(e^{x-1}-1)}{x-1}=e$

이므로 함수의 극한의 대소 관계에 의하여 $\lim_{x \to 1+}\frac{f(x)}{x-1}=e$

(ii) $0<x<1$일 때, $\frac{e^{x}-e}{x-1} \le \frac{f(x)}{x-1} \le \frac{e\ln x}{x-1}$이고

$\lim_{x \to 1-}\frac{e^{x}-e}{x-1}=\lim_{x \to 1-}\frac{e(e^{x-1}-1)}{x-1}=e$, $\lim_{x \to 1-}\frac{e\ln x}{x-1}=e$

이므로 함수의 극한의 대소 관계에 의하여 $\lim_{x \to 1-}\frac{f(x)}{x-1}=e$

(i), (ii)에 의하여 $\lim_{x \to 1+}\frac{f(x)}{x-1}=\lim_{x \to 1-}\frac{f(x)}{x-1}=e$이므로 $\lim_{x \to 1}\frac{f(x)}{x-1}=e$

STEP B $\lim_{x \to 1}\frac{f(x)}{x^2-1}$의 값 구하기

따라서 $\lim_{x \to 1}\frac{f(x)}{x^2-1}=\lim_{x \to 1}\left(\frac{f(x)}{x-1}\times\frac{1}{x+1}\right)=e\times\frac{1}{2}=\frac{e}{2}$

다른풀이 미분계수를 이용하여 풀이하기

$e\ln x \le f(x) \le e^{x}-e$에서

$x>1$일 때, $\frac{e\ln x}{x-1} \le \frac{f(x)}{x-1} \le \frac{e^{x}-e}{x-1}$

$0<x<1$일 때, $\frac{e^{x}-e}{x-1} \le \frac{f(x)}{x-1} \le \frac{e\ln x}{x-1}$

한편 $g(x)=e\ln x$, $h(x)=e^{x}$로 놓으면 $g'(x)=\frac{e}{x}$, $h'(x)=e^{x}$이므로

$\lim_{x \to 1}\frac{e\ln x}{x-1}=\lim_{x \to 1}\frac{g(x)-g(1)}{x-1}=g'(1)=\frac{e}{1}=e$

$\lim_{x \to 1}\frac{e^{x}-e}{x-1}=\lim_{x \to 1}\frac{h(x)-h(1)}{x-1}=h'(1)=e$

이때 함수의 극한의 대소 관계에 의하여 $\lim_{x \to 1}\frac{f(x)}{x-1}=e$

따라서 $\lim_{x \to 1}\frac{f(x)}{x^2-1}=\lim_{x \to 1}\left(\frac{f(x)}{x-1}\times\frac{1}{x+1}\right)=e\times\frac{1}{2}=\frac{e}{2}$

내/신/연/계/ 출제문항 212

모든 양수 x에 대하여 함수 $f(x)$가 부등식

$$\ln ex \le f(x) \le e^{x-1}$$

을 만족시킬 때, $\lim_{x \to 1}\frac{f(x)-1}{x^2+x-2}$의 값은?

① $\frac{1}{6}$ ② $\frac{1}{5}$ ③ $\frac{1}{4}$
④ $\frac{1}{3}$ ⑤ $\frac{1}{2}$

STEP A 함수의 극한의 대소 관계를 이용하여 $\lim_{x \to 1}\frac{f(x)-1}{x-1}$의 값 구하기

$\ln ex \le f(x) \le e^{x-1}$에서 $1+\ln x \le f(x) \le e^{x-1}$이므로

$1+\ln x-1 \le f(x)-1 \le e^{x-1}-1$

(i) $x>1$일 때, 주어진 부등식의 각 변을 $x-1$로 나누면

$\frac{\ln x}{x-1} \le \frac{f(x)-1}{x-1} \le \frac{e^{x-1}-1}{x-1}$

이때 $\lim_{x \to 1+}\frac{\ln x}{x-1}=\lim_{x \to 1+}\frac{e^{x-1}-1}{x-1}=1$이므로

함수의 극한의 대소 관계에 의하여 $\lim_{x \to 1+}\frac{f(x)-1}{x-1}=1$

(ii) $0<x<1$일 때, 주어진 부등식의 각 변을 $x-1$로 나누면

$\frac{\ln x}{x-1} \ge \frac{f(x)-1}{x-1} \ge \frac{e^{x-1}-1}{x-1}$

이때 $\lim_{x \to 1-}\frac{\ln x}{x-1}=\lim_{x \to 1-}\frac{e^{x-1}-1}{x-1}=1$이므로

함수의 극한의 대소 관계에 의하여 $\lim_{x \to 1-}\frac{f(x)-1}{x-1}=1$

(i), (ii)에 의하여

$\lim_{x \to 1+}\frac{f(x)-1}{x-1}=\lim_{x \to 1-}\frac{f(x)-1}{x-1}=1$이므로 $\lim_{x \to 1}\frac{f(x)-1}{x-1}=1$

STEP B $\lim_{x \to 1}\frac{f(x)-1}{x^2+x-2}$의 값 구하기

따라서 $\lim_{x \to 1}\frac{f(x)-1}{x^2+x-2}=\lim_{x \to 1}\frac{f(x)-1}{(x-1)(x+2)}$

$=\lim_{x \to 1}\frac{f(x)-1}{x-1}\times\lim_{x \to 1}\frac{1}{x+2}$

$=1\times\frac{1}{1+2}=\frac{1}{3}$

다른풀이 미분계수를 이용하여 풀이하기

STEP A 미분계수를 이용하여 극한값 구하기

$g(x)=\ln ex=1+\ln x$, $h(x)=e^{x-1}$으로 놓으면

$g'(x)=\frac{1}{x}$, $h'(x)=e^{x-1}$

한편 $\lim_{x \to 1}\frac{\ln ex-1}{x-1}=\lim_{x \to 1}\frac{g(x)-g(1)}{x-1}=g'(1)=1$

$\lim_{x \to 1}\frac{e^{x-1}-1}{x-1}=\lim_{x \to 1}\frac{h(x)-h(1)}{x-1}=h'(1)=1$

STEP B 함수의 극한의 대소 관계를 이용하여 $\lim_{x \to 1}\frac{f(x)-1}{x-1}$의 값 구하기

$\lim_{x \to 1+}\frac{\ln ex-1}{x-1} \le \lim_{x \to 1+}\frac{f(x)-1}{x-1} \le \lim_{x \to 1+}\frac{e^{x-1}-1}{x-1}$,

$\lim_{x \to 1-}\frac{e^{x-1}-1}{x-1} \le \lim_{x \to 1-}\frac{f(x)-1}{x-1} \le \lim_{x \to 1-}\frac{\ln ex-1}{x-1}$이므로

$\lim_{x \to 1}\frac{f(x)-1}{x-1}=1$

따라서 $\lim_{x \to 1}\frac{f(x)-1}{x^2+x-2}=\lim_{x \to 1}\frac{f(x)-1}{(x-1)(x+2)}$

$=\lim_{x \to 1}\frac{f(x)-1}{x-1}\times\lim_{x \to 1}\frac{1}{x+2}$

$=1\times\frac{1}{1+2}=\frac{1}{3}$

정답 ④

0538

정답 ③

STEP A x의 값의 범위를 나누어 $\lim_{x\to0}\frac{f(x)}{x}=1$의 극한값 구하기

$\ln(1+x)\le f(x)\le\frac{1}{2}(e^{2x}-1)$에서

(ⅰ) $x>0$일 때, 주어진 부등식의 각 변을 x로 나누면

$$\frac{\ln(1+x)}{x}\le\frac{f(x)}{x}\le\frac{e^{2x}-1}{2x}$$

이때 $\lim_{x\to0+}\frac{\ln(1+x)}{x}=1$이고 $2x=t$라 하면

$$\lim_{x\to0+}\frac{e^{2x}-1}{2x}=\lim_{t\to0+}\frac{e^t-1}{t}=1$$

$$\therefore \lim_{x\to0+}\frac{f(x)}{x}=1$$

(ⅱ) $-1<x<0$일 때, 주어진 부등식의 각 변을 x로 나누면

$$\frac{\ln(1+x)}{x}\ge\frac{f(x)}{x}\ge\frac{e^{2x}-1}{2x}$$

이때 $\lim_{x\to0-}\frac{\ln(1+x)}{x}=1$이고 $2x=t$라 하면

$$\lim_{x\to0-}\frac{e^{2x}-1}{2x}=\lim_{t\to0-}\frac{e^t-1}{t}=1$$

$$\therefore \lim_{x\to0-}\frac{f(x)}{x}=1$$

(ⅰ), (ⅱ)에 의하여 $\lim_{x\to0+}\frac{f(x)}{x}=\lim_{x\to0-}\frac{f(x)}{x}=1$이므로 $\lim_{x\to0}\frac{f(x)}{x}=1$

STEP B $\lim_{x\to0}\frac{f(3x)}{x}$의 값 구하기

$3x=t$라 하면 $x\to0$이면 $t\to0$

따라서 $\lim_{x\to0}\frac{f(3x)}{x}=\lim_{x\to0}\frac{f(3x)}{3x}\times3=3\lim_{t\to0}\frac{f(t)}{t}=3\cdot1=3$

다른풀이 $x=3t$로 치환하여 풀이하기

$x=3t$라 하면 주어진 부등식은 $\ln(1+3t)\le f(3t)\le\frac{1}{2}(e^{6t}-1)$

(ⅰ) $t>0$일 때, 양변을 t로 나누면

$$\frac{\ln(1+3t)}{t}\le\frac{f(3t)}{t}\le\frac{e^{6t}-1}{2t}$$

$$\lim_{t\to0+}\frac{\ln(1+3t)}{t}\le\lim_{t\to0+}\frac{f(3t)}{t}\le\lim_{t\to0+}\frac{e^{6t}-1}{2t}$$

이때 $\lim_{t\to0+}\frac{\ln(1+3t)}{t}=\lim_{t\to0+}\frac{\ln(1+3t)}{3t}\times3=3$

$\lim_{t\to0+}\frac{e^{6t}-1}{2t}=\lim_{t\to0+}\frac{e^{6t}-1}{6t}\times3=3$이므로 $\lim_{t\to0+}\frac{f(3t)}{t}=3$

(ⅱ) $-\frac{1}{3}<t<0$일 때, 마찬가지로 하면

$$\lim_{t\to0-}\frac{f(3t)}{t}=3$$

(ⅰ), (ⅱ)에 의하여 $\lim_{t\to0}\frac{f(3t)}{t}=\lim_{x\to0}\frac{f(3x)}{x}=3$

0539

정답 ③

STEP A $\tan\theta$를 t에 대한 식으로 나타내기

곡선 $y=\ln(1+10x)$ 위의 점 P의 x좌표를 t로 놓으면

$\mathrm{P}(t, \ln(1+10t))$

각 θ는 직선 OP가 x축의 양의 방향과 이루는 각이므로

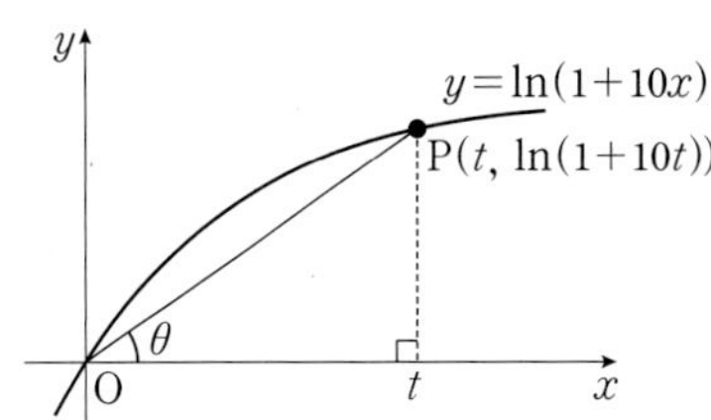

$\tan\theta=$(직선 OP의 기울기)

$$=\frac{\ln(1+10t)-0}{t-0}$$

$$=\frac{\ln(1+10t)}{t}$$

STEP B $\lim_{x\to0}\frac{\ln(1+bx)}{ax}=\frac{b}{a}$임을 이용하여 극한값 구하기

따라서 점 P가 원점 O에 한없이 가까워지면 $t\to0$이므로

$$\lim_{t\to0}\tan\theta=\lim_{t\to0}\frac{\ln(1+10t)}{t}=\lim_{t\to0}\frac{\ln(1+10t)}{10t}\cdot10=1\cdot10=10$$

내/신/연/계/ 출제문항 213

곡선 $y=2^x-1$ 위의 점 $\mathrm{P}(a, 2^a-1)$과 원점 O에 대하여 직선 OP와 x축의 양의 방향이 이루는 각의 크기를 θ라고 하자. 이때 $\lim_{a\to0}\tan\theta$의 값은?

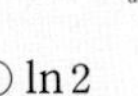

① $\ln2$ ② $\ln2+1$
③ $2\ln2$ ④ $2\ln2+1$
⑤ $\ln2+2$

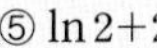

STEP A $\tan\theta$를 a에 대한 식으로 나타내기

두 점 $\mathrm{O}(0, 0)$과 $\mathrm{P}(a, 2^a-1)$을 지나는 직선 OP의 기울기는 $\tan\theta$와 같다.

OP와 x축의 양의 방향이 이루는 각의 크기가 θ이므로

$$\tan\theta=\frac{(2^a-1)-0}{a-0}=\frac{2^a-1}{a}$$

STEP B $\lim_{x\to0}\frac{a^x-1}{x}=\ln a$임을 이용하여 극한값 구하기

따라서 $\lim_{a\to0}\tan\theta=\lim_{a\to0}\frac{2^a-1}{a}=\ln2$

다른풀이 미분계수를 이용하여 풀이하기

STEP A $\lim_{a\to0}\tan\theta$의 값이 곡선 $y=2^x-1$ 위의 점 $(0, 0)$에서의 접선의 기울기와 같음을 이용하기

원점과 점 $\mathrm{P}(a, 2^a-1)$을 이은 직선과 x축의 양의 방향이 이루는 각의 크기가 θ이므로 $\tan\theta$는 직선 OP의 기울기와 같다.

$a\to0$이면 점 P는 원점에 가까워지므로

$\lim_{a\to0}\tan\theta$의 값은 곡선 $f(x)=2^x-1$ 위의 원점에서 그은 접선의 기울기이다.

따라서 $f'(x)=2^x\ln2$이므로 $a=f'(0)=2^0\ln2=\ln2$

정답 ①

0540

정답 ④

STEP A $\overline{\text{PH}}$, $\overline{\text{OH}}$를 t에 관한 식으로 나타내기

점 P의 좌표를 $(t, \ln(1+5t))(t>0)$라고 하면 $\text{H}(t, 0)$

$$\frac{\overline{\text{PH}}}{\overline{\text{OH}}}=\frac{\ln(1+5t)}{t}$$

STEP B $\lim\limits_{x\to0}\frac{\ln(1+bx)}{ax}=\frac{b}{a}$임을 이용하여 극한값 구하기

따라서 구하는 극한값은

$$\lim_{t\to0+}\frac{\overline{\text{PH}}}{\overline{\text{OH}}}=\lim_{t\to0+}\frac{\ln(1+5t)}{t}=\lim_{t\to0+}\left\{\frac{\ln(1+5t)}{5t}\cdot5\right\}=5$$

내신연계 출제문항 214

오른쪽 그림과 같이 두 함수 $f(x)=e^{3x}-1$, $g(x)=\ln(x+1)$의 그래프가 직선 $y=t(t>0)$과 만나는 점을 각각 P, Q라 하고, 직선 $y=t$가 y축과 만나는 점을 R라 할 때, $\lim\limits_{t\to0+}\frac{\overline{\text{PR}}}{\overline{\text{QR}}}$의 값은?

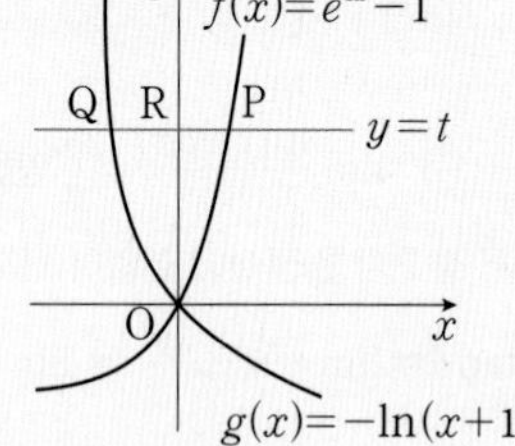

① $\frac{1}{3}$　② $\frac{1}{2}$
③ 1　④ 2
⑤ 3

STEP A $\overline{\text{PR}}$, $\overline{\text{QR}}$를 t에 관한 식으로 나타내기

점 P의 x좌표를 a라 하면

$e^{3a}-1=t$에서 $a=\frac{\ln(t+1)}{3}$

점 Q의 x좌표를 b라 하면

$-\ln(b+1)=t$에서 $b=e^{-t}-1$

$\overline{\text{PR}}=a=\frac{\ln(t+1)}{3}$, $\overline{\text{QR}}=-b=1-e^{-t}$

STEP B $\lim\limits_{x\to0}\frac{\ln(1+bx)}{ax}=\frac{b}{a}$, $\lim\limits_{x\to0}\frac{e^{bx}-1}{ax}=\frac{b}{a}$임을 이용하여 극한값 구하기

따라서 $\lim\limits_{t\to0+}\frac{\overline{\text{PR}}}{\overline{\text{QR}}}=\lim\limits_{t\to0+}\frac{\ln(t+1)}{3(1-e^{-t})}=\lim\limits_{t\to0+}\left\{\frac{\ln(t+1)}{t}\cdot\frac{-t}{e^{-t}-1}\cdot\frac{1}{3}\right\}=\frac{1}{3}$

 ①

0541

정답 ②

STEP A 점 Q, R의 좌표 구하기

점 P의 좌표가 $\text{P}(t, 0)$이므로

$\text{Q}(t, 2^t)$, $\text{R}(t, 3^t)$이고 $\overline{\text{OP}}=t$, $\overline{\text{QR}}=3^t-2^t$

STEP B $\lim\limits_{x\to0}\frac{a^x-1}{x}=\ln a$임을 이용하여 극한값 구하기

따라서 $\lim\limits_{t\to0}\frac{\overline{\text{QR}}}{\overline{\text{OP}}}=\lim\limits_{t\to0}\frac{3^t-2^t}{t}=\lim\limits_{t\to0}\frac{3^t-1+1-2^t}{t}$

$=\lim\limits_{t\to0}\frac{3^t-1}{t}-\lim\limits_{t\to0}\frac{2^t-1}{t}=\ln3-\ln2$

$=\ln\frac{3}{2}$

0542

정답 ①

STEP A 직선 $x=t$와 만나는 점 A, B의 좌표 구하기

두 곡선 $y=4^{x-1}$, $y=2^{x-1}$이 직선 $x=t$와 만나는 점 $\text{A}(t, 4^{t-1})$, $\text{B}(t, 2^{t-1})$이다.

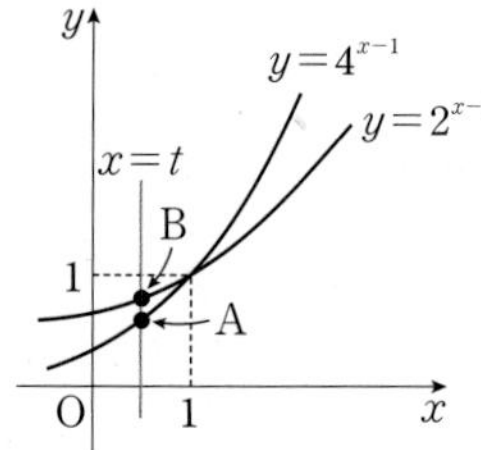

$t\to1-$에서 $2^{t-1}>4^{t-1}$이므로

$\overline{\text{AB}}=2^{t-1}-4^{t-1}$

$\therefore \lim\limits_{t\to1-}\frac{\overline{\text{AB}}}{t-1}=\lim\limits_{t\to1-}\frac{2^{t-1}-4^{t-1}}{t-1}$

STEP B 치환을 이용하여 극한값 구하기

이때 $t-1=x$이라 하면 $t\to1-$일 때, $x\to0-$

$\lim\limits_{t\to1-}\frac{2^{t-1}-4^{t-1}}{t-1}=\lim\limits_{x\to0-}\frac{2^x-4^x}{x}=\lim\limits_{x\to0-}\frac{2^x-1+1-4^x}{x}$

$=\lim\limits_{x\to0-}\frac{2^x-1}{x}-\lim\limits_{x\to0-}\frac{4^x-1}{x}=\ln2-\ln4$

$=-\ln2$

내신연계 출제문항 215

두 곡선 $y=4^{x-1}$, $y=2^{x-1}$이 직선 $y=t$와 만나는 점을 각각 A, B라 할 때, $\lim\limits_{t\to1-}\frac{\overline{\text{AB}}}{t-1}$의 값은?

① $-\ln4$　② -1　③ $-\ln2$
④ $-\frac{1}{\ln4}$　⑤ $-\frac{1}{\ln2}$

STEP A 직선 $y=t$와 만나는 점 A, B의 좌표 구하기

$y=t$와 $y=4^{x-1}$과의 교점의 x좌표를 구하면 $t=4^{x-1}$에서

$\ln t=(x-1)\ln4$, $x-1=\frac{\ln t}{\ln4}$

$\therefore x=\frac{\ln t}{\ln4}+1$ …… ㉠

$y=t$와 $y=2^{x-1}$과의 교점의 x좌표를 구하면 $t=2^{x-1}$에서

$\ln t=(x-1)\ln2$, $x-1=\frac{\ln t}{\ln2}$

$\therefore x=\frac{\ln t}{\ln2}+1$ …… ㉡

㉠, ㉡에서 $\overline{\text{AB}}=\left|\frac{\ln t}{\ln2}-\frac{\ln t}{\ln4}\right|=\left|\frac{\ln t}{\ln4}\right|$

STEP B 치환을 이용하여 극한값 구하기

$\lim\limits_{t\to1-}\frac{\overline{\text{AB}}}{t-1}$에서 $t-1=x$이라 하면

$t\to1-$일 때, $x\to0-$

따라서 $\lim\limits_{x\to0-}\frac{\overline{\text{AB}}}{x}=\lim\limits_{x\to0-}\frac{-\ln(x+1)}{x\ln4}=-\frac{1}{\ln4}$

 ④

0543

정답 ②

STEP A 두 교점의 x좌표 $f(a)$ 구하기

두 곡선 $y=e^{x-1}$과 $y=a^x$이 만나는 점의 x좌표는 방정식 $e^{x-1}=a^x$의 해이다.

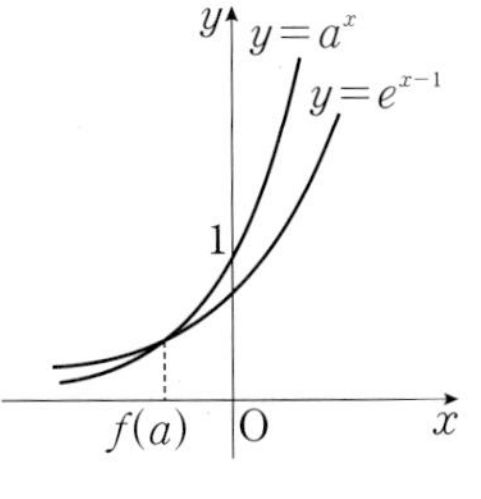

$e^{x-1}=a^x$에서 양변에 $\dfrac{e}{a^x}$를 곱하면

$\left(\dfrac{e}{a}\right)^x=e$

$x=\dfrac{1}{\ln\frac{e}{a}}$이므로 $f(a)=\dfrac{1}{\ln\frac{e}{a}}$

> **+α**
> $\ln e^{x-1}=\ln a^x$
> $x-1=x\ln a$에서 $x(1-\ln a)=1$
> 즉 $x=\dfrac{1}{1-\ln a}=\dfrac{1}{\ln\frac{e}{a}}$이므로 $f(a)=\dfrac{1}{\ln\frac{e}{a}}$

STEP B $\lim\limits_{x\to 0}(1+x)^{\frac{1}{x}}=e$임을 이용하여 구하기

따라서 $a-e=t$라 하면 $a=t+e$이고 $a\to e+$일 때, $t\to 0+$이므로

$$\lim_{a\to e+}\frac{1}{(e-a)f(a)}=\lim_{a\to e+}\frac{\ln\frac{e}{a}}{(e-a)}$$
$$=\lim_{t\to 0+}\frac{\ln\frac{e}{t+e}}{-t}$$
$$=\lim_{t\to 0+}\left(-\frac{1}{t}\right)\ln\frac{e}{t+e} \quad \Leftarrow \lim_{t\to 0+}\frac{1}{t}\ln\left(\frac{e}{t+e}\right)^{-1}=\lim_{t\to 0+}\ln\left(\frac{t+e}{e}\right)^{\frac{1}{t}}$$
$$=\lim_{t\to 0+}\ln\left(1+\frac{t}{e}\right)^{\frac{1}{t}}$$
$$=\lim_{t\to 0+}\ln\left\{\left(1+\frac{t}{e}\right)^{\frac{e}{t}}\right\}^{\frac{1}{e}}$$
$$=\frac{1}{e}$$

0544

정답 ③

STEP A $S(t)$를 t에 관하여 나타내기

$S(t)=\dfrac{1}{2}\cdot(3-1)\cdot\ln t=\ln t$

STEP B 치환을 이용하여 극한값 구하기

$\lim\limits_{t\to 1+}\dfrac{S(t)}{t-1}=\lim\limits_{t\to 1+}\dfrac{\ln t}{t-1}$

$t-1=x$로 놓으면 $t\to 1+$일 때, $x\to 0+$

따라서 $\lim\limits_{t\to 1+}\dfrac{S(t)}{t-1}=\lim\limits_{t\to 1+}\dfrac{\ln t}{t-1}=\lim\limits_{x\to 0+}\dfrac{\ln(1+x)}{x}$

$=\lim\limits_{x\to 0+}\ln(1+x)^{\frac{1}{x}}=\ln e=1$

0545

정답 ④

STEP A S_1, S_2를 t에 관하여 나타내기

곡선 $y=e^x$ 위의 임의의 점 P의 좌표를 $(t,\ e^t)$로 놓으면

$S_1=\dfrac{1}{2}\cdot 2\cdot t=t$, $S_2=\dfrac{1}{2}(e^t-1)$

STEP B $\lim\limits_{x\to 0}\dfrac{e^x-1}{x}=1$을 이용하여 극한값 구하기

따라서 $\dfrac{S_1}{S_2}=\dfrac{2t}{e^t-1}$이므로 $\lim\limits_{t\to 0}\dfrac{S_1}{S_2}=\lim\limits_{t\to 0}\dfrac{2t}{e^t-1}=2$

내신연계 출제문항 216

오른쪽 그림과 같이 곡선 $y=e^x$ 위를 움직이는 점 P와 세 점 A$(0,\ e)$, B$(0,\ 1)$, C$(2,\ 1)$에 대하여 두 삼각형 PAB, PBC의 넓이를 각각 S_1, S_2라 고 하자. 점 P가 점 B에 한없이 가까워질 때, $\dfrac{S_1}{S_2}$의 극한값은?

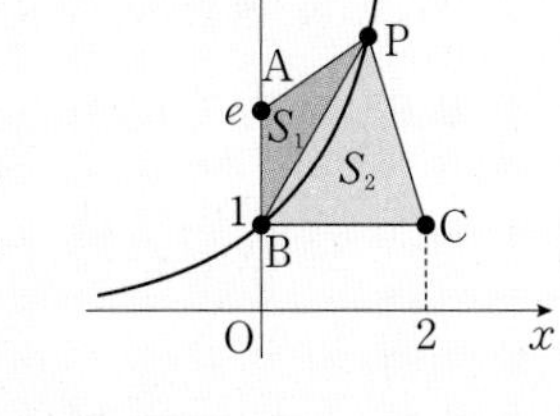

① $\dfrac{1}{e}$　② $\dfrac{1}{2}e$　③ $\dfrac{1}{2}(e-1)$

④ 1　⑤ e

STEP A S_1, S_2를 t에 관하여 나타내기

점 P의 좌표를 $(t,\ e^t)$이라 하면

$S_1=\dfrac{1}{2}(e-1)t$, $S_2=\dfrac{1}{2}(e^t-1)\cdot 2=e^t-1$

$\therefore \dfrac{S_1}{S_2}=\dfrac{(e-1)t}{2(e^t-1)}$

STEP B $\lim\limits_{x\to 0}\dfrac{e^x-1}{x}=1$을 이용하여 극한값 구하기

이때 점 P가 점 B에 한없이 가까워지면 $t\to 0$

따라서 $\lim\limits_{t\to 0}\dfrac{S_1}{S_2}=\lim\limits_{t\to 0}\dfrac{(e-1)t}{2(e^t-1)}=\dfrac{e-1}{2}\cdot\lim\limits_{t\to 0}\dfrac{1}{\frac{e^t-1}{t}}$

$=\dfrac{e-1}{2}\cdot\dfrac{1}{1}=\dfrac{1}{2}(e-1)$

정답 ③

0546

정답 ④

STEP A S_A, S_B를 t에 관하여 나타내기

점 P의 좌표를 $(t,\ 2^t-1)$이라 하면

$S_A=\dfrac{1}{2}(2^t-1)$, $S_B=\dfrac{1}{2}t$

$\therefore \dfrac{S_A}{S_B}=\dfrac{2^t-1}{t}$

STEP B $\lim\limits_{x\to 0}\dfrac{a^x-1}{x}=\ln a$를 이용하여 극한값 구하기

이때 점 P가 점 O에 한없이 가까워지면 $t\to 0$

따라서 $\lim\limits_{t\to 0}\dfrac{S_A}{S_B}=\lim\limits_{t\to 0}\dfrac{2^t-1}{t}=\ln 2$

0547

정답 ④

STEP Ⓐ S_1, S_2를 t에 관하여 나타내기

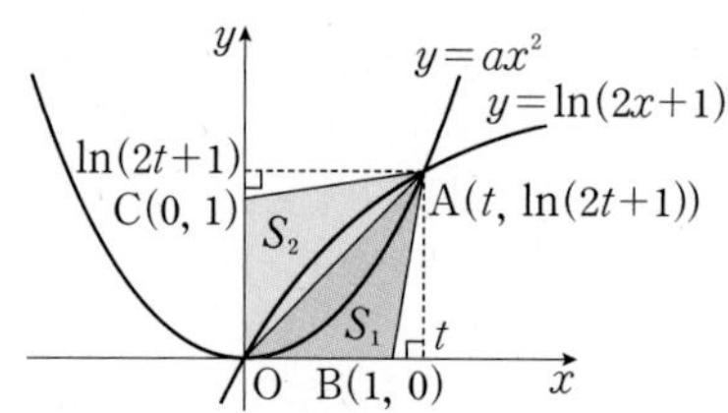

곡선 $y=\ln(2x+1)$ 위의 점 A의 x좌표를 t라 하면

점 A의 좌표는 $\mathrm{A}(t,\ \ln(2t+1))$

삼각형 OAB는 $\overline{\mathrm{OB}}$를 밑변으로 하고 높이가 $\ln(2t+1)$인 삼각형이므로

$S_1=\frac{1}{2}\cdot 1\cdot \ln(2t+1)$

삼각형 OAC는 $\overline{\mathrm{OC}}$를 밑변으로 하고 높이가 t인 삼각형이므로

$S_2=\frac{1}{2}\cdot 1\cdot t$

STEP Ⓑ a의 값이 한없이 커질 때, t의 값이 0에 가까워짐을 이해하기

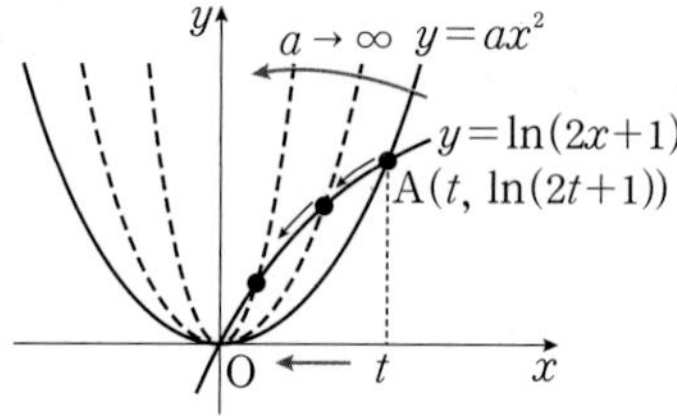

a의 값이 한없이 커지면 $y=ax^2$의 그래프의 폭이 점점 좁아지므로

점 A는 원점에 한없이 가까워진다.

$\therefore t\to 0$

STEP Ⓒ $\lim\limits_{x\to 0}\frac{\ln(1+x)}{x}=1$을 이용하여 극한값 구하기

$\lim\limits_{a\to\infty}\frac{S_1}{S_2}=\lim\limits_{t\to 0}\frac{\ln(2t+1)}{t}=\lim\limits_{t\to 0}\frac{\ln(2t+1)}{2t}\cdot 2=2$

따라서 $a=2$

0548

정답 ①

STEP Ⓐ 두 점 A, P를 지나는 직선의 기울기와 중점의 좌표 구하기

점 P의 좌표를 $\mathrm{P}(t,\ e^t)$이라 하면

두 점 $\mathrm{A}(0,\ 1)$, $\mathrm{P}(t,\ e^t)$를 지나는 직선의 기울기는

$\frac{e^t-1}{t}$이고 $\mathrm{M}\left(\frac{t}{2},\ \frac{e^t+1}{2}\right)$

STEP Ⓑ 점 M을 지나고 직선 AP에 수직인 직선의 x절편 구하기

두 점 M, Q를 지나는 직선의 방정식은 $y=-\frac{t}{e^t-1}\left(x-\frac{t}{2}\right)+\frac{e^t+1}{2}$

이때 점 Q의 x좌표는 $x=\frac{e^t-1}{t}\cdot\frac{e^t+1}{2}+\frac{t}{2}$

STEP Ⓒ 점 Q의 극한값 구하기

이때 $\mathrm{P}\to\mathrm{A}$이면 $t\to 0$, $\lim\limits_{t\to 0}\frac{e^t-1}{t}=1$이므로

$\lim\limits_{t\to 0}x=\lim\limits_{t\to 0}\left(\frac{e^t-1}{t}\cdot\frac{e^t+1}{2}+\frac{t}{2}\right)=1$

따라서 점 Q의 x좌표는 1에 가까워진다.

0549

정답 ①

STEP Ⓐ 삼각형 OHQ의 넓이 $S(t)$ 구하기

점 P의 좌표를 $(a,\ \ln a)(a>0)$이라 하면

점 Q의 좌표는 $(a,\ e^a)$

점 P는 직선 $x+y=t$ 위의 점이므로 $a+\ln a=t$

$\ln e^a+\ln a=\ln ae^a=t$, $\ln ae^a=t$이므로

$ae^a=e^t$ …… ㉠

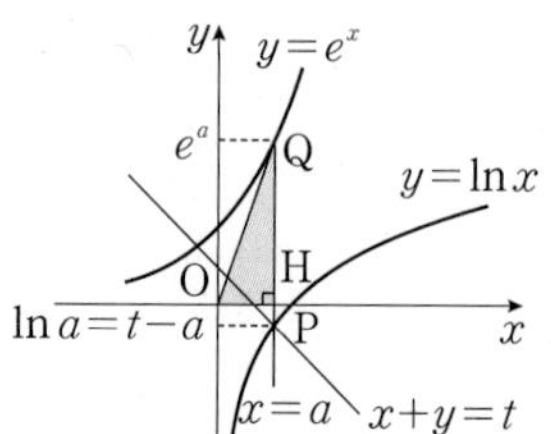

삼각형 OHQ의 넓이 $S(t)$는

$S(t)=\frac{1}{2}\times\overline{\mathrm{OH}}\times\overline{\mathrm{HQ}}=\frac{1}{2}\times a\times e^a=\frac{1}{2}ae^a=\frac{1}{2}e^t$ ← ㉠에서 $ae^a=e^t$

STEP Ⓑ $\lim\limits_{x\to 0}\frac{e^x-1}{x}=1$을 이용하여 극한값 구하기

따라서 $\lim\limits_{t\to 0+}\frac{2S(t)-1}{t}=\lim\limits_{t\to 0+}\frac{2\times\frac{1}{2}e^t-1}{t}=\lim\limits_{t\to 0+}\frac{e^t-1}{t}=1$

0550

정답 ①

STEP Ⓐ $x=0$에서 연속과 극한의 성질을 이용하여 b의 값 구하기

함수 $f(x)$가 $x=0$에서 연속이므로 $\lim\limits_{x\to 0}f(x)=f(0)$에서

$\lim\limits_{x\to 0+}\frac{\ln(ax+b)}{x}=\lim\limits_{x\to 0-}(3x+2)=2$ …… ㉠

$x\to 0$일 때, (분모)$\to 0$이고 극한값이 존재하므로 (분자)$\to 0$이어야 한다,

즉 $\lim\limits_{x\to 0}\ln(ax+b)=0$이므로 $\ln b=0$

$\therefore b=1$

STEP Ⓑ $\lim\limits_{x\to 0+}\frac{\ln(1+ax)}{x}=a$임을 이용하여 a의 값 구하기

$b=1$을 ㉠에 대입하면

$\lim\limits_{x\to 0+}\frac{\ln(ax+1)}{x}=\lim\limits_{x\to 0+}\ln(1+ax)^{\frac{1}{x}}=\lim\limits_{x\to 0+}\ln\{(1+ax)^{\frac{1}{ax}}\}^a=\ln e^a=a$

㉠에서 $a=2$

따라서 $a=2$, $b=1$이므로 $a+b=3$

0551

정답 ②

STEP Ⓐ $x=0$에서 연속과 극한의 성질을 이용하여 b의 값 구하기

함수 $f(x)$가 $x=0$에서 연속이어야 하므로 $\lim\limits_{x\to 0}f(x)=f(0)$에서

$\lim\limits_{x\to 0}\frac{e^{2x}+a}{x}=b$ …… ㉠

$x\to 0$일 때, (분모)$\to 0$이고 극한값이 존재하므로 (분자)$\to 0$이어야 한다.

즉 $\lim\limits_{x\to 0}(e^{2x}+a)=0$이므로 $1+a=0$

$\therefore a=-1$

STEP Ⓑ $\lim\limits_{x\to 0}\frac{e^{2x}-1}{x}=2$임을 이용하여 b의 값 구하기

$a=-1$을 ㉠에 대입하면

$\lim\limits_{x\to 0}\frac{e^{2x}-1}{x}=\lim\limits_{x\to 0}\left(\frac{e^{2x}-1}{2x}\cdot 2\right)=1\cdot 2=2$

$\therefore b=2$

따라서 $a=-1$, $b=2$이므로 $ab=-2$

0552

정답 ③

STEP A $x=0$에서 연속과 극한의 성질을 이용하기

함수 $f(x)$가 실수 전체의 집합에서 연속이려면 $x=0$에서 연속이어야 한다.

$\lim_{x\to0-}f(x)=\lim_{x\to0+}f(x)=f(0)=3$

즉 $\lim_{x\to0-}\frac{e^{3x}-1}{ax}=\lim_{x\to0+}(x^2+2x+3)=3$

STEP B $\lim_{x\to0}\frac{e^x-1}{x}=1$임을 이용하여 a의 값 구하기

$\lim_{x\to0-}\frac{e^{3x}-1}{ax}=\lim_{x\to0-}\left(\frac{e^{3x}-1}{3x}\times\frac{3}{a}\right)=1\times\frac{3}{a}=\frac{3}{a}$

$\lim_{x\to0+}(x^2+2x+3)=3$

따라서 $\frac{3}{a}=3$이어야 하므로 $a=1$

내신연계 출제문항 217

함수

$$f(x)=\begin{cases}\frac{e^{ax}-1}{3x} & (x<0)\\ x^2+3x+2 & (x\ge0)\end{cases}$$

이 실수 전체의 집합에서 연속일 때, 상수 a의 값은? (단, $a\neq0$)

① 6 ② 7 ③ 8
④ 9 ⑤ 10

STEP A $x=0$에서 연속과 극한의 성질을 이용하기

함수 $f(x)$가 실수 전체의 집합에서 연속이려면 $x=0$에서 연속이어야 한다.

$\lim_{x\to0-}f(x)=\lim_{x\to0+}f(x)=f(0)=2$

STEP B $\lim_{x\to0}\frac{e^x-1}{x}=1$임을 이용하여 a의 값 구하기

$\lim_{x\to0-}\frac{e^{ax}-1}{3x}=\lim_{x\to0-}\frac{e^{ax}-1}{ax}\cdot\frac{a}{3}=\frac{a}{3}$

$\lim_{x\to0+}(x^2+3x+2)=2$

따라서 $\frac{a}{3}=2$이므로 $a=6$

정답 ①

0553

정답 ②

STEP A $x=0$에서 연속임을 이용하여 식 세우기

함수 $f(x)$가 $x=0$에서 연속이므로 $\lim_{x\to0}f(x)=f(0)$이 성립한다.

$\lim_{x\to0-}\frac{e^{2x}-1}{\ln(1+x)}=k$

STEP B 지수함수와 로그함수의 극한을 이용하여 k 구하기

이때 $\lim_{x\to0-}\frac{e^{2x}-1}{2x}\cdot2\cdot\frac{x}{\ln(1+x)}=1\cdot2\cdot1=2$

따라서 $k=2$

내신연계 출제문항 218

함수

$$f(x)=\begin{cases}\frac{3^x-1}{\ln(x+1)} & (-1<x<0,\ x>0)\\ k & (x=0)\end{cases}$$

가 $x=0$에서 연속일 때, 실수 k의 값은?

① 1 ② $\ln2$ ③ $\ln3$
④ $\ln5$ ⑤ $\log_2 5$

STEP A $x=0$에서 연속임을 이용하여 식 세우기

함수 $f(x)$가 $x=0$에서 연속이므로 $\lim_{x\to0}f(x)=f(0)$이 성립한다.

$\lim_{x\to0-}\frac{3^x-1}{\ln(1+x)}=k$

STEP B 지수함수와 로그함수의 극한을 이용하여 k 구하기

$\lim_{x\to0-}\frac{3^x-1}{\ln(1+x)}=\lim_{x\to0}\frac{3^x-1}{x}\cdot\frac{1}{\frac{\ln(1+x)}{x}}=\ln3\cdot1=\ln3$

함수 $f(x)$가 $x=0$에서 연속이므로 $\lim_{x\to0}f(x)=f(0)=k$

따라서 $k=\ln3$

정답 ③

0554

정답 ④

STEP A $x=0$에서 연속임을 이용하여 식 세우기

함수 $f(x)$가 $x=0$에서 연속이므로 $\lim_{x\to0}f(x)=f(0)$이 성립한다.

즉 $\lim_{x\to0}\frac{e^x+e^{2x}-2}{2x}=k$

STEP B 지수함수의 극한을 이용하여 k 구하기

$\lim_{x\to0}\frac{e^x-1+e^{2x}-1}{2x}=\lim_{x\to0}\frac{e^x-1}{x}\cdot\frac{1}{2}+\lim_{x\to0}\frac{e^{2x}-1}{2x}=\frac{1}{2}+1=\frac{3}{2}$

함수 $f(x)$가 $x=0$에서 연속이므로 $\lim_{x\to0}f(x)=f(0)=k$

따라서 $k=\frac{3}{2}$

내신연계 출제문항 219

함수

$$f(x)=\begin{cases}\frac{2x}{e^x+x-1} & (x\neq0)\\ k & (x=0)\end{cases}$$

가 $x=0$에서 연속일 때, 상수 k의 값은?

① 1 ② 2 ③ e
④ $2e$ ⑤ $3e$

STEP A $x=0$에서 연속임을 이용하여 식 세우기

함수 $f(x)$가 $x=0$에서 연속이므로 $\lim_{x\to0}f(x)=f(0)$이 성립한다.

즉 $\lim_{x\to0}\frac{2x}{e^x+x-1}=k$

STEP B 지수함수의 극한을 이용하여 k 구하기

$\lim_{x\to0}\frac{2x}{e^x+x-1}=\lim_{x\to0}\frac{2}{\frac{e^x-1}{x}+1}=\frac{2}{1+1}=1$

함수 $f(x)$가 $x=0$에서 연속이므로 $\lim_{x\to0}f(x)=f(0)=k$

따라서 $k=1$

정답 ①

0555

 ⑤

STEP A $x=1$**에서 연속임을 이용하여 식 세우기**

실수 전체의 집합에서 연속이므로 $x=1$에서 연속이어야 한다.

즉 $\lim_{x \to 1+} f(x) = \lim_{x \to 1-} f(x) = f(1)$

$\lim_{x \to 1+} \frac{5\ln x}{x-1} = \lim_{x \to 1-}(-14x+a) = -14+a$

STEP B $\lim_{x \to 0} \frac{\ln(1+x)}{x} = 1$**임을 이용하여** a**의 값 구하기**

$\lim_{x \to 1} \frac{5\ln x}{x-1}$에서 $x-1=t$라 하면 $x=1+t$

$x \to 1$이면 $t \to 0$이므로 $\lim_{x \to 1} \frac{5\ln x}{x-1} = \lim_{t \to 0} \frac{5\ln(1+t)}{t} = 5$

따라서 $5=-14+a$이므로 $a=19$

0556

 ②

STEP A $x=0$**에서 연속임을 이용하여 식 세우기**

$(e^x-1)f(x) = xe^x$에서

$f(x) = \begin{cases} \frac{xe^x}{e^x-1} & (x \neq 0) \\ c & (x=0) \end{cases}$ (단, c는 상수)라 하면

$f(x)$가 모든 실수 x에서 연속이려면 $x=0$에서 연속이므로

$\lim_{x \to 0} f(x) = f(0)$이어야 한다.

즉 $\lim_{x \to 0} \frac{x}{e^x-1} \cdot e^x = c$

STEP B 지수함수의 극한을 이용하여 $f(0)$ **구하기**

$\lim_{x \to 0} \frac{x}{e^x-1} \cdot e^x = 1 \cdot 1 = 1$

따라서 $f(0)=c=1$

내신연계 출제문항 220

실수 전체의 집합에서 연속인 함수 $f(x)$가 모든 실수 x에 대하여

$xf(x) = e^{2x}-1$

이 성립할 때, $f(0)$의 값은?

① 1 ② 2 ③ 3
④ 4 ⑤ 5

STEP A $x=0$**에서 연속임을 이용하여 식 세우기**

$xf(x) = e^{2x}-1$에서

$f(x) = \begin{cases} \frac{e^{2x}-1}{x} & (x \neq 0) \\ c & (x=0) \end{cases}$ (단, c는 상수)라 하면

$f(x)$가 모든 실수 x에서 연속이려면 $x=0$에서 연속이므로

$\lim_{x \to 0} f(x) = f(0)$이어야 한다.

즉 $\lim_{x \to 0} \frac{e^{2x}-1}{x} = c$

STEP B 지수함수의 극한을 이용하여 $f(0)$ **구하기**

$\lim_{x \to 0} \frac{e^{2x}-1}{2x} \cdot 2 = 2$

따라서 $f(0)=c=2$

 ②

0557

정답 ⑤

STEP A $x=0$**에서 연속임을 이용하여 식 세우기**

$f(x)\ln(1+2x) = e^{6x}-1$에서 함수 $f(x)$는 $x \neq 0$일 때,

$f(x) = \frac{e^{6x}-1}{\ln(1+2x)} (x \neq 0)$

함수 $f(x)$가 $x > -\frac{1}{2}$에서 연속이므로 $x=0$에서 연속이다.

STEP B 지수로그함수의 극한을 이용하여 $f(0)$ **구하기**

따라서 $f(0) = \lim_{x \to 0} f(x) = \lim_{x \to 0} \frac{e^{6x}-1}{\ln(1+2x)}$

$= \lim_{x \to 0} \left\{ \frac{e^{6x}-1}{6x} \times \frac{2x}{\ln(1+2x)} \times 3 \right\}$

$= 1 \times 1 \times 3 = 3$

0558

 ②

STEP A $x=1$**에서 연속임을 이용하여 식 세우기**

$(x-1)f(x) = \ln x$에서

$f(x) = \begin{cases} \frac{\ln x}{x-1} & (x \neq 1) \\ c & (x=1) \end{cases}$ (단, c는 상수)라 하면

함수 $f(x)$가 모든 양의 실수에서 연속이므로 $x=1$에서 연속이이므로

$\lim_{x \to 1} f(x) = f(1)$이어야 한다.

즉 $\lim_{x \to 1} \frac{\ln x}{x-1} = c$

STEP B 로그함수의 극한을 이용하여 $f(1)$ **구하기**

한편 $x-1=t$라 하면 $x=t+1$이고 $x \to 1$일 때, $t \to 0$이므로

$\lim_{x \to 1} \frac{\ln x}{x-1} = \lim_{t \to 0} \frac{\ln(t+1)}{t} = \lim_{t \to 0} \ln(t+1)^{\frac{1}{t}} = \ln e = 1$

따라서 $f(1)=c=1$

0559

 ③

STEP A $x=1$**에서 연속임을 이용하여 식 세우기**

$(x-1)f(x) = e^{2x-2}-1$에서

$f(x) = \begin{cases} \frac{e^{2x-2}-1}{x-1} & (x \neq 1) \\ c & (x=1) \end{cases}$ (단, c는 상수)라 하면

함수 $f(x)$가 모든 실수에서 연속이므로 $x=1$에서 연속이므로

$\lim_{x \to 1} f(x) = f(1)$이어야 한다.

즉 $\lim_{x \to 1} \frac{e^{2(x-1)}-1}{x-1} = c$

STEP B 지수함수의 극한을 이용하여 $f(1)$ **구하기**

한편 $x-1=t$로 놓으면 $\lim_{t \to 0} \frac{e^{2t}-1}{t} = \lim_{t \to 0} \frac{e^{2t}-1}{2t} \cdot 2 = 2$

따라서 $f(1)=c=2$

다른풀이 $\lim_{x \to 1} \frac{g(x)-g(1)}{x-1} = g'(1)$을 이용하여 $f(1)$ 구하기

$x \neq 1$일 때, $f(x) = \frac{e^{2x-2}-1}{x-1}$이고 $f(x)$는 $x=1$에서 연속이므로

$f(1) = \lim_{x \to 1} f(x) = \lim_{x \to 1} \frac{e^{2x-2}-1}{x-1}$

$g(x) = e^{2x-2}$로 놓으면 $g(1)=1$이므로

$\lim_{x \to 1} \frac{e^{2x-2}-1}{x-1} = \lim_{x \to 1} \frac{g(x)-g(1)}{x-1} = g'(1)$

따라서 $g'(x) = 2e^{2x-2}$이므로 $f(1) = g'(1) = 2$

내신연계 출제문항 221

함수 $f(x)$가 모든 실수에서 연속이고

$$(x-2)f(x)=e^{3x-6}-1$$

을 만족시킬 때, $f(2)$의 값은?

① -2 ② -1 ③ 0
④ 3 ⑤ 4

STEP A $x=2$에서 연속임을 이용하여 식 세우기

$(x-2)f(x)=e^{3x-6}-1$에서

$f(x)=\begin{cases} \dfrac{e^{3x-6}-1}{x-2} & (x\neq 2) \\ c & (x=2) \end{cases}$ (단, c는 상수)라 하면

함수 $f(x)$가 모든 실수에서 연속이므로 $x=2$에서 연속이므로

$\lim_{x\to 2}f(x)=f(2)$이어야 한다.

즉 $\lim_{x\to 2}\dfrac{e^{3(x-2)}-1}{x-2}=f(2)$

STEP B 지수함수의 극한을 이용하여 $f(2)$ 구하기

이때 $x-2=t$로 놓으면 $x\to 2$일 때, $t\to 0$이므로

$f(2)=\lim_{x\to 2}\dfrac{e^{3(x-2)}-1}{x-2}=\lim_{t\to 0}\dfrac{e^{3t}-1}{t}=\lim_{t\to 0}\dfrac{e^{3t}-1}{3t}\times 3=3$

다른풀이 $\lim_{x\to 2}\dfrac{g(x)-g(2)}{x-2}=g'(2)$을 이용하여 $f(2)$ 구하기

$x\neq 2$일 때, $f(x)=\dfrac{e^{3(x-2)}-1}{x-2}$이고 $f(x)$는 $x=2$에서 연속이므로

$f(2)=\lim_{x\to 2}f(x)=\lim_{x\to 1}\dfrac{e^{3(x-2)}-1}{x-2}$

$g(x)=e^{3(x-2)}$로 놓으면 $g(2)=1$이므로

$\lim_{x\to 2}\dfrac{e^{3(x-2)}-1}{x-2}=\lim_{x\to 2}\dfrac{g(x)-g(2)}{x-2}=g'(2)$

따라서 $g'(x)=3e^{3(x-2)}$이므로 $f(2)=g'(2)=3$

정답 ④

내신연계 출제문항 222

함수 $f(x)$가 모든 실수 x에서 연속이고

$$(x-1)f(x)=3^{2x-2}-1$$

을 만족시킬 때, $f(1)$의 값은?

① $\ln 2$ ② $2\ln 2$ ③ $3\ln 2$
④ $2\ln 3$ ⑤ 3

STEP A $x=1$에서 연속임을 이용하여 식 세우기

$(x-1)f(x)=3^{2x-2}-1$에서

$f(x)=\begin{cases} \dfrac{3^{2x-2}-1}{x-1} & (x\neq 1) \\ c & (x=1) \end{cases}$ (단, c는 상수)라 하면

함수 $f(x)$가 모든 실수에서 연속이므로 $x=1$에서 연속이므로

$\lim_{x\to 1}f(x)=f(1)$이어야 한다.

즉 $\lim_{x\to 1}\dfrac{3^{2(x-1)}-1}{x-1}=c$

STEP B 지수함수의 극한을 이용하여 $f(1)$ 구하기

한편 $x-1=t$로 놓으면 $\lim_{t\to 0}\dfrac{3^{2t}-1}{t}=\lim_{t\to 0}\dfrac{3^{2t}-1}{2t}\cdot 2=2\ln 3$

따라서 $f(1)=c=2\ln 3$

다른풀이 $\lim_{x\to 1}\dfrac{g(x)-g(1)}{x-1}=g'(1)$을 이용하여 $f(1)$ 구하기

$x\neq 1$일 때, $f(x)=\dfrac{3^{2x-2}-1}{x-1}$이고 $f(x)$는 $x=1$에서 연속이므로

$f(1)=\lim_{x\to 1}f(x)=\lim_{x\to 1}\dfrac{3^{2x-2}-1}{x-1}$

$g(x)=3^{2x-2}$으로 놓으면 $g(1)=1$이고

$\lim_{x\to 1}\dfrac{3^{2x-2}-1}{x-1}=\lim_{x\to 1}\dfrac{g(x)-g(1)}{x-1}=g'(1)$

이때 $g'(x)=2\cdot 3^{2x-2}\cdot\ln 3$이므로 $f(1)=g'(1)=2\ln 3$

정답 ④

0560

정답 ②

STEP A $x=1$에서 연속임을 이용하여 식 세우기

$(x-1)f(x)=2^{2x-2}-1$에서

$f(x)=\begin{cases} \dfrac{2^{2x-2}-1}{x-1} & (x\neq 1) \\ c & (x=1) \end{cases}$ (단, c는 상수)라 하면

함수 $f(x)$가 모든 실수에서 연속이므로 $x=1$에서 연속이므로

$\lim_{x\to 1}f(x)=f(1)$이어야 한다.

즉 $\lim_{x\to 1}\dfrac{2^{2(x-1)}-1}{x-1}=c$

STEP B 지수함수의 극한을 이용하여 $f(1)$ 구하기

한편 $x-1=t$로 놓으면 $\lim_{t\to 0}\dfrac{2^{2t}-1}{t}=\lim_{t\to 0}\dfrac{2^{2t}-1}{2t}\cdot 2=2\ln 2$

따라서 $f(1)=c=2\ln 2$

다른풀이 $\lim_{x\to 1}\dfrac{g(x)-g(1)}{x-1}=g'(1)$을 이용하여 $f(1)$ 구하기

$x\neq 1$일 때, $f(x)=\dfrac{2^{2x-2}-1}{x-1}$이고 $f(x)$는 $x=1$에서 연속이므로

$f(1)=\lim_{x\to 1}f(x)=\lim_{x\to 1}\dfrac{2^{2x-2}-1}{x-1}$

$g(x)=2^{2x-2}$으로 놓으면 $g(1)=1$이고

$\lim_{x\to 1}\dfrac{2^{2x-2}-1}{x-1}=\lim_{x\to 1}\dfrac{g(x)-g(1)}{x-1}=g'(1)$

이때 $g'(x)=2\cdot 2^{2x-2}\cdot\ln 2$이므로 $f(1)=g'(1)=2\ln 2$

0561

정답 ④

STEP A $x=\dfrac{1}{a}$에서 연속임을 이용하여 식 세우기

$(ax-1)f(x)=\ln x+\ln a$에서

$f(x)=\begin{cases} \dfrac{\ln x+\ln a}{ax-1} & \left(x\neq \dfrac{1}{a}\right) \\ c & \left(x=\dfrac{1}{a}\right) \end{cases}$ (단, c는 상수)라 하면

함수 $f(x)$가 양의 실수에서 연속이므로 $x=\dfrac{1}{a}$에서 연속이므로

$\lim_{x\to\frac{1}{a}}f(x)=f\left(\dfrac{1}{a}\right)$이어야 한다.

즉 $\lim_{x\to\frac{1}{a}}\dfrac{\ln x+\ln a}{ax-1}=\lim_{x\to\frac{1}{a}}\dfrac{\ln ax}{ax-1}=c$

STEP B 로그함수의 극한을 이용하여 $f\left(\dfrac{1}{a}\right)$ 구하기

한편 $ax-1=t$로 놓으면 $ax=1+t$이고

$x\to\dfrac{1}{a}$일 때, $t\to 0$이므로 $\lim_{x\to\frac{1}{a}}\dfrac{\ln ax}{ax-1}=\lim_{t\to 0}\dfrac{\ln(t+1)}{t}=1$

따라서 $f\left(\dfrac{1}{a}\right)=c=1$

02 STEP 1 내신정복 기출유형 지수 · 로그함수의 미분

0562

정답 ①

STEP A 지수함수의 미분법을 이용하여 $f'(0)$의 값 구하기

$f(x)=(x^2+1)e^x$을 x에 대하여 미분하면

$f'(x)=2xe^x+(x^2+1)e^x$

따라서 $f'(0)=1$

0563

정답 ④

STEP A 지수함수의 미분법을 이용하여 $f'(1)$의 값 구하기

$f(x)=e^x(2x+1)$에서 $f'(x)=e^x(2x+1)+2e^x$

따라서 $f'(1)=5e$

내신연계 출제문항 223

함수 $f(x)=x^2e^{x-1}-1$에 대하여 $f'(1)$의 값은?

① 1 ② 2 ③ 3
④ 4 ⑤ 5

STEP A 지수함수의 미분법을 이용하여 $f'(1)$의 값 구하기

$f(x)=x^2e^{x-1}-1$을 x에 대하여 미분하면

$f'(x)=2xe^{x-1}+x^2e^{x-1}$

따라서 $f'(1)=2+1=3$ 정답 ③

0564

정답 ②

STEP A 지수함수의 미분법을 이용하여 a의 값 구하기

$f'(x)=e^x(x+1-a)$이므로 $f'(3)=e^3(4-a)$

즉 $e^3(4-a)=2e^3$에서 $4-a=2$

따라서 $a=2$

0565

정답 ③

STEP A 지수함수의 미분법을 이용하여 a, b 구하기

$f(x)=(ax-b)e^x$을 x에 대하여 미분하면

$f'(x)=ae^x+(ax-b)e^x$

$f(0)=-b=0$, $f'(0)=a-b=3$이므로 $a=3$, $b=0$

따라서 $a+b=3$

0566

정답 ②

STEP A 지수함수의 미분법을 이용하여 a, b 구하기

$f(x)=(x+a)e^{x+b}$을 x에 대하여 미분하면

$f'(x)=e^{x+b}+(x+a)e^{x+b}=(1+x+a)e^{x+b}$

$f'(0)=(1+a)e^b=0$ $\therefore a=-1$

$f'(-1)=-e^{-1+b}=-1$ $\therefore b=1$

따라서 $ab=-1$

0567

정답 ①

STEP A 곱의 미분법을 이용하여 $f'(x)$ 구하기

$f(x)=(1-ax^2)e^x$에서

$f'(x)=-2axe^x+(1-ax^2)e^x=(-ax^2-2ax+1)e^x>0$

STEP B 모든 실수에서 성립하는 부등식의 a의 범위 구하기

이때 $e^x>0$이므로 모든 실수 x에 대하여 $-ax^2-2ax+1>0$

즉 $ax^2+2ax-1<0$

(i) $a=0$일 때, $-1<0$이 성립한다.

(ii) $a<0$일 때, 이차방정식 $ax^2+2ax-1=0$의 판별식을 D라 할 때,

$\frac{D}{4}=a^2+a<0$, $a(a+1)<0$

$\therefore -1<a<0$

(i), (ii)에서 $-1<a\le 0$이므로 정수 a는 0이므로 개수는 1

0568

정답 ②

STEP A 로그함수의 미분법을 이용하여 $f'\left(\frac{1}{e}\right)$의 값 구하기

$f(x)=x\ln x$에서 $f'(x)=\ln x+x\cdot\frac{1}{x}=\ln x+1$

따라서 $f'\left(\frac{1}{e}\right)=\ln\frac{1}{e}+1=-1+1=0$

0569

정답 ⑤

STEP A 로그함수의 미분법을 이용하여 $f'(e)$의 값 구하기

$f(x)=x^3\ln x$이므로

$f'(x)=3x^2\ln x+x^3\times\frac{1}{x}=3x^2\ln x+x^2$

따라서 $f'(e)=3e^2\ln e+e^2=4e^2$이므로 $\frac{f'(e)}{e^2}=4$

내신연계 출제문항 224

함수 $f(x)=(e^x+x^2)\ln x$에 대하여 $f'(1)$의 값은?

① $e+1$ ② $e+2$ ③ $e+3$
④ $e+4$ ⑤ $e+5$

STEP A 로그함수의 미분법을 이용하여 $f'(1)$의 값 구하기

$f(x)=(e^x+x^2)\ln x$에서

$f'(x)=(e^x+x^2)'\times\ln x+(e^x+x^2)\times(\ln x)'$

$=(e^x+2x)\times\ln x+(e^x+x^2)\times\frac{1}{x}$

따라서 $f'(1)=(e+2)\times 0+(e+1)\times 1=e+1$ 정답 ①

0570

정답 ④

STEP A 로그함수의 미분법을 이용하여 $f'(1)$의 값 구하기

$f(x)=e^{x+3}\ln x^2$에서

$f'(x)=2e^{x+3}\left(\ln|x|+\frac{1}{x}\right)$

따라서 $f'(1)=2e^4$

0571

정답 ⑤

STEP A 로그함수의 미분법을 이용하여 $f'(1)$의 값 구하기

$f(x)=3^x\log_2 x$에서 $f'(x)=3^x\ln 3\log_2 x+3^x\cdot\frac{1}{x\ln 2}$

따라서 $f'(1)=0+3\cdot\frac{1}{\ln 2}=\frac{3}{\ln 2}$

0572

정답 ①

STEP A 로그함수의 미분법을 이용하여 미분계수 구하기

$f(x)=\ln x+\ln 2x+\ln 3x+\cdots+\ln 10x$에서

$f(x)=\ln x+(\ln 2+\ln x)+(\ln 3+\ln x)+\cdots+(\ln 10+\ln x)$

$f'(x)=\frac{1}{x}+\frac{1}{x}+\cdots+\frac{1}{x}=\frac{10}{x}$

따라서 $f'\left(\frac{1}{5}\right)=5\cdot 10=50$

0573

정답 ⑤

STEP A 로그함수의 미분법을 이용하여 미분계수 구하기

$f(x)=(x+a)\ln x$에서 $f'(x)=\ln x+(x+a)\cdot\frac{1}{x}$

STEP B $f'(e)=e+2$임을 만족하는 a의 값 구하기

따라서 $f'(e)=1+1+\frac{a}{e}=e+2$이므로 $a=e^2$

내신연계 출제문항 225

함수 $f(x)=ax^2-x\ln x$에 대하여 $f'(1)=7$일 때, 상수 a의 값은?

① 1 ② 2 ③ 3
④ 4 ⑤ 5

STEP A 로그함수의 미분법을 이용하여 $f'(x)$ 구하기

$f(x)=ax^2-x\ln x$에서

$f'(x)=2ax-\left(\ln x+x\cdot\frac{1}{x}\right)=2ax-\ln x-1$

STEP B $f'(1)=7$임을 만족하는 a의 값 구하기

따라서 $f'(1)=2a-1=7$이므로 $a=4$

정답 ④

0574

 ⑤

STEP A 지수함수 로그함수의 도함수 구하기

① $y=5^{x-1}$을 미분하면 $y'=5^{x-1}\ln 5$이다.

② $y=\log_2\sqrt{x}$를 미분하면 $y'=\frac{1}{2x\ln 2}$이다.

③ $y=e^x\ln x$를 미분하면 $y'=\left(\ln x+\frac{1}{x}\right)e^x$이다.

④ $y=(x^2+1)e^x$을 미분하면 $y'=(x+1)^2e^x$이다.

⑤ $y=\ln\frac{7}{x}$을 미분하면 $y'=-\frac{1}{x}$이다. [거짓]

따라서 잘못된 것은 ⑤이다.

내신연계 출제문항 226

함수 $f(x)$에 대하여 다음 [보기] 중 옳은 것은?

ㄱ. $f(x)=\frac{2\log_2 x}{3}$에 대하여 $f'(2)=\frac{1}{3\ln 2}$이다.
ㄴ. $f(x)=3^{2x+1}$에 대하여 $f'(-1)=\frac{2}{3}\ln 3$이다.
ㄷ. $f(x)=e^x\ln 2x$에 대하여 $f'\left(\frac{1}{2}\right)=2\sqrt{e}$이다.

① ㄱ ② ㄴ ③ ㄴ, ㄷ
④ ㄱ, ㄷ ⑤ ㄱ, ㄴ, ㄷ

STEP A 로그함수 지수함수의 미분법을 이용하여 미분계수 구하기

ㄱ. $f(x)=\frac{2\log_2 x}{3}$에서 $f'(x)=\frac{2}{3}\cdot\frac{1}{x\ln 2}$이므로 $f'(2)=\frac{1}{3\ln 2}$ [참]

ㄴ. $f(x)=3^{2x+1}$에서 $f'(x)=2\cdot 3^{2x+1}\ln 3$이므로 $f'(-1)=\frac{2}{3}\ln 3$ [참]

ㄷ. $f(x)=e^x\ln 2x$에서 $f'(x)=e^x\ln 2x+e^x\cdot\frac{1}{x}$이므로 $f'\left(\frac{1}{2}\right)=2\sqrt{e}$ [참]

따라서 옳은 것은 ㄱ, ㄴ, ㄷ이다.

정답 ⑤

0575

 ②

STEP A 지수함수의 미분법을 이용하여 미분계수 구하기

조건 (가)에서

$f'(x)=e^x(x^3-3x+2)+e^x(3x^2-3)$

$=(x^3+3x^2-3x-1)e^x$

$\therefore f'(1)=0$

STEP B 로그함수의 미분법을 이용하여 미분계수 구하기

조건 (나)에서

$g'(x)=6x\log_2 x+\frac{3x^2-2}{x\ln 2}$

$\therefore g'(1)=\frac{1}{\ln 2}$

따라서 $f'(1)+g'(1)=\frac{1}{\ln 2}$

0576

정답 ②

STEP A 로그함수의 미분법을 이용하여 미분계수 구하기

함수 $f(x)=3^x$의 역함수가 $g(x)=\log_3 x$이므로

$g'(x)=\frac{1}{x\ln 3}$

따라서 $g'(\log_3 e)=\frac{1}{\log_3 e\cdot\ln 3}=\frac{1}{\frac{1}{\ln 3}\cdot\ln 3}=1$

다른풀이 역함수 미분법을 이용하여 미분계수 구하기

$g(x)=f^{-1}(x)$이므로 $x=3^y$이고

$g'(x)=\frac{1}{f'(y)}=\frac{1}{3^y\ln 3}=\frac{1}{x\ln 3}$

따라서 $g'(\log_3 e)=\frac{1}{\log_3 e\cdot\ln 3}=\frac{1}{\frac{1}{\ln 3}\cdot\ln 3}=1$

0577

정답 ③

STEP A x의 값이 1에서 e까지 변할 때의 평균변화율 구하기

함수 $f(x)=x\ln x$에 대하여 x의 값이 1에서 e까지 변할 때의 평균변화율은

$\frac{f(e)-f(1)}{e-1}=\frac{e\ln e-\ln 1}{e-1}=\frac{e}{e-1}$

STEP B $x=a$에서의 순간변화율 구하기

$f(x)=x\ln x$에서 $f'(x)=1\cdot\ln x+x\cdot\frac{1}{x}=\ln x+1$

$f'(a)=\ln a+1$이므로 $\frac{e}{e-1}=\ln a+1$

따라서 $\ln a=\frac{1}{e-1}$이므로 $a=e^{\frac{1}{e-1}}$

0578

정답 ④

STEP A $n=\frac{1}{t}$로 치환하여 $\lim_{x\to 0}\frac{a^x-1}{x}=\ln a$임을 이용하기

$\lim_{n\to\infty}n(\sqrt[n]{x}-1)=\lim_{n\to\infty}n(x^{\frac{1}{n}}-1)$에서

$n=\frac{1}{t}$로 놓으면 $n\to\infty$일 때, $t\to 0+$이므로

$f(x)=\lim_{n\to\infty}n(\sqrt[n]{x}-1)=\lim_{t\to 0+}\frac{x^t-1}{t}=\ln x$

STEP B $f'\left(\frac{1}{2}\right)$ 구하기

따라서 $f'(x)=(\ln x)'=\frac{1}{x}$이므로 $f'\left(\frac{1}{2}\right)=2$

내신연계 출제문항 227

함수 $f(x)=\lim_{n\to\infty}n(\sqrt[n]{3x}-1)$일 때, $f'\left(\frac{1}{3}\right)$의 값은?

① $\frac{1}{4}$　② $\frac{1}{3}$　③ $\frac{1}{2}$

④ 2　⑤ 3

STEP A $n=\frac{1}{t}$로 치환하여 $\lim_{x\to 0}\frac{a^x-1}{x}=\ln a$임을 이용하기

$f(x)=\lim_{n\to\infty}n(\sqrt[n]{3x}-1)$에서

$n=\frac{1}{t}$로 놓으면 $n\to\infty$일 때, $t\to 0$이므로

$f(x)=\lim_{n\to\infty}n(\sqrt[n]{3x}-1),\ \lim_{t\to 0}\frac{(3x)^t-1}{t}=\ln 3x$

STEP B $f'\left(\frac{1}{3}\right)$ 구하기

따라서 $f'(x)=(\ln 3x)'=\frac{1}{x}$이므로 $f'\left(\frac{1}{3}\right)=3$

정답 ⑤

0579

정답 ④

STEP A e의 정의를 이용한 극한 구하기

$f(x)=\lim_{n\to\infty}\left(1-\frac{x}{n}\right)^n=\lim_{n\to\infty}\left\{\left(1-\frac{x}{n}\right)^{-\frac{n}{x}}\right\}^{-x}=e^{-x}$

이때 $f'(x)=-e^{-x}$

STEP B 지수함수의 극한을 이용하여 구하기

따라서 $\lim_{x\to 0}\frac{f'(x)+1}{3x}=\lim_{x\to 0}\frac{-e^{-x}+1}{3x}=\lim_{x\to 0}\frac{e^{-x}-1}{-x}\cdot\frac{1}{3}=\frac{1}{3}$

0580

정답 ①

STEP A $f(x)=-f(-x)$이므로 원점에 대하여 대칭인 함수 구하기

$f(x)=-f(-x)$를 만족시키는 삼차함수를

$f(x)=ax^3+bx$ (단, a, b는 정수)라 하면

$f'(x)=3ax^2+b$

STEP B 미분하여 계수 비교하기

$g(x)=f(x)\ln x+f(x)$에서 양변을 x로 미분하면

$g'(x)=f'(x)\ln x+f(x)\cdot\frac{1}{x}+f'(x)$

$g'(e)=f'(e)+f(e)\cdot\frac{1}{e}+f'(e)$

$=2f'(e)+\frac{f(e)}{e}$

$=6ae^2+2b+\frac{ae^3+be}{e}$

$=7ae^2+3b$

이때 $7ae^2+3b=14e^2+12$이므로 $a=2$, $b=4$

따라서 $f(x)=2x^3+4x$이므로 $f(1)=6$

0581

정답 ③

STEP A 미분계수의 정의를 이용하여 변형하기

$\lim_{h\to 0}\frac{f(a+h)-f(a-h)}{h}$

$=\lim_{h\to 0}\frac{f(a+h)-f(a)-f(a-h)+f(a)}{h}$

$=\lim_{h\to 0}\frac{f(a+h)-f(a)}{h}+\lim_{h\to 0}\frac{f(a-h)-f(a)}{-h}$

$=f'(a)+f'(a)$

$=2f'(a)$

STEP B 로그함수의 미분법을 이용하여 a의 값 구하기

즉 $2f'(a)=4e$이므로 $f'(a)=2e$

또, $f(x)=e^x$에서 $f'(x)=e^x$이므로 $e^a=2e$

따라서 $a=\ln 2e=\ln 2+1$

0582

정답 ③

STEP A 미분계수의 정의를 이용하여 변형하기

$\lim_{h\to 0}\frac{f(e+2h)-f(e-3h)}{h}$

$=\lim_{h\to 0}f\frac{(e+2h)-f(e)+f(e)-f(e-3h)}{h}$

$=\lim_{h\to 0}\frac{f(e+2h)-f(e)}{2h}\cdot 2+\lim_{h\to 0}\frac{f(e-3h)-f(e)}{-3h}\cdot 3$

$=5f'(e)$

STEP B 곱의 미분법을 이용하여 $5f'(e)$의 값 구하기

$f(x)=2x\ln x$에서 $f'(x)=2\ln x+2$

따라서 $5f'(e)=5\times 4=20$

내신연계 출제문항 228

함수 $f(x)=\ln x$에 대하여

$$\lim_{h\to0}\frac{f(a+h)-f(a-h)}{h}=4$$

일 때, 상수 a의 값은?

① $\frac{1}{4}$　② $\frac{1}{2}$　③ $\frac{\sqrt{2}}{2}$
④ 1　⑤ 2

STEP Ⓐ 미분계수의 정의를 이용하여 변형하기

$\lim_{h\to0}\frac{f(a+h)-f(a-h)}{h}$

$=\lim_{h\to0}\frac{f(a+h)-f(a)-f(a-h)+f(a)}{h}$

$=\lim_{h\to0}\frac{f(a+h)-f(a)}{h}+\lim_{h\to0}\frac{f(a-h)-f(a)}{-h}$

$=f'(a)+f'(a)=2f'(a)$

STEP Ⓑ 로그함수의 미분법을 이용하여 a의 값 구하기

즉 $2f'(a)=4$이므로 $f'(a)=2$

또, $f(x)=\ln x$에서 $f'(x)=\frac{1}{x}$이므로 $\frac{1}{a}=2$

따라서 $a=\frac{1}{2}$

 ②

0583

 ④

STEP Ⓐ 미분계수의 정의를 이용하여 변형하기

$\lim_{h\to0}\frac{f(1+h)-f(1-h)}{h}$

$=\lim_{h\to0}\frac{f(1+h)-f(1)+f(1)-f(1-h)}{h}$

$=\lim_{h\to0}\frac{f(1+h)-f(1)}{h}+\lim_{h\to0}\frac{f(1-h)-f(1)}{-h}$

$=f'(1)+f'(1)=2f'(1)$

STEP Ⓑ 로그함수의 미분법을 이용하여 구하기

이때 $f(x)=x\ln x+x^3$에서 $f'(x)=\ln x+x\cdot\frac{1}{x}+3x^2=\ln x+3x^2+1$

따라서 $2f'(1)=2(\ln1+3+1)=8$

내신연계 출제문항 229

함수 $f(x)=x^2+x\ln x$에 대하여 $\lim_{h\to0}\frac{f(1+2h)-f(1-h)}{h}$의 값은?

① 6　② 7　③ 8
④ 9　⑤ 10

STEP Ⓐ 미분계수의 정의를 이용하여 변형하기

$\lim_{h\to0}\frac{f(1+2h)-f(1-h)}{h}$

$=\lim_{h\to0}\frac{f(1+2h)-f(1)}{2h}\cdot2-\lim_{h\to0}\frac{f(1-h)-f(1)}{-h}\cdot(-1)$

$=2f'(1)+f'(1)=3f'(1)$

STEP Ⓑ 로그함수의 미분법을 이용하여 $3f'(1)$의 값 구하기

$f(x)=x^2+x\ln x$에서 $f'(x)=2x+1\cdot\ln x+x\cdot\frac{1}{x}=2x+\ln x+1$

따라서 $3f'(1)=3(2+\ln1+1)=9$

 ④

0584

 ①

STEP Ⓐ 미분계수의 정의를 이용하여 변형하기

$\lim_{h\to0}\frac{f(e+2h)-f(e-3h)}{h}$

$=\lim_{h\to0}\frac{f(e+2h)-f(e)+f(e)-f(e-3h)}{h}$

$=\lim_{h\to0}\frac{f(e+2h)-f(e)}{2h}\cdot2-\lim_{h\to0}\frac{f(e-3h)-f(e)}{3h}\cdot3$

$=2f'(e)+3f'(e)=5f'(e)$

STEP Ⓑ 로그함수의 미분법을 이용하여 구하기

이때 $f(x)=x^2\ln x$에서 $f'(x)=2x\ln x+x^2\cdot\frac{1}{x}=2x\ln x+x$

따라서 $5f'(e)=5\cdot3e=15e$

0585

 ⑤

STEP Ⓐ 미분계수의 정의를 이용하여 변형하기

$\lim_{h\to0}\frac{f(e+h)-f(e-h)}{h}$

$=\lim_{h\to0}\frac{f(e+h)-f(e)+f(e)-f(e-h)}{h}$

$=\lim_{h\to0}\frac{f(e+h)-f(e)}{h}+\lim_{h\to0}\frac{f(e-h)-f(e)}{-h}$

$=f'(e)+f'(e)=2f'(e)$

STEP Ⓑ 곱의 미분법을 이용하여 $2f'(e)$의 값 구하기

$f'(x)=2x\ln x+x^2\cdot\frac{1}{x}+1=2x\ln x+x+1$

따라서 $2f'(e)=2(2e\ln e+e+1)=6e+2$

내신연계 출제문항 230

함수 $f(x)=x^2\ln x-x$에 대하여 $\lim_{h\to0}\frac{f(e+eh)-f(e-eh)}{h}$의 값은?

① $4e^2$　② $5e^2-e$　③ $6e^2-2e$
④ $7e^2-3e$　⑤ $8e^2-4e$

STEP Ⓐ 곱의 미분법을 이용하여 $f'(x)$의 값 구하기

$f(x)=x^2\ln x-x$에서

$f'(x)=(x^2)'\cdot\ln x+x^2\cdot(\ln x)'-1$

$\quad=2x\times\ln x+x^2\times\frac{1}{x}-1$

$\quad=2x\ln x+x-1$

STEP Ⓑ 미분계수의 정의를 이용하여 변형하여 구하기

함수 $f(x)$가 $x=e$에서 미분가능 하므로

$\lim_{h\to0}\frac{f(e+eh)-f(e-eh)}{h}$

$=\lim_{h\to0}\left\{\frac{f(e+eh)-f(e)}{h}-\frac{f(e-eh)-f(e)}{h}\right\}$

$=e\lim_{h\to0}\left\{\frac{f(e+eh)-f(e)}{eh}+\frac{f(e-eh)-f(e)}{-eh}\right\}$

$=e\{f'(e)+f'(e)\}$

$=2ef'(e)$

$=2e(2e\ln e+e-1)$

$=6e^2-2e$

 ③

0586

 ④

STEP Ⓐ 미분계수의 정의를 이용하여 변형하기

$\lim_{h\to0}\frac{f(1+h)-f(1-h)}{h}$

$=\lim_{h\to0}\frac{f(1+h)-f(1)+f(1)-f(1-h)}{h}$

$=\lim_{h\to0}\frac{f(1+h)-f(1)}{h}+\lim_{h\to0}\frac{f(1-h)-f(1)}{-h}$

$=f'(1)+f'(1)$

$=2f'(1)$

STEP Ⓑ 지수함수와 로그함수의 미분법을 이용하여 구하기

이때 $f(x)=e^{x-1}+\log_2 3x=\frac{1}{e}e^x+\log_2 3+\log_2 x$에서

$f'(x)=\frac{1}{e}e^x+\frac{1}{x\ln 2}$

따라서 $2f'(1)=2\left(1+\frac{1}{\ln 2}\right)=2+\frac{2}{\ln 2}$

0587

 ②

STEP Ⓐ 미분계수의 정의를 이용하여 변형하기

$\frac{1}{n}=h$라 하면 $n\to\infty$이면 $h\to0$

$\lim_{n\to\infty}n\left\{f\left(e+\frac{1}{n}\right)-f\left(e-\frac{2}{n}\right)\right\}$

$=\lim_{h\to0}\frac{f(e+h)-f(e-2h)}{h}$

$=\lim_{h\to0}\frac{f(e+h)-f(e)+f(e)-f(e-2h)}{h}$

$=\lim_{h\to0}\frac{f(e+h)-f(e)}{h}-\lim_{h\to0}\frac{f(e-2h)-f(e)}{-2h}\cdot(-2)$

$=f'(e)+2f'(e)$

$=3f'(e)$

STEP Ⓑ 로그함수의 미분법을 이용하여 구하기

$f(x)=x\ln x$에서 $f'(x)=\ln x+x\cdot\frac{1}{x}=\ln x+1$

따라서 구하는 값은 $3f'(e)=6$

내신연계 출제문항 231

함수 $f(x)=(x^2-x)e^x$에 대하여

$$\lim_{n\to\infty}n\left\{f\left(1+\frac{2}{n}\right)-f\left(1-\frac{1}{n}\right)\right\}$$

의 값은? (단, e는 자연로그의 밑이다.)

① e　② $2e$　③ $3e$
④ $4e$　⑤ $5e$

STEP Ⓐ 미분계수의 정의를 이용하여 변형하기

$\lim_{n\to\infty}n\left\{f\left(1+\frac{2}{n}\right)-f\left(1-\frac{1}{n}\right)\right\}$

$\frac{1}{n}=h$라 하면 $n\to\infty$이면 $h\to0$

$\lim_{h\to0}\frac{f(1+2h)-f(1-h)}{h}$

$=\lim_{h\to0}\frac{f(1+2h)-f(1)+f(1)-f(1-h)}{h}$

$=\lim_{h\to0}\frac{f(1+2h)-f(1)}{2h}\cdot2+\lim_{h\to0}\frac{f(1-h)-f(1)}{-h}$

$=2f'(1)+f'(1)=3f'(1)$

STEP Ⓑ 지수함수의 미분법을 이용하여 구하기

함수 $f(x)=(x^2-x)e^x$에서

$f'(x)=(2x-1)e^x+(x^2-x)e^x=(x^2+x-1)e^x$

따라서 $3f'(1)=3e$

 ③

0588

정답 ②

STEP Ⓐ 미분계수의 정의를 이용하여 변형하기

$\frac{1}{n}=h$라 하면 $n\to\infty$이면 $h\to0$

$\lim_{n\to\infty}n\left\{f\left(1+\frac{1}{n}\right)-f\left(1-\frac{1}{n}\right)\right\}$

$=\lim_{h\to0}\frac{f(1+h)-f(1-h)}{h}$

$=\lim_{h\to0}\frac{f(1+h)-f(1)+f(1)-f(1-h)}{h}$

$=\lim_{h\to0}\frac{f(1+h)-f(1)}{h}+\lim_{h\to0}\frac{f(1-h)-f(1)}{-h}$

$=f'(1)+f'(1)$

$=2f'(1)$

STEP Ⓑ 곱의 미분법을 이용하여 구하기

$f'(x)=2^x\ln 2\cdot\log_4 x+2^x\cdot\frac{1}{x\ln 4}$

따라서 $2f'(1)=2\left(2\ln 2\cdot\log_4 1+\frac{2}{\ln 4}\right)=\frac{2}{\ln 2}$

내신연계 출제문항 232

함수 $f(x)=e^x\log_2 x$에 대하여

$$\lim_{n\to\infty}n\left\{f\left(2+\frac{2}{n}\right)-f\left(2-\frac{2}{n}\right)\right\}$$

의 값은?

① $e^2\left(1+\frac{1}{2\ln 2}\right)$　② $4e^2\left(1+\frac{1}{2\ln 2}\right)$　③ $e^4\left(1+\frac{1}{\ln 2}\right)$
④ $e^4\left(1+\frac{1}{2\ln 2}\right)$　⑤ $e^4\left(1+\frac{2}{\ln 2}\right)$

STEP Ⓐ 미분계수의 정의를 이용하여 변형하기

$\frac{1}{n}=h$라 하면 $n\to\infty$이면 $h\to0$

$\lim_{n\to\infty}n\left\{f\left(2+\frac{2}{n}\right)-f\left(2-\frac{2}{n}\right)\right\}$

$=\lim_{h\to0}\frac{f(2+2h)-f(2-2h)}{h}$

$=\lim_{h\to0}\frac{f(2+2h)-f(2)-f(2-2h)+f(2)}{h}$

$=\lim_{h\to0}\left\{\frac{f(2+2h)-f(2)}{2h}\cdot2+\frac{f(2-2h)-f(2)}{-2h}\cdot2\right\}$

$=2f'(2)+2f'(2)$

$=4f'(2)$

STEP Ⓑ 곱의 미분법을 이용하여 구하기

$f(x)=e^x\log_2 x$에서 $f'(x)=e^x\log_2 x+e^x\cdot\frac{1}{x\ln 2}$

따라서 $4f'(2)=4e^2\left(1+\frac{1}{2\ln 2}\right)$

정답 ②

0589

정답 ①

STEP A 미분계수의 정의를 이용하여 변형하기

$$\lim_{h\to 0}\frac{f(e+2h)-f(e-2h)}{4h}$$
$$=\lim_{h\to 0}\frac{f(e+2h)-f(e)-f(e+2h)+f(e)}{4h}$$
$$=\lim_{h\to 0}\left\{\frac{f(e+2h)-f(e)}{2h}\cdot\frac{1}{2}+\frac{f(e-2h)-f(e)}{-2h}\cdot\frac{1}{2}\right\}$$
$$=\frac{1}{2}f'(e)+\frac{1}{2}f'(e)$$
$$=f'(e)$$

STEP B 곱의 미분법을 이용하여 구하기

이때 $f(x)=xe^x\ln x$에서 $f'(x)=e^x\ln x+xe^x\ln x+e^x$

따라서 $f'(e)=(2+e)e^e$

0590

정답 ①

STEP A 미분계수의 정의를 이용하여 변형하기

$$\lim_{x\to 2}\frac{f(x)-f(2)}{x^2-3x+2}=\lim_{x\to 2}\frac{f(x)-f(2)}{(x-1)(x-2)}$$
$$=\lim_{x\to 2}\frac{f(x)-f(2)}{x-2}\cdot\frac{1}{x-1}$$
$$=f'(2)\cdot 1=f'(2)$$

STEP B 로그함수의 미분법을 이용하여 구하기

$f(x)=\ln x$에서 $f'(x)=\dfrac{1}{x}$

따라서 $f'(2)=\dfrac{1}{2}$

0591

 ⑤

STEP A 로그함수의 미분법과 미분계수의 정의를 이용하여 구하기

$x^2=t$로 놓으면 $x\to 1$일 때, $t\to 1$

$$\lim_{x\to 1}\frac{f(x^2)-f(1)}{x-1}=\lim_{x\to 1}\frac{f(x^2)-f(1)}{x^2-1}\cdot(x+1)$$
$$=2\lim_{t\to 1}\frac{f(t)-f(1)}{t-1}=2f'(1)$$

$f'(x)=1\cdot\ln x+x\cdot\dfrac{1}{x}=\ln x+1$이므로 $f'(1)=1$

따라서 $\displaystyle\lim_{x\to 1}\frac{f(x^2)-f(1)}{x-1}=2f'(1)=2$

0592

 ③

STEP A 미분계수의 정의와 지수함수의 극한을 이용하여 구하기

$$\lim_{x\to 0}\frac{f(2^x)-f(1)}{x}=\lim_{x\to 0}\frac{f(2^x)-f(1)}{2^x-1}\cdot\frac{2^x-1}{x}$$
$$=\lim_{x\to 0}\frac{f(2^x)-f(1)}{2^x-1}\cdot\lim_{x\to 0}\frac{2^x-1}{x}$$
$$=f'(1)\cdot\ln 2=2\ln 2$$

0593

정답 ③

STEP A 미분계수를 변형하여 식 정리하기

$f(1)=\ln 3$이므로

$$\lim_{x\to 1}\frac{f(x^2)-x^2\ln 3}{x-1}=\lim_{x\to 1}\frac{f(x^2)-x^2f(1)}{x-1}$$
$$=\lim_{x\to 1}\frac{f(x^2)-f(1)+f(1)-x^2f(1)}{x-1}$$
$$=\lim_{x\to 1}\left\{\frac{f(x^2)-f(1)}{x^2-1}\times(x+1)-f(1)(x+1)\right\}$$
$$=2f'(1)-2f(1)$$

STEP B 로그함수의 미분법을 이용하여 구하기

$f(x)=x\ln 3x$에서 $f'(x)=\ln 3x+x\cdot\dfrac{3}{3x}=\ln 3x+1$

$f'(1)=\ln 3+1$

따라서 $2f'(1)-2f(1)=2(\ln 3+1)-2\ln 3=2$

0594

 ③

STEP A 함수의 극한의 성질을 이용하여 $f(1)$의 값 구하기

$$\lim_{x\to 1}\frac{e^xf(x)-4}{x-1}=2e \qquad \cdots\cdots ㉠$$

$x\to 1$일 때, (분모)$\to 0$이고 극한값이 존재하므로 (분자)$\to 0$이어야 한다.

$\displaystyle\lim_{x\to 1}\{e^xf(x)-4\}=0$이므로 $ef(1)=4 \quad \therefore f(1)=\frac{4}{e}$

STEP B $\displaystyle\lim_{x\to 1}\frac{g(x)-g(1)}{x-1}=g'(1)$임을 이용하여 $f(1)+f'(1)$ 구하기

$g(x)=e^xf(x)$라 하면

㉠에서 $\displaystyle\lim_{x\to 1}\frac{e^xf(x)-4}{x-1}=\lim_{x\to 1}\frac{g(x)-g(1)}{x-1}=g'(1)=2e$

이때 $g'(x)=e^xf(x)+e^xf'(x)$이므로 $g'(1)=ef(1)+ef'(1)=2e$

따라서 $f(1)+f'(1)=2$

내신연계 출제문항 233

미분가능한 함수 $f(x)$에 대하여

$$\lim_{x\to 2}\frac{2e^xf(x)-3}{x-2}=4e$$

일 때, $f(2)+f'(2)$는?

① $\dfrac{1}{e^2}$ ② $\dfrac{2}{e}$ ③ 1

④ $2e$ ⑤ e^2

STEP A 함수의 극한의 성질을 이용하여 $f(2)$의 값 구하기

$$\lim_{x\to 2}\frac{2e^xf(x)-3}{x-2}=4e \qquad \cdots\cdots ㉠$$

$x\to 2$일 때, (분모)$\to 0$이고 극한값이 존재하므로 (분자)$\to 0$이어야 한다.

$\displaystyle\lim_{x\to 2}\{2e^xf(x)-3\}=0$이므로 $2e^2f(2)=3 \quad \therefore f(2)=\frac{3}{2e^2}$

STEP B $\displaystyle\lim_{x\to 2}\frac{g(x)-g(2)}{x-2}=g'(2)$임을 이용하여 $f(2)+f'(2)$ 구하기

$g(x)=2e^xf(x)$라 하면

㉠에서 $\displaystyle\lim_{x\to 2}\frac{2e^xf(x)-3}{x-2}=\lim_{x\to 2}\frac{g(x)-g(2)}{x-2}=g'(2)=4e$

이때 $g'(x)=2e^xf(x)+2e^xf'(x)$이므로

$g'(2)=2e^2f(2)+2e^2f'(2)=2e^2\{f(2)+f'(2)\}=4e$

따라서 $f(2)+f'(2)=\dfrac{2}{e}$

정답 ②

0595

정답 ②

STEP A 함수의 극한의 성질을 이용하여 $f(3)$의 값 구하기

$\lim_{x\to 3}\frac{3^x f(x)-9}{x-3}=27$에서

$x\to 3$일 때, (분모)$\to 0$이고 극한값이 존재하므로 (분자)$\to 0$이어야 한다.

즉 $\lim_{x\to 3}\{3^x f(x)-9\}=0$이므로 $27f(3)-9=0$

$\therefore f(3)=\frac{1}{3}$ ...... ㉠

이때 $g(x)=3^x f(x)$이라 하면 $g(3)=3^3\cdot f(3)=9$

STEP B $\lim_{x\to 1}\frac{g(x)-g(3)}{x-3}=g'(3)$임을 이용하여 $f(3)\ln 3+f'(3)$ 구하기

$\lim_{x\to 3}\frac{3^x f(x)-9}{x-3}=\lim_{x\to 3}\frac{g(x)-g(3)}{x-3}=g'(3)$

$\therefore g'(3)=27$

즉 $g'(x)=3^x\ln 3f(x)+3^x f'(x)$에서 $g'(3)=3^3\ln 3f(3)+3^3f'(3)=27$

이때 ㉠에서 $27\ln 3\cdot\frac{1}{3}+27f'(3)=27$

$\therefore f'(3)=1-\frac{1}{3}\ln 3$

따라서 $f(3)\ln 3+f'(3)=\frac{1}{3}\cdot\ln 3+\left(1-\frac{1}{3}\ln 3\right)=1$

0596

STEP A 함수의 극한의 성질을 이용하여 $f(1)=e$인 a의 값 구하기

$\lim_{x\to 1}\frac{f(x)-e}{x^3-1}=b$에서

$x\to 1$일 때, (분모)$\to 0$이고 극한값이 존재하므로 (분자)$\to 0$이어야 한다.

즉 $\lim_{x\to 1}\{f(x)-e\}=0$이므로 $f(1)-e=0$

$\therefore f(1)=e$

이때 $f(x)=e^x(2\ln x+a)$에서 $f(1)=e^1(2\ln 1+a)=ae=e$

$\therefore a=1$

STEP B 미분계수의 정의를 이용하여 b의 값 구하기

$\lim_{x\to 1}\frac{f(x)-e}{x^3-1}=\lim_{x\to 1}\frac{f(x)-f(1)}{x-1}\cdot\frac{1}{x^2+x+1}=f'(1)\cdot\frac{1}{3}=b$

한편 $f'(x)=e^x(2\ln x+1)+e^x\cdot\frac{2}{x}$이므로 $b=\frac{1}{3}f'(1)=\frac{1}{3}\cdot 3e=e$

STEP C $a+b$의 값 구하기

따라서 $a=1$, $b=e$이므로 $a+b=1+e$

내신연계 출제문항 234

함수 $f(x)=e^x(3\ln x+a)$에 대하여

$$\lim_{x\to 1}\frac{f(x)-e}{x^2-1}=b$$

를 만족하는 상수 a, b에 대하여 $a+b$의 값은?

① 1 ② $2e$ ③ $1+2e$
④ $3+2e$ ⑤ $3e$

STEP A 함수의 극한의 성질을 이용하여 $f(1)=e$인 a의 값 구하기

$\lim_{x\to 1}\frac{f(x)-e}{x^2-1}=b$에서

$x\to 1$일 때, (분모)$\to 0$이고 극한값이 존재하므로 (분자)$\to 0$이어야 한다.

즉 $\lim_{x\to 1}\{f(x)-e\}=0$이므로 $f(1)-e=0$ $\therefore f(1)=e$

이때 $f(x)=e^x(2\ln x+a)$에서 $f(1)=e^1(3\ln 1+a)=ae=e$

$\therefore a=1$

STEP B 미분계수의 정의를 이용하여 b의 값 구하기

$\lim_{x\to 1}\frac{f(x)-e}{x^2-1}=\lim_{x\to 1}\frac{f(x)-f(1)}{x-1}\cdot\frac{1}{x+1}=f'(1)\cdot\frac{1}{2}=b$

한편 $f'(x)=e^x(3\ln x+1)+e^x\cdot\frac{3}{x}$이므로

$b=\frac{1}{2}f'(1)=\frac{1}{2}\cdot 4e=2e$

STEP C $a+b$의 값 구하기

따라서 $a=1$, $b=2e$이므로 $a+b=1+2e$

0597

STEP A 함수의 극한의 성질을 이용하여 $f(1)=8$인 a의 값 구하기

$\lim_{x\to 1}\frac{f(x)-8}{x^3-1}=b$의 값이 존재하고

$x\to 1$일 때, (분모)$\to 0$이고 극한값이 존재하므로 (분자)$\to 0$이어야 한다.

즉 $\lim_{x\to 1}\{f(x)-8\}=f(1)-8=0$

$f(1)=8$이므로 $f(1)=a=8$

$\therefore f(x)=x^2\ln x+8x$

STEP B 미분계수의 정의를 이용하여 b의 값 구하기

이때 $f'(x)=2x\ln x+x^2\times\frac{1}{x}+8=2x\ln x+x+8$이므로

$$\begin{aligned}\lim_{x\to 1}\frac{f(x)-8}{x^3-1}&=\lim_{x\to 1}\frac{f(x)-f(1)}{(x-1)(x^2+x+1)}\\&=\lim_{x\to 1}\left\{\frac{f(x)-f(1)}{x-1}\times\frac{1}{x^2+x+1}\right\}\\&=\frac{1}{3}f'(1)=\frac{1}{3}(0+1+8)=3\end{aligned}$$

$\therefore b=3$

따라서 $a=8$, $b=3$이므로 $a+b=11$

0598

STEP A 함수의 극한의 성질을 이용하여 a의 값 구하기

$\lim_{x\to 1}\frac{ef(x)-1}{e(x^3-1)}=b$에서

$x\to 1$일 때, (분모)$\to 0$이고 극한값이 존재하므로 (분자)$\to 0$이어야 한다.

즉 $\lim_{x\to 1}\{ef(x)-1\}=0$이므로 $ef(1)-1=0$

$\therefore f(1)=\frac{1}{e}$

$f(x)=e^{x-1}(5e\ln x-3a)$에서 $f(1)=-3a=\frac{1}{e}$

$\therefore a=-\frac{1}{3e}$

STEP B $\lim_{x\to 1}\frac{f(x)-f(1)}{x-1}=f'(1)$임을 이용하여 a, b 구하기

또한, x에 대하여 미분하면 $f'(x)=e^{x-1}\left(5e\ln x+\frac{1}{e}\right)+e^{x-1}\left(\frac{5e}{x}\right)$

$$\begin{aligned}\lim_{x\to 1}\frac{ef(x)-1}{e(x^3-1)}&=\lim_{x\to 1}\frac{ef(x)-ef(1)}{e(x^3-1)}\\&=\lim_{x\to 1}\frac{f(x)-f(1)}{x-1}\cdot\frac{1}{x^2+x+1}\\&=f'(1)\cdot\frac{1}{3}\end{aligned}$$

이때 $b=f'(1)\cdot\frac{1}{3}$이므로 $b=\left(\frac{1}{e}+5e\right)\cdot\frac{1}{3}$

따라서 $a+b=-\frac{1}{3e}+\frac{1}{3e}+\frac{5e}{3}=\frac{5}{3}e$

0599

정답 ③

STEP A $f(0)$ 구하기

$x=0$, $y=0$을 대입하면

$f(0)=f(0)+f(0)+1-1-1+1$이므로 $f(0)=0$

STEP B 도함수의 정의를 이용하여 $f'(x)$ 구하기

$$\begin{aligned} f'(x)&=\lim_{h\to0}\frac{f(x+h)-f(x)}{h}\\ &=\lim_{h\to0}\frac{\{f(x)+f(h)+e^{x+h}-e^{x}-e^{h}+1\}-f(x)}{h}\\ &=\lim_{h\to0}\frac{f(h)+e^{x}(e^{h}-1)-(e^{h}-1)}{h}\\ &=\lim_{h\to0}\left\{\frac{f(h)-f(0)}{h-0}+(e^{x}-1)\frac{e^{h}-1}{h}\right\}(\because f(0)=0)\\ &=f'(0)+e^{x}-1=e^{x}+4 \quad \leftarrow f'(0)=5 \end{aligned}$$

STEP C $f'(\ln 2)$의 값 구하기

따라서 $f'(\ln 2)=e^{\ln 2}+4=2+4=6$

내신연계 출제문항 235

실수 전체의 집합에서 정의된 미분가능한 함수 $f(x)$가 다음 조건을 만족시킨다.

> (가) 모든 실수 x, y에 대하여
> $$f(x+y)=f(x)f(y)+4f(x)+4f(y)+12$$
> (나) $f(\ln 2)=0$, $f'(0)=2$

이때 $f'(\ln 2)$의 값은?

① 4　② 6　③ 8
④ 10　⑤ 12

STEP A 조건 (가)에서 $f(0)$ 구하기

조건 (가)에 $y=0$을 대입하면

$f(x)=f(x)f(0)+4f(x)+4f(0)+12$

$f(x)f(0)+3f(x)+4f(0)+12=0$

$\{f(x)+4\}\{f(0)+3\}=0$

$\therefore f(0)=-3(\because f(\ln 2)=0)$

STEP B 도함수의 정의를 이용하여 $f'(x)$ 구하기

$$\begin{aligned} f'(x)&=\lim_{h\to0}\frac{f(x+h)-f(x)}{h}\\ &=\lim_{h\to0}\frac{f(x)f(h)+4f(x)+4f(h)+12-f(x)}{h}\\ &=\lim_{h\to0}\frac{f(x)f(h)+3f(x)+4f(h)+12}{h}\\ &=\lim_{h\to0}\frac{\{f(x)+4\}\{f(h)+3\}}{h}\\ &=\{f(x)+4\}\lim_{h\to0}\frac{f(h)+3}{h}\\ &=\{f(x)+4\}\lim_{h\to0}\frac{f(h)-f(0)}{h}\\ &=\{f(x)+4\}f'(0)\\ &=2\{f(x)+4\} \end{aligned}$$

STEP C $f'(\ln 2)$의 값 구하기

따라서 $f'(\ln 2)=2\{f(\ln 2)+4\}=8$

다른풀이 조건 (가)를 변형하여 풀이하기

조건 (가)에서 양변에 4를 더하여 인수분해하면

$f(x+y)+4=\{f(x)+4\}\{f(y)+4\}$

$f(x)+4=g(x)$라 하면

$g(x+y)=g(x)g(y)$ …… ㉠

㉠에서 $y=0$이라 하면 $g(x)=g(x)g(0)$

$g(x)\{1-g(0)\}=0$, $g(0)=1$

$$\begin{aligned} f'(x)=g'(x)&=\lim_{h\to0}\frac{g(x+h)-g(x)}{h}=\lim_{h\to0}\frac{g(x)g(h)-g(x)}{h}\\ &=g(x)\lim_{h\to0}\frac{g(h)-1}{h}=g(x)\lim_{h\to0}\frac{g(h)-g(0)}{h}\\ &=g(x)g'(0)(\because g'(0)=f'(0)=2)\\ &=2g(x)\\ &=2\{f(x)+4\} \end{aligned}$$

따라서 $f'(\ln 2)=2\{f(\ln 2)+4\}=2\cdot4=8$

정답 ③

0600

정답 ④

STEP A $x=1$에서 연속임을 이용하여 a, b의 관계식 구하기

$g(x)=\ln x+b$, $h(x)=ax^{2}+1$라 하면

$g'(x)=\frac{1}{x}$, $h'(x)=2ax$

함수 $f(x)$가 $x=1$에서 미분가능하면 $x=1$에서 연속이므로

$\lim_{x\to1+}g(x)=\lim_{x\to1-}h(x)$에서 $a+1=b$ …… ㉠

STEP B $x=1$에서 미분가능함을 이용하여 a, b의 관계식 구하기

$x=1$에서 미분가능하므로

$\lim_{x\to1+}g'(x)=\lim_{x\to1-}h'(x)$에서 $2a=1$ $\therefore a=\frac{1}{2}$

㉠에서 $b=\frac{1}{2}+1=\frac{3}{2}$

따라서 $a=\frac{1}{2}$, $b=\frac{3}{2}$이므로 $a+b=2$

$f(x)$가 $x=1$에서 미분가능하면 $x=1$에서 연속이므로

(ⅰ) $\lim_{x\to1+}f(x)=\lim_{x\to1-}f(x)=f(1)$에서 $a+1=b$

(ⅱ) $f'(x)=\begin{cases}\frac{1}{x} & (x>1)\\ 2ax & (x<1)\end{cases}$에서 $\lim_{x\to1+}f'(x)=\lim_{x\to1-}f'(x)$이어야 하므로

$2a=1$ $\therefore a=\frac{1}{2}$

(ⅰ), (ⅱ)에서 $a=\frac{1}{2}$, $b=\frac{3}{2}$이므로 $a+b=2$

다른풀이 미분계수의 정의를 이용하여 미정계수 구하기

함수 $f(x)$가 $x=1$에서 미분가능하므로

$\lim_{x\to1-}\frac{f(x)-f(1)}{x-1}=\lim_{x\to1+}\frac{f(x)-f(1)}{x-1}$이어야 한다.

(ⅰ) $\lim_{x\to1-}\frac{f(x)-f(1)}{x-1}=\lim_{x\to1-}\frac{(ax^{2}+1)-(a+1)}{x-1}=\lim_{x\to1-}a(x+1)=2a$

(ⅱ) $\lim_{x\to1+}\frac{f(x)-f(1)}{x-1}=\lim_{x\to1+}\frac{(\ln x+b)-(a+1)}{x-1}$

(ⅲ) 미분가능하므로 연속함수이어야 한다.

$\lim_{x\to1-}f(x)=\lim_{x\to1+}f(x)=f(1)$에서

$b=a+1$ …… ㉠

이때 $\lim_{x\to1+}\frac{(\ln x+b)-(a+1)}{x-1}=\lim_{x\to1+}\frac{\ln x}{x-1}=\lim_{t\to0+}\frac{\ln(1+t)}{t}=1$

(ⅰ), (ⅲ)에서 $2a=1$이므로 $a=\frac{1}{2}$ …… ㉡

따라서 ㉡을 ㉠에 대입하면 $b=\frac{3}{2}$이므로 $a+b=2$

0601

 정답 ③

STEP A $x=1$에서 연속임을 이용하여 a, b의 관계식 구하기

$g(x)=2x+b$, $h(x)=a\ln x+4$라 하면

$g'(x)=2$, $h'(x)=\dfrac{a}{x}$

함수 $f(x)$가 $x=1$에서 미분가능하면 $x=1$에서 연속이므로

$\lim\limits_{x\to1-}g(x)=\lim\limits_{x\to1+}h(x)$에서 $2+b=4$

$\therefore b=2$ …… ㉠

STEP B $x=1$에서 미분가능함을 이용하여 a, b의 관계식 구하기

$x=1$에서 미분가능하므로

$\lim\limits_{x\to1-}g'(x)=\lim\limits_{x\to1+}h'(x)$에서 $2=a$

$\therefore a=2$

따라서 $a=2$, $b=2$이므로 $a+b=4$

내신연계 출제문항 236

함수

$$f(x)=\begin{cases}1+a\ln x & (0<x\le1)\\ -bx+3 & (x>1)\end{cases}$$

이 $x=1$에서 미분가능할 때, 상수 a, b에 대하여 $a+b$의 값은?

① -2 ② 0 ③ 1
④ 2 ⑤ 3

STEP A $x=1$에서 연속임을 이용하여 a, b의 관계식 구하기

함수 $f(x)$가 $x=1$에서 미분가능하면 $x=1$에서 연속이므로

$\lim\limits_{x\to1+}(-bx+3)=\lim\limits_{x\to1-}(1+a\ln x)=f(1)$

$-b+3=1 \quad \therefore b=2$

STEP B $x=1$에서 미분가능 함을 이용하여 a, b의 관계식 구하기

또, $f'(x)=\begin{cases}\dfrac{a}{x} & (0<x<1)\\ -2 & (x>1)\end{cases}$이고 $f'(1)$이 존재하므로

$\lim\limits_{x\to1+}(-2)=\lim\limits_{x\to1-}\dfrac{a}{x}$에서 $-2=a$

$\therefore a=-2$

따라서 $a+b=0$

정답 ②

0602

 정답 ④

STEP A $x=1$에서 연속임을 이용하여 a, b의 관계식 구하기

$g(x)=\ln ax$, $h(x)=e^{x-2}+bx$라 하면

$g'(x)=\dfrac{a}{ax}=\dfrac{1}{x}$, $h'(x)=e^{x-2}+b$

함수 $f(x)$가 $x=1$에서 미분가능하면 $x=1$에서 연속이므로

$\lim\limits_{x\to1+}g(x)=\lim\limits_{x\to1-}h(x)$에서 $\ln a=e^{-1}+b$ …… ㉠

STEP B $x=1$에서 미분가능함을 이용하여 a, b의 관계식 구하기

$x=1$에서 미분가능하므로

$\lim\limits_{x\to1+}g'(x)=\lim\limits_{x\to1-}h'(x)$에서 $1=e^{-1}+b$

$\therefore b=1-e^{-1}$

㉠에서 $\ln a=e^{-1}+(1-e^{-1})=1$

$\therefore a=e$

따라서 $ab=e(1-e^{-1})=e-1$

내신연계 출제문항 237

함수

$$f(x)=\begin{cases}a\ln x & (x>1)\\ e^{x-2}+b & (0<x\le1)\end{cases}$$

이 모든 양수 x에 대하여 미분가능할 때, 상수 a, b에 대하여 $a-b$의 값은?

① e^{-1} ② $2e^{-1}$ ③ 1
④ e ⑤ $2e$

STEP A $x=1$에서 연속임을 이용하여 a, b의 관계식 구하기

함수 $f(x)=\begin{cases}a\ln x & (x>1)\\ e^{x-2}+b & (0<x\le1)\end{cases}$가 모든 양수 x에 대하여 미분가능이므로 $x=1$에서 미분가능하다.

$f(x)$는 $x=1$에서 연속이므로 $\lim\limits_{x\to1-}f(x)=\lim\limits_{x\to1+}f(x)=f(1)$

$e^{1-2}+b=0 \quad \therefore b=-e^{-1}$

STEP B $x=1$에서 미분가능함을 이용하여 a, b의 관계식 구하기

$f'(x)=\begin{cases}\dfrac{a}{x} & (x>1)\\ e^{x-2} & (0<x<1)\end{cases}$ 이고 $x=1$에서 미분가능하므로

$\lim\limits_{x\to1-}f'(x)=\lim\limits_{x\to1+}f'(x)$, $e^{1-2}=a \quad \therefore a=e^{-1}$

따라서 $a-b=e^{-1}+e^{-1}=2e^{-1}$

정답 ②

0603

 정답 ④

STEP A $x=1$에서 연속임을 이용하여 a, b의 관계식 구하기

함수 $f(x)=\begin{cases}\ln x+a & (0<x<1)\\ a\cdot2^x+b & (x\ge1)\end{cases}$가 모든 양수 x에 대하여 미분가능이므로 $x=1$에서 미분가능하다.

$g(x)=\ln x+a$, $h(x)=a\cdot2^x+b$라 하면

$g'(x)=\dfrac{1}{x}$, $h'(x)=a\cdot2^x\ln2$

함수 $f(x)$가 $x=1$에서 미분가능하면 $x=1$에서 연속이므로

$\lim\limits_{x\to1-}g(x)=\lim\limits_{x\to1+}h(x)$에서 $a=2a+b \quad \therefore b=-a$ …… ㉠

STEP B $x=1$에서 미분가능함을 이용하여 a, b의 관계식 구하기

$x=1$에서 미분가능하므로

$\lim\limits_{x\to1-}g'(x)=\lim\limits_{x\to1+}h'(x)$에서 $1=2a\ln2 \quad \therefore a=\dfrac{1}{2\ln2}$

따라서 ㉠에서 $b=-\dfrac{1}{2\ln2}$이므로 $a-b=\dfrac{1}{2\ln2}-\left(-\dfrac{1}{2\ln2}\right)=\dfrac{1}{\ln2}$

다른풀이 미분계수의 정의를 이용하여 미정계수 구하기

함수 $f(x)$가 $x=1$에서 미분가능하므로 $x=1$에서 연속이다.

$\lim\limits_{x\to1}(\ln x+a)=f(1)$, $a=2a+b \quad \therefore b=-a$ …… ㉠

$\lim\limits_{h\to0+}\dfrac{f(1+h)-f(1)}{h}=\lim\limits_{h\to0-}\dfrac{f(1+h)-f(1)}{h}$이어야 한다.

(ⅰ) $\lim\limits_{h\to0+}\dfrac{f(1+h)-f(1)}{h}=\lim\limits_{h\to0+}\dfrac{a\cdot2^{h+1}+b-2a-b}{h}$

$=\lim\limits_{h\to0+}2a\cdot\dfrac{2^h-1}{h}=2a\ln2$

(ⅱ) $\lim\limits_{h\to0-}\dfrac{f(1+h)-f(1)}{h}=\lim\limits_{h\to0-}\dfrac{\ln(h+1)+a-a}{h}$

$=\lim\limits_{h\to0-}\dfrac{\ln(h+1)}{h}=1$

(ⅰ), (ⅱ)에서 $2a\ln2=1$이므로 $a=\dfrac{1}{2\ln2}$

㉠에서 $b=-\dfrac{1}{2\ln2}$

따라서 $a-b=\dfrac{1}{2\ln2}-\left(-\dfrac{1}{2\ln2}\right)=\dfrac{1}{\ln2}$

0604

정답 ④

STEP A $x=0$에서 연속임을 이용하여 a, b의 관계식 구하기

$f(x)=\begin{cases} ae^{-x} & (x \le 1) \\ x^2-bx+1 & (x>1) \end{cases}$가 $x=1$에서 연속이므로

$\lim_{x \to 1-}f(x)=\lim_{x \to 1+}f(x)=f(1)$에서

$2-b=ae^{-1}$ …… ㉠

STEP B $x=1$에서 미분계수가 존재함을 이용하여 a, b의 관계식 구하기

$x=1$에서 미분가능하므로

$f'(x)=\begin{cases} -ae^{-x} & (x \le 1) \\ 2x-b & (x>1) \end{cases}$

$\lim_{x \to 1-}f'(x)=\lim_{x \to 1-}(-ae^{-x})=-ae^{-1}$

$\lim_{x \to 1+}f'(x)=\lim_{x \to 1+}(2x-b)=2-b$

$-ae^{-1}=2-b$ …… ㉡

㉠, ㉡에서 $a=0$, $b=2$

따라서 $a+b=2$

내신연계 출제문항 238

함수

$$f(x)=\begin{cases} ae^{x} & (x \ge 0) \\ x^2-x+b & (x<0) \end{cases}$$

이 모든 실수 x에 대하여 미분가능할 때, 실수 a, b에 대하여 a^2+b^2의 값은?

① 1 ② 2 ③ 3
④ 4 ⑤ 5

STEP A $x=0$에서 연속임을 이용하여 a, b의 관계식 구하기

함수 $f(x)$가 모든 실수 x에 대하여 미분가능이므로 $x=0$에서 미분가능하다.

함수 $f(x)$가 $x=0$에서 미분가능하면 $x=0$에서 연속이므로

함수 $f(x)$가 $x=0$에서 연속이려면

$\lim_{x \to 0+}f(x)=f(0)=\lim_{x \to 0-}f(x)$이므로 $a=b$ …… ㉠

STEP B $x=1$에서 미분계수가 존재함을 이용하여 a, b의 값 구하기

$f'(x)=\begin{cases} ae^{x} & (x>0) \\ 2x-1 & (x<0) \end{cases}$이고

함수 $f(x)$가 $x=0$에서 미분가능하려면

$\lim_{x \to 0+}f'(x)=\lim_{x \to 0-}f'(x)$이므로 $a=-1$

$a=-1$을 ㉠에 대입하면 $b=-1$

STEP C a^2+b^2의 값 구하기

따라서 $a^2+b^2=2$

정답 ②

STEP 2 서술형 기출유형

0605

정답 해설참조

1단계 $\lim_{x \to 0}\frac{\ln(1+x)}{x}$의 값을 구하여라. ◀ 20%

$\lim_{x \to 0}\frac{\ln(1+x)}{x}=\lim_{x \to 0}\frac{1}{x}\ln(1+x)=\lim_{x \to 0}\ln(1+x)^{\frac{1}{x}}=\ln e=1$

2단계 $\lim_{x \to 0}\frac{e^x-1}{x}$의 값을 구하여라. ◀ 20%

$e^x-1=t$로 놓으면 $e^x=1+t$이므로

$x=\ln(1+t)$이고 $x \to 0$일 때, $t \to 0$이므로

$\lim_{x \to 0}\frac{e^x-1}{x}=\lim_{t \to 0}\frac{t}{\ln(1+t)}=\lim_{t \to 0}\frac{1}{\frac{\ln(1+t)}{t}}=\frac{1}{\lim_{t \to 0}\ln(1+t)^{\frac{1}{t}}}=\frac{1}{\ln e}=1$

3단계 $\lim_{x \to 0}\frac{a^x-1}{x}$을 구하여라. (단, $a>0$, $a \ne 1$) ◀ 30%

$a^x-1=t$라고 하면

$a^x=1+t$ $\therefore x=\log_a(1+t)$

$x \to 0$일 때, $t \to 0$이므로

$\lim_{x \to 0}\frac{a^x-1}{x}=\lim_{t \to 0}\frac{t}{\log_a(1+t)}=\lim_{t \to 0}\frac{1}{\log_a(1+t)^{\frac{1}{t}}}=\frac{1}{\log_a e}=\ln a$

4단계 $\lim_{x \to 1}\ln x^{\frac{3}{2x-2}}$의 값을 구하여라. ◀ 30%

$x-1=t$로 놓으면 $x \to 1$일 때, $t \to 0$이고 $x=1+t$이므로

$\lim_{x \to 1}\ln x^{\frac{3}{2x-2}}=\lim_{x \to 1}\ln x^{\frac{3}{2(x-1)}}=\lim_{t \to 0}\ln(1+t)^{\frac{3}{2t}}$

$=\lim_{t \to 0}\ln\{(1+t)^{\frac{1}{t}}\}^{\frac{3}{2}}=\lim_{t \to 0}\frac{3}{2}\ln(1+t)^{\frac{1}{t}}=\frac{3}{2}\ln e=\frac{3}{2}$

0606

정답 해설참조

1단계 지수함수 $y=e^x$의 도함수를 구한다. ◀ 20%

$y'=(e^x)'=\lim_{h \to 0}\frac{e^{x+h}-e^x}{h}=\lim_{h \to 0}\frac{e^x(e^h-1)}{h}$

$=e^x\lim_{h \to 0}\frac{e^h-1}{h}=e^x \times 1=e^x$

2단계 로그함수 $y=\ln x$의 도함수를 구한다. ◀ 20%

$y'=(\ln x)'=\lim_{h \to 0}\frac{\ln(x+h)-\ln x}{h}=\lim_{h \to 0}\frac{1}{h}\ln\left(1+\frac{h}{x}\right)$

$=\lim_{h \to 0}\ln\left(1+\frac{h}{x}\right)^{\frac{1}{h}}=\lim_{h \to 0}\ln\left\{\left(1+\frac{h}{x}\right)\right\}^{\frac{x}{h}\frac{1}{x}}$

$=\frac{1}{x}\lim_{h \to 0}\ln\left(1+\frac{h}{x}\right)^{\frac{x}{h}}=\frac{1}{x}\times\ln e=\frac{1}{x}$

3단계 로그함수 $y=\log_a x(a>0,\ a \ne 1)$의 도함수를 구한다. ◀ 30%

$y'=(\log_a x)'=\left(\frac{\ln x}{\ln a}\right)'=\frac{1}{\ln a}\times(\ln x)'=\frac{1}{\ln a}\times\frac{1}{x}=\frac{1}{x\ln a}$

4단계 함수 $y=\ln(x+1)$의 도함수를 구한다. ◀ 30%

$y'=\{\ln(x+1)\}'=\lim_{h \to 0}\frac{\ln(x+h+1)-\ln(x+1)}{h}$

$=\lim_{h \to 0}\frac{1}{h}\ln\left(1+\frac{h}{x+1}\right)$

$=\lim_{h \to 0}\ln\left\{\left(1+\frac{h}{x+1}\right)^{\frac{x+1}{h}}\right\}^{\frac{1}{x+1}}$

$=\frac{1}{x+1}\times\ln e=\frac{1}{x+1}$

II 미분법

0607

정답 해설참조

1단계	함수 $f(x)$에 대하여 $\lim_{x\to\infty}xf(x)=6$일 때, $\lim_{x\to\infty}x\ln\{1+2f(x)\}$의 값을 구한다.	◀ 20%

$\lim_{x\to\infty}xf(x)=6$이므로 $\lim_{x\to\infty}\frac{xf(x)}{x}=\lim_{x\to\infty}f(x)=0$

$\lim_{x\to\infty}x\ln\{1+2f(x)\}=\lim_{x\to\infty}2xf(x)\ln\{1+2f(x)\}^{\frac{1}{2f(x)}}=2\times6\times1=12$

2단계	함수 $f(x)$에 대하여 $\lim_{x\to\infty}f(x)\log_2\left(1+\frac{1}{x}\right)=5$일 때, $\lim_{x\to\infty}\frac{f(x)}{x}$의 값을 구한다.	◀ 30%

$$\lim_{x\to\infty}\frac{f(x)}{x}=\lim_{x\to\infty}\left\{f(x)\log_2\left(1+\frac{1}{x}\right)\cdot\frac{1}{x\log_2\left(1+\frac{1}{x}\right)}\right\}$$
$$=\lim_{x\to\infty}\left\{f(x)\log_2\left(1+\frac{1}{x}\right)\cdot\frac{1}{\log_2\left(1+\frac{1}{x}\right)^x}\right\}$$
$$=5\ln2$$

3단계	함수 $f(x)$에 대하여 $\lim_{x\to0}\frac{f(x)}{\ln(1+2x)}=4$일 때, $\lim_{x\to0}\frac{f(x)}{e^{-2x}-1}$의 값을 구한다.	◀ 20%

$$\lim_{x\to0}\frac{f(x)}{e^{-2x}-1}=\lim_{x\to0}\left\{\frac{f(x)}{\ln(1+2x)}\cdot\frac{\ln(1+2x)}{2x}\cdot\frac{-2x}{e^{-2x}-1}\cdot(-1)\right\}$$
$$=4\cdot1\cdot1\cdot(-1)=-4$$

4단계	연속함수 $f(x)$가 $\lim_{x\to0}\frac{f(x)}{\ln(1-x)}=4$를 만족할 때, $\lim_{x\to0}\frac{f(x)}{x}$의 값을 구한다.	◀ 30%

$$\lim_{x\to0}\frac{f(x)}{x}=\lim_{x\to0}\frac{f(x)}{\ln(1-x)}\cdot\frac{\ln(1-x)}{x}$$
$$=\lim_{x\to0}\frac{f(x)}{\ln(1-x)}\cdot\lim_{x\to0}\frac{\ln(1-x)}{-x}\cdot(-1)$$
$$=4\cdot1\cdot(-1)=-4$$

다른풀이 극한의 성질을 이용하여 풀이하기

$\lim_{x\to0}\frac{f(x)}{\ln(1-x)}=\lim_{x\to0}\frac{\frac{f(x)}{x}}{\frac{\ln(1-x)}{x}}=4$에서

$\lim_{x\to0}\frac{\ln(1-x)}{x}=\lim_{x\to0}\frac{-\ln(1-x)}{-x}=-\lim_{x\to0}\ln(1-x)^{\frac{1}{-x}}=-1$

$\lim_{x\to0}\frac{\ln(1-x)}{x}$의 극한이 존재하므로 $\lim_{x\to0}\frac{f(x)}{x}=4\cdot\lim_{x\to0}\frac{\ln(1-x)}{x}$

$=4\cdot(-1)=-4$

0608

정답 해설참조

1단계	$f(n)=\lim_{x\to0}\frac{3x}{\ln(1+x)+\ln(1+2x)+\cdots+\ln(1+nx)}$일 때, $\sum_{k=1}^{10}f(k)$의 값을 구한다.	◀ 20%

$$f(n)=\lim_{x\to0}\frac{3x}{\ln(1+x)+\ln(1+2x)+\cdots+\ln(1+nx)}$$
$$=\lim_{x\to0}\frac{3}{\frac{\ln(1+x)+\ln(1+2x)+\cdots+\ln(1+nx)}{x}}$$
$$=\lim_{x\to0}\frac{3}{\frac{\ln(1+x)}{x}+\frac{\ln(1+2x)}{2x}\cdot2+\cdots+\frac{\ln(1+nx)}{nx}\cdot n}$$
$$=\frac{3}{1+2+\cdots+n}=\frac{3}{\frac{n(n+1)}{2}}=\frac{6}{n(n+1)}$$

따라서 $\sum_{k=1}^{10}f(k)=\sum_{k=1}^{10}\frac{6}{k(k+1)}=6\sum_{k=1}^{10}\left(\frac{1}{k}-\frac{1}{k+1}\right)=6\left(1-\frac{1}{11}\right)=\frac{60}{11}$

2단계	$f_n(x)=(1+x)(1+2x)(1+3x)\cdots(1+nx)$에 대하여 $a_n=\lim_{x\to0}\frac{\ln f_n(x)}{x}$일 때, $\lim_{n\to\infty}\frac{2a_n}{n^2+1}$의 값을 구한다.	◀ 30%

$$\ln f_n(x)=\ln(1+x)(1+2x)(1+3x)\cdots(1+nx)$$
$$=\ln(1+x)+\ln(1+2x)+\ln(1+3x)+\cdots+\ln(1+nx)$$
$$a_n=\lim_{x\to0}\frac{\ln f_n(x)}{x}$$
$$=\lim_{x\to0}\frac{1}{x}\{\ln(1+x)+\ln(1+2x)+\ln(1+3x)+\cdots+\ln(1+nx)\}$$
$$=\lim_{x\to0}\left\{\frac{\ln(1+x)}{x}+\frac{\ln(1+2x)}{2x}\cdot2+\frac{\ln(1+3x)}{3x}\cdot3+\cdots+\frac{\ln(1+nx)}{nx}\cdot n\right\}$$
$$=1+2+3+\cdots+n=\frac{n(n+1)}{2}$$

따라서 $\lim_{n\to\infty}\frac{2a_n}{n^2+1}=\lim_{n\to\infty}\frac{n(n+1)}{n^2+1}=1$

3단계	자연수 n에 대하여 $A_n=\left(1+\frac{1}{x}\right)\left(1+\frac{2}{x}\right)\cdots\left(1+\frac{n}{x}\right)$, $S_n=\lim_{x\to\infty}x\ln A_n$이라 할 때, $\sum_{n=1}^{\infty}\frac{1}{S_n}$의 값을 구한다.	◀ 50%

$$S_n=\lim_{x\to\infty}x\ln A_n=\lim_{x\to\infty}\ln\left\{\left(1+\frac{1}{x}\right)\left(1+\frac{2}{x}\right)\left(1+\frac{3}{x}\right)\cdots\left(1+\frac{n}{x}\right)\right\}^x$$
$$=\lim_{x\to\infty}\sum_{k=1}^{n}\ln\left(1+\frac{k}{x}\right)^x$$
$$=\sum_{k=1}^{n}k\lim_{x\to\infty}\ln\left(1+\frac{k}{x}\right)^{\frac{x}{k}}$$
$$=\sum_{k=1}^{n}k\ln e=\frac{n(n+1)}{2}$$

따라서 $\sum_{n=1}^{\infty}\frac{1}{S_n}=\sum_{n=1}^{\infty}\frac{2}{n(n+1)}=2\lim_{n\to\infty}\left(\frac{1}{1}-\frac{1}{n+1}\right)=2$

0609

정답 해설참조

1단계	점 Q, R의 좌표를 a에 대하여 나타낸다.	◀ 25%

점 P의 좌표가 $(a, 0)$일 때,

점 Q와 R의 좌표는 각각 $(a, 2^a)$, $(a, 5^a)$

2단계	$\overline{OP}$, $\overline{QR}$의 길이 각각 구한다.	◀ 25%

이므로 $\overline{OP}=a$, $\overline{QR}=5^a-2^a$

3단계	$\lim_{a\to0+}\frac{\overline{QR}}{\overline{OP}}$의 값을 구한다.	◀ 50%

$$\lim_{a\to0+}\frac{\overline{QR}}{\overline{OP}}=\lim_{x\to0+}\frac{5^a-2^a}{a}=\lim_{x\to0+}\frac{(5^a-1)-(2^a-1)}{a}=\ln5-\ln2=\ln\frac{5}{2}$$

0610

정답 해설참조

1단계	미분계수의 정의를 이용하여 $f'(1)$을 구한다.	◀ 30%

$f(x)=x\log_3ax^2$에서 $f(1)=\log_3a$이므로

$$\lim_{x\to1}\frac{f(x)-\log_3a}{x-1}=\lim_{x\to1}\frac{f(x)-f(1)}{x-1}=f'(1)$$

2단계	도함수 $f'(x)$를 구한다.	◀ 40%

$f(x)=x\log_3ax^2=x(\log_3a+2\log_3x)$이므로

$$f'(x)=1\cdot(\log_3a+2\log_3x)+x\cdot\frac{2}{x\ln3}=\log_3ax^2+\frac{2}{\ln3}$$

3단계	$f'(1)=1$임을 이용하여 a의 값을 구한다.	◀ 30%

$f'(1)=\log_3a+\frac{2}{\ln3}=1$이므로

$\log_3a+2\log_3e=1$, $\log_3ae^2=\log_33$

따라서 $a=\frac{3}{e^2}$

0611

정답 해설참조

1단계	함수 $f(x)$가 $x=2$에서 미분가능하므로 $x=2$에서 연속임을 이용하여 a, b의 관계식을 구한다. (단, 연속의 정의를 이용하여 구한다.)	◀ 40%

함수 $f(x)$가 $x=2$에서 미분가능하므로 $x=2$에서 연속이다.

즉 $f(2)=\lim_{x\to2-}f(x)=\lim_{x\to2+}f(x)$에서

$\lim_{x\to2-}(ae^{x-2}-4x)=\lim_{x\to2+}(x^2+2bx-3a)$

$a-8=4+4b-3a$ $\therefore a-b=3$ …… ㉠

2단계	함수 $f(x)$에 대하여 $f'(2)$가 존재함을 이용하여 a, b의 관계식을 구한다. (단, 미분계수의 정의를 이용하여 구한다.)	◀ 40%

함수 $f(x)$가 $x=2$에서 미분가능하므로

$$\lim_{h\to0-}\frac{f(2+h)-f(2)}{h}=\lim_{h\to0+}\frac{f(2+h)-f(2)}{h}$$

이때

$$\lim_{h\to0-}\frac{f(2+h)-f(2)}{h}=\lim_{h\to0-}\frac{\{ae^h-4(2+h)\}-(a-8)}{h}=\lim_{h\to0-}\frac{a(e^h-1)-4h}{h}=a\lim_{h\to0-}\frac{e^h-1}{h}-4=a-4$$

$$\lim_{h\to0+}\frac{f(2+h)-f(2)}{h}=\lim_{h\to0+}\frac{\{(2+h)^2+2b(2+h)-3a\}-(a-8)}{h}=\lim_{h\to0+}\frac{h^2+(2b+4)h-4(a-b-3)}{h}$$

㉠에서 $a-b-3=0$이므로

$$\lim_{h\to0+}\frac{f(2+h)-f(2)}{h}=\lim_{h\to0+}(h+2b+4)=2b+4$$

그러므로 $a-4=2b+4$에서 $a-2b=8$ …… ㉡

3단계	1, 2단계를 연립하여 a, b의 값을 구한다.	◀ 20%

㉠, ㉡을 연립하여 풀면 $a=-2$, $b=-5$

따라서 $a+b=-7$

0612

정답 해설참조

1단계	$f'(x)$를 구한다.	◀ 20%

$f(x)=x\ln x$에서

$f'(x)=\ln x+x\cdot\frac{1}{x}=\ln x+1$

2단계	등비급수가 수렴하는 조건을 이용하여 x의 범위를 구한다.	◀ 50%

급수 $\sum_{n=1}^{\infty}\{f'(x)\}^n$이 수렴하려면 $|f'(x)|<1$이어야 하므로

$|\ln x+1|<1$, $-1<\ln x+1<1$

$-2<\ln x<0$ $\therefore e^{-2}<x<1$

3단계	a, b의 범위를 구하여 $b-a$의 최댓값을 구한다.	◀ 30%

구간 (a, b)는 구간 $(e^{-2}, 1)$에 포함되어야 하므로

$a\ge e^{-2}$, $b\le1$

따라서 구하는 $b-a$의 최댓값은 $1-e^{-2}=1-\frac{1}{e^2}$

STEP 3 행복한 1등급 문제

0613

정답 -1

STEP A 극한의 성질을 이용하여 a의 값 구하기

함수 $f(x)$가 모든 실수 x에 대하여 연속이므로 $x=0$에서 연속이어야 한다.

즉 $\lim_{x\to0}f(x)=f(0)$

$$\lim_{x\to0}\frac{e^x+e^{-x}+a}{x^2}=b$$

$x\to0$일 때, (분모)$\to0$이고 극한값이 존재하므로 (분자)$\to0$이어야 한다.

즉 $\lim_{x\to0}(e^x+e^{-x}+a)=0$이므로 $2+a=0$ $\therefore a=-2$

STEP B $\lim_{x\to0}\frac{e^x-1}{x}=1$을 이용하여 b의 값 구하기

$$\lim_{x\to0}\frac{e^x+e^{-x}+a}{x^2}=\lim_{x\to0}\frac{e^x+e^{-x}-2}{x^2}=\lim_{x\to0}\left(\frac{e^{\frac{x}{2}}-e^{-\frac{x}{2}}}{x}\right)^2=\lim_{x\to0}\left(\frac{1}{2}\cdot\frac{e^{\frac{x}{2}}-1}{\frac{x}{2}}+\frac{1}{2}\cdot\frac{e^{-\frac{x}{2}}-1}{-\frac{x}{2}}\right)^2=\left(\frac{1}{2}\cdot1+\frac{1}{2}\cdot1\right)^2=1=b$$

따라서 $a+b=-2+1=-1$

참고 $\lim_{x\to0}\frac{e^x+e^{-x}-2}{x^2}=\lim_{x\to0}\frac{e^{2x}+1-2e^x}{x^2e^x}=\lim_{x\to0}\left(\frac{e^x-1}{x}\right)^2\cdot\frac{1}{e^x}=1\cdot1=1$

0614

정답 9

STEP A $f(x)=x^2+ax+b$라 하고 함수 $f(x)g(x)$가 $x=0$에서 연속일 조건 구하기

함수 $f(x)$는 이차항의 계수가 1이므로

$f(x)=x^2+ax+b$로 놓으면

$$f(x)g(x)=\begin{cases}\dfrac{x^2+ax+b}{\ln(x+1)} & (x\ne0,\ x>-1)\\ 8b & (x=0)\end{cases}$$

구간 $(-1, \infty)$에서 $g(x)$는 $x\ne0$인 모든 실수에서 연속이고

$f(x)$는 실수 전체에서 연속이다.

즉 $f(x)g(x)$가 구간 $(-1, \infty)$에서 연속이려면 $x=0$에서 연속이어야 한다.

STEP B $x=0$에서 연속이면 $\lim_{x\to0}f(x)g(x)=f(0)g(0)$임을 이용하여 구하기

함수 $f(x)g(x)$가 $x=0$에서 연속이므로 $\lim_{x\to0}f(x)g(x)=f(0)g(0)$

$$\lim_{x\to0}\frac{x^2+ax+b}{\ln(x+1)}=8b$$

$x\to0$일 때, (분모)$\to0$이고 극한값이 존재하므로 (분자)$\to0$이어야 한다.

즉 $\lim_{x\to0}(x^2+ax+b)=0$

$\therefore b=0$

$\lim_{x\to0}\frac{x^2+ax}{\ln(x+1)}=0$이므로 $\lim_{x\to0}\frac{x+a}{\frac{\ln(x+1)}{x}}=\frac{a}{1}=0$

$\therefore a=0$

따라서 $f(x)=x^2$이므로 $f(3)=3^2=9$

0615

정답 (1) 11 (2) 13 (3) 17

(1) $\lim_{x\to1}\frac{x^n-e^{x-1}}{x^2-1}=5$를 만족시키는 자연수 n의 값을 구하여라.

$$\lim_{x\to1}\frac{x^n-e^{x-1}}{x^2-1}=\lim_{x\to1}\frac{x^n-1-(e^{x-1}-1)}{(x-1)(x+1)}$$
$$=\lim_{x\to1}\frac{x^{n-1}+x^{n-2}+\cdots+1}{x+1}-\lim_{x\to1}\frac{e^{x-1}-1}{x-1}\cdot\frac{1}{x+1}$$
$$=\frac{n}{2}-1\cdot\frac{1}{2}=\frac{n-1}{2} \quad \Leftarrow \lim_{x\to1}\frac{\ln x}{x-1}=1$$

따라서 $\frac{n-1}{2}=5$이므로 $n=11$

다른풀이 미분계수로 극한값 구하기

$f(x)=x^n-e^{x-1}$이라 하면

$f(1)=0$이고 $f'(x)=nx^{n-1}-e^{x-1}$

$$\lim_{x\to1}\frac{x^n-e^{x-1}}{x^2-1}=\lim_{x\to1}\frac{f(x)-f(1)}{(x-1)(x+1)}$$
$$=\lim_{x\to1}\frac{f(x)-f(1)}{x-1}\cdot\frac{1}{x+1}$$
$$=f'(1)\cdot\frac{1}{2}=\frac{1}{2}(n-1)$$

따라서 $\frac{n-1}{2}=5$이므로 $n=11$

(2) $\lim_{x\to1}\frac{x^n-e^{x-1}}{x^2+2x-3}=3$일 때, 자연수 n의 값을 구하여라.

$$\lim_{x\to1}\frac{x^n-e^{x-1}}{x^2+2x-3}=\lim_{x\to1}\frac{(x^n-1)-(e^{x-1}-1)}{(x-1)(x+3)}$$
$$=\lim_{x\to1}\frac{x^{n-1}+x^{n-2}+\cdots+1}{x+3}-\lim_{x\to1}\frac{e^{x-1}-1}{x-1}\times\frac{1}{x+3}$$
$$=\frac{n}{4}-1\times\frac{1}{4}=\frac{n-1}{4}$$

이때 $\lim_{x\to1}\frac{x^n-e^{x-1}}{x^2+2x-3}=3$이므로 $\frac{n-1}{4}=3$, $n=13$

(3) $\lim_{x\to e}\frac{(\ln x)^n-e^{\ln\frac{x}{e}}}{(\ln x)^2+\ln x^2-3}=4$일 때, 자연수 n의 값을 구하여라.

$\ln x=t$로 놓으면 $x\to e$일 때, $t\to1$이므로

$$\lim_{x\to e}\frac{(\ln x)^n-e^{\ln\frac{x}{e}}}{(\ln x)^2+\ln x^2-3}=\lim_{x\to e}\frac{(\ln x)^n-e^{\ln x-1}}{(\ln x)^2+2\ln x-3}$$
$$=\lim_{t\to1}\frac{t^n-e^{t-1}}{t^2+2t-3}$$
$$=\lim_{t\to1}\frac{t^n-e^{t-1}}{(t-1)(t+3)}$$

$t-1=s$로 놓으면 $t\to1$일 때, $s\to0$이므로

$$\lim_{s\to0}\frac{(s+1)^n-e^s}{s(s+4)}=\left\{\lim_{s\to0}\frac{(s+1)^n-1}{s}-\lim_{s\to0}\frac{e^s-1}{s}\right\}\cdot\lim_{s\to0}\frac{1}{s+4}$$
$$=(n-1)\cdot\frac{1}{4}$$

따라서 $(n-1)\cdot\frac{1}{4}=4$이므로 $n=17$

다른풀이 미분계수로 극한값 구하기

$\ln x=t$로 놓으면 $x\to e$일 때, $t\to1$이므로

$$\lim_{x\to e}\frac{(\ln x)^n-e^{\ln\frac{x}{e}}}{(\ln x)^2+\ln x^2-3}=\lim_{t\to1}\frac{t^n-e^{t-1}}{(t-1)(t+3)}$$

이때 $f(t)=t^n-e^{t-1}$이라 하면

$f(1)=0$이고 $f'(t)=nt^{n-1}-e^{t-1}$

$$\lim_{t\to1}\frac{t^n-e^{t-1}}{(t-1)(t+3)}=\lim_{t\to1}\frac{f(t)-f(1)}{t-1}\cdot\frac{1}{t+3}$$
$$=\frac{1}{4}\cdot f'(1)=\frac{1}{4}(n-1)$$

따라서 $(n-1)\cdot\frac{1}{4}=4$이므로 $n=17$

0616

정답 ⑤

STEP Ⓐ $\lim_{x\to1}\frac{\ln x}{x-1}=1$**임을 이용하여 극한값 구하기**

ㄱ. $a_1=\lim_{x\to1}\frac{x\ln x}{x-1}$에서 $x-1=t$로 놓으면

$x\to1$일 때, $t\to0$이므로

$$a_1=\lim_{t\to0}\frac{(t+1)\ln(t+1)}{t}=\lim_{t\to0}(t+1)\cdot\lim_{t\to0}\frac{\ln(t+1)}{t}=1\cdot1=1 \text{ [참]}$$

STEP Ⓑ $a_n=\frac{1}{n}$**임을 이용하여 극한값 구하기**

ㄴ. $x^n-1=(x-1)(x^{n-1}+x^{n-2}+\cdots+x+1)$이므로

$$a_n=\lim_{x\to1}\frac{x^n\ln x}{x^n-1}=\lim_{x\to1}\left\{\frac{\ln x}{x-1}\cdot\frac{x^n}{x^{n-1}+x^{n-2}+\cdots+x+1}\right\}$$
$$=1\cdot\frac{1}{n}=\frac{1}{n}$$

즉 $\sum_{k=1}^{10}\frac{1}{a_k}=\sum_{k=1}^{10}k=\frac{10\cdot11}{2}=55$ [참]

다른풀이 미분계수로 극한값 구하기

$$a_n=\lim_{x\to1}\frac{x^n\ln x}{x^n-1}=\frac{\lim_{x\to1}\left(x^n\cdot\frac{\ln x}{x-1}\right)}{\lim_{x\to1}\frac{x^n-1}{x-1}}$$

이때 $f(x)=x^n$이라 하면 $f'(x)=nx^{n-1}$

$$\lim_{x\to1}\frac{x^n-1}{x-1}=\lim_{x\to1}\frac{f(x)-f(1)}{x-1}=f'(1)=n$$

$$\therefore a_n=\frac{\lim_{x\to1}\left(x^n\cdot\frac{\ln x}{x-1}\right)}{\lim_{x\to1}\frac{x^n-1}{x-1}}=\frac{1}{n}\left(\because \lim_{x\to1}\frac{\ln x}{x-1}=1\right)$$

즉 $\sum_{k=1}^{10}\frac{1}{a_k}=\sum_{k=1}^{10}k=\frac{10\cdot11}{2}=55$ [참]

STEP Ⓒ $\sum_{n=1}^{\infty}\frac{1}{n(n+1)}=1$**임을 이용하여 구하기**

ㄷ. ㄴ에서 $a_n=\frac{1}{n}$이므로

$$\sum_{n=1}^{\infty}a_na_{n+1}=\sum_{n=1}^{\infty}\frac{1}{n(n+1)}=\lim_{n\to\infty}\sum_{k=1}^{n}\left(\frac{1}{k}-\frac{1}{k+1}\right)$$
$$=\lim_{n\to\infty}\left(1-\frac{1}{n+1}\right)=1 \text{ [참]}$$

따라서 옳은 것은 ㄱ, ㄴ, ㄷ이다.

0617

 2

STEP Ⓐ **극한값 e의 정의를 이용하여 a_n 구하기**

$$a_n=\lim_{x\to\infty}\sum_{k=1}^{n}x\{\ln(x+k)-\ln x\}$$
$$=\lim_{x\to\infty}\sum_{k=1}^{n}x\ln\frac{x+k}{x}$$
$$=\lim_{x\to\infty}\sum_{k=1}^{n}k\ln\left(1+\frac{k}{x}\right)^{\frac{x}{k}}$$
$$=\sum_{k=1}^{n}k\left\{\lim_{x\to\infty}\ln\left(1+\frac{k}{x}\right)^{\frac{x}{k}}\right\}$$
$$=\sum_{k=1}^{n}k\times\ln e$$
$$=\sum_{k=1}^{n}k=\frac{n(n+1)}{2}$$

STEP Ⓑ **급수의 합 구하기**

따라서 $\sum_{n=1}^{\infty}\frac{1}{a_n}=\sum_{n=1}^{\infty}\frac{2}{n(n+1)}=\lim_{n\to\infty}\sum_{k=1}^{n}2\left(\frac{1}{k}-\frac{1}{k+1}\right)$

$$=\lim_{n\to\infty}2\left\{\left(1-\frac{1}{2}\right)+\left(\frac{1}{2}-\frac{1}{3}\right)+\cdots+\left(\frac{1}{n}-\frac{1}{n+1}\right)\right\}$$
$$=\lim_{n\to\infty}2\left(1-\frac{1}{n+1}\right)=2$$

0618

정답 5

STEP A $\frac{1}{x}=t$로 치환하여 식을 정리하기

$\lim_{x\to\infty}x^a\ln\left(b+\frac{c}{x^2}\right)=2$에서

$\frac{1}{x}=t$로 치환하면 $x\to\infty$일 때, $t\to 0+$이므로

$\lim_{x\to\infty}x^a\ln\left(b+\frac{c}{x^2}\right)=\lim_{t\to0+}\frac{\ln(b+ct^2)}{t^a}=2$

$t\to0$일 때, (분모)$\to0$이고 극한값이 존재하므로 (분자)$\to0$이어야 한다.

즉 $\lim_{t\to0+}\ln(b+ct^2)=0$이므로 $\ln b=0$

$\therefore b=1$

STEP B $\lim_{x\to0}\frac{\ln(1+x)}{x}=1$을 이용하여 $a+b+c$의 값 구하기

$\lim_{t\to0}\frac{\ln(1+ct^2)}{t^a}=\lim_{t\to0}\left(\frac{\ln(1+ct^2)}{ct^2}\cdot\frac{ct^2}{t^a}\right)=2$에서

$\lim_{t\to0}\frac{ct^2}{t^a}=\lim_{x\to\infty}cx^{a-2}=2$

a, c가 양수이므로 $a-2=0$, $c=2$

$\therefore a=2$, $c=2$

따라서 $a+b+c=5$

다른풀이 $\lim_{x\to\infty}f(x)g(x)=\alpha$이고 $\lim_{x\to\infty}f(x)=\infty$이면 $\lim_{x\to\infty}g(x)=0$임을 이용하여 풀이하기

양수 a에 대하여 $\lim_{x\to\infty}x^a=\infty$이므로 주어진 등식이 성립하려면

$\lim_{x\to\infty}\ln\left(b+\frac{c}{x^2}\right)=0$이어야 하므로 $\lim_{x\to\infty}\left(b+\frac{c}{x^2}\right)=1$

$\therefore b=1$

$\lim_{x\to\infty}x^a\ln\left(1+\frac{c}{x^2}\right)=\lim_{x\to\infty}cx^{a-2}\ln\left(1+\frac{c}{x^2}\right)^{\frac{x^2}{c}}=\lim_{x\to\infty}cx^{a-2}=2$

a, c가 양수이므로 $a-2=0$, $c=2$

$\therefore a=2$, $c=2$

따라서 $a+b+c=2+1+2=5$

0619

정답 9

STEP A $y=3^x$와 $y=a^{x-1}$의 도함수 구하기

$f(x)=3^x$, $g(x)=a^{x-1}=\frac{a^x}{a}$이라 하면

$f'(x)=3^x\ln3$, $g'(x)=\frac{a^x\ln a}{a}=a^{x-1}\ln a$

STEP B 접선의 기울기를 이용하여 $\overline{\mathrm{AH}}$, $\overline{\mathrm{BH}}$의 값 구하기

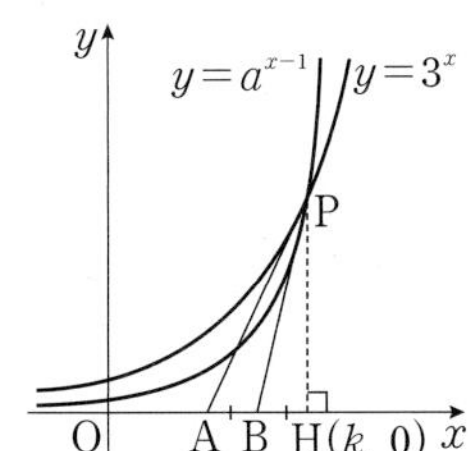

$f'(k)$는 직선 PA의 기울기이고 $g'(k)$는 직선 PB의 기울기이므로

$\frac{\overline{\mathrm{PH}}}{\overline{\mathrm{AH}}}=f'(k)$에서 $\frac{3^k}{\overline{\mathrm{AH}}}=3^k\ln3$이고 $\frac{\overline{\mathrm{PH}}}{\overline{\mathrm{BH}}}=g'(k)$에서 $\frac{a^{k-1}}{\overline{\mathrm{BH}}}=a^{k-1}\ln a$

$\therefore \overline{\mathrm{AH}}=\frac{1}{\ln3}$, $\overline{\mathrm{BH}}=\frac{1}{\ln a}$

STEP C $\overline{\mathrm{AH}}=2\overline{\mathrm{BH}}$임을 이용하여 a의 값 구하기

이때 $\overline{\mathrm{AH}}=2\overline{\mathrm{BH}}$이므로 $\frac{1}{\ln3}=\frac{2}{\ln a}$, $\ln a=2\ln3=\ln9$

따라서 $a=9$

다른풀이 점 P에서 접선의 방정식을 유도하여 x절편 구하기

STEP A 점 P에서의 두 곡선의 접선의 방정식을 이용하여 두 점 A, B의 좌표 구하기

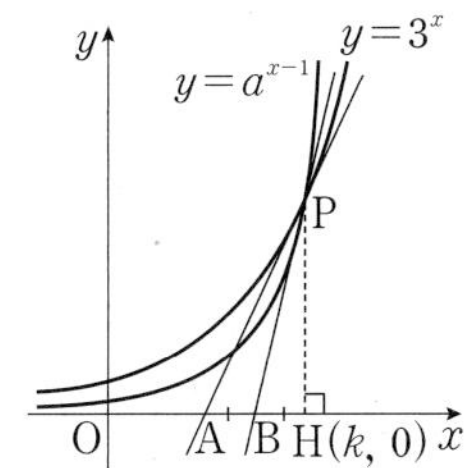

점 P는 곡선 $y=3^x$ 위의 점이므로 점 $\mathrm{P}(k, 3^k)$이라 하면

$y=3^x$에서 $y'=3^x\ln3$이므로

$x=k$에서 접선의 기울기는 $3^k\ln3$

점 P에서 $y=3^x$에 접하는 접선의 방정식은

$y-3^k=3^k\ln3(x-k)$

$y=0$일 때, 점 A의 x좌표는 $-3^k=3^k\ln3(x-k)$

$x=k-\frac{1}{\ln3}$이므로 $\mathrm{A}\left(k-\frac{1}{\ln3}, 0\right)$

점 P는 곡선 $y=a^{x-1}$ 위의 점이므로 점 $\mathrm{P}(k, a^{k-1})$이라 하면

$y=a^{x-1}$에서 $y'=a^{x-1}\ln a$이므로

$x=k$에서 접선의 기울기는 $a^{k-1}\ln a$

점 P에서 $y=a^{x-1}$에 접하는 접선의 방정식은

$y-a^{k-1}=a^{k-1}\ln a(x-k)$

$y=0$일 때, 점 B의 x좌표는 $-a^{k-1}=a^{k-1}\ln a(x-k)$

$x=k-\frac{1}{\ln a}$이므로 $\mathrm{B}\left(k-\frac{1}{\ln a}, 0\right)$

STEP B $\overline{\mathrm{AH}}=2\overline{\mathrm{BH}}$임을 이용하여 a의 값 구하기

(ⅰ), (ⅱ)에서

$\overline{\mathrm{AH}}=k-\left(k-\frac{1}{\ln3}\right)=\frac{1}{\ln3}$, $\overline{\mathrm{BH}}=k-\left(k-\frac{1}{\ln a}\right)=\frac{1}{\ln a}$

이때 $\overline{\mathrm{AH}}=2\overline{\mathrm{BH}}$이므로 $\frac{1}{\ln3}=\frac{2}{\ln a}$, $\ln a=\ln9$

따라서 $a=9$

0620

정답 ③

STEP A $\lim_{x\to\infty}\left(1+\frac{1}{x}\right)^x=e$임을 이용하여 참, 거짓 판단하기

ㄱ. $x-1=t$로 놓으면 $x\to\infty$일 때, $t\to\infty$이므로

$$\lim_{x\to\infty}f(x)=\lim_{x\to\infty}\left(\frac{x}{x-1}\right)^x=\lim_{t\to\infty}\left(\frac{t+1}{t}\right)^{t+1}$$

$$=\lim_{t\to\infty}\left\{\left(1+\frac{1}{t}\right)^t\left(1+\frac{1}{t}\right)\right\}=e\text{ [참]}$$

ㄴ. ㄱ에서 $\lim_{x\to\infty}f(x)=e$

또, $\lim_{x\to\infty}f(x+1)=\lim_{x\to\infty}\left(\frac{x+1}{x}\right)^{x+1}=\lim_{x\to\infty}\left\{\left(1+\frac{1}{x}\right)^x\left(1+\frac{1}{x}\right)\right\}=e$

$\therefore \lim_{x\to\infty}f(x)f(x+1)=\lim_{x\to\infty}f(x)\cdot\lim_{x\to\infty}f(x+1)=e^2$ [참]

ㄷ. $kx-1=t$로 놓으면 $x\to\infty$일 때, $t\to\infty$이므로

$$\lim_{x\to\infty}f(kx)=\lim_{x\to\infty}\left(\frac{kx}{kx-1}\right)^{kx}=\lim_{t\to\infty}\left(\frac{t+1}{t}\right)^{t+1}$$

$$=\lim_{t\to\infty}\left\{\left(1+\frac{1}{t}\right)^t\left(1+\frac{1}{t}\right)\right\}=e\text{ [거짓]}$$

따라서 옳은 것은 ㄱ, ㄴ이다.

다른풀이 $\lim_{x\to\infty}\left(1+\frac{1}{x}\right)^x=e$를 이용하여 풀이하기

STEP A 무리수 e의 극한을 이용할 수 있도록 식을 변형하기

$$f(x)=\left(\frac{x}{x-1}\right)^x=\left(\frac{x-1}{x}\right)^{-x}=\left(1-\frac{1}{x}\right)^{-x}=\left(1+\frac{1}{-x}\right)^{-x}$$

STEP B $\lim_{x\to\infty}\left(1+\frac{1}{x}\right)^x=e$임을 이용하여 참, 거짓 판단하기

ㄱ. $\lim_{x\to\infty}f(x)=\lim_{x\to\infty}\left(1+\frac{1}{-x}\right)^{-x}=e$ [참]

ㄴ. $\lim_{x\to\infty}f(x)f(x+1)=\lim_{x\to\infty}\left(1+\frac{1}{-x}\right)^{-x}\cdot\left\{1+\frac{1}{-(x+1)}\right\}^{-(x+1)}$

$=e\cdot e=e^2$ [참]

ㄷ. $\lim_{x\to\infty}f(kx)=\lim_{x\to\infty}\left(1+\frac{1}{-kx}\right)^{-kx}=e$ [거짓]

따라서 옳은 것은 ㄱ, ㄴ이다.

0621

정답 ②

STEP A $\lim_{x\to0}\frac{e^x-1}{x}=1$을 이용하여 구하기

ㄱ. $f(x)=2x$이면 $\lim_{x\to0}\frac{e^{f(x)}-1}{x}=\lim_{x\to0}\frac{e^{2x}-1}{2x}\cdot2=1\cdot2=2$ [참]

STEP B $\lim_{x\to0}\frac{a^x-1}{x}=\ln a$를 이용하여 구하기

ㄴ. $\lim_{x\to0}\frac{3^x-1}{f(x)}=\lim_{x\to0}\left\{\frac{3^x-1}{x}\cdot\frac{e^x-1}{f(x)}\cdot\frac{x}{e^x-1}\right\}$

$=\ln3\cdot1\cdot1$

$=\ln3\left(\because \lim_{x\to0}\frac{e^x-1}{f(x)}=1\right)$ [참]

STEP C [반례]를 찾아 거짓임을 보이기

ㄷ. **반례** $f(x)=\sqrt{x}$이면 $\lim_{x\to0}f(x)=0$이지만

$$\lim_{x\to0}\frac{e^{f(x)}-1}{x}=\lim_{x\to0}\left\{\frac{e^{\sqrt{x}}-1}{\sqrt{x}}\cdot\frac{1}{\sqrt{x}}\right\}=1\cdot\infty=\infty\text{ [거짓]}$$

> **참고** 식을 변형하면
> $\lim_{x\to0}\frac{e^{f(x)}-1}{x}=\lim_{x\to0}\left\{\frac{e^{f(x)}-1}{f(x)}\cdot\frac{f(x)}{x}\right\}$이고 $\lim_{x\to0}\frac{f(x)}{x}$가 $\frac{0}{0}$꼴이므로
> 극한값이 존재하는지 알 수 없다.

따라서 옳은 것은 ㄱ, ㄴ이다.

0622

정답 2

STEP A 점 Q의 x좌표를 t로 놓고 $f(t)$, $g(t)$를 t로 나타내기

$\ln(1+x)=\ln(3-x)$에서 $x=1$이므로 세 점 A, Q, R의 좌표는 각각

A$(1, \ln2)$, Q$(t, \ln(1+t))$, R$(1, \ln(1+t))$

따라서 $f(t)$, $g(t)$를 각각 구하면

$f(t)=\frac{1}{2}|t-1|\times|\ln(1+t)-\ln(3-t)|$

$g(t)=\frac{1}{2}|t-1|\times|\ln(1+t)-\ln2|$

STEP B $\lim_{t\to1}\frac{f(t)}{g(t)}$의 값 구하기

이때 $\frac{t-1}{2}=x$로 놓으면 $t=2x+1$이고 $t\to1$일 때, $x\to0$이므로

$$\lim_{t\to1}\frac{f(t)}{g(t)}=\lim_{x\to0}\left|\frac{\ln(2+2x)-\ln(2-2x)}{\ln(2+2x)-\ln2}\right|$$

$$=\lim_{x\to0}\left|\frac{\ln(1+x)-\ln(1-x)}{\ln(1+x)}\right|$$

$$=\lim_{x\to0}\left|1+\frac{\ln(1-x)}{-x}\times\frac{x}{\ln(1+x)}\right|$$

$=|1+1\times1|=2$

03 삼각함수의 덧셈정리

0623

 ④

STEP A $\csc\theta\times\tan\theta$의 값 구하기

$\csc\theta\times\tan\theta=\dfrac{1}{\sin\theta}\times\dfrac{\sin\theta}{\cos\theta}=\dfrac{1}{\cos\theta}=7$

0624

 ⑤

STEP A 삼각함수 사이의 관계를 이용하여 구하기

$1+\tan^2\theta=\sec^2\theta$이므로

$\tan^2\theta=\sec^2\theta-1=10^2-1=99$

0625

 ③

STEP A 삼각함수 사이의 관계를 이용하여 구하기

$1+\tan^2\theta=\sec^2\theta$, $1+\cot^2\theta=\csc^2\theta$이므로

$\csc^2\theta+\sec^2\theta=(1+\cot^2\theta)+(1+\tan^2\theta)=2+\dfrac{1}{4}+4=\dfrac{25}{4}$

0626

 ③

STEP A $\sin\theta$의 값 구하기

$\csc^2\theta=1+\cot^2\theta=1+\left(-\dfrac{5}{12}\right)^2=\dfrac{169}{144}$

이때 θ가 제 2사분면의 각이므로 $\csc\theta=\dfrac{13}{12}$

$\therefore \sin\theta=\dfrac{1}{\csc\theta}=\dfrac{12}{13}$

STEP B 삼각함수 사이의 관계를 이용하여 구하기

$\cos^2\theta=1-\sin^2\theta=1-\left(\dfrac{12}{13}\right)^2=\dfrac{25}{169}$

θ가 제 2사분면의 각이므로 $\cos\theta=-\dfrac{5}{13}$

따라서 $\sin\theta+\cos\theta=\dfrac{12}{13}+\left(-\dfrac{5}{13}\right)=\dfrac{7}{13}$

0627

 ③

STEP A $\sin\theta$의 값 구하기

$\cos\theta=-\dfrac{3}{5}$이므로 $\sin^2\theta=1-\cos^2\theta=1-\dfrac{9}{25}=\dfrac{16}{25}$

$\dfrac{\pi}{2}<\theta<\pi$에서 $\sin\theta>0$이므로 $\sin\theta=\dfrac{4}{5}$

STEP B 삼각함수의 성질을 이용하여 구하기

따라서 $\csc(\pi+\theta)=\dfrac{1}{\sin(\pi+\theta)}=\dfrac{1}{-\sin\theta}=\dfrac{1}{-\dfrac{4}{5}}=-\dfrac{5}{4}$

내신연계 출제문항 239

$\pi<\theta<\dfrac{3}{2}\pi$인 θ에 대하여 $\cos\theta=-\dfrac{1}{3}$일 때,

$\sec\left(\dfrac{\pi}{2}+\theta\right)+\csc(\pi+\theta)$의 값은?

① $-\dfrac{3\sqrt{2}}{2}$　② $-\dfrac{\sqrt{2}}{2}$　③ 0

④ $\dfrac{\sqrt{2}}{2}$　⑤ $\dfrac{3\sqrt{2}}{2}$

STEP A 삼각함수의 성질을 이용하여 구하기

$$\begin{aligned}\sec\left(\frac{\pi}{2}+\theta\right)+\csc(\pi+\theta)&=\frac{1}{\cos\left(\frac{\pi}{2}+\theta\right)}+\frac{1}{\sin(\pi+\theta)}\\&=\frac{1}{-\sin\theta}+\frac{1}{-\sin\theta}\\&=-\frac{2}{\sin\theta}\qquad\cdots\cdots ㉠\end{aligned}$$

STEP B 삼각함수 사이의 관계를 이용하여 구하기

한편 $\cos\theta=-\dfrac{1}{3}$에서

$\sin^2\theta=1-\cos^2\theta=1-\left(-\dfrac{1}{3}\right)^2=\dfrac{8}{9}$

이때 $\pi<\theta<\dfrac{3}{2}\pi$이므로 $\sin\theta=-\dfrac{2\sqrt{2}}{3}$　$\cdots\cdots$ ㉡

따라서 ㉡을 ㉠에 대입하면

$\sec\left(\dfrac{\pi}{2}+\theta\right)+\csc(\pi+\theta)=-\dfrac{2}{\sin\theta}=\dfrac{3\sqrt{2}}{2}$

정답 ⑤

0628

 ③

STEP A 삼각함수 사이의 관계를 이용하여 구하기

$1+\cot^2\theta=\csc^2\theta$에서 $1+\left(-\dfrac{3}{4}\right)^2=\dfrac{25}{16}=\csc^2\theta$

$\sin^2\theta=\dfrac{1}{\csc^2\theta}=\dfrac{16}{25}$

이때 $\dfrac{\pi}{2}<\theta<\pi$에서 $\sin\theta>0$이므로 $\sin\theta=\dfrac{4}{5}$

$\cos\theta=-\sqrt{1-\sin^2\theta}=-\sqrt{1-\dfrac{16}{25}}=-\dfrac{3}{5}$

STEP B 삼각함수의 성질을 이용하여 구하기

따라서 $\sin\left(\dfrac{3\pi}{2}+\theta\right)=-\cos\theta=\dfrac{3}{5}$

0629

 ③

STEP A 이차방정식의 근과 계수의 관계를 이용하기

이차방정식 $8x^2-4x-3=0$의 두 근이 $\sin\theta$, $\cos\theta$이므로

근과 계수의 관계에 의하여

$\sin\theta+\cos\theta=\dfrac{1}{2}$, $\sin\theta\cos\theta=-\dfrac{3}{8}$

STEP B 삼각함수 사이의 관계를 이용하여 구하기

따라서 $\sec\theta+\csc\theta=\dfrac{1}{\cos\theta}+\dfrac{1}{\sin\theta}=\dfrac{\sin\theta+\cos\theta}{\cos\theta\sin\theta}=\dfrac{\dfrac{1}{2}}{-\dfrac{3}{8}}=-\dfrac{4}{3}$

내신연계 출제문항 240

이차방정식 $8x^2-4x-3=0$의 두 근이 $\sin\theta$, $\cos\theta$일 때, $(1+\tan^2\theta)(1+\cot^2\theta)$의 값은?

① $\frac{1}{9}$ ② $\frac{4}{9}$ ③ $\frac{16}{9}$
④ $\frac{64}{9}$ ⑤ 8

STEP A 이차방정식의 근과 계수의 관계를 이용하기

이차방정식 $8x^2-4x-3=0$의 두 근이 $\sin\theta$, $\cos\theta$이므로
근과 계수의 관계에 의하여

$\sin\theta+\cos\theta=\frac{1}{2}$, $\sin\theta\cos\theta=-\frac{3}{8}$

STEP B 삼각함수 사이의 관계를 이용하여 구하기

따라서 $(1+\tan^2\theta)(1+\cot^2\theta)=\sec^2\theta\csc^2\theta=\frac{1}{\cos^2\theta}\times\frac{1}{\sin^2\theta}$

$=\frac{1}{\cos^2\theta\sin^2\theta}=\left(\frac{1}{\cos\theta\sin\theta}\right)^2$

$=\left(\frac{1}{\frac{-3}{8}}\right)^2=\frac{64}{9}$

정답 ④

0630

정답 ⑤

STEP A 이차방정식의 근과 계수의 관계를 이용하기

이차방정식 $x^2+2x-3=0$의 두 근이 $\tan\alpha$, $\tan\beta$이므로
근과 계수의 관계에 의하여
$\tan\alpha+\tan\beta=-2$, $\tan\alpha\tan\beta=-3$

STEP B 삼각함수의 사이의 관계를 이용하여 a, b의 값 구하기

이차방정식 $x^2-ax+b=0$의 두 근은 $\sec^2\alpha$, $\sec^2\beta$이므로
근과 계수의 관계에 의하여
$\sec^2\alpha+\sec^2\beta=a$, $\sec^2\alpha\sec^2\beta=b$
이때 $\sec^2\alpha=\tan^2\alpha+1$, $\sec^2\beta=\tan^2\beta+1$이므로

$\sec^2\alpha+\sec^2\beta=(\tan^2\alpha+1)+(\tan^2\beta+1)$
$=\tan^2\alpha+\tan^2\beta+2$
$=(\tan\alpha+\tan\beta)^2-2\tan\alpha\tan\beta+2$
$=(-2)^2-2\cdot(-3)+2=12$

$\therefore a=12$

$\sec^2\alpha\sec^2\beta=(\tan^2\alpha+1)(\tan^2\beta+1)$
$=\tan^2\alpha\tan^2\beta+\tan^2\alpha+\tan^2\beta+1$
$=(\tan\alpha\tan\beta)^2+(\tan\alpha+\tan\beta)^2-2\tan\alpha\tan\beta+1$
$=(-3)^2+(-2)^2-2\cdot(-3)+1=20$

$\therefore b=20$

따라서 $a=12$, $b=20$이므로 $ab=240$

0631

정답 ④

STEP A 삼각함수의 사이의 관계를 이용하여 $\sin\theta\cos\theta$ 구하기

$\sin\theta-\cos\theta=\frac{\sqrt{2}}{2}$의 양변을 제곱하면

$\sin^2\theta-2\sin\theta\cos\theta+\cos^2\theta=\frac{1}{2}$

$1-2\sin\theta\cos\theta=\frac{1}{2}$

$\therefore \sin\theta\cos\theta=\frac{1}{4}$

STEP B 각의 변화를 이용하여 값 구하기

따라서 $\tan\left(\frac{\pi}{2}-\theta\right)-\tan(\pi-\theta)=\cot\theta-(-\tan\theta)=\cot\theta+\tan\theta$

$=\frac{\cos\theta}{\sin\theta}+\frac{\sin\theta}{\cos\theta}=\frac{\cos^2\theta+\sin^2\theta}{\sin\theta\cos\theta}$

$=\frac{1}{\sin\theta\cos\theta}$

$=4$

0632

정답 ⑤

STEP A 삼각함수의 덧셈정리를 이용하여 a, b, c의 값 구하기

조건 (가)에서

$\sin 100^\circ\cos 20^\circ+\cos 100^\circ\sin 20^\circ=\sin(100^\circ+20^\circ)=\sin 120^\circ=\frac{\sqrt{3}}{2}$

조건 (나)에서

$\cos 110^\circ\cos 80^\circ+\sin 110^\circ\sin 80^\circ=\cos(110^\circ-80^\circ)=\cos 30^\circ=\frac{\sqrt{3}}{2}$

조건 (다)에서

$\frac{\tan 75^\circ-\tan 15^\circ}{1+\tan 75^\circ\tan 15^\circ}=\tan(75^\circ-15^\circ)=\tan 60^\circ=\sqrt{3}$

따라서 $a+b+c=\frac{\sqrt{3}}{2}+\frac{\sqrt{3}}{2}+\sqrt{3}=2\sqrt{3}$

0633

정답 ④

STEP A 삼각함수 사이의 관계와 코사인의 덧셈정리를 이용하여 구하기

$\cos 135^\circ\cos 15^\circ+\sin 135^\circ\sin 15^\circ=\cos(135^\circ-15^\circ)$
$=\cos 120^\circ=-\frac{1}{2}$

$\sin 75^\circ\cos 15^\circ-\cos 75^\circ\sin 15^\circ=\sin(75^\circ-15^\circ)$
$=\sin 60^\circ=\frac{\sqrt{3}}{2}$

따라서 $\frac{\cos 135^\circ\cos 15^\circ+\sin 135^\circ\sin 15^\circ}{\sin 75^\circ\cos 15^\circ-\cos 75^\circ\sin 15^\circ}=\frac{-\frac{1}{2}}{\frac{\sqrt{3}}{2}}=-\frac{\sqrt{3}}{3}$

0634

정답 ②

STEP A 삼각함수 사이의 관계와 코사인의 덧셈정리를 이용하여 구하기

$\cot 10^\circ+\tan 5^\circ=\frac{\cos 10^\circ}{\sin 10^\circ}+\frac{\sin 5^\circ}{\cos 5^\circ}$

$=\frac{\cos 10^\circ\cos 5^\circ+\sin 10^\circ\sin 5^\circ}{\sin 10^\circ\cos 5^\circ}$

$=\frac{\cos(10^\circ-5^\circ)}{\sin 10^\circ\cos 5^\circ}=\frac{1}{\sin 10^\circ}$

$=\csc 10^\circ$

0635
정답 ③

STEP A 삼각함수의 덧셈정리를 이용하여 구하기

$\sin 15° = \sin(45° - 30°) = \sin 45° \cos 30° - \cos 45° \sin 30°$

$= \frac{\sqrt{2}}{2} \cdot \frac{\sqrt{3}}{2} - \frac{\sqrt{2}}{2} \cdot \frac{1}{2} = \frac{\sqrt{6}-\sqrt{2}}{4}$

$\cos 15° = \cos(45° - 30°) = \cos 45° \cos 30° + \sin 45° \sin 30°$

$= \frac{\sqrt{2}}{2} \cdot \frac{\sqrt{3}}{2} + \frac{\sqrt{2}}{2} \cdot \frac{1}{2} = \frac{\sqrt{6}+\sqrt{2}}{4}$

STEP B 이차방정식의 근과 계수의 관계를 이용하여 a, b의 값 구하기

이차방정식 $ax^2 - \sqrt{6}x + b = 0$의 두 근이 $\sin 15°$, $\cos 15°$이므로
근과 계수의 관계에 의하여

$\sin 15° + \cos 15° = \frac{\sqrt{6}-\sqrt{2}}{4} + \frac{\sqrt{6}+\sqrt{2}}{4} = \frac{\sqrt{6}}{2} = \frac{\sqrt{6}}{a}$

$\therefore a = 2$

$\sin 15° \cdot \cos 15° = \frac{\sqrt{6}-\sqrt{2}}{4} \cdot \frac{\sqrt{6}+\sqrt{2}}{4} = \frac{1}{4} = \frac{b}{a}$

$\therefore b = \frac{1}{2}$

따라서 $a + b = 2 + \frac{1}{2} = \frac{5}{2}$

0636

정답 ④

STEP A 삼각함수의 덧셈정리를 이용하여 $\sin 105°$의 값 구하기

$\sin 105° = \sin(60° + 45°) = \sin 60° \cos 45° + \cos 60° \sin 45°$

$= \frac{\sqrt{3}}{2} \cdot \frac{\sqrt{2}}{2} + \frac{1}{2} \cdot \frac{\sqrt{2}}{2} = \frac{\sqrt{2}+\sqrt{6}}{4}$

STEP B 두 변과 사잇값이 주어진 삼각함수의 넓이 구하기

따라서 삼각형 ABC의 넓이를 S라고 하면

$S = \frac{1}{2} \cdot 6 \cdot 8 \sin 105° = 6(\sqrt{2} + \sqrt{6})$

0637

정답 ③

STEP A 코사인함수의 덧셈정리를 이용하여 구하기

조건 (가)에서

$\sin\alpha = \frac{1}{3}\left(0 < \alpha < \frac{\pi}{2}\right)$이므로 $\cos\alpha = \sqrt{1 - \left(\frac{1}{3}\right)^2} = \frac{2\sqrt{2}}{3}$

$\cos\left(\frac{\pi}{3} + \alpha\right) = \cos\frac{\pi}{3}\cos\alpha - \sin\frac{\pi}{3}\sin\alpha$

$= \frac{1}{2} \cdot \frac{2\sqrt{2}}{3} - \frac{\sqrt{3}}{2} \cdot \frac{1}{3}$

$= \frac{2\sqrt{2}-\sqrt{3}}{6}$

STEP B 사인함수의 덧셈정리를 이용하여 구하기

조건 (나)에서

$\cos\beta = \frac{2\sqrt{2}}{3}\left(0 < \beta < \frac{\pi}{2}\right)$이므로 $\sin\beta = \sqrt{1 - \left(\frac{2\sqrt{2}}{3}\right)^2} = \frac{1}{3}$

$\sin\left(\frac{\pi}{6} + \beta\right) = \sin\frac{\pi}{6}\cos\beta + \cos\frac{\pi}{6}\sin\beta$

$= \frac{1}{2} \cdot \frac{2\sqrt{2}}{3} + \frac{\sqrt{3}}{2} \cdot \frac{1}{3}$

$= \frac{2\sqrt{2}+\sqrt{3}}{6}$

따라서 $a = \frac{2\sqrt{2}-\sqrt{3}}{6}$, $b = \frac{2\sqrt{2}+\sqrt{3}}{6}$이므로 $b - a = \frac{\sqrt{3}}{3}$

0638
정답 ①

STEP A $\cos\alpha$, $\sin\beta$의 값 구하기

$\sin\alpha = \frac{3}{5}$이므로 $\cos\alpha = \sqrt{1 - \left(\frac{3}{5}\right)^2} = \frac{4}{5}$ ⬅ α는 제 1사분면의 각

$\cos\beta = \frac{1}{3}$이므로 $\sin\beta = -\sqrt{1 - \left(\frac{1}{3}\right)^2} = -\frac{2\sqrt{2}}{3}$ ⬅ β는 제 4사분면의 각

STEP B 코사인함수의 덧셈정리를 이용하여 구하기

따라서 $\cos(\alpha + \beta) = \cos\alpha\cos\beta - \sin\alpha\sin\beta$

$= \frac{4}{5} \cdot \frac{1}{3} - \frac{3}{5} \cdot \left(-\frac{2\sqrt{2}}{3}\right)$

$= \frac{4+6\sqrt{2}}{15}$

0639

정답 ②

STEP A 삼각함수 사이의 관계를 이용하여 $\sin\alpha$, $\cos\beta$, $\sin\beta$ 구하기

α는 제 1사분면의 각, β는 제 2사분면의 각이므로

$\cos\alpha = \frac{3}{5}$에서 $\sin\alpha = \sqrt{1 - \cos^2\alpha} = \frac{4}{5}$

$\tan\beta = -1$에서 $\sec^2\beta = 1 + \tan^2\beta = 2$

$\therefore \sec\beta = -\sqrt{2}$

즉 $\cos\beta = -\frac{1}{\sqrt{2}}$이므로 $\sin\beta = \sqrt{1 - \cos\beta^2} = \frac{1}{\sqrt{2}}$

STEP B 사인함수의 덧셈정리를 이용하여 구하기

따라서 $\sin(\alpha + \beta) = \sin\alpha\cos\beta + \cos\alpha\sin\beta$

$= \frac{4}{5} \cdot \left(-\frac{1}{\sqrt{2}}\right) + \frac{3}{5} \cdot \frac{1}{\sqrt{2}}$

$= -\frac{\sqrt{2}}{10}$

0640

정답 ②

STEP A 삼각함수 사이의 관계를 이용하여 $\sin\alpha$, $\cos\beta$의 값 구하기

$\frac{\pi}{2} < \alpha < \pi$, $\frac{3}{2}\pi < \beta < 2\pi$이므로 $\cos\alpha < 0$, $\cos\beta > 0$

$\sin\alpha = \frac{12}{13}$에서 $\cos\alpha = -\sqrt{1 - \sin^2\alpha} = -\sqrt{1 - \left(\frac{12}{13}\right)^2} = -\frac{5}{13}$

$\sin\beta = -\frac{3}{5}$에서 $\cos\beta = \sqrt{1 - \sin^2\beta} = \sqrt{1 - \left(-\frac{3}{5}\right)^2} = \frac{4}{5}$

STEP B 삼각함수의 덧셈정리를 이용하여 구하기

조건 (가)에서 $\sin(\alpha + \beta) = \sin\alpha\cos\beta + \cos\alpha\sin\beta$

$= \frac{12}{13} \cdot \frac{4}{5} + \left(-\frac{5}{13}\right) \cdot \left(-\frac{3}{5}\right)$

$= \frac{63}{65}$

조건 (나)에서 $\cos(\alpha - \beta) = \cos\alpha\cos\beta + \sin\alpha\sin\beta$

$= \left(-\frac{5}{13}\right) \cdot \frac{4}{5} + \frac{12}{13} \cdot \left(-\frac{3}{5}\right)$

$= -\frac{56}{65}$

따라서 $a + b = \frac{7}{65}$

0641

정답 ①

STEP A $0<\alpha<\beta<2\pi$에서 $\sin\alpha$, $\sin\beta$ 구하기

$0<\alpha<\beta<2\pi$에서 $\cos\alpha=\cos\beta=\frac{1}{3}$이므로

그림에서 $0<\alpha<\frac{\pi}{2}$, $\frac{3}{2}\pi<\beta<2\pi$

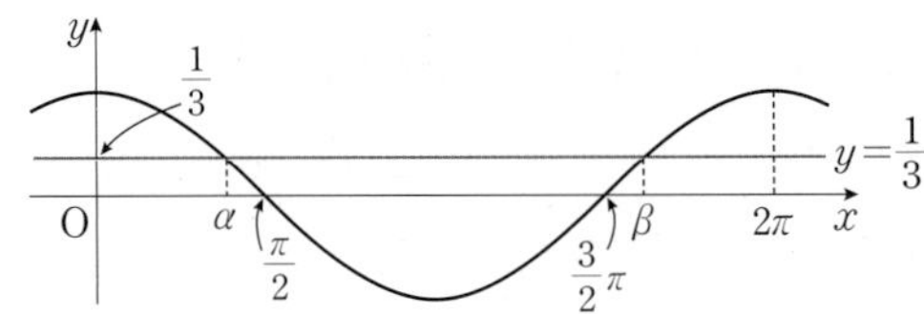

$\sin\alpha=\sqrt{1-\cos^2\alpha}=\sqrt{1-\frac{1}{9}}=\frac{2\sqrt{2}}{3}$

$\sin\beta=-\sqrt{1-\cos^2\beta}=-\sqrt{1-\frac{1}{9}}=-\frac{2\sqrt{2}}{3}$

STEP B 삼각함수의 덧셈정리 구하기

따라서 $\sin(\beta-\alpha)=\sin\beta\cos\alpha-\cos\beta\sin\alpha$

$=\left(-\frac{2\sqrt{2}}{3}\right)\times\frac{1}{3}-\frac{1}{3}\times\frac{2\sqrt{2}}{3}$

$=-\frac{4\sqrt{2}}{9}$

참고 $\beta=2\pi-\alpha$이므로 $\sin(\beta-\alpha)=\sin(2\pi-2\alpha)=-\sin2\alpha$

$=-2\sin\alpha\cos\alpha$

$=-2\cdot\frac{2\sqrt{2}}{3}\cdot\frac{1}{3}$

$=-\frac{4\sqrt{2}}{9}$

내신연계 출제문항 241

$\sin\alpha=\frac{1}{3}$, $\cos\beta=\frac{1}{3}$일 때, $\sin(\alpha-\beta)$의 값은? $\left(단, \frac{\pi}{2}<\alpha<\pi, 0<\beta<\frac{\pi}{2}\right)$

① 1 ② $\frac{1}{2}$ ③ $\frac{4\sqrt{2}}{9}$
④ $\frac{\sqrt{15}}{8}$ ⑤ $\frac{\sqrt{15}}{4}$

STEP A 삼각함수 사이의 관계를 이용하여 $\cos\alpha$, $\sin\beta$의 값 구하기

$\frac{\pi}{2}<\alpha<\pi$일 때, $\cos\alpha<0$이므로

$\cos\alpha=-\sqrt{1-\sin^2\alpha}=-\sqrt{1-\frac{1}{9}}=-\frac{2\sqrt{2}}{3}$

$0<\beta<\frac{\pi}{2}$일 때, $\sin\beta>0$이므로

$\sin\beta=\sqrt{1-\cos^2\beta}=-\sqrt{1-\frac{1}{9}}=\frac{2\sqrt{2}}{3}$

STEP B 삼각함수의 덧셈정리를 이용하여 $\sin(\alpha-\beta)$의 값 구하기

따라서 $\sin(\alpha-\beta)=\sin\alpha\cos\beta-\cos\alpha\sin\beta$

$=\frac{1}{3}\cdot\frac{1}{3}-\left(-\frac{2\sqrt{2}}{3}\right)\cdot\left(\frac{2\sqrt{2}}{3}\right)$

$=1$

정답 ①

0642

정답 ③

STEP A 주어진 조건을 각각 제곱하여 더하여 구하기

$\sin\alpha+\cos\beta=-\frac{\sqrt{2}}{2}$의 양변을 제곱하면

$\sin^2\alpha+2\sin\alpha\cos\beta+\cos^2\beta=\frac{1}{2}$ …… ㉠

$\cos\alpha+\sin\beta=\frac{\sqrt{2}}{2}$의 양변을 제곱하면

$\cos^2\alpha+2\cos\alpha\sin\beta+\sin^2\beta=\frac{1}{2}$ …… ㉡

STEP B 사인함수의 덧셈정리를 이용하여 구하기

㉠+㉡을 하면

$1+2(\sin\alpha\cos\beta+\cos\alpha\sin\beta)+1=1$

$\sin\alpha\cos\beta+\cos\alpha\sin\beta=-\frac{1}{2}$

따라서 $\sin(\alpha+\beta)=\sin\alpha\cos\beta+\cos\alpha\sin\beta=-\frac{1}{2}$

0643

정답 ④

STEP A 주어진 조건을 각각 제곱하여 더하여 구하기

$\sin\alpha+\sin\beta=\frac{1}{2}$ …… ㉠

$\cos\alpha+\cos\beta=\frac{1}{\sqrt{2}}$ …… ㉡

㉠, ㉡의 양변을 각각 제곱하면

$\sin^2\alpha+\sin^2\beta+2\sin\alpha\sin\beta=\frac{1}{4}$, $\cos^2\alpha+\cos^2\beta+2\cos\alpha\cos\beta=\frac{1}{2}$

두 식의 양변을 각각 더하면

$2+2(\sin\alpha\sin\beta+\cos\alpha\cos\beta)=\frac{3}{4}$, $\sin\alpha\sin\beta+\cos\alpha\cos\beta=-\frac{5}{8}$

STEP B 코사인의 덧셈정리를 이용하여 구하기

따라서 $\cos(\alpha-\beta)=\sin\alpha\sin\beta+\cos\alpha\cos\beta=-\frac{5}{8}$

내신연계 출제문항 242

$\sin x-\sin y=\frac{1}{2}$, $\cos x+\cos y=1$일 때, $\cos(x+y)$의 값은?

① $-\frac{1}{2}$ ② $-\frac{3}{4}$ ③ $-\frac{3}{8}$
④ $\frac{3}{4}$ ⑤ $\frac{3}{8}$

STEP A 주어진 조건을 각각 제곱하여 더하여 구하기

$\sin x-\sin y=\frac{1}{2}$

$\cos x+\cos y=1$

위 두 식의 양변을 각각 제곱하면

$\sin^2x+\sin^2y-2\sin x\sin y=\frac{1}{4}$ …… ㉠

$\cos^2x+\cos^2y+2\cos x\cos y=1$ …… ㉡

㉠+㉡을 하면

$2+2(\cos x\cos y-\sin x\sin y)=\frac{5}{4}$

STEP B 코사인의 덧셈정리를 이용하여 구하기

$\cos x\cos y-\sin x\sin y=-\frac{3}{8}$

따라서 $\cos(x+y)=\cos x\cos y-\sin x\sin y=-\frac{3}{8}$

정답 ③

0644

정답 ①

STEP A 삼각함수 사이의 관계를 이용하여 $\cos A$, $\sin B$의 값 구하기

삼각형 ABC에서 $A+B+C=\pi$이므로 $C=\pi-(A+B)$

또한, $0<A<\frac{\pi}{2}$, $0<B<\frac{\pi}{2}$에서 $\cos A>0$, $\cos B>0$ 이므로

$\cos A=\sqrt{1-\sin^2 A}=\sqrt{1-\frac{144}{169}}=\frac{5}{13}$

$\sin B=\sqrt{1-\cos^2 B}=\sqrt{1-\frac{9}{25}}=\frac{4}{5}$

STEP B 사인함수의 덧셈정리를 이용하여 구하기

따라서 $\sin C=\sin\{\pi-(A+B)\}=\sin(A+B)$

$=\sin A\cos B+\cos A\sin B$

$=\frac{12}{13}\cdot\frac{3}{5}+\frac{5}{13}\cdot\frac{4}{5}=\frac{56}{65}$

내신연계 출제문항 243

삼각형 ABC의 세 내각의 크기를 각각 A, B, C라 하자.

$$\cos A=\frac{\sqrt{7}}{3},\ \cos B=\frac{3}{4}$$

일 때, $\sin C$의 값은?

① $\frac{5+2\sqrt{2}}{12}$ ② $\frac{5+3\sqrt{2}}{12}$ ③ $\frac{2+\sqrt{2}}{4}$

④ $\frac{7+3\sqrt{2}}{12}$ ⑤ $\frac{3+2\sqrt{2}}{6}$

STEP A 삼각함수의 성질을 이용하여 $\sin A$, $\sin B$의 값 구하기

$0<A<\pi$이므로 $\cos A=\frac{\sqrt{7}}{3}$에서

$\sin A=\sqrt{1-\cos^2 A}=\sqrt{1-\left(\frac{\sqrt{7}}{3}\right)^2}=\frac{\sqrt{2}}{3}$

또, $0<B<\pi$이므로 $\cos B=\frac{3}{4}$에서

$\sin B=\sqrt{1-\cos^2 B}=\sqrt{1-\left(\frac{3}{4}\right)^2}=\frac{\sqrt{7}}{4}$

STEP B 삼각함수의 덧셈정리를 이용하여 $\sin C$의 값 구하기

따라서 $\sin C=\sin\{\pi-(A+B)\}=\sin(A+B)$

$=\sin A\cos B+\cos A\sin B$

$=\frac{\sqrt{2}}{3}\times\frac{3}{4}+\frac{\sqrt{7}}{3}\times\frac{\sqrt{7}}{4}$

$=\frac{7+3\sqrt{2}}{12}$

정답 ④

0645

정답 ④

STEP A 삼각함수 사이의 관계를 이용하여 $\cos A$, $\sin B$의 값 구하기

삼각형 ABC에서 $A+B+C=\pi$이므로 $A=\pi-(B+C)$

또한, $0<B<\frac{\pi}{2}$, $0<C<\frac{\pi}{2}$에서 $\cos B>0$, $\sin C>0$ 이므로

$\cos B=\sqrt{1-\sin^2 B}=\sqrt{1-\frac{8}{9}}=\frac{1}{3}$

$\sin C=\sqrt{1-\cos^2 C}=\sqrt{1-\frac{9}{25}}=\frac{4}{5}$

STEP B 사인함수의 덧셈정리를 이용하여 구하기

$\sin A=\sin\{\pi-(B+C)\}=\sin(B+C)$

$=\sin B\cos C+\cos B\sin C$

$=\frac{2\sqrt{2}}{3}\cdot\frac{3}{5}+\frac{1}{3}\cdot\frac{4}{5}$

$=\frac{6\sqrt{2}+4}{15}$

따라서 $a=6$, $b=4$이므로 $a+b=10$

0646

정답 ③

STEP A 코사인함수의 덧셈정리를 이용하여 두 점 사이의 거리 구하기

두 점 $P(\cos\alpha,\ \sin\alpha)$, $Q(\cos\beta,\ \sin\beta)$ 사이의 거리가 1이므로

$(\cos\alpha-\cos\beta)^2+(\sin\alpha-\sin\beta)^2$

$=(\cos^2\alpha+\sin^2\alpha)+(\cos^2\beta+\sin^2\beta)-2(\cos\alpha\cos\beta+\sin\alpha\sin\beta)$

$=2-2\cos(\alpha-\beta)$

에서 $2-2\cos(\alpha-\beta)=1$

$\therefore\ \cos(\alpha-\beta)=\frac{1}{2}$

STEP B $\alpha-\beta$의 값 구하기

따라서 $0<\alpha-\beta<\pi$이므로 $\alpha-\beta=\frac{\pi}{3}$

내신연계 출제문항 244

$\frac{\pi}{2}<\alpha<\pi$, $0<\beta<\frac{\pi}{2}$이고 좌표평면의 두 점 $A(\cos\alpha,\ \sin\alpha)$와 $B(\cos\beta,\ \sin\beta)$ 사이의 거리가 $\sqrt{3}$일 때, $\alpha-\beta$의 값은?

① $\frac{\pi}{3}$ ② $\frac{\pi}{2}$ ③ $\frac{2}{3}\pi$

④ $\frac{3}{4}\pi$ ⑤ $\frac{5}{6}\pi$

STEP A 코사인함수의 덧셈정리를 이용하여 두 점 사이의 거리 구하기

두 점 $P(\cos\alpha,\ \sin\alpha)$, $Q(\cos\beta,\ \sin\beta)$ 사이의 거리가 1이므로

$(\cos\alpha-\cos\beta)^2+(\sin\alpha-\sin\beta)^2$

$=(\cos^2\alpha+\sin^2\alpha)+(\cos^2\beta+\sin^2\beta)-2(\cos\alpha\cos\beta+\sin\alpha\sin\beta)$

$=2-2\cos(\alpha-\beta)$

에서 $2-2\cos(\alpha-\beta)=3$

$\therefore\ \cos(\alpha-\beta)=-\frac{1}{2}$

STEP B $\alpha-\beta$의 값 구하기

따라서 $\frac{\pi}{2}<\alpha<\pi$, $0<\beta<\frac{\pi}{2}$일 때, $0<\alpha-\beta<\pi$이므로 $\alpha-\beta=\frac{2}{3}\pi$

정답 ③

0647

정답 ④

STEP A 삼각함수의 덧셈정리를 이용하여 정리하기

$\frac{3}{2}\pi < \alpha < 2\pi$에서 $\tan\alpha = -\frac{5}{12}$이므로

$\sin\alpha = -\frac{5}{13}$, $\cos\alpha = \frac{12}{13}$ ⬅ α는 제 4사분면

$\sin(x+\alpha) = \sin x\cos\alpha + \cos x\sin\alpha = \frac{12}{13}\sin x - \frac{5}{13}\cos x$

$\cos x \le \frac{12}{13}\sin x - \frac{5}{13}\cos x \le 2\cos x$

STEP B 양변을 $\cos x$로 나누어 $\tan x$의 범위 구하기

$0 \le x < \frac{\pi}{2}$에서 $\cos x > 0$이므로 양변을 $\cos x$로 나누면

$1 \le \frac{12}{13}\tan x - \frac{5}{13} \le 2$이고 $\frac{3}{2} \le \tan x \le \frac{31}{12}$에서 최댓값은 $\frac{31}{12}$, 최솟값은 $\frac{3}{2}$

따라서 최댓값과 최솟값의 합은 $\frac{31}{12} + \frac{3}{2} = \frac{49}{12}$

0648

 ③

STEP A 원 위의 점 P, Q에서 $\sin\alpha$, $\cos\alpha$, $\sin\beta$, $\cos\beta$의 값 구하기

점 P의 좌표를 $(2a,\ a)(a>0)$이라고 하자.

점 P가 원 $x^2+y^2=1$ 위의 점이므로 $(2a)^2+a^2=1$에서 $a=\frac{\sqrt{5}}{5}$

즉 점 P의 좌표가 $\left(\frac{2\sqrt{5}}{5},\ \frac{\sqrt{5}}{5}\right)$이므로 $\sin\alpha=\frac{\sqrt{5}}{5}$, $\cos\alpha=\frac{2\sqrt{5}}{5}$

또, 점 Q의 좌표를 $(b,\ -2b)(b<0)$라고 하자.

점 Q가 원 $x^2+y^2=1$ 위의 점이므로 $b^2+(-2b)^2=1$에서 $b=-\frac{\sqrt{5}}{5}$

즉 점 Q의 좌표가 $\left(-\frac{\sqrt{5}}{5},\ \frac{2\sqrt{5}}{5}\right)$이므로 $\sin\beta=\frac{2\sqrt{5}}{5}$, $\cos\beta=-\frac{\sqrt{5}}{5}$

STEP B $\sin(\alpha+\beta)=\sin\alpha\cos\beta+\cos\alpha\sin\beta$임을 이용하여 구하기

따라서 $\sin(\alpha+\beta)=\sin\alpha\cos\beta+\cos\alpha\sin\beta=\frac{\sqrt{5}}{5}\cdot-\frac{\sqrt{5}}{5}+\frac{2\sqrt{5}}{5}\cdot\frac{2\sqrt{5}}{5}$

$=-\frac{5}{25}+\frac{20}{25}=\frac{15}{25}=\frac{3}{5}$

0649

 ①

STEP A 원 위의 점 P, Q에서 $\sin\alpha$, $\cos\alpha$, $\sin\beta$, $\cos\beta$의 값 구하기

$\overline{OR}=3$, $\overline{OS}=4$이므로

$\overline{PR}=4$, $\overline{QS}=3$

$\angle POR=\alpha$, $\angle QOS=\beta$로 놓으면

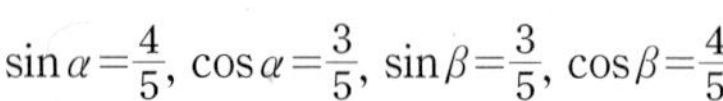

$\sin\alpha=\frac{4}{5}$, $\cos\alpha=\frac{3}{5}$, $\sin\beta=\frac{3}{5}$, $\cos\beta=\frac{4}{5}$

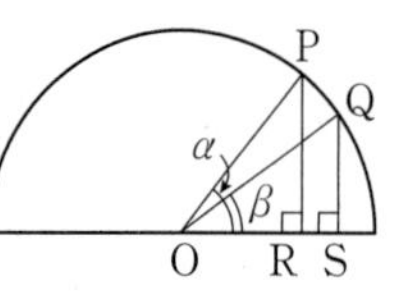

STEP B 삼각함수의 덧셈정리를 이용하여 정리하기

따라서 $\theta=\alpha-\beta$이므로 $\cos\theta=\cos(\alpha-\beta)=\cos\alpha\cos\beta+\sin\alpha\sin\beta$

$=\frac{3}{5}\cdot\frac{4}{5}+\frac{4}{5}\cdot\frac{3}{5}=\frac{24}{25}$

0650

 ②

STEP A $\sin\alpha$, $\cos\alpha$, $\sin\beta$, $\cos\beta$의 값 구하기

두 선분 EF, GH에 의하여 나누어진 세 개의 정사각형의 한 변의 길이를 1이라 하자.

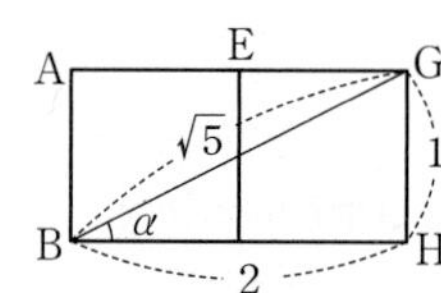

직각삼각형 GHB에서 $\angle GBH=\alpha$이므로

$\sin\alpha=\frac{\overline{GH}}{\overline{GB}}=\frac{1}{\sqrt{5}}=\frac{\sqrt{5}}{5}$, $\cos\alpha=\frac{\overline{BH}}{\overline{BG}}=\frac{2}{\sqrt{5}}=\frac{2\sqrt{5}}{5}$

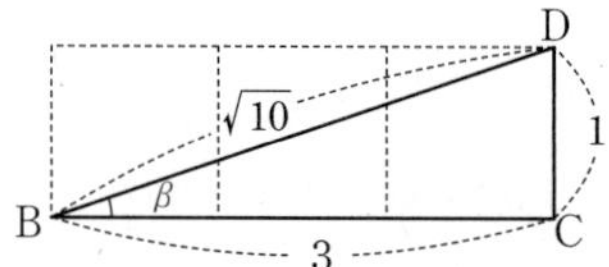

직각삼각형 BDC에서 $\angle DBC=\beta$이므로

$\sin\beta=\frac{\overline{DC}}{\overline{BD}}=\frac{1}{\sqrt{10}}=\frac{\sqrt{10}}{10}$, $\cos\beta=\frac{\overline{BC}}{\overline{BD}}=\frac{3}{\sqrt{10}}=\frac{3\sqrt{10}}{10}$

STEP B $\sin(\alpha+\beta)=\sin\alpha\cos\beta+\cos\alpha\sin\beta$임을 이용하여 구하기

따라서 $\sin(\alpha+\beta)=\sin\alpha\cos\beta+\cos\alpha\sin\beta$

$=\frac{\sqrt{5}}{5}\times\frac{3\sqrt{10}}{10}+\frac{2\sqrt{5}}{5}\times\frac{\sqrt{10}}{10}$

$=\frac{25\sqrt{2}}{50}=\frac{\sqrt{2}}{2}$

0651

 ⑤

STEP A 피타고라스 정리를 이용하여 선분 DE, CD의 길이 구하기

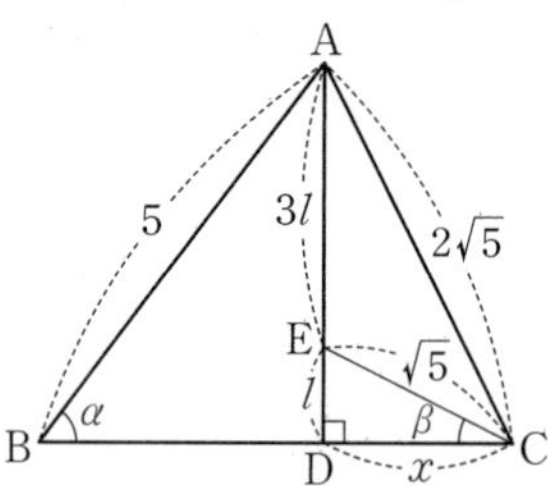

선분 AD를 3 : 1로 내분하는 점이 E이므로 $\overline{AE}=3l$, $\overline{ED}=l$이라 하고

$\overline{CD}=x$라 하면 직각삼각형 ADC, EDC에서 피타고라스 정리를 이용하면

$x^2=(2\sqrt{5})^2-(4l)^2=(\sqrt{5})^2-l^2$

$20-16l^2=5-l^2$, $15l^2=15$ $\therefore l=1$

또한, $x^2=5-1=4$이므로 $x=2$

STEP B 직각삼각형 ADB, EDC에서 삼각함수의 값 구하기

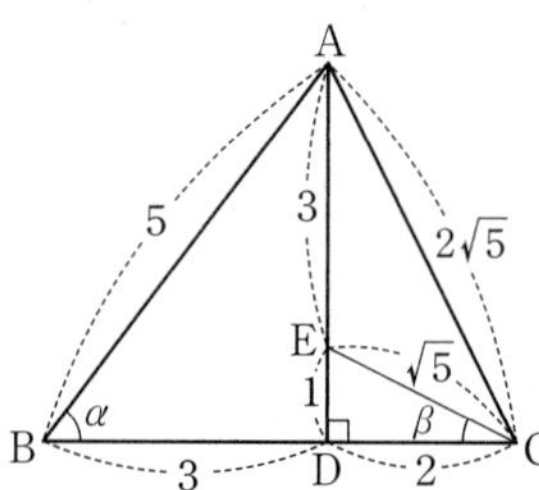

직각삼각형 ADB에서 $\overline{AD}=4$이므로

$\overline{BD}^2=\overline{AB}^2-\overline{AD}^2=5^2-4^2=9$ $\therefore \overline{BD}=3$

이때 직각삼각형 ADB에서 $\cos\alpha=\frac{3}{5}$, $\sin\alpha=\frac{4}{5}$

또한, 직각삼각형 EDC에서 $\cos\beta=\frac{2}{\sqrt{5}}$, $\sin\beta=\frac{1}{\sqrt{5}}$

STEP C 삼각함수의 덧셈정리를 이용하여 주어진 값 구하기

따라서 $\cos(\alpha-\beta)=\cos\alpha\cos\beta+\sin\alpha\sin\beta$

$=\frac{3}{5}\cdot\frac{2}{\sqrt{5}}+\frac{4}{5}\cdot\frac{1}{\sqrt{5}}=\frac{10}{5\sqrt{5}}=\frac{2\sqrt{5}}{5}$

0652

정답 ①

STEP Ⓐ 삼각함수의 덧셈정리를 이용하여 $\tan\alpha$의 값 구하기

$\tan\left(\alpha+\frac{\pi}{4}\right)=\dfrac{\tan\alpha+\tan\frac{\pi}{4}}{1-\tan\alpha\tan\frac{\pi}{4}}=\dfrac{\tan\alpha+1}{1-\tan\alpha}=2$

즉 $1+\tan\alpha=2(1-\tan\alpha)$이므로 $3\tan\alpha=1$

따라서 $\tan\alpha=\frac{1}{3}$

0653

 ①

STEP Ⓐ 삼각함수 사이의 관계를 이용하여 $\tan\theta$의 값 구하기

$\tan^2\theta=\sec^2\theta-1=\left(-\frac{\sqrt{7}}{2}\right)^2-1=\frac{3}{4}$

이때 $\frac{\pi}{2}<\theta<\pi$에서 $\tan\theta<0$이므로 $\tan\theta=-\frac{\sqrt{3}}{2}$

STEP Ⓑ 탄젠트함수의 덧셈정리를 이용하여 구하기

따라서 $\tan\left(\theta+\frac{\pi}{3}\right)=\dfrac{\tan\theta+\tan\frac{\pi}{3}}{1-\tan\theta\tan\frac{\pi}{3}}=\dfrac{-\frac{\sqrt{3}}{2}+\sqrt{3}}{1-\left(-\frac{\sqrt{3}}{2}\right)\cdot\sqrt{3}}=\frac{\sqrt{3}}{5}$

0654

 ③

STEP Ⓐ 탄젠트함수의 덧셈정리를 이용하여 $\tan y$ 구하기

$\tan(x+y)=\dfrac{\tan x+\tan y}{1-\tan x\tan y}$이므로 $12=\dfrac{2+\tan y}{1-2\tan y}$

즉 $\tan y=\frac{2}{5}$

STEP Ⓑ 탄젠트함수의 덧셈정리를 이용하여 $\tan(x-y)$의 값 구하기

따라서 $\tan(x-y)=\dfrac{\tan x-\tan y}{1+\tan x\tan y}=\dfrac{2-\frac{2}{5}}{1+2\cdot\frac{2}{5}}=\frac{8}{9}$

내신연계 출제문항 245

$\tan\alpha=2$, $\tan\beta=4$, $\tan\gamma=13$일 때, $\tan(\alpha+\beta+\gamma)$의 값은?

① $\frac{1}{3}$　② $\frac{1}{2}$　③ 1
④ $\frac{3}{2}$　⑤ $\frac{4}{3}$

STEP Ⓐ 탄젠트함수의 덧셈정리를 이용하여 $\tan(\alpha+\beta)$의 값 구하기

$\tan(\alpha+\beta)=\dfrac{\tan\alpha+\tan\beta}{1-\tan\alpha\tan\beta}=\dfrac{2+4}{1-2\cdot4}=-\frac{6}{7}$

STEP Ⓑ 탄젠트함수의 덧셈정리를 이용하여 $\tan(\alpha+\beta+\gamma)$의 값 구하기

따라서 $\tan(\alpha+\beta+\gamma)=\dfrac{\tan(\alpha+\beta)+\tan\gamma}{1-\tan(\alpha+\beta)\tan\gamma}=\dfrac{-\frac{6}{7}+13}{1-\left(-\frac{6}{7}\right)\cdot13}=1$ 　정답 ③

0655

정답 ②

STEP Ⓐ 직선과 x축의 양의 방향이 이루는 각이 θ일 때, 직선의 기울기 $\tan\theta$의 값 구하기

$3x+4y-2=0$의 기울기가 $-\frac{3}{4}$이고 이 직선이 x축의 양의 방향과 이루는 각의 크기가 θ이므로 $\tan\theta=-\frac{3}{4}$

STEP Ⓑ 삼각함수의 덧셈정리를 이용하여 $\tan\left(\frac{\pi}{4}+\theta\right)$의 값 구하기

따라서 $\tan\left(\frac{\pi}{4}+\theta\right)=\dfrac{\tan\frac{\pi}{4}+\tan\theta}{1-\tan\frac{\pi}{4}\tan\theta}=\dfrac{1+\left(-\frac{3}{4}\right)}{1-1\cdot\left(-\frac{3}{4}\right)}=\dfrac{\frac{1}{4}}{\frac{7}{4}}=\frac{1}{7}$

0656

 ①

STEP Ⓐ 이차방정식의 근과 계수의 관계에 의하여 합과 곱 구하기

이차방정식 $2x^2-3x-1=0$의 두 근이 $\tan\alpha$, $\tan\beta$이므로
근과 계수의 관계에 의하여
$\tan\alpha+\tan\beta=\frac{3}{2}$, $\tan\alpha\tan\beta=-\frac{1}{2}$

STEP Ⓑ 탄젠트함수의 덧셈정리 구하기

따라서 $\tan(\alpha+\beta)=\dfrac{\tan\alpha+\tan\beta}{1-\tan\alpha\tan\beta}=\dfrac{\frac{3}{2}}{1+\frac{1}{2}}=1$

내신연계 출제문항 246

이차방정식 $3x^2-6x+1=0$의 두 근이 $\tan\alpha$, $\tan\beta$일 때,
$\tan(\alpha+\beta)$의 값은?

① 1　② 2　③ 3
④ 4　⑤ 5

STEP Ⓐ 이차방정식의 근과 계수의 관계에 의하여 합과 곱 구하기

이차방정식 $3x^2-6x+1=0$의 두 근이 $\tan\alpha$, $\tan\beta$이므로
근과 계수의 관계에 의하여
$\tan\alpha+\tan\beta=2$, $\tan\alpha\tan\beta=\frac{1}{3}$

STEP Ⓑ 탄젠트함수의 덧셈정리 구하기

따라서 $\tan(\alpha+\beta)=\dfrac{\tan\alpha+\tan\beta}{1-\tan\alpha\tan\beta}=\dfrac{2}{1-\frac{1}{3}}=3$ 　 ③

0657

 ②

STEP Ⓐ 이차방정식의 근과 계수의 관계에 의하여 합과 곱 구하기

이차방정식 $x^2-4x-2=0$의 두 근이 $\tan\alpha$, $\tan\beta$이므로
이차방정식의 근과 계수의 관계에 의하여
$\tan\alpha+\tan\beta=4$, $\tan\alpha\tan\beta=-2$

STEP Ⓑ 탄젠트의 덧셈정리 구하기

$\tan(\alpha+\beta)=\dfrac{\tan\alpha+\tan\beta}{1-\tan\alpha\tan\beta}=\dfrac{4}{1-(-2)}=\frac{4}{3}$

STEP Ⓒ $\tan^2\theta+1=\sec^2\theta$을 이용하여 구하기

따라서 $\sec^2(\alpha+\beta)-1=\tan^2(\alpha+\beta)=\left(\frac{4}{3}\right)^2=\frac{16}{9}$

내신연계 출제문항 247

이차방정식 $2x^2-3x-4=0$의 두 근이 $\tan\alpha$, $\tan\beta$라고 할 때, $\csc^2(\alpha+\beta)$의 값은?

① 2 ② 3 ③ 4
④ 5 ⑤ 6

STEP A 이차방정식의 근과 계수의 관계에 의하여 합과 곱 구하기

이차방정식 $2x^2-3x-4=0$의 두 근이 $\tan\alpha$, $\tan\beta$이므로
근과 계수의 관계에 의하여

$\tan\alpha+\tan\beta=\frac{3}{2}$, $\tan\alpha\tan\beta=-2$

STEP B 탄젠트함수의 덧셈정리 구하기

$$\tan(\alpha+\beta)=\frac{\tan\alpha+\tan\beta}{1-\tan\alpha\tan\beta}=\frac{\frac{3}{2}}{1-(-2)}=\frac{1}{2}$$

STEP C $\csc^2\theta=1+\cot^2\theta$을 이용하여 $\csc^2(\alpha+\beta)$의 값 구하기

따라서 $\csc^2(\alpha+\beta)=1+\cot^2(\alpha+\beta)=1+2^2=5$

정답 ④

0658

 ①

STEP A 이차방정식의 근과 계수의 관계에 의하여 합과 곱 구하기

이차방정식 $x^2-4x-1=0$의 두 근이 $\tan\alpha$, $\tan\beta$이므로
근과 계수의 관계에 의하여
$\tan\alpha+\tan\beta=4$, $\tan\alpha\tan\beta=-1$

STEP B 탄젠트함수의 덧셈정리 구하기

$$\tan(\alpha+\beta)=\frac{\tan\alpha+\tan\beta}{1-\tan\alpha\tan\beta}=\frac{4}{1+1}=2$$

STEP C $\tan^2\theta+1=\sec^2\theta$를 이용하여 $\cos(\alpha+\beta)$의 값 구하기

$\sec^2(\alpha+\beta)=\tan^2(\alpha+\beta)+1=4+1=5$

이때 $\frac{\pi}{2}<\alpha+\beta<\frac{3}{2}\pi$이므로 $\sec(\alpha+\beta)=-\sqrt{5}$

따라서 $\cos\alpha\cos\beta-\sin\alpha\sin\beta=\cos(\alpha+\beta)=\frac{1}{\sec(\alpha+\beta)}=-\frac{1}{\sqrt{5}}=-\frac{\sqrt{5}}{5}$

0659

 ④

STEP A 삼각함수의 성질을 이용하여 구하기

$\angle C=\gamma$라 하면

$\tan\gamma=\tan(\pi-(\alpha+\beta))$ ← $\alpha+\beta+\gamma=\pi$
$=-\tan(\alpha+\beta)$
$=\frac{3}{2}$

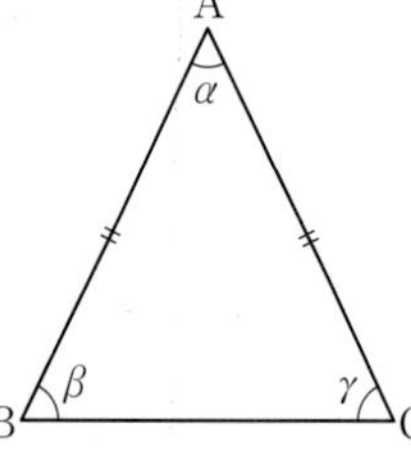

한편 삼각형 ABC는 $\overline{AB}=\overline{AC}$이므로
$\beta=\gamma$ $\therefore$ $\tan\beta=\tan\gamma=\frac{3}{2}$

STEP B 삼각함수의 덧셈정리를 이용하여 $\tan\alpha$의 값 구하기

따라서 $\tan\alpha=\tan(\pi-(\beta+\gamma))=-\tan(\beta+\gamma)(\because \beta=\gamma)$

$$=-\tan(2\beta)=-\frac{2\tan\beta}{1-\tan^2\beta}=-\frac{2\times\frac{3}{2}}{1-\left(\frac{3}{2}\right)^2}=\frac{12}{5}$$

내신연계 출제문항 248

삼각형 ABC에서

$$\tan A=\frac{4}{5},\ \tan B=\frac{11}{9}$$

일 때, $\tan C$의 값은?

① -95 ② -93 ③ -91
④ -98 ⑤ -96

STEP A 삼각함수 사이의 관계를 이용하여 $\tan C$의 값 구하기

삼각형 ABC에서 $A+B+C=\pi$이므로 $C=\pi-(A+B)$

STEP B 코사인함수의 덧셈정리를 이용하여 구하기

따라서 $\tan C=\tan\{\pi-(A+B)\}=-\tan(A+B)$

$$=-\frac{\tan A+\tan B}{1-\tan A\tan B}=-\frac{\frac{4}{5}+\frac{11}{9}}{1-\frac{4}{5}\cdot\frac{11}{9}}=-91$$

 ③

0660

 ③

STEP A 이차방정식의 근과 계수의 관계에 의하여 합과 곱 구하기

이차방정식 $x^2-6x+4=0$의 두 근이 $\tan\alpha$, $\tan\beta$이므로
근과 계수의 관계에 의하여
$\tan\alpha+\tan\beta=6$, $\tan\alpha\tan\beta=4$

STEP B 곱셈정리를 이용하여 구하기

$(\tan\alpha-\tan\beta)^2=(\tan\alpha+\tan\beta)^2-4\tan\alpha\tan\beta=6^2-4\cdot4=20$

이때 $\tan\alpha>\tan\beta$이므로 $\tan\alpha-\tan\beta=2\sqrt{5}$

STEP C 탄젠트함수의 덧셈정리를 이용하여 구하기

따라서 $\tan(\alpha-\beta)=\frac{\tan\alpha-\tan\beta}{1+\tan\alpha\tan\beta}=\frac{2\sqrt{5}}{1+4}=\frac{2\sqrt{5}}{5}$

다른풀이 근의 공식을 이용하여 풀이하기

STEP A 이차방정식의 근 구하기

$x^2-6x+4=0$의 해는 $x=3\pm\sqrt{5}$

$\tan\alpha>\tan\beta$에서 $\tan\alpha=3+\sqrt{5}$, $\tan\beta=3-\sqrt{5}$

STEP B 탄젠트함수의 덧셈정리 구하기

따라서 $\tan(\alpha-\beta)=\frac{\tan\alpha-\tan\beta}{1+\tan\alpha\tan\beta}=\frac{(3+\sqrt{5})-(3-\sqrt{5})}{1+(3+\sqrt{5})(3-\sqrt{5})}=\frac{2\sqrt{5}}{5}$

내신연계 출제문항 249

이차방정식 $x^2-2ax+(a^2-4)=0$이 두 실근 $\tan\alpha$, $\tan\beta$를 가지고

$$\alpha-\beta=\frac{\pi}{4}$$

일 때, 양수 a의 값은? (단, $\tan\alpha>\tan\beta$)

① $\sqrt{3}$ ② $\sqrt{5}$ ③ $\sqrt{6}$
④ $\sqrt{7}$ ⑤ $2\sqrt{2}$

STEP A 이차방정식의 근과 계수의 관계에 의하여 합과 곱 구하기

이차방정식 $x^2-2ax+(a^2-4)=0$이 두 실근이 $\tan\alpha$, $\tan\beta$이므로
근과 계수의 관계에 의하여
$\tan\alpha+\tan\beta=2a$, $\tan\alpha\tan\beta=a^2-4$

STEP B 곱셈정리를 이용하여 구하기

$(\tan\alpha-\tan\beta)^2=(\tan\alpha+\tan\beta)^2-4\tan\alpha\tan\beta=4a^2-4(a^2-4)=16$

$\therefore$ $\tan\alpha-\tan\beta=4(\because \tan\alpha>\tan\beta)$

STEP C 탄젠트함수의 덧셈정리를 이용하여 구하기

$\tan(\alpha-\beta)=\dfrac{\tan\alpha-\tan\beta}{1+\tan\alpha\tan\beta}=\dfrac{4}{1+a^2-4}=1$

따라서 $a^2=7$이므로 $a=\sqrt{7}$($\because$ a는 양수)

정답 ④

0661

정답 ④

STEP A 이차방정식의 근과 계수의 관계에 의하여 합과 곱 구하기

이차방정식 $x^2+x\sin\theta+\cos\theta=0$의 두 근이 $\tan\alpha$, $\tan\beta$일 때,
근과 계수의 관계에 의하여
$\tan\alpha+\tan\beta=-\sin\theta$, $\tan\alpha\tan\beta=\cos\theta$

STEP B 탄젠트함수의 덧셈정리를 이용하여 $\sin\theta$, $\cos\theta$ 관계식 구하기

$\tan(\alpha+\beta)=\dfrac{1}{3}$이므로 삼각함수의 덧셈정리에 의하여

$\tan(\alpha+\beta)=\dfrac{\tan\alpha+\tan\beta}{1-\tan\alpha\tan\beta}=\dfrac{-\sin\theta}{1-\cos\theta}=\dfrac{1}{3}$

STEP C 삼각함수의 방정식에서 $\cos\theta$의 값 구하기

즉 $1-\cos\theta=-3\sin\theta$의 양변을 제곱하면
$1-2\cos\theta+\cos^2\theta=9\sin^2\theta$, $1-2\cos\theta+\cos^2\theta=9(1-\cos^2\theta)$
$5\cos^2\theta-\cos\theta-4=0$, $(5\cos\theta+4)(\cos\theta-1)=0$

$\therefore\ \cos\theta=-\dfrac{4}{5}$ 또는 $\cos\theta=1$

이때 $\pi<\theta<\dfrac{3}{2}\pi$에서 $\cos\theta=-\dfrac{4}{5}$

따라서 $\sec\theta=\dfrac{1}{\cos\theta}=-\dfrac{5}{4}$

내신연계 출제문항 250

이차방정식 $x^2-x\sin\theta+\cos\theta=0$의 두 근이 $\tan\alpha$, $\tan\beta$이고

$$\tan(\alpha+\beta)=-\frac{1}{3}$$

일 때, $\tan\theta$의 값은? $\left(\text{단, } \pi<\theta<\dfrac{3}{2}\pi\right)$

① $\dfrac{1}{2}$ ② $\dfrac{2}{3}$ ③ $\dfrac{3}{4}$
④ $\dfrac{4}{5}$ ⑤ $\dfrac{5}{6}$

STEP A 이차방정식의 근과 계수의 관계에 의하여 합과 곱 구하기

이차방정식 $x^2-x\sin\theta+\cos\theta=0$의 두 근이 $\tan\alpha$, $\tan\beta$일 때,
근과 계수의 관계에 의하여
$\tan\alpha+\tan\beta=\sin\theta$, $\tan\alpha\tan\beta=\cos\theta$

STEP B 탄젠트함수의 덧셈정리를 이용하여 $\sin\theta$, $\cos\theta$ 관계식 구하기

$\tan(\alpha+\beta)=-\dfrac{1}{3}$이므로 삼각함수의 덧셈정리에 의하여

$\tan(\alpha+\beta)=\dfrac{\tan\alpha+\tan\beta}{1-\tan\alpha\tan\beta}=\dfrac{\sin\theta}{1-\cos\theta}=-\dfrac{1}{3}$

STEP C 삼각함수의 방정식을 이용하여 $\tan\theta$의 값 구하기

즉 $1-\cos\theta=-3\sin\theta$의 양변을 제곱하면
$1-2\cos\theta+\cos^2\theta=9\sin^2\theta$, $1-2\cos\theta+\cos^2\theta=9(1-\cos^2\theta)$
$5\cos^2\theta-\cos\theta-4=0$, $(5\cos\theta+4)(\cos\theta-1)=0$

$\therefore\ \cos\theta=-\dfrac{4}{5}$ 또는 $\cos\theta=1$

이때 $\pi<\theta<\dfrac{3}{2}\pi$에서 $\cos\theta=-\dfrac{4}{5}$이므로 $\sin\theta=-\sqrt{1-\cos^2\theta}=-\dfrac{3}{5}$

따라서 $\tan\theta=\dfrac{\sin\theta}{\cos\theta}=\dfrac{3}{4}$

정답 ③

0662

정답 ④

STEP A 탄젠트함수의 덧셈정리를 이용하여 구하기

$(\tan x+\sqrt{5})(\tan y-\sqrt{5})=-6$에서
$\tan x\tan y-\sqrt{5}(\tan x-\tan y)-5=-6$
$\therefore\ 1+\tan x\tan y=\sqrt{5}(\tan x-\tan y)$

$\tan(x-y)=\dfrac{\tan x-\tan y}{1+\tan x\tan y}=\dfrac{\tan x-\tan y}{\sqrt{5}(\tan x-\tan y)}=\dfrac{1}{\sqrt{5}}$

STEP B $\tan^2\theta+1=\sec^2\theta$를 이용하여 $\sec(x-y)$의 값 구하기

이때 $0<x<\dfrac{\pi}{2}$, $0<y<\dfrac{\pi}{2}$이므로 $-\dfrac{\pi}{2}<x-y<\dfrac{\pi}{2}$

$\tan(x-y)>0$이므로 $0<x-y<\dfrac{\pi}{2}$

$\sec^2(x-y)=\tan^2(x-y)+1=\dfrac{1}{5}+1=\dfrac{6}{5}$ $\therefore\ \sec(x-y)=\dfrac{\sqrt{6}}{\sqrt{5}}$

STEP C $\cos(x-y)$의 값 구하기

따라서 $\cos(x-y)=\dfrac{1}{\sec(x-y)}=\dfrac{\sqrt{5}}{\sqrt{6}}=\dfrac{\sqrt{30}}{6}$

내신연계 출제문항 251

$0<x<\dfrac{\pi}{2}$, $0<y<\dfrac{\pi}{2}$에 대하여

$$(\tan x+\sqrt{2})(\tan y-\sqrt{2})=-3$$

이 성립할 때, $\cos(x-y)$의 값은?

① $\dfrac{\sqrt{5}}{4}$ ② $\dfrac{\sqrt{6}}{5}$ ③ $\dfrac{\sqrt{6}}{3}$
④ $\dfrac{5}{6}$ ⑤ $\dfrac{2\sqrt{2}}{5}$

STEP A 탄젠트함수의 덧셈정리를 이용하여 구하기

$(\tan x+\sqrt{2})(\tan y-\sqrt{2})=-3$에서
$\tan x\tan y-\sqrt{2}(\tan x-\tan y)-2=-3$
$1+\tan x\tan y=\sqrt{2}(\tan x-\tan y)$

$\tan(x-y)=\dfrac{\tan x-\tan y}{1+\tan x\tan y}=\dfrac{\tan x-\tan y}{\sqrt{2}(\tan x-\tan y)}=\dfrac{1}{\sqrt{2}}$

STEP B $\cos(x-y)$의 값 구하기

이때 $0<x<\dfrac{\pi}{2}$, $0<y<\dfrac{\pi}{2}$이므로 $-\dfrac{\pi}{2}<x-y<\dfrac{\pi}{2}$

$\tan(x-y)>0$이므로 $0<x-y<\dfrac{\pi}{2}$

$\therefore\ \cos(x-y)=\dfrac{2}{\sqrt{6}}=\dfrac{\sqrt{6}}{3}$ ⬅ $\sec^2(x-y)=\tan^2(x-y)+1=\dfrac{1}{2}+1=\dfrac{3}{2}$

정답 ③

0663

정답 ②

STEP A 삼각함수 사이의 관계를 이용하여 $\cos\alpha$, $\cos\beta$의 값 구하기

$0<\alpha<\dfrac{\pi}{2}$, $\dfrac{3}{2}\pi<\beta<2\pi$ 이므로 α는 1사분면이고 β는 4사분면이다.

$\sin\alpha=\dfrac{4}{5}$에서 $\cos\alpha=\sqrt{1-\sin^2\alpha}=\dfrac{3}{5}$

$\sin\beta=-\dfrac{\sqrt{5}}{5}$에서 $\cos\beta=\sqrt{1-\sin^2\beta}=\dfrac{2\sqrt{5}}{5}$

STEP B $\tan\alpha$, $\tan\beta$ 구하기

$\tan\alpha=\dfrac{\sin\alpha}{\cos\alpha}=\dfrac{4}{3}$, $\tan\beta=\dfrac{\sin\beta}{\cos\beta}=-\dfrac{1}{2}$

STEP C 탄젠트함수의 덧셈정리를 이용하여 구하기

따라서 $\tan(\alpha+\beta)=\dfrac{\tan\alpha+\tan\beta}{1-\tan\alpha\tan\beta}=\dfrac{\frac{4}{3}+\left(-\frac{1}{2}\right)}{1-\frac{4}{3}\cdot\left(-\frac{1}{2}\right)}=\dfrac{1}{2}$

0664

정답 ⑤

STEP A 삼각함수 사이의 관계를 이용하여 $\cos\alpha$, $\cos\beta$의 값 구하기

$\dfrac{\pi}{2}<\alpha<\pi$, $\dfrac{3}{2}\pi<\beta<2\pi$이므로 α는 2사분면이고 β는 4사분면이다.

$\sin\alpha=\dfrac{12}{13}$에서 $\cos\alpha=-\sqrt{1-\sin^2\alpha}=-\dfrac{5}{13}$

$\sin\beta=-\dfrac{3}{5}$에서 $\cos\beta=\sqrt{1-\sin^2\beta}=\dfrac{4}{5}$

STEP B $\tan\alpha, \tan\beta$ 구하기

$\tan\alpha=\dfrac{\sin\alpha}{\cos\alpha}=-\dfrac{12}{5}$, $\tan\beta=\dfrac{\sin\beta}{\cos\beta}=-\dfrac{3}{4}$

STEP C 탄젠트함수의 덧셈정리를 이용하여 구하기

따라서 $\tan(\alpha+\beta)=\dfrac{\tan\alpha+\tan\beta}{1-\tan\alpha\tan\beta}=\dfrac{-\frac{12}{5}+\left(-\frac{3}{4}\right)}{1-\left(-\frac{12}{5}\right)\left(-\frac{3}{4}\right)}=\dfrac{63}{16}$

내신연계 출제문항 252

$0<\alpha<\dfrac{\pi}{2}$, $\pi<\beta<\dfrac{3}{2}\pi$에 대하여

$$\cos\alpha=\dfrac{3}{5},\ \cos\beta=-\dfrac{5}{13}$$

일 때, $\tan(\beta-\alpha)$의 값은?

① $\dfrac{31}{63}$　② $\dfrac{22}{63}$　③ $\dfrac{19}{63}$
④ $\dfrac{16}{63}$　⑤ $\dfrac{13}{63}$

STEP A 삼각함수 사이의 관계를 이용하여 $\sin\alpha$, $\sin\beta$의 값 구하기

$0<\alpha<\dfrac{\pi}{2}$, $\pi<\beta<\dfrac{3}{2}\pi$이므로 α는 제 1사분면이고 β는 제 3사분면이다.

$\cos\alpha=\dfrac{3}{5}$에서 $\sin\alpha=\sqrt{1-\cos^2\alpha}=\dfrac{4}{5}$

$\cos\beta=-\dfrac{5}{13}$에서 $\sin\beta=-\sqrt{1-\cos^2\beta}=-\dfrac{12}{13}$

STEP B $\tan\alpha$, $\tan\beta$ 구하기

$\tan\alpha=\dfrac{\sin\alpha}{\cos\alpha}=\dfrac{4}{3}$, $\tan\beta=\dfrac{\sin\beta}{\cos\beta}=\dfrac{12}{5}$

STEP C 탄젠트함수의 덧셈정리를 이용하여 구하기

따라서 $\tan(\beta-\alpha)=\dfrac{\tan\beta-\tan\alpha}{1+\tan\alpha\tan\beta}=\dfrac{\frac{12}{5}-\frac{4}{3}}{1+\frac{4}{3}\cdot\frac{12}{5}}=\dfrac{16}{63}$

정답 ④

0665

정답 ④

STEP A $\tan\theta$의 값 구하기

눈높이가 1.8 m인 사람이 등대의 꼭대기를 올려다 본 각의 크기는 θ이므로 $\tan\theta=\dfrac{h}{9}$

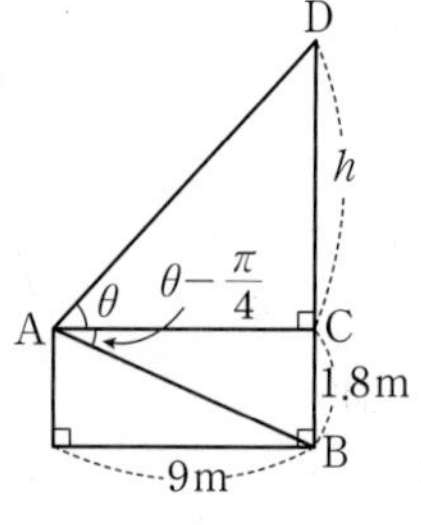

STEP B 탄젠트함수의 덧셈정리를 이용하여 구하기

직각삼각형 ACD에서 $\tan\left(\theta-\dfrac{\pi}{4}\right)=\dfrac{1.8}{9}$

$\tan\left(\theta-\dfrac{\pi}{4}\right)=\dfrac{\tan\theta-\tan\frac{\pi}{4}}{1+\tan\theta\tan\frac{\pi}{4}}=\dfrac{\frac{h}{9}-1}{1+\frac{h}{9}\times1}=\dfrac{1}{5}$

$\dfrac{h-9}{9+h}=\dfrac{1}{5}$　$\therefore h=13.5$

따라서 등대의 높이는 $\overline{BC}+\overline{CD}=1.8+13.5=15.3$(m)

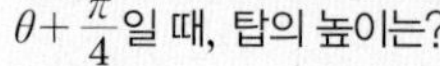
내신연계 출제문항 253

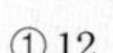

오른쪽 그림과 같이 탑으로부터 8m 떨어진 지점에서 눈높이가 1.6m인 사람이 탑의 밑 부분을 내려본 각의 크기가 θ이고, 탑의 꼭대기를 올려본각의 크기가 $\theta+\dfrac{\pi}{4}$일 때, 탑의 높이는?

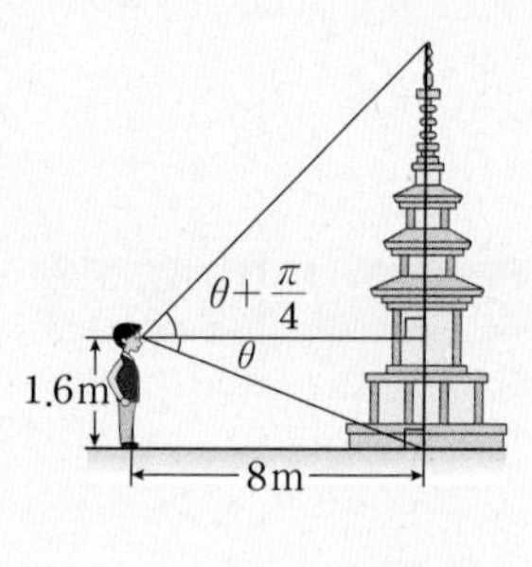

① 12　② 13
③ 13.6　④ 15
⑤ 15.6

STEP A $\tan\theta$의 값 구하기

눈높이가 1.6m인 사람이 탑의 밑부분을 내려본 각의 크기가 θ이므로 $\tan\theta=\dfrac{1.6}{8}=\dfrac{1}{5}$

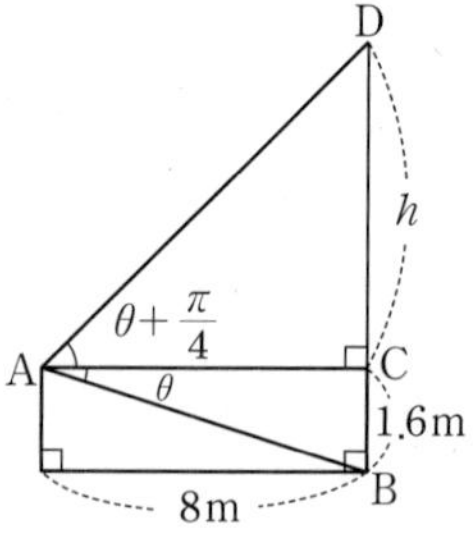

STEP B 탄젠트함수의 덧셈정리를 이용하여 구하기

직각삼각형 ACD에서 $\tan\left(\theta+\dfrac{\pi}{4}\right)=\dfrac{h}{8}$이고

$\tan\left(\theta+\dfrac{\pi}{4}\right)=\dfrac{\tan\theta+\tan\frac{\pi}{4}}{1-\tan\theta\tan\frac{\pi}{4}}=\dfrac{\frac{1}{5}+1}{1-\frac{1}{5}\times1}=\dfrac{3}{2}$이므로

$\dfrac{h}{8}=\dfrac{3}{2}$　$\therefore h=12$

따라서 탑의 높이는 $\overline{BC}+\overline{CD}=1.6+12=13.6$(m)

정답 ③

0666

정답 ③

STEP A 두 직선이 x축의 양의 방향과 이루는 각의 크기에 대한 탄젠트 함수 구하기

오른쪽 그림과 같이 두 직선 $y=3x-1$, $y=\frac{1}{2}x+3$이 x축의 양의 방향과 이루는 각의 크기를 각각 α, β라고 하면

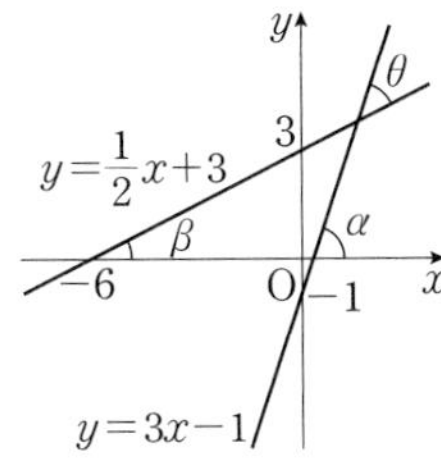

$\tan\alpha=3$, $\tan\beta=\frac{1}{2}$

STEP B 탄젠트함수의 덧셈정리를 이용하여 이루는 예각의 크기 구하기

두 직선이 이루는 예각의 크기를 θ라고 하면

$$\tan\theta=|\tan(\alpha-\beta)|=\left|\frac{\tan\alpha-\tan\beta}{1+\tan\alpha\tan\beta}\right|=\left|\frac{3-\frac{1}{2}}{1+3\cdot\frac{1}{2}}\right|=1$$

따라서 구하는 각 θ의 크기는 $\frac{\pi}{4}$

내/신/연/계/ 출제문항 254

좌표평면에서 두 직선 $3x+y-2=0$, $2x-y=0$이 이루는 예각의 크기는?

① $\frac{\pi}{12}$ ② $\frac{\pi}{6}$ ③ $\frac{\pi}{4}$
④ $\frac{\pi}{3}$ ⑤ $\frac{5}{12}\pi$

STEP A 두 직선이 x축의 양의 방향과 이루는 각의 크기에 대한 탄젠트 함수 구하기

두 직선 $y=-3x+2$와 $y=2x$가 x축의 양의 방향과 이루는 각의 크기를 각각 α, β라고 하면

$\tan\alpha=-3$, $\tan\beta=2$

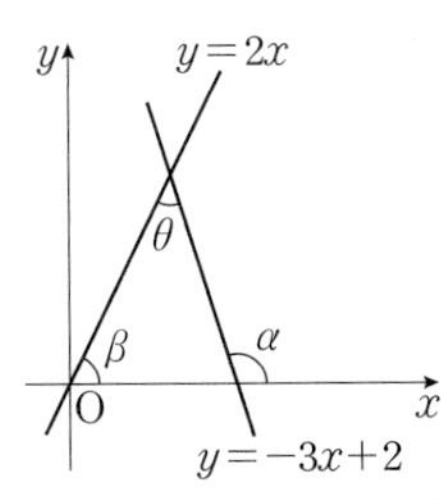

STEP B 탄젠트함수의 덧셈정리를 이용하여 이루는 예각의 크기 구하기

두 직선이 이루는 예각의 크기를 θ라고 하면

$$\tan\theta=|\tan(\alpha-\beta)|=\left|\frac{\tan\alpha-\tan\beta}{1+\tan\alpha\tan\beta}\right|=\left|\frac{-3-2}{1+(-3)\times2}\right|=1$$

따라서 구하는 예각 θ의 크기는 $\frac{\pi}{4}$

0667

STEP A 두 직선이 x축의 양의 방향과 이루는 각의 크기에 대한 탄젠트 함수 구하기

두 직선 $y=-\frac{1}{2}x+\frac{3}{2}$, $y=\frac{1}{2}x+1$이 x축의 양의 방향과 이루는 각의 크기를 각각 α, β라고 하면

$\tan\alpha=-\frac{1}{2}$, $\tan\beta=\frac{1}{2}$

STEP B 탄젠트함수의 덧셈정리를 이용하여 이루는 예각의 크기 구하기

따라서 두 직선이 이루는 예각의 크기를 θ라고 하면

$$\tan\theta=|\tan(\beta-\alpha)|=\left|\frac{\tan\beta-\tan\alpha}{1+\tan\beta\tan\alpha}\right|=\left|\frac{\frac{1}{2}-\left(-\frac{1}{2}\right)}{1+\left(-\frac{1}{2}\right)\cdot\frac{1}{2}}\right|=\frac{4}{3}$$

0668

정답 ②

STEP A 두 직선이 x축의 양의 방향과 이루는 각의 크기에 대한 탄젠트 함수 구하기

두 직선 $y=-2x+2$, $y=x+2$가 x축의 양의 방향과 이루는 각의 크기를 각각 α, β라고 하면

$\tan\alpha=-2$, $\tan\beta=1$

STEP B 탄젠트함수의 덧셈정리를 이용하여 $\tan\theta$ 구하기

두 직선이 이루는 예각의 크기를 θ라고 하면

$$\tan\theta=|\tan(\alpha-\beta)|=\left|\frac{\tan\alpha-\tan\beta}{1+\tan\alpha\tan\beta}\right|=\left|\frac{-2-1}{1+(-2)\cdot1}\right|=3$$

STEP C 탄젠트함수의 덧셈정리를 이용하여 구하기

따라서 $\tan\left(\theta-\frac{\pi}{4}\right)=\frac{\tan\theta-\tan\frac{\pi}{4}}{1+\tan\theta\tan\frac{\pi}{4}}=\frac{3-1}{1+3\cdot1}=\frac{1}{2}$

내/신/연/계/ 출제문항 255

두 직선

$x-2y+3=0$, $3x+y-1=0$

이 이루는 예각의 크기를 θ라 할 때, $\sin\theta$의 값은?

① $\frac{7\sqrt{2}}{10}$ ② $\frac{7\sqrt{2}}{5}$ ③ $\frac{7\sqrt{2}}{4}$
④ $\frac{7\sqrt{2}}{3}$ ⑤ $\frac{7\sqrt{2}}{2}$

STEP A 두 직선이 x축의 양의 방향과 이루는 각의 크기에 대한 탄젠트 함수 구하기

두 직선 $x-2y+3=0$, $3x+y-1=0$이 x축의 양의 방향과 이루는 각의 크기를 각각 α, β라고 하면

$\tan\alpha=\frac{1}{2}$, $\tan\beta=-3$

STEP B 탄젠트함수의 덧셈정리를 이용하여 이루는 예각의 크기 구하기

두 직선이 이루는 예각의 크기는 θ이므로

$$\tan\theta=|\tan(\alpha-\beta)|=\left|\frac{\tan\alpha-\tan\beta}{1+\tan\alpha\tan\beta}\right|=\left|\frac{\frac{1}{2}+3}{1-\frac{1}{2}\cdot3}\right|=7$$

$\tan\theta=7$인 오른쪽 그림의 직사각형 PQR에서 $\overline{PQ}=\sqrt{1^2+7^2}=5\sqrt{2}$

따라서 θ가 예각이므로 $\sin\theta=\frac{7\sqrt{2}}{10}$

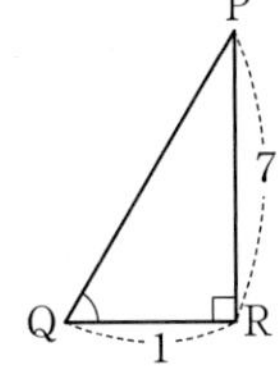

정답 ①

0669

정답 ①

STEP A 두 직선이 x축의 양의 방향과 이루는 각의 크기에 대한 탄젠트 함수 구하기

두 직선 $y=-\frac{1}{3}x+1$, $y=mx+2$가 x축의 양의 방향과 이루는 각의 크기를 각각 α, β라고 하면

$\tan\alpha=-\frac{1}{3}$, $\tan\beta=m$

STEP B 탄젠트함수의 덧셈정리를 이용하여 양수 m의 값 구하기

두 직선이 이루는 예각의 크기가 $\frac{\pi}{4}$이므로

$$\tan\frac{\pi}{4}=|\tan(\alpha-\beta)|=\left|\frac{\tan\beta-\tan\alpha}{1+\tan\beta\tan\alpha}\right|=\left|\frac{m+\frac{1}{3}}{1+m\cdot\left(-\frac{1}{3}\right)}\right|=\left|\frac{3m+1}{3-m}\right|=1$$

즉 $\frac{3m+1}{3-m}=\pm1$이므로 $3m+1=\pm(3-m)$

$\therefore m=\frac{1}{2}$ 또는 $m=-2$

따라서 $m>0$이므로 $m=\frac{1}{2}$

내신연계 출제문항 256

두 직선

$$2x-y-3=0,\ x+my+6=0$$

이 이루는 예각의 크기가 $\frac{\pi}{4}$가 되도록 하는 모든 실수 m의 값의 곱은?

① -1 ② $-\frac{1}{3}$ ③ $\frac{1}{3}$

④ 1 ⑤ 3

STEP A 두 직선이 x축의 양의 방향과 이루는 각의 크기에 대한 탄젠트 함수 구하기

두 직선 $2x-y-3=0$과 $x+my+6=0$이 x축의 양의 방향과 이루는 각의 크기를 각각 θ_1, θ_2라고 하면

$\tan\theta_1=2$, $\tan\theta_2=-\frac{1}{m}$

STEP B 탄젠트함수의 덧셈정리를 이용하여 m에 대한 이차방정식을 세우기

두 직선이 이루는 예각의 크기가 $45°$이므로

$$\tan45°=|\tan(\theta_1-\theta_2)|=\left|\frac{\tan\theta_1-\tan\theta_2}{1+\tan\theta_1\tan\theta_2}\right|=\left|\frac{2+\frac{1}{m}}{1+2\cdot\left(-\frac{1}{m}\right)}\right|=\left|\frac{2m+1}{m-2}\right|=1$$

위의 식의 양변을 제곱하면

$\frac{4m^2+4m+1}{m^2-4m+4}=1$ $\therefore 3m^2+8m-3=0$ ⬅ $\frac{2m+1}{m-2}=\pm1$임을 이용할 수 있다.

STEP C m의 값의 곱 구하기

따라서 이차방정식의 근과 계수의 관계에 의하여 모든 실수 m의 값의 곱은 -1

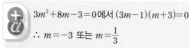

정답 ①

$3m^2+8m-3=0$에서 $(3m-1)(m+3)=0$

$\therefore m=-3$ 또는 $m=\frac{1}{3}$

0670

정답 ④

STEP A 두 직선의 기울기를 이용하여 탄젠트의 값 구하기

두 직선 $x-3y+1=0$, $ax-2y+5=0$이 x축의 양의 방향과 이루는 각의 크기를 각각 α, β라 하면

$\tan\alpha=\frac{1}{3}$, $\tan\beta=\frac{a}{2}$

STEP B $\tan\theta$를 a에 대한 식으로 나타내기

$$\tan\theta=|\tan(\alpha-\beta)|=\left|\frac{\tan\alpha-\tan\beta}{1+\tan\alpha\tan\beta}\right|=\left|\frac{\frac{1}{3}-\frac{a}{2}}{1+\frac{1}{3}\times\frac{a}{2}}\right|=\left|\frac{2-3a}{6+a}\right|$$

$\tan\theta=1$에서 $\left|\frac{2-3a}{6+a}\right|=1$

STEP C 양수 a의 값 구하기

즉 $2-3a=\pm(6+a)$이므로 $a=-1$ 또는 $a=4$

따라서 구하는 양수 a의 값은 4

내신연계 출제문항 257

좌표평면에서 두 직선 $x-y-1=0$, $ax-y+1=0$이 이루는 예각의 크기를 θ라 하자. $\tan\theta=\frac{1}{6}$일 때, 상수 a의 값은? (단, $a>1$)

① $\frac{11}{10}$ ② $\frac{6}{5}$ ③ $\frac{13}{10}$

④ $\frac{7}{5}$ ⑤ $\frac{3}{2}$

STEP A 두 직선의 기울기를 이용하여 탄젠트의 값 구하기

두 직선 $x-y-1=0$, $ax-y+1=0$의 x축의 양의 방향과 이루는 각의 크기를 각각 θ_1, θ_2라 하면 $\tan\theta_1=1$, $\tan\theta_2=a$

STEP B 삼각함수의 덧셈정리를 이용하여 $\tan\theta$의 값 구하기

이때 두 직선이 이루는 예각의 크기 θ에 대하여 $\tan\theta=\frac{1}{6}$이므로

$$\tan\theta=|\tan(\theta_2-\theta_1)|=\left|\frac{\tan\theta_2-\tan\theta_1}{1+\tan\theta_2\tan\theta_1}\right|=\left|\frac{a-1}{1+a}\right|=\frac{1}{6}$$

$a>1$이므로 $\frac{a-1}{1+a}=\frac{1}{6}$

따라서 $6a-6=1+a$이므로 $a=\frac{7}{5}$

정답 ④

0671

정답 ③

STEP A 이차방정식의 근과 계수의 관계를 이용하여 합과 곱 구하기

이차방정식 $4x^2-8x+3=0$의 두 근이 m_1, m_2이므로

근과 계수의 관계에 의하여 $m_1+m_2=2$, $m_1m_2=\frac{3}{4}$

STEP B 곱셈정리를 이용하여 m_1-m_2의 값 구하기

이때 $(m_1-m_2)^2=(m_1+m_2)^2-4m_1m_2=4-3=1$

$m_1-m_2=1$ $(\because m_1>m_2>0)$

STEP C 두 직선이 x축의 양의 방향과 이루는 각의 크기에 대한 탄젠트 함수 구하기

두 직선 $y=m_1x$, $y=m_2x$가 x축의 양의 방향과 이루는 각의 크기를 각각 θ_1, θ_2라고 하면 $\tan\theta_1=m_1$, $\tan\theta_2=m_2$

따라서 두 직선이 이루는 예각의 크기가 θ이므로

$$\tan\theta=|\tan(\theta_1-\theta_2)|=\left|\frac{\tan\theta_1-\tan\theta_2}{1+\tan\theta_1\tan\theta_2}\right|=\left|\frac{m_1-m_2}{1+m_1m_2}\right|=\frac{1}{1+\frac{3}{4}}=\frac{4}{7}$$

0672

정답 ②

STEP A 두 직선이 x축의 양의 방향과 이루는 각의 크기에 대한 탄젠트 함수 구하기

세 직선 $y=3x$, $y=\frac{3}{2}x$, $y=mx$가 x축의 양의 방향과 이루는 각의 크기를 각각 α, β, γ라 하면

$\tan\alpha=3$, $\tan\beta=\frac{3}{2}$, $\tan\gamma=m$

STEP B 탄젠트함수의 덧셈정리를 이용하여 m의 값 구하기

$\tan\beta=\tan(\alpha-\gamma)=\dfrac{\tan\alpha-\tan\gamma}{1+\tan\alpha\tan\gamma}$이므로 $\frac{3}{2}=\dfrac{3-m}{1+3m}$

$3+9m=6-2m$

따라서 $m=\frac{3}{11}$

내신연계 출제문항 258

직선 $y=2x$와 x축이 이루는 예각의 크기가 두 직선 $y=3x$, $y=mx$가 이루는 예각의 크기와 같을 때, 상수 m의 값은? (단, $0<m<2$)

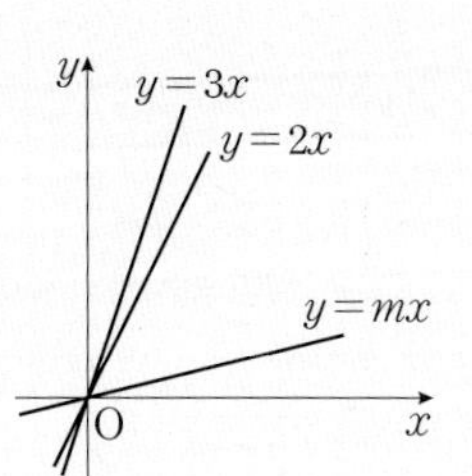

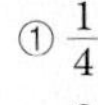 ① $\frac{1}{4}$ ② $\frac{1}{7}$

 ③ $\frac{2}{7}$ ④ $\frac{6}{7}$

⑤ $\frac{9}{7}$

STEP A 두 직선이 x축의 양의 방향과 이루는 각의 크기에 대한 탄젠트 함수 구하기

세 직선 $y=3x$, $y=2x$, $y=mx$가 x축과 이루는 예각의 크기를 각각 α, β, γ라고 하면

$\tan\alpha=3$, $\tan\beta=2$, $\tan\gamma=m$

STEP B 탄젠트함수의 덧셈정리를 이용하여 m의 값 구하기

이때 $\beta=\alpha-\gamma$이므로 $\tan\beta=\tan(\alpha-\gamma)=\dfrac{\tan\alpha-\tan\gamma}{1+\tan\alpha\tan\gamma}$

따라서 $2=\dfrac{3-m}{1+3m}$이므로 $m=\frac{1}{7}$

정답 ②

0673

정답 ①

STEP A 두 직선이 이루는 각을 $\angle BPA=\theta$라 할 때, $\tan\theta$ 구하기

직선 $y=2x+10$이 x축의 양의 방향과 이루는 예각의 크기를 β라 하면

직선 $y=2x+10$의 기울기는 $\tan\beta=2$

또한, 직선 $y=\frac{1}{3}x$가 x축의 양의 방향과 이루는 예각의 크기를 α라 하면

직선 $y=\frac{1}{3}x$의 기울기는 $\tan\alpha=\frac{1}{3}$

삼각형 PAB에서 $\angle BPA=\theta$라 하면

$\theta=\beta-\alpha$

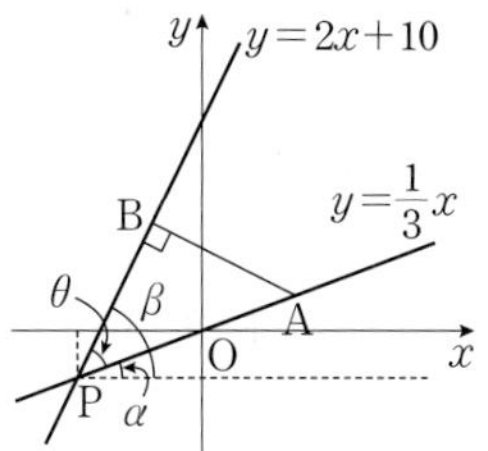

STEP B 삼각함수의 덧셈정리를 이용하여 선분 PA의 길이 구하기

$\tan\theta=\tan(\beta-\alpha)=\dfrac{\tan\beta-\tan\alpha}{1+\tan\beta\cdot\tan\alpha}=\dfrac{2-\frac{1}{3}}{1+2\cdot\frac{1}{3}}=1$ $\therefore\ \beta-\alpha=\frac{\pi}{4}$

따라서 삼각형 PAB는 직각이등변삼각형이고 $\overline{PB}=12$이므로 $\overline{PA}=12\sqrt{2}$

내신연계 출제문항 259

오른쪽 그림과 같이 두 직선 $y=\frac{1}{2}x$, $y=3x$ 위의 두 점 A, B와 원점 O를 꼭짓점으로 하고 $\angle OAB=90°$인 직각삼각형 OAB가 있다. $\overline{OA}=2$일 때, $\overline{OB}$의 값은?

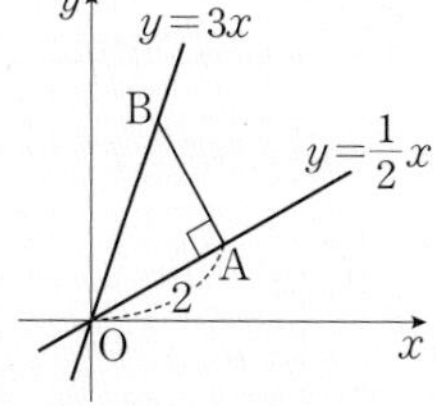

① $2\sqrt{2}$ ② $2\sqrt{3}$

③ 4 ④ $3\sqrt{2}$

⑤ $3\sqrt{3}$

STEP A 두 직선이 x축의 양의 방향과 이루는 각의 크기를 α, β라 할 때, $\tan\alpha$, $\tan\beta$값 구하기

두 직선 $y=\frac{1}{2}x$, $y=3x$가 x축의 양의 방향과 이루는 각의 크기를 각각 α, β라 하고

$\tan\alpha=\frac{1}{2}$, $\tan\beta=3$, $\angle AOB=\theta$라

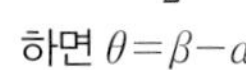
하면 $\theta=\beta-\alpha$

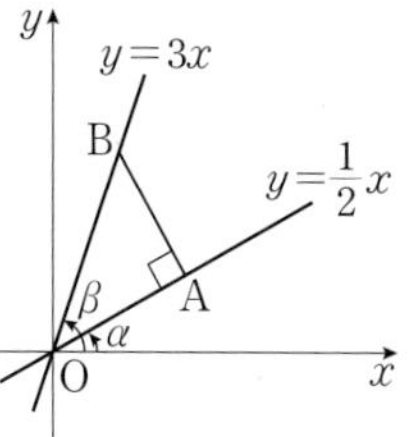

STEP B 삼각함수의 덧셈정리를 이용하여 선분 OB의 길이 구하기

$\tan\theta=\tan(\beta-\alpha)=\dfrac{\tan\beta-\tan\alpha}{1+\tan\beta\tan\alpha}=\dfrac{3-\frac{1}{2}}{1+3\cdot\frac{1}{2}}=1$

$\therefore\ \beta-\alpha=45°$

따라서 삼각형 PAB는 직각이등변삼각형이고 $\overline{OA}=2$이므로

$\overline{OB}=\sqrt{2^2+2^2}=2\sqrt{2}$

정답 ①

0674

정답 ③

STEP A 배각 공식을 이용하여 구하기

$\cos 2\alpha=\cos^2\alpha-\sin^2\alpha=1-2\sin^2\alpha$

$=1-2\left(\frac{3}{4}\right)^2=-\frac{1}{8}$

0675

정답 ②

STEP A 삼각함수의 덧셈정리를 이용하여 $\tan\alpha$의 값 구하기

$\tan 2\alpha=\tan(\alpha+\alpha)=\dfrac{\tan\alpha+\tan\alpha}{1-\tan\alpha\tan\alpha}=\dfrac{2\tan\alpha}{1-\tan^2\alpha}$

$\dfrac{2\tan\alpha}{1-\tan^2\alpha}=\frac{5}{12}$이므로 $5\tan^2\alpha+24\tan\alpha-5=0$

$(5\tan\alpha-1)(\tan\alpha+5)=0$

$\therefore\ \tan\alpha=\frac{1}{5}\left(\because\ 0<\alpha<\frac{\pi}{4}\right)$

따라서 $p=\frac{1}{5}$이므로 $60p=12$

0676

정답 ⑤

STEP A $\tan\theta$를 이용하여 $\sin^2\theta$, $\cos^2\theta$의 값 구하기

$\tan\theta=\frac{1}{7}$이므로 $\sec^2\theta=1+\tan^2\theta=1+\frac{1}{49}=\frac{50}{49}$

$\cos^2\theta=\frac{1}{\sec^2\theta}=\frac{49}{50}$

$\sin^2\theta=1-\cos^2\theta=1-\frac{49}{50}=\frac{1}{50}$

STEP B $\tan\theta>0$일 때, $\sin\theta\cos\theta>0$임을 이용하여 $\sin 2\theta$ 구하기

$\sin 2\theta=2\sin\theta\cos\theta$이므로 $\sin^2 2\theta=4\sin^2\theta\cos^2\theta=4\cdot\frac{1}{50}\cdot\frac{49}{50}=\left(\frac{7}{25}\right)^2$

$\tan\theta=\frac{1}{7}>0$에서 θ는 제1사분면 또는 제3사분면이므로

두 사분면 모두 $\sin\theta\cos\theta>0$을 만족시킨다.

따라서 $\sin 2\theta=\frac{7}{25}$

다른풀이 $\tan\theta=\frac{\sin\theta}{\cos\theta}$를 이용한 풀이하기

$\tan\theta=\frac{1}{7}$이므로 $\tan\theta=\frac{\sin\theta}{\cos\theta}=\frac{1}{7}$에서

$\cos\theta=7\sin\theta$ ······ ㉠

$\sin^2\theta+\cos^2\theta=1$ ······ ㉡

㉠, ㉡을 연립하여 풀면

$\sin\theta=\pm\frac{1}{5\sqrt{2}}$, $\cos\theta=\pm\frac{7}{5\sqrt{2}}$ (단, 복부호동순)

따라서 $\sin 2\theta=2\sin\theta\cos\theta=2\cdot\frac{1}{5\sqrt{2}}\cdot\frac{7}{5\sqrt{2}}=\frac{7}{25}$

0677

정답 ①

STEP A 삼각형 APB에서 $\cos\theta$의 값 구하기

$\angle$PAB$=\theta$라 하면

$\angle$QAB$=2\theta$

삼각형 APB에서 $\cos\theta=\frac{6}{7}$

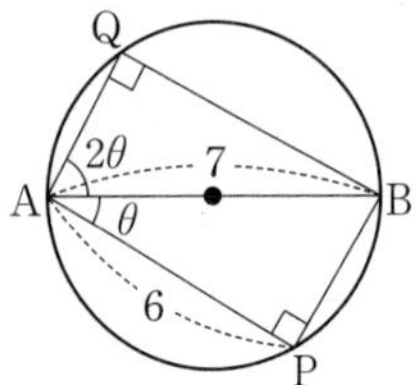

STEP B $\cos 2\theta=2\cos^2\theta-1$을 이용하여 $\overline{\text{AQ}}$의 값 구하기

또, 삼각형 AQB에서 $\cos 2\theta=\frac{\overline{\text{AQ}}}{7}$

따라서 $\overline{\text{AQ}}=7\cos2\theta=7(2\cos^2\theta-1)=7\left\{2\times\left(\frac{6}{7}\right)^2-1\right\}=\frac{23}{7}$

0678

정답 ④

STEP A 원의 반지름의 길이를 1이라 할 때, 각 변의 길이 구하기

$\overline{\text{OB}}=1$이라 할 때, 점 D에서 선분 AB에 내린 수선의 발을 H라 하자.

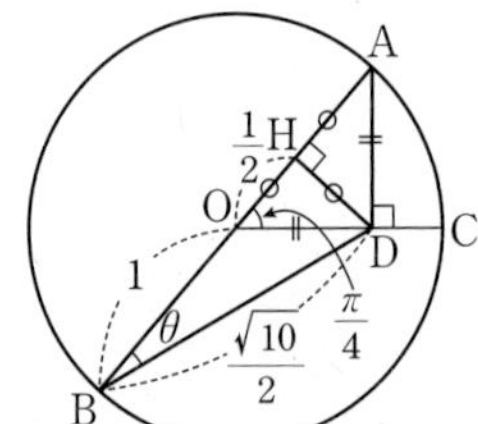

$\triangle$ODH도 역시 직각이등변삼각형이므로 $\overline{\text{OH}}=\overline{\text{HD}}=\frac{1}{2}$이고 $\overline{\text{BH}}=1+\frac{1}{2}=\frac{3}{2}$

또, $\triangle$BHD도 직각삼각형이므로 $\overline{\text{BD}}=\sqrt{\left(\frac{3}{2}\right)^2+\left(\frac{1}{2}\right)^2}=\frac{\sqrt{10}}{2}$

STEP B $\sin\theta$, $\cos\theta$의 값을 구하여 삼각함수의 덧셈정리를 이용하여 $\sin 2\theta$의 값 구하기

$\triangle$BHD에서 $\sin\theta=\frac{\overline{\text{DH}}}{\overline{\text{BD}}}=\frac{1}{\sqrt{10}}=\frac{\sqrt{10}}{10}$, $\cos\theta=\frac{\overline{\text{BH}}}{\overline{\text{BD}}}=\frac{3}{\sqrt{10}}=\frac{3\sqrt{10}}{10}$

따라서 $\sin 2\theta=\sin(\theta+\theta)=\sin\theta\cos\theta+\cos\theta\sin\theta$

$=\frac{\sqrt{10}}{10}\cdot\frac{3\sqrt{10}}{10}+\frac{3\sqrt{10}}{10}\cdot\frac{\sqrt{10}}{10}=\frac{3}{10}+\frac{3}{10}=\frac{6}{10}=\frac{3}{5}$

내/신/연/계/ 출제문항 260

선분 AB는 원 O의 지름이고

$\angle$AOC$=\frac{\pi}{4}$, $\overline{\text{OC}}\perp\overline{\text{AD}}$인 그림에서

$\angle$ABD$=\theta$일 때, $\sin2\theta+\cos2\theta$의 값은?

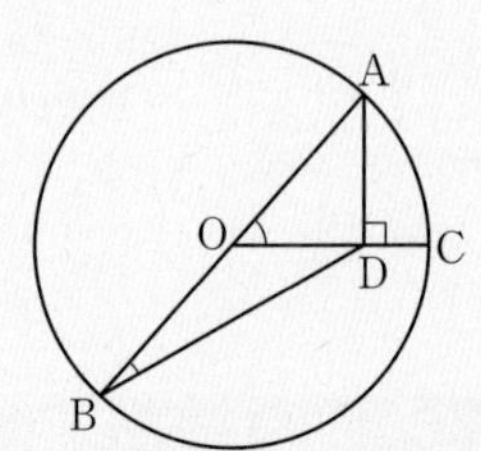

① $\frac{3}{5}$ ② $\frac{4}{5}$

③ $\frac{7}{5}$ ④ $\frac{9}{5}$

⑤ $\frac{11}{5}$

STEP A 원의 반지름의 길이를 r이라 할 때 각 변의 길이를 r로 표현하기

오른쪽 그림의 원의 반지름의 길이를

r이라 하면 $\overline{\text{OB}}=r$

점 D에서 선분 AB에 내린 수선의

발을 H라 하자.

이때 $\triangle$ODH는 직각이등변삼각형이고

$\triangle$ODH$\equiv\triangle$ADH이므로

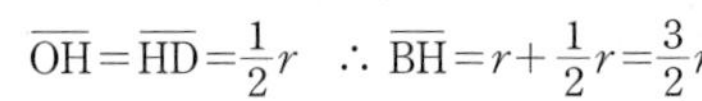
$\overline{\text{OH}}=\overline{\text{HD}}=\frac{1}{2}r$ $\therefore$ $\overline{\text{BH}}=r+\frac{1}{2}r=\frac{3}{2}r$

또, $\triangle$BHD도 직각삼각형이므로 $\overline{\text{BD}}=\sqrt{\left(\frac{3}{2}r\right)^2+\left(\frac{1}{2}r\right)^2}=\frac{\sqrt{10}}{2}r$

STEP B $\sin\theta$, $\cos\theta$의 값을 구하기

$\triangle$BHD에서 $\sin\theta=\frac{\overline{\text{DH}}}{\overline{\text{BD}}}=\frac{1}{\sqrt{10}}$, $\cos\theta=\frac{\overline{\text{BH}}}{\overline{\text{BD}}}=\frac{3}{\sqrt{10}}$

STEP C $\sin2\theta$, $\cos2\theta$의 값을 구하기

$\sin 2\theta=2\sin\theta\cos\theta=2\frac{1}{\sqrt{10}}\cdot\frac{3}{\sqrt{10}}=\frac{3}{5}$

$\cos 2\theta=\cos^2\theta-\sin^2\theta=\left(\frac{3}{\sqrt{10}}\right)^2-\left(\frac{1}{\sqrt{10}}\right)^2=\frac{4}{5}$

따라서 $\sin2\theta+\cos2\theta=\frac{3}{5}+\frac{4}{5}=\frac{7}{5}$

정답 ③

0679

정답 ③

STEP A 이차방정식의 근과 계수의 관계를 이용하여 $\sin\theta$ 구하기

이차방정식 $x^2+x+a=0$의 두 근이 $3\sin\theta$, $\cos2\theta$이므로

근과 계수의 관계에 의하여

$3\sin\theta+\cos2\theta=-1$, $3\sin\theta\cos2\theta=a$

$3\sin\theta+\cos2\theta=-1$에서 $3\sin\theta+1-2\sin^2\theta=-1$

$2\sin^2\theta-3\sin\theta-2=0$, $(2\sin\theta+1)(\sin\theta-2)=0$

$\therefore$ $\sin\theta=-\frac{1}{2}$ ($\because$ $-1\le\sin\theta\le1$)

STEP B a의 값 구하기

$3\sin\theta\cos2\theta=3\sin\theta(1-2\sin^2\theta)=3\cdot\left(-\frac{1}{2}\right)\left(1-2\cdot\frac{1}{4}\right)=a$

따라서 $a=-\frac{3}{4}$

0680

정답 ③

STEP A 두 직선이 x축의 양의 방향과 이루는 각의 크기에 대한 탄젠트 함수 구하기

직선 $y=\frac{4}{3}x$와 x축의 양의 방향과 이루는 각을 2α라 하면

$\tan 2\alpha=\frac{4}{3}$, $\tan\alpha=m$

STEP B $\tan 2\alpha$를 이용하여 m에 대한 이차방정식의 해 구하기

$\tan 2\alpha=\frac{2\tan\alpha}{1-\tan^2\alpha}$이므로 $\frac{4}{3}=\frac{2m}{1-m^2}$

이 식을 정리하면 $2m^2+3m-2=0$, $(2m-1)(m+2)=0$

따라서 $m=\frac{1}{2}$ ($\because m>0$)

내신연계 출제문항 261

오른쪽 그림과 같이 직선 $y=mx$가 x축의 양의 방향과 이루는 예각을 직선 $y=\frac{1}{4}x$가 이등분한다.

이때 상수 m의 값은?

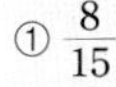

① $\frac{8}{15}$ ② $\frac{5}{18}$

③ $\frac{11}{15}$ ④ $\frac{13}{18}$

⑤ $\frac{17}{18}$

STEP A 두 직선이 x축의 양의 방향과 이루는 각의 크기에 대한 탄젠트 함수 구하기

직선 $y=\frac{1}{4}x$가 x축의 양의 방향과 이루는 각의 크기를 θ라고 하면

$\tan\theta=\frac{1}{4}$

STEP B $\tan 2\theta$의 값 구하기

따라서 $m=\tan 2\theta=\tan(\theta+\theta)=\frac{\tan\theta+\tan\theta}{1-\tan\theta\tan\theta}=\frac{\frac{1}{4}+\frac{1}{4}}{1-\frac{1}{4}\times\frac{1}{4}}=\frac{8}{15}$

정답 ①

0681

정답 ④

STEP A 두 직선이 x축의 양의 방향과 이루는 각의 크기에 대한 탄젠트 함수 구하기

두 직선 $y=x+1$, $y=2x-1$이 x축의 양의 방향과 이루는 각의 크기를 α, β라 하면

$\tan\alpha=1$, $\tan\beta=2$

STEP B 탄젠트 함수의 덧셈정리를 이용하여 $\tan\theta$의 값 구하기

두 직선이 이루는 예각의 크기를 θ라 하면

$\tan\theta=|\tan(\beta-\alpha)|=\left|\frac{\tan\beta-\tan\alpha}{1+\tan\beta\tan\alpha}\right|=\frac{1}{3}$

STEP C $\tan 2\theta$의 값 구하기

따라서 $\tan 2\theta=\frac{2\tan\theta}{1-\tan^2\theta}=\frac{3}{4}$

0682

정답 ②

STEP A 삼각함수의 정의에 의하여 $\tan\alpha$, $\tan\beta$의 값 구하기

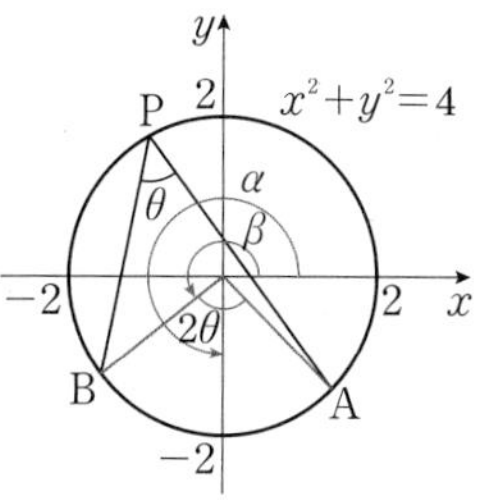

동경 OA가 나타내는 각의 크기를 $\alpha\left(\frac{3}{2}\pi<\alpha<2\pi\right)$, 동경 OB가 나타내는 각의 크기를 $\beta\left(\pi<\beta<\frac{3}{2}\pi\right)$라 하면

삼각함수의 정의에 의하여

$\tan\alpha=\frac{-\sqrt{2}}{\sqrt{2}}=-1$, $\tan\beta=\frac{-\frac{6}{5}}{-\frac{8}{5}}=\frac{3}{4}$

STEP B 원주각과 중심각의 관계를 이용하여 $\tan 2\theta$의 값 구하기

$\angle$APB와 $\angle$AOB는 각각 호 AB에 대한 원주각과 중심각이므로

$\angle\text{AOB}=2\angle\text{APB}=2\theta$

따라서 $2\theta=\alpha-\beta$이므로

$\tan 2\theta=\tan(\alpha-\beta)=\frac{\tan\alpha-\tan\beta}{1+\tan\alpha\tan\beta}=\frac{-1-\frac{3}{4}}{1+(-1)\times\frac{3}{4}}=-7$

0683

정답 ①

STEP A 삼각함수의 합성을 이용하여 식을 변형하기

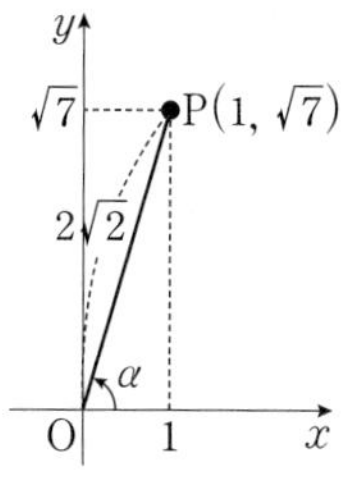

$f(x)=\sin x+\sqrt{7}\cos x-\sqrt{2}$

$=2\sqrt{2}\left(\frac{1}{2\sqrt{2}}\sin x+\frac{\sqrt{7}}{2\sqrt{2}}\cos x\right)-\sqrt{2}$

$=2\sqrt{2}\sin(x+\alpha)-\sqrt{2}$

$\left(\text{단, } \sin\alpha=\frac{\sqrt{14}}{4},\ \cos\alpha=\frac{\sqrt{2}}{4}\right)$

STEP B $-1\le\sin(x+\alpha)\le 1$임을 이용하여 $f(x)$의 최댓값 구하기

$-1\le\sin(x+\alpha)\le 1$이므로 $-3\sqrt{2}\le 2\sqrt{2}\sin(x+\alpha)-\sqrt{2}\le\sqrt{2}$

$\therefore -3\sqrt{2}\le f(x)\le\sqrt{2}$

따라서 함수 $f(x)$의 최댓값은 $\sqrt{2}$

참고

a, b, c가 상수일 때, 함수 $y=a\sin(bx+c)+d$

① 최댓값 : $|a|+d$

② 최솟값 : $-|a|+d$

③ 주기 : $\frac{2\pi}{|b|}$

0684

정답 ⑤

STEP A 삼각함수의 덧셈정리와 합성을 이용하여 식을 변형하기

$f(x)=2\cos\left(x-\frac{\pi}{3}\right)+2\sqrt{3}\sin x$

$=2\left(\cos x\cos\frac{\pi}{3}+\sin x\sin\frac{\pi}{3}\right)+2\sqrt{3}\sin x$

$=3\sqrt{3}\sin x+\cos x$

$=2\sqrt{7}\sin(x+\alpha)$ $\left(\text{단, } \sin\alpha=\frac{1}{\sqrt{28}},\ \cos\alpha=\frac{3\sqrt{3}}{\sqrt{28}}\right)$

STEP B $-1\le\sin(x+\alpha)\le 1$임을 이용하여 $f(x)$의 최댓값 구하기

$-1\le\sin(x+\alpha)\le 1$이므로 $-2\sqrt{7}\le 2\sqrt{7}\sin(x+\alpha)\le 2\sqrt{7}$

따라서 함수 $f(x)$의 최댓값은 $2\sqrt{7}$이므로 $a=2\sqrt{7}$

$\therefore a^2=(2\sqrt{7})^2=28$

내신연계 출제문항 262

$f(x)=2\sin x+\sqrt{5}\cos x+1$의 최댓값을 M, 최솟값을 m이라 할 때, M$+m$의 값은?

① 1　② 2　③ 3
④ $2\sqrt{5}$　⑤ 5

STEP A 삼각함수의 덧셈정리와 합성을 이용하여 식을 변형하기

$$f(x)=2\sin x+\sqrt{5}\cos x+1$$
$$=3\left(\frac{2}{3}\sin x+\frac{\sqrt{5}}{3}\cos x\right)+1$$
$$=3\sin(x+\alpha)+1\left(\text{단, }\cos\alpha=\frac{2}{3},\ \sin\alpha=\frac{\sqrt{5}}{3}\right)$$

STEP B $-1\le\sin(x+\alpha)\le1$임을 이용하여 $f(x)$의 최댓값 구하기

최댓값은 $3+1=4$, 최솟값은 $-3+1=-2$

따라서 $\mathrm{M}=4$, $m=-2$이므로 $\mathrm{M}+m=4+(-2)=2$

정답 ②

0685

정답 ④

STEP A 삼각함수의 성질을 이용하여 $3\overline{\mathrm{AP}}+4\overline{\mathrm{BP}}$ 구하기

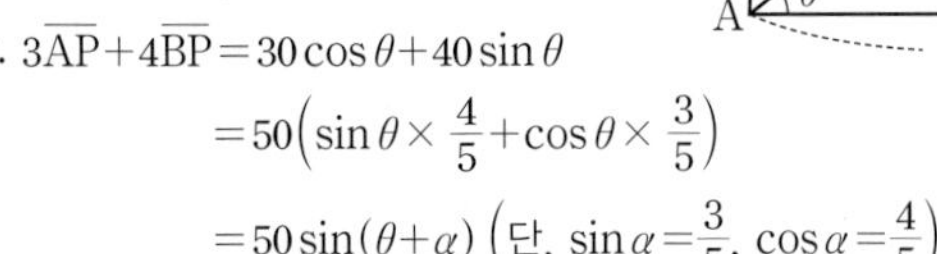

오른쪽 그림과 같이
$\angle\mathrm{PAB}=\theta$라 하면
$\angle\mathrm{APB}=90°$이므로
$\overline{\mathrm{AP}}=10\cos\theta$, $\overline{\mathrm{BP}}=10\sin\theta$

$$\therefore 3\overline{\mathrm{AP}}+4\overline{\mathrm{BP}}=30\cos\theta+40\sin\theta$$
$$=50\left(\sin\theta\times\frac{4}{5}+\cos\theta\times\frac{3}{5}\right)$$
$$=50\sin(\theta+\alpha)\left(\text{단, }\sin\alpha=\frac{3}{5},\ \cos\alpha=\frac{4}{5}\right)$$

STEP B $3\overline{\mathrm{AP}}+4\overline{\mathrm{BP}}$의 최댓값 구하기

이때 $0<\theta<\frac{\pi}{2}$, $0<\alpha<\frac{\pi}{2}$이므로 $0<\theta+\alpha<\pi$

$\therefore 0<\sin(\theta+\alpha)\le1$

따라서 $0<50\sin(\theta+\alpha)\le50$이므로 구하는 최댓값은 50

0686

정답 ⑤

STEP A 두 삼각형이 x축의 양의 방향과 이루는 각의 크기를 θ_1, θ_2라 하고 $\tan\theta_1$, $\tan\theta_2$의 값 구하기

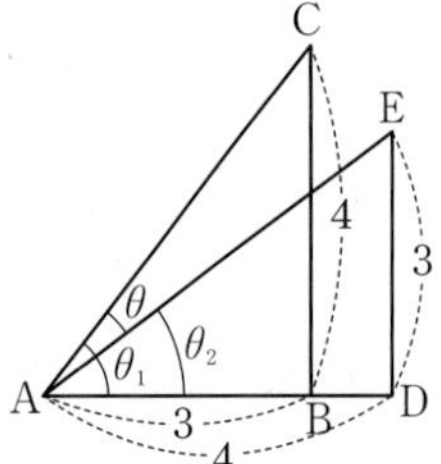

$\angle\mathrm{BAC}=\theta_1$, $\angle\mathrm{DAE}=\theta_2$라 하면

$\theta=\theta_1-\theta_2$

삼각형 ABC에서 $\tan\theta_1=\frac{4}{3}$

삼각형 ADE에서 $\tan\theta_2=\frac{3}{4}$

STEP B 삼각함수의 덧셈정리를 이용하여 $\tan\theta$의 값 구하기

$$\tan\theta=\tan(\theta_1-\theta_2)=\frac{\tan\theta_1-\tan\theta_2}{1+\tan\theta_1\tan\theta_2}=\frac{\frac{4}{3}-\frac{3}{4}}{1+\frac{4}{3}\cdot\frac{3}{4}}=\frac{\frac{7}{12}}{2}=\frac{7}{24}$$

따라서 $48\tan\theta=48\times\frac{7}{24}=14$

다른풀이 삼각함수의 덧셈정리를 이용하여 풀이하기

$\angle\mathrm{EAD}=\alpha$라 하면 $\tan\alpha=\frac{3}{4}$이고

$\tan(\theta+\alpha)=\frac{\tan\theta+\tan\alpha}{1-\tan\theta\tan\alpha}=\frac{4}{3}$이므로 $\tan\theta+\frac{3}{4}=\frac{4}{3}-\tan\theta$

$\therefore \tan\theta=\frac{7}{24}$

따라서 $48\tan\theta=14$

내신연계 출제문항 263

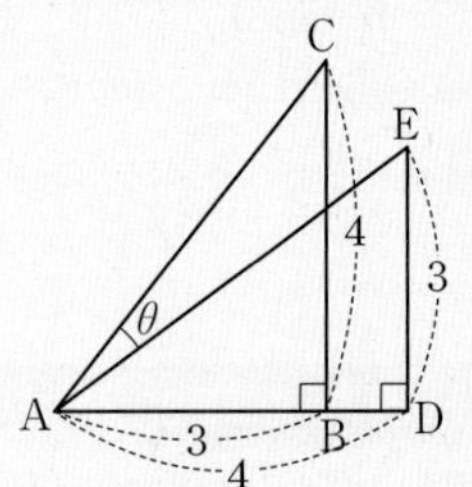

오른쪽 그림과 같이 $\angle\mathrm{B}=\angle\mathrm{D}=90°$인 두 직각삼각형 ABC, ADE에서 점 B는 변 AD 위에 있고,

$$\overline{\mathrm{AB}}=\overline{\mathrm{DE}}=3,\ \overline{\mathrm{AD}}=\overline{\mathrm{BC}}=4$$

이다. $\angle\mathrm{CAE}=\theta$라 할 때, $\cos\theta$의 값은?

① $\frac{7}{25}$　② $\frac{2}{5}$
③ $\frac{14}{25}$　④ $\frac{4}{5}$
⑤ $\frac{24}{25}$

STEP A 탄젠트 함수의 덧셈정리를 이용하여 $\tan\theta$의 값 구하기

$\angle\mathrm{BAC}=\alpha$, $\angle\mathrm{DAE}=\beta$로 놓으면

$\overline{\mathrm{AC}}=\overline{\mathrm{AE}}=\sqrt{3^2+4^2}=5$이므로

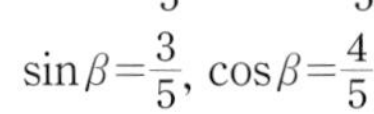

$\sin\alpha=\frac{4}{5}$, $\cos\alpha=\frac{3}{5}$,

$\sin\beta=\frac{3}{5}$, $\cos\beta=\frac{4}{5}$

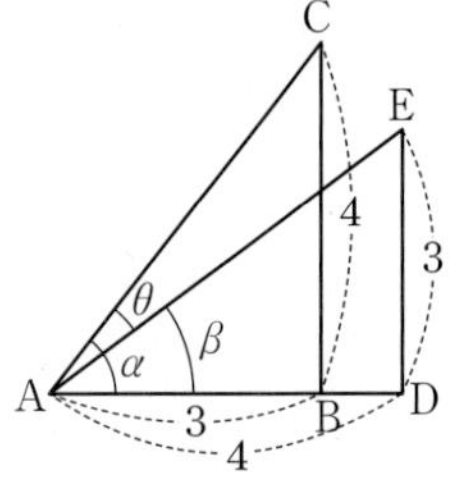

STEP B 코사인 함수의 덧셈정리를 이용하여 $\cos\theta$의 값 구하기

이때 $\theta=\alpha-\beta$이므로

$$\cos\theta=\cos(\alpha-\beta)=\cos\alpha\cos\beta+\sin\alpha\sin\beta$$
$$=\frac{4}{5}\cdot\frac{3}{5}+\frac{3}{5}\cdot\frac{4}{5}=\frac{24}{25}$$

정답 ⑤

0687

정답 ②

STEP A 탄젠트 함수의 덧셈정리를 이용하여 $\tan\theta$의 값 구하기

$\overline{\mathrm{BC}}=a$, $\angle\mathrm{ABC}=\alpha$, $\angle\mathrm{DBC}=\beta$로 놓으면

$\tan\alpha=\frac{2a}{a}=2$, $\tan\beta=\frac{a}{a}=1$

STEP B 코사인 함수의 덧셈정리를 이용하여 $\cos\theta$의 값 구하기

이때 $\theta=\alpha-\beta$이므로

$$\tan\theta=\tan(\alpha-\beta)=\frac{\tan\alpha-\tan\beta}{1+\tan\alpha\tan\beta}=\frac{2-1}{1+2\cdot1}=\frac{1}{3}$$

0688

정답 ③

STEP A 두 직선이 x축의 양의 방향과 이루는 각의 크기에 대한 탄젠트 함수 구하기

점 A의 좌표를 $(x, 0)$이라 하면

$\tan\alpha=\frac{1}{x}$, $\tan\beta=\frac{1}{2}$, $\tan\gamma=\frac{1}{4}$

STEP B 탄젠트 함수의 덧셈정리를 이용하여 $\tan\alpha$의 값 구하기

$\alpha=\beta+\gamma$이므로 $\tan\alpha=\tan(\beta+\gamma)=\frac{\tan\beta+\tan\gamma}{1-\tan\beta\tan\gamma}=\frac{\frac{1}{2}+\frac{1}{4}}{1-\frac{1}{2}\times\frac{1}{4}}=\frac{6}{7}$

$\frac{1}{x}=\frac{6}{7}$에서 $x=\frac{7}{6}$

따라서 구하는 점 A의 좌표는 $A\left(\frac{7}{6}, 0\right)$이므로 x좌표는 $\frac{7}{6}$

내신연계 출제문항 264

오른쪽 그림과 같이 y축 위의 두 점 $A(0, 4)$, $B(0, 2)$와 x축 위의 점 $C(1, 0)$에 대하여 $\angle CAO=\alpha$, $\angle CBO=\beta$라고 하자. y축 위의 점 $P(0, y)(y>0)$에 대하여 $\angle CPO=\gamma$라 할 때, $\alpha+\beta=\gamma$가 되는 점 P의 y좌표는?

① $\frac{5}{4}$　② $\frac{2}{3}$　③ $\frac{7}{6}$　④ $\frac{8}{7}$　⑤ $\frac{9}{8}$

STEP A 두 직선이 x축의 양의 방향과 이루는 각의 크기에 대한 탄젠트 함수 구하기

$\tan\alpha=\frac{\overline{OC}}{\overline{OA}}=\frac{1}{4}$, $\tan\beta=\frac{\overline{OC}}{\overline{OB}}=\frac{1}{2}$, $\tan\gamma=\frac{\overline{OC}}{\overline{OP}}=\frac{1}{y}$

STEP B 탄젠트 함수의 덧셈정리를 이용하여 $\tan\gamma$의 값 구하기

이때 $\alpha+\beta=\gamma$에서 $\tan(\alpha+\beta)=\tan\gamma$

$\frac{\tan\alpha+\tan\beta}{1-\tan\alpha\tan\beta}=\tan\gamma$

$\frac{\frac{1}{4}+\frac{1}{2}}{1-\frac{1}{4}\cdot\frac{1}{2}}=\frac{1}{y}$, $\frac{6}{7}=\frac{1}{y}$　$\therefore y=\frac{7}{6}$

따라서 $P\left(0, \frac{7}{6}\right)$이므로 $y=\frac{7}{6}$

정답 ③

0689

정답 ③

STEP A 직각삼각형에서 tan의 값 구하기

오른쪽 그림과 같이 점 F에서 선분 BC에 내린 수선의 발을 G, 점 E에서 선분 FG에 내린 수선의 발을 H라 하자.

$\angle EFH=\alpha$, $\angle CFG=\beta$라 하면

$\tan\alpha=\frac{3}{2}$, $\tan\beta=\frac{3}{8}$

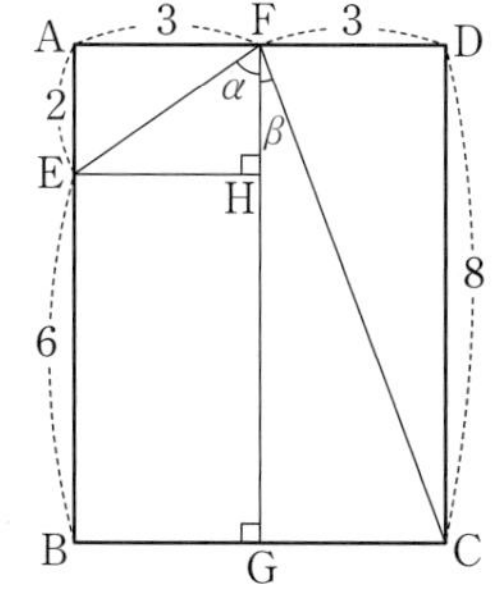

STEP B 삼각함수의 덧셈정리를 이용하여 $\tan\theta$ 구하기

따라서 $\theta=\alpha+\beta$이므로

$\tan\theta=\tan(\alpha+\beta)=\frac{\tan\alpha+\tan\beta}{1-\tan\alpha\tan\beta}=\frac{\frac{3}{2}+\frac{3}{8}}{1-\frac{3}{2}\times\frac{3}{8}}=\frac{30}{7}$

내신연계 출제문항 265

곡선 $y=1-x^2(0<x<1)$ 위의 점 P에서 y축에 내린 수선의 발을 H라 하고, 원점 O와 점 $A(0, 1)$에 대하여

$\angle APH=\theta_1$, $\angle HPO=\theta_2$

라 하자. $\tan\theta_1=\frac{1}{2}$일 때, $\tan(\theta_1+\theta_2)$의 값은?

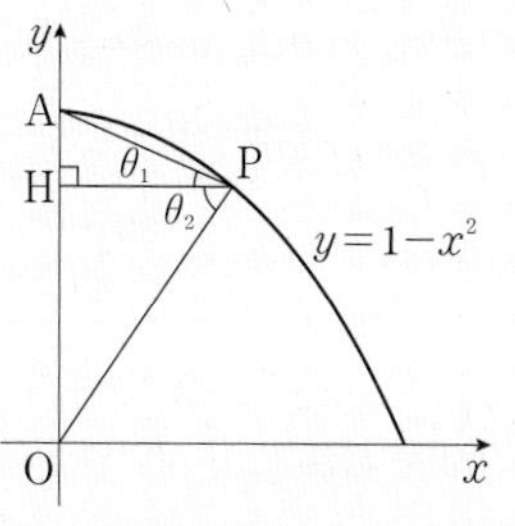

① 2　② 4　③ 6　④ 8　⑤ 10

STEP A 조건을 만족하는 점 P의 좌표와 $\tan\theta_2$의 값 구하기

점 P의 좌표를 $(t, 1-t^2)$이라 하면

직각삼각형 AHP에서 $\tan\theta_1=\frac{1}{2}$이므로

$\tan\theta_1=\frac{\overline{AH}}{\overline{HP}}=\frac{\overline{AO}-\overline{HO}}{\overline{HP}}=\frac{1-(1-t^2)}{t}=t$　$\therefore t=\frac{1}{2}$

이때 $P\left(\frac{1}{2}, \frac{3}{4}\right)$이고 직각삼각형 PHO에서 $\tan\theta_2=\frac{\overline{HO}}{\overline{PH}}=\frac{\frac{3}{4}}{\frac{1}{2}}=\frac{3}{2}$

STEP B 탄젠트의 덧셈정리를 이용하여 구하기

따라서 $\tan(\theta_1+\theta_2)=\frac{\tan\theta_1+\tan\theta_2}{1-\tan\theta_1\tan\theta_2}=\frac{\frac{1}{2}+\frac{3}{2}}{1-\frac{1}{2}\times\frac{3}{2}}=\frac{2}{\frac{1}{4}}=8$

다른풀이 직선의 방정식을 이용하여 점 P의 좌표를 구하여 풀이하기

$\tan\theta_1=\frac{1}{2}$이므로 직선 AP의 기울기는 $-\frac{1}{2}$이고 y절편은 1이므로

직선 AP의 방정식은 $y=-\frac{1}{2}x+1$

직선 AP와 곡선 $y=1-x^2$과의 교점을 구하면

$1-x^2=-\frac{1}{2}x+1$에서 $x\left(x-\frac{1}{2}\right)=0$

$\therefore x=\frac{1}{2}$ 또는 $x=0$

$\therefore P\left(\frac{1}{2}, \frac{3}{4}\right)$

한편 아래 그림과 같이 θ_2는 직선 OP와 x축의 양의 방향과 이루는 각의 크기와 같으므로 $\tan\theta_2=\frac{3}{2}$

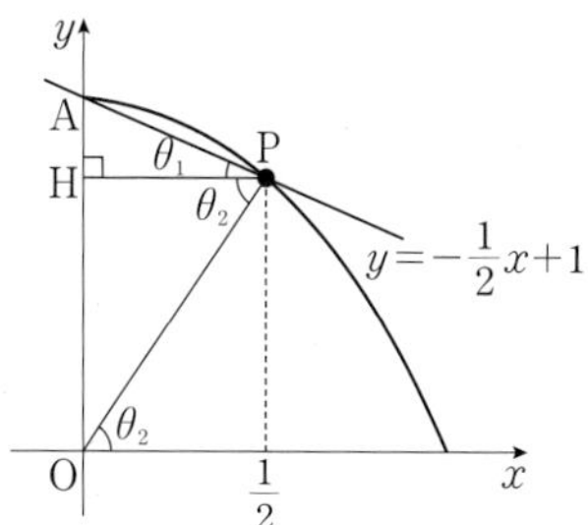

따라서 $\tan(\theta_1+\theta_2)=\frac{\tan\theta_1+\tan\theta_2}{1-\tan\theta_1\tan\theta_2}=\frac{\frac{1}{2}+\frac{3}{2}}{1-\frac{1}{2}\times\frac{3}{2}}=\frac{2}{\frac{1}{4}}=8$

정답 ④

0690

정답 ③

STEP A $\tan\alpha$, $\tan\beta$의 값 구하기

$\angle ACH=\alpha$, $\angle BCH=\beta$

$\overline{AH}=x(\mathrm{m})$로 놓으면

$\triangle ACH$에서 $\tan\alpha=\frac{x}{3}$

$\triangle BCH$에서 $\tan\beta=\frac{1}{3}$

이때 $\theta=\alpha+\beta$이고 $\tan\theta=2$

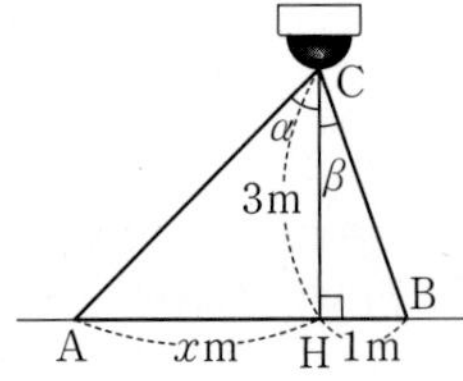

STEP B 삼각함수의 덧셈정리를 이용하여 $\tan\theta$의 값 구하기

$$\tan\theta=\tan(\alpha+\beta)=\frac{\tan\alpha+\tan\beta}{1-\tan\alpha\tan\beta}=\frac{\frac{x}{3}+\frac{1}{3}}{1-\frac{x}{3}\cdot\frac{1}{3}}=\frac{3(x+1)}{9-x}=2$$

즉 $3x+3=2(9-x)$이므로 $5x=15$에서 $x=3$

따라서 두 지점 A, B 사이의 거리는 4m

내신연계 출제문항 266

오른쪽 그림과 같은 직각삼각형 ABC에서 $\overline{AC}$ 위에 $\overline{AD}=4$, $\overline{CD}=2$인 점 D가 있다. $\angle ABD=\theta$라 할 때, $\tan\theta=\frac{1}{2}$이 되는 선분 BC의 길이는? (단, $\overline{BC}>3$)

① 4 ② 5

③ 6 ④ 7

⑤ 8

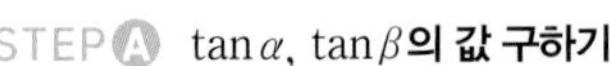
STEP A $\tan\alpha$, $\tan\beta$의 값 구하기

오른쪽 그림에서 $\overline{BC}=x$라 하고

$\angle ABC=\alpha$, $\angle DBC=\beta$라 놓으면

$\tan\alpha=\frac{6}{x}$, $\tan\beta=\frac{2}{x}$

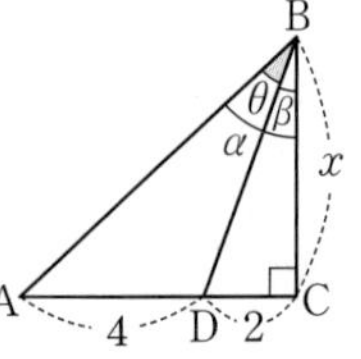

STEP B 삼각함수의 덧셈정리를 이용하여 $\tan\theta$의 값 구하기

$$\tan\theta=\tan(\alpha-\beta)=\frac{\tan\alpha-\tan\beta}{1+\tan\alpha\tan\beta}=\frac{\frac{6}{x}-\frac{2}{x}}{1+\frac{6}{x}\cdot\frac{2}{x}}=\frac{4x}{x^2+12}=\frac{1}{2}$$

STEP C $\overline{BC}$의 값 구하기

$x^2-8x+12=0$에서 $(x-2)(x-6)=0$ $\therefore x=2$ 또는 $x=6$

그런데 $\overline{BC}>3$이므로 $\overline{BC}=6$

정답 ③

0691

정답 ④

STEP A 선분 AC의 길이를 a라 하고 $\tan\alpha$, $\tan\beta$ 구하기

AC의 길이를 a라 하면 점 A가 원점, $\overline{AB}$를 x축 위에 오도록 직각삼각형 ABC를 좌표평면 위에 놓으면 $B(2, 0)$, $C(0, a)$

세 점 $P_1\left(\frac{5}{3}, \frac{a}{6}\right)$, $P_2\left(\frac{4}{3}, \frac{a}{3}\right)$, $P_5\left(\frac{1}{3}, \frac{5a}{6}\right)$

$\angle BAP_1=\theta_1$, $\angle BAP_2=\theta_2$라 하면 $\tan\theta_1=\frac{a}{10}$, $\tan\theta_2=\frac{a}{4}$이므로

$$\tan\alpha=\tan(\theta_2-\theta_1)=\frac{\tan\theta_2-\tan\theta_1}{1+\tan\theta_2\tan\theta_1}=\frac{6a}{40+a^2}$$

또한, $\tan\left(\frac{\pi}{2}-\beta\right)=\frac{\frac{5a}{6}}{\frac{1}{3}}$, $\cot\beta=\frac{5a}{2}$ $\therefore \tan\beta=\frac{2}{5a}$

STEP B $2\tan\alpha=3\tan\beta$를 만족하는 $\overline{AC}$의 길이 구하기

$2\tan\alpha=3\tan\beta$에서 $\frac{12a}{40+a^2}=\frac{6}{5a}$이므로 $a^2=\frac{40}{9}$, $a=\frac{2\sqrt{10}}{3}$

삼각형 ABC의 넓이 $S=\frac{1}{2}\cdot2\cdot\frac{2\sqrt{10}}{3}=\frac{2\sqrt{10}}{3}$

따라서 $9S^2=40$

0692

정답 ①

STEP A 두 직선이 x축의 양의 방향과 이루는 각의 크기에 대한 탄젠트 함수 구하기

두 직선 $16x-my=0$, $4x-my=0$이 x축의 양의 방향과 이루는 각의 크기를 각각 α, β라 하면

$\tan\alpha=\frac{16}{m}$, $\tan\beta=\frac{4}{m}$

STEP B 탄젠트 함수의 덧셈정리를 이용하여 $\tan\theta$의 값 구하기

$$\tan\theta=|\tan(\alpha-\beta)|=\left|\frac{\tan\alpha-\tan\beta}{1+\tan\alpha\tan\beta}\right|=\left|\frac{\frac{16}{m}-\frac{4}{m}}{1+\frac{16}{m}\cdot\frac{4}{m}}\right|=\frac{12}{m+\frac{64}{m}}$$

STEP C 산술평균과 기하평균을 이용하여 $\tan\theta$의 최댓값 구하기

이때 $m+\frac{64}{m}$가 최소일 때, $\tan\theta$가 최대이다.

$m>0$이므로 산술평균과 기하평균의 관계에 의하여

$m+\frac{64}{m}\geq2\sqrt{m\cdot\frac{64}{m}}=2\sqrt{64}=16$

이때 등호는 $m=\frac{64}{m}$일 때, 즉 $m=8$일 때, 최솟값은 16

따라서 $\tan\theta$의 최댓값은 $\frac{12}{16}=\frac{3}{4}$

0693

정답 ④

STEP A 두 직선이 x축의 양의 방향과 이루는 각의 크기에 대한 탄젠트 함수 구하기

오른쪽 그림과 같이

$\angle ACO=\alpha$, $\angle BCO=\beta$라 하면

$\overline{OC}=a$이므로

$\tan\alpha=\frac{1}{a}$, $\tan\beta=\frac{4}{a}$

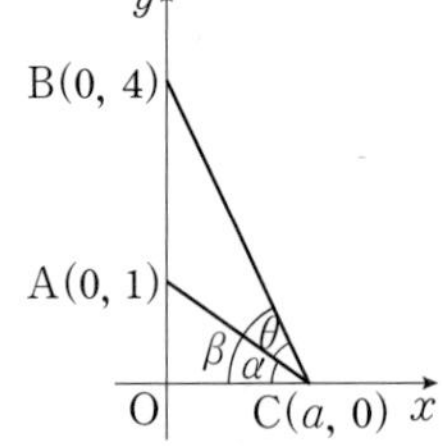

STEP B 탄젠트 함수의 덧셈정리를 이용하여 $\tan\theta$의 값 구하기

$$\tan\theta=\tan(\beta-\alpha)=\frac{\tan\beta-\tan\alpha}{1+\tan\beta\tan\alpha}=\frac{\frac{4}{a}-\frac{1}{a}}{1+\frac{4}{a}\cdot\frac{1}{a}}=\frac{3}{a+\frac{4}{a}}$$

STEP C 산술평균과 기하평균을 이용하여 $\tan\theta$의 최대가 되는 a의 값 구하기

이때 $a+\frac{4}{a}$가 최소일 때, $\tan\theta$가 최대이고 $0<\theta<\frac{\pi}{2}$이므로

$\tan\theta$가 최대일 때, θ도 최대이다.

$a>0$이므로 산술평균과 기하평균의 관계에 의하여 $a+\frac{4}{a}\geq2\sqrt{a\cdot\frac{4}{a}}=4$

이때 등호는 $a=\frac{4}{a}$일 때, 성립하므로 $a^2=4$ $\therefore a=2(\because a>0)$

따라서 $a=2$에서 $\tan\theta$는 최대이고 θ도 최대이다.

참고

직각삼각형 COB에서 $\overline{OA}=1$, $\overline{OB}=4$

$\angle BCA=\theta$라 할 때, θ가 최대가 되는 x는 $x=\sqrt{1\cdot4}=2$

내신연계 출제문항 267

오른쪽 그림과 같이 좌표평면에서 y축 위의 두 점 $\mathrm{A}(0,\ 3)$, $\mathrm{B}(0,\ 6)$과 x축 위를 움직이는 점 P에 대하여 $\angle\mathrm{APB}$의 크기가 최대일 때, $\overline{\mathrm{OP}}^2$의 값은?
(단, O는 원점이다.)

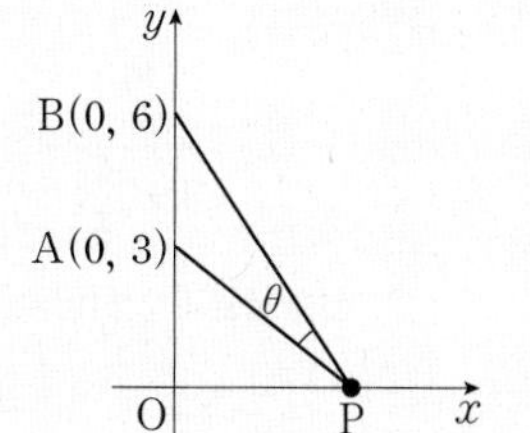

① 9 ② 16
③ 18 ④ 25
⑤ 36

STEP Ⓐ **두 직선이 x축의 양의 방향과 이루는 각의 크기에 대한 탄젠트 함수 구하기**

오른쪽 그림과 같이
$\angle\mathrm{APO}=\alpha$, $\angle\mathrm{BPO}=\beta$라 하면

$\tan\alpha=\dfrac{3}{a}$, $\tan\beta=\dfrac{6}{a}$

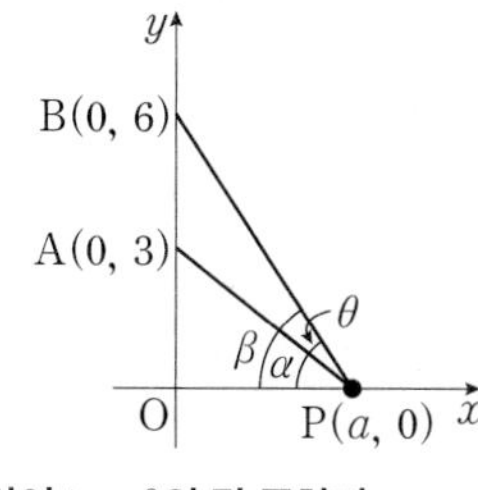

STEP Ⓑ **탄젠트 함수의 덧셈정리를 이용하여 $\tan\theta$의 값 구하기**

$$\tan\theta=\tan(\beta-\alpha)=\frac{\tan\beta-\tan\alpha}{1+\tan\beta\tan\alpha}=\frac{\frac{6}{a}-\frac{3}{a}}{1+\frac{6}{a}\cdot\frac{3}{a}}=\frac{3}{a+\frac{18}{a}}$$

STEP Ⓒ **산술평균과 기하평균을 이용하여 θ가 최대가 되는 $\overline{\mathrm{OP}}^2$의 값 구하기**

이때 $a+\dfrac{18}{a}$가 최소일 때, $\tan\theta$는 최대이고 θ도 최대이다.

$a>0$이므로 산술평균과 기하평균의 관계에 의하여

$a+\dfrac{18}{a}\geq 2\sqrt{a\cdot\dfrac{18}{a}}=6\sqrt{2}$

이때 등호는 $a=\dfrac{18}{a}$, 즉 $a^2=18$

따라서 $a^2=18$에서 $\tan\theta$는 최대이고 θ도 최대이다.  ③

참고 직각삼각형 BPA에서 $\overline{\mathrm{OA}}=3$, $\overline{\mathrm{OB}}=6$
$\angle\mathrm{APB}=\theta$라 할 때, θ가 최대가 되는 y는 $y^2=3\cdot6=18$

0694

 ②

STEP Ⓐ **두 직선이 y축의 양의 방향과 이루는 각의 크기에 대한 탄젠트 함수 구하기**

오른쪽 그림과 같이
$\angle\mathrm{OPB}=\alpha$, $\angle\mathrm{OPA}=\beta$
라 하면

$\tan\alpha=\dfrac{80}{y}$, $\tan\beta=\dfrac{20}{y}$

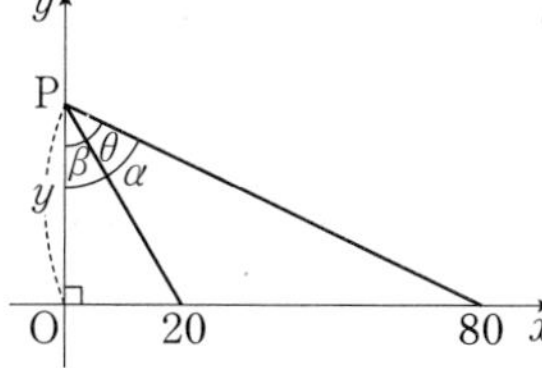

STEP Ⓑ **탄젠트 함수의 덧셈정리를 이용하여 $\tan\theta$의 값 구하기**

$\theta=\alpha-\beta$이므로

$$\tan\theta=\tan(\alpha-\beta)=\frac{\tan\beta-\tan\alpha}{1+\tan\beta\tan\alpha}=\frac{\frac{80}{y}-\frac{20}{y}}{1+\frac{80}{y}\cdot\frac{20}{y}}=\frac{60}{y+\frac{1600}{y}}$$

STEP Ⓒ **산술평균과 기하평균을 이용하여 $\tan\theta$의 최대가 되는 y의 값 구하기**

즉 $y+\dfrac{1600}{y}$가 최소일 때, $\tan\theta$가 최대이고 $0<\theta<\dfrac{\pi}{2}$이므로

$\tan\theta$의 값이 최대일 때, θ도 최대이다.

$y>0$이므로 산술평균과 기하평균의 관계에 의하여

$y+\dfrac{1600}{y}\geq 2\sqrt{y\cdot\dfrac{1600}{y}}=2\cdot40=80$

이때 등호는 $y=\dfrac{1600}{y}$, 즉 $y^2=1600$ $\therefore y=40\,(\because y>0)$

따라서 $y=40$에서 $\tan\theta$값이 최대이므로 구하는 점 P의 y좌표는 40

참고 직각삼각형 POB에서 $\overline{\mathrm{OA}}=20$, $\overline{\mathrm{OB}}=80$
$\angle\mathrm{APB}=\theta$라 할 때, θ가 최대가 되는 y는 $y=\sqrt{20\cdot80}=40$

0695

 ③

STEP Ⓐ **두 직선이 y축의 양의 방향과 이루는 각의 크기에 대한 탄젠트 함수 구하기**

오른쪽 그림과 같이
$\angle\mathrm{APC}=\alpha$, $\angle\mathrm{BPC}=\beta$라고 하면

$\tan\alpha=\dfrac{25}{x}$, $\tan\beta=\dfrac{9}{x}$

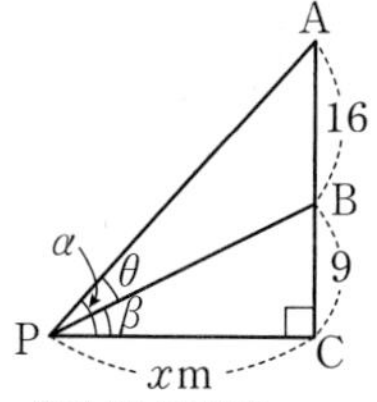

STEP Ⓑ **탄젠트함수의 덧셈정리를 이용하여 $\tan\theta$의 값 구하기**

$\theta=\alpha-\beta$이므로

$$\tan\theta=\tan(\alpha-\beta)=\frac{\tan\alpha-\tan\beta}{1+\tan\alpha\tan\beta}=\frac{\frac{25}{x}-\frac{9}{x}}{1+\frac{25}{x}\cdot\frac{9}{x}}=\frac{16}{x+\frac{225}{x}}$$

STEP Ⓒ **산술평균과 기하평균을 이용하여 $x\tan\theta$의 값 구하기**

이때 $x+\dfrac{225}{x}$가 최소일 때, $\tan\theta$는 최대이고 θ도 최대이다.

산술평균과 기하평균의 관계에 의하여 $x+\dfrac{225}{x}\geq 2\sqrt{x\cdot\dfrac{225}{x}}=30$

이때 등호는 $x=\dfrac{225}{x}$, 즉 $x^2=225$

따라서 $x=15$일 때, $\tan\theta=\dfrac{8}{15}$이므로 $x\tan\theta=15\cdot\dfrac{8}{15}=8$

참고 직각삼각형 PCA에서 $\overline{\mathrm{CB}}=9$, $\overline{\mathrm{CA}}=25$
$\angle\mathrm{APB}=\theta$라 할 때, θ가 최대가 되는 x는 $x=\sqrt{9\cdot25}=15$

0696

 ②

STEP Ⓐ **두 직선이 x축의 양의 방향과 이루는 각의 크기에 대한 탄젠트 함수 구하기**

오른쪽 그림에서
$\overline{\mathrm{PC}}=x$, $\angle\mathrm{APC}=\alpha$, $\angle\mathrm{BPC}=\beta$
라고 하면

$\tan\alpha=\dfrac{18}{x}$, $\tan\beta=\dfrac{8}{x}$

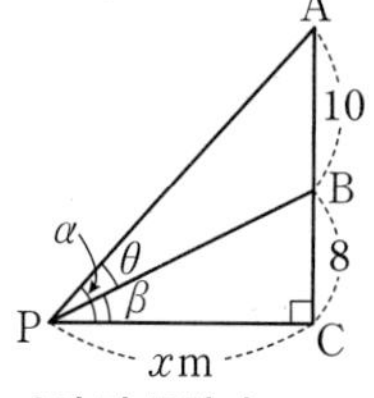

STEP Ⓑ **탄젠트함수의 덧셈정리를 이용하여 $\tan\theta$의 값 구하기**

$\theta=\alpha-\beta$이므로

$$\tan\theta=\tan(\alpha-\beta)=\frac{\frac{18}{x}-\frac{8}{x}}{1+\frac{18}{x}\cdot\frac{8}{x}}=\frac{10x}{x^2+144}=\frac{10}{x+\frac{144}{x}}$$

STEP Ⓒ **산술평균과 기하평균을 이용하여 θ가 최대가 되는 x의 값 구하기**

이때 $x+\dfrac{144}{x}$가 최소일 때, $\tan\theta$가 최대이고 $0<\theta<\dfrac{\pi}{2}$이므로

$\tan\theta$가 최대일 때, θ도 최대이다.

$x>0$이므로 산술평균과 기하평균의 관계에 의하여

$$x+\frac{144}{x}\geq 2\sqrt{x\cdot\frac{144}{x}}=24$$

이때 등호는 $x=\frac{144}{x}$일 때, 성립하므로 $x^2=144$ $\therefore x=12\ (\because x>0)$

따라서 $x=12$에서 $\tan\theta$는 최대이고 θ도 최대이다.

> 참고 직각삼각형 PCA에서 $\overline{CB}=8$, $\overline{CA}=18$
> $\angle APB=\theta$라 할 때, θ가 최대가 되는 x는 $x=\sqrt{18\cdot 8}=12$

내신연계 출제문항 268

지면에 수직으로 세워진 건물의 벽면에 지면으로부터 10m와 40m지점에 오른쪽 그림과 같이 조명을 비출 수 있도록 지면 P지점에 조명기구를 설치하고자 한다.
이때 $\angle BPA$ 최대가 되도록 지점 P의 위치를 정한다고 할 때, P는 건물로부터 몇 미터 떨어져야 하는가?

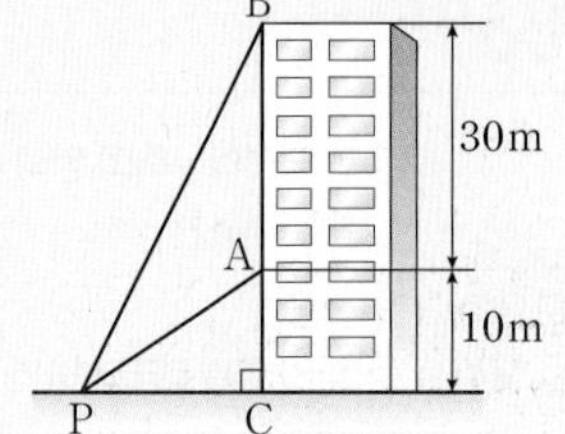

① 10 ② 15
③ 20 ④ 25
⑤ 30

STEP Ⓐ 두 직선이 y축의 양의 방향과 이루는 각의 크기에 대한 탄젠트 함수 구하기

$\overline{PC}=x$m, $\angle BPC=\alpha$, $\angle APC=\beta$

라고 하면

$\tan\alpha=\frac{40}{x}$, $\tan\beta=\frac{10}{x}$

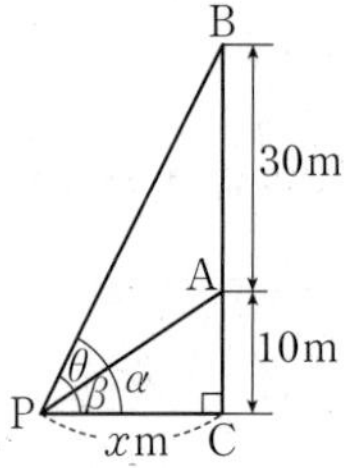

STEP Ⓑ 탄젠트함수의 덧셈정리를 이용하여 $\tan\theta$의 값 구하기

따라서 $\angle BPA=\theta$라고 하면 $\theta=\alpha-\beta$이므로

$$\tan\theta=\tan(\alpha-\beta)=\frac{\tan\alpha-\tan\beta}{1+\tan\alpha\tan\beta}=\frac{\frac{40}{x}-\frac{10}{x}}{1+\frac{40}{x}\cdot\frac{10}{x}}=\frac{30}{x+\frac{400}{x}}$$

STEP Ⓒ 산술평균과 기하평균을 이용하여 $x\tan\theta$의 값 구하기

이때 $x+\frac{400}{x}$가 최소일 때, $\tan\theta$는 최대이고 θ도 최대이다.

산술평균과 기하평균의 관계에 의하여 $x+\frac{400}{x}\geq 2\sqrt{x\cdot\frac{400}{x}}=40$

이때 등호는 $x=\frac{400}{x}$, 즉 $x^2=400$

$\therefore x=20$

따라서 $x=20$에서 $\tan\theta$는 최대이고 θ도 최대이다.

정답 ③

> 참고 직각삼각형 PCA에서 $\overline{AC}=10$, $\overline{BC}=40$
> $\angle BPA=\theta$라 할 때, θ가 최대가 되는 x는 $x=\sqrt{10\cdot 40}=20$

0697

정답 ①

STEP Ⓐ 두 직선이 x축의 양의 방향과 이루는 각의 크기에 대한 탄젠트 함수 구하기

오른쪽 그림에서

$\overline{PH}=x$, $\angle BPH=\alpha$, $\angle APH=\beta$

라고 하면

$\tan\alpha=\frac{36}{x}$, $\tan\beta=\frac{16}{x}$

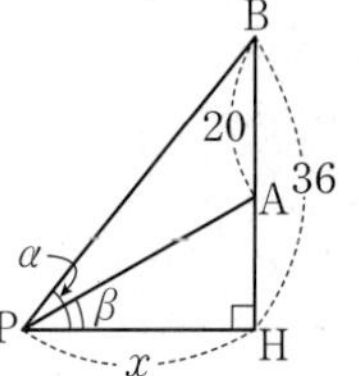

STEP Ⓑ 탄젠트함수의 덧셈정리를 이용하여 $\tan\theta$의 값 구하기

$\theta=\alpha-\beta$이므로

$$\tan\theta=\tan(\alpha-\beta)=\frac{\frac{36}{x}-\frac{16}{x}}{1+\frac{36}{x}\cdot\frac{16}{x}}=\frac{20x}{x^2+576}=\frac{20}{x+\frac{576}{x}}$$

STEP Ⓒ 산술평균과 기하평균을 이용하여 θ가 최대가 되는 x의 값 구하기

이때 $x+\frac{576}{x}$가 최소일 때, $\tan\theta$가 최대이고 $0<\theta<\frac{\pi}{2}$이므로

$\tan\theta$가 최대일 때, θ도 최대이다.

$x>0$이므로 산술평균과 기하평균의 관계에 의하여

$$x+\frac{576}{x}\geq 2\sqrt{x\cdot\frac{576}{x}}=48$$

이때 등호는 $x=\frac{576}{x}$일 때, 성립하므로 $x^2=576$

$\therefore x=24(\because x>0)$

따라서 $\tan\theta$의 최댓값은 $\frac{5}{12}$

내신연계 출제문항 269

오른쪽 그림과 같이 지면에서 2m 높이에 세로의 길이가 2.5m인 그림이 걸려 있다.
지면 위의 한 점과 그림의 위끝과 아래끝이 이루는 각 θ의 크기가 최대가 되는 지점에서 벽까지의 거리는? (단위는 m)

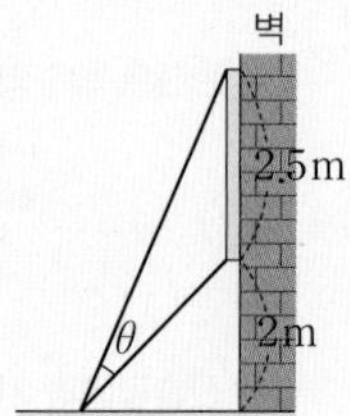

① 3 ② 4
③ 5 ④ 6
⑤ 7

STEP Ⓐ 두 직선이 x축의 양의 방향과 이루는 각의 크기에 대한 탄젠트 함수 구하기

오른쪽 그림과 같이 점 A, B, C, P를 잡고

$\overline{PC}=x$, $\angle APC=\alpha$, $\angle BPC=\beta$라고 하면

$\tan\alpha=\frac{4.5}{x}$, $\tan\beta=\frac{2}{x}$

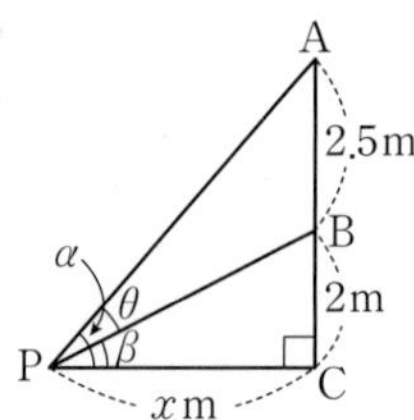

STEP Ⓑ 탄젠트함수의 덧셈정리를 이용하여 $\tan\theta$의 값 구하기

$\theta=\alpha-\beta$이므로

$$\tan\theta=\frac{\tan\alpha-\tan\beta}{1+\tan\alpha\tan\beta}=\frac{\frac{4.5}{x}-\frac{2}{x}}{1+\frac{4.5}{x}\cdot\frac{2}{x}}=\frac{2.5}{x+\frac{9}{x}}$$

STEP Ⓒ 산술평균과 기하평균을 이용하여 θ가 최대가 되는 x의 값 구하기

이때 $x+\frac{9}{x}$가 최소일 때, $\tan\theta$가 최대이고 $0<\theta<\frac{\pi}{2}$이므로

$\tan\theta$가 최대일 때, θ도 최대이다.

$x>0$이므로 산술평균과 기하평균의 관계에 의하여 $x+\frac{9}{x}\geq 2\sqrt{x\cdot\frac{9}{x}}=6$

이때 등호는 $x=\frac{9}{x}$일 때, 성립하므로 $x^2=9$

$\therefore x=3(\because x>0)$

따라서 두 지점 사이의 거리는 $x=3$(m)

정답 ①

> 참고 직각삼각형 PCA에서 $\overline{CB}=2$, $\overline{CA}=4.5$
> $\angle APC=\theta$라 할 때, θ가 최대가 되는 x는 $x=\sqrt{2\cdot 4.5}=3$

04 삼각함수의 극한

0698

정답 ④

STEP A 여러 가지 삼각함수의 극한 구하기

① $\lim_{x\to\frac{\pi}{2}+}\tan x=-\infty$, $\lim_{x\to\frac{\pi}{2}-}\tan x=\infty$이므로 극한값이 존재하지 않는다.

② $\lim_{x\to0+}\frac{\cos x}{x}=\infty$, $\lim_{x\to0-}\frac{\cos x}{x}=-\infty$이므로 극한값이 존재하지 않는다.

③ $\lim_{x\to1+}\frac{1}{x-1}=\infty$, $\lim_{x\to1-}\frac{1}{x-1}=-\infty$이므로 극한값이 존재하지 않는다.

④ $\lim_{x\to0}\frac{2+\tan x}{\cos x}=\frac{2+\tan 0}{\cos 0}=2$

⑤ $\lim_{x\to1+}\log_2(x-1)=-\infty$이므로 극한값이 존재하지 않는다.

따라서 극한값이 존재하는 것은 ④이다.

0699

 ①

STEP A 여러 가지 공식을 이용하여 주어진 식을 변형하여 함수의 극한 구하기

$\sin 2x=2\sin x\cos x$이므로

$$\begin{aligned}\lim_{x\to0}\frac{2\sin x-\sin 2x}{3\sin^2 x}&=\lim_{x\to0}\frac{2\sin x-2\sin x\cos x}{3(1-\cos^2 x)}\\&=\lim_{x\to0}\frac{2\sin x(1-\cos x)}{3(1-\cos x)(1+\cos x)}\\&=\lim_{x\to0}\frac{2\sin x}{3(1+\cos x)}=0\end{aligned}$$

0700

 ②

STEP A 여러 가지 공식을 이용하여 주어진 식을 변형하여 함수의 극한 구하기

$$\begin{aligned}\lim_{x\to0}\frac{\sin^2 x}{1-\cos x}&=\lim_{x\to0}\frac{1-\cos^2 x}{1-\cos x}\\&=\lim_{x\to0}\frac{(1+\cos x)(1-\cos x)}{1-\cos x}\\&=\lim_{x\to0}(1+\cos x)=2\end{aligned}$$

내신연계 출제문항 270

$\lim_{x\to0}\frac{4\sin^2 x}{1-\cos x}$의 값은?

① 4 ② 6 ③ 8
④ 10 ⑤ 12

STEP A 여러 가지 공식을 이용하여 주어진 식을 변형하여 함수의 극한 구하기

$$\begin{aligned}\lim_{x\to0}\frac{4\sin^2 x}{1-\cos x}&=\lim_{x\to0}\frac{4(1-\cos^2 x)}{1-\cos x}\\&=\lim_{x\to0}\frac{4(1-\cos x)(1+\cos x)}{1-\cos x}\\&=4\lim_{x\to0}(1+\cos x)=8\end{aligned}$$

 ③

0701

정답 ②

STEP A 여러 가지 공식을 이용하여 주어진 식을 변형하여 함수의 극한 구하기

$$\begin{aligned}\lim_{x\to0}\frac{\sin^2 x}{\cos x-\cos^2 x}&=\lim_{x\to0}\frac{1-\cos^2 x}{\cos x(1-\cos x)}\\&=\lim_{x\to0}\frac{(1-\cos x)(1+\cos x)}{\cos x(1-\cos x)}\\&=\lim_{x\to0}\frac{1+\cos x}{\cos x}=2\end{aligned}$$

0702

 ②

STEP A 여러 가지 공식을 이용하여 주어진 식을 변형하여 함수의 극한 구하기

$$\begin{aligned}\lim_{x\to\frac{\pi}{4}}\frac{\sin x-\cos x}{1-\tan^2 x}&=\lim_{x\to\frac{\pi}{4}}\frac{\sin x-\cos x}{1-\frac{\sin^2 x}{\cos^2 x}}\\&=\lim_{x\to\frac{\pi}{4}}\frac{\cos^2 x(\sin x-\cos x)}{\cos^2 x-\sin^2 x}\\&=\lim_{x\to\frac{\pi}{4}}\frac{\cos^2 x(\sin x-\cos x)}{(\cos x-\sin x)(\cos x+\sin x)}\\&=\lim_{x\to\frac{\pi}{4}}\frac{-\cos^2 x}{\cos x+\sin x}\\&=\frac{-\left(\frac{\sqrt{2}}{2}\right)^2}{\frac{\sqrt{2}}{2}+\frac{\sqrt{2}}{2}}=-\frac{\sqrt{2}}{4}\end{aligned}$$

내신연계 출제문항 271

$\lim_{x\to\frac{\pi}{4}}\frac{1-\tan^2 x}{\cos x-\sin x}$의 값은?

① $-2\sqrt{2}$ ② $-\frac{\sqrt{2}}{4}$ ③ $-\frac{1}{2}$
④ $\sqrt{2}$ ⑤ $2\sqrt{2}$

STEP A 여러 가지 공식을 이용하여 주어진 식을 변형하여 함수의 극한 구하기

$$\begin{aligned}\lim_{x\to\frac{\pi}{4}}\frac{1-\tan^2 x}{\cos x-\sin x}&=\lim_{x\to\frac{\pi}{4}}\frac{1-\frac{\sin^2 x}{\cos^2 x}}{\cos x-\sin x}\\&=\lim_{x\to\frac{\pi}{4}}\frac{\cos^2 x-\sin^2 x}{\cos^2 x(\cos x-\sin x)}\\&=\lim_{x\to\frac{\pi}{4}}\frac{(\cos x-\sin x)(\cos x+\sin x)}{\cos^2 x(\cos x-\sin x)}\\&=\lim_{x\to\frac{\pi}{4}}\frac{\cos x+\sin x}{\cos^2 x}\\&=\frac{\frac{\sqrt{2}}{2}+\frac{\sqrt{2}}{2}}{\left(\frac{\sqrt{2}}{2}\right)^2}=2\sqrt{2}\end{aligned}$$

정답 ⑤

0703

정답 ⑤

STEP A 여러 가지 삼각함수의 극한 구하기

① $\lim_{x\to0}\frac{\cos^2x}{1-\sin x}=\lim_{x\to0}\frac{1-\sin^2x}{1-\sin x}$

$=\lim_{x\to0}\frac{(1-\sin x)(1+\sin x)}{1-\sin x}$

$=\lim_{x\to0}(1+\sin x)=1$

② $\lim_{x\to\frac{\pi}{4}}\frac{1-\tan x}{\sin x-\cos x}=\lim_{x\to\frac{\pi}{4}}\frac{\frac{\cos-\sin x}{\cos x}}{\sin x-\cos x}=-\lim_{x\to\frac{\pi}{4}}\frac{1}{\cos x}=-\sqrt{2}$

③ $x\neq0$일 때, $\left|\cos\frac{1}{x}\right|\leq1$이므로 $\left|x\cos\frac{1}{x}\right|\leq|x|$

$-|x|\leq x\cos\frac{1}{x}\leq|x|$

이때 $\lim_{x\to0}(-|x|)=0$, $\lim_{x\to0}|x|=0$이므로

함수의 극한의 대소 관계에 의하여 $\lim_{x\to0}x\cos\frac{1}{x}=0$

④ $x\neq0$일 때, $\left|\sin\frac{1}{x}\right|\leq1$이므로 $\left|x^2\sin\frac{1}{x}\right|\leq x^2$

$-x^2\leq x^2\sin\frac{1}{x}\leq x^2$

이때 $\lim_{x\to0}(-x^2)=0$, $\lim_{x\to0}x^2=0$이므로

함수의 극한의 대소 관계에 의하여 $\lim_{x\to0}x^2\sin\frac{1}{x}=0$

⑤ $\lim_{x\to0}\frac{1-\cos x}{\sin^2x}=\lim_{x\to0}\frac{1-\cos x}{1-\cos^2x}$

$=\lim_{x\to0}\frac{1-\cos x}{(1+\cos x)(1-\cos x)}$

$=\lim_{x\to0}\frac{1}{1+\cos x}=\frac{1}{2}$

따라서 옳지 않은 것은 ⑤이다.

0704

STEP A $\lim_{x\to0}\frac{\sin x}{x}=1$, $\lim_{x\to0}\frac{\tan x}{x}=1$임을 이용하여 극한값을 구하기

$\lim_{x\to0}\frac{\sin2x\tan x}{x^2}=\lim_{x\to0}2\cdot\frac{\sin2x}{2x}\cdot\frac{\tan x}{x}=2\cdot1\cdot1=2$

0705

STEP A $\lim_{x\to0}\frac{\tan x}{x}=1$ 임을 이용하여 극한값을 구하기

$\lim_{x\to0}\frac{6xe^x}{\tan2x}=\lim_{x\to0}\frac{2x}{\tan2x}\cdot3e^x=1\cdot3e^0=3$

0706

STEP A $\lim_{x\to0}\frac{\sin x}{x}=1$임을 이용하여 극한값을 구하기

$\lim_{x\to0}\frac{f(\sin x)}{x}=\lim_{x\to0}\frac{\sin^2x+\sin x}{x}=\lim_{x\to0}\frac{\sin x(\sin x+1)}{x}$

$=\lim_{x\to0}\frac{\sin x}{x}\cdot\lim_{x\to0}(\sin x+1)=1$

0707

정답 ⑤

STEP A $\lim_{\bullet\to0}\frac{\sin\bullet}{\bullet}=1$, $\lim_{\blacksquare\to0}\frac{\tan\blacksquare}{\blacksquare}=1$꼴로 변형하여 삼각함수의 극한 구하기

조건 (가)에서

$\lim_{x\to0}\frac{\sin3x\tan2x}{x\sin3x}=\lim_{x\to0}\frac{\frac{\sin3x\tan2x}{x^2}}{\frac{x\sin3x}{x^2}}=\lim_{x\to0}\frac{\frac{\sin3x}{3x}\cdot\frac{\tan2x}{2x}\cdot6}{\frac{\sin3x}{3x}\cdot3}=\frac{6}{3}=2$

$\therefore a=2$

조건 (나)에서 $\sin x=t$로 놓으면 $x\to0$일 때, $t\to0$이므로

$\lim_{x\to0}\frac{\sin(\sin x)}{\sin x}=\lim_{t\to0}\frac{\sin t}{t}=1\quad\therefore b=1$

조건 (다)에서 $\frac{1}{x}=t$로 놓으면 $x\to\infty$일 때, $t\to0$이므로

$\lim_{x\to\infty}x\tan\frac{1}{x}=\lim_{t\to0}\frac{\tan t}{t}=1\quad\therefore c=1$

따라서 $a+b+c=2+1+1=4$

0708

STEP A 삼각함수의 극한의 성질과 $\lim_{x\to0}\frac{\sin x}{x}=1$을 이용하여 구하기

$\lim_{x\to0}\frac{x(\sin3x+\sin x)}{\sec^2x-1}=\lim_{x\to0}\frac{x(\sin3x+\sin x)}{\tan^2x}$

$=\lim_{x\to0}\frac{x}{\tan x}\left(\frac{\sin3x}{\tan x}+\frac{\sin x}{\tan x}\right)$

$=\lim_{x\to0}\frac{x}{\tan x}\left(\frac{\sin3x}{3x}\cdot\frac{x}{\tan x}\cdot3+\frac{\sin x}{x}\cdot\frac{x}{\tan x}\right)$

$=1\cdot(1\cdot1\cdot3+1\cdot1)=4$

내신연계 출제문항 272

$\lim_{x\to0}\frac{\tan6x}{\sin2x+x}$의 값은?

① $\frac{3}{2}$ ② 2 ③ 3
④ 4 ⑤ 6

STEP A $\lim_{\bullet\to0}\frac{\sin\bullet}{\bullet}=1$, $\lim_{\blacksquare\to0}\frac{\tan\blacksquare}{\blacksquare}=1$꼴로 변형하여 삼각함수의 극한 구하기

$\lim_{x\to0}\frac{\tan6x}{\sin2x+x}=\lim_{x\to0}\frac{\frac{\tan6x}{x}}{\frac{\sin2x}{x}+1}=\lim_{x\to0}\frac{\frac{\tan6x}{6x}\cdot6}{\frac{\sin2x}{2x}\cdot2+1}=\frac{6}{2+1}=2$ 정답 ②

0709

STEP A 배각공식을 이용하여 정리하기

$\cos2x=1-2\sin^2x$

STEP B $\lim_{x\to0}(1+x)^{\frac{1}{x}}=e$를 이용하여 극한값 계산하기

따라서 $\lim_{x\to0}(\cos2x)^{\frac{2}{x^2}}=\lim_{x\to0}(1-2\sin^2x)^{\frac{2}{x^2}}$

$=\lim_{x\to0}\left\{(1-2\sin^2x)^{\frac{1}{-2\sin^2x}}\right\}^{\frac{-4\sin^2x}{x^2}}$

$=e^{-4}$

0710

정답 ⑤

STEP A $\lim\limits_{●\to0}\frac{\sin ●}{●}=1$, $\lim\limits_{■\to0}\frac{\tan ■}{■}=1$**꼴로 변형하여 삼각함수의 극한 구하기**

조건 (가)에서

$$\lim_{x\to0+}(\log_2\sin x-\log_2\sqrt{2}x)=\lim_{x\to0+}\log_2\left(\frac{\sin x}{\sqrt{2}x}\right)$$
$$=\log_2\left(\lim_{x\to0+}\frac{\sin x}{x}\cdot\frac{1}{\sqrt{2}}\right)$$
$$=\log_2\frac{1}{\sqrt{2}}=\log_2 2^{-\frac{1}{2}}=-\frac{1}{2}$$

$\therefore\ a=-\frac{1}{2}$

조건 (나)에서

$$\lim_{x\to0}\frac{\sin(\tan x)}{\sin 2x}=\frac{1}{2}\lim_{x\to0}\frac{\sin(\tan x)}{\tan x}\cdot\lim_{x\to0}\frac{\tan x}{x}\cdot\lim_{x\to0}\frac{2x}{\sin 2x}$$
$$=\frac{1}{2}\cdot1\cdot1\cdot1$$

$\therefore\ b=\frac{1}{2}$

따라서 $b-a=\frac{1}{2}-\left(-\frac{1}{2}\right)=1$

0711

STEP A **삼각함수의 극한의 성질과** $\lim\limits_{x\to0}\frac{\tan x}{x}=1$**을 이용하여 구하기**

조건 (가)에서

$$\lim_{x\to0}\frac{3x+\tan x}{x}=\lim_{x\to0}\left(\frac{3x}{x}+\frac{\tan x}{x}\right)=3+1=4$$

조건 (나)에서

$$\lim_{x\to0}\frac{\tan 3x}{2x+\sin x}=\lim_{x\to0}3\cdot\frac{\tan 3x}{3x}\cdot\frac{1}{2+\frac{\sin x}{x}}=3\cdot1\cdot\frac{1}{2+1}=1$$

따라서 $a=4$, $b=1$이므로 $a+b=5$

0712

STEP A **삼각함수의 극한의 성질과** $\lim\limits_{x\to0}\frac{\sin ax}{bx}=\frac{a}{b}$**를 이용하여 구하기**

$$\lim_{x\to0}\frac{x}{\sin x+\sin 2x+\sin 3x+\cdots+\sin nx}$$
$$=\lim_{x\to0}\frac{1}{\frac{\sin x}{x}+\frac{\sin 2x}{2x}\cdot2+\cdots+\frac{\sin nx}{nx}\cdot n}$$
$$=\frac{1}{1+2+\cdots+n}$$
$$=\frac{2}{n(n+1)}$$

이때 $\frac{2}{n(n+1)}=\frac{1}{45}$이므로 $n(n+1)=90$, $(n+10)(n-9)=0$

따라서 n은 자연수이므로 $n=9$

내/신/연/계/ 출제문항 273

자연수 n에 대하여

$$f(n)=\lim_{x\to0}\frac{x}{\sin x+\sin 2x+\sin 3x+\cdots+\sin nx}$$

일 때, $f(n)=\frac{1}{78}$을 만족하는 n의 값은?

① 10　② 11　③ 12
④ 13　⑤ 14

STEP A **삼각함수의 극한의 성질과** $\lim\limits_{x\to0}\frac{\sin ax}{bx}=\frac{a}{b}$**를 이용하여** $f(n)$ **구하기**

$$f(n)=\lim_{x\to0}\frac{x}{\sin x+\sin 2x+\sin 3x+\cdots+\sin nx}$$
$$=\lim_{x\to0}\frac{1}{\frac{\sin x}{x}+\frac{\sin 2x}{x}+\frac{\sin 3x}{x}+\cdots+\frac{\sin nx}{x}}$$
$$=\lim_{x\to0}\frac{1}{\frac{\sin x}{x}+\frac{\sin 2x}{2x}\cdot2+\frac{\sin 3x}{3x}\cdot3+\cdots+\frac{\sin nx}{nx}\cdot n}$$
$$=\frac{1}{1+2+3+\cdots+n}=\frac{2}{n(n+1)}$$

STEP B $f(n)=\frac{1}{78}$**을 만족하는** n**의 값 구하기**

이때 $\frac{2}{n(n+1)}=\frac{1}{78}$에서 $n(n+1)=156$

$n^2+n-156=0$, $(n-12)(n+13)=0$

따라서 n은 자연수이므로 $n=12$

정답 ③

0713

STEP A **삼각함수의 극한의 성질과** $\lim\limits_{x\to0}\frac{\sin ax}{bx}=\frac{a}{b}$**를 이용하여** $f(n)$ **구하기**

$$f(n)=\lim_{x\to0}\frac{\sin x+\sin 2x+\cdots+\sin nx}{x}$$
$$=\lim_{x\to0}\frac{\sin x}{x}+\lim_{x\to0}\frac{\sin 2x}{x}+\cdots+\lim_{x\to0}\frac{\sin nx}{x}$$
$$=1+2+\cdots+n=\frac{n(n+1)}{2}$$

STEP B **분수식의 급수의 합 구하기**

따라서
$$\sum_{n=1}^{\infty}\frac{1}{f(n)}=\sum_{n=1}^{\infty}\frac{2}{n(n+1)}=2\lim_{n\to\infty}\sum_{k=1}^{n}\left(\frac{1}{k}-\frac{1}{k+1}\right)$$
$$=2\lim_{n\to\infty}\left\{\left(1-\frac{1}{2}\right)+\left(\frac{1}{2}-\frac{1}{3}\right)+\cdots+\left(\frac{1}{n}-\frac{1}{n+1}\right)\right\}$$
$$=2\lim_{n\to\infty}\left(1-\frac{1}{n+1}\right)=2$$

내/신/연/계/ 출제문항 274

자연수 n에 대하여 함수 $f(n)$이

$$f(n)=\lim_{x\to0}\frac{\sin x+\sin 4x+\sin 9x+\cdots+\sin n^2x}{x}$$

와 같이 정의될 때, $\lim\limits_{n\to\infty}\frac{n^3}{f(n)}$의 값은?

① $\frac{1}{2}$　② $\frac{1}{3}$　③ $\frac{2}{3}$
④ 1　⑤ 3

STEP A **삼각함수의 극한의 성질과** $\lim\limits_{x\to0}\frac{\sin ax}{bx}=\frac{a}{b}$**를 이용하여** $f(n)$ **구하기**

$$f(n)=\lim_{x\to0}\frac{\sin x+\sin 4x+\sin 9x+\cdots+\sin n^2x}{x}$$
$$=\lim_{x\to0}\left\{\frac{\sin x}{x}+\frac{\sin 4x}{4x}\cdot4+\frac{\sin 9x}{9x}\cdot9+\cdots+\frac{\sin n^2x}{n^2x}\cdot n^2\right\}$$
$$=1+2^2+3^2+\cdots+n^2=\sum_{k=1}^{n}k^2=\frac{n(n+1)(2n+1)}{6}$$

STEP B $\frac{\infty}{\infty}$ **꼴의 극한 구하기**

따라서 $\lim\limits_{n\to\infty}\frac{n^3}{f(n)}=\lim\limits_{n\to\infty}\frac{6n^3}{n(n+1)(2n+1)}=3$

0714

정답 ④

STEP A 삼각함수의 극한의 성질과 $\lim_{x\to0}\frac{\tan ax}{bx}=\frac{a}{b}$를 이용하여 $f(n)$ 구하기

$$f(n)=\lim_{x\to0}\frac{x}{\tan x+\tan 2x+\tan 3x+\cdots+\tan nx}$$
$$=\lim_{x\to0}\frac{1}{\frac{\tan x}{x}+\frac{\tan 2x}{2x}\cdot2+\cdots+\frac{\tan nx}{nx}\cdot n}$$
$$=\frac{1}{1+2+3\cdots+n}=\frac{2}{n(n+1)}$$

STEP B 분수식의 급수의 합 구하기

따라서 $\sum_{n=1}^{\infty}f(n)=\sum_{n=1}^{\infty}\frac{2}{n(n+1)}=2\lim_{n\to\infty}\sum_{k=1}^{n}\left(\frac{1}{k}-\frac{1}{k+1}\right)$
$$=2\lim_{n\to\infty}\left\{\left(1-\frac{1}{2}\right)+\left(\frac{1}{2}-\frac{1}{3}\right)+\cdots+\left(\frac{1}{n}-\frac{1}{n+1}\right)\right\}$$
$$=2\lim_{n\to\infty}\left(1-\frac{1}{n+1}\right)=2$$

내신연계 출제문항 275

자연수 n에 대하여

$$f(n)=\lim_{x\to0}\frac{x}{\tan x+\tan 2x+\tan 2^2x+\cdots+\tan 2^{n-1}x}$$

라고 할 때, $\sum_{n=1}^{9}\left\{\frac{1}{f(n)}+1\right\}$의 값은?

① 440 ② 510 ③ 625
④ 1022 ⑤ 2046

STEP A 삼각함수의 극한의 성질과 $\lim_{x\to0}\frac{\tan ax}{bx}=\frac{a}{b}$를 이용하여 $f(n)$ 구하기

$$f(n)=\lim_{x\to0}\frac{x}{\tan x+\tan 2x+\tan 2^2x+\cdots+\tan 2^{n-1}x}$$
$$=\lim_{x\to0}\frac{1}{\frac{\tan x}{x}+\frac{\tan 2x}{2x}\cdot2+\frac{\tan 2^2x}{2^2x}\cdot2^2+\cdots+\frac{\tan n2^{n-1}x}{2^{n-1}x}\cdot2^{n-1}}$$
$$=\frac{1}{1+2+2^2+\cdots+2^{n-1}}$$
$$=\frac{1}{2^n-1}$$ ← $1+2+2^2+\cdots+2^{n-1}=\frac{1\cdot(2^n-1)}{2-1}=2^n-1$

STEP B 등비수열의 합 구하기

따라서 $\sum_{n=1}^{9}\left\{\frac{1}{f(n)}+1\right\}=\sum_{n=1}^{9}\{(2^n-1)+1\}=\sum_{n=1}^{9}2^n$
$$=\frac{2(2^9-1)}{2-1}=2^{10}-2$$
$$=1024-2=1022$$

정답 ④

0715

정답 ④

STEP A $\lim_{x\to0}\frac{\sin ax}{bx}=\frac{a}{b}$, $\lim_{x\to0}\frac{\tan cx}{dx}=\frac{c}{d}$ 꼴로 변형하여 삼각함수의 극한 구하기

$$\lim_{\theta\to0}\left(\frac{\sin\theta\tan\theta}{\theta^2}+\frac{\sin2\theta\tan2\theta}{\theta^2}+\cdots+\frac{\sin20\theta\tan20\theta}{\theta^2}\right)$$
$$=\lim_{\theta\to0}\left(\frac{\sin\theta}{\theta}\cdot\frac{\tan\theta}{\theta}\cdot1^2+\cdots+\frac{\sin20\theta}{20\theta}\cdot\frac{\tan20\theta}{20\theta}\cdot20^2\right)$$
$$=1^2+2^2+\cdots+20^2=\sum_{k=1}^{20}k^2$$
$$=\frac{20\cdot21\cdot41}{6}=2870$$

내신연계 출제문항 276

$\lim_{x\to0}\frac{x+2x+3x+\cdots+10x}{\sin x+\sin 2x+\sin 3x+\cdots+\sin 10x}$의 값은?

① 1 ② 10 ③ 25
④ 45 ⑤ 55

STEP A 삼각함수의 극한의 성질과 $\lim_{x\to0}\frac{\sin ax}{bx}=\frac{a}{b}$를 이용하여 $f(n)$ 구하기

$$\lim_{x\to0}\frac{(1+2+3+\cdots+10)x}{\sin x+\sin 2x+\sin 3x+\cdots+\sin 10x}$$
$$=\lim_{x\to0}\frac{1+2+3+\cdots+10}{\frac{\sin x}{x}+\frac{\sin 2x}{2x}\cdot2+\frac{\sin 3x}{3x}\cdot3+\cdots+\frac{\sin 10x}{10x}\cdot10}$$
$$=\frac{1+2+3+\cdots+10}{1+1\cdot2+1\cdot3+\cdots+1\cdot10}=1$$

정답 ①

0716

정답 ②

STEP A 함수의 극한의 성질과 $\lim_{\bullet\to0}\frac{\sin\bullet}{\bullet}=1$을 이용하여 삼각함수의 극한 구하기

$$\lim_{x\to0}\frac{\sin(5x^2+2x)}{x^2-4x}=\lim_{x\to0}\frac{\sin(5x^2+2x)}{5x^2+2x}\cdot\frac{5x^2+2x}{x^2-4x}$$
$$=\lim_{x\to0}\frac{\sin(5x^2+2x)}{5x^2+2x}\cdot\lim_{x\to0}\frac{5x+2}{x-4}$$
$$=1\cdot\left(-\frac{1}{2}\right)=-\frac{1}{2}$$ ← $5x^2+2x=t$로 놓으면 $x\to0$일 때, $t\to0$이므로 $\lim_{x\to0}\frac{\sin(5x^2+2x)}{5x^2+2x}=\lim_{t\to0}\frac{\sin t}{t}=1$

0717

정답 ②

STEP A 함수의 극한의 성질과 $\lim_{\bullet\to0}\frac{\tan\bullet}{\bullet}=1$을 이용하여 삼각함수의 극한 구하기

$$\lim_{x\to0}\frac{\tan(3x^3-5x^2+4x)}{2x^3+x^2-2x}=\lim_{x\to0}\frac{\tan(3x^3-5x^2+4x)}{3x^3-5x^2+4x}\cdot\frac{3x^3-5x^2+4x}{2x^3+x^2-2x}$$
$$=\lim_{x\to0}\frac{\tan(3x^3-5x^2+4x)}{3x^3-5x^2+4x}\cdot\lim_{x\to0}\frac{3x^2-5x+4}{2x^2+x-2}$$
$$=1\cdot(-2)=-2$$ ← $3x^2+2x=t$로 놓으면 $x\to0$일 때, $t\to0$이므로 $\lim_{x\to0}\frac{\tan(3x^3-5x^2+4x)}{3x^3-5x^2+4x}=\lim_{t\to0}\frac{\tan t}{t}=1$

0718

정답 ④

STEP A 함수의 극한의 성질과 $\lim_{\bullet\to0}\frac{\sin\bullet}{\bullet}=1$, $\lim_{\bullet\to0}\frac{\tan\bullet}{\bullet}=1$을 이용하여 삼각함수의 극한 구하기

조건(가)에서

$$\lim_{x\to0}\frac{\sin x+\tan 2x}{x}=\lim_{x\to0}\frac{\sin x}{x}+\lim_{x\to0}\left(\frac{\tan 2x}{2x}\cdot2\right)=1+1\cdot2=3$$

조건(나)에서

$$\lim_{x\to0}\frac{x+2\sin x}{x-2\sin x}=\lim_{x\to0}\frac{1+2\cdot\frac{\sin x}{x}}{1-2\cdot\frac{\sin x}{x}}=\frac{1+2\cdot1}{1-2\cdot1}=-3$$

조건 (다)에서

$$\lim_{x\to0}\frac{\sin(\tan 2x)}{x}=\lim_{x\to0}\frac{\sin(\tan 2x)}{\tan 2x}\cdot\frac{\tan 2x}{2x}\cdot2=2$$

조건 (라)에서

$$\begin{aligned}\lim_{x\to0}\frac{\sin(2x^2+x)}{x}&=\lim_{x\to0}\left\{\frac{\sin(2x^2+x)}{2x^2+x}\cdot\frac{2x^2+x}{x}\right\}\\&=\lim_{x\to0}\frac{\sin(2x^2+x)}{2x^2+x}\cdot\lim_{x\to0}(2x+1)\\&=\lim_{x\to0}\frac{\sin(2x^2+x)}{2x^2+x}\cdot1\\&=1\cdot1=1\end{aligned}$$

⬅ $2x^2+x=t$로 놓으면 $x\to0$일 때, $t\to0$이므로 $\lim_{x\to0}\frac{\sin(2x^2+x)}{2x^2+x}=\lim_{t\to0}\frac{\sin t}{t}=1$

따라서 $a=3$, $b=-3$, $c=2$, $d=1$이므로 $a+b+c+d=3$

0719

정답 ⑤

STEP A $\lim_{x\to0}\frac{1-\cos ax}{x^2}=\frac{a^2}{2}$ 임을 이용하여 구하기

$$\begin{aligned}\lim_{x\to0}\frac{1-\cos 4x}{x^2}&=\lim_{x\to0}\frac{(1-\cos 4x)(1+\cos 4x)}{x^2(1+\cos 4x)}\\&=\lim_{x\to0}\frac{1-\cos^2 4x}{x^2(1+\cos 4x)}\\&=\lim_{x\to0}\frac{\sin^2 4x}{x^2(1+\cos 4x)}\\&=\lim_{x\to0}\left(\frac{\sin 4x}{x}\right)^2\cdot\lim_{x\to0}\left(\frac{1}{1+\cos 4x}\right)\\&=4^2\cdot\frac{1}{2}=8\end{aligned}$$

0720

정답 ⑤

STEP A $\lim_{x\to0}\frac{1-\cos ax}{x^2}=\frac{a^2}{2}$, $\lim_{x\to0}\frac{\sin x}{x}=1$임을 이용하여 구하기

$$\begin{aligned}\lim_{x\to0}\frac{1-\cos 2x}{x\sin x}&=\lim_{x\to0}\frac{(1-\cos 2x)(1+\cos 2x)}{x\sin x(1+\cos 2x)}\\&=\lim_{x\to0}\frac{\sin^2 2x}{x\sin x(1+\cos 2x)}\\&=\lim_{x\to0}\left\{\left(\frac{\sin 2x}{x}\right)^2\cdot\frac{x}{\sin x}\cdot\frac{1}{1+\cos 2x}\right\}\\&=2^2\cdot\frac{1}{2}=2\end{aligned}$$

0721

정답 ⑤

STEP A $\lim_{x\to0}\frac{1-\cos ax}{x^2}=\frac{a^2}{2}$, $\lim_{x\to0}\frac{\sin x}{x}=1$임을 이용하여 a의 값 구하기

조건 (가)에서 분모, 분자에 $1+\cos x$를 곱하면

$$\begin{aligned}\lim_{x\to0}\frac{1-\cos^2 x}{x\sin x(1+\cos x)}&=\lim_{x\to0}\frac{\sin^2 x}{x\sin x(1+\cos x)}\\&=\lim_{x\to0}\frac{\sin x}{x}\cdot\lim_{x\to0}\frac{1}{1+\cos x}\\&=\frac{1}{2}\end{aligned}$$

$\therefore a=\frac{1}{2}$

STEP B $\lim_{x\to0}\frac{1-\cos ax}{x^2}=\frac{a^2}{2}$, $\lim_{x\to0}\frac{\tan x}{x}=1$임을 이용하여 b의 값 구하기

조건 (나)에서 분모, 분자에 $1+\cos x$를 곱하면

$$\begin{aligned}\lim_{x\to0}\frac{1-\cos x}{x\tan 5x}&=\lim_{x\to0}\frac{(1-\cos x)(1+\cos x)}{x\tan 5x(1+\cos x)}\\&=\lim_{x\to0}\frac{\sin^2 x}{x\tan 5x(1+\cos x)}\\&=\lim_{x\to0}\left(\frac{\sin x}{x}\right)^2\cdot\frac{5x}{\tan 5x}\cdot\frac{1}{5(1+\cos x)}\\&=1^2\cdot1\cdot\frac{1}{5\cdot2}=\frac{1}{10}\end{aligned}$$

$\therefore b=\frac{1}{10}$

따라서 $\frac{a}{b}=5$

내/신/연/계/ 출제문항 277

다음 조건을 만족하는 극한값을 a, b라 할 때, $a+b$의 값은?

(가) $\lim_{x\to0}\frac{x\sin 2x}{1-\cos 2x}=a$

(나) $\lim_{x\to0}\frac{1-\cos 3x}{x^2}=b$

① 2 ② $\frac{5}{2}$ ③ $\frac{7}{2}$ ④ $\frac{9}{2}$ ⑤ $\frac{11}{2}$

STEP A $\lim_{x\to0}\frac{1-\cos ax}{x^2}=\frac{a^2}{2}$, $\lim_{x\to0}\frac{\sin x}{x}=1$임을 이용하여 a의 값 구하기

조건 (가)에서

$$\begin{aligned}\lim_{x\to0}\frac{x\sin 2x}{1-\cos 2x}&=\lim_{x\to0}\frac{x\sin 2x(1+\cos 2x)}{1-\cos^2 2x}=\lim_{x\to0}\frac{x\sin 2x(1+\cos 2x)}{\sin^2 2x}\\&=\lim_{x\to0}\frac{x(1+\cos 2x)}{\sin 2x}=\frac{1}{2}\lim_{x\to0}\frac{2x}{\sin 2x}\cdot\lim_{x\to0}(1+\cos 2x)\\&=\frac{1}{2}\cdot1\cdot2=1\end{aligned}$$

STEP B $\lim_{x\to0}\frac{1-\cos ax}{x^2}=\frac{a^2}{2}$ 임을 이용하여 b의 값 구하기

조건 (나)에서

$$\begin{aligned}\lim_{x\to0}\frac{1-\cos 3x}{x^2}&=\lim_{x\to0}\frac{1-\cos^2 3x}{x^2(1+\cos 3x)}=\lim_{x\to0}\frac{\sin^2 3x}{x^2(1+\cos 3x)}\\&=9\lim_{x\to0}\left(\frac{\sin 3x}{3x}\right)^2\cdot\lim_{x\to0}\frac{1}{1+\cos 3x}=9\cdot1^2\cdot\frac{1}{2}=\frac{9}{2}\end{aligned}$$

따라서 $a=1$, $b=\frac{9}{2}$이므로 $a+b=\frac{11}{2}$

정답 ⑤

0722

정답 ①

STEP A $\lim_{x\to0}\frac{1-\cos ax}{x^2}=\frac{a^2}{2}$ 임을 이용하여 구하기

$f(g(x))=3(1-\cos x),\ g(f(x))=1-\cos 3x$

$$\lim_{x\to0}\frac{f(g(x))}{g(f(x))}=\lim_{x\to0}\frac{3(1-\cos x)}{1-\cos 3x}=\lim_{x\to0}\frac{3(1-\cos^2 x)(1+\cos 3x)}{(1-\cos^2 3x)(1+\cos x)}$$

$$=\lim_{x\to0}\frac{3\sin^2 x(1+\cos 3x)}{\sin^2 3x(1+\cos x)}=\lim_{x\to0}\frac{3\cdot\left(\frac{\sin x}{x}\right)^2(1+\cos 3x)}{9\cdot\left(\frac{\sin 3x}{3x}\right)^2(1+\cos x)}$$

$$=\frac{3\cdot1^2\cdot(1+1)}{9\cdot1^2\cdot(1+1)}=\frac{1}{3}$$

내신연계 출제문항 278

함수 $f(x)=1-\cos x$에 대하여 $\lim_{x\to0}\frac{x^2f(x)}{f(f(x))}$의 값은?

① $\frac{1}{4}$ ② $\frac{1}{2}$ ③ 1
④ 2 ⑤ 4

STEP A $\lim_{x\to0}\frac{1-\cos ax}{x^2}=\frac{a^2}{2}$ 임을 이용하여 구하기

$$\lim_{x\to0}\frac{x^2f(x)}{f(f(x))}$$

$$=\lim_{x\to0}\frac{x^2(1-\cos x)}{1-\cos(1-\cos x)}$$

$$=\lim_{x\to0}\frac{x^2(1-\cos^2 x)\{1+\cos(1-\cos x)\}}{\{1-\cos^2(1-\cos x)\}(1+\cos x)}$$

$$=\lim_{x\to0}\frac{x^2\sin^2 x\{1+\cos(1-\cos x)\}}{\{\sin^2(1-\cos x)\}(1+\cos x)}$$

$$=\lim_{x\to0}\left(\frac{\sin x}{x}\right)^2\left(\frac{x}{\sin(1-\cos x)}\right)^2\cdot\frac{x^2\{1+\cos(1-\cos x)\}}{1+\cos x}$$

$$=\lim_{x\to0}\left(\frac{\sin x}{x}\right)^2\left(\frac{1-\cos x}{\sin(1-\cos x)}\right)^2\cdot\frac{x^4}{(1-\cos x)^2}\cdot\frac{1+\cos(1-\cos x)}{1+\cos x}$$

$$=1\cdot1^2\cdot\lim_{x\to0}\left\{\frac{x^2}{1-\cos x}\right\}^2\cdot\frac{2}{2}$$

$=2^2=4$

정답 ⑤

0723

정답 ③

STEP A $\lim_{x\to0}\frac{1-\cos ax}{x^2}=\frac{a^2}{2}$ 임을 이용하여 구하기

$$f(k)=\lim_{x\to0}\frac{1-\cos kx}{x^2}=\lim_{x\to0}\frac{1-\cos^2 kx}{x^2(1+\cos kx)}$$

$$=\lim_{x\to0}\frac{\sin^2 kx}{x^2(1+\cos kx)}=\lim_{x\to0}k^2\cdot\left(\frac{\sin kx}{kx}\right)^2\cdot\frac{1}{1+\cos kx}$$

$$=k^2\cdot1^2\cdot\frac{1}{2}=\frac{1}{2}k^2$$

STEP B 시그마의 성질을 이용하여 구하기

따라서 $2\sum_{k=1}^{10}f(k)=2\sum_{k=1}^{10}\frac{1}{2}k^2=\sum_{k=1}^{10}k^2=\frac{10\cdot11\cdot21}{6}=385$

내신연계 출제문항 279

자연수 n에 대하여 $f(n)=\lim_{x\to0}\frac{1-\cos nx}{x^2}$일 때, $\sum_{n=1}^{8}f(n)$의 값은?

① 101 ② 102 ③ 103
④ 104 ⑤ 105

STEP A $\sin^2 nx+\cos^2 nx=1$을 이용하여 극한값 구하기

분모, 분자에 $1+\cos nx$를 곱하면

$$f(n)=\lim_{x\to0}\frac{1-\cos nx}{x^2}$$

$$=\lim_{x\to0}\frac{(1-\cos nx)(1+\cos nx)}{x^2(1+\cos nx)}=\lim_{x\to0}\frac{1-\cos^2 nx}{x^2(1+\cos nx)}$$

$$=\lim_{x\to0}\left(\frac{\sin^2 nx}{x^2}\cdot\frac{1}{1+\cos nx}\right)$$

$$=\lim_{x\to0}\left\{n^2\cdot\left(\frac{\sin nx}{nx}\right)^2\cdot\frac{1}{1+\cos nx}\right\}$$

$$=n^2\cdot1\cdot\frac{1}{2}=\frac{n^2}{2}$$

STEP B 시그마의 성질을 이용하여 구하기

따라서 $\sum_{n=1}^{8}f(n)=\frac{1}{2}\sum_{n=1}^{8}n^2=\frac{1}{2}\cdot\frac{8\cdot9\cdot17}{6}=102$

정답 ②

0724

정답 ③

STEP A $\lim_{x\to0}\frac{1-\cos ax}{x^2}=\frac{a^2}{2}$ 임을 이용하여 구하기

$$f(k)=\lim_{x\to0}\frac{1-\sec kx}{x^2}=\lim_{x\to0}\frac{1-\frac{1}{\cos kx}}{x^2}$$

$$=\lim_{x\to0}\frac{\cos kx-1}{x^2\cos kx}=\lim_{x\to0}\frac{\cos kx-1}{x^2}\cdot\frac{1}{\cos kx}$$

$$=-\frac{k^2}{2}\cdot1=-\frac{1}{2}k^2$$

STEP B 시그마의 성질을 이용하여 구하기

따라서 $\sum_{k=1}^{11}f(k)=-\sum_{k=1}^{11}\frac{1}{2}k^2=-\frac{1}{2}\cdot\frac{11\cdot12\cdot23}{6}=-253$

0725

정답 ④

STEP A $\lim_{x\to0}\frac{1-\cos ax}{x^2}=\frac{a^2}{2}$ 임을 이용하여 구하기

$$\lim_{x\to0}\frac{\cos x-\cos 3x}{x^2}=\lim_{x\to0}\frac{1-\cos 3x-(1-\cos x)}{x^2}$$

$$=\lim_{x\to0}\frac{1-\cos 3x}{x^2}-\lim_{x\to0}\frac{1-\cos x}{x^2}$$

$$=\frac{9}{2}-\frac{1}{2}=4$$

다른풀이 $\lim_{x\to0}\frac{\sin x}{x}=1$임을 이용하여 풀이하기

$$\lim_{x\to0}\frac{\cos x-\cos 3x}{x^2}=\lim_{x\to0}\frac{(\cos x-\cos 3x)(\cos x+\cos 3x)}{x^2(\cos x+\cos 3x)}$$

$$=\lim_{x\to0}\frac{\cos^2 x-\cos^2 3x}{x^2(\cos x+\cos 3x)}$$

$$=\lim_{x\to0}\frac{1-\sin^2 x-(1-\sin^2 3x)}{x^2}\times\frac{1}{\cos x+\cos 3x}$$

$$=\lim_{x\to0}\left\{-\left(\frac{\sin x}{x}\right)^2+\left(\frac{\sin 3x}{3x}\right)^2\times9\right\}\times\frac{1}{\cos x+\cos 3x}$$

$$=(-1^2+1^2\times9)+\frac{1}{2}=4$$

0726

정답 ②

STEP A $\lim_{x\to0}\frac{1-\cos ax}{x^2}=\frac{a^2}{2}$, $\lim_{x\to0}\frac{\sin x}{x}=1$임을 이용하여 구하기

$$\lim_{x\to0}\frac{\sin x-\tan x}{x^3}=\lim_{x\to0}\frac{\sin x-\frac{\sin x}{\cos x}}{x^3}=\lim_{x\to0}\frac{\sin x(\cos x-1)}{x^3\cos x}$$
$$=\lim_{x\to0}\frac{\sin x\cdot(-\sin^2 x)}{x^3\cos x(\cos x+1)}$$
$$=\lim_{x\to0}\left(-\frac{\sin x}{x}\right)^3\cdot\frac{1}{\cos x}\cdot\frac{1}{\cos x+1}$$
$$=-1\cdot1\cdot\frac{1}{2}=-\frac{1}{2}$$

내/신/연/계/ 출제문항 280

$\lim_{x\to0}\frac{2(\tan x-\sin x)}{x^3}$의 값은?

① 1 ② 2 ③ 3
④ 4 ⑤ 5

STEP A 삼각함수의 극한의 성질과 $\lim_{x\to0}\frac{\sin x}{x}=1$을 이용하여 구하기

$$\lim_{x\to0}\frac{2(\tan x-\sin x)}{x^3}=2\lim_{x\to0}\frac{\sin x\left(\frac{1}{\cos x}-1\right)}{x^3}$$
$$=2\lim_{x\to0}\left(\frac{\sin x}{x^3}\times\frac{1-\cos x}{\cos x}\right)$$
$$=2\lim_{x\to0}\left\{\frac{\sin x}{x^3}\times\frac{(1-\cos x)(1+\cos x)}{\cos x(1+\cos x)}\right\}$$
$$=2\lim_{x\to0}\left\{\frac{\sin x}{x^3}\times\frac{1-\cos^2 x}{\cos x(1+\cos x)}\right\}$$
$$=2\lim_{x\to0}\left\{\left(\frac{\sin x}{x}\right)^3\times\frac{1}{\cos x(1+\cos x)}\right\}$$
$$=2\left(1\times\frac{1}{1\cdot2}\right)=2\times\frac{1}{2}=1$$

정답 ①

0727

정답 ③

STEP A $1-\cos x$로 유도하여 $\lim_{x\to0}\frac{\sin x}{x}=1$임을 이용하여 정리하기

$$\lim_{x\to0}\frac{\tan x-\sin x}{x^n}=\lim_{x\to0}\frac{\frac{\sin x}{\cos x}-\sin x}{x^n}=\lim_{x\to0}\frac{\sin x(1-\cos x)}{x^n\cos x}$$
$$=\lim_{x\to0}\frac{\sin x\cdot\sin^2 x}{x^n\cos x(1+\cos x)}$$
$$=\lim_{x\to0}\left(\frac{\sin x}{x}\right)^3\frac{1}{x^{n-3}\cos x(1+\cos x)}$$
$$=\lim_{x\to0}\left(\frac{\sin x}{x}\right)^3\frac{1}{\cos x}\cdot\frac{1}{1+\cos x}\cdot\frac{1}{x^{n-3}}$$
$$=1^3\cdot1\cdot\frac{1}{2}\cdot\lim_{x\to0}\frac{1}{x^{n-3}}=\frac{1}{2}\lim_{x\to0}\frac{1}{x^{n-3}}$$

STEP B $n<3$, $n=3$, $n>3$로 나누어 극한값이 존재하는 자연수 n 구하기

$n<3$이면 극한값이 0

$n=3$이면 극한값이 $\frac{1}{2}$

$n>3$이면 극한값이 존재하지 않는다.

극한값을 갖게 하는 자연수 n의 값은 1, 2, 3

따라서 모든 자연수 n의 값의 합은 $1+2+3=6$

0728

정답 ②

STEP A 여러 가지 공식을 이용하여 주어진 식을 변형하여 함수의 극한 구하기

$$\lim_{\theta\to0}\frac{\sec2\theta-1}{\sec\theta-1}=\lim_{\theta\to0}\frac{\frac{1}{\cos2\theta}-1}{\frac{1}{\cos\theta}-1}$$
$$=\lim_{\theta\to0}\frac{\frac{1-\cos2\theta}{\cos2\theta}}{\frac{1-\cos\theta}{\cos\theta}}$$
$$=\lim_{\theta\to0}\frac{\cos\theta\{1-(2\cos^2\theta-1)\}}{(2\cos^2\theta-1)(1-\cos\theta)}$$
$$=\lim_{\theta\to0}\frac{2\cos\theta(1-\cos^2\theta)}{(2\cos^2\theta-1)(1-\cos\theta)}$$
$$=\lim_{\theta\to0}\frac{2\cos\theta(1+\cos\theta)}{2\cos^2\theta-1}=4$$

다른풀이 $\lim_{x\to0}\frac{\tan x}{x}=1$을 이용하여 풀이하기

STEP A $\lim_{x\to0}\frac{\tan x}{x}=1$임을 이용하여 극한값을 구하기

$$\lim_{\theta\to0}\frac{\sec2\theta-1}{\sec\theta-1}=\lim_{\theta\to0}\frac{(\sec2\theta-1)(\sec2\theta+1)(\sec\theta+1)}{(\sec\theta-1)(\sec\theta+1)(\sec2\theta+1)}$$
$$=\lim_{\theta\to0}\frac{(\sec^2 2\theta-1)(\sec\theta+1)}{(\sec^2\theta-1)(\sec2\theta+1)}$$
$$=\lim_{\theta\to0}\frac{\tan^2 2\theta(\sec\theta+1)}{\tan^2\theta(\sec2\theta+1)}\quad\leftarrow 1+\tan^2\theta=\sec^2\theta$$
$$=\lim_{\theta\to0}\frac{\tan^2 2\theta}{(2\theta)^2}\cdot\frac{4\theta^2}{\tan^2\theta}\cdot\frac{\sec\theta+1}{\sec2\theta+1}$$
$$=\lim_{\theta\to0}\left(\frac{\tan2\theta}{2\theta}\right)^2\cdot\lim_{\theta\to0}4\left(\frac{\theta}{\tan\theta}\right)^2\cdot\lim_{\theta\to0}\frac{\sec\theta+1}{\sec2\theta+1}$$
$$=1\cdot4\cdot\frac{2}{2}=4$$

다른풀이 $\sec\theta=\frac{1}{\cos\theta}$임을 이용하여 풀이하기

$$\lim_{\theta\to0}\frac{\sec2\theta-1}{\sec\theta-1}=\lim_{\theta\to0}\frac{\frac{1}{\cos2\theta}-1}{\frac{1}{\cos\theta}-1}$$
$$=\lim_{\theta\to0}\frac{(1-\cos2\theta)\cos\theta}{(1-\cos\theta)\cos2\theta}$$
$$=\lim_{\theta\to0}\frac{1-\cos2\theta}{1-\cos\theta}\cdot\frac{\cos\theta}{\cos2\theta}$$
$$=\lim_{\theta\to0}\frac{(1-\cos2\theta)(1+\cos2\theta)(1+\cos\theta)}{(1-\cos\theta)(1+\cos\theta)(1+\cos2\theta)}\cdot\frac{\cos\theta}{\cos2\theta}$$
$$=\lim_{\theta\to0}\frac{\sin^2 2\theta}{\sin^2\theta}\cdot\frac{\cos\theta}{\cos2\theta}\cdot\frac{1+\cos\theta}{1+\cos2\theta}$$
$$=\lim_{\theta\to0}\left(\frac{\sin2\theta}{\sin\theta}\right)^2\cdot\lim_{\theta\to0}\frac{\cos\theta}{\cos2\theta}\cdot\lim_{\theta\to0}\frac{1+\cos\theta}{1+\cos2\theta}$$
$$=2^2\cdot\frac{1}{1}\cdot\frac{2}{2}=4$$

0729

정답 ⑤

STEP A 등비급수를 이용하여 $f(\theta)$ 구하기

$0<\theta<\pi$에서 $-1<\cos\theta<1$이므로

$f(\theta)=\sum_{n=1}^{\infty}\cos^n\theta=\frac{\cos\theta}{1-\cos\theta}$ ← $\sum_{n=1}^{\infty}ar^{n-1}=\frac{a}{1-r}\ (-1<r<1)$

STEP B $\lim_{x\to0}\frac{1-\cos ax}{x^2}=\frac{a^2}{2}$을 이용하여 구하기

따라서 $\lim_{\theta\to0+}\theta^2 f(\theta)=\lim_{\theta\to0+}\frac{\theta^2\cos\theta}{1-\cos\theta}$

$=\lim_{\theta\to0+}\frac{\theta^2\cos\theta(1+\cos\theta)}{\sin^2\theta}$

$=\lim_{\theta\to0+}\left(\frac{\theta}{\sin\theta}\right)^2\cos\theta(1+\cos\theta)$

$=1^2\cdot1\cdot2=2$

내신연계 출제문항 281

$f(x)=\sum_{n=1}^{\infty}\cos^n x$에 대하여

$$\lim_{x\to0}(ax^2+b)f(x)=6$$

일 때, 상수 a, b에 대하여 $a+b$의 값은? (단, $0<x<\pi$)

① 1 ② 2 ③ 3
④ 4 ⑤ 5

STEP A 등비급수를 이용하여 $f(x)$구하기

$0<x<\pi$에서 $-1<\cos x<1$이므로

$f(x)=\sum_{n=1}^{\infty}\cos^n x=\frac{\cos x}{1-\cos x}$ ← $\sum_{n=1}^{\infty}ar^{n-1}=\frac{a}{1-r}\ (-1<r<1)$

STEP B 함수의 극한의 성질과 $\lim_{x\to0}\frac{1-\cos ax}{x^2}=\frac{a^2}{2}$임을 이용하여 상수 a, b의 값 구하기

$\lim_{x\to0}(ax^2+b)f(x)=\lim_{x\to0}\frac{(ax^2+b)\cos x}{1-\cos x}=6$

$x\to0$일 때, (분모)→ 0이고 극한값이 존재하므로 (분자)→ 0이어야 한다.

즉 $\lim_{x\to0}\{(ax^2+b)\cos x\}=0$이므로 $b=0$

이때 $\lim_{x\to0}\frac{ax^2\cos x}{1-\cos x}=\lim_{x\to0}\left(a\cos x\times\frac{x^2}{1-\cos x}\right)=2a=6$이므로

$a=3$

따라서 $a=3$, $b=0$이므로 $a+b=3$

정답 ③

0730

정답 ⑤

STEP A 함수의 극한값이 존재하지 않는 것 구하기

① $\lim_{x\to\infty}\frac{\sin x}{x}=0$

② $\frac{1}{x}=t$로 놓으면 $x\to\infty$일 때, $t\to0$이므로 $\lim_{x\to\infty}x\sin\frac{1}{x}=\lim_{t\to0}\frac{\sin t}{t}=1$

③ $\frac{1}{x}=t$로 놓으면 $x\to\infty$일 때, $t\to0$이므로 $\lim_{x\to\infty}x\tan\frac{1}{x}=\lim_{t\to0}\frac{\tan t}{t}=1$

④ $\lim_{x\to0}x\sin\frac{1}{x}=0$

⑤ $\lim_{x\to\infty}x\sin x$는 발산한다.

따라서 극한값이 존재하지 않는 것은 ⑤이다.

0731

정답 ④

STEP A 삼각함수를 포함한 함수의 극한의 참, 거짓 판단하기

① $\lim_{x\to0}\frac{1}{x}\sin x=\lim_{x\to0}\frac{\sin x}{x}=1$ [참]

② $\frac{1}{x}=t$로 놓으면 $x\to\infty$일 때, $t\to0$이므로

$\lim_{x\to\infty}x\sin\frac{2}{x}=\lim_{t\to0}\frac{\sin2t}{t}=\lim_{t\to0}\frac{\sin2t}{2t}\cdot2=1\cdot2=2$ [참]

③ $\lim_{x\to\infty}\frac{1}{x}\sin x=0$ [참]

④ $x\neq0$인 모든 실수 x에 대하여 $\left|\sin\frac{1}{x}\right|\le1$이므로

$\left|x\sin\frac{1}{x}\right|\le|x|$, $-|x|\le x\sin\frac{1}{x}\le|x|$

이때 $\lim_{x\to0}|x|=\lim_{x\to0}(-|x|)=0$이므로 함수의 극한의 대소 관계에 의하여

$\lim_{x\to0}x\sin\frac{1}{x}=0$ [거짓]

⑤ $x\neq0$인 모든 실수 x에 대하여 $0\le\left|\cos\frac{1}{x}\right|\le1$이므로

각 변에 $|\sin x|$를 곱하면

$0\le|\sin x|\left|\cos\frac{1}{x}\right|\le|\sin x|$, $0\le\left|\sin x\cos\frac{1}{x}\right|\le|\sin x|$

$\lim_{x\to0}|\sin x|=0$이므로 함수의 극한의 대소 관계에 의하여

$\lim_{x\to0}\left|\sin x\cos\frac{1}{x}\right|=0$ $\therefore\lim_{x\to0}\sin x\cos\frac{1}{x}=0$ [참]

따라서 옳지 않은 것은 ④이다.

0732

STEP A 삼각함수를 포함한 함수의 극한의 참, 거짓 판단하기

ㄱ. $\lim_{x\to0}\frac{1}{x}\tan x=\lim_{x\to0}\frac{\sin x}{x}\cdot\frac{1}{\cos x}=1\cdot1=1$ [참]

ㄴ. $\frac{1}{x}=t$로 놓으면 $x\to\infty$일 때, $t\to0$이므로

$\lim_{x\to\infty}x\sin\frac{5}{x}=\lim_{t\to0}\frac{\sin5t}{t}=\lim_{t\to0}\frac{\sin5t}{5t}\cdot5=5$ [참]

ㄷ. $\lim_{x\to0}\frac{e^{2x}-1}{\tan x}=\lim_{x\to0}\frac{e^{2x}-1}{2x}\cdot2\cdot\frac{x}{\tan x}=1\cdot2=2$ [거짓]

ㄹ. $\lim_{x\to0}\frac{2^x-1}{\sin2x}=\lim_{x\to0}\frac{2^x-1}{x}\cdot\frac{x}{\sin2x}=\ln2\cdot\frac{1}{2}=\ln2^{\frac{1}{2}}=\ln\sqrt{2}$ [참]

따라서 옳은 것은 ㄱ, ㄴ, ㄹ이다.

0733

STEP A 치환을 이용하여 삼각함수의 극한 a, b의 값 구하기

조건 (가)에서 $x-\pi=t$로 놓으면 $x\to\pi$일 때, $t\to0$이므로

$\lim_{x\to\pi}\frac{\sin x}{x-\pi}=\lim_{t\to0}\frac{\sin(\pi+t)}{t}=\lim_{t\to0}\frac{-\sin t}{t}=-1$

조건 (나)에서 $x-\frac{\pi}{2}=t$로 놓으면 $x\to\frac{\pi}{2}$일 때, $t\to0$이므로

$\lim_{x\to\frac{\pi}{2}}\frac{\cos x}{x-\frac{\pi}{2}}=\lim_{t\to0}\frac{\cos\left(\frac{\pi}{2}+t\right)}{t}=\lim_{t\to0}\frac{-\sin t}{t}=-1$

따라서 $a=-1$, $b=-1$이므로 $ab=1$

0734

정답 ④

STEP A $\pi-x=t$로 치환하여 삼각함수의 극한을 이용하여 a의 값 구하기

조건 (가)에서 $\pi-x=t$로 놓으면 $x\to\pi$일 때, $t\to 0$이므로

$$\lim_{x\to\pi}\frac{\sin 3x}{\pi-x}=\lim_{t\to 0}\frac{\sin 3(\pi-t)}{t}=\lim_{t\to 0}\frac{\sin 3t}{t}$$
$$=3\lim_{t\to 0}\frac{\sin 3t}{3t}=3\cdot 1=3$$

STEP B $\frac{\pi}{2}-x=t$로 치환하여 삼각함수의 극한을 이용하여 b의 값 구하기

조건 (나)에서 $\frac{\pi}{2}-x=t$로 놓으면 $x\to\frac{\pi}{2}$일 때, $t\to 0$이므로

$$\lim_{x\to\frac{\pi}{2}}\frac{\sin 2x}{\frac{\pi}{2}-x}=\lim_{t\to 0}\frac{\sin(\pi-2t)}{t}=\lim_{t\to 0}\frac{\sin 2t}{t}$$
$$=\lim_{t\to 0}\frac{\sin 2t}{2t}\cdot 2=2$$

STEP C $x-\pi=t$로 치환하여 삼각함수의 극한을 이용하여 c의 값 구하기

조건 (다)에서 $x-\pi=t$로 놓으면 $x\to\pi$일 때, $t\to 0$이므로

$$\lim_{x\to\pi}\frac{\tan 3x}{x-\pi}=\lim_{t\to 0}\frac{\tan 3(t+\pi)}{t}=\lim_{t\to 0}\frac{\tan 3t}{t}=3$$

따라서 $a=3$, $b=2$, $c=3$이므로 $a+b+c=8$

내신연계 출제문항 282

다음 조건을 만족하는 a, b에 대하여 ab의 값은?

(가) $\lim_{x\to 3}\frac{x-3}{\sin\pi x}=a$

(나) $\lim_{x\to\frac{\pi}{2}}\frac{x\cos x}{x-\frac{\pi}{2}}=b$

① $-\pi$ ② $-\frac{1}{2}$ ③ $-\frac{\pi}{2}$
④ $\frac{1}{2}$ ⑤ $\frac{\pi}{2}$

STEP A 치환을 이용하여 삼각함수의 극한 a, b의 값 구하기

조건 (가)에서 $x-3=t$로 놓으면 $x\to 3$일 때, $t\to 0$이므로

$$\lim_{x\to 3}\frac{x-3}{\sin\pi x}=\lim_{t\to 0}\frac{t}{\sin(\pi t+3\pi)}=\lim_{t\to 0}\frac{t}{-\sin\pi t}=-\frac{1}{\pi}$$

조건 (나)에서

$\lim_{x\to\frac{\pi}{2}}\frac{x\cos x}{x-\frac{\pi}{2}}$에서 $x-\frac{\pi}{2}=t$, $x=\frac{\pi}{2}+t$라 하면

$$\lim_{t\to 0}\frac{\left(\frac{\pi}{2}+t\right)\cos\left(\frac{\pi}{2}+t\right)}{t}=\lim_{t\to 0}\frac{-\left(\frac{\pi}{2}+t\right)\sin t}{t}=-\frac{\pi}{2}$$

따라서 $a=-\frac{1}{\pi}$, $b=-\frac{\pi}{2}$이므로 $ab=\frac{1}{2}$

정답 ④

0735

정답 ④

STEP A $\frac{\pi}{2}-x=t$로 치환하여 식 정리하기

$\frac{\pi}{2}-x=t$라 하면 $x=\frac{\pi}{2}-t$이고 $x\to\frac{\pi}{2}$일 때 $t\to 0$이므로

$$\lim_{x\to\frac{\pi}{2}}\frac{1-\sin x}{\left(\frac{\pi}{2}-x\right)\cos x}=\lim_{t\to 0}\frac{1-\sin\left(\frac{\pi}{2}-t\right)}{t\cos\left(\frac{\pi}{2}-t\right)}$$
$$=\lim_{t\to 0}\frac{1-\cos t}{t\sin t}$$

STEP B $\lim_{t\to 0}\frac{1-\cos t}{t\sin t}$의 극한값 구하기

따라서 $\lim_{t\to 0}\frac{1-\cos t}{t\sin t}=\lim_{t\to 0}\frac{(1-\cos t)(1+\cos t)}{t\sin t(1+\cos t)}$

$$=\lim_{t\to 0}\frac{1-\cos^2 t}{t\sin t(1+\cos t)}$$
$$=\lim_{t\to 0}\frac{\sin^2 t}{t\sin t(1+\cot t)}$$
$$=\lim_{t\to 0}\left(\frac{\sin t}{t}\times\frac{1}{1+\cos t}\right)$$
$$=1\times\frac{1}{1+1}=\frac{1}{2}$$

내신연계 출제문항 283

$\lim_{x\to\frac{\pi}{2}}\frac{(\sin x-1)\cot^2 2x}{\left(x-\frac{\pi}{2}\right)\sec x}$의 값은?

① $\frac{1}{16}$ ② $\frac{1}{12}$ ③ $\frac{1}{8}$
④ $\frac{1}{4}$ ⑤ $\frac{1}{2}$

STEP A 치환을 이용하여 삼각함수의 극한 구하기

$x-\frac{\pi}{2}=t$로 치환하면 $x\to\frac{\pi}{2}$이면 $t\to 0$

$$\lim_{x\to\frac{\pi}{2}}\frac{(\sin x-1)\cot^2 2x}{\left(x-\frac{\pi}{2}\right)\sec x}=\lim_{t\to 0}\frac{\left\{\sin\left(t+\frac{\pi}{2}\right)-1\right\}\cot^2(2t+\pi)}{t\sec\left(t+\frac{\pi}{2}\right)}$$
$$=\lim_{t\to 0}\frac{(\cos t-1)\cdot\frac{1}{\tan^2 2t}}{t\cdot\left(-\frac{1}{\sin t}\right)}$$
$$=\lim_{t\to 0}\left\{\frac{1-\cos t}{t^2}\cdot\left(\frac{2t}{\tan 2t}\right)^2\cdot\frac{\sin t}{t}\cdot\frac{1}{4}\right\}$$
$$=\frac{1}{2}\cdot 1\cdot 1\cdot\frac{1}{4}=\frac{1}{8}$$

정답 ③

0736

정답 ③

STEP A 치환을 이용하여 삼각함수의 극한 a, b, c의 값 구하기

조건 (가)에서 $\frac{\pi}{2}-x=t$로 놓으면 $x\to\frac{\pi}{2}$일 때, $t\to 0$이므로

$$\lim_{x\to\frac{\pi}{2}}\frac{\sin 2x}{\frac{\pi}{2}-x}=\lim_{t\to 0}\frac{\sin(\pi-2t)}{t}=\lim_{t\to 0}\frac{\sin 2t}{2t}\cdot 2=1\cdot 2=2$$

조건 (나)에서 $x-\pi=t$로 놓으면 $x\to\pi$일 때, $t\to 0$이므로

$$\lim_{x\to\pi}\frac{1+\cos x}{(x-\pi)\sin x}=\lim_{t\to 0}\frac{1+\cos(\pi+t)}{t\sin(\pi+t)}=\lim_{t\to 0}\frac{1-\cos t}{-t\sin t}$$
$$=\lim_{t\to 0}\frac{1-\cos^2 t}{-t\sin t(1+\cos t)}=\lim_{t\to 0}\frac{\sin t}{-t(1+\cos t)}$$
$$=-\lim_{t\to 0}\frac{\sin t}{t}\cdot\lim_{t\to 0}\frac{1}{1+\cos t}$$
$$=-1\cdot\frac{1}{2}=-\frac{1}{2}$$

조건 (다)에서 $x-\frac{\pi}{2}=t$로 놓으면 $x\to\frac{\pi}{2}$일 때, $t\to 0$이므로

$$\lim_{x\to\frac{\pi}{2}}\left(x-\frac{\pi}{2}\right)\tan x=\lim_{t\to 0}t\tan\left(t+\frac{\pi}{2}\right)=\lim_{t\to 0}t\left(-\frac{1}{\tan t}\right)=-\lim_{t\to 0}\frac{t}{\tan t}=-1$$

따라서 $a=2$, $b=-\frac{1}{2}$, $c=-1$이므로 $a+b+c=2+\left(-\frac{1}{2}\right)+(-1)=\frac{1}{2}$

내/신/연/계/ 출제문항 284

다음 극한값이 옳지 않은 것은?

① $\lim_{x\to\pi}\frac{\pi-x}{\sin x}=1$　② $\lim_{x\to\frac{\pi}{2}}\frac{\cos x}{x-\frac{\pi}{2}}=-1$

③ $\lim_{x\to\pi}(x-\pi)\tan\frac{x}{2}=-2$　④ $\lim_{x\to2\pi}\frac{\tan 3x}{x-2\pi}=\frac{3}{2}$

⑤ $\lim_{x\to1}\frac{\ln x}{x-1}=1$

STEP A 지수로그함수와 삼각함수의 극한값 구하기

① $\pi-x=t$로 놓으면 $x\to\pi$일 때, $t\to0$이므로

$$\lim_{x\to\pi}\frac{\pi-x}{\sin x}=\lim_{t\to0}\frac{t}{\sin(\pi-t)}=\lim_{t\to0}\frac{t}{\sin t}=1$$

② $x-\frac{\pi}{2}=t$로 놓으면 $x\to\frac{\pi}{2}$일 때, $t\to0$이므로

$$\lim_{x\to\frac{\pi}{2}}\frac{\cos x}{x-\frac{\pi}{2}}=\lim_{t\to0}\frac{\cos\left(\frac{\pi}{2}+t\right)}{t}=\lim_{t\to0}\frac{-\sin t}{t}=-1$$

③ $x-\pi=t$로 놓으면 $x\to\pi$일 때, $t\to0$이므로

$$\lim_{x\to\pi}(x-\pi)\tan\frac{x}{2}=\lim_{t\to0}t\tan\left(\frac{\pi}{2}+\frac{t}{2}\right)=\lim_{t\to0}\frac{t}{-\tan\frac{t}{2}}=-2$$

④ $x-2\pi=t$로 놓으면 $x\to2\pi$일 때, $t\to0$이므로

$$\lim_{x\to2\pi}\frac{\tan 3x}{x-2\pi}=\lim_{t\to0}\frac{\tan 3(2\pi+t)}{t}=\lim_{t\to0}\frac{\tan 3t}{t}=3$$

⑤ $x-1=t$로 놓으면 $x\to1$일 때, $t\to0$이므로

$$\lim_{x\to1}\frac{\ln x}{x-1}=\lim_{t\to0}\frac{\ln(1+t)}{t}=1$$

따라서 옳지 않은 것은 ④이다.

④

0737

③

STEP A 치환을 이용하여 삼각함수의 극한 a, b, c의 값 구하기

조건 (가)에서 $\lim_{x\to0}\frac{1-\cos 2x}{x^2}=\lim_{x\to0}\frac{2\sin^2 x}{x^2}=2\lim_{x\to0}\left(\frac{\sin x}{x}\right)^2=2$

$\therefore a=2$

조건 (나)에서 $x-\frac{\pi}{2}=t$로 놓으면 $x\to\frac{\pi}{2}$일 때, $t\to0$이므로

$$\lim_{x\to\frac{\pi}{2}}\frac{1-\sin x}{\left(x-\frac{\pi}{2}\right)^2}=\lim_{t\to0}\frac{1-\sin\left(\frac{\pi}{2}+t\right)}{t^2}=\lim_{t\to0}\frac{1-\cos t}{t^2}=\frac{1}{2}\quad\therefore b=\frac{1}{2}$$

조건 (다)에서 $x-\frac{\pi}{2}=t$로 치환하면 $x\to\frac{\pi}{2}$일 때, $t\to0$이므로

$$\lim_{x\to\frac{\pi}{2}}(\pi-2x)\tan x=\lim_{t\to0}\left\{\pi-2\left(\frac{\pi}{2}+t\right)\right\}\tan\left(t+\frac{\pi}{2}\right)=\lim_{t\to0}(-2t)(-\cot t)$$

$$=\lim_{t\to0}\frac{2t}{\tan t}=2$$

따라서 $abc=2\cdot\frac{1}{2}\cdot2=2$

내/신/연/계/ 출제문항 285

다음 조건을 만족하는 a, b에 대하여 ab의 값은?

> (가) $\lim_{x\to1}\frac{\sin\pi x}{x-1}=a$
>
> (나) $\lim_{x\to4}\frac{x^2-16}{\tan\pi x}=b$

① -10　② $-\pi$　③ $-\frac{\pi}{2}$

④ 2π　⑤ -8

STEP A 치환을 이용하여 삼각함수의 극한 a, b의 값 구하기

조건 (가)에서 $x-1=t$로 놓으면 $x\to1$일 때, $t\to0$이므로

$$\lim_{x\to1}\frac{\sin\pi x}{x-1}=\lim_{t\to0}\frac{\sin(\pi+\pi t)}{t}=\lim_{t\to0}\frac{-\sin\pi t}{\pi t}\cdot\pi=-\pi$$

조건 (나)에서

$\lim_{x\to4}f(x)=\lim_{x\to4}\frac{x^2-16}{\tan\pi x}=\lim_{x\to4}\frac{(x+4)(x-4)}{\tan\pi x}$에서 $x-4=t$로 놓으면

$x\to4$일 때, $t\to0$이므로

$$\lim_{x\to4}\frac{(x+4)(x-4)}{\tan\pi x}=\lim_{t\to0}\frac{t(t+8)}{\tan(\pi t+4\pi)}$$

$$=\lim_{t\to0}\left(\frac{\pi t}{\tan\pi t}\times\frac{t+8}{\pi}\right)=\frac{8}{\pi}$$

따라서 $a=-\pi$, $b=\frac{8}{\pi}$에서 $ab=-8$

정답 ⑤

0738

③

STEP A $\lim_{x\to0}\frac{1-\cos x}{x}$꼴 극한 구하기

$$\text{A}=\lim_{x\to0}\frac{1-\cos x}{x\tan 2x}=\lim_{x\to0}\frac{(1-\cos x)(1+\cos x)}{x\tan 2x(1+\cos x)}$$

$$=\lim_{x\to0}\frac{1-\cos^2 x}{x\tan 2x(1+\cos x)}$$

$$=\lim_{x\to0}\frac{\sin^2 x}{x\tan 2x(1+\cos x)}$$

$$=\lim_{x\to0}\left(\frac{\sin x}{x}\right)^2\cdot\frac{2x}{\tan 2x}\cdot\frac{1}{2(1+\cos x)}$$

$$=1^2\cdot1\cdot\frac{1}{2\cdot2}=\frac{1}{4}$$

STEP B $\lim_{x\to0}\frac{\tan x}{x}=1$꼴 극한 구하기

$\text{B}=\lim_{x\to\frac{\pi}{4}}\left(2x-\frac{\pi}{2}\right)\tan 2x$에서 $2x-\frac{\pi}{2}=t$로 놓으면

$x\to\frac{\pi}{4}$일 때, $t\to0$이므로

$$\lim_{x\to\frac{\pi}{4}}\left(2x-\frac{\pi}{2}\right)\tan 2x=\lim_{t\to0}t\tan\left(\frac{\pi}{2}+t\right)$$

$$=\lim_{t\to0}t(-\cot t)$$

$$=-\lim_{t\to0}\frac{t}{\tan t}=-1$$

STEP C $\lim_{x\to0}\frac{\sin x}{x}=1$꼴 극한 구하기

$\text{C}=\lim_{x\to\frac{\pi}{3}}\frac{\pi-3x}{\sin\left(x-\frac{\pi}{3}\right)}$에서 $x-\frac{\pi}{3}=t$로 놓으면

$x\to\frac{\pi}{3}$일 때, $t\to0$이므로

$$\lim_{x\to\frac{\pi}{3}}\frac{\pi-3x}{\sin\left(x-\frac{\pi}{3}\right)}=\lim_{t\to0}\frac{-3t}{\sin t}=\frac{-3}{\lim_{t\to0}\frac{\sin t}{t}}=-3$$

STEP D 삼각함수의 합성과 $\lim_{x\to0}\frac{\sin x}{x}=1$꼴 극한 구하기

$\text{D}=\lim_{x\to\frac{\pi}{4}}\frac{\sin x-\cos x}{x-\frac{\pi}{4}}$에서 $\sin x-\cos x=\sqrt{2}\sin\left(x-\frac{\pi}{4}\right)$

이때 $x-\frac{\pi}{4}=t$로 놓으면 $x\to\frac{\pi}{4}$일 때, $t\to0$이므로

$$\lim_{x\to\frac{\pi}{4}}\frac{\sin x-\cos x}{x-\frac{\pi}{4}}=\lim_{x\to\frac{\pi}{4}}\frac{\sqrt{2}\sin\left(x-\frac{\pi}{4}\right)}{x-\frac{\pi}{4}}=\sqrt{2}\lim_{t\to0}\frac{\sin t}{t}=\sqrt{2}$$

따라서 대소 관계는 C < B < A < D

내신연계 출제문항 286

다음 중 A, B, C, D의 대소 관계로 옳은 것은?

$A=\lim_{x\to\infty}\left(1+\frac{2}{x}\right)^{x}$	$B=\lim_{x\to 0}\frac{e^{2x}-1}{x}$
$C=\lim_{x\to 0}\frac{3^{x}-1}{2x}$	$D=\lim_{x\to 2}\frac{x-2}{\sin\pi x}$

① $A<D<B<C$　② $B<C<A<D$
③ $C<B<A<D$　④ $D<C<A<B$
⑤ $D<C<B<A$

STEP A **지수함수와 삼각함수의 극한 구하기**

$A=\lim_{x\to\infty}\left(1+\frac{2}{x}\right)^{x}=\lim_{x\to\infty}\left\{\left(1+\frac{2}{x}\right)^{\frac{x}{2}}\right\}^{2}=e^{2}$

$B=\lim_{x\to 0}\frac{e^{2x}-1}{x}=\lim_{x\to 0}\frac{e^{2x}-1}{2x}\cdot 2=2$

$C=\lim_{x\to 0}\frac{3^{x}-1}{2x}=\frac{\ln 3}{2}$

$D=\lim_{x\to 2}\frac{x-2}{\sin\pi x}$

$x-2=t$로 놓으면 $x\to 2$일 때, $t\to 0$이므로

$\lim_{x\to 2}\frac{x-2}{\sin\pi x}=\lim_{t\to 0}\frac{t}{\sin(\pi t+2\pi)}=\lim_{t\to 0}\frac{t}{\sin\pi t}=\frac{1}{\pi}$

STEP B **극한의 대소 비교하기**

이때 C, D의 극한값을 비교하면

$\frac{\ln 3}{2}-\frac{1}{\pi}=\frac{\pi\ln 3-2}{2\pi}=\frac{\ln 3^{\pi}-\ln e^{2}}{2\pi}>0$이므로 $\frac{\ln 3}{2}>\frac{1}{\pi}$, 즉 $D<C$

따라서 대소 관계는 $D<C<B<A$

 ⑤

0739

 ⑤

STEP A $\lim_{x\to 0}\frac{\tan ax}{e^{bx}-1}=\frac{a}{b}$**를 이용하여 구하기**

$\lim_{x\to 0}\frac{\tan kx}{e^{2x}-1}=\lim_{x\to 0}\frac{\tan kx}{kx}\cdot\frac{2x}{e^{2x}-1}\cdot\frac{k}{2}$

$=1\cdot 1\cdot\frac{k}{2}=2$

따라서 $k=4$

0740

 ⑤

STEP A $\lim_{x\to 0}\frac{e^{ax}-1}{\sin bx}=\frac{a}{b}$, $\lim_{x\to 0}\frac{\sin ax}{bx}=\frac{a}{b}$**임을 이용하여 구하기**

$\lim_{x\to 0}\frac{a^{x}-1}{\sin ax}=\lim_{x\to 0}\left\{\frac{a^{x}-1}{x}\cdot\frac{ax}{\sin ax}\cdot\frac{1}{a}\right\}$

$=\frac{1}{a}\lim_{x\to 0}\frac{a^{x}-1}{x}\cdot\lim_{x\to 0}\frac{ax}{\sin ax}$

$=\frac{1}{a}\ln a\cdot 1$

따라서 $\frac{1}{a}\ln a=\frac{3}{a}$이므로 $\ln a=3$　$\therefore a=e^{3}$

내신연계 출제문항 287

$\lim_{x\to 0}\frac{\ln(ax^{2}+1)}{\sin 3x\tan 2x}=3$이 성립하도록 하는 양수 a의 값은?

① 6　② 9　③ 12
④ 15　⑤ 18

STEP A $\lim_{x\to 0}\frac{\ln(1+ax^{2})}{bx^{2}}=\frac{a}{b}$, $\lim_{x\to 0}\frac{\sin ax}{bx}=\frac{a}{b}$**임을 이용하여 구하기**

$\lim_{x\to 0}\frac{\ln(ax^{2}+1)}{\sin 3x\tan 2x}=\lim_{x\to 0}\left\{\frac{\ln(1+ax^{2})}{ax^{2}}\cdot\frac{3x}{\sin 3x}\cdot\frac{2x}{\tan 2x}\cdot\frac{a}{6}\right\}$

$=1\cdot 1\cdot 1\cdot\frac{a}{6}=\frac{a}{6}$

따라서 $\frac{a}{6}=3$이므로 $a=18$

정답 ⑤

0741

 ③

STEP A $\lim_{x\to 0}\frac{1-\cos ax}{x^{2}}=\frac{a^{2}}{2}$, $\lim_{x\to 0}\frac{\ln(1+ax)}{bx}=\frac{a}{b}$**임을 이용하여 구하기**

$\lim_{x\to 0}\frac{1-\cos 4x}{x\ln(1+2x)}=\lim_{x\to 0}\frac{(1-\cos 4x)(1+\cos 4x)}{x\ln(1+2x)(1+\cos 4x)}$

$=\lim_{x\to 0}\frac{1-\cos^{2}4x}{x\ln(1+2x)(1+\cos 4x)}$

$=\lim_{x\to 0}\frac{\sin^{2}4x}{x\ln(1+2x)(1+\cos 4x)}$

$=\lim_{x\to 0}\left(\frac{\sin 4x}{x}\right)^{2}\cdot\lim_{x\to 0}\frac{x}{\ln(1+2x)}\cdot\lim_{x\to 0}\frac{1}{1+\cos 4x}$

$=4^{2}\cdot\frac{1}{2}\cdot\frac{1}{1+1}$

$=\frac{16}{4}=4$

참고

$\lim_{x\to 0}\frac{1-\cos 4x}{x\ln(1+2x)}=\lim_{x\to 0}\frac{1-\cos 4x}{x^{2}}\cdot\frac{x}{\ln(1+2x)}$

$=\lim_{x\to 0}\frac{1-\cos 4x}{x^{2}}\cdot\lim_{x\to 0}\frac{x}{\ln(1+2x)}$

$=\frac{4^{2}}{2}\cdot\frac{1}{2}=4$

내신연계 출제문항 288

$\lim_{x\to 0}\frac{x\ln(2x+1)}{-1+\cos x}$의 값은?

① -4　② -2　③ 0
④ 2　⑤ 4

STEP A $\lim_{x\to 0}\frac{1-\cos ax}{x^{2}}=\frac{a^{2}}{2}$, $\lim_{x\to 0}\frac{\ln(1+ax)}{bx}=\frac{a}{b}$**임을 이용하여 구하기**

$\lim_{x\to 0}\frac{x\ln(2x+1)}{-1+\cos x}=\lim_{x\to 0}\frac{x\ln(2x+1)\cdot(-1-\cos x)}{(-1+\cos x)(-1-\cos x)}$

$=\lim_{x\to 0}\frac{x\ln(2x+1)\cdot(-1-\cos x)}{1-\cos^{2}x}$

$=\lim_{x\to 0}\left\{\frac{x\ln(2x+1)}{\sin^{2}x}\cdot(-1-\cos x)\right\}$

$=\lim_{x\to 0}\left\{\left(\frac{x}{\sin x}\right)^{2}\cdot\frac{\ln(1+2x)}{x}\cdot(-1-\cos x)\right\}$

$=1\cdot 2\cdot(-2)=-4$

정답 ①

0742

 ②

STEP A $\lim_{x\to0}\frac{1-\cos ax}{x^2}=\frac{a^2}{2}$, $\lim_{x\to0}\frac{\ln(1+ax)}{bx}=\frac{a}{b}$ **임을 이용하여 구하기**

$\lim_{x\to0}\frac{x\ln(1+ax)}{1-\cos3x}=\frac{1}{3}$에서

$$\lim_{x\to0}\frac{x\ln(1+ax)}{1-\cos3x}=\lim_{x\to0}\frac{x\ln(1+ax)\cdot(1+\cos3x)}{(1-\cos3x)(1+\cos3x)}$$
$$=\lim_{x\to0}\frac{x\ln(1+ax)\cdot(1+\cos3x)}{1-\cos^2 3x}$$
$$=\lim_{x\to0}\left\{\frac{x\ln(1+ax)}{\sin^2 3x}\cdot(1+\cos3x)\right\}$$
$$=\lim_{x\to0}\left\{\left(\frac{3x}{\sin3x}\right)^2\cdot\frac{\ln(1+ax)}{ax}\cdot\frac{a}{9}\cdot(1+\cos3x)\right\}$$
$$=\frac{2a}{9}=\frac{1}{3}$$

따라서 $a=\frac{3}{2}$

참고

$$\lim_{x\to0}\frac{x\ln(1+ax)}{1-\cos3x}=\lim_{x\to0}\frac{x\ln(1+ax)}{x^2}\cdot\frac{x^2}{1-\cos3x}$$
$$=\lim_{x\to0}\frac{\ln(1+ax)}{x}\cdot\lim_{x\to0}\frac{x^2}{1-\cos3x}$$
$$=a\cdot\frac{2}{9}=\frac{2a}{9}$$

0743

 ⑤

STEP A **극한값이 존재할 조건을 이용하여 a의 값 구하기**

$\lim_{x\to0}f(x)$가 존재하려면 $\lim_{x\to0+}f(x)=\lim_{x\to0-}f(x)$

즉 $\lim_{x\to0+}\frac{ax}{e^{3x}-1}=\lim_{x\to0-}\frac{2\tan x}{9x+\sin x}$

$$\lim_{x\to0+}\frac{a}{\frac{e^{3x}-1}{x}}=\lim_{x\to0-}\frac{\frac{2\tan x}{x}}{9+\frac{\sin x}{x}}$$

$\frac{a}{3}=\frac{2}{9+1}$, $10a=6$

따라서 $a=\frac{3}{5}$

0744

 ⑤

STEP A $\lim_{x\to0}\frac{e^{ax}-1}{bx}=\frac{a}{b}$, $\lim_{x\to\infty}\left(1+\frac{1}{x}\right)^x=e$ **임을 이용하여 구하기**

$$\lim_{x\to0}\frac{e^{\sin x}-1}{\tan x}=\lim_{x\to0}\frac{e^{\sin x}-1}{\sin x}\cdot\cos x=1$$

$$\lim_{x\to\infty}\left(1+\frac{\sin x}{x}\right)^{\frac{3x}{\sin x}}=\lim_{x\to\infty}\left\{\left(1+\frac{\sin x}{x}\right)^{\frac{x}{\sin x}}\right\}^3=e^3$$

따라서 $\lim_{x\to0}\frac{e^{\sin x}-1}{\tan x}+\lim_{x\to\infty}\left(1+\frac{\sin x}{x}\right)^{\frac{3x}{\sin x}}=1+e^3$

0745

 ④

STEP A **분자를 $e^{1-\tan x}$으로 묶어 주어진 식을 정리하기**

분자를 $e^{1-\tan x}$으로 묶으면

$$\lim_{x\to0}\frac{e^{1-\sin x}-e^{1-\tan x}}{\tan x-\sin x}=\lim_{x\to0}\frac{e^{1-\tan x}(e^{\tan x-\sin x}-1)}{\tan x-\sin x}$$
$$=\lim_{x\to0}e^{1-\tan x}\cdot\lim_{x\to0}\frac{e^{\tan x-\sin x}-1}{\tan x-\sin x}$$

STEP B $\tan x-\sin x=t$**로 치환하여 극한값 구하기**

$\tan x-\sin x=t$로 치환하면 $x\to0$일 때, $t\to0$

$$\lim_{x\to0}\frac{e^{\tan x-\sin x}-1}{\tan x-\sin x}=\lim_{t\to0}\frac{e^t-1}{t}=1$$

따라서 $\lim_{x\to0}e^{1-\tan x}\cdot\lim_{x\to0}\frac{e^{\tan x-\sin x}-1}{\tan x-\sin x}=e\cdot1=e$

$\lim_{x\to0}\frac{e^x-1}{x}=1$임을 이용하기 위하여 분자에서 $e^{1-\tan x}$으로 분자를 묶는 것이다.

즉 분모에 $\tan x-\sin x$와 같은 형태로 나타내는 것이다.

다른풀이 평균값 정리를 이용하여 극한값 구하기

$\lim_{x\to0}\frac{e^{1-\sin x}-e^{1-\tan x}}{\tan x-\sin x}$는 $f(x)=e^x$의 구간 $[1-\tan x,\ 1-\sin x]$에서의 평균변화율이다.

$f(x)$는 구간 $[1-\tan x,\ 1-\sin x]$에서 연속이고 미분가능하므로

평균값 정리에 의해 $\frac{f(1-\sin x)-f(1-\tan x)}{(1-\sin x)-(1-\tan x)}=f'(c)$와

$1-\tan x<c<1-\sin x$를 만족하는 c가 존재한다.

$\frac{e^{1-\sin x}-e^{1-\tan x}}{\tan x-\sin x}=e^c$에 양변에 극한을 취하면

$$\lim_{x\to0}\frac{e^{1-\sin x}-e^{1-\tan x}}{\tan x-\sin x}=\lim_{x\to0}e^c$$

$1-\tan x<c<1-\sin x$에서 $\lim_{x\to0}(1-\tan x)=1$, $\lim_{x\to0}(1-\sin x)=1$

따라서 $\lim_{x\to0}c=1$에서 $\lim_{x\to0}e^c=e$

내신연계 출제문항 289

$\lim_{x\to0}\frac{e^{x\sin x}+e^{x\sin2x}-2}{x\ln(1+x)}$의 값은?

① -1 ② 0 ③ 1
④ 3 ⑤ 4

STEP A $\lim_{x\to0}\frac{e^{ax}-1}{bx}=\frac{a}{b}$, $\lim_{x\to0}\frac{\ln(1+ax)}{bx}=\frac{a}{b}$ **임을 이용하여 구하기**

$$\lim_{x\to0}\frac{e^{x\sin x}+e^{x\sin2x}-2}{x\ln(1+x)}$$
$$=\lim_{x\to0}\frac{1}{\ln(1+x)}\left(\frac{e^{x\sin x}-1}{x}+\frac{e^{x\sin2x}-1}{x}\right)$$
$$=\lim_{x\to0}\frac{x}{\ln(1+x)}\left(\frac{e^{x\sin x}-1}{x\sin x}\cdot\frac{\sin x}{x}+\frac{e^{x\sin2x}-1}{x\sin2x}\cdot\frac{\sin2x}{2x}\cdot2\right)$$
$$=1\cdot(1\cdot1+1\cdot1\cdot2)$$
$$=3$$

정답 ④

0746

 ②

STEP A **지수함수와 삼각함수의 극한을 이용하여 a, b, c의 값 구하기**

$\lim_{x\to0}\frac{\sin ax}{2x}=\frac{a}{2}=4$이므로 $a=8$

함수 $f(x)=\sin bx$의 주기는 $\frac{2\pi}{b}$이므로

$\frac{2\pi}{b}=\frac{2\pi}{7}$ $\therefore b=7$

$\lim_{x\to0}\frac{70x}{e^{cx}-1}=\frac{70}{c}=14$이므로 $c=5$

따라서 $a+b+c=8+7+5=20$

0747

정답 ⑤

STEP A 지수 로그함수와 삼각함수의 극한을 이용하여 a, b, c의 값 구하기

조건 (가)에서 $\lim_{x\to 0}\frac{e^{2x}-1}{\tan x}=2\lim_{x\to 0}\frac{e^{2x}-1}{2x}\cdot\lim_{x\to 0}\frac{x}{\tan x}=2\cdot 1\cdot 1=2$

$\therefore a=2$

조건 (나)에서 $\lim_{x\to 0}\frac{\tan x}{xe^{x}}=\lim_{x\to 0}\frac{\tan x}{x}\cdot\frac{1}{e^{x}}=\lim_{x\to 0}\frac{\tan x}{x}\cdot\lim_{x\to 0}\frac{1}{e^{x}}=1\cdot 1=1$

$\therefore b=1$

조건 (다)에서

$$\begin{aligned}\lim_{x\to 0}\frac{e^{2x^2}-1}{\tan x\sin 2x}&=\lim_{x\to 0}\frac{e^{2x^2}-1}{2x^2}\cdot\frac{x}{\tan x}\cdot\frac{2x}{\sin 2x}\\&=\lim_{x\to 0}\frac{e^{2x^2}-1}{2x^2}\cdot\lim_{x\to 0}\frac{x}{\tan x}\cdot\lim_{x\to 0}\frac{2x}{\sin 2x}\\&=1\cdot 1\cdot 1=1\end{aligned}$$

$\therefore c=1$

따라서 $a+b+c=2+1+1=4$

0748

STEP A 지수함수와 삼각함수의 극한을 이용하여 진위판단하기

ㄱ. $\lim_{x\to 0}\frac{3x}{e^{x}-1}=\lim_{x\to 0}\frac{x}{e^{x}-1}\cdot 3=1\cdot 3=3$

ㄴ. $\lim_{x\to 0}\frac{2^{x}-1}{e^{x}-1}=\lim_{x\to 0}\frac{2^{x}-1}{e^{x}-1}=\lim_{x\to 0}\frac{2^{x}-1}{x}\cdot\lim_{x\to 0}\frac{x}{e^{x}-1}=\ln 2$

ㄷ. $$\begin{aligned}\lim_{x\to 0}\frac{1-\cos x}{e^{x}-1}&=\lim_{x\to 0}\frac{\sin^2 x}{(e^{x}-1)(1+\cos x)}\\&=\lim_{x\to 0}\frac{\sin^2 x}{x^2}\cdot\lim_{x\to 0}\frac{x}{e^{x}-1}\cdot\lim_{x\to 0}\frac{x}{1+\cos x}\\&=0\end{aligned}$$

따라서 극한값이 존재하는 것은 ㄱ, ㄴ, ㄷ이다.

내신연계 출제문항 290

다음 [보기]의 함수 중 $\lim_{x\to 0}\frac{e^{x}-1}{f(x)}$의 값이 존재하는 것은?

> ㄱ. $f(x)=2x$
> ㄴ. $f(x)=e^{2x}-1$
> ㄷ. $f(x)=1-\cos x$

① ㄱ　② ㄴ　③ ㄱ, ㄴ
④ ㄴ, ㄷ　⑤ ㄱ, ㄴ, ㄷ

STEP A 지수함수와 삼각함수의 극한을 이용하여 진위판단하기

ㄱ. $f(x)=2x$일 때, $\lim_{x\to 0}\frac{e^{x}-1}{2x}=\lim_{x\to 0}\frac{1}{2}\cdot\frac{e^{x}-1}{x}=\frac{1}{2}$

즉 $\lim_{x\to 0}\frac{e^{x}-1}{f(x)}$의 값이 존재한다. [참]

ㄴ. $f(x)=e^{2x}-1$일 때, $\lim_{x\to 0}\frac{e^{x}-1}{e^{2x}-1}=\lim_{x\to 0}\frac{e^{x}-1}{(e^{x}-1)(e^{x}+1)}=\lim_{x\to 0}\frac{1}{e^{x}+1}=\frac{1}{2}$

즉 $\lim_{x\to 0}\frac{e^{x}-1}{f(x)}$의 값이 존재한다. [참]

ㄷ. $f(x)=1-\cos x$일 때,

$$\begin{aligned}\lim_{x\to 0}\frac{e^{x}-1}{1-\cos x}&=\lim_{x\to 0}\frac{(e^{x}-1)(1+\cos x)}{1-\cos^2 x}\\&=\lim_{x\to 0}\frac{(e^{x}-1)(1+\cos x)}{\sin^2 x}\\&=\lim_{x\to 0}\frac{e^{x}-1}{x}\cdot\frac{x^2}{\sin^2 x}\cdot\frac{(1+\cos x)}{x}\\&=1\cdot 1\cdot\lim_{x\to 0}\frac{2}{x}\ \text{[발산]}\end{aligned}$$

즉 $\lim_{x\to 0}\frac{e^{x}-1}{f(x)}$의 값이 존재하지 않는다. [거짓]

따라서 옳은 것은 ㄱ, ㄴ이다.

정답 ③

0749

정답 ⑤

STEP A $\lim_{x\to 0}\frac{1-\cos ax}{x^2}=\frac{a^2}{2}$, $\lim_{x\to 0}\frac{e^{ax}-1}{\sin bx}=\frac{a}{b}$를 이용하여 구하기

조건 (가)에서 $\lim_{x\to 0}\frac{e^{x}-1}{\sin\frac{1}{3}x}=\lim_{x\to 0}\frac{e^{x}-1}{x}\cdot\frac{\frac{1}{3}x}{\sin\frac{1}{3}x}\cdot 3=1\cdot 1\cdot 3=3$

조건 (나)에서 $\lim_{x\to 0}\frac{e^{4x}-1}{\sin 2x}=\lim_{x\to 0}\frac{e^{4x}-1}{4x}\cdot\frac{2x}{\sin 2x}\cdot\frac{4}{2}=1\cdot 1\cdot\frac{4}{2}=2$

조건 (다)에서

$$\begin{aligned}\lim_{x\to 0}\frac{x(e^{x}-1)}{1-\cos x}&=\lim_{x\to 0}\frac{x(e^{x}-1)(1+\cos x)}{1-\cos^2 x}\\&=\lim_{x\to 0}\frac{x(e^{x}-1)(1+\cos x)}{\sin^2 x}\\&=\lim_{x\to 0}\left(\frac{x}{\sin x}\right)^2\cdot\frac{e^{x}-1}{x}\cdot(1+\cos x)\\&=1^2\cdot 1\cdot 2=2\end{aligned}$$

따라서 $a=3$, $b=2$, $c=2$이므로 $a+b+c=7$

내신연계 출제문항 291

다음 조건을 만족하는 a, b, c에 대하여 abc의 값은?

> (가) $\lim_{x\to 0}\frac{e^{4x}-1}{\sin 2x}=a$　(나) $\lim_{x\to 0}\frac{e^{x^2}-1}{2x\sin x}=b$
> (다) $\lim_{x\to 0}\frac{1-\cos 2x}{x\ln(1+x)}=c$

① -2　② -1　③ 0
④ 1　⑤ 2

STEP A $\lim_{x\to 0}\frac{e^{px}-1}{\sin qx}=\frac{p}{q}$를 이용하여 a, b의 값 구하기

조건 (가)에서 $\lim_{x\to 0}\frac{e^{4x}-1}{\sin 2x}=\lim_{x\to 0}\frac{e^{4x}-1}{4x}\cdot\frac{2x}{\sin 2x}\cdot\frac{4}{2}=1\cdot 1\cdot 2=2$

조건 (나)에서 $$\begin{aligned}\lim_{x\to 0}\frac{e^{x^2}-1}{2x\sin x}&=\lim_{x\to 0}\frac{e^{x^2}-1}{x^2}\cdot\lim_{x\to 0}\frac{x^2}{2x\sin x}\\&=\lim_{t\to 0}\frac{e^{t}-1}{t}\cdot\lim_{x\to 0}\frac{x}{2\sin x}\\&=1\cdot\lim_{x\to 0}\left(\frac{1}{2}\cdot\frac{1}{\frac{\sin x}{x}}\right)\\&=1\cdot\frac{1}{2}\cdot 1=\frac{1}{2}\end{aligned}$$

조건 (다)에서

$$\begin{aligned}\lim_{x\to 0}\frac{1-\cos 2x}{x\ln(1+x)}&=\lim_{x\to 0}\frac{(1-\cos 2x)(1+\cos 2x)}{x\ln(1+x)(1+\cos 2x)}\\&=\lim_{x\to 0}\frac{1-\cos^2 2x}{x\ln(1+x)(1+\cos 2x)}\\&=\lim_{x\to 0}\frac{\sin^2 2x}{x\ln(1+x)(1+\cos 2x)}\\&=\lim_{x\to 0}\left(\frac{\sin 2x}{x}\right)^2\cdot\lim_{x\to 0}\frac{x}{\ln(1+x)}\cdot\lim_{x\to 0}\frac{1}{1+\cos 2x}\\&=4\cdot 1\cdot\frac{1}{1+1}=2\end{aligned}$$

따라서 $a=2$, $b=\frac{1}{2}$, $c=2$이므로 $abc=2\cdot\frac{1}{2}\cdot 2=2$

정답 ⑤

0750

정답 ④

STEP Ⓐ 지수함수 로그함수와 삼각함수의 극한값 구하기

① $\lim_{x\to0}\frac{1-\cos4x}{x^2}=\lim_{x\to0}\frac{(1-\cos4x)(1+\cos4x)}{x^2(1+\cos4x)}$

$=\lim_{x\to0}\frac{1-\cos^2 4x}{x^2(1+\cos4x)}$

$=\lim_{x\to0}\left(\frac{\sin^2 4x}{x^2}\cdot\frac{1}{1+\cos4x}\right)$

$=\lim_{x\to0}\left\{4^2\cdot\left(\frac{\sin4x}{4x}\right)^2\cdot\frac{1}{1+\cos4x}\right\}$

$=4^2\cdot1\cdot\frac{1}{2}=8$

② $\lim_{x\to0}\frac{e^{6x}-1}{\ln(1+3x)}=\lim_{x\to0}\frac{e^{6x}-1}{x}\cdot\frac{x}{\ln(1+3x)}=6\cdot\frac{1}{3}=2$

③ $\lim_{x\to0}\frac{x+\tan x}{\sin x}=\lim_{x\to0}\frac{1+\frac{\tan x}{x}}{\frac{\sin x}{x}}=\frac{1+1}{1}=2$

④ $\lim_{x\to0}\frac{\log_2(1+x)}{2^x-1}=\lim_{x\to0}\frac{\log_2(1+x)}{x}\cdot\frac{x}{2^x-1}=\frac{1}{\ln2}\cdot\frac{1}{\ln2}=\frac{1}{(\ln2)^2}$

⑤ $\lim_{x\to0}\frac{x\sin x}{1-\cos x}=\lim_{x\to0}\frac{x\sin x(1+\cos x)}{(1-\cos x)(1+\cos x)}$

$=\lim_{x\to0}\frac{x\sin x(1+\cos x)}{\sin^2 x}$

$=\lim_{x\to0}\left(\frac{x}{\sin x}\right)\cdot(1+\cos x)$

$=1\cdot(1+1)=2$

따라서 옳지 않은 것은 ④이다.

0751

정답 ③

STEP Ⓐ 지수함수 로그함수와 삼각함수의 극한값 구하기

① $\lim_{x\to0}\frac{e^{2x}-1}{\sin x}=\lim_{x\to0}\frac{e^{2x}-1}{2x}\cdot\lim_{x\to0}\frac{2x}{\sin x}=1\cdot2=2$

② $\lim_{x\to0}\frac{\ln\left(1+\frac{x}{2}\right)}{\tan x}=\lim_{x\to0}\frac{\ln\left(1+\frac{x}{2}\right)}{\frac{x}{2}}\cdot\frac{x}{\tan x}\cdot\frac{1}{2}=\frac{1}{2}$

③ $\lim_{x\to0}\frac{x\ln(1+2x)}{1-\cos x}=\lim_{x\to0}\frac{x\ln(1+2x)(1+\cos x)}{(1-\cos x)(1+\cos x)}$

$=\lim_{x\to0}\frac{x\ln(1+2x)(1+\cos x)}{\sin^2 x}$

$=\lim_{x\to0}\left\{\frac{x^2}{\sin^2 x}\cdot\frac{\ln(1+2x)}{2x}\cdot2(1+\cos x)\right\}$

$=1\cdot1\cdot2(1+1)=4$

④ $\lim_{x\to0}\frac{\cos4x-1+1-\cos x}{3x^2}=\lim_{x\to0}\frac{\cos4x-1}{3x^2}+\lim_{x\to0}\frac{1-\cos x}{3x^2}$

$=-\frac{1}{3}\cdot\frac{16}{2}+\frac{1}{3}\cdot\frac{1}{2}=-\frac{5}{2}$

⑤ $\lim_{x\to0}\frac{1-\cos2x}{(e^{2x}-1)\ln(1+2x)}$

$=\lim_{x\to0}\frac{(1-\cos2x)(1+\cos2x)}{(e^{2x}-1)\ln(1+2x)(1+\cos2x)}$

$=\lim_{x\to0}\frac{\sin^2 2x}{(e^{2x}-1)\ln(1+2x)(1+\cos2x)}$

$=\lim_{x\to0}\left(\frac{\sin2x}{x}\right)^2\cdot\frac{x}{(e^{2x}-1)}\cdot\frac{x}{\ln(1+2x)}\cdot\frac{1}{(1+\cos2x)}$

$=2^2\cdot\frac{1}{2}\cdot\frac{1}{2}\cdot\frac{1}{1+1}=\frac{1}{2}$

따라서 극한값이 가장 큰 것은 ③이다.

0752

정답 ⑤

STEP Ⓐ 지수함수 로그함수와 삼각함수의 극한값 구하기

① $\lim_{x\to0}\frac{e^{3x}-1}{x^2+x}=\lim_{x\to0}\left(\frac{e^{3x}-1}{3x}\times\frac{3}{x+1}\right)=3$

② $\lim_{x\to0}\frac{e^{4x}-1}{\ln(1+2x)}=\lim_{x\to0}\left\{\frac{e^{4x}-1}{4x}\cdot\frac{2x}{\ln(1+2x)}\cdot\frac{4}{2}\right\}=1\cdot1\cdot2=2$

③ $\lim_{x\to0}\frac{\sin(3x^2+2x)}{x}=\lim_{x\to0}\frac{\sin(3x^2+2x)}{3x^2+2x}\cdot\frac{3x^2+2x}{x}$

$=\lim_{x\to0}\frac{\sin(3x^2+2x)}{3x^2+2x}\cdot(3x+2)$

$=1\cdot2=2$

④ $\lim_{x\to0}\frac{1-\cos3x}{x\ln(1+x)}=\lim_{x\to0}\frac{(1-\cos3x)(1+\cos3x)}{x\ln(1+x)(1+\cos3x)}$

$=\lim_{x\to0}\frac{1-\cos^2 3x}{x\ln(1+x)(1+\cos3x)}$

$=\lim_{x\to0}\frac{\sin^2 3x}{x\ln(1+x)(1+\cos3x)}$

$=\lim_{x\to0}\left(\frac{\sin3x}{x}\right)^2\cdot\lim_{x\to0}\frac{x}{\ln(1+x)}\cdot\lim_{x\to0}\frac{1}{1+\cos3x}$

$=3^2\cdot1\cdot\frac{1}{1+1}=\frac{9}{2}$

⑤ $\lim_{x\to0}\frac{x(e^{3x}-1)}{1-\cos x}=\lim_{x\to0}\frac{x(e^{3x}-1)(1+\cos x)}{1-\cos^2 x}$

$=\lim_{x\to0}\frac{x(e^{3x}-1)(1+\cos x)}{\sin^2 x}$

$=\lim_{x\to0}\left(\frac{x}{\sin x}\right)^2\cdot\frac{e^{3x}-1}{3x}\cdot3\cdot(1+\cos x)$

$=1^2\cdot1\cdot3\cdot2=6$

따라서 극한값이 가장 큰 것은 ⑤이다.

내신연계 출제문항 292

다음 조건을 만족하는 극한값을 a, b, c라 할 때, abc의 값은?

(가) $\lim_{x\to0}\frac{\sin3x-\sin x}{x}=a$ (나) $\lim_{x\to\infty}\frac{2^{x+1}-3^{x+1}}{2^x-3^x}=b$

(다) $\lim_{x\to0}\frac{1-\cos2x}{x\ln(1+x)}=c$

① 4 ② 6 ③ 8
④ 10 ⑤ 12

STEP Ⓐ $\lim_{x\to0}\frac{\sin px}{qx}=\frac{p}{q}$임을 이용하여 a의 값 구하기

조건(가)에서 $\lim_{x\to0}\frac{\sin3x-\sin x}{x}=\lim_{x\to0}\left(\frac{\sin3x}{3x}\cdot3-\frac{\sin x}{x}\right)=3-1=2$

STEP Ⓑ 지수꼴의 극한을 이용하여 b의 값 구하기

조건 (나)에서 $\lim_{x\to\infty}\frac{2^{x+1}-3^{x+1}}{2^x-3^x}=\lim_{x\to\infty}\frac{2\left(\frac{2}{3}\right)^x-3}{\left(\frac{2}{3}\right)^x-1}=\frac{-3}{-1}=3$

STEP Ⓒ $\lim_{x\to0}\frac{1-\cos ax}{x^2}=\frac{a^2}{2}$, $\lim_{x\to0}\frac{\ln(1+ax)}{bx}=\frac{a}{b}$임을 이용하여 c의 값 구하기

조건 (다)에서 $\lim_{x\to0}\frac{1-\cos2x}{x\ln(1+x)}=\lim_{x\to0}\frac{1-(1-2\sin^2 x)}{x\ln(1+x)}$

$=\lim_{x\to0}\frac{2\sin^2 x}{x\ln(1+x)}$

$=\lim_{x\to0}2\cdot\frac{\sin^2 x}{x^2}\cdot\frac{x}{\ln(1+x)}$

$=2$

따라서 $a=2$, $b=3$, $c=2$이므로 $abc=12$

정답 ⑤

0753

정답 ⑤

STEP A 지수함수 로그함수와 삼각함수의 극한값 구하기

① $\lim_{x\to0}\frac{1-\cos^2 x}{x\ln(1+x)}=\lim_{x\to0}\frac{\sin^2 x}{x\ln(1+x)}$

$=\lim_{x\to0}\frac{\sin^2 x}{x^2}\cdot\frac{1}{\frac{1}{x}\ln(1+x)}$

$=\lim_{x\to0}\left(\frac{\sin x}{x}\right)^2\cdot\lim_{x\to0}\frac{1}{\ln(1+x)^{\frac{1}{x}}}$

$=1\cdot\frac{1}{\ln e}=1$

② $\lim_{x\to0}\frac{1-\cos x}{x\log_2(x+1)}=\lim_{x\to0}\frac{(1-\cos x)(1+\cos x)}{x\log_2(x+1)(1+\cos x)}$

$=\lim_{x\to0}\frac{\sin^2 x}{x^2}\cdot\frac{1}{1+\cos x}\cdot\frac{1}{\frac{\log_2(x+1)}{x}}$

$=1\cdot\frac{1}{2}\cdot\ln 2=\frac{\ln 2}{2}$

③ $\lim_{x\to0}\frac{e^x-\cos x}{\ln(1+x)}$

$=\lim_{x\to0}\frac{e^x-1+1-\cos x}{\ln(1+x)}$

$=\lim_{x\to0}\left\{\frac{e^x-1}{\ln(1+x)}+\frac{1-\cos x}{\ln(1+x)}\right\}$

$=\lim_{x\to0}\left(\frac{e^x-1}{x}\cdot\frac{x}{\ln(1+x)}+\frac{\sin^2 x}{x^2}\cdot\frac{x}{\ln(1+x)}\cdot\frac{x}{1+\cos x}\right)$

$=1\cdot1+1\cdot1\cdot0$

$=1$

④ $\frac{1}{x}=t$로 놓으면 $x\to\infty$일 때, $t\to0$이므로

$\lim_{x\to\infty}x\tan\frac{1}{3x}=\lim_{t\to0}\frac{\sin t}{3t}=\frac{1}{3}$

⑤ $\lim_{x\to0}\frac{\sin x-\tan x}{x^3}=\lim_{x\to0}\frac{\sin x\cos x-\sin x}{x^3\cos x}$

$=\lim_{x\to0}\left(\frac{\sin x}{x}\cdot\frac{1-\cos x}{x^2}\cdot\frac{-1}{\cos x}\right)$

$=1\cdot\frac{1}{2}\cdot(-1)=-\frac{1}{2}$

따라서 옳지 않은 것은 ⑤이다.

0754

STEP A 지수함수와 삼각함수의 극한을 이용하여 진위판단하기

ㄱ. $f(x)=\sin x$일 때,

$\lim_{x\to0}\frac{f(f(x))}{x}=\lim_{x\to0}\frac{f(\sin x)}{x}=\lim_{x\to0}\frac{\sin(\sin x)}{x}$

$=\lim_{x\to0}\frac{\sin(\sin x)}{\sin x}\cdot\frac{\sin x}{x}$

$=1\cdot1=1$ [참]

ㄴ. $f(x)=\sin x,\ g(x)=e^x$일 때,

$\lim_{x\to0}\frac{g(x)-f\left(\frac{\pi}{2}\right)}{f(x)}=\lim_{x\to0}\frac{e^x-1}{\sin x}=\lim_{x\to0}\frac{e^x-1}{x}\cdot\frac{x}{\sin x}=1$ [참]

ㄷ. $f'(x)=\cos x,\ g(x)=e^x$일 때,

$\lim_{x\to0}\frac{g(0)-f'(x)}{x^2}=\lim_{x\to0}\frac{1-\cos x}{x^2}=\lim_{x\to0}\frac{(1-\cos x)(1+\cos x)}{x^2(1+\cos x)}$

$=\lim_{x\to0}\left(\frac{\sin x}{x}\right)^2\cdot\frac{1}{1+\cos x}=\frac{1}{2}$ [거짓]

따라서 옳은 것은 ㄱ, ㄴ이다.

0755

정답 ①

STEP A 함수의 극한의 성질과 삼각함수 로그함수의 극한 구하기

$\lim_{x\to0}\frac{f(x)}{\sin 4x}=\lim_{x\to0}\frac{f(x)}{\ln(1-2x)}\cdot\frac{\ln(1-2x)}{\sin 4x}$

$=\lim_{x\to0}\frac{f(x)}{\ln(1-2x)}\cdot\frac{\frac{\ln(1-2x)}{-2x}\cdot(-2)}{\frac{\sin 4x}{4x}\cdot4}$

$=2\cdot\frac{-2}{4}=-1$

0756

STEP A 함수의 극한의 성질과 삼각함수 로그함수의 극한 구하기

$\lim_{x\to0}\frac{\sin 2x}{f(x)}=\lim_{x\to0}\left\{\frac{\sin 2x}{2x}\cdot\frac{\ln(1+3x)}{f(x)}\cdot\frac{3x}{\ln(1+3x)}\cdot\frac{2}{3}\right\}$

$=1\cdot6\cdot1\cdot\frac{2}{3}=4$

0757

STEP A 함수의 극한의 성질과 삼각함수의 극한을 이용하여 구하기

$\lim_{x\to\infty}f(x)\left(\frac{4}{x}-\sin\frac{2}{x}\right)=\lim_{x\to\infty}\frac{f(x)}{x}\cdot\left(4-\frac{\sin\frac{2}{x}}{\frac{1}{x}}\right)$

$=\lim_{x\to\infty}\frac{f(x)}{x}\cdot\lim_{x\to\infty}\left(4-2\cdot\frac{\sin\frac{2}{x}}{\frac{2}{x}}\right)$

$=\lim_{x\to\infty}\frac{f(x)}{x}\cdot(4-2\cdot1)$

$=2\lim_{x\to\infty}\frac{f(x)}{x}=8$

따라서 $\lim_{x\to\infty}\frac{f(x)}{x}=4$

내신연계 출제문항 293

함수 $f(x)$에 대하여

$$\lim_{x\to0}f(x)\left(1-\cos\frac{x}{2}\right)=1$$

일 때, $\lim_{x\to0}x^2f(x)$의 값은?

① 4　② 6　③ 8
④ 10　⑤ 12

STEP A 주어진 식의 분자, 분모에 $1+\cos\frac{x}{2}$를 각각 곱한 후 $\lim_{x\to0}\frac{\sin x}{x}=1$임을 이용하여 극한값 구하기

$$\lim_{x\to0}x^2f(x)=\lim_{x\to0}\left\{f(x)\left(1-\cos\frac{x}{2}\right)\cdot\frac{x^2}{1-\cos\frac{x}{2}}\right\}$$

$$=\lim_{x\to0}\left\{f(x)\left(1-\cos\frac{x}{2}\right)\cdot\frac{x^2\left(1+\cos\frac{x}{2}\right)}{\left(1-\cos\frac{x}{2}\right)\left(1+\cos\frac{x}{2}\right)}\right\}$$

$$=\lim_{x\to0}\left\{f(x)\left(1-\cos\frac{x}{2}\right)\cdot\frac{x^2\left(1+\cos\frac{x}{2}\right)}{1-\cos^2\frac{x}{2}}\right\}$$

$$=\lim_{x\to0}\left\{f(x)\left(1-\cos\frac{x}{2}\right)\cdot\frac{\frac{x^2}{4}}{\sin^2\frac{x}{2}}\cdot4\cdot\left(1+\cos\frac{x}{2}\right)\right\}$$

$$=\lim_{x\to0}f(x)\left(1-\cos\frac{x}{2}\right)\cdot\lim_{x\to0}\frac{\left(\frac{x}{2}\right)^2}{\sin^2\frac{x}{2}}\cdot\lim_{x\to0}4\left(1+\cos\frac{x}{2}\right)$$

$$=1\cdot1\cdot4\cdot2=8$$

정답 ③

0758

STEP A 지수함수와 삼각함수의 극한을 이용하여 진위판단하기

$$\lim_{x\to0}\frac{f(x)}{\ln(1+x)}=\lim_{x\to0}\left\{\frac{x}{\ln(1+x)}\cdot\frac{f(x)}{x}\right\}$$

$$=\lim_{x\to0}\frac{x}{\ln(1+x)}\cdot\lim_{x\to0}\frac{f(x)}{x}$$

$$=\lim_{x\to0}\frac{f(x)}{x}$$

즉 $\lim_{x\to0}\frac{f(x)}{x}=1$

ㄱ. $\lim_{x\to0}\frac{\sin x}{f(x)}=\lim_{x\to0}\frac{\sin x}{x}\cdot\lim_{x\to0}\frac{x}{f(x)}=1$ [거짓]

ㄴ. $\lim_{x\to0}\frac{f(x)+x}{\ln(1+x)}=\lim_{x\to0}\frac{x}{\ln(1+x)}\cdot\lim_{x\to0}\frac{f(x)+x}{x}$

$$=\lim_{x\to0}\frac{x}{\ln(1+x)}\left(\lim_{x\to0}\frac{f(x)}{x}+1\right)$$

$$=1\cdot(1+1)=2\text{ [참]}$$

ㄷ. $\lim_{x\to0}\frac{\{f(x)\}^2}{\ln(1+x)}=\lim_{x\to0}\left\{\frac{f(x)}{\ln(1+x)}\right\}^2\cdot\lim_{x\to0}\ln(1+x)=1^2\cdot0=0$ [참]

따라서 옳은 것은 ㄴ, ㄷ이다.

다른풀이 $\frac{f(x)}{\ln(1+x)}=g(x)$라 하면 $\lim_{x\to0}g(x)=1$임을 이용하기

$\frac{f(x)}{\ln(1+x)}=g(x)$라 하면

$f(x)=g(x)\ln(1+x)$이고 $\lim_{x\to0}g(x)=1$

ㄱ. $\lim_{x\to0}\frac{\sin x}{f(x)}=\lim_{x\to0}\frac{\sin x}{g(x)\ln(1+x)}$

$$=\lim_{x\to0}\frac{\sin x}{\ln(1+x)}\cdot\frac{1}{g(x)}$$

$$=\lim_{x\to0}\frac{\frac{\sin x}{x}}{\frac{\ln(1+x)}{x}}\cdot\frac{1}{g(x)}$$

$$=\frac{1}{1}\cdot1=1\text{ [거짓]}$$

ㄴ. $\lim_{x\to0}\frac{f(x)+x}{\ln(1+x)}=\lim_{x\to0}\frac{g(x)\ln(1+x)+x}{\ln(1+x)}$

$$=\lim_{x\to0}g(x)+\lim_{x\to0}\frac{x}{\ln(1+x)}$$

$$=1+1=2\text{ [참]}$$

ㄷ. $\lim_{x\to0}\frac{\{f(x)\}^2}{\ln(1+x)}=\lim_{x\to0}\frac{\{g(x)\ln(1+x)\}^2}{\ln(1+x)}$

$$=\lim_{x\to0}\{g(x)\}^2\ln(1+x)$$

$$=1^2\cdot0=0\text{ [참]}$$

따라서 옳은 것은 ㄴ, ㄷ이다.

내신연계 출제문항 294

함수 $f(x)$에 대하여 [보기]에서 옳은 것은?

ㄱ. $\lim_{x\to0}\frac{e^x-1}{f(x)}=1$이면 $\lim_{x\to0}\frac{3^x-1}{f(x)}=\ln3$이다.
ㄴ. $\lim_{x\to0}\frac{f(x)}{\ln(1+x)}=1$이면 $\lim_{x\to0}\frac{\tan x}{f(x)}=0$이다.
ㄷ. $f(x)=\left(\frac{x}{x-1}\right)^x\ (x>1)$이면 $\lim_{x\to\infty}f(x+1)=e$이다.

① ㄱ　② ㄴ　③ ㄷ
④ ㄱ, ㄴ　⑤ ㄱ, ㄷ

STEP A 지수함수와 삼각함수의 극한을 이용하여 진위판단하기

ㄱ. $\lim_{x\to0}\frac{3^x-1}{f(x)}=\lim_{x\to0}\left\{\frac{3^x-1}{x}\cdot\frac{x}{f(x)}\right\}$

$$=\lim_{x\to0}\left\{\frac{3^x-1}{x}\cdot\frac{e^x-1}{f(x)}\cdot\frac{x}{e^x-1}\right\}$$

$$=\ln3\left(\because\lim_{x\to0}\frac{e^x-1}{f(x)}=1\right)\text{ [참]}$$

ㄴ. $\lim_{x\to0}\frac{f(x)}{\ln(1+x)}=\lim_{x\to0}\left\{\frac{f(x)}{x}\cdot\frac{x}{\ln(1+x)}\right\}$

$$=\lim_{x\to0}\left\{\frac{f(x)}{x}\cdot\frac{1}{\frac{\ln(1+x)}{x}}\right\}$$

$$=\lim_{x\to0}\frac{f(x)}{x}\times1=1$$

$\therefore\lim_{x\to0}\frac{f(x)}{x}=1$

즉 $\lim_{x\to0}\frac{\tan x}{f(x)}=\lim_{x\to0}\frac{\tan x}{x}\cdot\lim_{x\to0}\frac{x}{f(x)}=1\cdot\lim_{x\to0}\frac{1}{\frac{f(x)}{x}}=1$ [거짓]

ㄷ. $f(x)=\left(\frac{x}{x-1}\right)^x\ (x>1)$에서 $f(x+1)=\left(\frac{x+1}{x}\right)^{x+1}$이므로

$$\lim_{x\to\infty}f(x+1)=\lim_{x\to\infty}\left(\frac{x+1}{x}\right)^{x+1}=\lim_{x\to\infty}\left(1+\frac{1}{x}\right)^{x+1}$$

$$=\lim_{x\to\infty}\left\{\left(1+\frac{1}{x}\right)^x\right\}^{\frac{x+1}{x}}=e\text{ [참]}$$

따라서 옳은 것은 ㄱ, ㄷ이다.

0759

정답 ③

STEP A $\lim_{x\to0}xf(x)=1$을 이용하여 $\lim_{x\to0}f(x)g(x)$가 존재하는 $g(x)$의 값을 [보기]에서 찾기

ㄱ. $g(x)=\sin x$일 때,

$$\lim_{x\to0}f(x)g(x)=\lim_{x\to0}f(x)\sin x=\lim_{x\to0}xf(x)\frac{\sin x}{x}$$
$$=\lim_{x\to0}xf(x)\cdot\lim_{x\to0}\frac{\sin x}{x}=1\cdot1=1 \text{ [수렴]}$$

ㄴ. $g(x)=\cos x$일 때,

$$\lim_{x\to0}f(x)g(x)=\lim_{x\to0}f(x)\cos x=\lim_{x\to0}xf(x)\frac{\cos x}{x}$$
$$=\lim_{x\to0}xf(x)\cdot\lim_{x\to0}\frac{\cos x}{x}$$

이때 $\lim_{x\to0+}\frac{\cos x}{x}=\infty$, $\lim_{x\to0-}\frac{\cos x}{x}=-\infty$이므로 극한값이 존재하지 않는다.
그러므로 수렴하지 않는다. [발산]

ㄷ. $g(x)=\ln(1+x)$일 때,

$$\lim_{x\to0}f(x)g(x)=\lim_{x\to0}f(x)\ln(1+x)=\lim_{x\to0}xf(x)\frac{\ln(1+x)}{x}$$
$$=\lim_{x\to0}xf(x)\cdot\lim_{x\to0}\frac{\ln(1+x)}{x}=1\cdot1=1 \text{ [수렴]}$$

따라서 $\lim_{x\to0}f(x)g(x)$가 존재하는 $g(x)$는 ㄱ, ㄷ이다.

다른풀이 극한의 성질을 이용하여 풀이하기

STEP A $\lim_{x\to0}xf(x)=1$이므로 $\lim_{x\to0}\frac{g(x)}{x}$가 수렴하는지 확인하기

$\lim_{x\to0}f(x)g(x)=\lim_{x\to0}\left\{xf(x)\cdot\frac{g(x)}{x}\right\}$가 존재하려면 $\lim_{x\to0}xf(x)=1$이므로

$\lim_{x\to0}\frac{g(x)}{x}$가 수렴해야 한다.

STEP B [보기]의 진위판단하기

ㄱ. $g(x)=\sin x$일 때, $\lim_{x\to0}\frac{g(x)}{x}=\lim_{x\to0}\frac{\sin x}{x}=1$ [수렴]

ㄴ. $g(x)=\cos x$일 때,

$\lim_{x\to0+}\frac{g(x)}{x}=\lim_{x\to0+}\frac{\cos x}{x}=\infty$, $\lim_{x\to0-}\frac{g(x)}{x}=\lim_{x\to0-}\frac{\cos x}{x}=-\infty$이므로
수렴하지 않는다. [발산]

ㄷ. $g(x)=\ln(1+x)$일 때, $\lim_{x\to0}\frac{g(x)}{x}=\lim_{x\to0}\frac{\ln(1+x)}{x}=1$ [수렴]

따라서 수렴하는 것은 ㄱ, ㄷ이다.

내신연계 출제문항 295

실수 전체의 집합에서 함수 $f(x)$가 $\lim_{x\to0}xf(x)=1$을 만족할 때,

$\lim_{x\to0}f(x)g(x)$가 존재하는 $g(x)$를 [보기]에서 있는 대로 고른 것은?

> ㄱ. $g(x)=\sin x$
> ㄴ. $g(x)=e^x-1$
> ㄷ. $g(x)=\ln(1+x)$

① ㄱ　② ㄴ　③ ㄱ, ㄷ
④ ㄴ, ㄷ　⑤ ㄱ, ㄴ, ㄷ

STEP A $\lim_{x\to0}\frac{\sin x}{x}=1$임을 이용하여 구하기

$xf(x)=h(x)$라 놓으면 $\lim_{x\to0}xf(x)=\lim_{x\to0}h(x)=1$

ㄱ. $g(x)=\sin x$에서 $\lim_{x\to0}f(x)g(x)=\lim_{x\to0}\frac{h(x)}{x}\cdot\sin x$
$$=\lim_{x\to0}\frac{\sin x}{x}\cdot h(x)$$
$$=1\cdot1=1$$

STEP B $\lim_{x\to0}\frac{e^x-1}{x}=1$임을 이용하여 구하기

ㄴ. $g(x)=e^x-1$에서 $\lim_{x\to0}f(x)g(x)=\lim_{x\to0}\frac{h(x)}{x}\cdot(e^x-1)$
$$=\lim_{x\to0}\frac{e^x-1}{x}\cdot h(x)$$
$$=1\cdot1=1$$

STEP C $\lim_{x\to0}\frac{\ln(1+x)}{x}=1$임을 이용하여 구하기

ㄷ. $g(x)=\ln(1+x)$에서 $\lim_{x\to0}f(x)g(x)=\lim_{x\to0}\frac{h(x)}{x}\cdot\ln(1+x)$
$$=\lim_{x\to0}\frac{\ln(1+x)}{x}\cdot h(x)$$
$$=1\cdot1=1$$

따라서 $\lim_{x\to0}f(x)g(x)$가 존재하는 것은 ㄱ, ㄴ, ㄷ이다.　정답 ⑤

0760

정답 ②

STEP A 주어진 식의 분자, 분모에 $1+\cos(x^2)$을 각각 곱하여 극한값 구하기

$$\lim_{x\to0}\frac{f(x)}{1-\cos(x^2)}=\lim_{x\to0}\frac{f(x)\{1+\cos(x^2)\}}{\{1-\cos(x^2)\}\{1+\cos(x^2)\}}$$
$$=\lim_{x\to0}\frac{f(x)\{1+\cos(x^2)\}}{1-\cos^2(x^2)}$$
$$=\lim_{x\to0}\frac{f(x)\{1+\cos(x^2)\}}{\sin^2(x^2)}$$
$$=\lim_{x\to0}\frac{(x^2)^2}{\sin^2(x^2)}\cdot\frac{f(x)}{x^4}\cdot\{1+\cos(x^2)\}$$
$$=1\cdot\lim_{x\to0}\frac{f(x)}{x^4}\cdot2$$
$$=2\lim_{x\to0}\frac{f(x)}{x^4}$$

STEP B $\lim_{x\to0}\frac{f(x)}{x^p}=q$를 만족하는 p, q의 값 구하기

이때 $2\lim_{x\to0}\frac{f(x)}{x^4}=2$이므로 $\lim_{x\to0}\frac{f(x)}{x^4}=1$

따라서 $p=4$, $q=1$이므로 $p+q=5$

다른풀이 $\lim_{x\to0}\frac{\sin x}{x}=1$임을 이용하여 풀이하기

$$\lim_{x\to0}\frac{f(x)}{x^p}=\lim_{x\to0}\left\{\frac{f(x)}{1-\cos(x^2)}\cdot\frac{1-\cos(x^2)}{x^p}\right\}$$
$$=\lim_{x\to0}\left\{\frac{f(x)}{1-\cos(x^2)}\cdot\frac{1-\cos^2(x^2)}{x^p}\cdot\frac{1}{1+\cos(x^2)}\right\}$$
$$=\lim_{x\to0}\left\{\frac{f(x)}{1-\cos(x^2)}\cdot\frac{\sin^2(x^2)}{x^p}\cdot\frac{1}{1+\cos(x^2)}\right\}$$
$$=2\times\lim_{x\to0}\frac{\sin^2(x^2)}{x^p}\times\frac{1}{2}$$
$$=\lim_{x\to0}\frac{\sin^2(x^2)}{x^p}$$
$$=q$$

따라서 등식이 성립하려면 $p=4$, $q=1$이므로 $p+q=5$

다른풀이 $1-\cos x$ 대신 $\frac{1}{2}x^2$으로 두고 풀이하기

$1-\cos(x^2)$대신 $\frac{1}{2}x^4$로 놓으면

$\lim_{x\to0}\frac{f(x)}{1-\cos(x^2)}=2$에서 $\lim_{x\to0}\frac{2f(x)}{x^4}=2$이므로 $\lim_{x\to0}\frac{f(x)}{x^4}=1$

따라서 $p=4$, $q=1$이므로 $p+q=5$

0761

정답 ③

STEP Ⓐ **주어진 함수의 극한이 0이 아닌 실수이고 (분자)→0일 때, (분모)→0임을 이용하여 b의 값 구하기**

$\lim_{x\to0}\frac{\sin 4x}{x^2+ax+b}=2$에서

$x\to0$일 때, (분자)→0이고 0이 아닌 극한값이 존재하므로 (분모)→0이다.

$\lim_{x\to0}(x^2+ax+b)=0$이므로 $b=0$ …… ㉠

STEP Ⓑ **b의 값을 대입한 후 극한값을 이용하여 a의 값을 구하고 $a+b$의 값 구하기**

㉠을 주어진 등식에 대입하면

$$\lim_{x\to0}\frac{\sin 4x}{x^2+ax}=\lim_{x\to0}\frac{\sin 4x}{x(x+a)}$$
$$=\lim_{x\to0}\frac{\sin 4x}{4x}\cdot\lim_{x\to0}\frac{4}{x+a}$$
$$=\frac{4}{a}=2$$

이므로 $a=2$

따라서 $a+b=2$

0762

정답 ⑤

STEP Ⓐ **주어진 함수의 극한이 0이 아닌 실수이고 (분자)→0일 때, (분모)→0임을 이용하여 b의 값 구하기**

$\lim_{x\to0}\frac{\tan x}{\sin(ax+b)}=\frac{1}{3}$에서

$x\to0$일 때, (분자)→0이고 0아닌 극한값이 존재하므로 (분모)→0이다.

즉 $\lim_{x\to0}\sin(ax+b)=0$이므로 $b=0$

STEP Ⓑ **b의 값을 대입한 후 극한값을 이용하여 a의 값을 구하고 $a-b$의 값 구하기**

$$\lim_{x\to0}\frac{\tan x}{\sin ax}=\lim_{x\to0}\frac{\frac{\tan x}{x}}{\frac{\sin ax}{ax}}\cdot\frac{1}{a}=\frac{1}{a}=\frac{1}{3}$$

$\therefore a=3$

따라서 $a-b=3$

0763

정답 ④

STEP Ⓐ **주어진 함수의 극한값이 존재하고 (분모)→0일 때, (분자)→0임을 이용하여 b의 값 구하기**

$\lim_{x\to0}\frac{ax+b}{\sin 3x}=4$에서

$x\to0$일 때, (분모)→0이고 극한값이 존재하므로 (분자)→0이다.

즉 $\lim_{x\to0}(ax+b)=0$이므로 $b=0$

STEP Ⓑ **b의 값을 대입한 후 극한값을 이용하여 a의 값 구하기**

$$\lim_{x\to0}\frac{ax}{\sin 3x}=\lim_{x\to0}\left(\frac{3x}{\sin 3x}\cdot\frac{a}{3}\right)=\frac{a}{3}=4$$

$\therefore a=12$

STEP Ⓒ **$\lim_{x\to0}\frac{\tan ax}{bx}=\frac{a}{b}$임을 이용하여 구하기**

따라서 $\lim_{x\to0}\frac{\tan(12+4)x}{(12+0)x}=\lim_{x\to0}\left(\frac{\tan 16x}{16x}\cdot\frac{16}{12}\right)=\frac{4}{3}$

0764

정답 ③

STEP Ⓐ **주어진 함수의 극한이 0이 아닌 실수이고 (분자)→0일 때, (분모)→0임을 이용하여 b의 값 구하기**

$\lim_{x\to0}\frac{\sin 2x}{\sqrt{ax+b}-1}=2$에서

$x\to0$일 때, (분자)→0이고 0이 아닌 극한값이 존재하므로 (분모)→0이다.

즉 $\lim_{x\to0}(\sqrt{ax+b}-1)=0$이므로 $\sqrt{b}-1=0$

$\therefore b=1$ …… ㉠

STEP Ⓑ **b의 값을 대입한 후 극한값을 이용하여 a의 값을 구하고 ab의 값 구하기**

㉠을 주어진 등식에 대입하면

$$\lim_{x\to0}\frac{\sin 2x}{\sqrt{ax+1}-1}=\lim_{x\to0}\frac{\sin 2x}{2x}\cdot\frac{2x(\sqrt{ax+1}+1)}{(ax+1)-1}$$
$$=\lim_{x\to0}\frac{\sin 2x}{2x}\cdot\frac{2(\sqrt{ax+1}+1)}{a}$$
$$=\frac{4}{a}=2$$

$\therefore a=2$

따라서 $ab=2$

내/신/연/계/ 출제문항 296

$\lim_{x\to0}\frac{\sqrt{2x+a}+b}{\tan 2x}=\frac{1}{4}$을 만족하는 두 상수 a, b의 곱 ab의 값은?

① -12 ② -10 ③ -8
④ -6 ⑤ -4

STEP Ⓐ **주어진 함수의 극한값이 존재하고 (분모)→0일 때, (분자)→0임을 이용하여 a, b의 관계식 구하기**

$\lim_{x\to0}\frac{\sqrt{2x+a}+b}{\tan 2x}=\frac{1}{4}$에서

$x\to0$일 때, (분모)→0이고 극한값이 존재하므로 (분자)→0이다.

즉 $\lim_{x\to0}(\sqrt{2x+a}+b)=0$이므로 $\sqrt{a}+b=0$

$\therefore b=-\sqrt{a}$ …… ㉠

STEP Ⓑ **$b=-\sqrt{a}$의 값을 대입한 후 극한값을 이용하여 a의 값을 구하고 ab의 값 구하기**

㉠을 주어진 등식에 대입하면

$$\lim_{x\to0}\frac{\sqrt{2x+a}-\sqrt{a}}{\tan 2x}=\lim_{x\to0}\frac{2x}{\tan 2x(\sqrt{2x+a}+\sqrt{a})}$$
$$=\lim_{x\to0}\frac{2x}{\tan 2x}\cdot\frac{1}{\sqrt{2x+a}+\sqrt{a}}$$
$$=\frac{1}{2\sqrt{a}}=\frac{1}{4}$$

따라서 $a=4$, $b=-2$이므로 $ab=4\cdot(-2)=-8$

정답 ③

0765

정답 ③

STEP A 주어진 함수의 극한값이 존재하고 (분모)→ 0일 때, (분자)→ 0임을 이용하여 a의 값 구하기

$\lim_{x\to0}\frac{a-\cos 2x}{x^2}=b$에서

$x\to0$일 때, (분모)→ 0이고 극한값이 존재하므로 (분자)→ 0이다.

즉 $\lim_{x\to0}(a-\cos 2x)=0$이므로 $a-1=0$

$\therefore a=1$ ...... ㉠

STEP B a의 값을 대입한 후 극한값을 이용하여 b의 값을 구하고 $a+b$의 값 구하기

㉠을 주어진 등식에 대입하면

$$\begin{aligned}\lim_{x\to0}\frac{1-\cos 2x}{x^2}&=\lim_{x\to0}\frac{\sin^2 2x}{x^2(1+\cos 2x)}\\&=\lim_{x\to0}\left(\frac{\sin 2x}{2x}\right)^2\cdot\frac{4}{1+\cos 2x}\\&=\frac{4}{2}=2\end{aligned}$$

$\therefore b=2$

따라서 $a+b=1+2=3$

참고 $\lim_{x\to0}\frac{1-\cos 2x}{x^2}=\lim_{x\to0}\frac{1-(1-2\sin^2 x)}{x^2}=\lim_{x\to0}\frac{2\sin^2 x}{x^2}=2$

내신연계 출제문항 297

$\lim_{x\to0}\frac{a-\cos bx}{x^2}=8$을 만족하는 두 실수 a, b에 대하여 $a+b$의 값은?
(단, $a>0$, $b>0$)

① 1 ② 2 ③ 3
④ 4 ⑤ 5

STEP A 주어진 함수의 극한값이 존재하고 (분모)→ 0일 때, (분자)→ 0임을 이용하여 a의 값 구하기

$\lim_{x\to0}\frac{a-\cos bx}{x^2}=8$에서

$x\to0$일 때, (분모)→ 0이고 극한값이 존재하므로 분자)→ 0이다.

즉 $\lim_{x\to0}(a-\cos bx)=0$이므로 $a-1=0$

$\therefore a=1$ ...... ㉠

STEP B a의 값을 대입한 후 극한값을 이용하여 b의 값을 구하고 $a+b$의 값 구하기

㉠을 주어진 등식에 대입하면

$$\begin{aligned}\lim_{x\to0}\frac{a-\cos bx}{x^2}=\lim_{x\to0}\frac{1-\cos bx}{x^2}&=\lim_{x\to0}\frac{\sin^2 bx}{x^2(1+\cos bx)}\\&=\lim_{x\to0}\left(\frac{\sin bx}{bx}\right)^2\cdot\frac{b^2}{1+\cos bx}=\frac{b^2}{2}\end{aligned}$$

이때 $\frac{b^2}{2}=8$에서 $b=4$ ($\because b>0$)

따라서 $a+b=1+4=5$

정답 ⑤

0766

정답 ②

STEP A 주어진 함수의 극한이 0이 아닌 실수이고 (분자)→ 0일 때, (분모)→ 0임을 이용하여 a, b의 값 구하기

조건 (가)에서

$x\to0$일 때, (분자)→ 0이고 0이 아닌 극한값이 존재하므로 (분모)→ 0이다.

즉 $\lim_{x\to0}(ax+b)=0$이므로 $b=0$ ...... ㉠

㉠을 주어진 등식에 대입하면 $\lim_{x\to0}\frac{\tan x}{ax}=\frac{1}{a}=\frac{1}{3}$ $\therefore a=3$

STEP B 주어진 함수의 극한값이 존재하고 (분모)→ 0일 때, (분자)→ 0임을 이용하여 c, d의 값 구하기

조건 (나)에서

$x\to0$일 때, (분모)→ 0이고 극한값이 존재하므로 (분자)→ 0이다.

즉 $\lim_{x\to0}(cx\sin x+d)=0$이므로 $d=0$

$$\begin{aligned}\lim_{x\to0}\frac{cx\sin x}{\cos x-1}&=\lim_{x\to0}\frac{cx\sin x(\cos x+1)}{-\sin^2 x}\\&=\lim_{x\to0}c\left(-\frac{x}{\sin x}\right)(\cos x+1)\\&=2\cdot(-1)\cdot c=1\end{aligned}$$

$\therefore c=-\frac{1}{2}$

따라서 $a=3$, $b=0$, $c=-\frac{1}{2}$, $d=0$이므로 $a+b+c+d=\frac{5}{2}$

0767

 ④

STEP A 주어진 함수의 극한값이 존재하고 (분모)→ 0일 때, (분자)→ 0임을 이용하여 a의 값 구하기

$\lim_{x\to0}\frac{a-2\cos x}{x\tan x}=b$에서

$x\to0$일 때, (분모)→ 0이고 극한값이 존재하므로 (분자)→ 0이다.

즉 $\lim_{x\to0}(a-2\cos x)=a-2=0$

$\therefore a=2$

STEP B a의 값을 대입한 후 극한값을 이용하여 b의 값을 구하고 $a+b$의 값 구하기

$$\begin{aligned}\lim_{x\to0}\frac{2-2\cos x}{x\tan x}&=\lim_{x\to0}\frac{2(1-\cos^2 x)}{x\tan x(1+\cos x)}\\&=\lim_{x\to0}2\cdot\frac{\sin x}{x}\cdot\frac{\sin x}{\tan x}\cdot\frac{1}{1+\cos x}\\&=2\cdot1\cdot\frac{1}{2}=1\end{aligned}$$

$\therefore b=1$

따라서 $a+b=2+1=3$

0768

 ⑤

STEP A 주어진 함수의 극한값이 존재하고 (분모)→ 0일 때, (분자)→ 0임을 이용하여 a, b의 관계식 구하기

$$\begin{aligned}\lim_{x\to0}\frac{a\sin 2x+b\sin x}{x^3}&=\lim_{x\to0}\frac{2a\sin x\cos x+b\sin x}{x^3}\\&=\lim_{x\to0}\frac{\sin x}{x}\cdot\frac{2a\cos x+b}{x^2}\\&=\lim_{x\to0}\frac{2a\cos x+b}{x^2}\end{aligned}$$

이때 $\lim_{x\to0}\frac{2a\cos x+b}{x^2}=5$이므로

$x\to0$일 때, (분모)→ 0이고 극한값이 존재 하므로 (분자)→ 0이다.

즉 $\lim_{x\to0}(2a\cos x+b)=0$이므로

$2a+b=0$ $\therefore b=-2a$ ...... ㉠

STEP B $b=-2a$의 값을 대입한 후 극한값을 이용하여 a의 값을 구하고 $a+b$의 값 구하기

$$\begin{aligned}\lim_{x\to0}\frac{2a\cos x-2a}{x^2}=\lim_{x\to0}\frac{2a(\cos x-1)}{x^2}&=\lim_{x\to0}\frac{2a(-\sin^2 x)}{x^2(\cos x+1)}\\&=\lim_{x\to0}-2a\left\{\frac{\sin x}{x}\right\}^2\cdot\frac{1}{\cos x+1}\\&=-2a\cdot\frac{1}{2}=-a\end{aligned}$$

즉 $-a=5$이므로 $a=-5$

㉠에서 $b=10$

따라서 $a+b=5$

0769

정답 ③

STEP A 주어진 함수가 0이 아닌 극한값이 존재하고 (분자)→0일 때, (분모)→0임을 이용하여 a, b의 관계식 구하기

$\lim_{x\to 0}\frac{ax\sin x+x^2}{\cos x+b}=2$에서

$x\to 0$일 때, (분자)→0이고 0이 아닌 극한값이 존재하므로

(분모)→0이어야 한다.

즉 $\lim_{x\to 0}(\cos x+b)=0$이므로 $b=-1$ …… ㉠

STEP B b의 값을 대입한 후 극한값을 이용하여 a의 값을 구하고 $a+b$의 값 구하기

$$\lim_{x\to 0}\frac{ax\sin x+x^2}{\cos x-1}=-\lim_{x\to 0}\frac{x(a\sin x+x)(1+\cos x)}{(1-\cos x)(1+\cos x)}$$
$$=-\lim_{x\to 0}\frac{x(a\sin x+x)(1+\cos x)}{\sin^2 x}$$
$$=-\lim_{x\to 0}\left(\frac{x}{\sin x}\right)\cdot\left(a+\frac{x}{\sin x}\right)\cdot(1+\cos x)$$
$$=-1\cdot(a+1)\cdot(1+1)=-2a-2$$

이때 $-2a-2=2$이므로 $a=-2$

따라서 $a+b=-2+(-1)=-3$

내신연계 출제문항 298

$\lim_{x\to 0}\frac{1-\cos x}{ax\sin x+b}=\frac{1}{4}$일 때, 상수 a, b에 대하여 $a+b$의 값은?

① -2 ② -1 ③ 0
④ 1 ⑤ 2

STEP A 주어진 함수가 0이 아닌 극한값이 존재하고 (분자)→0일 때, (분모)→0임을 이용하여 a, b의 관계식 구하기

$\lim_{x\to 0}\frac{1-\cos x}{ax\sin x+b}=\frac{1}{4}$에서

$x\to 0$일 때, (분자)→0이고 0이 아닌 극한값이 존재하므로

(분모)→0이어야 한다.

즉 $\lim_{x\to 0}(ax\sin x+b)=0$이므로 $b=0$ …… ㉠

STEP B b의 값을 대입한 후 극한값을 이용하여 a의 값을 구하고 $a+b$의 값 구하기

$$\lim_{x\to 0}\frac{1-\cos x}{ax\sin x}=\lim_{x\to 01}\frac{(1-\cos x)(1+\cos x)}{ax(1+\cos x)\sin x}$$
$$=\lim_{x\to 0}\frac{\sin^2 x}{ax(1+\cos x)\sin x}$$
$$=\frac{1}{a}\lim_{x\to 0}\frac{\sin x}{x}\cdot\lim_{x\to 0}\frac{1}{1+\cos x}$$
$$=\frac{1}{2a}$$

$\frac{1}{2a}=\frac{1}{4}$이므로 $a=2$

따라서 $a+b=2+0=2$

정답 ⑤

0770

정답 ③

STEP A 주어진 함수의 극한이 0 아닌 실수이고 (분자)→0일 때, (분모)→0임을 이용하여 a, b의 관계식 구하기

$\lim_{x\to\frac{1}{2}}\frac{\cos\pi x}{ax+b}=\frac{1}{4}$에서

$x\to\frac{1}{2}$일 때, (분자)→0이고 0이 아닌 극한값이 존재하므로 (분모)→0이다.

즉 $\lim_{x\to\frac{1}{2}}(ax+b)=0$이므로 $\frac{a}{2}+b=0$ $\therefore b=-\frac{a}{2}$

STEP B $b=-\frac{a}{2}$의 값을 대입한 후 극한값을 이용하여 a의 값을 구하고 $a+b$의 값 구하기

이때 $x-\frac{1}{2}=t$로 놓으면 $x=t+\frac{1}{2}$이고 $x\to\frac{1}{2}$일 때, $t\to 0$이므로

$$\lim_{x\to\frac{1}{2}}\frac{\cos\pi x}{ax-\frac{a}{2}}=\frac{1}{a}\lim_{t\to 0}\frac{\cos\pi\left(t+\frac{1}{2}\right)}{t}=\frac{1}{a}\lim_{t\to 0}\frac{-\sin\pi t}{t}=-\frac{\pi}{a}=\frac{1}{4}$$

따라서 $a=-4\pi$, $b=2\pi$이므로 $a+b=-2\pi$

0771

정답 ②

STEP A 주어진 함수의 극한값이 존재하고 (분모)→0일 때, (분자)→0임을 이용하여 b의 값 구하기

$\lim_{x\to b}\frac{a\sin x}{x-b}=1$에서

$x\to b$일 때, (분모)→0이고 극한값이 존재하므로 (분자)→0이어야 한다.

즉 $\lim_{x\to b}a\sin x=0$이므로 $a\sin b=0$

$\therefore \sin b=0\,(\because a\neq 0)$

$\therefore b=\pi\,(\because 0<b<2\pi)$

STEP B b의 값을 대입한 후 극한값을 이용하여 a의 값을 구하고 ab의 값 구하기

이때 $x-\pi=\theta$로 놓으면 $x\to\pi$일 때, $\theta\to 0$이므로

$$\lim_{x\to\pi}\frac{a\sin x}{x-\pi}=\lim_{\theta\to 0}\frac{-a\sin\theta}{\theta}=-a=1$$

$\therefore a=-1$

따라서 $ab=-\pi$

내신연계 출제문항 299

$\lim_{x\to\frac{\pi}{2}}\frac{ax+b}{\cos x}=3$을 만족하는 상수 a, b에 대하여 ab의 값은?

① $-\frac{3}{2}\pi$ ② $-\frac{5}{2}\pi$ ③ $-\frac{7}{2}\pi$
④ $-\frac{9}{2}\pi$ ⑤ $-\frac{11}{2}\pi$

STEP A 주어진 함수의 극한값이 존재하고 (분모)→0일 때, (분자)→0임을 이용하여 a, b의 관계식 구하기

$\lim_{x\to\frac{\pi}{2}}\frac{ax+b}{\cos x}=3$에서

$x\to\frac{\pi}{2}$일 때, (분모)→0이고 극한값이 존재하므로 (분자)→0이다.

즉 $\lim_{x\to\frac{\pi}{2}}(ax+b)=0$이므로 $\frac{\pi}{2}a+b=0$

$\therefore b=-\frac{\pi}{2}a$

STEP B $b=-\frac{\pi}{2}a$의 값을 대입한 후 극한값을 이용하여 a의 값을 구하고 $a+b$의 값 구하기

$$\lim_{x\to\frac{\pi}{2}}\frac{ax+b}{\cos x}=\lim_{x\to\frac{\pi}{2}}\frac{ax-\frac{\pi}{2}a}{\cos x}=\lim_{x\to\frac{\pi}{2}}\frac{a\left(x-\frac{\pi}{2}\right)}{\cos x}$$

이때 $x-\frac{\pi}{2}=t$로 놓으면 $x\to\frac{\pi}{2}$이면 $t\to 0$이므로

$$\lim_{t\to 0}\frac{at}{\cos\left(\frac{\pi}{2}+t\right)}=\lim_{t\to 0}\frac{at}{-\sin t}=-a=3$$

따라서 $a=-3$, $b=\frac{3}{2}\pi$이므로 $ab=-\frac{9}{2}\pi$

정답 ④

0772

정답 ⑤

STEP A 주어진 함수의 극한값이 존재하고 (분모)→ 0일 때, (분자)→ 0임을 이용하여 b의 값 구하기

$\lim_{x \to \pi} \frac{a\tan x+b}{x-\pi}=2$에서

$x \to \pi$일 때, (분모)→ 0이고 극한값이 존재하므로 (분자)→ 0이다.

$\lim_{x \to \pi}(a\tan x+b)=0$이므로 $b=0$

STEP B b의 값을 대입한 후 극한값을 이용하여 a의 값을 구하고 $a+b$의 값 구하기

이때 $x-\pi=t$로 놓으면 $x=\pi+t$

$x \to \pi$일 때, $t \to 0$이므로

$\lim_{x \to \pi} \frac{a\tan x}{x-\pi}=\lim_{t \to 0} \frac{a\tan(\pi+t)}{t}=\lim_{t \to 0} \frac{a\tan t}{t}=a=2$

따라서 $a=2$, $b=0$이므로 $a+b=2$

0773

 ④

STEP A 주어진 함수가 0이 아닌 극한값이 존재하고 (분자)→ 0일 때, (분모)→ 0임을 이용하여 b의 값 구하기

$f(x)=ax+b$(a, b는 상수)로 놓으면

$\lim_{x \to 0} \frac{\tan x}{f(x)}=\lim_{x \to 0} \frac{\tan x}{ax+b}=\frac{1}{4}$

$x \to 0$일 때, (분자)→ 0이고 0이 아닌 극한값이 존재하므로 (분모)→ 0이다.

즉 $\lim_{x \to 0}(ax+b)=0$이므로 $b=0$

STEP B b의 값을 대입한 후 극한값을 이용하여 a의 값을 구하고 $f(10)$의 값 구하기

b의 값을 주어진 식에 대입하면

$\lim_{x \to 0} \frac{\tan x}{ax+b}=\lim_{x \to 0} \frac{\tan x}{ax}=\frac{1}{a}$이므로 $\frac{1}{a}=\frac{1}{4}$, 즉 $a=4$

따라서 $f(x)=4x$이므로 $f(10)=40$

0774

 ②

STEP A $f(x)=ax+b$라 하고 $\frac{0}{0}$꼴 극한값을 구하기

$f(x)=ax+b(a \neq 0)$로 놓으면

$\lim_{x \to \pi} \frac{\sin(\pi-x)}{f(x)}=\frac{1}{2}$ …… ㉠

$x \to \pi$일 때, (분자)→ 0이고 0이 아닌 극한값이 존재하므로 (분모)→ 0이다.

즉 $\lim_{x \to \pi}(ax+b)=0$이므로 $\pi a+b=0$

$\therefore b=-\pi a$ …… ㉡

㉡을 ㉠에 대입하면

$\lim_{x \to \pi} \frac{\sin(\pi-x)}{ax-\pi a}=\frac{1}{2}$ …… ㉢

STEP B $\pi-x=t$라 하고 $\lim_{t \to 0} \frac{\sin t}{t}=1$을 이용하기

$\pi-x=t$로 놓으면 $x \to \pi$일 때, $t \to 0$이므로 ㉢에서

$\lim_{t \to 0} \frac{\sin t}{-at}=\lim_{t \to 0}\left(-\frac{1}{a}\right) \cdot \frac{\sin t}{t}=\left(-\frac{1}{a}\right) \cdot 1=-\frac{1}{a}$

$-\frac{1}{a}=\frac{1}{2}$에서 $a=-2$이므로 이것을 ㉡에 대입하면 $b=2\pi$

따라서 $f(x)=-2x+2\pi$이므로 $f(2\pi)=-2\pi$

0775

정답 ④

STEP A $f(x)=ax+b$라 하고 $\frac{0}{0}$꼴 극한값을 구하기

$f(x)=ax+b(a \neq 0)$로 놓으면

$\lim_{x \to -\frac{\pi}{2}} \frac{\cos(\pi+x)}{ax+b}=-\frac{1}{4}$ …… ㉠

$x \to -\frac{\pi}{2}$일 때, (분자)→ 0이고 0이 아닌 극한값이 존재하므로 (분모)→ 0이다.

즉 $\lim_{x \to -\frac{\pi}{2}}(ax+b)=0$이므로 $-\frac{\pi}{2}a+b=0$

$\therefore b=\frac{\pi}{2}a$ …… ㉡

㉡을 ㉠에 대입하면

$\lim_{x \to -\frac{\pi}{2}} \frac{\cos(\pi+x)}{ax+\frac{\pi}{2}a}=-\frac{1}{4}$ …… ㉢

STEP B $x+\frac{\pi}{2}=t$라 하고 $\lim_{t \to 0} \frac{\sin t}{t}=1$을 이용하기

$x+\frac{\pi}{2}=t$로 놓으면 $x \to -\frac{\pi}{2}$일 때, $t \to 0$이므로 ㉢에서

$\lim_{t \to 0} \frac{\cos\left(\frac{\pi}{2}+t\right)}{at}=\lim_{t \to 0} \frac{-\sin t}{at}=\lim_{t \to 0}\left(-\frac{1}{a}\right) \cdot \frac{\sin t}{t}$

$=\left(-\frac{1}{a}\right) \cdot 1=-\frac{1}{a}$

$-\frac{1}{a}=-\frac{1}{4}$에서 $a=4$이므로 이것을 ㉡에 대입하면 $b=2\pi$

따라서 $f(x)=4x+2\pi$이므로 $f(\pi)=6\pi$

내신연계 출제문항 300

일차함수 $f(x)$에 대하여

$$\lim_{x \to \frac{1}{2}} \frac{\cos \pi x}{f(x)}=\frac{1}{2}\pi$$

가 성립할 때, $f(-2)$의 값은?

① 1 ② 2 ③ 3
④ 4 ⑤ 5

STEP A $f(x)=ax+b$라 하고 $\frac{0}{0}$꼴 극한값을 구하기

$f(x)=ax+b(a \neq 0)$로 놓으면

$\lim_{x \to \frac{1}{2}} \frac{\cos \pi x}{ax+b}=\frac{1}{2}\pi$ …… ㉠

$x \to \frac{1}{2}$일 때, (분자)→ 0이고 0이 아닌 극한값이 존재하므로 (분모)→ 0이다.

즉 $\lim_{x \to \frac{1}{2}}(ax+b)=0$이므로 $\frac{1}{2}a+b=0$

$\therefore b=-\frac{1}{2}a$ …… ㉡

㉡을 ㉠에 대입하면

$\lim_{x \to \frac{1}{2}} \frac{\cos \pi x}{a\left(x-\frac{1}{2}\right)}=\frac{1}{2}\pi$ …… ㉢

STEP B $x-\frac{1}{2}=t$라 하고 $\lim_{t \to 0} \frac{\sin t}{t}=1$을 이용하기

$x-\frac{1}{2}=t$로 놓으면 $x \to \frac{1}{2}$일 때, $t \to 0$이므로 ㉢에서

$\lim_{t \to 0} \frac{\cos\left(\frac{\pi}{2}+\pi t\right)}{at}=\lim_{t \to 0} \frac{-\sin \pi t}{at}=\lim_{t \to 0}\left(-\frac{\pi}{a}\right) \cdot \frac{\sin \pi t}{\pi t}$

$=\left(-\frac{\pi}{a}\right) \cdot 1=-\frac{\pi}{a}$

$-\frac{\pi}{a}=\frac{1}{2}\pi$에서 $a=-2$이므로 이것을 ㉡에 대입하면 $b=1$

따라서 $f(x)=-2x+1$이므로 $f(-2)=5$

 ⑤

0776

 ③

STEP A 주어진 함수의 극한값이 존재하고 (분모)→ 0일 때, (분자)→ 0임을 이용하여 b의 값 구하기

$\lim_{x\to0}\frac{\ln(x+b)}{\sin ax}=5$에서

$x\to0$일 때, (분모)→ 0이고 극한값이 존재하므로 (분자)→ 0이어야 한다.

즉 $\lim_{x\to0}\ln(x+b)=0$이므로 $b=1$

STEP B b의 값을 대입한 후 극한값을 이용하여 a의 값을 구하고 $a+b$의 값 구하기

$$\lim_{x\to0}\frac{\ln(x+b)}{\sin ax}=\lim_{x\to0}\frac{\ln(x+1)}{\sin ax}=\lim_{x\to0}\frac{ax}{\sin ax}\cdot\frac{1}{a}\cdot\frac{\ln(x+1)}{x}=\frac{1}{a}=5$$

$\therefore a=\frac{1}{5}$

따라서 $a+b=\frac{1}{5}+1=\frac{6}{5}$

내신연계 출제문항 301

$\lim_{x\to0}\frac{\sin ax}{\ln(x+b)}=2$가 성립하도록 하는 상수 a, b에 대하여 $a+b$의 값은?

① 1 ② 2 ③ 3
④ 4 ⑤ 5

STEP A 주어진 함수의 극한이 0아닌 실수이고 (분자)→ 0일 때, (분모)→ 0임을 이용하여 b의 값 구하기

$\lim_{x\to0}\frac{\sin ax}{\ln(x+b)}=2$에서

$x\to0$일 때, (분자)→ 0이고 0이 아닌 극한값이 존재하므로 (분모)→ 0이다.

즉 $\lim_{x\to0}\ln(x+b)=0$이므로 $\ln b=0$

$\therefore b=1$ …… ㉠

STEP B b의 값을 대입한 후 극한값을 이용하여 a의 값을 구하고 $a+b$의 값 구하기

㉠을 주어진 등식에 대입하면

$$\lim_{x\to0}\frac{\sin ax}{\ln(x+1)}=\lim_{x\to0}\frac{\sin ax}{ax}\cdot\frac{x}{\ln(x+1)}\cdot a=a=2$$

따라서 $a=2$, $b=1$이므로 $a+b=3$

 ③

0777

 ②

STEP A 주어진 함수의 극한값이 존재하고 (분모)→ 0일 때, (분자)→ 0임을 이용하여 a의 값 구하기

$\lim_{x\to a}\frac{3^x-1}{2\sin(x-a)}=b\ln3$에서

$x\to a$일 때, (분모)→ 0이고 극한값이 존재하므로 (분자)→ 0이어야 한다.

즉 $\lim_{x\to a}(3^x-1)=0$이므로 $3^a-1=0$

$\therefore a=0$

STEP B a의 값을 대입한 후 극한값을 이용하여 b의 값을 구하고 $a+b$의 값 구하기

$$\lim_{x\to0}\frac{3^x-1}{2\sin x}=\frac{1}{2}\lim_{x\to0}\frac{3^x-1}{x}\cdot\lim_{x\to0}\frac{x}{\sin x}=\frac{1}{2}\ln3$$

$\therefore b=\frac{1}{2}$

따라서 $a+b=\frac{1}{2}$

내신연계 출제문항 302

$\lim_{x\to a}\frac{2^x-1}{3\sin(x-a)}=b\ln2$를 만족시키는 두 상수 a, b에 대하여 $a+b$의 값은?

① $\frac{1}{3}$ ② $\frac{1}{2}$ ③ 1
④ $\frac{4}{3}$ ⑤ $\frac{3}{2}$

STEP A 주어진 함수의 극한값이 존재하고 (분모)→ 0일 때, (분자)→ 0임을 이용하여 a의 값 구하기

$x\to a$일 때, (분모)→ 0이고 극한값이 존재하므로 (분자)→ 0이어야 한다.

즉 $\lim_{x\to a}(2^x-1)=0$이므로 $2^a-1=0$ $\therefore a=0$

STEP B a의 값을 대입한 후 극한값을 이용하여 b의 값을 구하고 $a+b$의 값 구하기

$$\lim_{x\to0}\frac{2^x-1}{3\sin x}=\lim_{x\to0}\frac{1}{3}\frac{x}{\sin x}\cdot\frac{2^x-1}{x}=\frac{1}{3}\cdot1\cdot\ln2=\frac{1}{3}\ln2$$

$\frac{1}{3}\ln2=b\ln2$에서 $b=\frac{1}{3}$

따라서 $a+b=\frac{1}{3}$

정답 ①

0778

 ④

STEP A 주어진 함수의 극한이 0아닌 실수이고 (분자)→ 0일 때, (분모)→ 0임을 이용하여 a의 값 구하기

$\lim_{x\to0}\frac{\sin7x}{2^{x+1}-a}=\frac{b}{\ln2}$에서

$x\to0$일 때, (분자)→ 0이고 0이 아닌 극한값이 존재하므로 (분모)→ 0이어야 한다.

즉 $\lim_{x\to0}(2^{x+1}-a)=0$이므로 $2-a=0$ $\therefore a=2$

STEP B a의 값을 대입한 후 극한값을 이용하여 b의 값을 구하고 ab의 값 구하기

$$\lim_{x\to0}\frac{\sin7x}{2^{x+1}-2}=\lim_{x\to0}\frac{7\cdot\frac{\sin7x}{7x}}{2\cdot\frac{2^x-1}{x}}=\frac{1}{2\ln2}\cdot7$$이므로 $\frac{7}{2\ln2}=\frac{b}{\ln2}$에서 $b=\frac{7}{2}$

따라서 $a=2$, $b=\frac{7}{2}$이므로 $ab=7$

0779

 ③

STEP A $\lim_{x\to0}(1-\cos x)$꼴의 극한을 이용하여 식을 정리하기

$$\begin{aligned}\lim_{x\to0}\frac{x(e^{\sin2x}-a)}{1-\cos x}&=\lim_{x\to0}\left\{\frac{x(e^{\sin2x}-a)}{1-\cos x}\times\frac{1+\cos x}{1+\cos x}\right\}\\&=\lim_{x\to0}\frac{x(e^{\sin2x}-a)(1+\cos x)}{\sin^2x}\\&=\lim_{x\to0}\left\{\left(\frac{x}{\sin x}\right)^2\times\frac{e^{\sin2x}-a}{x}\times(1+\cos x)\right\}\\&=1^2\times2\times\lim_{x\to0}\frac{e^{\sin2x}-a}{x}\\&=2\lim_{x\to0}\frac{e^{\sin2x}-a}{x}=b\end{aligned}$$

← $\lim_{x\to0}(1+\cos x)=2$, $\lim_{x\to0}\left(\frac{x}{\sin x}\right)^2=1$

STEP B 주어진 함수의 극한값이 존재하고 (분모)→ 0일 때, (분자)→ 0임을 이용하여 a, b의 값 구하기

$\lim_{x\to0}\frac{e^{\sin2x}-a}{x}$의 값이 존재하므로

$x\to0$일 때, (분모)→ 0이므로 (분자)→ 0이어야 한다.

즉 $\lim_{x\to0}(e^{\sin 2x}-a)=0$이므로

$e^{\sin 0}-a=1-a=0 \quad \therefore a=1$ ← 함수 $y=e^{\sin 2x}-a$는 연속함수

$\lim_{x\to0}\frac{e^{\sin 2x}-1}{x}=\lim_{x\to0}\left(\frac{e^{\sin 2x}-1}{\sin 2x}\times\frac{\sin 2x}{2x}\times 2\right)=1\times1\times2=2$

이때 $2=\frac{b}{2}$이므로 $b=4$

따라서 $a+b=1+4=5$

0780

정답 ③

STEP Ⓐ **주어진 함수의 극한이 0이 아닌 실수이고 (분자)→0일 때, (분모)→0임을 이용하여 a의 값 구하기**

$\lim_{x\to0}\frac{x(3^x-1)}{2-a\cos x}=\ln b$에서

$x\to0$일 때, (분자)→0이고 0이 아닌 극한값이 존재하므로 (분모)→0이어야 한다.

즉 $\lim_{x\to0}(2-a\cos x)=0$이므로 $2-a=0 \quad \therefore a=2$

STEP Ⓑ **a의 값을 대입한 후 극한값을 이용하여 b의 값을 구하고 ab의 값 구하기**

$\lim_{x\to0}\frac{x(3^x-1)}{2(1-\cos x)}=\lim_{x\to0}\frac{x^2}{1-\cos^2 x}\cdot\frac{3^x-1}{x}\cdot\frac{1+\cos x}{2}$

$=1\cdot\ln 3\cdot\frac{2}{2}=\ln 3=\ln b$

$\therefore b=3$

따라서 $ab=6$

0781

정답 ③

STEP Ⓐ **주어진 함수의 극한이 0이 아닌 실수이고 (분자)→0일 때, (분모)→0임을 이용하여 a, b의 관계식 구하기**

$\lim_{x\to0}\frac{(e^x-1)\ln(1+x)}{a+b\cos^2 x}=3$에서

$x\to0$일 때, (분자)→0이고 0이 아닌 극한값이 존재하므로 (분모)→0이다.

즉 $\lim_{x\to0}(a+b\cos^2 x)=0$이므로

$a+b=0 \quad \therefore b=-a$ …… ㉠

STEP Ⓑ **$b=-a$의 값을 대입한 후 극한값을 이용하여 a의 값을 구하고 ab의 값 구하기**

$\lim_{x\to0}\frac{(e^x-1)\ln(1+x)}{a(1-\cos^2 x)}=\lim_{x\to0}\frac{x^2}{a\sin^2 x}\cdot\frac{(e^x-1)}{x}\cdot\frac{\ln(1+x)}{x}$

$=\frac{1}{a}\cdot1\cdot1=3$

$\therefore a=\frac{1}{3}$

㉠에서 $b=-\frac{1}{3}$

따라서 $ab=\frac{1}{3}\cdot\left(-\frac{1}{3}\right)=-\frac{1}{9}$

0782

정답 ④

STEP Ⓐ **$\lim_{\theta\to0}\frac{\sin\theta}{\theta}=1$임을 이용하여 구하기**

반지름의 길이가 1이므로 직각삼각형 OHP에서 $\overline{PH}=\sin 2\theta$이므로

$\lim_{\theta\to0}\frac{\overline{PH}}{\theta}=\lim_{\theta\to0}\frac{\sin 2\theta}{\theta}$

$=\lim_{\theta\to0}\frac{\sin 2\theta}{2\theta}\cdot2$

$=2$

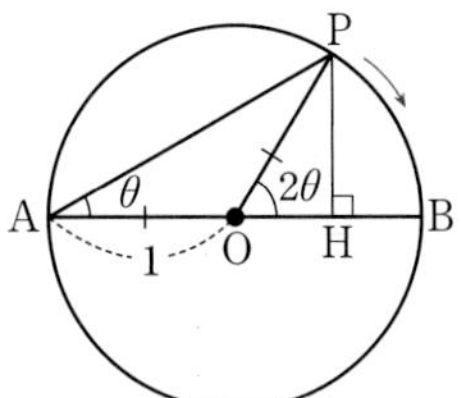

0783

정답 ②

STEP Ⓐ **직각삼각형에서 $\overline{OH}$의 길이 구하기**

$\overline{OH}=\overline{OA}\cos\theta=6\cos\theta$이므로

$\overline{BH}=\overline{OB}-\overline{OH}=6-6\cos\theta=6(1-\cos\theta)$

STEP Ⓑ **$\lim_{\theta\to0}\frac{\sin\theta}{\theta}=1$임을 이용하여 구하기**

따라서 $\lim_{\theta\to0+}\frac{\overline{BH}}{\theta^2}=\lim_{\theta\to0+}\frac{6(1-\cos\theta)}{\theta^2}=\lim_{\theta\to0+}\frac{6(1-\cos\theta)(1+\cos\theta)}{\theta^2(1+\cos\theta)}$

$=\lim_{\theta\to0+}\frac{6(1-\cos^2\theta)}{\theta^2(1+\cos\theta)}=\lim_{\theta\to0+}\frac{6\sin^2\theta}{\theta^2(1+\cos\theta)}$

$=\lim_{\theta\to0+}\left(\frac{\sin\theta}{\theta}\right)^2\times\frac{6}{1+\cos\theta}=1^2\times\frac{6}{2}=3$

0784

정답 ④

STEP Ⓐ **$\overline{AH}$, $\overline{CH}$를 θ에 관한 식으로 나타내기**

$\triangle ABC \backsim \triangle HAC$이므로

$\angle CAH=\angle CBA=\theta$

$\triangle ABH$에서 $\overline{AH}=10\sin\theta$

$\triangle AHC$에서 $\overline{CH}=\overline{AH}\tan\theta=10\sin\theta\tan\theta$

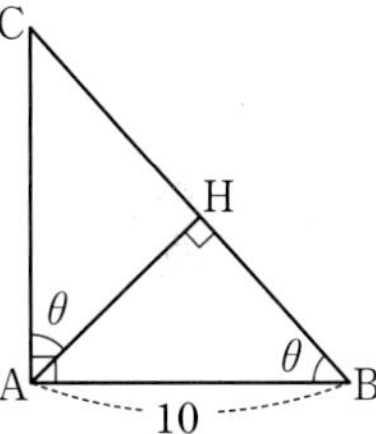

STEP Ⓑ **$\lim_{\theta\to0}\frac{\sin\theta}{\theta}=1$임을 이용하여 구하기**

따라서 $\lim_{\theta\to0+}\frac{\overline{CH}}{\theta^2}=\lim_{\theta\to0+}\frac{10\sin\theta\tan\theta}{\theta^2}=\lim_{\theta\to0+}10\cdot\frac{\sin\theta}{\theta}\cdot\frac{\tan\theta}{\theta}$

$=10\cdot1\cdot1=10$

참고 $\overline{AC}=10\tan\theta$, $\overline{CH}=\overline{AC}\sin\theta=\frac{10\sin^2\theta}{\cos\theta}$

따라서 $\lim_{\theta\to0+}\frac{\overline{CH}}{\theta^2}=\lim_{\theta\to0+}\frac{10\sin^2\theta}{\theta^2\cos\theta}=10$

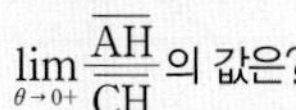
내신연계 출제문항 303

오른쪽 그림과 같은 삼각형 ABC의 꼭짓점 B에서 $\overline{AC}$에 내린 수선의 발을 H라 하자.

$\angle ABH=2\theta$, $\angle CBH=\theta$일 때,

$\lim_{\theta\to0+}\frac{\overline{AH}}{\overline{CH}}$의 값은?

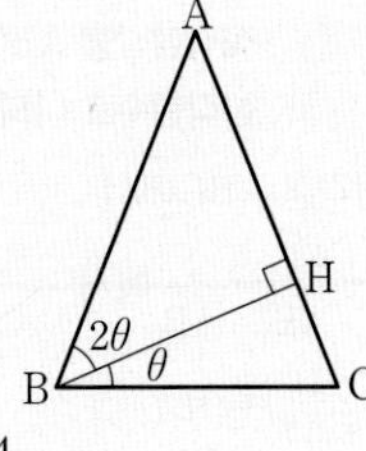

① 1 ② 2 ③ 4
④ 6 ⑤ 20

STEP Ⓐ **$\overline{AH}$, $\overline{CH}$를 θ에 관한 식으로 나타내기**

$\triangle AHB$에서 $\overline{AH}=\overline{AB}\sin 2\theta$, $\overline{BH}=\overline{AB}\cos 2\theta$

$\triangle BHC$에서 $\angle CBH=\theta$이므로

$\overline{CH}=\overline{BH}\tan\theta=\overline{AB}\cos 2\theta\tan\theta$

STEP Ⓑ **$\lim_{\theta\to0}\frac{\sin\theta}{\theta}=1$임을 이용하여 구하기**

따라서 $\lim_{\theta\to0+}\frac{\overline{AH}}{\overline{CH}}=\lim_{\theta\to0+}\frac{\overline{AB}\sin 2\theta}{\overline{AB}\cos 2\theta\tan\theta}$

$=\lim_{\theta\to0+}\frac{\sin 2\theta}{2\theta}\cdot\frac{\theta}{\tan\theta}\cdot\frac{2}{\cos 2\theta}$

$=1\cdot1\cdot\frac{2}{1}=2$

다른풀이 $\overline{AH}$, $\overline{CH}$를 $\overline{BH}$와 θ에 관한 식으로 나타내기

$\triangle$AHB에서 $\overline{AH}=\overline{BH}\tan 2\theta$

$\triangle$BHC에서 $\overline{CH}=\overline{BH}\tan\theta$

$$\lim_{\theta\to0+}\frac{\overline{AH}}{\overline{CH}}=\lim_{\theta\to0+}\frac{\overline{BH}\tan2\theta}{\overline{BH}\tan\theta}=\lim_{\theta\to0+}\frac{\tan2\theta}{2\theta}\cdot\frac{\theta}{\tan\theta}\cdot\frac{2\theta}{\theta}=1\cdot1\cdot\frac{2}{1}=2$$

 ②

0785

 ①

STEP A $\overline{AH}$의 길이를 θ에 대한 삼각함수로 나타내기

$\overline{BH}=a\sin\theta$, $\angle HBA=\theta$

이므로 직각삼각형 AHB에서

$\overline{AH}=a\sin\theta\tan\theta$

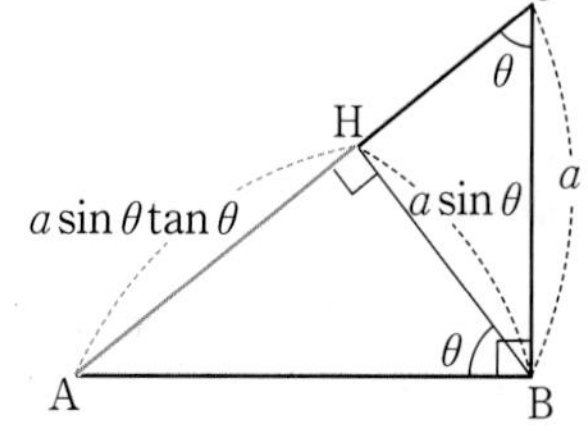

STEP B $\lim_{x\to0}\frac{\sin x}{x}=1$, $\lim_{x\to0}\frac{e^x-1}{x}=1$임을 이용하여 극한값 계산하기

따라서 $\lim_{\theta\to0+}\frac{\overline{AH}}{a\theta(e^\theta-1)}=\lim_{\theta\to0+}\frac{a\sin\theta\tan\theta}{a\theta(e^\theta-1)}$

$=\lim_{\theta\to0+}\frac{\sin\theta}{\theta}\cdot\lim_{\theta\to0+}\frac{\tan\theta}{\theta}\cdot\lim_{\theta\to0+}\frac{\theta}{(e^\theta-1)}$

$=1\cdot1\cdot1=1$

내신연계 출제문항 304

오른쪽 그림과 같이 직각삼각형 ABC에서

$\angle C=\frac{\pi}{2}$, $\overline{AC}=1$, $\angle ABC=\theta$

일 때, $\lim_{\theta\to0}\frac{\overline{AB}-\overline{BC}}{\tan\theta}$의 값은?

① $\frac{1}{4}$ ② $\frac{1}{2}$

③ 1 ④ 2

 ⑤ 4

STEP A 직각삼각형 ABC에서 두 선분 AB, BC의 길이를 각각 θ에 대한 삼각함수로 나타내기

직각삼각형 ABC에서

$\sin\theta=\frac{\overline{AC}}{\overline{AB}}=\frac{1}{\overline{AB}}$에서

$\overline{AB}=\frac{1}{\sin\theta}=\csc\theta$

$\tan\theta=\frac{\overline{AC}}{\overline{BC}}=\frac{1}{\overline{BC}}$에서

$\overline{BC}=\frac{1}{\tan\theta}=\frac{\cos\theta}{\sin\theta}$

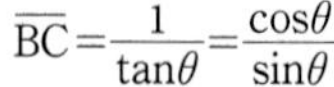

STEP B 삼각함수의 극한을 이용하여 극한값 계산하기

따라서 $\lim_{\theta\to0}\frac{\overline{AB}-\overline{BC}}{\tan\theta}=\lim_{\theta\to0}\frac{\frac{1}{\sin\theta}-\frac{\cos\theta}{\sin\theta}}{\tan\theta}=\lim_{\theta\to0}\frac{1-\cos\theta}{\sin\theta\tan\theta}$

$=\lim_{\theta\to0}\frac{\frac{1-\cos\theta}{\theta^2}}{\frac{\sin\theta}{\theta}\times\frac{\tan\theta}{\theta}}$ ← $\lim_{\theta\to0}\frac{1-\cos\theta}{\theta^2}=\frac{1}{2}$

$=\frac{\frac{1}{2}}{1\cdot1}=\frac{1}{2}$

 ②

0786

 ③

STEP A 직각삼각형 AHP에서 $\overline{PH}$, $\overline{BH}$의 길이 구하기

직각삼각형 APB에서

$\overline{AP}=4\cos\theta$

직선 PQ가 선분 AB와 만나는

점을 H라 하면

$\overline{PH}=4\cos\theta\sin\theta$, $\overline{AH}=4\cos^2\theta$

$\overline{BH}=4-4\cos^2\theta=4\sin^2\theta$

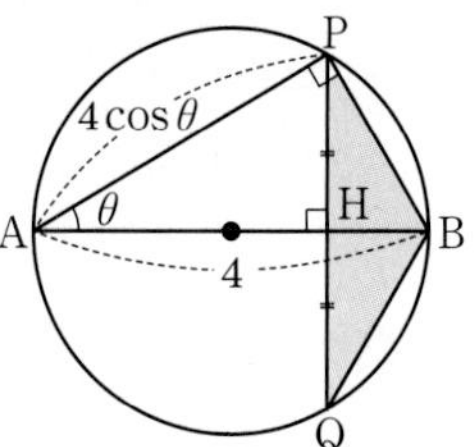

STEP B $\lim_{\theta\to0}\frac{\sin\theta}{\theta}=1$임을 이용하여 구하기

따라서 삼각형 BPQ의 넓이는

$S(\theta)=\frac{1}{2}\cdot2\cdot4\cos\theta\sin\theta\cdot4\sin^2\theta=16\sin^3\theta\cos\theta$

$\therefore \lim_{\theta\to0+}\frac{S(\theta)}{\theta^3}=\lim_{\theta\to0+}\frac{16\sin^3\theta\cos\theta}{\theta^3}=\lim_{\theta\to0+}16\left(\frac{\sin\theta}{\theta}\right)^3\cos\theta=16$

0787

 ③

STEP A 선분 BC의 길이를 삼각함수로 나타내기

$\angle AOB=\theta$인 직각삼각형 OAB에서

$\overline{AB}=10\tan\theta$

피타고라스 정리에 의하여

$\overline{OB}=\sqrt{10^2+(10\tan\theta)^2}$

$=\sqrt{10^2(1+\tan^2\theta)}$

$=10\sec\theta$

이때 $\overline{CB}=\overline{OB}-\overline{OC}$

$=10\sec\theta-10$

$=10\left(\frac{1}{\cos\theta}-1\right)$

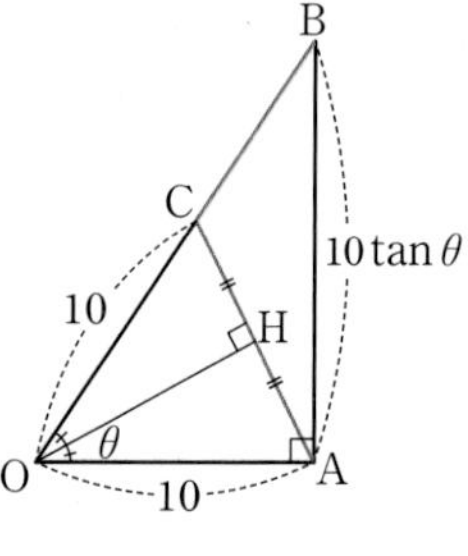

STEP B 이등변삼각형 AOC에서 선분 AC 구하기

꼭짓점 O에서 $\overline{AC}$에 내린 수선의 발을 H라 하면

$\triangle$OAC는 이등변삼각형이므로 $\overline{AH}=10\sin\frac{\theta}{2}$

$\therefore \overline{AC}=2\overline{AH}=20\sin\frac{\theta}{2}$

STEP C 삼각함수의 극한을 이용하여 구하기

$\overline{AC}+\overline{BC}=20\sin\frac{\theta}{2}+10\left(\frac{1-\cos\theta}{\cos\theta}\right)$

따라서 $\lim_{\theta\to0+}\frac{\overline{AC}+\overline{BC}}{\theta}=\lim_{\theta\to0+}\left\{\frac{20\sin\frac{\theta}{2}}{\theta}+\frac{10(1-\cos\theta)}{\theta\cos\theta}\right\}$

$=\lim_{\theta\to0+}\left\{10+\frac{10\sin^2\theta}{\theta\cos\theta(1+\cos\theta)}\right\}$

$=\lim_{\theta\to0+}\left\{10+\left(\frac{\sin\theta}{\theta}\right)\cdot\frac{10\sin\theta}{\cos\theta(1+\cos\theta)}\right\}$

$=10+1\cdot0=10$

내신연계 출제문항 305

오른쪽 그림과 같이 양수 θ에 대하여 $\angle\mathrm{AOB}=\theta$, $\angle\mathrm{OAB}=\dfrac{\pi}{2}$, $\overline{\mathrm{OA}}=10$인 직각삼각형 OAB가 있다. 변 OB 위에 있는 $\overline{\mathrm{OC}}=10$인 점 C에 대하여 삼각형 ABC의 둘레의 길이를 $f(\theta)$라 하자.

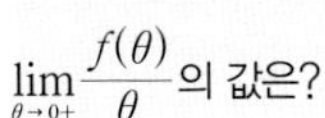

$\lim\limits_{\theta\to0+}\dfrac{f(\theta)}{\theta}$의 값은?

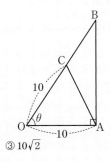

① 5　② 10　③ $10\sqrt{2}$

④ 20　⑤ 30

STEP A 선분 BC의 길이를 삼각함수로 나타내기

$\angle\mathrm{AOB}=\theta$인 직각삼각형 OAB에서

$\overline{\mathrm{AB}}=10\tan\theta$

피타고라스 정리에 의하여

$\overline{\mathrm{OB}}=\sqrt{10^2+(10\tan\theta)^2}=\sqrt{10^2(1+\tan^2\theta)}$

$=10\sec\theta$

이때 $\overline{\mathrm{CB}}=\overline{\mathrm{OB}}-\overline{\mathrm{OC}}=10\sec\theta-10$

$=10\left(\dfrac{1}{\cos\theta}-1\right)$

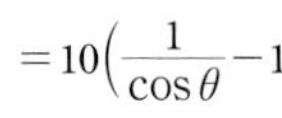

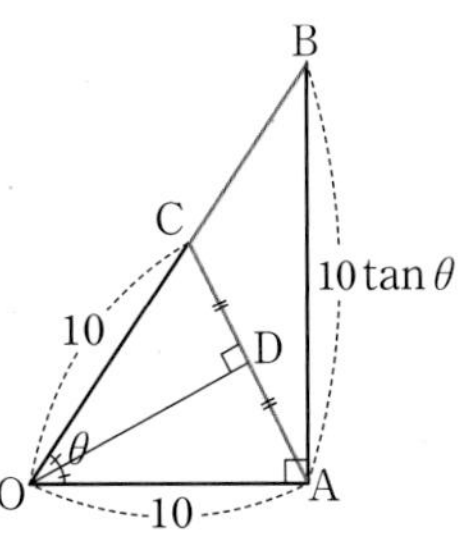

STEP B 이등변삼각형 AOC에서 선분 AC 구하기

꼭짓점 O에서 $\overline{\mathrm{AC}}$에 내린 수선의 발을 D라 하면

$\triangle$OAC는 이등변삼각형이므로 $\overline{\mathrm{AD}}=10\sin\dfrac{\theta}{2}$　$\therefore\ \overline{\mathrm{AC}}=2\overline{\mathrm{AD}}=20\sin\dfrac{\theta}{2}$

STEP C $\lim\limits_{\theta\to0+}\dfrac{f(\theta)}{\theta}$ 구하기

삼각형 ABC의 둘레의 길이는

$f(\theta)=\overline{\mathrm{AC}}+\overline{\mathrm{BC}}+\overline{\mathrm{AB}}=20\sin\dfrac{\theta}{2}+10\left(\dfrac{1-\cos\theta}{\cos\theta}\right)+10\tan\theta$

따라서 $\lim\limits_{\theta\to0+}\dfrac{f(\theta)}{\theta}=\lim\limits_{\theta\to0+}\left(10\cdot\dfrac{\sin\frac{\theta}{2}}{\frac{\theta}{2}}+10\cdot\dfrac{1-\cos\theta}{\theta}\cdot\dfrac{1}{\cos\theta}+10\cdot\dfrac{\tan\theta}{\theta}\right)$

$=10\cdot1+10\cdot0\cdot1+10\cdot1=20$

정답 ④

0788

정답 ②

STEP A $\overline{\mathrm{AC}}$, $\overline{\mathrm{AH}}$를 θ에 관한 식으로 나타내기

삼각형 ABC에서

$\overline{\mathrm{AC}}=\overline{\mathrm{AB}}\tan\theta=2\tan\theta$

$\overline{\mathrm{AH}}=\overline{\mathrm{AB}}\sin\theta=2\sin\theta$

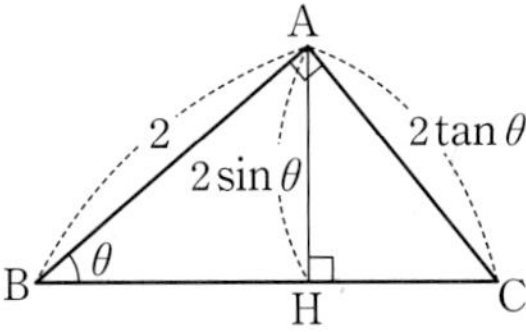

STEP B $\lim\limits_{\theta\to0}\dfrac{\sin\theta}{\theta}=1$임을 이용하여 구하기

따라서 $\lim\limits_{\theta\to0}\dfrac{\overline{\mathrm{AC}}-\overline{\mathrm{AH}}}{\theta^3}=\lim\limits_{\theta\to0}\dfrac{2\tan\theta-2\sin\theta}{\theta^3}=2\lim\limits_{\theta\to0}\dfrac{\sin\theta\left(\dfrac{1}{\cos\theta}-1\right)}{\theta^3}$

$=2\lim\limits_{\theta\to0}\left(\dfrac{\sin\theta}{\theta^3}\cdot\dfrac{1-\cos\theta}{\cos\theta}\right)$

$=2\lim\limits_{\theta\to0}\left\{\dfrac{\sin\theta}{\theta^3}\cdot\dfrac{(1-\cos\theta)(1+\cos\theta)}{\cos\theta(1+\cos\theta)}\right\}$

$=2\lim\limits_{\theta\to0}\left\{\dfrac{\sin\theta}{\theta^3}\cdot\dfrac{1-\cos^2\theta}{\cos\theta(1+\cos\theta)}\right\}$

$=2\lim\limits_{\theta\to0}\left\{\left(\dfrac{\sin\theta}{\theta}\right)^3\cdot\dfrac{1}{\cos\theta(1+\cos\theta)}\right\}$

$=2\left(1\cdot\dfrac{1}{1\cdot2}\right)=2\cdot\dfrac{1}{2}=1$

다른풀이 $\lim\limits_{\theta\to0}\dfrac{\tan\theta}{\theta}=1$임을 이용하여 풀이하기

$\lim\limits_{\theta\to0}\dfrac{\overline{\mathrm{AC}}-\overline{\mathrm{AH}}}{\theta^3}=\lim\limits_{\theta\to0}\dfrac{2\tan\theta-2\sin\theta}{\theta^3}=2\lim\limits_{\theta\to0}\dfrac{\tan\theta-\tan\theta\cos\theta}{\theta^3}$

$=2\lim\limits_{\theta\to0}\dfrac{\tan\theta(1-\cos\theta)}{\theta^3}=2\lim\limits_{\theta\to0}\dfrac{\tan\theta}{\theta}\cdot\dfrac{1-\cos\theta}{\theta^2}$

$=2\lim\limits_{\theta\to0}\dfrac{\tan\theta}{\theta}\cdot\dfrac{1-\cos^2\theta}{\theta^2(1+\cos\theta)}$

$=2\lim\limits_{\theta\to0}\dfrac{\tan\theta}{\theta}\cdot\left(\dfrac{\sin\theta}{\theta}\right)^2\cdot\dfrac{1}{1+\cos\theta}$

$=2\cdot1\cdot1\cdot\dfrac{1}{2}=1$

참고 $\lim\limits_{\theta\to0}\dfrac{\tan\theta-\sin\theta}{\theta^3}=\dfrac{1}{2}$

0789

정답 ②

STEP A 원의 성질을 활용하여 $\overline{\mathrm{OR}}$을 삼각함수로 나타내기

직각삼각형 OQP에서 점 P의 좌표가 $(t,\ \sin t)(0<t<\pi)$이므로

점 Q의 좌표는 $(t,\ 0)$이다.

$\overline{\mathrm{PR}}=\overline{\mathrm{PQ}}=\sin t$

$\overline{\mathrm{OR}}=\overline{\mathrm{OP}}-\overline{\mathrm{PR}}=\sqrt{t^2+\sin^2t}-\sin t$

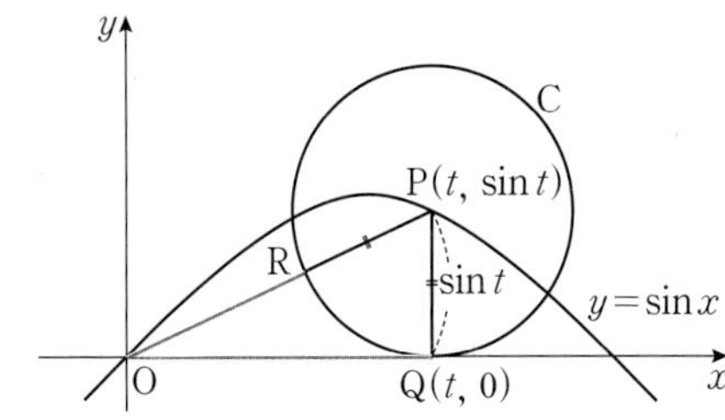

STEP B 삼각함수의 극한을 이용하여 $a+b$의 값 구하기

$\lim\limits_{t\to0+}\dfrac{\overline{\mathrm{OQ}}}{\overline{\mathrm{OR}}}=\lim\limits_{t\to0+}\dfrac{t}{\sqrt{t^2+\sin^2t}-\sin t}$　← 분모를 유리화

$=\lim\limits_{t\to0+}\dfrac{t(\sqrt{t^2+\sin^2t}+\sin t)}{(t^2+\sin^2t)-\sin^2t}$

$=\lim\limits_{t\to0+}\dfrac{\sqrt{t^2+\sin^2t}+\sin t}{t}$

$=\lim\limits_{t\to0+}\left\{\sqrt{1+\left(\dfrac{\sin t}{t}\right)^2}+\dfrac{\sin t}{t}\right\}$　← $\lim\limits_{t\to0+}\dfrac{\sin t}{t}=1$

$=\sqrt{1+1^2}+1$

$=1+\sqrt{2}$

따라서 $1+\sqrt{2}=a+b\sqrt{2}$에서 a, b가 정수이므로 $a=1$, $b=1$

$\therefore\ a+b=1+1=2$

0790

정답 ②

STEP Ⓐ $\overline{\mathrm{BH}}$의 길이를 θ에 대한 삼각함수로 나타내기

삼각형 BOH에서

$\overline{\mathrm{BH}}=\sin\theta$, $\overline{\mathrm{OH}}=\cos\theta$이므로

$\overline{\mathrm{AH}}=1-\cos\theta$

삼각형 DOA에서 $\overline{\mathrm{DA}}=\tan\theta$

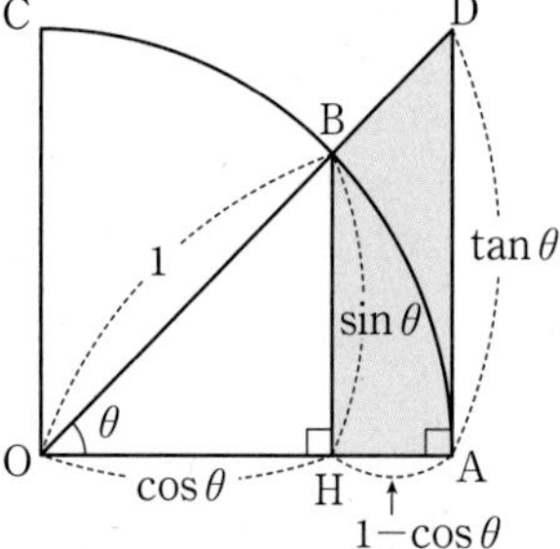

STEP Ⓑ $\lim\limits_{x\to0}\dfrac{1-\cos x}{x^2}=\dfrac{1}{2}$임을 이용하여 극한값 계산하기

$$S(\theta)=\frac{1}{2}\times(\overline{\mathrm{BH}}+\overline{\mathrm{DA}})\times\overline{\mathrm{AH}}=\frac{1}{2}\times(\sin\theta+\tan\theta)(1-\cos\theta)$$

$$=\frac{1}{2}\times\frac{\sin\theta(\cos\theta+1)}{\cos\theta}\times(1-\cos\theta)$$

$$=\frac{1}{2}\times\frac{\sin\theta(1-\cos^2\theta)}{\cos\theta}=\frac{1}{2}\times\frac{\sin^3\theta}{\cos\theta}$$

따라서 $\lim\limits_{\theta\to0+}\dfrac{S(\theta)}{\theta^3}=\lim\limits_{\theta\to0+}\dfrac{\sin^3\theta}{2\cos\theta\times\theta^3}=\dfrac{1}{2}\lim\limits_{\theta\to0+}\dfrac{1}{\cos\theta}\times\lim\limits_{\theta\to0+}\dfrac{\sin^3\theta}{\theta^3}$

$$=\frac{1}{2}\times1\times1^3=\frac{1}{2}$$

0791

정답 ①

STEP Ⓐ 삼각함수를 이용하여 점 P의 좌표를 구하고 $S(\theta)$를 θ의 식으로 나타내기

다음 그림과 같이 직각삼각형 OPH에서 $\overline{\mathrm{OP}}=1$, $\angle\mathrm{POH}=\theta$이므로

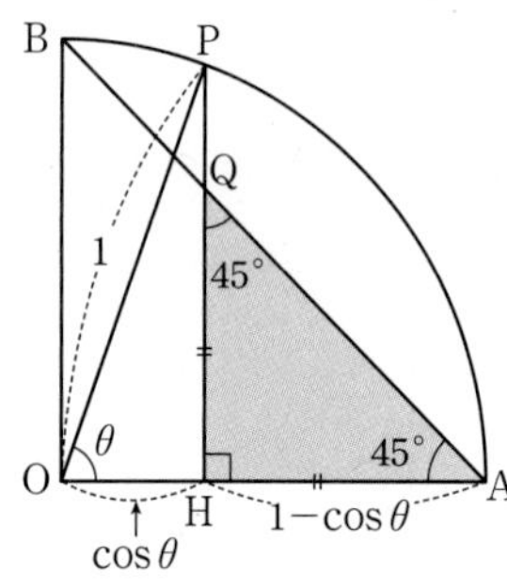

$\overline{\mathrm{OH}}=\overline{\mathrm{OP}}\cos\theta=\cos\theta$, $\overline{\mathrm{AH}}=\overline{\mathrm{OA}}-\overline{\mathrm{OH}}=1-\cos\theta$

직각삼각형 OAB에서 $\overline{\mathrm{OA}}=\overline{\mathrm{OB}}$이므로 $\angle\mathrm{OAB}=\angle\mathrm{OBA}$ ...... ㉠

이때 $\overline{\mathrm{OB}}\,/\!/\,\overline{\mathrm{PH}}$이므로 $\angle\mathrm{OBA}=\angle\mathrm{HQA}$ ...... ㉡

㉠, ㉡에서 $\angle\mathrm{HAQ}=\angle\mathrm{HQA}$

직각삼각형 HAQ에서 $\overline{\mathrm{HA}}=\overline{\mathrm{HQ}}$

즉 삼각형 AQH의 넓이 $S(\theta)$는 $S(\theta)=\dfrac{1}{2}\cdot\overline{\mathrm{AH}}\cdot\overline{\mathrm{QH}}=\dfrac{1}{2}(1-\cos\theta)^2$

STEP Ⓑ $\lim\limits_{\theta\to0+}\dfrac{S(\theta)}{\theta^4}$의 값 구하기

따라서 $\lim\limits_{\theta\to0+}\dfrac{S(\theta)}{\theta^4}=\lim\limits_{\theta\to0+}\dfrac{\frac{1}{2}(1-\cos\theta)^2}{\theta^4}=\lim\limits_{\theta\to0+}\dfrac{(1-\cos\theta)^2(1+\cos\theta)^2}{2\theta^4(1+\cos\theta)^2}$

$$=\lim_{\theta\to0+}\left\{\frac{(1-\cos^2\theta)^2}{2\theta^4}\times\frac{1}{(1+\cos\theta)^2}\right\}$$

$$=\lim_{\theta\to0+}\left\{\frac{\sin^4\theta}{2\theta^4}\times\frac{1}{(1+\cos\theta)^2}\right\}$$

$$=\lim_{\theta\to0+}\left\{\frac{1}{2}\left(\frac{\sin\theta}{\theta}\right)^4\times\frac{1}{(1+\cos\theta)^2}\right\}$$

$$=\frac{1}{2}\times1^4\times\frac{1}{(1+1)^2}=\frac{1}{8}$$

0792

정답 ①

STEP Ⓐ $\overline{\mathrm{OP}}\perp\overline{\mathrm{QH}}$임을 이용하여 $\overline{\mathrm{OR}}$, $\overline{\mathrm{HR}}$, $\overline{\mathrm{QR}}$을 삼각함수로 표현하기

$\overline{\mathrm{OP}}$와 $\overline{\mathrm{QH}}$의 교점을 R이라 하면 $\angle\mathrm{PHQ}=\theta$이므로 $\overline{\mathrm{OP}}\perp\overline{\mathrm{QH}}$

삼각형 OPH에서 $\overline{\mathrm{OH}}=\cos\theta$

직각삼각형 OHR에서 $\overline{\mathrm{HR}}=\cos\theta\sin\theta$, $\overline{\mathrm{OR}}=\cos^2\theta$

직각삼각형 ORQ에서 피타고라스 정리에 의해

$\overline{\mathrm{QR}}=\sqrt{1-(\cos^2\theta)^2}=\sqrt{1-\cos^4\theta}$

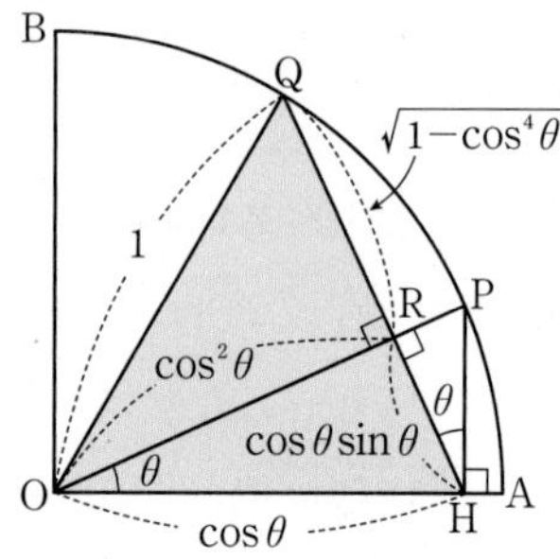

STEP Ⓑ 삼각형 OHQ의 넓이 $S(\theta)$ 구하기

$\overline{\mathrm{HQ}}=\overline{\mathrm{HR}}+\overline{\mathrm{QR}}=\sin\theta\cos\theta+\sqrt{1-\cos^4\theta}$이므로 삼각형 OHQ의 넓이는

$S(\theta)=\dfrac{1}{2}\times\overline{\mathrm{HQ}}\times\overline{\mathrm{OR}}=\dfrac{1}{2}\times(\sin\theta\cos\theta+\sqrt{1-\cos^4\theta})\times\cos^2\theta$

STEP Ⓒ $\lim\limits_{\theta\to0+}\dfrac{S(\theta)}{\theta}$의 값 구하기

따라서 $\lim\limits_{\theta\to0+}\dfrac{S(\theta)}{\theta}=\lim\limits_{\theta\to0+}\dfrac{(\sin\theta\cos\theta+\sqrt{1-\cos^4\theta})\times\cos^2\theta}{2\theta}$

$$=\lim_{\theta\to0+}\frac{\left(\dfrac{\sin\theta\cos\theta}{\theta}+\sqrt{\dfrac{(1+\cos^2\theta)(1-\cos^2\theta)}{\theta^2}}\right)\times\cos^2\theta}{2}$$

$=\dfrac{1+\sqrt{2}}{2}$ ← $\lim\limits_{\theta\to0+}\dfrac{\sin\theta\cos\theta}{\theta}=1$, $\lim\limits_{\theta\to0+}\dfrac{1-\cos^2\theta}{\theta^2}=\lim\limits_{\theta\to0+}\dfrac{\sin^2\theta}{\theta^2}=1$

다른풀이 $S(\theta)=\dfrac{1}{2}\times\overline{\mathrm{OH}}\times\overline{\mathrm{QR}}$을 이용하여 풀이하기

STEP Ⓐ 삼각함수의 성질을 이용하여 $\overline{\mathrm{OH}}$, $\overline{\mathrm{QR}}$의 길이 구하기

$\overline{\mathrm{OP}}=1$이므로 $\overline{\mathrm{OH}}=\cos\theta$

점 Q에서 선분 OA에 내린 수선의 발을 R라 하면

$S(\theta)=\dfrac{1}{2}\times\overline{\mathrm{OH}}\times\overline{\mathrm{QR}}=\dfrac{\cos\theta}{2}\times\overline{\mathrm{QR}}$

한편 엇각의 성질에 의해 $\angle\mathrm{HQR}=\theta$이므로

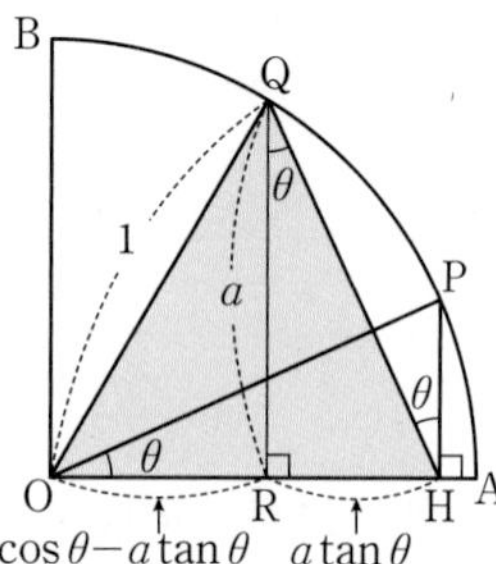

$\overline{\mathrm{QR}}=a$라 하면 $\overline{\mathrm{RH}}=\overline{\mathrm{QR}}\times\tan\theta=a\tan\theta$

$\overline{\mathrm{OR}}=\overline{\mathrm{OH}}-\overline{\mathrm{RH}}=\cos\theta-a\tan\theta$

이때 $\overline{\mathrm{QR}}^2+\overline{\mathrm{OR}}^2=1$이므로 $a^2+(\cos\theta-a\tan\theta)^2=1$

$(\tan^2\theta+1)a^2-2a\cos\theta\tan\theta+\cos^2\theta-1=0$

이때 $1+\tan^2\theta=\sec^2\theta$, $\tan\theta=\dfrac{\sin\theta}{\cos\theta}$, $\sin^2\theta+\cos^2\theta=1$

이므로 위 등식은 $a^2\sec^2\theta-2a\sin\theta-\sin^2\theta=0$

위 등식의 양변에 $\cos^2\theta$를 곱하면 $a^2-2a\sin\theta\cos^2\theta-\sin^2\theta\cos^2\theta=0$

이때 $a>0$이므로 근의 공식에 의해

$a=\sin\theta\cos^2\theta+\sqrt{\sin^2\theta\cos^4\theta+\sin^2\theta\cos^2\theta}$

$a=\sin\theta\cos^2\theta+\sin\theta\cos\theta\sqrt{\cos^2\theta+1}$

STEP B $\lim_{\theta\to0+}\frac{S(\theta)}{\theta}$의 값 구하기

$S(\theta)=\frac{1}{2}a\cos\theta=\frac{\sin\theta\cos^2\theta}{2}(\cos\theta+\sqrt{\cos^2\theta+1})$ ← $S(\theta)=\frac{\cos\theta}{2}\times\overline{QR}$

따라서 $\lim_{\theta\to0+}\frac{S(\theta)}{\theta}=\lim_{\theta\to0+}\left\{\frac{\sin\theta\cos^2\theta}{2\theta}(\cos\theta+\sqrt{\cos^2\theta+1})\right\}$

$=\frac{1}{2}\lim_{\theta\to0+}\frac{\sin\theta}{\theta}\times\lim_{\theta\to0+}\{\cos^2\theta(\cos\theta+\sqrt{\cos^2\theta+1})\}$

$=\frac{1}{2}\times1\times\{1^2\times(1+\sqrt{1^2+1})\}=\frac{1+\sqrt{2}}{2}$

내신연계 출제문항 306

그림과 같이 반지름의 길이가 1이고 중심각의 크기가 $\frac{\pi}{2}$인 부채꼴 OAB와 선분 OA를 지름으로 하는 반원이 있다. 호 AB 위의 점 P에 대하여 점 P에서 선분 OA에 내린 수선의 발을 Q, 선분 OP와 반원의 교점 중 O가 아닌 점을 R이라 하고, $\angle POA=\theta$라 하자. 삼각형 PRQ의 넓이를 $S(\theta)$라 할 때, $\lim_{\theta\to0+}\frac{S(\theta)}{\theta^3}$의 값은?

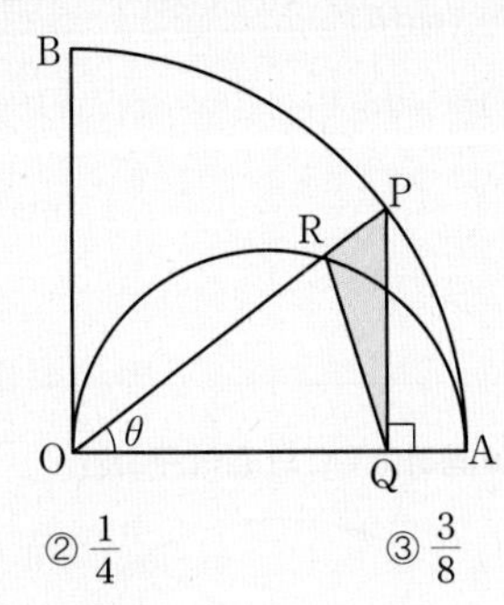

① $\frac{1}{8}$　② $\frac{1}{4}$　③ $\frac{3}{8}$
④ $\frac{1}{2}$　⑤ $\frac{5}{8}$

STEP A $S(\theta)$를 θ에 대한 식으로 나타내기

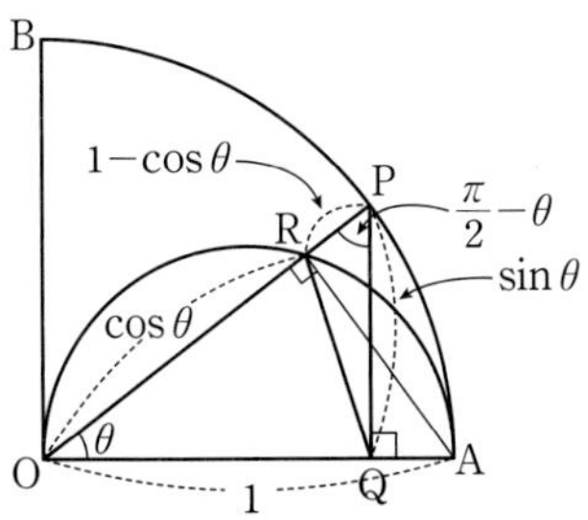

선분 OA가 반 원의 지름이므로 원 위의 점 R에 대하여
$\angle ORA=\frac{\pi}{2}$

직각삼각형 ORA에서 $\overline{OR}=\cos\theta$, $\overline{RA}=\sin\theta$이므로

$\overline{PR}=\overline{OP}-\overline{OR}=1-\cos\theta$, $\overline{PQ}=\sin\theta$, $\angle QPR=\frac{\pi}{2}-\theta$이므로

$S(\theta)=\frac{1}{2}\cdot(1-\cos\theta)\cdot\sin\theta\cdot\sin\left(\frac{\pi}{2}-\theta\right)=\frac{(1-\cos\theta)\sin\theta\cos\theta}{2}$

STEP B $\lim_{\theta\to0+}\frac{S(\theta)}{\theta^3}$의 값 구하기

따라서 $\lim_{\theta\to0+}\frac{S(\theta)}{\theta^3}=\lim_{\theta\to0+}\frac{\cos\theta\sin\theta(1-\cos\theta)}{2\theta^3}$

$=\lim_{\theta\to0+}\frac{\cos\theta\sin\theta(1-\cos\theta)(1+\cos\theta)}{2\theta^3(1+\cos\theta)}$

$=\lim_{\theta\to0+}\frac{\cos\theta\sin^3\theta}{2\theta^3(1+\cos\theta)}$

$=\frac{1}{2}\lim_{\theta\to0+}\left(\frac{\sin^3\theta}{\theta^3}\cdot\frac{\cos\theta}{1+\cos\theta}\right)$

$=\frac{1}{2}\cdot1\cdot\frac{1}{2}=\frac{1}{4}$

다른풀이 △PRQ＝△POQ－△ROQ임을 이용하여 풀이하기

(삼각형 PRQ의 넓이)＝(삼각형 POQ의 넓이)－(삼각형 ROQ의 넓이)
이므로

$S(\theta)=\frac{1}{2}\sin\theta\cos\theta-\frac{1}{2}\cos^2\theta\sin\theta=\frac{1}{2}\sin\theta\cos\theta(1-\cos\theta)$

$\therefore \lim_{\theta\to0+}\frac{S(\theta)}{\theta^3}=\lim_{\theta\to0+}\frac{(1-\cos\theta)\sin\theta\cos\theta}{2\theta^3}=\lim_{\theta\to0+}\frac{\sin^3\theta\cos\theta}{2\theta^3(1+\cos\theta)}=\frac{1}{4}$　정답 ②

0793

정답 ④

STEP A $f(\theta)$, $g(\theta)$를 θ로 나타내기

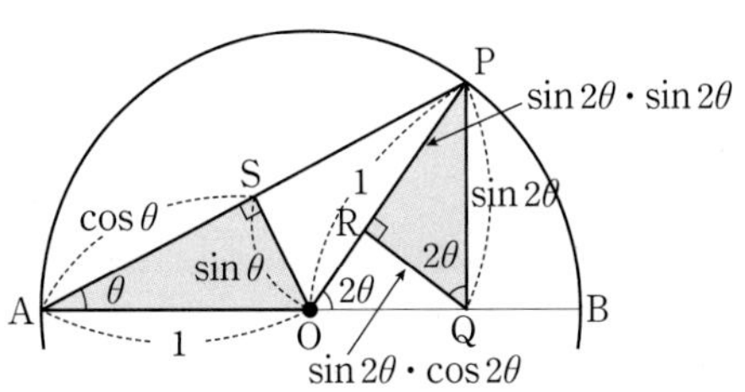

직각삼각형 AOS에서 $\overline{AO}=1$, $\angle SAO=\theta$

$\overline{AS}=\cos\theta$, $\overline{OS}=\sin\theta$이므로 $f(\theta)=\frac{1}{2}\cdot\sin\theta\cdot\cos\theta$ …… ㉠

△OPQ에서 $\angle POQ=2\theta$이므로 $\overline{PQ}=\sin2\theta$

직각삼각형 PRQ에서 $\overline{PR}=\sin2\theta\cdot\sin2\theta$, $\overline{QR}=\sin2\theta\times\cos2\theta$이므로

$g(\theta)=\frac{1}{2}\sin2\theta\cdot\cos2\theta\times\sin2\theta\cdot\sin2\theta$

$=\frac{1}{2}\sin^3 2\theta\cdot\cos2\theta$ …… ㉡

STEP B $\lim_{\theta\to0+}\frac{\theta^2 f(\theta)}{g(\theta)}$의 값 구하기

㉠, ㉡에서 $\lim_{\theta\to0+}\frac{\theta^2f(\theta)}{g(\theta)}=\lim_{\theta\to0+}\frac{\frac{1}{2}\theta^2\sin\theta\cos\theta}{\frac{1}{2}\sin^3 2\theta\cos2\theta}$

$=\lim_{\theta\to0+}\frac{\theta^2\sin\theta\cos\theta}{\sin^3 2\theta\cos2\theta}$

$=\lim_{\theta\to0+}\left(\frac{\theta^3\cdot\sin\theta}{\sin^3 2\theta\times\theta}\times\frac{\cos\theta}{\cos2\theta}\right)$

$=\lim_{\theta\to0+}\left\{\left(\frac{2\theta}{\sin2\theta}\right)^3\times\frac{1}{8}\times\frac{\sin\theta}{\theta}\times\frac{\cos\theta}{\cos2\theta}\right\}$

$=1\times\frac{1}{8}\times1\times1=\frac{1}{8}$

따라서 $p=8$, $q=1$이므로 $p^2+q^2=64+1=65$

0794

정답 ④

STEP A 사인법칙을 이용하여 $\overline{AB}$의 길이 구하기

△ABC에서 $\angle A=\pi-3\theta$이므로
사인법칙을 이용하면

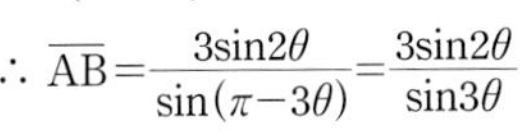

$\frac{3}{\sin(\pi-3\theta)}=\frac{\overline{AB}}{\sin2\theta}$

$\therefore \overline{AB}=\frac{3\sin2\theta}{\sin(\pi-3\theta)}=\frac{3\sin2\theta}{\sin3\theta}$

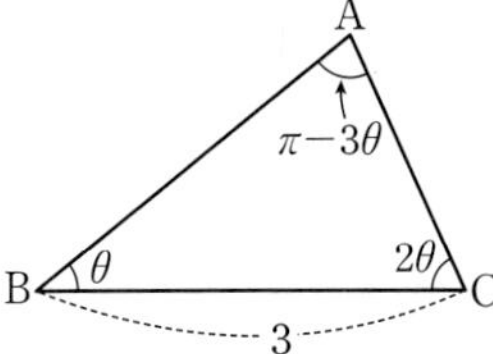

STEP B $\lim_{\theta\to0}\frac{\sin\theta}{\theta}=1$임을 이용하여 구하기

직각삼각형 ABH에서 $\overline{BH}=\overline{AB}\cos\theta$

$\therefore \overline{BH}=\frac{3\sin2\theta}{\sin3\theta}\times\cos\theta$

따라서 $\lim_{\theta\to0}\overline{BH}=\lim_{\theta\to0}\frac{3\theta}{\sin3\theta}\cdot\frac{\sin2\theta}{2\theta}\cdot\cos\theta\cdot2=1\cdot1\cdot1\cdot2=2$

내신연계 출제문항 307

오른쪽 그림과 같이 점 A(4, 0)에 대하여 $\angle\mathrm{POA}=\theta$, $\angle\mathrm{PAO}=3\theta$를 만족시키는 점 P가 제1사분면 위에 있을 때, $\lim_{\theta\to0}\overline{\mathrm{OP}}$의 값은?

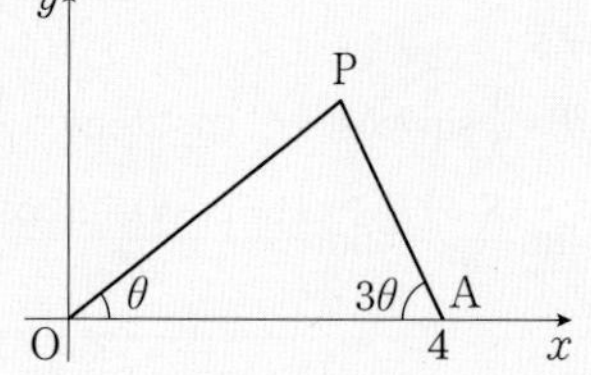

① 2 ② 3
③ 4 ④ 5
⑤ 6

STEP A **사인법칙을 이용하여 $\overline{\mathrm{OP}}$의 길이 구하기**

$\angle\mathrm{OPA}=\pi-4\theta$이므로 $\triangle\mathrm{POA}$에서

사인법칙에 의하여

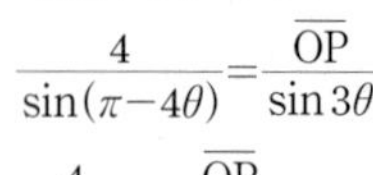

$$\frac{4}{\sin(\pi-4\theta)}=\frac{\overline{\mathrm{OP}}}{\sin 3\theta}$$

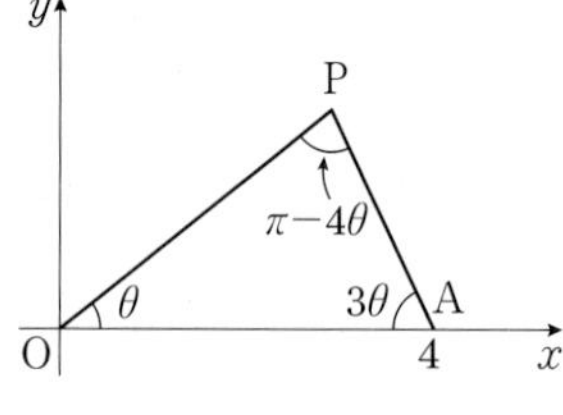

$$\frac{4}{\sin 4\theta}=\frac{\overline{\mathrm{OP}}}{\sin 3\theta}$$

$$\therefore\ \overline{\mathrm{OP}}=\frac{4\sin 3\theta}{\sin 4\theta}$$

STEP B **$\lim_{\theta\to0}\frac{\sin\theta}{\theta}=1$임을 이용하여 구하기**

따라서 $\lim_{\theta\to0}\overline{\mathrm{OP}}=\lim_{\theta\to0}\frac{4\sin 3\theta}{\sin 4\theta}=\lim_{\theta\to0}4\cdot\frac{\sin 3\theta}{3\theta}\cdot\frac{4\theta}{\sin 4\theta}\cdot\frac{3}{4}=4\cdot1\cdot1\cdot\frac{3}{4}=3$

 ②

0795

 ⑤

STEP A **사인법칙을 이용하여 $\overline{\mathrm{OA}}$의 길이 구하기**

$\angle\mathrm{PAO}=\theta$라 하면 $\angle\mathrm{POA}=2\theta$이고

$\angle\mathrm{OPA}=\pi-3\theta$이므로

삼각형 POA에서 사인법칙에 의하여

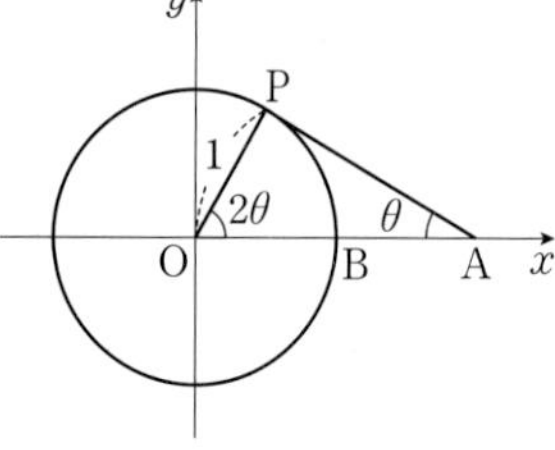

$$\frac{\overline{\mathrm{OA}}}{\sin(\pi-3\theta)}=\frac{1}{\sin\theta}$$

$$\therefore\ \overline{\mathrm{OA}}=\frac{\sin(\pi-3\theta)}{\sin\theta}$$

STEP B **$\lim_{\theta\to0}\frac{\sin\theta}{\theta}=1$임을 이용하여 구하기**

따라서 $\mathrm{P}\to\mathrm{B}$이면 $\theta\to0$이므로

$$\lim_{\mathrm{P}\to\mathrm{B}}\overline{\mathrm{OA}}=\lim_{\theta\to0}\frac{\sin(\pi-3\theta)}{\sin\theta}=\lim_{\theta\to0}\frac{\sin 3\theta}{\sin\theta}=3$$

0796

 ③

STEP A **원주각의 크기는 호의 길이에 정비례함을 이용하기**

$\widehat{\mathrm{PQ}}=2\widehat{\mathrm{AP}}$에서 $\angle\mathrm{PBA}=\theta$라 하면

$\angle\mathrm{PBQ}=2\theta$

외접원의 반지름을 R이라 하면

$\triangle\mathrm{PBA}$에서 $\overline{\mathrm{AP}}=2R\sin\theta$

$\triangle\mathrm{PQB}$에서 $\overline{\mathrm{PQ}}=2R\sin 2\theta$

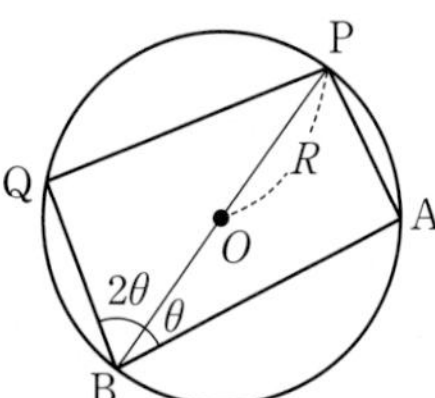

STEP B **$\lim_{\theta\to0}\frac{\sin\theta}{\theta}=1$임을 이용하여 구하기**

따라서 $\lim_{\mathrm{P}\to\mathrm{A}}\frac{\overline{\mathrm{PQ}}}{\overline{\mathrm{AP}}}=\lim_{\theta\to0}\frac{\sin 2\theta}{\sin\theta}=\lim_{\theta\to0}\frac{\sin 2\theta}{2\theta}\cdot\frac{\theta}{\sin\theta}\cdot2=1\cdot1\cdot2=2$

0797

 ⑤

STEP A **부채꼴의 호의 길이와 $\overline{\mathrm{AB}}$의 길이 구하기**

반지름의 길이가 2인 부채꼴 OAB에서

호의 길이 $\widehat{\mathrm{AB}}$는 2θ이고

코사인 법칙에 의하여

$\overline{\mathrm{AB}}^2=2^2+2^2-2\cdot2\cdot2\cos\theta$

$\quad=8(1-\cos\theta)$

$\therefore\ \overline{\mathrm{AB}}=\sqrt{8(1-\cos\theta)}$

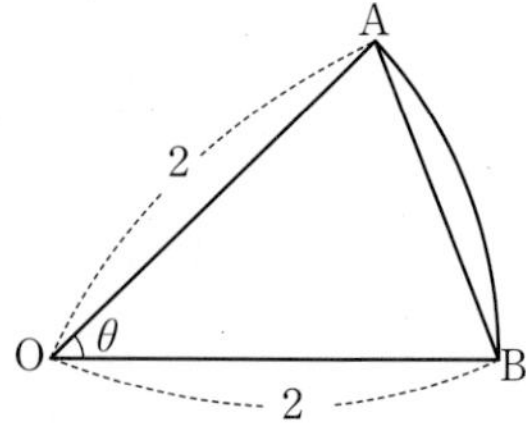

STEP B **$\lim_{\theta\to0}\frac{\sin\theta}{\theta}=1$임을 이용하여 구하기**

따라서 $\lim_{\theta\to0}\frac{\widehat{\mathrm{AB}}}{\overline{\mathrm{AB}}}=\lim_{\theta\to0}\frac{2\theta}{\sqrt{8(1-\cos\theta)}}=\lim_{\theta\to0}\frac{\theta}{\sqrt{\frac{2(1-\cos\theta)(1+\cos\theta)}{1+\cos\theta}}}$

$$=\lim_{\theta\to0}\frac{\theta}{\sqrt{\frac{2(1-\cos^2\theta)}{1+\cos\theta}}}=\lim_{\theta\to0}\frac{\theta}{\sqrt{\frac{2\sin^2\theta}{1+\cos\theta}}}$$

$$=\lim_{\theta\to0}\frac{1}{\sqrt{2}}\left(\frac{\theta}{\sin\theta}\right)\times\sqrt{1+\cos\theta}$$

$$=\frac{1}{\sqrt{2}}\times1\times\sqrt{2}=1$$

0798

 ④

STEP A **사인법칙을 이용하여 $\overline{\mathrm{OC}}$의 길이 구하기**

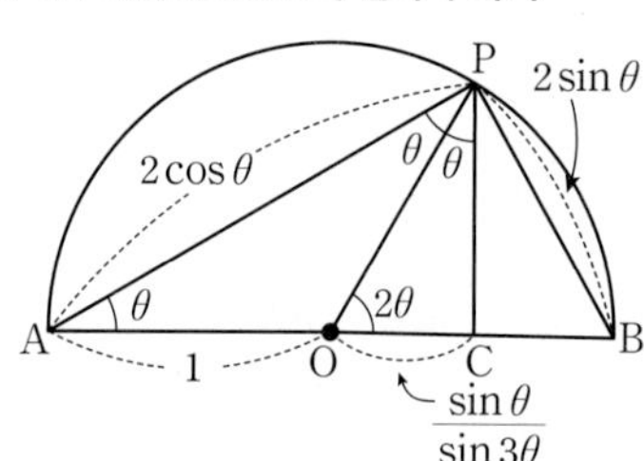

$\angle\mathrm{APB}=\frac{\pi}{2}$, $\overline{\mathrm{AB}}=2$이므로

$\triangle\mathrm{PAB}$에서

$\overline{\mathrm{AP}}=\overline{\mathrm{AB}}\cos\theta=2\cos\theta$, $\overline{\mathrm{BP}}=\overline{\mathrm{AB}}\sin\theta=2\sin\theta$

$\triangle\mathrm{POC}$에서

$\angle\mathrm{OCP}=\pi-3\theta$, $\overline{\mathrm{OP}}=1$이므로 사인법칙에 의하여

$\frac{\overline{\mathrm{OC}}}{\sin\theta}=\frac{1}{\sin(\pi-3\theta)}$, $\overline{\mathrm{OC}}=\frac{\sin\theta}{\sin(\pi-3\theta)}=\frac{\sin\theta}{\sin 3\theta}$

STEP B **$S(\theta)$, $T(\theta)$ 구하기**

$S(\theta)=\triangle\mathrm{PAC}=\frac{1}{2}\times\overline{\mathrm{AC}}\times\overline{\mathrm{AP}}\times\sin\theta$

$$=\frac{1}{2}\times\left(1+\frac{\sin\theta}{\sin 3\theta}\right)\times2\cos\theta\times\sin\theta$$

$$=\left(1+\frac{\sin\theta}{\sin 3\theta}\right)\sin\theta\cos\theta$$

$T(\theta)=\triangle\mathrm{PCB}=\triangle\mathrm{PAB}-\triangle\mathrm{PAC}$

$$=\frac{1}{2}\times\overline{\mathrm{AP}}\times\overline{\mathrm{BP}}-S(\theta)$$

$$=2\sin\theta\cos\theta-\left(1+\frac{\sin\theta}{\sin 3\theta}\right)\sin\theta\cos\theta$$

$$=\left(1-\frac{\sin\theta}{\sin 3\theta}\right)\sin\theta\cos\theta$$

STEP C **$\lim_{\theta\to0+}\frac{S(\theta)}{T(\theta)}$의 값 구하기**

$$\therefore\ \lim_{\theta\to0+}\frac{S(\theta)}{T(\theta)}=\lim_{\theta\to0+}\frac{\left(1+\frac{\sin\theta}{\sin 3\theta}\right)\sin\theta\cos\theta}{\left(1-\frac{\sin\theta}{\sin 3\theta}\right)\sin\theta\cos\theta}=\lim_{\theta\to0+}\frac{1+\frac{\sin\theta}{\sin 3\theta}}{1-\frac{\sin\theta}{\sin 3\theta}}=\frac{1+\frac{1}{3}}{1-\frac{1}{3}}=2$$

0799

정답 ③

STEP A 코사인법칙을 이용하여 a^2 구하기

코사인법칙에 의하여 $a^2=b^2+c^2-2bc\cos\theta$이므로

$a^2-(b-c)^2=b^2+c^2-2bc\cos\theta-(b^2-2bc+c^2)=2bc(1-\cos\theta)$

STEP B $\lim\limits_{\theta\to0}\dfrac{\sin\theta}{\theta}=1$임을 이용하여 구하기

따라서 $\lim\limits_{\theta\to0}\dfrac{a^2-(b-c)^2}{\theta^2}=\lim\limits_{\theta\to0}\dfrac{2bc(1-\cos\theta)}{\theta^2}$

$=\lim\limits_{\theta\to0}\dfrac{2bc(1-\cos\theta)(1+\cos\theta)}{\theta^2(1+\cos\theta)}$

$=\lim\limits_{\theta\to0}2bc\cdot\left(\dfrac{\sin\theta}{\theta}\right)^2\cdot\dfrac{1}{1+\cos\theta}$

$=2bc\cdot1^2\cdot\dfrac{1}{2}=bc$

0800

①

STEP A 사인법칙을 이용하여 $\overline{\mathrm{BC}}$의 길이 구하기

삼각형 ABC에서 외접원의 반지름이 1이므로 사인법칙에 의하여

$\dfrac{\overline{\mathrm{BC}}}{\sin\theta}=2\times1$

$\therefore\ \overline{\mathrm{BC}}=2\sin\theta$

선분 BC의 중점을 M이라 하면

$\overline{\mathrm{BM}}=\sin\theta$

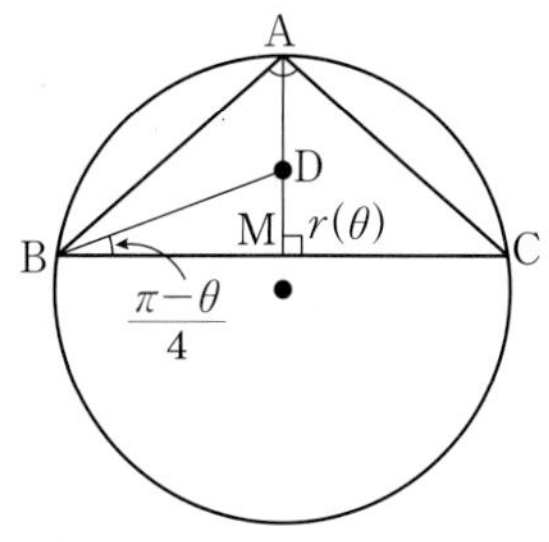

STEP B 내접원의 반지름의 길이 $r(\theta)$ 구하여 극한값 구하기

또, 내접원의 중심을 D라 하면 그림의 직각삼각형 BMD에서

$\tan\left(\dfrac{\pi-\theta}{4}\right)=\dfrac{r(\theta)}{\sin\theta}\quad\therefore\ r(\theta)=\sin\theta\times\tan\left(\dfrac{\pi-\theta}{4}\right)$

이때 $\pi-\theta=t$로 놓으면 $\theta\to\pi-$일 때 $t\to0+$이고

$\sin\theta=\sin(\pi-t)=\sin t,\ \tan\left(\dfrac{\pi-\theta}{4}\right)=\tan\dfrac{t}{4}$

따라서 $\lim\limits_{\theta\to\pi-}\dfrac{r(\theta)}{(\pi-\theta)^2}=\lim\limits_{t\to0+}\dfrac{\sin t\cdot\tan\frac{t}{4}}{t^2}$

$=\dfrac{1}{4}\lim\limits_{t\to0+}\dfrac{\sin t}{t}\cdot\lim\limits_{t\to0+}\dfrac{\tan\frac{t}{4}}{\frac{t}{4}}$

$=\dfrac{1}{4}\cdot1\cdot1=\dfrac{1}{4}$

0801

③

STEP A 사인법칙을 이용하여 $\overline{\mathrm{CD}}$의 길이 구하기

직각삼각형 ABC에서 $\overline{\mathrm{AB}}=1$이고 $\angle\mathrm{BAC}=\theta$이므로

$\overline{\mathrm{AC}}=\cos\theta,\ \overline{\mathrm{BC}}=\sin\theta$

삼각형 ACD에서 $\angle\mathrm{ACD}=\dfrac{2}{3}\pi,\ \angle\mathrm{CAD}=2\theta$이므로

$\angle\mathrm{ADC}=\pi-\left(2\theta+\dfrac{2}{3}\pi\right)=\dfrac{\pi}{3}-2\theta$

삼각형 ACD에서 사인법칙에 의하여

$\dfrac{\overline{\mathrm{AC}}}{\sin\angle\mathrm{ADC}}=\dfrac{\overline{\mathrm{CD}}}{\sin\angle\mathrm{DAC}},\ \dfrac{\cos\theta}{\sin\left(\frac{\pi}{3}-2\theta\right)}=\dfrac{\overline{\mathrm{CD}}}{\sin2\theta}$

$\therefore\ \overline{\mathrm{CD}}=\dfrac{\cos\theta\sin2\theta}{\sin\left(\frac{\pi}{3}-2\theta\right)}$

STEP B 삼각형 BCD의 넓이 $S(\theta)$ 구하기

또, $\angle\mathrm{BCD}=2\pi-\left(\dfrac{2}{3}\pi+\dfrac{\pi}{2}\right)=\dfrac{5}{6}\pi$이므로

두변과 끼인각의 크기가 주어진 삼각형의 넓이는

$S(\theta)=\dfrac{1}{2}\times\overline{\mathrm{CD}}\times\overline{\mathrm{CB}}\times\sin(\angle\mathrm{BCD})$

$=\dfrac{1}{2}\times\dfrac{\cos\theta\sin2\theta}{\sin\left(\frac{\pi}{3}-2\theta\right)}\times\sin\theta\times\sin\dfrac{5}{6}\pi$

$=\dfrac{1}{4}\times\dfrac{\cos\theta\sin2\theta\sin\theta}{\sin\left(\frac{\pi}{3}-2\theta\right)}$ ← $\sin\frac{5}{6}\pi=\frac{1}{2}$

STEP C $\lim\limits_{\theta\to0+}\dfrac{S(\theta)}{\theta^2}$의 값 구하기

따라서 $\lim\limits_{\theta\to0+}\dfrac{S(\theta)}{\theta^2}=\lim\limits_{\theta\to0+}\dfrac{\cos\theta\sin2\theta\sin\theta}{4\theta^2\sin\left(\frac{\pi}{3}-2\theta\right)}$

$=\dfrac{1}{2}\lim\limits_{\theta\to+0}\left\{\dfrac{\sin2\theta}{2\theta}\times\dfrac{\sin\theta}{\theta}\times\dfrac{\cos\theta}{\sin\left(\frac{\pi}{3}-2\theta\right)}\right\}$

$=\dfrac{1}{2}\times1\times1\times\dfrac{1}{\frac{\sqrt{3}}{2}}=\dfrac{\sqrt{3}}{3}$

다른풀이 삼각함수의 성질을 이용하여 풀이하기

오른쪽 그림과 같이 직각삼각형 ABC에서

$\angle\mathrm{C}=\dfrac{\pi}{2},\ \angle\mathrm{A}=\theta$이므로

$\overline{\mathrm{BC}}=\overline{\mathrm{AB}}\sin\theta=\sin\theta,$

$\overline{\mathrm{AC}}=\overline{\mathrm{AB}}\cos\theta=\cos\theta$

오른쪽 그림과 같이 점 C에서 선분 AD에 내린 수선의 발을 H라 하면

$\angle\mathrm{HCA}=\dfrac{\pi}{2}-2\theta,\ \angle\mathrm{DCH}=\dfrac{2}{3}\pi-\left(\dfrac{\pi}{2}-2\theta\right)=2\theta+\dfrac{\pi}{6}$

삼각형 ACH에서

$\overline{\mathrm{CH}}=\overline{\mathrm{AC}}\sin2\theta=\cos\theta\sin2\theta$

삼각형 DCH에서

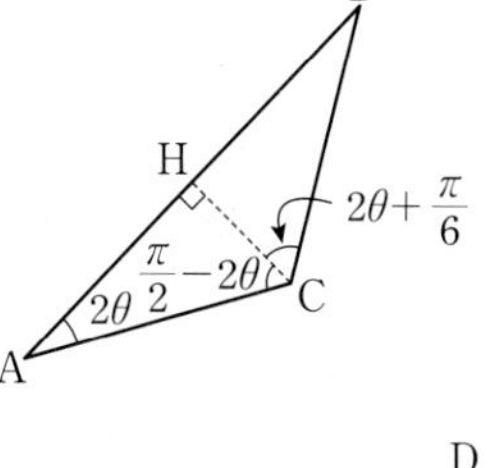

$\cos\left(2\theta+\dfrac{\pi}{6}\right)=\dfrac{\overline{\mathrm{CH}}}{\overline{\mathrm{CD}}}=\dfrac{\sin2\theta\cos\theta}{\overline{\mathrm{CD}}}$

$\therefore\ \overline{\mathrm{CD}}=\dfrac{\sin2\theta\cos\theta}{\cos\left(2\theta+\frac{\pi}{6}\right)}$

$\angle\mathrm{BCD}=2\pi-\dfrac{\pi}{2}-\dfrac{2}{3}\pi=\dfrac{5}{6}\pi$이므로

$\triangle\mathrm{BCD}=\dfrac{1}{2}\cdot\overline{\mathrm{BC}}\cdot\overline{\mathrm{CD}}\cdot\sin(\angle\mathrm{BCD})$

$=\dfrac{1}{2}\cdot\sin\theta\cdot\dfrac{\sin2\theta\cos\theta}{\cos\left(2\theta+\frac{\pi}{6}\right)}\cdot\sin\dfrac{5}{6}\pi$

$=\dfrac{1}{4}\sin\theta\cdot\dfrac{\sin2\theta\cos\theta}{\cos\left(2\theta+\frac{\pi}{6}\right)}$

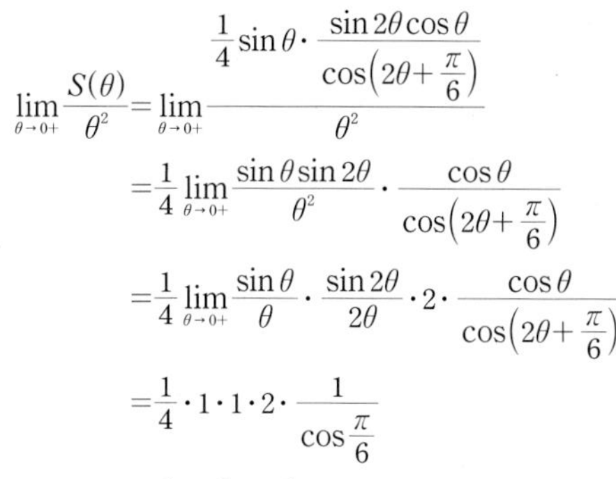

$\lim\limits_{\theta\to0+}\dfrac{S(\theta)}{\theta^2}=\lim\limits_{\theta\to0+}\dfrac{\frac{1}{4}\sin\theta\cdot\frac{\sin2\theta\cos\theta}{\cos\left(2\theta+\frac{\pi}{6}\right)}}{\theta^2}$

$=\dfrac{1}{4}\lim\limits_{\theta\to0+}\dfrac{\sin\theta\sin2\theta}{\theta^2}\cdot\dfrac{\cos\theta}{\cos\left(2\theta+\frac{\pi}{6}\right)}$

$=\dfrac{1}{4}\lim\limits_{\theta\to0+}\dfrac{\sin\theta}{\theta}\cdot\dfrac{\sin2\theta}{2\theta}\cdot2\cdot\dfrac{\cos\theta}{\cos\left(2\theta+\frac{\pi}{6}\right)}$

$=\dfrac{1}{4}\cdot1\cdot1\cdot2\cdot\dfrac{1}{\cos\frac{\pi}{6}}$

$=\dfrac{1}{2}\cdot\dfrac{2}{\sqrt{3}}=\dfrac{1}{\sqrt{3}}$

0802

정답 ③

STEP A 사인법칙을 이용하여 $\overline{\mathrm{CD}}$의 길이 구하기

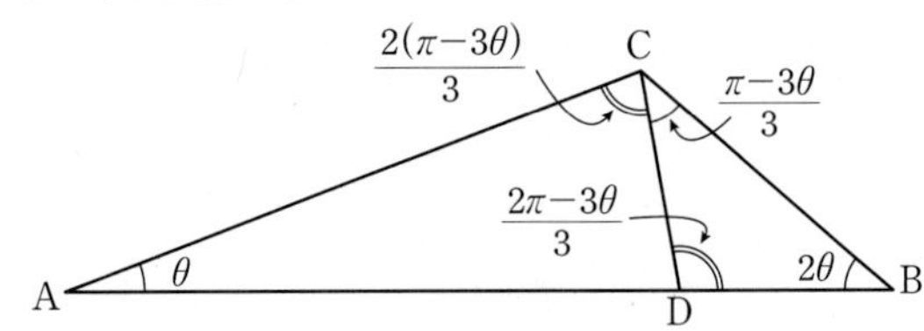

$\angle\mathrm{BCA}=\pi-3\theta$이고 $\angle\mathrm{ACD}=2\angle\mathrm{BCD}$이므로

$\angle\mathrm{BCD}=\frac{1}{3}(\angle\mathrm{BCA})=\frac{\pi-3\theta}{3}=\frac{\pi}{3}-\theta$

$\angle\mathrm{ACD}=\frac{2}{3}(\angle\mathrm{BCA})=\frac{2(\pi-3\theta)}{3}=\frac{2}{3}\pi-2\theta$

$\angle\mathrm{BDC}=\frac{2\pi-3\theta}{3}=\frac{2}{3}\pi-\theta$

삼각형 ABC에서 사인법칙에 의하여

$\frac{1}{\sin(\pi-3\theta)}=\frac{\overline{\mathrm{BC}}}{\sin\theta}$ $\therefore$ $\overline{\mathrm{BC}}=\frac{\sin\theta}{\sin(\pi-3\theta)}$

삼각형 BCD에서 사인법칙에 의하여

$\frac{\overline{\mathrm{BC}}}{\sin\left(\frac{2}{3}\pi-\theta\right)}=\frac{\overline{\mathrm{CD}}}{\sin 2\theta}$

$\therefore$ $\overline{\mathrm{CD}}=\frac{\sin 2\theta}{\sin\left(\frac{2}{3}\pi-\theta\right)}\times\overline{\mathrm{BC}}=\frac{\sin 2\theta}{\sin\left(\frac{2}{3}\pi-\theta\right)}\times\frac{\sin\theta}{\sin 3\theta}$

STEP B $\lim_{\theta\to0+}\frac{\overline{\mathrm{CD}}}{\theta}$의 값 구하기

$\lim_{\theta\to0+}\frac{\overline{\mathrm{CD}}}{\theta}=\lim_{\theta\to0+}\frac{1}{\sin\left(\frac{2}{3}\pi-\theta\right)}\times\frac{\sin 2\theta}{\theta}\times\frac{\sin\theta}{\sin 3\theta}$

$=\frac{1}{\sin\frac{2}{3}\pi}\times2\times\frac{1}{3}=\frac{4}{3\sqrt{3}}$ ← $\lim_{\theta\to0+}\sin\left(\frac{2}{3}\pi-\theta\right)=\sin\frac{2}{3}\pi=\frac{\sqrt{3}}{2}$

따라서 $27a^2=27\times\frac{16}{27}=16$

0803

정답 ④

STEP A 코사인법칙을 이용하여 $\overline{\mathrm{AQ}}$의 길이 구하기

작은 원의 중심을 C라 하고 두 원의 접점을 B라 하면 $\angle\mathrm{APB}=90°$이고 $\overline{\mathrm{AB}}=4$이므로

$\overline{\mathrm{AP}}=4\cos\theta$, $\overline{\mathrm{PB}}=4\sin\theta$

또한, $\triangle\mathrm{ACQ}$에서 $\overline{\mathrm{AC}}=3$, $\overline{\mathrm{CQ}}=1$이므로 $\overline{\mathrm{AQ}}=x$라 하면

코사인법칙에 의하여

$1^2=x^2+3^2-2\cdot x\cdot3\cos\theta$, $x^2-6\cos\theta x+8=0$

이차방정식의 근의 공식에 의해

$x=3\cos\theta+\sqrt{9\cos^2\theta-8}$ ($\because$ Q는 P에 가까운 점)

STEP B $\lim_{\theta\to0+}\frac{\overline{\mathrm{PQ}}}{\theta^2}$의 값 구하기

따라서 $\lim_{\theta\to0+}\frac{\overline{\mathrm{PQ}}}{\theta^2}=\lim_{\theta\to0+}\frac{\overline{\mathrm{AP}}-\overline{\mathrm{AQ}}}{\theta^2}=\lim_{\theta\to0+}\frac{\cos\theta-\sqrt{9\cos^2\theta-8}}{\theta^2}$

$=\lim_{\theta\to0+}\frac{8(1-\cos^2\theta)}{\theta^2(\cos\theta+\sqrt{9\cos^2\theta-8})}$

$=\lim_{\theta\to0+}\frac{8\sin^2\theta}{\theta^2(\cos\theta+\sqrt{9\cos^2\theta-8})}$

$=\lim_{\theta\to0+}8\times\left(\frac{\sin\theta}{\theta}\right)^2\times\frac{1}{\cos\theta+\sqrt{9\cos^2\theta-8}}$

$=8\times1^2\times\frac{1}{2}=4$

다른풀이 삼각함수의 성질을 이용하여 풀이하기

STEP A $\overline{\mathrm{PQ}}$를 θ에 대한 식으로 나타내기

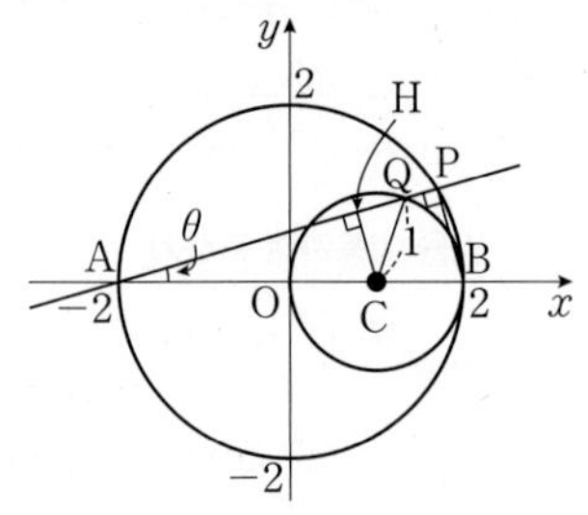

작은 원의 중심을 C(1, 0), B(2, 0)이라 하고

점 C에서 선분 AQ에 내린 수선의 발을 H라 하면

$\angle\mathrm{APB}=\angle\mathrm{AHC}=\frac{\pi}{2}$이고 $\overline{\mathrm{AB}}=4$이므로

$\overline{\mathrm{AP}}=4\cos\theta$, $\overline{\mathrm{AH}}=3\cos\theta$, $\overline{\mathrm{CH}}=3\sin\theta$

$\triangle\mathrm{CQH}$에서 $\overline{\mathrm{QH}}=\sqrt{\overline{\mathrm{CQ}}^2-\overline{\mathrm{CH}}^2}=\sqrt{1-9\sin^2\theta}$

$\therefore$ $\overline{\mathrm{PQ}}=\overline{\mathrm{AP}}-\overline{\mathrm{QH}}-\overline{\mathrm{AH}}=4\cos\theta-\sqrt{1-9\sin^2\theta}-3\cos\theta$

$=\cos\theta-\sqrt{1-9\sin^2\theta}$

$=\cos\theta-\sqrt{1-9(1-\cos^2\theta)}$

$=\cos\theta-\sqrt{9\cos^2\theta-8}$

STEP B $\lim_{\theta\to+0}\frac{\overline{\mathrm{PQ}}}{\theta^2}$의 값 구하기

따라서 $\lim_{\theta\to0+}\frac{\overline{\mathrm{PQ}}}{\theta^2}=\lim_{\theta\to0+}\frac{\cos\theta-\sqrt{9\cos^2\theta-8}}{\theta^2}$

$=\lim_{\theta\to0+}\frac{\cos^2\theta-(9\cos^2\theta-8)}{\theta^2(\cos\theta+\sqrt{9\cos^2\theta-8})}$

$=\lim_{\theta\to0+}\frac{8(1-\cos^2\theta)}{\theta^2(\cos\theta+\sqrt{9\cos^2\theta-8})}$

$=\lim_{\theta\to0+}\frac{8\sin^2\theta}{\theta^2(\cos\theta+\sqrt{9\cos^2\theta-8})}$

$=\lim_{\theta\to0+}8\cdot\left(\frac{\sin\theta}{\theta}\right)^2\frac{1}{(\cos\theta+\sqrt{9\cos^2\theta-8})}$

$=8\cdot1^2\cdot\frac{1}{2}$

$=4$

0804

정답 ①

STEP A 삼각형 OHP의 넓이 $f(x)$ 구하기

삼각형 OHP의 밑변 OH의 길이는 x, 높이 PH는 2^x-1이므로

넓이 $f(x)$는

$f(x)=\frac{1}{2}\cdot x\cdot(2^x-1)=\frac{x(2^x-1)}{2}$

STEP B 지수함수와 삼각함수의 극한을 이용하여 구하기

따라서 $\lim_{x\to0+}\frac{f(x)}{\sin^2x}=\lim_{x\to0+}\frac{x(2^x-1)}{2\sin^2x}$

$=\lim_{x\to0+}\frac{2^x-1}{x}\cdot\frac{x^2}{\sin^2x}\cdot\frac{1}{2}$

$=\ln2\cdot1\cdot\frac{1}{2}=\frac{\ln2}{2}$

내신연계 출제문항 308

곡선 $y=e^x-1(0<x<\pi)$ 위를 움직이는 점 P에서 x축에 내린 수선의 발을 R라 하고 선분 PR이 곡선 $y=\sin x$와 만나는 점을 Q라고 하자.
점 P가 원점 O에 한없이 가까워질 때, $\dfrac{\overline{PQ}}{\overline{QR}}$의 극한값은?

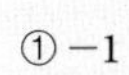

① -1 ② $-\dfrac{1}{2}$ ③ 0
④ $\dfrac{1}{2}$ ⑤ 1

STEP A $\overline{PQ}$, $\overline{QR}$의 길이 구하기

점 P의 좌표를 (t, e^t-1)이라고 하면
$R(t, 0)$, $Q(t, \sin t)$

$$\frac{\overline{PQ}}{\overline{QR}}=\frac{e^t-1-\sin t}{\sin t}=\frac{e^t-1}{\sin t}-1$$

STEP B 지수함수와 삼각함수의 극한을 이용하여 구하기

이때 점 P가 원점 O에 한없이 가까워지면 $t\to 0$이므로

$$\lim_{t\to 0}\frac{\overline{PQ}}{\overline{QR}}=\lim_{t\to 0}\left(\frac{e^t-1}{t}\cdot\frac{t}{\sin t}-1\right)=1\cdot 1-1=0$$

정답 ③

0805

정답 ②

STEP A 삼각형 OHP의 넓이 $S(x)$ 구하기

삼각형 OHP의 밑면 OH의 길이는 x, 높이 PH의 길이는 $\ln(1+2x)$이므로 넓이 $S(x)$는

$$S(x)=\frac{1}{2}\cdot x\cdot\ln(1+2x)=\frac{x\ln(1+2x)}{2}$$

STEP B 로그함수와 삼각함수의 극한을 이용하여 구하기

따라서 $\displaystyle\lim_{x\to 0+}\frac{S(x)}{\sin^2 x}=\lim_{x\to 0+}\frac{x\ln(1+2x)}{2\sin^2 x}$

$$=\lim_{x\to 0+}\left\{\frac{\ln(1+2x)}{x}\cdot\frac{x^2}{\sin^2 x}\cdot\frac{1}{2}\right\}$$

$$=\lim_{x\to 0+}\left\{2\cdot\frac{\ln(1+2x)}{2x}\cdot\left(\frac{x}{\sin x}\right)^2\cdot\frac{1}{2}\right\}$$

$$=2\cdot 1\cdot 1^2\cdot\frac{1}{2}=1$$

0806

정답 ④

STEP A $\overline{CH}$의 길이 구하기

$\angle B=\theta$, $\overline{AB}=4$이므로 $\overline{AC}=4\tan\theta$

$\angle CAH=\angle CBA=\theta$이므로 $\overline{CH}=\overline{AC}\sin\theta=4\tan\theta\sin\theta$

STEP B 로그함수와 삼각함수의 극한을 이용하여 구하기

따라서 $\displaystyle\lim_{\theta\to 0}\frac{\overline{CH}}{\theta\ln(1+2\theta)}=\lim_{\theta\to 0}\frac{4\tan\theta\sin\theta}{\theta\ln(1+2\theta)}$

$$=\lim_{\theta\to 0}4\cdot\frac{\tan\theta}{\theta}\cdot\frac{\sin\theta}{\theta}\cdot\frac{2\theta}{\ln(1+2\theta)}\cdot\frac{1}{2}$$

$$=4\cdot 1\cdot 1\cdot 1\cdot\frac{1}{2}=2$$

0807

정답 30

STEP A 점 $P(\cos\theta, \sin\theta)$로 놓고 세 점 Q, R, T의 좌표 구하기

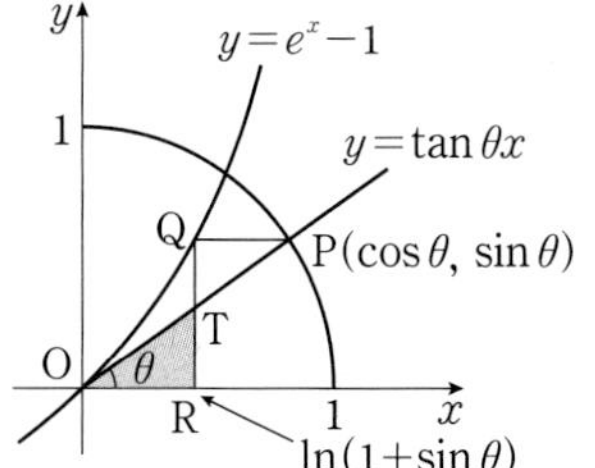

P는 $(\cos\theta, \sin\theta)$이므로 Q의 좌표는 (x_1, y_1)이라 하자.

$y_1=\sin\theta$, $e^{x_1}-1=\sin\theta$

$\therefore x_1=\ln(\sin\theta+1)$

Q는 $(\ln(\sin\theta+1), \sin\theta)$이므로 T의 좌표를 (x_2, y_2)라 하자.

$\overline{OP}$의 직선의 방정식은 $y=\tan\theta x$이므로

$x_2=\ln(\sin\theta+1)$, $y_2=\tan\theta\ln(\sin\theta+1)$

STEP B $S(\theta)$를 구하여 극한값 구하기

$\therefore S(\theta)=\dfrac{1}{2}\tan\theta\{\ln(\sin\theta+1)\}^2$

$$\therefore a=\lim_{\theta\to 0+}\frac{\frac{1}{2}\tan\theta\{\ln(\sin\theta+1)\}^2}{\theta^3}$$

$$=\lim_{\theta\to 0+}\frac{1}{2}\frac{\tan\theta}{\theta}\left\{\frac{\ln(\sin\theta+1)}{\sin\theta}\right\}^2\left\{\frac{\sin\theta}{\theta}\right\}^2$$

$$=\frac{1}{2}$$

따라서 $60a=30$

0808

정답 30

STEP A $S(\theta)$와 $L(\theta)$를 θ에 대한 식으로 나타내기

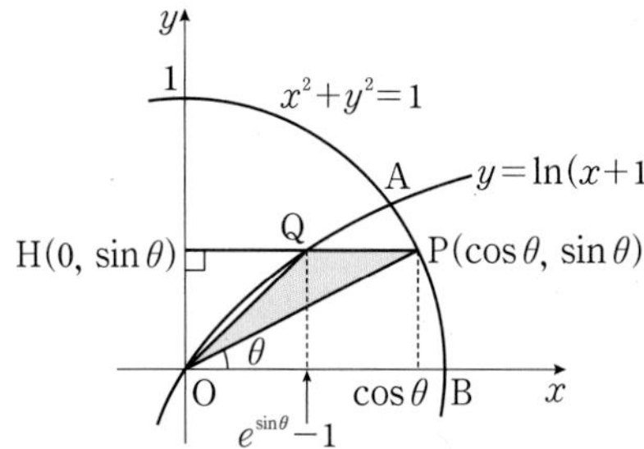

점 P가 원 $x^2+y^2=1$ 위의 점이므로 $P(\cos\theta, \sin\theta)$

이때 점 Q의 x좌표는 $\sin\theta=\ln(x+1)$에서 $x=e^{\sin\theta}-1$

이때 $Q(e^{\sin\theta}-1, \sin\theta)$이고 $S(\theta)$는 삼각형 OPQ의 넓이이므로

$S(\theta)=\dfrac{1}{2}\cdot\overline{PQ}\cdot\overline{OH}=\dfrac{1}{2}\cdot(\cos\theta-e^{\sin\theta}+1)\cdot\sin\theta$

한편 $H(0, \sin\theta)$이고 $L(\theta)$는 선분 HQ의 길이이므로 $L(\theta)=e^{\sin\theta}-1$

STEP B $\displaystyle\lim_{x\to 0}\frac{e^x-1}{x}=1$을 이용하여 k 구하기

$$\therefore k=\lim_{\theta\to 0+}\frac{S(\theta)}{L(\theta)}=\frac{1}{2}\lim_{\theta\to 0+}\frac{(\cos\theta-e^{\sin\theta}+1)\sin\theta}{e^{\sin\theta}-1}$$

$$=\frac{1}{2}\cdot\lim_{\theta\to 0+}(\cos\theta-e^{\sin\theta}+1)\cdot\lim_{\theta\to 0+}\frac{\sin\theta}{e^{\sin\theta}-1}$$

$$=\frac{1}{2}\cdot(1-1+1)\cdot 1=\frac{1}{2}$$

따라서 $60k=60\cdot\dfrac{1}{2}=30$

II 미분법

0809

 ⑤

STEP A 내접원의 반지름의 길이 구하기

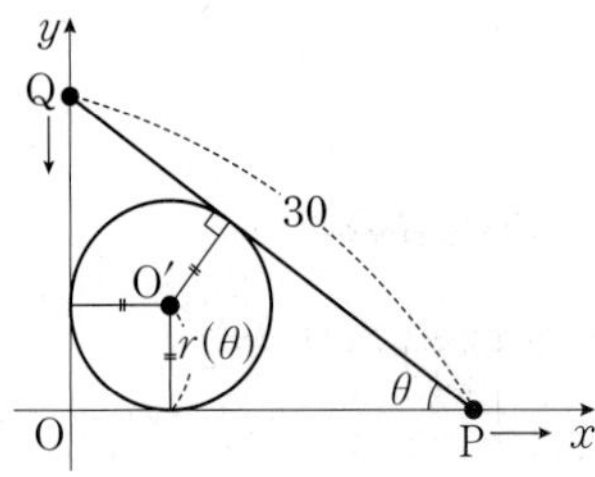

내접원의 중심을 O′이라 하면

$\triangle \mathrm{OPQ} = \triangle \mathrm{O'OP} + \triangle \mathrm{O'OQ} + \triangle \mathrm{O'PQ}$이므로

$\frac{1}{2} \cdot \overline{\mathrm{OP}} \cdot \overline{\mathrm{OQ}} = \frac{1}{2}\overline{\mathrm{OP}} \cdot r(\theta) + \frac{1}{2}\overline{\mathrm{PQ}} \cdot r(\theta) + \frac{1}{2}\overline{\mathrm{OQ}} \cdot r(\theta)$

$= \frac{1}{2}(\overline{\mathrm{OP}} + \overline{\mathrm{PQ}} + \overline{\mathrm{OQ}}) \cdot r(\theta)$

이때 직각삼각형 OPQ에서 $\overline{\mathrm{OP}} = 30\cos\theta$, $\overline{\mathrm{OQ}} = 30\sin\theta$이므로

$\frac{1}{2} \times 30\sin\theta \times 30\cos\theta = \frac{1}{2} \times (30\cos\theta + 30 + 30\sin\theta) \times r(\theta)$

$r(\theta) = \frac{30\sin\theta\cos\theta}{\sin\theta + \cos\theta + 1}$

STEP B 삼각함수의 극한 구하기

따라서 $\lim_{\theta \to 0+} \frac{r(\theta)}{\theta} = \lim_{\theta \to 0+} \frac{30\sin\theta\cos\theta}{\theta(\sin\theta + \cos\theta + 1)}$

$= \lim_{\theta \to 0+} \left(\frac{30\cos\theta}{\sin\theta + \cos\theta + 1} \cdot \frac{\sin\theta}{\theta} \right)$

$= \frac{30}{2} \cdot 1 = 15$

다른풀이 원 밖의 점에서 원에 그은 접선의 길이가 같음을 이용하기

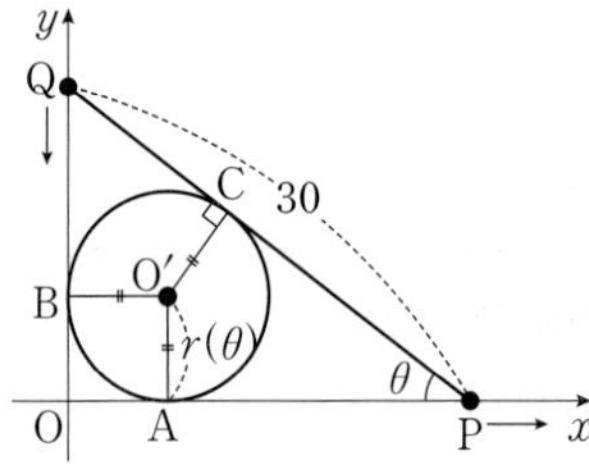

직각삼각형 OPQ에서 $\overline{\mathrm{OP}} = 30\cos\theta$, $\overline{\mathrm{OQ}} = 30\sin\theta$

$\overline{\mathrm{OA}} = \overline{\mathrm{OB}} = r(\theta)$이므로

$\overline{\mathrm{PA}} = \overline{\mathrm{PC}} = 30\cos\theta - r(\theta)$

$\overline{\mathrm{BQ}} = \overline{\mathrm{CQ}} = 30\sin\theta - r(\theta)$

이때 $\overline{\mathrm{PQ}} = \overline{\mathrm{PC}} + \overline{\mathrm{CQ}} = 30$이므로 $30\cos\theta - r(\theta) + 30\sin\theta - r(\theta) = 30$

$\therefore r(\theta) = 15(\sin\theta + \cos\theta - 1)$

따라서 $\lim_{\theta \to 0+} \frac{r(\theta)}{\theta} = 15 \lim_{\theta \to 0+} \left(\frac{\sin\theta}{\theta} + \frac{\cos\theta - 1}{\theta} \right) = 15(1+0) = 15$

0810

 ①

STEP A 각 변을 θ에 대한 식으로 나타내기

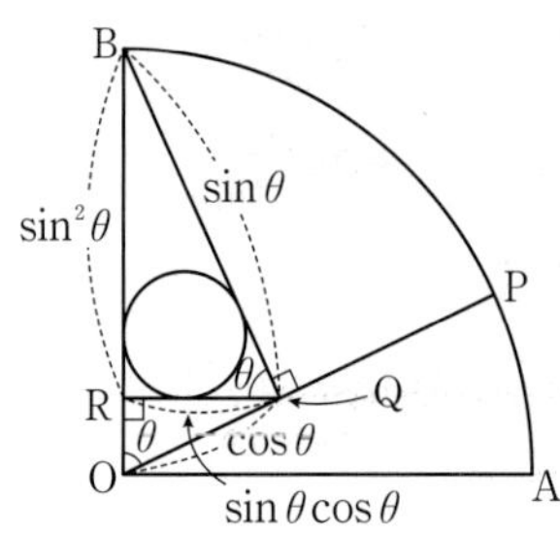

$\angle \mathrm{BOQ} = \theta$, $\overline{\mathrm{OB}} = 1$이고 $\angle \mathrm{OQB} = \frac{\pi}{2}$이므로 $\overline{\mathrm{BQ}} = \sin\theta$

또, $\angle \mathrm{RQB} = \frac{\pi}{2} - \angle \mathrm{QBR} = \frac{\pi}{2} - \left(\frac{\pi}{2} - \theta\right) = \theta$, $\overline{\mathrm{BQ}} = \sin\theta$이고

$\angle \mathrm{BRQ} = \frac{\pi}{2}$이므로 $\overline{\mathrm{BR}} = \sin^2\theta$, $\overline{\mathrm{RQ}} = \sin\theta\cos\theta$

STEP B 삼각형 RQB에 내접하는 원의 성질을 이용하여 반지름 구하기

삼각형 RQB의 넓이는

$\frac{1}{2} \times \overline{\mathrm{BR}} \times \overline{\mathrm{RQ}} = \frac{1}{2} \times \sin^2\theta \times \sin\theta\cos\theta$ …… ㉠

삼각형 BRQ에 내접하는 원의 성질을 이용하여 삼각형의 넓이를 구하면

$\frac{1}{2} \times r(\theta) \times (\sin\theta + \sin\theta\cos\theta + \sin^2\theta)$ …… ㉡

㉠, ㉡에 의해서

$r(\theta) = \frac{\sin^2\theta\cos\theta}{1 + \sin\theta + \cos\theta}$

B
sin²θ
sin θ
r(θ)
θ
R
Q
sin θ cos θ

STEP C $\lim_{\theta \to 0+} \frac{r(\theta)}{\theta^2}$의 값 구하기

따라서 $\lim_{\theta \to 0+} \frac{r(\theta)}{\theta^2} = \lim_{\theta \to 0+} \frac{\sin^2\theta\cos\theta}{\theta^2(1 + \sin\theta + \cos\theta)}$

$= \lim_{\theta \to 0+} \frac{\sin^2\theta}{\theta^2} \cdot \lim_{\theta \to 0+} \frac{\cos\theta}{1 + \sin\theta + \cos\theta}$

$= 1 \cdot \frac{1}{2} = \frac{1}{2}$

0811

 ④

STEP A 삼각형과 내접원의 성질을 이용하여 반지름 $r(\theta)$를 삼각함수로 나타내기

삼각형 OAP가 이등변삼각형이므로 $\angle \mathrm{OAP} = \angle \mathrm{OPA} = \frac{\pi}{2} - \frac{\theta}{2}$이고

삼각형 APH에서 $\angle \mathrm{APH} + \angle \mathrm{PAH} = \frac{\pi}{2}$이므로 $\angle \mathrm{APH} = \frac{\theta}{2}$

내접원의 중심을 Q라 하고 내접원과 선분 PH의 교점을 T라 하면

$\angle \mathrm{QPT} = \frac{\theta}{4}$

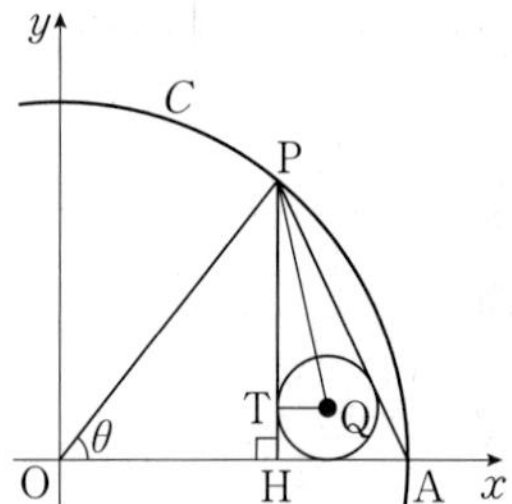

$\overline{\mathrm{PH}} = \sin\theta$이므로 삼각형 QPT에서 $\tan\frac{\theta}{4} = \frac{\overline{\mathrm{QT}}}{\overline{\mathrm{PT}}} = \frac{r(\theta)}{\sin\theta - r(\theta)}$

$\left(1 + \tan\frac{\theta}{4}\right) r(\theta) = \sin\theta\tan\frac{\theta}{4}$

$\therefore r(\theta) = \frac{\sin\theta\tan\frac{\theta}{4}}{1 + \tan\frac{\theta}{4}}$

STEP B $\lim_{\theta \to 0+} \frac{r(\theta)}{\theta^2}$의 값 구하기

따라서 $\lim_{\theta \to 0+} \frac{r(\theta)}{\theta^2} = \lim_{\theta \to 0+} \frac{\sin\theta\tan\frac{\theta}{4}}{\theta^2\left(1 + \tan\frac{\theta}{4}\right)}$

$= \lim_{\theta \to 0+} \left\{ \frac{\sin\theta}{\theta} \cdot \frac{\tan\frac{\theta}{4}}{\frac{\theta}{4}} \cdot \frac{1}{4} \cdot \frac{1}{\left(1 + \tan\frac{\theta}{4}\right)} \right\}$

$= 1 \cdot 1 \cdot \frac{1}{4} \cdot 1 = \frac{1}{4}$

다른풀이 삼각형에 내접하는 원에서 $S=\frac{1}{2}(a+b+c)\cdot r$을 이용하여 원의 반지름 구하기

$\triangle$POH에서 $\overline{OH}=\cos\theta$, $\overline{PH}=\cos\theta$

$\overline{AH}=1-\cos\theta$이므로 직각삼각형 PHA에서 피타고라스 정리에서

$\overline{PA}=\sqrt{\sin^2\theta+(1-\cos\theta)^2}=\sqrt{2(1-\cos\theta)}$

내접원의 반지름의 길이를 $r(\theta)$라 하면

$\triangle APH=\frac{1}{2}\cdot(\triangle APH\text{의 둘레의 길이})\cdot r(\theta)$

$\triangle APH=\frac{1}{2}r(\theta)(\overline{PH}+\overline{AH}+\overline{AP})=\frac{1}{2}\cdot\overline{AH}\cdot\overline{PH}$

따라서 $\frac{1}{2}r(\theta)(\sin\theta+1-\cos\theta+\sqrt{2(1-\cos\theta)})=\frac{1}{2}\sin\theta\cdot(1-\cos\theta)$

$\therefore r(\theta)=\frac{\sin\theta(1-\cos\theta)}{\sin\theta+1-\cos\theta+\sqrt{2(1-\cos\theta)}}$

$$\lim_{\theta\to0+}\frac{r(\theta)}{\theta^2}=\lim_{\theta\to0+}\frac{\sin\theta(1-\cos\theta)}{\theta^2(\sin\theta+1-\cos\theta+\sqrt{2(1-\cos\theta)})}$$

$$=\lim_{\theta\to0+}\frac{\frac{\sin\theta}{\theta}\cdot\frac{1-\cos\theta}{\theta^2}}{\frac{\sin\theta}{\theta}+\frac{1-\cos\theta}{\theta}+\sqrt{\frac{2(1-\cos\theta)}{\theta^2}}}$$

$$=\frac{1\cdot\frac{1}{2}}{1+0+1}=\frac{1}{4}$$

다른풀이 이등변삼각형 OPA에서 $\overline{PA}=2\sin\frac{\theta}{2}$ 구하여 원의 반지름 구하기

내접원의 반지름의 길이를 $r(\theta)$라 하면

$\triangle APH=\frac{1}{2}\cdot(\triangle APH\text{의 둘레의 길이})\cdot r(\theta)$

$\triangle APH=\frac{1}{2}r(\theta)(\overline{PH}+\overline{AH}+\overline{AP})=\frac{1}{2}\cdot\overline{AH}\cdot\overline{PH}$

$\frac{\sin\theta+(1-\cos\theta)+2\sin\frac{\theta}{2}}{2}\cdot r(\theta)=\frac{1}{2}\sin\theta\cdot(1-\cos\theta)$

$\frac{1}{2}\left(2\sin\frac{\theta}{2}\cos\frac{\theta}{2}+2\sin^2\frac{\theta}{2}+2\sin\frac{\theta}{2}\right)r(\theta)=\frac{1}{2}\cdot2\sin\frac{\theta}{2}\cos\frac{\theta}{2}(1-\cos\theta)$

따라서 $\left(\cos\frac{\theta}{2}+\sin\frac{\theta}{2}+1\right)r(\theta)=(1-\cos\theta)\cos\frac{\theta}{2}$

$r(\theta)=\frac{(1-\cos\theta)\cos\frac{\theta}{2}}{1+\cos\frac{\theta}{2}+\sin\frac{\theta}{2}}$이므로

$$\lim_{\theta\to0+}\frac{r(\theta)}{\theta^2}=\lim_{\theta\to0+}\frac{(1-\cos\theta)\cos\frac{\theta}{2}}{\theta^2\left(1+\cos\frac{\theta}{2}+\sin\frac{\theta}{2}\right)}$$

$$=\lim_{\theta\to0+}\left\{\frac{\cos\frac{\theta}{2}}{1+\cos\frac{\theta}{2}+\sin\frac{\theta}{2}}\cdot\frac{\sin^2\theta}{\theta^2}\cdot\frac{1}{1+\cos\theta}\right\}$$

$$=\frac{1}{1+1+0}\cdot1^2\cdot\frac{1}{1+1}=\frac{1}{4}$$

0812

정답 ④

STEP A 삼각형에 내접하는 원의 반지름 $r(\theta)$를 삼각함수로 나타내기

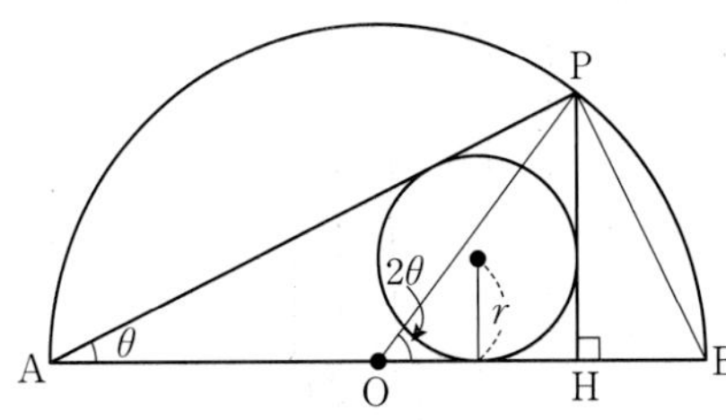

선분 AB의 중점을 O라 하면

$\overline{OA}=\overline{OB}=1$, $\angle POB=2\theta$이므로

부채꼴 OPB의 호의 길이 $l(\theta)$는 $l(\theta)=\overline{OB}\times2\theta=1\times2\theta=2\theta$

삼각형 ABP에서 $\angle APB=\frac{\pi}{2}$이므로 $\overline{PA}=\overline{AB}\cos\theta=2\cos\theta$

직각삼각형 AHP에서

$\overline{PH}=\overline{PA}\sin\theta=2\cos\theta\sin\theta$

$\overline{AH}=\overline{PA}\cos\theta=2\cos^2\theta$

$(\text{삼각형 AHP의 넓이})=\frac{1}{2}\times\overline{AH}\times\overline{PH}$

$=\frac{1}{2}\times2\cos^2\theta\times2\cos\theta\times\sin\theta$

$=2\cos^3\theta\sin\theta$

삼각형 AHP의 내접원의 반지름의 길이를 r이라 하면

$(\text{삼각형 AHP의 넓이})=\frac{1}{2}\times(\overline{PA}+\overline{PH}+\overline{AH})\times r$

$=\frac{r}{2}(2\cos\theta+2\cos\theta\sin\theta+2\cos^2\theta)$

$=r\cos\theta(1+\sin\theta+\cos\theta)$

이때 $r\cos\theta(1+\sin\theta+\cos\theta)=2\cos^3\theta\sin\theta$에서

$r=\frac{2\cos^2\theta\sin\theta}{1+\sin\theta+\cos\theta}$이므로

삼각형 AHP의 내접원의 넓이 $S(\theta)$는

$S(\theta)=\pi\left(\frac{2\cos^2\theta\sin\theta}{1+\sin\theta+\cos\theta}\right)^2=\frac{4\pi\cos^4\theta\sin^2\theta}{(1+\sin\theta+\cos\theta)^2}$

STEP B $\lim_{\theta\to0+}\frac{S(\theta)}{\pi\{l(\theta)\}^2}$의 값 구하기

따라서 $\lim_{\theta\to0+}\frac{S(\theta)}{\pi\{l(\theta)\}^2}=\lim_{\theta\to0+}\left\{\frac{4\pi\cos^4\theta\sin^2\theta}{(1+\sin\theta+\cos\theta)^2}\times\frac{1}{4\pi\theta^2}\right\}$

$=\lim_{\theta\to0+}\left\{\frac{\cos^4\theta}{(1+\sin\theta+\cos\theta)^2}\times\left(\frac{\sin\theta}{\theta}\right)^2\right\}$

$=\frac{1^4}{2^2}\times1^2=\frac{1}{4}$

0813

정답 ④

STEP A 빈칸추론하기

$\angle APB=\frac{\pi}{2}$이므로 삼각형 ABP에서

$\overline{AP}=2\cos\theta$, $\overline{BP}=\boxed{2\sin\theta}$

삼각형 ABP의 넓이를 $S(\theta)$라고 하면

$S(\theta)=\frac{1}{2}\times\overline{AP}\times\overline{BP}=\frac{1}{2}\times2\cos\theta\times2\sin\theta$

$=\boxed{2\cos\theta\sin\theta}$

한편 $S(\theta)=\frac{1}{2}\times f(\theta)\times(\overline{AB}+\overline{AP}+\overline{BP})$

$=\frac{1}{2}\times f(\theta)\times(2+2\cos\theta+2\sin\theta)$

$=f(\theta)\times(1+\cos\theta+\sin\theta)$

즉 $2\cos\theta\sin\theta=f(\theta)\times(1+\cos\theta+\sin\theta)$이므로

$f(\theta)=\boxed{\frac{2\cos\theta\sin\theta}{1+\cos\theta+\sin\theta}}$

$\lim_{\theta\to0+}\frac{f(\theta)}{\theta}=\lim_{\theta\to0+}\frac{2\cos\theta\sin\theta}{\theta(1+\cos\theta+\sin\theta)}$

$=\lim_{\theta\to0+}\left(\frac{\sin\theta}{\theta}\times\frac{2\cos\theta}{1+\cos\theta+\sin\theta}\right)$

$=1\times\frac{2}{2}=\boxed{1}$

따라서 (가) $2\sin\theta$, (나) $2\cos\theta\sin\theta$, (다) $\frac{2\cos\theta\sin\theta}{1+\cos\theta+\sin\theta}$, (라) 1

0814

정답 $\frac{2}{\pi}$

STEP Ⓐ l_1, l_2를 θ로 나타내기

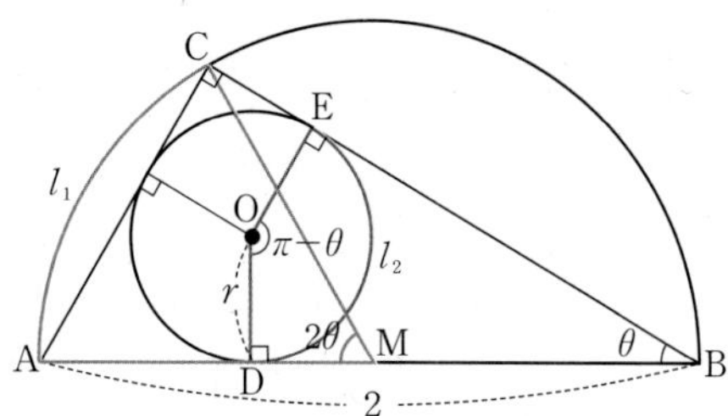

그림과 같이 $\overline{AB}$의 중점을 M이라 하면
점 M은 반원의 중심이므로 $\angle AMC=2\theta$
$\therefore l_1=1\cdot 2\theta=2\theta$
직각삼각형 ABC에서 $\overline{AC}=2\sin\theta$, $\overline{BC}=2\cos\theta$이므로
삼각형 ABC 내접원의 반지름의 길이를 r이라 하면
$\triangle ABC$의 넓이에서 $\frac{1}{2}\overline{AC}\cdot\overline{BC}=\frac{1}{2}r(\overline{AB}+\overline{BC}+\overline{CA})$

$\frac{1}{2}\cdot 2\sin\theta\cdot 2\cos\theta=\frac{1}{2}r(2+2\cos\theta+2\sin\theta)$

$\therefore 2\sin\theta\cos\theta=r(1+\sin\theta+\cos\theta)$

$\therefore r=\frac{2\sin\theta\cos\theta}{1+\sin\theta+\cos\theta}$

이때 사각형 ODBE에서 $\angle DOE=\pi-\theta$이므로

$l_2=r(\pi-\theta)=\frac{2\sin\theta\cos\theta(\pi-\theta)}{1+\sin\theta+\cos\theta}$

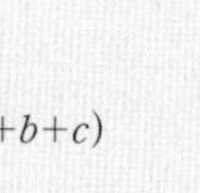

내접원의 반지름의 길이와
삼각형의 넓이 $\triangle ABC=\frac{1}{2}r(a+b+c)$

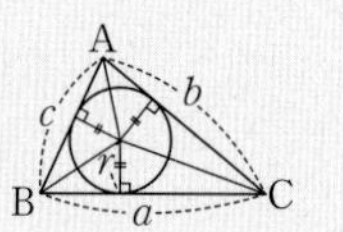

STEP Ⓑ $\lim_{\theta\to 0}\frac{l_1}{l_2}$의 값 구하기

따라서 $\lim_{\theta\to 0}\frac{l_1}{l_2}=\lim_{\theta\to 0}\frac{2\theta}{\frac{2\sin\theta\cos\theta\cdot(\pi-\theta)}{1+\sin\theta+\cos\theta}}$

$=\lim_{\theta\to 0}\frac{2\theta(1+\sin\theta+\cos\theta)}{2\sin\theta\cos\theta(\pi-\theta)}$

$=\lim_{\theta\to 0}\frac{\theta}{\sin\theta}\cdot\lim_{\theta\to 0}\frac{1+\sin\theta+\cos\theta}{\cos\theta(\pi-\theta)}$

$=1\cdot\frac{1+0+1}{1\cdot\pi}=\frac{2}{\pi}$

다른풀이 $\overline{AC}+\overline{BC}$의 길이를 구하여 풀이하기

호 AC의 중심각의 크기는 2θ이므로 $l_1=1\times 2\theta=2\theta$
내접원과 선분 AC의 접점을 F라 하면
$\overline{AF}+\overline{BE}=\overline{AD}+\overline{DB}=\overline{AB}=2$이고 $\overline{CE}+\overline{CF}=r+r=2r$이므로
$\overline{AC}+\overline{BC}=2+2r$ …… ㉠
그런데 직각삼각형 ABC에서
$\overline{AB}=2$, $\overline{AC}=2\sin\theta$, $\overline{BC}=2\cos\theta$이므로
$\overline{AC}+\overline{BC}=2\sin\theta+2\cos\theta$ …… ㉡
㉠, ㉡에서 $2+2r=2\sin\theta+2\cos\theta$
$\therefore r=\sin\theta+\cos\theta-1$
한편 사각형 ODBE에서 $\angle DOE=\pi-\theta$이므로
$l_2=r(\pi-\theta)=(\sin\theta+\cos\theta-1)(\pi-\theta)$

따라서 $\lim_{\theta\to 0}\frac{l_1}{l_2}=\lim_{\theta\to 0}\frac{2\theta}{(\sin\theta+\cos\theta-1)(\pi-\theta)}$

$=\lim_{\theta\to 0}\frac{2\theta(\sin\theta+\cos\theta+1)}{\{(\sin\theta+\cos\theta)^2-1\}(\pi-\theta)}$

$=\lim_{\theta\to 0}\frac{2\theta(\sin\theta+\cos\theta+1)}{2\sin\theta\cos\theta(\pi-\theta)}=\frac{2}{\pi}$

다른풀이 원 밖의 점에서 원에 그은 접선의 길이가 같음을 이용하기

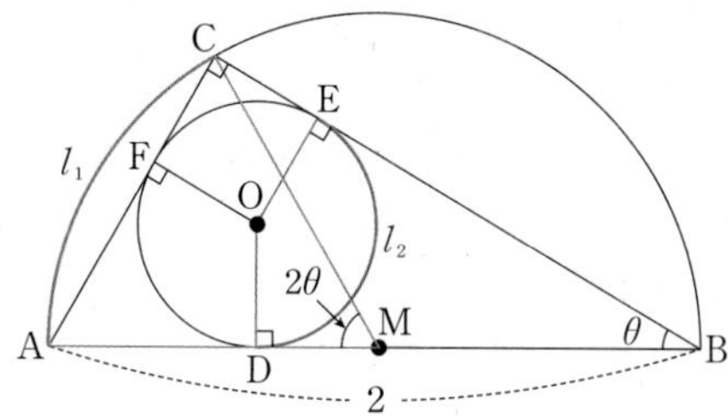

직각삼각형 ABC에서 $\overline{BC}=2\cos\theta$, $\overline{AC}=2\sin\theta$
또한, $\overline{OD}=r$이라 하면
$\overline{OE}=\overline{OF}=r$
$\overline{EB}=\overline{DB}=2\cos\theta-r$
$\overline{AF}=\overline{AD}=2\sin\theta-r$
이때 $\overline{AB}=\overline{AD}+\overline{DB}=2$이므로 $2\sin\theta-r+2\cos\theta-r=2$
$\therefore r=\cos\theta+\sin\theta-1$

따라서 $\lim_{\theta\to 0}\frac{l_1}{l_2}=\lim_{\theta\to 0}\frac{2\theta}{r(\pi-\theta)}$

$=\lim_{\theta\to 0}\frac{2\theta}{(\cos\theta+\sin\theta-1)(\pi-\theta)}$

$=\lim_{\theta\to 0}\frac{2}{\left(\frac{\cos\theta+\sin\theta-1}{\theta}\right)(\pi-\theta)}$

$=\lim_{\theta\to 0}\frac{2}{\left(\frac{\cos\theta-1}{\theta}+\frac{\sin\theta}{\theta}\right)(\pi-\theta)}$

$=\frac{2}{(0+1)(\pi-0)}=\frac{2}{\pi}$

0815

정답 ①

STEP Ⓐ 부채꼴의 중심각의 크기 구하기

반지름의 길이가 $\overline{OP}=2^n$인 원 C 위의 점 Q에 대하여 $\angle POQ=\theta$라 하면
(호 PQ의 길이)$=\overline{OP}\times\theta$이므로 $\pi=2^n\times\theta$ $\therefore \theta=\frac{\pi}{2^n}$

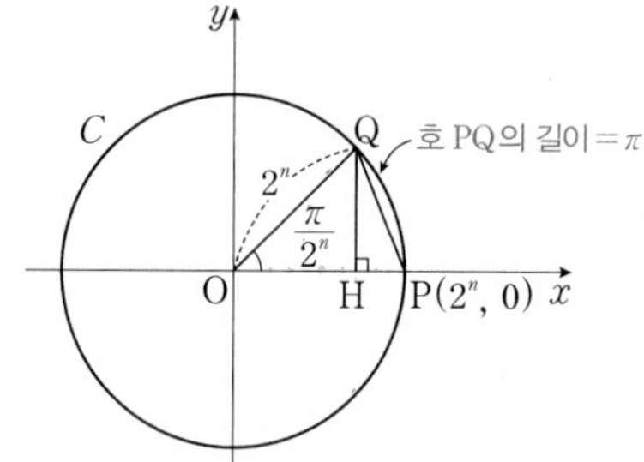

STEP Ⓑ 주어진 식의 분자, 분모에 $1+\cos\frac{\pi}{2^n}$를 각각 곱한 후 $\lim_{x\to 0}\frac{\sin x}{x}=1$임을 이용하여 구하기

따라서 $\overline{OQ}=\overline{OP}=2^n$이고

$\overline{HP}=\overline{OP}-\overline{OH}=2^n-2^n\cos\frac{\pi}{2^n}=2^n\left(1-\cos\frac{\pi}{2^n}\right)$

$\lim_{n\to\infty}(\overline{OQ}\times\overline{HP})=\lim_{n\to\infty}2^n\cdot 2^n\left(1-\cos\frac{\pi}{2^n}\right)=\lim_{n\to\infty}2^{2n}\left(1-\cos\frac{\pi}{2^n}\right)$

$=\lim_{n\to\infty}\frac{2^{2n}\left(1-\cos\frac{\pi}{2^n}\right)\left(1+\cos\frac{\pi}{2^n}\right)}{\left(1+\cos\frac{\pi}{2^n}\right)}=\lim_{n\to\infty}\frac{2^{2n}\cdot\sin^2\frac{\pi}{2^n}}{\left(1+\cos\frac{\pi}{2^n}\right)}$

$=\lim_{n\to\infty}\pi^2\frac{1}{\left(1+\cos\frac{\pi}{2^n}\right)}\cdot\left(\frac{\sin\frac{\pi}{2^n}}{\frac{\pi}{2^n}}\right)^2$

$=\pi^2\cdot\frac{1}{2}\cdot 1^2=\frac{\pi^2}{2}$

$$\lim_{n\to\infty}(\overline{OQ}\times\overline{HP})=\lim_{n\to\infty}\left\{2^n\times2^n\left(1-\cos\frac{\pi}{2^n}\right)\right\} \quad \cdots\cdots ㉠$$

이때 $\frac{\pi}{2^n}=t$로 놓으면 $n\to\infty$일 때, $t\to0+$이므로 ㉠에서

$$\lim_{t\to0+}\frac{\pi^2(1-\cos t)}{t^2}=\pi^2\lim_{t\to0+}\frac{(1-\cos t)(1+\cos t)}{t^2(1+\cos t)}$$
$$=\pi^2\lim_{t\to0+}\frac{\sin^2 t}{t^2(1+\cos t)}$$
$$=\pi^2\times\lim_{t\to0+}\left(\frac{\sin t}{t}\right)^2\times\lim_{t\to0+}\frac{1}{1+\cos t}$$
$$=\pi^2\times1^2\times\frac{1}{2}=\frac{\pi^2}{2}$$

0816

정답 ④

STEP A 도형의 성질을 활용하여 삼각형 OHP의 넓이 $f(\theta)$ 구하기

삼각형 OHP에서 $\overline{OP}=1$, $\angle POH=\theta$이므로

$\overline{PH}=\sin\theta$, $\overline{OH}=\cos\theta$

즉 $f(\theta)=\frac{1}{2}\sin\theta\cos\theta$

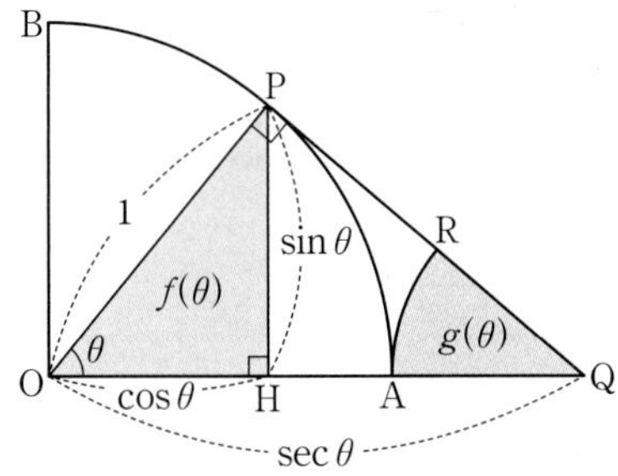

STEP B 부채꼴 QRA의 넓이 $g(\theta)$ 구하기

한편 $\angle OPQ=\frac{\pi}{2}$, $\overline{OQ}=\sec\theta$이므로

$\angle OQP=\frac{\pi}{2}-\theta$, $\overline{AQ}=\overline{OQ}-\overline{OA}=\sec\theta-1$

즉 $g(\theta)=\frac{1}{2}(\sec\theta-1)^2\left(\frac{\pi}{2}-\theta\right)$

STEP C $\lim_{\theta\to0+}\frac{\sqrt{g(\theta)}}{\theta\times f(\theta)}$의 값 구하기

따라서 $$\lim_{\theta\to0+}\frac{\sqrt{g(\theta)}}{\theta\times f(\theta)}=\lim_{\theta\to0+}\frac{\sqrt{\frac{1}{2}(\sec\theta-1)^2\left(\frac{\pi}{2}-\theta\right)}}{\theta\times\frac{1}{2}\sin\theta\cos\theta}$$

$$=\lim_{\theta\to0+}\frac{(\sec\theta-1)\sqrt{\frac{\pi}{4}-\frac{\theta}{2}}}{\frac{1}{2}\theta\sin\theta\cos\theta} \quad \Leftarrow \sec\theta=\frac{1}{\cos\theta}$$

$$=\lim_{\theta\to0+}\frac{1-\cos\theta}{\theta^2}\times\frac{\theta}{\sin\theta}\times\frac{\sqrt{\frac{\pi}{4}-\frac{\theta}{2}}}{\frac{1}{2}\cos^2\theta} \quad \Leftarrow \lim_{\theta\to0+}\frac{1-\cos\theta}{\theta^2}=\frac{1}{2}$$

$$=\frac{1}{2}\times1\times\frac{\sqrt{\frac{\pi}{4}}}{\frac{1}{2}}=\frac{\sqrt{\pi}}{2}$$

참고

$$\lim_{\theta\to0+}\frac{(\sec\theta-1)\sqrt{\frac{\pi}{4}-\frac{\theta}{2}}}{\frac{1}{2}\theta\sin\theta\cos\theta} \quad \Leftarrow \tan^2\theta+1=\sec^2\theta$$
$$=\lim_{\theta\to0+}\frac{2\tan^2\theta\sqrt{\frac{\pi}{4}-\frac{\theta}{2}}}{\theta\sin\theta\cos\theta(\sec\theta+1)}$$
$$=\lim_{\theta\to0+}\left\{2\sqrt{\frac{\pi}{4}-\frac{\theta}{2}}\times\frac{\sin\theta}{\theta}\times\frac{1}{\cos^3\theta(\sec\theta+1)}\right\}$$
$$=2\times\sqrt{\frac{\pi}{4}}\times1\times\frac{1}{1\times2}=\frac{\sqrt{\pi}}{2}$$

0817

정답 20

STEP A $\overline{OD}=x(x>0)$로 놓고 $f(\theta)$, $g(\theta)$ 구하기

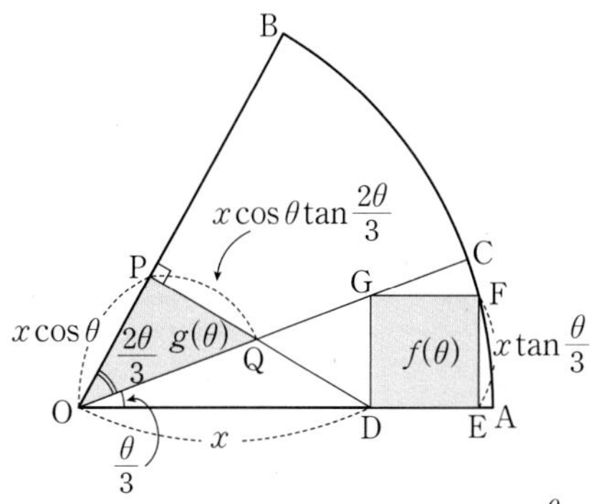

$\overline{OD}=x(x>0)$라 하면 직각삼각형 ODG에서 $\overline{GD}=x\tan\frac{\theta}{3}$이므로

정사각형 DEFG의 넓이는 $f(\theta)=\left(x\tan\frac{\theta}{3}\right)^2=x^2\tan^2\frac{\theta}{3}$

직각삼각형 OPQ에서 $\overline{OP}=x\cos\theta$, $\overline{PQ}=\overline{OP}\tan\frac{2\theta}{3}=x\cos\theta\tan\frac{2\theta}{3}$이므로

삼각형 POQ의 넓이는

$g(\theta)=\frac{1}{2}x\cos\theta\cdot x\cos\theta\tan\frac{2\theta}{3}=\frac{1}{2}x^2\cos^2\theta\tan\frac{2\theta}{3}$

STEP B $\lim_{\theta\to0+}\frac{f(\theta)}{\theta\cdot g(\theta)}$의 값 구하기

$$\lim_{\theta\to0+}\frac{f(\theta)}{\theta\cdot g(\theta)}=\lim_{\theta\to0+}\frac{x^2\tan^2\frac{\theta}{3}}{\theta\cdot\frac{1}{2}x^2\cos^2\theta\tan\frac{2\theta}{3}}=\lim_{\theta\to0+}\frac{2\tan^2\frac{\theta}{3}}{\theta\cdot\cos^2\theta\tan\frac{2\theta}{3}}$$

$$=\lim_{\theta\to0+}\frac{2\tan^2\frac{\theta}{3}}{9\cdot\frac{\theta^2}{9}}\cdot\lim_{\theta\to0+}\frac{1}{\cos^2\theta}\cdot\lim_{\theta\to0+}\frac{\frac{3}{2}\cdot\frac{2\theta}{3}}{\tan\frac{2\theta}{3}}=\frac{2}{9}\cdot1\cdot\frac{3}{2}=\frac{1}{3}$$

따라서 $k=\frac{1}{3}$이므로 $60k=20$

다른풀이 $f(\theta)$, $g(\theta)$ 구하기

STEP A $\angle FOA=\theta_1$인 선분을 OF라 놓고 정사각형 DEFG의 넓이 $f(\theta)$ 구하기

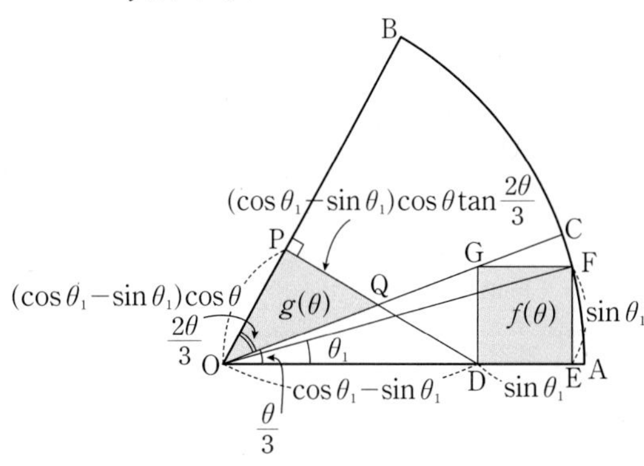

$\angle FOA=\theta_1$인 선분을 OF라 하면 위의 그림과 같이 $\overline{FE}=\overline{DE}=\sin\theta_1$이므로

정사각형 DEFG의 넓이는 $f(\theta)=\sin^2\theta_1$

한편 θ와 θ_1의 관계를 구하면 삼각형 $\triangle GOD$에서

$\overline{OD}=\overline{OE}-\overline{DE}=\cos\theta_1-\sin\theta_1$이므로 $(\cos\theta_1-\sin\theta_1)\cdot\tan\frac{\theta}{3}=\sin\theta_1$

즉 $\frac{\sin\theta_1}{\cos\theta_1-\sin\theta_2}=\tan\frac{\theta}{3}$임을 알 수 있다.

STEP B 삼각형 OQP의 넓이 $g(\theta)$ 구하기

삼각형 OQP에서 $\overline{OD}=\cos\theta_1-\sin\theta_1$이므로

$\overline{OP}=(\cos\theta_1-\sin\theta_1)\cdot\cos\theta$, $\overline{PQ}=\overline{OP}\cdot\tan\frac{2\theta}{3}$

$\therefore g(\theta)=\frac{1}{2}\cdot(\cos\theta_1-\sin\theta_1)^2\cdot\cos^2\theta\cdot\tan\frac{2\theta}{3}$

STEP C $\lim_{\theta\to0+}\frac{f(\theta)}{\theta\cdot g(\theta)}$**의 값 구하기**

$$\lim_{\theta\to0+}\frac{f(\theta)}{\theta\cdot g(\theta)}=\lim_{\theta\to0+}\frac{\sin^2\theta_1}{\theta\cdot\left\{\frac{1}{2}(\cos\theta_1-\sin\theta_1)^2\cos^2\theta\tan\frac{2\theta}{3}\right\}}$$

$$=\lim_{\theta\to0+}\frac{\tan^2\frac{\theta}{3}}{\theta\cdot\left\{\frac{1}{2}\cdot\cos^2\theta\cdot\tan\frac{2\theta}{3}\right\}}$$

$$=\frac{1}{3}$$

따라서 $k=\frac{1}{3}$이고 $60k=20$

0818

정답 ②

STEP A θ**로 부채꼴 ADE의 넓이와 삼각형 BCE의 넓이를 표현하기**

직각삼각형 ABC에서 $\overline{AB}=1$, $\angle CAB=\theta$이므로

$\overline{AC}=\frac{1}{\cos\theta}=\sec\theta$, $\overline{BC}=\tan\theta$

이때 직선 CD가 $\angle ACB$를 이등분하므로

$\overline{AD}:\overline{BD}=\overline{AC}:\overline{BC}$

즉 $\overline{AD}=1\times\frac{\sec\theta}{\sec\theta+\tan\theta}=\frac{1}{1+\sin\theta}$이므로

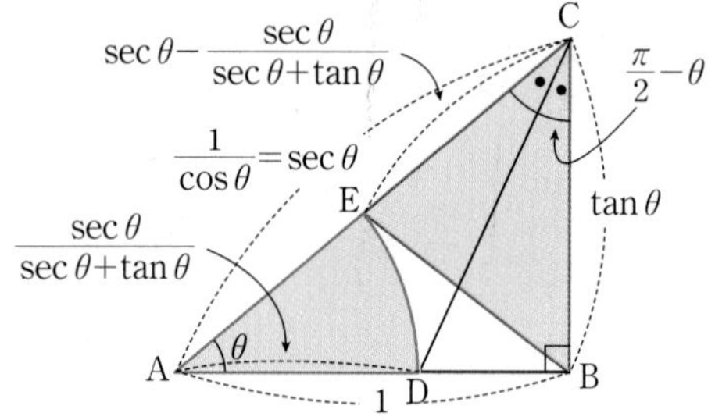

$$S(\theta)=\frac{1}{2}\times\left(\frac{1}{1+\sin\theta}\right)^2\times\theta \quad \Leftarrow S(\theta)=\frac{1}{2}r^2\theta$$

$$=\frac{1}{2}\times\frac{\theta}{(1+\sin\theta)^2}$$

한편 $\overline{CE}=\sec\theta-\frac{1}{1+\sin\theta}$이므로

$$T(\theta)=\frac{1}{2}\cdot\tan\theta\cdot\left(\sec\theta-\frac{1}{1+\sin\theta}\right)\cdot\sin\left(\frac{\pi}{2}-\theta\right) \quad \Leftarrow T(\theta)=\frac{1}{2}ab\sin\theta$$

$$=\frac{1}{2}\cdot\tan\theta\cdot\left(\sec\theta-\frac{1}{1+\sin\theta}\right)\cdot\cos\theta$$

$$=\frac{1}{2}\sin\theta\left(\sec\theta-\frac{1}{1+\sin\theta}\right)$$

STEP B $\lim_{\theta\to0+}\frac{\{S(\theta)\}^2}{T(\theta)}$**의 값 구하기**

따라서

$$\lim_{\theta\to0+}\frac{\{S(\theta)\}^2}{T(\theta)}=\lim_{\theta\to0+}\frac{\left\{\frac{1}{2}\cdot\frac{\theta}{(1+\sin\theta)^2}\right\}^2}{\frac{1}{2}\sin\theta\left(\sec\theta-\frac{1}{1+\sin\theta}\right)}$$

$$=\lim_{\theta\to0+}\left\{\frac{1}{2}\cdot\frac{\theta}{\sin\theta}\cdot\frac{\cos\theta}{(1+\sin\theta)^3}\cdot\frac{\theta}{\sin\theta+1-\cos\theta}\right\}$$

$$=\lim_{\theta\to0+}\left\{\frac{1}{2}\cdot\frac{\theta}{\sin\theta}\cdot\frac{\cos\theta}{(1+\sin\theta)^3}\cdot\frac{1}{\frac{\sin\theta}{\theta}+\frac{1-\cos\theta}{\theta}}\right\}$$

$\Leftarrow \lim_{x\to0}\frac{1-\cos x}{x}=0$

$$=\frac{1}{2}\times1\times\frac{1}{1}\times\frac{1}{1+0}$$

$$=\frac{1}{2}$$

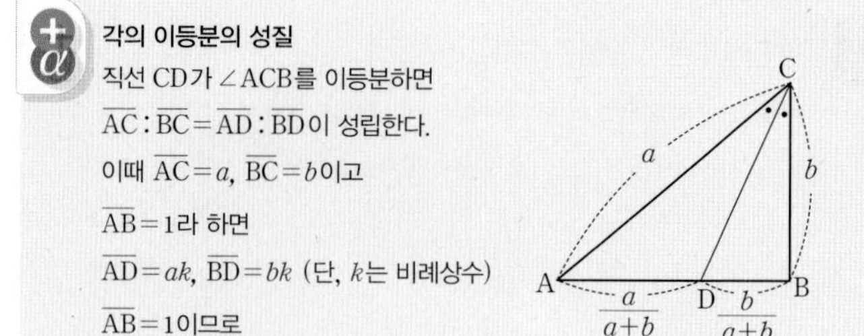

+α 각의 이등분의 성질

직선 CD가 $\angle ACB$를 이등분하면

$\overline{AC}:\overline{BC}=\overline{AD}:\overline{BD}$이 성립한다.

이때 $\overline{AC}=a$, $\overline{BC}=b$이고

$\overline{AB}=1$라 하면

$\overline{AD}=ak$, $\overline{BD}=bk$ (단, k는 비례상수)

$\overline{AB}=1$이므로

$\overline{AD}+\overline{BD}=ak+bk=k(a+b)=1$에서

$k=\frac{1}{a+b}$

따라서 $\overline{AD}=\frac{a}{a+b}$, $\overline{BD}=\frac{b}{a+b}$

0819

정답 ④

STEP A $S(\theta)$**를 구하기**

삼각형 OPA가 $\overline{OA}=\overline{OP}$인 이등변삼각형이므로

$\angle PAO=\angle APO=\theta$, $\angle AOP=\pi-2\theta$

삼각형 AOQ에서 $\angle AOQ=2\angle AOP$이므로

$\angle AOQ=2\pi-4\theta$, $\overline{OA}=\overline{OQ}=4$

$S(\theta)=\frac{1}{2}\times4^2\times\sin(2\pi-4\theta)=8\sin(2\pi-4\theta)$

STEP B 극한값 구하기

$\theta-\frac{\pi}{4}=t$라 하면 $\theta\to\frac{\pi}{4}+$일 때, $t\to0+$이므로

$$\lim_{\theta\to\frac{\pi}{4}+}\frac{S(\theta)}{\theta-\frac{\pi}{4}}=\lim_{\theta\to\frac{\pi}{4}+}\frac{8\sin(2\pi-4\theta)}{\theta-\frac{\pi}{4}}=\lim_{t\to0+}\frac{8\sin(\pi-4t)}{t}$$

$$=\lim_{t\to0+}\frac{8\sin4t}{t}=\lim_{t\to0+}8\cdot\frac{\sin4t}{4t}\cdot4=32$$

따라서 $\lim_{\theta\to\frac{\pi}{4}+}\frac{S(\theta)}{\theta-\frac{\pi}{4}}=32$

0820

정답 ①

STEP A 함수 $f(x)$**가** $\lim_{x\to0}f(x)=f(0)$**을 만족하는 것 구하기**

ㄱ. $\lim_{x\to0}f(x)=\lim_{x\to0}\frac{x}{e^x-1}=1$

즉 $\lim_{x\to0}f(x)=f(0)$이므로 주어진 함수는 $x=0$에서 연속이다.

ㄴ. $\lim_{x\to0}g(x)=\lim_{x\to0}x\sin\frac{1}{x}=0$

즉 $\lim_{x\to0}g(x)\neq g(0)$이므로 주어진 함수는 $x=0$에서 불연속이다.

ㄷ. $\lim_{x\to0}h(x)=\lim_{x\to0}\frac{x}{\log_2(1+x)}=\lim_{x\to0}\frac{1}{\frac{1}{x}\log_2(1+x)}$

$$=\lim_{x\to0}\frac{1}{\log_2(1+x)^{\frac{1}{x}}}=\frac{1}{\log_2e}=\ln2$$

즉 $\lim_{x\to0}h(x)\neq h(0)$이므로 주어진 함수는 $x=0$에서 불연속이다.

따라서 $x=0$에서 연속인 함수는 ㄱ이다.

0821

정답 ⑤

STEP A 함수 $f(x)$가 $\lim_{x\to0}f(x)=f(0)$을 만족하는 것 구하기

ㄱ. $\lim_{x\to0}f(x)=\lim_{x\to0}\frac{e^x-1}{x}=1$

즉 $\lim_{x\to0}f(x)=f(0)$이므로 주어진 함수는 $x=0$에서 연속이다.

ㄴ. $\lim_{x\to0}g(x)=\lim_{x\to0}\frac{x-\sin x}{x}=\lim_{x\to0}\left(1-\frac{\sin x}{x}\right)=0$

즉 $\lim_{x\to0}g(x)=g(0)$이므로 주어진 함수는 $x=0$에서 연속이다.

ㄷ. $\lim_{x\to0}h(x)=\lim_{x\to0}\frac{\ln(1+x^2)}{x}=\lim_{x\to0}\frac{\ln(1+x^2)}{x^2}\cdot x=0$

즉 $\lim_{x\to0}h(x)=h(0)$이므로 주어진 함수는 $x=0$에서 연속이다.

따라서 $x=0$에서 연속인 함수는 ㄱ, ㄴ, ㄷ이다.

0822

STEP A $x=0$에서 연속임을 이용하여 식 세우기

함수 $f(x)$가 $x=0$에서 연속이므로 $\lim_{x\to0}f(x)=f(0)$

$\therefore \lim_{x\to0}\frac{e^{5x}+a}{\sin x}=b$

STEP B 주어진 함수의 극한값이 존재하고 (분모)→ 0일 때, (분자)→ 0임을 이용하여 a의 값 구하기

$x\to0$일 때, (분모)→ 0이고 극한값이 존재하므로 (분자)→ 0이어야 한다.

즉 $\lim_{x\to0}(e^{5x}+a)=0$이므로 $1+a=0$

$\therefore a=-1$

STEP C a의 값을 대입한 후 극한값을 이용하여 b의 값을 구하고 $a+b$의 값 구하기

$\lim_{x\to0}f(x)=\lim_{x\to0}\frac{e^{5x}-1}{\sin x}=\lim_{x\to0}\frac{e^{5x}-1}{5x}\cdot\frac{x}{\sin x}\cdot5=1\cdot1\cdot5=5$

$\therefore b=5$

따라서 $a+b=4$

0823

STEP A $x=0$에서 연속임을 이용하여 식 세우기

함수 $f(x)$가 $x=0$에서 연속이므로 $\lim_{x\to0}f(x)=f(0)$

$\therefore \lim_{x\to0}\frac{2\cos x+a}{x\sin x}=b$ ...... ㉠

STEP B 주어진 함수의 극한값이 존재하고 (분모)→ 0일 때, (분자)→ 0임을 이용하여 a의 값 구하기

$x\to0$일 때, (분모)→ 0이고 극한값이 존재하므로 (분자)→ 0이어야 한다.

즉 $\lim_{x\to0}(2\cos x+a)=0$이므로 $2+a=0$

$\therefore a=-2$

STEP C a의 값을 대입한 후 극한값을 이용하여 b의 값을 구하고 $a+b$의 값 구하기

$a=-2$를 ㉠에 대입하면

$$\lim_{x\to0}\frac{2\cos x-2}{x\sin x}=\lim_{x\to0}\frac{2(\cos x-1)(\cos x+1)}{x\sin x(\cos x+1)}$$
$$=\lim_{x\to0}\frac{-2\sin^2x}{x\sin x(\cos x+1)}$$
$$=\lim_{x\to0}\left\{(-2)\cdot\frac{\sin x}{x}\cdot\frac{1}{\cos x+1}\right\}$$
$$=-2\cdot1\cdot\frac{1}{2}=-1$$

따라서 $b=-1$이므로 $a+b=-2+(-1)=-3$

내신연계 출제문항 309

함수

$$f(x)=\begin{cases}\dfrac{4\cos x+a}{x(e^{2x}-1)} & (x\neq0)\\ b & (x=0)\end{cases}$$

가 $x=0$에서 연속일 때, 상수 a, b에 대하여 $a+b$의 값은?

① -5 ② -4 ③ -3
④ 3 ⑤ 4

STEP A $x=0$에서 연속임을 이용하여 식 세우기

함수 $f(x)$가 $x=0$에서 연속이므로 $\lim_{x\to0}f(x)=f(0)$

$\therefore \lim_{x\to0}\frac{4\cos x+a}{x(e^{2x}-1)}=b$ ...... ㉠

STEP B 주어진 함수의 극한값이 존재하고 (분모)→ 0일 때, (분자)→ 0임을 이용하여 a의 값 구하기

$x\to0$일 때, (분모)→ 0이고 극한값이 존재하므로 (분자)→ 0이어야 한다.

즉 $\lim_{x\to0}(4\cos x+a)=0$이므로 $4+a=0$

$\therefore a=-4$

STEP C a의 값을 대입한 후 극한값을 이용하여 b의 값을 구하고 $a+b$의 값 구하기

$a=-4$를 ㉠에 대입하면

$$\lim_{x\to0}\frac{4\cos x-4}{x(e^{2x}-1)}=\lim_{x\to0}\frac{4(\cos x-1)(\cos x+1)}{x(e^{2x}-1)(\cos x+1)}$$
$$=\lim_{x\to0}\frac{-4\sin^2x}{x(e^{2x}-1)(\cos x+1)}$$
$$=\lim_{x\to0}\left\{(-4)\cdot\frac{\sin^2x}{x^2}\cdot\frac{x}{e^{2x}-1}\cdot\frac{1}{\cos x+1}\right\}$$
$$=-4\cdot1\cdot\frac{1}{2}\cdot\frac{1}{2}=-1$$

따라서 $b=-1$이므로 $a+b=-4+(-1)=-5$

0824

STEP A $x=0$에서 연속임을 이용하여 식 세우기

함수 $f(x)$가 $x=0$에서 연속이므로 $\lim_{x\to0}f(x)=f(0)$

$\therefore \lim_{x\to0}\frac{1-\cos x}{\ln(1+3x^2)}=a$

STEP B 삼각함수와 로그함수의 극한 구하기

$$\lim_{x\to0}\frac{1-\cos x}{\ln(1+3x^2)}=\lim_{x\to0}\left\{\frac{(1-\cos x)(1+\cos x)}{x^2}\cdot\frac{1}{1+\cos x}\cdot\frac{x^2}{\ln(1+3x^2)}\right\}$$
$$=\lim_{x\to0}\left\{\left(\frac{\sin x}{x}\right)^2\cdot\frac{1}{1+\cos x}\cdot\frac{1}{3}\cdot\frac{3x^2}{\ln(1+3x^2)}\right\}$$
$$=1^2\cdot\frac{1}{2}\cdot\frac{1}{3}\cdot\frac{1}{1}=\frac{1}{6}$$

따라서 $a=\frac{1}{6}$

0825

정답 ⑤

STEP Ⓐ $x=1$에서 연속임을 이용하여 식 세우기

함수 $f(x)$가 $x=1$에서 연속이므로 $\lim_{x\to1}f(x)=f(1)$

$$\lim_{x\to1}\frac{\sin 5(x-1)}{x-1}=a$$

STEP Ⓑ 치환을 이용하여 삼각함수의 극한 구하기

이때 $x-1=t$라고 하면 $x\to1$일 때, $t\to0$이므로

$$\lim_{x\to1}\frac{\sin 5(x-1)}{x-1}=\lim_{t\to0}\frac{\sin 5t}{t}=\lim_{t\to0}\frac{\sin 5t}{5t}\cdot5=5$$

따라서 $a=5$

내신연계 출제문항 310

함수

$$f(x)=\begin{cases}\dfrac{\sin 4(x+1)}{x+1} & (x\neq-1)\\ a & (x=-1)\end{cases}$$

가 $x=-1$에서 연속일 때, 상수 a의 값은?

① 2 ② 3 ③ 4
④ 5 ⑤ 6

STEP Ⓐ $x=-1$에서 연속임을 이용하여 식 세우기

함수 $f(x)$가 $x=-1$에서 연속이므로 $\lim_{x\to-1}f(x)=f(-1)$

$$\therefore \lim_{x\to-1}\frac{\sin 4(x+1)}{x+1}=a$$

STEP Ⓑ 치환을 이용하여 삼각함수의 극한 구하기

이때 $x+1=t$로 놓으면 $x\to-1$일 때, $t\to0$이므로

$$\lim_{x\to-1}\frac{\sin 4(x+1)}{x+1}=\lim_{t\to0}\frac{\sin 4t}{t}=4\lim_{t\to0}\frac{\sin 4t}{4t}=4$$

따라서 $a=4$

 ③

0826

 ②

STEP Ⓐ $x=0$에서 연속임을 이용하여 식 세우기

함수 $f(x)$가 $x=0$에서 연속이므로 $\lim_{x\to0}f(x)=f(0)$

$$\therefore \lim_{x\to0}\frac{e^x-\sin 2x-a}{3x}=b$$

STEP Ⓑ 주어진 함수의 극한값이 존재하고 (분모)$\to0$일 때, (분자)$\to0$임을 이용하여 a의 값 구하기

$x\to0$일 때, (분모)$\to0$이고 극한값이 존재하므로 (분자)$\to0$이어야 한다.
즉 $\lim_{x\to0}(e^x-\sin 2x-a)=0$이므로 $1-0-a=0$

$\therefore a=1$

STEP Ⓒ a의 값을 대입한 후 극한값을 이용하여 b의 값을 구하고 $a+b$의 값 구하기

$$\lim_{x\to0}\frac{e^x-\sin 2x-1}{3x}=\lim_{x\to0}\frac{1}{3}\left(\frac{e^x-1}{x}-\frac{2\sin 2x}{2x}\right)=-\frac{1}{3}$$

$\therefore b=-\frac{1}{3}$

따라서 $a+b=\frac{2}{3}$

내신연계 출제문항 311

함수

$$f(x)=\begin{cases}\dfrac{e^x-\sin 4x+a}{3x} & (x\neq0)\\ 2b+3 & (x=0)\end{cases}$$

가 $x=0$에서 연속일 때, 상수 a, b에 대하여 $a+b$의 값은?

① -4 ② -3 ③ -2
④ -1 ⑤ 0

STEP Ⓐ $x=0$에서 연속임을 이용하여 식 세우기

함수 $f(x)$가 $x=0$에서 연속이므로 $\lim_{x\to0}f(x)=f(0)$

$$\lim_{x\to0}\frac{e^x-\sin 4x+a}{3x}=2b+3$$

STEP Ⓑ 주어진 함수의 극한값이 존재하고 (분모)$\to0$일 때, (분자)$\to0$임을 이용하여 a의 값 구하기

$x\to0$일 때, (분모)$\to0$이고 극한값이 존재하므로 (분자)$\to0$이어야 한다.
즉 $\lim_{x\to0}(e^x-\sin 4x+a)=0$이므로 $a=-1$

STEP Ⓒ a의 값을 대입한 후 극한값을 이용하여 b의 값을 구하고 $a+b$의 값 구하기

$$\lim_{x\to0}\frac{e^x-\sin 4x-1}{3x}=\lim_{x\to0}\frac{1}{3}\left(\frac{e^x-1}{x}-\frac{4\sin 4x}{4x}\right)=\frac{1}{3}(1-4)=-1$$

$2b+3=-1$에서 $b=-2$

따라서 $a+b=-1+(-2)=-3$

 ②

0827

 ②

STEP Ⓐ $x=0$에서 연속임을 이용하여 식 세우기

함수 $f(x)$가 $x=0$에서 연속이므로 $\lim_{x\to0}f(x)=f(0)$

$$\lim_{x\to0}\frac{2^x+\sin 2x-a}{x}=b$$

STEP Ⓑ 주어진 함수의 극한값이 존재하고 (분모)$\to0$일 때, (분자)$\to0$임을 이용하여 a의 값 구하기

$x\to0$일 때, (분모)$\to0$이고 극한값이 존재하므로 (분자)$\to0$이어야 한다.
즉 $\lim_{x\to0}(2^x-\sin 2x-a)=0$이므로 $a=1$

STEP Ⓒ a의 값을 대입한 후 극한값을 이용하여 b의 값을 구하고 $a+b$의 값 구하기

$$\lim_{x\to0}\frac{2^x+\sin 2x-1}{x}=\lim_{x\to0}\left\{\frac{2^x-1}{x}+\frac{\sin 2x}{2x}\cdot2\right\}=\ln 2+2$$

따라서 $a+b=1+(\ln 2+2)=\ln 2+3$

0828

 ④

STEP Ⓐ $x=0$에서 연속임을 이용하여 식 세우기

$2\sin x f(x)=e^{3x}-1$에서

$$f(x)=\begin{cases}\dfrac{e^{3x}-1}{2\sin x} & (\sin x\neq0)\\ c & (\sin x=0)\end{cases}$$ (단, c는 상수)라 하면

함수 $f(x)$가 모든 실수에서 연속이므로 $x=0$에서 연속이다.

즉 $\lim_{x\to0}f(x)=f(0)$이어야 하므로 $\lim_{x\to0}\frac{e^{3x}-1}{2\sin x}=c$

STEP Ⓑ 삼각함수와 로그함수의 극한 구하기

$$\lim_{x\to0}\frac{e^{3x}-1}{2\sin x}=\lim_{x\to0}\left\{\frac{e^{3x}-1}{3x}\cdot\frac{3}{2}\cdot\frac{x}{\sin x}\right\}=1\cdot\frac{3}{2}\cdot1=\frac{3}{2}$$

따라서 $f(0)=c=\frac{3}{2}$

0829

정답 ④

STEP Ⓐ $x=0$에서 연속임을 이용하여 식 세우기

$f(x)\sin 3x=x(1+x)^{\frac{2}{x}}$에서

$$f(x)=\begin{cases} \dfrac{x(1+x)^{\frac{2}{x}}}{\sin 3x} & (\sin x \neq 0) \\ c & (\sin x=0) \end{cases}$$ (단, c는 상수)라 하면

함수 $f(x)$가 모든 실수에서 연속이므로 $x=0$에서 연속이다.

즉 $\lim\limits_{x\to 0}f(x)=f(0)$이어야 하므로 $\lim\limits_{x\to 0}\dfrac{x(1+x)^{\frac{2}{x}}}{\sin 3x}=c$

STEP Ⓑ 삼각함수와 e의 정의를 이용한 극한 구하기

따라서 $\lim\limits_{x\to 0}\dfrac{x(1+x)^{\frac{2}{x}}}{\sin 3x}=\lim\limits_{x\to 0}\dfrac{x}{\sin 3x}\cdot\{(1+x)^{\frac{1}{x}}\}^2=\dfrac{1}{3}\cdot e^2$

0830

정답 ⑤

STEP Ⓐ $x=\dfrac{\pi}{2}$에서 연속임을 이용하여 식 세우기

$(\pi-2x)f(x)=10\cos x$에서

$$f(x)=\begin{cases} \dfrac{10\cos x}{\pi-2x} & \left(x\neq\dfrac{\pi}{2}\right) \\ c & \left(x=\dfrac{\pi}{2}\right) \end{cases}$$ (단, c는 상수)라 하면

함수 $f(x)$가 모든 실수에서 연속이므로 $x=\dfrac{\pi}{2}$에서 연속이다.

즉 $\lim\limits_{x\to\frac{\pi}{2}}f(x)=f\left(\dfrac{\pi}{2}\right)$이어야 하므로 $\lim\limits_{x\to\frac{\pi}{2}}\dfrac{10\cos x}{\pi-2x}=c$

STEP Ⓑ 치환을 이용하여 삼각함수의 극한 구하기

한편 $\dfrac{\pi}{2}-x=t$로 놓으면 $x\to\dfrac{\pi}{2}$일 때, $t\to 0$이므로

$$\lim_{x\to\frac{\pi}{2}}\frac{10\cos x}{\pi-2x}=\lim_{t\to 0}\frac{10\cos\left(\frac{\pi}{2}-t\right)}{2t}=\lim_{t\to 0}\frac{10\sin t}{2t}=5$$

따라서 $f\left(\dfrac{\pi}{2}\right)=c=5$

내/신/연/계/ 출제문항 312

함수 $f(x)$가 모든 실수 x에서 연속일 때,

$$\left(\frac{\pi}{2}-x\right)f(x)=3\cos x$$

를 만족시킨다. 이때 $f\left(\dfrac{\pi}{2}\right)$의 값은?

① 1 ② 2 ③ 3
④ 4 ⑤ 5

STEP Ⓐ $x=\dfrac{\pi}{2}$에서 연속임을 이용하여 식 세우기

$\left(\dfrac{\pi}{2}-x\right)f(x)=3\cos x$에서 $f(x)=\dfrac{3\cos x}{\frac{\pi}{2}-x}\left(x\neq\dfrac{\pi}{2}\right)$

$x=\dfrac{\pi}{2}$에서 연속이므로 $f\left(\dfrac{\pi}{2}\right)=\lim\limits_{x\to\frac{\pi}{2}}\dfrac{3\cos x}{\frac{\pi}{2}-x}$

STEP Ⓑ 치환을 이용하여 삼각함수의 극한 구하기

따라서 $\dfrac{\pi}{2}-x=t$로 놓으면 $x\to\dfrac{\pi}{2}$일 때, $t\to 0$이므로

$$f\left(\frac{\pi}{2}\right)=\lim_{x\to\frac{\pi}{2}}\frac{3\cos x}{\frac{\pi}{2}-x}=\lim_{t\to 0}\frac{3\cos\left(\frac{\pi}{2}-t\right)}{t}=\lim_{t\to 0}\frac{3\sin t}{t}=3$$

정답 ③

0831

정답 ②

STEP Ⓐ $x=1$에서 연속임을 이용하여 식 세우기

$(1-\cos x)f(x)=x(e^x-1)$에서

$$f(x)=\begin{cases} \dfrac{x(e^x-1)}{1-\cos x} & (\cos x\neq 0) \\ c & (\cos x=0) \end{cases}$$ (단, c는 상수)라 하면

함수 $f(x)$가 모든 실수에서 연속이므로 $x=0$에서도 연속이다.

즉 $\lim\limits_{x\to 0}f(x)=f(0)$이므로 $\lim\limits_{x\to 0}\dfrac{x(e^x-1)}{1-\cos x}=f(0)$

STEP Ⓑ 삼각함수와 지수함수의 극한 구하기

$$\lim_{x\to 0}\frac{x(e^x-1)}{1-\cos x}=\lim_{x\to 0}\left\{\frac{x^2}{1-\cos x}\cdot\frac{e^x-1}{x}\right\}$$

$=2\cdot 1=2$ ⬅ $\lim\limits_{x\to 0}\dfrac{1-\cos x}{x^2}=\dfrac{1}{2}$, $\lim\limits_{x\to 0}\dfrac{x^2}{1-\cos x}=2$

따라서 $f(0)=c=2$

0832

정답 ⑤

STEP Ⓐ $x=0$에서 연속임을 이용하여 식 세우기

$(1-\cos x)f(x)=\sin x(e^{2x}-1)$에서

$$f(x)=\begin{cases} \dfrac{\sin x(e^{2x}-1)}{1-\cos x} & (\cos x\neq 0) \\ c & (\cos x=0) \end{cases}$$ (단, c는 상수)라 하면

함수 $f(x)$가 모든 실수에서 연속이므로 $x=0$에서 연속이다.

즉 $\lim\limits_{x\to 0}f(x)=f(0)$이어야 하므로 $\lim\limits_{x\to 0}\dfrac{\sin x(e^{2x}-1)}{1-\cos x}=c$

STEP Ⓑ 삼각함수와 지수함수의 극한 구하기

$$\lim_{x\to 0}\frac{\sin x(e^{2x}-1)}{1-\cos x}=\lim_{x\to 0}\left\{\frac{\sin x}{x}\cdot\frac{x^2}{1-\cos x}\cdot\frac{e^{2x}-1}{2x}\cdot 2\right\}$$

$=1\cdot 2\cdot 1\cdot 2=4$ ⬅ $\lim\limits_{x\to 0}\dfrac{1-\cos x}{x^2}=\dfrac{1}{2}$, $\lim\limits_{x\to 0}\dfrac{x^2}{1-\cos x}=2$

따라서 $f(0)=c=4$

내/신/연/계/ 출제문항 313

구간 $\left(-\dfrac{\pi}{2}, \dfrac{\pi}{2}\right)$에서 연속인 함수 $f(x)$가

$$(1-\cos x)f(x)=\tan 2x(e^{3x}-1)$$

을 만족시킬 때, $f(0)$의 값은?

① 4 ② 6 ③ 8
④ 10 ⑤ 12

STEP Ⓐ $x=0$에서 연속임을 이용하여 식 세우기

$(1-\cos x)f(x)=\tan 2x(e^{3x}-1)$에서

$$f(x)=\begin{cases} \dfrac{\tan 2x(e^{3x}-1)}{1-\cos x} & (\cos x\neq 0) \\ c & (\cos x=0) \end{cases}$$ (단, c는 상수)라 하면

함수 $f(x)$가 모든 실수에서 연속이므로 $x=0$에서 연속이다.

즉 $\lim\limits_{x\to 0}f(x)=f(0)$이어야 하므로 $\lim\limits_{x\to 0}\dfrac{\tan 2x(e^{3x}-1)}{1-\cos x}=c$

STEP Ⓑ 삼각함수와 지수함수의 극한 구하기

$$\lim_{x\to 0}\frac{\tan 2x(e^{3x}-1)}{1-\cos x}=\lim_{x\to 0}\left\{\frac{\tan 2x}{2x}\cdot\frac{x^2}{1-\cos x}\cdot\frac{e^{3x}-1}{3x}\cdot 6\right\}$$

$=1\cdot 2\cdot 1\cdot 6=12$ ⬅ $\lim\limits_{x\to 0}\dfrac{1-\cos x}{x^2}=\dfrac{1}{2}$, $\lim\limits_{x\to 0}\dfrac{x^2}{1-\cos x}=2$

따라서 $f(0)=c=12$

정답 ⑤

0833

정답 ②

STEP A $x=1$에서 연속임을 이용하여 a의 값 구하기

함수 $f(x)$가 모든 실수 x에 대하여 연속이므로

$x=1$에서 연속이므로 $\lim_{x \to 1} f(x)=f(1)$

$f(1)=\lim_{x \to 1-} \frac{\sin ax}{x}=\lim_{x \to 1+}(2^x-3)$이므로 $-1=\sin a$

$\therefore a=-\frac{\pi}{2}\ (\because -\pi < a < \pi)$

STEP B $x=0$에서 연속임을 이용하여 b의 값 구하기

$x=0$에서 연속이므로 $\lim_{x \to 0} f(x)=f(0)$

$f(0)=\lim_{x \to 0-}(x+b)=\lim_{x \to 0+} \frac{\sin ax}{x}$이므로 $b=a$

$\therefore a=b=-\frac{\pi}{2}$

따라서 $a+b=-\pi$

0834

정답 ③

STEP A $x=0$에서 연속임을 이용하여 식 세우기

$x=0$에서 연속이므로 $f(0)=\lim_{x \to 0-} f(x)=\lim_{x \to 0+} f(x)$

$a=\lim_{x \to 0-} \frac{3x+\sin x}{\tan x}=\lim_{x \to 0+} \frac{\ln(1+bx)}{2x}$

STEP B 삼각함수와 로그함수의 극한을 이용하여 a, b의 값 구하기

이때 $\lim_{x \to 0-}\left\{\frac{3x}{\tan x}+\frac{\sin x}{\tan x}\right\}=3+1=4$이므로 $a=4$

$4=\lim_{x \to 0+} \frac{\ln(1+bx)}{2x}=\frac{b}{2}\quad \therefore b=8$

따라서 $a+b=4+8=12$

0835

정답 ①

STEP A $x=\frac{\pi}{2}$에서 연속이므로 $\lim_{x \to \frac{\pi}{2}} f(x)=f\left(\frac{\pi}{2}\right)$식 구하기

함수 $f(x)$가 $x=\frac{\pi}{2}$에서 연속이기 위한 조건은 $\lim_{x \to \frac{\pi}{2}} f(x)=f\left(\frac{\pi}{2}\right)$

즉 $\lim_{x \to \frac{\pi}{2}} \frac{\sin x-a}{x-\frac{\pi}{2}}=b$ …… ㉠

STEP B $x-\frac{\pi}{2}=t$로 치환하여 삼각함수의 극한을 이용하여 a, b 구하기

$x \to \frac{\pi}{2}$일 때, (분모)$\to 0$이고 극한값이 존재하므로 (분자)$\to 0$이어야 한다.

즉 $\lim_{x \to \frac{\pi}{2}}(\sin x-a)=0$이므로 $\sin\frac{\pi}{2}-a=0$

$\therefore a=1$

$a=1$을 ㉠에 대입하면 $\lim_{x \to \frac{\pi}{2}} \frac{\sin x-1}{x-\frac{\pi}{2}}=b$

이때 $x-\frac{\pi}{2}=t$라 하면 $x=\frac{\pi}{2}+t$이고 $x \to \frac{\pi}{2}$일 때, $t \to 0$이므로

$$\lim_{x \to \frac{\pi}{2}} \frac{\sin x-1}{x-\frac{\pi}{2}}=\lim_{t \to 0} \frac{\sin\left(\frac{\pi}{2}+t\right)-1}{t}=\lim_{t \to 0} \frac{\cos t-1}{t}$$

$$=\lim_{t \to 0} \frac{-\sin^2 t}{t(\cos t+1)}=\lim_{t \to 0}\left(\frac{\sin t}{t}\cdot\frac{-\sin t}{\cos t+1}\right)$$

$$=1\cdot 0=0$$

$\therefore b=0$

따라서 $a+b=1$

0836

정답 ②

STEP A $x=0$에서 연속이므로 $\lim_{x \to 0} f(x)=f(0)$ 구하기

함수 $f(x)$가 모든 실수 x에 대하여 연속이므로 $x=0$에서도 연속이다.

함수의 연속의 정의에 의하여 $\lim_{x \to 0} f(x)=f(0)$

STEP B 삼각함수와 지수함수의 극한을 이용하여 $f(0)$ 구하기

$$\lim_{x \to 0} \frac{x(e^x-1)f(x)}{1-\cos x}=\lim_{x \to 0} \frac{x(e^x-1)}{1-\cos x}\cdot\lim_{x \to 0} f(x)$$

$$=\lim_{x \to 0} \frac{\frac{e^x-1}{x}}{\frac{1-\cos x}{x^2}}\cdot\lim_{x \to 0} f(x)$$

$$=\lim_{x \to 0} \frac{\frac{e^x-1}{x}}{\frac{(1-\cos x)(1+\cos x)}{x^2(1+\cos x)}}\cdot\lim_{x \to 0} f(x)$$

$$=\lim_{x \to 0} \frac{\frac{e^x-1}{x}}{\left(\frac{\sin x}{x}\right)^2\cdot\frac{1}{1+\cos x}}\cdot\lim_{x \to 0} f(x)$$

$$=\frac{1}{1^2\cdot\frac{1}{2}}\cdot f(0)$$

$$=2f(0)$$

$$=100$$

따라서 $f(0)=50$

05 STEP 1 내신정복 기출유형 삼각함수의 미분

0837

 정답 ①

STEP A $x=\frac{\pi}{6}$에서 미분계수 구하기

$f(x)=3-2\sin x$로 놓으면 $f'(x)=-2\cos x$

점 $\left(\frac{\pi}{6},\ 2\right)$에서의 접선의 기울기는 $f'\left(\frac{\pi}{6}\right)$

따라서 $f'\left(\frac{\pi}{6}\right)=-2\cos\frac{\pi}{6}=-2\cdot\frac{\sqrt{3}}{2}=-\sqrt{3}$

0838

 정답 ⑤

STEP A 곱의 미분법을 이용하여 $f'(2\pi)$ 구하기

$f(x)=x\sin x+\cos x$에서

$f'(x)=\sin x+x\cos x-\sin x$

$f'(x)=x\cos x$이므로 $f'(2\pi)=2\pi$

0839

 정답 ③

STEP A $(\sin x)'=\cos x$임을 이용하여 진위판단하기

ㄱ. $f(0)=0$이므로

$\lim\limits_{h\to 0}\frac{f(h)}{h}=\lim\limits_{h\to 0}\frac{f(h)-f(0)}{h}=f'(0)=\cos 0=1$ [참]

ㄴ. $f'(x)=\cos x$에서 $x=-\frac{\pi}{2}$를 대입하면

$f'\left(-\frac{\pi}{2}\right)=\cos\left(-\frac{\pi}{2}\right)=\cos\frac{\pi}{2}=0$ [참]

ㄷ. $f'\left(x+\frac{\pi}{2}\right)=\cos\left(x+\frac{\pi}{2}\right)=-\sin x=-f(x)$ [거짓]

따라서 옳은 것은 ㄱ, ㄴ이다.

내신연계 출제문항 314

함수 $f(x)=\cos x$에 대한 설명으로 옳은 것을 [보기]에서 모두 고른 것은?

ㄱ. $\lim\limits_{h\to 0}\frac{f(h)-1}{h}=1$

ㄴ. $f'\left(\frac{\pi}{2}\right)=-1$

ㄷ. $f'\left(x+\frac{\pi}{2}\right)=-f(x)$

① ㄱ ② ㄴ ③ ㄱ, ㄴ
④ ㄱ, ㄷ ⑤ ㄴ, ㄷ

STEP A $(\cos x)'=-\sin x$임을 이용하여 진위판단하기

$f'(x)=-\sin x$이므로

ㄱ. $\lim\limits_{h\to 0}\frac{f(h)-1}{h}=\lim\limits_{h\to 0}\frac{f(h)-f(0)}{h}=f'(0)=-\sin 0=0$ [거짓]

ㄴ. $f'\left(\frac{\pi}{2}\right)=-\sin\frac{\pi}{2}=-1$ [참]

ㄷ. $f'\left(x+\frac{\pi}{2}\right)=-\sin\left(x+\frac{\pi}{2}\right)=-\cos x=-f(x)$ [참]

따라서 옳은 것은 ㄴ, ㄷ이다. 정답 ⑤

0840

 정답 ④

STEP A 0에서 π까지 평균변화율을 구하기

함수 $f(x)=2\sin x$에 대하여 x의 값이 0에서 π까지 변할 때의 평균변화율은

$\frac{f(\pi)-f(0)}{\pi-0}=\frac{2\sin\pi-2\sin 0}{\pi-0}=0$ …… ㉠

STEP B $x=a$에서의 미분계수 구하기

또한, $f'(x)=2\cos x$이므로 $x=a$에서의 미분계수는

$f'(a)=2\cos a$ …… ㉡

㉠, ㉡이 같으므로 $2\cos a=0$

따라서 $a=\frac{\pi}{2}$ $(\because 0<a<\pi)$

0841

 정답 ②

STEP A $x=\frac{\pi}{2}$에서 미분계수 구하기

$f(x)=\ln x^{\sin x}=\sin x\ln x$에서 $f'(x)=\cos x\ln x+\sin x\cdot\frac{1}{x}$

점 $\left(\frac{\pi}{2},\ \ln\frac{\pi}{2}\right)$에서 접선의 기울기는 $f'\left(\frac{\pi}{2}\right)$

따라서 $f'\left(\frac{\pi}{2}\right)=\cos\frac{\pi}{2}\ln\frac{\pi}{2}+\sin\frac{\pi}{2}\cdot\frac{2}{\pi}=\frac{2}{\pi}$

0842

 정답 ①

STEP A $x=\pi$에서 미분계수 구하기

$f(x)=(\sin x-\cos x)^2=(\sin x-\cos x)(\sin x-\cos x)$에서

$f'(x)=(\cos x+\sin x)(\sin x-\cos x)+(\sin x-\cos x)(\cos x+\sin x)$

$=2(\cos x+\sin x)(\sin x-\cos x)$

따라서 $x=\pi$에서의 미분계수는 $f'(\pi)=-2$

0843

 정답 ⑤

STEP A 곱의 미분법을 이용하여 $f'\left(\frac{\pi}{2}\right)$ 구하기

$f(x)=e^{2x}(\sin x-\cos x)$에서

$f'(x)=2e^{2x}(\sin x-\cos x)+e^{2x}(\cos x+\sin x)$

$=e^{2x}(3\sin x-\cos x)$

따라서 $f'\left(\frac{\pi}{2}\right)=e^{\pi}\left(3\sin\frac{\pi}{2}-\cos\frac{\pi}{2}\right)=3e^{\pi}$

내신연계 출제문항 315

함수 $f(x)=e^x(\sin x+\cos x)$에 대하여 $f'(0)$의 값은?

① 0 ② 1 ③ 2
④ e ⑤ $2e$

STEP A 곱의 미분법을 이용하여 $f'(0)$ 구하기

$f(x)=e^x(\sin x+\cos x)$에서

$f'(x)=e^x(\sin x+\cos x)+e^x(\cos x-\sin x)$

$=2e^x\cos x$

따라서 $f'(0)=2e^0\cos 0=2$ 정답 ③

0844

정답 ④

STEP A $f'(x)=0$을 만족하는 모든 실수 x의 값 구하기

$f(x)=\sin x+\cos x$에서 $f'(x)=\cos x-\sin x=0$

즉 $0\le x\le 2\pi$에서 $\cos x=\sin x$인 x의 값은 $x=\frac{\pi}{4}$ 또는 $x=\frac{5}{4}\pi$

따라서 모든 실수 x의 합은 $\frac{\pi}{4}+\frac{5}{4}\pi=\frac{3}{2}\pi$

0845

정답 ⑤

STEP A $f'\left(\frac{\pi}{3}\right)=16$을 만족하는 a의 값 구하기

$f'(x)=a(1-\cos x)$이고

$f'\left(\frac{\pi}{3}\right)=16$이므로 $a\left(1-\cos\frac{\pi}{3}\right)=16$

$\frac{1}{2}a=16 \quad \therefore a=32$

STEP B $f'(\pi)$의 값 구하기

따라서 $f'(x)=32(1-\cos x)$이므로 $f'(\pi)=32(1-\cos\pi)=64$

0846

 ④

STEP A $f'(x)=0$을 만족하는 모든 실수 x의 값 구하기

$f(x)=e^x\cos x$에서 $f'(x)=e^x\cos x-e^x\sin x$

$f'(x)=0$이므로 $\cos x-\sin x=0$

즉 $0\le x\le 2\pi$에서 $\cos x=\sin x$인 x의 값은 $x=\frac{\pi}{4}$ 또는 $x=\frac{5}{4}\pi$

STEP B 모든 실수 x의 값의 합 구하기

따라서 모든 실수 x의 값의 합은 $\frac{\pi}{4}+\frac{5}{4}\pi=\frac{3}{2}\pi$

내/신/연/계/ 출제문항 316

열린구간 $(0, 2\pi)$에서 함수

$$f(x)=e^x\sin x+e^x\cos x$$

에 대하여 방정식 $f'(x)=0$을 만족시키는 모든 x의 값의 합은?

① $\frac{\pi}{2}$ ② π ③ $\frac{3\pi}{2}$

④ 2π ⑤ $\frac{5\pi}{2}$

STEP A $f'(x)=0$을 만족하는 모든 실수 x의 값 구하기

$f(x)=e^x\sin x+e^x\cos x$에서

$f'(x)=e^x\sin x+e^x\cos x+e^x\cos x-e^x\sin x$

$\quad=2e^x\cos x$

$f'(x)=0$에서 $e^x\cos x=0$

모든 x에 대하여 $e^x>0$이므로

$0<x<2\pi$에서 $\cos x=0$인 x의 값은 $x=\frac{\pi}{2}$ 또는 $x=\frac{3\pi}{2}$

STEP B 모든 실수 x의 값의 합 구하기

따라서 모든 실수 x의 값의 합은 $\frac{\pi}{2}+\frac{3\pi}{2}=2\pi$

정답 ④

0847

정답 ①

STEP A 삼각함수의 성질을 이용하여 $f(x)$ 구하기

$f(x)=\cos\left(\frac{\pi}{2}+x\right)+\cos(\pi+x)=-\sin x-\cos x$

STEP B $f'\left(\frac{\pi}{4}\right)$의 값 구하기

$f'(x)=-\cos x+\sin x$

따라서 $f'\left(\frac{\pi}{4}\right)=-\cos\frac{\pi}{4}+\sin\frac{\pi}{4}=0$

0848

 ②

STEP A $f\left(\frac{\pi}{6}\right)=1$, $f'\left(\frac{\pi}{6}\right)=\sqrt{3}$을 만족하는 상수 a, b의 값 구하기

$f(x)=a\sin x+b\cos x$에서 $f'(x)=a\cos x-b\sin x$

$f\left(\frac{\pi}{6}\right)=\frac{1}{2}a+\frac{\sqrt{3}}{2}b=1$ …… ㉠

$f'\left(\frac{\pi}{6}\right)=\frac{\sqrt{3}}{2}a-\frac{1}{2}b=\sqrt{3}$ …… ㉡

STEP B $a-b$의 값 구하기

따라서 ㉠, ㉡에서 $a=2$, $b=0$이므로 $a-b=2$

내/신/연/계/ 출제문항 317

함수 $f(x)=a\cos x-\frac{\pi}{2}\sin x+bx$가

$$f\left(\frac{\pi}{2}\right)=-\frac{\pi}{2},\ f'\left(\frac{\pi}{6}\right)=0$$

을 만족시킬 때, $f(\pi)$의 값은? (단, a, b는 상수)

① $\frac{\sqrt{3}}{5}\pi$ ② $\frac{\sqrt{3}}{4}\pi$ ③ $\frac{\sqrt{3}}{3}\pi$

④ $\frac{\sqrt{3}}{2}\pi$ ⑤ $\sqrt{3}\pi$

STEP A $f\left(\frac{\pi}{2}\right)=-\frac{\pi}{2}$, $f'\left(\frac{\pi}{6}\right)=0$을 만족하는 상수 a, b의 값 구하기

$f(x)=a\cos x-\frac{\pi}{2}\sin x+bx$에서 $f'(x)=-a\sin x-\frac{\pi}{2}\cos x+b$이므로

$f\left(\frac{\pi}{2}\right)=-\frac{\pi}{2}+b\cdot\frac{\pi}{2}=-\frac{\pi}{2} \quad \therefore b=0$

$f'\left(\frac{\pi}{6}\right)=-\frac{1}{2}a-\frac{\sqrt{3}}{4}\pi+b=0 \quad \therefore a=-\frac{\sqrt{3}}{2}\pi$

STEP B $f(\pi)$의 값 구하기

따라서 $f(x)=-\frac{\sqrt{3}}{2}\pi\cos x-\frac{\pi}{2}\sin x$이므로 $f(\pi)=\frac{\sqrt{3}}{2}\pi$

 ④

0849

 ②

STEP A 함수 $f(x)$의 도함수 구하기

$f(x)=\sum_{k=1}^{100}k\sin(k\pi+x)$

$\quad=\sin(\pi+x)+2\sin(2\pi+x)+\cdots+100\sin(100\pi+x)$

이므로

$f'(x)=\cos(\pi+x)+2\cos(2\pi+x)+\cdots+100\cos(100\pi+x)$

STEP B $f'(\pi)$ 구하기

따라서 $f'(\pi)=1-2+3-4+\cdots+(99-100)=-1-1-1-\cdots-1$

$\quad=-1\cdot 50=-50$

0850

정답 ④

STEP A 삼각함수의 덧셈정리와 미분법을 이용하여 $f'\left(\frac{\pi}{4}\right)$ 구하기

$f(x)=\sin(x+\alpha)+2\cos(x+\alpha)$에서 $f'(x)=\cos(x+\alpha)-2\sin(x+\alpha)$

이므로 $f'\left(\frac{\pi}{4}\right)=\cos\left(\frac{\pi}{4}+\alpha\right)-2\sin\left(\frac{\pi}{4}+\alpha\right)=0$

즉 $\cos\left(\frac{\pi}{4}+\alpha\right)=2\sin\left(\frac{\pi}{4}+\alpha\right)$에서 $\tan\left(\frac{\pi}{4}+\alpha\right)=\frac{1}{2}$

STEP B 삼각함수의 덧셈정리를 이용하여 $\tan\alpha$값 구하기

$\tan\left(\frac{\pi}{4}+\alpha\right)=\dfrac{\tan\frac{\pi}{4}+\tan\alpha}{1-\tan\frac{\pi}{4}\tan\alpha}=\frac{1}{2}$, $\dfrac{1+\tan\alpha}{1-\tan\alpha}=\frac{1}{2}$

따라서 $2(1+\tan\alpha)=1-\tan\alpha$이므로 $\tan\alpha=-\frac{1}{3}$

다른풀이 삼각함수의 덧셈정리를 이용하여 풀이하기

$$f'\left(\frac{\pi}{4}\right)=\cos\left(\frac{\pi}{4}+\alpha\right)-2\sin\left(\frac{\pi}{4}+\alpha\right)$$
$$=\frac{\sqrt{2}}{2}\cos\alpha-\frac{\sqrt{2}}{2}\sin\alpha-\sqrt{2}\cos\alpha-\sqrt{2}\sin\alpha$$
$$=-\frac{3\sqrt{2}}{2}\sin\alpha-\frac{\sqrt{2}}{2}\cos\alpha=0$$

양변을 $\frac{\sqrt{2}}{2}\cos\alpha$로 나누면 $-3\dfrac{\sin\alpha}{\cos\alpha}-1=0$

$\therefore \tan\alpha=-\frac{1}{3}$

내신연계 출제문항 318

등식

$$\sin\left(\alpha+\frac{\pi}{3}\right)=\cos\left(\alpha+\frac{\pi}{3}\right)$$

를 만족시키는 α에 대하여 $\tan\alpha$의 값은?

① $-5+\sqrt{3}$　② $-4+\sqrt{3}$　③ $-3\sqrt{3}$
④ $-2+\sqrt{3}$　⑤ $-1+\sqrt{3}$

STEP A 삼각함수의 덧셈정리를 이용하여 구하기

$\sin\left(\alpha+\frac{\pi}{3}\right)=\cos\left(\alpha+\frac{\pi}{3}\right)$에서 ⬅ $\cos\left(\alpha+\frac{\pi}{3}\right)=0$이면 주어진 등식은 성립하지 않으므로 $\cos\left(\alpha+\frac{\pi}{3}\right)\neq0$이다.

$\dfrac{\sin\left(\alpha+\frac{\pi}{3}\right)}{\cos\left(\alpha+\frac{\pi}{3}\right)}=1$이므로 $\tan\left(\alpha+\frac{\pi}{3}\right)=1$

따라서 $\alpha+\frac{\pi}{3}=\beta$라 하면 $\tan\beta=1$이므로

$$\tan\alpha=\tan\left(\beta-\frac{\pi}{3}\right)=\frac{\tan\beta-\tan\frac{\pi}{3}}{1+\tan\beta\tan\frac{\pi}{3}}$$
$$=\frac{1-\sqrt{3}}{1+1\cdot\sqrt{3}}=\frac{-(\sqrt{3}-1)^2}{2}=-2+\sqrt{3}$$

④

$\tan\left(\alpha+\frac{\pi}{3}\right)=1$이므로 $\dfrac{\tan\alpha+\sqrt{3}}{1-\sqrt{3}\tan\alpha}=1$

$\tan\alpha+\sqrt{3}=1-\sqrt{3}\tan\alpha$, $(\sqrt{3}+1)\tan\alpha=1-\sqrt{3}$

따라서 $\tan\alpha=\dfrac{1-\sqrt{3}}{\sqrt{3}+1}=\dfrac{-(\sqrt{3}-1)^2}{2}=-2+\sqrt{3}$

0851

정답 ②

STEP A 미분계수의 정의를 이용하여 변형하기

$$\lim_{h\to0}\frac{f(\pi+h)-f(\pi-h)}{2h}$$
$$=\frac{1}{2}\lim_{h\to0}\frac{f(\pi+h)-f(\pi)-\{f(\pi-h)-f(\pi)\}}{h}$$
$$=\frac{1}{2}\left\{\lim_{h\to0}\frac{f(\pi+h)-f(\pi)}{h}-\lim_{h\to0}\frac{f(\pi-h)-f(\pi)}{h}\right\}$$
$$=\frac{1}{2}\left\{\lim_{h\to0}\frac{f(\pi+h)-f(\pi)}{h}+\lim_{h\to0}\frac{f(\pi-h)-f(\pi)}{-h}\right\}$$
$$=\frac{1}{2}\{f'(\pi)+f'(\pi)\}=f'(\pi)$$

STEP B 곱의 미분법을 이용하여 $f'(\pi)$의 값 구하기

따라서 $f'(x)=\cos x-x\sin x$이므로 $f'(\pi)=\cos\pi-\pi\sin\pi=-1$

내신연계 출제문항 319

함수 $f(x)=x\cos x$일 때,

$$\lim_{h\to0}\frac{f(\pi+2h)-f(\pi)}{h}+\lim_{h\to0}\frac{f(\pi+2h)-f(\pi-h)}{h}$$

의 값은?

① -5　② -2　③ -1
④ 0　⑤ 1

STEP A 미분계수의 정의를 이용하여 주어진 식을 변형하기

$\lim_{h\to0}\dfrac{f(\pi+2h)-f(\pi)}{2h}\cdot2=2f'(\pi)$이고

$$\lim_{h\to0}\frac{f(\pi+2h)-f(\pi-h)}{h}=\lim_{h\to0}\left\{\frac{f(\pi+2h)-f(\pi)}{2h}\cdot2+\frac{f(\pi-h)-f(\pi)}{-h}\right\}$$
$$=2f'(\pi)+f'(\pi)$$
$$=3f'(\pi)$$

STEP B 삼각함수의 미분법을 이용하여 $g\left(\frac{\pi}{4}\right)$의 값 구하기

$f(x)=x\cos x$에서

$f'(x)=\cos x+x(-\sin x)=\cos x-x\sin x$

따라서 $2f'(\pi)+3f'(\pi)=5f'(\pi)=5(\cos\pi-\pi\sin\pi)=-5$　정답 ①

0852

정답 ①

STEP A 미분계수의 정의를 이용하여 주어진 식 변형하기

$$\lim_{h\to0}\frac{f(\pi+2h)-f(\pi+h)}{2h}$$
$$=\lim_{h\to0}\frac{f(\pi+2h)-f(\pi)}{2h}-\frac{1}{2}\lim_{h\to0}\frac{f(\pi+h)-f(\pi)}{h}$$
$$=f'(\pi)-\frac{1}{2}f'(\pi)$$
$$=\frac{1}{2}f'(\pi)$$

STEP B 함수 $f(x)$를 미분한 후 미분계수 구하기

이때 $f(x)=x\sin x+\cos x$에서

$f'(x)=\sin x+x\cos x-\sin x=x\cos x$

따라서 구하는 극한값은 $\frac{1}{2}f'(\pi)=\frac{1}{2}\times\pi\cos\pi=-\frac{\pi}{2}$

0853

 ②

STEP A 미분계수의 정의를 이용하여 변형하기

$$\lim_{h\to 0}\frac{f(\pi+2h)-f(\pi-h)}{3h}$$

$$=\lim_{h\to 0}\frac{f(\pi+2h)-f(\pi)}{2h}\cdot\frac{2}{3}+\lim_{h\to 0}\frac{f(\pi-h)-f(\pi)}{-h}\cdot\frac{1}{3}$$

$$=\frac{2}{3}f'(\pi)+\frac{1}{3}f'(\pi)$$

$$=f'(\pi)$$

STEP B 곱의 미분법을 이용하여 $f'(\pi)$의 값 구하기

따라서 $f(x)=(1-\cos x)\sin x$에서

$f'(x)=\sin x\cdot\sin x+(1-\cos x)\cos x=\sin^2 x-\cos^2 x+\cos x$이므로

$f'(\pi)=-1-1=-2$

내신연계 출제문항 320

함수 $f(x)=(x+\pi)\sin x$에 대하여 $\lim_{h\to 0}\dfrac{f\left(\frac{\pi}{2}+h\right)-f\left(\frac{\pi}{2}-h\right)}{2h}$의 값은?

① $\frac{1}{4}$　② $\frac{1}{2}$　③ 1
④ 2　⑤ 4

STEP A 미분계수의 정의를 이용하여 미지수를 구하기

$$\lim_{h\to 0}\frac{f\left(\frac{\pi}{2}+h\right)-f\left(\frac{\pi}{2}-h\right)}{2h}$$

$$=\frac{1}{2}\times\lim_{h\to 0}\left\{\frac{f\left(\frac{\pi}{2}+h\right)-f\left(\frac{\pi}{2}\right)}{h}+\frac{f\left(\frac{\pi}{2}-h\right)-f\left(\frac{\pi}{2}\right)}{-h}\right\}$$

$$=\frac{1}{2}\times\left\{f'\left(\frac{\pi}{2}\right)+f'\left(\frac{\pi}{2}\right)\right\}=f'\left(\frac{\pi}{2}\right)$$

STEP B $f'\left(\frac{\pi}{2}\right)$의 값 구하기

$f(x)=(x+\pi)\sin x$에서

$$\begin{aligned}f'(x)&=(x+\pi)'\times\sin x+(x+\pi)\times(\sin x)'\\&=1\times\sin x+(x+\pi)\times\cos x\\&=\sin x+(x+\pi)\cos x\end{aligned}$$

따라서 $f'\left(\frac{\pi}{2}\right)=\sin\frac{\pi}{2}+\left(\frac{\pi}{2}+\pi\right)\cos\frac{\pi}{2}=1+\frac{3}{2}\pi\times 0=1$

정답 ③

0854

 ④

STEP A 미분계수의 정의를 이용하여 주어진 식을 변형하기

$$\lim_{h\to 0}\frac{f(\pi+h)-f(\pi-2h)}{h}$$

$$=\lim_{h\to 0}\left\{\frac{f(\pi+h)-f(\pi)}{h}-\frac{f(\pi-2h)-f(\pi)}{-2h}\cdot(-2)\right\}$$

$$=f'(\pi)+2f'(\pi)$$

$$=3f'(\pi)$$

STEP B 삼각함수의 도함수를 이용하여 $3f'(\pi)$의 값 구하기

이때 $f(x)=\sin x\cos x$에서

$f'(x)=\cos x\cos x+\sin x(-\sin x)=\cos^2 x-\sin^2 x$

따라서 $3f'(\pi)=3\cdot 1=3$

내신연계 출제문항 321

함수 $f(x)=\sin x\cos x$에 대하여 $\lim_{h\to 0}\dfrac{f\left(\frac{\pi}{3}-2h\right)-f\left(\frac{\pi}{3}+h\right)}{h}$의 값은?

① $\frac{1}{4}$　② $\frac{1}{3}$　③ $\frac{1}{2}$
④ 1　⑤ $\frac{3}{2}$

STEP A 미분계수의 정의를 이용하여 주어진 식 변형하기

$$\lim_{h\to 0}\frac{f\left(\frac{\pi}{3}-2h\right)-f\left(\frac{\pi}{3}+h\right)}{h}$$

$$=-2\lim_{h\to 0}\frac{f\left(\frac{\pi}{3}-2h\right)-f\left(\frac{\pi}{3}\right)}{-2h}-\lim_{h\to 0}\frac{f\left(\frac{\pi}{3}+h\right)-f\left(\frac{\pi}{3}\right)}{h}$$

$$=-3f'\left(\frac{\pi}{3}\right)$$

STEP B 삼각함수의 도함수를 이용하여 $-3f'\left(\frac{\pi}{3}\right)$의 값 구하기

이때 $f(x)=\sin x\cos x$에서

$f'(x)=\cos x\cos x+\sin x(-\sin x)=\cos^2 x-\sin^2 x$

따라서 $-3f'\left(\frac{\pi}{3}\right)=-3\left(\frac{1}{4}-\frac{3}{4}\right)=\frac{3}{2}$

정답 ⑤

0855

 ③

STEP A 미분계수의 정의를 이용하여 주어진 식 변형하기

$f\left(\frac{\pi}{3}\right)=-f\left(-\frac{\pi}{3}\right)$이므로

$$\lim_{h\to 0}\frac{f\left(h+\frac{\pi}{3}\right)+f\left(h-\frac{\pi}{3}\right)}{h}$$

$$=\lim_{h\to 0}\frac{f\left(h+\frac{\pi}{3}\right)-f\left(\frac{\pi}{3}\right)+f\left(h-\frac{\pi}{3}\right)-f\left(-\frac{\pi}{3}\right)}{h}$$

$$=\lim_{h\to 0}\frac{f\left(h+\frac{\pi}{3}\right)-f\left(\frac{\pi}{3}\right)}{h}+\lim_{h\to 0}\frac{f\left(h-\frac{\pi}{3}\right)-f\left(-\frac{\pi}{3}\right)}{h}$$

$$=f'\left(\frac{\pi}{3}\right)+f'\left(-\frac{\pi}{3}\right)$$

STEP B 삼각함수의 도함수를 이용하여 $f'\left(\frac{\pi}{3}\right)+f'\left(-\frac{\pi}{3}\right)$의 값 구하기

이때 $f(x)=\sin x\cos x$에서

$f'(x)=\cos x\cos x+\sin x(-\sin x)=\cos^2 x-\sin^2 x$

$f'\left(\frac{\pi}{3}\right)=\cos^2\frac{\pi}{3}-\sin^2\frac{\pi}{3}=\left(\frac{1}{2}\right)^2-\left(\frac{\sqrt{3}}{2}\right)^2=-\frac{1}{2}$

$f'\left(-\frac{\pi}{3}\right)=\cos^2\left(-\frac{\pi}{3}\right)-\sin^2\left(-\frac{\pi}{3}\right)=\left(\frac{1}{2}\right)^2-\left(-\frac{\sqrt{3}}{2}\right)^2=-\frac{1}{2}$

따라서 $f'\left(\frac{\pi}{3}\right)+f'\left(-\frac{\pi}{3}\right)=-\frac{1}{2}-\frac{1}{2}=-1$

0856

정답 ①

STEP Ⓐ 미분계수의 정의를 이용하여 주어진 식 변형하기

$f\left(\frac{\pi}{2}\right)=\left(\sin\frac{\pi}{2}+\cos\frac{\pi}{2}\right)^2=1$

즉 $\lim_{h\to 0}\frac{f\left(\frac{\pi}{2}+2h\right)-1}{h}=\lim_{h\to 0}\frac{f\left(\frac{\pi}{2}+2h\right)-f\left(\frac{\pi}{2}\right)}{2h}\cdot 2=2f'\left(\frac{\pi}{2}\right)$

STEP Ⓑ 삼각함수의 도함수를 이용하여 $2f'\left(\frac{\pi}{2}\right)$의 값 구하기

이때 $f(x)=(\sin x+\cos x)^2=(\sin x+\cos x)(\sin x+\cos x)$이므로

$f'(x)=2(\sin x+\cos x)(\cos x-\sin x)$

이때 $f'\left(\frac{\pi}{2}\right)=2\cdot 1\cdot(-1)=-2$

따라서 구하는 값은 $2f'\left(\frac{\pi}{2}\right)=-4$

내신연계 출제문항 322

함수 $f(x)=e^x\sin x+e^x\cos x$에 대하여 $\lim_{x\to 0}\frac{f(x)-1}{x}$의 값은?

① -8 ② -4 ③ 2
④ 4 ⑤ 10

STEP Ⓐ 미분계수의 정의를 이용하여 주어진 식 변형하기

$f(0)=e^0\sin 0+e^0\cos 0=1$이므로

$\lim_{x\to 0}\frac{f(x)-1}{x}=\lim_{x\to 0}\frac{f(x)-f(0)}{x-0}=f'(0)$

STEP Ⓑ 삼각함수의 도함수를 이용하여 $f'(0)$의 값 구하기

$f(x)=e^x\sin x+e^x\cos x$에서

$f'(x)=e^x\sin x+e^x\cos x+(e^x\cos x-e^x\sin x)=2e^x\cos x$

따라서 $f'(0)=2$

 ③

0857

 ③

STEP Ⓐ 미분계수의 정의를 이용하여 주어진 식 변형하기

$f(x)=\lim_{h\to 0}\frac{x\cos(x+h)-x\cos x}{h}$

$=x\lim_{h\to 0}\frac{\cos(x+h)-\cos x}{h}$

$=x(\cos x)'$

$=-x\sin x$

STEP Ⓑ 삼각함수의 도함수를 이용하여 $f'\left(\frac{\pi}{2}\right)$의 값 구하기

$f(x)=-x\sin x$에서 $f'(x)=-\sin x-x\cos x$

따라서 $f'\left(\frac{\pi}{2}\right)=-\sin\frac{\pi}{2}-\frac{\pi}{2}\cos\frac{\pi}{2}=-1$

내신연계 출제문항 323

함수 $f(x)=\lim_{h\to 0}\frac{x\sin(x+h)-x\sin x}{2h}$에 대하여 $f'(\pi)$의 값을 구하면?

① -2 ② -1 ③ $-\frac{1}{2}$
④ $\frac{1}{2}$ ⑤ 1

STEP Ⓐ 미분계수의 정의를 이용하여 주어진 식 변형하기

$f(x)=\lim_{h\to 0}\frac{x\sin(x+h)-x\sin x}{2h}$

$=\lim_{h\to 0}\frac{x\{\sin(x+h)-\sin x\}}{2h}$

$=\frac{x}{2}\lim_{h\to 0}\frac{\sin(x+h)-\sin x}{h}$

$=\frac{x}{2}\cdot(\sin x)'=\frac{x}{2}\cdot\cos x$

STEP Ⓑ 삼각함수의 도함수를 이용하여 $f'(\pi)$의 값 구하기

$f(x)=\frac{x}{2}\cdot\cos x$에서 $f'(x)=\frac{1}{2}\cos x-\frac{1}{2}x\sin x$

따라서 $f'(\pi)=-\frac{1}{2}$

 ③

0858

정답 ⑤

STEP Ⓐ 미분계수의 정의를 이용하여 주어진 식 변형하기

$f(x)=\lim_{h\to 0}\frac{x\sin(x+h)-x\sin x}{h}$

$=\lim_{h\to 0}\frac{x\{\sin(x+h)-\sin x\}}{h}$

$=x\lim_{h\to 0}\frac{\sin(x+h)-\sin x}{h}$

$=x\cdot(\sin x)'=x\cos x$

STEP Ⓑ 삼각함수의 도함수를 이용하여 $f''(\pi)$의 값 구하기

$f(x)=x\cos x$에서 $f'(x)=\cos x-x\sin x$

$f''(x)=-\sin x-(\sin x+x\cos x)=-2\sin x-x\cos x$

따라서 $f''(\pi)=-2\sin\pi-\pi\cos\pi=\pi$

0859

 ②

STEP Ⓐ 미분계수의 정의를 이용하여 주어진 식 변형하기

$f(x)=\lim_{h\to 0}\frac{(x-h)\sin(x+h)-x\cos\left(\frac{\pi}{2}-x\right)}{h}$

$=\lim_{h\to 0}\frac{x\sin(x+h)-h\sin(x+h)-x\sin x}{h}$

$=\lim_{h\to 0}\left\{x\cdot\frac{\sin(x+h)-\sin x}{h}-\sin(x+h)\right\}$

$=x(\sin x)'-\sin x$

$=x\cos x-\sin x$

STEP Ⓑ 삼각함수의 도함수를 이용하여 $f'\left(\frac{\pi}{2}\right)$의 값 구하기

$f(x)=x\cos x-\sin x$에서

$f'(x)=\cos x-x\sin x-\cos x=-x\sin x$

따라서 $f'\left(\frac{\pi}{2}\right)=-\frac{\pi}{2}$

내신연계 출제문항 324

함수

$$f(x)=\lim_{h\to 0}\frac{(x-h)\cos(x+h)-x\sin\left(\frac{\pi}{2}-x\right)}{h}$$

에 대하여 $f'(\pi)$의 값은?

① $-\pi$　② $-\frac{\pi}{2}$　③ 0　④ $\frac{\pi}{2}$　⑤ π

STEP Ⓐ 미분계수의 정의를 이용하여 주어진 식 변형하기

$$\begin{aligned}f(x)&=\lim_{h\to 0}\frac{(x-h)\cos(x+h)-x\sin\left(\frac{\pi}{2}-x\right)}{h}\\&=\lim_{h\to 0}\frac{x\cos(x+h)-h\cos(x+h)-x\cos x}{h}\\&=\lim_{h\to 0}\left\{x\cdot\frac{\cos(x+h)-\cos x}{h}-\cos(x+h)\right\}\\&=x(\cos x)'-\cos x\\&=-x\sin x-\cos x\end{aligned}$$

STEP Ⓑ 삼각함수의 도함수를 이용하여 $f'(\pi)$의 값 구하기

$f(x)=-x\sin x-\cos x$에서

$f'(x)=-\sin x-x\cos x+\sin x=-x\cos x$

따라서 $f'(\pi)=\pi$

 정답 ⑤

0860

 정답 ②

STEP Ⓐ 미분계수의 정의를 이용하여 주어진 식 변형하기

$f\left(\frac{\pi}{2}\right)=\sin\frac{\pi}{2}-a\cos\frac{\pi}{2}=1$에서

$\lim_{x\to\frac{\pi}{2}}\frac{f(x)-1}{x-\frac{\pi}{2}}=\lim_{x\to\frac{\pi}{2}}\frac{f(x)-f\left(\frac{\pi}{2}\right)}{x-\frac{\pi}{2}}=f'\left(\frac{\pi}{2}\right)$이므로 $f'\left(\frac{\pi}{2}\right)=3$

STEP Ⓑ $f'\left(\frac{\pi}{2}\right)=3$임을 이용하여 a의 값 구하기

$f'(x)=\cos x-a\sin x$에서

$f'\left(\frac{\pi}{2}\right)=\cos\frac{\pi}{2}-a\sin\frac{\pi}{2}=-a=3$

STEP Ⓒ $f\left(\frac{\pi}{4}\right)$의 값 구하기

$a=-3$이므로 $f(x)=\sin x-3\cos x$

따라서 $f\left(\frac{\pi}{4}\right)=\sin\frac{\pi}{4}-3\cos\frac{\pi}{4}=\frac{\sqrt{2}}{2}-3\cdot\frac{\sqrt{2}}{2}=-\sqrt{2}$

내신연계 출제문항 325

함수 $f(x)=2\sin x-3\cos x-2$에 대하여

$$\lim_{x\to\frac{\pi}{2}}\frac{f(x)}{x-\frac{\pi}{2}}$$

의 값은?

① -1　② 0　③ 1　④ 2　⑤ 3

STEP Ⓐ 미분계수의 정의를 이용하여 주어진 식 변형하기

$f\left(\frac{\pi}{2}\right)=2\sin\frac{\pi}{2}-3\cos\frac{\pi}{2}-2=0$이므로

$\lim_{x\to\frac{\pi}{2}}\frac{f(x)-0}{x-\frac{\pi}{2}}=\lim_{x\to\frac{\pi}{2}}\frac{f(x)-f\left(\frac{\pi}{2}\right)}{x-\frac{\pi}{2}}=f'\left(\frac{\pi}{2}\right)$

STEP Ⓑ $f'\left(\frac{\pi}{2}\right)$의 값 구하기

$f(x)=2\sin x-3\cos x-2$에서 $f'(x)=2\cos x+3\sin x$

따라서 $f'\left(\frac{\pi}{2}\right)=3$

 정답 ⑤

0861

 정답 ④

STEP Ⓐ (분모)→0이고 극한값이 존재하므로 (분자)→0임을 이용하여 a의 값 구하기

$\lim_{x\to\pi}\frac{f(x)-1}{x-\pi}=b$에서

$x\to\pi$일 때, (분모)→0이고 극한값이 존재하므로 (분자)→0이어야 한다.

즉 $\lim_{x\to\pi}\{f(x)-1\}=0$이므로 $f(\pi)=1$

이때 $f(\pi)=\pi^2\sin\pi+a\cos\pi=-a=1$

$\therefore a=-1$

STEP Ⓑ 삼각함수 미분법을 이용하여 b의 값 구하기

이때 함수 $f(x)$의 도함수는 $f'(x)=2x\sin x+x^2\cos x+\sin x$이므로

$\lim_{x\to\pi}\frac{f(x)-1}{x-\pi}=\lim_{x\to\pi}\frac{f(x)-f(\pi)}{x-\pi}=f'(\pi)=-\pi^2=b$

따라서 $a=-1$, $b=-\pi^2$이므로 $ab=\pi^2$

0862

 정답 ④

STEP Ⓐ $\frac{1}{n}=t$로 치환하여 미분계수의 정의를 이용하여 주어진 식을 변형하기

$\frac{1}{n}=t$라 하면 $n\to\infty$이면 $t\to 0$이다.

$\lim_{n\to\infty}n\left\{f\left(\frac{2}{n}\right)-f(0)\right\}=\lim_{t\to 0}\frac{f(2t)-f(0)}{t}=\lim_{t\to 0}\frac{f(2t)-f(0)}{2t-0}\cdot 2=2f'(0)$

STEP Ⓑ 삼각함수의 도함수를 이용하여 $2f'(0)$의 값 구하기

$f(x)=2\sin x+3\cos x$에서 $f'(x)=2\cos x-3\sin x$

따라서 $2f'(0)=2\cdot 2=4$

내신연계 출제문항 326

함수 $f(x)=\cos x-\sin x$에 대하여

$$\lim_{n\to\infty}n\left\{f\left(\frac{3}{n}\right)-f(0)\right\}$$

의 값은?

① -6　② -4　③ -3　④ -2　⑤ -1

STEP Ⓐ 미분계수의 정의를 이용하여 주어진 식을 변형하기

$\frac{1}{n}=t$로 놓으면 $n\to\infty$일 때, $t\to 0$

$\lim_{n\to\infty}n\left\{f\left(\frac{3}{n}\right)-f(0)\right\}=\lim_{t\to 0}\frac{f(3t)-f(0)}{t}=\lim_{t\to 0}\frac{f(3t)-f(0)}{3t-0}\cdot 3=3f'(0)$

STEP Ⓑ 삼각함수의 도함수를 이용하여 $3f'(0)$의 값 구하기

따라서 $f'(x)=-\sin x-\cos x$이므로

$3f'(0)=3\cdot(-\sin 0-\cos 0)=-3$

 정답 ③

0863

정답 ④

STEP Ⓐ **미분계수의 정의를 이용하여 주어진 식을 변형하기**

$\frac{1}{n}=h$로 놓으면 $n\to\infty$일 때, $h\to 0$

$$\lim_{n\to\infty}n\left\{f\left(\frac{\pi}{3}+\frac{1}{n}\right)-f\left(\frac{\pi}{3}-\frac{3}{n}\right)\right\}$$

$$=\lim_{h\to 0}\frac{f\left(\frac{\pi}{3}+h\right)-f\left(\frac{\pi}{3}-3h\right)}{h}$$

$$=\lim_{h\to\infty}\frac{f\left(\frac{\pi}{3}+h\right)-f\left(\frac{\pi}{3}\right)+f\left(\frac{\pi}{3}\right)-f\left(\frac{\pi}{3}-3h\right)}{h}$$

$$=\lim_{h\to 0}\frac{f\left(\frac{\pi}{3}+h\right)-f\left(\frac{\pi}{3}\right)}{h}+\lim_{h\to 0}\frac{f\left(\frac{\pi}{3}-3h\right)-f\left(\frac{\pi}{3}\right)}{-3h}\cdot 3$$

$$=f'\left(\frac{\pi}{3}\right)+3f'\left(\frac{\pi}{3}\right)=4f'\left(\frac{\pi}{3}\right)$$

STEP Ⓑ **삼각함수의 도함수를 이용하여 $4f'\left(\frac{\pi}{3}\right)$의 값 구하기**

이때 $f(x)=\sin x\cos x$에서

$f'(x)=\cos x\cos x+\sin x(-\sin x)=\cos^2 x-\sin^2 x$

$f'\left(\frac{\pi}{3}\right)=\cos^2\frac{\pi}{3}-\sin^2\frac{\pi}{3}=\left(\frac{1}{2}\right)^2-\left(\frac{\sqrt{3}}{2}\right)^2=-\frac{1}{2}$

따라서 $4f'\left(\frac{\pi}{3}\right)=4\cdot\left(-\frac{1}{2}\right)=-2$

0864

STEP Ⓐ **$x-\pi=h$로 치환하여 미분계수의 정의를 이용하여 주어진 식을 변형하기**

$x-\pi=h$라 하면 $x=\pi+h$이고 $x\to\pi$이므로 $h\to 0$

$$\lim_{x\to\pi}\frac{f(x)-f(2\pi-x)}{x-\pi}=\lim_{h\to 0}\frac{f(\pi+h)-f(\pi-h)}{h}$$

$$=\lim_{h\to 0}\left\{\frac{f(\pi+h)-f(\pi)}{h}+\frac{f(\pi)-f(\pi-h)}{h}\right\}$$

$$=f'(\pi)+f'(\pi)$$

$$=2f'(\pi)$$

STEP Ⓑ **삼각함수의 도함수를 이용하여 $2f'(\pi)$ 구하기**

이때 $f'(x)=2\sin x+(2x-\pi)\cos x$

따라서 $2f'(\pi)=2\cdot(-\pi)=-2\pi$

0865

STEP Ⓐ **미분계수 $f'(0)=\lim_{h\to 0}\frac{f(h)-f(0)}{h}$을 이용하여 $f'(0)$ 구하기**

$$f'(0)=\lim_{h\to 0}\frac{f(0+h)-f(0)}{h}=\lim_{h\to 0}\frac{2\sin h+h^2\cos\frac{1}{h}-0}{h}$$

$$=2\lim_{h\to 0}\frac{\sin h}{h}+\lim_{h\to 0}h\cos\frac{1}{h}$$

STEP Ⓑ **$\lim_{h\to 0}h\cos\frac{1}{h}=0$임을 이용하여 $f'(0)$ 구하기**

이때 $-|h|\le h\cos\frac{1}{h}\le|h|$이고 $\lim_{h\to 0}|h|=0$이므로 $\lim_{h\to 0}h\cos\frac{1}{h}=0$

따라서 $f'(0)=2\cdot 1+0=2$

내신연계 출제문항 327

함수 $f(x)$가

$$f(x)=\begin{cases}3\sin 4x+x^2\cos\frac{1}{x} & (x\neq 0)\\ 0 & (x=0)\end{cases}$$

일 때, $f'(0)$의 값은?

① 2　② 6　③ 8
④ 10　⑤ 12

STEP Ⓐ **미분계수 $f'(0)=\lim_{h\to 0}\frac{f(h)-f(0)}{h}$을 이용하여 $f'(0)$ 구하기**

$$f'(0)=\lim_{h\to 0}\frac{f(0+h)-f(0)}{h}=\lim_{h\to 0}\frac{3\sin 4h+h^2\cos\frac{1}{h}-0}{h}$$

$$=12\lim_{h\to 0}\frac{\sin 4h}{4h}+\lim_{h\to 0}h\cos\frac{1}{h}$$

STEP Ⓑ **$\lim_{h\to 0}h\cos\frac{1}{h}=0$임을 이용하여 $f'(0)$ 구하기**

이때 $-|h|\le h\cos\frac{1}{h}\le|h|$이고 $\lim_{h\to 0}|h|=0$이므로 $\lim_{h\to 0}h\cos\frac{1}{h}=0$

따라서 $f'(0)=12\times 1+0=12$

정답 ⑤

0866

STEP Ⓐ **미분계수의 정의를 이용하여 주어진 식을 변형하기**

$f(0)=\sin 0+\cos 0=-1$이므로

$$\lim_{x\to 0}\frac{f(\sin x)+1}{x}=\lim_{x\to 0}\frac{f(\sin x)-f(0)}{x}$$

$$=\lim_{x\to 0}\frac{f(\sin x)-f(0)}{\sin x}\cdot\frac{\sin x}{x}$$

$$=\lim_{x\to 0}\frac{f(\sin x)-f(0)}{\sin x}\cdot\lim_{x\to 0}\frac{\sin x}{x}$$

$$=\lim_{x\to 0}\frac{f(\sin x)-f(0)}{\sin x}$$

STEP Ⓑ **$\sin x=t$로 치환하여 미분계수의 정의를 이용하기**

여기서 $\sin x=t$로 놓으면 $x\to 0$일 때, $t\to 0$이므로

$$\lim_{x\to 0}\frac{f(\sin x)-f(0)}{\sin x}=\lim_{t\to 0}\frac{f(t)-f(0)}{t}=\lim_{t\to 0}\frac{f(t)-f(0)}{t-0}=f'(0)$$

STEP Ⓒ **삼각함수의 도함수를 이용하여 $f'(0)$의 값 구하기**

$f(x)=\sin x-\cos x$에서 $f'(x)=\cos x+\sin x$

따라서 $\lim_{x\to 0}\frac{f(\sin x)+1}{x}=f'(0)=1$

II 미분법

0867

정답 ②

STEP A 미분계수의 정의를 이용하여 주어진 식을 변형하기

$$\lim_{x\to0}\frac{f(\sin 2x)-f(\tan 3x)}{x}$$
$$=\lim_{x\to0}\frac{f(\sin 2x)-f(0)-\{f(\tan 3x)-f(0)\}}{x}$$
$$=\lim_{x\to0}\frac{f(\sin 2x)-f(0)}{\sin 2x}\cdot\frac{\sin 2x}{x}-\lim_{x\to0}\frac{f(\tan 3x)-f(0)}{\tan 3x}\cdot\frac{\tan 3x}{x}$$
$$=f'(0)\cdot1\cdot2-f'(0)\cdot1\cdot3=-f'(0)$$

STEP B 삼각함수의 도함수를 이용하여 $-f'(0)$ 구하기

$f(x)=\tan x+\sin x$에서 $f'(x)=\sec^2 x+\cos x$

따라서 $f'(0)=1+1=2$이므로 $-f'(0)=-2$

내신연계 출제문항 328

함수 $f(x)=\cos x-\tan x$에 대하여

$$\lim_{x\to0}\frac{f(\tan 4x)-f(\sin 6x)}{x}$$

의 값은?

① -2 ② -1 ③ 0
④ 1 ⑤ 2

STEP A 미분계수의 정의를 이용하여 주어진 식을 변형하기

$$\lim_{x\to0}\frac{f(\tan 4x)-f(\sin 6x)}{x}$$
$$=\lim_{x\to0}\frac{f(\tan 4x)-f(0)-\{f(\sin 6x)-f(0)\}}{x}$$
$$=\lim_{x\to0}\frac{f(\tan 4x)-f(0)}{\tan 4x}\cdot\frac{\tan 4x}{4x}\cdot4-\lim_{x\to0}\frac{f(\sin 6x)-f(0)}{\sin 6x}\cdot\frac{\sin 6x}{6x}\cdot6$$
$$=f'(0)\cdot1\cdot4-f'(0)\cdot1\cdot6=-2f'(0)$$

STEP B 삼각함수의 도함수를 이용하여 $-2f'(0)$ 구하기

이때 $f(x)=\cos x-\tan x$에서 $f'(x)=-\sin x-\sec^2 x$이므로

$f'(0)=-0-\frac{1}{1^2}=-1$

따라서 $\lim_{x\to0}\frac{f(\tan 4x)-f(\sin 6x)}{x}=-2\cdot(-1)=2$

정답 ⑤

0868

정답 ④

STEP A 미분계수의 정의를 이용하여 주어진 식을 변형하기

$f(0)=e^0\sin 0-2\cos 0=-2$이므로

$$\lim_{x\to0}\frac{f(\tan 3x)+2}{x}=\lim_{x\to0}\frac{f(\tan 3x)-f(0)}{x}$$
$$=\lim_{x\to0}\frac{f(\tan 3x)-f(0)}{\tan 3x}\cdot\frac{\tan 3x}{x}$$

STEP B $\tan 3x=t$로 치환하여 미분계수의 정의를 이용하기

여기서 $\tan 3x=t$로 놓으면 $x\to0$일 때, $t\to0$이므로

$$\lim_{x\to0}\frac{f(\tan 3x)-f(0)}{\tan 3x}=\lim_{t\to0}\frac{f(t)-f(0)}{t}$$
$$=\lim_{t\to0}\frac{f(t)-f(0)}{t-0}$$
$$=f'(0)$$

$$\therefore \lim_{x\to0}\frac{f(\tan 3x)+2}{x}=3f'(0)$$

STEP C 곱의 미분법을 이용하여 $3f'(0)$의 값 구하기

$f(x)=e^x\sin 3x-2\cos 2x$에서

$f'(x)=e^x\sin 3x+3e^x\cos 3x+4\sin 2x$

따라서 $\lim_{x\to0}\frac{f(\tan 3x)+2}{x}=3f'(0)=3\cdot3=9$

내신연계 출제문항 329

미분가능한 함수 $f(x)$, $g(x)$, $h(x)$에 대하여 [보기] 중에서 옳은 것만을 있는 대로 고르면?

ㄱ. $f(x)=x\sin x$일 때, $\lim_{h\to0}\frac{f\left(\frac{\pi}{2}+3h\right)-f\left(\frac{\pi}{2}\right)}{h}=3$

ㄴ. $g(x)=\sin x+\cos x$일 때, $\lim_{x\to0}\frac{g(-\sin x)-1}{x}=-1$

ㄷ. $h(x)=(2x-\pi)\cos x$일 때, $\lim_{x\to\pi}\frac{h(x)-h(2\pi-x)}{x-\pi}=-4$

① ㄱ ② ㄴ ③ ㄱ, ㄴ
④ ㄷ, ㄹ ⑤ ㄱ, ㄴ, ㄷ

STEP A 미분계수의 정의를 이용하여 주어진 식을 변형하여 진위판단하기

ㄱ. $$\lim_{h\to0}\frac{f\left(\frac{\pi}{2}+3h\right)-f\left(\frac{\pi}{2}\right)}{h}=\lim_{h\to0}\frac{f\left(\frac{\pi}{2}+3h\right)-f\left(\frac{\pi}{2}\right)}{3h}\cdot3$$
$$=3f'\left(\frac{\pi}{2}\right)$$

$f(x)=x\sin x$에서 $f'(x)=\sin x+x\cos x$이므로 $f'\left(\frac{\pi}{2}\right)=1$

즉 $\lim_{h\to0}\frac{f\left(\frac{\pi}{2}+3h\right)-f\left(\frac{\pi}{2}\right)}{h}=3f'\left(\frac{\pi}{2}\right)=3\cdot1=3$ [참]

ㄴ. $g(0)=\sin 0+\cos 0=1$

$$\lim_{x\to0}\frac{g(-\sin x)-1}{x}=\lim_{x\to0}\frac{g(-\sin x)-g(0)}{x}$$
$$=\lim_{x\to0}\frac{g(-\sin x)-g(0)}{-\sin x}\cdot\frac{-\sin x}{x}$$
$$=\lim_{x\to0}\frac{g(-\sin x)-g(0)}{-\sin x}\cdot\lim_{x\to0}\frac{-\sin x}{x}$$
$$=-\lim_{x\to0}\frac{g(-\sin x)-g(0)}{-\sin x}$$

여기서 $-\sin x=t$로 놓으면 $x\to0$일 때, $t\to0$이므로

$$-\lim_{x\to0}\frac{g(-\sin x)-g(0)}{-\sin x}=-\lim_{t\to0}\frac{g(t)-g(0)}{t}$$
$$=-\lim_{t\to0}\frac{g(t)-g(0)}{t-0}$$
$$=-g'(0)$$

즉 $g'(x)=\cos x-\sin x$이므로

$\lim_{x\to0}\frac{g(-\sin x)+1}{x}=-g'(0)=-1$ [참]

ㄷ. $x-\pi=h$라 하면 $x=\pi+h$이고 $x\to\pi$이므로 $h\to0$

$$\lim_{x\to\pi}\frac{h(x)-h(2\pi-x)}{x-\pi}=\lim_{h\to0}\frac{h(\pi+h)-h(\pi-h)}{h}$$
$$=\lim_{h\to0}\left\{\frac{h(\pi+h)-h(\pi)}{h}+\frac{h(\pi)-h(\pi-h)}{h}\right\}$$
$$=h'(\pi)+h'(\pi)=2h'(\pi)$$

이때 $h'(x)=2\cos x-(2x-\pi)\sin x$

즉 $2h'(\pi)=2\cdot2\cdot(-1)=-4$ [참]

따라서 옳은 것은 ㄱ, ㄴ, ㄷ이다.

정답 ⑤

0869

정답 ②

STEP A $2\pi-\pi\cos x=t$로 놓고 미분계수의 정의를 이용하여 주어진 식을 변형하고 $\lim_{x\to0}\frac{1-\cos x}{x^2}=\frac{1}{2}$임을 이용하여 구하는 값 구하기

$2\pi-\pi\cos x=t$로 놓으면

$x\to0$일 때, $t\to\pi$이고 $f'(x)=\cos x$이므로

$$\lim_{x\to0}\frac{f(2\pi-\pi\cos x)-f(\pi)}{x^2}$$
$$=\lim_{x\to0}\left\{\frac{f(2\pi-\pi\cos x)-f(\pi)}{(2\pi-\pi\cos x)-\pi}\cdot\frac{\pi(1-\cos x)}{x^2}\right\}$$
$$=\lim_{x\to0}\frac{f(2\pi-\pi\cos x)-f(\pi)}{(2\pi-\pi\cos x)-\pi}\cdot\lim_{x\to0}\frac{\pi(1-\cos x)}{x^2}$$
$$=\lim_{t\to\pi}\frac{f(t)-f(\pi)}{t-\pi}\cdot\lim_{x\to0}\frac{\pi(1-\cos x)}{x^2}$$
$$=f'(\pi)\cdot\lim_{x\to0}\frac{\pi\sin^2 x}{x^2(1+\cos x)}$$
$$=\cos\pi\cdot\lim_{x\to0}\left\{\left(\frac{\sin x}{x}\right)^2\cdot\frac{\pi}{1+\cos x}\right\}$$
$$=(-1)\cdot\lim_{x\to0}\left(\frac{\sin x}{x}\right)^2\cdot\lim_{x\to0}\frac{\pi}{1+\cos x}$$
$$=(-1)\cdot1^2\cdot\frac{\pi}{1+1}$$
$$=-\frac{\pi}{2}$$

0870

 ②

STEP A $2-\cos x=t$로 놓고 미분계수의 정의를 이용하여 주어진 식을 변형하고 $\lim_{x\to0}\frac{1-\cos x}{x^2}=\frac{1}{2}$임을 이용하여 구하는 값 구하기

$2-\cos x=t$로 놓으면 $x\to0$일 때, $t\to1$이므로

$$\lim_{x\to0}\left\{\frac{f(2-\cos x)-f(1)}{(2-\cos x)-1}\cdot\frac{(2-\cos x)-1}{x^2}\right\}$$
$$=\lim_{t\to1}\frac{f(t)-f(1)}{t-1}\cdot\lim_{x\to0}\frac{1-\cos x}{x^2}$$
$$=f'(1)\cdot\lim_{x\to0}\frac{1-\cos^2 x}{x^2(1+\cos x)}$$
$$=f'(1)\cdot\lim_{x\to0}\left\{\left(\frac{\sin x}{x}\right)^2\cdot\frac{1}{1+\cos x}\right\}$$
$$=(-2)\cdot1^2\cdot\frac{1}{2}=-1$$

0871

 ④

STEP A $x=0$에서 연속임을 이용하여 a의 값 구하기

함수 $f(x)$가 $x=0$에서 미분가능하면 $x=0$에서 연속이므로

$\lim_{x\to0+}(a\cos x)=\lim_{x\to0-}(x^2+bx+1)$

$\therefore a=1$

STEP B $f'(0)$이 존재함을 이용하여 b의 값 구하기

함수 $f(x)$가 $x=0$에서 미분가능하므로 $f'(0)$이 존재하므로

$f'(x)=\begin{cases}-a\sin x & (x>0)\\ 2x+b & (x<0)\end{cases}$에서

$\lim_{x\to0+}(-a\sin x)=\lim_{x\to0-}(2x+b)$

$\therefore b=0$

따라서 $a+b=1$

내신연계 출제문항 330

함수

$$f(x)=\begin{cases}ax+b & (x>0)\\ \sin x & (x\le0)\end{cases}$$

가 $x=0$에서 미분가능하도록 상수 a, b의 값에 대하여 $a+b$의 값은?

① -1 ② -2 ③ 0
④ 1 ⑤ 2

STEP A $x=0$에서 연속임을 이용하여 b의 값 구하기

함수 $f(x)$가 $x=0$에서 미분가능하면 $x=0$에서 연속이므로

$\lim_{x\to0+}(ax+b)=\lim_{x\to0-}\sin x$

$\therefore b=0$

STEP B $f'(0)$이 존재함을 이용하여 a의 값 구하기

함수 $f(x)$가 $x=0$에서 미분가능하므로 $f'(0)$이 존재하므로

$f'(x)=\begin{cases}a & (x>0)\\ \cos x & (x<0)\end{cases}$에서 $\lim_{x\to0+}a=\lim_{x\to0-}\cos x$

$\therefore a=1$

따라서 $a+b=1$

 ④

0872

 ③

STEP A $x=0$에서 연속임을 이용하여 b의 값 구하기

함수 $f(x)$가 $x=0$에서 미분가능하면 함수 $f(x)$는 $x=0$에서 연속이므로

$f(0)=\lim_{x\to0-}(3\sin x+2)=\lim_{x\to0+}(ax+b)$, 즉 $2=b$

STEP B $f'(0)$이 존재함을 이용하여 a의 값 구하기

함수 $f(x)$가 $x=0$에서 미분가능하므로 $f'(0)$의 값이 존재한다. 즉

$\lim_{h\to0-}\frac{f(0+h)-f(0)}{h}=\lim_{h\to0-}\frac{3\sin h+2-2}{h}=\lim_{h\to0-}\frac{3\sin h}{h}=3$

$\lim_{h\to0+}\frac{f(0+h)-f(0)}{h}=\lim_{h\to0+}\frac{ah+2-2}{h}=\lim_{h\to0+}\frac{ah}{h}=a$이므로 $a=3$

STEP C a^2+b^2의 값 구하기

따라서 $a^2+b^2=3^2+2^2=13$

0873

 ⑤

STEP A $x=0$에서 연속임을 이용하여 b의 값 구하기

함수 $f(x)$가 $x=0$에서 미분가능하면 $x=0$에서 연속이므로

$\lim_{x\to0+}(\sin 2x+\cos x)=\lim_{x\to0-}(ax+b)=f(0)$

$\therefore b=1$

STEP B $f'(0)$이 존재함을 이용하여 a의 값 구하기

함수$f(x)$가 $x=0$에서 미분가능하므로 $f'(0)$이 존재하므로

$f'(x)=\begin{cases}2\cos 2x-\sin x & (0<x<1)\\ a & (-1<x<0)\end{cases}$에서

$\lim_{x\to0+}(2\cos 2x-\sin x)=\lim_{x\to0-}a$

$\therefore a=2$

따라서 $a=2$, $b=1$이므로 $a+b=3$

0874

정답 ②

STEP A $x=0$에서 연속임을 이용하여 a, b의 관계식 구하기

함수 $f(x)$가 $x=0$에서 미분가능하면 $x=0$에서 연속이므로

$\lim_{x\to0+}\sin x=\lim_{x\to0-}(ae^x+b)$

$\therefore a+b=0$ …… ㉠

STEP B $f'(0)$이 존재함을 이용하여 a의 값 구하기

함수 $f(x)$가 $x=0$에서 미분가능하므로 $f'(0)$이 존재하므로

$f'(x)=\begin{cases} ae^x & (x<0) \\ \cos x & (x>0) \end{cases}$에서 $\lim_{x\to0-}ae^x=\lim_{x\to0+}\cos x$

$\therefore a=1$

㉠에 대입하면 $b=-1$

따라서 $a=1$, $b=-1$이므로 $ab=-1$

0875

정답 ③

STEP A $x=0$에서 연속임을 이용하여 a의 값 구하기

함수 $f(x)$가 $x=0$에서 미분가능하면 $x=0$에서 연속이므로

$\lim_{x\to0+}(a\cos x-b\sin x)=\lim_{x\to0-}e^{x+1}=f(0)$

$\therefore a=e$

STEP B $f'(0)$이 존재함을 이용하여 b의 값 구하기

함수$f(x)$가 $x=0$에서 미분가능하므로 $f'(0)$이 존재하므로

$f'(x)=\begin{cases} -a\sin x-b\cos x & (x>0) \\ e^{x+1} & (x<0) \end{cases}$에서

$\lim_{x\to0+}(-a\sin x-b\cos x)=\lim_{x\to0-}e^{x+1}$

$\therefore b=-e$

따라서 $a=e$, $b=-e$이므로 $a+b=0$

내신연계 출제문항 331

함수

$$f(x)=\begin{cases} \sin x+a\cos x & (x\ge0) \\ be^{x-1} & (x<0) \end{cases}$$

이 $x=0$에서 미분가능할 때, 실수 a, b에 대하여 $a+b$의 값은?

① $-1+e$ ② $1+e$ ③ 1
④ e ⑤ $2e$

STEP A $x=0$에서 연속임을 이용하여 a, b의 관계식 구하기

함수 $f(x)$가 $x=0$에서 미분가능하면 연속이므로

$\lim_{x\to0+}f(x)=\lim_{x\to0-}f(x)=f(0)$에서

$a=\dfrac{b}{e}$  …… ㉠

STEP B $f'(0)$이 존재함을 이용하여 a의 값 구하기

또, 함수 $f(x)$는 $x=0$에서 미분가능하므로

함수 $f(x)$가 $x=0$에서 미분가능하므로 $f'(0)$이 존재하므로

$f'(x)=\begin{cases} \cos x-a\sin x & (x>0) \\ be^{x-1} & (x<0) \end{cases}$

$\lim_{x\to0+}(\cos x-a\sin x)=\lim_{x\to0-}be^{x-1}$ ⬅ $\lim_{h\to0+}\dfrac{f(0+h)-f(0)}{h}=\lim_{h\to0-}\dfrac{f(0+h)-f(0)}{h}$

$1=\dfrac{b}{e}$, 즉 $b=e$

이것을 ㉠에 대입하면 $a=1$

따라서 $a+b=1+e$

정답 ②

0876

정답 ⑤

STEP A $x=0$에서 연속임을 이용하여 b의 값 구하기

함수 $f(x)$가 $x=0$에서 미분가능하면 $x=0$에서 연속이므로

$\lim_{x\to0+}(e^x\cos x)=\lim_{x\to0-}(x^2+ax+b)=f(0)$

$\therefore b=1$

STEP B $f'(0)$이 존재함을 이용하여 a의 값 구하기

함수$f(x)$가 $x=0$에서 미분가능하므로 $f'(0)$이 존재하므로

$f'(x)=\begin{cases} 2x+a & (x<0) \\ e^x\cos x-e^x\sin x & (x>0) \end{cases}$에서

$\lim_{x\to0-}(2x+a)=\lim_{x\to0+}e^x(\cos x-\sin x)$

$\therefore a=1$

따라서 $a=1$, $b=1$이므로 $a+b=2$

0877

정답 해설참조

다음 그림과 같이 좌표평면에서 두 각 α, β를 나타내는 동경과 단위원의 교점을 각각 P, Q라 하면 P$(\cos\alpha, \sin\alpha)$, Q$(\cos\beta, \sin\beta)$이다.

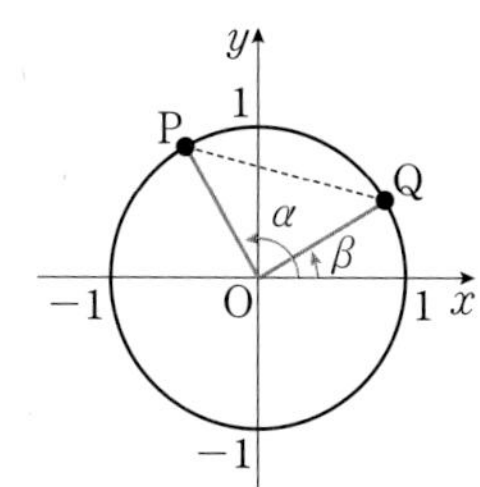

이때의 두 점 사이의 거리를 구하는 공식에 의하여

$\overline{PQ}^2=(\cos\alpha-\cos\beta)^2+(\sin\alpha-\sin\beta)^2$

$=\cos^2\alpha-2\cos\alpha\cos\beta+\cos^2\beta+\sin^2\alpha-2\sin\alpha\sin\beta+\sin^2\beta$

$=2-2(\boxed{\cos\alpha\cos\beta+\sin\alpha\sin\beta})$

이고, 삼각형 POQ에서 코사인법칙에 의하여

$\overline{PQ}^2=\overline{OP}^2+\overline{OQ}^2-2\times\overline{OP}\times\overline{OQ}\times\boxed{\cos(\alpha-\beta)}$

$=1^2+1^2-2\times1\times1\times\boxed{\cos(\alpha-\beta)}$

$=2-2\boxed{\cos(\alpha-\beta)}$

이다. 따라서

$2-2(\boxed{\cos\alpha\cos\beta+\sin\alpha\sin\beta})=2-2\boxed{\cos(\alpha-\beta)}$

이다. 즉 다음이 성립한다.

$\cos(\alpha-\beta)=\cos\alpha\cos\beta+\sin\alpha\sin\beta$ …… ㉠

㉠에서 β대신 $-\beta$를 대입하여 정리하면

$\cos(\alpha+\beta)=\cos\alpha\cos(-\beta)+\sin\alpha\sin(-\beta)$

$=\cos\alpha\cos\beta-\sin\alpha\sin\beta$

이다. 즉 다음이 성립한다.

$\cos(\alpha+\beta)=\cos\alpha\cos\beta-\sin\alpha\sin\beta$ …… ㉡

한편 ㉡에서 α대신 $\frac{\pi}{2}-\alpha$를 대입하여 정리하면

$\cos\left(\frac{\pi}{2}-\alpha+\beta\right)=\cos\left(\frac{\pi}{2}-\alpha\right)\cos\beta-\sin\left(\frac{\pi}{2}-\alpha\right)\sin\beta$

$=\sin\alpha\cos\beta-\cos\alpha\sin\beta$

이다. 즉 다음이 성립한다.

$\boxed{\sin(\alpha-\beta)}=\sin\alpha\cos\beta-\cos\alpha\sin\beta$ …… ㉢

또, ㉢에서 β대신 $-\beta$를 대입하여 정리하면 다음을 얻을 수 있다.

$\boxed{\sin(\alpha+\beta)}=\sin\alpha\cos\beta+\cos\alpha\sin\beta$

또, ㉡과 ㉣을 이용하면

$\tan(\alpha+\beta)=\boxed{\dfrac{\sin(\alpha+\beta)}{\cos(\alpha+\beta)}}=\dfrac{\sin\alpha\cos\beta+\cos\alpha\sin\beta}{\cos\alpha\cos\beta-\sin\alpha\sin\beta}$

이고, 우변의 분자, 분모를 $\boxed{\cos\alpha\cos\beta(\cos\alpha\cos\beta\neq0)}$로 나누면

$\tan(\alpha+\beta)=\dfrac{\dfrac{\sin\alpha}{\cos\alpha}+\dfrac{\sin\beta}{\cos\alpha}}{1-\dfrac{\sin\alpha}{\cos\alpha}\times\dfrac{\sin\beta}{\cos\beta}}$

이므로

$\tan(\alpha+\beta)=\boxed{\dfrac{\tan\alpha+\tan\beta}{1-\tan\alpha\tan\beta}}$ …… ㉤

가 성립한다.

이때 ㉤에서 β대신에 $-\beta$를 대입하여 정리하면 다음이 성립한다.

$\tan(\alpha-\beta)=\boxed{\dfrac{\tan\alpha-\tan\beta}{1+\tan\alpha\tan\beta}}$

0878

정답 해설참조

1단계 $\sin\theta+\cos\theta$의 값을 구한다. ◀ 40%

$t=\sin\theta+\cos\theta$라 하면

$t^2=(\sin\theta+\cos\theta)^2=1+2\sin\theta\cos\theta=1+2\cdot\frac{1}{2}=2$

이때 θ가 제1사분면의 각이므로 $t=\sin\theta+\cos\theta=\sqrt{2}$

2단계 $\tan\theta+\cot\theta$의 값을 구한다. ◀ 30%

$\tan\theta+\cot\theta=\dfrac{\sin\theta}{\cos\theta}+\dfrac{\cos\theta}{\sin\theta}=\dfrac{\sin^2\theta+\cos^2\theta}{\cos\theta\sin\theta}=\dfrac{1}{\cos\theta\sin\theta}=\dfrac{1}{\frac{1}{2}}=2$

3단계 $\sec\theta+\csc\theta$의 값을 구한다. ◀ 30%

$\sec\theta+\csc\theta=\dfrac{1}{\cos\theta}+\dfrac{1}{\sin\theta}=\dfrac{\sin\theta+\cos\theta}{\cos\theta\sin\theta}=\dfrac{\sqrt{2}}{\frac{1}{2}}=2\sqrt{2}$

0879

정답 해설참조

1단계 $\cos\alpha=\frac{3}{5}$에서 $\sin\alpha$의 값을 구한다. ◀ 30%

$\cos\alpha=\frac{3}{5}$에서 $0<\alpha<\frac{\pi}{2}$이므로

$\sin\alpha=\sqrt{1-\cos^2\alpha}=\sqrt{1-\frac{9}{25}}=\frac{4}{5}$

2단계 $\tan\beta=-\frac{15}{8}$에서 $\sin\beta$, $\cos\beta$의 값을 구한다. ◀ 40%

$\frac{\pi}{2}<\beta<\pi$에서 $\tan\beta=-\frac{15}{8}$이므로

$\sec\beta=-\sqrt{1+\tan^2\beta}=-\sqrt{1+\left(-\frac{15}{8}\right)^2}=-\frac{17}{8}$

즉 $\cos\beta=\dfrac{1}{\sec\beta}=-\dfrac{8}{17}$

또한, $\sin\beta=\sqrt{1-\cos^2\beta}=\sqrt{1-\left(-\frac{8}{17}\right)^2}=\frac{15}{17}$

따라서 $\sin\beta=\frac{15}{17}$, $\cos\beta=-\frac{8}{17}$

3단계 삼각함수의 덧셈정리를 이용하여 $\sin(\alpha+\beta)$의 값을 구한다. ◀ 30%

$\sin(\alpha+\beta)=\sin\alpha\cos\beta+\cos\alpha\sin\beta=\frac{4}{5}\cdot\left(-\frac{8}{17}\right)+\frac{3}{5}\cdot\frac{15}{17}=\frac{13}{85}$

0880

정답 해설참조

1단계 직각삼각형 BEF에서 $\overline{BE}$, $\overline{EF}$를 β에 대한 삼각함수로 나타낸다. ◀ 15%

직사각형 ABCD에서

$\angle BEF=\frac{\pi}{2}$, $\angle CBE=\alpha$,

$\angle EBF=\beta$, $\overline{BF}=1$

직각삼각형 BEF에서

$\overline{BE}=\cos\beta$, $\overline{FE}=\sin\beta$

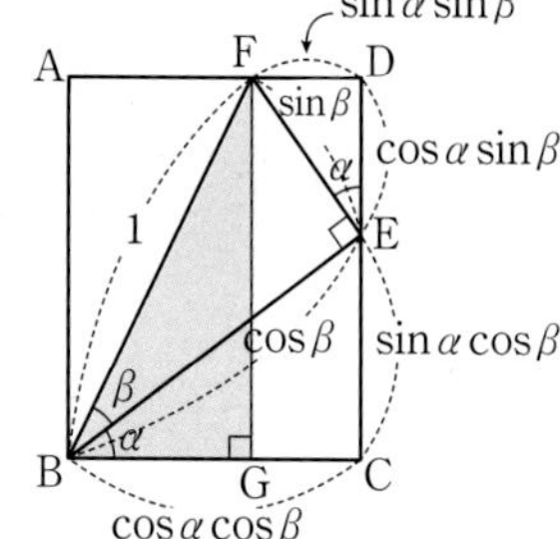

2단계 직각삼각형 BCE에서 $\overline{EC}$, $\overline{BC}$를 α, β에 대한 삼각함수로 나타낸다. ◀ 15%

직각삼각형 BCE에서

$\overline{EC}=\sin\alpha\cos\beta$, $\overline{BC}=\cos\alpha\cos\beta$

3단계	$\angle FED=\alpha$이므로 직각삼각형 FED에서 $\overline{DE}$, $\overline{FD}$를 α, β에 대한 삼각함수로 나타낸다.	◀ 15%

$\angle FED=\alpha$이므로 직각삼각형 FED에서

$\overline{DE}=\cos\alpha\sin\beta$, $\overline{FD}=\sin\alpha\sin\beta$

4단계	점 F에서 $\overline{BC}$에 내린 수선의 발을 G라고 하면 직각삼각형 FGB에서 $\overline{FG}$, $\overline{BG}$를 $\alpha+\beta$에 대한 삼각함수로 나타낸다.	◀ 15%

점 F에서 $\overline{BC}$에 내린 수선의 발을 G라고 하면 직각삼각형 BGF에서

$\overline{FG}=\overline{DC}=\sin(\alpha+\beta)$,

$\overline{BG}=\cos(\alpha+\beta)$

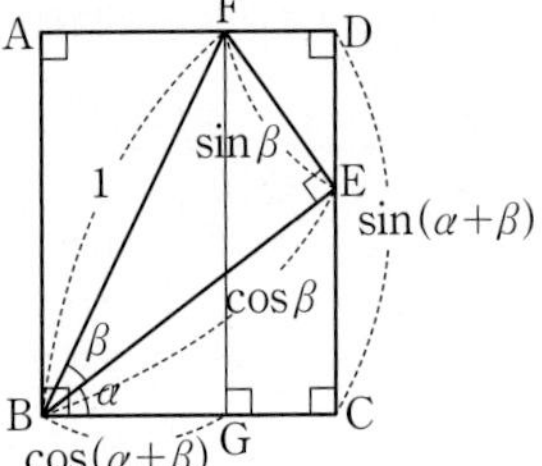

5단계	$\overline{DC}=\overline{EC}+\overline{DE}$를 이용하여 $\sin(\alpha+\beta)$를 구한다.	◀ 20%

직각삼각형 BGF에서

$\sin(\alpha+\beta)=\overline{DC}=\overline{EC}+\overline{DE}=\sin\alpha\cos\beta+\cos\alpha\sin\beta$

6단계	$\overline{BG}=\overline{BC}-\overline{FD}$를 이용하여 $\cos(\alpha+\beta)$를 구한다.	◀ 20%

직각삼각형 BGF에서

$\cos(\alpha+\beta)=\overline{BG}=\overline{BC}-\overline{FD}=\cos\alpha\cos\beta-\sin\alpha\sin\beta$

0881

정답 해설참조

1단계	삼각형 ABC, ACD에서 피타고라스의 정리에 의하여 $\overline{AC}$, $\overline{AD}$의 길이를 구한다.	◀ 10%

두 직각삼각형 ABC, ACD에서 피타고라스의 정리에 의하여

$\overline{AC}=\sqrt{4^2+3^2}=5$, $\overline{AD}=\sqrt{5^2+3^2}=\sqrt{34}$

2단계	$\angle CAB=\alpha$, $\angle DAC=\beta$라 할 때, $\sin\alpha$, $\cos\alpha$, $\sin\beta$, $\cos\beta$의 값을 구한다.	◀ 20%

직각삼각형 ABC에서 $\angle CAB=\alpha$이므로

$\sin\alpha=\dfrac{3}{5}$, $\cos\alpha=\dfrac{4}{5}$

직각삼각형 ACD에서 $\angle DAC=\beta$이므로

$\sin\beta=\dfrac{3}{\sqrt{34}}$, $\cos\beta=\dfrac{5}{\sqrt{34}}$

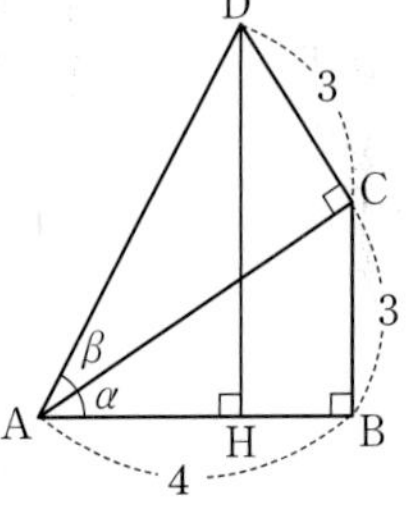

3단계	위의 단계를 이용하여 $\cos(\alpha+\beta)$, $\sin(\alpha+\beta)$의 값을 구한다.	◀ 30%

$$\begin{aligned}\sin(\alpha+\beta)&=\sin\alpha\cos\beta+\cos\alpha\sin\beta\\&=\frac{3}{5}\cdot\frac{5}{\sqrt{34}}+\frac{4}{5}\cdot\frac{3}{\sqrt{34}}\\&=\frac{27}{5\sqrt{34}}\end{aligned}$$

$$\begin{aligned}\cos(\alpha+\beta)&=\cos\alpha\cos\beta-\sin\alpha\sin\beta\\&=\frac{4}{5}\cdot\frac{5}{\sqrt{34}}-\frac{3}{5}\cdot\frac{3}{\sqrt{34}}\\&=\frac{11}{5\sqrt{34}}\end{aligned}$$

4단계	선분 $\overline{DH}$의 길이를 구한다.	◀ 20%

직각삼각형 ADH에서

$\overline{DH}=\overline{AD}\sin(\alpha+\beta)=\sqrt{34}\cdot\dfrac{27}{5\sqrt{34}}=\dfrac{27}{5}$

5단계	선분 $\overline{AH}$의 길이를 구한다.	◀ 20%

직각삼각형 ADH에서

$\overline{AH}=\overline{AD}\cos(\alpha+\beta)=\sqrt{34}\cdot\dfrac{11}{5\sqrt{34}}=\dfrac{11}{5}$

0882

정답 해설참조

1단계	삼각형 ABC에서 $\sin A+\cos B=\frac{3}{2}$, $\cos A+\sin B=\frac{\sqrt{3}}{2}$일 때, $\sin C$의 값을 구한다.	◀ 30%

삼각형 ABC에서 $A+B+C=\pi$이므로 $C=\pi-(A+B)$

$\sin C=\sin\{\pi-(A+B)\}=\sin A\cos B+\cos A\sin B$

두 식 $\sin A+\cos B=\dfrac{3}{2}$, $\cos A+\sin B=\dfrac{\sqrt{3}}{2}$의 양변을 각각 제곱하면

$\sin^2 A+2\sin A\cos B+\cos^2 B=\dfrac{9}{4}$

$\cos^2 A+2\cos A\sin B+\sin^2 B=\dfrac{3}{4}$

두 식을 더하면

$2+2(\sin A\cos B+\cos A\sin B)=3$

$2+2\sin(A+B)=3$

$\therefore\ \sin(A+B)=\dfrac{1}{2}$

따라서 $\sin C=\sin(A+B)=\dfrac{1}{2}$

2단계	삼각형 ABC에서 등식 $\tan A+\tan B+1=\tan A\tan B$을 만족할 때, C의 크기를 구한다.	◀ 30%

삼각형 ABC에서 $A+B+C=\pi$이므로

$\tan A+\tan B+1=\tan A\tan B$에서

$1-\tan A\tan B=-(\tan A+\tan B)$

이때 $\tan(A+B)=\dfrac{\tan A+\tan B}{1-\tan A\tan B}=\dfrac{\tan A+\tan B}{-(\tan A+\tan B)}=-1$이고

$0<A+B<\pi$이므로 $A+B=\dfrac{3}{4}\pi$

따라서 $A+B+C=\dfrac{3}{4}\pi+C=\pi$이므로 $C=\dfrac{\pi}{4}$

3단계	삼각형 ABC에서 등식 $\tan A+\tan B+\tan C=\tan A\tan B\tan C$가 성립함을 보인다.	◀ 40%

삼각형 ABC에서 $A+B+C=180^\circ$이므로

$$\begin{aligned}\tan C&=\tan(180^\circ-(A+B))\\&=-\tan(A+B)=-\frac{\tan A+\tan B}{1-\tan A\tan B}\end{aligned}$$

위의 식을 정리하면

$$\begin{aligned}\tan A+\tan B&=(\tan A\tan B-1)\tan C\\&=\tan A\tan B\tan C-\tan C\end{aligned}$$

따라서 $\tan A+\tan B+\tan C=\tan A\tan B\tan C$가 성립한다.

0883

정답 해설참조

1단계	두 직선이 x축의 양의 방향과 이루는 각의 크기를 α, β로 놓고 탄젠트함수로 나타낸다.	◀ 30%

두 직선 $y=3x+1$, $y=mx+6$이 x축의 양의 방향과 이루는 각의 크기를 각각 α, β라고 하면

$\tan\alpha=3$, $\tan\beta=m$

2단계	탄젠트함수의 덧셈정리를 이용하여 이차방정식을 구한다.	◀ 50%

두 직선이 이루는 예각의 크기가 $\dfrac{\pi}{6}$이므로

$\tan\dfrac{\pi}{6}=\left|\dfrac{\tan\beta-\tan\alpha}{1+\tan\beta\tan\alpha}\right|=\left|\dfrac{m-3}{1+m\cdot 3}\right|=\dfrac{1}{\sqrt{3}}$

위의 식의 양변을 제곱하면 ← $\dfrac{m-3}{1+3m}=\pm\dfrac{1}{\sqrt{3}}$임을 이용하여 m의 값을 구할 수 있다.

$\dfrac{m^2-6m+9}{1+6m+9m^2}=\dfrac{1}{3}$ $\quad\therefore\ 3m^2+12m-13=0$

3단계	실수 m의 값의 곱을 구한다.	◀ 20%

따라서 이차방정식의 근과 계수의 관계에 의하여 모든 실수 m의 값의 곱은 $-\dfrac{13}{3}$

0884

정답 해설참조

1단계	$0<x<\frac{\pi}{2}$일 때, 다음과 같이 주어진 그림을 이용하여 $\lim_{x\to0+}\frac{\sin x}{x}=1$임을 증명한다.	◀ 30%

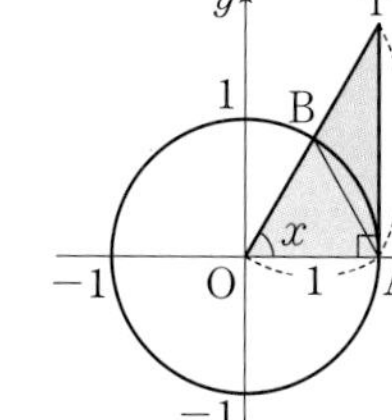

오른쪽 그림과 같이 중심이 원점이고 반지름의 길이가 1인 원에서 $\angle BOA$의 크기를 x라디안이라 하고 점 A에서의 접선과 선분 OB의 연장선의 교점을 T라 하면

$\triangle BOA<$(부채꼴 BOA의 넓이)$<\triangle TOA$ 이므로

$\frac{1}{2}\sin x<\frac{1}{2}x<\frac{1}{2}\tan x$,

즉 $\sin x<x<\tan x$이다.

이때 $\sin x>0$이므로 위 부등식의 각 변을 $\sin x$로 나누면

$1<\frac{x}{\sin x}<\frac{1}{\cos x}$, 즉 $\cos x<\frac{\sin x}{x}<1$이고 $\lim_{x\to0+}\cos x=1$이므로

$\lim_{x\to0+}\frac{\sin x}{x}=1$

2단계	$\lim_{x\to0-}\frac{\sin x}{x}=1$임을 증명한다.	◀ 20%

$-\frac{\pi}{2}<x<0$일 때, $x=-t$로 놓으면 $x\to0-$일 때, $t\to0+$이므로

$\lim_{x\to0-}\frac{\sin x}{x}=\lim_{t\to0+}\frac{\sin(-t)}{-t}=\lim_{t\to0+}\frac{\sin t}{t}=1$

(ⅰ), (ⅱ)에 의하여 $\lim_{x\to0}\frac{\sin x}{x}=1$

3단계	$\lim_{x\to0}\frac{\sin x}{x}$의 값을 이용하여 $\lim_{x\to0}\frac{1-\cos x}{x}$의 값을 구한다.	◀ 20%

$$\lim_{x\to0}\frac{1-\cos x}{x}=\lim_{x\to0}\frac{(1-\cos x)(1+\cos x)}{x(1+\cos x)}=\lim_{x\to0}\frac{1-\cos^2 x}{x(1+\cos x)}$$
$$=\lim_{x\to0}\frac{\sin^2 x}{x(1+\cos x)}=\lim_{x\to0}\left\{\left(\frac{\sin x}{x}\right)\cdot\sin x\cdot\frac{1}{1+\cos x}\right\}$$
$$=1\cdot0\cdot\frac{1}{1+1}=0$$

4단계	함수 $f(x)=\sin x$라 할 때, $\lim_{x\to0}\frac{\sin x}{x}$와 $\lim_{x\to0}\frac{1-\cos x}{x}$의 값을 이용하여 도함수 $f'(x)=\cos x$임을 증명한다.	◀ 30%

$\sin(\alpha+\beta)=\sin\alpha\cos\beta+\cos\alpha\sin\beta$와 $f'(x)=\lim_{h\to0}\frac{f(x+h)-f(x)}{h}$를 이용하여 구한다.

$$f'(x)=(\sin x)'=\lim_{h\to0}\frac{\sin(x+h)-\sin x}{h}$$
$$=\lim_{h\to0}\frac{\sin x\cos h+\cos x\sin h-\sin x}{h}$$
$$=\lim_{h\to0}\frac{\cos x\sin h-\sin x(1-\cos h)}{h}$$
$$=\lim_{h\to0}\frac{\cos x\sin h}{h}-\lim_{h\to0}\frac{\sin x(1-\cos h)}{h}$$
$$=\cos x\lim_{h\to0}\frac{\sin h}{h}-\sin x\lim_{h\to0}\frac{1-\cos h}{h}$$
$$=\cos x\cdot1-\sin x\cdot0=\cos x$$

0885

정답 해설참조

1단계	a, b, c를 구하여 abc의 값을 구한다.	◀ 20%

조건 (가)에서 함수 $f(x)=a\cos bx+c$의

최댓값은 $a+c=5$ …… ㉠

최솟값은 $-a+c=-3$ …… ㉡

㉠, ㉡에서 $a=4$, $c=1$

조건 (나)에서 $f(x)$의 주기는 $\frac{2\pi}{b}=4$이므로 $b=\frac{\pi}{2}$

즉 $f(x)=4\cos\frac{\pi}{2}x+1$

$a=4$, $b=\frac{\pi}{2}$, $c=1$이므로 $abc=4\cdot\frac{\pi}{2}\cdot1=2\pi$

2단계	$\sum_{n=1}^{2020}f(n)$의 값을 구한다.	◀ 40%

$$\sum_{n=1}^{2020}f(n)=\sum_{n=1}^{2020}\left\{4\cos\frac{\pi}{2}n+1\right\}$$
$$=505\left\{4\cos\frac{\pi}{2}+4\cos\pi+4\cos\frac{3}{2}\pi+4\cos2\pi\right\}+2020$$
$$=2020$$

3단계	$\lim_{x\to0}\frac{5-f(x)}{x^2}$의 값을 구한다.	◀ 40%

$$\lim_{x\to0}\frac{5-f(x)}{x^2}=\lim_{x\to0}\frac{4-4\cos\frac{\pi}{2}x}{x^2}$$
$$=\lim_{x\to0}\frac{4\sin^2\frac{\pi}{2}x}{x^2\left(1+\cos\frac{\pi}{2}x\right)}$$
$$=\lim_{x\to0}\frac{4\sin^2\frac{\pi}{2}x}{x^2}\cdot\frac{1}{\left(1+\cos\frac{\pi}{2}x\right)}$$
$$=4\cdot\left(\frac{\pi}{2}\right)^2\cdot\frac{1}{2}=\frac{\pi^2}{2}$$

0886

정답 해설참조

1단계	내접하는 정 n각형의 둘레의 길이를 $f(n)$, 외접하는 정 n각형의 둘레의 길이를 $g(n)$이라 하고 $f(n)$, $g(n)$을 구한다.	◀ 30%

$f(n)=n\times2\overline{AB}=n\times2\times r\sin\frac{\pi}{n}=2rn\sin\frac{\pi}{n}$

$g(n)=n\times2\overline{CD}=n\times2\times r\tan\frac{\pi}{n}=2rn\tan\frac{\pi}{n}$

2단계	반지름의 길이가 r인 원의 둘레의 길이를 l이라고 하면 $f(n)<l<g(n)$이 성립함을 이용하고 극한값 $\lim_{n\to\infty}f(n)$과 $\lim_{n\to\infty}g(n)$을 구하여 반지름의 길이가 r인 원의 둘레의 길이가 $2\pi r$임을 서술한다.	◀ 30%

$\frac{1}{n}=t$로 놓으면 $n\to\infty$일 때, $t\to0$이므로

$\lim_{n\to\infty}f(n)=\lim_{n\to\infty}2rn\sin\frac{\pi}{n}=2\pi r\lim_{t\to0}\frac{\sin\pi t}{\pi t}=2\pi r$

$\lim_{n\to\infty}g(n)=\lim_{n\to\infty}2rn\tan\frac{\pi}{n}=2\pi r\lim_{t\to0}\frac{\tan\pi t}{\pi t}=2\pi r$

수열의 극한의 대소 관계에 의하여 $\lim_{n\to\infty}l=2\pi r$

즉 반지름의 길이가 r인 원의 둘레의 길이는 $2\pi r$

3단계	내접하는 정 n각형의 넓이를 $S_1(n)$, 외접하는 정 n각형의 넓이를 $S_2(n)$이라 하고 $S_1(n)$, $S_2(n)$을 구하여 2단계와 같은 방법으로 반지름의 길이가 r인 원의 넓이가 πr^2임을 서술한다.	◀ 40%

내접하는 정 n각형의 넓이를 $S_1(n)$, 외접하는 정 n각형의 넓이를 $S_2(n)$, 원의 넓이를 S라고 하면

$S_1(n)=\frac{1}{2}\times2r\sin\frac{\pi}{n}\times r\cos\frac{\pi}{n}\times n=r^2n\sin\frac{\pi}{n}\cos\frac{\pi}{n}$

$S_2(n)=\frac{1}{2}\times2r\tan\frac{\pi}{n}\times r\times n=r^2n\tan\frac{\pi}{n}$에서

$\lim_{n\to\infty}S_1(n)=\pi r^2$, $\lim_{n\to\infty}S_2(n)=\pi r^2$이고

$S_1(n)<S<S_2(n)$이므로 수열의 극한의 대소 관계에 의하여 $\lim_{n\to\infty}S=\pi r^2$

따라서 반지름의 길이가 r인 원의 넓이는 πr^2

Ⅱ 미분법

0887

정답 ⑤

1단계	조건 (가)를 만족하는 삼차함수 $f(x)$의 최고차항의 계수를 구한다.	◀ 20%

$\lim_{x\to\infty}\frac{f(x)}{x^3}=2$이므로 삼차함수 $f(x)$의 최고차항의 계수는 2이다.

2단계	조건 (나)를 이용하여 $\lim_{x\to 0}\frac{f(x)}{x^2}$의 값을 구한다.	◀ 30%

$$\lim_{x\to 0}\frac{f(x)}{1-\cos x}=\lim_{x\to 0}\left\{\frac{x^2}{1-\cos x}\cdot\frac{f(x)}{x^2}\right\}=8$$

$\lim_{x\to 0}\frac{x^2}{1-\cos x}=2$이므로 $\lim_{x\to 0}\frac{f(x)}{x^2}=4$

3단계	위의 단계를 만족하는 삼차함수 $f(x)$를 구한다.	◀ 40%

$\lim_{x\to 0}\frac{f(x)}{x^2}=4$에서

$x\to 0$일 때, (분모)$\to 0$이고 극한값이 존재하므로 (분모)$\to 0$이어야 한다.

즉 $\lim_{x\to 0}f(x)=f(0)=0$이므로 분모가 x^2의 인수를 가지므로

함수 $f(x)$는 x^2을 인수로 가진다.

$f(x)=2x^2(x+a)$ (단, a는 실수)라 하면

$$\lim_{x\to 0}\frac{f(x)}{x^2}=\lim_{x\to 0}\frac{2x^2(x+a)}{x^2}=\lim_{x\to 0}2(x+a)=2a=4$$

$\therefore a=2$

즉 $f(x)=2x^2(x+2)$

4단계	$f(2)$의 값을 구한다.	◀ 10%

$f(2)=8\cdot(2+2)=32$

내/신/연/계/ 출제문항 332

다항함수 $f(x)$에 대하여 함수 $g(x)=f(x)\sin x$가 다음 조건을 만족시킬 때, $f(4)$의 값은?

(가) $\lim_{x\to\infty}\frac{g(x)}{x^2}=0$　　(나) $\lim_{x\to 0}\frac{g'(x)}{x}=6$

① 11　② 12　③ 13
④ 14　⑤ 15

STEP A $\frac{\infty}{\infty}$꼴 극한의 성질을 이용하여 $f(x)$의 차수 구하기

$g(x)=f(x)\sin x$를 조건 (가)에 대입하면 $\frac{g(x)}{x^2}=\frac{f(x)}{x^2}\times\sin x$

$x\to\infty$일 때, $\sin x$는 진동하므로 발산한다.

즉 $x\to\infty$일 때, $\frac{g(x)}{x^2}$가 0으로 수렴하려면 $\lim_{x\to\infty}\frac{f(x)}{x^2}=0$이어야 하므로

다항함수 $f(x)$는 일차 이하의 다항식이다.

$\therefore f(x)=ax+b$ (단, a, b는 상수)

STEP B 극한의 성질을 이용하여 미정계수 결정하기

$g(x)=(ax+b)\sin x$에서 $g'(x)=a\sin x+(ax+b)\cos x$

조건 (나)에 대입하면 $\frac{g'(x)}{x}=a\cdot\frac{\sin x}{x}+\left(a+\frac{b}{x}\right)\cos x$

$$\lim_{x\to 0}\frac{g'(x)}{x}=\lim_{x\to 0}\left\{a\cdot\frac{\sin x}{x}+\left(a+\frac{b}{x}\right)\cos x\right\}$$
$$=a\cdot 1+(a+0)\cdot 1$$ ← $x\to 0$일 때, 6으로 수렴하려면 $b=0$
$$=2a$$

즉 $2a=6$이므로 $a=3$

따라서 $f(x)=3x$이므로 $f(4)=12$

정답 ②

0888

정답 해설참조

1단계	도함수의 정의를 이용하여 $(\cos x)'$의 식을 구한다.	◀ 30%

$$y'=(\cos x)'=\lim_{h\to 0}\frac{\cos(x+h)-\cos x}{h}$$

2단계	$\cos(\alpha+\beta)=\cos\alpha\cos\beta-\sin\alpha\sin\beta$를 이용하여 $\cos(x+h)-\cos x$를 정리한다.	◀ 30%

$$\lim_{h\to 0}\frac{\cos(x+h)-\cos x}{h}=\lim_{h\to 0}\frac{\cos x\cos h-\sin x\sin h-\cos x}{h}$$
$$=\lim_{h\to 0}\frac{-\sin x\sin h-\cos x(1-\cos h)}{h}$$

3단계	$\cos(x+h)-\cos x$와 삼각함수의 극한을 이용하여 $y'=-\sin x$임을 구한다.	◀ 40%

$$y'=(\cos x)'=\lim_{h\to 0}\frac{-\sin x\sin h}{h}-\lim_{h\to 0}\frac{\cos x(1-\cos h)}{h}$$
$$=-\sin x\cdot\lim_{h\to 0}\frac{\sin h}{h}-\cos x\cdot\lim_{h\to 0}\frac{1-\cos h}{h}$$
$$=-\sin x\cdot 1-\cos x\cdot 0$$
$$=-\sin x$$ ← $\lim_{h\to 0}\frac{\sin h}{h}=1$, $\lim_{h\to 0}\frac{1-\cos h}{h}=0$

0889

정답 해설참조

1단계	$\overline{OP}$를 x의 삼각함수로 나타낸다.	◀ 20%

직각삼각형 OPB에서

$\overline{OB}=1$이고 $\angle BOP=x$이므로 $\overline{OP}=\cos x$

2단계	두 부채꼴 OAB, OPQ의 넓이를 각각 x에 대한 식으로 나타내어 색칠한 부분의 넓이 $S(x)$를 구한다.	◀ 30%

부채꼴 OAB의 넓이$=\frac{1}{2}x$

부채꼴 OPQ의 넓이$=\frac{1}{2}x\cos^2 x$

이므로 $S(x)=\frac{1}{2}x(1-\cos^2 x)=\frac{1}{2}x\sin^2 x$

3단계	$\lim_{x\to 0+}\frac{S(x)}{x^3}$의 값을 구한다.	◀ 20%

$$\lim_{x\to 0+}\frac{S(x)}{x^3}=\lim_{x\to 0+}\frac{\sin^2 x}{2x^2}=\lim_{x\to 0+}\frac{1}{2}\left(\frac{\sin x}{x}\right)^2=\frac{1}{2}$$

4단계	$\lim_{x\to 0+}\frac{(1-\cos x)S(x)}{x^5}$를 구한다.	◀ 30%

$$\lim_{x\to 0+}\frac{(1-\cos x)S(x)}{x^5}=\lim_{x\to 0+}\frac{(1-\cos x)x\sin^2 x}{2x^5}$$
$$=\lim_{x\to 0+}\frac{(1-\cos^2 x)\sin^2 x}{2x^4(1+\cos x)}$$
$$=\lim_{x\to 0+}\frac{\sin^4 x}{2x^4(1+\cos x)}$$
$$=\lim_{x\to 0+}\frac{1}{2}\left(\frac{\sin x}{x}\right)^4\cdot\frac{1}{1+\cos x}$$
$$=\frac{1}{2}\cdot 1^4\cdot\frac{1}{2}=\frac{1}{4}$$

0890

정답 해설참조

1단계 사인법칙을 이용하여 삼각형 OCP에서 변 OC의 길이를 θ에 대한 식으로 나타낸다. ◀ 70%

$\angle APB=\frac{\pi}{2}$, $\overline{AB}=2$이므로

△PAB에서

$\overline{AP}=\overline{AB}\cos\theta=2\cos\theta$

$\overline{BP}=\overline{AB}\sin\theta=2\sin\theta$

△POC에서

$\angle OCP=\pi-3\theta$, $\overline{OP}=1$이므로

사인법칙에 의하여

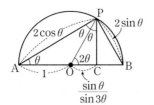

$$\frac{\overline{OC}}{\sin\theta}=\frac{1}{\sin(\pi-3\theta)}$$

$$\overline{OC}=\frac{\sin\theta}{\sin(\pi-3\theta)}=\frac{\sin\theta}{\sin 3\theta}$$

2단계 $\lim_{\theta\to0+}\overline{OC}$의 값을 구한다. ◀ 30%

따라서 $\lim_{\theta\to0+}\overline{OC}=\lim_{\theta\to0+}\frac{\sin\theta}{\sin3\theta}=\lim_{\theta\to0+}\left(\frac{\sin\theta}{\theta}\cdot\frac{3\theta}{\sin3\theta}\cdot\frac{1}{3}\right)=1\cdot1\cdot\frac{1}{3}=\frac{1}{3}$

0891

정답 해설참조

1단계 $\overline{OP_2}$, $\overline{OP_3}$, $\overline{OP_4}$의 값을 θ에 관한 식으로 나타낸다. ◀ 30%

$\overline{OP_2}=12\cos\theta$, $\overline{OP_3}=\overline{OP_2}\cos\theta=12\cos^2\theta$

$\overline{OP_4}=\overline{OP_3}\cos\theta=12\cos^3\theta$

2단계 $f(\theta)=\overline{OP_1}+\overline{OP_2}+\overline{OP_3}+\overline{OP_4}+\cdots$라고 할 때, $f(\theta)$를 구한다. ◀ 30%

$0<\theta<\frac{\pi}{2}$에서 $0<\cos\theta<1$이므로

$$\begin{aligned}f(\theta)&=\overline{OP_1}+\overline{OP_2}+\overline{OP_3}+\overline{OP_4}+\cdots\\&=12+12\cos\theta+12\cos^2\theta+12\cos^3\theta+\cdots\\&=\frac{12}{1-\cos\theta}\end{aligned}$$

3단계 $\lim_{\theta\to0}\theta^2f(\theta)$를 구한다. ◀ 40%

$$\begin{aligned}\lim_{\theta\to0}\theta^2f(\theta)&=\lim_{\theta\to0}\frac{12\theta^2}{1-\cos\theta}=12\lim_{\theta\to0}\frac{\theta^2(1+\cos\theta)}{1-\cos^2\theta}\\&=12\lim_{\theta\to0}\left(\frac{\theta}{\sin\theta}\right)^2\cdot\lim_{\theta\to0}(1+\cos\theta)\\&=12\cdot1^2\cdot2=24\end{aligned}$$

0892

정답 해설참조

1단계 미분계수의 정의를 이용하여 $f'(0)$을 삼각함수로 나타낸다. ◀ 30%

$$\begin{aligned}f'(0)&=\lim_{h\to0}\frac{f(h)-f(0)}{h}=\lim_{h\to0}\frac{5\sin h+h^2\cos\frac{1}{h}-0}{h}\\&=5\lim_{h\to0}\frac{\sin h}{h}+\lim_{h\to0}h\cos\frac{1}{h}\end{aligned}$$

2단계 삼각함수의 극한과 극한의 대소 관계를 이용하여 $f'(0)$의 값을 구한다. ◀ 30%

$\lim_{h\to0}\frac{\sin h}{h}=1$에서

$-|h|\le h\cos\frac{1}{h}\le|h|$이고 $\lim_{h\to0}|h|=0$이므로 $\lim_{h\to0}h\cos\frac{1}{h}=0$

$f'(0)=5\times1+0=5$

3단계 $x=0$에서 함수 $f'(x)$의 연속성을 조사한다. ◀ 40%

$x\ne0$일 때, $f'(x)=5\cos x+2x\cos\frac{1}{x}+x^2\left(-\sin\frac{1}{x}\right)\cdot\left(-\frac{1}{x^2}\right)$

$$=5\cos x+2x\cos\frac{1}{x}+\sin\frac{1}{x}$$

그런데 $\lim_{x\to0}\left(\sin\frac{1}{x}\right)$의 값은 존재하지 않으므로

$\lim_{x\to0}f'(x)$의 값도 존재하지 않는다.

즉 함수 $f'(x)$는 $x=0$에서 연속이 아니다.

0893

정답 해설참조

1단계 B′의 좌표를 θ에 관한 식으로 나타낸다. ◀ 40%

점 B′에서 x축에 내린 수선의 발을 H라 하면

$\angle B'AH=\pi-\left(\frac{\pi}{2}+\theta\right)=\frac{\pi}{2}-\theta$이고

$\overline{AB'}=\overline{AB}=2$이므로

점 B′의 좌표는

$x=1+2\cos\left(\frac{\pi}{2}-\theta\right)=1+2\sin\theta$

$y=2\sin\left(\frac{\pi}{2}-\theta\right)=2\cos\theta$

따라서 점 B′의 좌표는 $(1+2\sin\theta,\ 2\cos\theta)$

2단계 $f(\theta)=\overline{OB'}^2$의 식을 구한다. ◀ 30%

$$\begin{aligned}f(\theta)=\overline{OB'}^2&=(1+2\sin\theta)^2+(2\cos\theta)^2\\&=1+4\sin\theta+4\sin^2\theta+4\cos^2\theta\\&=5+4\sin\theta\end{aligned}$$

3단계 $f'(\pi)$의 값을 구한다. ◀ 30%

$f'(\theta)=4\cos\theta$이므로 $f'(\pi)=-4$

0894

정답 해설참조

1단계 점 P, Q의 좌표를 θ로 관한 식으로 나타낸다. ◀ 20%

$\angle POQ=\theta$인 직각삼각형 OQP에서

$\overline{OQ}=\cos\theta$, $\overline{PQ}=\sin\theta$이므로 $P(\cos\theta,\ \sin\theta)$, $Q(\cos\theta,\ 0)$

2단계 두 삼각형 OPQ, OQR의 넓이를 각각 S_1, S_2라 할 때, 이를 θ에 관한 식으로 나타낸다. ◀ 30%

직각삼각형 OPQ의 넓이는 $S_1=\frac{1}{2}\sin\theta\cos\theta$

이등변삼각형 OQR의 넓이는 $S_2=\frac{1}{2}\cos^2\theta\sin\theta$

3단계 $f(\theta)$를 구한다. ◀ 20%

삼각형 PRQ의 넓이는

$f(\theta)=S_1-S_2=\frac{1}{2}\sin\theta\cos\theta(1-\cos\theta)$

4단계 $\lim_{\theta\to0}\frac{f(\theta)}{\theta^3}$의 값을 구한다. ◀ 30%

$$\begin{aligned}\lim_{\theta\to0+}\frac{f(\theta)}{\theta^3}&=\lim_{\theta\to0+}\frac{\sin\theta\cos\theta(1-\cos\theta)}{2\theta^3}\\&=\lim_{\theta\to0+}\frac{\sin\theta\cos\theta(1-\cos^2\theta)}{2\theta^3(1+\cos\theta)}\\&=\lim_{\theta\to0+}\frac{1}{2}\left(\frac{\sin\theta}{\theta}\right)^3\cdot\cos\theta\cdot\frac{1}{1+\cos\theta}\\&=\frac{1}{2}\cdot1\cdot1\cdot\frac{1}{2}=\frac{1}{4}\end{aligned}$$

0895

정답 해설참조

1단계	보조선을 이용하여 선분 PQ, OQ의 길이를 θ로 나타낸다.	◀ 40%

다음 그림과 같이 선분 OP를 그으면 $\angle APO=\angle PAO=\theta$이므로
$\angle POQ=2\theta$

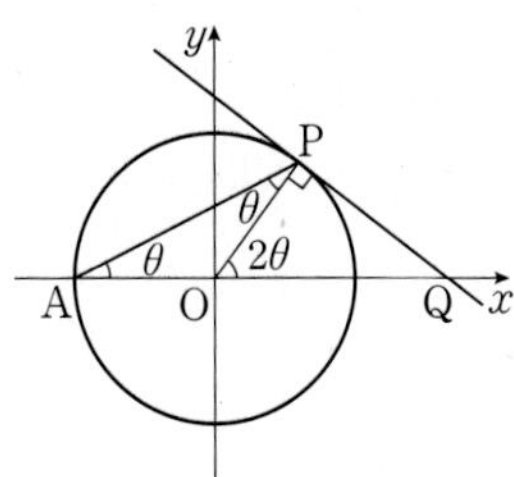

$\triangle POQ$는 $\angle OPQ=90°$인 직각삼각형이므로
$\overline{PQ}=\overline{OP}\tan 2\theta=\tan 2\theta$

$\cos 2\theta=\dfrac{1}{\overline{OQ}}$에서 $\overline{OQ}=\dfrac{1}{\cos 2\theta}$

$$\lim_{\theta\to\frac{\pi}{4}-}\frac{\overline{PQ}-\overline{OQ}}{\theta-\frac{\pi}{4}}=\lim_{\theta\to\frac{\pi}{4}-}\frac{\tan 2\theta-\frac{1}{\cos 2\theta}}{\theta-\frac{\pi}{4}}$$

$$=\lim_{\theta\to\frac{\pi}{4}-}\frac{\sin 2\theta-1}{\left(\theta-\frac{\pi}{4}\right)\cos 2\theta}\quad\cdots\cdots ㉠$$

2단계	$\theta-\frac{\pi}{4}=t$로 치환하여 삼각함수의 성질을 이용하여 $\sin 2\theta$, $\cos 2\theta$를 t로 나타낸다.	◀ 20%

$\theta-\frac{\pi}{4}=t$라 하면 $\theta\to\frac{\pi}{4}-$일 때, $t\to 0-$이고

$\sin 2\theta=\sin 2\left(\frac{\pi}{4}+t\right)=\sin\left(\frac{\pi}{2}+2t\right)=\cos 2t$

$\cos 2\theta=\cos 2\left(\frac{\pi}{4}+t\right)=\cos\left(\frac{\pi}{2}+2t\right)=-\sin 2t$

3단계	$\lim_{\theta\to\frac{\pi}{4}-}\dfrac{\overline{PQ}-\overline{OQ}}{\theta-\frac{\pi}{4}}$의 값을 구한다.	◀ 40%

㉠에서

$$\lim_{\theta\to\frac{\pi}{4}-}\frac{\sin 2\theta-1}{\left(\theta-\frac{\pi}{4}\right)\cos 2\theta}=\lim_{t\to 0-}\frac{\cos 2t-1}{-t\sin 2t}$$

$$=\lim_{t\to 0-}\frac{\cos^2 2t-1}{-t\sin 2t(\cos 2t+1)}$$

$$=\lim_{t\to 0-}\frac{-\sin^2 2t}{-t\sin 2t(\cos 2t+1)}$$

$$=\lim_{t\to 0-}\frac{\sin 2t}{t(\cos 2t+1)}$$

$$=\lim_{t\to 0-}2\cdot\frac{\sin 2t}{2t}\cdot\frac{1}{\cos 2t+1}$$

$$=2\cdot 1\cdot\frac{1}{2}$$

$$=1$$

STEP 3 행복한 1등급 문제

0896

정답 $\dfrac{8}{11}$

STEP A 점 $(1, -3)$에서 곡선 $y=x^2$에 그은 접선의 기울기의 관계 구하기

접선의 방정식을 $y=m(x-1)-3$이라고 하면
$x^2=m(x-1)-3$, $x^2-mx+m+3=0$
이 방정식의 판별식을 D라고 하면
$D=m^2-4(m+3)=m^2-4m-12=0$
두 접선의 기울기를 m_1, m_2라고 하면
이차방정식의 근과 계수의 관계에 의하여
$m_1+m_2=4$, $m_1m_2=-12$

STEP B 삼각함수의 덧셈정리를 이용하여 $\tan\theta$ 구하기

두 접선이 x축의 양의 방향과 이루는 각의 크기를 각각 α, β라고 하면
$\tan\alpha=m_1$, $\tan\beta=m_2$

따라서 $\tan\theta=|\tan(\alpha-\beta)|=\left|\dfrac{\tan\alpha-\tan\beta}{1+\tan\alpha\tan\beta}\right|=\left|\dfrac{m_1-m_2}{1+m_1m_2}\right|$

$$=\frac{\sqrt{(m_1+m_2)^2-4m_1m_2}}{|1-12|}=\frac{\sqrt{4^2-4\cdot(-12)}}{11}=\frac{8}{11}$$

내신연계 출제문항 333

원점 $O(0, 0)$에서 곡선 $y=x^4-x^2+2$에 그은 두 접선이 이루는 예각의 크기를 θ라 할 때, $\tan\theta$의 값은?

① $\dfrac{7}{6}$　② $\dfrac{4}{3}$　③ $\dfrac{3}{2}$
④ $\dfrac{5}{3}$　⑤ $\dfrac{11}{6}$

STEP A 원점에서 곡선 $y=x^2$에 그은 접선의 기울기의 관계 구하기

접점을 $P(a, a^4-a^2+2)$라 하자.
$y'=4x^3-2x$이므로 점 P에서의 접선의 기울기는 $4a^3-2a$
그러므로 접선의 방정식은 $y=(4a^3-2a)(x-a)+a^4-a^2+2$
이 접선이 원점 $O(0, 0)$을 지나므로
$0=(-4a^4+2a^2)+a^4-a^2+2$
$3a^4-a^2-2=0$, $(3a^2+2)(a^2-1)=0$
$a=-1$ 또는 $a=1$
그러므로 접선의 기울기는 각각 -2, 2

STEP B 삼각함수의 덧셈정리를 이용하여 $\tan\theta$ 구하기

두 접선이 x축의 양의 방향과 이루는 각의 크기를 각각 α, β라고 하면
$\tan\alpha=-2$, $\tan\beta=2$

따라서 $\tan\theta=|\tan(\alpha-\beta)|=\left|\dfrac{\tan\alpha-\tan\beta}{1+\tan\alpha\tan\beta}\right|=\left|\dfrac{2-(-2)}{1+2\cdot(-2)}\right|=\dfrac{4}{3}$

정답 ②

0897

정답 $\frac{3}{4}$

STEP Ⓐ 각 α, β, γ, θ 사이의 관계식을 나타내기

두 접선이 이루는 예각의 크기를 θ, 점 $(6, 2)$와 원점을 지나는 직선이 x축과 이루는 예각의 크기를 γ라 하자.

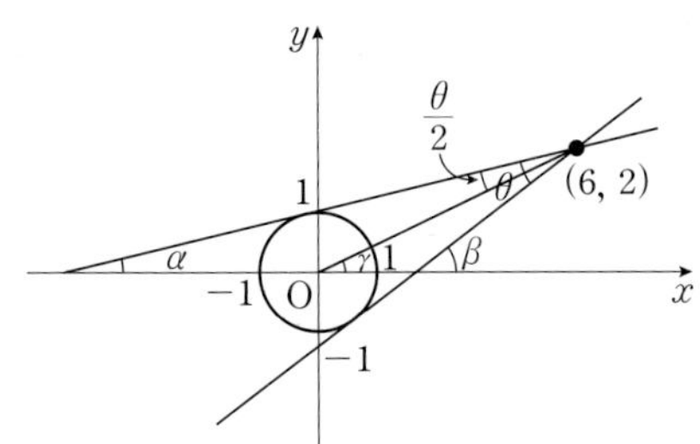

$\alpha<\beta$일 때, $\frac{\theta}{2}+\alpha=\gamma$, $\frac{\theta}{2}+\gamma=\beta$이므로

$\frac{\theta}{2}=\gamma-\alpha=\beta-\gamma$에서 $\alpha+\beta=2\gamma$

또한, γ는 점 $(6, 2)$와 원점을 지나는 직선이 x축의 양의 방향과 이루는 예각의 크기이므로 $\tan\gamma=\frac{2}{6}=\frac{1}{3}$

STEP Ⓑ $\tan\gamma$를 이용하여 $\tan(\alpha+\beta)$의 값 구하기

따라서 $\tan(\alpha+\beta)=\tan 2\gamma=\frac{2\tan\gamma}{1-\tan^2\gamma}=\frac{2\cdot\frac{1}{3}}{1-\left(\frac{1}{3}\right)^2}=\frac{\frac{2}{3}}{\frac{8}{9}}=\frac{3}{4}$

다른풀이 원의 접선 $y=mx\pm\sqrt{m^2+1}$을 이용하여 $\tan(\alpha+\beta)$ 구하기

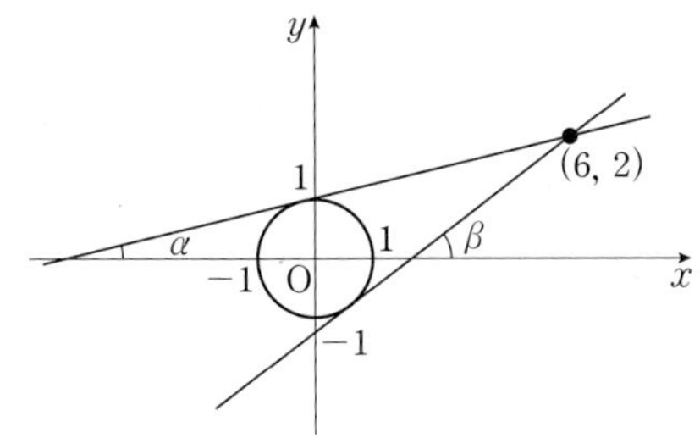

원에서 기울기가 m인 접선의 방정식은 $y=mx\pm\sqrt{m^2+1}$

이 접선이 $(6, 2)$를 지나므로 $2=6m\pm\sqrt{m^2+1}$

$2-6m=\pm\sqrt{m^2+1}$을 양변을 제곱하여 정리하면

$35m^2-24m+3=0$

이 방정식의 두 근이 $\tan\alpha$, $\tan\beta$이므로 근과 계수의 관계에 의하여

$\tan\alpha+\tan\beta=\frac{24}{35}$, $\tan\alpha\tan\beta=\frac{3}{35}$

따라서 $\tan(\alpha+\beta)=\frac{\tan\alpha+\tan\beta}{1-\tan\alpha\tan\beta}=\frac{\frac{24}{35}}{1-\frac{3}{35}}=\frac{24}{32}=\frac{3}{4}$

0898

정답 $\frac{3}{4}$

STEP Ⓐ 주어진 조건을 만족하는 $\tan\theta$의 값 구하기

두 삼각형 ABE, FBE는 서로 합동이고 사각형 ABCD가 정사각형이므로

$\angle A=\angle F=\frac{\pi}{2}$

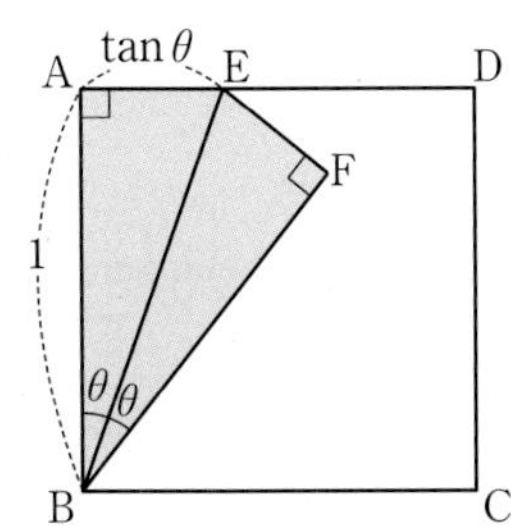

조건 (나)에서 사각형 ABFE의 넓이는 $\frac{1}{3}$이고

조건 (가)에서 두 삼각형 ABE, FBE의 넓이가 같으므로

삼각형 ABE의 넓이는 $\frac{1}{6}$

$\angle ABE=\theta$라 하면 삼각형 ABE의 넓이는

$\frac{1}{2}\times\overline{AB}\times\overline{AE}=\frac{1}{2}\times1\times\tan\theta$이므로 $\frac{1}{2}\tan\theta=\frac{1}{6}$

$\therefore \tan\theta=\frac{1}{3}$

STEP Ⓑ 삼각함수의 덧셈정리를 이용하여 $\tan 2\theta$의 값 구하기

$\angle FBE=\theta$이므로 $\angle ABF=2\theta$

따라서 $\tan(\angle ABF)=\tan 2\theta=\tan(\theta+\theta)$

$$=\frac{\tan\theta+\tan\theta}{1-\tan\theta\times\tan\theta}=\frac{2\tan\theta}{1-\tan^2\theta}=\frac{\frac{1}{3}+\frac{1}{3}}{1-\frac{1}{3}\times\frac{1}{3}}=\frac{3}{4}$$

0899

정답 $2+2\sqrt{2}$

STEP Ⓐ 두 직선 AP, BP의 기울기 구하기

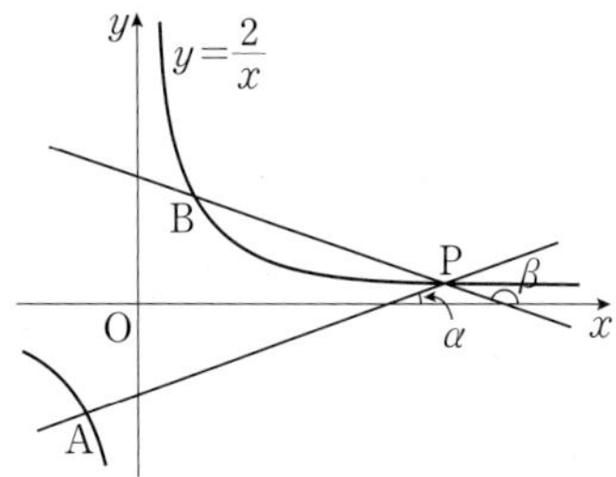

두 점 $A(-1, -2)$, $P\left(a, \frac{2}{a}\right)$를 지나는 직선이 x축의 양의 방향과 이루는 각의 크기를 α라 하면

$\tan\alpha=\frac{\frac{2}{a}-(-2)}{a-(-1)}=\frac{2}{a}$

두 점 $B(1, 2)$, $P\left(a, \frac{2}{a}\right)$를 지나는 직선이 x축의 양의 방향과 이루는 각의 크기를 β라 하면

$\tan\beta=\frac{\frac{2}{a}-2}{a-1}=-\frac{2}{a}$

STEP Ⓑ $\beta-\alpha=\frac{3}{4}\pi$이므로 삼각함수의 덧셈정리를 이용하여 a의 값 구하기

이때 $\beta-\alpha=\pi-\frac{\pi}{4}=\frac{3}{4}\pi$

$\tan(\beta-\alpha)=\frac{\tan\beta-\tan\alpha}{1+\tan\beta\tan\alpha}=\frac{-\frac{4}{a}}{1-\frac{4}{a^2}}=-\frac{4a}{a^2-4}$

$\tan\frac{3}{4}\pi=-1$이므로 $-\frac{4a}{a^2-4}=-1$

$a^2-4a-4=0$

따라서 $a=2+2\sqrt{2}(a>1)$

내신연계 출제문항 334

그림과 같이 좌표평면에 두 점 A(0, 4), B(6, 0)과 곡선 $y=\frac{1}{x}(x>0)$ 위의 점 P가 있다. $\tan(\angle PAO)=\frac{4}{7}$일 때, $\tan(\angle APB)$의 값을 구하여라. (단, O는 원점이고, 점 P의 x좌표는 1보다 크고 6보다 작다.)

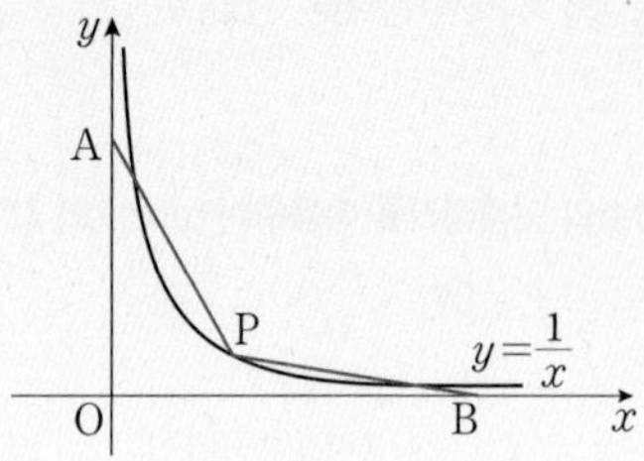

STEP Ⓐ $\tan(\angle PAO)=\frac{4}{7}$**를 만족하는 점 P의 좌표 구하기**

$\angle PAO=\alpha$, $\angle PBO=\beta$라 하자.

점 P의 좌표를 $\left(a, \frac{1}{a}\right)(1<a<6)$이라 하고

점 P에서 x축, y축에 내린 수선의 발을 각각 H, I라 하자.

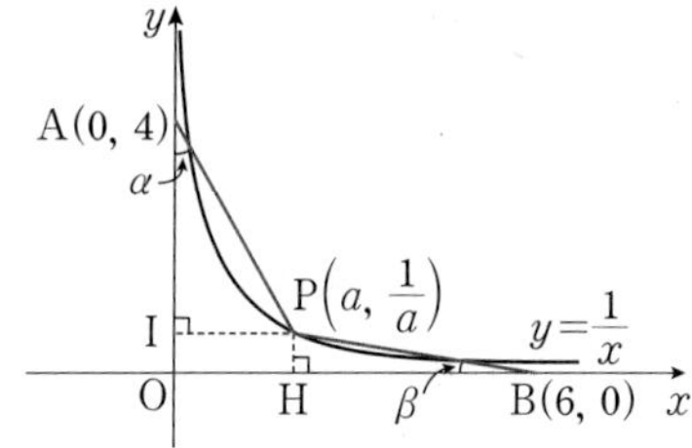

$\tan\alpha=\frac{\overline{IP}}{\overline{AI}}=\frac{a-0}{4-\frac{1}{a}}=\frac{4}{7}$에서 $7a=16-\frac{4}{a}$

$7a^2-16a+4=0$, $(7a-2)(a-2)=0$

$1<a<6$이므로 $a=2$

점 P의 좌표는 $\left(2, \frac{1}{2}\right)$

STEP Ⓑ **삼각함수의 덧셈정리를 이용하여** $\tan(\angle APB)$**의 값 구하기**

$\tan\beta=\frac{\overline{PH}}{\overline{HB}}=\frac{\frac{1}{2}-0}{6-2}=\frac{1}{8}$

$\tan(\alpha+\beta)=\frac{\tan\alpha+\tan\beta}{1-\tan\alpha\tan\beta}=\frac{\frac{4}{7}+\frac{1}{8}}{1-\frac{4}{7}\times\frac{1}{8}}=\frac{\frac{39}{56}}{\frac{13}{14}}=\frac{3}{4}$

이때 $\angle APB=\alpha+\beta+\frac{\pi}{2}$이므로

$\tan(\angle APB)=\tan\left\{\frac{\pi}{2}+(\alpha+\beta)\right\}=-\cot(\alpha+\beta)=-\frac{1}{\tan(\alpha+\beta)}=-\frac{4}{3}$

다른풀이 삼각함수의 성질을 이용하여 풀이하기

점 P의 좌표를 $\left(a, \frac{1}{a}\right)(1<a<6)$이라 하면 직선 AP의 기울기는

$\frac{\frac{1}{a}-4}{a-0}=\frac{1-4a}{a^2}$ ⋯⋯ ㉠

한편 직선 AP가 x축의 양의 방향과 이루는 각의 크기를 $\theta\left(\frac{\pi}{2}<\theta<\pi\right)$라 하면 $\theta=\frac{\pi}{2}+\angle PAO$이고 $\tan(\angle PAO)=\frac{4}{7}$이므로

$\tan\theta=\tan\left(\frac{\pi}{2}+\angle PAO\right)$

$=-\cot(\angle PAO)$

$=-\frac{1}{\tan(\angle PAO)}=-\frac{7}{4}$ ⋯⋯ ㉡

㉠, ㉡에서 $\frac{1-4a}{a^2}=-\frac{7}{4}$

$7a^2-16a+4=0$, $(7a-2)(a-2)=0$

$1<a<6$이므로 $a=2$

즉 점 P의 좌표는 $\left(2, \frac{1}{2}\right)$

이때 직선 BP의 기울기는 $\frac{0-\frac{1}{2}}{6-2}=-\frac{1}{8}$이므로 직선 BP가 x축의 양의 방향과 이루는 각의 크기를 $\theta'\left(\frac{\pi}{2}<\theta'<\pi\right)$이라 하면 $\tan\theta'=-\frac{1}{8}$

따라서 $\angle APB=\theta+(\pi-\theta')=(\pi+\theta-\theta')$이므로

$\tan(\angle APB)=\tan\{\pi+(\theta-\theta')\}=\tan(\theta-\theta')$

$=\frac{\tan\theta-\tan\theta'}{1+\tan\theta\tan\theta'}=\frac{-\frac{7}{4}-\left(-\frac{1}{8}\right)}{1+\left(-\frac{7}{4}\right)\times\left(-\frac{1}{8}\right)}=\frac{-\frac{13}{8}}{\frac{39}{32}}=-\frac{4}{3}$

정답 $-\frac{4}{3}$

0900

정답 $\frac{3}{2}$

STEP Ⓐ $\angle P_1OQ_1=\theta$**라 하고 삼각형** OQ_1P_1**의 넓이가** $\frac{1}{4}$**임을 이용하여** $\tan\theta$**의 값 구하기**

이때 $\angle Q_1OP_1=\theta$라 하면 삼각형 P_1OQ_1의 넓이가 $\frac{1}{4}$이므로

직각삼각형 P_1OQ_1의 넓이는 $\frac{1}{2}\cdot\overline{OP_1}\cdot\overline{P_1Q_1}=\frac{1}{2}\cdot1\cdot\overline{P_1Q_1}=\frac{1}{4}$

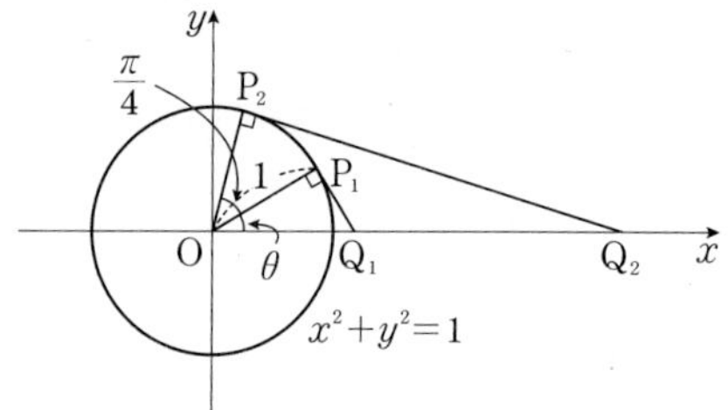

$\therefore \overline{P_1Q_1}=\frac{1}{2}$

$\tan\theta=\frac{\overline{P_1Q_1}}{\overline{OP_1}}=\frac{1}{2}$

STEP Ⓑ $\angle Q_1OP_2=\frac{\pi}{4}+\theta$**이므로** $\tan\theta$**의 값을 이용하여 삼각형** P_2OQ_2**의 넓이 구하기**

$\angle P_2OQ_2=\frac{\pi}{4}+\theta$이므로

$\tan(\angle P_2OQ_1)=\tan\left(\frac{\pi}{4}+\theta\right)=\frac{\tan\frac{\pi}{4}+\tan\theta}{1-\tan\frac{\pi}{4}\tan\theta}=\frac{1+\frac{1}{2}}{1-1\times\frac{1}{2}}=3$

직각삼각형 P_2OQ_2에서 $\overline{P_2Q_2}=\overline{OP_2}\cdot\tan\left(\frac{\pi}{4}+\theta\right)=1\cdot3=3$

따라서 $\triangle P_2OQ_2$의 넓이는 $\frac{1}{2}\cdot\overline{OP_2}\cdot\overline{P_2Q_2}=\frac{1}{2}\cdot1\cdot3=\frac{3}{2}$

다른풀이 원 위의 점에서 접선의 방정식을 이용하여 풀이하기

P_1과 x축과 이루는 각을 θ라 하면

원 위의 점 $P_1(\cos\theta, \sin\theta)$에서 접선은 $x\cos\theta+y\sin\theta=1$이 된다.

이때 $Q_1\left(\frac{1}{\cos\theta}, 0\right)$이고 점 P_1의 y좌표는 $\sin\theta$

삼각형 P_1OQ_1의 넓이는

$\frac{1}{2}\cdot\overline{OQ_1}\cdot$(점 P_1의 y좌표)$=\frac{1}{2}\cdot\frac{1}{\cos\theta}\cdot\sin\theta=\frac{1}{2}\tan\theta$

즉 $\frac{1}{2}\tan\theta=\frac{1}{4}$ $\therefore \tan\theta=\frac{1}{2}$

따라서 $\triangle P_2OQ_2=\frac{1}{2}\cdot\overline{OP_2}\cdot\overline{P_2Q_2}=\frac{1}{2}\cdot1\cdot\tan\left(\theta+\frac{\pi}{4}\right)$

$=\frac{1}{2}\cdot\frac{\tan\theta+\tan\frac{\pi}{4}}{1-\tan\theta\times\tan\frac{\pi}{4}}=\frac{1}{2}\cdot\frac{1+\frac{1}{2}}{1-1\cdot\frac{1}{2}}=\frac{3}{2}$

0901

정답 ③

STEP A $f(x)=e^{-x}\sin x+g(x)$를 $\lim_{x\to 0}\frac{f(x)}{x}=1$에 대입하여 $g(x)$에 대한 극한을 구하여 참임을 판단하기

ㄱ. $\lim_{x\to 0}\frac{f(x)}{x}=1$에서

$x\to 0$일 때, (분모)$\to 0$이고 극한값이 존재하므로 (분자)$\to 0$이어야 한다.

$\therefore \lim_{x\to 0}f(x)=0$

즉 $\lim_{x\to 0}f(x)=\lim_{x\to 0}\{e^{-x}\sin x+g(x)\}=0$이므로

$e^{-0}\sin 0+\lim_{x\to 0}g(x)=0$이므로 $\lim_{x\to 0}g(x)=0$

이때 $g(x)$는 다항함수이므로 $g(0)=0$ [참]

STEP B $f(x)=e^{-x}\sin x+g(x)$를 $\lim_{x\to\infty}\frac{f(x)}{x^2}=1$에 대입하여 극한값을 구하여 참임을 판단하기

ㄴ. $\lim_{x\to\infty}\frac{f(x)}{x^2}=1$이므로 $\lim_{x\to\infty}\frac{e^{-x}\sin x+g(x)}{x^2}=1$

$\lim_{x\to\infty}\frac{e^{-x}\sin x}{x^2}+\lim_{x\to\infty}\frac{g(x)}{x^2}=1$

$x\to\infty$일 때, $e^{-x}\sin x\to 0$이므로 $\lim_{x\to\infty}\frac{e^{-x}\sin x}{x^2}=0$

$\therefore \lim_{x\to\infty}\frac{g(x)}{x^2}=1$ [참]

STEP C $\lim_{x\to 0}\frac{f(x)}{g(x)}$가 존재하지 않음을 보여 거짓임을 판단하기

ㄷ. $g(x)$는 다항함수이고 $g(0)=0$

또, $\lim_{x\to\infty}\frac{g(x)}{x^2}=1$이므로 $g(x)=x^2+ax$로 놓을 수 있다.

이때 $\lim_{x\to 0}\frac{f(x)}{x}=\lim_{x\to 0}\frac{e^{-x}\sin x+x^2+ax}{x}$

$=\lim_{x\to 0}\left(\frac{e^{-x}\sin x}{x}+x+a\right)$

$=1+0+a=1$

$\therefore a=0$

즉 $g(x)=x^2$이므로 $\lim_{x\to 0}\frac{f(x)}{g(x)}=\lim_{x\to 0}\frac{f(x)}{x^2}=\lim_{x\to 0}\left(\frac{f(x)}{x}\cdot\frac{1}{x}\right)$

그런데 $x\to 0$일 때, $\frac{1}{x}$의 극한값이 존재하지 않으므로

$\lim_{x\to 0}\frac{f(x)}{g(x)}$의 극한값은 존재하지 않는다. [거짓]

따라서 옳은 것은 ㄱ, ㄴ이다.

0902

정답 8

STEP A 조건 (가)에서 다항함수 $f(x)$의 차수 결정하기

조건 (가)에서 $\lim_{x\to\infty}\frac{f(x)}{x^4+3x^2}=3$이므로

함수 $f(x)$는 최고차항의 계수가 3인 사차함수이다.

조건 (나)에서

$x\to 0$일 때, (분모) $\to 0$이고 극한값이 존재하므로 (분자)$\to 0$이어야 한다.

즉 $\lim_{x\to 0}f(x)=0$

STEP B 삼각함수의 극한을 이용하여 다항함수 $f(x)$ 구하기

$\lim_{x\to 0}\frac{f(x)}{(\sin x+\tan x)(1-\cos x)}$

$=\lim_{x\to 0}\frac{f(x)(1+\cos x)}{(\sin x+\tan x)(1-\cos x)(1+\cos x)}$

$=\lim_{x\to 0}\frac{f(x)(1+\cos x)}{(\sin x+\tan x)\sin^2 x}$

$=\lim_{x\to 0}\left\{\frac{1}{\left(\frac{\sin x}{x}+\frac{\tan x}{x}\right)\left(\frac{\sin x}{x}\right)^2}\right\}\cdot(1+\cos x)\cdot\frac{f(x)}{x^3}$

이 극한값이 0이 아니므로

$f(x)=3x^4+ax^3$(a는 0이 아닌 상수)의 꼴이어야 한다.

STEP C $f(1)$의 값 구하기

이 함수를 대입하면

$\lim_{x\to 0}\left\{\frac{1}{\left(\frac{\sin x}{x}+\frac{\tan x}{x}\right)\left(\frac{\sin x}{x}\right)^2}\cdot(1+\cos x)\cdot\frac{3x^4+ax^3}{x^3}\right\}$

$=\frac{1}{(1+1)\cdot 1^2}\cdot 2\cdot a$

$=a=5$

따라서 $f(x)=3x^4+5x^3$이므로 $f(1)=3+5=8$

0903

정답 36

STEP A 조건 (나)를 만족하는 일차함수 $f(x)$ 구하기

조건 (나)에서 $\lim_{x\to 0}\frac{\{f(x)\}^2}{(2\cos x+1)(\cos x-1)}$의 값이 존재하고

$x\to 0$일 때, (분모)$\to 0$이므로 (분자)$\to 0$이어야 한다.

즉 $\lim_{x\to 0}\{f(x)\}^2=0$에서 함수 $\{f(x)\}^2$은 연속함수이므로 $f(0)=0$

조건 (가)에서 $f(1)>0$이므로 $f(x)=kx(k>0)$로 놓자.

$\lim_{x\to 0}\frac{k^2x^2}{(2\cos x+1)(\cos x-1)}=\lim_{x\to 0}\frac{-k^2x^2(1+\cos x)}{(2\cos x+1)(1-\cos x)(1+\cos x)}$

$=\lim_{x\to 0}\left\{-k^2\times\frac{1+\cos x}{2\cos x+1}\times\left(\frac{x}{\sin x}\right)^2\right\}$

$=-k^2\times\frac{2}{3}\times 1^2=-\frac{2}{3}k^2=-6$

에서 $k^2=9$이고 $k>0$이므로 $k=3$

즉 $f(x)=3x$

STEP B 조건 (나)에서 함수 $g(x)$가 $x=0$에서 연속임을 이용하여 상수 a 구하기

조건 (다)에서 함수 $g(x)=\begin{cases} a & (x\geq 0) \\ \frac{12x}{\ln(x+1)} & (-1<x<0)\end{cases}$는

$x=0$에서 연속이므로 $\lim_{x\to 0+}g(x)=\lim_{x\to 0-}g(x)=g(0)$

$\lim_{x\to 0+}g(x)=\lim_{x\to 0+}a=a$이고 $g(0)=a$

$\lim_{x\to 0-}g(x)=\lim_{x\to 0-}\frac{12x}{\ln(x+1)}=12\lim_{x\to 0-}\frac{x}{\ln(x+1)}=12\times 1=12$이므로 $a=12$

따라서 $f(a)=f(12)=3\times 12=36$

0904

정답 $\frac{\sqrt{3}}{2}\pi$

STEP A **원주각과 중심각의 성질을 이용하여 원 C_2의 반지름을 구하기**

원 C_1의 중심 O에서 선분 BC에 내린 수선의 발을 H라 하자.
원 C_1과 선분 BC로 둘러싸인 두 부분 중 넓이가 작은 쪽에서 원 C_1과 선분 BC에 동시에 접하는 원을 그렸을 때, 그 크기가 가장 큰 원 C_2는 점 H에서 선분 BC와 접한다.

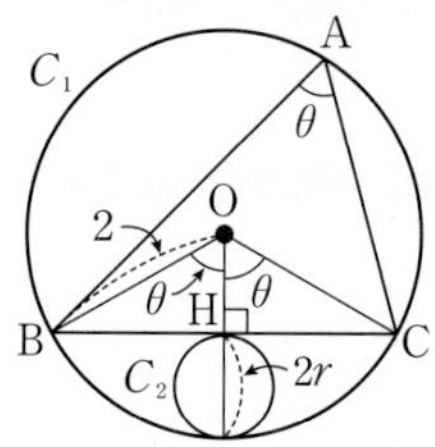

$\angle$CAB는 호 BC에 대한 원주각이고 $\angle$COB는 호 BC에 대한 중심각이므로
$\angle\text{COB}=2\theta$, $\angle\text{CAB}=\theta$
한편 $\angle\text{OHB}=\angle\text{OHC}=\frac{\pi}{2}$, $\overline{\text{OB}}=\overline{\text{OC}}=2$, $\overline{\text{OH}}$는 공통이므로
삼각형 OBH와 삼각형 OHC는 서로 합동이다.
따라서 $\angle\text{BOH}=\angle\text{COH}$이므로 $\angle\text{COB}=\angle\text{BOH}+\angle\text{COH}$
$2\theta=2\angle\text{BOH}$, $\angle\text{BOH}=\theta$이고 $\overline{\text{OH}}=\overline{\text{OB}}\cos\theta=2\cos\theta$
이때 원 C_2의 반지름의 길이를 r이라 하면
$\overline{\text{OB}}=\overline{\text{OH}}+2r$, $2=2\cos\theta+2r$, $r=1-\cos\theta$

STEP B **원 C_2의 넓이 $f(\theta)$ 구하기**

$f(\theta)=\pi r^2=\pi(1-\cos\theta)^2=\pi(1-2\cos\theta+\cos^2\theta)$

STEP C **$f'\left(\frac{\pi}{3}\right)$의 값 구하기**

따라서 $f'(\theta)=\pi(2\sin\theta-2\sin\theta\cos\theta)$

$f'\left(\frac{\pi}{3}\right)=\pi\left(2\sin\frac{\pi}{3}-2\sin\frac{\pi}{3}\cos\frac{\pi}{3}\right)=\frac{\sqrt{3}}{2}\pi$

0905

 $\frac{1}{4}$

STEP A **내접원의 반지름의 길이를 θ로 나타내기**

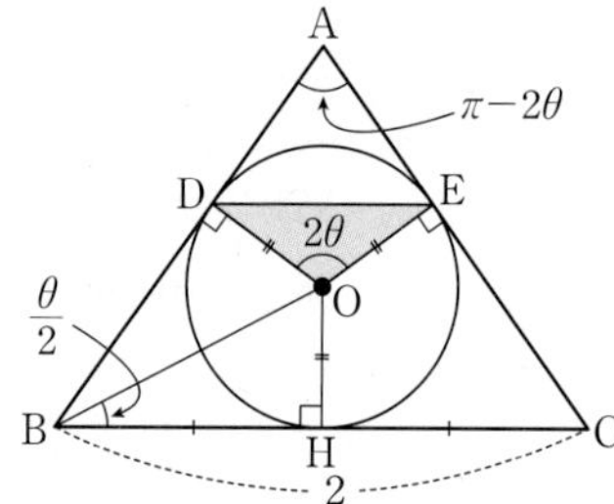

사각형 ADOE에서 $\angle\text{DAE}=\pi-2\theta$, $\angle\text{ADO}=\angle\text{AEO}=\frac{\pi}{2}$이므로
$\angle\text{DOE}=2\theta$
한편 O에서 선분 BC에 내린 수선의 발을 H라 하고 $\angle\text{OBH}=\frac{\theta}{2}$이므로
내접원의 반지름의 길이를 r이라 하면
$\tan\frac{\theta}{2}=\frac{\overline{\text{OH}}}{\overline{\text{BH}}}=\frac{r}{1}=r$
$\therefore S(\theta)=\triangle\text{OED}=\frac{1}{2}r^2\sin2\theta=\frac{1}{2}\tan^2\frac{\theta}{2}\cdot\sin2\theta$

STEP B **$\lim_{\theta\to0+}\frac{S(\theta)}{\theta^3}$의 값 구하기**

따라서 $\lim_{\theta\to0+}\frac{S(\theta)}{\theta^3}=\lim_{\theta\to0+}\frac{\frac{1}{2}\sin2\theta\tan^2\frac{\theta}{2}}{\theta^3}=\lim_{\theta\to0+}\frac{1}{2}\cdot\frac{\sin2\theta}{\theta}\cdot\frac{\tan^2\frac{\theta}{2}}{\left(\frac{\theta}{2}\right)^2}\cdot\frac{1}{4}$

$=\frac{1}{2}\cdot2\cdot\frac{1}{4}=\frac{1}{4}$

내신연계 출제문항 335

그림과 같이 $\overline{\text{AB}}=\overline{\text{AC}}$, $\angle\text{ABC}=\theta$, $\overline{\text{BC}}=3$인 삼각형 ABC가 있다. 삼각형 ABC의 내접원의 중심을 O, 삼각형 ABC와 내접원이 만나는 점을 각각 D, E, F라고 하자. 삼각형 DEF의 넓이를 $S(\theta)$라고 할 때, $\lim_{\theta\to0+}\frac{S(\theta)}{\theta^3}$의 값을 구하여라.

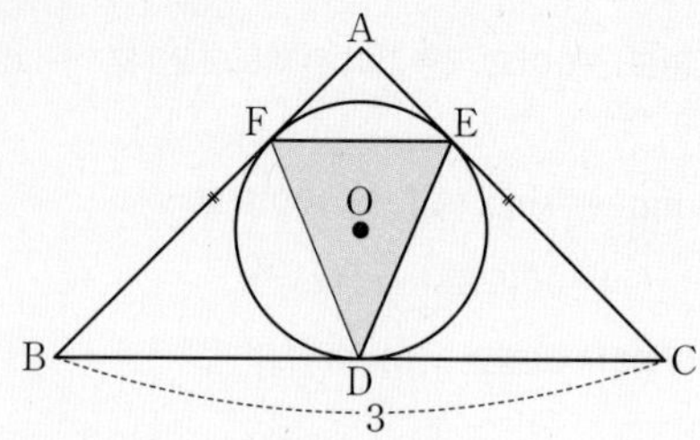

STEP A **$S(\theta)$를 θ에 대한 식으로 나타내기**

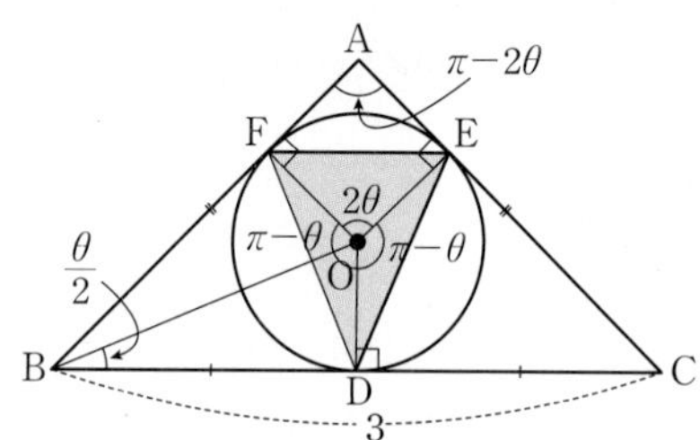

$\angle\text{OBD}=\frac{\theta}{2}$이므로 $\overline{\text{OD}}=\overline{\text{BD}}\tan\frac{\theta}{2}=\frac{3}{2}\tan\frac{\theta}{2}$
이때 $\angle\text{BAC}=\pi-2\theta$이므로 $\angle\text{AFO}=\angle\text{AEO}=90°$이므로
$\angle\text{FOE}=2\theta$
또한, $\angle\text{FOD}=\angle\text{EOD}=\pi-\theta$
삼각형 DEF의 넓이를 $S(\theta)$
$\therefore S(\theta)=\triangle\text{FOE}+\triangle\text{FOD}+\triangle\text{EOD}$
$=\frac{1}{2}\cdot\left(\frac{3}{2}\tan\frac{\theta}{2}\right)^2\sin2\theta+2\cdot\frac{1}{2}\cdot\left(\frac{3}{2}\tan\frac{\theta}{2}\right)^2\sin(\pi-\theta)$

STEP B **$\lim_{\theta\to0+}\frac{S(\theta)}{\theta^3}$의 값 구하기**

따라서 $\lim_{\theta\to0+}\frac{S(\theta)}{\theta^3}=\lim_{\theta\to0+}\frac{\frac{9}{8}\left(\tan\frac{\theta}{2}\right)^2\sin2\theta+\frac{9}{4}\left(\tan\frac{\theta}{2}\right)^2\sin\theta}{\theta^3}$

$=\lim_{\theta\to0+}\frac{9}{8}\left(\frac{\tan\frac{\theta}{2}}{\theta}\right)^2\cdot\frac{\sin2\theta}{\theta}+\lim_{\theta\to0+}\frac{9}{4}\left(\frac{\tan\frac{\theta}{2}}{\theta}\right)^2\cdot\frac{\sin\theta}{\theta}$

$=\frac{9}{8}\cdot\left(\frac{1}{2}\right)^2\cdot2+\frac{9}{4}\cdot\left(\frac{1}{2}\right)^2\cdot1$

$=\frac{9}{16}+\frac{9}{16}=\frac{9}{8}$

정답 $\frac{9}{8}$

0906

정답 $\frac{1}{16}$

STEP A 선분 CE의 길이 구하기

점 D에서 선분 AB에 내린 수선의 발을 H라 하자.

직각삼각형 AHD에서 $\overline{AD}=1$이고 $\angle DAH=\angle DAB=\theta$이므로

$\overline{DH}=\sin\theta$, 즉 $\overline{DH}=\overline{CE}=\sin\theta$

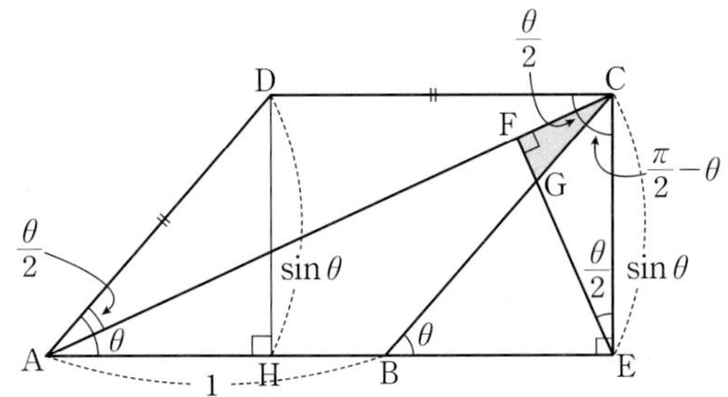

STEP B 삼각형 CFG의 넓이 $S(\theta)$ 구하기

$\overline{DA}\,/\!/\,\overline{CB}$이므로 $\angle DAB=\angle CBE=\theta$

직각삼각형 CEB에서 $\angle ECB=\frac{\pi}{2}-\theta$이고 $\angle FCG=\frac{\theta}{2}$이므로

직각삼각형 CFE에서 $\angle FCE=\frac{\pi}{2}-\frac{\theta}{2}$

즉 $\angle CEF=\frac{\theta}{2}$

직각삼각형 CFG에서

$\overline{CF}=\overline{CE}\sin\frac{\theta}{2}=\sin\theta\cdot\sin\frac{\theta}{2}$ ⬅ $\sin\frac{\theta}{2}=\frac{\overline{CF}}{\overline{CE}}$

$\overline{FG}=\overline{CF}\tan\frac{\theta}{2}=\sin\theta\cdot\sin\frac{\theta}{2}\cdot\tan\frac{\theta}{2}$ ⬅ $\tan\frac{\theta}{2}=\frac{\overline{FG}}{\overline{CF}}$

$$S(\theta)=\frac{1}{2}\cdot\overline{CF}\cdot\overline{FG}=\frac{1}{2}\sin\theta\cdot\sin\frac{\theta}{2}\cdot\sin\theta\cdot\sin\frac{\theta}{2}\cdot\tan\frac{\theta}{2}$$
$$=\frac{1}{2}\sin^2\theta\cdot\sin^2\frac{\theta}{2}\cdot\tan\frac{\theta}{2}$$

STEP C $\lim_{\theta\to0+}\frac{S(\theta)}{\theta^5}$의 값 구하기

따라서 $$\lim_{\theta\to0+}\frac{S(\theta)}{\theta^5}=\lim_{\theta\to0+}\frac{\frac{1}{2}\sin^2\theta\cdot\sin^2\frac{\theta}{2}\cdot\tan\frac{\theta}{2}}{\theta^5}$$
$$=\frac{1}{16}\lim_{\theta\to0+}\left\{\left(\frac{\sin\theta}{\theta}\right)^2\cdot\left(\frac{\sin\frac{\theta}{2}}{\frac{\theta}{2}}\right)^2\cdot\frac{\tan\frac{\theta}{2}}{\frac{\theta}{2}}\right\}$$
$$=\frac{1}{16}\cdot1^2\cdot1^2\cdot1=\frac{1}{16}$$

마름모 ABCD에서 두 선분 AC와 BD의 교점을 O라 하자.

$\overline{AC}\perp\overline{BD}$이므로 $\overline{BO}\,/\!/\,\overline{EF}$

이때 $\angle CEF=\angle BAO=\frac{\theta}{2}$

0907

정답 $\frac{1}{8}$

STEP A 선분 $\overline{DE}$를 θ로 나타내기

$\overline{AD}=\overline{CD}$이므로 삼각형 ADC는 이등변삼각형이고 $\overline{AE}=\overline{CE}$이다.

또한, 선분 AC와 선분 DF가 평행하므로 $\angle BDF=\theta$이고 삼각형 DEF는 직각삼각형이다.

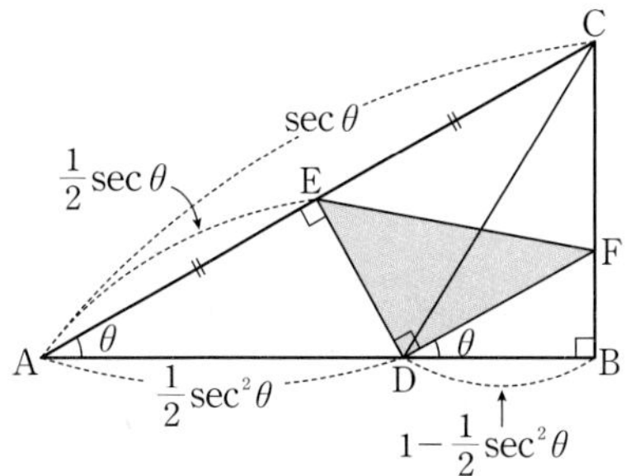

삼각형 ABC에서 $\overline{AC}=\sec\theta$이므로 $\overline{AE}=\frac{1}{2}\sec\theta$

삼각형 AED에서 $\overline{DE}=\overline{AE}\times\tan\theta=\frac{1}{2}\sec\theta\tan\theta$

STEP B 선분 $\overline{DF}$를 θ로 나타내기

$\overline{AD}=\overline{AE}\times\sec\theta=\frac{1}{2}\sec^2\theta$이므로 $\overline{DB}=1-\frac{1}{2}\sec^2\theta$

삼각형 DBF에서 $\overline{DF}=\overline{DB}\times\sec\theta=\sec\theta\left(1-\frac{1}{2}\sec^2\theta\right)$

STEP C $\lim_{\theta\to0+}\frac{S(\theta)}{\theta}$의 값 구하기

$$S(\theta)=\frac{1}{2}\times\overline{DE}\times\overline{DF}$$
$$=\frac{1}{2}\times\frac{1}{2}\sec\theta\tan\theta\times\sec\theta\left(1-\frac{1}{2}\sec^2\theta\right)$$
$$=\frac{1}{4}\sec^2\theta\tan\theta\left(1-\frac{1}{2}\sec^2\theta\right)$$

따라서 $$\lim_{\theta\to0+}\frac{S(\theta)}{\theta}=\lim_{\theta\to0+}\frac{\frac{1}{4}\sec^2\theta\tan\theta\left(1-\frac{1}{2}\sec^2\theta\right)}{\theta}$$
$$=\lim_{\theta\to0+}\frac{1}{4}\sec^2\theta\cdot\left(\frac{\tan\theta}{\theta}\right)\left(1-\frac{1}{2}\sec^2\theta\right)$$
$$=\frac{1}{4}\cdot1\cdot1\cdot\left(1-\frac{1}{2}\right)$$ ⬅ $\lim_{\theta\to0+}\sec\theta=1$
$$=\frac{1}{8}$$

0908

정답 40

STEP A 도형의 길이를 삼각함수로 나타내기

삼각형 ABP에서 $\angle APB=\frac{\pi}{2}$이므로

$\overline{AP}=\overline{AB}\cos\theta=2\cos\theta$

직각삼각형 AOH에서 $\overline{AH}=\overline{OA}\cos\theta=\cos\theta$, $\overline{OH}=\overline{OA}\sin\theta$

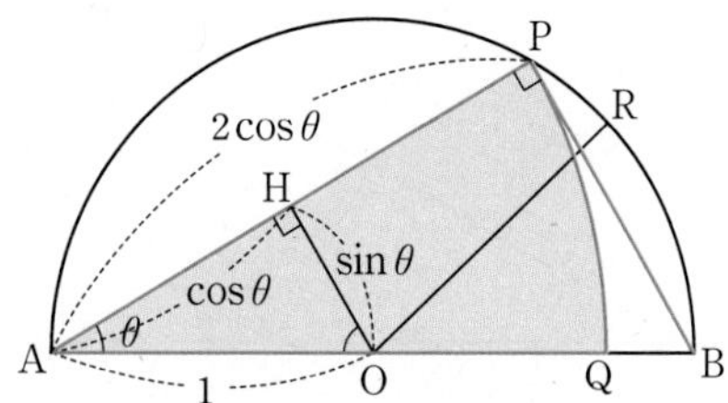

STEP B 부채꼴 PAQ, ROB의 넓이를 θ에 관한 식으로 나타내기

부채꼴 PAQ의 넓이를 M_1이라 하면

$M_1=\frac{1}{2}\times\overline{AP}^2\times\theta=\frac{1}{2}\times(2\cos\theta)^2\times\theta=2\theta\cos^2\theta$

삼각형 AOH의 넓이를 M_2라 하면

$M_2=\frac{1}{2}\times\overline{AH}\times\overline{OH}=\frac{1}{2}\cos\theta\sin\theta$

부채꼴 POB에서 $\angle POB=2\angle PAB=2\theta$이고

$\overset{\frown}{PR}:\overset{\frown}{RB}=3:7$이므로 $\angle ROB=\frac{7}{10}\times2\theta=\frac{7}{5}\theta$

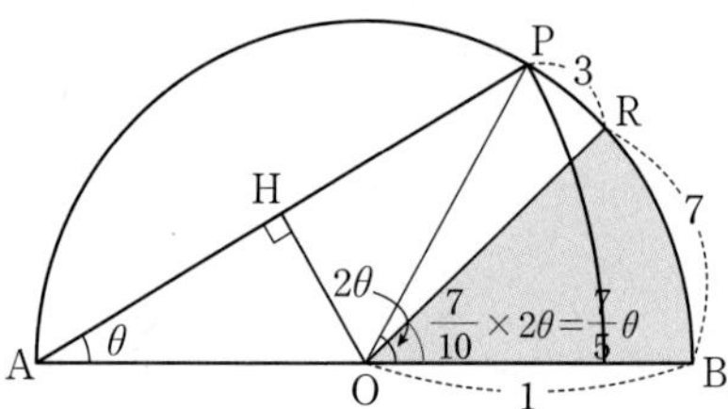

부채꼴 ROB의 넓이를 M_3이라 하면

$M_3=\frac{1}{2}\times\overline{OB}^2\times\frac{7}{5}\theta=\frac{1}{2}\times1^2\times\frac{7}{5}\theta=\frac{7}{10}\theta$

STEP C $\lim\limits_{\theta\to0+}\frac{S_1-S_2}{\overline{OH}}$의 극한값 구하기

$S_1-S_2=M_1-M_2-M_3=2\theta\cos^2\theta-\frac{1}{2}\cos\theta\sin\theta-\frac{7}{10}\theta$

이므로

$$\begin{aligned}\lim_{\theta\to0+}\frac{S_1-S_2}{\overline{OH}}&=\lim_{\theta\to0+}\frac{2\theta\cos^2\theta-\frac{1}{2}\cos\theta\sin\theta-\frac{7}{10}\theta}{\sin\theta}\\&=2\lim_{\theta\to0+}\frac{\theta}{\sin\theta}\times\lim_{\theta\to0+}\cos^2\theta-\frac{1}{2}\lim_{\theta\to0+}\cos\theta-\frac{7}{10}\lim_{\theta\to0+}\frac{\theta}{\sin\theta}\\&=2\cdot1\cdot1^2-\frac{1}{2}\cdot1-\frac{7}{10}\cdot1\\&=\frac{4}{5}\end{aligned}$$

따라서 $a=\frac{4}{5}$이므로 $50a=50\times\frac{4}{5}=40$

0909

정답 25

STEP A 동시에 접하는 원의 반지름 $f(\theta)$ 구하기

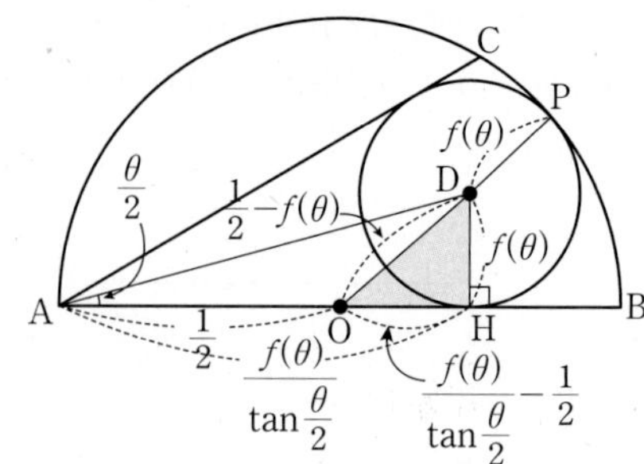

호 BC와 두 선분 AB, AC에 동시에 접하는 원의 중심을 D,
점 D에서 직선 AB에 내린 수선의 발을 H,
원과 호 BC의 접점을 P, 선분 AB의 중점을 O라 하면

$\angle BAC=\theta$이므로 $\angle HAD=\frac{\theta}{2}$

$\therefore\ \overline{AH}=\frac{f(\theta)}{\tan\frac{\theta}{2}}$

또한, 점 P에서 접선은 반원과 내접원에 동시에 접하므로 선분 OP, 선분 OD에 각각 수직이므로 세 점 O, D, P는 한 직선 위에 있다.

즉 $\overline{OP}=\frac{1}{2}$, $\overline{DP}=f(\theta)$에서 $\overline{OD}=\overline{OP}-\overline{DP}=\frac{1}{2}-f(\theta)$

한편 직각삼각형 OHD에서 피타고라스 정리에 의하여

$$\left\{\frac{f(\theta)}{\tan\frac{\theta}{2}}-\frac{1}{2}\right\}^2+\{f(\theta)\}^2=\left\{\frac{1}{2}-f(\theta)\right\}^2$$

$$\left\{\frac{f(\theta)}{\tan\frac{\theta}{2}}\right\}^2-\frac{f(\theta)}{\tan\frac{\theta}{2}}+\frac{1}{4}+\{f(\theta)\}^2=\frac{1}{4}-f(\theta)+\{f(\theta)\}^2$$

$$\frac{\{f(\theta)\}^2}{\tan^2\frac{\theta}{2}}-\frac{f(\theta)}{\tan\frac{\theta}{2}}=-f(\theta)\qquad\cdots\cdots\ ㉠$$

양변에 $-\frac{\tan^2\frac{\theta}{2}}{f(\theta)}$를 곱하여 정리하면

$\tan\frac{\theta}{2}-f(\theta)=\tan^2\frac{\theta}{2}$

STEP B $\lim\limits_{\theta\to0+}\frac{\tan\frac{\theta}{2}-f(\theta)}{\theta^2}$의 값 구하기

$$\therefore\ \lim_{\theta\to0+}\frac{\tan\frac{\theta}{2}-f(\theta)}{\theta^2}=\lim_{\theta\to0+}\frac{\tan^2\frac{\theta}{2}}{\theta^2}=\lim_{\theta\to0+}\frac{\tan^2\frac{\theta}{2}}{\left(\frac{\theta}{2}\right)^2}\cdot\frac{1}{4}=\frac{1}{4}$$

따라서 $100a=25$

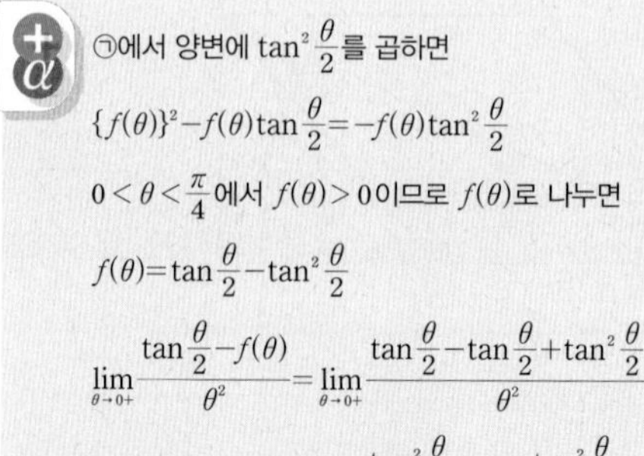

+α

㉠에서 양변에 $\tan^2\frac{\theta}{2}$를 곱하면

$\{f(\theta)\}^2-f(\theta)\tan\frac{\theta}{2}=-f(\theta)\tan^2\frac{\theta}{2}$

$0<\theta<\frac{\pi}{4}$에서 $f(\theta)>0$이므로 $f(\theta)$로 나누면

$f(\theta)=\tan\frac{\theta}{2}-\tan^2\frac{\theta}{2}$

$$\begin{aligned}\lim_{\theta\to0+}\frac{\tan\frac{\theta}{2}-f(\theta)}{\theta^2}&=\lim_{\theta\to0+}\frac{\tan\frac{\theta}{2}-\tan\frac{\theta}{2}+\tan^2\frac{\theta}{2}}{\theta^2}\\&=\lim_{\theta\to0+}\frac{\tan^2\frac{\theta}{2}}{\theta^2}=\lim_{\theta\to0+}\frac{\tan^2\frac{\theta}{2}}{\left(\frac{\theta}{2}\right)^2}\cdot\frac{1}{4}=\frac{1}{4}\end{aligned}$$

따라서 $100a=100\times\frac{1}{4}=25$

0910

정답 16

STEP Ⓐ 사인법칙을 이용하여 $\overline{AC}$의 길이 구하기

이등변삼각형 ABC에서

$\overline{AB}=4$이고 $\angle ACB=\theta$이므로

$\angle CBA=\frac{\pi}{2}-\frac{\theta}{2}$

이때 사인법칙에 의하여

$\frac{\overline{AC}}{\sin\left(\frac{\pi}{2}-\frac{\theta}{2}\right)}=\frac{\overline{AB}}{\sin\theta}$, $\frac{\overline{AC}}{\cos\frac{\theta}{2}}=\frac{4}{\sin\theta}$

이므로 $\overline{AC}=\frac{4\cos\frac{\theta}{2}}{\sin\theta}$

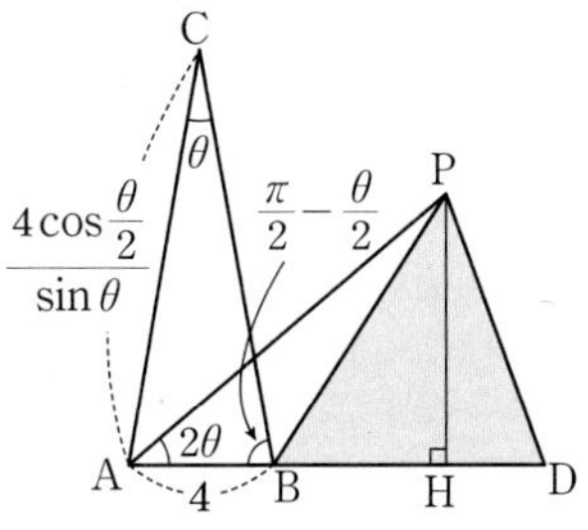

STEP Ⓑ 삼각형 BPD에서 선분 $\overline{PH}$, $\overline{BD}$의 길이 구하기

또한, $\overline{AC}=\overline{AP}=\overline{AD}$이므로

점 P에서 선분 AD에 내린 수선의 발을 H라 하면

$$\overline{PH}=\overline{AP}\sin2\theta=\frac{4\cos\frac{\theta}{2}}{\sin\theta}\cdot\sin2\theta=\frac{4\cos\frac{\theta}{2}\sin2\theta}{\sin\theta}\quad\Leftarrow \sin2\theta=2\sin\theta\cos\theta$$

$$=8\cos\frac{\theta}{2}\cos\theta$$

이고

$$\overline{BD}=\overline{AD}-\overline{AB}=\frac{4\cos\frac{\theta}{2}}{\sin\theta}-4\quad\Leftarrow \sin\theta=\sin\left(\frac{\theta}{2}+\frac{\theta}{2}\right)=2\sin\frac{\theta}{2}\cos\frac{\theta}{2}$$

$$=\frac{2}{\sin\frac{\theta}{2}}-4$$

STEP Ⓒ $\lim_{\theta\to0+}(\theta\cdot S(\theta))$의 값 구하기

따라서 삼각형 BDP의 넓이는

$$S(\theta)=\frac{1}{2}\times\overline{BD}\times\overline{PH}=\frac{1}{2}\times\left(\frac{2}{\sin\frac{\theta}{2}}-4\right)\times8\cos\frac{\theta}{2}\cos\theta$$

$$=\left(\frac{1}{\sin\frac{\theta}{2}}-2\right)\times8\cos\frac{\theta}{2}\cos\theta$$

$$\therefore \lim_{\theta\to0+}\{\theta\times S(\theta)\}=\lim_{\theta\to0+}\left\{\left(\frac{\frac{\theta}{2}}{\sin\frac{\theta}{2}}\times2-2\theta\right)\times8\cos\frac{\theta}{2}\cos\theta\right\}$$

$$=(1\times2-0)\times8=16$$

다른풀이 두 변과 끼인각이 주어진 삼각형의 넓이를 이용하여 풀이하기

STEP Ⓐ $\overline{AC}=x$라 하고 x를 θ의 식으로 나타내기

오른쪽 그림과 같이 점 C에서 선분 AB에 내린 수선의 발을 H라 하고 $\overline{AC}=x$라 하면

$\overline{AH}=\overline{BH}=2$

$\overline{AC}=\overline{BC}=\overline{AD}=\overline{AP}=x$

삼각형 CAH에서 $\sin\frac{\theta}{2}=\frac{\overline{AH}}{\overline{AC}}=\frac{2}{x}$

$$\overline{AC}=x=\frac{2}{\sin\frac{\theta}{2}}$$

STEP Ⓑ $S(\theta)$를 x와 θ의 식으로 나타내기

삼각형 BDP의 넓이 $S(\theta)$는

$$S(\theta)=\triangle ADP-\triangle ABP$$

$$=\frac{1}{2}x^2\sin2\theta-\frac{1}{2}\cdot4\cdot x\sin2\theta$$

$$=\frac{2\sin2\theta}{\sin^2\frac{\theta}{2}}-\frac{4\sin2\theta}{\sin\frac{\theta}{2}}$$

STEP Ⓒ $\lim_{\theta\to0+}\{\theta\cdot S(\theta)\}$의 값 구하기

$$\text{따라서 }\lim_{\theta\to0+}\{\theta\cdot S(\theta)\}=\lim_{\theta\to0+}\theta\left(\frac{2\sin2\theta}{\sin^2\frac{\theta}{2}}-\frac{4\sin2\theta}{\sin\frac{\theta}{2}}\right)$$

$$=\lim_{\theta\to0+}\left(\frac{2\theta\sin2\theta}{\sin^2\frac{\theta}{2}}-\frac{4\theta\sin2\theta}{\sin\frac{\theta}{2}}\right)$$

$$=\lim_{\theta\to0+}\left(2\cdot\frac{\theta}{\sin\frac{\theta}{2}}\cdot\frac{\sin2\theta}{\sin\frac{\theta}{2}}\right)-\lim_{\theta\to0+}\left(4\theta\cdot\frac{\sin2\theta}{\sin\frac{\theta}{2}}\right)$$

$$=2\cdot2\cdot4-4\cdot0\cdot4=16$$

0911

정답 $\frac{\pi^2}{2}$

STEP Ⓐ 부채꼴의 중심각의 크기 구하기

$\angle POQ=\theta$라 하면

(호 PQ의 길이)$=\overline{OP}\times\theta$이므로 $\pi=2^n\cdot\theta\quad\therefore\ \theta=\frac{\pi}{2^n}$

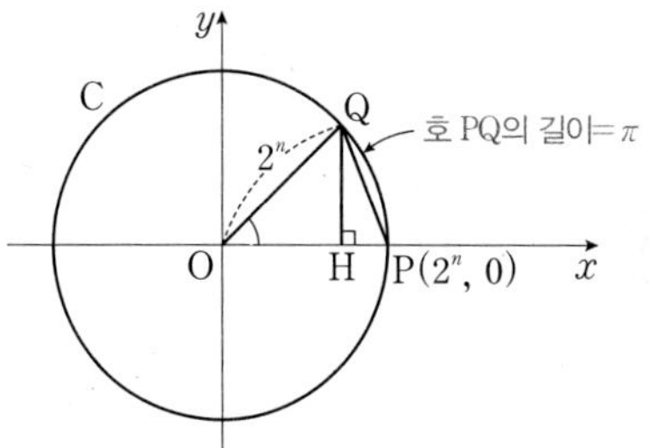

STEP Ⓑ 주어진 식의 분자, 분모에 $1+\cos\frac{\pi}{2^n}$를 각각 곱한 후 $\lim_{x\to0}\frac{\sin x}{x}=1$임을 이용하여 구하기

따라서 $\overline{OQ}=\overline{OP}=2^n$이고

$$\overline{HP}=\overline{OP}-\overline{OH}=2^n-2^n\cos\frac{\pi}{2^n}=2^n\left(1-\cos\frac{\pi}{2^n}\right)$$

$$\lim_{n\to\infty}(\overline{OQ}\times\overline{HP})=\lim_{n\to\infty}2^n\cdot2^n\left(1-\cos\frac{\pi}{2^n}\right)$$

$$=\lim_{n\to\infty}2^{2n}\left(1-\cos\frac{\pi}{2^n}\right)$$

$$=\lim_{n\to\infty}\frac{2^{2n}\left(1-\cos\frac{\pi}{2^n}\right)\left(1+\cos\frac{\pi}{2^n}\right)}{\left(1+\cos\frac{\pi}{2^n}\right)}$$

$$=\lim_{n\to\infty}\frac{2^{2n}\cdot\sin^2\frac{\pi}{2^n}}{\left(1+\cos\frac{\pi}{2^n}\right)}$$

$$=\lim_{n\to\infty}\pi^2\frac{1}{\left(1+\cos\frac{\pi}{2^n}\right)}\cdot\left(\frac{\sin\frac{\pi}{2^n}}{\frac{\pi}{2^n}}\right)^2$$

$$=\pi^2\cdot\frac{1}{2}\cdot1^2=\frac{\pi^2}{2}$$

$$\lim_{n\to\infty}(\overline{OQ}\times\overline{HP})=\lim_{n\to\infty}\left\{2^n\times2^n\left(1-\cos\frac{\pi}{2^n}\right)\right\}\quad\cdots\cdots\ ㉠$$

이때 $\frac{\pi}{2^n}=t$로 놓으면 $n\to\infty$일 때, $t\to0+$이므로 ㉠에서

$$\lim_{t\to0+}\frac{\pi^2(1-\cos t)}{t^2}=\pi^2\lim_{t\to0+}\frac{(1-\cos t)(1+\cos t)}{t^2(1+\cos t)}$$

$$=\pi^2\lim_{t\to0+}\frac{\sin^2t}{t^2(1+\cos t)}$$

$$=\pi^2\times\lim_{t\to0+}\left(\frac{\sin t}{t}\right)^2\times\lim_{t\to0+}\frac{1}{1+\cos t}$$

$$=\pi^2\times1^2\times\frac{1}{2}=\frac{\pi^2}{2}$$

06 여러 가지 미분법

STEP 1 내신정복기출유형

0912

정답 ②

STEP Ⓐ 함수의 몫의 미분법을 이용하여 구하기

$f(x)=x^3+x+1+\dfrac{1}{x}+\dfrac{1}{x^2}$에서 $f'(x)=3x^2+1-\dfrac{1}{x^2}-\dfrac{2}{x^3}$

따라서 $f'(1)=3+1-1-2=1$

0913

정답 ①

STEP Ⓐ 함수의 몫의 미분법을 이용하여 구하기

$f(x)=x^{-1}+x^{-2}+x^{-3}+\cdots+x^{-10}$이므로

$f'(x)=-x^{-2}-2x^{-3}-3x^{-4}-\cdots-10x^{-11}$

따라서 $f'(1)=-1-2-3-\cdots-10=-\dfrac{10\cdot 11}{2}=-55$

내신연계 출제문항 336

함수 $f(x)=\displaystyle\sum_{k=1}^{10}\dfrac{k}{x^k}$에 대하여 $f'(1)$의 값은?

① -440 ② -385 ③ -305
④ -220 ⑤ -55

STEP Ⓐ 몫의 미분법 구하기

$f(x)=\dfrac{1}{x}+\dfrac{2}{x^2}+\dfrac{3}{x^3}+\cdots+\dfrac{10}{x^{10}}=x^{-1}+2x^{-2}+3x^{-3}+\cdots+10x^{-10}$

양변을 x로 미분하면

$f'(x)=-x^{-2}-2^2x^{-3}-3^2x^{-4}-\cdots-10^2x^{-11}$

STEP Ⓑ $f'(1)$의 값 구하기

따라서 $f'(1)=-1-2^2-3^2-\cdots-10^2$

$=-(1^2+2^2+3^2+\cdots+10^2)$

$=-\dfrac{10\cdot 11\cdot 21}{6}=-385$

정답 ②

0914

정답 ②

STEP Ⓐ 함수의 몫의 미분법을 이용하여 a, b의 값 구하기

$y=\dfrac{x^2+7}{x-5}$에서 $y'=\dfrac{2x(x-5)-(x^2+7)\cdot 1}{(x-5)^2}=\dfrac{x^2-10x-7}{(x-5)^2}$

이므로 $a=1$, $b=-10$

따라서 $a+b=1+(-10)=-9$

0915

정답 ②

STEP Ⓐ 함수의 몫의 미분법을 이용하여 구하기

$f(2x)=\dfrac{2}{(2x+3)^3}$에서 양변을 x로 미분하면

$2f'(2x)=\dfrac{-2\cdot 3(2x+3)^2\cdot 2}{(2x+3)^6}$

이때 $x=-1$을 대입하면 $2f'(-2)=-12$

따라서 $f'(-2)=-6$

0916

정답 ②

STEP Ⓐ 함수의 몫의 미분법을 이용하여 구하기

$f(x)=\dfrac{ax}{x^2+b}$에서 $f'(x)=\dfrac{a(x^2+b)-2ax^2}{(x^2+b)^2}=\dfrac{ab-ax^2}{(x^2+b)^2}$

STEP Ⓑ $f(2)=\dfrac{1}{2}$, $f'(2)=0$을 이용하여 a, b의 값 구하기

$f'(2)=0$에서 $\dfrac{ab-4a}{(4+b)^2}=0$이므로 $b=4\,(a\neq 0)$

$f(2)=\dfrac{1}{2}$에서 $\dfrac{2a}{4+b}=\dfrac{1}{2}$, 즉 $4a=4+b=8$에서 $a=2$

따라서 $a=2$, $b=4$이므로 $a+b=6$

0917

정답 ③

STEP Ⓐ 함수의 몫의 미분법을 이용하여 구하기

$f(x)=\dfrac{ax^2-bx+3}{x-3}$에서

$f'(x)=\dfrac{(2ax-b)(x-3)-(ax^2-bx+3)\cdot 1}{(x-3)^2}=\dfrac{ax^2-6ax+3b-3}{(x-3)^2}$

STEP Ⓑ $f'(0)=2$, $f'(2)=-6$을 만족하는 a, b의 값 구하기

$f'(0)=2$에서 $\dfrac{3b-3}{9}=2$ $\quad\therefore b=7$

$f'(2)=-6$에서 $4a-12a+18=-6$ $\quad\therefore a=3$

STEP Ⓒ $f'(1)$의 값 구하기

따라서 $f'(x)=\dfrac{3x^2-18x+18}{(x-3)^2}$이므로 $f'(1)=\dfrac{3}{4}$

내신연계 출제문항 337

함수 $f(x)=\dfrac{x^2+ax+b}{(x+1)^2}$에서

$f(1)=\dfrac{5}{4}$, $f'(1)=\dfrac{1}{2}$

일 때, $f'(-2)$의 값은? (단, a, b는 상수)

① -15 ② -14 ③ -13
④ -12 ⑤ -11

STEP Ⓐ 함수의 몫의 미분법을 이용하여 구하기

$f'(x)=\dfrac{(2x+a)(x+1)^2-(x^2+ax+b)\cdot 2(x+1)}{(x+1)^4}$

$=\dfrac{(2-a)x+a-2b}{(x+1)^3}$

STEP Ⓑ $f(1)=\dfrac{5}{4}$, $f'(1)=\dfrac{1}{2}$을 이용하여 a, b의 값 구하기

$f(1)=\dfrac{5}{4}$에서 $\dfrac{1+a+b}{4}=\dfrac{5}{4}$ $\quad\therefore a+b=4$ …… ㉠

$f'(1)=\dfrac{1}{2}$에서 $\dfrac{2-2b}{8}=\dfrac{1}{2}$ $\quad\therefore b=-1$

$b=-1$을 ㉠에 대입하면 $a=5$

STEP Ⓒ $f'(-2)$의 값 구하기

따라서 $f'(x)=\dfrac{-3x+7}{(x+1)^3}$이므로 $f'(-2)=-13$

정답 ③

0918

정답 ③

STEP A 함수의 몫의 미분법을 이용하여 구하기

$f(x)=\dfrac{x^2-a}{x-2}$에서 $f'(x)=\dfrac{2x(x-2)-(x^2-a)}{(x-2)^2}=\dfrac{x^2-4x+a}{(x-2)^2}$

STEP B $f'(3)=0$을 이용하여 a의 값 구하기

$f'(x)=0$의 한 근이 3이므로 $f'(3)=0$

따라서 $9-12+a=0$에서 $a=3$

내신연계 출제문항 338

함수 $f(x)=\dfrac{x^2+a}{x+1}$에 대하여 방정식 $f'(x)=0$의 한 근이 2일 때, 다른 한 근은? (단, a는 상수)

① -4 ② -3 ③ -2
④ 2 ⑤ 4

STEP A 함수의 몫의 미분법을 이용하여 구하기

$f(x)=\dfrac{x^2+a}{x+1}$에서 $f'(x)=\dfrac{2x(x+1)-(x^2+a)}{(x+1)^2}=\dfrac{x^2+2x-a}{(x+1)^2}$

STEP B $f'(2)=0$을 이용하여 a의 값 구하기

$f'(x)=0$의 한 근이 2이므로 $f'(2)=0$에서 $4+4-a=0$

$\therefore a=8$

STEP C 다른 한 근 구하기

따라서 $f'(x)=\dfrac{x^2+2x-8}{(x+1)^2}=\dfrac{(x-2)(x+4)}{(x+1)^2}=0$이므로 다른 한 근은 -4

 ①

0919

 ③

STEP A 함수의 몫의 미분법을 이용하여 $g'(3)$의 값 구하기

$g(x)=\dfrac{x^2+1}{f(x)}$에서 $g'(x)=\dfrac{2xf(x)-(x^2+1)f'(x)}{\{f(x)\}^2}$이므로

$g'(3)=\dfrac{2\cdot3\cdot f(3)-(3^2+1)f'(3)}{\{f(3)\}^2}=\dfrac{6\cdot2-10\cdot(-2)}{4}=\dfrac{32}{4}=8$

내신연계 출제문항 339

미분가능한 함수 $f(x)$에 대하여 $f(1)=1$, $f'(1)=2$이고 $g(x)=\dfrac{4}{2-x^2f(x)}$일 때, $g'(1)$의 값은?

① 12 ② 14 ③ 16
④ 18 ⑤ 20

STEP A 함수의 몫의 미분법을 이용하여 구하기

$g'(x)=-\dfrac{4\{2-x^2f(x)\}'}{\{2-x^2f(x)\}^2}=-\dfrac{4\cdot\{-2xf(x)-x^2f'(x)\}}{\{2-x^2f(x)\}^2}$

STEP B $f(1)=1$, $f'(1)=2$를 이용하여 $g'(1)$의 값 구하기

따라서 $g'(1)=-\dfrac{4\cdot\{-2f(1)-f'(1)\}}{\{2-f(1)\}^2}=-\dfrac{4\cdot(-2\cdot1-2)}{(2-1)^2}=16$

정답 ③

0920

정답 ③

STEP A 함수의 몫의 미분법을 이용하여 $f'(x)$ 구하기

$f(x)=\dfrac{x-1}{x^2+3}$에서 $f'(x)=\dfrac{1\cdot(x^2+3)-(x-1)\cdot2x}{(x^2+3)^2}=\dfrac{-x^2+2x+3}{(x^2+3)^2}$

STEP B $f'(x)>0$을 만족시키는 정수 x의 개수 구하기

모든 실수 x에 대하여 $(x^2+3)^2>0$이므로

부등식 $f'(x)>0$이려면 $-x^2+2x+3>0$, $(x+1)(x-3)<0$

$-1<x<3$

따라서 정수 x는 0, 1, 2이므로 개수는 3

내신연계 출제문항 340

함수 $f(x)=\dfrac{2x+3}{x^2+4}$에 대하여 부등식 $f'(x)>0$을 만족시키는 정수 x의 개수는?

① 1 ② 2 ③ 3
④ 4 ⑤ 5

STEP A 몫의 미분법을 이용하여 $f'(x)$ 구하기

$f(x)=\dfrac{2x+3}{x^2+4}$에서 $f'(x)=\dfrac{2\cdot(x^2+4)-(2x+3)\cdot2x}{(x^2+4)^2}=\dfrac{-2x^2-6x+8}{(x^2+4)^2}$

STEP B $f'(x)>0$을 만족시키는 정수 x의 개수 구하기

모든 실수 x에 대하여 $(x^2+4)^2>0$이므로

부등식 $f'(x)>0$이려면 $-2x^2-6x+8>0$, $-2(x-1)(x+4)>0$

$(x-1)(x+4)<0$ $\therefore -4<x<1$

따라서 정수 x는 $-3, -2, -1, 0$이므로 개수는 4

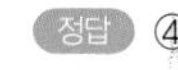 ④

0921

 ②

STEP A 몫의 미분법을 이용하여 상수 a, b의 값 구하기

$f(x)=\dfrac{x^2+7}{x-5}$에서

$$f'(x)=\dfrac{(x^2+7)'\cdot(x-5)-(x^2+7)\cdot(x-5)'}{(x-5)^2}$$
$$=\dfrac{2x\cdot(x-5)-(x^2+7)\cdot1}{(x-5)^2}$$
$$=\dfrac{2x^2-10x-x^2-7}{(x-5)^2}=\dfrac{x^2-10x-7}{(x-5)^2}$$

$x\neq5$에서 $x-5\neq0$이므로

$$f(x)+(x-5)f'(x)=\dfrac{x^2+7}{x-5}+(x-5)\times\dfrac{x^2-10x-7}{(x-5)^2}$$
$$=\dfrac{x^2+7}{x-5}+\dfrac{x^2-10x-7}{x-5}$$
$$=\dfrac{2x^2-10x}{x-5}=\dfrac{2x(x-5)}{x-5}=2x$$

따라서 $a=2$, $b=0$이므로 $a+b=2+0=2$

다른풀이 곱의 미분법을 이용하여 풀이하기

$f(x)=\dfrac{x^2+7}{x-5}$에서 $x-5\neq0$이므로

$(x-5)f(x)=x^2+7$ …… ㉠

㉠의 양변을 x에 대하여 미분하면

$f(x)+(x-5)f'(x)=2x$ …… ㉡

㉡은 $x\neq5$인 모든 실수 x에 대하여 성립하므로 $a=2$, $b=0$

따라서 $a+b=2+0=2$

0922

정답 ①

STEP A $\sum_{n=1}^{\infty} ar^{n-1}=\frac{a}{1-r}\ (-1<r<1)$를 이용하여 $f(x)$ 구하기

함수 $f(x)$는 첫째항이 $\frac{1}{1+x}$, 공비가 $\frac{1}{1+x}$인 등비급수이고

$x>0$이므로 $1+x>1$

$\therefore 0<\frac{1}{1+x}<1$

즉 $f(x)=\frac{\frac{1}{1+x}}{1-\frac{1}{1+x}}=\frac{1}{1+x-1}=\frac{1}{x}$

STEP B 함수의 몫의 미분을 이용하여 $f'\left(\frac{1}{3}\right)$ 구하기

따라서 $f'(x)=-\frac{1}{x^2}$이므로 $f'\left(\frac{1}{3}\right)=-\frac{1}{\frac{1}{9}}=-9$

0923

정답 ④

STEP A $\sum_{n=1}^{\infty} ar^{n-1}=\frac{a}{1-r}\ (-1<r<1)$를 이용하여 $g(x)$ 구하기

$g(x)=\lim_{n\to\infty}\sum_{k=1}^{n} x^k=\lim_{n\to\infty}(x+x^2+\cdots+x^n)$

$=\lim_{n\to\infty}\frac{x(1-x^n)}{1-x}=\frac{x}{1-x}\ (0<x<1)$

STEP B 함수의 몫의 미분을 이용하여 $g'\left(\frac{4}{5}\right)$ 구하기

$g'(x)=\frac{1\cdot(1-x)-x\cdot(-1)}{(1-x)^2}=\frac{1}{(1-x)^2}$

따라서 $g'\left(\frac{4}{5}\right)=\frac{1}{\frac{1}{25}}=25$

내신연계 출제문항 341

함수 $f_n(x)=x^n\ (0<x<1)$에 대하여 $g(x)=\sum_{n=1}^{\infty} f_n(x)$라고 할 때, $g'\left(\frac{3}{4}\right)$의 값은? (단, n은 자연수)

① 10 ② 16 ③ 20
④ 25 ⑤ 30

STEP A 등비급수 구하기

$0<x<1$이므로 $g(x)=x+x^2+x^3+\cdots=\frac{x}{1-x}$

STEP B $g'(x)=\frac{1}{(1-x)^2}$ 구하기

$g'(x)=\frac{1\cdot(1-x)-x\cdot(-1)}{(1-x)^2}=\frac{1}{(1-x)^2}$

STEP C $g'\left(\frac{3}{4}\right)$의 값 구하기

따라서 $g'\left(\frac{3}{4}\right)=\frac{1}{\frac{1}{16}}=16$

정답 ②

0924

정답 ③

STEP A 몫의 미분법을 이용하여 $f'(x)$ 구하기

$f(x)=\frac{2x}{x^2+3}$에서 $f'(x)=\frac{2(x^2+3)-2x(2x)}{(x^2+3)^2}=\frac{6-2x^2}{(x^2+3)^2}$

STEP B 미분계수의 정의를 이용하여 구하기

따라서 $\lim_{x\to1}\frac{f(x^2)-f(1)}{x-1}=\lim_{x\to1}\left\{\frac{f(x^2)-f(1)}{x^2-1}\cdot(x+1)\right\}$

$=f'(1)\cdot2$

$=\frac{1}{4}\cdot2=\frac{1}{2}$

0925

정답 ③

STEP A 몫의 미분법을 이용하여 $f'(x)$ 구하기

$f(x)=\frac{x-1}{x^2+1}$에서

$f'(x)=\frac{(x-1)'(x^2+1)-(x-1)(x^2+1)'}{(x^2+1)^2}=\frac{-x^2+2x+1}{(x^2+1)^2}$

STEP B 미분계수의 정의를 이용하여 구하기

따라서 $\lim_{h\to0}\frac{f(1+2h)-f(1-4h)}{h}$

$=\lim_{h\to0}\left\{\frac{f(1+2h)-f(1)}{2h}\times2+\frac{f(1-4h)-f(1)}{-4h}\times4\right\}$

$=2f'(1)+4f'(1)=6f'(1)$

$=6\cdot\frac{1}{2}=3$

내신연계 출제문항 342

함수 $f(x)=\frac{x-1}{x^2+2}$에 대하여 $\lim_{h\to0}\frac{f(1+2h)-f(1-h)}{h}$의 값은?

① 1 ② 2 ③ 3
④ 5 ⑤ 6

STEP A 몫의 미분법을 이용하여 $f'(x)$ 구하기

$f(x)=\frac{x-1}{x^2+2}$에서

$f'(x)=\frac{(x-1)'(x^2+2)-(x-1)(x^2+2)'}{(x^2+2)^2}=\frac{-x^2+2x+2}{(x^2+2)^2}$

STEP B 미분계수의 정의를 이용하여 구하기

따라서 $\lim_{h\to0}\frac{f(1+2h)-f(1-h)}{h}$

$=\lim_{h\to0}\left\{\frac{f(1+2h)-f(1)}{2h}\times2+\frac{f(1-h)-f(1)}{-h}\right\}$

$=2f'(1)+f'(1)=3f'(1)$

$=3\times\frac{1}{3}=1$

정답 ①

0926

정답 ⑤

STEP A 몫의 미분법을 이용하여 $f'(x)$ 구하기

$f(x)=\dfrac{2x^3+3x-2}{x^2}=2x+3x^{-1}-2x^{-2}$에서

$f'(x)=2-3x^{-2}+4x^{-3}$

STEP B 미분계수의 정의를 이용하여 구하기

따라서 $\lim\limits_{h\to0}\dfrac{f(-1+h)-f(-1-2h)}{h}$

$=\lim\limits_{h\to0}\left\{\dfrac{f(-1+h)-f(-1)}{h}+\dfrac{f(-1-2h)-f(-1)}{-2h}\times2\right\}$

$=f'(-1)+2f'(-1)=3f'(-1)$

$=3\times(2-3-4)=-15$

0927

정답 ④

STEP A 함수의 몫의 미분법을 이용하여 $f'(x)$의 값 구하기

$f(x)=8x-\dfrac{4}{x}$에서 $f'(x)=8-\left(-\dfrac{4}{x^2}\right)=8+\dfrac{4}{x^2}$

STEP B 미분계수의 정의를 이용하여 구하기

$\dfrac{1}{n}=h$로 놓으면 $n\to\infty$이면 $h\to0$

$\lim\limits_{n\to\infty}n\left\{f\left(1+\dfrac{1}{n}\right)-f\left(1-\dfrac{2}{n}\right)\right\}$

$=\lim\limits_{h\to0}\dfrac{f(1+h)-f(1-2h)}{h}$

$=\lim\limits_{h\to0}\left\{\dfrac{f(1+h)-f(1)}{h}+\dfrac{f(1-2h)-f(1)}{-2h}\times2\right\}$

$=f'(1)+2f'(1)=3f'(1)$

따라서 $3f'(1)=3\cdot(8+4)=36$

0928

정답 ①

STEP A 함수의 몫의 미분법을 이용하여 $f'(x)$의 값 구하기

$f(x)=\dfrac{x^2-1}{x^2+1}$에서

$f'(x)=\dfrac{2x\cdot(x^2+1)-(x^2-1)\cdot2x}{(x^2+1)^2}=\dfrac{4x}{(x^2+1)^2}$이므로 $f'(0)=0$

STEP B 미분계수의 정의를 이용하여 구하기

$\dfrac{1}{n}=h$로 놓으면 $n\to\infty$이면 $h\to0$

따라서 $\lim\limits_{n\to\infty}n\left\{f\left(\dfrac{5}{n}\right)-f\left(-\dfrac{1}{n}\right)\right\}$

$=\lim\limits_{h\to0}\dfrac{f(5h)-f(-h)}{h}$

$=\lim\limits_{h\to0}\dfrac{f(0+5h)-f(0)-f(0-h)+f(0)}{h}$

$=\lim\limits_{h\to0}\dfrac{f(0+5h)-f(0)}{h}-\lim\limits_{h\to0}\dfrac{f(0-h)-f(0)}{h}$

$=\lim\limits_{h\to0}\dfrac{f(0+5h)-f(0)}{5h}\cdot5+\lim\limits_{h\to0}\dfrac{f(0-h)-f(0)}{-h}$

$=5f'(0)+f'(0)=6f'(0)$

$=6\times0=0$

0929

정답 ②

STEP A 함수의 극한의 성질과 미분계수를 이용하여 $f(1)$, $f'(1)$의 값 구하기

$\lim\limits_{x\to1}\dfrac{f(x)+1}{x-1}=-2$에서

$x\to1$일 때, (분모)$\to0$이고 극한값이 존재하므로 (분자)$\to0$이다.

즉 $\lim\limits_{x\to1}\{f(x)+1\}=0$이므로 $f(1)+1=0$ $\therefore f(1)=-1$

또한, $\lim\limits_{x\to1}\dfrac{f(x)+1}{x-1}=\lim\limits_{x\to1}\dfrac{f(x)-f(1)}{x-1}=f'(1)=-2$

STEP B 함수의 극한의 성질과 미분계수를 이용하여 $g(1)$, $g'(1)$의 값 구하기

$\lim\limits_{x\to1}\dfrac{g(x)-2}{x-1}=3$에서

$x\to1$일 때, (분모)$\to0$이고 극한값이 존재하므로 (분자)$\to0$이다.

즉 $\lim\limits_{x\to1}\{g(x)-2\}=0$이므로 $g(1)-2=0$ $\therefore g(1)=2$

또한, $\lim\limits_{x\to1}\dfrac{g(x)-2}{x-1}=\lim\limits_{x\to1}\dfrac{g(x)-g(1)}{x-1}=g'(1)=3$

STEP C 합성함수의 미분법을 이용하여 $x=1$에서의 미분계수 구하기

$h(x)=\dfrac{f(x)}{g(x)}$에서 $h'(x)=\dfrac{f'(x)g(x)-f(x)g'(x)}{\{g(x)\}^2}$이므로

$h'(1)=\dfrac{f'(1)g(1)-f(1)g'(1)}{\{g(1)\}^2}=\dfrac{-2\cdot2-(-1)\cdot3}{2^2}=-\dfrac{1}{4}$

0930

정답 ⑤

STEP A 합성함수의 미분법을 이용하여 $x=2$에서 미분계수 구하기

$y=\{xf(x)\}^2$에서 $y'=2xf(x)\{f(x)+xf'(x)\}$

따라서 $x=2$에서의 미분계수는 $2\cdot2f(2)\{f(2)+2f'(2)\}=28$

내신연계 출제문항 343

미분가능한 함수 $f(x)$가 $f(2)=1$, $f'(2)=2$를 만족시킬 때,
함수 $y=x\{f(x)\}^3$의 $x=2$에서의 미분계수는?

① 10 ② 11 ③ 12
④ 13 ⑤ 14

STEP A 합성함수의 미분법을 이용하여 구하기

$y=x\{f(x)\}^3$에서 $y'=\{f(x)\}^3+3x\{f(x)\}^2f'(x)$

STEP B $x=2$에서의 미분계수 구하기

따라서 $x=2$에서의 미분계수는

$\{f(2)\}^3+3\cdot2\{f(2)\}^2f'(2)=1^3+6\cdot1^2\cdot2=13$ 정답 ④

0931

정답 ⑤

STEP A 합성함수의 미분법을 이용하여 $x=3$에서의 미분계수 구하기

$y=\left\{\dfrac{f(x)}{x}\right\}^2$에서 $y'=2\left\{\dfrac{f(x)}{x}\right\}\cdot\left\{\dfrac{f(x)}{x}\right\}'=2\cdot\dfrac{f(x)}{x}\cdot\dfrac{xf'(x)-f(x)}{x^2}$

따라서 $x=3$에서의 미분계수는

$2\cdot\dfrac{f(3)}{3}\cdot\dfrac{3f'(3)-f(3)}{3^2}=\dfrac{2\cdot1\cdot(3\cdot2-1)}{27}=\dfrac{10}{27}$

Ⅱ 미분법

0932

정답 ①

STEP A 합성함수의 미분법을 이용하여 a, b의 값 구하기

$y'=3\left(\frac{2x}{x^2+1}\right)^2\left(\frac{2x}{x^2+1}\right)'$

$=3\left(\frac{2x}{x^2+1}\right)^2\cdot\frac{-2x^2+2}{(x^2+1)^2}$

$=\frac{-24x^4+24x^2}{(x^2+1)^4}$

따라서 $a=-24$, $b=24$이므로 $a+b=0$

0933

 ①

STEP A 합성함수의 미분법을 이용하여 구하기

$y=(5x+3)\sqrt{f(x)}$에서 $y'=5\sqrt{f(x)}+(5x+3)\cdot\frac{1}{2\sqrt{f(x)}}\cdot f'(x)$

STEP B $f'(3)$의 값 구하기

$x=3$에서의 미분계수가 19이므로

$5\sqrt{f(3)}+18\cdot\frac{1}{2\sqrt{f(3)}}\cdot f'(3)=19$

$5\sqrt{4}+18\cdot\frac{1}{2\sqrt{4}}\cdot f'(3)=19$

$10+\frac{9}{2}\cdot f'(3)=19$

따라서 $f'(3)=2$

내신연계 출제문항 344

함수 $f(x)$는 미분가능하고

$f(1)=4$, $f'(1)=2$

를 만족할 때, 함수 $g(x)=x^2\sqrt{f(x)}$에 대하여 $g'(1)$의 값은?

① 1 ② 3 ③ $\frac{5}{2}$

④ $\frac{9}{2}$ ⑤ 5

STEP A 합성함수의 미분법을 이용하여 $g'(x)$ 구하기

$g(x)=x^2\sqrt{f(x)}$의 양변을 x에 대하여 미분하면

$g'(x)=(x^2)'\sqrt{f(x)}+x^2\{\sqrt{f(x)}\}'=2x\sqrt{f(x)}+x^2\cdot\frac{f'(x)}{2\sqrt{f(x)}}$

STEP B $g'(1)$의 값 구하기

이 식의 양변에 $x=1$을 대입하면

$f(1)=4$, $f'(1)=2$

따라서 $g'(1)=2\sqrt{f(1)}+\frac{f'(1)}{2\sqrt{f(1)}}=2\sqrt{4}+\frac{2}{2\sqrt{4}}=\frac{9}{2}$

정답 ④

0934

정답 ⑤

STEP A 분수꼴의 극한의 성질과 미분계수의 정의를 이용하여 $f(1)$, $f'(1)$의 값 구하기

$\lim_{x\to1}\frac{f(x)-9}{x-1}=2$에서

$x\to1$일 때, (분모)$\to0$이고 극한값이 존재하므로 (분자)$\to0$이어야 한다.

즉 $\lim_{x\to1}\{f(x)-9\}=0$이므로 $f(1)=9$

또한, $\lim_{x\to1}\frac{f(x)-9}{x-1}=\lim_{x\to1}\frac{f(x)-f(1)}{x-1}=f'(1)=2$

STEP B 합성함수의 미분법을 이용하여 $g'(1)$의 값 구하기

$g(x)=f(x)\sqrt{f(x)}=\{f(x)\}^{\frac{3}{2}}$이므로 $g'(x)=\frac{3}{2}\{f(x)\}^{\frac{1}{2}}f'(x)$

따라서 $g'(1)=\frac{3}{2}\{f(1)\}^{\frac{1}{2}}f'(1)=\frac{3}{2}\cdot9^{\frac{1}{2}}\cdot2=9$

참고

$g(x)=f(x)\sqrt{f(x)}$에서 $g'(x)=f'(x)\sqrt{f(x)}+f(x)\cdot\frac{f'(x)}{2\sqrt{f(x)}}$

$=\frac{2f'(x)f(x)+f(x)f'(x)}{2\sqrt{f(x)}}$

$=\frac{3}{2}f'(x)\sqrt{f(x)}$

0935

 ①

STEP A 합성함수의 미분법을 이용하여 함수 $f(\sqrt{x})$를 미분하기

미분가능한 함수 $y=f(x)$의 그래프 위의 점 $(2,\ f(2))$에서의 접선의 기울기가 2이므로 $f'(2)=2$

이때 $g(x)=f(\sqrt{x})$라 하면 합성함수의 미분법에 의해

$g'(x)=f'(\sqrt{x})\cdot\frac{1}{2\sqrt{x}}$

STEP B $x=4$에서의 미분계수 구하기

따라서 $x=4$에서 미분계수는 $g'(4)$이므로

$g'(4)=f'(\sqrt{4})\cdot\frac{1}{2\sqrt{4}}=f'(2)\cdot\frac{1}{4}=2\cdot\frac{1}{4}=\frac{1}{2}$

내신연계 출제문항 345

미분가능한 함수 $y=f(x)$의 그래프 위의 점 $(3,\ f(3))$에서의 접선의 기울기가 12이다. 양의 실수 전체의 집합에서 정의된 함수 $y=f(\sqrt{x})$의 $x=9$에서의 미분계수는?

① -2 ② -1 ③ 0

④ 1 ⑤ 2

STEP A 합성함수의 미분법을 이용하여 함수 $f(\sqrt{x})$를 미분하기

미분가능한 함수 $y=f(x)$의 그래프 위의 점 $(3,\ f(3))$에서의 접선의 기울기가 12이므로 $f'(3)=12$

이때 $g(x)=f(\sqrt{x})$라 하면 $g'(x)=f'(\sqrt{x})\cdot\frac{1}{2\sqrt{x}}$

따라서 $x=9$에서 미분계수는

$g'(9)=f'(\sqrt{9})\cdot\frac{1}{2\sqrt{9}}=f'(3)\cdot\frac{1}{6}=12\cdot\frac{1}{6}=2$

 ⑤

0936

정답 ②

STEP A 합성함수의 미분법을 이용하여 a의 값 구하기

$f(x)=(a-x)^3$에서 $f'(x)=3(a-x)^2(-1)$

$f'(0)=-3(a-0)^2=-27$에서 $a=3(\because a>0)$

$\therefore f'(x)=-3(3-x)^2$

STEP B 미분계수의 값 구하기

따라서 $\lim\limits_{h\to 0}\dfrac{f(1+2h)-f(1-h)}{h}$

$=\lim\limits_{h\to 0}\left\{\dfrac{f(1+2h)-f(1)}{2h}\times 2+\dfrac{f(1-h)-f(1)}{-h}\right\}$

$=2f'(1)+f'(1)=3f'(1)$

$=3\times(-12)=-36$

내/신/연/계/ 출제문항 346

함수 $f(x)=(x^2-x+a)^3(a>0)$에 대하여 $f'(0)=-12$일 때, $\lim\limits_{x\to 1}\dfrac{f(x)-f(1)}{x-1}$의 값은?

① 2 ② 6 ③ 10
④ 12 ⑤ 16

STEP A 합성함수의 미분법을 이용하여 a의 값 구하기

$f(x)=(x^2-x+a)^3$에서 $f'(x)=3(x^2-x+a)^2(2x-1)$

$f'(0)=-3a^2=-12$에서 $a=2(a>0)$

$\therefore f'(x)=3(x^2-x+2)^2(2x-1)$

STEP B 미분계수의 값 구하기

따라서 $\lim\limits_{x\to 1}\dfrac{f(x)-f(1)}{x-1}=f'(1)=3\cdot 2^2\cdot 1=12$

정답 ④

0937

정답 ①

STEP A 두 함수에서 $f'(x)$, $g'(x)$ 구하기

$f(x)=\dfrac{x+1}{x^2+1}$에서 $f'(x)=\dfrac{1\cdot(x^2+1)-(x+1)\cdot 2x}{(x^2+1)^2}$

$g(x)=x^2+3x-2$에서 $g'(x)=2x+3$

STEP B 합성함수의 미분법을 이용하여 $h'(1)$ 구하기

$h(x)=(f\circ g)(x)$에서 $h'(x)=f'(g(x))g'(x)$이고

$f'(2)=-\dfrac{7}{25}$, $g'(1)=5$

따라서 $h'(1)=f'(g(1))g'(1)=f'(2)g'(1)=-\dfrac{7}{25}\cdot 5=-\dfrac{7}{5}$

내/신/연/계/ 출제문항 347

두 함수

$$f(x)=\frac{x-1}{x^2+1},\ g(x)=x^2+2x-5$$

의 합성함수 $h(x)=(f\circ g)(x)$에 대하여 $h'(2)$의 값은?

① $-\dfrac{3}{50}$ ② $-\dfrac{5}{49}$ ③ $-\dfrac{2}{25}$
④ $-\dfrac{3}{25}$ ⑤ $-\dfrac{3}{10}$

STEP A 두 함수에서 $f'(x)$, $g'(x)$ 구하기

$f(x)=\dfrac{x-1}{x^2+1}$에서 $f'(x)=\dfrac{1\cdot(x^2+1)-(x-1)\cdot 2x}{(x^2+1)^2}=\dfrac{-x^2+2x+1}{(x^2+1)^2}$

$g(x)=x^2+2x-5$에서 $g'(x)=2x+2$

STEP B 합성함수의 미분법을 이용하여 $h'(1)$ 구하기

$h(x)=(f\circ g)(x)$에서 $h'(x)=f'(g(x))g'(x)$이고

$f'(3)=-\dfrac{1}{50}$, $g'(2)=6$이므로 $h'(2)=f'(g(2))g'(2)=f'(3)g'(2)$

따라서 $h'(2)=\left(-\dfrac{1}{50}\right)\cdot 6=-\dfrac{3}{25}$

정답 ④

0938

정답 ③

STEP A $f'(x)$, $g'(x)$ 구하기

$f(x)=\tan x$에서 $f'(x)=\sec^2 x$

$g(x)=\dfrac{x+3}{x+1}$에서 $g'(x)=\dfrac{1\cdot(x+1)-(x+3)\cdot 1}{(x+1)^2}=\dfrac{-2}{(x+1)^2}$

STEP B 합성함수의 미분법을 이용하여 $h'\left(\dfrac{\pi}{4}\right)$의 값 구하기

$f\left(\dfrac{\pi}{4}\right)=1$, $f'\left(\dfrac{\pi}{4}\right)=2$, $g'(1)=-\dfrac{1}{2}$

따라서 $h(x)=g(f(x))$를 x에 대하여 미분하면 $h'(x)=g'(f(x))f'(x)$이므로

$x=\dfrac{\pi}{4}$을 대입하면 $h'\left(\dfrac{\pi}{4}\right)=g'\left(f\left(\dfrac{\pi}{4}\right)\right)f'\left(\dfrac{\pi}{4}\right)=g'(1)\cdot 2=-\dfrac{1}{2}\cdot 2=-1$

내/신/연/계/ 출제문항 348

두 함수

$$f(x)=\cos x,\ g(x)=\frac{x}{x^2+1}$$

에 대하여 함수 $h(x)$를 $h(x)=(g\circ f)(x)$라 할 때, $h'\left(\dfrac{\pi}{2}\right)$의 값은?

① -2 ② -1 ③ 0
④ 1 ⑤ 2

STEP A $f'(x)$, $g'(x)$ 구하기

$f(x)=\cos x$에서 $f'(x)=-\sin x$

$g(x)=\dfrac{x}{x^2+1}$에서 $g'(x)=\dfrac{1\cdot(x^2+1)-x\cdot 2x}{(x^2+1)^2}=\dfrac{-x^2+1}{(x^2+1)^2}$

STEP B 합성함수의 미분법을 이용하여 $h'\left(\dfrac{\pi}{2}\right)$의 값 구하기

따라서 $h(x)=g(f(x))$를 x에 대하여 미분하면 $h'(x)=g'(f(x))f'(x)$이므로

$x=\dfrac{\pi}{2}$을 대입하면 $h'\left(\dfrac{\pi}{2}\right)=g'\left(f\left(\dfrac{\pi}{2}\right)\right)f'\left(\dfrac{\pi}{2}\right)=g'(0)\cdot(-1)=1\cdot(-1)=-1$

정답 ②

0939

정답 ①

STEP A 두 함수에서 $f'(x)$, $g'(x)$ 구하기

$f(x)=\ln(x-1)$에서 $f'(x)=\dfrac{1}{x-1}$

$g(x)=x^2+x+2$에서 $g'(x)=2x+1$

STEP B 합성함수의 미분법을 이용하여 $h'(1)$ 구하기

$h(x)=(f\circ g)(x)$에서 $h'(x)=f'(g(x))g'(x)$이고 $f'(4)=\dfrac{1}{3}$, $g'(1)=3$

따라서 $h'(1)=f'(g(1))g'(1)=f'(4)g'(1)=\dfrac{1}{3}\cdot 3=1$

0940

 ②

STEP A $g'(x)$ 구하기

$g(x)=x^3-x+1$에서 $g'(x)=3x^2-1$이고

$g(0)=1,\ g'(0)=-1$

STEP B $h'(0)=-10$을 만족하는 $f'(1)$의 값 구하기

$h(x)=(f\circ g)(x)$에서 $h'(x)=f'(g(x))g'(x)$

$h'(0)=f'(g(0))g'(0)=f'(1)g'(0)=f'(1)\cdot(-1)$

이때 $h'(0)=-10$이므로 $f'(1)\cdot(-1)=-10$

따라서 $f'(1)=10$

내신연계 출제문항 349

함수 $f(x)$가 미분가능하고 함수 $g(x)=\dfrac{x+2}{x^2+2}$일 때, 합성함수 $h(x)=(f\circ g)(x)$는 $h'(0)=12$를 만족한다. 이때 $f'(1)$의 값은?

① 12 ② 20 ③ 24
④ 28 ⑤ 32

STEP A $g'(x)$ 구하기

$g(x)=\dfrac{x+2}{x^2+2}$에서

$g'(x)=\dfrac{1\cdot(x^2+2)-(x+2)\cdot 2x}{(x^2+2)^2}=\dfrac{-x^2-4x+2}{(x^2+2)^2}$이고

$g(0)=1,\ g'(0)=\dfrac{1}{2}$

STEP B $h'(0)=12$를 만족하는 $f'(1)$의 값 구하기

$h(x)=(f\circ g)(x)$에서 $h'(x)=f'(g(x))g'(x)$

$h'(0)=f'(g(0))g'(0)=f'(1)\cdot\dfrac{1}{2}$

이때 $h'(0)=12$이므로 $f'(1)\cdot\dfrac{1}{2}=12$

따라서 $f'(1)=24$

 ③

0941

정답 ⑤

STEP A 조건 (가)에 $x=1$을 대입하여 $f(5)$의 값 구하기

$g(1)=5$이므로

$f(g(x))=5x+2$에 $x=1$을 대입하면 $f(g(1))=7$

$\therefore\ f(5)=7$ ...... ㉠

STEP B 합성함수의 미분법을 이용하여 $f'(5)$의 값 구하기

$f(g(x))=5x+2$의 양변을 x에 대하여 미분하면

$f'(g(x))g'(x)=5$

이 식에 $x=1$을 대입하면 $f'(g(1))g'(1)=5$

$f'(5)\cdot 5=5$에서 $f'(5)=1$ ...... ㉡

STEP C $f(5)+f'(5)$의 값 구하기

따라서 ㉠, ㉡에서 $f(5)+f'(5)=7+1=8$

내신연계 출제문항 350

실수 전체의 집합에서 미분 가능한 두 함수 $f(x)$, $g(x)$가 다음 조건을 만족시킨다.

(가) $f(1)=3,\ f'(1)=2$
(나) 모든 실수 x에 대하여 $g(f(x))=4x+1$이다.

$g(3)+g'(3)$의 값은?

① 6 ② 7 ③ 8
④ 9 ⑤ 10

STEP A 조건 (나)에 $x=1$을 대입하여 $g(3)$의 값 구하기

$g(f(x))=4x+1$ ...... ㉠

㉠의 양변에 $x=1$을 대입하면

$g(f(1))=4\times1+1=5$

$f(1)=3$이므로 $g(3)=5$

STEP B 합성함수의 미분법을 이용하여 $g'(3)$의 값 구하기

㉠의 양변을 x에 대하여 미분하면

$g'(f(x))f'(x)=4$ ...... ㉡

㉡의 양변에 $x=1$을 대입하면

$g'(f(1))f'(1)=4$

$f(1)=3,\ f'(1)=2$이므로 $g'(3)\times2=4$에서 $g'(3)=2$

STEP C $g(3)+g'(3)$의 값 구하기

따라서 $g(3)+g'(3)=5+2=7$

 ②

0942

 ①

STEP A 합성함수의 미분법을 이용하여 $h'\left(\dfrac{1}{3}\right)$ 구하기

$h(x)=g(f(3x))$를 x에 대하여 미분하면

$h'(x)=g'(f(3x))f'(3x)\cdot3$이므로 $x=\dfrac{1}{3}$을 대입하면

$$h'\left(\frac{1}{3}\right)=g'\left(f\left(3\cdot\frac{1}{3}\right)\right)f'\left(3\cdot\frac{1}{3}\right)\cdot3$$
$$=g'(f(1))f'(1)\cdot3$$
$$=g'(3)\cdot4\cdot3$$

STEP B $h'\left(\dfrac{1}{3}\right)=8$임을 이용하여 $g'(3)$의 값 구하기

$h'\left(\dfrac{1}{3}\right)=8$이므로 $12g'(3)=8$

따라서 $g'(3)=\dfrac{2}{3}$

0943

 ④

STEP A $f(1),\ f'(1)$의 값 구하기

$f(x)=(2x+2)^{\frac{3}{2}}$에서 $f'(x)=\dfrac{3}{2}(2x+2)^{\frac{1}{2}}\cdot2=3(2x+2)^{\frac{1}{2}}$이므로

$f(1)=2^3=8,\ f'(1)=6$

STEP B $h'(1)=30$을 만족하는 $g'(8)$의 값 구하기

$h(x)=(g\circ f)(x)$에서 $h'(x)=g'(f(x))f'(x)$이므로

$h'(1)=g'(f(1))f'(1)=g'(8)\cdot6$

따라서 $h'(1)=30$이므로 $g'(8)\cdot6=30$ $\therefore\ g'(8)=5$

내신연계 출제문항 351

함수 $f(x)=\sqrt{(2x-1)^3}$과 실수 전체의 집합에서 미분가능한 함수 $g(x)$에 대하여 함수 $h(x)=(g\circ f)(x)$에 대하여 $h'(1)=9$일 때, $g'(1)$의 값은?

① 2　② 3　③ 4
④ 5　⑤ 6

STEP Ⓐ $f(1)$, $f'(1)$의 값 구하기

$f(x)=\sqrt{(2x-1)^3}$에서 $f'(x)=\frac{3}{2}(2x-1)^{\frac{1}{2}}\cdot 2=3(2x-1)^{\frac{1}{2}}$이므로

$f(1)=1$, $f'(1)=3$

STEP Ⓑ $h'(1)=9$를 만족하는 $g'(1)$의 값 구하기

$h(x)=(g\circ f)(x)$에서 $h'(x)=g'(f(x))f'(x)$이므로

$h'(1)=g'(f(1))f'(1)=g'(1)\cdot 3$

따라서 $h'(1)=9$이므로 $g'(1)\cdot 3=9$　$\therefore g'(1)=3$

정답 ②

0944

정답 ①

STEP Ⓐ 합성함수의 미분법을 이용하기

$f(x)=x^2+4$에서 $f'(x)=2x$

$f(g(x))=f(x)g(x)-2x^2$의 양변을 x에 대하여 미분하면

$f'(g(x))g'(x)=f'(x)g(x)+f(x)g'(x)-4x$　…… ㉠

STEP Ⓑ $g'(1)$의 값 구하기

㉠의 양변에 $x=1$을 대입하면

$f'(g(1))g'(1)=f'(1)g(1)+f(1)g'(1)-4$　…… ㉡

㉡에 $f(1)=5$, $f'(1)=2$, $g(1)=3$을 대입하면

$f'(3)g'(1)=2\cdot 3+5g'(1)-4$

$f'(3)=6$이므로 $6g'(1)=5g'(1)+2$

따라서 $g'(1)=2$

다른풀이 $f(x)=x^2+4$를 대입하여 풀이하기

$f(g(x))=\{g(x)\}^2+4$에서 $\{g(x)\}^2+4=(x^2+4)g(x)-2x^2$

양변을 x에 대하여 미분하면

$2g(x)g'(x)=2xg(x)+(x^2+4)g'(x)-4x$

양변에 $x=1$을 대입하면

$2g(1)g'(1)=2g(1)+5g'(1)-4$

$g(1)=3$이므로 $6g'(1)=5g'(1)+2$

따라서 $g'(1)=2$

0945

정답 ③

STEP Ⓐ 합성함수의 미분법을 이용하여 $h'(1)$ 구하기

$h(x)=f(g(x))$에서 $h'(x)=f'(g(x))g'(x)$이므로

$h'(1)=f'(g(1))g'(1)$

STEP Ⓑ 그림에서 $g'(1)$, $f'(3)$을 구하여 $h'(1)$의 값 구하기

이때 $g(1)=3$이고 $y=g(x)$에서 $x=1$에서 미분계수는

두 점 $(1, 3)$, $(2, 0)$의 직선의 기울기와 같으므로 $g'(1)=-3$

또한, $y=f(x)$에서 $x=3$에서 미분계수는

두 점 $(2, 4)$, $(5, 3)$의 직선의 기울기와 같으므로 $f'(3)=-\frac{1}{3}$

따라서 $h'(1)=f'(g(1))g'(1)=f'(3)g'(1)=-\frac{1}{3}\cdot(-3)=1$

내신연계 출제문항 352

두 함수 $f(x)$, $g(x)$의 그래프가 오른쪽 그림과 같다.
합성함수 $h(x)=(f\circ g)(x)$에 대하여 $h'(1)$의 값은?

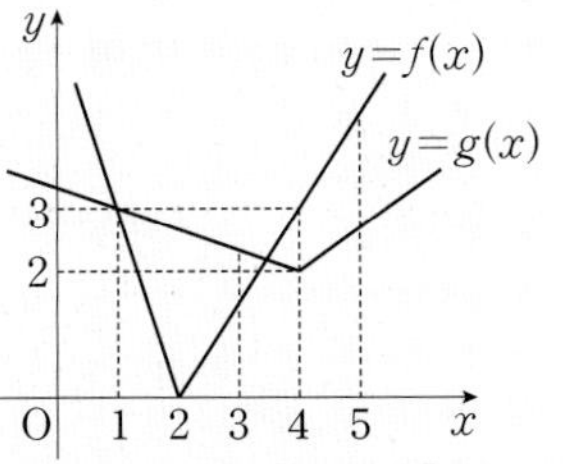

① -2　② $-\frac{1}{2}$
③ 1　④ $\frac{2}{3}$
⑤ 2

STEP Ⓐ 합성함수의 미분법을 이용하여 $h'(1)$ 구하기

$h(x)=f(g(x))$에서 $h'(x)=f'(g(x))g'(x)$이므로

$h'(1)=f'(g(1))g'(1)$

STEP Ⓑ 그림에서 $g'(1)$, $f'(3)$을 구하여 $h'(1)$의 값 구하기

이때 $g(1)=3$이고 $y=g(x)$에서 $x=1$에서 미분계수는

두 점 $(1, 3)$, $(4, 2)$의 직선의 기울기와 같으므로 $g'(1)=-\frac{1}{3}$

또한, $y=f(x)$에서 $x=3$에서 미분계수는

두 점 $(2, 0)$, $(4, 3)$의 직선의 기울기와 같으므로 $f'(3)=\frac{3}{2}$

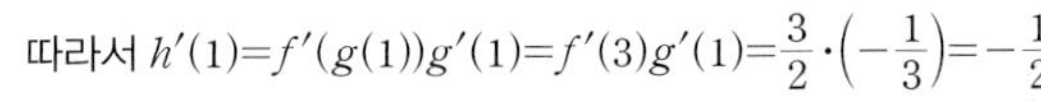
따라서 $h'(1)=f'(g(1))g'(1)=f'(3)g'(1)=\frac{3}{2}\cdot\left(-\frac{1}{3}\right)=-\frac{1}{2}$

정답 ②

0946

정답 ⑤

STEP Ⓐ 미분계수의 정의를 이용하여 구하기

$g(x)=f(f(x))$로 놓으면

$g(1)=f(f(1))=f(2)=2$

$\lim_{x\to 1}\frac{f(f(x))-2}{x-1}=\lim_{x\to 1}\frac{g(x)-g(1)}{x-1}=g'(1)$

STEP Ⓑ 합성함수의 미분법을 이용하여 구하기

따라서 $g(x)=f(f(x))$에서 $g'(x)=f'(f(x))f'(x)$이므로

$g'(1)=f'(f(1))f'(1)=f'(2)\cdot f'(1)=4\cdot 3=12$

내신연계 출제문항 353

실수 전체의 집합에서 미분 가능한 함수 $f(x)$에 대하여

$$f(0)=f(1)=0,\ f'(0)=4,\ f'(1)=-4$$

일 때, $\lim_{x\to 1}\frac{f(f(x))}{x-1}$의 값은?

① -8　② -10　③ -12
④ -14　⑤ -16

STEP Ⓐ 미분계수의 정의를 이용하여 구하기

$g(x)=f(f(x))$로 놓으면

$g(1)=f(f(1))=f(0)=0$

$\lim_{x\to 1}\frac{f(f(x))-0}{x-1}=\lim_{x\to 1}\frac{g(x)-g(1)}{x-1}=g'(1)$

STEP Ⓑ 합성함수의 미분법을 이용하여 구하기

따라서 $g(x)=f(f(x))$에서 $g'(x)=f'(f(x))f'(x)$이므로

$g'(1)=f'(f(1))f'(1)=f'(0)f'(1)=4\times(-4)=-16$

정답 ⑤

0947

정답 ②

STEP A **미분계수의 정의를 이용하여 구하기**

$h(x)=f(g(x))$라 하면 $h(1)=f(g(1))=f(2)=2$이므로

$$\lim_{x\to1}\frac{f(g(x))-2}{x^2-1}=\lim_{x\to1}\frac{h(x)-h(1)}{x^2-1}=\lim_{x\to1}\left\{\frac{h(x)-h(1)}{x-1}\cdot\frac{1}{x+1}\right\}$$

$$=\frac{1}{2}h'(1)=8\quad\therefore h'(1)=16$$

STEP B **합성함수의 미분법을 이용하여 a의 값 구하기**

이때 $h'(x)=f'(g(x))g'(x)$이므로

$h'(1)=f'(g(1))g'(1)=f'(2)g'(1)=a^2=16$에서 $a^2=16$

따라서 $a>0$이므로 $a=4$

0948

정답 ④

STEP A **분수꼴의 극한의 성질과 미분계수를 이용하여 $f(2)$, $f'(2)$의 값 구하기**

$\lim_{x\to2}\frac{f(x)}{x-2}=4$에서

$x\to2$일 때, (분모)$\to0$이고 극한값이 존재하므로 (분자)$\to0$이어야 한다.

즉 $\lim_{x\to2}f(x)=0$이므로 $f(2)=0$

또한, $\lim_{x\to2}\frac{f(x)}{x-2}=\lim_{x\to2}\frac{f(x)-f(2)}{x-2}=f'(2)=4$

STEP B **합성함수의 미분법을 이용하여 미분계수의 값 구하기**

따라서 $f(f(2))=f(0)=0$이므로

$$\lim_{x\to2}\frac{f(f(x))}{x-2}=\lim_{x\to2}\frac{f(f(x))-f(f(2))}{x-2}$$

$$=\lim_{x\to2}\left\{\frac{f(f(x))-f(f(2))}{f(x)-f(2)}\cdot\frac{f(x)-f(2)}{x-2}\right\}$$

$$=f'(0)\times f'(2)=3\times4=12$$

내신연계 출제문항 354

미분가능한 두 함수 $f(x)$와 $g(x)$가

$$f(2)=4,\ f'(2)=1,\ \lim_{x\to1}\frac{g(x)-2}{x-1}=5$$

를 만족시킬 때, $\lim_{x\to1}\frac{f(g(x))-4}{x-1}$의 값은?

① 1　② 2　③ 3　④ 4　⑤ 5

STEP A **미분계수의 정의를 이용하여 구하기**

$\lim_{x\to1}\frac{g(x)-2}{x-1}=5$에서

$x\to1$일 때, (분모)$\to0$이고 극한값이 존재하므로 (분자)$\to0$이어야 한다.

즉 $\lim_{x\to1}\{g(x)-2\}=0$이므로 $g(1)=2$

또한, $\lim_{x\to1}\frac{g(x)-2}{x-1}=\lim_{x\to1}\frac{g(x)-g(1)}{x-1}=g'(1)=5$

STEP B **합성함수의 미분법을 이용하여 미분계수의 값 구하기**

$h(x)=f(g(x))$로 놓으면 $h(1)=f(g(1))=f(2)=4$

$\lim_{x\to1}\frac{f(g(x))-4}{x-1}=\lim_{x\to1}\frac{h(x)-h(1)}{x-1}=h'(1)$

따라서 $h(x)=f(g(x))$에서 $h'(x)=f'(g(x))g'(x)$이므로

$h'(1)=f'(g(1))g'(1)=f'(2)\cdot5=1\cdot5=5$

정답 ⑤

0949

정답 ②

STEP A **극한값의 성질과 미분계수의 정의를 이용하여 $f(2)$, $f'(2)$의 값 구하기**

조건 (나)에서 $\lim_{x\to2}\frac{f(x)}{x-2}=5$이므로

$x\to2$일 때, (분모)$\to0$이고 극한값이 존재하므로 (분자)$\to0$이어야 한다.

즉 $\lim_{x\to2}f(x)=0$이므로 $f(2)=0$

또한, $\lim_{x\to2}\frac{f(x)}{x-2}=\lim_{x\to2}\frac{f(x)-f(2)}{x-2}=f'(2)=5$

STEP B **합성함수의 미분법을 이용하여 구하기**

한편 조건 (가)에서 $f(0)=0$이므로 $f(f(2))=f(0)=0$

$\lim_{x\to2}\frac{f(f(x))}{x-2}=\lim_{x\to2}\frac{f(f(x))-f(f(2))}{x-2}=(f\circ f)'(2)$

함수 $h(x)=(f\circ f)(x)$라 하면 $h'(x)=f'(f(x))f'(x)$

조건 (가)에서 $f'(0)=3$이므로

$h'(2)=f'(f(2))f'(2)=f'(0)f'(2)=3\times5=15$

따라서 $\lim_{x\to2}\frac{f(f(x))}{x-2}=h'(2)=15$

0950

정답 ③

STEP A **$f(2)$, $f'(2)$, $g(1)$, $g'(1)$의 값 구하기**

함수 $y=f(x)$의 그래프 위의 점 $(2,\ -3)$에서의 접선의 기울기가 2이므로

$f(2)=-3,\ f'(2)=2$

함수 $y=g(x)$의 그래프 위의 점 $(1,\ 2)$에서의 접선의 기울기가 6이므로

$g(1)=2,\ g'(1)=6$

STEP B **미분계수를 변형하여 구하기**

$h(x)=f(g(x))$로 놓으면 $h(1)=f(g(1))=f(2)=-3$이므로

$\lim_{x\to1}\frac{f(g(x))+3}{x-1}=\lim_{x\to1}\frac{h(x)-h(1)}{x-1}=h'(1)$

따라서 $h'(x)=f'(g(x))g'(x)$에서

$h'(1)=f'(g(1))g'(1)=f'(2)\cdot g'(1)=2\cdot6=12$

내신연계 출제문항 355

미분가능한 두 함수 $f(x)$, $g(x)$에 대하여 함수 $y=f(x)$의 그래프 위의 점 $(3,\ 3)$에서의 접선의 기울기가 2이고, 함수 $y=g(x)$의 그래프 위의 점 $(2,\ 3)$에서의 접선의 기울기가 5일 때, $\lim_{x\to2}\frac{f(g(x))-3}{x-2}$의 값은?

① 8　② 10　③ 12　④ 15　⑤ 16

STEP A **$f(3)$, $f'(3)$, $g(2)$, $g'(2)$의 값 구하기**

함수 $y=f(x)$의 그래프 위의 점 $(3,\ 3)$에서의 접선의 기울기가 2이므로

$f(3)=3,\ f'(3)=2$

함수 $y=g(x)$의 그래프 위의 점 $(2,\ 3)$에서의 접선의 기울기가 5이므로

$g(2)=3,\ g'(2)=5$

STEP B **미분계수를 변형하여 구하기**

$h(x)=f(g(x))$로 놓으면 $h(2)=f(g(2))=f(3)=3$이므로

$\lim_{x\to2}\frac{f(g(x))-3}{x-2}=\lim_{x\to2}\frac{h(x)-h(2)}{x-2}=h'(2)$

따라서 $h'(x)=f'(g(x))g'(x)$에서

$h'(2)=f'(g(2))g'(2)=f'(3)\cdot g'(2)=2\cdot5=10$

정답 ②

0951

 ⑤

STEP Ⓐ **분수꼴의 극한의 성질과 미분계수를 이용하여 $f(2)$, $f'(2)$의 값 구하기**

$\lim_{x\to2}\frac{f(x)+1}{x-2}=3$에서

$x\to2$일 때, (분모)$\to0$이고 극한값이 존재하므로 (분자)$\to0$이어야 한다.

즉 $\lim_{x\to2}\{f(x)+1\}=0$이므로 $f(2)=-1$

또한, $\lim_{x\to2}\frac{f(x)+1}{x-2}=\lim_{x\to2}\frac{f(x)-f(2)}{x-2}=f'(2)=3$

STEP Ⓑ **분수꼴의 극한의 성질과 미분계수를 이용하여 $g(-1)$, $g'(-1)$의 값 구하기**

또, $\lim_{x\to-1}\frac{g(x)-2}{x+1}=2$에서

$x\to-1$일 때, (분모)$\to0$이고 극한값이 존재하므로 (분자)$\to0$이다.

즉 $\lim_{x\to-1}\{g(x)-2\}=0$이므로 $g(-1)=2$

또한, $\lim_{x\to-1}\frac{g(x)-2}{x+1}=\lim_{x\to-1}\frac{g(x)-g(-1)}{x-(-1)}=g'(-1)=2$

STEP Ⓒ **미분계수를 변형하여 구하기**

이때 $y=(g\circ f)(x)$에서 $y'=g'(f(x))f'(x)$

따라서 $x=2$에서의 미분계수는 $g'(f(2))f'(2)=g'(-1)\cdot f'(2)=2\cdot3=6$

내신연계 출제문항 356

미분가능한 두 함수 $f(x)$, $g(x)$가

$$\lim_{x\to1}\frac{f(x)-5}{x-1}=3,\ \lim_{h\to0}\frac{g(5+h)-g(5)}{h}=2$$

를 만족시킬 때, 함수 $y=(g\circ f)(x)$의 $x=1$에서의 미분계수는?

① 3　② 4　③ 5　④ 6　⑤ 7

STEP Ⓐ **분수꼴의 극한의 성질과 미분계수를 이용하여 $f(1)$, $f'(1)$ 구하기**

$\lim_{x\to1}\frac{f(x)-5}{x-1}=3$에서

$x\to1$일 때, (분모)$\to0$이고 극한값이 존재하므로 (분자)$\to0$이어야 한다.

즉 $\lim_{x\to1}\{f(x)-5\}=0$　$\therefore f(1)=5$

이때 $\lim_{x\to1}\frac{f(x)-5}{x-1}=\lim_{x\to1}\frac{f(x)-f(1)}{x-1}=f'(1)$이므로 $f'(1)=3$

STEP Ⓑ **미분계수의 정의를 이용하여 $g'(5)$ 구하기**

또한, $\lim_{h\to0}\frac{g(5+h)-g(5)}{h}=2$에서 $g'(5)=2$

STEP Ⓒ **합성함수의 미분법을 이용하여 $x=1$에서의 미분계수 구하기**

$y=(g\circ f)(x)$에서 $y'=g'(f(x))f'(x)$

따라서 $x=1$에서의 미분계수는 $g'(f(1))f'(1)=g'(5)f'(1)=2\cdot3=6$

 ④

0952

 ③

STEP Ⓐ **분수꼴의 극한의 성질과 미분계수를 이용하여 $f(-3)$, $f'(-3)$의 값 구하기**

$\lim_{x\to-3}\frac{f(x)+3}{x+3}=4$에서

$x\to-3$일 때, (분모)$\to0$이고 극한값이 존재하므로 (분자)$\to0$이어야 한다.

즉 $\lim_{x\to-3}\{f(x)+3\}=0$이므로 $f(-3)+3=0$　$\therefore f(-3)=-3$

또한, $\lim_{x\to-3}\frac{f(x)+3}{x+3}=\lim_{x\to-3}\frac{f(x)-f(-3)}{x-(-3)}=f'(-3)=4$

STEP Ⓑ **분수꼴의 극한의 성질과 미분계수를 이용하여 $g(-3)$, $g'(-3)$의 값 구하기**

$\lim_{x\to-3}\frac{g(x)+3}{x+3}=1$에서

$x\to-3$일 때, (분모)$\to0$이고 극한값이 존재하므로 (분자)$\to0$이다.

즉 $\lim_{x\to-3}\{g(x)+3\}=0$이므로 $g(-3)+3=0$　$\therefore g(-3)=-3$

또한, $\lim_{x\to-3}\frac{g(x)+3}{x+3}=\lim_{x\to-3}\frac{g(x)-g(-3)}{x-(-3)}=g'(-3)=1$

STEP Ⓒ **합성함수의 미분법을 이용하여 $x=-3$에서의 미분계수 구하기**

이때 $y=f(g(x))$에서 $y'=f'(g(x))g'(x)$

따라서 $x=-3$에서의 미분계수는

$f'(g(-3))g'(-3)=f'(-3)g'(-3)=4\times1=4$

0953

 ③

STEP Ⓐ **분수꼴의 극한의 성질과 미분계수의 정의를 이용하여 $h(1)$, $h'(1)$의 값 구하기**

조건 (나) $\lim_{x\to1}\frac{h(x)-5}{x-1}=12$에서

$x\to1$일 때, (분모)$\to0$이고 극한값이 존재하므로 (분자)$\to0$이어야 한다.

즉 $\lim_{x\to1}\{h(x)-5\}=0$이므로 $h(1)=5$

이때 $\lim_{x\to1}\frac{h(x)-h(1)}{x-1}=h'(1)=12$이므로 $h(1)=5$, $h'(1)=12$

STEP Ⓑ **$g(2)+g'(2)$의 값 구하기**

$h(x)=(g\circ f)(x)=g(f(x))$에서 $h(1)=g(f(1))=g(2)=5$ ⇐ $f(1)=2$

$h(x)=g(f(x))$의 양변을 x에 대하여 미분하면 $h'(x)=g'(f(x))f'(x)$

$h'(1)=g'(f(1))f'(1)=3g'(2)=12$ ⇐ $f'(1)=3$

$g'(2)=4$

따라서 $g(2)+g'(2)=5+4=9$

내신연계 출제문항 357

실수 전체의 집합에서 미분가능한 두 함수 $f(x)$, $g(x)$에 대하여

함수 $h(x)$를 $h(x)=(f\circ g)(x)$라 할 때

$$\lim_{x\to1}\frac{g(x)+1}{x-1}=2,\ \lim_{x\to1}\frac{h(x)-2}{x-1}=12$$

를 만족시킨다. $f(-1)+f'(-1)$의 값은?

① 4　② 5　③ 6　④ 7　⑤ 8

STEP Ⓐ **분수꼴의 극한의 성질과 미분계수의 정의를 이용하여 $g(1)$, $g'(1)$ 구하기**

$\lim_{x\to1}\frac{g(x)+1}{x-1}=2$에서

$x\to1$일 때, (분모)$\to0$이고 극한값이 존재하므로 (분자)$\to0$이어야 한다.

즉 $\lim_{x\to1}\{g(x)+1\}=g(1)+1=0$　$\therefore g(1)=-1$

또, $\lim_{x\to1}\frac{g(x)+1}{x-1}=\lim_{x\to1}\frac{g(x)-g(1)}{x-1}=g'(1)=2$

STEP Ⓑ **분수꼴의 극한의 성질과 미분계수의 정의를 이용하여 $h(1)$, $h'(1)$ 구하기**

$\lim_{x\to1}\frac{h(x)-2}{x-1}=12$에서

$x\to1$일 때, (분모)$\to0$이고 극한값이 존재하므로 (분자)$\to0$이어야 한다.

$\lim_{x\to1}\{h(x)-2\}=h(1)-2=0$　$\therefore h(1)=2$

또, $\lim_{x\to1}\frac{h(x)-2}{x-1}=\lim_{x\to1}\frac{h(x)-h(1)}{x-1}=h'(1)=12$

STEP C $f(-1)+f'(-1)$의 값 구하기

$h(x)=(f\circ g)(x)$에서

$x=1$일 때, $h(1)=f(g(1))=f(-1)=2$

$h'(x)=f'(g(x))g'(x)$에서

$x=1$일 때, $h'(1)=f'(g(1))g'(1)=f'(-1)\times 2=12$

즉 $f'(-1)=6$

따라서 $f(-1)+f'(-1)=2+6=8$ 정답 ⑤

0954

STEP A 미분계수의 정의를 이용하여 $f(1)$, $f'(1)$, $g(1)$, $g'(1)$ 구하기

$\lim_{x\to1}\frac{f(x)+1}{x-1}=3$에서 $x\to1$일 때, (분모)→ 0이므로 (분자)→ 0이다.

즉 $\lim_{x\to1}\{f(x)+1\}=0$이므로 $f(1)=-1$

$\therefore \lim_{x\to1}\frac{f(x)+1}{x-1}=\lim_{x\to1}\frac{f(x)-f(1)}{x-1}=f'(1)=3$ …… ㉠

또, $\lim_{x\to1}\frac{g(x)-1}{f(x)+1}=2$에서 $x\to1$일 때, (분모)→ 0이므로 (분자)→ 0이다.

즉 $\lim_{x\to1}\{g(x)-1\}=0$이므로 $g(1)=1$

$$\lim_{x\to1}\frac{g(x)-1}{f(x)+1}=\lim_{x\to1}\frac{g(x)-g(1)}{f(x)-f(1)}=\frac{\lim_{x\to1}\frac{g(x)-g(1)}{x-1}}{\lim_{x\to1}\frac{f(x)-f(1)}{x-1}}=\frac{g'(1)}{f'(1)}=2$$

㉠에서 $\frac{g'(1)}{f'(1)}=\frac{g'(1)}{3}=2 \quad \therefore g'(1)=6$

STEP B 합성함수의 미분법을 이용하여 구하는 식 구하기

이때 $f(g(x))=h(x)$이라 하면 $h(1)=f(g(1))=f(1)=-1$

$\lim_{x\to1}\frac{f(g(x))+1}{x-1}=\lim_{x\to1}\frac{h(x)-h(1)}{x-1}=h'(1)$

따라서 $h'(x)=f'(g(x))g'(x)$이므로

$h'(1)=f'(g(1))g'(1)=f'(1)\cdot6=3\cdot6=18$

0955

STEP A 분수꼴의 극한의 성질과 미분계수를 이용하여 $f(0)$, $f'(0)$의 값 구하기

$\lim_{x\to0}\frac{x}{f(x)}=1$에서

$x\to0$일 때, (분자)→ 0이고 0이 아닌 극한값을 가지므로 (분모)→ 0이어야 한다.

즉 $\lim_{x\to0}f(x)=0$이므로 $f(0)=0$

$$\lim_{x\to0}\frac{x}{f(x)}=\lim_{x\to0}\frac{x}{f(x)-f(0)}=\lim_{x\to0}\frac{1}{\frac{f(x)-f(0)}{x}}=\frac{1}{f'(0)}=1$$

$\therefore f'(0)=1$

STEP B 분수꼴의 극한의 성질과 미분계수의 정의를 이용하여 $f(1)$, $f'(1)$ 구하기

$\lim_{x\to1}\frac{x-1}{f(x)}=2$에서

$x\to1$일 때, (분자)→ 0이고 0이 아닌 극한값을 가지므로 (분모)→ 0이어야 한다.

즉 $\lim_{x\to1}f(x)=0$이므로 $f(1)=0$

$$\lim_{x\to1}\frac{x-1}{f(x)}=\lim_{x\to1}\frac{x-1}{f(x)-f(1)}=\lim_{x\to1}\frac{1}{\frac{f(x)-f(1)}{x-1}}=\frac{1}{f'(1)}=2$$

$\therefore f'(1)=\frac{1}{2}$

STEP C 미분계수의 정의와 합성함수의 미분법을 이용하여 구하기

따라서 $\lim_{x\to1}\frac{f(f(x))}{2x^2-x-1}=\lim_{x\to1}\frac{f(f(x))}{(x-1)(2x+1)}$

$=\lim_{x\to1}\frac{f(f(x))-f(f(1))}{(x-1)(2x+1)}$ ($\because f(f(1))=f(0)=0$)

$=\lim_{x\to1}\left\{\frac{f(f(x))-f(f(1))}{f(x)-f(1)}\cdot\frac{f(x)-f(1)}{x-1}\cdot\frac{1}{2x+1}\right\}$

$=f'(f(1))\cdot f'(1)\cdot\frac{1}{3}$

$=f'(0)\cdot\frac{1}{2}\cdot\frac{1}{3}=\frac{1}{6}$

다른풀이 함수의 극한의 성질을 이용하여 풀이하기

STEP A 미분계수의 정의와 합성함수의 미분법을 이용하여 변형하기

$\lim_{x\to1}\frac{f(f(x))}{2x^2-x-1}=\lim_{x\to1}\frac{f(f(x))}{(x-1)(2x+1)}$

$=\lim_{x\to1}\left\{\frac{f(f(x))}{f(x)}\cdot\frac{f(x)}{x-1}\cdot\frac{1}{2x+1}\right\}$

$=\lim_{x\to1}\frac{f(f(x))}{f(x)}\cdot\lim_{x\to1}\frac{1}{\frac{x-1}{f(x)}}\cdot\lim_{x\to1}\frac{1}{2x+1}$

STEP B $f(x)=t$로 치환하여 미분계수의 정의를 이용하여 구하기

따라서 $x\to1$일 때, $f(x)\to0$이므로 $f(x)=t$로 치환하면

조건에서 $\lim_{t\to0}\frac{t}{f(t)}=1$, $\lim_{t\to1}\frac{t-1}{f(t)}=2$이므로

(주어진 식)$=\lim_{t\to0}\frac{f(t)}{t}\cdot\lim_{x\to1}\frac{1}{\frac{x-1}{f(x)}}\cdot\lim_{x\to1}\frac{1}{2x+1}=1\cdot\frac{1}{2}\cdot\frac{1}{3}=\frac{1}{6}$

다른풀이 다항함수 $f(x)$를 직접 구하여 풀이하기

$\lim_{x\to0}\frac{x}{f(x)}=1$에서 …… ㉠

$x\to0$일 때, (분자)→ 0이므로 (분모)→ 0이어야 한다.

$\lim_{x\to0}f(x)=0$이므로 $f(0)=0$

$\lim_{x\to1}\frac{x-1}{f(x)}=2$에서 …… ㉡

$x\to1$일 때, (분자)→ 0이므로 (분모)→ 0이어야 한다.

$\lim_{x\to1}f(x)=0$이므로 $f(1)=0$

즉 다항함수 $f(x)=ax(x-1)g(x)$ …… ㉢

(단, $g(x)$는 다항함수)로 놓고 ㉢을 ㉠에 대입하면

$\lim_{x\to0}\frac{x}{f(x)}=\lim_{x\to0}\frac{x}{ax(x-1)g(x)}=\lim_{x\to0}\frac{1}{a(x-1)g(x)}=-\frac{1}{ag(0)}=1$

$\therefore g(0)=-\frac{1}{a}$

또한, ㉢을 ㉡에 대입하면

$\lim_{x\to1}\frac{x-1}{f(x)}=\lim_{x\to1}\frac{x-1}{ax(x-1)g(x)}=\lim_{x\to1}\frac{1}{axg(x)}=\frac{1}{ag(1)}=2$

$\therefore g(1)=\frac{1}{2a}$

따라서 $f(f(x))=af(x)\{f(x)-1\}g(f(x))$

$\therefore \lim_{x\to1}\frac{f(f(x))}{2x^2-x-1}=\lim_{x\to1}\frac{af(x)\{f(x)-1\}g(f(x))}{(x-1)(2x+1)}$

$=\lim_{x\to1}\frac{a\cdot ax(x-1)g(x)\{f(x)-1\}g(f(x))}{(x-1)(2x+1)}$

$=\lim_{x\to1}\frac{a^2xg(x)\{f(x)-1\}g(f(x))}{2x+1}$

$=\frac{a^2g(1)\{f(1)-1\}g(f(1))}{3}$

$=\frac{-a^2\cdot\frac{1}{2a}\cdot\left(-\frac{1}{a}\right)}{3}$

$=\frac{1}{6}$

내신연계 출제문항 358

미분가능한 함수 $f(x)$가

$$\lim_{x\to0}\frac{f(x)}{x}=2,\ \lim_{x\to1}\frac{f(x)}{x-1}=3$$

을 만족할 때, $\lim_{x\to1}\frac{f(f(x))}{x-1}$의 값은?

① 2　② 4　③ 6
④ 8　⑤ 10

STEP A 분수꼴의 극한의 성질과 미분계수를 이용하여 $f(0)$, $f'(0)$의 값 구하기

$\lim_{x\to0}\frac{f(x)}{x}=2$에서

$x\to0$일 때, (분모)$\to0$이고 극한값이 존재하므로 (분자)$\to0$이어야 한다.

즉 $\lim_{x\to0}f(x)=0$이므로 $f(0)=0$

또한, $\lim_{x\to0}\frac{f(x)-0}{x-0}=\lim_{x\to0}\frac{f(x)-f(0)}{x-0}=f'(0)=2$

STEP B 분수꼴의 극한의 성질과 미분계수의 정의를 이용하여 $f(1)$, $f'(1)$ 구하기

$\lim_{x\to1}\frac{f(x)}{x-1}=3$에서

$x\to1$일 때, (분모)$\to0$이고 극한값이 존재하므로 (분자)$\to0$이어야 한다.

즉 $\lim_{x\to1}f(x)=0$이므로 $f(1)=0$

$\therefore \lim_{x\to1}\frac{f(x)-0}{x-1}=\lim_{x\to1}\frac{f(x)-f(1)}{x-1}=f'(1)=3$

STEP C 주어진 식의 값 구하기

이때 $\{f(f(x))\}'=f'(f(x))f'(x)$이므로

$\lim_{x\to1}\frac{f(f(x))-0}{x-1}=\lim_{x\to1}\frac{f(f(x))-f(f(1))}{x-1}=f'(f(1))f'(1)$

따라서 $f'(f(1))f'(1)=f'(0)\cdot f'(1)=2\cdot3=6$

정답 ③

0956

정답 ⑤

STEP A 나눗셈의 관계식을 이용하여 a, b에 대하여 정리하기

$32x^5+ax+b$를 $(2x+1)^2$으로 나누었을 때의 몫을 $Q(x)$라고 하면

$32x^5+ax+b=(2x+1)^2Q(x)$ ······ ㉠

㉠의 양변에 $x=-\frac{1}{2}$을 대입하면

$-1-\frac{1}{2}a+b=0$, $a-2b=-2$ ······ ㉡

STEP B 합성함수의 미분법을 이용하여 a의 값 구하기

㉠의 양변을 x에 대하여 미분하면

$160x^4+a=4(2x+1)Q(x)+(2x+1)^2Q'(x)$

이 식의 양변에 $x=-\frac{1}{2}$을 대입하면 $10+a=0$, $a=-10$

$a=-10$을 ㉡에 대입하면 $b=-4$

따라서 $ab=40$

내신연계 출제문항 359

다항식 $x^{10}+ax+b$가 $(1-x)^2$으로 나누어떨어질 때, 상수 a, b에 대하여 $a+b$의 값은?

① -4　② -2　③ -1
④ 1　⑤ 2

STEP A 나눗셈의 관계식을 이용하여 a, b에 대하여 정리하기

$x^{10}+ax+b$를 $(1-x)^2$으로 나누었을 때의 몫을 $Q(x)$라 하면

$x^{10}+ax+b=(1-x)^2Q(x)$ ······ ㉠

㉠의 양변에 $x=1$을 대입하면

$1+a+b=0$ ······ ㉡

STEP B 합성함수의 미분법을 이용하여 a의 값 구하기

㉠의 양변을 x에 대하여 미분하면

$10x^9+a=2(1-x)\cdot(-1)Q(x)+(1-x)^2Q'(x)$

$=2(x-1)Q(x)+(1-x)^2Q'(x)$

이 식의 양변에 $x=1$을 대입하면 $10+a=0$

$a=-10$을 ㉡에 대입하면 $b=9$

따라서 $a+b=-10+9=-1$

정답 ③

0957

정답 ③

STEP A 나눗셈의 관계식을 이용하여 k에 대하여 정리하기

$f(x)=(2x-1)^n$이라 하면 $f(1)=1$이고

$f'(x)=n(2x-1)^{n-1}\cdot2=2n(2x-1)^{n-1}$이므로 $f'(1)=2n$

다항식 $f(x)$를 $(x-1)^2$으로 나눈 몫을 $Q(x)$라 하면

$f(x)=(x-1)^2Q(x)+10x+k$ ······ ㉠

$f(1)=10+k=1$ $\therefore k=-9$

STEP B 합성함수의 미분법을 이용하여 a의 값 구하기

㉠의 양변을 x에 대하여 미분하면

$f'(x)=2(x-1)Q(x)+(x-1)^2Q'(x)+10$

위의 식의 양변에 $x=1$을 대입하면 $f'(1)=10$

$2n=10$ $\therefore n=5$

따라서 $n+k=5+(-9)=-4$

0958

정답 ⑤

STEP A 합성함수에서 $f(1)$, $f'(1)$ 구하기

$(f\circ g)(0)=2$에서 $f(g(0))=f(e^{\sin0})=f(e^0)=f(1)=2$

$g(x)=e^{\sin x}$에서 $g'(x)=e^{\sin x}\cos x$이므로 $g(0)=1$, $g'(0)=1$

$(f\circ g)'(x)=f'(g(x))g'(x)$

$(f\circ g)'(0)=1$이므로 $f'(g(0))g'(0)=f'(1)=1$

STEP B 다항식의 나눗셈을 이용하여 나머지 구하기

$f(x)$를 이차식 $(x-1)^2$으로 나누었을 때의 몫을 $Q(x)$라 하면

나머지는 일차 이하의 다항식이므로

$f(x)=(x-1)^2Q(x)+ax+b$ (a, b는 상수) ······ ㉠

㉠의 양변에 $x=1$을 대입하면 $f(1)=a+b$

$\therefore a+b=2$ ······ ㉡

㉠의 양변을 x에 대하여 미분하면

$f'(x)=2(x-1)Q(x)+(x-1)^2Q'(x)+a$

양변에 $x=1$을 대입하면 $f'(1)=a$ $\therefore a=1$

$a=1$을 ㉡에 대입하면 $b=1$이므로 $R(x)=x+1$

따라서 $R(3)=3+1=4$

0959

 ⑤

STEP A 지수함수의 합성함수 미분법을 이용하기

$g(x)=(f\circ f)(x)$의 양변을 x로 미분하면

$g'(x)=(f\circ f)'(x)=f'(f(x))f'(x)$

$f(x)=e^{2x}$에서 $f'(x)=2e^{2x}$이므로

$f(0)=1,\ f'(0)=2$

STEP B $g'(0)$의 값 구하기

따라서 $g'(0)=f'(f(0))f'(0)=f'(1)\times 2=2e^2\times 2=4e^2$

0960

 ①

STEP A 지수함수의 합성함수 미분법을 이용하여 $f'(2\pi)$의 값 구하기

$f(x)=e^{\sin x}$에서 $f'(x)=e^{\sin x}(\sin x)'=e^{\sin x}\cos x$

따라서 $f'(2\pi)=e^{\sin 2\pi}\cos 2\pi=1$

0961

 ②

STEP A 지수함수의 합성함수 미분법을 이용하여 접선의 기울기 구하기

$y=2^{2x-3}+1$에서 $y'=2\ln 2\cdot 2^{2x-3}$

따라서 곡선 $y=2^{2x-3}+1$ 위의 점 $\left(1,\ \frac{3}{2}\right)$에서의 접선의 기울기는 $\ln 2$

내신연계 출제문항 360

곡선 $f(x)=5^{\cos^2 x}$ 위의 점 $\left(\frac{\pi}{4},\ 1\right)$에서의 접선의 기울기는?

① $-5\ln 5$　② $-\sqrt{5}\ln 5$　③ 0

④ $\frac{\sqrt{5}}{\ln 5}$　⑤ $\frac{1}{\ln 5}$

STEP A 지수함수의 합성함수 미분법을 이용하기

$f'(x)=5^{\cos^2 x}\ln 5\cdot(\cos^2 x)'$

$=5^{\cos^2 x}\ln 5\cdot(-2\cos x\sin x)$

$=-5^{\cos^2 x}\cdot\ln 5\cdot\sin 2x$

STEP B $x=\frac{\pi}{4}$에서 미분계수 구하기

따라서 점 $\left(\frac{\pi}{4},\ 1\right)$에서의 접선의 기울기는

$f'\left(\frac{\pi}{4}\right)=-5^{\cos^2\frac{\pi}{4}}\cdot\ln 5\cdot\sin\frac{\pi}{2}=-\sqrt{5}\ln 5$

 ②

0962

 ③

STEP A 지수함수의 미분법을 이용하여 a 구하기

$f(x)=50\sqrt{2^x}=50\cdot 2^{\frac{1}{2}x}$을 x에 대하여 미분하면

$f'(x)=50\cdot\frac{1}{2}\cdot 2^{\frac{1}{2}x}\ln 2=25\ln 2\cdot 2^{\frac{1}{2}x}$

따라서 $f'(a)=100\ln 2=25\ln 2\cdot 2^{\frac{1}{2}a}$이므로 $\frac{1}{2}a=2$　$\therefore\ a=4$

내신연계 출제문항 361

함수 $f(x)=2^{2x}$에 대하여 $f'(a)=32\ln 2$를 만족시키는 상수 a의 값은?

① $\frac{1}{2}$　② 1　③ $\frac{3}{2}$

④ 2　⑤ $\frac{5}{2}$

STEP A 지수함수의 미분법을 이용하여 a 구하기

$f(x)=2^{2x}$을 x에 대하여 미분하면

$f'(x)=2^{2x}\cdot\ln 2\cdot 2=2^{2x+1}\ln 2$

따라서 $f'(a)=2^{2a+1}\ln 2=32\ln 2$이므로 $2a+1=5$　$\therefore\ a=2$

 ④

0963

 ④

STEP A 지수함수의 합성함수 미분법을 이용하여 $f'(0)$의 값 구하기

$f(x)=e^{-2x}\sin x$에서

$f'(x)=(e^{-2x})'\sin x+e^{-2x}(\sin x)'$

$=-2e^{-2x}\sin x+e^{-2x}\cos x$

따라서 $f'(0)=e^0\cos 0=1$

내신연계 출제문항 362

함수 $f(x)=e^{4x}\tan 2x$에 대하여 $f'\left(\frac{\pi}{8}\right)$의 값은?

① $6e^{\frac{\pi}{2}}$　② $7e^{\frac{\pi}{2}}$　③ $8e^{\frac{\pi}{2}}$

④ $9e^{\frac{\pi}{2}}$　⑤ $10e^{\frac{\pi}{2}}$

STEP A 합성함수의 미분법을 이용하기

$f'(x)=(e^{4x})'\tan 2x+e^{4x}(\tan 2x)'$

$=\{e^{4x}\times(4x)'\}\times\tan 2x+e^{4x}\times\{\sec^2 2x\times(2x)'\}$

$=4e^{4x}\tan 2x+2e^{4x}\sec^2 2x$

STEP B $f'\left(\frac{\pi}{8}\right)$의 값 구하기

$f'\left(\frac{\pi}{8}\right)=4e^{\frac{\pi}{2}}\tan\frac{\pi}{4}+2e^{\frac{\pi}{2}}\sec^2\frac{\pi}{4}$

$=4e^{\frac{\pi}{2}}\times 1+2e^{\frac{\pi}{2}}\times(\sqrt{2})^2=8e^{\frac{\pi}{2}}$

 ③

0964

 ①

STEP A 몫의 미분법을 이용하여 $f'(0)$의 값 구하기

함수의 몫의 미분법에서

$$f'(x)=\frac{(e^x-e^{-x})'(e^x+e^{-x})-(e^x-e^{-x})(e^x+e^{-x})'}{(e^x+e^{-x})^2}$$

$$=\frac{(e^x+e^{-x})(e^x+e^{-x})-(e^x-e^{-x})(e^x-e^{-x})}{(e^x+e^{-x})^2}$$

$$=\frac{4}{(e^x+e^{-x})^2}$$

$$f'(0)=\frac{4}{(1+1)^2}=1$$

STEP B 미분계수의 정의를 이용하여 구하기

따라서 $\lim_{x\to 0}\frac{f(x)}{x}=\lim_{x\to 0}\frac{f(x)-f(0)}{x-0}=f'(0)$이므로 $f'(0)=1$

다른풀이 곱의 미분법을 이용하여 풀이하기

$f(x)=\dfrac{e^x-e^{-x}}{e^x+e^{-x}}$에서 $(e^x+e^{-x})f(x)=e^x-e^{-x}$ ······ ㉠

㉠의 양변을 x에 대하여 미분하면

$(e^x-e^{-x})f(x)+(e^x+e^{-x})f'(x)=e^x+e^{-x}$ ······ ㉡

㉡의 양변을 $x=0$에 대입하면

$0f(0)+2f'(0)=2 \quad \therefore f'(0)=1$

따라서 $\lim\limits_{x\to 0}\dfrac{f(x)}{x}=f'(0)=1$

0965

정답 ④

STEP Ⓐ **로그함수의 미분법을 이용하여 $f'(1)$ 구하기**

$f(x)=\ln(3x^2+1)$에서 $f'(x)=\dfrac{6x}{3x^2+1}$

따라서 $f'(1)=\dfrac{6}{3+1}=\dfrac{3}{2}$

0966

정답 ②

STEP Ⓐ **로그함수의 미분법을 이용하여 $f'(x)$ 구하기**

$f'(x)=2x\times\ln ax+(x^2+1)\times\dfrac{1}{x}$

$=2x\ln ax+x+\dfrac{1}{x}$

STEP Ⓑ **$f'(1)=3$을 이용하여 a의 값 구하기**

따라서 $f'(1)=2\ln a+2=3$에서 $2\ln a=1$, $\ln a=\dfrac{1}{2}$이므로 $a=\sqrt{e}$

내신연계 출제문항 363

함수 $f(x)=\dfrac{ax}{\ln x}\,(x>1)$에 대하여 $f'(e^2)=\dfrac{1}{4}$일 때, 상수 a의 값은?

① 1 ② 2 ③ 3
④ 4 ⑤ 5

STEP Ⓐ **몫의 미분법을 이용하여 $f'(x)$ 구하기**

$f(x)=\dfrac{ax}{\ln x}$에서

$f'(x)=\left(\dfrac{ax}{\ln x}\right)'=\dfrac{(ax)'\cdot\ln x-ax\cdot(\ln x)'}{(\ln x)^2}$

$=\dfrac{a\cdot\ln x-ax\cdot\dfrac{1}{x}}{(\ln x)^2}$

$=\dfrac{a(-1+\ln x)}{(\ln x)^2}$

STEP Ⓑ **a의 값 구하기**

$f'(e^2)=\dfrac{a(-1+\ln e^2)}{(\ln e^2)^2}=\dfrac{a\{(-1)+2\}}{2^2}=\dfrac{a}{4}=\dfrac{1}{4}$

따라서 $a=1$

정답 ①

0967

정답 ⑤

STEP Ⓐ **합성함수 미분법을 이용하여 $f'(x)$ 구하기**

$f(x)=\{\ln(x+1)+2\}^3$에서 $f'(x)=3\{\ln(x+1)+2\}^2\cdot\dfrac{1}{x+1}$

STEP Ⓑ **$f'(e-1)$의 값 구하기**

따라서 $f'(e-1)=3\{\ln(e-1+1)+2\}^2\cdot\dfrac{1}{e-1+1}$

$=3\cdot 3^2\cdot\dfrac{1}{e}=\dfrac{27}{e}=27e^{-1}$

0968

정답 ④

STEP Ⓐ **로그함수의 미분법을 이용하여 $f'(1)$ 구하기**

$f(x)=(\ln x)^4+e^{2x}$에서 $f'(x)=\dfrac{4(\ln x)^3}{x}+2e^{2x}$

따라서 $f'(1)=2e^2$

0969

정답 ①

STEP Ⓐ **로그함수의 미분법을 이용하여 $f'(e)$ 구하기**

$f'(x)=\dfrac{(\log_3 x)'}{\log_3 x}=\dfrac{\dfrac{1}{x\ln 3}}{\log_3 x}=\dfrac{1}{(x\ln 3)\log_3 x}=\dfrac{1}{x\ln x}$ ← $\log_3 x=\dfrac{\ln x}{\ln 3}$

따라서 $f'(e)=\dfrac{1}{e}$

0970

정답 ④

STEP Ⓐ **로그함수의 미분법을 이용하여 $f'(x)$ 구하기**

$f(x)=\ln(x^2-1)$에서 $f'(x)=\dfrac{2x}{x^2-1}$

STEP Ⓑ **급수 구하기**

따라서 $\sum\limits_{n=2}^{\infty}\dfrac{f'(n)}{n}=\sum\limits_{n=2}^{\infty}\dfrac{\dfrac{2n}{n^2-1}}{n}=\sum\limits_{n=2}^{\infty}\dfrac{2}{n^2-1}$

$=\sum\limits_{n=2}^{\infty}\left(\dfrac{1}{n-1}-\dfrac{1}{n+1}\right)$

$=\lim\limits_{n\to\infty}\sum\limits_{k=2}^{n}\left(\dfrac{1}{k-1}-\dfrac{1}{k+1}\right)$

$=\lim\limits_{n\to\infty}\left\{\left(1-\dfrac{1}{3}\right)+\left(\dfrac{1}{2}-\dfrac{1}{4}\right)+\left(\dfrac{1}{3}-\dfrac{1}{5}\right)+\cdots+\left(\dfrac{1}{n-2}-\dfrac{1}{n}\right)+\left(\dfrac{1}{n-1}-\dfrac{1}{n+1}\right)\right\}$

$=\lim\limits_{n\to\infty}\left(1+\dfrac{1}{2}-\dfrac{1}{n}-\dfrac{1}{n+1}\right)$

$=\dfrac{3}{2}$

내신연계 출제문항 364

함수 $f(x)=\ln(x^2+2x)$에 대하여 $\sum_{n=1}^{\infty}\frac{f'(n)}{n+1}$의 값은?

① $\frac{1}{2}$ ② $\frac{2}{3}$ ③ 1

④ $\frac{3}{2}$ ⑤ 2

STEP Ⓐ **로그함수의 미분법을 이용하기**

$f(x)=\ln(x^2+2x)$에서 $f'(x)=\frac{(x^2+2x)'}{x^2+2x}=\frac{2x+2}{x^2+2x}=\frac{2(x+1)}{x(x+2)}$

STEP Ⓑ **급수 구하기**

따라서 $\sum_{n=1}^{\infty}\frac{f'(n)}{n+1}=\sum_{n=1}^{\infty}\frac{2}{n(n+2)}=\lim_{n\to\infty}\sum_{k=1}^{n}\frac{2}{k(k+2)}$

$=\lim_{n\to\infty}\sum_{k=1}^{n}\left(\frac{1}{k}-\frac{1}{k+2}\right)$

$=\lim_{n\to\infty}\left\{\left(\frac{1}{1}-\frac{1}{3}\right)+\left(\frac{1}{2}-\frac{1}{4}\right)+\left(\frac{1}{3}-\frac{1}{5}\right)+\cdots\right.$

$\left.+\left(\frac{1}{k-1}-\frac{1}{k+1}\right)+\left(\frac{1}{k}-\frac{1}{k+2}\right)\right\}$

$=\lim_{n\to\infty}\left(1+\frac{1}{2}-\frac{1}{k+1}-\frac{1}{k+2}\right)=\frac{3}{2}$

정답 ④

0971

 ②

STEP Ⓐ **지수함수와 로그함수의 미분법을 이용하기**

$f(x)=e^{2x}$에서 $f'(x)=2e^{2x}$

$g(x)=\ln|x^3-2|$에서 $g'(x)=\frac{3x^2}{x^3-2}$

STEP Ⓑ **합성함수의 미분법을 이용하여 $h'(-1)$ 구하기**

$h(x)=(f\circ g)(x)=f(g(x))$에서 $h'(x)=f'(g(x))g'(x)$

따라서 $h'(-1)=f'(g(-1))g'(-1)=f'(\ln 3)\cdot(-1)$

$=-2e^{2\ln 3}=-2\cdot 3^{2\ln e}$

$=-2\cdot 9=-18$

0972

 ⑤

STEP Ⓐ **몫의 미분법을 이용하여 $f'(e)$의 값 구하기**

$f(x)=\frac{\ln x}{x^2}$에서

$f'(x)=\frac{\frac{1}{x}\cdot x^2-\ln x\cdot 2x}{x^4}=\frac{1-2\ln x}{x^3}$이므로 $f'(e)=\frac{1-2\ln e}{e^3}=-\frac{1}{e^3}$

STEP Ⓑ **미분계수의 정의를 이용하여 변형하여 구하기**

따라서 $\lim_{h\to 0}\frac{f(e+h)-f(e-2h)}{h}=\lim_{h\to 0}\frac{\{f(e+h)-f(e)\}-\{f(e-2h)-f(e)\}}{h}$

$=\lim_{h\to 0}\frac{f(e+h)-f(e)}{h}-\lim_{h\to 0}\frac{f(e-2h)-f(e)}{h}$

$=f'(e)+2f'(e)=3f'(e)$

$=3\times\left(-\frac{1}{e^3}\right)=-\frac{3}{e^3}$

다른풀이 곱의 미분법을 이용하여 풀이하기

$f(x)=\frac{\ln x}{x^2}$에서 $x^2f(x)=\ln x$ ...... ㉠

㉠의 양변을 x에 대하여 미분하면

$2xf(x)+x^2f'(x)=\frac{1}{x}$ ...... ㉡

㉡의 양변을 $x=e$에 대입하면 $2ef(e)+e^2f'(e)=\frac{1}{e}$

$f(e)=\frac{1}{e^2}$이므로 $f'(e)=-\frac{1}{e^3}$

따라서 $\lim_{h\to 0}\frac{f(e+h)-f(e-2h)}{h}=3f'(e)=3\cdot\left(-\frac{1}{e^3}\right)=-\frac{3}{e^3}$

내신연계 출제문항 365

함수 $f(x)=\frac{\log_2 x}{x}$에 대하여 $\lim_{h\to 0}\frac{f(1+2h)-f(1-2h)}{h}$의 값은?

① $\frac{1}{\ln 2}$ ② $\frac{2}{\ln 2}$ ③ $\frac{4}{\ln 2}$

④ $\ln 2$ ⑤ $2\ln 2$

STEP Ⓐ **몫의 미분법을 이용하여 $f'(1)$의 값 구하기**

$f(x)=\frac{\log_2 x}{x}$에서

$f'(x)=\frac{\frac{1}{x\ln 2}\cdot x-\log_2 x\cdot 1}{x^2}=\frac{\frac{1}{\ln 2}-\frac{\ln x}{\ln 2}}{x^2}=\frac{1-\ln x}{x^2\ln 2}$

$f'(x)=\frac{\frac{1}{x\ln 2}\cdot x-\log_2 x\cdot 1}{x^2}=\frac{1-\ln x}{x^2\ln 2}$이므로 $f'(1)=\frac{1}{\ln 2}$

STEP Ⓑ **미분계수의 정의를 이용하여 구하기**

따라서 $\lim_{h\to 0}\frac{f(1+2h)-f(1-2h)}{h}$

$=\lim_{h\to 0}\frac{f(1+2h)-f(1)-\{f(1-2h)-f(1)\}}{h}$

$=\lim_{h\to 0}\frac{f(1+2h)-f(1)}{2h}\cdot 2+\lim_{h\to 0}\frac{f(1-2h)-f(1)}{-2h}\cdot 2$

$=2f'(1)+2f'(1)=4f'(1)=\frac{4}{\ln 2}$

다른풀이 곱의 미분법을 이용하여 풀이하기

$f(x)=\frac{\log_2 x}{x}$에서 $xf(x)=\log_2 x$ ...... ㉠

㉠의 양변을 x에 대하여 미분하면

$f(x)+xf'(x)=\frac{1}{x\ln 2}$ ...... ㉡

㉡의 양변을 $x=1$에 대입하면 $f(1)+f'(1)=\frac{1}{\ln 2}$

$f(1)=0$이므로 $f'(1)=\frac{1}{\ln 2}$

따라서 $\lim_{h\to 0}\frac{f(1+2h)-f(1-2h)}{h}=4f'(1)=\frac{4}{\ln 2}$

정답 ③

0973

 ④

STEP Ⓐ **미분계수의 정의를 이용하여 $g'(2)$의 값 구하기**

조건 (가)에서

$\lim_{h\to 0}\frac{g(2+4h)-g(2)}{h}=\lim_{h\to 0}\frac{g(2+4h)-g(2)}{4h}\times 4=4g'(2)=8$

이므로 $g'(2)=2$

STEP Ⓑ **합성함수의 미분법을 이용하여 $g(2)$의 값 구하기**

조건 (나)의 함수를 미분하면 $f'(g(x))g'(x)$이므로

$f'(g(2))g'(2)=2f'(g(2))=10$ $\therefore f'(g(2))=5$

이때 $f'(x)=\frac{2^x}{\ln 2}\times\ln 2=2^x$이므로 $f'(g(2))=2^{g(2)}=5$

따라서 $g(2)=\log_2 5$

내신연계 출제문항 366

함수 $f(x)=\frac{\ln x}{x}\ (x>0)$와 미분가능한 함수 $g(x)$에 대하여 함수 $h(x)$를 $h(x)=(g\circ f)(x)$라 하자. $h'\left(\frac{1}{e}\right)=\frac{e^2}{4}$일 때, $g'(-e)$의 값은?

① $\frac{1}{8}$　　② $\frac{1}{4}$　　③ $\frac{1}{2}$
④ e　　⑤ $2e$

STEP A 로그함수의 미분법을 이용하여 $f\left(\frac{1}{e}\right)$, $f'\left(\frac{1}{e}\right)$의 값 구하기

이때 $f(x)=\frac{\ln x}{x}$에서 $f'(x)=\frac{1-\ln x}{x^2}$이므로

$$f\left(\frac{1}{e}\right)=\frac{\ln\frac{1}{e}}{\frac{1}{e}}=e\ln e^{-1}=-e$$

$$f'\left(\frac{1}{e}\right)=\frac{1-\ln\frac{1}{e}}{\left(\frac{1}{e}\right)^2}=e^2(1-\ln e^{-1})=2e^2$$

STEP B 합성함수의 미분법을 이용하여 $g'(-e)$의 값 구하기

$h(x)=g(f(x))$를 x에 대하여 미분하면

$h'(x)=g'(f(x))f'(x)$　　…… ㉠

㉠의 양변에 $x=\frac{1}{e}$을 대입하면 $h'\left(\frac{1}{e}\right)=g'\left(f\left(\frac{1}{e}\right)\right)f'\left(\frac{1}{e}\right)$

$h'\left(\frac{1}{e}\right)=\frac{e^2}{4}$이므로 $\frac{e^2}{4}=g'(-e)\cdot 2e^2$

따라서 $g'(-e)=\frac{1}{8}$

 ①

0974

 ⑤

STEP A 합성함수의 미분법을 이용하여 구하기

$f(2x-1)=4x^2+4$의 양변을 x에 대하여 미분하면

$f'(2x-1)\cdot 2=8x$　$\therefore f'(2x-1)=4x$

STEP B $f'(5)$의 값 구하기

이때 $2x-1=5$에서 $x=3$

따라서 $f'(5)=4\cdot 3=12$

다른풀이 $g(x)$로 치환한 후 합성함수의 미분법을 이용하여 구하기

$g(x)=2x-1$이라 하면 $g'(x)=2$

$f(g(x))=4x^2+4$이므로 양변을 미분하면

$f'(g(x))g'(x)=8x$　　…… ㉠

$g(x)=5$이면 $2x-1=5$　$\therefore x=3$

$x=3$을 ㉠에 대입하면

$f'(g(3))g'(3)=24$, $f'(5)\cdot 2=24$

따라서 $f'(5)=12$

0975

 ③

STEP A 합성함수의 미분법을 이용하여 구하기

$f(3x-2)=3x^2-6x+1$에서 $3f'(3x-2)=6x-6$이므로

$f'(3x-2)=2x-2$

STEP B $f'(7)$의 값 구하기

따라서 $3x-2=7$에서 $x=3$이므로 $f'(7)=2\times 3-2=4$

0976

 ②

STEP A 합성함수의 미분법을 이용하여 구하기

$f(2x+3)=x^2+2x-4$의 양변을 x에 대하여 미분하면

$2f'(2x+3)=2x+2$

$\therefore f'(2x+3)=x+1$

STEP B $f'(-1)$의 값 구하기

따라서 $x=-2$를 양변에 대입하면 $f'(-1)=-2+1=-1$

다른풀이 $g(x)$로 치환한 후 합성함수의 미분법을 이용하여 구하기

$g(x)=2x+3$이라 하면 $g'(x)=2$

$f(g(x))=x^2+2x-4$이므로 양변을 x에 대하여 미분하면

$f'(g(x))g'(x)=2x+2$　　…… ㉠

$g(x)=-1$이면 $2x+3=-1$　$\therefore x=-2$

$x=-2$를 ㉠에 대입하면

$f'(g(-2))g'(-2)=-2$, $f'(-1)\cdot 2=-2$

따라서 $f'(-1)=-1$

내신연계 출제문항 367

함수 $f(x)$가 미분가능하고

$$f(4x-3)=2x^2+8x$$

가 성립 할 때, $f'(9)$의 값은?

① 2　　② 3　　③ 4
④ 5　　⑤ 6

STEP A 합성함수의 미분법을 이용하여 구하기

$f(4x-3)=2x^2+8x$의 양변을 x에 대하여 미분하면

$4f'(4x-3)=4x+8$　$\therefore f'(4x-3)=x+2$

STEP B $f'(9)$의 값 구하기

따라서 $x=3$을 대입하면 $f'(9)=3+2=5$

정답 ④

0977

 ②

STEP A 합성함수의 미분법을 이용하기

합성함수 $(f\circ g)(x)=\frac{1}{3}x^3+3x^2$

즉 $f(x^3+2x)=\frac{1}{3}x^3+3x^2$의 양변을 x에 대하여 미분하면

$(3x^2+2)f'(x^3+2x)=x^2+6x$　…… ㉠

STEP B $x=-1$일 때, $f'(-3)$의 값 구하기

$f(x)$의 $x=-3$에서의 미분계수는 $f'(-3)$이므로

$x^3+2x=-3$에서 $x^3+2x+3=(x+1)(x^2-x+3)=0$

$\therefore x=-1\ (\because x^2-x+3\neq 0)$

㉠에 $x=-1$을 대입하면

$5f'(-3)=-5$

따라서 $f'(-3)=-1$

0978

 ⑤

STEP A 합성함수의 미분법을 이용하기

$f(3x-2)=e^{2x+1}-e^{2x-1}$의 양변을 x에 대하여 미분하면

$f'(3x-2)\cdot 3=e^{2x+1}\cdot 2-e^{2x-1}\cdot 2$

$f'(3x-2)=\frac{2}{3}(e^{2x+1}-e^{2x-1})$ …… ㉠

STEP B $x=1$일 때, $f'(1)$의 값 구하기

따라서 ㉠에 $x=1$을 대입하면 $f'(1)=\frac{2}{3}(e^3-e)=\frac{2}{3}e(e^2-1)$

0979

 ①

STEP A 합성함수의 미분법을 이용하기

$f(2^{2x}-2^x+1)=2^x+2$의 양변을 x에 대하여 미분하면

$f'(2^{2x}-2^x+1)\cdot(2\cdot 2^x-1)\cdot 2^x\ln 2=2^x\cdot\ln 2$

$f'(2^{2x}-2^x+1)=\frac{1}{2\cdot 2^x-1}$ …… ㉠

이때 $2^{2x}-2^x+1$의 값이 1이 되게 하는 x를 구하면

$2^{2x}-2^x=0,\ 2^{2x}=2^x,\ 2x=x\quad\therefore x=0$

STEP B $x=0$일 때, $f'(1)$의 값 구하기

따라서 ㉠에 $x=0$을 대입하면 $f'(1)=\frac{1}{2-1}=1$

다른풀이 $g(x)$로 치환한 후 합성함수의 미분법을 이용하여 $f'(1)$ 구하기

$f(2^{2x}-2^x+1)=2^x+2$에서 $g(x)=2^{2x}-2^x+1$이라 하면

$g'(x)=2^{2x}\cdot 2\cdot\ln 2-2^x\ln 2=(2^{2x+1}-2^x)\ln 2$

$f(g(x))=2^x+2$의 양변을 x에 대하여 미분하면

$f'(g(x))g'(x)=2^x\ln 2$

이 식에 $x=0$을 대입하면 $f'(g(0))g'(0)=\ln 2$

$g(0)=1,\ g'(0)=\ln 2$이므로 $f'(1)\ln 2=\ln 2$

따라서 $f'(1)=1$

내신연계 출제문항 368

미분가능한 함수 $f(x)$가 모든 양의 실수 x에 대하여

$$f(x+2\ln x)=x^2+4x$$

를 만족시킬 때, $f'(1)$의 값은?

① 1 ② 2 ③ 3
④ 4 ⑤ 5

STEP A 합성함수의 미분법을 이용하기

$f(x+2\ln x)=x^2+4x$의 양변을 x에 대하여 미분하면

$\left(1+\frac{2}{x}\right)f'(x+2\ln x)=2x+4$ …… ㉠

STEP B $x=1$일 때, $f'(1)$의 값 구하기

㉠에 $x=1$을 대입하면 $3f'(1)=6$

따라서 $f'(1)=2$

정답 ②

0980

 ④

STEP A 함수의 몫의 미분법을 이용하여 구하기

$C(x)=x^2-80x+2400+\frac{10000}{x}$에서 $C'(x)=2x-80-\frac{10000}{x^2}$

STEP B $x=100$일 때의 한계 비용 구하기

$C'(100)=2\times 100-80-\frac{10000}{100^2}=119$

따라서 $x=100$일 때의 한계 비용은 119(만 원)

내신연계 출제문항 369

피는 심장으로부터 나와 신체의 혈관과 모세 혈관을 돌아 다시 심장으로 되돌아가게 되며, 심장에서 멀어질수록 혈압은 낮아지게 된다.

다음은 어떤 사람의 심장에서 피가 나온 후 t초가 경과하였을 때의 혈압 $P(t)$를 나타낸 식이다.

$$P(t)=\frac{25t^2+125}{t^2+1}\ (\text{단, } 1\le t\le 10)$$

시각 $t=2$에서의 혈압의 순간변화율은?

① -18 ② -16 ③ -14
④ -12 ⑤ -10

STEP A 함수의 몫의 미분법을 이용하여 구하기

$P(t)=\frac{25t^2+125}{t^2+1}$에서 $P'(t)=\frac{-200t}{(t^2+1)^2}$

STEP B $t=2$에서의 혈압의 순간변화율의 값 구하기

따라서 $t=2$에서의 혈압의 순간변화율 $P'(2)=-16$

 ②

0981

 ④

STEP A 함수의 몫의 미분법을 이용하기

$y=\frac{8}{0.1x+1}$에서 $y'=-\frac{0.8}{(0.1x+1)^2}$

STEP B 수심 $x=10$일 때, 순간변화율 구하기

$x=10$일 때, $y'=-\frac{0.8}{(0.1\times 10+1)^2}=-0.2$

따라서 구하는 순간변화율은 $-0.2\,\text{mL/m}$

내신연계 출제문항 370

최근 미세먼지로 인해 외부 활동 시 마스크를 착용하는 경우가 많고 실내에서도 공기 정화기를 사용하는 경우가 늘어나고 있다.

미세 먼지 농도가 $200\,\mu g/m^3$인 어느 교실에 공기 정화기를 가동한지 t시간 후의 교실의 미세 먼지 농도를 y라고 할 때,

$$y=\frac{200}{t^2+1}$$

인 관계가 성립한다고 할 때, 공기 정화기를 가동한 지 3시간 후 교실의 미세 먼지 농도 y의 순간변화율은?

① -16 ② -14 ③ -12
④ -10 ⑤ -8

STEP A 함수의 몫의 미분법을 이용하여 $\frac{dy}{dt}$ 구하기

$y=\frac{200}{t^2+1}$에서 $y'=-\frac{400t}{(t^2+1)^2}$

STEP B 시각 $t=3$일 때, 순간변화율 구하기

$t=3$일 때, $y'=-\frac{1200}{(3^2+1)^2}=-12$

따라서 구하는 순간변화율은 -12

정답 ③

0982

정답 ①

STEP A 함수의 몫의 미분법을 이용하여 $w'(t)$ 구하기

$w(t)=\dfrac{4}{1+20e^{-0.1t}}=\dfrac{4e^{0.1t}}{e^{0.1t}+20}$에서

$w'(t)=\dfrac{0.4e^{0.1t}(e^{0.1t}+20)-0.4e^{0.1t}e^{0.1t}}{(e^{0.1t}+20)^2}=\dfrac{8e^{0.1t}}{(e^{0.1t}+20)^2}$

STEP B 시각 $t=30$일 때, 순간변화율 구하기

$e^{-3}=0.05$이므로 $e^3=\dfrac{100}{5}=20$

$t=30$일 때, $y'=\dfrac{8e^3}{(e^3+20)^2}=\dfrac{8\cdot 20}{40^2}=0.1$

따라서 구하는 순간변화율은 $0.1\text{kg}/$일

0983

정답 ②

STEP A 합성함수의 미분법을 이용하여 $\dfrac{dy}{dt}$ 구하기

$y=\dfrac{10}{\sqrt{(t+1)^3}}$에서 $\dfrac{dy}{dt}=-\dfrac{15}{(t+1)^2\sqrt{t+1}}$

STEP B 시각 $t=8$일 때, 순간변화율 구하기

따라서 $t=8$일 때, $\dfrac{dy}{dt}=-\dfrac{15}{(8+1)^2\sqrt{8+1}}=-\dfrac{5}{81}$

0984

정답 ③

STEP A 현재 해수면의 높이가 36cm일 때, 상수 k 구하기

$t=0$일 때, $y=36$이므로 $y=k\sin\dfrac{\pi}{6}(t-3)+120$에서

$36=k\sin\left(-\dfrac{\pi}{2}\right)+120,\ 36=-k+120$

$\therefore\ k=84$

STEP B 11시간 후 해수면의 높이의 순간변화율 구하기

$y=84\sin\dfrac{\pi}{6}(t-3)+120$에서 $y'=14\pi\cos\dfrac{\pi}{6}(t-3)$

$t=11$일 때, $y'=14\pi\cos\dfrac{4}{3}\pi=-7\pi$

따라서 구하는 순간변화율은 $-7\pi\ \text{cm/h}$

0985

정답 ⑤

STEP A 주어진 식을 x에 관하여 정리하기

$\dfrac{x}{6-x}=e^{8(t-3)}$에서 $x=e^{8(t-3)}(6-x)$

$\{1+e^{8(t-3)}\}x=6e^{8(t-3)},\ x=\dfrac{6e^{8(t-3)}}{1+e^{8(t-3)}}$

즉 $x=\dfrac{6}{e^{-8(t-3)}+1}$

STEP B $t=3$일 때, $\dfrac{dx}{dt}$ 구하기

x를 t에 대하여 미분하면

$\dfrac{dx}{dt}=-\dfrac{6e^{-8(t-3)}\cdot(-8)}{\{e^{-8(t-3)}+1\}^2}=\dfrac{48e^{-8(t-3)}}{\{e^{-8(t-3)}+1\}^2}$

따라서 반응이 시작된 지 3초 후의 물질 A의 양의 순간변화율은

$\dfrac{48e^0}{\{e^0+1\}^2}=\dfrac{48}{4}=12$

다른풀이 $t=3$일 때, $\dfrac{dx}{dt}$의 값 구하기

$\dfrac{x}{6-x}=e^{8(t-3)}$의 양변을 t에 대하여 미분하면

$\dfrac{(6-x)-x\cdot(-1)}{(6-x)^2}\cdot\dfrac{dx}{dt}=e^{8(t-3)}\cdot 8\quad\therefore\ \dfrac{dx}{dt}=8e^{8(t-3)}\cdot\dfrac{(6-x)^2}{6}$

따라서 $t=3$일 때, $x=3$이므로 $\dfrac{dx}{dt}=8\cdot1\cdot\dfrac{9}{6}=12(\text{g/s})$

0986

정답 ③

STEP A 삼각함수의 미분법을 이용하여 $f'(2\pi)$ 구하기

$f(x)=4\sin 7x$에서 $f'(x)=28\cos 7x$

따라서 $f'(2\pi)=28\cos 14\pi=28\cdot1=28$

0987

정답 ⑤

STEP A 삼각함수의 합성함수 미분법을 이용하여 $f'\left(\dfrac{\pi}{4}\right)$ 구하기

$f(x)=-\cos^2 x$에서 $f'(x)=-2\cos x\times(\cos x)'=2\cos x\sin x$

따라서 $f'\left(\dfrac{\pi}{4}\right)=2\cos\dfrac{\pi}{4}\sin\dfrac{\pi}{4}=2\times\dfrac{\sqrt{2}}{2}\times\dfrac{\sqrt{2}}{2}=1$

0988

정답 ②

STEP A 삼각함수의 미분법을 이용하여 a의 값 구하기

$f(x)=(ax^2+1)\sin 2x$에서 $f'(x)=2ax\sin 2x+2(ax^2+1)\cos 2x$

이때 $f'\left(\dfrac{\pi}{4}\right)=2a\cdot\dfrac{\pi}{4}\sin\dfrac{\pi}{2}+0=\pi$이므로 $\dfrac{\pi}{2}a=\pi$

따라서 $a=2$

0989

정답 ③

STEP A 삼각함수의 합성함수 미분법을 이용하여 구하기

$y'=(\sin^2 x)'\cos 2x+\sin^2 x(\cos 2x)'$

$=2\sin x\cos x\cos 2x+\sin^2 x(-\sin 2x)\cdot 2$

$=2\sin x(\cos x\cos 2x-\sin x\sin 2x)$

$=2\sin x\cos 3x$

따라서 $a=2,\ b=3$이므로 $ab=2\cdot3=6$

내신연계 출제문항 371

함수 $y=\tan^2 x\sec x$에 대하여 $y'=\tan x\sec x(a\tan^2 x+b)$일 때, 상수 $a,\ b$에 대하여 $a+b$의 값은?

① 1　② 2　③ 3　④ 4　⑤ 5

STEP A 삼각함수의 미분법을 이용하여 구하기

$y'=2\tan x\sec^2 x\sec x+\tan^2 x\sec x\tan x$

$=2\tan x\sec^3 x+\tan^3 x\sec x$

$=\tan x\sec x(2\sec^2 x+\tan^2 x)$

$=\tan x\sec x\{2(1+\tan^2 x)+\tan^2 x\}$

$=\tan x\sec x(3\tan^2 x+2)$

따라서 $a=3,\ b=2$이므로 $a+b=3+2=5$

정답 ⑤

0990

정답 ④

STEP A 삼각함수의 미분법을 이용하여 a의 값 구하기

$f(x)=\tan x$에서 $f'(x)=\sec^2 x=1+\tan^2 x$

$f'(a)=1$에서 $1+\tan^2 a=1$

따라서 $\tan^2 a=0$이므로 $a=\pi\ \left(\because \frac{\pi}{2}<a<\frac{3}{2}\pi\right)$

내신연계 출제문항 372

함수 $f(x)=\tan x$에 대하여 $f'(a)=3$일 때, $f(a)$의 값은? $\left(\text{단, } \frac{\pi}{2}<a<\pi\right)$

① -2 ② $-\sqrt{3}$ ③ $-\sqrt{2}$
④ -1 ⑤ $-\frac{\sqrt{3}}{3}$

STEP A 삼각함수의 합성함수 미분법을 이용하여 a의 값 구하기

$f(x)=\tan x$에서 $f'(x)=\sec^2 x=1+\tan^2 x$

$f'(a)=3$에서 $1+\tan^2 a=3$

$\therefore \tan^2 a=2$

따라서 $\frac{\pi}{2}<a<\pi$에서 $\tan a=-\sqrt{2}$이므로 $f(a)=\tan a=-\sqrt{2}$ 정답 ③

0991

④

STEP A 삼각함수의 합성함수 미분법 구하기

$f(x)=2\sec x-\tan x$에서 $f'(x)=2\sec x\tan x-\sec^2 x$

STEP B $f'(x)=0$을 만족시키는 실수 x의 값 구하기

$f'(x)=0$에서 $2\sec x\tan x-\sec^2 x=0$

$\frac{2\sin x}{\cos^2 x}-\frac{1}{\cos^2 x}=0$ …… ㉠

$-\frac{\pi}{2}<x<\frac{\pi}{2}$에서 $\cos x\neq 0$이므로

㉠의 양변에 $\cos^2 x$를 곱하면

$2\sin x-1=0 \quad \therefore \sin x=\frac{1}{2}$

따라서 $-\frac{\pi}{2}<x<\frac{\pi}{2}$이므로 $x=\frac{\pi}{6}$

0992

②

STEP A 삼각함수의 미분법을 이용하여 구하기

$f(x)=a\tan x+\sec x$에서 $f'(x)=a\sec^2 x+\sec x\tan x$

STEP B $f'\left(\frac{\pi}{3}\right)=-2\sqrt{3}$을 만족하는 a의 값 구하기

$f'\left(\frac{\pi}{3}\right)=a\sec^2\frac{\pi}{3}+\sec\frac{\pi}{3}\tan\frac{\pi}{3}=4a+2\sqrt{3}$

$f'\left(\frac{\pi}{3}\right)=-2\sqrt{3}$이므로 $4a+2\sqrt{3}=-2\sqrt{3}$

따라서 $a=-\sqrt{3}$

내신연계 출제문항 373

함수 $f(x)=\frac{\tan^2 x-1}{\sec x}$에 대하여 $f'\left(\frac{\pi}{3}\right)$의 값은?

① $\sqrt{3}$ ② $2\sqrt{2}$ ③ $2\sqrt{3}$
④ $3\sqrt{2}$ ⑤ $3\sqrt{3}$

STEP A 삼각함수의 미분법을 이용하기

$f(x)=\frac{\tan^2 x-1}{\sec x}=\frac{\sec^2 x-1-1}{\sec x}=\sec x-\frac{2}{\sec x}=\sec x-2\cos x$

$f'(x)=\sec x\tan x+2\sin x$

STEP B $f'\left(\frac{\pi}{3}\right)$의 값 구하기

따라서 $f'\left(\frac{\pi}{3}\right)=\sec\frac{\pi}{3}\tan\frac{\pi}{3}+2\sin\frac{\pi}{3}=2\times\sqrt{3}+2\times\frac{\sqrt{3}}{2}=3\sqrt{3}$ 정답 ⑤

0993

정답 ⑤

STEP A 도함수의 정의를 이용하여 정리하기

$$f(x)=\lim_{h\to 0}\frac{\sin^2(x+h)-\sin^2 x}{h}$$
$$=(\sin^2 x)'$$
$$=2\sin x\times(\sin x)'$$
$$=2\sin x\times\cos x$$

STEP B 합성함수의 미분법을 이용하여 $f'\left(\frac{\pi}{6}\right)$의 값 구하기

따라서 $f'(x)=2\cos x\cdot\cos x+2\sin x\cdot(-\sin x)=2(\cos^2 x-\sin^2 x)$

이므로 $f'\left(\frac{\pi}{6}\right)=2\cdot\left\{\left(\frac{\sqrt{3}}{2}\right)^2-\left(\frac{1}{2}\right)^2\right\}=2\cdot\frac{1}{2}=1$

0994

①

STEP A 합성함수의 미분법을 이용하여 $h'\left(\frac{\pi}{2}\right)$ 구하기

$g\left(\frac{\pi}{2}\right)=0$이고 $f'(x)=\cos x$, $g'(x)=-\sin x$에서

$f'(0)=1$, $g'\left(\frac{\pi}{2}\right)=-1$

따라서 $h'\left(\frac{\pi}{2}\right)=f'\left(g\left(\frac{\pi}{2}\right)\right)g'\left(\frac{\pi}{2}\right)=f'(0)g'\left(\frac{\pi}{2}\right)=1\cdot(-1)=-1$

0995

③

STEP A 합성함수의 미분법을 이용하여 $f'(\pi)$의 값 구하기

$f(x)=\tan(\sin x)$로 놓으면

$f'(x)=\sec^2(\sin x)\cdot\cos x$

따라서 점 $(\pi, 0)$에서의 접선의 기울기는 $f'(\pi)=1\cdot(-1)=-1$

내신연계 출제문항 374

곡선 $y=\tan(\cos x)$ 위의 점 $\left(\frac{\pi}{2},\ 0\right)$에서의 접선의 기울기는?

① $-\pi$　② $-\frac{\pi}{2}$　③ $-\frac{\pi}{3}$

④ -1　⑤ $-\frac{1}{2}$

STEP Ⓐ 합성함수의 미분법을 이용하여 $f'\left(\frac{\pi}{2}\right)$의 값 구하기

$f(x)=\tan(\cos x)$로 놓으면 $f'(x)=\sec^2(\cos x)\cdot(-\sin x)$

따라서 점 $\left(\frac{\pi}{2},\ 0\right)$에서의 접선의 기울기는

$f'\left(\frac{\pi}{2}\right)=\sec^2\left(\cos\frac{\pi}{2}\right)\cdot\left(-\sin\frac{\pi}{2}\right)=1\cdot(-1)=-1$

 ④

0996

 ②

STEP Ⓐ 합성함수의 미분법을 이용하여 $y=f'(x)$ 구하기

$f(x)=\sec\left(\pi x+\frac{\pi}{3}\right)$에서 $f'(x)=\sec\left(\pi x+\frac{\pi}{3}\right)\cdot\tan\left(\pi x+\frac{\pi}{3}\right)\cdot\pi$

STEP Ⓑ 삼각함수의 성질을 이용하여 $f'(1)$ 구하기

따라서 $f'(1)=\sec\left(\pi+\frac{\pi}{3}\right)\cdot\tan\left(\pi+\frac{\pi}{3}\right)\cdot\pi=-\pi\sec\frac{\pi}{3}\cdot\tan\frac{\pi}{3}$

$=-\pi\cdot2\cdot\sqrt{3}$

$=-2\sqrt{3}\pi$

0997

 ①

STEP Ⓐ 합성함수의 미분법을 이용하여 $f(\cos x)=\sin 2x+\tan x$를 미분하기

$f(\cos x)=\sin 2x+\tan x$의 양변을 x에 대하여 미분하면

$-\sin x\cdot f'(\cos x)=2\cos 2x+\sec^2 x$　…… ㉠

STEP Ⓑ $\cos\frac{\pi}{3}=\frac{1}{2}$이므로 $x=\frac{\pi}{3}$를 대입하기

$0<x<\frac{\pi}{2}$에서 $\cos x=\frac{1}{2}$일 때, $x=\frac{\pi}{3}$

㉠에 $x=\frac{\pi}{3}$를 대입하면

$-\sin\frac{\pi}{3}\cdot f'\left(\cos\frac{\pi}{3}\right)=2\cos\frac{2\pi}{3}+\sec^2\frac{\pi}{3}$

$-\frac{\sqrt{3}}{2}f'\left(\frac{1}{2}\right)=2\left(-\frac{1}{2}\right)+4=3$

따라서 $f'\left(\frac{1}{2}\right)=-2\sqrt{3}$

내신연계 출제문항 375

실수 전체에서 미분가능한 함수 $f(x)$에 대하여

$$f(3x-2)=\sin\pi x$$

일 때, $f'(4)$는?

① $\frac{\pi}{6}$　② $\frac{\pi}{5}$　③ $\frac{\pi}{4}$

④ $\frac{\pi}{3}$　⑤ $\frac{\pi}{2}$

STEP Ⓐ 합성함수의 미분법을 이용하기

$f(3x-2)=\sin\pi x$에서 양변을 x에 대하여 미분하면

$3f'(3x-2)=\pi\cos\pi x$

STEP Ⓑ $x=2$일 때, $f'(4)$의 값 구하기

이때 $3x-2=4$에서 $x=2$

따라서 $3f'(4)=\pi\cos2\pi=\pi$이므로 $f'(4)=\frac{\pi}{3}$

정답 ④

0998

 ⑤

STEP Ⓐ 삼각함수의 관계를 이용하여 $f(x)$ 구하기

$\sec^2 x=1+\tan^2 x$이므로

$f(x)=\frac{\tan^3 x-1}{\sec^2 x+\tan x}=\frac{\tan^3 x-1}{\tan^2 x+\tan x+1}$

$=\frac{(\tan x-1)(\tan^2 x+\tan x+1)}{\tan^2 x+\tan x+1}=\tan x-1$

STEP Ⓑ $f'\left(\frac{\pi}{3}\right)$의 값 구하기

따라서 $f'(x)=\sec^2 x$이므로 $f'\left(\frac{\pi}{3}\right)=2^2=4$

내신연계 출제문항 376

함수 $f(x)=\sin x\cos x$에 대하여 함수 $g(x)$를

$$g(x)=\frac{f'(x)}{f(x)}$$

라 할 때, $g'\left(\frac{\pi}{3}\right)$의 값은? (단, $f(x)\neq0$)

① $-\frac{20}{3}$　② $-\frac{19}{3}$　③ -6

④ $-\frac{17}{3}$　⑤ $-\frac{16}{3}$

STEP Ⓐ 삼각함수의 관계를 이용하여 $g(x)$ 구하기

$f'(x)=\cos x\cdot\cos x+\sin x\cdot(-\sin x)=\cos^2 x-\sin^2 x$이므로

$g(x)=\frac{f'(x)}{f(x)}=\frac{\cos^2 x-\sin^2 x}{\sin x\cos x}=\frac{\cos x}{\sin x}-\frac{\sin x}{\cos x}=\cot x-\tan x$

STEP Ⓑ $g'\left(\frac{\pi}{3}\right)$의 값 구하기

$g'(x)=-\csc^2 x-\sec^2 x$

따라서 $g'\left(\frac{\pi}{3}\right)=-\csc^2\frac{\pi}{3}-\sec^2\frac{\pi}{3}=-\frac{4}{3}-4=-\frac{16}{3}$

 ⑤

0999

 ③

STEP Ⓐ 선분 PQ의 길이 $l(\theta)$ 구하기

원점 O에서 직선 PQ에 내린 수선의 발을 H라고 하면 $\angle OAH=\theta$

이때 $\overline{OA}=1$이므로 $\overline{OH}=\sin\theta$

직각삼각형 OHP에서

$\overline{PH}=\sqrt{2^2-\sin^2\theta}$이므로

$l(\theta)=\overline{PQ}=2\overline{PH}=2\sqrt{4-\sin^2\theta}$

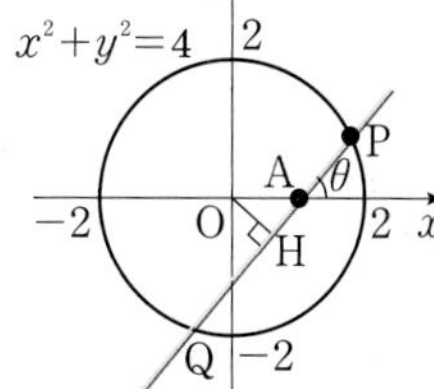

STEP Ⓑ 합성함수의 미분법을 이용하여 $l'\left(\frac{\pi}{4}\right)$의 값 구하기

따라서 $l'(\theta)=\frac{-2\sin\theta\cos\theta}{\sqrt{4-\sin^2\theta}}$이므로 $l'\left(\frac{\pi}{4}\right)=\frac{-2\cdot\frac{\sqrt{2}}{2}\cdot\frac{\sqrt{2}}{2}}{\sqrt{4-\left(\frac{\sqrt{2}}{2}\right)^2}}=-\frac{\sqrt{14}}{7}$

1000

정답 ③

STEP A 합성함수 미분법을 이용하여 $f'(x)$ 구하기

$$f'(x)=(e^{-3x})'\cdot\sin\frac{\pi}{4}x+e^{-3x}\cdot\left(\sin\frac{\pi}{4}x\right)'$$
$$=(-3e^{-3x})\cdot\sin\frac{\pi}{4}x+e^{-3x}\cdot\left(\frac{\pi}{4}\cos\frac{\pi}{4}x\right)$$
$$=e^{-3x}\left(-3\sin\frac{\pi}{4}x+\frac{\pi}{4}\cos\frac{\pi}{4}x\right)$$

STEP B $f'(-2)$의 값 구하기

따라서 $f'(-2)=e^6\left\{-3\sin\left(-\frac{\pi}{2}\right)+\frac{\pi}{4}\cos\left(-\frac{\pi}{2}\right)\right\}=e^6\cdot 3=3e^6$

1001

 ⑤

STEP A $f(a)=0$을 만족하는 a의 값 구하기

$f(a)=\ln(2\sin a)=0$에서 $2\sin a=1$, $\sin a=\frac{1}{2}$이므로

$0<x<\frac{\pi}{2}$에서 $a=\frac{\pi}{6}$

STEP B $f'(a)$의 값을 구하기

따라서 $f(x)=\ln(2\sin x)$의 도함수는

$f'(x)=\frac{\cos x}{\sin x}$이므로 $f'\left(\frac{\pi}{6}\right)=\frac{\cos\frac{\pi}{6}}{\sin\frac{\pi}{6}}=\frac{\frac{\sqrt{3}}{2}}{\frac{1}{2}}=\sqrt{3}$

1002

 ③

STEP A 로그함수의 미분법을 이용하여 $f'\left(\frac{\pi}{12}\right)$의 값 구하기

$f(x)=\ln(\tan x)$에서 $f'(x)=\frac{\sec^2 x}{\tan x}=\frac{1}{\sin x\cos x}=\frac{2}{\sin 2x}$

따라서 $f'\left(\frac{\pi}{12}\right)=\frac{2}{\sin\frac{\pi}{6}}=4$

1003

 ⑤

STEP A 로그함수의 미분법을 이용하여 $f'\left(\frac{\pi}{4}\right)$의 값 구하기

$f(x)=\ln(\tan^2 x)$에서 $f'(x)=\frac{2\tan x\sec^2 x}{\tan^2 x}=\frac{2\sec^2 x}{\tan x}$

따라서 $f'\left(\frac{\pi}{4}\right)=\frac{2\sec^2\frac{\pi}{4}}{\tan\frac{\pi}{4}}=4$

1004

 ①

STEP A 로그함수의 미분법을 이용하여 $f'\left(\frac{\pi}{9}\right)$의 값 구하기

조건 (가)에서

$f'(x)=\frac{(\sin^2 3x)'}{\sin^2 3x}=\frac{2\sin 3x(\sin 3x)'}{\sin^2 3x}=\frac{6\cos 3x}{\sin 3x}=6\cot 3x$

$\therefore f'\left(\frac{\pi}{9}\right)=6\cot\frac{\pi}{3}=\frac{6}{\sqrt{3}}=2\sqrt{3}$

STEP B 로그함수의 미분법을 이용하여 $f'\left(\frac{\pi}{4}\right)$의 값 구하기

조건 (나)에서 $f(x)=\ln(\cos^2 x)$

$f'(x)=\frac{(\cos^2 x)'}{\cos^2 x}=\frac{2\cos x\cdot(-\sin x)}{\cos^2 x}=-\frac{2\sin x}{\cos x}=-2\tan x$

$\therefore f'\left(\frac{\pi}{4}\right)=-2\tan\frac{\pi}{4}=-2$

따라서 $a=2\sqrt{3}$, $b=-2$이므로 $ab=-4\sqrt{3}$

내신연계 출제문항 377

함수 $f(x)=\ln(3\cos^2 x)$에 대하여 $f'\left(\frac{\pi}{4}\right)$의 값은? $\left(단, 0<x<\frac{\pi}{2}\right)$

① -3 ② -2 ③ -1
④ 1 ⑤ 2

STEP A 로그함수의 미분법을 이용하여 $f'\left(\frac{\pi}{4}\right)$의 값 구하기

$f(x)=\ln(3\cos^2 x)$에서

$f'(x)=\frac{(3\cos^2 x)'}{3\cos^2 x}=\frac{6\cos x\cdot(-\sin x)}{3\cos^2 x}=-\frac{2\sin x}{\cos x}=-2\tan x$

따라서 $f'\left(\frac{\pi}{4}\right)=-2\tan\frac{\pi}{4}=-2$

정답 ②

1005

 ④

STEP A 함수의 몫의 미분법을 이용하여 $g'(x)$의 값 구하기

$g(x)=\frac{f(x)\cos x}{e^x}$에서

$$g'(x)=\frac{\{f'(x)\cos x-f(x)\sin x\}e^x-f(x)\cos x\cdot e^x}{e^{2x}}$$
$$=\frac{f'(x)\cos x-f(x)\sin x-f(x)\cos x}{e^x}$$

STEP B $g'(\pi)=e^{\pi}g(\pi)$를 이용하여 구하기

위 두 등식에 $x=\pi$를 대입하면

$g'(\pi)=\frac{f'(\pi)\cos\pi-f(\pi)\sin\pi-f(\pi)\cos\pi}{e^{\pi}}=\frac{-f'(\pi)+f(\pi)}{e^{\pi}}$ …… ㉠

$e^{\pi}g(\pi)=e^{\pi}\times\frac{f(\pi)\cos\pi}{e^{\pi}}=e^{\pi}\times\frac{-f(\pi)}{e^{\pi}}=-f(\pi)$ …… ㉡

㉠, ㉡을 $g'(\pi)=e^{\pi}g(\pi)$에 대입하면

$f(\pi)-f'(\pi)=-e^{\pi}f(\pi)$이므로 $f(\pi)(e^{\pi}+1)=f'(\pi)$

따라서 $\frac{f'(\pi)}{f(\pi)}=e^{\pi}+1$

다른풀이 양변에 자연로그를 취하여 풀이하기

STEP A 로그의 미분법을 이용하여 $\frac{f'(\pi)}{f(\pi)}$의 값 구하기

$g(x)=\frac{f(x)\cos x}{e^x}$의 양변에 자연로그를 취하면

$$\ln|g(x)|=\ln|f(x)|+\ln|\cos x|-\ln e^x$$
$$=\ln|f(x)|+\ln|\cos x|-x$$

위 등식의 양변을 x에 대하여 미분하면

$\frac{g'(x)}{g(x)}=\frac{f'(x)}{f(x)}+\frac{-\sin x}{\cos x}-1$

따라서 위 등식에 $x=\pi$를 대입하면 $\frac{g'(\pi)}{g(\pi)}=\frac{f'(\pi)}{f(\pi)}+\frac{-\sin\pi}{\cos\pi}-1$이고

$\frac{g'(\pi)}{g(\pi)}=e^{\pi}$이므로 $\frac{f'(\pi)}{f(\pi)}=e^{\pi}+1$

내신연계 출제문항 378

실수 전체의 집합에서 미분가능하고 $f(x)>0$인 함수 $g(x)$에 대하여 함수 $g(x)=\dfrac{f(x)}{1+e^x}$라 하자. $g(1)=(1+e)g'(1)$일 때, $\dfrac{f'(1)}{f(1)}$의 값은?

① $\dfrac{1}{e+1}$ ② $\dfrac{1}{e}$ ③ 1
④ e ⑤ $e+1$

STEP Ⓐ **함수의 몫의 미분법을 이용하여 $g'(x)$의 값 구하기**

$g(x)=\dfrac{f(x)}{1+e^x}$에서 $g'(x)=\dfrac{f'(x)\times(1+e^x)-f(x)\times e^x}{(1+e^x)^2}$

STEP Ⓑ **$g(1)=(1+e)g'(1)$을 이용하여 구하기**

$g'(1)=\dfrac{(1+e)f'(1)-ef(1)}{(1+e)^2}$ …… ㉠

또, $g(1)=\dfrac{f(1)}{1+e}$ …… ㉡

㉠, ㉡을 $g(1)=(1+e)g'(1)$에 대입하면

$\dfrac{f(1)}{1+e}=\dfrac{(1+e)f'(1)-ef(1)}{1+e}$

$f(1)=(1+e)f'(1)-ef(1)$

따라서 $(1+e)f(1)=(1+e)f'(1)$이므로 $\dfrac{f'(1)}{f(1)}=\dfrac{1+e}{1+e}=1$

다른풀이 $f(x)=(1+e^x)g(x)$을 이용하여 풀이하기

$g(x)=\dfrac{f(x)}{1+e^x}$에서 $f(x)=(1+e^x)g(x)$이므로 $f(1)=(1+e)g(1)$

또, $f'(x)=e^xg(x)+(1+e^x)g'(x)$이므로 $f'(1)=eg(1)+(1+e)g'(1)$

이때 $(1+e)g'(1)=g(1)$이므로 $f'(1)=eg(1)+g(1)=(e+1)g(1)$

따라서 $\dfrac{f'(1)}{f(1)}=\dfrac{(e+1)g(1)}{(1+e)g(1)}=1$

 ③

1006

 ④

STEP Ⓐ **미분계수의 정의를 이용하여 변형하기**

$\lim\limits_{h\to0}\dfrac{f(1+2h)-f(1)}{h}=\lim\limits_{h\to0}\dfrac{f(1+2h)-f(1)}{2h}\cdot2=2f'(1)$

STEP Ⓑ **로그함수의 미분법을 이용하여 $2f'(1)$ 구하기**

이때 $f(x)=x^2+x\ln(2x-1)$에서

$f'(x)=2x+\ln(2x-1)+\dfrac{2x}{2x-1}$이므로 $f'(1)=4$

따라서 $\lim\limits_{h\to0}\dfrac{f(1+2h)-f(1)}{h}=2\cdot4=8$

1007

 ②

STEP Ⓐ **미분계수의 정의를 이용하여 변형하기**

$\lim\limits_{h\to0}\dfrac{f\left(\frac{\pi}{4}+h\right)-f\left(\frac{\pi}{4}-h\right)}{h}=\lim\limits_{h\to0}\dfrac{f\left(\frac{\pi}{4}+h\right)-f\left(\frac{\pi}{4}\right)}{h}+\lim\limits_{h\to0}\dfrac{f\left(\frac{\pi}{4}-h\right)-f\left(\frac{\pi}{4}\right)}{-h}$

$=f'\left(\frac{\pi}{4}\right)+f'\left(\frac{\pi}{4}\right)=2f'\left(\frac{\pi}{4}\right)$

STEP Ⓑ **로그함수의 미분법을 이용하여 $2f'\left(\frac{\pi}{4}\right)$ 구하기**

이때 $f(x)=\ln(\cos x)$에서 $f'(x)=\dfrac{(\cos x)'}{\cos x}=\dfrac{-\sin x}{\cos x}=-\tan x$

따라서 $2f'\left(\frac{\pi}{4}\right)=2\left(-\tan\frac{\pi}{4}\right)=-2$

1008

 ⑤

STEP Ⓐ **함수 $f(x)=\ln|\tan x|$의 도함수 $f'(x)$ 구하기**

$f(x)=\ln|\tan x|$에서

$f'(x)=\dfrac{(\tan x)'}{\tan x}=\dfrac{\sec^2x}{\tan x}=\dfrac{1}{\sin x\cos x}$

STEP Ⓑ **$\lim\limits_{h\to0}\dfrac{f\left(\frac{\pi}{4}+h\right)-f\left(\frac{\pi}{4}-h\right)}{h}$의 값 구하기**

따라서 $\lim\limits_{h\to0}\dfrac{f\left(\frac{\pi}{4}+h\right)-f\left(\frac{\pi}{4}-h\right)}{h}$

$=\lim\limits_{h\to0}\dfrac{f\left(\frac{\pi}{4}+h\right)-f\left(\frac{\pi}{4}\right)+f\left(\frac{\pi}{4}\right)-f\left(\frac{\pi}{4}-h\right)}{h}$

$=\lim\limits_{h\to0}\dfrac{f\left(\frac{\pi}{4}+h\right)-f\left(\frac{\pi}{4}\right)}{h}+\lim\limits_{h\to0}\dfrac{f\left(\frac{\pi}{4}-h\right)-f\left(\frac{\pi}{4}\right)}{-h}$

$=f'\left(\frac{\pi}{4}\right)+f'\left(\frac{\pi}{4}\right)=2f'\left(\frac{\pi}{4}\right)$

$=\dfrac{2}{\sin\frac{\pi}{4}\cos\frac{\pi}{4}}=4$

1009

 ②

STEP Ⓐ **미분계수의 정의를 이용하여 변형하기**

$\lim\limits_{h\to0}\dfrac{f(e+h)-f(e-h)}{h}=\lim\limits_{h\to0}\left\{\dfrac{f(e+h)-f(e)}{h}+\dfrac{f(e-h)-f(e)}{-h}\right\}$

$=f'(e)+f'(e)=2f'(e)$

STEP Ⓑ **로그함수의 미분법을 이용하여 $2f'(e)$ 구하기**

이때 $f(x)=\ln(\ln x)$에서 $f'(x)=\dfrac{1}{\ln x}\cdot(\ln x)'=\dfrac{1}{x\ln x}$

따라서 $2f'(e)=2\cdot\dfrac{1}{e\ln e}=\dfrac{2}{e}$

1010

 ③

STEP Ⓐ **분수꼴의 극한의 성질을 이용하기**

$\lim\limits_{x\to0}\dfrac{f(x)}{x}=2$에서

$x\to0$일 때, (분모)$\to0$이고 극한값이 존재하므로 (분자)$\to0$이어야 한다.

즉 $\lim\limits_{x\to0}f(x)=0$이고 함수 $f(x)$는 연속함수이므로 $f(0)=\lim\limits_{x\to0}f(x)=0$

$f(0)=\ln b=0$에서 $b=1$

STEP Ⓑ **미분계수의 정의를 이용하여 a의 값 구하기**

$\lim\limits_{x\to0}\dfrac{f(x)}{x}=\lim\limits_{x\to0}\dfrac{f(x)-f(0)}{x-0}=f'(0)$

함수 $f(x)=\ln(ax+1)$에서 $f'(x)=\dfrac{a}{ax+1}$

$f'(0)=a$이므로 $a=2$

따라서 $f(x)=\ln(2x+1)$이므로 $f(2)=\ln5$

내신연계 출제문항 379

함수 $f(x)=a+b\ln|x|$가

$$\lim_{x\to-1}\frac{f(x)-2}{x+1}=3$$

을 만족시킬 때, 두 상수 a, b에 대하여 $a+b$의 값은?

① -3 ② -2 ③ -1
④ 0 ⑤ 1

STEP A 분수꼴의 극한의 성질과 미분계수를 이용하여 $f(-1)$, $f'(-1)$의 값 구하기

$\displaystyle\lim_{x\to-1}\frac{f(x)-2}{x+1}=3$에서

$x\to-1$일 때, (분모)$\to0$이고 극한값이 존재하므로 (분자)$\to0$이어야 한다.

즉 $\displaystyle\lim_{x\to-1}\{f(x)-2\}=0$이므로 $f(-1)-2=0$

$\therefore f(-1)=2$

$$\lim_{x\to-1}\frac{f(x)-2}{x+1}=\lim_{x\to-1}\frac{f(x)-f(-1)}{x+1}=f'(-1)=3$$

STEP B $a+b$의 값 구하기

이때 $f(x)=a+b\ln|x|$에서 $f(-1)=a+b\ln1=a$

$\therefore a=2$

$f(x)=a+b\ln|x|$에서 $f'(x)=\dfrac{b}{x}$ …… ㉠

㉠에 $x=-1$을 대입하면 $b=-3$

따라서 $a+b=2-3=-1$

 ③

1011

 ⑤

STEP A 합성함수의 미분법을 이용하기

$f(x)=\cos^2\left(2x-\dfrac{\pi}{4}\right)$를 x로 미분하면

$$\begin{aligned}f'(x)&=2\cos\left(2x-\frac{\pi}{4}\right)\left\{\cos\left(2x-\frac{\pi}{4}\right)\right\}'\\&=2\cos\left(2x-\frac{\pi}{4}\right)\left\{-\sin\left(2x-\frac{\pi}{4}\right)\right\}\left(2x-\frac{\pi}{4}\right)'\\&=-4\cos\left(2x-\frac{\pi}{4}\right)\sin\left(2x-\frac{\pi}{4}\right)\end{aligned}$$

STEP B 삼각함수의 미분법을 이용하여 $f'(\pi)$의 값 구하기

따라서 $\displaystyle\lim_{x\to\pi}\frac{f(x)-f(\pi)}{x-\pi}=f'(\pi)$이므로

$$\begin{aligned}f'(\pi)&=-4\cos\left(2\pi-\frac{\pi}{4}\right)\sin\left(2\pi-\frac{\pi}{4}\right)\\&=-4\cos\left(-\frac{\pi}{4}\right)\sin\left(-\frac{\pi}{4}\right)\\&=(-4)\cdot\frac{\sqrt{2}}{2}\cdot\left(-\frac{\sqrt{2}}{2}\right)\\&=2\end{aligned}$$

내신연계 출제문항 380

함수 $f(x)=e^{3x}\cos2x$에 대하여

$$\lim_{x\to\pi}\frac{f(x)-f(\pi)}{x^2-\pi^2}$$

의 값은?

① $\dfrac{e^{3\pi}}{2\pi}$ ② $\dfrac{e^{3\pi}}{\pi}$ ③ $\dfrac{3e^{3\pi}}{2\pi}$
④ $\dfrac{2e^{3\pi}}{\pi}$ ⑤ $\dfrac{3e^{3\pi}}{\pi}$

STEP A 미분계수의 정의를 이용하여 변형하기

$$\lim_{x\to\pi}\frac{f(x)-f(\pi)}{x^2-\pi^2}=\lim_{x\to\pi}\left\{\frac{f(x)-f(\pi)}{x-\pi}\cdot\frac{1}{x+\pi}\right\}=f'(\pi)\cdot\frac{1}{2\pi}$$

STEP B 삼각함수의 미분법을 이용하여 $\dfrac{1}{2\pi}f'(\pi)$의 값 구하기

$f(x)=e^{3x}\cos2x$에서

$$\begin{aligned}f'(x)&=(e^{3x})'\cos2x+e^{3x}(\cos2x)'\\&=3e^{3x}\cos2x+e^{3x}(-2\sin2x)\\&=e^{3x}(3\cos2x-2\sin2x)\end{aligned}$$

이므로 $f'(\pi)=e^{3\pi}(3\cos2\pi-2\sin2\pi)=3e^{3\pi}$

따라서 $\dfrac{1}{2\pi}f'(\pi)=3e^{3\pi}\cdot\dfrac{1}{2\pi}=\dfrac{3e^{3\pi}}{2\pi}$

 ③

1012

 ①

STEP A 미분계수의 정의를 이용하여 변형하기

$$\begin{aligned}&\lim_{h\to0}\frac{f(\pi+h)-f(\pi-h)}{h}\\&=\lim_{h\to0}\left\{\frac{f(\pi+h)-f(\pi)}{h}+\frac{f(\pi-h)-f(\pi)}{-h}\right\}\\&=f'(\pi)+f'(\pi)=2f'(\pi)\end{aligned}$$

STEP B 삼각함수의 미분법을 이용하여 $2f'(\pi)$의 값 구하기

$f(x)=\tan2x+3\sin x$에서 $f'(x)=2\sec^2 2x+3\cos x$이므로

$f'(\pi)=2\sec^2 2\pi+3\cos\pi=2-3=-1$

따라서 $2f'(\pi)=-2$

내신연계 출제문항 381

함수 $f(x)=\sin x+2\cos x$에서 함수 $g(x)$를

$$g(x)=\lim_{h\to0}\frac{f(x+3h)-f(x-h)}{h}$$

라 할 때, $g\left(\dfrac{\pi}{4}\right)$의 값은?

① $-4\sqrt{2}$ ② $-2\sqrt{2}$ ③ 0
④ $2\sqrt{2}$ ⑤ $4\sqrt{2}$

STEP A 미분계수의 정의를 이용하여 변형하기

$$\begin{aligned}g(x)&=\lim_{h\to0}\frac{f(x+3h)-f(x-h)}{h}\\&=\lim_{h\to0}\left\{\frac{f(x+3h)-f(x)}{h}+\frac{f(x-h)-f(x)}{-h}\right\}\\&=3\lim_{h\to0}\frac{f(x+3h)-f(x)}{3h}+\lim_{h\to0}\frac{f(x-h)-f(x)}{-h}\\&=3f'(x)+f'(x)=4f'(x)\end{aligned}$$

STEP B 삼각함수의 미분법을 이용하여 $g\left(\dfrac{\pi}{4}\right)$의 값 구하기

$f(x)=\sin x+2\cos x$에서 $f'(x)=\cos x-2\sin x$이므로

$g(x)=4(\cos x-2\sin x)$

$$\begin{aligned}\text{따라서 } g\left(\frac{\pi}{4}\right)&=4\left(\cos\frac{\pi}{4}-2\sin\frac{\pi}{4}\right)=4\left(\frac{\sqrt{2}}{2}-2\cdot\frac{\sqrt{2}}{2}\right)\\&=4\left(-\frac{\sqrt{2}}{2}\right)=-2\sqrt{2}\end{aligned}$$

 ②

1013

정답 ③

STEP Ⓐ 합성함수의 미분법을 이용하여 구하기

$f(x)=\sin^2 x$에서 $f'(x)=2\sin x\cdot\cos x$

$g(x)=e^x$에서 $g'(x)=e^x$

$h(x)=g(f(x))$라 하면 $h'(x)=g'(f(x))f'(x)$이고

$f\left(\frac{\pi}{4}\right)=\sin^2\frac{\pi}{4}=\frac{1}{2}$, $g\left(\frac{1}{2}\right)=e^{\frac{1}{2}}=\sqrt{e}$이므로

$h\left(\frac{\pi}{4}\right)=g\left(f\left(\frac{\pi}{4}\right)\right)=g\left(\frac{1}{2}\right)=\sqrt{e}$

STEP Ⓑ 합성함수의 미분계수 구하기

따라서 $f'\left(\frac{\pi}{4}\right)=1$, $g'\left(\frac{1}{2}\right)=\sqrt{e}$이므로

$$\lim_{x\to\frac{\pi}{4}}\frac{g(f(x))-\sqrt{e}}{x-\frac{\pi}{4}}=\lim_{x\to\frac{\pi}{4}}\frac{h(x)-h\left(\frac{\pi}{4}\right)}{x-\frac{\pi}{4}}=h'\left(\frac{\pi}{4}\right)=g'\left(f\left(\frac{\pi}{4}\right)\right)\cdot f'\left(\frac{\pi}{4}\right)$$

$$=g'\left(\frac{1}{2}\right)\cdot 1=\sqrt{e}\cdot 1=\sqrt{e}$$

다른풀이 합성함수의 미분계수를 이용하여 풀이하기

STEP Ⓐ 미분계수의 정의를 이용하여 변형하기

$g\left(f\left(\frac{\pi}{4}\right)\right)=g\left(\frac{1}{2}\right)=\sqrt{e}$이므로

$$\lim_{x\to\frac{\pi}{4}}\frac{g(f(x))-\sqrt{e}}{x-\frac{\pi}{4}}=\lim_{x\to\frac{\pi}{4}}\frac{g(f(x))-g\left(f\left(\frac{\pi}{4}\right)\right)}{x-\frac{\pi}{4}}=(g\circ f)'\left(\frac{\pi}{4}\right)$$

STEP Ⓑ 합성함수의 미분법을 이용하여 $h'\left(\frac{\pi}{4}\right)$ 구하기

따라서 $f'(x)=2\sin x\cos x$, $g'(x)=e^x$이므로

$$\lim_{x\to\frac{\pi}{4}}\frac{g(f(x))-\sqrt{e}}{x-\frac{\pi}{4}}=(g\circ f)'\left(\frac{\pi}{4}\right)=g'\left(f\left(\frac{\pi}{4}\right)\right)\cdot f'\left(\frac{\pi}{4}\right)$$

$$=g'\left(\frac{1}{2}\right)\cdot f'\left(\frac{\pi}{4}\right)=\sqrt{e}\cdot 2\sin\frac{\pi}{4}\cos\frac{\pi}{4}$$

$$=\sqrt{e}\cdot 2\cdot\frac{\sqrt{2}}{2}\cdot\frac{\sqrt{2}}{2}=\sqrt{e}$$

내신연계 출제문항 382

두 함수 $f(x)=\cos 2x$, $g(x)=e^x$에 대하여

$$\lim_{x\to\frac{\pi}{6}}\frac{g(f(x))-\sqrt{e}}{x-\frac{\pi}{6}}$$

의 값은?

① $-2e$ ② $-\sqrt{3e}$ ③ $-\frac{1}{e}$

④ $\sqrt{e}$ ⑤ $2e$

STEP Ⓐ 미분계수의 정의를 이용하여 변형하기

$h(x)=g(f(x))$로 놓으면

$h\left(\frac{\pi}{6}\right)=g\left(f\left(\frac{\pi}{6}\right)\right)=g\left(\frac{1}{2}\right)=\sqrt{e}$이므로

$$\lim_{x\to\frac{\pi}{6}}\frac{g(f(x))-\sqrt{e}}{x-\frac{\pi}{6}}=\lim_{x\to\frac{\pi}{6}}\frac{h(x)-h\left(\frac{\pi}{6}\right)}{x-\frac{\pi}{6}}=h'\left(\frac{\pi}{6}\right)$$

STEP Ⓑ 합성함수의 미분법을 이용하여 $h'\left(\frac{\pi}{6}\right)$의 값 구하기

따라서 $h'(x)=g'(f(x))f'(x)=e^{\cos 2x}(-2\sin 2x)$이므로

$h'\left(\frac{\pi}{6}\right)=e^{\cos\frac{\pi}{3}}\left(-2\sin\frac{\pi}{3}\right)=\sqrt{e}\times(-\sqrt{3})=-\sqrt{3e}$

정답 ②

1014

정답 ⑤

STEP Ⓐ $\frac{1}{n}=h$로 치환하여 미분계수의 정의를 이용하여 변형하기

$\frac{1}{n}=h$라 하면 $n\to\infty$일 때, $h\to 0$이다.

$$\lim_{n\to\infty}n\left\{f\left(\frac{\pi}{4}+\frac{1}{n}\right)-f\left(\frac{\pi}{4}-\frac{1}{n}\right)\right\}$$

$$=\lim_{h\to 0}\frac{f\left(\frac{\pi}{4}+h\right)-f\left(\frac{\pi}{4}-h\right)}{h}$$

$$=\lim_{h\to 0}\frac{f\left(\frac{\pi}{4}+h\right)-f\left(\frac{\pi}{4}\right)-\left\{f\left(\frac{\pi}{4}-h\right)-f\left(\frac{\pi}{4}\right)\right\}}{h}$$

$$=\lim_{h\to 0}\left\{\frac{f\left(\frac{\pi}{4}+h\right)-f\left(\frac{\pi}{4}\right)}{h}+\frac{f\left(\frac{\pi}{4}-h\right)-f\left(\frac{\pi}{4}\right)}{-h}\right\}$$

$$=2f'\left(\frac{\pi}{4}\right)$$

STEP Ⓑ 삼각함수의 미분법을 이용하여 $2f'\left(\frac{\pi}{4}\right)$의 값 구하기

이때 $f(x)=x\tan x$에서 $f'(x)=\tan x+x\sec^2 x$

따라서 $2f'\left(\frac{\pi}{4}\right)=\pi+2$

내신연계 출제문항 383

함수 $f(x)=\tan x+\cot x$에 대하여

$$\lim_{n\to\infty}n\left\{f\left(\frac{\pi}{6}+\frac{1}{n}\right)-f\left(\frac{\pi}{6}-\frac{2}{n}\right)\right\}$$

의 값은?

① -2 ② -4 ③ -6

④ -8 ⑤ -10

STEP Ⓐ $\frac{1}{n}=h$로 치환하여 미분계수의 정의를 이용하여 변형하기

$\frac{1}{n}=h$라 하면 $n\to\infty$일 때, $h\to 0$이다.

$$\lim_{n\to\infty}n\left\{f\left(\frac{\pi}{6}+\frac{1}{n}\right)-f\left(\frac{\pi}{6}-\frac{2}{n}\right)\right\}$$

$$=\lim_{h\to 0}\frac{f\left(\frac{\pi}{6}+h\right)-f\left(\frac{\pi}{6}-2h\right)}{h}$$

$$=\lim_{h\to 0}\frac{f\left(\frac{\pi}{6}+h\right)-f\left(\frac{\pi}{6}\right)-\left\{f\left(\frac{\pi}{6}-2h\right)-f\left(\frac{\pi}{6}\right)\right\}}{h}$$

$$=\lim_{h\to 0}\frac{f\left(\frac{\pi}{6}+h\right)-f\left(\frac{\pi}{6}\right)}{h}+\lim_{h\to 0}\frac{f\left(\frac{\pi}{6}-2h\right)-f\left(\frac{\pi}{6}\right)}{-2h}\cdot 2$$

$$=f'\left(\frac{\pi}{6}\right)+2f'\left(\frac{\pi}{6}\right)$$

$$=3f'\left(\frac{\pi}{6}\right)$$

STEP Ⓑ 삼각함수의 미분법을 이용하여 $3f'\left(\frac{\pi}{6}\right)$의 값 구하기

이때 $f(x)=\tan x+\cot x$에서 $f'(x)=\sec^2 x-\csc^2 x$

따라서 $3f'\left(\frac{\pi}{6}\right)=3\left(\sec^2\frac{\pi}{6}-\csc^2\frac{\pi}{6}\right)=3\left(\frac{4}{3}-4\right)=-8$

정답 ④

1015

정답 ①

STEP Ⓐ $\frac{1}{n}=h$로 치환하여 미분계수의 정의를 이용하여 변형하기

$\frac{1}{n}=h$라 하면 $n\to\infty$일 때, $h\to 0$이다.

$$\lim_{n\to\infty} n\left\{f\left(\pi+\frac{1}{n}\right)-f\left(\pi-\frac{1}{n}\right)\right\}$$
$$=\lim_{h\to 0}\frac{f(\pi+h)-f(\pi-h)}{h}$$
$$=\lim_{h\to 0}\frac{f(\pi+h)-f(\pi)+f(\pi)-f(\pi-h)}{h}$$
$$=\lim_{h\to 0}\frac{f(\pi+h)-f(\pi)}{h}+\lim_{h\to 0}\frac{f(\pi-h)-f(\pi)}{-h}$$
$$=f'(\pi)+f'(\pi)$$
$$=2f'(\pi)$$

STEP Ⓑ 합성함수의 미분법을 이용하여 $2f'(\pi)$의 값 구하기

이때 $f(x)=2^{\sin x}$에서 $f'(x)=2^{\sin x}\cdot\ln 2\cdot(\sin x)'=2^{\sin x}\cdot\ln 2\cdot\cos x$

따라서 $2f'(\pi)=2\cdot 2^{\sin\pi}\cdot\ln 2\cdot\cos\pi=-2\ln 2$

1016

정답 ③

STEP Ⓐ 분수꼴의 극한의 성질과 미분계수의 정의를 이용하여 구하기

$\lim_{x\to 1}\frac{2^{f(x)}-1}{x-1}=3\ln 2$에서

$x\to 1$일 때, (분모)$\to 0$이고 극한값이 존재하므로 (분자)$\to 0$이어야 한다.

즉 $\lim_{x\to 1}(2^{f(x)}-1)=0$이므로 $2^{f(1)}-1=0$

$\therefore\ f(1)=0$

이때 $g(x)=2^{f(x)}$이라 하면 $g(1)=2^{f(1)}=1$이고

$g'(x)=2^{f(x)}\ln 2\cdot f'(x)$이므로

$$\lim_{x\to 1}\frac{2^{f(x)}-1}{x-1}=\lim_{x\to 1}\frac{g(x)-g(1)}{x-1}=g'(1)=3\ln 2$$

$g'(1)=2^{f(1)}\ln 2\cdot f'(1)=f'(1)\ln 2$

따라서 $f'(1)\ln 2=3\ln 2$이므로 $f'(1)=3$

내신연계 출제문항 384

$\lim_{x\to 1}\frac{f(3^{\ln x})-f(1)}{x-1}=\ln 3$을 만족시키는 함수 $f(x)$에 대하여 $f'(1)$의 값은?

① 1 ② 4 ③ 6
④ 8 ⑤ 10

STEP Ⓐ 미분계수의 정의를 이용하여 정리하기

$g(x)=f(3^{\ln x})$이라 하면 …… ㉠

$g(1)=f(3^{\ln 1})=f(1)$이므로

$\lim_{x\to 1}\frac{f(3^{\ln x})-f(1)}{x-1}=\ln 3$에서 $\lim_{x\to 1}\frac{g(x)-g(1)}{x-1}=\ln 3$

$\therefore\ g'(1)=\ln 3$

STEP Ⓑ 합성함수의 미분법을 이용하여 $f'(1)$의 값 구하기

㉠에서 $g'(x)=f'(3^{\ln x})(3^{\ln x})'=f'(3^{\ln x})\cdot 3^{\ln x}\cdot\ln 3\cdot\frac{1}{x}$

$g'(1)=f'(1)\cdot 1\cdot\ln 3\cdot 1=\ln 3$

따라서 $f'(1)=1$

정답 ①

1017

정답 ②

STEP Ⓐ 미분계수의 정의를 이용하여 정리하기

$g(h)=(\ln x)^h$로 놓으면 $g(0)=1$ ⬅ x는 상수 취급

$g'(h)=(\ln x)^h\ln(\ln x)$

$$f(x)=\lim_{h\to 0}\frac{(\ln x)^h-1}{h}=\lim_{h\to 0}\frac{g(h)-g(0)}{h}=g'(0)=\ln(\ln x)$$

STEP Ⓑ 합성함수의 미분법을 이용하여 $f'(e)$ 구하기

이때 $f'(x)=\frac{1}{\ln x}\cdot(\ln x)'=\frac{1}{x\ln x}$

따라서 $f'(e)=\frac{1}{e\ln e}=\frac{1}{e}$

다른풀이 $\lim_{x\to 0}\frac{a^x-1}{x}=\ln a$임을 이용하여 풀이하기

$\lim_{x\to 0}\frac{a^x-1}{x}=\ln a$이므로 $f(x)=\lim_{h\to 0}\frac{(\ln x)^h-1}{h}=\ln(\ln x)$

이때 $f'(x)=\frac{1}{\ln x}\cdot(\ln x)'=\frac{1}{x\ln x}$

따라서 $f'(e)=\frac{1}{e\ln e}=\frac{1}{e}$

1018

STEP Ⓐ 미분계수의 정의를 이용하여 $f(x)$ 구하기

$g(h)=(\log_2 x)^h$으로 놓으면 $g(0)=1$

$$f(x)=\lim_{h\to 0}\frac{(\log_2 x)^h-1}{h}=\lim_{h\to 0}\frac{g(h)-g(0)}{h}=g'(0)$$

STEP Ⓑ 로그함수의 미분법을 이용하여 $f(2^e)$ 구하기

$g(h)=(\log_2 x)^h$에서 $g'(h)=(\log_2 x)^h\ln(\log_2 x)$ ⬅ x는 상수 취급

$f(x)=g'(0)=\ln(\log_2 x)$

따라서 $f(2^e)=\ln(\log_2 2^e)=\ln e=1$

1019

STEP Ⓐ 미분계수의 정의를 이용하여 정리하기

$f(2)=g(1)=1$이므로

$$\lim_{h\to 0}\frac{f(2+2h)-g(1-h)}{h}$$
$$=\lim_{h\to 0}\frac{f(2+2h)-f(2)-\{g(1-h)-g(1)\}}{h}$$
$$=\lim_{h\to 0}\left\{\frac{f(2+2h)-f(2)}{2h}\cdot 2+\frac{g(1-h)-g(1)}{-h}\right\}$$
$$=2f'(2)+g'(1)$$

STEP Ⓑ $f'(x)$, $g'(x)$를 구하여 주어진 값 구하기

$f'(x)=2(2x^3-3x^2-3)(6x^2-6x)$이므로 $f'(2)=2\cdot 1\cdot 12=24$

$g'(x)=-\frac{2(3x-2)\cdot 3}{(3x-2)^4}=-\frac{6}{(3x-2)^3}$이므로 $g'(1)=-6$

따라서 $\lim_{h\to 0}\frac{f(2+2h)-g(1-h)}{h}=2f'(2)+g'(1)=2\cdot 24+(-6)=42$

1020

정답 ⑤

STEP A 미분계수의 정의를 이용하여 정리하기

$$\lim_{h\to0}\frac{f(e+2h)-f(e-h)}{h}$$
$$=\lim_{h\to0}\frac{f(e+2h)-f(e)-\{f(e-h)-f(e)\}}{h}$$
$$=\lim_{h\to0}\left\{\frac{f(e+2h)-f(e)}{2h}\cdot2+\frac{f(e-h)-f(e)}{-h}\right\}$$
$$=2f'(e)+f'(e)=3f'(e) \quad \cdots\cdots ㉠$$

STEP B 로그함수의 도함수를 이용하여 $f'(e)$ 구하기

$f(x)=(\ln x)^x\,(x>1)$의 양변에 자연로그를 취하면

$\ln f(x)=\ln(\ln x)^x$에서 $\ln f(x)=x\ln(\ln x)$

양변을 x에 대하여 미분하면

$$\frac{f'(x)}{f(x)}=\ln(\ln x)+x\cdot\frac{\frac{1}{x}}{\ln x}=\ln(\ln x)+\frac{1}{\ln x}$$

$$\therefore\ f'(x)=f(x)\left\{\ln(\ln x)+\frac{1}{\ln x}\right\}=(\ln x)^x\left\{\ln(\ln x)+\frac{1}{\ln x}\right\}$$

따라서 $f'(e)=(\ln e)^e\left\{\ln(\ln e)+\frac{1}{\ln e}\right\}=1$이므로 $3f'(e)=3$

1021

정답 ②

STEP A 미분계수의 정의를 이용하여 정리하기

$f(x)=\ln(e^x+e^{2x}+e^{3x}+\cdots+e^{10x})$으로 놓으면 $f(0)=\ln10$

$$\lim_{x\to0}\frac{1}{x}\ln\frac{e^x+e^{2x}+e^{3x}+\cdots+e^{10x}}{10}$$
$$=\lim_{x\to0}\frac{1}{x}\{\ln(e^x+e^{2x}+e^{3x}+\cdots+e^{10x})-\ln10\}$$
$$=\lim_{x\to0}\frac{f(x)-f(0)}{x}=f'(0)$$

STEP B $f'(0)$의 값 구하기

이때 $f'(x)=\frac{e^x+2e^{2x}+3e^{3x}+\cdots+10e^{10x}}{e^x+e^{2x}+e^{3x}+\cdots+e^{10x}}$이므로

$$f'(0)=\frac{1+2+3+\cdots+10}{10}=\frac{55}{10}=\frac{11}{2}$$ ← $\sum_{k=1}^{10}k=\frac{10(10+1)}{2}=55$

내/신/연/계/ 출제문항 385

$\lim_{x\to0}\frac{1}{x}\ln\frac{e^x+e^{2x}+e^{3x}+\cdots+e^{20x}}{20}$의 값은?

① 5 ② $\frac{19}{2}$ ③ 10
④ $\frac{21}{2}$ ⑤ $\frac{23}{2}$

STEP A 미분계수의 정의를 이용하여 정리하기

$f(x)=\ln(e^x+e^{2x}+\cdots+e^{20x})$이라 하면

$f(0)=\ln(1+1+1+\cdots+1)=\ln20$

$$\lim_{x\to0}\frac{1}{x}\ln\frac{e^x+e^{2x}+\cdots+e^{20x}}{20}=\lim_{x\to0}\frac{\ln(e^x+e^{2x}+\cdots+e^{20x})-\ln20}{x}$$
$$=\lim_{x\to0}\frac{f(x)-f(0)}{x}=f'(0)$$

STEP B 로그함수의 미분법을 이용하여 $f'(0)$ 구하기

따라서 $f'(x)=\frac{e^x+2e^{2x}+\cdots+20e^{20x}}{e^x+e^{2x}+\cdots+e^{20x}}$이므로

$$f'(0)=\frac{1+2+\cdots+20}{20}=\frac{210}{20}=\frac{21}{2}$$ ← $\sum_{k=1}^{20}k=\frac{20(20+1)}{2}=210$

정답 ④

1022

정답 ⑤

STEP A 미분계수의 정의를 이용하여 정리하기

$$\lim_{x\to0}\frac{1}{x}\ln\frac{e^x+e^{2x}+e^{3x}+\cdots+e^{nx}}{n}$$
$$=\lim_{x\to0}\frac{\ln(e^x+e^{2x}+e^{3x}+\cdots+e^{nx})-\ln n}{x}$$

$f(x)=\ln(e^x+e^{2x}+\cdots+e^{nx})$이라 하면

$f(0)=\ln n$이므로

$$\lim_{x\to0}\frac{1}{x}\ln\frac{e^x+e^{2x}+\cdots+e^{nx}}{n}=\lim_{x\to0}\frac{f(x)-f(0)}{x}=f'(0)$$

STEP B 로그함수의 미분법을 이용하여 $f'(0)$ 구하기

$f'(x)=\frac{e^x+2e^{2x}+\cdots+ne^{nx}}{e^x+e^{2x}+\cdots+e^{nx}}$이므로

$$f'(0)=\frac{1+2+3+\cdots+n}{n}=\frac{\frac{n(n+1)}{2}}{n}=\frac{n+1}{2}$$

STEP C $f'(0)=20$임을 이용하여 자연수 n의 값 구하기

따라서 $\frac{n+1}{2}=20$이므로 $n=39$

내/신/연/계/ 출제문항 386

$\lim_{x\to1}\frac{1}{x-1}\ln\frac{x^2+x^4+x^6+\cdots+x^{2n}}{n}=15$인 자연수 n의 값은?

① 11 ② 12 ③ 13
④ 14 ⑤ 15

STEP A 미분계수의 정의를 이용하여 정리하기

$f(x)=\ln(x^2+x^4+x^6+\cdots+x^{2n})$이라 하면

$f(1)=\ln(1+1+1+\cdots+1)=\ln n$

$$\lim_{x\to1}\frac{1}{x-1}\ln\frac{x^2+x^4+\cdots+x^{2n}}{n}=\lim_{x\to1}\frac{\ln(x^2+x^4+\cdots+x^{2n})-\ln n}{x-1}$$
$$=\lim_{x\to1}\frac{f(x)-f(1)}{x-1}=f'(1)$$

STEP B $f'(1)=15$임을 이용하여 자연수 n의 값 구하기

따라서 $f'(x)=\frac{2x+4x^3+6x^5+\cdots+2nx^{2n-1}}{x^2+x^4+\cdots+x^{2n}}$이므로

$$f'(1)=\frac{2+4+6+\cdots+2n}{n}=n+1=15 \quad \therefore\ n=14$$

정답 ④

1023

정답 ④

STEP A 미분계수의 정의를 이용하여 정리하기

$f(x)=\ln(2^x+3^x+5^x)$이라 하면 $\cdots\cdots ㉠$

$f(0)=\ln3$이므로

$$\lim_{x\to0}\frac{1}{x}\ln\frac{2^x+3^x+5^x}{3}=\lim_{x\to0}\frac{\ln(2^x+3^x+5^x)-\ln3}{x}$$
$$=\lim_{x\to0}\frac{f(x)-f(0)}{x-0}=f'(0)$$

STEP B 로그함수의 미분법을 이용하여 $f'(0)$ 구하기

이때 $f(x)=\ln(2^x+3^x+5^x)$이므로 $f'(x)=\frac{2^x\ln2+3^x\ln3+5^x\ln5}{2^x+3^x+5^x}$

따라서 $f'(0)=\frac{2^0\ln2+3^0\ln3+5^0\ln5}{2^0+3^0+5^0}=\frac{\ln2+\ln3+\ln5}{3}=\frac{\ln30}{3}$

1024

정답 ④

STEP A 로그함수의 미분법을 이용하여 $x=e$에서의 미분계수 구하기

$f(x)=x^{x}$로 놓고 양변에 자연로그를 취하면 $\ln f(x)=x\ln x$

로그함수의 미분법을 이용하면

$\dfrac{f'(x)}{f(x)}=\ln x+x\cdot\dfrac{1}{x}$이므로 $f'(x)=x^{x}(\ln x+1)$

따라서 $x=e$에서의 미분계수는 $f'(e)=e^{e}(\ln e+1)=2e^{e}$

다른풀이 $x=e^{\ln x}$을 이용하여 $f'(e)$ 구하기

$x=e^{\ln x}$에서 $f(x)=(e^{\ln x})^{x}=e^{x\ln x}$

$f'(x)=e^{x\ln x}(x\ln x)'=e^{x\ln x}\left(\ln x+x\cdot\dfrac{1}{x}\right)$

$\quad=e^{x\ln x}(\ln x+1)=x^{x}(\ln x+1)$

따라서 $x=e$에서의 미분계수는 $f'(e)=e^{e}(\ln e+1)=2e^{e}$

$x>0$인 구간에서 오른쪽 그림은 함수 $f(x)=x^{x}$의 그래프를 그린 것이다.

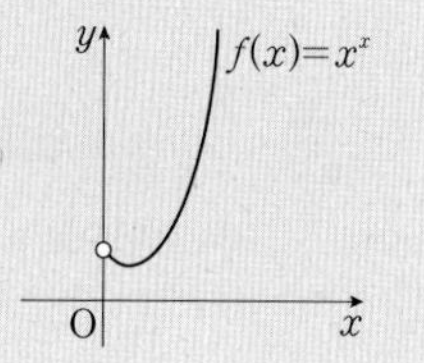

1025

정답 ①

STEP A 로그함수의 미분법을 이용하여 $f'\left(\dfrac{1}{e}\right)$의 값 구하기

$f(x)=x^{\ln x}\,(x>0)$의 양변에 자연로그를 취하면 $\ln f(x)=(\ln x)^{2}$

로그함수의 미분법을 이용하면

$\dfrac{f'(x)}{f(x)}=2\ln x\cdot\dfrac{1}{x}$이므로 $f'(x)=2\cdot\dfrac{\ln x}{x}\cdot x^{\ln x}=2x^{\ln x-1}\cdot\ln x$

따라서 $f'\left(\dfrac{1}{e}\right)=2\left(\dfrac{1}{e}\right)^{-2}\cdot(-1)=-2e^{2}$

다른풀이 $x=e^{\ln x}$을 이용하여 $f'\left(\dfrac{1}{e}\right)$ 구하기

$x=e^{\ln x}$에서 $f(x)=(e^{\ln x})^{\ln x}=e^{(\ln x)^{2}}$

$f'(x)=e^{(\ln x)^{2}}\{(\ln x)^{2}\}'=e^{(\ln x)^{2}}\cdot 2\ln x\cdot\dfrac{1}{x}$

$\quad=x^{\ln x}\cdot 2\ln x\cdot x^{-1}=2x^{\ln x-1}\cdot\ln x$

따라서 $f'\left(\dfrac{1}{e}\right)=2\left(\dfrac{1}{e}\right)^{-2}\cdot(-1)=-2e^{2}$

1026

STEP A 로그함수의 미분법을 이용하여 $f'(\pi)$의 값 구하기

$f(x)=x^{\cos x}$의 양변에 자연로그를 취하면 $\ln f(x)=\ln x^{\cos x}=\cos x\ln x$

양변을 x에 대하여 미분하면 $\dfrac{f'(x)}{f(x)}=-\sin x\ln x+\cos x\cdot\dfrac{1}{x}$

$\therefore f'(x)=x^{\cos x}\left(-\sin x\ln x+\dfrac{\cos x}{x}\right)$

따라서 $f'(\pi)=\pi^{-1}\left(-\dfrac{1}{\pi}\right)=-\dfrac{1}{\pi^{2}}$

다른풀이 $x=e^{\ln x}$을 이용하여 풀이하기

$x=e^{\ln x}$에서 $f(x)=(e^{\ln x})^{\cos x}=e^{\ln x\cdot\cos x}$

$f'(x)=e^{\ln x\cdot\cos x}\{\ln x\cdot\cos x\}'=e^{\ln x\cdot\cos x}\cdot\left\{\dfrac{1}{x}\cdot\cos x+\ln x\cdot(-\sin x)\right\}$

따라서 $f'(\pi)=\pi^{-1}\left(-\dfrac{1}{\pi}\right)=-\dfrac{1}{\pi^{2}}$

내신연계 출제문항 387

함수 $f(x)=x^{\sin x}$에 대하여 $f'(\pi)$의 값은? (단, $x>0$)

① $-\pi$ ② $-\ln x$ ③ 1
④ $\ln\pi$ ⑤ π

STEP A 로그함수의 미분법을 이용하여 $f'(\pi)$의 값 구하기

$f(x)=x^{\sin x}$의 양변에 자연로그를 취하면 $\ln f(x)=\ln x^{\sin x}=\sin x\ln x$

양변을 x에 대하여 미분하면 $\dfrac{f'(x)}{f(x)}=\cos x\ln x+\dfrac{\sin x}{x}$

즉 $f'(x)=x^{\sin x}\left(\cos x\ln x+\dfrac{\sin x}{x}\right)$

따라서 $f'(\pi)=-\ln\pi$

다른풀이 $x=e^{\ln x}$을 이용하여 풀이하기

$x=e^{\ln x}$에서 $f(x)=(e^{\ln x})^{\sin x}=e^{\ln x\cdot\sin x}$

$f'(x)=e^{\ln x\cdot\sin x}\{\ln x\cdot\sin x\}'=e^{\ln x\cdot\sin x}\cdot\left\{\dfrac{1}{x}\cdot\sin x+\ln x\cdot\cos x\right\}$

따라서 $f'(\pi)=1\cdot(-\ln\pi)=-\ln\pi$

정답 ②

1027

STEP A 미분계수의 정의를 이용하여 정리하기

$f(\pi)=\pi^{\sin\pi}=1$이므로

$\displaystyle\lim_{x\to\pi}\frac{f(x)-1}{x-\pi}=\lim_{x\to\pi}\frac{f(x)-f(\pi)}{x-\pi}=f'(\pi)$

STEP B 로그함수의 미분법을 이용하여 $f'(\pi)$의 값 구하기

$f(x)=x^{\sin x}$의 양변에 자연로그를 취하면 $\ln f(x)=\ln x^{\sin x}=\sin x\ln x$

양변을 x에 대하여 미분하면 $\dfrac{f'(x)}{f(x)}=\cos x\ln x+\dfrac{\sin x}{x}$

$f'(x)=f(x)\left(\cos x\ln x+\dfrac{\sin x}{x}\right)$

$\quad=x^{\sin x}\left(\cos x\ln x+\dfrac{\sin x}{x}\right)$

따라서 $f'(\pi)=\pi^{0}\{(-1)\cdot\ln\pi+0\}=-\ln\pi$

내신연계 출제문항 388

함수 $f(x)=x^{\cos x}\,(x>0)$에 대하여

$$\lim_{x\to\pi}\frac{x^{2}f(\pi)-\pi^{2}f(x)}{x-\pi}$$

의 값은?

① 1 ② 2 ③ 3
④ 4 ⑤ 5

STEP A 로그함수의 미분법을 이용하여 $f'(\pi)$의 값 구하기

$f(x)=x^{\cos x}$에서 $f(\pi)=\pi^{-1}=\dfrac{1}{\pi}$

$f(x)=x^{\cos x}$의 양변에 ln을 취하여

$\ln f(x)=\cos x\cdot\ln x$의 양변을 x에 대하여 미분하면

$\dfrac{f'(x)}{f(x)}=-\sin x\cdot\ln x+\dfrac{\cos x}{x}$, $f'(x)=x^{\cos x}\left(-\sin x\cdot\ln x+\dfrac{\cos x}{x}\right)$

이므로 $f'(\pi)=\pi^{-1}\left(0+\dfrac{-1}{\pi}\right)=-\dfrac{1}{\pi^{2}}$

STEP B 미분계수의 정의를 이용하여 구하기

따라서 $\lim_{x \to \pi} \frac{x^2 f(\pi)-\pi^2 f(x)}{x-\pi}$

$=\lim_{x \to \pi} \frac{(x^2-\pi^2)f(\pi)-\pi^2\{f(x)-f(\pi)\}}{x-\pi}$

$=\lim_{x \to \pi} \frac{(x^2-\pi^2)f(\pi)}{x-\pi}-\lim_{x \to \pi} \frac{\pi^2\{f(x)-f(\pi)\}}{x-\pi}$

$=\lim_{x \to \pi}(x+\pi)f(\pi)-\pi^2 \lim_{x \to \pi} \frac{f(x)-f(\pi)}{x-\pi}$

$=2\pi f(\pi)-\pi^2 f'(\pi)$

$=2\pi \cdot \frac{1}{\pi}-\pi^2 \cdot \left(-\frac{1}{\pi^2}\right)$

$=3\left(\because f(\pi)=\frac{1}{\pi},\ f'(\pi)=-\frac{1}{\pi^2}\right)$

정답 ③

1028

정답 ①

STEP A 양변에 자연로그를 취하여 정리하기

$f(x)>0$이므로 함수 $f(x)$에 자연로그를 취하면

$\ln f(x)=\ln\{(e^x+1)(e^{2x}+1)(e^{3x}+1)(e^{4x}+1)\}$

$=\ln(e^x+1)+\ln(e^{2x}+1)+\ln(e^{3x}+1)+\ln(e^{4x}+1)$

STEP B 음함수 미분법을 이용하여 구하기

위의 식의 양변을 x에 대하여 미분하면

$\frac{f'(x)}{f(x)}=\frac{e^x}{e^x+1}+\frac{2e^{2x}}{e^{2x}+1}+\frac{3e^{3x}}{e^{3x}+1}+\frac{4e^{4x}}{e^{4x}+1}$

따라서 $\lim_{x \to 0} \frac{f'(x)}{f(x)}=\lim_{x \to 0}\left(\frac{e^x}{e^x+1}+\frac{2e^{2x}}{e^{2x}+1}+\frac{3e^{3x}}{e^{3x}+1}+\frac{4e^{4x}}{e^{4x}+1}\right)$

$=\frac{1}{2}+\frac{2}{2}+\frac{3}{2}+\frac{4}{2}=\frac{10}{2}=5$

1029

정답 ①

STEP A 로그함수의 미분법을 이용하여 $f'(\pi)$의 값 구하기

$f(x)=x^{\ln x}$에서 $\ln f(x)=(\ln x)^2$

양변을 x에 대하여 미분하면 $\frac{f'(x)}{f(x)}=\frac{2}{x}\ln x$

$f'(x)=f(x)\left(\frac{2}{x}\ln x\right)=x^{\ln x}\left(\frac{2}{x}\ln x\right)$

$\therefore f'(e)=e^{\ln e}\left(\frac{2}{e}\cdot \ln e\right)=2$

STEP B 로그함수의 미분법을 이용하여 $g'(e)$의 값 구하기

$g(x)=(\ln x)^x$에서 $\ln g(x)=x\ln(\ln x)$

양변을 x에 대하여 미분하면

$\frac{g'(x)}{g(x)}=\ln(\ln x)+x\cdot \frac{1}{\ln x}\cdot \frac{1}{x}$

$g'(x)=g(x)\left\{\ln(\ln x)+\frac{1}{\ln x}\right\}=(\ln x)^x\left\{\ln(\ln x)+\frac{1}{\ln x}\right\}$

$\therefore g'(e)=(\ln e)^e\left\{\ln(\ln e)+\frac{1}{\ln e}\right\}=1$

STEP C $f'(e)-g'(e)$의 값 구하기

따라서 $f'(e)-g'(e)=2-1=1$

1030

STEP A 로그함수의 미분법을 이용하여 $f'(4)$의 값 구하기

$f(x)=\frac{(x-1)^2(x-2)}{x-3}$의 양변의 절댓값에 자연로그를 취하면

$\ln|f(x)|=\ln\left|\frac{(x-1)^2(x-2)}{x-3}\right|=2\ln|x-1|+\ln|x-2|-\ln|x-3|$

위 등식의 양변을 x에 대하여 미분하면

$\frac{f'(x)}{f(x)}=\frac{2}{x-1}+\frac{1}{x-2}-\frac{1}{x-3}=\frac{2x^2-11x+13}{(x-1)(x-2)(x-3)}$

$f'(x)=f(x)\cdot \frac{2x^2-11x+13}{(x-1)(x-2)(x-3)}$

따라서 $f(4)=18$이므로 $f'(4)=f(4)\cdot \frac{1}{6}=3$

다른풀이 몫의 미분법을 이용하여 풀이하기

$f(x)=\frac{(x-1)^2(x-2)}{x-3}$에서

$f'(x)=\frac{\{2(x-1)(x-2)+(x-1)^2\}(x-3)-(x-1)^2(x-2)}{(x-3)^2}$

따라서 $f'(4)=\frac{(2\cdot 3\cdot 2+3^2)\cdot 1-3^2\cdot 2}{1^2}=3$

1031

STEP A 로그함수의 미분법을 이용하여 $f'(2)$ 구하기

$f(x)=\frac{(x-2)(x-1)^2}{(x+1)^3}$의 양변의 절댓값에 자연로그를 취하면

$\ln|f(x)|=\ln\left|\frac{(x-2)(x-1)^2}{(x+1)^3}\right|=\ln|x-2|+2\ln|x-1|-3\ln|x+1|$

위 등식의 양변을 x에 대하여 미분하면

$\frac{f'(x)}{f(x)}=\frac{1}{x-2}+\frac{2}{x-1}-\frac{3}{x+1}=\frac{7x-11}{(x-2)(x-1)(x+1)}$

$f'(x)=f(x)\cdot \frac{7x-11}{(x-2)(x-1)(x+1)}$

따라서 $f'(x)=\frac{(7x-11)(x-1)}{(x+1)^4}$이므로 $f'(2)=\frac{1}{27}$

내신연계 출제문항 389

함수 $f(x)=\frac{(x-1)^2\sqrt{x+1}}{x+2}$에 대하여 $f'(0)$의 값은?

① -3 ② -2 ③ -1
④ 1 ⑤ 2

STEP A 로그함수의 미분법을 이용하여 $f'(0)$ 구하기

$f(x)=\frac{(x-1)^2\sqrt{x+1}}{x+2}$의 양변의 절댓값에 자연로그를 취하면

$\ln|f(x)|=\ln\left|\frac{(x-1)^2\sqrt{x+1}}{x+2}\right|=2\ln|x-1|+\frac{1}{2}\ln|x+1|-\ln|x+2|$

위 등식의 양변을 x에 대하여 미분하면

$\frac{f'(x)}{f(x)}=\frac{2}{x-1}+\frac{1}{2(x+1)}-\frac{1}{x+2}=\frac{3x^2+13x+8}{2(x+1)(x-1)(x+2)}$

$f'(x)=f(x)\cdot \frac{3x^2+13x+8}{2(x+1)(x-1)(x+2)}$

따라서 $f(0)=\frac{1}{2}$이므로 $f'(0)=f(0)\cdot -2=-1$

정답 ③

1032

정답 ①

STEP A 로그함수의 미분법을 이용하여 $f'(\pi)$ 구하기

$f(x)=\dfrac{e^x\cos x}{1+\sin x}$ 의 양변의 절댓값에 자연로그를 취하면

$\ln|f(x)|=\ln\left|\dfrac{e^x\cos x}{1+\sin x}\right|=\ln\dfrac{|e^x\cos x|}{|1+\sin x|}$

$\ln|f(x)|=\ln e^x+\ln|\cos x|-\ln|1+\sin x|$

양변을 각각 미분하면

$\dfrac{f'(x)}{f(x)}=1-\dfrac{\sin x}{\cos x}-\dfrac{\cos x}{1+\sin x}$

$=\dfrac{\cos x+\cos x\sin x-\sin x-1}{\cos x(1+\sin x)}$

$=\dfrac{\cos x(1+\sin x)-(1+\sin x)}{\cos x(1+\sin x)}$

$=\dfrac{(\cos x-1)(1+\sin x)}{\cos x(1+\sin x)}$

$=\dfrac{\cos x-1}{\cos x}$

$\therefore f'(x)=f(x)\cdot\dfrac{\cos x-1}{\cos x}=\dfrac{e^x\cos x}{1+\sin x}\cdot\dfrac{\cos x-1}{\cos x}=\dfrac{e^x(\cos x-1)}{1+\sin x}$

따라서 $f'(\pi)=-2e^{\pi}$

1033

 ⑤

STEP A 로그함수의 미분법을 이용하여 $f'\left(\frac{\pi}{6}\right)$의 값 구하기

$f(x)=\dfrac{1}{2}\{\ln(1+\cos x)-\ln(1-\cos x)\}$

$f'(x)=\dfrac{1}{2}\left(\dfrac{-\sin x}{1+\cos x}-\dfrac{\sin x}{1-\cos x}\right)$

$=\dfrac{1}{2}\cdot\dfrac{-2\sin x}{1-\cos^2 x}$

$=\dfrac{-2\sin x}{2\sin^2 x}=-\dfrac{1}{\sin x}$

$=-\csc x$

STEP B $f'\left(\frac{\pi}{6}\right)$ 구하기

따라서 $x=\dfrac{\pi}{6}$에서의 미분계수는 $f'\left(\dfrac{\pi}{6}\right)=-\csc\dfrac{\pi}{6}=-2$

1034

 ⑤

STEP A 로그함수의 미분법을 이용하여 $f'\left(\frac{\pi}{3}\right)$ 구하기

$e^{f(x)}=\sqrt{\dfrac{1+\sin x}{1-\sin x}}$ 의 양변에 자연로그를 취하면

$f(x)=\dfrac{1}{2}\ln\dfrac{1+\sin x}{1-\sin x}=\dfrac{1}{2}\{\ln(1+\sin x)-\ln(1-\sin x)\}$

양변을 x에 대하여 미분하면

$f'(x)=\dfrac{1}{2}\left(\dfrac{\cos x}{1+\sin x}-\dfrac{-\cos x}{1-\sin x}\right)$

$=\dfrac{2\cos x}{2(1-\sin^2 x)}$

$=\dfrac{\cos x}{\cos^2 x}=\dfrac{1}{\cos x}$

$=\sec x$

따라서 $f'\left(\dfrac{\pi}{3}\right)=2$

내신연계 출제문항 390

함수 $f(x)$가

$$e^{f(x)}=\sqrt{\frac{1+\cos x}{1-\cos x}}$$

를 만족시킬 때, $f''\left(\dfrac{\pi}{6}\right)$의 값은?

① $\dfrac{\sqrt{3}}{2}$　② $\dfrac{2\sqrt{3}}{3}$　③ $\dfrac{1}{2}$

④ $\sqrt{3}$　⑤ $2\sqrt{3}$

STEP A 로그함수의 미분법을 이용하여 $f''(x)$ 구하기

양변에 자연로그를 취하여 정리하면

$f(x)=\dfrac{1}{2}\{\ln(1+\cos x)-\ln(1-\cos x)\}$

즉 $f'(x)=\dfrac{1}{2}\left(-\dfrac{\sin x}{1+\cos x}-\dfrac{\sin x}{1-\cos x}\right)$

$=-\dfrac{\sin x}{1-\cos^2 x}$

$=-\dfrac{1}{\sin x}$

$=-\csc x$

따라서 $f''(x)=\csc x\cot x$이므로 $f''\left(\dfrac{\pi}{6}\right)=2\sqrt{3}$

정답 ⑤

1035

 ④

STEP A $y=x^n$ (n은 실수)의 도함수는 양변의 절댓값에 자연로그를 취한 후 음함수의 미분법을 이용하여 구하기

$y=x^n$의 양변의 절댓값에 자연 로그를 취하면

$\ln|y|=\ln|x^n|=n\boxed{\ln|x|}$

각 항을 음함수의 미분법을 이용하여 x에 대하여 미분하면

$\dfrac{1}{y}\times\dfrac{dy}{dx}=\boxed{\dfrac{n}{x}}$

$\dfrac{dy}{dx}=y\times\boxed{\dfrac{n}{x}}=x^n\times\boxed{\dfrac{n}{x}}=nx^{n-1}$

따라서 $f(x)=\ln|x|$, $g(x)=\dfrac{n}{x}$이므로

$f(e^2)+g\left(\dfrac{n}{3}\right)=\ln e^2+\dfrac{n}{\frac{n}{3}}=2+3=5$

내신연계 출제문항 391

다음은 n이 음의 정수일 때, $y=x^{n}$의 도함수를 구하는 과정이다.

> $n=-m$ (m은 양의 정수)으로 놓으면
> $y=x^{n}=x^{-m}=\dfrac{1}{x^{m}}$
> 몫의 미분법을 이용하면
> $y'=-\dfrac{\boxed{(가)}}{x^{2m}}=-mx^{\boxed{(나)}}=nx^{n-1}$

(가), (나)에 알맞은 식을 각각 $f(x)$, $g(x)$라 할 때, $f(1)+g(2)$의 값은?

① -3 ② -2 ③ -1
④ 1 ⑤ 2

STEP A $y=x^{n}$ (n은 음의 정수)의 도함수는 몫의 미분법을 이용하여 구하기

$n=-m$ (m은 양의 정수)으로 놓으면

$y=x^{n}=x^{-m}=\dfrac{1}{x^{m}}$

몫의 미분법을 이용하면

$y'=-\dfrac{\boxed{mx^{m-1}}}{x^{2m}}=-mx^{m-1-2m}=-mx^{\boxed{-m-1}}$

이때 $n=-m$이므로 $y'=nx^{n-1}$

따라서 $f(x)=mx^{m-1}$, $g(x)=-m-1$이므로

$f(1)+g(2)=m+(-m-1)=-1$

 ③

1036

 ⑤

STEP A $x=0$에서 연속임을 이용하여 a, b의 관계식 구하기

$f(x)$가 $x=0$에서 미분가능하려면 $x=0$에서 연속이어야 하므로

$\lim\limits_{x\to0+}ae^{3x}=\lim\limits_{x\to0-}(\sin\pi x+b)=f(0)$

$\therefore a=b$ …… ㉠

STEP B $f'(0)$이 존재함을 이용하여 a, b의 값 구하기

또한, $f'(0)$의 값이 존재해야 하므로

$f'(x)=\begin{cases}3ae^{3x} & (x>0)\\ \pi\cos\pi x & (x<0)\end{cases}$에서

$\lim\limits_{x\to0+}3ae^{3x}=\lim\limits_{x\to0-}\pi\cos\pi x$

$\therefore 3a=\pi$ …… ㉡

따라서 ㉠, ㉡에서 $a=\dfrac{\pi}{3}$, $b=\dfrac{\pi}{3}$이므로 $a+b=\dfrac{2}{3}\pi$

내신연계 출제문항 392

함수

$$f(x)=\begin{cases}e^{ax} & (x<0)\\ \sin\pi x+x+b & (x\ge0)\end{cases}$$

로 정의된 함수 $f(x)$가 $x=0$에서 미분가능할 때, 상수 a, b에 대하여 $a+b$의 값은?

① -2π ② $-\pi-2$ ③ $-\pi$
④ $\pi+1$ ⑤ $\pi+2$

STEP A $x=0$에서 연속임을 이용하여 b의 값 구하기

$f(x)$가 $x=0$에서 미분가능하려면 $x=0$에서 연속이어야 하므로

$\lim\limits_{x\to0+}(\sin\pi x+x+b)=\lim\limits_{x\to0-}e^{ax}=f(0)$

$\therefore b=1$

STEP B $f'(0)$이 존재함을 이용하여 a, b의 값 구하기

또, $f'(0)$의 값이 존재해야 하므로

$f'(x)=\begin{cases}ae^{ax} & (x<0)\\ \pi\cos\pi x+1 & (x>0)\end{cases}$에서

$\lim\limits_{x\to0+}(\pi\cos\pi x+1)=\lim\limits_{x\to0-}ae^{ax}$

$\therefore a=\pi+1$

따라서 $a+b=\pi+2$

 ⑤

1037

 ①

STEP A $x=0$에서 연속임을 이용하여 a, b의 관계식 구하기

$\lim\limits_{x\to0+}f(x)=\lim\limits_{x\to0+}\left(\sin\dfrac{x}{4}+1\right)=\lim\limits_{x\to0-}f(x)=\lim\limits_{x\to0-}(ax+b)$

$\therefore b=1$ …… ㉠

STEP B $f'(0)$이 존재함을 이용하여 a, b의 값 구하기

또한, $f'(0)$의 값이 존재해야 하므로

$f'(x)=\begin{cases}a & (-2\pi\le x<0)\\ \dfrac{1}{4}\cos\dfrac{x}{4} & (0<x<2\pi)\end{cases}$ 에서

$\lim\limits_{x\to0+}\dfrac{1}{4}\cos\dfrac{x}{4}=\lim\limits_{x\to0-}a$

$\therefore a=\dfrac{1}{4}$ …… ㉡

따라서 ㉠, ㉡에서 $ab=\dfrac{1}{4}$

1038

 ④

STEP A $x=-1$에서 연속임을 이용하여 a, b의 관계식 구하기

$f(x)$가 $x=-1$에서 미분가능하므로 연속이다.

$\lim\limits_{x\to-1+}f(x)=\lim\limits_{x\to-1-}f(x)=f(-1)$에서 $a-1=b$

즉 $a-b=1$ …… ㉠

STEP B $f'(-1)$이 존재함을 이용하여 a, b의 값 구하기

$f'(-1)$의 값이 존재해야 하므로

$f'(x)=\begin{cases}2ax+3 & (x>-1)\\ \dfrac{1}{x+2} & (-2<x<-1)\end{cases}$

$\lim\limits_{x\to-1+}(2ax+3)=\lim\limits_{x\to-1-}\dfrac{1}{x+2}$, $-2a+3=1$

$\therefore a=1$

$a=1$을 ㉠에 대입하면 $b=0$

따라서 $a+b=1$

1039

정답 ⑤

STEP A 매개변수로 나타낸 함수의 미분법을 이용하여 $\frac{dy}{dx}$ 구하기

$x=t+\frac{1}{t}$에서 $\frac{dx}{dt}=1-\frac{1}{t^2}$

$y=t^2+\frac{1}{t^2}$에서 $\frac{dy}{dt}=2t-\frac{2}{t^3}$이므로

$$\frac{dy}{dx}=\frac{\frac{dy}{dt}}{\frac{dx}{dt}}=\frac{2t-\frac{2}{t^3}}{1-\frac{1}{t^2}}=\frac{2t^4-2}{t(t^2-1)}\ (\text{단, } t\neq 0)$$

STEP B $t=2$일 때, $\frac{dy}{dx}$의 값 구하기

따라서 $t=2$를 대입하면 $\frac{dy}{dx}$의 값은 $\frac{32-2}{2\cdot 3}=5$

내신연계 출제문항 393

매개변수 $t\,(t>0)$으로 나타내어진 함수

$$x=t-\frac{2}{t},\ y=t^2+\frac{2}{t^2}$$

에서 $t=1$일 때, $\frac{dy}{dx}$의 값은?

① $-\frac{2}{3}$ ② -1 ③ $-\frac{4}{3}$
④ $-\frac{5}{3}$ ⑤ -2

STEP A 매개변수로 나타낸 함수의 미분법을 이용하여 $\frac{dy}{dx}$ 구하기

$x=t-\frac{2}{t}$에서 $\frac{dx}{dt}=1+\frac{2}{t^2}$

$y=t^2+\frac{2}{t^2}$에서 $\frac{dy}{dt}=2t-\frac{4}{t^3}$이므로 $\frac{dy}{dx}=\frac{\frac{dy}{dt}}{\frac{dx}{dt}}=\frac{2t-\frac{4}{t^3}}{1+\frac{2}{t^2}}=\frac{2t^4-4}{t(t^2+2)}$

STEP B $t=1$일 때, $\frac{dy}{dx}$의 값 구하기

따라서 $t=1$일 때, $\frac{dy}{dx}=\frac{2-4}{1+2}=-\frac{2}{3}$

정답 ①

1040

정답 ①

STEP A 매개변수로 나타낸 함수의 미분법을 이용하여 $\frac{dy}{dx}$ 구하기

$x=\frac{1-t}{1+t^2}$에서 $\frac{dx}{dt}=\frac{t^2-2t-1}{(1+t^2)^2}$

$y=\frac{3t^2}{1+t^2}$에서 $\frac{dy}{dt}=\frac{6t}{(1+t^2)^2}$이므로 $\frac{dy}{dx}=\frac{\frac{dy}{dt}}{\frac{dx}{dt}}=\frac{6t}{t^2-2t-1}$

STEP B $t=1$일 때, $\frac{dy}{dx}$의 값 구하기

따라서 $t=1$을 대입하면 $\frac{dy}{dx}$의 값은 $\frac{6}{1-2-1}=-3$

내신연계 출제문항 394

매개변수 t로 나타내어진 함수

$$x=\frac{1-t}{1+t},\ y=\frac{t^2}{1+t}$$

에 대하여 $t=2$일 때, $\frac{dy}{dx}$의 값은?

① -1 ② -2 ③ -3
④ -4 ⑤ -6

STEP A 매개변수로 나타낸 함수의 미분법을 이용하여 $\frac{dy}{dx}$ 구하기

$\frac{dx}{dt}=\frac{-(1+t)-(1-t)}{(1+t)^2}=\frac{-2}{(1+t)^2}$, $\frac{dy}{dt}=\frac{2t(1+t)-t^2}{(1+t)^2}=\frac{t(t+2)}{(1+t)^2}$

이므로 $\frac{dy}{dx}=\frac{\frac{dy}{dt}}{\frac{dx}{dt}}=-\frac{t(t+2)}{2}$

STEP B $t=2$일 때, $\frac{dy}{dx}$의 값 구하기

따라서 접선의 기울기는 $t=2$일 때, $\frac{dy}{dx}=-\frac{2(2+2)}{2}=-4$

정답 ④

1041

정답 ③

STEP A 매개변수로 나타낸 함수의 미분법을 이용하여 $\frac{dy}{dx}$ 구하기

$x=\frac{1-3t}{t^2+1}$에서 $\frac{dx}{dt}=\frac{3t^2-2t-3}{(t^2+1)^2}$

$y=\frac{2t}{t^2+1}$에서 $\frac{dy}{dt}=\frac{-2t^2+2}{(t^2+1)^2}$이므로 $\frac{dy}{dx}=\frac{\frac{dy}{dt}}{\frac{dx}{dt}}=\frac{-2t^2+2}{3t^2-2t-3}$

STEP B $\frac{\infty}{\infty}$꼴의 극한값 구하기

따라서 $\lim_{t\to\infty}\frac{dy}{dx}=\lim_{t\to\infty}\frac{-2t^2+2}{3t^2-2t-3}=-\frac{2}{3}$

내신연계 출제문항 395

매개변수 t로 나타낸 함수

$$x=t^3-3t^2,\ y=2t^3-9t^2+12t$$

에 대하여 $\lim_{t\to\infty}\frac{dy}{dx}$의 값은?

① 1 ② 2 ③ 3
④ 4 ⑤ 5

STEP A 매개변수로 나타낸 함수의 미분법을 이용하여 $\frac{dy}{dx}$ 구하기

$x=t^3-3t^2$에서 $\frac{dx}{dt}=3t^2-6t$

$y=2t^3-9t^2+12t$에서 $\frac{dy}{dt}=6t^2-18t+12$이므로 $\frac{dy}{dx}=\frac{6t^2-18t+12}{3t^2-6t}$

STEP B $\lim_{t\to\infty}\frac{dy}{dx}$의 값 구하기

따라서 $\lim_{t\to\infty}\frac{dy}{dx}=\lim_{t\to\infty}\frac{6t^2-18t+12}{3t^2-6t}=2$

정답 ②

1042

정답 ③

STEP A 매개변수로 나타낸 함수의 미분법을 이용하여 $\frac{dy}{dx}$ 구하기

$x=2t-1$에서 $\frac{dx}{dt}=2$

$y=t^2+1$에서 $\frac{dy}{dt}=2t$이므로 $\frac{dy}{dx}=\frac{\frac{dy}{dt}}{\frac{dx}{dt}}=\frac{2t}{2}=t$ ...... ㉠

STEP B $x=2$에서 미분계수를 구하기

이때 $x=2t-1$에서 $x=2$로 놓으면

$2=2t-1 \quad \therefore t=\frac{3}{2}$

㉠에서 $t=\frac{3}{2}$이므로 $f'(2)=\frac{3}{2}$

따라서 $\lim_{h\to 0}\frac{f(2+2h)-f(2)}{h}=\lim_{h\to 0}\frac{f(2+2h)-f(2)}{2h}\cdot 2$

$=2f'(2)=2\cdot\frac{3}{2}=3$

참고
$x=2t-1$에서 $t=\frac{x+1}{2}$이므로 $y=t^2+1=\left(\frac{x+1}{2}\right)^2+1$
즉 $f(x)=\left(\frac{x+1}{2}\right)^2+1$

내/신/연/계/ 출제문항 396

매개변수 t로 나타낸 함수

$x=t-4,\ y=t^2+2$

에서 t를 소거하여 $y=f(x)$로 나타내었을 때,

$\lim_{h\to 0}\frac{f(1+2h)-f(1-2h)}{h}$의 값은?

① 20 ② 25 ③ 30
④ 35 ⑤ 40

STEP A 매개변수로 나타낸 함수의 미분법을 이용하여 $\frac{dy}{dx}$ 구하기

$x=t-4$에서 $\frac{dx}{dt}=1$이고

$y=t^2+2$에서 $\frac{dy}{dt}=2t$이므로 $\frac{dy}{dx}=\frac{\frac{dy}{dt}}{\frac{dx}{dt}}=\frac{2t}{1}=2t$ ...... ㉠

STEP B $x=1$에서 미분계수를 구하기

이때 $x=t-4$에서 $x=1$로 놓으면
$t-4=1 \quad \therefore t=5$
㉠에서 $t=5$이므로 $f'(1)=10$

따라서 $\lim_{h\to 0}\frac{f(1+2h)-f(1-2h)}{h}$

$=\lim_{h\to 0}\left\{\frac{f(1+2h)-f(1)}{2h}\cdot 2-\frac{f(1-2h)-f(1)}{-2h}\cdot(-2)\right\}$

$=2f'(1)+2f'(1)=4f'(1)$

$=4\cdot 10=40$

정답 ⑤

참고
$x=t-4$에서 $t=x+4$이므로 $y=t^2+2=(x+4)^2+2$
즉 $f(x)=(x+4)^2+2$

1043

정답 ②

STEP A 매개변수로 나타낸 함수의 미분법을 이용하여 $\frac{dy}{dx}$ 구하기

$x=t+t^3+t^5+\cdots+t^{99}$에서 $\frac{dx}{dt}=1+3t^2+5t^4+\cdots+99t^{98}$

$y=t^2+t^4+t^6+\cdots+t^{100}$에서 $\frac{dy}{dt}=2t+4t^3+6t^5+\cdots+100t^{99}$이므로

$\frac{dy}{dx}=\frac{2t+4t^3+6t^5+\cdots+100t^{99}}{1+3t^2+5t^4+\cdots+99t^{98}}$

STEP B $\lim_{t\to 1}\frac{dy}{dx}$의 값 구하기

따라서 $\lim_{t\to 1}\frac{dy}{dx}=\lim_{t\to 1}\frac{2t+4t^3+6t^5+\cdots+100t^{99}}{1+3t^2+5t^4+\cdots+99t^{98}}$

$=\frac{2+4+6+\cdots+100}{1+3+5+\cdots+99}$

$=\frac{50(2+100)}{2}\times\frac{2}{50(1+99)}$

$=\frac{51}{50}$

내/신/연/계/ 출제문항 397

매개변수로 나타낸 함수

$x=t+t^3+t^5+\cdots+t^{199},\ y=t^2+t^4+t^6+\cdots+t^{200}$

에 대하여 $\lim_{t\to 1}\frac{dy}{dx}$의 값은?

① $\frac{100}{103}$ ② $\frac{101}{50}$ ③ $\frac{101}{100}$
④ $\frac{51}{50}$ ⑤ $\frac{100}{99}$

STEP A 매개변수로 나타낸 함수의 미분법을 이용하여 $\frac{dy}{dx}$ 구하기

$x=t+t^3+t^5+\cdots+t^{199}$에서 $\frac{dx}{dt}=1+3t^2+5t^4+\cdots+199t^{198}$

$y=t^2+t^4+t^6+\cdots+t^{200}$에서 $\frac{dy}{dt}=2t+4t^3+6t^5+\cdots+200t^{199}$이므로

$\frac{dy}{dx}=\frac{\frac{dy}{dt}}{\frac{dx}{dt}}=\frac{2t+4t^3+6t^5+\cdots+200t^{199}}{1+3t^2+5t^4+\cdots+199t^{198}}$

STEP B $\lim_{t\to 1}\frac{dy}{dx}$의 값 구하기

따라서 구하는 극한값은

$\lim_{t\to 1}\frac{dy}{dx}=\lim_{t\to 1}\frac{2t+4t^3+6t^5+\cdots+200t^{199}}{1+3t^2+5t^4+\cdots+199t^{198}}$

$=\frac{2+4+6+\cdots+200}{1+3+5+\cdots+199}$

$=\frac{\frac{100(2+200)}{2}}{\frac{100(1+199)}{2}}=\frac{101}{100}$

정답 ③

1044

정답 ①

STEP A 매개변수로 나타낸 함수의 미분법을 이용하여 $\frac{dy}{dx}$ 구하기

$x=36t$에서 $\frac{dx}{dt}=36$

$y=-4.9t^2+150$에서 $\frac{dy}{dt}=-9.8t$이므로 $\frac{dy}{dx}=-\frac{49}{180}t$

STEP B 보급품이 땅에 떨어지는 순간의 $\frac{dy}{dx}$의 값 구하기

보급품이 땅에 떨어지는 순간은 $y=0$일 때이므로

$-4.9t^2+150=0,\ t^2=\frac{150}{4.9}\quad \therefore t=\frac{10\sqrt{15}}{7}\,(t\ge 0)$

따라서 $\frac{dy}{dx}=-\frac{49}{180}\cdot\frac{10\sqrt{15}}{7}=-\frac{7\sqrt{15}}{18}$

내신연계 출제문항 398

어느 구호 단체에서 지진으로 고립된 마을에 보급품을 공수하려고 한다. 비행기에서 떨어진 지 t초 후의 보급품의 위치 $(x,\ y)$를 좌표평면 위에 나타내면

$$x=50t,\ y=-5t^2+245$$

가 된다고 한다. 보급품이 땅에 떨어지는 순간의 $\frac{dy}{dx}$의 값은?

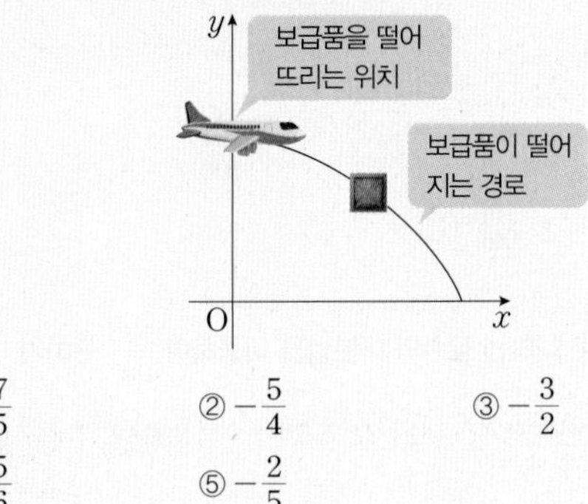

① $-\frac{7}{5}$　② $-\frac{5}{4}$　③ $-\frac{3}{2}$
④ $-\frac{5}{6}$　⑤ $-\frac{2}{5}$

STEP A 매개변수로 나타낸 함수의 미분법을 이용하여 $\frac{dy}{dx}$ 구하기

보급품이 땅에 떨어질 때까지 걸리는 시간, 즉 $y=0$일 때,
t의 값은 $-5t^2+245=0$에서 $t=7\,(t>0)$

이때 $\frac{dx}{dt}=50,\ \frac{dy}{dt}=-10t$이므로 $\frac{dy}{dx}=\frac{-10t}{50}=-\frac{t}{5}$

STEP B 보급품이 땅에 떨어지는 순간의 $\frac{dy}{dx}$의 값 구하기

따라서 보급품이 땅에 떨어지는 순간, 즉 $t=7$일 때,
$\frac{dy}{dx}$의 값은 $\frac{dy}{dx}=-\frac{7}{5}$

정답 ①

1045

정답 ④

STEP A 매개변수로 나타낸 함수의 미분법을 이용하여 $\frac{dy}{dx}$ 구하기

$x=e^{t+1}$에서 $\frac{dx}{dt}=e^{t+1}$

$y=e^{2t+3}$에서 $\frac{dy}{dt}=2e^{2t+3}$

따라서 $\frac{dy}{dx}=\frac{\frac{dy}{dt}}{\frac{dx}{dt}}=\frac{2e^{2t+3}}{e^{t+1}}=2e^{t+2}$

내신연계 출제문항 399

매개변수로 나타낸 함수

$$x=e^{t+1},\ y=e^{4t+2}$$

에 대하여 $\frac{dy}{dx}=ae^{bt+c}$라고 할 때, 상수 $a,\ b,\ c$에 대하여 $a+b+c$의 값은?

① 2　② 4　③ 6
④ 8　⑤ 10

STEP A 매개변수로 나타낸 함수의 미분법을 이용하여 $\frac{dy}{dx}$ 구하기

$x=e^{t+1}$에서 $\frac{dx}{dt}=e^{t+1}$

$y=e^{4t+2}$에서 $\frac{dy}{dt}=4e^{4t+2}$이므로 $\frac{dy}{dx}=\frac{\frac{dy}{dt}}{\frac{dx}{dt}}=4e^{3t+1}$

따라서 $a=4,\ b=3,\ c=1$이므로 $a+b+c=8$

정답 ④

1046

정답 ⑤

STEP A 매개변수로 나타낸 함수의 미분법을 이용하여 $\frac{dy}{dx}$ 구하기

$x=e^{2t-6}$에서 $\frac{dx}{dt}=2e^{2t-6}$

$y=t^2-t+5$에서 $\frac{dy}{dt}=2t-1$이므로 $\frac{dy}{dx}=\frac{\frac{dy}{dt}}{\frac{dx}{dt}}=\frac{2t-1}{2e^{2t-6}}$

STEP B $t=3$일 때, $\frac{dy}{dx}$의 값 구하기

따라서 $t=3$일 때, $\frac{dy}{dx}=\frac{5}{2e^0}=\frac{5}{2}$

1047

정답 ④

STEP A 매개변수로 나타낸 함수의 미분법을 이용하여 $\frac{dy}{dx}$ 구하기

$x=(t^2+1)e^t$에서 $\frac{dx}{dt}=2te^t+(t^2+1)e^t=(t^2+2t+1)e^t=(t+1)^2e^t$

$y=e^{3t+2}$에서 $\frac{dy}{dt}=3e^{3t+2}$이므로 $\frac{dy}{dx}=\frac{\frac{dy}{dt}}{\frac{dx}{dt}}=\frac{3e^{3t+2}}{(t+1)^2e^t}=\frac{3e^{2t+2}}{(t+1)^2}$

따라서 $a=3,\ b=2,\ c=2,\ d=2$이므로 $a+b+c+d=9$

1048

정답 ①

STEP A 매개변수로 나타낸 함수의 미분법을 이용하여 $\frac{dy}{dx}$ 구하기

$x=3+2\cos\theta$에서 $\frac{dx}{d\theta}=-2\sin\theta$

$y=1+3\sin\theta$에서 $\frac{dy}{d\theta}=3\cos\theta$이므로

$\frac{dy}{dx}=\frac{\frac{dy}{d\theta}}{\frac{dx}{d\theta}}=\frac{3\cos\theta}{-2\sin\theta}=-\frac{3}{2}\cot\theta\,(\sin\theta\ne 0)$

STEP B $\theta=\frac{\pi}{3}$일 때, $\frac{dy}{dx}$의 값 구하기

따라서 $\theta=\frac{\pi}{3}$일 때, 접선의 기울기는 $-\frac{3}{2}\cdot\frac{1}{\sqrt{3}}=-\frac{\sqrt{3}}{2}$

내신연계 출제문항 400

매개변수 $t\left(-\frac{\pi}{2}<t<\frac{\pi}{2}\right)$로 나타낸 곡선

$$x=2t+\cos t,\ y=2\sin t$$

에 대하여 $t=\frac{\pi}{6}$일 때, $\frac{dy}{dx}$의 값은?

① $\frac{\sqrt{2}}{3}$　② $\frac{1}{2}$　③ $\frac{\sqrt{3}}{2}$
④ $\frac{2\sqrt{3}}{3}$　⑤ $\frac{3\sqrt{2}}{2}$

STEP Ⓐ **매개변수로 나타낸 함수의 미분법을 이용하여 $\frac{dy}{dx}$ 구하기**

$x=2t+\cos t,\ y=2\sin t$에서

$\frac{dx}{dt}=2-\sin t,\ \frac{dy}{dt}=2\cos t$이므로 $\frac{dy}{dx}=\frac{\frac{dy}{dt}}{\frac{dx}{dt}}=\frac{2\cos t}{2-\sin t}$

STEP Ⓑ **$t=\frac{\pi}{6}$일 때, $\frac{dy}{dx}$의 값 구하기**

따라서 $t=\frac{\pi}{6}$일 때, $\frac{dy}{dx}$의 값은 $\frac{2\cos\frac{\pi}{6}}{2-\sin\frac{\pi}{6}}=\frac{2\cdot\frac{\sqrt{3}}{2}}{2-\frac{1}{2}}=\frac{2\sqrt{3}}{3}$　정답 ④

1049

정답 ①

STEP Ⓐ **매개변수로 나타낸 함수의 미분법을 이용하여 $\frac{dy}{dx}$ 구하기**

$x=2\sin\theta-1$에서 $\frac{dx}{d\theta}=2\cos\theta$

$y=4\cos\theta+\sqrt{3}$에서 $\frac{dy}{d\theta}=-4\sin\theta$이므로

$\frac{dy}{dx}=\frac{\frac{dy}{d\theta}}{\frac{dx}{d\theta}}=-\frac{4\sin\theta}{2\cos\theta}=-2\tan\theta(\cos\theta\neq0)$

STEP Ⓑ **$\theta=\frac{\pi}{3}$일 때, $\frac{dy}{dx}$의 값 구하기**

따라서 $\theta=\frac{\pi}{3}$를 대입하면 $\frac{dy}{dx}$의 값은 $-2\tan\frac{\pi}{3}=-2\sqrt{3}$

내신연계 출제문항 401

매개변수로 나타낸 함수

$$x=\sin t-\cos t,\ y=3\cos t$$

에 대하여 $t=\frac{\pi}{4}$일 때, $\frac{dy}{dx}$의 값은?

① -2　② $-\frac{3}{2}$　③ -1
④ $\frac{2}{3}$　⑤ 1

STEP Ⓐ **매개변수로 나타낸 함수의 미분법을 이용하여 $\frac{dy}{dx}$ 구하기**

$x=\sin t-\cos t$에서 $\frac{dx}{dt}=\cos t+\sin t$

$y=3\cos t$에서 $\frac{dy}{dt}=-3\sin t$이므로 $\frac{dy}{dx}=\frac{\frac{dy}{dt}}{\frac{dx}{dt}}=\frac{-3\sin t}{\cos t+\sin t}$

STEP Ⓑ **$t=\frac{\pi}{4}$일 때, $\frac{dy}{dx}$의 값 구하기**

따라서 $t=\frac{\pi}{4}$일 때, $\frac{dy}{dx}$의 값은 $\frac{-3\sin\frac{\pi}{4}}{\cos\frac{\pi}{4}+\sin\frac{\pi}{4}}=-\frac{3}{2}$　정답 ②

1050

정답 ②

STEP Ⓐ **매개변수로 나타낸 함수의 미분법을 이용하여 $\frac{dy}{dx}$ 구하기**

$x=\sec t$에서 $\frac{dx}{dt}=\sec t\tan t$

$y=\tan t$에서 $\frac{dy}{dt}=\sec^2 t$이므로 $\frac{dy}{dx}=\frac{\frac{dy}{dt}}{\frac{dx}{dt}}=\frac{\sec^2 t}{\sec t\tan t}=\frac{1}{\sin t}$

STEP Ⓑ **$t=\frac{\pi}{4}$일 때, $\frac{dy}{dx}$의 값 구하기**

따라서 $t=\frac{\pi}{4}$일 때, $\frac{dy}{dx}$의 값은 $\frac{1}{\sin\frac{\pi}{4}}=\sqrt{2}$

내신연계 출제문항 402

매개변수 θ로 나타낸 곡선

$$x=2\tan\theta,\ y=3\sec\theta$$

위의 점 $\left(\frac{2\sqrt{3}}{3},\ 2\sqrt{3}\right)$에 접하는 접선의 기울기는?

① $\frac{1}{2}$　② $\frac{\sqrt{3}}{2}$　③ $\frac{3}{4}$
④ $\sqrt{3}$　⑤ $2\sqrt{3}$

STEP Ⓐ **매개변수로 나타낸 함수의 미분법을 이용하여 $\frac{dy}{dx}$ 구하기**

$x=2\tan\theta$에서 $\frac{dx}{d\theta}=2\sec^2\theta$

$y=3\sec\theta$에서 $\frac{dy}{d\theta}=3\sec\theta\tan\theta$이므로 $\frac{dy}{dx}=\frac{\frac{dy}{d\theta}}{\frac{dx}{d\theta}}=\frac{3\tan\theta}{2\sec\theta}$

STEP Ⓑ **점 $\left(\frac{2\sqrt{3}}{3},\ 2\sqrt{3}\right)$에서 $\frac{dy}{dx}$의 값 구하기**

따라서 점 $\left(\frac{2\sqrt{3}}{3},\ 2\sqrt{3}\right)$에서 접선의 기울기는 $\tan\theta=\frac{\sqrt{3}}{3},\ \sec\theta=\frac{2\sqrt{3}}{3}$

이므로 $\frac{dy}{dx}=\frac{3\tan\theta}{2\sec\theta}=\frac{3}{4}$　정답 ③

II 미분법

1051

정답 ②

STEP Ⓐ 매개변수로 나타낸 함수의 미분법을 이용하여 $\frac{dy}{dx}$ 구하기

$x=\tan\theta$에서 $\frac{dx}{d\theta}=\sec^2\theta$

$y=\cos^2\theta$에서 $\frac{dy}{d\theta}=-2\cos\theta\sin\theta$이므로 $\frac{dy}{dx}=\frac{\frac{dy}{d\theta}}{\frac{dx}{d\theta}}=\frac{-2\cos\theta\sin\theta}{\sec^2\theta}$

STEP Ⓑ $\theta=\frac{\pi}{4}$일 때, $\frac{dy}{dx}$의 값 구하기

이때 $x=1$에서 $\tan\theta=1$이므로 $\theta=\frac{\pi}{4}\left(\because -\frac{\pi}{2}<\theta<\frac{\pi}{2}\right)$

따라서 $\theta=\frac{\pi}{4}$이므로 $\frac{dy}{dx}$에 대입하면 $\frac{-2\cos\frac{\pi}{4}\sin\frac{\pi}{4}}{\sec^2\frac{\pi}{4}}=-\frac{1}{2}$

1052

정답 ①

STEP Ⓐ 매개변수로 나타낸 함수의 미분법을 이용하여 $\frac{dy}{dx}$ 구하기

$x=\cos^3\theta$에서 $\frac{dx}{d\theta}=3\cos^2\theta(\cos\theta)'=3\cos^2\theta(-\sin\theta)=-3\sin\theta\cos^2\theta$

$y=2\sin^3\theta$에서 $\frac{dy}{d\theta}=6\sin^2\theta(\sin\theta)'=6\sin^2\theta\cos\theta$

$\therefore \frac{dy}{dx}=\frac{\frac{dy}{d\theta}}{\frac{dx}{d\theta}}=\frac{6\sin^2\theta\cos\theta}{-3\sin\theta\cos^2\theta}=-2\tan\theta$

STEP Ⓑ $\theta=\frac{\pi}{4}$일 때, $\frac{dy}{dx}$의 값 구하기

따라서 $\theta=\frac{\pi}{4}$일 때, $\frac{dy}{dx}$의 값은 $-2\tan\frac{\pi}{4}=-2$

내신연계 출제문항 403

매개변수 θ로 나타내어진 함수

$x=5\cos^3\theta,\ y=5\sin^3\theta$

에 대하여 $\theta=\frac{\pi}{3}$일 때의 $\frac{dy}{dx}$의 값은?

① $-\sqrt{3}$ ② $-\sqrt{2}$ ③ -1
④ $\sqrt{3}$ ⑤ 1

STEP Ⓐ 매개변수로 나타낸 함수의 미분법을 이용하여 $\frac{dy}{dx}$ 구하기

$x=5\cos^3\theta$에서

$\frac{dx}{d\theta}=15\cos^2\theta(\cos\theta)'=15\cos^2\theta(-\sin\theta)=-15\sin\theta\cos^2\theta$

$y=5\sin^3\theta$에서 $\frac{dy}{d\theta}=15\sin^2\theta(\sin\theta)'=15\sin^2\theta\cos\theta$

$\therefore \frac{dy}{dx}=\frac{\frac{dy}{d\theta}}{\frac{dx}{d\theta}}=\frac{15\sin^2\theta\cos\theta}{-15\sin\theta\cos^2\theta}=-\tan\theta$

STEP Ⓑ $\theta=\frac{\pi}{3}$일 때, $\frac{dy}{dx}$의 값 구하기

따라서 $\theta=\frac{\pi}{3}$일 때, $\frac{dy}{dx}$의 값은 $-\tan\frac{\pi}{3}=-\sqrt{3}$

정답 ①

1053

정답 ③

STEP Ⓐ 매개변수로 나타낸 함수의 미분법을 이용하여 $\frac{dy}{dx}$ 구하기

$x=\ln|\cos\theta|,\ y=\ln|\sin 2\theta|$에서

$\frac{dx}{d\theta}=\frac{(\cos\theta)'}{\cos\theta}=-\frac{\sin\theta}{\cos\theta},\ \frac{dy}{d\theta}=\frac{(\sin 2\theta)'}{\sin 2\theta}=\frac{2\cos 2\theta}{\sin 2\theta}$

$\frac{dy}{dx}=\frac{\frac{dy}{d\theta}}{\frac{dx}{d\theta}}=\frac{\frac{2\cos 2\theta}{\sin 2\theta}}{-\frac{\sin 2\theta}{\cos\theta}}=-\frac{2\cos 2\theta\cos\theta}{\sin 2\theta\sin\theta}$ ...... ㉠

STEP Ⓑ $\theta=\frac{\pi}{6}$에 대응하는 접선의 기울기 구하기

따라서 $\theta=\frac{\pi}{6}$에 대응하는 점에서의 접선의 기울기는 ㉠에 $\theta=\frac{\pi}{6}$를

대입한 값과 같으므로 $-\frac{2\cos\frac{\pi}{3}\cos\frac{\pi}{6}}{\sin\frac{\pi}{3}\sin\frac{\pi}{6}}=-\frac{2\times\frac{1}{2}\times\frac{\sqrt{3}}{2}}{\frac{\sqrt{3}}{2}\times\frac{1}{2}}=-2$

1054

정답 ②

STEP Ⓐ 매개변수로 나타낸 함수의 미분법을 이용하여 $\frac{dy}{dx}$ 구하기

$x=e^t\cos t,\ y=e^t\sin t$에서

$\frac{dx}{dt}=e^t\cos t-e^t\sin t,\ \frac{dy}{dt}=e^t\sin t+e^t\cos t$

$\frac{dy}{dx}=\frac{\frac{dy}{dt}}{\frac{dx}{dt}}=\frac{e^t\sin t+e^t\cos t}{e^t\cos t-e^t\sin t}=\frac{\sin t+\cos t}{\cos t-\sin t}$ ...... ㉠

STEP Ⓑ $t=\frac{\pi}{2}$일 때, $\frac{dy}{dx}$의 값 구하기

따라서 $t=\frac{\pi}{2}$에 대응하는 점에서의 접선의 기울기는 ㉠에 $t=\frac{\pi}{2}$를

대입한 값과 같으므로 $\frac{1+0}{0-1}=-1$

내신연계 출제문항 404

매개변수로 나타낸 곡선

$x=e^t\sin t,\ y=e^t\cos t$

에 대하여 $t=\frac{\pi}{2}$에 대응하는 곡선 위의 점에서의 접선의 방정식은?

① $y=-x+e^{\frac{\pi}{2}}$ ② $y=-x-e^{\frac{\pi}{2}}$ ③ $y=-x+2e^{\frac{\pi}{2}}$
④ $y=x-e^{\frac{\pi}{2}}$ ⑤ $y=x+2e^{\frac{\pi}{2}}$

STEP Ⓐ 매개변수로 나타낸 함수의 미분법을 이용하여 $\frac{dy}{dx}$ 구하기

$x=e^t\sin t$에서 $\frac{dx}{dt}=e^t(\sin t+\cos t)$

$y=e^t\cos t$ 에서 $\frac{dy}{dt}=e^t(\cos t-\sin t)$이므로

$\frac{dy}{dx}=\frac{e^t(\cos t-\sin t)}{e^t(\sin t+\cos t)}=\frac{\cos t-\sin t}{\sin t+\cos t}$

STEP Ⓑ $t=\frac{\pi}{2}$일 때, 접선의 방정식 구하기

$t=\frac{\pi}{2}$일 때의 접선의 기울기를 구하면 $\frac{-1}{1}=-1$

$t=\frac{\pi}{2}$일 때, x, y의 값을 각각 구하면 $x=e^{\frac{\pi}{2}},\ y=0$

따라서 구하는 접선의 방정식은 $y=-x+e^{\frac{\pi}{2}}$

정답 ①

1055

정답 ④

STEP A 매개변수로 나타낸 함수의 미분법을 이용하여 $\frac{dy}{dx}$ 구하기

$x=t^3$에서 $\frac{dx}{dt}=3t^2$

$y=t^2-at-3a^2$에서 $\frac{dy}{dt}=2t-a$이므로 $\frac{dy}{dx}=\frac{\frac{dy}{dt}}{\frac{dx}{dt}}=\frac{2t-a}{3t^2}\ (t\neq 0)$

STEP B $t=1$일 때, 접선의 기울기를 이용하여 a의 값 구하기

$t=1$에 대응하는 점에서의 접선의 기울기가 -2

따라서 $\frac{2-a}{3}=-2$이므로 $a=8$

1056

정답 ①

STEP A 매개변수로 나타낸 함수의 미분법을 이용하여 $\frac{dy}{dx}$ 구하기

$x=1+2t^2$에서 $\frac{dx}{dt}=4t$

$y=t^3-t$에서 $\frac{dy}{dt}=3t^2-1$이므로 $\frac{dy}{dx}=\frac{\frac{dy}{dt}}{\frac{dx}{dt}}=\frac{3t^2-1}{4t}$

STEP B 접선의 기울기가 $-\frac{1}{2}$인 t의 값 구하기

이때 접선의 기울기가 $-\frac{1}{2}$이므로 $\frac{3t^2-1}{4t}=-\frac{1}{2}$

$6t^2-2=-4t,\ 3t^2+2t-1=0,\ (3t-1)(t+1)=0$

$\therefore\ t=\frac{1}{3}$ 또는 $t=-1$

STEP C 두 정수 a, b의 값 구하기

$t=-1$일 때, $x=3,\ y=0$

$t=\frac{1}{3}$일 때, $x=\frac{11}{9},\ y=-\frac{8}{27}$

따라서 정수 $a=3$, $b=0$이므로 $a+b=3$

내신연계 출제문항 405

매개변수로 나타낸 곡선

$$x=t^3+t+2,\ y=-3t^2+at$$

에 대하여 $t=1$에 대응하는 곡선 위의 점에서의 접선의 기울기가 $\frac{1}{2}$일 때, 상수 a의 값은?

① 1　② 2　③ 4
④ 8　⑤ 16

STEP A 매개변수로 나타낸 함수의 미분법을 이용하여 $\frac{dy}{dx}$ 구하기

$x=t^3+t+2$에서 $\frac{dx}{dt}=3t^2+1$

$y=-3t^2+at$에서 $\frac{dy}{dx}=-6t+a$이므로 $\frac{dy}{dx}=\frac{\frac{dy}{dt}}{\frac{dx}{dt}}=\frac{-6t+a}{3t^2+1}$

STEP B $t=1$에서 접선의 기울기가 $\frac{1}{2}$일 때, 상수 a의 값 구하기

$t=1$에서 접선의 기울기가 $\frac{1}{2}$이므로 $\frac{-6+a}{4}=\frac{1}{2}$

따라서 $a=8$

정답 ④

1057

정답 ②

STEP A 매개변수로 나타낸 함수의 미분법을 이용하여 $\frac{dy}{dx}$ 구하기

$\frac{dx}{dt}=2t+\cos t,\ \frac{dy}{dt}=e^t+a$이므로

$\frac{dy}{dx}=\frac{\frac{dy}{dt}}{\frac{dx}{dt}}=\frac{e^t+a}{2t+\cos t}$ (단, $2t+\cos t\neq 0$)

STEP B $t=0$일 때, 접선의 기울기가 3임을 이용하여 상수 a의 값 구하기

$t=0$일 때, $\frac{dy}{dx}=\frac{e^0+a}{2\cdot 0+\cos 0}=\frac{1+a}{1}=3$

따라서 $a=2$

1058

정답 ②

STEP A 매개변수로 나타낸 함수의 미분법을 이용하여 $\frac{dy}{dx}$ 구하기

$x=t^2-at+2$에서 $\frac{dx}{dt}=2t-a$

$y=t^3+at^2-at$에서 $\frac{dy}{dt}=3t^2+2at-a$이므로 $\frac{dy}{dx}=\frac{\frac{dy}{dt}}{\frac{dx}{dt}}=\frac{3t^2+2at-a}{2t-a}$

STEP B $t=1$일 때, 접선의 기울기가 1임을 이용하여 상수 a의 값 구하기

점 P에서의 접선의 기울기는 $\tan\frac{\pi}{4}=1$

$t=1$을 대입하면 $\frac{dy}{dx}=\frac{3+a}{2-a}$ (단, $a\neq 2$)

따라서 $\frac{3+a}{2-a}=1$이므로 $a=-\frac{1}{2}$

1059

정답 ①

STEP A 매개변수로 나타낸 함수의 미분법을 이용하여 $\frac{dy}{dx}$ 구하기

$x=t-\sin t$에서 $\frac{dx}{dt}=1-\cos t$

$y=1+\cos t$에서 $\frac{dy}{dt}=-\sin t$이므로 $\frac{dy}{dx}=\frac{-\sin t}{1-\cos t}$ (단, $\cos t\neq 1$)

STEP B 접선의 기울기가 1인 t의 값 구하기

접선의 기울기가 1이므로

$\frac{-\sin t}{1-\cos t}=1$에서 $\cos t-\sin t=1$ …… ㉠

㉠에 양변을 제곱하면 $\cos^2 t+\sin^2 t-2\cos t\sin t=1$

$2\cos t\sin t=0$

즉 $\cos t=0$ 또는 $\sin t=0$

그런데 $0<t<2\pi$이므로 $t=\frac{\pi}{2}$ 또는 $t=\pi$ 또는 $t=\frac{3}{2}\pi$

이 중에서 ㉠을 만족하는 t의 값은 $t=\frac{3}{2}\pi$

따라서 구하는 x좌표는 $x=\frac{3}{2}\pi+1$

참고 이때 y좌표는 $y=1+\cos\frac{3}{2}\pi=1$

내신연계 출제문항 406

매개변수 $t\,(t>0)$으로 나타내어진 함수

$$x=t^3,\ y=2t-\sqrt{2t}$$

의 그래프 위의 점 $(8,\ a)$에서의 접선의 기울기는 b이다. $100ab$의 값은?

① 15 ② 20 ③ 25
④ 30 ⑤ 35

STEP A **매개변수 위의 점 $(8,\ a)$를 이용하여 a 구하기**

매개변수 $t\,(t>0)$으로 나타내어진 함수 $x=t^3$, $y=2t-\sqrt{2t}$의 그래프 위의 점 $(8,\ a)$이므로 $8=t^3 \quad \therefore t=2$

$a=2\cdot2-\sqrt{2\cdot2}=2$

STEP B **매개변수의 미분법을 이용하여 기울기 b 구하기**

$x=t^3$에서 $\dfrac{dx}{dt}=3t^2$이고 $y=2t-\sqrt{2t}$에서 $\dfrac{dy}{dt}=2-\dfrac{1}{\sqrt{2t}}$

이때 $t=2$일 때, $\dfrac{dx}{dt}=3\cdot2^2=12$, $\dfrac{dy}{dt}=2-\dfrac{1}{\sqrt{4}}=\dfrac{3}{2}$

접선의 기울기 $b=\dfrac{dy}{dx}=\dfrac{\frac{3}{2}}{12}=\dfrac{1}{8}$

따라서 $a=2$, $b=\dfrac{1}{8}$이므로 $100ab=25$

 ③

1060

 ②

STEP A **매개변수로 나타낸 함수의 미분법을 이용하여 $\dfrac{dy}{dx}$ 구하기**

$x=2t+1$에서 $\dfrac{dx}{dt}=2$

$y=t+\dfrac{3}{t}$에서 $\dfrac{dy}{dt}=1-\dfrac{3}{t^2}$이므로 $\dfrac{dy}{dx}=\dfrac{\frac{dy}{dt}}{\frac{dx}{dt}}=\dfrac{1}{2}\left(1-\dfrac{3}{t^2}\right)$

STEP B **접선의 기울기가 -1임을 이용하여 a, b의 값 구하기**

곡선 위의 한 점 $(a,\ b)$에서의 접선의 기울기가 -1이므로

$\dfrac{1}{2}\left(1-\dfrac{3}{t^2}\right)=-1$, 즉 $1-\dfrac{3}{t^2}=-2$에서 $t^2=1 \quad \therefore t=1\,(t>0)$

따라서 $a=2\cdot1+1=3$, $b=1+\dfrac{3}{1}=4$이므로 $a+b=7$

1061

 ⑤

STEP A **접선의 기울기 구하기**

$x=t^2-4t+1$에서 $\dfrac{dx}{dt}=2t-4$

$y=t+1$에서 $\dfrac{dy}{dt}=1$이므로 $\dfrac{dy}{dx}=\dfrac{\frac{dy}{dt}}{\frac{dx}{dt}}=\dfrac{1}{2t-4}$

STEP B **$t=3$일 때, 접선의 방정식 구하기**

이때 $t=3$일 때, 접선의 기울기 $\dfrac{1}{2}$

$t=3$일 때, x, y의 값을 각각 구하면 $x=-2$, $y=4$

접선의 방정식은 $y-4=\dfrac{1}{2}(x+2)$이므로 $y=\dfrac{1}{2}x+5$

STEP C **점 $(2,\ a)$를 접선의 방정식에 대입하여 a의 값 구하기**

이 접선이 점 $(2,\ a)$를 지나므로 $a=\dfrac{1}{2}\cdot2+5=6$

따라서 $a=6$

1062

정답 ①

STEP A **매개변수로 나타낸 함수의 미분법을 이용하여 $\dfrac{dy}{dx}$ 구하기**

$\dfrac{dx}{dt}=1$, $\dfrac{dy}{dt}=\dfrac{1}{2\sqrt{t}}$이므로 $\dfrac{dy}{dx}=\dfrac{1}{2\sqrt{t}}$

STEP B **접선의 기울기가 $\dfrac{1}{4}$인 접선의 방정식 구하기**

$t=k$에 대응하는 이 곡선 위의 점에서의 접선의 기울기가 $\dfrac{1}{4}$이라고 하면

$\dfrac{1}{2\sqrt{k}}=\dfrac{1}{4}$, $k=4$

$t=4$일 때, $x=4$, $y=3$이므로 접선의 방정식은

$y-3=\dfrac{1}{4}(x-4) \quad \therefore y=\dfrac{1}{4}x+2$

STEP C **점 $(a,\ 0)$을 접선의 방정식에 대입하여 a의 값 구하기**

따라서 접선 l이 점 $(a,\ 0)$을 지나므로 $0=\dfrac{a}{4}+2 \quad \therefore a=-8$

1063

 ④

STEP A **매개변수로 나타낸 함수의 미분법을 이용하여 $\dfrac{dy}{dx}$ 구하기**

$x=1+\sin\theta$에서 $\dfrac{dx}{d\theta}=\cos\theta$, $y=\theta-\cos\theta$에서 $\dfrac{dy}{d\theta}=1+\sin\theta$

이므로 $\dfrac{dy}{dx}=\dfrac{\frac{dy}{d\theta}}{\frac{dx}{d\theta}}=\dfrac{1+\sin\theta}{\cos\theta}$ …… ㉠

STEP B **$\theta=\pi$에서의 접선의 방정식 구하기**

$\theta=\pi$에 대응하는 점에서의 접선의 기울기는

㉠에 $\theta=\pi$를 대입한 값과 같으므로 $\dfrac{1+\sin\pi}{\cos\pi}=-1$

또한, $\theta=\pi$일 때, $x=1+\sin\pi=1$, $y=\pi-\cos\pi=\pi+1$이므로

접점의 좌표는 $(1,\ \pi+1)$

접선의 방정식은 $y-(\pi+1)=-1(x-1) \quad \therefore y=-x+\pi+2$

STEP C **접선과 x축 및 y축으로 둘러싸인 도형의 넓이 구하기**

이때 접선의 x절편과 y절편이 각각 $\pi+2$, $\pi+2$

따라서 구하는 도형의 넓이는 $\dfrac{1}{2}\cdot(\pi+2)\cdot(\pi+2)=\dfrac{1}{2}(\pi+2)^2$

내신연계 출제문항 407

매개변수로 나타낸 곡선

$$x=t-\frac{1}{t},\ y=t+\frac{1}{t}$$

에 대하여 $t=2$에 대응하는 곡선 위의 점에서의 접선과 x축, y축으로 둘러싸인 부분의 넓이는?

① $\dfrac{31}{15}$ ② $\dfrac{32}{15}$ ③ $\dfrac{11}{5}$
④ $\dfrac{34}{15}$ ⑤ $\dfrac{7}{3}$

STEP A **매개변수로 나타낸 함수의 미분법을 이용하여 $t=2$에서 접선의 기울기 구하기**

$\dfrac{dx}{dt}=1+\dfrac{1}{t^2}$, $\dfrac{dy}{dt}=1-\dfrac{1}{t^2}$이므로 $\dfrac{dy}{dx}=\dfrac{1-\frac{1}{t^2}}{1+\frac{1}{t^2}}=\dfrac{t^2-1}{t^2+1}$

$t=2$일 때의 접선의 기울기는 $\dfrac{2^2-1}{2^2+1}=\dfrac{3}{5}$

STEP B **접선의 방정식 구하기**

한편 $t=2$일 때, $x=2-\frac{1}{2}=\frac{3}{2}$, $y=2+\frac{1}{2}=\frac{5}{2}$이므로 접선의 방정식은

$y-\frac{5}{2}=\frac{3}{5}\left(x-\frac{3}{2}\right)$, $y=\frac{3}{5}x+\frac{8}{5}$

STEP Ⓒ **접선과 x축, y축으로 둘러싸인 부분의 넓이 구하기**

따라서 접선과 x축, y축으로 둘러싸인 부분은 오른쪽 그림의 색칠한 부분과 같으므로 구하는 넓이는

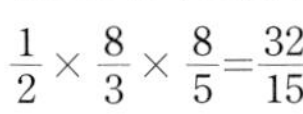

$\frac{1}{2}\times\frac{8}{3}\times\frac{8}{5}=\frac{32}{15}$

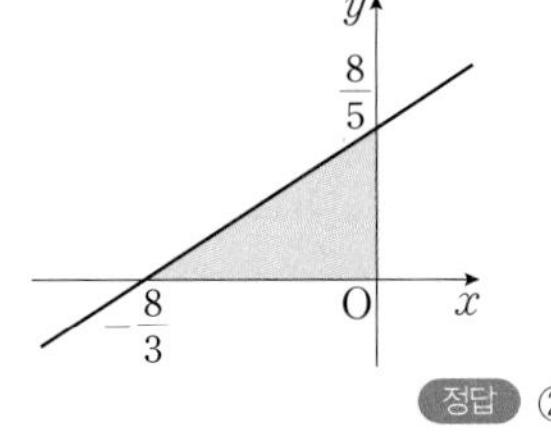

정답 ②

1064

정답 ①

STEP Ⓐ **매개변수로 나타낸 함수의 미분법을 이용하여 $\frac{dy}{dx}$ 구하기**

$\frac{dx}{dt}=\frac{-2t(1+t^2)-(1-t^2)\cdot 2t}{(1+t^2)^2}=\frac{-4t}{(1+t^2)^2}$

$\frac{dy}{dt}=\frac{2(1+t^2)-2t\cdot 2t}{(1+t^2)^2}=\frac{2(1-t^2)}{(1+t^2)^2}$

이때 $\frac{dy}{dx}=\frac{\frac{2(1-t^2)}{(1+t^2)^2}}{\frac{-4t}{(1+t^2)^2}}=-\frac{\frac{1-t^2}{1+t^2}}{\frac{2t}{1+t^2}}=-\frac{x}{y}\,(y\neq 0)$

STEP Ⓑ **$t=\sqrt{2}-1$에서의 접선의 방정식 구하기**

$t=\sqrt{2}-1$일 때, $x=y=\frac{\sqrt{2}-1}{2-\sqrt{2}}=\frac{\sqrt{2}}{2}$

이므로 $\frac{dy}{dx}=-1$

$t=\sqrt{2}-1$에 대응하는 점에서의 접선의 방정식은

$y=-\left(x-\frac{\sqrt{2}}{2}\right)+\frac{\sqrt{2}}{2}$ $\quad\therefore y=-x+\sqrt{2}$

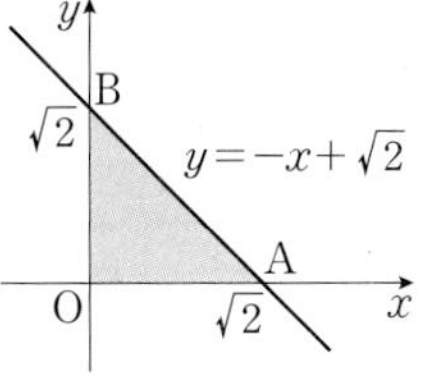

STEP Ⓒ **삼각형 OAB의 넓이 구하기**

따라서 $A(\sqrt{2}, 0)$, $B(0, \sqrt{2})$이고 삼각형 OAB의 넓이는 $\frac{1}{2}\times\sqrt{2}\times\sqrt{2}=1$

1065

정답 ②

STEP Ⓐ **매개변수로 나타낸 함수의 미분법을 이용하여 $\frac{dy}{dx}$ 구하기**

$x=\ln(t+1)+2$에서 $\frac{dx}{dt}=\frac{1}{t+1}$

$y=\frac{1}{3}t^3-\frac{1}{2}t^2+t+1$에서 $\frac{dy}{dt}=t^2-t+1$이므로

$\frac{dy}{dx}=\frac{\frac{dy}{dt}}{\frac{dx}{dt}}=\frac{t^2-t+1}{\frac{1}{t+1}}=t^3+1$

STEP Ⓑ **$x=2$에 대응하는 점에서의 접선의 방정식 구하기**

$x=2$일 때, $2=\ln(t+1)+2$에서 $\ln(t+1)=0$

즉 $t+1=0$이므로 $t=0$

$t=0$일 때, $\frac{dy}{dx}$의 값은 1이므로 곡선 위의 점 $(2, 1)$에서의 접선의 방정식은

$y-1=1\times(x-2)$

STEP Ⓒ **$\overline{OA}+\overline{OB}$의 값 구하기**

즉 $y=x-1$이므로 $A(1, 0)$, $B(0, -1)$

따라서 $\overline{OA}+\overline{OB}=1+1=2$

1066

정답 ③

STEP Ⓐ **매개변수로 나타낸 함수의 미분법을 이용하여 $\frac{dy}{dx}$ 구하기**

곡선 $x=e^t-t$, $y=e^{2t}-2\ln t$ 위의 $t=1$에 대응하는 점을 $P(a, b)$라 하면

$a=e-1$, $b=e^2$이므로 $P(e-1, e^2)$

$\frac{dx}{dt}=e^t-1$, $\frac{dy}{dt}=2e^{2t}-\frac{2}{t}$이므로

$\frac{dy}{dx}=\frac{\frac{dy}{dt}}{\frac{dx}{dt}}=\frac{2e^{2t}-\frac{2}{t}}{e^t-1}$ …… ㉠

STEP Ⓑ **$t=1$에 대응하는 점에서의 접선의 방정식 구하기**

점 P에서의 접선의 기울기는 ㉠에 $t=1$을 대입한 값과 같으므로

$\frac{2e^2-2}{e-1}=\frac{2(e+1)(e-1)}{e-1}=2(e+1)$

$P(e-1, e^2)$에서의 접선의 방정식은 $y-e^2=2(e+1)(x-e+1)$

$\therefore y=2(e+1)x-e^2+2$

STEP Ⓒ **접선이 점 $\left(\frac{1}{2}e, a\right)$를 지날 때, a의 값 구하기**

따라서 이 접선이 점 $\left(\frac{1}{2}e, a\right)$를 지나므로 $a=2(e+1)\cdot\frac{1}{2}e-e^2+2=e+2$

내신연계 출제문항 408

매개변수 $t\,(t>0)$로 나타낸 곡선

$x=e^t+\ln t$, $y=e^{2t}-2t$

에 대하여 $t=1$에 대응하는 점에서의 접선이 점 $\left(\frac{e}{2}, a\right)$를 지날 때, a의 값은?

① $e-2$ ② $e-1$ ③ e
④ $e+1$ ⑤ $e+2$

STEP Ⓐ **매개변수로 나타낸 함수의 미분법을 이용하여 $\frac{dy}{dx}$ 구하기**

$x=e^t+\ln t$에서 $\frac{dx}{dt}=e^t+\frac{1}{t}$

$y=e^{2t}-2t$에서 $\frac{dy}{dt}=2e^{2t}-2$이므로

$\frac{dy}{dx}=\frac{\frac{dy}{dt}}{\frac{dx}{dt}}=\frac{2e^{2t}-2}{e^t+\frac{1}{t}}$ …… ㉠

STEP Ⓑ **$t=1$에 대응하는 점에서의 접선의 방정식 구하기**

$x=e^t+\ln t$에 $t=1$을 대입하면 $x=e$

$y=e^{2t}-2t$에 $t=1$을 대입하면 $y=e^2-2$이므로

곡선 위의 점 (e, e^2-2)에서 접선의 기울기는 ㉠에서

$\frac{2e^2-2}{e+1}=\frac{2(e+1)(e-1)}{e+1}=2(e-1)$

즉 점 (e, e^2-2)에서 접선의 방정식은 $y-(e^2-2)=(2e-2)(x-e)$

$\therefore y=(2e-2)(x-e)+(e^2-2)$ …… ㉡

STEP Ⓒ **접선이 점 $\left(\frac{e}{2}, a\right)$를 지날 때, a의 값 구하기**

따라서 점 $\left(\frac{e}{2}, a\right)$가 직선 ㉡ 위의 점이므로

$a=(2e-2)\left(\frac{e}{2}-e\right)+e^2-2=e-2$

정답 ①

1067

정답 ④

STEP Ⓐ **매개변수로 나타낸 함수의 미분법을 이용하여 $\frac{dy}{dx}$ 구하기**

$\frac{dx}{dt}=-2\sin t$, $\frac{dy}{dt}=2\cos t$이므로 $\frac{dy}{dx}=\frac{\frac{dy}{dt}}{\frac{dx}{dt}}=-\cot t$

STEP Ⓑ **$t=\frac{\pi}{4}$에 대응하는 점에서의 접선의 방정식 구하기**

$t=\frac{\pi}{4}$에 대응하는 점의 좌표는

$\left(2\cos\frac{\pi}{4},\ 2\sin\frac{\pi}{4}\right)$, 즉 $(\sqrt{2},\ \sqrt{2})$

$t=\frac{\pi}{4}$에 대응하는 점에서의 접선의

기울기는 $-\cot\frac{\pi}{4}=-1$

접선은 점 $(\sqrt{2},\ \sqrt{2})$를 지나고 기울기가

-1인 직선이므로 $y-\sqrt{2}=-(x-\sqrt{2})$

즉 $y=-x+2\sqrt{2}$

STEP Ⓒ **삼각형 OAB의 넓이 구하기**

접선이 x축, y축과 만나는 점이 각각 A, B이므로 $A(2\sqrt{2},\ 0)$, $B(0,\ 2\sqrt{2})$

따라서 삼각형 OAB의 넓이는 $\frac{1}{2}\cdot2\sqrt{2}\cdot2\sqrt{2}=4$

1068

정답 ③

STEP Ⓐ **매개변수로 나타낸 함수의 미분법을 이용하여 $\frac{dy}{dx}$ 구하기**

$\frac{dx}{d\theta}=-\cos\theta$, $\frac{dy}{d\theta}=-\sin\theta$이므로

$\frac{dy}{dx}=\frac{-\sin\theta}{-\cos\theta}=\tan\theta$

STEP Ⓑ **직선 $y=-3x+1$과 수직일 때의 접선의 기울기 구하기**

$\theta=\alpha$에 대응하는 곡선 위의 점에서의 접선이 직선 $y=-3x+1$과

수직일 때의 접선의 기울기를 구하면 $\tan\alpha=\frac{1}{3}$, 즉 $\cot\alpha=3$

STEP Ⓒ **삼각함수 사이의 관계를 이용하여 $\csc^2\alpha$의 값 구하기**

따라서 $\cot^2\theta+1=\csc^2\theta$이므로 $\csc^2\alpha=1+9=10$

내신연계 출제문항 409

곡선

$$x=\cos^3\theta,\ y=\sin^3\theta$$

에서 $\theta=\frac{\pi}{4}$에 대응하는 점 $\left(\frac{\sqrt{2}}{4},\ \frac{\sqrt{2}}{4}\right)$를 지나고 이 점에서의 접선과 수직인 직선이 점 $(10,\ a)$를 지날 때, a의 값은?

① 8 ② 10 ③ 12
④ 14 ⑤ 18

STEP Ⓐ **매개변수로 나타낸 함수의 미분법을 이용하여 $\frac{dy}{dx}$ 구하기**

$x=\cos^3\theta$에서 $\frac{dx}{d\theta}=-3\cos^2\theta\sin\theta$

$y=\sin^3\theta$에서 $\frac{dy}{d\theta}=3\sin^2\theta\cos\theta$이므로

$$\frac{dy}{dx}=\frac{\frac{dy}{d\theta}}{\frac{dx}{d\theta}}=\frac{3\sin^2\theta\cos\theta}{-3\cos^2\theta\sin\theta}=-\frac{\sin\theta}{\cos\theta}=-\tan\theta$$

STEP Ⓑ **$\theta=\frac{\pi}{4}$일 때, 접선의 방정식 구하기**

이때 $\theta=\frac{\pi}{4}$에 대응하는 점에서의 접선의 기울기는 -1이므로

이 접선에 수직인 직선의 기울기는 1이다.

점 $\left(\frac{\sqrt{2}}{4},\ \frac{\sqrt{2}}{4}\right)$를 지나고 기울기가 1인 직선의 방정식은

$y-\frac{\sqrt{2}}{4}=1\times\left(x-\frac{\sqrt{2}}{4}\right)$ $\quad\therefore y=x$

따라서 이 직선이 $(10,\ a)$를 지나므로 $a=10$ 정답 ②

1069

정답 ③

STEP Ⓐ **매개변수로 나타낸 함수의 미분법을 이용하여 $\frac{dy}{dx}$ 구하기**

$\frac{dx}{dt}=\frac{e^t-e^{-t}}{2}$, $\frac{dy}{dt}=\frac{e^t+e^{-t}}{2}$

$\therefore \frac{dy}{dx}=\frac{e^t+e^{-t}}{e^t-e^{-t}}$

STEP Ⓑ **$t=\ln 3$일 때, 접선의 방정식 구하기**

$t=\ln 3$일 때, $x=\frac{5}{3}$, $y=\frac{4}{3}$이므로 접점의 좌표는 $\left(\frac{5}{3},\ \frac{4}{3}\right)$이고

이때 $t=\ln 3$에 대응하는 점에서의 접선의 기울기는 $\frac{3+\frac{1}{3}}{3-\frac{1}{3}}=\frac{5}{4}$이므로

접선의 방정식은 $y-\frac{4}{3}=\frac{5}{4}\left(x-\frac{5}{3}\right)$

따라서 $5x-4y-3=0$

내신연계 출제문항 410

매개변수 t로 나타낸 곡선

$$x=e^t+e^{-t},\ y=e^t-e^{-t}$$

에 대하여 $t=\ln 2$에 대응하는 점에서의 접선이 점 $(a,\ 4)$를 지날 때, a의 값은?

① -4 ② -2 ③ -1
④ 2 ⑤ 4

STEP Ⓐ **매개변수로 나타낸 함수의 미분법을 이용하여 $\frac{dy}{dx}$ 구하기**

$x=e^t+e^{-t}$에서 $\frac{dx}{dt}=e^t-e^{-t}$

$y=e^t-e^{-t}$에서 $\frac{dy}{dt}=e^t+e^{-t}$이므로 $\frac{dy}{dx}=\frac{\frac{dy}{dt}}{\frac{dx}{dt}}=\frac{e^t+e^{-t}}{e^t-e^{-t}}\ (t\neq0)$

STEP Ⓑ **$t=\ln 2$에서 접선의 방정식 구하기**

$t=\ln 2$일 때, $x=\frac{5}{2}$, $y=\frac{3}{2}$이고 $\frac{dy}{dx}=\frac{5}{3}$이므로

접선의방정식은 $y-\frac{3}{2}=\frac{5}{3}\left(x-\frac{5}{2}\right)$, 즉 $y=\frac{5}{3}x-\frac{8}{3}$

STEP Ⓒ **점 $(a,\ 4)$를 지나는 a의 값 구하기**

따라서 이 직선이 점 $(a,\ 4)$를 지나므로 $4=\frac{5}{3}a-\frac{8}{3}$ $\quad\therefore a=4$ 정답 ⑤

1070

정답 ③

STEP A 매개변수로 나타낸 함수의 미분법을 이용하여 $\frac{dy}{dx}$ 구하기

$x=2(t-\sin t)$에서 $\frac{dx}{dt}=2(1-\cos t)$

$y=2(1-\cos t)$에서 $\frac{dy}{dt}=2\sin t$이므로 $\frac{dy}{dx}=\frac{\frac{dy}{dt}}{\frac{dx}{dt}}=\frac{\sin t}{1-\cos t}$

STEP B $t=\frac{\pi}{3}$에서 접선의 기울기 구하기

따라서 $t=\frac{\pi}{3}$일 때, $\frac{\sin\frac{\pi}{3}}{1-\cos\frac{\pi}{3}}=\frac{\frac{\sqrt{3}}{2}}{1-\frac{1}{2}}=\sqrt{3}$

좌표평면 x축 위를 구르는 원의 반지름의 길이를 a라고 할 때, 사이클로이드 곡선 위의 점 P의 x좌표와 y좌표는 매개변수 θ로 나타낸 함수 $x=a(\theta-\sin\theta)$, $y=a(1-\cos\theta)$로 나타낼 수 있다.

$\theta=\frac{\pi}{3}$일 때, 점 P에서의 접선의 방정식을 구하여라.

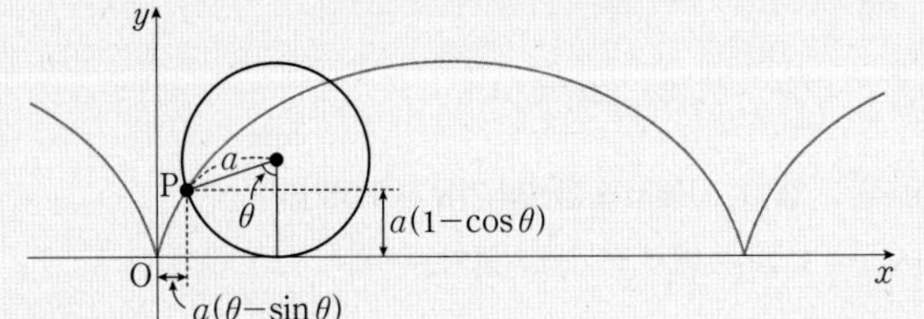

해설

$\frac{dx}{d\theta}=a(1-\cos\theta)$, $\frac{dy}{d\theta}=a\sin\theta$이므로 $\frac{dy}{dx}=\frac{\sin\theta}{1-\cos\theta}$

따라서 $\theta=\frac{\pi}{3}$일 때, 접선의 기울기는

$\frac{\sin\frac{\pi}{3}}{1-\cos\frac{\pi}{3}}=\frac{\frac{\sqrt{3}}{2}}{1-\frac{1}{2}}=\sqrt{3}$이고 $x=a\left(\frac{\pi}{3}-\frac{\sqrt{3}}{2}\right)$, $y=\frac{a}{2}$

이므로 구하는 접선의 방정식은 $y=\sqrt{3}x-\frac{\sqrt{3}}{3}\pi a+2a$

1071

정답 ⑤

STEP A 매개변수로 나타낸 함수의 미분법을 이용하여 $\frac{dy}{dx}$ 구하기

$x=\theta-\sin\theta$, $y=1-\cos\theta$에서 $\frac{dx}{d\theta}=1-\cos\theta$, $\frac{dy}{d\theta}=\sin\theta$

이므로 $\frac{dy}{dx}=\frac{\frac{dy}{d\theta}}{\frac{dx}{d\theta}}=\frac{\sin\theta}{1-\cos\theta}$

STEP B 접선의 기울기가 $\sqrt{3}$임을 이용하여 상수 b의 값 구하기

점 $P(a, b)$에서의 접선의 기울기가 $\sqrt{3}$이므로 $\frac{\sin a}{1-\cos a}=\sqrt{3}$

$\sin a=\sqrt{3}(1-\cos a)$, $\sin^2 a=3(1-\cos a)^2$

$1-\cos^2 a=3-6\cos a+3\cos^2 a$

$2\cos^2 a-3\cos a+1=0$

$(2\cos a-1)(\cos a-1)=0$

$0<a<\pi$일 때, $-1<\cos a<1$이므로 $\cos a=\frac{1}{2}$

따라서 $b=1-\cos a=1-\frac{1}{2}=\frac{1}{2}$

1072

정답 ④

STEP A 매개변수로 나타낸 함수의 미분법을 이용하여 $\frac{dy}{dx}$ 구하기

$x=\theta-\sin\theta$에서 $\frac{dx}{d\theta}=1-\cos\theta$

$y=1-\cos\theta$에서 $\frac{dy}{d\theta}=\sin\theta$이므로 $\frac{dy}{dx}=\frac{\frac{dy}{d\theta}}{\frac{dx}{d\theta}}=\frac{\sin\theta}{1-\cos\theta}$

STEP B $\theta=\frac{3}{2}\pi$에서의 접선과 수직인 접선의 방정식 구하기

즉 $\theta=\frac{3}{2}\pi$에 대응하는 점에서의 접선의 기울기는 $\frac{\sin\frac{3}{2}\pi}{1-\cos\frac{3}{2}\pi}=-1$이므로

이 점에서의 접선과 수직인 직선의 기울기는 1

또한, $\theta=\frac{3}{2}\pi$일 때, $x=\frac{3}{2}\pi+1$, $y=1$이므로 접점의 좌표는

$P\left(\frac{3}{2}\pi+1, 1\right)$

직선 l의 방정식은 $y-1=1\cdot\left\{x-\left(\frac{3}{2}\pi+1\right)\right\}$

$\therefore y=x-\frac{3}{2}\pi$

STEP C 직선 l과 x축 및 y축으로 둘러싸인 도형의 넓이 구하기

이때 직선 l의 x절편과 y절편이 각각 $\frac{3}{2}\pi$, $-\frac{3}{2}\pi$

따라서 구하는 도형의 넓이 S는 $S=\frac{1}{2}\cdot\frac{3}{2}\pi\cdot\frac{3}{2}\pi=\frac{9}{8}\pi^2$

1073

정답 ③

STEP A 매개변수로 나타낸 함수의 미분법을 이용하여 $\frac{dy}{dx}$ 구하기

$x=3(\theta-\sin\theta)$에서 $\frac{dx}{d\theta}=3(1-\cos\theta)$

$y=3(1-\cos\theta)$에서 $\frac{dy}{d\theta}=3\sin\theta$이므로

$\frac{dy}{dx}=\frac{\frac{dy}{d\theta}}{\frac{dx}{d\theta}}=\frac{3\sin\theta}{3(1-\cos\theta)}=\frac{\sin\theta}{1-\cos\theta}$

STEP B $\theta=\frac{\pi}{3}$에서 접선의 방정식 구하기

즉 $\theta=\frac{\pi}{3}$에 대응하는 점에서의 접선의 기울기는 $\frac{\sin\frac{\pi}{3}}{1-\cos\frac{\pi}{3}}=\sqrt{3}$

또한, $\theta=\frac{\pi}{3}$일 때, $x=\pi-\frac{3\sqrt{3}}{2}$, $y=\frac{3}{2}$이므로 접점의 좌표는

$P\left(\pi-\frac{3\sqrt{3}}{2}, \frac{3}{2}\right)$

점 P에서 접선의 방정식은 $y-\frac{3}{2}=\sqrt{3}\left\{x-\left(\pi-\frac{3\sqrt{3}}{2}\right)\right\}$

$\therefore y=\sqrt{3}x-\sqrt{3}\pi+6$

STEP C 점 P에서 접선의 y절편 구하기

따라서 점 P에서 접선의 y절편은 $-\sqrt{3}\pi+6$

08 STEP 1 내신정복 기출유형 음함수 미분법

1074

정답 ③

STEP A 음함수의 미분법을 이용하여 $\frac{dy}{dx}$ 구하기

$2x^2+3y^2=6$의 각 항을 x에 대하여 미분하면

$4x+6y\frac{dy}{dx}=0$

따라서 $\frac{dy}{dx}=-\frac{2x}{3y}$

1075

정답 ①

STEP A 음함수의 미분법을 이용하여 $\frac{dy}{dx}$ 구하기

$\sqrt{x}+\sqrt{y}=1$의 양변을 x에 대하여 미분하면

$\frac{1}{2\sqrt{x}}+\frac{1}{2\sqrt{y}}\frac{dy}{dx}=0$

따라서 $\frac{dy}{dx}=-\sqrt{\frac{y}{x}}$

1076

정답 ④

STEP A 음함수의 미분법을 이용하여 $\frac{dy}{dx}$ 구하기

$x^2+y^2=e^{x+y}$의 양변을 x에 대하여 미분하면

$2x+2y\frac{dy}{dx}=e^{x+y}\left(1+\frac{dy}{dx}\right)$

따라서 $\frac{dy}{dx}=-\frac{e^{x+y}-2x}{e^{x+y}-2y}$

1077

정답 ①

STEP A 음함수의 미분법을 이용하여 $\frac{dy}{dx}$ 구하기

$x^y=y^x$에 자연로그를 취하면 $y\ln x=x\ln y$

양변을 x에 대하여 마분하면

$\frac{dy}{dx}\cdot\ln x+y\cdot\frac{1}{x}=\ln y+x\cdot\frac{1}{y}\cdot\frac{dy}{dx}$

따라서 $\frac{dy}{dx}=\frac{\ln y-\frac{y}{x}}{\ln x-\frac{x}{y}}=\frac{y(x\ln y-y)}{x(y\ln x-x)}$ (단, $y\ln x-x\neq 0$)

1078

정답 ⑤

STEP A 음함수의 미분법을 이용하여 $\frac{dy}{dx}$가 옳지 않은 것 구하기

① 방정식 $xy=1$의 양변을 x에 대하여 미분하면

$y+x\cdot\frac{dy}{dx}=0 \quad \therefore \frac{dy}{dx}=-\frac{y}{x}$ (단, $x\neq 0$)

② 방정식 $x^2+xy+y^3=1$의 양변을 x에 대하여 미분하면

$2x+y+x\cdot\frac{dy}{dx}+3y^2\cdot\frac{dy}{dx}=0 \quad \therefore \frac{dy}{dx}=-\frac{2x+y}{x+3y^2}$ (단, $x\neq -3y^2$)

③ 방정식 $3x^2+2y^2-1=0$의 양변을 x에 대하여 미분하면

$6x+4y\cdot\frac{dy}{dx}=0 \quad \therefore \frac{dy}{dx}=-\frac{3x}{2y}$ (단, $y\neq 0$)

④ 방정식 $y^2=x^2+2y-5$의 양변을 x에 대하여 미분하면

$2y\cdot\frac{dy}{dx}=2x+2\frac{dy}{dx} \quad \therefore \frac{dy}{dx}=\frac{x}{y-1}$ (단, $y\neq 1$)

⑤ 방정식 $xy+x+y=1$의 양변을 x에 대하여 미분하면

$y+x\cdot\frac{dy}{dx}+1+\frac{dy}{dx}=0$

$(x+1)\cdot\frac{dy}{dx}=-y-1 \quad \therefore \frac{dy}{dx}=-\frac{y+1}{x+1}$ (단, $x\neq -1$)

따라서 옳지 않은 것은 ⑤이다.

1079

정답 ⑤

STEP A 음함수의 미분법을 이용하여 $\frac{dy}{dx}$ 구하기

$x^3+2xy+y^3=4$의 각 항을 x에 대하여 미분하면

$3x^2+2y+2x\frac{dy}{dx}+3y^2\frac{dy}{dx}=0$

$\therefore \frac{dy}{dx}=-\frac{3x^2+2y}{2x+3y^2}(2x+3y^2\neq 0)$

STEP B 점 $(1, 1)$에서의 접선의 기울기 구하기

따라서 $x=1$, $y=1$에서 접선의 기울기는 $-\frac{5}{5}=-1$

1080

정답 ①

STEP A 음함수의 미분법을 이용하여 $\frac{dy}{dx}$ 구하기

$x^3-y^3+3xy+1=0$의 각 항을 x에 대하여 미분하면

$3x^2-3y^2\frac{dy}{dx}+3y+3x\frac{dy}{dx}=0$

$\therefore \frac{dy}{dx}=\frac{3x^2+3y}{3y^2-3x}=\frac{x^2+y}{y^2-x}$(단, $y^2-x\neq 0$)

STEP B 점 $(1, 2)$에서의 접선의 기울기 구하기

따라서 점 $(1, 2)$에서의 접선의 기울기는 $\frac{1^2+2}{2^2-1}=1$

내신연계 출제문항 411

곡선 $x^3+y^3=3(xy+1)$이 나타내는 곡선 위의 점 $(2, 1)$에서의 접선의 기울기는?

① 1 ② 2 ③ 3 ④ 4 ⑤ 5

STEP A 음함수의 미분법을 이용하여 $\frac{dy}{dx}$ 구하기

$x^3+y^3=3(xy+1)$의 각 항을 x에 대하여 미분하면

$3x^2+3y^2\frac{dy}{dx}=3\left(y+x\frac{dy}{dx}\right)$

$\therefore \frac{dy}{dx}=\frac{y-x^2}{y^2-x}(y^2-x\neq 0)$

STEP B 점 $(2, 1)$에서의 접선의 기울기 구하기

따라서 점 $(2, 1)$에서의 접선의 기울기는 $\frac{1-2^2}{1^2-2}=3$

정답 ③

1081

정답 ⑤

STEP Ⓐ 음함수의 미분법을 이용하여 $\frac{dy}{dx}$ 구하기

$3x^3-xy^2=6$의 각 항을 x에 대하여 미분하면

$9x^2-y^2-2xy\cdot\frac{dy}{dx}=0,\ 9x^2-y^2=2xy\cdot\frac{dy}{dx}$

$\therefore\ \frac{dy}{dx}=\frac{9x^2-y^2}{2xy}(x\neq0,\ y\neq0)$

STEP Ⓑ 점 $(2, 3)$에서 접선의 기울기 구하기

점 $(2, 3)$에서의 접선의 기울기는 $\frac{9\cdot2^2-3^2}{2\cdot2\cdot3}=\frac{27}{12}=\frac{9}{4}$

따라서 $m=\frac{9}{4}$이므로 $40m=40\times\frac{9}{4}=90$

내/신/연/계/ 출제문항 412

방정식 $2x^2+4xy+4y^2=9$로 나타내어지는 곡선 위의 점 $\left(0,\ -\frac{3}{2}\right)$에서의 접선의 기울기는?

① $-\frac{1}{3}$ ② $-\frac{1}{2}$ ③ $\frac{1}{3}$
④ $\frac{1}{2}$ ⑤ $\frac{3}{2}$

STEP Ⓐ 음함수의 미분법을 이용하여 $\frac{dy}{dx}$ 구하기

$2x^2+4xy+4y^2=9$의 각 항을 x에 대하여 미분하면

$4x+4\left(y+x\frac{dy}{dx}\right)+8y\frac{dy}{dx}=0$

$\therefore\ \frac{dy}{dx}=-\frac{x+y}{x+2y}(x+2y\neq0)$

STEP Ⓑ 점 $\left(0,\ -\frac{3}{2}\right)$에서의 접선의 기울기 구하기

따라서 점 $\left(0,\ -\frac{3}{2}\right)$에서의 접선의 기울기는 $-\frac{0-\frac{3}{2}}{0+2\cdot\left(-\frac{3}{2}\right)}=-\frac{1}{2}$ 정답 ②

1082

정답 ②

STEP Ⓐ 음함수의 미분법을 이용하여 점 $(2, \pi)$에서 접선의 기울기 구하기

주어진 식의 양변을 x에 대하여 미분하면

$\frac{\pi}{2}=\frac{dy}{dx}+\cos(xy)\cdot\left(y+x\frac{dy}{dx}\right)$

$x=2,\ y=\pi$를 대입하면 $\frac{\pi}{2}=\frac{dy}{dx}+\cos2\pi\cdot\left(\pi+2\frac{dy}{dx}\right)$

따라서 $\frac{dy}{dx}=-\frac{\pi}{6}$

1083

정답 ①

STEP Ⓐ 음함수의 미분법을 이용하여 $\frac{dy}{dx}$ 구하기

$e^x\ln y=1$의 양변을 x에 대하여 미분하면

$e^x\ln y+\frac{e^x}{y}\frac{dy}{dx}=0$

$\therefore\ \frac{dy}{dx}=-y\ln y$

STEP Ⓑ 점 $(0, e)$에서의 접선의 기울기 구하기

따라서 점 $(0, e)$에서의 접선의 기울기는 $-e\ln e=-e$

1084

정답 ⑤

STEP Ⓐ 음함수의 미분법을 이용하여 $\frac{dy}{dx}$ 구하기

$y^3=\ln(5-x^2)+xy+4$의 각 항을 x에 대하여 미분하면

$3y^2\frac{dy}{dx}=\frac{-2x}{5-x^2}+y+x\frac{dy}{dx},\ (3y^2-x)\frac{dy}{dx}=\frac{-2x}{5-x^2}+y$

$\frac{dy}{dx}=\frac{1}{3y^2-x}\left(\frac{-2x}{5-x^2}+y\right)(3y^2-x\neq0,\ 5-x^2\neq0)$

STEP Ⓑ 점 $(2, 2)$에서의 접선의 기울기 구하기

따라서 점 $(2, 2)$에서의 접선의 기울기는 $\frac{1}{3\cdot2^2-2}\left(\frac{-2\cdot2}{5-2^2}+2\right)=-\frac{1}{5}$

내/신/연/계/ 출제문항 413

음함수

$$\ln(x^2+1)-e^y-\ln5+1=0$$

위의 점 $(2, 0)$에서의 접선의 기울기는?

① $\frac{1}{5}$ ② $\frac{2}{5}$ ③ $\frac{3}{5}$
④ $\frac{4}{5}$ ⑤ 1

STEP Ⓐ 음함수의 미분법을 이용하여 $\frac{dy}{dx}$ 구하기

$\ln(x^2+1)-e^y-\ln5+1=0$의 각 항을 x에 대하여 미분하면

$\frac{2x}{x^2+1}-e^y\frac{dy}{dx}=0$

$\therefore\ \frac{dy}{dx}=\frac{2x}{e^y(x^2+1)}$

STEP Ⓑ 점 $(2, 0)$에서의 접선의 기울기 구하기

따라서 점 $(2, 0)$에서의 접선의 기울기는 $\frac{2\times2}{e^0(2^2+1)}=\frac{4}{5}$ 정답 ④

1085

정답 ③

STEP Ⓐ 음함수의 미분법을 이용하여 $\frac{dy}{dx}$ 구하기

$2e^x\ln(y+1)+e^y\ln(x+1)=0$의 양변을 x에 대하여 미분하면

$2\left\{e^x\ln(y+1)+\frac{e^x}{y+1}\frac{dy}{dx}\right\}+e^y\ln(x+1)\frac{dy}{dx}+\frac{e^y}{x+1}=0$

$\frac{dy}{dx}=-\frac{\frac{e^y}{x+1}+2e^x\ln(y+1)}{\frac{2e^x}{y+1}+e^y\ln(x+1)}\left(\frac{2e^x}{y+1}+e^y\ln(x+1)\neq0\right)$ …… ㉠

STEP Ⓑ 점 $(0, 0)$에서의 접선의 기울기 구하기

따라서 구하는 접선의 기울기는 ㉠에 $x=0,\ y=0$을 대입한 값이므로

$-\frac{1+2\times0}{2+0}=-\frac{1}{2}$

1086

정답 ②

STEP A 음함수의 미분법을 이용하여 $\frac{d\theta}{dx}$의 값 구하기

오른쪽 그림과 같이

$x=\frac{4.5}{\tan\theta}=4.5\cot\theta$ ······ ㉠

$\frac{dx}{d\theta}=-4.5\csc^2\theta$이므로

$\frac{d\theta}{dx}=\frac{1}{-4.5\csc^2\theta}=-\frac{2}{9}\sin^2\theta$

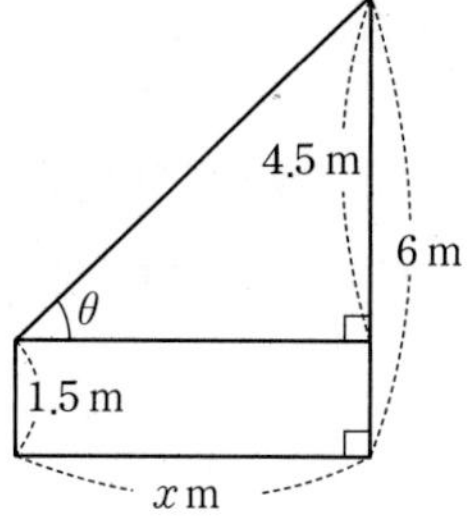

STEP B $x=3$일 때, $\frac{d\theta}{dx}$의 값 구하기

$x=3$일 때, ㉠에서 $4.5\cot\theta=3$이므로

$\tan\theta=\frac{3}{2}$, $\sin\theta=\frac{3}{\sqrt{13}}$

따라서 $x=3$일 때, $\frac{d\theta}{dx}=-\frac{2}{9}\times\left(\frac{3}{\sqrt{13}}\right)^2=-\frac{2}{13}$

내신연계 출제문항 414

눈높이가 1.5m인 사람이 일정한 속력으로 높이가 6m인 나무를 향해 걸어가고 있다. 이 사람과 나무 사이의 거리가 xm일 때, 나무의 끝을 올려다 본 각의 크기를 θ라고 하자. 이 사람이 나무로부터 $\frac{3\sqrt{3}}{2}$m 떨어져 있는 순간의 $\frac{d\theta}{dx}$의 값은?

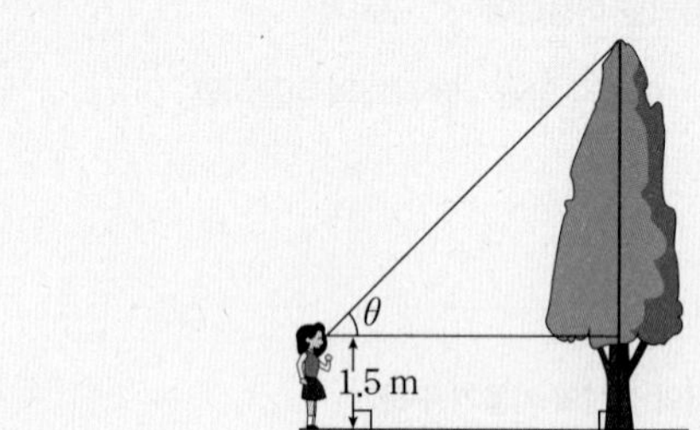

① $-\frac{2}{9}$　② $-\frac{1}{7}$　③ $-\frac{1}{6}$
④ $-\frac{1}{5}$　⑤ $-\frac{1}{4}$

STEP A 음함수의 미분법을 이용하여 $\frac{d\theta}{dx}$의 값 구하기

오른쪽 그림과 같이

$x=\frac{4.5}{\tan\theta}=4.5\cot\theta$ ······ ㉠

$\frac{dx}{d\theta}=-4.5\csc^2\theta$이므로

$\frac{d\theta}{dx}=\frac{1}{-4.5\csc^2\theta}=-\frac{2}{9}\sin^2\theta$

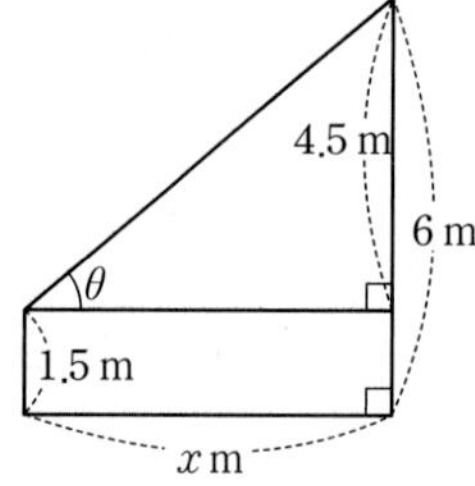

STEP B $x=\frac{3\sqrt{3}}{2}$일 때, $\frac{d\theta}{dx}$의 값 구하기

$x=\frac{3\sqrt{3}}{2}$일 때, ㉠에서 $4.5\cot\theta=\frac{3\sqrt{3}}{2}$이므로

$\tan\theta=\sqrt{3}$　$\therefore \sin\theta=\frac{\sqrt{3}}{2}$

따라서 $x=\frac{3\sqrt{3}}{2}$일 때, $\frac{d\theta}{dx}=-\frac{2}{9}\times\left(\frac{\sqrt{3}}{2}\right)^2=-\frac{1}{6}$

정답 ③

1087

정답 ①

STEP A 음함수의 미분법을 이용하여 $\frac{dy}{dx}$ 구하기

x, y의 관계식을 구하면 $x^2+y^2=25$  ······ ㉠

㉠의 양변을 x에 대하여 미분하면

$2x+2y\frac{dy}{dx}=0$

$\therefore \frac{dy}{dx}=-\frac{x}{y}$ (단, $y\neq 0$)

STEP B 점 $x=4$에서의 $\frac{dy}{dx}$의 값 구하기

이때 $x=4$일 때, ㉠에 대입하면 $y^2=9$

$\therefore y=3(\because y>0)$

따라서 $x=4$, $y=3$이므로 $\frac{dy}{dx}=-\frac{4}{3}$

1088

정답 ①

STEP A 음함수의 미분법을 이용하여 $\frac{dy}{dx}$ 구하기

$x+xy+y^2-5=0$의 양변을 x에 대하여 미분하면

$1+y+x\frac{dy}{dx}+2y\frac{dy}{dx}=0$, $(x+2y)\frac{dy}{dx}=-y-1$

$\therefore \frac{dy}{dx}=-\frac{y+1}{x+2y}$ (단, $x+2y\neq 0$)

STEP B 점 $(2, 1)$에서의 접선의 방정식 구하기

점 $(2, 1)$에서 접선의 기울기는 $-\frac{1+1}{2+2\cdot 1}=-\frac{1}{2}$이므로

접선의 방정식은 $y-1=-\frac{1}{2}(x-2)$　$\therefore y=-\frac{1}{2}x+2$

따라서 $a=-\frac{1}{2}$, $b=2$이므로 $ab=-1$

1089

정답 ④

STEP A 음함수의 미분법을 이용하여 $\frac{dy}{dx}$ 구하기

$x^2-xy+y^2=3$의 양변을 x에 대하여 미분하면

$2x-y-x\frac{dy}{dx}+2y\frac{dy}{dx}=0$

$\therefore \frac{dy}{dx}=\frac{2x-y}{x-2y}(x-2y\neq 0)$

STEP B 점 $(1, -1)$에서의 접선의 방정식 구하기

점 $(1, -1)$에서의 접선의 기울기는 $\frac{3}{3}=1$이므로

접선의 방정식은 $y+1=1(x-1)$

따라서 접선은 $y=x-2$이므로 y절편은 -2　$\therefore a=-2$

내/신/연/계/ 출제문항 415

곡선 $x^3+y^3-9xy=0$ 위의 점 $(2,\ 4)$에서의 접선이 y축과 만나는 점의 좌표가 $(0,\ a)$일 때, a의 값은?

① 2 ② $\frac{11}{5}$ ③ $\frac{12}{5}$
④ $\frac{13}{5}$ ⑤ $\frac{14}{5}$

STEP **A** **음함수의 미분법을 이용하여 $\frac{dy}{dx}$ 구하기**

$x^3+y^3-9xy=0$을 x에 대하여 미분하면

$3x^2+3y^2\cdot\frac{dy}{dx}-9y-9x\cdot\frac{dy}{dx}=0$

$3x^2-9y+(3y^2-9x)\frac{dy}{dx}=0$

$\therefore\ \frac{dy}{dx}=\frac{x^2-3y}{3x-y^2}\,(3x-y^2\neq0)$ …… ㉠

STEP **B** **점 $(2,\ 4)$에서의 접선의 방정식 구하기**

곡선 위의 점 $(2,\ 4)$에서의 접선의 기울기는 $\frac{2^2-3\cdot4}{3\cdot2-4^2}=\frac{-8}{-10}=\frac{4}{5}$

즉 기울기가 $\frac{4}{5}$이고 점 $(2,\ 4)$를 지나는 접선의 방정식은

$y-4=\frac{4}{5}(x-2)$에서 $y=\frac{4}{5}x+\frac{12}{5}$ …… ㉡

STEP **C** **a의 값 구하기**

㉡에 $x=0$을 대입하면 $y=\frac{12}{5}$이므로

접선이 y축과 만나는 점의 좌표는 $\left(0,\ \frac{12}{5}\right)$

따라서 $a=\frac{12}{5}$

 ③

1090

정답 ②

STEP **A** **음함수의 미분법을 이용하여 $\frac{dy}{dx}$ 구하기**

$y^2=x^3$의 양변을 x에 대하여 미분하면

$2y\frac{dy}{dx}=3x^2\quad\therefore\ \frac{dy}{dx}=\frac{3x^2}{2y}\,(y\neq0)$

STEP **B** **점 $(2,\ 2\sqrt{2})$에서의 접선의 방정식 구하기**

점 $(2,\ 2\sqrt{2})$에서의 접선의 기울기는 $\frac{12}{4\sqrt{2}}=\frac{3\sqrt{2}}{2}$이므로

접선의 방정식은 $y-2\sqrt{2}=\frac{3\sqrt{2}}{2}(x-2)$

$\therefore\ 3\sqrt{2}x-2y-2\sqrt{2}=0$

STEP **C** **원점에서 직선까지의 거리 구하기**

따라서 원점에서 직선 $3\sqrt{2}x-2y-2\sqrt{2}=0$까지의 거리는

$\frac{|-2\sqrt{2}|}{\sqrt{(3\sqrt{2})^2+(-2)^2}}=\frac{2\sqrt{11}}{11}$

1091

정답 ①

STEP **A** **음함수의 미분법을 이용하여 $\frac{dy}{dx}$ 구하기**

$\sqrt{x}+\sqrt{y}=2$의 양변을 x에 대하여 미분하면

$\frac{1}{2\sqrt{x}}+\frac{1}{2\sqrt{y}}\frac{dy}{dx}=0\quad\therefore\ \frac{dy}{dx}=-\frac{\sqrt{y}}{\sqrt{x}}\,(x\neq0)$

STEP **B** **점 $(1,\ 1)$에서의 접선의 방정식 구하기**

점 $(1,\ 1)$에서의 접선의 기울기는 $-\frac{\sqrt{1}}{\sqrt{1}}=-1$이므로

접선의 방정식은 $y-1=-(x-1)$, $y=-x+2$

STEP **C** **삼각형 OAB의 넓이 구하기**

접선이 x축, y축과 만나는 점의 좌표는 각각 $\mathrm{A}(2,\ 0)$, $\mathrm{B}(0,\ 2)$

따라서 삼각형 OAB의 넓이는 $\frac{1}{2}\times2\times2=2$

내/신/연/계/ 출제문항 416

곡선 $\sqrt{x}+\sqrt{y}=6$ 위의 점 $(4,\ 16)$에서의 접선과 x축, y축으로 둘러싸인 부분의 넓이는?

① 12 ② 121 ③ 144
④ 169 ⑤ 225

STEP **A** **음함수의 미분법을 이용하여 $\frac{dy}{dx}$ 구하기**

$\sqrt{x}+\sqrt{y}=6$의 양변을 x에 대하여 미분하면

$\frac{1}{2\sqrt{x}}+\frac{1}{2\sqrt{y}}\frac{dy}{dx}=0$

$\therefore\ \frac{dy}{dx}=-\frac{\sqrt{y}}{\sqrt{x}}\,(x\neq0)$

STEP **B** **점 $(4,\ 16)$에서의 접선의 방정식 구하기**

점 $(4,\ 16)$에서의 접선의 기울기는 $-\frac{\sqrt{16}}{\sqrt{4}}=-2$이므로

접선의 방정식은 $y-16=-2(x-4)$, $2x+y-24=0$

STEP **C** **접선과 x축, y축으로 둘러싸인 부분의 넓이 구하기**

따라서 접선이 x축, y축과 만나는 점의 좌표는 각각 $(12,\ 0)$, $(0,\ 24)$이므로

구하는 넓이는 $\frac{1}{2}\times12\times24=144$

 ③

1092

 ①

STEP **A** **음함수의 미분법을 이용하여 $\frac{dy}{dx}$ 구하기**

$2x^2+y^2-4xy-1=0$의 양변을 x에 대하여 미분하면

$4x+2y\cdot\frac{dy}{dx}-4y-4x\cdot\frac{dy}{dx}=0$

$\therefore\ \frac{dy}{dx}=\frac{2y-2x}{y-2x}\,(y\neq2x)$

STEP **B** **곡선 위의 점 $(2,\ 1)$에서 접선의 방정식 구하기**

점 $(2,\ 1)$에서의 접선의 기울기는 $\frac{2-4}{1-4}=\frac{2}{3}$이므로

접선의 방정식은 $y-1=\frac{2}{3}(x-2)$

$\therefore\ 2x-3y-1=0$

STEP **C** **접선과 x축, y축으로 둘러싸인 부분의 넓이 구하기**

따라서 접선이 x축, y축과 만나는 점의 좌표는 각각 $\left(\frac{1}{2},\ 0\right)$, $\left(0,\ -\frac{1}{3}\right)$

이므로 구하는 넓이는 $\frac{1}{2}\times\frac{1}{2}\times\frac{1}{3}=\frac{1}{12}$

내/신/연/계/ 출제문항 417

곡선 $x^2+xy=3$ 위의 점 $(1,\ 2)$에서의 접선과 x축, y축으로 둘러싸인 도형의 넓이는?

① $\frac{7}{2}$　　② 4　　③ $\frac{9}{2}$

④ 5　　⑤ $\frac{11}{2}$

STEP A 음함수의 미분법을 이용하여 $\frac{dy}{dx}$ 구하기

$x^2+xy=3$의 양변의 각 항을 x에 대하여 미분하여 정리하면

$\frac{dy}{dx}=-\frac{2x+y}{x}$ (단, $x\neq0$)

STEP B 점 $(1,\ 2)$에서 접선의 방정식 구하기

점 $(1,\ 2)$에서 접선의 기울기가 -4

점 $(1,\ 2)$에서 접선의 방정식은 $y=-4x+6$

STEP C 접선과 x축, y축으로 둘러싸인 도형의 넓이 구하기

따라서 직선 $y=-4x+6$과 x축, y축으로 둘러싸인 도형의 넓이는

$\frac{1}{2}\cdot\frac{3}{2}\cdot6=\frac{9}{2}$　　정답 ③

1093

정답 ②

STEP A 음함수 미분법을 이용하여 $\frac{dy}{dx}$ 구하기

양변을 x에 대하여 미분하면 $2y\frac{dy}{dx}=\frac{1}{x}$

즉 $\frac{dy}{dx}=\frac{1}{2xy}$ (단, $y\neq0$)

STEP B 점 $(e,\ 1)$에서 접선의 방정식 구하기

점 $(e,\ 1)$에서 접하는 접선의 기울기는 $\frac{1}{2e}$이므로

접선의 방정식은 $y-1=\frac{1}{2e}(x-e)$　$\therefore\ y=\frac{1}{2e}x+\frac{1}{2}$

STEP C 접선과 x축, y축으로 둘러싸인 부분의 넓이 구하기

이 접선의 x축과의 교점은 $(-e,\ 0)$, y축과의 교점은 $\left(0,\ \frac{1}{2}\right)$

따라서 접선과 x축, y축으로 둘러싸인 부분의 넓이는 $\frac{1}{2}\cdot e\cdot\frac{1}{2}=\frac{e}{4}$

1094

정답 ⑤

STEP A 음함수 미분법을 이용하여 $\frac{dy}{dx}$ 구하기

음함수 미분법에 의하여 곡선 $e^y\ln x=2y+1$을 x에 대하여 미분하면

$e^y\frac{dy}{dx}\cdot\ln x+e^y\cdot\frac{1}{x}=2\cdot\frac{dy}{dx}$

$\frac{dy}{dx}=-\frac{e^y}{x(e^y\ln x-2)}$　　...... ㉠

STEP B 점 $(e,\ 0)$에서 접선의 방정식 구하기

㉠에 $x=e$, $y=0$을 대입하면

$\frac{dy}{dx}=-\frac{1}{e(1\cdot1-2)}=\frac{1}{e}$

곡선 위의 점 $(e,\ 0)$에서의 접선의 방정식은 $y-0=\frac{1}{e}(x-e)$, 즉 $y=\frac{1}{e}x-1$

따라서 $a=\frac{1}{e}$, $b=-1$이므로 $ab=-\frac{1}{e}$

1095

정답 ①

STEP A 음함수의 미분법을 이용하여 $\frac{dy}{dx}$ 구하기

$e^x+e^y=e+1$의 양변을 x에 대하여 미분하면

$e^x+e^y\cdot\frac{dy}{dx}=0$　$\therefore\ \frac{dy}{dx}=-\frac{e^x}{e^y}$

STEP B 곡선 위의 점 $\mathrm{P}(1,\ 0)$에서 접선과 접선에 수직인 직선의 방정식 구하기

점 $\mathrm{P}(1,\ 0)$에서의 접선 l_1의 기울기는 $-\frac{e^1}{e^0}=-e$이므로

접선 l_1의 방정식은 $y=-e(x-1)$

점 $\mathrm{P}(1,\ 0)$을 지나고 접선 l_1에 수직인 직선 l_2의 기울기는 $\frac{1}{e}$이므로

직선 l_2의 방정식은 $y=\frac{1}{e}(x-1)$

STEP C 직선 l_1, l_2와 y축으로 둘러싸인 부분의 넓이 구하기

두 직선 l_1, l_2를 좌표평면 위에 나타내면

오른쪽 그림과 같으므로 구하는 넓이는

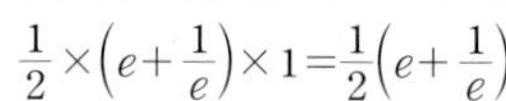
$\frac{1}{2}\times\left(e+\frac{1}{e}\right)\times1=\frac{1}{2}\left(e+\frac{1}{e}\right)$

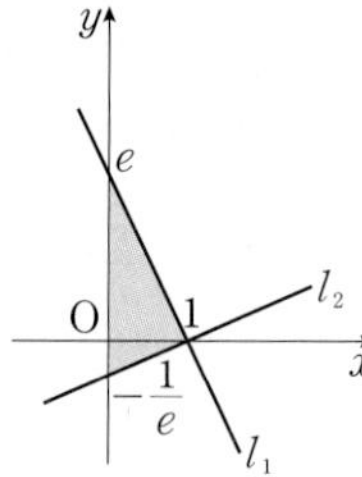

1096

정답 ④

STEP A 두 곡선의 교점 $\mathrm{P}(a,\ b)$ 구하기

두 곡선 $y=x^2$과 $y^2-2y-3x=2$의 교점의 x좌표는

$y=x^2$을 $y^2-2y-3x=2$에 대입하여 구한다.

$x^4-2x^2-3x=2$, $(x+1)(x-2)(x^2+x+1)=0$

$a=2(\because a>1)$

즉 한 교점은 $\mathrm{P}(2,\ 4)$

STEP B 음함수의 미분법을 이용하여 두 접선의 방정식 구하기

곡선 $y=x^2$의 각 항을 x에 대하여 미분하면 $\frac{dy}{dx}=2x$

점 $\mathrm{P}(2,\ 4)$에서 접선의 기울기는 4이므로

접선의 방정식은 $y-4=4(x-2)$　$\therefore\ y=4x-4$

또한, 곡선 $y^2-2y-3x=2$의 각 항을 x에 대하여 미분하면

$(2y-2)\frac{dy}{dx}-3=0$

$\therefore\ \frac{dy}{dx}=\frac{3}{2y-2}\ (2y-2\neq0)$

점 $\mathrm{P}(2,\ 4)$에서 접선의 기울기는

$\frac{1}{2}$이므로 접선의 방정식은

$y-4=\frac{1}{2}(x-2)$

$\therefore\ y=\frac{1}{2}x+3$

STEP C 삼각형 PAB의 넓이 구하기

따라서 l_1, l_2가 x축과 만나는 점은 각각 $\mathrm{A}(1,\ 0)$, $\mathrm{B}(-6,\ 0)$이므로

삼각형 PAB의 넓이는 $\frac{1}{2}\cdot7\cdot4=14$

1097
정답 ②

STEP Ⓐ **음함수 미분법을 이용하여 점 $A_n(x_n, y_n)$에서 접선의 기울기 구하기**

$xy=5$의 양변을 x에 대하여 미분하여 정리하면

$\frac{dy}{dx}=-\frac{y}{x}$ (단, $x\neq 0$)

점 $A_n(x_n, y_n)$에서 접선의 기울기는 $-\frac{y_n}{x_n}$

STEP Ⓑ **수열 $\{x_n\}$이 등비수열임을 이용하여 x_n 구하기**

점 $A_n(x_n, y_n)$에서 접하는 접선의 방정식은

$y-y_n=-\frac{y_n}{x_n}(x-x_n)$ $\quad\therefore y=-\frac{y_n}{x_n}x+2y_n$

이 접선의 x절편이 x_{n+1}이므로 $x_{n+1}=2x_n$

이때 점 $A_1(1, 5)$에서 $x_1=1$

수열 $\{x_n\}$은 첫째항이 1이고 공비가 2인 등비수열이므로 $x_n=2^{n-1}$

STEP Ⓒ **등비급수를 이용하여 구하기**

따라서 $x_ny_n=5$에서 $y_n=\frac{5}{2^{n-1}}$이므로 $\sum_{n=1}^{\infty}y_n=\sum_{n=1}^{\infty}5\left(\frac{1}{2}\right)^{n-1}=\frac{5}{1-\frac{1}{2}}=10$

1098
 ⑤

STEP Ⓐ **음함수의 미분법을 이용하여 $\frac{dy}{dx}$ 구하기**

$x^2+ay^2=b$의 각 항을 x에 대하여 미분하면

$2x+2ay\frac{dy}{dx}=0$ $\quad\therefore \frac{dy}{dx}=-\frac{x}{ay}\,(ay\neq 0)$

STEP Ⓑ **곡선 위의 점 $(3, 1)$에서의 접선의 기울기가 3임을 이용하여 a, b의 값 구하기**

점 $(3, 1)$이 곡선 $x^2+ay^2=b$ 위의 점이므로 $9+a=b$

$\therefore a-b=-9$ ⋯⋯ ㉠

점 $(3, 1)$에서 접선의 기울기는 $-\frac{3}{a}$이므로 $-\frac{3}{a}=3$

$a=-1$ ⋯⋯ ㉡

㉡을 ㉠에 대입하면 $b=8$

STEP Ⓒ **$a+b$의 값 구하기**

따라서 $a+b=-1+8=7$

1099
 ①

STEP Ⓐ **음함수의 미분법을 이용하여 $\frac{dy}{dx}$의 값 구하기**

$x^3-y^3-axy+b=0$의 양변을 x에 대하여 미분하면

$3x^2-3y^2\frac{dy}{dx}-ay-ax\frac{dy}{dx}=0$

$\therefore \frac{dy}{dx}=\frac{3x^2-ay}{3y^2+ax}\,(3y^2+ax\neq 0)$

STEP Ⓑ **점 $(1, 0)$에서의 $\frac{dy}{dx}$의 값이 -3임을 이용하여 a, b의 값 구하기**

$x=1$, $y=0$에서의 $\frac{dy}{dx}$의 값이 -3이므로 $\frac{3}{a}=-3$ $\quad\therefore a=-1$

또, 주어진 곡선이 점 $(1, 0)$을 지나므로 $1+b=0$ $\quad\therefore b=-1$

따라서 $a+b=-1+(-1)=-2$

내신연계 출제문항 418

곡선

$$x^3-y^3+axy+b=0$$

의 그래프 위의 점 $(0, -1)$에서의 $\frac{dy}{dx}$의 값이 2일 때, 상수 a, b에 대하여 $a+b$의 값은?

① -8 ② -7 ③ -6
④ -5 ⑤ -4

STEP Ⓐ **음함수의 미분법을 이용하여 $\frac{dy}{dx}$의 값 구하기**

$x^3-y^3+axy+b=0$의 양변을 x에 대하여 미분하면

$3x^2-3y^2\frac{dy}{dx}+ay+ax\frac{dy}{dx}=0$

$\therefore \frac{dy}{dx}=\frac{3x^2+ay}{3y^2-ax}\,(3y^2-ax\neq 0)$

STEP Ⓑ **점 $(0, -1)$에서의 $\frac{dy}{dx}$의 값이 2임을 이용하여 a, b의 값 구하기**

$x=0$, $y=-1$에서의 $\frac{dy}{dx}$의 값이 2이므로 $\frac{-a}{3}=2$ $\quad\therefore a=-6$

또, 주어진 곡선이 점 $(0, -1)$을 지나므로 $1+b=0$ $\quad\therefore b=-1$

따라서 $a+b=-6+(-1)=-7$

정답 ②

1100
 ①

STEP Ⓐ **음함수의 미분법을 이용하여 $\frac{dy}{dx}$의 값 구하기**

$2x^3+y^3-axy+4b=0$의 양변을 x에 대하여 미분하면

$6x^2+3y^2\frac{dy}{dx}-ay-ax\frac{dy}{dx}=0$

$\therefore \frac{dy}{dx}=\frac{-6x^2+ay}{3y^2-ax}\,(3y^2-ax\neq 0)$

STEP Ⓑ **점 $(0, -1)$에서의 $\frac{dy}{dx}$의 값이 2임을 이용하여 a, b의 값 구하기**

$x=0$, $y=-1$에서의 $\frac{dy}{dx}$의 값이 2이므로 $\frac{-a}{3}=2$ $\quad\therefore a=-6$

또, 주어진 곡선이 점 $(0, -1)$을 지나므로 $-1+4b=0$ $\quad\therefore b=\frac{1}{4}$

따라서 $a+b=-6+\frac{1}{4}=-\frac{23}{4}$

내신연계 출제문항 419

곡선

$$x^3-y^3+axy+b=0$$

위의 점 $(0, -1)$에서의 $\frac{dy}{dx}$의 값이 3일 때, 상수 a, b에 대하여 $a+b$의 값은?

① -25 ② -20 ③ -15
④ -10 ⑤ -5

STEP Ⓐ **음함수의 미분법을 이용하여 $\frac{dy}{dx}$ 구하기**

주어진 식의 각 항을 x에 대하여 미분하면

$3x^2-3y^2\frac{dy}{dx}+ay+ax\frac{dy}{dx}=0$

$\therefore \frac{dy}{dx}=\frac{3x^2+ay}{3y^2-ax}\,(3y^2-ax\neq 0)$

STEP B 곡선 위의 점 $(0, -1)$에서의 접선의 기울기가 3임을 이용하여 a, b의 값 구하기

점 $(0, -1)$이 곡선 $x^3-y^3+axy+b=0$ 위의 점이므로 $1+b=0$ $\quad\therefore b=-1$

점 $(0, -1)$에서 접선의 기울기는 $\frac{-a}{3}$이므로 $\frac{-a}{3}=3$ $\quad\therefore a=-9$

STEP C $a+b$의 값 구하기

따라서 $a=-9$, $b=-1$이므로 $a+b=-10$ 정답 ④

1101

정답 ③

STEP A 음함수의 미분법을 이용하여 $\frac{dy}{dx}$ 구하기

양변을 x에 대하여 미분하면

$$6x+10y\frac{dy}{dx}+a\left(y+x\frac{dy}{dx}\right)=0$$

$$\therefore \frac{dy}{dx}=-\frac{6x+ay}{ax+10y}\ (ax+10y\neq0)$$

STEP B 곡선 위의 점 $(1, 1)$에서의 접선의 기울기가 $-\frac{2}{3}$임을 이용하여 a, b의 관계식 세우기

점 $(1, 1)$이 곡선 $3x^2+5y^2+axy+b=0$ 위의 점이므로

$3+5+a+b=0$ $\quad\therefore a+b=-8$ $\quad$ …… ㉠

점 $(1, 1)$에서 접선의 기울기가 $-\frac{2}{3}$이므로

$-\frac{6+a}{a+10}=-\frac{2}{3}$ $\quad\therefore a=2$ $\quad$ …… ㉡

STEP C ab의 값 구하기

따라서 ㉠, ㉡이므로 $a=2$, $b=-10$이므로 $ab=-20$

내신연계 출제문항 420

곡선

$$x^2+y^2-ax+by=0$$

위의 점 $(1, 1)$에서의 접선의 기울기가 2일 때, 상수 a, b에 대하여 ab의 값은?

① -4 ② -2 ③ 4
④ 8 ⑤ 12

STEP A 음함수의 미분법을 이용하여 $\frac{dy}{dx}$ 구하기

주어진 식의 각 항을 x에 대하여 미분하면

$$2x+2y\frac{dy}{dx}-a+b\frac{dy}{dx}=0$$

$$\therefore \frac{dy}{dx}=-\frac{2x-a}{2y+b}\ (2y+b\neq0)$$

STEP B 곡선 위의 점 $(1, 1)$에서의 접선의 기울기가 2임을 이용하여 a, b의 관계식 세우기

점 $(1, 1)$이 곡선 $x^2+y^2-ax+by=0$ 위의 점이므로

$1+1-a+b=0$ $\quad\therefore a-b=2$ $\quad$ …… ㉠

점 $(1, 1)$에서 접선의 기울기는 $-\frac{2-a}{2+b}$이므로

$-\frac{2-a}{2+b}=2$ $\quad\therefore a-2b=6$ $\quad$ …… ㉡

STEP C ab의 값 구하기

㉠, ㉡을 연립하면 $a=-2$, $b=-4$

따라서 $ab=(-2)\cdot(-4)=8$ 정답 ④

1102

정답 ①

STEP A 음함수의 미분법을 이용하여 $\frac{dy}{dx}$ 구하기

점 (a, b)가 곡선 $e^x-e^y=y$ 위의 점이므로

$e^a-e^b=b$ $\quad$ …… ㉠

$e^x-e^y=y$의 양변을 x에 대해 미분하면

$$e^x-e^y\frac{dy}{dx}=\frac{dy}{dx}$$

$\therefore \frac{dy}{dx}=\frac{e^x}{1+e^y}$ $\quad$ …… ㉡

STEP B 점 (a, b)에서의 접선의 기울기가 1임을 이용하여 a, b의 값 구하기

점 (a, b)에서의 접선의 기울기가 1이므로

㉡에 $x=a$, $y=b$를 대입하면 $\frac{e^a}{1+e^b}=1$

$e^a-e^b=1$ $\quad$ …… ㉢

㉠, ㉢에서 $b=1$이고 $e^a=e+1$에서 $a=\ln(1+e)$

따라서 $a+b=1+\ln(1+e)$

1103

정답 ①

STEP A 음함수의 미분법을 이용하여 $\frac{dy}{dx}$ 구하기

$\frac{a}{x}+\frac{b}{y}=x^2+1$의 양변에 xy를 곱하면

$ay+bx=x^3y+xy$의 각 항을 x에 대하여 미분하면

$$a\frac{dy}{dx}+b=3x^2y+x^3\frac{dy}{dx}+y+x\frac{dy}{dx}$$

$$\therefore \frac{dy}{dx}=\frac{-3x^2y-y+b}{x^3+x-a}\ (x^3+x-a\neq0)$$

STEP B 점 $(-1, 2)$에서의 접선의 방정식 구하기

점 $(-1, 2)$에서의 접선의 기울기가 1이므로

$$\frac{dy}{dx}=\frac{-8+b}{-2-a}=1$$

$\therefore a+b=6$ $\quad$ …… ㉠

한편 점 $(-1, 2)$는 곡선 위의 점이므로

$2a-b=-4$ $\quad$ …… ㉡

따라서 ㉠, ㉡을 연립하여 풀면 $a=\frac{2}{3}$, $b=\frac{16}{3}$ $\quad\therefore \frac{b}{a}=8$

09 STEP 1 내신정복 기출유형
역함수 미분법

1104

STEP Ⓐ **역함수의 미분법을 이용하여 $\dfrac{dy}{dx}$ 구하기**

$x=\dfrac{4y}{y^2-3}$의 양변을 y에 대하여 미분하면

$\dfrac{dx}{dy}=\dfrac{4\times(y^2-3)-4y\times 2y}{(y^2-3)^2}=\dfrac{-4y^2-12}{(y^2-3)^2}$ $\quad\therefore \dfrac{dy}{dx}=\dfrac{1}{\dfrac{dx}{dy}}=-\dfrac{(y^2-3)^2}{4y^2+12}$

STEP Ⓑ **$y=0$에서의 $\dfrac{dy}{dx}$의 값 구하기**

따라서 $y=0$에서의 $\dfrac{dy}{dx}$의 값은 $\dfrac{dy}{dx}=-\dfrac{3}{4}$

1105

STEP Ⓐ **역함수의 미분법을 이용하여 $\dfrac{dy}{dx}$ 구하기**

$y=0$일 때, $x=1$

$x=\dfrac{y+1}{y^2+1}$의 양변에 y^2+1을 곱하면 $(y^2+1)x=y+1$

양변을 x에 대하여 미분하면

$2y\dfrac{dy}{dx}\times x+(y^2+1)=\dfrac{dy}{dx}$ $\quad\therefore \dfrac{dy}{dx}=\dfrac{y^2+1}{1-2xy}$

STEP Ⓑ **$x=1,\ y=0$에서의 $\dfrac{dy}{dx}$의 값 구하기**

따라서 $x=1,\ y=0$일 때, $\dfrac{dy}{dx}=\dfrac{0^2+1}{1-2\cdot1\cdot0}=1$

1106

STEP Ⓐ **역함수의 미분법을 이용하여 $\dfrac{dy}{dx}$ 구하기**

$x=\cos y$의 양변을 y에 대하여 미분하면 $\dfrac{dx}{dy}=-\sin y$

역함수의 미분법에 의하여 $\dfrac{dy}{dx}=\dfrac{1}{\dfrac{dx}{dy}}=-\dfrac{1}{\sin y}$

STEP Ⓑ **$x=\dfrac{\sqrt3}{2}$에서 $\dfrac{dy}{dx}$의 값 구하기**

따라서 $-\dfrac{\pi}{2}<y<0$에서 $x=\dfrac{\sqrt3}{2}=\cos y$일 때, $y=-\dfrac{\pi}{6}$이므로

$\dfrac{dy}{dx}=-\dfrac{1}{\sin\left(-\dfrac{\pi}{6}\right)}=\dfrac{1}{\sin\dfrac{\pi}{6}}=\dfrac{1}{\dfrac{1}{2}}=2$

1107

STEP Ⓐ **역함수의 미분법을 이용하여 $\dfrac{dy}{dx}$ 구하기**

$x=\sec y-\cot y$의 양변을 y에 대하여 미분하면

$\dfrac{dx}{dy}=\sec y\tan y+\csc^2 y$, 즉 $\dfrac{dy}{dx}=\dfrac{1}{\sec y\tan y+\csc^2 y}$ $\left(단,\ 0<y<\dfrac{\pi}{2}\right)$

STEP Ⓑ **$y=\dfrac{\pi}{6}$에서 $\dfrac{dy}{dx}$의 값 구하기**

따라서 $y=\dfrac{\pi}{6}$에서 $\dfrac{dy}{dx}$의 값은 $\dfrac{1}{\dfrac{2}{\sqrt3}\cdot\dfrac{1}{\sqrt3}+2^2}=\dfrac{3}{14}$

내신연계 출제문항 421

곡선 $x=\dfrac{\sin y}{y+\sin y}$에 대하여 $y=\pi$에서의 $\dfrac{dy}{dx}$의 값은?

① $-\pi$ ② $-\dfrac{\pi}{2}$ ③ $-\dfrac{\pi}{4}$
④ $\dfrac{\pi}{2}$ ⑤ π

STEP Ⓐ **역함수의 미분법을 이용하여 $\dfrac{dy}{dx}$ 구하기**

양변을 y에 대하여 미분하면

$\dfrac{dx}{dy}=\dfrac{\cos y(y+\sin y)-\sin y(1+\cos y)}{(y+\sin y)^2}=\dfrac{y\cos y-\sin y}{(y+\sin y)^2}$

$\dfrac{dy}{dx}=\dfrac{(y+\sin y)^2}{y\cos y-\sin y}$

STEP Ⓑ **$y=\pi$에서 $\dfrac{dy}{dx}$의 값 구하기**

따라서 $y=\pi$에서의 $\dfrac{dy}{dx}$의 값은 $\dfrac{\pi^2}{-\pi}=-\pi$

1108

STEP Ⓐ **역함수의 미분법을 이용하여 빈 칸 채우기**

$y=f^{-1}(x)$에서 $x=f(y)$이므로

$x=\tan y$의 양변을 y에 대하여 미분하면 $\dfrac{dx}{dy}=\boxed{\sec^2 y}$

이때 $\boxed{\sec^2 y}=1+\boxed{\tan^2 y}=1+x^2$이므로 $\dfrac{dy}{dx}=\dfrac{1}{\dfrac{dx}{dy}}=\boxed{\dfrac{1}{1+x^2}}$

STEP Ⓑ **$g\left(\dfrac{\pi}{3}\right)h\left(\dfrac{\pi}{3}\right)k(-1)$의 값 구하기**

따라서 $g(y)=\sec^2 y,\ h(y)=\tan^2 y,\ k(x)=\dfrac{1}{1+x^2}$이므로

$g\left(\dfrac{\pi}{3}\right)h\left(\dfrac{\pi}{3}\right)k(-1)=\sec^2\dfrac{\pi}{3}\cdot\tan^2\dfrac{\pi}{3}\cdot\dfrac{1}{1+1}=2^2\cdot(\sqrt3)^2\cdot\dfrac{1}{2}=6$

내신연계 출제문항 422

함수 $f(x)=\tan x\left(-\dfrac{\pi}{2}<x<\dfrac{\pi}{2}\right)$의 역함수를 $y=f^{-1}(x)$라 할 때, $\dfrac{dy}{dx}$를 x에 대한 식으로 나타내면?

① $\dfrac{1}{x^2-1}$ ② $\dfrac{1}{x^2+1}$ ③ $\dfrac{x}{x^2-1}$
④ $\dfrac{x}{x^2+1}$ ⑤ $\dfrac{2x}{x^2+1}$

STEP Ⓐ **$y=f^{-1}(x)$에서 $x=\tan y$임을 나타내기**

$y=f^{-1}(x)$에서 $x=f(y)$, 즉 $x=\tan y$

STEP Ⓑ **역함수의 미분법을 이용하여 $\dfrac{dy}{dx}$ 구하기**

$x=\tan y$에서 $\dfrac{dx}{dy}=\sec^2 y$

따라서 $\dfrac{dy}{dx}=\dfrac{1}{\dfrac{dx}{dy}}=\dfrac{1}{\sec^2 y}=\dfrac{1}{1+\tan^2 y}=\dfrac{1}{1+x^2}$

1109

정답 ④

STEP Ⓐ **역함수의 미분법을 이용하여 $g'(x)$ 구하기**

미분가능한 함수 $f(x)$는 $g(x)$의 역함수이므로 $f(g(x))=x$

위 식의 양변을 x에 대하여 미분하면 $f'(g(x))g'(x)=1$

$\therefore g'(x)=\dfrac{1}{f'(g(x))}$ (단, $f'(g(x))\neq 0$)

STEP Ⓑ **역함수의 미분계수 구하기**

또한, $f(a)=b$이므로 $g(b)=a$

따라서 $\displaystyle\lim_{h\to 0}\frac{g(b+h)-g(b)}{h}=g'(b)=\frac{1}{f'(g(b))}=\frac{1}{f'(a)}$

1110

 ③

STEP Ⓐ **역함수의 미분법을 이용하여 $g'(x)$ 구하기**

미분가능한 함수 $f(x)$는 $g(x)$의 역함수이므로 $f(g(x))=x$

위 식의 양변을 x에 대하여 미분하면 $f'(g(x))g'(x)=1$

$\therefore g'(x)=\dfrac{1}{f'(g(x))}$ (단, $f'(g(x))\neq 0$)

STEP Ⓑ **$g'(b)$의 값 구하기**

주어진 그래프에서 $f(c)=b$이므로 $g(b)=c$

따라서 $g'(b)=\dfrac{1}{f'(g(b))}=\dfrac{1}{f'(c)}$

1111

 ④

STEP Ⓐ **역함수의 미분법을 이용하여 $g'(x)$ 구하기**

미분가능한 함수 $f(x)$는 $g(x)$의 역함수이므로 $f(g(x))=x$

위 식의 양변을 x에 대하여 미분하면 $f'(g(x))g'(x)=1$

$\therefore g'(x)=\dfrac{1}{f'(g(x))}$ (단, $f'(g(x))\neq 0$)

STEP Ⓑ **이차방정식의 근과 계수의 관계를 이용하기**

주어진 그래프에서

$f(b)=a,\ f(c)=b$

이차방정식 $x^2-3x+1=0$의 두 근이

$g'(a),\ g'(b)$이므로 이차방정식의

근과 계수의 관계에 의하여

$g'(a)+g'(b)=3,\ g'(a)g'(b)=1$

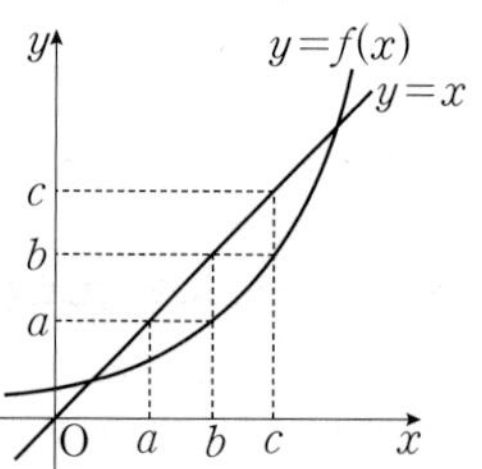

STEP Ⓒ **$g(a)=b$이면 $g'(a)=\dfrac{1}{f'(b)}$ 임을 이용하여 구하기**

주어진 그래프에서 $f(b)=a,\ f(c)=b$

$$\begin{aligned}\therefore f'(c)g'(a)+f'(b)g'(b)&=\frac{1}{g'(b)}\times g'(a)+\frac{1}{g'(a)}\times g'(b)\\&=\frac{\{g'(a)\}^2+\{g'(b)\}^2}{g'(a)g'(b)}\\&=\frac{\{g'(a)+g'(b)\}^2-2g'(a)g'(b)}{g'(a)g'(b)}\\&=\frac{3^2-2\cdot 1}{1}=7\end{aligned}$$

1112

정답 ③

STEP Ⓐ **역함수의 미분법을 이용하여 $g'(x)$ 구하기**

미분가능한 함수 $f(x)$는 $g(x)$의 역함수이므로 $f(g(x))=x$

위 식의 양변을 x에 대하여 미분하면 $f'(g(x))g'(x)=1$

$\therefore g'(x)=\dfrac{1}{f'(g(x))}$ (단, $f'(g(x))\neq 0$)

STEP Ⓑ **$\{g(x)\}^2$의 $x=c$에서의 미분계수 구하기**

주어진 그래프에서 $f(b)=c$이므로 $g(c)=b$

$h(x)=\{g(x)\}^2$이라 하면 $h'(x)=2g(x)g'(x)$

따라서 $h'(c)=2g(c)g'(c)=2g(c)\cdot\dfrac{1}{f'(b)}=\dfrac{2b}{f'(b)}$

1113

 ②

STEP Ⓐ **$g(3)$의 값 구하기**

점 $(1,\ 3)$이 곡선 $y=f(x)$ 위의 점이므로 $f(1)=3$

$\therefore g(3)=1$

STEP Ⓑ **$g(a)=b$이면 $g'(a)=\dfrac{1}{f'(b)}$ 임을 이용하여 구하기**

곡선 $y=f(x)$ 위의 점 $(1,\ 3)$에서의 접선의 기울기가 5이므로 $f'(1)=5$

따라서 $g'(3)=\dfrac{1}{f'(1)}=\dfrac{1}{5}$

1114

 ③

STEP Ⓐ **$g(2),\ g'(2)$의 값 구하기**

$f(1)=2$에서 $g(2)=1$

또한, $g'(2)=\dfrac{1}{f'(g(2))}=\dfrac{1}{f'(1)}=\dfrac{1}{3}$

STEP Ⓑ **곱의 미분법을 이용하여 $h'(2)$의 값 구하기**

$h(x)=xg(x)$에서 $h'(x)=g(x)+xg'(x)$

따라서 $h'(2)=g(2)+2g'(2)=1+2\cdot\dfrac{1}{3}=\dfrac{5}{3}$

1115

 ④

STEP Ⓐ **$g(3)$의 값 구하기**

$g(3)=a$라 하면 $f(a)=3$이므로 $a^3+2a+3=3,\ a(a^2+2)=0$

$a^2+2>0$이므로 $a=0$

⬅ 역함수는 일대일대응이 전제된 것이므로 주어진 방정식의 해는 유일하다.

$\therefore g(3)=0$

STEP Ⓑ **$g(a)=b$이면 $g'(a)=\dfrac{1}{f'(b)}$ 임을 이용하여 구하기**

따라서 $f'(x)=3x^2+2$에서 $f'(0)=2$이므로 $g'(3)=\dfrac{1}{f'(0)}=\dfrac{1}{2}$

다른풀이 y에 대하여 미분하여 역함수 구하기

$y=g(x)$라 하면 $x=f(y)=y^3+2y+3$이고 $f'(y)=3y^2+2$

$g'(x)=\dfrac{1}{f'(y)}=\dfrac{1}{3y^2+2}$

$x=3$일 때, $y^3+2y+3=3,\ y(y^2+2)=0$이므로 $y=0$

따라서 $g'(3)=\dfrac{1}{f'(0)}=\dfrac{1}{3\cdot 0^2+2}=\dfrac{1}{2}$

내신연계 출제문항 423

함수

$$f(x)=x^3-x^2+x$$

의 역함수를 $g(x)$라 할 때, $\dfrac{1}{g'(6)}$의 값은?

① 3　② 5　③ 7
④ 9　⑤ 11

STEP Ⓐ $g(6)$의 값 구하기

$g(6)=a$라 하면 $f(a)=6$이므로

$a^3-a^2+a=6$, $(a-2)(a^2+a+3)=0$

$a^2+a+3>0$이므로 $a=2$

← 역함수는 일대일대응이 전제된 것이므로 주어진 방정식의 해는 유일하다.

$\therefore g(6)=2$

STEP Ⓑ $g(a)=b$이면 $g'(a)=\dfrac{1}{f'(b)}$임을 이용하여 구하기

$f'(x)=3x^2-2x+1$에서 $f'(2)=9$이므로 $g'(6)=\dfrac{1}{f'(2)}=\dfrac{1}{9}$

따라서 $\dfrac{1}{g'(6)}=9$　 ④

1116

정답 ④

STEP Ⓐ $f'(-3)$의 값 구하기

$f(x)=x^3+3$에서 $f'(x)=3x^2$이므로 $f'(-3)=27$

STEP Ⓑ $g(4)$의 값 구하기

$g(4)=a$라 하면 $f(a)=4$이므로 $a^3+3=4$, $a^3=1$

$(a-1)(a^2+a+1)=0$　$\therefore a=1$

← 역함수는 일대일대응이 전제된 것이므로 주어진 방정식의 해는 유일하다.

$\therefore g(4)=1$

STEP Ⓒ $g(a)=b$이면 $g'(a)=\dfrac{1}{f'(b)}$임을 이용하여 구하기

이때 $f'(x)=3x^2$이므로 $f'(1)=3$

$g'(4)=\dfrac{1}{f'(1)}=\dfrac{1}{3}$

따라서 $f'(-3)g'(4)=27\cdot\dfrac{1}{3}=9$

내신연계 출제문항 424

함수

$$f(x)=2x^3+x+3$$

의 역함수를 $g(x)$라 할 때, $7f'(0)g'(6)$의 값은?

① 1　② 3　③ 5
④ 7　⑤ 9

STEP Ⓐ $f'(0)$의 값 구하기

$f(x)=2x^3+x+3$에서 $f'(x)=6x^2+1$이므로 $f'(0)=1$

STEP Ⓑ $g(6)$의 값 구하기

$g(6)=a$라 하면 $f(a)=6$이므로 $2a^3+a+3=6$

$2a^3+a-3=0$, $(a-1)(2a^2+2a+3)=0$

$2a^2+2a+3>0$이므로 $a=1$

← 역함수는 일대일대응이 전제된 것이므로 주어진 방정식의 해는 유일하다.

$\therefore g(6)=1$

STEP Ⓒ $g(a)=b$이면 $g'(a)=\dfrac{1}{f'(b)}$임을 이용하여 구하기

이때 $f'(x)=6x^2+1$이므로 $f'(1)=7$

$g'(6)=\dfrac{1}{f'(1)}=\dfrac{1}{7}$

따라서 $7f'(0)g'(6)=7\cdot1\cdot\dfrac{1}{7}=1$　정답 ①

1117

정답 ④

STEP Ⓐ $f(2)$, $f'(2)$, $g(2)$의 값 구하기

$f(x)=x^3+x+2$에서 $f'(x)=3x^2+1$이므로 $f(2)=12$, $f'(2)=13$

$g(2)=a$라 하면 $f(a)=2$이므로 $a^3+a+2=2$

$a^3+a=0$, $a(a^2+1)=0$

$a^2+1>0$이므로 $a=0$

$\therefore g(2)=0$

STEP Ⓑ $g(a)=b$이면 $g'(a)=\dfrac{1}{f'(b)}$임을 이용하여 구하기

이때 $f'(x)=3x^2+1$이므로 $f'(0)=1$

$g'(2)=\dfrac{1}{f'(0)}=1$

STEP Ⓒ 곱의 미분법을 이용하여 $h'(2)$의 값 구하기

이때 $h(x)=f(x)g(x)$에서 $h'(x)=f'(x)g(x)+f(x)g'(x)$

따라서 $h'(2)=f'(2)g(2)+f(2)g'(2)=13\cdot0+12\cdot1=12$

내신연계 출제문항 425

함수 $f(x)=x^3+2x$의 역함수를 $g(x)$라고 할 때,
$h(x)=f(x)g(x)$에 대하여 $h'(3)$의 값은?

① $\dfrac{121}{5}$　② $\dfrac{127}{5}$　③ $\dfrac{156}{5}$
④ $\dfrac{161}{5}$　⑤ $\dfrac{178}{5}$

STEP Ⓐ $f(3)$, $f'(3)$, $g(3)$의 값 구하기

$g(3)=a$라고 하면 $f(a)=3$

즉 $a^3+2a=3$이므로 $a^3+2a-3=0$, $(a-1)(a^2+a+3)=0$

$a^2+a+3>0$이므로 $a=1$

즉 $g(3)=1$

STEP Ⓑ $g(a)=b$이면 $g'(a)=\dfrac{1}{f'(b)}$임을 이용하여 구하기

$f'(x)=3x^2+2$에서 $f'(1)=5$이므로 $g'(3)=\dfrac{1}{f'(1)}=\dfrac{1}{5}$

STEP Ⓒ 곱의 미분법을 이용하여 $h'(3)$의 값 구하기

이때 $h(x)=f(x)g(x)$에서 $h'(x)=f'(x)g(x)+f(x)g'(x)$

따라서 $h'(3)=f'(3)g(3)+f(3)g'(3)=29\cdot1+33\cdot\dfrac{1}{5}=\dfrac{178}{5}$　 ⑤

1118

정답 ④

STEP A $f^{-1}(\sqrt{2})$의 값 구하기

$f^{-1}(\sqrt{2})=a$라 하면 $f(a)=\sqrt{2}$

즉 $f(a)=\sqrt{a^2+1}$이므로 $\sqrt{a^2+1}=\sqrt{2}$

이때 $a \geq 0$이므로 $a=1$

STEP B $(f^{-1})'(\sqrt{2})=\dfrac{1}{f'(1)}$임을 이용하여 구하기

따라서 $f^{-1}(\sqrt{2})=1$이고 $f'(x)=\dfrac{x}{\sqrt{x^2+1}}$에서 $f'(1)=\dfrac{1}{\sqrt{2}}$이므로

$(f^{-1})'(\sqrt{2})=\dfrac{1}{f'(1)}=\sqrt{2}$

1119

STEP A $g(1)$의 값 구하기

$g(1)=k$라 하면 $f(k)=1$

$k-\dfrac{2}{k}=1$, $k^2-k-2=0$, $(k-2)(k+1)=0$

$k>0$이므로 $k=2$, 즉 $g(1)=2$ …… ㉠

STEP B $g'(1)=\dfrac{1}{f'(2)}$임을 이용하여 $g'(1)$의 값 구하기

한편 $f(x)$의 역함수가 $g(x)$이므로 $f(g(x))=x$

$f'(g(x))g'(x)=1$ $\therefore g'(x)=\dfrac{1}{f'(g(x))}$

$g'(1)=\dfrac{1}{f'(g(1))}=\dfrac{1}{f'(2)}$

$f'(x)=1+\dfrac{2}{x^2}$이므로 $f'(2)=1+\dfrac{1}{2}=\dfrac{3}{2}$

$g'(1)=\dfrac{1}{f'(2)}=\dfrac{2}{3}$ …… ㉡

STEP C $h'(1)$의 값 구하기

$h(x)=\{g(x)\}^2$에서 $h'(x)=2g(x)g'(x)$

따라서 ㉠, ㉡에서 $h'(1)=2g(1)g'(1)=2\times2\times\dfrac{2}{3}=\dfrac{8}{3}$

1120

STEP A 조건 (가)에서 $g\left(\dfrac{1}{2}\right)$의 값 구하기

조건 (가), (나)에서 $x=1$을 대입하면 $f(1)-f(-1)=1$에서

$\dfrac{3}{2}-f(-1)=1$ $\therefore f(-1)=\dfrac{1}{2}$

즉 $f(-1)=\dfrac{1}{2}$이므로 $g\left(\dfrac{1}{2}\right)=-1$ …… ㉠

STEP B 조건 (가)에서 $f'(-1)$의 값 구하기

또한, $f(x)-f(-x)=x$를 x에 대하여 미분하면

$f'(x)+f'(-x)=1$

$x=1$을 대입하면 $f'(1)+f'(-1)=1$

$\dfrac{3}{4}+f'(-1)=1$ $\therefore f'(-1)=\dfrac{1}{4}$ …… ㉡

STEP C $g(a)=b$이면 $g'(a)=\dfrac{1}{f'(b)}$임을 이용하여 구하기

따라서 함수 $f(x)$의 역함수가 $g(x)$이므로 ㉠, ㉡에서

$g'\left(\dfrac{1}{2}\right)=\dfrac{1}{f'\left(g\left(\dfrac{1}{2}\right)\right)}=\dfrac{1}{f'(-1)}=4$

내신연계 출제문항 426

실수 전체의 집합에서 미분가능하고 역함수가 존재하는 두 함수 $f(x)$, $g(x)$가 다음 조건을 만족시킨다.

> (가) $f(4)=2$, $g(2)=9$
> (나) $f'(4)=\dfrac{1}{4}$, $g'(2)=8$

함수 $F(x)=(g\circ f)(x)$의 역함수를 $G(x)$라 할 때, $G'(9)$의 값은? (단, 두함수 $f(x)$, $g(x)$의 역함수는 미분가능하다.)

① $\dfrac{1}{6}$ ② $\dfrac{1}{3}$ ③ $\dfrac{1}{2}$
④ $\dfrac{2}{3}$ ⑤ $\dfrac{5}{6}$

STEP A 조건 (가)를 이용하여 $G(9)$의 값 구하기

$F(x)=(g\circ f)(x)=g(f(x))$에서 $F'(x)=g'(f(x))f'(x)$

$f(4)=2$에서 $f^{-1}(2)=4$, $g(2)=9$에서 $g^{-1}(9)=2$

$G(9)=(g\circ f)^{-1}(9)=(f^{-1}\circ g^{-1})(9)=f^{-1}(g^{-1}(9))=f^{-1}(2)=4$

STEP B 조건 (나)를 이용하여 $G'(9)$의 값 구하기

따라서 $G'(9)=\dfrac{1}{F'(G(9))}=\dfrac{1}{g'(f(G(9)))\times f'(G(9))}$

$=\dfrac{1}{g'(f(4))\times f'(4)}=\dfrac{1}{g'(2)}\times\dfrac{1}{f'(4)}$

$=\dfrac{1}{8}\times4=\dfrac{1}{2}$

다른풀이 역함수의 성질을 이용하여 풀이하기

STEP A 조건 (가)를 이용하여 $G(9)$의 값 구하기

$G(x)=(g\circ f)^{-1}(x)=(f^{-1}\circ g^{-1})(x)=f^{-1}(g^{-1}(x))$이므로

$G'(x)=(f^{-1})'(g^{-1}(x))\times(g^{-1})'(x)$

$f(4)=2$에서 $f^{-1}(2)=4$, $g(2)=9$에서 $g^{-1}(9)=2$

STEP B 조건 (나)를 이용하여 $G'(9)$의 값 구하기

따라서 $G'(9)=(f^{-1})'(g^{-1}(9))\times(g^{-1})'(9)$

$=(f^{-1})'(2)\times(g^{-1})'(9)$

$=\dfrac{1}{f'(f^{-1}(2))}\times\dfrac{1}{g'(g^{-1}(9))}$

$=\dfrac{1}{f'(4)}\times\dfrac{1}{g'(2)}=4\times\dfrac{1}{8}=\dfrac{1}{2}$

1121

STEP A 조건 (가)에서 $g(-2)$의 값 구하기

조건 (가)에서 $f(x)+f(4-x)=8$의 양변에 $x=4$를 대입하면

$f(4)+f(0)=8$, $f(4)+10=8$, 즉 $f(4)=-2$이므로 $g(-2)=4$

STEP B 조건 (가)에서 $f'(4)$의 값 구하기

$f(x)+f(4-x)=8$의 양변을 x에 대하여 미분하면

$f'(x)-f'(4-x)=0$

양변에 $x=4$를 대입하면 $f'(4)-f'(0)=0$, $f'(4)+3=0$

$\therefore f'(4)=-3$

STEP C 함수 $f(x)$의 역함수가 $g(x)$이고 $g(-2)=4$이면 $g'(-2)=\dfrac{1}{f'(4)}$임을 이용하여 구하기

따라서 $g'(-2)=\dfrac{1}{f'(4)}=-\dfrac{1}{3}$

1122

정답 ②

STEP A 역함수의 미분법을 이용하기

$f(x)=e^{x}+e^{2x}$에서 $f'(x)=e^{x}+2e^{2x}$

함수 $f(2x)$의 역함수가 $g(x)$이므로

$g(f(2x))=x$ …… ㉠

㉠의 양변을 x에 대하여 미분하면

$g'(f(2x))f'(2x)\times 2=1$ …… ㉡

STEP B $g'(2)$의 값 구하기

이때 $g'(2)$의 값은 방정식 $f(2x)=2$의 해를 ㉡에 대입하여 구할 수 있다.

$f(2x)=2$에서 $e^{2x}+e^{4x}=2$

$(e^{2x}+2)(e^{2x}-1)=0$

$e^{2x}+2>2$이므로 $e^{2x}-1=0$, $x=0$

㉡의 양변에 $x=0$을 대입하면 $g'(f(0))f'(0)\times 2=1$

따라서 $f(0)=2$, $f'(0)=3$이므로 $g'(2)=\frac{1}{2f'(0)}=\frac{1}{2\times 3}=\frac{1}{6}$

1123

STEP A $f(4)$, $f'(4)$의 값 구하기

곡선 $y=f(x)$ 위의 점 $(4, 1)$에서의 접선의 기울기가 $\frac{3}{2}$이므로

$f(4)=1$, $f'(4)=\frac{3}{2}$

STEP B $g(1)$의 값 구하기

$f(2x)$의 역함수가 $g(x)$이므로 $g(f(2x))=x$ …… ㉠

㉠의 양변에 $x=2$를 대입하면 $g(f(4))=2$이므로 $g(1)=2$

$\therefore a=g(1)=2$

STEP C 역함수의 미분법을 이용하여 $g'(1)$의 값 구하기

㉠의 양변을 x에 대하여 미분하면

$g'(f(2x))f'(2x)\cdot 2=1$ …… ㉡

㉡의 양변에 $x=2$를 대입하면 $g'(f(4))f'(4)\cdot 2=1$

즉 $g'(1)\cdot \frac{3}{2}\cdot 2=1$ $\therefore b=g'(1)=\frac{1}{3}$

따라서 $3(a+b)=3\left(2+\frac{1}{3}\right)=7$

다른풀이 $f(2x)=h(x)$로 놓고 역함수의 미분법을 이용하여 풀이하기

$f(2x)=h(x)$라고 하면 $g(x)=h^{-1}(x)$

$g(1)=a$에서 $h(a)=1$이고 $h(2)=f(4)=1$이므로 $a=2$

한편 $h'(x)=2f'(2x)$에서 $h'(2)=2f'(4)=3$이고 $g(1)=2$

$h^{-1}(x)=y$라 하면 $h(y)=x$이고 역함수의 미분법을 이용하면

$g'(x)=\frac{d}{dx}h^{-1}(x)=\frac{1}{h'(y)}$, $g'(1)=\frac{1}{h'(2)}=\frac{1}{3}$ $\therefore b=\frac{1}{3}$

따라서 $3(a+b)=3\left(2+\frac{1}{3}\right)=7$

내신연계 출제문항 427

실수 전체의 집합에서 증가하고 미분가능한 함수 $f(x)$에 대하여 곡선 $y=f(x)$ 위의 점 $(4, 1)$에서의 접선의 기울기가 $\frac{3}{4}$이다. 함수 $f(2x+2)$의 역함수를 $g(x)$라고 할 때, 곡선 $y=g(x)$ 위의 점 $(1, a)$에서의 접선의 기울기는 b이다. 이때 $a+3b$의 값은?

① 1 ② 2 ③ 3
④ 4 ⑤ 5

STEP A $f(4)$, $f'(4)$의 값 구하기

곡선 $y=f(x)$ 위의 점 $(4, 1)$에서의 접선의 기울기가 $\frac{3}{4}$이므로

$f(4)=1$, $f'(4)=\frac{3}{4}$

STEP B $g(1)$의 값 구하기

$f(2x+2)$의 역함수가 $g(x)$이므로

$g(f(2x+2))=x$ …… ㉠

㉠의 양변에 $x=1$을 대입하면

$g(f(4))=1$이므로 $g(1)=1$ $\therefore a=g(1)=1$

STEP C 역함수의 미분법을 이용하여 $g'(1)$의 값 구하기

㉠의 양변을 x에 대하여 미분하면

$g'(f(2x+2))f'(2x+2)\cdot 2=1$ …… ㉡

㉡의 양변에 $x=1$을 대입하면

$g'(f(4))f'(4)\cdot 2=1$

즉 $g'(1)\cdot \frac{3}{4}\cdot 2=1$ $\therefore b=g'(1)=\frac{2}{3}$

따라서 $a+3b=1+3\cdot \frac{2}{3}=3$

정답 ③

1124

STEP A $h(x)=g(2x)$라 할 때, $h(0)$ 구하기

$h(x)=g(2x)$라 하면

$h'(x)=g'(2x)\times(2x)'=2g'(2x)$ …… ㉠

㉠에 $x=0$을 대입하면 $g'(0)=\frac{1}{2}h'(0)$ …… ㉡

한편 $(f\circ g)(2x)=f(g(2x))=f(h(x))=x$이므로

$h(0)=k$라 하면 $f(k)=0$

$k^{3}-2k^{2}+2k-1=0$, $(k-1)(k^{2}-k+1)=0$

$k^{2}-k+1>0$이므로 $k=1$, 즉 $h(0)=1$

STEP B 역함수의 미분법을 이용하여 $g'(0)$의 값 구하기

$h(x)$는 $f(x)$의 역함수이므로 역함수의 미분법에 의하여

$h'(0)=\frac{1}{f'(h(0))}=\frac{1}{f'(1)}$

$f'(x)=3x^{2}-4x+2$이므로 $f'(1)=3-4+2=1$

$h'(0)=\frac{1}{f'(1)}=1$ …… ㉢

따라서 ㉡, ㉢에서 $g'(0)=\frac{1}{2}h'(0)=\frac{1}{2}\times 1=\frac{1}{2}$

다른풀이 $f(g(2x))=x$임을 이용하여 풀이하기

$f(g(2x))=x$ …… ㉠

㉠에 $x=0$을 대입하면 $f(g(0))=0$

$g(0)=f^{-1}(0)=k$라 하면 $f(k)=0$에서

$k^{3}-2k^{2}+2k-1=0$, $(k-1)(k^{2}-k+1)=0$

$k^{2}-k+1>0$이므로 $k=1$, 즉 $g(0)=1$ …… ㉡

㉠의 양변을 미분하면 $f'(g(2x))\times\{g(2x)\}'=1$

$f'(g(2x))\times g'(2x)\times 2=1$ …… ㉢

㉢에 $x=0$을 대입하면 ㉡에 의하여

$f'(g(0))\times g'(0)\times 2=1$, $f'(1)\times g'(0)\times 2=1$

$f'(x)=3x^{2}-4x+2$이므로 $f'(1)=1$

$1\times g'(0)\times 2=1$

따라서 $g'(0)=\frac{1}{2}$

1125

정답 ③

STEP A 분수꼴의 극한의 성질과 미분계수의 정의를 이용하여 $f(9)$, $f'(9)$의 값 구하기

$\lim_{x\to9}\frac{f(x)-3}{x-9}=\frac{1}{2}$에서

$x\to9$일 때, (분모)$\to0$이고 극한값이 존재하므로 (분자)$\to0$이어야 한다.

즉 $\lim_{x\to9}\{f(x)-3\}=0$이므로 $f(9)=3$

이때 $f(9)=3$이므로 $g(3)=9$

한편 미분계수의 정의에 의하여

$\lim_{x\to9}\frac{f(x)-3}{x-9}=\lim_{x\to9}\frac{f(x)-f(9)}{x-9}=f'(9)=\frac{1}{2}$

STEP B $g(3)=9$이면 $g'(3)=\frac{1}{f'(g(3))}$임을 이용하여 구하기

역함수의 미분법에 의하여 $g'(3)=\frac{1}{f'(9)}=2$

따라서 $g(3)+g'(3)=9+2=11$

내신연계 출제문항 428

미분가능한 함수 $f(x)$의 역함수를 $g(x)$라 하고

$$\lim_{x\to3}\frac{f(x)-1}{x-3}=\frac{1}{5}$$

를 만족할 때, $g(1)+g'(1)$의 값은?

① $\frac{1}{8}$　② $\frac{1}{3}$　③ 3　④ 5　⑤ 8

STEP A 분수꼴의 극한의 성질과 미분계수의 정의를 이용하여 $f(3)$, $f'(3)$의 값 구하기

$\lim_{x\to3}\frac{f(x)-1}{x-3}=\frac{1}{5}$에서

$x\to3$일 때, (분모)$\to0$이고 극한값이 존재하므로 (분자)$\to0$이어야 한다.

즉 $\lim_{x\to3}\{f(x)-1\}=0$이므로 $f(3)=1$

이때 $f(3)=1$이므로 $g(1)=3$

미분계수의 정의에 의하여 $\lim_{x\to3}\frac{f(x)-f(3)}{x-3}=f'(3)=\frac{1}{5}$

STEP B $g(1)=3$이면 $g'(1)=\frac{1}{f'(g(1))}$임을 이용하여 구하기

역함수의 미분법에 의하여 $g'(1)=\frac{1}{f'(3)}=5$

따라서 $g(1)+g'(1)=3+5=8$

정답 ⑤

1126

정답 ①

STEP A 분수꼴의 극한의 성질과 미분계수의 정의를 이용하여 $f(1)$, $f'(1)$의 값 구하기

$\lim_{x\to1}\frac{f(x)-2}{x-1}=6$에서

$x\to1$일 때, (분모)$\to0$이고 극한값이 존재하므로 (분자)$\to0$이어야 한다.

즉 $\lim_{x\to1}\{f(x)-2\}=0$이므로 $f(1)=2$

이때 $f(1)=2$이므로 $g(2)=1$

미분계수의 정의에 의하여

$\lim_{x\to1}\frac{f(x)-2}{x-1}=\lim_{x\to1}\frac{f(x)-f(1)}{x-1}=f'(1)=6$

STEP B $g(2)=1$이면 $g'(2)=\frac{1}{f'(1)}$임을 이용하여 구하기

역함수의 미분법에 의하여

$g'(2)=\frac{1}{f'(g(2))}=\frac{1}{f'(1)}=\frac{1}{6}$

STEP C 함수 $\{g(x)\}^2$의 $x=2$에서의 미분계수 구하기

따라서 함수 $\{g(x)\}^2$의 도함수는 $2g(x)g'(x)$이므로

$x=2$에서의 미분계수는 $2g(2)g'(2)=2\cdot1\cdot\frac{1}{6}=\frac{1}{3}$

1127

정답 ④

STEP A 분수꼴의 극한의 성질과 미분계수의 정의를 이용하여 $g(5)$, $g'(5)$의 값 구하기

$\lim_{h\to0}\frac{g(5+h)-1}{h}$에서

$h\to0$일 때, (분모)$\to0$이고 극한값이 존재하므로 (분자)$\to0$이어야 한다.

즉 $\lim_{h\to0}\{g(5+h)-1\}=0$에서 $g(5)=1$

$\lim_{h\to0}\frac{g(5+h)-1}{h}=\lim_{h\to0}\frac{g(5+h)-g(5)}{h}=g'(5)$

STEP B 역함수의 미분법을 이용하여 구하기

$g(5)=a$라 하면 $f(a)=5$

$a^4+3a+1=5$, $a^4+3a-4=0$, $(a-1)(a^3+a^2+a+4)=0$

$a^3+a^2+a+4\neq0$이므로 $a=1$

$f(1)=5$

$f(x)=x^4+3x+1$에서 $f'(x)=4x^3+3$

따라서 $g'(5)=\frac{1}{f'(1)}=\frac{1}{7}$

내신연계 출제문항 429

일대일 대응이고 실수 전체의 집합에서 미분 가능한 함수 $f(x)$의 역함수를 $g(x)$라 할 때, 함수 $g(x)$는 실수 전체의 집합에서 미분 가능하고,

$$\lim_{h\to0}\frac{f(1+h)-4}{h}=\frac{1}{3}$$

이다. $g(4)+g'(4)$의 값은?

① 3　② 4　③ 5　④ 6　⑤ 7

STEP A 분수꼴의 극한의 성질과 미분계수의 정의를 이용하여 $g(4)$, $f'(1)$의 값 구하기

$\lim_{h\to0}\frac{f(1+h)-4}{h}=\frac{1}{3}$에서

$h\to0$일 때, (분모)$\to0$이고 극한값이 존재하므로 (분자)$\to0$이어야 한다.

즉 $\lim_{h\to0}\{f(1+h)-4\}=0$에서 $\lim_{h\to0}f(1+h)=4$이므로 $f(1)=4$

$g(x)$는 $f(x)$의 역함수이므로 $g(4)=1$

$\lim_{h\to0}\frac{f(1+h)-4}{h}=\lim_{h\to0}\frac{f(1+h)-f(1)}{h}=f'(1)=\frac{1}{3}$

STEP B 역함수의 미분법을 이용하여 구하기

$g'(4)=\frac{1}{f'(g(4))}=\frac{1}{f'(1)}=3$

따라서 $g(4)+g'(4)=1+3=4$

정답 ②

1128

정답 ②

STEP Ⓐ **분수꼴의 극한의 성질과 미분계수의 정의를 이용하여 $f(1)$, $\frac{1}{g'(3)}$의 값 구하기**

$\lim_{x \to 3} \frac{x-3}{g(x)-1}=5$에서

$x \to 3$일 때, (분자)$\to 0$이고 0이 아닌 극한값이 존재하므로 (분모)$\to 0$이다.

즉 $\lim_{x \to 3}\{g(x)-1\}=0$에서 $g(3)=1$

이때 $g(3)=1$이므로 $f(1)=3$

미분계수의 정의에 의하여

$$\lim_{x \to 3} \frac{x-3}{g(x)-1}=\lim_{x \to 3} \frac{1}{\frac{g(x)-g(3)}{x-3}}=\frac{1}{g'(3)}=5$$

STEP Ⓑ **$f(1)=3$이면 $f'(1)=\frac{1}{g'(f(1))}$임을 이용하여 구하기**

$f(x)$의 역함수가 $g(x)$이므로

$g(f(x))=x$에서 $g'(f(x))\cdot f'(x)=1$

즉 $f'(x)=\frac{1}{g'(f(x))}$이므로 $f'(1)=\frac{1}{g'(f(1))}=\frac{1}{g'(3)}=5$

따라서 $f(1)+f'(1)=3+5=8$

내신연계 출제문항 430

미분가능한 함수 $f(x)$의 역함수 $g(x)$가

$$\lim_{x \to 2} \frac{x-2}{g(x)-5}=3$$

이 성립할 때 $f'(5)$의 값은?

① $\frac{1}{3}$ ② $\frac{1}{2}$ ③ 2
④ 3 ⑤ 5

STEP Ⓐ **분수꼴의 극한의 성질과 미분계수의 정의를 이용하여 $g(2)$, $\frac{1}{g'(2)}$의 값 구하기**

$\lim_{x \to 2} \frac{x-2}{g(x)-5}=3$에서

$x \to 2$일 때, (분자)$\to 0$이고 극한값이 0이 아닌 상수이므로 (분모)$\to 0$이다.

즉 $\lim_{x \to 2}\{g(x)-5\}=0$이므로 $g(2)=5$

이때 $g(2)=5$이므로 $f(5)=2$

미분계수의 정의에 의하여

$$\lim_{x \to 2} \frac{x-2}{g(x)-5}=\lim_{x \to 2} \frac{1}{\frac{g(x)-g(2)}{x-2}}=\frac{1}{g'(2)}=3$$

STEP Ⓑ **$f(5)=2$이면 $f'(5)=\frac{1}{g'(2)}$임을 이용하여 구하기**

$f(x)$의 역함수가 $g(x)$이므로

$g(f(x))=x$에서 $g'(f(x))\cdot f'(x)=1$

$\therefore f'(x)=\frac{1}{g'(f(x))}$

따라서 $f'(5)=\frac{1}{g'(f(5))}=\frac{1}{g'(2)}=3$

정답 ④

1129

정답 ②

STEP Ⓐ **분수꼴의 극한의 성질과 미분계수의 정의를 이용하여 $f(1)$, $f'(1)$의 값 구하기**

$\lim_{x \to 1} \frac{f(x)-2}{x-1}=3$에서

$x \to 1$일 때, (분모)$\to 0$이고 극한값이 존재하므로 (분자)$\to 0$이어야 한다.

즉 $\lim_{x \to 1}\{f(x)-2\}=0$이므로 $f(1)=2$

이때 $f(1)=2$이므로 $g(2)=1$

한편 미분계수의 정의에 의하여

$$\lim_{x \to 1} \frac{f(x)-2}{x-1}=\lim_{x \to 1} \frac{f(x)-f(1)}{x-1}=f'(1)=3$$

STEP Ⓑ **$f(1)=2$이면 $g'(2)=\frac{1}{f'(g(2))}$임을 이용하여 구하기**

따라서 $\lim_{x \to 2} \frac{g(x)-1}{x-2}=\lim_{x \to 2} \frac{g(x)-g(2)}{x-2}=g'(2)$이므로 $g'(2)=\frac{1}{f'(1)}=\frac{1}{3}$

내신연계 출제문항 431

미분가능한 함수 $f(x)$의 역함수 $g(x)$에 대하여

$$\lim_{x \to 2} \frac{g(x)-3}{x-2}=4$$

가 성립할 때, $f(3)f'(3)+g(2)g'(2)$의 값은?

① $\frac{1}{4}$ ② $\frac{15}{2}$ ③ 12
④ $\frac{25}{2}$ ⑤ 20

STEP Ⓐ **분수꼴의 극한의 성질과 미분계수의 정의를 이용하여 $f(9)$, $f'(9)$의 값 구하기**

$\lim_{x \to 2} \frac{g(x)-3}{x-2}=4$에서

$x \to 2$일 때, (분모)$\to 0$이고 극한값이 존재하므로 (분자)$\to 0$이어야 한다.

즉 $\lim_{x \to 2}\{g(x)-3\}=0$이므로 $g(2)=3$

이때 $g(2)=3$이므로 $f(3)=2$

한편 미분계수의 정의에 의하여

$$\lim_{x \to 2} \frac{g(x)-3}{x-2}=\lim_{x \to 2} \frac{g(x)-g(2)}{x-2}=g'(2)=4$$

STEP Ⓑ **$f(3)=2$이면 $f'(3)=\frac{1}{g'(2)}$임을 이용하여 구하기**

$f(x)$의 역함수가 $g(x)$이므로 $g(f(x))=x$에서 $g'(f(x))\cdot f'(x)=1$

$\therefore f'(x)=\frac{1}{g'(f(x))}$

$g'(2)=\frac{1}{f'(g(2))}=\frac{1}{f'(3)}=4$

$\therefore f'(3)=\frac{1}{4}$

STEP Ⓒ **$f(3)f'(3)+g(2)g'(2)$의 값 구하기**

따라서 $f(3)f'(3)+g(2)g'(2)=2\cdot\frac{1}{4}+3\cdot 4=\frac{25}{2}$

정답 ④

내신연계 출제문항 432

실수 전체의 집합에서 미분가능한 함수 $f(x)$의 역함수 $g(x)$에 대하여

$$\lim_{x \to 1} \frac{g(x)-2}{x-1}=\frac{3}{4}$$

일 때, $f(2)f'(2)+g(1)g'(1)$의 값은?

① $\frac{5}{2}$ ② $\frac{17}{6}$ ③ 3
④ $\frac{19}{6}$ ⑤ $\frac{10}{3}$

STEP A 분수꼴의 극한의 성질과 미분계수의 정의를 이용하여 $g(1)$, $g'(1)$의 값 구하기

$\lim_{x \to 1} \frac{g(x)-2}{x-1}=\frac{3}{4}$에서

$x \to 1$일 때, (분모)→0이고 극한값이 존재하므로 (분자)→0이어야 한다.

즉 $\lim_{x \to 1}\{g(x)-2\}=0$이므로 $g(1)-2=0$

$\therefore g(1)=2$

이때 $g(1)=2$이므로 $f(2)=1$

미분계수의 정의에 의하여

$\lim_{x \to 1} \frac{g(x)-g(1)}{x-1}=g'(1)=\frac{3}{4}$

STEP B $f(2)=1$이면 $f'(2)=\frac{1}{g'(1)}$임을 이용하여 구하기

$f(x)$의 역함수가 $g(x)$이므로 $g(f(x))=x$에서 $g'(f(x)) \cdot f'(x)=1$

$f'(x)=\frac{1}{g'(f(x))}$

$\therefore f'(2)=\frac{1}{g'(1)}=\frac{4}{3}$

STEP C $f(2)f'(2)+g(1)g'(1)$의 값 구하기

따라서 $f(2)f'(2)+g(1)g'(1)=1 \cdot \frac{4}{3}+2 \cdot \frac{3}{4}=\frac{17}{6}$

정답 ②

내신연계 출제문항 433

함수 $f(x)=x^3+3x^2+4x+5$의 역함수 $g(x)$에 대하여

$$\lim_{n \to \infty} n\left\{g\left(1+\frac{1}{n}\right)-g\left(1-\frac{2}{n}\right)\right\}$$

의 값을 p라 할 때, $4p$의 값은?

① 2 ② 3 ③ 4
④ 5 ⑤ 6

STEP A $\frac{1}{n}=h$로 치환하여 미분계수의 정의를 이용하여 정리하기

$\frac{1}{n}=h$로 놓으면 $n \to \infty$일 때, $h \to 0$이므로

$\lim_{n \to \infty} n\left\{g\left(1+\frac{1}{n}\right)-g\left(1-\frac{2}{n}\right)\right\}$

$=\lim_{h \to 0} \frac{g(1+h)-g(1-2h)}{h}$

$=\lim_{h \to 0}\left\{\frac{g(1+h)-g(1)}{h}+\frac{g(1-2h)-g(1)}{-2h} \cdot 2\right\}$

$=g'(1)+2g'(1)=3g'(1)$

STEP B $g(1)=a$로 놓고 a의 값 구하기

$g(1)=a$라 하면 $f(a)=1$이므로

$a^3+3a^2+4a+5=1$, $a^3+3a^2+4a+4=0$

$(a+2)(a^2+a+2)=0$

$a^2+a+2>0$이므로 $a=-2$

← 역함수는 일대일대응이 전제된 것이므로 주어진 방정식의 해는 유일하다.

즉 $g(1)=-2$

STEP C 역함수의 미분법을 이용하여 $3g'(1)$의 값 구하기

$f'(x)=3x^2+6x+4$에서 $f'(-2)=4$이므로

$3g'(1)=3 \cdot \frac{1}{f'(g(1))}=3 \cdot \frac{1}{f'(-2)}=\frac{3}{4}$ $\therefore p=\frac{3}{4}$

따라서 $4p=3$

정답 ②

1130

정답 ③

STEP A $\frac{1}{n}=h$로 치환하여 미분계수의 정의를 이용하여 변형하기

$\frac{1}{n}=h$로 놓으면 $n \to \infty$일 때, $h \to 0$이므로

$\lim_{n \to \infty} n\left\{g\left(2+\frac{2}{n}\right)-g\left(2-\frac{1}{n}\right)\right\}$

$=\lim_{h \to 0} \frac{g(2+2h)-g(2-h)}{h}$

$=\lim_{h \to 0}\left\{\frac{g(2+2h)-g(2)}{2h} \cdot 2+\frac{g(2-h)-g(2)}{-h}\right\}$

$=2g'(2)+g'(2)=3g'(2)$

STEP B $g(2)=a$로 놓고 a의 값 구하기

$g(2)=a$라 하면 $f(a)=2$이므로 $a=5$

즉 $g(2)=5$

STEP C 역함수의 미분법을 이용하여 $3g'(2)$의 값 구하기

$3g'(2)=3 \cdot \frac{1}{f'(g(2))}=\frac{3}{f'(5)}=\frac{1}{2}$

따라서 $f'(5)=6$

1131

정답 ②

STEP A 분수꼴의 극한의 성질과 미분계수의 정의를 이용하여 $f(1)$, $f'(1)$의 값 구하기

조건 (나)에서 $\lim_{x \to 1} \frac{f(x)-2}{x-1}=3$이므로

$x \to 1$일 때, (분모)→ 0이고 극한값이 존재하므로 (분자)→ 0이어야 한다.

즉 $\lim_{x \to 1}\{f(x)-2\}=0$에서 $f(1)=2$

미분계수의 정의에 의하여

$\lim_{x \to 1} \frac{f(x)-2}{x-1}=\lim_{x \to 1} \frac{f(x)-f(1)}{x-1}=f'(1)=3$

STEP B 조건 (가)에서 $g(-2)$의 값 구하기

$g(-2)=a$라고 하면 $f(a)=-2$

이때 조건 (가)에서 $f(-x)=-f(x)$이므로

$f(-1)=-f(1)=-2$에서 $a=-1$

$\therefore g(-2)=-1$

STEP C $g(-2)=-1$이면 $g'(-2)=\frac{1}{f'(-1)}$임을 이용하여 구하기

조건 (가)에서 양변을 미분하면 $-f'(-x)=-f'(x)$

$\therefore f'(-x)=f'(x)$

따라서 역함수의 미분법에 의하여

$g'(-2)=\frac{1}{f'(g(-2))}=\frac{1}{f'(-1)}=\frac{1}{f'(1)}=\frac{1}{3}$

내신연계 출제문항 434

미분가능한 함수 $f(x)$가 다음 조건을 만족시킨다.

> (가) 모든 실수 x에 대하여 $f(-x)=-f(x)$이다.
>
> (나) $\lim_{x\to 2}\frac{f(x)+1}{x-2}=-2$

함수 $f(x)$의 역함수를 $g(x)$라 할 때, $g'(1)$의 값은?

① -1　　② $-\frac{1}{2}$　　③ 1

④ $\frac{3}{2}$　　⑤ 2

STEP A **분수꼴의 극한의 성질과 미분계수의 정의를 이용하여 $f(2)$, $f'(2)$의 값 구하기**

조건 (나)에서 $\lim_{x\to 2}\frac{f(x)+1}{x-2}=-2$이므로

$x\to 2$일 때, (분모)$\to 0$이고 극한값이 존재하므로 (분자)$\to 0$이어야 한다.

즉 $\lim_{x\to 2}\{f(x)+1\}=0$에서 $f(2)=-1$

미분계수의 정의에 의하여

$\lim_{x\to 2}\frac{f(x)+1}{x-2}=\lim_{x\to 2}\frac{f(x)-f(2)}{x-2}=f'(2)=-2$　　$\cdots\cdots$ ㉠

STEP B **조건 (가)에서 $g(1)$의 값 구하기**

$g(1)=a$라고 하면 $f(a)=1$

이때 조건 (가)에서 $f(-x)=-f(x)$이므로

$f(-2)=-f(2)=1$에서 $a=-2$

$\therefore g(1)=-2$

STEP C **$g(1)=-2$이면 $g'(1)=\frac{1}{f'(g(1))}$임을 이용하여 구하기**

조건 (가)에서 양변을 미분하면 $-f'(-x)=-f'(x)$

$\therefore f'(-x)=f'(x)$

따라서 $f'(-2)=f'(2)=-2$ ($\because$ ㉠)이므로 역함수의 미분법에 의하여

$g'(1)=\frac{1}{f'(-2)}=-\frac{1}{2}$

정답 ②

1132

정답 ⑤

STEP A **$g(a)=1$을 만족하는 a의 값 구하기**

$g(a)=1$에서 $f(1)=a$이므로 $a=\sqrt{3\cdot1-2}=1$

$\therefore g(1)=1$

STEP B **$f'(1)$의 값 구하기**

이때 $f(x)=\sqrt{3x-2}$에서

$f'(x)=\frac{3}{2\sqrt{3x-2}}$이므로 $f'(1)=\frac{3}{2}$

STEP C **$g(1)=1$이면 $g'(1)=\frac{1}{f'(1)}$임을 이용하여 구하기**

미분계수의 정의에 의하여

$\lim_{x\to a}\frac{g(x)-1}{x-a}=\lim_{x\to 1}\frac{g(x)-g(1)}{x-1}=g'(1)$

역함수의 미분법에 의하여

$g'(1)=\frac{1}{f'(g(1))}=\frac{1}{f'(1)}=\frac{2}{3}$

따라서 $a=1$, $b=\frac{2}{3}$이므로 $a+b=\frac{5}{3}$

1133

정답 ③

STEP A **미분계수의 정의를 이용하여 정리하기**

$$\lim_{h\to 0}\frac{\sum_{k=1}^{n}g(2+kh)-ng(2)}{h}=\lim_{h\to 0}\frac{\sum_{k=1}^{n}g(2+kh)-\sum_{k=1}^{n}g(2)}{h}$$
$$=\lim_{h\to 0}\sum_{k=1}^{n}\left\{\frac{g(2+kh)-g(2)}{kh}\cdot k\right\}$$
$$=\sum_{k=1}^{n}kg'(2)$$

즉 $g'(2)\sum_{k=1}^{n}k=15$　　$\cdots\cdots$ ㉠

STEP B **함수 $f(x)$의 역함수 $g(x)$에서 $g'(2)$ 구하기**

이때 $g(2)=a$라 하면 $f(a)=2$

$f(a)=a^3+a^2+3a+2=2$이므로 $a(a^2+a+3)=0$　$\therefore a=0$

$g(2)=0$

또한, $f(x)=x^3+x^2+3x+2$에서 $f'(x)=3x^2+2x+3$

즉 함수 $f(x)$의 역함수가 $g(x)$이므로 $g'(2)=\frac{1}{f'(g(2))}=\frac{1}{f'(0)}=\frac{1}{3}$

STEP C **시그마의 공식을 이용하여 자연수 n 구하기**

㉠에서 $g'(2)\sum_{k=1}^{n}k=\frac{1}{3}\sum_{k=1}^{n}k=15$　$\therefore \sum_{k=1}^{n}k=45$

따라서 $\frac{n(n+1)}{2}=45$이므로 $n=9$

1134

정답 ③

STEP A **곱의 미분법과 미분계수의 정리 이용하기**

$f(2)=2$이므로 $g(2)=2$

$h(x)=f(x)g(x)$라 하면 $h(2)=f(2)g(2)=4$

$\lim_{x\to 2}\frac{f(x)g(x)-4}{x-2}=\lim_{x\to 2}\frac{h(x)-h(2)}{x-2}=h'(2)$

이때 $h(x)=f(x)g(x)$에서 $h'(x)=f'(x)g(x)+f(x)g'(x)$이므로

$h'(2)=f'(2)g(2)+f(2)g'(2)$

STEP B **역함수의 미분법을 이용하여 구하기**

$f(x)=x^3+x-8$에서 $f'(x)=3x^2+1$이므로

$f'(2)=13$, $g'(2)=\frac{1}{f'(g(2))}=\frac{1}{f'(2)}=\frac{1}{13}$

따라서 $\lim_{x\to 2}\frac{f(x)g(x)-4}{x-2}=f'(2)g(2)+f(2)g'(2)=13\cdot2+2\cdot\frac{1}{13}=\frac{340}{13}$

다른풀이 미분계수의 정리를 이용한 극한값 구하기

$f(x)=x^3+x-8$에서 $f(2)=2$이므로 $g(2)=2$

따라서 $\lim_{x\to 2}\frac{f(x)g(x)-4}{x-2}=\lim_{x\to 2}\frac{g(x)\{f(x)-2\}+2\{g(x)-2\}}{x-2}$

$$=\lim_{x\to 2}\left\{\frac{f(x)-2}{x-2}\cdot g(x)\right\}+2\lim_{x\to 2}\frac{g(x)-2}{x-2}$$
$$=\lim_{x\to 2}\left\{\frac{f(x)-f(2)}{x-2}\cdot g(x)\right\}+2\lim_{x\to 2}\frac{g(x)-g(2)}{x-2}$$
$$=f'(2)g(2)+2g'(2)$$
$$=2\cdot13+2\cdot\frac{1}{13}=\frac{340}{13}$$

내/신/연/계/ 출제문항 435

함수 $f(x)=x^3+x-1$의 역함수를 $g(x)$라 할 때,

$\lim_{x\to1}\frac{f(x)g(x)-1}{x-1}$의 값은?

① $\frac{11}{4}$　② $\frac{15}{4}$　③ $\frac{17}{4}$
④ $\frac{5}{2}$　⑤ 6

STEP Ⓐ **곱의 미분법과 미분계수의 정리 이용하기**

$h(x)=f(x)g(x)$라 하면 $f(1)=1$이므로 $g(1)=1$

$h(1)=f(1)g(1)=1$

$\lim_{x\to1}\frac{f(x)g(x)-1}{x-1}=\lim_{x\to1}\frac{h(x)-h(1)}{x-1}=h'(1)$

이때 $h(x)=f(x)g(x)$에서 $h'(x)=f'(x)g(x)+f(x)g'(x)$이므로

$h'(1)=f'(1)g(1)+f(1)g'(1)$

STEP Ⓑ **역함수의 미분법을 이용하여 구하기**

이때 $f'(x)=3x^2+1$이므로 $f'(1)=4$, $g'(1)=\frac{1}{f'(g(1))}=\frac{1}{f'(1)}=\frac{1}{4}$

따라서 $f'(1)g(1)+f(1)g'(1)=4\cdot1+1\cdot\frac{1}{4}=\frac{17}{4}$

다른풀이 미분계수의 정리를 이용한 극한값 구하기

$f(x)=x^3+x-1$에서 $f(1)=1$이므로 $g(1)=1$

$$\begin{aligned}\lim_{x\to1}\frac{f(x)g(x)-1}{x-1}&=\lim_{x\to1}\frac{g(x)\{f(x)-1\}+\{g(x)-1\}}{x-1}\\&=\lim_{x\to1}\left\{\frac{f(x)-1}{x-1}\cdot g(x)\right\}+\lim_{x\to1}\frac{g(x)-1}{x-1}\\&=\lim_{x\to1}\left\{\frac{f(x)-f(1)}{x-1}\cdot g(x)\right\}+\lim_{x\to1}\frac{g(x)-g(1)}{x-1}\\&=f'(1)g(1)+g'(1)\end{aligned}$$

이때 $f'(x)=3x^2+1$이므로 $f'(1)=4$, $g'(1)=\frac{1}{f'(g(1))}=\frac{1}{f'(1)}=\frac{1}{4}$

따라서 $f'(1)g(1)+g'(1)=4\cdot1+\frac{1}{4}=\frac{17}{4}$

 ③

1135

 ③

STEP Ⓐ **분수꼴의 극한의 성질과 미분계수의 정의를 이용하여 $g(2)$, $g(3)$ 구하기**

$\lim_{x\to1}\frac{f(x)-2}{x-1}=\frac{1}{2}$에서

$x\to1$일 때, (분모)$\to0$이고 극한값이 존재하므로 (분자)$\to0$이어야 한다.

$\lim_{x\to1}\{f(x)-2\}=0$이므로 $f(1)=2$

또한, $\lim_{x\to1}\frac{f(x)-2}{x-1}=\lim_{x\to1}\frac{f(x)-f(1)}{x-1}=f'(1)=\frac{1}{2}$

$\lim_{x\to2}\frac{f(x)-3}{x-2}=4$에서

$x\to2$일 때, (분모)$\to0$이고 극한값이 존재하므로 (분자)$\to0$이어야 한다.

$\lim_{x\to2}\{f(x)-3\}=0$이므로 $f(2)=3$

또한, $\lim_{x\to2}\frac{f(x)-3}{x-2}=\lim_{x\to2}\frac{f(x)-f(2)}{x-2}=f'(2)=4$

또한, 함수 $f(x)$의 역함수가 $g(x)$이므로

$f(1)=2$에서 $g(2)=1$이고 $f(2)=3$에서 $g(3)=2$

STEP Ⓑ **미분계수의 정의를 이용하여 주어진 식을 변형하여 $h'(3)$ 구하기**

이때 $g(g(x))=h(x)$라 놓으면

$\lim_{x\to3}\frac{g(g(x))-1}{x-3}=\lim_{x\to3}\frac{h(x)-h(3)}{x-3}=h'(3)$

STEP Ⓒ **역함수의 미분법을 이용하여 $h'(3)$의 값 구하기**

따라서 $h'(3)=g'(g(3))g'(3)$이므로 $h'(3)=g'(2)g'(3)$

$h'(3)=g'(2)g'(3)=\frac{1}{f'(g(2))}\cdot\frac{1}{f'(g(3))}=\frac{1}{f'(1)}\cdot\frac{1}{f'(2)}=2\cdot\frac{1}{4}=\frac{1}{2}$

내/신/연/계/ 출제문항 436

실수전체의 집합에서 미분가능하고 역함수가 존재하는 함수 $f(x)$가

$f(3)=2,\ f(4)=3,\ f'(3)=5,\ f'(4)=2$

를 만족한다. 함수 $f(x)$의 역함수 $g(x)$에 대하여 $h(x)=g(g(x))$라 할 때, $h'(2)$의 값은?

① $\frac{1}{10}$　② $\frac{1}{5}$　③ $\frac{1}{4}$
④ $\frac{1}{3}$　⑤ $\frac{1}{2}$

STEP Ⓐ **$g(2)$, $g(3)$의 값 구하기**

함수 $f(x)$의 역함수가 $g(x)$이므로

$f(3)=2$, $f(4)=3$에서 $g(2)=3$, $g(3)=4$

STEP Ⓑ **합성함수와 역함수의 미분법을 이용하여 구하기**

따라서 $h(x)=g(g(x))$에서 $h'(x)=g'(g(x))g'(x)$이므로

$h'(2)=g'(g(2))g'(2)=g'(3)g'(2)=\frac{1}{f'(4)}\times\frac{1}{f'(3)}=\frac{1}{2}\times\frac{1}{5}=\frac{1}{10}$

 ①

1136

 ②

STEP Ⓐ **함수의 극한의 성질과 미분계수의 정의를 이용하여 구하기**

조건 (가)의 $\lim_{x\to1}\frac{f(x)-2}{x-1}=3$에서

$x\to1$일 때, (분모)$\to0$이고 극한값이 존재하므로 (분자)$\to0$이어야 한다.

$\lim_{x\to1}\{f(x)-2\}=0$이므로 $f(1)=2$ …… ㉠

또한, $\lim_{x\to1}\frac{f(x)-2}{x-1}=\lim_{x\to1}\frac{f(x)-f(1)}{x-1}=f'(1)=3$ …… ㉡

조건 (나)의 $\lim_{x\to2}\frac{f(x)-4}{x-2}=5$에서

$x\to2$일 때, (분모)$\to0$이고 극한값이 존재하므로 (분자)$\to0$이어야 한다.

$\lim_{x\to2}\{f(x)-4\}=0$이므로 $f(2)=4$ …… ㉢

또한, $\lim_{x\to2}\frac{f(x)-4}{x-2}=\lim_{x\to2}\frac{f(x)-f(2)}{x-2}=f'(2)=5$ …… ㉣

STEP Ⓑ **함수 $f(x)$의 역함수가 $g(x)$임을 이용하여 구하기**

함수 $f(x)$의 역함수가 $g(x)$이므로

$f(2)=4$에서 $g(4)=2$ (∵ ㉠)

$f(1)=2$에서 $g(2)=1$(∵ ㉢)

$g'(2)=\frac{1}{f'(1)}=\frac{1}{3}$ (∵ ㉡)

$g'(4)=\frac{1}{f'(2)}=\frac{1}{5}$ (∵ ㉣)

STEP Ⓒ **$h'(4)$의 값 구하기**

따라서 $h(x)=g(g(x))$에서 $h'(x)=g'(g(x))g'(x)$이므로

$x=4$를 대입하면 $h'(4)=g'(g(4))g'(4)=g'(2)g'(4)=\frac{1}{3}\cdot\frac{1}{5}=\frac{1}{15}$

1137

정답 ④

STEP A 분수꼴의 극한의 성질과 미분계수의 정의를 이용하여 $f(4)$, $f'(4)$ 구하기

조건 (나)의 $\lim_{x \to 4} \frac{f(x)-4}{x^2-16}=2$에서

$x \to 4$일 때, (분모)$\to 0$이고 극한값이 존재하므로 (분자)$\to 0$이어야 한다.

즉 $\lim_{x \to 4}\{f(x)-4\}=0$에서 $\lim_{x \to 4} f(x)=4$이므로 $f(4)=4$

함수 $f(x)$의 역함수가 $g(x)$이므로 $g(4)=4$

$$\lim_{x \to 4} \frac{f(x)-4}{x^2-16}=\lim_{x \to 4} \frac{f(x)-f(4)}{(x-4)(x+4)}=\lim_{x \to 4}\left\{\frac{f(x)-f(4)}{x-4} \times \frac{1}{x+4}\right\}$$

$$=f'(4) \times \frac{1}{8}$$

이므로 $f'(4) \times \frac{1}{8}=2$에서 $f'(4)=16$

STEP B 역함수의 미분법을 이용하여 $g'(4)$의 값 구하기

한편 $f(x)$의 역함수가 $g(x)$이므로 $f(g(x))=x$

이 식의 양변을 x에 대하여 미분하면 $f'(g(x))g'(x)=1$ …… ㉠

㉠에 $x=4$를 대입하면 $f'(4)g'(4)=1$

$f'(4)=16$이므로 $g'(4)=\frac{1}{16}$

STEP C 곱의 미분법을 이용하여 $x=4$에서 미분계수 구하기

따라서 $h(x)=x^2g(x)$라 하면 $h'(x)=2xg(x)+x^2g'(x)$이므로

$h'(4)=8g(4)+16g'(4)=8 \cdot 4+16 \cdot \frac{1}{16}=33$

내신연계 출제문항 437

실수 전체의 집합에서 증가하고 미분가능한 함수 $f(x)$가 다음 조건을 만족시킨다.

(가) $\lim_{x \to 2} \frac{\{f(x)\}^2-4}{x^2-4}=5$

(나) $f(0)=0$

함수 $f(x)$의 역함수를 $g(x)$라 한다. 함수 $h(x)=xf(x)$라 하고
함수 $k(x)=(h \circ g)(x)$라 할 때, $k'(2)$의 값은?

① 1 ② $\frac{12}{5}$ ③ 3

④ $\frac{17}{5}$ ⑤ 5

STEP A 함수의 극한의 성질과 미분계수의 정의를 이용하여 구하기

조건 (가)의 $\lim_{x \to 2} \frac{\{f(x)\}^2-4}{x^2-4}=5$에서

$x \to 2$일 때, (분모)$\to 0$이고 극한값이 존재하므로 (분자)$\to 0$이어야 한다.

즉 $\lim_{x \to 2}[\{f(x)\}^2-4]=0$이므로 $\{f(2)\}^2=4$

$\therefore f(2)=-2$ 또는 $f(2)=2$

이때 함수 $f(x)$가 실수 전체의 집합에서 증가하고

조건 (나)에서 $f(0)=0$이므로 $f(2)=2$

STEP B 미분계수의 정의를 이용하여 $f'(2)$의 값 구하기

$$\lim_{x \to 2} \frac{\{f(x)\}^2-4}{x^2-4}=\lim_{x \to 2} \frac{\{f(x)-2\}\{f(x)+2\}}{(x-2)(x+2)}$$

$$=\lim_{x \to 2} \frac{f(x)-f(2)}{x-2} \times \lim_{x \to 2} \frac{f(x)+2}{x+2}$$

$$=f'(2) \cdot \frac{2+2}{2+2}=f'(2)$$

즉 $f'(2)=5$이므로 $g(2)=2$ $\therefore g'(2)=\frac{1}{f'(2)}=\frac{1}{5}$

STEP C $k'(2)$의 값 구하기

$h(x)=xf(x)$에서 $h'(x)=f(x)+xf'(x)$

$k(x)=(h \circ g)(x)$에서 $k'(x)=h'(g(x))g'(x)$

따라서 $x=2$을 대입하면

$k'(2)=h'(g(2))g'(2)=h'(2)g'(2)=\{f(2)+2f'(2)\} \times g'(2)$

$=(2+2 \cdot 5) \times \frac{1}{5}=\frac{12}{5}$

정답 ②

1138

정답 ①

STEP A $g(1)$의 값 구하기

$f(x)=x+e^x$에서 $f'(x)=1+e^x$

$f(0)=1$이므로 $g(1)=0$

STEP B 역함수의 미분법을 이용하여 $g'(1)$의 값 구하기

따라서 $g'(1)=\frac{1}{f'(g(1))}=\frac{1}{f'(0)}=\frac{1}{2}$

1139

STEP A $f'(2)$의 값 구하기

$f(x)=(x-1)e^x$에서

$f'(x)=e^x+(x-1)e^x=xe^x$이므로 $f'(2)=2e^2$

STEP B $g(e^2)=2$이면 $g'(e^2)=\frac{1}{f'(2)}$임을 이용하여 구하기

따라서 역함수의 미분법에 의하여 $g(e^2)=2$이므로 $g'(e^2)=\frac{1}{f'(2)}=\frac{1}{2e^2}$

1140

STEP A $f(x)$의 역함수가 $g(x)$이므로 $g'(x)=\frac{1}{f'(g(x))}$임을 이용하기

곡선 $y=g(x)$가 점 $(e, 1)$을 지나므로 $g(e)=1$

$f(x)=xe^x\,(x>0)$에서

$f'(x)=e^x+xe^x=(x+1)e^x$이므로 $f'(1)=2e$

STEP B 미분계수를 이용하여 극한값 구하기

따라서 $\lim_{h \to 0} \frac{g(e+h)-g(e)}{h}=g'(e)=\frac{1}{f'(g(e))}=\frac{1}{f'(1)}=\frac{1}{2e}$

내신연계 출제문항 438

함수 $f(x)=e^{x-1}$의 역함수 $g(x)$에 대하여

$$\lim_{h \to 0} \frac{g(1+2h)-g(1-h)}{h}$$

의 값은?

① 2 ② 3 ③ 4

④ 5 ⑤ 6

STEP A 역함수의 미분법을 이용하여 $g'(1)$의 값 구하기

$g(1)=k$로 놓으면 $f(k)=1$, 즉 $e^{k-1}=1$

$e^{k-1}-1=0$에서 $k=1$

$g(1)=1$이고 $f'(x)=e^{x-1}$이므로 $g'(1)=\frac{1}{f'(g(1))}=\frac{1}{f'(1)}=1$

STEP Ⓑ **미분계수의 정의를 이용하여 변형하여 구하기**

따라서 $\lim_{h \to 0} \frac{g(1+2h)-g(1-h)}{h}$

$=\lim_{h \to 0} \frac{\{g(1+2h)-g(1)\}-\{g(1-h)-g(1)\}}{h}$

$=\lim_{h \to 0} \frac{g(1+2h)-g(1)}{2h} \cdot 2+\lim_{h \to 0} \frac{g(1-h)-g(1)}{-h}$

$=2g'(1)+g'(1)=3g'(1)=3$

정답 ②

1141

 ③

STEP Ⓐ $f(x)$**의 역함수가** $g(x)$**이므로** $g'(x)=\frac{1}{f'(g(x))}$ **임을 이용하기**

곡선 $y=g(x)$가 점 $(3, 0)$을 지나므로 $g(3)=0$

즉 $f(0)=3$

역함수의 미분법에 의해 $g'(3)=\frac{1}{f'(g(3))}=\frac{1}{f'(0)}$

$f(x)=3e^{5x}+x+\sin x$에서 $f'(x)=15e^{5x}+1+\cos x$

$f'(0)=15+1+1=17$

STEP Ⓑ **미분계수를 이용하여 극한값 구하기**

따라서 $\lim_{x \to 3} \frac{x-3}{g(x)-g(3)}=\lim_{x \to 3} \frac{1}{\frac{g(x)-g(3)}{x-3}}=\frac{1}{\lim_{x \to 3} \frac{g(x)-g(3)}{x-3}}$

$=\frac{1}{\lim_{x \to 3} \frac{g(x)-g(3)}{x-3}}=\frac{1}{g'(3)}$

$=f'(0)=17$

내/신/연/계/ 출제문항 439

$x \geq \frac{1}{e}$에서 정의된 함수 $f(x)=3x\ln x$의 그래프가 점 $(e, 3e)$를 지난다.

함수 $f(x)$의 역함수를 $g(x)$라고 할 때, $\lim_{h \to 0} \frac{g(3e+h)-g(3e-h)}{h}$의 값은?

① $\frac{1}{3}$ ② $\frac{1}{2}$ ③ $\frac{2}{3}$
④ $\frac{5}{6}$ ⑤ 1

STEP Ⓐ **역함수의 미분법을 이용하여** $g'(3e)$**의 값 구하기**

함수 $f(x)=3x\ln x$의 그래프가 점 $(e, 3e)$를 지나고

함수 $f(x)$의 역함수가 $g(x)$이므로 $g(3e)=e$

$f(x)=3x\ln x$에서 $f'(x)=3\ln x+3x\times\frac{1}{x}=3\ln x+3$이므로

$f'(e)=3\ln e+3=6$

한편 $f(g(x))=x$에서 $f'(g(x))g'(x)=1$

$\therefore g'(x)=\frac{1}{f'(g(x))}$

이므로 $g'(3e)=\frac{1}{f'(g(3e))}=\frac{1}{f'(e)}=\frac{1}{6}$

STEP Ⓑ **미분계수의 정의를 이용하여 변형하여 구하기**

따라서 $\lim_{h \to 0} \frac{g(3e+h)-g(3e-h)}{h}$

$=\lim_{h \to 0} \frac{g(3e+h)-g(3e)}{h}+\lim_{h \to 0} \frac{g(3e-h)-g(3e)}{-h}$

$=g'(3e)+g'(3e)=2g'(3e)$

$=2\cdot\frac{1}{6}=\frac{1}{3}$

정답 ①

1142

정답 ④

STEP Ⓐ **역함수의 정의를 이용하여** $f(0)$ **구하기**

$g\left(\frac{x+8}{10}\right)=f^{-1}(x)$, $g(1)=0$에서 $\frac{x+8}{10}=1$이면 $x=2$이므로

$g(1)=f^{-1}(2)=0$, 즉 $f(0)=2$

STEP Ⓑ **역함수의 미분법을 이용하여** $g'(1)$ **구하기**

$g\left(\frac{x+8}{10}\right)=f^{-1}(x)$에서 $f\left(g\left(\frac{x+8}{10}\right)\right)=x$

양변을 x에 대하여 미분하면

$f'\left(g\left(\frac{x+8}{10}\right)\right)\times g'\left(\frac{x+8}{10}\right)\times\frac{1}{10}=1$

이 식에 $x=2$를 대입하면

$f'(g(1))\times g'(1)=10$

$f'(0)\times g'(1)=10$ …… ㉠

한편 $f'(x)=2xe^{-x}-(x^2+2)e^{-x}=(2x-x^2-2)e^{-x}$이므로 $f'(0)=-2$

㉠에서 $(-2)\times g'(1)=10$이므로 $g'(1)=-5$

따라서 $|g'(1)|=|-5|=5$

역함수의 미분법

$g\left(\frac{x+8}{10}\right)=f^{-1}(x)$의 양변을 x에 대하여 미분하면

$g'\left(\frac{x+8}{10}\right)\times\frac{1}{10}=\{f^{-1}(x)\}'$

이 식에 $x=2$를 대입하면

$g'(1)\times\frac{1}{10}=\{f^{-1}(2)\}'=\frac{1}{f'(g(1))}=\frac{1}{f'(0)}=\frac{1}{-2}$

$g'(1)=-5$

따라서 $|g'(1)|=|-5|=5$

내/신/연/계/ 출제문항 440

함수

$$f(x)=(x^2-2x+4)e^x$$

의 역함수를 $g(3x-10)$이라 할 때, $g'(2)$의 값은?

① $\frac{1}{10}$ ② $\frac{1}{8}$ ③ $\frac{1}{6}$
④ $\frac{1}{4}$ ⑤ $\frac{1}{2}$

STEP Ⓐ **역함수의 정의를 이용하여** $h'(4)$**의 값 구하기**

$g(3x-10)=h(x)$ …… ㉠

라 하자.

$f(0)=4$에서 $h(4)=0$이므로 역함수의 미분법에 의하면

$h'(4)=\frac{1}{f'(h(4))}=\frac{1}{f'(0)}$

㉠의 양변에 $x=4$를 대입하면 $g(2)=h(4)$이므로 $g(2)=0$

㉠의 양변을 x에 대하여 미분하면

$3g'(3x-10)=h'(x)$ …… ㉡

㉡의 양변에 $x=4$를 대입하면

$3g'(2)=h'(4)$이므로 $3g'(2)=\frac{1}{f'(0)}$

STEP Ⓑ $g'(2)$**의 값 구하기**

즉 $g'(2)=\frac{1}{3f'(0)}$

$f(x)=(x^2-2x+4)e^x$에서 $f'(x)=(2x-2)e^x+(x^2-2x+4)e^x$이므로

$f'(0)=-2+4=2$

따라서 $g'(2)=\frac{1}{3f'(0)}=\frac{1}{6}$

 ③

1143

정답 ②

STEP Ⓐ 로그미분법을 이용하여 $f'(x)$ 구하기

$f(x)=x^{\ln x^2}$의 양변에 자연로그를 취하면

$\ln f(x)=\ln x^{\ln x^2}=2(\ln x)^2$

양변을 x에 대하여 미분하면

$\dfrac{f'(x)}{f(x)}=\dfrac{4\ln x}{x}$

$f'(x)=x^{2\ln x}\times\dfrac{4\ln x}{x}=4\ln x\times x^{2\ln x-1}$

STEP Ⓑ $y=g(x)$ 위의 점 $\left(e^2, \dfrac{e}{2}\right)$에서의 접선의 기울기 구하기

이때 $h(x)=f(2x)$라 하면 두 함수 $g(x)$, $h(x)$는 서로 역함수의 관계이고

$h'(x)=2f'(2x)$

$h\left(\dfrac{e}{2}\right)=f(e)=e^2$이므로 $g(e^2)=\dfrac{e}{2}$

따라서 곡선 $y=g(x)$ 위의 점 $\left(e^2, \dfrac{e}{2}\right)$에서의 접선의 기울기

$g'(e^2)=\dfrac{1}{h'\left(\dfrac{e}{2}\right)}=\dfrac{1}{2f'(e)}=\dfrac{1}{2\cdot 4e}=\dfrac{1}{8e}$

1144

 ①

STEP Ⓐ $g(e+1)$의 값 구하기

$g(e+1)=a$라 하면

$f(a)=a+\ln a=e+1$이므로 $a=e$

STEP Ⓑ 역함수의 미분법을 이용하여 $g'(e+1)$의 값 구하기

역함수의 미분법에 의하여

$g'(e+1)=\dfrac{1}{f'(g(e+1))}=\dfrac{1}{f'(e)}$

이때 $f'(x)=1+\dfrac{1}{x}(x>0)$이므로 $f'(e)=1+\dfrac{1}{e}=\dfrac{e+1}{e}$

따라서 $g'(e+1)=\dfrac{e}{e+1}$

1145

 ②

STEP Ⓐ $g(e)$의 값 구하기

$g(e)=a$라 하면 $f(a)=e$

$e^a+\ln a=e$를 만족하는 $a=1$

STEP Ⓑ 역함수의 미분법을 이용하여 $g'(e)$의 값 구하기

이때 $f(x)=e^x+\ln x$에서 $f'(x)=e^x+\dfrac{1}{x}(x>0)$이므로 $f'(1)=e+1$

따라서 $g'(e)=\dfrac{1}{f'(g(e))}=\dfrac{1}{f'(1)}=\dfrac{1}{e+1}$

내신연계 출제문항 441

함수

$$f(x)=e^x+\ln x$$

의 역함수를 $g(x)$라 할 때, 곡선 $y=g(x)$ 위의 점 $(e, 1)$에서의 접선의 기울기는?

① $\dfrac{1}{e+2}$　② $\dfrac{1}{e+1}$　③ $\dfrac{1}{e}$

④ $\dfrac{1}{e-1}$　⑤ $\dfrac{1}{e-2}$

STEP Ⓐ 역함수의 미분법을 이용하여 $f'(1)$의 값 구하기

함수 $f(x)$의 역함수가 $g(x)$이므로 $f(g(x))=x$

이 식의 양변을 x에 대하여 미분하면

$f'(g(x))g'(x)=1$ ...... ㉠

한편 $g(e)=1$이고 $f'(x)=e^x+\dfrac{1}{x}$에서 $f'(1)=e+1$

STEP Ⓑ $y=g(x)$ 위의 점 $(e, 1)$에서의 접선의 기울기 구하기

접선의 기울기가 $g'(e)$이므로 ㉠에 $x=e$를 대입하면

$f'(1)g'(e)=1$

따라서 $(e+1)g'(e)=1$에서 $g'(e)=\dfrac{1}{e+1}$

 ②

1146

 ③

STEP Ⓐ $g(0)$의 값 구하기

$g(0)=a$라 하면

$f(a)=0$이므로 $f(a)=\ln\sqrt{\dfrac{1+a}{1-a}}=0$, $\sqrt{\dfrac{1+a}{1-a}}=1$

$\therefore a=0$, 즉 $g(0)=0$

STEP Ⓑ 역함수의 미분법을 이용하여 $g'(0)$값 구하기

$f(x)=\ln\sqrt{\dfrac{1+x}{1-x}}=\dfrac{1}{2}\{\ln(1+x)-\ln(1-x)\}$에서

$f'(x)=\dfrac{1}{2}\left(\dfrac{1}{1+x}+\dfrac{1}{1-x}\right)=\dfrac{1}{1-x^2}$이므로 $f'(g(0))=f'(0)=1$

따라서 $g'(0)=\dfrac{1}{f'(g(0))}=1$

내신연계 출제문항 442

함수

$$f(x)=\ln\left(x+\sqrt{x^2+1}\right)$$

에 대하여 $(f^{-1})'(0)$의 값은?

① 1　② 2　③ 4

④ 6　⑤ 8

STEP Ⓐ $f^{-1}(0)$의 값 구하기

$f^{-1}(0)=a$라고 하면

$f(a)=0$에서 $\ln\left(a+\sqrt{a^2+1}\right)=0$

$\therefore a+\sqrt{a^2+1}=1$

$a+\sqrt{a^2+1}=1$에서 $\sqrt{a^2+1}=1-a$

이 식의 양변을 제곱하면

$a^2+1=1-2a+a^2$　$\therefore a=0$

$\therefore f^{-1}(0)=0$

STEP Ⓑ 역함수의 미분법을 이용하여 $(f^{-1})'(0)$값 구하기

그런데 $f'(x)=\dfrac{\left(x+\sqrt{x^2+1}\right)'}{x+\sqrt{x^2+1}}=\dfrac{1+\dfrac{(x^2+1)'}{2\sqrt{x^2+1}}}{x+\sqrt{x^2+1}}=\dfrac{\dfrac{\sqrt{x^2+1}+x}{\sqrt{x^2+1}}}{x+\sqrt{x^2+1}}$

$=\dfrac{\sqrt{x^2+1}+x}{\sqrt{x^2+1}\left(x+\sqrt{x^2+1}\right)}=\dfrac{1}{\sqrt{x^2+1}}$

이므로 $f'(0)=1$

따라서 $(f^{-1})'(0)=\dfrac{1}{f'(f^{-1}(0))}=\dfrac{1}{f'(0)}=\dfrac{1}{1}=1$

정답 ①

II 미분법

1147

정답 ⑤

STEP Ⓐ $g(a)=b$로 놓고 a, b의 관계식 정리하기

$f(x)=\ln(e^x-1)$에서 $f'(x)=\dfrac{e^x}{e^x-1}$이므로

$\dfrac{1}{f'(a)}=\dfrac{e^a-1}{e^a}$ …… ㉠

이때 $g(a)=b$라고 하면 $f(b)=a$이므로

$\ln(e^b-1)=a$, $e^b-1=e^a$

STEP Ⓑ 역함수의 미분법을 이용하여 $\dfrac{1}{f'(a)}+\dfrac{1}{g'(a)}$의 값 구하기

한편 역함수의 미분법에 의하여

$\dfrac{1}{g'(a)}=f'(b)=\dfrac{e^b}{e^b-1}=\dfrac{e^a+1}{e^a}$ …… ㉡

따라서 ㉠, ㉡에 의하여 $\dfrac{1}{f'(a)}+\dfrac{1}{g'(a)}=\dfrac{e^a-1}{e^a}+\dfrac{e^a+1}{e^a}=2$

다른풀이 직접 역함수를 구하여 주어진 식 구하기

$y=g(x)$에서 $x=f(y)=\ln(e^y-1)$

$e^y-1=e^x$이므로 $e^y=e^x+1$

$\therefore y=\ln(e^x+1)$

$g(x)=\ln(e^x+1)$

$f'(x)=\dfrac{e^x}{e^x-1}(x>0)$이므로 $\dfrac{1}{f'(a)}=\dfrac{e^a-1}{e^a}$

$g'(x)=\dfrac{e^x}{e^x+1}$이므로 $\dfrac{1}{g'(a)}=\dfrac{e^a+1}{e^a}$

따라서 $\dfrac{1}{f'(a)}+\dfrac{1}{g'(a)}=\dfrac{e^a-1}{e^a}+\dfrac{e^a+1}{e^a}=2$

내신연계 출제문항 443

함수

$$f(x)=\ln(e^x+1)$$

의 역함수를 $g(x)$라고 할 때, $g'(\ln 2)$의 값은?

① $\dfrac{1}{e}$ ② $\dfrac{1}{2}$ ③ 1
④ 2 ⑤ e

STEP Ⓐ $g(\ln 2)$의 값 구하기

$g(\ln 2)=a$라고 하면

$f(a)=\ln 2$

즉 $\ln(e^a+1)=\ln 2$이므로

$e^a+1=2$ $\therefore a=0$

STEP Ⓑ 역함수의 미분법을 이용하여 $g'(\ln 2)$의 값 구하기

따라서 $g(\ln 2)=0$이고 $f'(x)=\dfrac{e^x}{e^x+1}$에서 $f'(0)=\dfrac{1}{2}$이므로

$g'(\ln 2)=\dfrac{1}{f'(0)}=2$

정답 ④

1148

정답 ③

STEP Ⓐ 로그함수의 미분법에 의하여 $f'(a)$의 값 구하기

$f(x)=\log_3(3^x+1)$에서 $f'(x)=\dfrac{3^x\ln 3}{3^x+1}\cdot\dfrac{1}{\ln 3}=\dfrac{3^x}{3^x+1}$이므로

$f'(a)=\dfrac{3^a}{3^a+1}$ …… ㉠

STEP Ⓑ 역함수의 미분법을 이용하여 $\dfrac{1}{f'(a)}+\dfrac{1}{g'(a)}$의 값 구하기

이때 $g(a)=b$라고 하면

$f(b)=a$이므로 $\log_3(3^b+1)=a$, $3^b+1=3^a$

한편 역함수의 미분법에 의하여

$\dfrac{1}{g'(a)}=f'(b)=\dfrac{3^b}{3^b+1}=\dfrac{3^a-1}{3^a}$ …… ㉡

따라서 ㉠, ㉡에 의하여 $\dfrac{1}{f'(a)}+\dfrac{1}{g'(a)}=\dfrac{3^a+1}{3^a}+\dfrac{3^a-1}{3^a}=2$

내신연계 출제문항 444

함수

$$f(x)=\log_2(2^x+1)$$

의 역함수를 $g(x)$라고 할 때, 양수 a에 대하여 $\dfrac{2}{f'(a)}+\dfrac{2}{g'(a)}$의 값은?

① 1 ② 2 ③ 4
④ 6 ⑤ 8

STEP Ⓐ 로그함수의 미분법에 의하여 $f'(a)$의 값 구하기

$f(x)=\log_2(2^x+1)$에서 $f'(x)=\dfrac{2^x\ln 2}{2^x+1}\cdot\dfrac{1}{\ln 2}=\dfrac{2^x}{2^x+1}$이므로

$f'(a)=\dfrac{2^a}{2^a+1}$ …… ㉠

STEP Ⓑ 역함수의 미분법을 이용하여 $\dfrac{2}{f'(a)}+\dfrac{2}{g'(a)}$ 구하기

$g(a)=b$라고 하면

$f(b)=a$이므로 $\log_2(2^b+1)=a$, $2^b+1=2^a$

한편 역함수의 미분법에 의하여

$\dfrac{1}{g'(a)}=f'(b)=\dfrac{2^b}{2^b+1}=\dfrac{2^a-1}{2^a}$ …… ㉡

따라서 ㉠, ㉡에 의하여 $2\left(\dfrac{1}{f'(a)}+\dfrac{1}{g'(a)}\right)=2\left(\dfrac{2^a+1}{2^a}+\dfrac{2^a-1}{2^a}\right)=4$

정답 ③

1149

정답 ③

STEP Ⓐ $f(x)$의 역함수가 $g(x)$이므로 $f(g(x))=x$임을 이용하여 $g'(0)$의 값 구하기

함수 $f(x)=\ln(\tan x)$에서 $f\left(\dfrac{\pi}{4}\right)=\ln\left(\tan\dfrac{\pi}{4}\right)=\ln 1=0$

$f(x)$의 역함수가 $g(x)$이므로 $g(0)=\dfrac{\pi}{4}$

$f(x)=\ln(\tan x)$에서 $f'(x)=\dfrac{\sec^2 x}{\tan x}$

$\therefore f'\left(\dfrac{\pi}{4}\right)=\dfrac{\sec^2\dfrac{\pi}{4}}{\tan\dfrac{\pi}{4}}=2$

$g(x)$는 $f(x)$의 역함수이므로 역함수의 미분법 $g'(x)=\dfrac{1}{f'(g(x))}$를 이용하면

$g'(0)=\dfrac{1}{f'(g(0))}=\dfrac{1}{f'\left(\dfrac{\pi}{4}\right)}=\dfrac{1}{2}$

STEP Ⓑ 미분계수의 정의를 이용하여 주어진 식을 변형하여 극한값 구하기

따라서 $\displaystyle\lim_{h\to 0}\dfrac{4g(8h)-\pi}{h}=\lim_{h\to 0}\dfrac{4\left\{g(8h)-\dfrac{\pi}{4}\right\}}{8h}\cdot 8$

$\displaystyle=32\lim_{h\to 0}\dfrac{g(0+8h)-g(0)}{8h}$

$=32g'(0)=32\cdot\dfrac{1}{2}=16$

1150

정답 ③

STEP A $g(2)=a$로 놓고 a의 값 구하기

$f(x)=2\sin x+1$

$g(2)=a$라 하면 $f(a)=2$

$f(a)=2\sin a+1=2$에서 $\sin a=\frac{1}{2}$ $\quad\therefore a=\frac{\pi}{6}\left(\because 0\le x\le\frac{\pi}{2}\right)$

즉 $g(2)=\frac{\pi}{6}$

STEP B $g(2)=\frac{\pi}{6}$이면 $g'(2)=\frac{1}{f'\left(\frac{\pi}{6}\right)}$임을 이용하여 구하기

$f(x)=2\sin x+1$에서 $f'(x)=2\cos x$

따라서 $g'(2)=\frac{1}{f'(g(2))}=\frac{1}{f'\left(\frac{\pi}{6}\right)}=\frac{1}{2\cos\frac{\pi}{6}}=\frac{\sqrt{3}}{3}$

참고 $f(x)$의 역함수가 $g(x)$이고 $f\left(\frac{\pi}{6}\right)=2$에서 $g(2)=\frac{\pi}{6}$이므로
⇨ $f'\left(\frac{\pi}{6}\right)\times g'(2)=1$

1151

정답 ②

STEP A $g\left(\frac{1}{2}\right)=a$로 놓고 a의 값 구하기

$f(x)=\cos 2x$에서 $g\left(\frac{1}{2}\right)=a$라 하면 $f(a)=\frac{1}{2}$

$\cos 2a=\frac{1}{2}$에서 $a=\frac{\pi}{6}\left(\because 0<x<\frac{\pi}{2}\right)$

$\therefore g\left(\frac{1}{2}\right)=\frac{\pi}{6}$

STEP B 역함수의 미분법을 이용하여 $g'\left(\frac{1}{2}\right)$의 값 구하기

$f(x)=\cos 2x$에서 $f'(x)=-2\sin 2x$

$f'\left(\frac{\pi}{6}\right)=-2\sin\frac{\pi}{3}=-\sqrt{3}$

따라서 $g'\left(\frac{1}{2}\right)=\frac{1}{f'\left(\frac{\pi}{6}\right)}=-\frac{\sqrt{3}}{3}$

내신연계 출제문항 445

함수

$$f(x)=3x-2\cos x$$

의 역함수를 $g(x)$라고 할 때, $g'(-2)$의 값은?

① $\frac{1}{4}$ ② $\frac{1}{3}$ ③ $\frac{1}{2}$
④ 1 ⑤ $\frac{3}{2}$

STEP A $g(-2)=a$로 놓고 a의 값 구하기

$g(-2)=a$라 하면 $f(a)=-2$

$3a-2\cos a=-2$에서 $a=0$

STEP B 역함수의 미분법을 이용하여 $g'(-2)$의 값 구하기

이때 $f(x)=3x-2\cos x$에서

$f'(x)=3+2\sin x$이므로 $f'(0)=3$

따라서 $g'(-2)=\frac{1}{f'(g(-2))}=\frac{1}{f'(0)}=\frac{1}{3}$

정답 ②

1152

정답 ①

STEP A $g(\sqrt{3})=a$로 놓고 a의 값 구하기

$f(x)=\tan x$에서 $f'(x)=\sec^2 x$

$g(\sqrt{3})=a$라고 하면 $f(a)=\sqrt{3}$

$\tan a=\sqrt{3}$에서 $a=\frac{\pi}{3}\left(\because -\frac{\pi}{2}<x<\frac{\pi}{2}\right)$

$\therefore g(\sqrt{3})=\frac{\pi}{3}$

STEP B 역함수의 미분법을 이용하여 $g'(\sqrt{3})$의 값 구하기

따라서 $f'\left(\frac{\pi}{3}\right)=\sec^2\frac{\pi}{3}=\frac{1}{\cos^2\frac{\pi}{3}}=4$이므로

$g'(\sqrt{3})=\frac{1}{f'(g(\sqrt{3}))}=\frac{1}{f'\left(\frac{\pi}{3}\right)}=\frac{1}{4}$

다른풀이 $g(x)=f^{-1}(x)$에서 $g'(x)=\frac{1}{f'(y)}$을 이용하여 $g'(\sqrt{3})$ 구하기

$f'(x)=(\tan x)'=\sec^2 x$, $f(x)=y=\tan x$라고 하면

$x=\tan y\left(-\frac{\pi}{2}<y<\frac{\pi}{2}\right)$이고 $g(x)=f^{-1}(x)$이므로

$g'(x)=\frac{1}{f'(y)}=\frac{1}{\sec^2 y}=\cos^2 y$

한편 $x=\sqrt{3}$일 때, $\sqrt{3}=\tan y$에서 $y=\frac{\pi}{3}$

따라서 $g'(\sqrt{3})=\cos^2\frac{\pi}{3}=\left(\frac{1}{2}\right)^2=\frac{1}{4}$

내신연계 출제문항 446

함수

$$f(x)=\tan x\left(-\frac{\pi}{2}<x<\frac{\pi}{2}\right)$$

의 역함수를 $g(x)$라 할 때, $g'(1)$의 값은?

① $\frac{1}{2}$ ② $\sqrt{2}$ ③ $\frac{\sqrt{2}}{2}$
④ $\sqrt{3}$ ⑤ 2

STEP A $g(1)=a$로 놓고 a의 값 구하기

$f(x)=\tan x$에서 $f'(x)=\sec^2 x$

$g(1)=a$라 하면 $f(a)=1$

$\tan a=1$에서 $a=\frac{\pi}{4}\left(\because -\frac{\pi}{2}<x<\frac{\pi}{2}\right)$

$\therefore g(1)=\frac{\pi}{4}$

STEP B 역함수의 미분법을 이용하여 $g'(1)$의 값 구하기

따라서 $g(1)=\frac{\pi}{4}$이므로 $g'(1)=\frac{1}{f'\left(\frac{\pi}{4}\right)}=\cos^2\frac{\pi}{4}=\frac{1}{2}$

정답 ①

1153

정답 ①

STEP A $g(\sqrt{3})=a$로 놓고 a의 값 구하기

$f(x)=\tan\frac{1}{2}x$에서 $f'(x)=\frac{1}{2}\sec^2\frac{1}{2}x$

$g(\sqrt{3})=a$라 하면 $f(a)=\sqrt{3}$

$\tan\frac{1}{2}a=\sqrt{3}$에서 $\frac{1}{2}a=\frac{\pi}{3}(\because -\pi<x<\pi)$이므로 $a=\frac{2}{3}\pi$

$\therefore g(\sqrt{3})=\frac{2}{3}\pi$

STEP **B** $g(\sqrt{3})=\frac{2}{3}\pi$ **이면** $g'(\sqrt{3})=\frac{1}{f'\left(\frac{2}{3}\pi\right)}$ **임을 이용하여 구하기**

$f'\left(\frac{2}{3}\pi\right)=\frac{1}{2}\sec^2\left(\frac{1}{2}\cdot\frac{2}{3}\pi\right)=\frac{1}{2}\sec^2\frac{\pi}{3}=\frac{1}{2}\cdot 2^2=2$

따라서 $g'(\sqrt{3})=\frac{1}{f'(g(\sqrt{3}))}=\frac{1}{f'\left(\frac{2}{3}\pi\right)}=\frac{1}{2}$

다른풀이 $g(x)=f^{-1}(x)$에서 $g'(x)=\frac{1}{f'(y)}$을 이용하여 $g'(\sqrt{3})$ 구하기

$f'(x)=\frac{1}{2}\sec^2\frac{1}{2}x$이고 $y=\tan\frac{1}{2}x$라고 하면

$x=\tan\frac{1}{2}y\left(-\frac{\pi}{2}<\frac{y}{2}<\frac{\pi}{2}\right)$이고 $g(x)=f^{-1}(x)$이므로

$g'(x)=\frac{1}{f'(y)}=\frac{1}{\frac{1}{2}\sec^2\frac{1}{2}y}=2\cos^2\frac{1}{2}y$

한편 $x=\sqrt{3}$일 때, $\sqrt{3}=\tan\frac{1}{2}y$에서 $y=\frac{2}{3}\pi$

따라서 $g'(\sqrt{3})=2\cos^2\frac{\pi}{3}=2\left(\frac{1}{2}\right)^2=\frac{1}{2}$

내신연계 출제문항 447

정의역이 $\{x|-4\pi<x<4\pi\}$인 함수

$$f(x)=\tan\frac{x}{8}$$

의 역함수를 $g(x)$라 할 때, $g'(1)$의 값은?

① 2 ② 4 ③ 6
④ 8 ⑤ 10

STEP **A** $g(1)=a$**로 놓고** a**의 값 구하기**

$f(x)=\tan\frac{1}{8}x$에서 $f'(x)=\frac{1}{8}\sec^2\frac{1}{8}x$

$g(1)=a$라 하면 $f(a)=1$

$\tan\frac{1}{8}a=1$에서 $\frac{1}{8}a=\frac{\pi}{4}$ ($\because -4\pi<x<4\pi$)이므로 $a=2\pi$

$\therefore\ g(1)=2\pi$

STEP **B** $g(1)=2\pi$**이면** $g'(1)=\frac{1}{f'(2\pi)}$ **임을 이용하여 구하기**

$f'(2\pi)=\frac{1}{8}\sec^2\left(\frac{1}{8}\cdot 2\pi\right)=\frac{1}{8}\sec^2\frac{\pi}{4}=\frac{1}{8}\cdot 2=\frac{1}{4}$

따라서 $g'(1)=\frac{1}{f'(g(1))}=\frac{1}{f'(2\pi)}=4$

정답 ②

1154

정답 ②

STEP **A** **역함수의 미분법을 이용하여 주어진 접선의 기울기 구하기**

함수 $f(x)$의 역함수가 $g(x)$이므로 $f(g(x))=x$

양변을 x에 대하여 미분하면 $f'(g(x))g'(x)=1$

$g'(x)=\frac{1}{f'(g(x))}$

곡선 $y=g(x)$ 위의 점 $(4\pi,\ 2\pi)$에서 접선의 기울기는

$g'(4\pi)=\frac{1}{f'(g(4\pi))}=\frac{1}{f'(2\pi)}$ ($\because\ g(4\pi)=2\pi$)

STEP **B** **함수** $f(x)$**를 미분하여** $f'(2\pi)$**의 값 구하기**

$f(x)=2x+\sin x$에서 $f'(x)=2+\cos x$이므로 $f'(2\pi)=2+1=3$

STEP **C** **곡선** $g(x)$**의** $x=4\pi$**에서 접선의 기울기 구하기**

따라서 $g'(4\pi)=\frac{1}{3}$이므로 $p=3,\ q=1$ $\therefore\ p+q=3+1=4$

다른풀이 $g(f(x))=x$를 이용하여 풀이하기

함수 $f(x)=2x+\sin x$의 역함수는 $g(x)$이므로

$g(f(x))=g(2x+\sin x)=x$

이 식의 양변을 x에 대하여 미분하면

$g'(2x+\sin x)\cdot(2x+\sin x)'=1$

$g'(2x+\sin x)\cdot(2+\cos x)=1$

즉 $g'(2x+\sin x)=\frac{1}{2+\cos x}$ …… ㉠

㉠의 양변에 $x=2\pi$를 대입하면

$g'(4\pi)=\frac{1}{2+\cos 2\pi}=\frac{1}{2+1}=\frac{1}{3}$

곡선 $y=g(x)$ 위의 점 $(4\pi,\ 2\pi)$에서의 접선의 기울기는

$g'(4\pi)=\frac{1}{3}$

따라서 $p=3,\ q=1$이므로 $p+q=3+1=4$

1155

정답 ④

STEP **A** $g\left(\frac{1}{2}\right)=a$**로 놓고** a**의 값 구하기**

$f(x)=\cos^2 x$에서 $g\left(\frac{1}{2}\right)=a$라 하면 $f(a)=\frac{1}{2}$

$f(a)=\cos^2 a=\frac{1}{2}$에서 $\cos a=\frac{1}{\sqrt{2}}$

$\therefore\ a=\frac{\pi}{4}\left(\because\ 0<x<\frac{\pi}{2}\right)$, 즉 $g\left(\frac{1}{2}\right)=\frac{\pi}{4}$

STEP **B** $g\left(\frac{1}{2}\right)=\frac{\pi}{4}$**이면** $g'\left(\frac{1}{2}\right)=\frac{1}{f'\left(\frac{\pi}{4}\right)}$ **임을 이용하여 구하기**

$f(x)=\cos^2 x$에서 $f'(x)=-2\cos x\sin x$

$g'\left(\frac{1}{2}\right)=\frac{1}{f'\left(\frac{\pi}{4}\right)}=\frac{1}{-2\sin\frac{\pi}{4}\cos\frac{\pi}{4}}=-1$

STEP **C** **미분계수의 정의를 이용하여 변형하기**

따라서 $\lim_{h\to 0}\frac{g\left(\frac{1}{2}+2h\right)-g\left(\frac{1}{2}-h\right)}{h}$

$=\lim_{h\to 0}\left\{\frac{g\left(\frac{1}{2}+2h\right)-g\left(\frac{1}{2}\right)}{2h}\cdot 2+\frac{g\left(\frac{1}{2}-h\right)-g\left(\frac{1}{2}\right)}{-h}\right\}$

$=2g'\left(\frac{1}{2}\right)+g'\left(\frac{1}{2}\right)=3g'\left(\frac{1}{2}\right)=3\cdot(-1)=-3$

1156

정답 ①

STEP **A** **매개변수로 나타낸 함수의 미분법을 이용하여** $\frac{dy}{dx}$ **구하기**

$x=4t-2$에서 $\frac{dx}{dt}=4$

$y=t^3+2t^2-3t$에서 $\frac{dy}{dt}=3t^2+4t-3$이므로

$f'(x)=\frac{dy}{dx}=\frac{\frac{dy}{dt}}{\frac{dx}{dt}}=\frac{3t^2+4t-3}{4}$

STEP **B** $g'(0)$ **구하기**

$t=1$일 때, $x=2,\ y=0$이므로 $f(2)=0,\ g(0)=2$

$g'(0)=\frac{1}{f'(g(0))}=\frac{1}{f'(2)}$

이때 $f'(2)$는 $x=2$, 즉 $t=1$일 때, $f'(x)$의 값이다.

따라서 $f'(2)=\frac{3+4-3}{4}=1$이므로 $g'(0)=\frac{1}{f'(2)}=1$

다른풀이 매개변수로 $g(x)$를 나타내어 풀이하기

$f(x)$와 $g(x)$는 역함수 관계이므로 $y=g(x)$는 다음과 같이 나타낼 수 있다.

$x=t^3+2t^2-3t,\ y=4t-2$

$$g'(x)=\frac{dy}{dx}=\frac{\frac{dy}{dt}}{\frac{dx}{dt}}=\frac{4}{3t^2+4t-3}$$

$t=1$일 때 $x=0,\ y=2$이므로 $g(0)=2$

따라서 $g'(0)=\frac{4}{3+4-3}=1$

1157

 ①

STEP A 매개변수로 나타낸 함수의 미분법을 이용하여 $\frac{dy}{dx}$ 구하기

$x=2t+1$에서 $\frac{dx}{dt}=2$

$y=t^3+2t-1$에서 $\frac{dy}{dt}=3t^2+2$이므로 $f'(x)=\frac{dy}{dx}=\frac{\frac{dy}{dt}}{\frac{dx}{dt}}=\frac{3t^2+2}{2}$

STEP B $(f^{-1})'(2)$ 구하기

$f^{-1}(2)=a$라 하면 $f(a)=2$이므로

$a=2t+1$ …… ㉠

$2=t^3+2t-1$ …… ㉡

㉡에서 $t^3+2t-3=0,\ (t-1)(t^2+t+3)=0$

$\therefore t=1$

$t=1$을 ㉠에 대입하면 $a=3$

$\therefore f^{-1}(2)=3$

$t=1$일 때, $x=3$이므로 $f'(3)=\frac{3\cdot 1^2+2}{2}=\frac{5}{2}$

따라서 $(f^{-1})'(2)=\frac{1}{f'(f^{-1}(2))}=\frac{1}{f'(3)}=\frac{2}{5}$

1158

 ④

STEP A 매개변수로 나타낸 함수의 미분법을 이용하여 $\frac{dy}{dx}$ 구하기

$x=t+1$에서 $\frac{dx}{dt}=1$

$y=-\frac{1}{t}$에서 $\frac{dy}{dt}=\frac{1}{t^2}$이므로 $f'(x)=\frac{dy}{dx}=\frac{\frac{dy}{dt}}{\frac{dx}{dt}}=\frac{1}{t^2}$

STEP B $(f^{-1})'\left(\frac{1}{3}\right)$ 구하기

$t=-3$일 때, $x=-2,\ y=\frac{1}{3}$이므로 $f(-2)=\frac{1}{3},\ g\left(\frac{1}{3}\right)=-2$

$$g'\left(\frac{1}{3}\right)=\frac{1}{f'\left(g\left(\frac{1}{3}\right)\right)}=\frac{1}{f'(-2)}$$

이때 $f'(-2)$는 $x=-2$, 즉 $t=-3$일 때, $f'(x)$의 값이다.

따라서 $g'\left(\frac{1}{3}\right)=\frac{1}{f'\left(g\left(\frac{1}{3}\right)\right)}=\frac{1}{f'(-2)}=\frac{1}{\frac{1}{9}}=9$

다른풀이 매개변수를 소거하여 역함수 구하기

$x=t+1,\ y=-\frac{1}{t}$에서 t를 소거하면 $y=-\frac{1}{x-1},\ f(x)=-\frac{1}{x-1}$

이 함수의 역함수를 구하면 $x=-\frac{1}{y-1},\ y=1-\frac{1}{x}$

즉 $f^{-1}(x)=1-\frac{1}{x}$이므로 $(f^{-1})'(x)=\frac{1}{x^2}$

따라서 구하는 값은 $(f^{-1})'\left(\frac{1}{3}\right)=\frac{1}{\frac{1}{9}}=9$

1159

 ④

STEP A 이계도함수를 이용하여 $f'(0)+f''(0)$의 값 구하기

$f'(x)=e^x+xe^x=(1+x)e^x$이므로 $f'(0)=1$

$f''(x)=e^x+(1+x)e^x=(2+x)e^x$이므로 $f''(0)=2$

따라서 $f'(0)+f''(0)=3$

1160

 ④

STEP A 이계도함수를 이용하여 a의 값 구하기

$f(x)=xe^{ax}$에서 $f'(x)=e^{ax}+axe^{ax}=e^{ax}(1+ax)$

$f''(x)=ae^{ax}(1+ax)+e^{ax}\cdot a=e^{ax}(2a+a^2x)$이므로 $f''(0)=2a=8$

따라서 $a=4$

1161

 ④

STEP A 이계도함수 $f''(x)$구하기

$f(x)=12x\ln x-x^3+2x\,(x>0)$에서

$f'(x)=12\ln x+12x\cdot\frac{1}{x}-3x^2+2$

$\quad=12\ln x-3x^2+14$

$f''(x)=\frac{12}{x}-6x=\frac{12-6x^2}{x}$

STEP B $f''(a)=0$인 실수 a의 값 구하기

$f''(a)=0$에서 $\frac{12-6a^2}{a}=0$

$12-6a^2=0$

따라서 $a>0$이므로 $a=\sqrt{2}$

내/신/연/계 출제문항 448

어느 지점에서 파도의 높이를 조사한 지 x초 후의 파도의 높이 $f(x)$를

$$f(x)=3-\frac{1}{2}\sin\pi x$$

라 할 때, 열린구간 $(0,\ 4)$에서 $f''(a)=0$을 만족시키는 a의 값의 합은?

① 3 ② 4 ③ 5
④ 6 ⑤ 7

STEP A 이계도함수 $f''(x)$ 구하기

$f(x)=3-\frac{1}{2}\sin\pi x$에서 $f'(x)=-\frac{\pi}{2}\cos\pi x$

$f''(x)=\frac{\pi^2}{2}\sin\pi x$

STEP B $f''(a)=0$의 값 구하기

$f''(a)=\frac{\pi^2}{2}\sin\pi a=0$에서 $\sin\pi a=0$이므로 $\pi a=\pi,\ 2\pi,\ 3\pi$

따라서 $a=1,\ 2,\ 3$이므로 합은 $1+2+3=6$

정답 ④

1162

 ⑤

STEP Ⓐ 이계도함수 $f''(x)$ 구하기

$f(x)=\ln x^{\ln x}=(\ln x)^2$이므로

$f'(x)=2\ln x\cdot\dfrac{1}{x}=\dfrac{2\ln x}{x}$

$f''(x)=\dfrac{2\cdot\dfrac{1}{x}\cdot x-2\ln x}{x^2}=\dfrac{2-2\ln x}{x^2}$

STEP Ⓑ $f''(\sqrt{e})$의 값 구하기

따라서 $f''(\sqrt{e})=\dfrac{2-2\ln\sqrt{e}}{e}=\dfrac{1}{e}$

1163

 ①

STEP Ⓐ 이계도함수 $f''(x)$ 구하기

$f(x)=\dfrac{x^3+x-5}{x^2}=x+\dfrac{1}{x}-\dfrac{5}{x^2}$에서

$f'(x)=1-\dfrac{1}{x^2}+\dfrac{10}{x^3}$

$f''(x)=\dfrac{2}{x^3}-\dfrac{30}{x^4}$

STEP Ⓑ $f''(-1)$의 값 구하기

따라서 $f''(-1)=-2-30=-32$

내신연계 출제문항 449

함수 $y=\dfrac{x^3+2x-1}{x^2}$에 대하여 $y''=\dfrac{a}{x^3}+\dfrac{b}{x^4}$일 때, 상수 a, b에 대하여 $a+b$의 값은?

① -4　② -2　③ 0
④ 2　⑤ 4

STEP Ⓐ 이계도함수 $f''(x)$ 구하기

$y=\dfrac{x^3+2x-1}{x^2}=x+\dfrac{2}{x}-\dfrac{1}{x^2}$에서

$y'=1-\dfrac{2}{x^2}+\dfrac{2}{x^3}$

$y''=\dfrac{4}{x^3}-\dfrac{6}{x^4}$

STEP Ⓑ $a+b$의 값 구하기

따라서 $a=4$, $b=-6$이므로 $a+b=-2$

정답 ②

1164

 ②

STEP Ⓐ 이계도함수를 이용하여 $f''(\pi)$의 값 구하기

$f(x)=e^x(\sin x+\cos x)$에서

$f'(x)=e^x(\sin x+\cos x)+e^x(\cos x-\sin x)=2e^x\cos x$

$f''(x)=2e^x\cos x+2e^x(-\sin x)=2e^x(\cos x-\sin x)$

STEP Ⓑ $f''(\pi)$의 값 구하기

따라서 $f''(\pi)=2e^\pi(\cos\pi-\sin\pi)=-2e^\pi$

내신연계 출제문항 450

함수

$$f(x)=e^x(\cos x-\sin x)$$

에 대하여 $f''(0)$의 값은?

① -2　② -1　③ 0
④ 1　⑤ 2

STEP Ⓐ 곱의 미분법을 이용하여 이계도함수 $f''(x)$ 구하기

$f(x)=e^x(\cos x-\sin x)$에서

$f'(x)=e^x(\cos x-\sin x)+e^x(-\sin x-\cos x)=-2e^x\sin x$

$f''(x)=-2(e^x\sin x+e^x\cos x)$

따라서 $f''(0)=-2$

 ①

1165

 ①

STEP Ⓐ 이계도함수를 이용하여 $f'(0)+f''(0)$의 값 구하기

$f(x)=\cos(e^x-1)$에서

$f'(x)=-\sin(e^x-1)\cdot e^x=-e^x\sin(e^x-1)$에서 $f'(0)=0$

$f''(x)=-e^x\sin(e^x-1)-e^x\cos(e^x-1)\cdot e^x$

$\quad=-e^x\{\sin(e^x-1)+e^x\cos(e^x-1)\}$

STEP Ⓑ $f'(0)+f''(0)$의 값 구하기

$f'(0)=0$, $f''(0)=-1$

따라서 $f'(0)+f''(0)=0+(-1)=-1$

내신연계 출제문항 451

함수 $f(x)=\dfrac{e^x-1}{e^x+1}$에 대하여 $f'(0)+f''(0)$의 값은?

① 0　② $\dfrac{1}{2}$　③ 1
④ $\dfrac{3}{2}$　⑤ 2

STEP Ⓐ 몫의 미분법을 이용하여 $f'(0)$의 값 구하기

$f(x)=\dfrac{e^x-1}{e^x+1}$에서 $f'(x)=\dfrac{e^x(e^x+1)-(e^x-1)e^x}{(e^x+1)^2}=\dfrac{2e^x}{(e^x+1)^2}$

$\therefore\ f'(0)=\dfrac{1}{2}$

STEP Ⓑ 이계도함수를 이용하여 $f''(0)$의 값 구하기

$f''(x)=\dfrac{2e^x(e^x+1)^2-2e^x\cdot 2(e^x+1)e^x}{(e^x+1)^4}$

$\quad=\dfrac{2e^x(-e^{2x}+1)}{(e^x+1)^4}=\dfrac{-2e^x(e^x-1)}{(e^x+1)^3}$

$\therefore\ f''(0)=0$

따라서 $f'(0)+f''(0)=\dfrac{1}{2}+0=\dfrac{1}{2}$

 ②

1166 정답 ⑤

STEP A $f'(x)$, $f''(x)$ 구하기

$f(x)=(x^2+a)e^x$에서

$f'(x)=2xe^x+(x^2+a)e^x=(x^2+2x+a)e^x$

$f''(x)=(2x+2)e^x+(x^2+2x+a)e^x=(x^2+4x+2+a)e^x$

$e^x>0$이므로 모든 실수 x에 대하여 $f''(x)\ge 0$이려면

$x^2+4x+2+a\ge 0$이어야 한다.

STEP B 모든 실수 x에 대하여 이차부등식이 성립할 조건 구하기

이차방정식 $x^2+4x+2+a=0$의 판별식을 D라 하면

$D=4^2-4(2+a)\le 0$, $8-4a\le 0$ $\quad\therefore a\ge 2$

따라서 실수 a의 최솟값은 2

1167 정답 ④

STEP A 이계도함수를 이용하여 $f''(x)$의 값 구하기

$f'(x)=-x^{-2}-2x^{-3}-3x^{-4}-\cdots-10x^{-11}$

$f''(x)=2x^{-3}+2\cdot 3x^{-4}+3\cdot 4x^{-5}+\cdots+10\cdot 11x^{-12}$

STEP B 시그마의 성질을 이용하여 $f''(1)$의 값 구하기

따라서 $f''(1)=1\cdot 2+2\cdot 3+3\cdot 4+\cdots+10\cdot 11$

$=\sum_{k=1}^{10}k(k+1)=\sum_{k=1}^{10}k^2+\sum_{k=1}^{10}k$

$=\frac{10\cdot 11\cdot 21}{6}+\frac{10\cdot 11}{2}=440$

내/신/연/계/ 출제문항 452

함수 $f(x)=\sum_{k=1}^{5}x^{-k}$에 대하여 $f''(1)$의 값은?

① 55 ② 60 ③ 65
④ 70 ⑤ 75

STEP A 이계도함수를 이용하여 $f''(x)$의 값 구하기

$f(x)=\sum_{k=1}^{5}x^{-k}$에서

$f'(x)=\sum_{k=1}^{5}(-kx^{-k-1})$

$f''(x)=\sum_{k=1}^{5}\{(-k)\times(-k-1)x^{-k-2}\}=\sum_{k=1}^{5}k(k+1)x^{-k-2}$

STEP B $f''(1)$의 값 구하기

따라서 $f''(1)=\sum_{k=1}^{5}k(k+1)\times 1^{-k-2}=\sum_{k=1}^{5}k(k+1)=\sum_{k=1}^{5}k^2+\sum_{k=1}^{5}k$

$=\frac{5\cdot 6\cdot 11}{6}+\frac{5\cdot 6}{2}=55+15=70$ 정답 ④

1168 정답 ③

STEP A 곱의 미분법을 이용하여 $f'(x)$, $f''(x)$ 구하기

$f(x)=e^{2x}\ln x$에서

$f'(x)=2e^{2x}\ln x+\frac{e^{2x}}{x}=e^{2x}\left(2\ln x+\frac{1}{x}\right)$

$f''(x)=2e^{2x}\left(2\ln x+\frac{1}{x}\right)+e^{2x}\left(\frac{2}{x}-\frac{1}{x^2}\right)=e^{2x}\left(4\ln x+\frac{4}{x}-\frac{1}{x^2}\right)$

STEP B 미분계수의 정의를 이용하여 $f''(1)$의 값 구하기

따라서 $\lim_{h\to 0}\frac{f'(1+h)-f'(1)}{h}=f''(1)=3e^2$

1169 정답 ①

STEP A 합성함수의 미분법을 이용하여 $f'(x)$, $f''(x)$ 구하기

$f(x)=\ln|\sin x|$에서

$f'(x)=\frac{(\sin x)'}{\sin x}=\frac{\cos x}{\sin x}=\cot x$

$f''(x)=-\csc^2 x$

STEP B 미분계수의 정의를 이용하여 $f''\left(\frac{\pi}{6}\right)$의 값 구하기

따라서 $\lim_{h\to 0}\frac{f'\left(\frac{\pi}{6}+h\right)-f'\left(\frac{\pi}{6}\right)}{h}=f''\left(\frac{\pi}{6}\right)=-\csc^2\left(\frac{\pi}{6}\right)=-2^2=-4$

내/신/연/계/ 출제문항 453

함수 $f(x)=\ln(\cos x)$에 대하여 $\lim_{x\to\frac{\pi}{4}}\frac{f'(x)+1}{x-\frac{\pi}{4}}$의 값은?

① -3 ② -2 ③ -1
④ 1 ⑤ 2

STEP A 합성함수의 미분법을 이용하여 $f'(x)$, $f''(x)$ 구하기

$f(x)=\ln(\cos x)$에서

$f'(x)=\frac{-\sin x}{\cos x}=-\tan x$

$f''(x)=-\sec^2 x$

STEP B 미분계수의 정의를 이용하여 $f''\left(\frac{\pi}{4}\right)$의 값 구하기

따라서 $f'\left(\frac{\pi}{4}\right)=-1$이므로

$\lim_{x\to\frac{\pi}{4}}\frac{f'(x)+1}{x-\frac{\pi}{4}}=\lim_{x\to\frac{\pi}{4}}\frac{f'(x)-f'\left(\frac{\pi}{4}\right)}{x-\frac{\pi}{4}}=f''\left(\frac{\pi}{4}\right)=-2$ 정답 ②

1170 정답 ②

STEP A 곱의 미분법을 이용하여 $f'(x)$, $f''(x)$ 구하기

$f(x)=x\ln x$에서

$f'(x)=\ln x+x\times\frac{1}{x}=\ln x+1$

$f''(x)=\frac{1}{x}$이므로 $f''(1)=1$

STEP B 미분계수의 정의를 이용하여 $2f''(1)$의 값 구하기

$\lim_{h\to 0}\frac{f'(1+2h)-f'(1)}{h}=\lim_{h\to 0}\frac{f'(1+2h)-f'(1)}{2h}\times 2=2f''(1)$

따라서 $\lim_{h\to 0}\frac{f'(1+2h)-f'(1)}{h}=2f''(1)=2$

1171

정답 ⑤

STEP Ⓐ **합성함수의 미분법을 이용하여 $f'(x)$, $f''(x)$ 구하기**

$f'(x)=2\ln(x-2)\cdot\{\ln(x-2)\}'=2\ln(x-2)\cdot\frac{1}{x-2}=\frac{2\ln(x-2)}{x-2}$

$$f''(x)=\left\{\frac{2\ln(x-2)}{x-2}\right\}'=\frac{\{2\ln(x-2)\}'\cdot(x-2)-2\ln(x-2)\cdot(x-2)'}{(x-2)^2}$$

$$=\frac{\frac{2}{x-2}\cdot(x-2)-2\ln(x-2)}{(x-2)^2}$$

$$=\frac{2-2\ln(x-2)}{(x-2)^2}$$

STEP Ⓑ **미분계수의 정의를 이용하여 $f''(x)$의 값 구하기**

이때 $f'(3)=0$이므로 $\lim_{x\to3}\frac{f'(x)}{x-3}=\lim_{x\to3}\frac{f'(x)-f'(3)}{x-3}=f''(3)$

따라서 $f''(3)=\frac{2-2\ln1}{(3-2)^2}=2$

내/신/연/계/ 출제문항 454

함수 $f(x)=(\ln x)^2$에 대하여 $\lim_{x\to1}\frac{f'(x)}{x-1}$의 값은?

① $\frac{1}{2}$ ② 1 ③ $\frac{3}{2}$
④ 2 ⑤ 3

STEP Ⓐ **미분계수의 정의를 이용하여 구하기**

$f(x)=(\ln x)^2$에서 $f'(x)=2\ln x\cdot\frac{1}{x}=\frac{2\ln x}{x}$

이때 $f'(1)=0$이므로

$\lim_{x\to1}\frac{f'(x)}{x-1}=\lim_{x\to1}\frac{f'(x)-f'(1)}{x-1}=f''(1)$ …… ㉠

STEP Ⓑ **로그함수의 미분법을 이용하여 $f''(1)$의 값 구하기**

또한, $f'(x)=2\ln x\cdot\frac{1}{x}=\frac{2\ln x}{x}$에서

$$f''(x)=\frac{\frac{2}{x}\cdot x-2\ln x\cdot1}{x^2}=\frac{2(1-\ln x)}{x^2}$$

㉠에서 구하는 값은 $f''(1)=2$

정답 ④

1172

정답 ⑤

STEP Ⓐ **몫의 미분법을 이용하여 $f'(x)$, $f''(x)$를 구하기**

$f(x)=\frac{e^{x-1}}{x}$에서

$$f'(x)=\frac{e^{x-1}\cdot x-e^{x-1}}{x^2}=\frac{e^{x-1}(x-1)}{x^2}$$

$$f''(x)=\frac{\{e^{x-1}(x-1)+e^{x-1}\}x^2-e^{x-1}(x-1)\cdot2x}{x^4}$$

$$=\frac{e^{x-1}(x^3-2x^2+2x)}{x^4}=\frac{e^{x-1}(x^2-2x+2)}{x^3}$$

STEP Ⓑ **미분계수를 이용하여 이계도함수 구하기**

따라서 $\lim_{x\to1}\frac{f'(x)}{x-1}=\lim_{x\to1}\frac{f'(x)-f'(1)}{x-1}=f''(1)=1$

1173

정답 ④

STEP Ⓐ **조건 (나)에서 $f'(f(1))$ 구하기**

조건 (나)에서 $\lim_{x\to1}\frac{f'(f(x))-1}{x-1}=3$

$x\to1$일 때, (분모)$\to0$이고 극한값이 존재하므로 (분자)$\to0$이어야 한다.

$\lim_{x\to1}\{f'(f(x))-1\}=0$이므로 $f'(f(1))-1=0$ $\therefore f'(f(1))=1$

STEP Ⓑ **미분계수의 정의를 이용하여 주어진 식을 변형하여 $f''(2)$ 구하기**

$$\lim_{x\to1}\frac{f'(f(x))-1}{x-1}=\lim_{x\to1}\frac{f'(f(x))-f'(f(1))}{x-1}$$

$$=\lim_{x\to1}\left\{\frac{f'(f(x))-f'(f(1))}{f(x)-f(1)}\cdot\frac{f(x)-f(1)}{x-1}\right\}$$

$$=f''(f(1))f'(1)$$

조건 (가)에서 $f(1)=2$, $f'(1)=3$

따라서 $f''(f(1))f'(1)=f''(2)\cdot3=3$이므로 $f''(2)=1$

내/신/연/계/ 출제문항 455

실수 전체의 집합에서 이계도함수를 갖는 함수 $f(x)$가 다음 조건을 만족시킨다.

(가) $f(-2)=3$, $f'(-2)=2$
(나) $\lim_{x\to-2}\frac{f'(f(x))+1}{x+2}=6$

$f''(3)$의 값은?

① -3 ② -1 ③ 0
④ 1 ⑤ 3

STEP Ⓐ **조건 (나)에서 $f'(f(-2))$ 구하기**

조건 (나)에서 $\lim_{x\to-2}\frac{f'(f(x))+1}{x+2}=6$

$x\to-2$일 때, (분모)$\to0$이고 극한값이 존재하므로 (분자)$\to0$이어야 한다.

$\lim_{x\to-2}\{f'(f(x))+1\}=0$이므로 $f'(f(-2))+1=0$ $\therefore f'(f(-2))=-1$

STEP Ⓑ **미분계수의 정의를 이용하여 주어진 식을 변형하여 $f''(3)$ 구하기**

$$\lim_{x\to-2}\frac{f'(f(x))+1}{x+2}=\lim_{x\to-2}\frac{f'(f(x))-f'(f(-2))}{x+2}$$

$$=\lim_{x\to-2}\left\{\frac{f'(f(x))-f'(f(-2))}{f(x)-f(-2)}\cdot\frac{f(x)-f(-2)}{x+2}\right\}$$

$$=f''(f(-2))f'(-2)$$

조건 (가)에서 $f(-2)=3$, $f'(-2)=2$

따라서 $f''(f(-2))f'(-2)=f''(3)\cdot2=6$이므로 $f''(3)=3$

정답 ⑤

1174

정답 ③

STEP Ⓐ **함수의 곱의 미분법을 이용하여 $f'(x)$, $f''(x)$ 구하기**

$f'(x)=(x)'\cdot e^{ax+b}+x\cdot(e^{ax+b})'=e^{ax+b}+axe^{ax+b}$

$$f''(x)=e^{ax+b}\cdot(ax+b)'+(ax)'\cdot e^{ax+b}+ax\cdot(e^{ax+b})'$$

$$=ae^{ax+b}+ae^{ax+b}+axe^{ax+b}\cdot(ax+b)'$$

$$=2ae^{ax+b}+a^2xe^{ax+b}$$

STEP Ⓑ **$f'(0)=1$, $f''(0)=2$을 만족하는 a, b의 값 구하기**

이때 $f'(0)=1$, $f''(0)=2$이므로 $f'(0)=e^b=1$, $f''(0)=2a\cdot e^b=2$

따라서 $a=1$, $b=0$이므로 $a+b=1$

내신연계 출제문항 456

함수 $f(x)=xe^{ax-b}$에 대하여

$f'(0)=5,\ f''(0)=20$

일 때, $f(1)$의 값은? (단, a, b는 상수이다.)

① $2e^2$　② $3e^2$　③ $5e^2$
④ $4e^2$　⑤ $8e^4$

STEP Ⓐ 함수의 곱의 미분법을 이용하여 $f'(x)$, $f''(x)$ 구하기

$f'(x)=e^{ax-b}+xe^{ax-b}\cdot a=(ax+1)e^{ax-b}$

$f'(x)=5(ax+1)e^{ax}$

$f''(x)=ae^{ax-b}+(ax+1)e^{ax-b}\cdot a=a(ax+2)e^{ax-b}$

STEP Ⓑ $f'(0)=e^4$, $f''(0)=8e^4$을 만족하는 a, b의 값 구하기

$f'(0)=e^{-b}=5$ …… ㉠

$f''(0)=2ae^{-b}=10a=20\quad \therefore a=2$ …… ㉡

따라서 ㉠, ㉡에서 $f(x)=xe^{2x-b}=5xe^{2x}$이므로 $f(1)=5e^2$ 정답 ③

1175

 ③

STEP Ⓐ 함수의 곱의 미분법을 이용하여 $f'(x)$, $f''(x)$의 값 구하기

$f'(x)=ae^{ax}+a(ax+b)e^{ax}$이므로

$f'(0)=a+ab=1$ …… ㉠

$f''(x)=a^2e^{ax}+a\{ae^{ax}+a(ax+b)e^{ax}\}$이므로

$f''(0)=a^2+a(a+ab)=6$ …… ㉡

STEP Ⓑ $f'(0)=1$, $f''(0)=6$을 만족하는 a, b의 값 구하기

㉠을 ㉡에 대입하면 $a^2+a=6$, $(a-2)(a+3)=0$

이때 $a>0$이므로 $a=2$

a의 값을 ㉠에 대입하면 $2+2b=1$, 즉 $b=-\frac{1}{2}$

따라서 $a-b=2-\left(-\frac{1}{2}\right)=\frac{5}{2}$

내신연계 출제문항 457

함수 $f(x)=(x^2+ax+b)e^x$에 대하여

$f'(0)=1,\ f''(0)=5$

일 때, 상수 a, b에 대하여 ab의 값은?

① -3　② -2　③ -1
④ 1　⑤ 2

STEP Ⓐ $f'(x)$, $f''(x)$의 값 구하기

$f(x)=(x^2+ax+b)e^x$에서

$f'(x)=(2x+a)e^x+(x^2+ax+b)e^x$
$=\{x^2+(a+2)x+a+b\}e^x$

$f''(x)=(2x+a+2)e^x+\{x^2+(a+2)x+a+b\}e^x$
$=\{x^2+(a+4)x+2a+b+2\}e^x$

STEP Ⓑ $f'(0)=1$, $f''(0)=5$를 만족하는 상수 a, b의 값 구하기

$f'(0)=1$, $f''(0)=5$이므로 $f'(0)=a+b=1$ …… ㉠

$f''(0)=2a+b+2=5$, 즉 $2a+b=3$ …… ㉡

㉠, ㉡을 연립하여 풀면 $a=2$, $b=-1$

따라서 $ab=2\cdot(-1)=-2$ 정답 ②

1176

정답 ②

STEP Ⓐ 함수의 곱의 미분법을 이용하여 $f'(x)$, $f''(x)$ 구하기

$f'(x)=a\cos x-(ax+b)\sin x$

$f''(x)=-a\sin x-a\sin x-(ax+b)\cos x$
$=-2a\sin x-(ax+b)\cos x$

STEP Ⓑ $f'(0)=1$, $f''(0)=2$를 만족하는 a, b의 값 구하기

$f'(0)=1$, $f''(0)=2$이므로 $f'(0)=a=1$

$f''(0)=-b=2\quad \therefore b=-2$

따라서 $a=1$, $b=-2$이므로 $a+b=-1$

내신연계 출제문항 458

함수 $f(x)=(ax+b)\sin x$에 대하여

$f'(0)=1,\ f''(0)=4$

일 때, $a+b$의 값은? (단, a, b는 상수이다.)

① 1　② 2　③ 3
④ 4　⑤ 5

STEP Ⓐ 함수의 곱의 미분법을 이용하여 $f'(x)$, $f''(x)$ 구하기

$f(x)=(ax+b)\sin x$에서

$f'(x)=a\sin x+(ax+b)\cos x$ …… ㉠

$f''(x)=a\cos x+a\cos x-(ax+b)\sin x$
$=2a\cos x-(ax+b)\sin x$ …… ㉡

STEP Ⓑ $f'(0)=1$, $f''(0)=4$를 만족하는 a, b의 값 구하기

㉠에서 $f'(0)=1$이므로 $a\sin 0+(a\times 0+b)\cos 0=1$

$\therefore b=1$

㉡에서 $f''(x)=2a\cos x-(ax+1)\sin x$

$f''(0)=4$이므로 $2a\cos 0-(a\times 0+1)\sin 0=4$에서

$2a=4$, 즉 $a=2$

따라서 $a+b=2+1=3$ 정답 ③

1177

 ②

STEP Ⓐ 함수의 곱의 미분법을 이용하여 $f'(x)$, $f''(x)$ 구하기

$f'(x)=(e^{ax+b})'\sin x+e^{ax+b}(\sin x)'$
$=ae^{ax+b}\sin x+e^{ax+b}\cos x$

$f''(x)=a(e^{ax+b})'\sin x+ae^{ax+b}(\sin x)'+(e^{ax+b})'\cos x+e^{ax+b}(\cos x)'$
$=a^2e^{ax+b}\sin x+ae^{ax+b}\cos x+ae^{ax+b}\cos x-e^{ax+b}\sin x$

STEP Ⓑ $f'(0)=1$, $f''(0)=2$를 만족하는 a, b의 값 구하기

$f'(0)=e^b=1\quad \therefore b=0$

$f''(0)=2ae^b=2a=2\quad \therefore a=1$

따라서 $a+b=1+0=1$

1178

정답 ①

STEP A 함수의 곱의 미분법을 이용하여 $f'(x)$, $f''(x)$ 구하기

$f'(x)=e^x(a\cos x+b\sin x)+e^x(-a\sin x+b\cos x)$

$=e^x\{(a+b)\cos x+(b-a)\sin x\}$

$f''(x)=e^x\{(a+b)\cos x+(b-a)\sin x\}+e^x\{-(a+b)\sin x+(b-a)\cos x\}$

$=2e^x(b\cos x-a\sin x)$

STEP B $f'(0)=0$, $f''(0)=2$를 만족하는 a, b의 값 구하기

$f'(0)=a+b=0$ …… ㉠

$f''(0)=2b=2$ …… ㉡

㉠, ㉡에서 $a=-1$, $b=1$

따라서 $a-b=-1-1=-2$

1179

정답 ④

STEP A 도함수의 정의를 이용하여 $f'(x)$ 구하기

$f(x+y)=e^yf(x)+e^xf(y)$에 $x=y=0$을 대입하면

$f(0)=e^0f(0)+e^0f(0)$

$\therefore f(0)=0$

$$f'(x)=\lim_{h\to 0}\frac{f(x+h)-f(x)}{h}$$

$$=\lim_{h\to 0}\frac{e^hf(x)+e^xf(h)-f(x)}{h}$$

$$=\lim_{h\to 0}\left\{\frac{e^h-1}{h}\cdot f(x)+e^x\cdot\frac{f(h)}{h}\right\}$$

$$=f(x)\lim_{h\to 0}\frac{e^h-1}{h}+e^x\cdot\lim_{h\to 0}\frac{f(h)}{h}$$

$$=f(x)+e^xf'(0)=f(x)+3e^x$$

STEP B $f''(0)$의 값 구하기

$f(x)$의 이계도함수가 존재하므로 양변을 x에 대하여 미분하면

$f''(x)=f'(x)+3e^x$

따라서 $f''(0)=f'(0)+3=3+3=6$

1180

정답 ②

STEP A 함수의 곱의 미분법을 이용하여 $f'(x)$, $f''(x)$ 구하기

$f'(x)=e^x\sin x+e^x\cos x=e^x(\sin x+\cos x)$

$f''(x)=e^x(\sin x+\cos x)+e^x(\cos x-\sin x)=2e^x\cos x$

STEP B 주어진 등식에 $f'(x)$, $f''(x)$를 대입하여 항등식을 만족하는 a의 값 구하기

$f''(x)-2f'(x)+af(x)=(2e^x\cos x)-2e^x(\sin x+\cos x)+ae^x\sin x$

$=(a-2)e^x\sin x=0$

따라서 임의의 실수 x에 대하여 성립해야 하므로 $a=2$

내신연계 출제문항 459

함수 $y=2\sin(3x+4)$에 대하여 등식

$y''+ky=0$

이 x의 값에 관계없이 항상 성립할 때, 상수 k의 값은?

① 6 ② 7 ③ 8
④ 9 ⑤ 10

STEP A 합성함수의 미분법을 이용하여 y', y'' 구하기

$y=2\sin(3x+4)$에서

$y'=6\cos(3x+4)$, $y''=-18\sin(3x+4)$

STEP B 주어진 등식에 y', y''를 대입하여 항등식을 만족하는 a의 값 구하기

$y''+ky=0$에서 $-18\sin(3x+4)+2k\sin(3x+4)=0$

$2(k-9)\sin(3x+4)=0$

따라서 위의 식이 x의 값에 관계없이 항상 성립하므로 $k=9$

정답 ④

1181

정답 ①

STEP A 함수의 곱의 미분법을 이용하여 y', y'' 구하기

$y=e^x\cos x$에서

$y'=e^x\cos x-e^x\sin x=e^x(\cos x-\sin x)$

$y''=e^x(\cos x-\sin x)+e^x(-\sin x-\cos x)=-2e^x\sin x$

STEP B 주어진 등식에 y', y''를 대입하여 항등식을 만족하는 a의 값 구하기

$y''+ay'+2y=0$에서

$-2e^x\sin x+ae^x(\cos x-\sin x)+2e^x\cos x=0$

$e^x>0$이므로 양변을 e^x으로 나누어 식을 정리하면

$(-2-a)\sin x+(a+2)\cos x=0$

이 등식이 모든 실수 x에 대하여 항상 성립하려면

$-2-a=0$, $a+2=0$

따라서 $a=-2$

내신연계 출제문항 460

함수 $f(x)=e^x\cos 2x$가 모든 실수 x에 대하여

$f''(x)+af'(x)+5f(x)=0$

을 만족할 때, 상수 a의 값은?

① -3 ② -2 ③ -1
④ 2 ⑤ 3

STEP A 함수의 곱의 미분법을 이용하여 $f'(x)$, $f''(x)$ 구하기

$f'(x)=(e^x)'\cos 2x+e^x(\cos 2x)'$

$=e^x\cos 2x-2e^x\sin 2x$

$f''(x)=(e^x)'\cos 2x+e^x(\cos 2x)'-\{(2e^x)'\sin 2x+2e^x(\sin 2x)'\}$

$=e^x\cos 2x-2e^x\sin 2x-2e^x\sin 2x-4e^x\cos 2x$

$=-4e^x\sin 2x-3e^x\cos 2x$

STEP B 주어진 등식에 $f'(x)$, $f''(x)$를 대입하여 항등식을 만족하는 a의 값 구하기

$f''(x)+af'(x)+5f(x)=0$에서

$-4e^x\sin 2x-3e^x\cos 2x+a(e^x\cos 2x-2e^x\sin 2x)+5e^x\cos 2x=0$

$e^x>0$이므로 양변을 e^x으로 나누어 식을 정리하면

$(-4-2a)\sin 2x+(2+a)\cos 2x=0$

이 등식이 모든 실수 x에 대하여 항상 성립하려면

$-4-2a=0$, $a+2=0$

따라서 $a=-2$

정답 ②

1182 정답 ⑤

STEP A 함수의 곱의 미분법을 이용하여 y', y'' 구하기

$y'=ae^{ax}\sin x+e^{ax}\cos x=e^{ax}(a\sin x+\cos x)$

$y''=ae^{ax}(a\sin x+\cos x)+e^{ax}(a\cos x-\sin x)$

$\quad=e^{ax}(a^2\sin x+a\cos x)+e^{ax}(a\cos x-\sin x)$

$\quad=e^{ax}(a^2\sin x+2a\cos x-\sin x)$

STEP B 주어진 등식에 y', y''를 대입하여 항등식을 만족하는 a의 값 구하기

$y''-2ay'+5y=0$에서

$e^{ax}(a^2\sin x+2a\cos x-\sin x)-2ae^{ax}(a\sin x+\cos x)+5e^{ax}\sin x=0$

$e^{ax}>0$이므로 양변을 e^{ax}으로 나누어 식을 정리하면

$(-a^2+4)\sin x=0$

따라서 이 등식이 모든 실수 x에 대하여 항상 성립하려면 $a=2(\because a>0)$

내신연계 출제문항 461

함수 $f(x)=e^{ax}\sin x$에 대하여

$$f''(x)-2f'(x)+2f(x)=0$$

을 만족하는 상수 a의 값은?

① -3 ② -2 ③ -1
④ 1 ⑤ 3

STEP A 함수의 곱의 미분법을 이용하여 $f'(x)$, $f''(x)$ 구하기

$f'(x)=ae^{ax}\sin x+e^{ax}\cos x=e^{ax}(a\sin x+\cos x)$

$f''(x)=ae^{ax}(a\sin x+\cos x)+e^{ax}(a\cos x-\sin x)$

STEP B 주어진 등식에 $f'(x)$, $f''(x)$를 대입하여 항등식을 만족하는 a의 값 구하기

$f''(x)-2f'(x)+2f(x)=0$에서

$ae^{ax}(a\sin x+\cos x)+e^{ax}(a\cos x-\sin x)$
$\qquad-2e^{ax}(a\sin x+\cos x)+2e^{ax}\sin x=0$

$e^{ax}>0$이므로 양변을 e^{ax}으로 나누어 식을 정리하면

$(a-1)^2\sin x+2(a-1)\cos x=0$

따라서 이 등식이 모든 실수 x에 대하여 항상 성립하려면 $a=1$  정답 ④

1183 정답 ②

STEP A 함수의 곱의 미분법을 이용하여 $f'(x)$, $f''(x)$ 구하기

$f'(x)=2e^{2x}\sin x+e^{2x}\cos x$

$\quad=e^{2x}(2\sin x+\cos x)$

$f''(x)=2e^{2x}(2\sin x+\cos x)+e^{2x}(2\cos x-\sin x)$

$\quad=e^{2x}(3\sin x+4\cos x)$

STEP B 주어진 등식에 $f'(x)$, $f''(x)$를 대입하여 항등식을 만족하는 a, b의 값 구하기

$f''(x)+af'(x)+bf(x)=0$에서

$e^{2x}(3\sin x+4\cos x)+ae^{2x}(2\sin x+\cos x)+be^{2x}\sin x=0$

$e^{2x}>0$이므로 양변을 e^{2x}으로 나누어 식을 정리하면

$(3+2a+b)\sin x+(4+a)\cos x=0$

이 등식이 모든 실수 x에 대하여 항상 성립하려면

$3+2a+b=0$, $4+a=0$

따라서 $a=-4$, $b=5$이므로 $ab=-20$

1184 정답 ②

STEP A $g'(x)$ 구하기

$g(x)=\ln|f'(x)|$에서 $g'(x)=\dfrac{f''(x)}{f'(x)}$

STEP B 주어진 조건 (가), (나)를 이용하여 $g'\left(\dfrac{\pi}{4}\right)$의 값 구하기

조건 (가)에서 양변을 x에 대하여 미분하면

$f''(x)=2f(x)f'(x)$이므로

$g'(x)=\dfrac{f''(x)}{f'(x)}=\dfrac{2f(x)f'(x)}{f'(x)}=2f(x)$

따라서 조건 (나)에서 $g'\left(\dfrac{\pi}{4}\right)=2f\left(\dfrac{\pi}{4}\right)=2\cdot1=2$

내신연계 출제문항 462

미분가능한 함수 $f(x)$, $g(x)$가 다음 조건을 모두 만족시킨다.

> (가) $f'(x)=1+\{f(x)\}^2$
> (나) $f(1)=2$
> (다) $f(g(x))=x$

이때 함수 $F(x)=h(g(x))$라 할 때, $F'(2)=3$이다. 이때 $h'(1)$의 값은?

① 5 ② 10 ③ 15
④ 20 ⑤ 25

STEP A 조건 (다)에서 $g(x)$가 $f(x)$의 역함수임을 이용하기

조건 (다)에서 $f(g(x))=x$이므로 $f^{-1}(x)=g(x)$

조건 (나)에서 $f(1)=2$이므로 $g(2)=1$

조건 (가)에서 $f'(1)=1+\{f(1)\}^2=1+2^2=5$, $g'(2)=\dfrac{1}{f'(1)}=\dfrac{1}{5}$

STEP B 합성함수의 미분법과 $F'(2)=3$을 이용하여 $h'(1)$의 값 구하기

$F(x)=h(g(x))$에서 $F'(x)=h'(g(x))g'(x)$

$F'(2)=h'(g(2))g'(2)=h'(1)\times\dfrac{1}{5}$

따라서 $F'(2)=3$이므로 $h'(1)\times\dfrac{1}{5}=3 \quad \therefore h'(1)=15$  정답 ③

1185  정답 ④

STEP A 곱의 미분법을 이용하여 $f'(x)$, $f''(x)$ 구하기

$f(x)=(ax+b)\sin x$에서

$f'(x)=a\sin x+(ax+b)\cos x$

$f''(x)=a\cos x+a\cos x-(ax+b)\sin x=2a\cos x-(ax+b)\sin x$

STEP B 조건 (가), (나)를 만족하는 a, b의 값 구하기

$f'(-\pi)=\pi a-b=0 \qquad \cdots\cdots ㉠$

$f(x)+f''(x)=3\cos x$에서 $2a\cos x=3\cos x$, $(2a-3)\cos x=0$

이 식이 모든 실수 x에 대하여 성립하므로 $2a-3=0 \quad \therefore a=\dfrac{3}{2}$

$a=\dfrac{3}{2}$을 ㉠에 대입하면 $\dfrac{3}{2}\pi-b=0 \quad \therefore b=\dfrac{3}{2}\pi$

STEP C $\tan ab$의 값 구하기

따라서 $ab=\dfrac{3}{2}\times\dfrac{3}{2}\pi=\dfrac{9}{4}\pi$이므로

$\tan ab=\tan\dfrac{9}{4}\pi=\tan\left(2\pi+\dfrac{\pi}{4}\right)=\tan\dfrac{\pi}{4}=1$

STEP 2 서술형 기출유형

1186

정답 해설참고

1단계	함수 $y=\frac{1}{g(x)}(g(x)\neq 0)$의 도함수를 도함수의 정의를 이용하여 구한다.	◀ 60%

$$y'=\lim_{h\to 0}\frac{\frac{1}{g(x+h)}-\frac{1}{g(x)}}{h}$$
$$=\lim_{h\to 0}\frac{1}{h}\left\{-\frac{g(x+h)-g(x)}{g(x+h)g(x)}\right\}$$
$$=-\lim_{h\to 0}\left\{\frac{1}{g(x+h)g(x)}\times\frac{g(x+h)-g(x)}{h}\right\}$$
$$=-\lim_{h\to 0}\frac{1}{g(x+h)g(x)}\times\lim_{h\to 0}\frac{g(x+h)-g(x)}{h}$$
$$=-\frac{1}{\{g(x)\}^2}\times g'(x)$$
$$=-\frac{g'(x)}{\{g(x)\}^2}$$

2단계	함수의 곱의 미분법을 이용하여 $y=\frac{f(x)}{g(x)}$의 도함수를 구한다.	◀ 40%

한편 $\frac{f(x)}{g(x)}=f(x)\times\frac{1}{g(x)}$이므로 함수 $y=\frac{f(x)}{g(x)}(g(x)\neq 0)$의 도함수는 함수의 곱의 미분법을 이용하면 다음과 같이 구할 수 있다.

$$y'=f'(x)\times\frac{1}{g(x)}+f(x)\times\left\{\frac{1}{g(x)}\right\}'=\frac{f'(x)}{g(x)}-\frac{f(x)g'(x)}{\{g(x)\}^2}$$
$$=\frac{f'(x)g(x)-f(x)g'(x)}{\{g(x)\}^2}$$

1187

정답 해설참고

1단계	$f'(x)$를 구한다.	◀ 10%

$f(x)=\frac{3x}{x^2+2}$에서 $f'(x)=\frac{3(x^2+2)-3x\cdot 2x}{(x^2+2)^2}=\frac{-3x^2+6}{(x^2+2)^2}$

2단계	$\lim_{x\to 1}\frac{f(x)-1}{x^2-1}$의 값을 구한다.	◀ 30%

$$\lim_{x\to 1}\frac{f(x)-1}{x^2-1}=\lim_{x\to 1}\frac{f(x)-1}{x-1}\cdot\frac{1}{x+1}=\lim_{x\to 1}\frac{f(x)-1}{x-1}\cdot\lim_{x\to 1}\frac{1}{x+1}$$
$$=f'(1)\cdot\frac{1}{2}=\frac{3}{9}\cdot\frac{1}{2}=\frac{1}{6}$$

3단계	$\lim_{x\to 1}\frac{\{f(x)\}^2-1}{x-1}$의 값을 구한다.	◀ 30%

$$\lim_{x\to 1}\frac{\{f(x)\}^2-1}{x-1}=\lim_{x\to 1}\frac{\{f(x)-1\}\{f(x)+1\}}{x-1}$$
$$=\lim_{x\to 1}\frac{f(x)-1}{x-1}\cdot\lim_{x\to 1}\{f(x)+1\}$$
$$=f'(1)\{f(1)+1\}$$
$$=\frac{1}{3}(1+1)=\frac{2}{3}$$

4단계	$\lim_{h\to 0}\frac{f(1+2h)-f(1-h)}{h}$의 값을 구한다.	◀ 30%

$$\lim_{h\to 0}\frac{f(1+2h)-f(1-h)}{h}=\lim_{h\to 0}\left\{\frac{f(1+2h)-f(1)}{2h}\cdot 2+\frac{f(1-h)-f(1)}{-h}\right\}$$
$$=2f'(1)+f'(1)=3f'(1)$$
$$=3\cdot\frac{1}{3}=1$$

1188

정답 해설참고

1단계	$f'(x)$를 구한다.	◀ 20%

함수 $f(x)=\frac{1}{x-2}$에서 $f'(x)=-\frac{1}{(x-2)^2}$

2단계	$\lim_{h\to 0}\frac{f(2h)-f(-2h)}{h}$의 값을 구한다.	◀ 40%

$$\lim_{h\to 0}\frac{f(2h)-f(-2h)}{h}=\lim_{h\to 0}\left\{\frac{f(0+2h)-f(0)}{2h}\times 2+\frac{f(0-2h)-f(0)}{-2h}\times 2\right\}$$
$$=2f'(0)+2f'(0)=4f'(0)$$

$4f'(0)=4\cdot\left(-\frac{1}{4}\right)=-1$

3단계	$\lim_{h\to 0}\frac{f(a+h)-f(a)}{h}=-\frac{1}{4}$을 만족시키는 양수 a의 값을 구한다.	◀ 40%

$\lim_{h\to 0}\frac{f(a+h)-f(a)}{h}=f'(a)=-\frac{1}{4}$이므로 $-\frac{1}{(a-2)^2}=-\frac{1}{4}$, $(a-2)^2=4$

따라서 양수 a의 값은 4

1189

정답 해설참고

1단계	$y=\tan x$의 도함수를 구한다.	◀ 40%

$$y'=(\tan x)'=\left(\frac{\sin x}{\cos x}\right)'=\frac{(\sin x)'\cos x-\sin x(\cos x)'}{\cos^2 x}$$
$$=\frac{\cos^2 x+\sin^2 x}{\cos^2 x}=\frac{1}{\cos^2 x}=\sec^2 x$$

2단계	$y=\cot x$의 도함수를 구한다.	◀ 20%

$y=\cot x=\frac{1}{\tan x}$이므로

$$y'=(\cot x)'=\frac{-\sec^2 x}{\tan^2 x}=-\frac{1}{\sin^2 x}=-\csc^2 x$$

3단계	$y=\sec x$의 도함수를 구한다.	◀ 20%

$y=\sec x=\frac{1}{\cos x}$이므로

$$y'=(\sec x)'=-\frac{(\cos x)'}{\cos^2 x}=\frac{\sin x}{\cos^2 x}=\frac{1}{\cos x}\times\frac{\sin x}{\cos x}=\sec x\tan x$$

4단계	$y=\csc x$의 도함수를 구한다.	◀ 20%

$y=\csc x=\frac{1}{\sin x}$이므로

$$y=(\csc x)'=-\frac{\cos x}{\sin^2 x}=-\frac{1}{\sin x}\times\frac{\cos x}{\sin x}=-\csc x\cot x$$

1190

정답 해설참고

방법 1	$x^x=e^{x\ln x}$임을 이용하여 합성함수의 미분법을 이용하여 구한다.	◀ 50%

$f(x)=e^{x\ln x}$이므로 양변을 x에 대해 미분하면

$$f'(x)=e^{x\ln x}\times(x\ln x)'=e^{x\ln x}\times\left(\ln x+x\times\frac{1}{x}\right)$$
$$=e^{x\ln x}\times(\ln x+1)=x^x(\ln x+1)$$

방법 2	$f(x)=x^x$의 양변에 자연로그를 취하여 합성함수의 미분법을 이용하여 구한다.	◀ 50%

함수 $f(x)=x^x\,(x>0)$에서 $f(x)>0$이므로

양변에 자연로그를 취하면 $\ln f(x)=x\ln x$

위 식의 양변을 x에 대해 미분하면

$$\frac{f'(x)}{f(x)}=\ln x+x\times\frac{1}{x}=\ln x+1$$

따라서 $f'(x)=f(x)(\ln x+1)=x^x(\ln x+1)$

1191

정답 해설참고

1단계 | $f(x)=x^{\ln x}$ 양변에 자연로그를 취하여 정리한다. ◀ 30%

함수 $f(x)=x^{\ln x}\ (x>0)$에서 $f(x)>0$이므로
양변에 자연로그를 취하면 $\ln f(x)=(\ln x)^2$

2단계 | 양변을 x에 대하여 미분하여 $f'(x)$를 구한다. ◀ 50%

$\ln f(x)=(\ln x)^2$의 양변을 x에 대하여 미분하면

$$\frac{f'(x)}{f(x)}=2\ln x\cdot\frac{1}{x}$$

$$f'(x)=2\ln x\cdot\frac{1}{x}\cdot f(x)=2\ln x\cdot\frac{1}{x}\cdot x^{\ln x}$$

3단계 | $f'(e)$의 값을 구한다. ◀ 20%

$$f'(e)=2\cdot\frac{1}{e}\cdot e=2$$

1192

정답 해설참고

1단계 | $f'(0)$의 값을 구한다. ◀ 40%

$f(x)=\dfrac{x-1}{x^2+2x-5}$에서

$$f'(x)=\frac{(x^2+2x-5)-(x-1)(2x+2)}{(x^2+2x-5)^2}=\frac{-x^2+2x-3}{(x^2+2x-5)^2}$$

이므로 $f'(0)=-\dfrac{3}{25}$

2단계 | $g'(-1)$의 값을 구한다. ◀ 30%

$g(x)=x^2+x$에서 $g'(x)=2x+1$
이므로 $g'(-1)=-1$

3단계 | 합성함수의 미분법을 이용하여 $h'(-1)$의 값을 구한다. ◀ 30%

$h'(x)=f'(g(x))g'(x)$, $g(-1)=(-1)^2+(-1)=0$

$$h'(-1)=f'(g(-1))g'(-1)=f'(0)g'(-1)=\left(-\frac{3}{25}\right)\times(-1)=\frac{3}{25}$$

1193

정답 해설참조

1단계 | $\displaystyle\lim_{x\to2}\frac{f(x)-2}{x-2}=-4$에서 $f(2)$, $f'(2)$의 값을 구한다. ◀ 40%

$\displaystyle\lim_{x\to2}\frac{f(x)-2}{x-2}=-4$에서
$x\to2$일 때, (분모)$\to0$이고 극한값이 존재하므로 (분자)$\to0$이어야 한다.
즉 $\displaystyle\lim_{x\to2}\{f(x)-2\}=0$이므로 $f(2)=2$

$$\lim_{x\to2}\frac{f(x)-2}{x-2}=\lim_{x\to2}\frac{f(x)-f(2)}{x-2}=f'(2)=-4$$

2단계 | $\displaystyle\lim_{x\to2}\frac{g(x)-2}{x-2}=5$에서 $g(2)$, $g'(2)$의 값을 구한다. ◀ 40%

$\displaystyle\lim_{x\to2}\frac{g(x)-2}{x-2}=5$에서
$x\to2$일 때, (분모)$\to0$이고 극한값이 존재하므로 (분자)$\to0$이어야 한다.
즉 $\displaystyle\lim_{x\to2}\{g(x)-2\}=0$이므로 $g(2)=2$

$$\lim_{x\to2}\frac{g(x)-2}{x-2}=\lim_{x\to2}\frac{g(x)-g(2)}{x-2}=g'(2)=5$$

3단계 | 합성함수 $y=(f\circ g)(x)$의 $x=2$에서의 미분계수를 구한다. ◀ 20%

따라서 $y=f(g(x))$에서 $y'=f'(g(x))g'(x)$이므로 $x=2$에서의 미분계수는
$f'(g(2))g'(2)=f'(2)g'(2)=(-4)\cdot5=-20$

1194

정답 해설참고

1단계 | $g(x)=e^{x+1}f(x)$로 놓고 분수꼴의 극한의 성질을 이용하여 $f(1)$의 값을 구한다. ◀ 40%

$g(x)=e^{x+1}f(x)$라 하면

$\displaystyle\lim_{x\to1}\frac{g(x)-3}{x-1}=2e$에서
$x\to1$일 때, (분모)$\to0$이고 극한값이 존재하므로 (분자)$\to0$이어야 한다.
즉 $\displaystyle\lim_{x\to1}\{g(x)-3\}=0$이므로 $g(1)=3$

$g(x)=e^{x+1}f(x)$에서

$g(1)=e^2f(1)=3\quad\therefore f(1)=\dfrac{3}{e^2}$ …… ㉠

2단계 | 미분계수의 정의를 이용하여 $g'(1)=2e$임을 보인다. ◀ 30%

$f(x)$가 실수 전체의 집합에서 미분가능하므로
$g(x)$도 실수 전체의 집합에서 미분가능하고 연속이다.
즉 $g(1)=\displaystyle\lim_{x\to1}g(x)=3$이므로

$$\lim_{x\to1}\frac{e^{x+1}f(x)-3}{x-1}=\lim_{x\to1}\frac{g(x)-g(1)}{x-1}=g'(1)=2e$$

3단계 | $g'(1)=2e$임을 이용하여 $f'(1)$을 구한다. ◀ 30%

$g'(x)=e^{x+1}f(x)+e^{x+1}f'(x)$이므로
$g'(1)=e^2f(1)+e^2f'(1)=2e$
㉠에서 $e^2\cdot\dfrac{3}{e^2}+e^2f'(1)=2e\quad\therefore f'(1)=\dfrac{2}{e}-\dfrac{3}{e^2}$

1195

정답 해설참고

1단계 | $x=1$에서 연속임을 이용하여 a, b의 관계식을 구한다. ◀ 30%

함수 $f(x)$가 $x=1$에서 미분가능하므로 $x=1$에서 연속이다.
$\displaystyle\lim_{x\to1-}f(x)=\lim_{x\to1+}f(x)=f(1)$
이때 $\displaystyle\lim_{x\to1-}(bx^2+1)=\lim_{x\to1+}\ln ax$이므로
$b+1=\ln a$ …… ㉠

2단계 | 미분계수의 정의에서 $f'(1)$이 존재함을 이용하여 b의 값을 구한다. ◀ 50%

함수 $f(x)$는 $x=1$에서 미분가능하므로

$$\begin{aligned}\lim_{x\to1-}\frac{f(x)-f(1)}{x-1}&=\lim_{x\to1-}\frac{(bx^2+1)-\ln a}{x-1}\\&=\lim_{x\to1-}\frac{(bx^2+1)-(b+1)}{x-1}\\&=\lim_{x\to1-}b(x+1)=2b\end{aligned}$$

$$\begin{aligned}\lim_{x\to1+}\frac{f(x)-f(1)}{x-1}&=\lim_{x\to1+}\frac{\ln ax-\ln a}{x-1}\\&=\lim_{x\to1+}\frac{\ln x}{x-1}\\&=\lim_{t\to0+}\frac{\ln(1+t)}{t}=1\end{aligned}$$

이므로 $2b=1$, $b=\dfrac{1}{2}$

3단계 | a의 값을 구한다. ◀ 20%

$b=\dfrac{1}{2}$을 ㉠에 대입하면

$\dfrac{1}{2}+1=\ln a\quad\therefore a=e^{\frac{3}{2}}=e\sqrt{e}$

1196

정답 해설참고

1단계 $u(x)=f(x)g(x)$일 때, $u'(1)$의 값을 구한다. ◀ 30%

$u(x)=f(x)g(x)$에서 $u'(x)=f'(x)g(x)+f(x)g'(x)$이므로

$x=1$을 대입하면 $u'(1)=f'(1)g(1)+f(1)g'(1)$

이때 함수 $y=f(x)$의 그래프에서 $0<x<3$에서 기울기가 2인 직선이므로

$f'(1)=2$

함수 $y=g(x)$의 그래프는 $x<2$에서 기울기가 -1인 직선이므로

$g'(1)=-1$

즉 $u'(1)=f'(1)g(1)+f(1)g'(1)=2\cdot2+3\cdot(-1)=1$

2단계 $v(x)=\dfrac{f(x)}{g(x)}$일 때, $v'(5)$의 값을 구한다. ◀ 40%

$v(x)=\dfrac{f(x)}{g(x)}$에서 $v'(x)=\dfrac{f'(x)g(x)-f(x)g'(x)}{\{g(x)\}^2}$이므로

$x=5$을 대입하면 $v'(5)=\dfrac{f'(5)g(5)-f(5)g'(5)}{\{g(5)\}^2}$

이때 함수 $y=f(x)$의 그래프에서 $x>3$에서 기울기가 $-\dfrac{1}{2}$인 직선이므로

$f'(5)=-\dfrac{1}{2}$

함수 $y=g(x)$의 그래프는 $x>2$에서 기울기가 $\dfrac{2}{3}$인 직선이므로

$g'(5)=\dfrac{2}{3}$

즉 $v'(5)=\dfrac{f'(5)g(5)-f(5)g'(5)}{\{g(5)\}^2}=\dfrac{\left(-\frac{1}{2}\right)\cdot3-6\cdot\left(\frac{2}{3}\right)}{3^2}=-\dfrac{11}{18}$

3단계 $h(x)=f(g(x))$일 때, $h'(1)$의 값을 구한다. ◀ 30%

$h(x)=f(g(x))$에서 $h'(x)=f'(g(x))g'(x)$이므로

$x=1$을 대입하면 $h'(1)=f'(g(1))g'(1)=f'(2)g'(1)$

이때 함수 $y=f(x)$의 그래프에서 $0<x<3$에서 기울기가 2인 직선이므로

$f'(2)=2$

함수 $y=g(x)$의 그래프는 $x<2$에서 기울기가 -1인 직선이므로

$g'(1)=-1$

즉 $h'(1)=f'(2)g'(1)=2\cdot(-1)=-2$

1197

정답 해설참조

1단계 매개변수로 나타낸 함수의 미분법을 이용하여 $\dfrac{dy}{dx}$를 구한다. ◀ 30%

$\dfrac{dx}{dt}=1+2t+3t^2+\cdots+(n+1)t^n$,

$\dfrac{dy}{dt}=1+3t+5t^2+\cdots+(2n+1)t^n$이므로

$$\frac{dy}{dx}=\frac{\frac{dy}{dt}}{\frac{dx}{dt}}=\frac{1+3t+5t^2+\cdots+(2n+1)t^n}{1+2t+3t^2+\cdots+(n+1)t^n}$$

2단계 $t=1$에 대응하는 점에서의 접선의 기울기 $f(n)$을 구한다. ◀ 40%

$t=1$에 대응하는 점에서의 접선의 기울기 $f(n)$은

$$f(n)=\frac{1+3+5+\cdots+(2n+1)}{1+2+3+\cdots+(n+1)}=\frac{(n+1)^2}{\frac{(n+1)(n+2)}{2}}=\frac{2n+2}{n+2}$$

3단계 $\lim\limits_{n\to\infty}f(n)$의 값을 구한다. ◀ 30%

따라서 $\lim\limits_{n\to\infty}f(n)=\lim\limits_{n\to\infty}\dfrac{2n+2}{n+2}=\lim\limits_{n\to\infty}\dfrac{2+\frac{2}{n}}{1+\frac{2}{n}}=2$

내신연계 출제문항 463

매개변수로 나타낸 함수

$$x=t+t^2+t^3+\cdots+t^n,\ y=t+\frac{3}{2}t^2+\frac{5}{3}t^3+\cdots+\frac{2n-1}{n}t^n$$

에 대하여 다음 단계로 서술하여라.

[1단계] 매개변수로 나타낸 함수의 미분법을 이용하여 $\dfrac{dy}{dx}$를 구한다.

[2단계] $\lim\limits_{t\to1}\dfrac{dy}{dx}$를 n에 관한 식으로 나타낸다.

[3단계] $\lim\limits_{n\to\infty}\left(\lim\limits_{t\to1}\dfrac{dy}{dx}\right)$의 값을 구한다.

[4단계] $F(n)=\lim\limits_{t\to1}\dfrac{dy}{dx}$라고 할 때,

$F(1)\times F(2)\times F(3)\times\cdots\times F(100)$의 값을 구한다.

1단계 매개변수로 나타낸 함수의 미분법을 이용하여 $\dfrac{dy}{dx}$를 구한다. ◀ 30%

$x=t+t^2+t^3+\cdots+t^n$에서 $\dfrac{dx}{dt}=1+2t+3t^2+\cdots+nt^{n-1}$

$y=t+\dfrac{3}{2}t^2+\dfrac{5}{3}t^3+\cdots+\dfrac{2n-1}{n}t^n$에서

$\dfrac{dy}{dt}=1+3t+5t^2+\cdots+(2n-1)t^{n-1}$이므로

$$\frac{dy}{dx}=\frac{\frac{dy}{dt}}{\frac{dx}{dt}}=\frac{1+3t+5t^2+\cdots+(2n-1)t^{n-1}}{1+2t+3t^2+\cdots+nt^{n-1}}$$

2단계 $\lim\limits_{t\to1}\dfrac{dy}{dx}$를 n에 관한 식으로 나타낸다. ◀ 30%

$$\lim_{t\to1}\frac{dy}{dx}=\frac{1+3+5+\cdots+(2n-1)}{1+2+3+\cdots+n}=\frac{\sum_{k=1}^{n}(2k-1)}{\sum_{k=1}^{n}k}=\frac{n^2}{\frac{n(n+1)}{2}}=\frac{2n}{n+1}$$

3단계 $\lim\limits_{n\to\infty}\left(\lim\limits_{t\to1}\dfrac{dy}{dx}\right)$의 값을 구한다. ◀ 10%

$$\lim_{n\to\infty}\left(\lim_{t\to1}\frac{dy}{dx}\right)=\lim_{n\to\infty}\frac{2n}{n+1}=2$$

4단계 $F(n)=\lim\limits_{t\to1}\dfrac{dy}{dx}$라고 할 때, $F(1)\times F(2)\times F(3)\times\cdots\times F(100)$의 값을 구한다. ◀ 30%

$F(n)=\dfrac{2n}{n+1}$이므로

$F(1)\times F(2)\times F(3)\times\cdots\times F(100)$

$=2^{100}\times\left(\dfrac{1}{2}\times\dfrac{2}{3}\times\dfrac{3}{4}\times\cdots\times\dfrac{100}{101}\right)=\dfrac{2^{100}}{101}$ 정답 해설참조

1198

정답 해설참고

1단계 매개변수로 나타낸 함수의 미분법을 이용하여 $\dfrac{dy}{dx}$를 구한다. ◀ 30%

$x=t^4$에서 $\dfrac{dx}{dt}=4t^3$

$y=2t^2+kt-2k^2$에서 $\dfrac{dy}{dt}=4t+k$이므로

$$\frac{dy}{dx}=\frac{\frac{dy}{dt}}{\frac{dx}{dt}}=\frac{4t+k}{4t^3}\ (t\neq0)\qquad\cdots\cdots ㉠$$

2단계 $t=1$에서 접선의 기울기가 2임을 이용하여 k의 값을 구한다. ◀ 30%

$t=1$에 대응하는 점에서의 접선의 기울기가 2이므로

㉠에 $t=1$을 대입하면 $\dfrac{4+k}{4}=2\quad\therefore\ k=4$

3단계	$t=1$에서 접선의 방정식을 구한다.	◀ 40%

$t=1$일 때, $x=1$, $y=2\times1^2+4\times1-2\times4^2=-26$

따라서 점 $(1, -26)$에서 접선의 방정식은 $y+26=2(x-1)$

즉 $2x-y-28=0$

1199

정답 해설참고

1단계	공의 겉넓이 $S\text{cm}^2$을 t에 관한 식으로 나타낸다.	◀ 40%

반지름의 길이가 $r$cm인 공의 겉넓이는 $S=4\pi r^2$이므로

$r=3t+5$일 때, $S=4\pi(3t+5)^2$

2단계	합성함수의 미분법을 이용하여 $\frac{dS}{dt}$을 구한다.	◀ 30%

$\frac{dS}{dt}=4\pi\times2(3t+5)\times3=24\pi(3t+5)$

3단계	$t=2$일 때의 $\frac{dS}{dt}$의 값을 구한다.	◀ 30%

$t=2$일 때, $\frac{dS}{dt}=24\pi\cdot11=264\pi$

1200

정답 해설참고

1단계	y를 θ에 대한 식으로 나타낸다.	◀ 30%

$\tan\theta=\frac{15.2}{y}$에서 $y=\frac{15.2}{\tan\theta}=15.2\cot\theta$

2단계	θ에 대한 y의 변화율 $\frac{dy}{d\theta}$를 구한다.	◀ 40%

$\frac{dy}{d\theta}=(15.2\cot\theta)'=-15.2\csc^2\theta$

3단계	$\theta=\frac{\pi}{4}$일 때, 석탑의 중앙에서 석탑 그림자의 끝부분까지의 길이의 순간변화율을 구한다.	◀ 30%

$\theta=\frac{\pi}{4}$일 때, y의 순간변화율은 $-15.2\csc^2\frac{\pi}{4}=-30.4$

1201

정답 해설참조

1단계	매개변수로 나타낸 함수의 미분법을 이용하여 $\frac{dy}{dx}$를 구한다.	◀ 20%

$\frac{dx}{dt}=2\cos t$, $\frac{dy}{dt}=-\sqrt{2}\sin t$이므로

$\frac{dy}{dx}=\frac{-\sqrt{2}\sin t}{2\cos t}=-\frac{\sqrt{2}}{2}\tan t\left(t\neq\frac{\pi}{2}, t\neq\frac{3}{2}\pi\right)$

2단계	접선의 기울기가 $-\frac{\sqrt{2}}{2}$인 접점의 좌표를 구한다.	◀ 30%

이때 $\frac{dy}{dx}=-\frac{\sqrt{2}}{2}$이므로 $\tan t=1$, $t=\frac{\pi}{4}$ 또는 $t=\frac{5}{4}\pi$

점 P가 제1사분면에 있으므로 $t=\frac{\pi}{4}$

$a=2\sin\frac{\pi}{4}=\sqrt{2}$, $b=\sqrt{2}\cos\frac{\pi}{4}=1$이므로 접점의 좌표는 $(\sqrt{2}, 1)$

3단계	접선의 방정식을 구한다.	◀ 30%

점 $P(\sqrt{2}, 1)$에서의 접선의 방정식은 $y-1=-\frac{\sqrt{2}}{2}(x-\sqrt{2})$

$y=-\frac{\sqrt{2}}{2}x+2$

4단계	삼각형 OAB의 넓이를 구한다.	◀ 20%

$A(2\sqrt{2}, 0)$, $B(0, 2)$이므로 삼각형 OAB의 넓이는 $\frac{1}{2}\cdot2\sqrt{2}\cdot2=2\sqrt{2}$

1202

정답 해설참고

1단계	매개변수로 나타낸 함수의 미분법을 이용하여 $\frac{dy}{dx}$를 구한다.	◀ 20%

$x=a\sec\theta$에서 $\frac{dx}{d\theta}=a\sec\theta\tan\theta$

$y=b\tan\theta$에서 $\frac{dy}{d\theta}=b\sec^2\theta$이므로 $\frac{dy}{dx}=\frac{\frac{dy}{d\theta}}{\frac{dx}{d\theta}}=\frac{b\sec\theta}{a\tan\theta}$

2단계	$\theta=\frac{\pi}{6}$에서 접선의 기울기가 1인 상수 a, b의 관계식을 구한다.	◀ 20%

$\theta=\frac{\pi}{6}$에서 $\frac{dy}{dx}$의 값이 1이므로 $\frac{b\sec\frac{\pi}{6}}{a\tan\frac{\pi}{6}}=\frac{2b}{a}=1$, 즉 $a=2b$ …… ㉠

3단계	$\theta=\frac{\pi}{6}$에 대응하는 곡선의 접선의 방정식을 구한다.	◀ 30%

또, $\theta=\frac{\pi}{6}$일 때, $x=\frac{2\sqrt{3}}{3}a$, $y=\frac{\sqrt{3}}{3}b$이므로 접선의 방정식은

$y=x-\frac{2\sqrt{3}}{3}a+\frac{\sqrt{3}}{3}b$

4단계	접선이 점 $(0, \sqrt{3})$을 지남을 이용하여 a, b의 값을 구하여 $a+b$의 값을 구한다.	◀ 30%

이 접선이 점 $(0, \sqrt{3})$을 지나므로 $\sqrt{3}=-\frac{2\sqrt{3}}{3}a+\frac{\sqrt{3}}{3}b$ …… ㉡

㉠, ㉡을 연립하여 풀면 $a=-2$, $b=-1$

따라서 $a+b=-3$

1203

정답 해설참고

1단계	원이 회전한 각 θ를 사용하여 사이클로이드 위의 점 $P(x, y)$를 매개변수로 나타낸다. (단, $0\le\theta\le2\pi$)	◀ 40%

반지름의 길이가 r인 원이 x축 위를 매초 θ라디안의 속력으로 회전하며 굴러갈 때, 원 위의 한 점 P가 그리는 곡선에서 원의 중심이 이동한 거리는 원이 구른 거리와 같으므로 $r\theta$이고 점 P의 x좌표는 $r\theta-r\sin\theta$로, y좌표는 $r-r\cos\theta$로 나타내어진다.

따라서 점 P의 좌표는

$x=r(\theta-\sin\theta)$, $y=r(1-\cos\theta)$

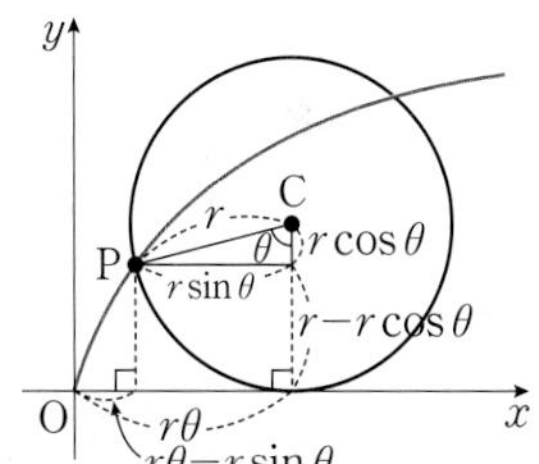

2단계	1단계의 매개변수로 나타낸 함수에서 $\frac{dy}{dx}$를 구한다.	◀ 20%

$x=r(\theta-\sin\theta)$에서 $\frac{dx}{d\theta}=r(1-\cos\theta)$

$y=r(1-\cos\theta)$에서 $\frac{dy}{d\theta}=r\sin\theta$이므로 $\frac{dy}{dx}=\frac{\sin\theta}{1-\cos\theta}$

3단계	원의 반지름이 1이고 $\theta=\frac{\pi}{3}$일 때, 점 P에서의 접선의 방정식을 구한다.	◀ 40%

즉 $\theta=\frac{\pi}{3}$에 대응하는 점에서의 접선의 기울기는 $\frac{\sin\frac{\pi}{3}}{1-\cos\frac{\pi}{3}}=\sqrt{3}$

반지름이 1인 점 P의 좌표가 $P(\theta-\sin\theta, 1-\cos\theta)$이므로

$\theta=\frac{\pi}{3}$일 때, $x=\left(\frac{\pi}{3}-\frac{\sqrt{3}}{2}\right)$, $y=\frac{1}{2}$이므로 접점의 좌표는 $P\left(\left(\frac{\pi}{3}-\frac{\sqrt{3}}{2}\right), \frac{1}{2}\right)$

따라서 점 P에서 접선의 방정식은 $y-\frac{1}{2}=\sqrt{3}\left\{x-\left(\frac{\pi}{3}-\frac{\sqrt{3}}{2}\right)\right\}$

$\therefore y=\sqrt{3}x-\frac{\sqrt{3}}{3}\pi+2$

1204

정답 해설참고

1단계	t초 후의 점 P의 좌표를 구한다.	◀ 30%

$\angle POA = \theta$라고 하면

t초 후에 $\widehat{AP} = \frac{\pi}{4}t$이므로

$\theta = \frac{\pi}{4}t$

t초 후의 점 P의 좌표는

$\left(\cos\frac{\pi}{4}t, \sin\frac{\pi}{4}t\right)$

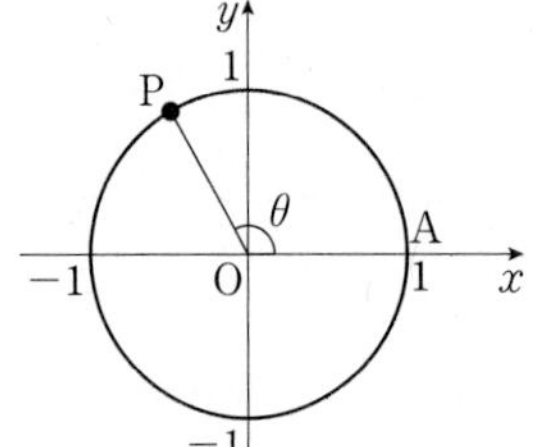

2단계	점 P의 좌표가 $\left(-\frac{1}{2}, \frac{\sqrt{3}}{2}\right)$일 때, 시간 t를 구한다.	◀ 30%

한 바퀴 움직이므로 $0 \le \frac{\pi}{4}t \le 2\pi$

$\cos\frac{\pi}{4}t = -\frac{1}{2}$, $\sin\frac{\pi}{4}t = \frac{\sqrt{3}}{2}$일 때,

$\frac{\pi}{4}t = \frac{2}{3}\pi \quad \therefore t = \frac{8}{3}$

3단계	점 P의 x좌표의 시간(초)에 대한 변화율을 구한다.	◀ 40%

점 P의 x좌표의 시간(초)에 대한 변화율은 $\frac{dx}{dt} = -\frac{\pi}{4}\sin\frac{\pi}{4}t$이므로

$t = \frac{8}{3}$일 때, $-\frac{\pi}{4}\sin\frac{\pi}{4}\cdot\frac{8}{3} = -\frac{\pi}{4}\sin\frac{2}{3}\pi = -\frac{\sqrt{3}}{8}\pi$

1205

정답 해설참고

1단계	두 곡선 $y=f(x)$, $y=g(x)$는 직선 $y=x$에 대하여 대칭이므로 점 R는 직선 $y=x$ 위에 있고 R(c, c)로 놓을 수 있다. 두 직선 l, m의 기울기를 a, b, c를 이용하여 나타낸다.	◀ 30%

직선 l의 기울기는 $\frac{b-c}{a-c}$이고

직선 m의 기울기는 $\frac{a-c}{b-c}$

2단계	직선 l의 기울기는 $f'(a)$이고 직선 m의 기울기는 $g'(b)$이다. 1단계의 결과를 이용하여 $f'(a)$와 $g'(b)$ 사이의 관계를 구한다.	◀ 40%

$f'(a) = \frac{b-c}{a-c}$, $g'(b) = \frac{a-c}{b-c}$이므로

$f'(a)g'(b) = \frac{b-c}{a-c}\cdot\frac{a-c}{b-c} = 1$

3단계	다음 그림은 함수 $f(x)=x^3+1$과 그 역함수 $y=g(x)$의 그래프를 나타낸 것이다. 곡선 $y=f(x)$ 위의 점 A$(1, 2)$에서의 접선의 일부를 빗변으로 하는 직각삼각형 ABC를 직선 $y=x$에 대하여 대칭이동한 직각삼각형을 A′BC′이라고 하자. 이때 $g'(2)$의 값을 구한다.	◀ 30%

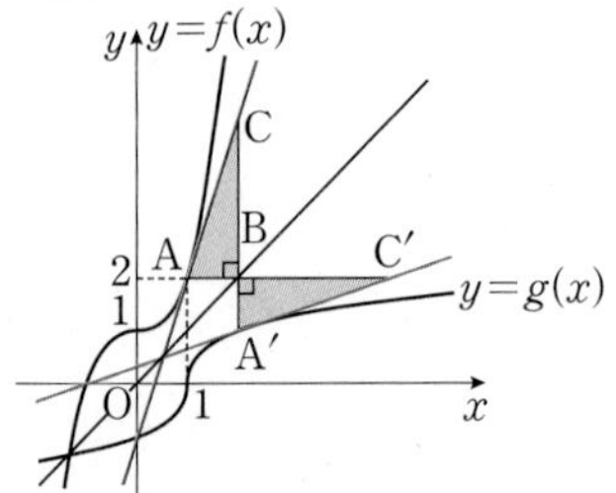

A′$(2, 1)$이고 점 A에서의 접선의 기울기는 3이므로

$f'(1)g'(2) = 1$에서 $g'(2) = \frac{1}{3}$ ← $f'(x)=3x^2$에서 $f'(1)=3$

1206

정답 해설참조

1단계	음함수의 미분법을 이용하여 역함수 $g(x)$의 도함수를 구한다.	◀ 40%

$y = x^3+x^2+x+1$의 역함수는

$x = y^3+y^2+y+1$ …… ㉠

㉠의 각 항을 x에 대하여 미분하면

$1 = 3y^2\frac{dy}{dx} + 2y\frac{dy}{dx} + \frac{dy}{dx}$

$\frac{dy}{dx} = \frac{1}{3y^2+2y+1}$

따라서 $g'(x) = \frac{1}{3y^2+2y+1} = \frac{1}{3\{g(x)\}^2+2g(x)+1}$

2단계	$g(4)=a$로 놓고 실수 a의 값을 구한다.	◀ 30%

$g(4)=a$라고 하면 $f(a)=4$이므로

$a^3+a^2+a+1=4$, $a^3+a^2+a-3=0$

$(a-1)(a^2+2a+3)=0$

$a^2+2a+3 \ne 0$이므로 $a=1$

3단계	$g'(4)$의 값을 구한다.	◀ 30%

따라서 $g(4)=1$이므로 $g'(4) = \frac{1}{3\cdot1^2+2\cdot1+1} = \frac{1}{6}$

1207

정답 해설참조

1단계	$g(5)$, $g'(5)$의 값을 구한다.	◀ 40%

$\lim_{x\to5}\frac{g(x)-3}{x-5} = \frac{1}{4}$에서

$x \to 5$일 때, (분모)→ 0이고 극한값이 존재하므로 (분자)→ 0이어야 한다.

즉 $\lim_{x\to5}\{g(x)-3\}=0$이므로 $g(5)=3$

미분계수의 정의에 의하여

$\lim_{x\to5}\frac{g(x)-3}{x-5} = \lim_{x\to5}\frac{g(x)-g(5)}{x-5} = g'(5) = \frac{1}{4}$

2단계	함수 $f(x)$의 역함수가 $g(x)$이므로 $f(3)$의 값을 구한다.	◀ 30%

$f(x)$의 역함수가 $g(x)$이므로

$g(5)=3$에서 $f(3)=5$

3단계	$f'(x) = \frac{1}{g'(f(x))}$임을 이용하여 $f'(3)$의 값을 구한다.	◀ 30%

$f(x)$의 역함수가 $g(x)$이므로

$g(f(x))=x$에서 $g'(f(x))\cdot f'(x)=1$

$\therefore f'(x) = \frac{1}{g'(f(x))}$

따라서 $f(3)=5$, $g'(5)=\frac{1}{4}$이므로 $f'(3) = \frac{1}{g'(f(3))} = \frac{1}{g'(5)} = 4$

STEP 3 행복한 1등급 문제

1208

 $-e$

STEP A 주어진 조건을 이용하여 $f(e)$, $f'(e)$의 값 구하기

$(f \circ g)(0)=3$에서 $f(g(0))=f(e)=3$

또, $(f \circ g)'(x)=f'(g(x))g'(x)$이고

$g(x)=e^{x^3+x+1}$에서 $g'(x)=e^{x^3+x+1}(3x^2+1)$이므로

$(f \circ g)'(0)=e$에서 $f'(g(0))g'(0)=f'(e)\times e=e$

즉 $f'(e)=1$

STEP B 곱의 미분법을 이용하여 나머지 $R(x)$의 값 구하기

$f(x)$를 이차식 $(x-e)^2$으로 나누었을 때의 몫을 $Q(x)$라 하고

$R(x)=ax+b$(a, b는 상수)라 하면

$f(x)=(x-e)^2Q(x)+ax+b$ ...... ㉠

로 놓을 수 있다.

㉠의 양변에 $x=e$를 대입하면

$f(e)=ea+b$, 즉 $ea+b=3$ ...... ㉡

㉠의 양변을 x에 대하여 미분하면

$f'(x)=2(x-e)Q(x)+(x-e)^2Q(x)+a$

위 식의 양변에 $x=e$를 대입하면

$f'(e)=a$, 즉 $a=1$

$a=1$을 ㉡에 대입하면 $b=3-e$이므로 $R(x)=x+3-e$

STEP C 나머지 정리를 이용하여 $R(-3)$의 값 구하기

따라서 $R(x)$를 $x+3$으로 나눈 나머지는 $R(-3)$이므로

$R(-3)=-3+3-e=-e$

1209

 2

STEP A 미분계수의 정의를 이용하여 $f(2)$, $f'(2)$ 구하기

$\lim_{x\to 2}\frac{f(x)-3}{x-2}=5$에서

$x\to 2$일 때, (분모)$\to 0$이고 극한값이 존재하므로 (분자)$\to 0$이어야 한다.

즉 $\lim_{x\to 2}\{f(x)-3\}=0$

함수 $f(x)$가 실수 전체의 집합에서 미분가능하므로

실수 전체의 집합에서 연속이다.

$\lim_{x\to 2}\{f(x)-3\}=f(2)-3=0$에서 $f(2)=3$ ...... ㉠

$\lim_{x\to 2}\frac{f(x)-3}{x-2}=\lim_{x\to 2}\frac{f(x)-f(2)}{x-2}=f'(2)=5$ ...... ㉡

STEP B 몫의 미분법을 이용하여 $g'(2)$의 값 구하기

한편 $g(x)=\frac{f(x)}{e^{x-2}}$에서

$g'(x)=\frac{f'(x)\cdot e^{x-2}-e^{x-2}\cdot f(x)}{e^{2x-4}}$이므로

$x=2$을 대입하면

$g'(2)=\frac{f'(2)\cdot e^0-e^0\cdot f(2)}{e^0}$

따라서 ㉠, ㉡에서 $g'(2)=\frac{f'(2)\cdot 1-1\cdot f(2)}{1}=5-3=2$

1210

정답 4

STEP A 조건 (가), (나)를 이용하여 상수 a, b 구하기

$f(1)=(1+a+b)e=e$에서 $a+b=0$ ...... ㉠

$f'(x)=\{x^2+(a+2)x+a+b\}e^x$이므로

$f'(1)=\{1+(a+2)+a+b\}e=e$에서 $2a+b=-2$ ...... ㉡

㉠, ㉡을 연립하여 풀면 $a=-2$, $b=2$

STEP B 역함수의 미분법을 이용하여 $(f^{-1})'(e)$의 값 구하기

$f(x)=(x^2-2x+2)e^x$에서 $f'(x)=x^2e^x$

$f''(x)=x(x+2)e^x$이므로 $f''(1)=3e$

이때 모든 실수 x에 대하여 $f'(x)\geq 0$이므로 함수 $f(x)$는 역함수가 존재한다.

$f(1)=e$에서 $f^{-1}(e)=1$이므로 역함수의 미분법에 의하여

$(f^{-1})'(e)=\frac{1}{f'(1)}=\frac{1}{e}$ ⬅ $(f^{-1})'(e)=\frac{1}{f'(f^{-1}(e))}$

STEP C $h(x)=f^{-1}(x)g(x)$의 곱의 미분법을 이용하여 $h'(e)$ 구하기

한편 $g(f(1))=f'(1)$이므로 $g(e)=e$

조건 (나)에서 $g(f(x))=f'(x)$의 양변을 x에 대하여 미분하면

$g'(f(x))f'(x)=f''(x)$ ...... ㉢

㉢의 양변에 $x=1$을 대입하면 $g'(f(1))f'(1)=f''(1)$

$g'(e)\times e=3e$ $\therefore g'(e)=3$

따라서 $h'(e)=(f^{-1})'(e)g(e)+f^{-1}(e)g'(e)=\frac{1}{e}\times e+1\times 3=4$

1211

 15

STEP A $f(x)$가 모든 실수에서 증가하는 함수이므로 역함수가 존재함을 이해하기

곡선 $y=f(x)$ 위의 점 $(2, 1)$에서의 접선의 기울기는 1이므로

$f(2)=1$이고 $f'(2)=1$

이때 $f(2x)$의 역함수가 $g(x)$이므로 $g(f(2x))=x$ ...... ㉠

㉠의 양변에 $x=1$을 대입하면 $g(f(2))=1$

$g(1)=f(2)=1$

또한, 곡선 $y=g(x)$ 위의 점 $(1, a)$이므로 대입하면 $g(1)=a$ $\therefore a=1$

STEP B $f(2x)$의 역함수 $g(x)$에 대하여 합성함수의 미분법을 이용하기

㉠의 양변을 x에 대해 미분하면

$g'(f(2x))f'(2x)\cdot 2=1$ ...... ㉡

㉡의 양변에 $x=1$을 대입하면 $2g'(f(2))f'(2)=1$

$\therefore g'(1)=\frac{1}{2f'(2)}=\frac{1}{2}$

곡선 $y=g(x)$ 위의 점 $(1, a)$에서의 접선의 기울기는 b이므로 $g'(1)=b=\frac{1}{2}$

따라서 $10(a+b)=10\left(1+\frac{1}{2}\right)=15$

다른풀이 $h(x)=f(2x)$로 놓고 역함수의 미분법을 이용하여 풀이하기

$h(x)=f(2x)$라 하면 $h'(x)=2f'(2x)$이고 $g(x)=h^{-1}(x)$

이때 $h(1)=f(2)=1$이고 $h^{-1}(1)=1$이므로 $a=g(1)=h^{-1}(1)=1$

$h^{-1}(x)=y$라 하면 $h(y)=x$이고 역함수의 미분법 $\frac{dy}{dx}=\frac{1}{\frac{dx}{dy}}$

$g'(x)=\frac{d}{dx}h^{-1}(x)=\frac{1}{h'(y)}$

이때 $f'(2)=1$이므로 $g'(1)=\frac{1}{h'(1)}=\frac{1}{2f'(2)}=\frac{1}{2}$ $\therefore g'(1)=b=\frac{1}{2}$

따라서 $10(a+b)=10\left(1+\frac{1}{2}\right)=15$

1212

정답 $\frac{97}{12}$

STEP A $h'(5)$의 값 구하기

$y=x^3+2x^2-15x+5$에서

$y'=3x^2+4x-15=(3x-5)(x+3)$

$y'=0$에서 $x=-3$ 또는 $x=\frac{5}{3}$

y의 증가와 감소를 표로 나타내면 다음과 같다.

x	$\cdots$	-3	$\cdots$	$\frac{5}{3}$	$\cdots$
y'	$+$	0	$-$	0	$+$
y	↗	극대	↘	극소	↗

$x=-3$일 때, 극댓값은 41이고 $x=\frac{5}{3}$에서 극솟값 $-\frac{265}{27}$

$h(t)=t\times\{f(t)-g(t)\}$이므로

$h'(t)=\{f(t)-g(t)\}+t\times\{f'(t)-g'(t)\}$

$t=5$를 대입하면

$h'(5)=\{f(5)-g(5)\}+5\{f'(5)-g'(5)\}$ ...... ㉠

STEP B $y=x^3+2x^2-15x+5$와 직선 $y=5$가 만나는 점의 x좌표 구하기

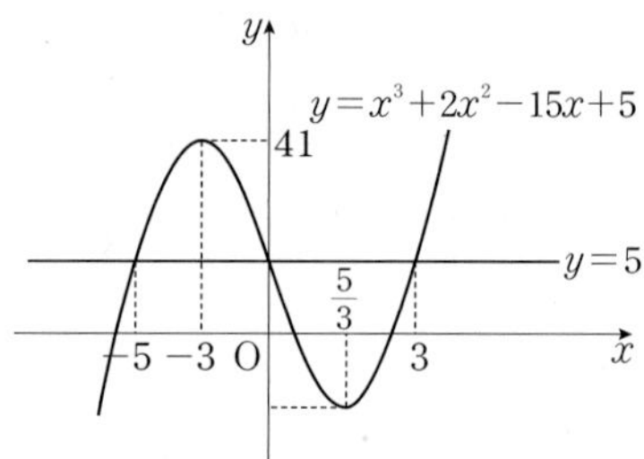

한편 $y=x^3+2x^2-15x+5$와 직선 $y=5$가 만나는 점의 x좌표는

$x^3+2x^2-15x+5=5$, $x(x^2+2x-15)=0$

$x(x+5)(x-3)=0$

$\therefore$ $x=-5$ 또는 $x=0$ 또는 $x=3$

즉 $f(5)=3$, $g(5)=-5$ ...... ㉡

STEP C 곡선 $y=x^3+2x^2-15x+5$와 $y=t$가 만나는 교점의 x좌표가 $f(t)$, $g(t)$임을 이용하여 $h'(5)$ 구하기

곡선 $y=x^3+2x^2-15x+5$와 직선 $y=t$가 만나는 교점의 x좌표는

$x^3+2x^2-15x+5=t$에서 $x^3+2x^2-15x+5-t=0$

이 방정식의 근이 $f(t)$, $g(t)$이므로

(i) 근이 $f(t)$일 때,

$\{f(t)\}^3+2\{f(t)\}^2-15\{f(t)\}+5-t=0$

양변을 t에 대하여 미분하면

$3\{f(t)\}^2f'(t)+4\{f(t)\}f'(t)-15f'(t)-1=0$

$t=5$를 대입하면

$3\{f(5)\}^2f'(5)+4\{f(5)\}f'(5)-15f'(5)-1=0$

㉡에서 $f(5)=3$이므로 $27f'(5)+12f'(5)-15f'(5)-1=0$

$\therefore$ $f'(5)=\frac{1}{24}$

(ii) 근이 $g(t)$일 때,

$\{g(t)\}^3+2\{g(t)\}^2-15\{g(t)\}+5-t=0$

양변을 t에 대하여 미분하면

$3\{g(t)\}^2g'(t)+4\{g(t)\}g'(t)-15g'(t)-1=0$

$t=5$를 대입하면

$3\{g(5)\}^2g'(5)+4\{g(5)\}g'(5)-15g'(5)-1=0$

㉡에서 $g(5)=-5$이므로 $75g'(5)-20f'(5)-15f'(5)-1=0$

$\therefore$ $g'(5)=\frac{1}{40}$

따라서 ㉠에서 $h'(5)=\{3-(-5)\}+5\left(\frac{1}{24}-\frac{1}{40}\right)=8+\frac{1}{12}=\frac{97}{12}$

다른풀이 역함수의 미분법을 이용하여 $h'(5)$ 구하기

STEP A 곡선 $y=x^3+2x^2-15x+5$와 직선 $y=5$가 만나는 점의 x좌표 구하기

$h(t)=t\cdot\{f(t)-g(t)\}$에서

$h'(t)=\{f(t)-g(t)\}+t\{f'(t)-g'(t)\}$

위 식에 $t=5$를 대입하면

$h'(5)=\{f(5)-g(5)\}+5\{f'(5)-g'(5)\}$

$x^3+2x^2-15x+5=5$, $x(x^2+2x-15)=0$

$x(x+5)(x-3)=0$

$\therefore$ $x=-5$ 또는 $x=0$ 또는 $x=3$

즉 $f(5)=3$, $g(5)=-5$ ...... ㉠

STEP B 두 점 $(f(t),\ t)$, $(g(t),\ t)$가 곡선 $y=x^3+2x^2-15x+5$ 위의 점임을 이용하여 역함수 미분법에서 $h'(5)$ 구하기

한편 $p(x)=x^3+2x^2-15x+5$라 하면

$p'(x)=3x^2+4x-15$

이때 두 점 $(f(t),\ t)$, $(g(t),\ t)$는 함수 $y=p(x)$ 위의 점이므로

$p(f(t))=t$, $p(g(t))=t$

이때 함수 $p(t)$와 $f(t)$,함수 $p(t)$와 $g(t)$는 각각 서로 역함수 관계이고

㉠에서 $f(5)=3$, $g(5)=-5$이므로

$f'(5)=\frac{1}{p'(3)}=\frac{1}{3\cdot3^2+4\cdot3-15}=\frac{1}{24}$

$g'(5)=\frac{1}{p'(-5)}=\frac{1}{3\cdot(-5)^2+4\cdot(-5)-15}=\frac{1}{40}$

따라서 $h'(5)=\{f(5)-g(5)\}+5\{f'(5)-g'(5)\}$

$=\{3-(-5)\}+5\left(\frac{1}{24}-\frac{1}{40}\right)$ ($\because$ ㉠, ㉡)

$=8+\frac{1}{12}=\frac{97}{12}$

1213

정답 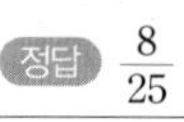 $\frac{8}{25}$

STEP A 넓이가 작은 것의 넓이 $f(t)$ 구하기

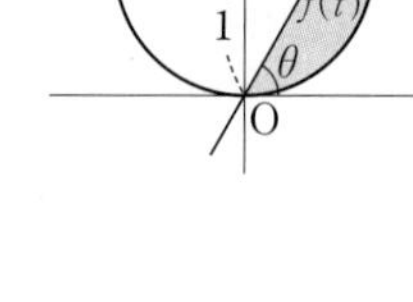

직선 $y=tx$가 x축의 양의 방향과 이루는 각의 크기를 θ라 하고, 직선 $y=tx$가 원 C와 만나는 점 원점이 아닌 것을 B라고 하자.

이때 $t=\tan\theta$, $\angle OAB=2\theta$이므로

$f(t)=$(부채꼴 OAB의 넓이)$-\triangle OAB$

$=\frac{1}{2}\times1^2\times2\theta-\frac{1}{2}\times1\times1\times\sin2\theta$

$=\theta-\frac{1}{2}\sin2\theta$

STEP B 삼각함수의 미분법을 이용하여 $f'(t)$ 구하기

양변을 θ에 대하여 미분하면

$f'(t)\times\frac{dt}{d\theta}=1-\cos2\theta$

$f'(t)\times\sec^2\theta=1-\cos2\theta$

이때 $\sec^2\theta=\frac{1}{\cos^2\theta}$, $\cos2\theta=\cos(\theta+\theta)=\cos^2\theta-\sin^2\theta$이므로

$f'(t)\times\frac{1}{\cos^2\theta}=1-(\cos^2\theta-\sin^2\theta)$

$\therefore$ $f'(t)=\cos^2\theta(1-\cos^2\theta+\sin^2\theta)$

STEP C $t=2$에서 미분계수 구하기

한편 $t=2$일 때, $\tan\theta=2$이므로 $\sin\theta=\frac{2}{\sqrt{5}}$, $\cos\theta=\frac{1}{\sqrt{5}}$

따라서 $f'(2)=\frac{1}{5}\left(1-\frac{1}{5}+\frac{4}{5}\right)=\frac{8}{25}$

10 접선의 방정식

1214

정답 ①

STEP A 점 $(4, 1)$에서의 접선의 기울기 $f'(4)$ 구하기

$f(x)=\ln(x-3)+1$이라 하면 $f'(x)=\dfrac{1}{x-3}$

점 $(4, 1)$에서 접선의 기울기는 $f'(4)=1$

STEP B 점 $(4, 1)$에서 접선의 방정식 구하기

점 $(4, 1)$에서의 접선의 방정식은 $y-1=1\cdot(x-4)$

$\therefore\ y=x-3$

따라서 $a=1$, $b=-3$이므로 $a+b=-2$

1215

 ⑤

STEP A 점 $(0, -1)$에서의 접선의 방정식 구하기

$f(x)=xe^x-1$이라 하면 $f'(x)=e^x+xe^x$

$x=0$에서 접선의 기울기는 $f'(0)=1$

점 $(0, -1)$에서의 접선의 방정식은 $y+1=1\cdot(x-0)$

$\therefore\ y=x-1$

STEP B 접선이 점 $(a, 1)$을 지날 때, 상수 a의 값 구하기

따라서 이 접선이 $(a, 1)$을 지나므로 $1=a-1$ $\quad\therefore\ a=2$

내신연계 출제문항 464

곡선 $y=e^{4x}-5x+a$ 위의 점 $(0, a+1)$에서의 접선이 점 $(3, 8)$을 지날 때, 상수 a의 값은?

① 7 ② 8 ③ 9
④ 10 ⑤ 11

STEP A 점 $(0, a+1)$에서의 접선의 방정식 구하기

$f(x)=e^{4x}-5x+a$이라 하면 $f'(x)=4e^{4x}-5$

$x=0$에서 접선의 기울기는 $f'(0)=4-5=-1$

점 $(0, a+1)$에서의 접선의 방정식은 $y-(a+1)=-1\cdot(x-0)$

$\therefore\ y=-x+a+1$

STEP B 접선이 점 $(3, 8)$을 지날 때, 상수 a의 값 구하기

따라서 이 접선이 $(3, 8)$을 지나므로 $8=-3+a+1$ $\quad\therefore\ a=10$  ④

1216

 ⑤

STEP A a의 값 구하기

점 $(1, 0)$이 곡선 $y=\ln(2x+a)$ 위의 점이므로

$0=\ln(2+a)$, $2+a=1$ $\quad\therefore\ a=-1$

STEP B 점 $(1, 0)$에서 접선의 방정식 구하기

$f(x)=\ln(2x+a)$이라 하면 $f'(x)=\dfrac{2}{2x-1}$

$x=1$에서 접선의 기울기는 $f'(1)=2$

점 $(1, 0)$에서의 접선의 방정식은 $y=2(x-1)=2x-2$이므로

$m=2$, $n=-2$

STEP C amn의 값 구하기

따라서 $amn=(-1)\cdot2\cdot(-2)=4$

1217

 ①

STEP A 점 $(\pi, 0)$에서의 접선의 방정식 구하기

$f(x)=\dfrac{\sin x}{x}$에서 $f'(x)=\dfrac{\cos x\times x-\sin x}{x^2}$이므로

$f'(\pi)=-\dfrac{\pi}{\pi^2}=-\dfrac{1}{\pi}$

점 $(\pi, 0)$을 지나고 기울기가 $-\dfrac{1}{\pi}$인 직선의 방정식은

$y-0=-\dfrac{1}{\pi}(x-\pi)$, $y=-\dfrac{1}{\pi}x+1$

STEP B k의 값 구하기

따라서 직선 $y=-\dfrac{1}{\pi}x+1$이 점 $(3\pi, k)$를 지나므로

$k=-\dfrac{1}{\pi}\times3\pi+1$ $\quad\therefore\ k=-2$

1218

 ④

STEP A 점 $(0, 2)$에서의 접선의 기울기 $f'(0)$ 구하기

곡선 $y=2x+\cos x+a$가 점 $(0, 2)$를 지나므로

$1+a=2$ $\quad\therefore\ a=1$

$f(x)=2x+\cos x+1$이라 하면 $f'(x)=2-\sin x$

점 $(0, 2)$에서 접선의 기울기는 $f'(0)=2-\sin 0=2$

STEP B 점 $(0, 2)$에서 접선의 방정식 구하기

점 $(0, 2)$에서의 접선의 방정식은 $y-2=2(x-0)$

$\therefore\ y=2x+2$

따라서 $b=2$, $c=2$이므로 $a+b+c=1+2+2=5$

내신연계 출제문항 465

곡선 $y=2x+\tan x+a$ 위의 점 $(0, 1)$에서의 접선의 방정식이 $y=bx+c$일 때, 상수 a, b, c에 대하여 $a+b+c$의 값은?

① 3 ② 5 ③ 7
④ 9 ⑤ 11

STEP A 점 $(0, 1)$에서의 접선의 기울기 $f'(0)$ 구하기

곡선 $y=2x+\tan x+a$가 $(0, 1)$을 지나므로 $1=0+\tan 0+a$

$\therefore\ a=1$

$f(x)=2x+\tan x+a$라 하면 $f'(x)=2+\sec^2 x$

점 $(0, 1)$에서 접선의 기울기는 $f'(0)=2+\sec^2 0=2+1=3$

STEP B 점 $(0, 1)$에서 접선의 방정식 구하기

점 $(0, 1)$에서 접선의 방정식은 $y-1=3(x-0)$

$\therefore\ y=3x+1$

따라서 $b=3$, $c=1$이므로 $a+b+c=1+3+1=5$  ②

1219

정답 ①

STEP Ⓐ 점 (1, 2)에서의 접선의 기울기 $f'(1)$ 구하기

곡선 $y=ax\ln x+b$가 점 (1, 2)를 지나므로 $2=a\ln 1+b$ $\quad\therefore b=2$

$f(x)=ax\ln x+b$라 하면 $f'(x)=a\ln x+ax\cdot\frac{1}{x}=a\ln x+a$

점 (1, 2)에서의 접선의 기울기는 $f'(1)=a$

STEP Ⓑ 점 (1, 2)에서 접선의 방정식 구하기

점 (1, 2)에서의 접선의 방정식은 $y-2=a(x-1)$ $\quad\therefore y=ax-a+2$

이 접선이 $y=-3x+5$와 일치하므로 $a=-3$

따라서 $a=-3$, $b=2$이므로 $ab=-6$

1220

정답 ③

STEP Ⓐ $f(x)\le g(x)$를 만족하는 일차함수 $g(x)$ 구하기

$y=f(x)$가 위로 볼록한 함수이므로 닫힌구간 [0, 4]에서 $f(x)\le g(x)$를 만족하는 직선 $y=g(x)$의 그래프는 함수 $f(x)=2\sqrt{2}\sin\frac{\pi}{4}x$의 그래프 위의 점 (1, 2)에서의 접선이다.

$f'(x)=2\sqrt{2}\cos\frac{\pi}{4}x\cdot\frac{\pi}{4}=\frac{\sqrt{2}\pi}{2}\cos\frac{\pi}{4}x$이고 $f'(1)=\frac{\sqrt{2}\pi}{2}\cdot\frac{\sqrt{2}}{2}=\frac{\pi}{2}$

즉 기울기가 $\frac{\pi}{2}$이고 점 A(1, 2)를 지나는 접선의 방정식은 $y-2=\frac{\pi}{2}(x-1)$

$y=\frac{\pi}{2}(x-1)+2=\frac{\pi}{2}x-\frac{\pi}{2}+2$

STEP Ⓑ 접선의 방정식에 $x=3$을 대입하여 $g(3)$ 구하기

따라서 $g(x)=\frac{\pi}{2}x-\frac{\pi}{2}+2$이므로 $x=3$을 대입하면

$g(3)=\frac{3}{2}\pi-\frac{\pi}{2}+2=\pi+2$

내신연계 출제문항 466

닫힌구간 [0, 6]에서 정의된 함수

$$f(x)=2\sin\frac{\pi}{6}x$$

의 그래프 위의 점 A(1, 1)을 지나는 직선을 $y=g(x)$라고 하자.
닫힌구간 [0, 6]에서 부등식 $f(x)\le g(x)$가 성립할 때, $g(3)$의 값은?

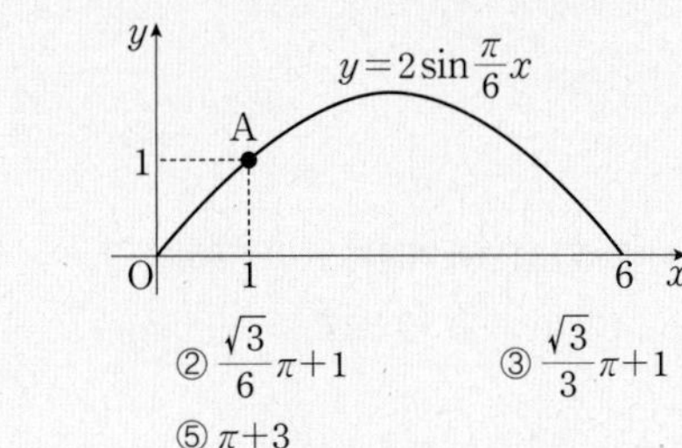

① π ② $\frac{\sqrt{3}}{6}\pi+1$ ③ $\frac{\sqrt{3}}{3}\pi+1$
④ $\pi+2$ ⑤ $\pi+3$

STEP Ⓐ $f(x)\le g(x)$를 만족하는 일차함수 $g(x)$ 구하기

닫힌구간 [0, 6]에서 $f(x)\le g(x)$를 만족시키기 위해서는 직선 $y=g(x)$가 점 A에서 곡선 $y=f(x)$에 접해야 한다.

$f(x)=2\sin\frac{\pi}{6}x$에서 $f'(x)=\frac{\pi}{3}\cos\frac{\pi}{6}x$ $\quad\therefore f'(1)=\frac{\pi}{3}\times\frac{\sqrt{3}}{2}=\frac{\sqrt{3}}{6}\pi$

즉 기울기가 $\frac{\sqrt{3}}{6}\pi$이고 점 A(1, 1)을 지나는 접선의 방정식은

$y-1=\frac{\sqrt{3}}{6}\pi(x-1)$ $\quad\therefore y=\frac{\sqrt{3}}{6}\pi x-\frac{\sqrt{3}}{6}\pi+1$

STEP Ⓑ 접선의 방정식에 $x=3$을 대입하여 $g(3)$ 구하기

따라서 $g(x)=\frac{\sqrt{3}}{6}\pi x-\frac{\sqrt{3}}{6}\pi+1$이므로 $g(3)=\frac{\sqrt{3}}{3}\pi+1$

정답 ③

1221

정답 ②

STEP Ⓐ 극한값의 성질과 미분계수를 이용하여 $f(1)$, $f'(1)$의 값 구하기

$\lim_{x\to1}\frac{f(x)-\frac{\pi}{6}}{x-1}=k$에서

$x\to1$일 때, (분모)→0이고 극한값이 존재하므로 (분자)→0이어야 한다.

즉 $\lim_{x\to1}\left\{f(x)-\frac{\pi}{6}\right\}=0$이므로 $f(1)=\frac{\pi}{6}$

이때 $\lim_{x\to1}\frac{f(x)-f(1)}{x-1}=f'(1)=k$

STEP Ⓑ 점 $(1, (g\circ f)(1))$에서 접선이 원점을 지남을 이용하여 상수 k 구하기

$(g\circ f)(1)=g(f(1))=g\left(\frac{\pi}{6}\right)=\sin\frac{\pi}{6}=\frac{1}{2}$이고

$y=(g\circ f)(x)$에서 $y'=g'(f(x))f'(x)$이고 $g'(x)=\cos x$이므로

$x=1$에서 접선의 기울기는 $g'(f(1))f'(1)=g'\left(\frac{\pi}{6}\right)\cdot k=k\cos\frac{\pi}{6}=\frac{\sqrt{3}}{2}k$

즉 $y=(g\circ f)(x)$의 그래프 위의 점 $\left(1, \frac{1}{2}\right)$에서 접선의 방정식은

$y-\frac{1}{2}=g'(f(1))\cdot f'(1)(x-1)$ $\quad\therefore y=\frac{\sqrt{3}}{2}k(x-1)+\frac{1}{2}$

이때 이 접선이 원점을 지나므로 $0=-\frac{\sqrt{3}}{2}k+\frac{1}{2}$ $\quad\therefore k=\frac{1}{\sqrt{3}}$

따라서 $30k^2=30\times\frac{1}{3}=10$

내신연계 출제문항 467

실수 전체의 집합에서 미분 가능한 두 함수 $f(x)$, $g(x)$에 대하여

$$\lim_{x\to1}\frac{f(x)-7}{x-1}=3,\ \lim_{x\to7}\frac{g(x)-5}{x-7}=6$$

일 때, 합성함수 $y=(g\circ f)(x)$의 그래프 위의 점 $(1, (g\circ f)(1))$에서의 접선의 방정식은 $y=ax+b$이다. 상수 a, b에 대하여 $a-b$의 값은?

① 28 ② 31 ③ 34
④ 37 ⑤ 40

STEP Ⓐ 극한값의 성질과 미분계수를 이용하여 $f(1)$, $f'(1)$, $g(7)$, $g'(7)$의 값 구하기

$\lim_{x\to1}\frac{f(x)-7}{x-1}=3$에서

$x\to1$일 때, (분모)→0이고 극한값이 존재하므로 (분자)→0이어야 한다.

즉 $\lim_{x\to1}\{f(x)-7\}=f(1)-7=0$에서 $f(1)=7$

$\lim_{x\to1}\frac{f(x)-7}{x-1}=\lim_{x\to1}\frac{f(x)-f(1)}{x-1}=f'(1)=3$

$\lim_{x\to7}\frac{g(x)-5}{x-7}=6$에서

$x\to7$일 때, (분모)→0이고 극한값이 존재하므로 (분자)→0이어야 한다.

즉 $\lim_{x\to7}\{g(x)-5\}=g(7)-5=0$에서 $g(7)=5$

$\lim_{x\to7}\frac{g(x)-5}{x-7}=\lim_{x\to7}\frac{g(x)-g(7)}{x-7}=g'(7)=6$

STEP Ⓑ 합성함수의 접선의 방정식 구하기

$y'=\{(g\circ f)(x)\}'=\{g(f(x))\}'=g'(f(x))f'(x)$

합성함수 $y=(g\circ f)(x)$의 $x=1$에서의 미분계수는

$g'(f(1))f'(1)=g'(7)f'(1)=6\times3=18$

$(g\circ f)(1)=g(f(1))=g(7)=5$이고 합성함수 $y=(g\circ f)(x)$의 그래프 위의 점 $(1, (g\circ f)(1))$, 즉 (1, 5)에서의 접선의 기울기는 18이므로

접선의 방정식은 $y-5=18(x-1)$ $\quad\therefore y=18x-13$

따라서 $a=18$, $b=-13$이므로 $a-b=18-(-13)=31$

정답 ②

1222

정답 ①

STEP A 점 $\left(\frac{3}{2},\ 2\right)$에서의 접선의 방정식 구하기

함수 $y=\frac{1}{x-1}$에서 $\frac{dy}{dx}=-\frac{1}{(x-1)^2}$

점 $\left(\frac{3}{2},\ 2\right)$에서의 접선의 기울기가 -4이므로 접선의 방정식은

$y=-4\left(x-\frac{3}{2}\right)+2 \quad \therefore\ y=-4x+8$

STEP B 접선과 x축 및 y축으로 둘러싸인 도형의 넓이 구하기

곡선 $y=\frac{1}{x-1}$ 위의 점 $\left(\frac{3}{2},\ 2\right)$에서의 접선과 x축 및 y축으로 둘러싸인 부분은 그림과 같이 밑변의 길이가 2이고 높이가 8인 직각삼각형이다.

따라서 구하는 넓이는 $\frac{1}{2}\cdot 2\cdot 8=8$

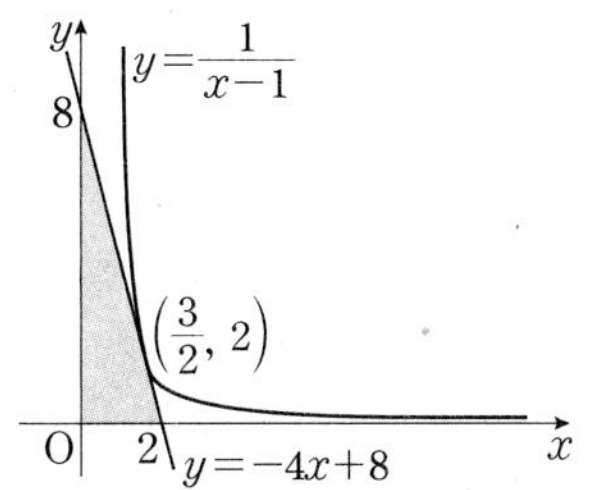

1223

①

STEP A 점 $(0,\ 1)$에서의 접선의 방정식 구하기

$f(x)=x+\cos x$라 하면 $f'(x)=1-\sin x$

$x=0$에서 접선의 기울기는 $f'(0)=1$

점 $(0,\ 1)$에서의 접선의 방정식은 $y-1=1(x-0)$

$\therefore\ y=x+1$ …… ㉠

STEP B 접선과 x축 및 y축으로 둘러싸인 도형의 넓이 구하기

따라서 직선 ㉠의 x절편은 -1, y절편은 1이므로 구하는 넓이는

$\frac{1}{2}|-1|\cdot 1=\frac{1}{2}$

1224

⑤

STEP A 점 $\left(-\frac{1}{2},\ \frac{1}{e}\right)$에서의 접선의 방정식 구하기

$f(x)=e^{2x}$이라 하면 $f'(x)=2e^{2x}$

$x=-\frac{1}{2}$에서 접선의 기울기는 $f'\left(-\frac{1}{2}\right)=\frac{2}{e}$

점 $\left(-\frac{1}{2},\ \frac{1}{e}\right)$에서 접선의 방정식은 $y-\frac{1}{e}=\frac{2}{e}\left(x+\frac{1}{2}\right)$

$\therefore\ y=\frac{2}{e}x+\frac{2}{e}$

STEP B 접선과 x축 및 y축으로 둘러싸인 도형의 넓이 구하기

따라서 접선의 x절편은 -1,

y절편은 $\frac{2}{e}$이므로 구하는 넓이는

$\frac{1}{2}|-1|\cdot\frac{2}{e}=\frac{1}{e}$

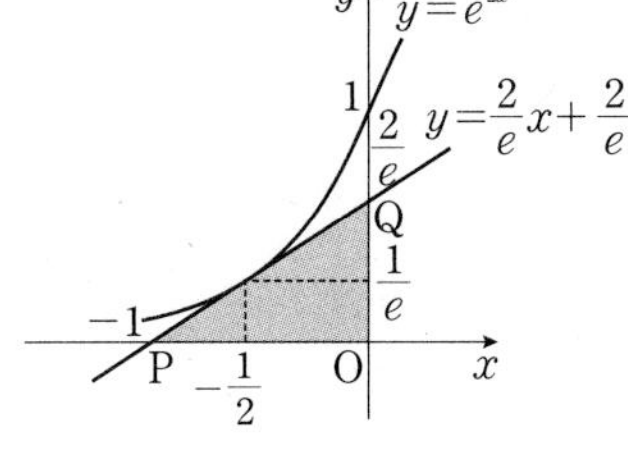

1225

③

STEP A 점 $(3,\ e)$에서의 접선의 방정식 구하기

함수 $f(x)=e^{x-2}$라 하면 $f'(x)=e^{x-2}$, $f'(3)=e$

곡선 위의 점 $(3,\ e)$에서의 접선의 방정식은 $y-e=e(x-3)$

$\therefore\ y=ex-2e$

STEP B 삼각형 OAB의 넓이 구하기

두 점 A, B의 좌표는 각각

$(2,\ 0)$, $(0,\ -2e)$

따라서 삼각형 OAB의 넓이는

$\frac{1}{2}\times 2\times|-2e|=2e$

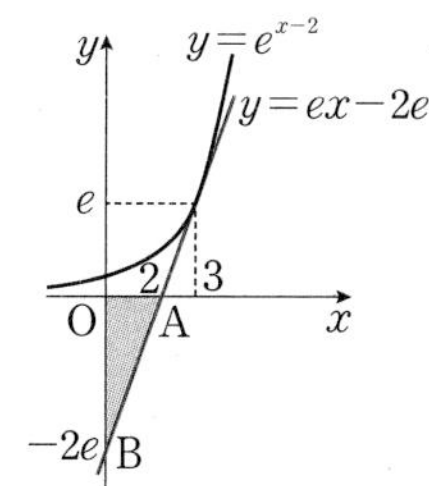

내신연계 출제문항 468

곡선 $y=e^{3-x}$ 위의 점 $(3,\ 1)$에서의 접선과 x축, y축으로 둘러싸인 도형의 넓이는? (단, e는 자연로그의 밑이다.)

① 5 ② 6 ③ 7
④ 8 ⑤ 9

STEP A 점 $(3,\ 1)$에서의 접선의 방정식 구하기

$f(x)=e^{3-x}$라 하면 $f'(x)=e^{3-x}(3-x)'=-e^{3-x}$

$x=3$에서의 접선의 기울기는 $f'(3)=-e^{3-3}=-e^0=-1$

점 $(3,\ 1)$에서의 접선의 방정식은 $y-1=-(x-3) \quad \therefore\ y=-x+4$

STEP B 접선과 x축 및 y축으로 둘러싸인 도형의 넓이 구하기

이때 접선의 x절편과 y절편은 각각 4이다.

따라서 구하는 도형의 넓이는

$\frac{1}{2}\cdot 4\cdot 4=8$

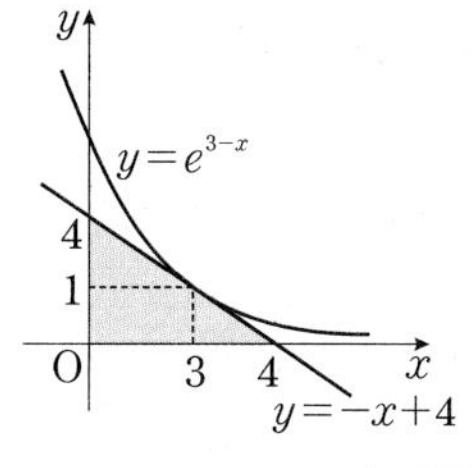

정답 ④

1226

③

STEP A 곡선 위의 점 $(e,\ e)$에서의 접선의 방정식 구하기

$f(x)=x\ln x$이라 하면 $f'(x)=\ln x+x\cdot\frac{1}{x}=\ln x+1$

$x=e$에서의 접선의 기울기는 $f'(e)=\ln e+1=2$

점 $(e,\ e)$에서 접선의 방정식은 $y-e=2(x-e)$

$\therefore\ y=2x-e$

STEP B 접선과 x축 및 y축으로 둘러싸인 도형의 넓이 구하기

이 접선이 x축과 만나는 점의 좌표는

$0=2x-e$에서 $x=\frac{e}{2}$이므로 $\left(\frac{e}{2},\ 0\right)$

이 접선이 y축과 만나는 점의 좌표는

$y=2\cdot 0-e$에서 $y=-e$이므로 $(0,\ -e)$

따라서 삼각형의 넓이는 $\frac{1}{2}\times|-e|\times\left|\frac{e}{2}\right|=\frac{e^2}{4}$

1227

③

STEP A 점 $\mathrm{P}(t,\ \sin t)$에서 접선의 방정식 구하기

함수 $f(x)=\sin x$에서 $f'(x)=\cos x$

$x=t$에서 접선의 기울기는 $f'(t)=\cos t$

점 $\mathrm{P}(t,\ \sin t)$에서의 접선의 방정식은 $y-\sin t=(\cos t)(x-t)$

$\therefore\ y=(\cos t)x-t\cos t+\sin t$

STEP B 접선의 x절편 구하기

이 직선이 x축과 만나는 점은 $y=0$일 때이므로

$-\sin t=(\cos t)(x-t)$

$x=t-\dfrac{\sin t}{\cos t}\left(\because -\dfrac{\pi}{2}<t<\dfrac{\pi}{2}\right)\quad \therefore x=t-\tan t$

즉 점 Q의 좌표는 $(t-\tan t,\ 0)$

STEP C 선분 PQ의 길이를 구하여 $\lim\limits_{t\to 0+}\dfrac{\overline{PQ}}{t}$ 구하기

$\overline{PQ}=\sqrt{\{(t-\tan t)-t\}^2+(-\sin t)^2}$

$=\sqrt{\tan^2 t+\sin^2 t}$

따라서 $\lim\limits_{t\to 0+}\dfrac{\overline{PQ}}{t}=\lim\limits_{t\to 0+}\dfrac{\sqrt{\tan^2 t+\sin^2 t}}{t}=\lim\limits_{t\to 0+}\sqrt{\left(\dfrac{\tan t}{t}\right)^2+\left(\dfrac{\sin t}{t}\right)^2}=\sqrt{2}$

내신연계 출제문항 469

오른쪽 그림과 같이 곡선

$y=\sin x(0<x<\pi)$

위의 점 $\mathrm{A}(t,\ \sin t)$를 지나고 점 A에서의 접선에 수직인 직선이 x축과 만나는 점을 B라 할 때, $\lim\limits_{t\to 0+}\dfrac{\overline{OB}}{t}$의 값은?

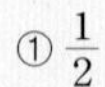

① $\dfrac{1}{2}$ ② 1 ③ $\dfrac{3}{2}$

④ 2 ⑤ e

STEP A 점 A에서의 접선에 수직인 직선의 방정식 구하기

곡선 $f(x)=\sin x$라 하면 곡선 위의 점 $\mathrm{A}(t,\ \sin t)$에서 접선의 기울기는

$f'(t)=\cos t$

점 $\mathrm{A}(t,\ \sin t)$에서의 접선에 수직인 직선의 방정식은

$y-\sin t=-\dfrac{1}{\cos t}(x-t)$

STEP B $\lim\limits_{x\to 0}\dfrac{\sin x}{x}=1$임을 이용하여 구하기

이때 직선 x축과 만나는 점의 x좌표는 $0-\sin t=-\dfrac{1}{\cos t}(x-t)$

$x=\sin t\cos t+t$

따라서 $\overline{OB}=\sin t\cos t+t$이므로

$\lim\limits_{t\to 0+}\dfrac{\overline{OB}}{t}=\lim\limits_{t\to 0+}\dfrac{\sin t\cos t+t}{t}=\lim\limits_{t\to 0+}\dfrac{\sin t}{t}\cdot\cos t+1=1\cdot 1+1=2$ 정답 ④

1228

정답 ④

STEP A 역함수의 미분법을 이용하여 $g'(4)$ 구하기

함수 $f(x)=x^3+x^2+x+1$의 역함수가 $g(x)$이므로

$f(g(x))=x$에서 $f'(g(x))\cdot g'(x)=1$

$\therefore g'(x)=\dfrac{1}{f'(g(x))}$

$y=g(x)$의 그래프 위의 점 $(4,\ 1)$에서의 접선의 기울기는

$g'(4)=\dfrac{1}{f'(g(4))}=\dfrac{1}{f'(1)}$

이때 $f'(x)=3x^2+2x+1$이므로 $f'(1)=3+2+1=6$

$\therefore g'(4)=\dfrac{1}{6}$

STEP B 점 $(4,\ 1)$에서 접선의 방정식 구하기

점 $(4,\ 1)$에서 접선의 방정식은 $y-1=\dfrac{1}{6}(x-4)$

따라서 $y=\dfrac{1}{6}x+\dfrac{1}{3}$이므로 접선의 y절편은 $\dfrac{1}{3}$

1229

정답 ④

STEP A 역함수의 미분법을 이용하여 $g'(0)$ 구하기

함수 $f(x)=\ln(3x+1)$의 역함수를 $g(x)$이므로

$f(g(x))=x$에서 $f'(g(x))\cdot g'(x)=1$

$\therefore g'(x)=\dfrac{1}{f'(g(x))}$

$y=g(x)$의 그래프 위의 점 $(0,\ 0)$에서의 접선의 기울기는

$g'(0)=\dfrac{1}{f'(g(0))}=\dfrac{1}{f'(0)}$

이때 $f'(x)=\dfrac{3}{3x+1}$이므로 $f'(0)=3$

$\therefore g'(0)=\dfrac{1}{3}$

STEP B 점 $(0,\ 0)$에서 접선의 방정식 구하기

점 $(0,\ 0)$에서 접선의 방정식은 $y-0=\dfrac{1}{3}(x-0)$

$\therefore y=\dfrac{1}{3}x$

따라서 접선이 $(3,\ a)$를 지나므로 $a=\dfrac{1}{3}\cdot 3=1$

1230

정답 ⑤

STEP A $f'(2)$의 값 구하기

곡선 $y=g(x)$ 위의 점 $(e^2,\ 2)$이므로 $g(e^2)=2$

$f(x)$의 역함수가 $g(x)$이므로 $f(2)=e^2$

$f(x)=(x-1)e^x$에서 $f'(x)=e^x+(x-1)e^x=xe^x$

$\therefore f'(2)=2e^2$

STEP B 역함수의 미분법을 이용하여 $g'(e^2)$ 구하기

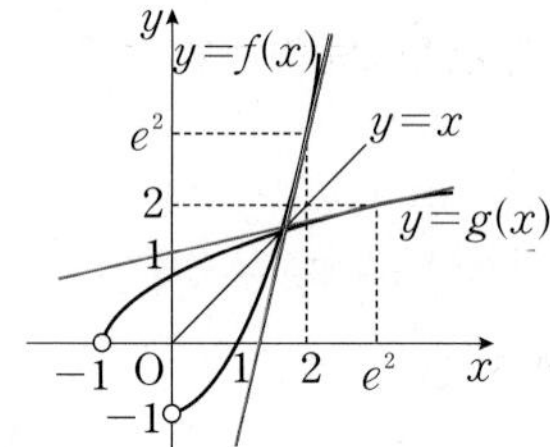

함수 $f(x)$의 역함수가 $g(x)$이므로 $g(f(x))=x$

양변을 x에 대하여 미분하면 $g'(f(x))f'(x)=1$

$\therefore g'(f(x))=\dfrac{1}{f'(x)}$

이때 $x=2$를 대입하면 $g'(f(2))=\dfrac{1}{f'(2)}$

$\therefore g'(e^2)=\dfrac{1}{f'(2)}=\dfrac{1}{2e^2}$

즉 곡선 $y=g(x)$ 위의 점 $(e^2,\ 2)$에서의 접선의 기울기는 $g'(e^2)=\dfrac{1}{2e^2}$이므로

점 $(e^2,\ 2)$에서의 접선의 방정식은 $y-2=\dfrac{1}{2e^2}(x-e^2)$

$\therefore y=\dfrac{1}{2e^2}x+\dfrac{3}{2}$

STEP C $\dfrac{b}{a}$의 값 구하기

따라서 $a=\dfrac{1}{2e^2}$, $b=\dfrac{3}{2}$이므로 $\dfrac{b}{a}=\dfrac{\frac{3}{2}}{\frac{1}{2e^2}}=3e^2$

내신연계 출제문항 470

함수 $f(x)=e^{x}+x$의 역함수를 $g(x)$라고 할 때, 곡선 $y=g(x)$ 위의 점 $(1, 0)$에서의 접선의 방정식이 점 $(3, a)$를 지날 때, a의 값은?

① -3　　② -2　　③ -1
④ 1　　⑤ 2

STEP A 역함수의 미분법을 이용하여 $g'(1)$ 구하기

곡선 $y=g(x)$ 위의 점 $(1, 0)$이므로 $g(1)=0$, 즉 $f(0)=1$
$y=g(x)$의 그래프 위의 점 $(1, 0)$에서의 접선의 기울기는

$g'(1)=\dfrac{1}{f'(g(1))}=\dfrac{1}{f'(0)}$

이때 $f'(x)=e^{x}+1$이므로 $f'(0)=2$

$\therefore g'(1)=\dfrac{1}{2}$

STEP B 점 $(1, 0)$에서 접선의 방정식 구하기

점 $(1, 0)$에서의 접선의 방정식은 $y=\dfrac{1}{2}x-\dfrac{1}{2}$

따라서 접선이 $(3, a)$를 지나므로 $a=\dfrac{1}{2}\cdot3-\dfrac{1}{2}=1$

정답 ④

1231

정답 ③

STEP A 두 직선이 수직이므로 기울기의 곱이 -1임을 이용하여 기울기 구하기

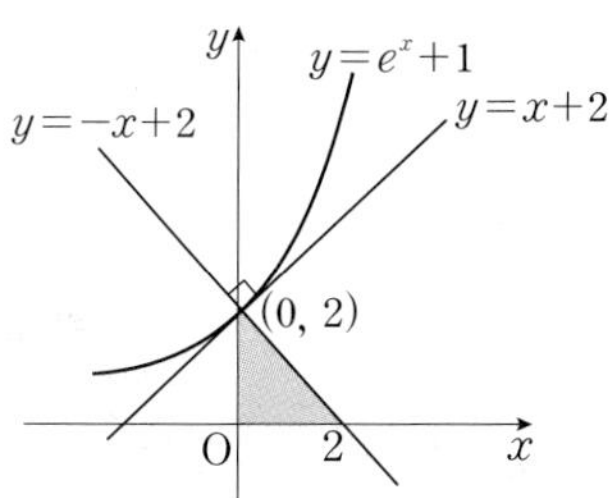

$f(x)=e^{x}+1$로 놓으면 $f'(x)=e^{x}$
이때 점 $(0, 2)$에서 접선의 기울기는 $f'(0)=e^{0}=1$이므로
접선에 수직인 직선의 기울기는 -1

STEP B 점 $(0, 2)$에서 수직인 직선의 방정식 구하기

점 $(0, 2)$에서 수직인 직선의 방정식은 $y-2=-(x-0)$
$\therefore y=-x+2$

STEP C 도형의 넓이 구하기

따라서 x절편과 y절편이 각각 2이므로 도형의 넓이는 $\dfrac{1}{2}\cdot2\cdot2=2$

1232

정답 ③

STEP A 점 $\left(1, \dfrac{1}{2}\right)$에서 수직인 직선의 방정식 구하기

$f(x)=\dfrac{x}{x+1}$라고 하면 $f'(x)=\dfrac{1}{\boxed{(x+1)^{2}}}$

점 $\left(1, \dfrac{1}{2}\right)$에서의 접선의 기울기는

$f'(1)=\boxed{\dfrac{1}{4}}$이므로 이 접선에 수직인 직선의 기울기는 $\boxed{-4}$

따라서 구하는 직선의 방정식은 $y-\dfrac{1}{2}=-4(x-1)$

$y=\boxed{-4x+\dfrac{9}{2}}$

STEP B $g(3)h(1)ab$의 값 구하기

따라서 $g(x)=(x+1)^{2}$, $h(x)=-4x+\dfrac{9}{2}$, $a=\dfrac{1}{4}$, $b=-4$이므로

$g(3)h(1)ab=4^{2}\cdot\left(-4+\dfrac{9}{2}\right)\cdot\dfrac{1}{4}\cdot(-4)=-8$

1233

정답 ⑤

STEP A 두 직선이 수직이므로 기울기의 곱이 -1임을 이용하여 기울기 구하기

$f(x)=x^{3}\ln x+1$로 놓으면

$f'(x)=3x^{2}\ln x+x^{3}\cdot\dfrac{1}{x}=x^{2}(3\ln x+1)$

이때 점 $(1, 1)$에서 접선의 기울기는 $f'(1)=1$이므로
접선에 수직인 직선의 기울기는 -1

STEP B 점 $(1, 1)$에서 수직인 직선의 방정식 구하기

이때 점 $(1, 1)$에서 수직인 직선의 방정식은
$y-1=-1\cdot(x-1)$　$\therefore y=-x+2$　…… ㉠

STEP C a의 값 구하기

이 직선이 $(-3, a)$를 지나므로 ㉠에 대입하면 $a=-(-3)+2=5$
따라서 $a=5$

내신연계 출제문항 471

곡선 $y=x-x\ln x$ 위의 점 $(e, 0)$을 지나고 이 점에서의 접선에 수직인 직선의 방정식이 $(e-1, a)$를 지날 때, a의 값은?

① $-e$　　② -1　　③ 0
④ 1　　⑤ e

STEP A 두 직선이 수직이므로 기울기의 곱이 -1임을 이용하여 기울기 구하기

$f(x)=x-x\ln x$이라 하면 $f'(x)=1-\left(\ln x+x\cdot\dfrac{1}{x}\right)=-\ln x$

이때 점 $(e, 0)$에서 접선의 기울기는 $f'(e)=-\ln e=-1$이므로
접선에 수직인 직선의 기울기는 1

STEP B 점 $(e, 0)$에서 수직인 직선의 방정식 구하기

이때 점 $(e, 0)$에서 수직인 직선의 방정식은
$y-0=1\cdot(x-e)$　$\therefore y=x-e$　…… ㉠

STEP C a의 값 구하기

이 직선이 $(e-1, a)$를 지나므로 ㉠에 대입하면 $a=e-1-e$
따라서 $a=-1$

정답 ②

1234

정답 ②

STEP A 두 직선이 수직이므로 기울기의 곱이 -1임을 이용하여 기울기 구하기

$f(x)=\log_{2}x$라 하면 $f'(x)=\dfrac{1}{x\ln2}$

이때 점 $(1, 0)$에서 접선의 기울기는 $f'(1)=\dfrac{1}{\ln2}$이므로

접선에 수직인 직선의 기울기는 $-\ln2$

STEP B 원점을 지나고 기울기가 $-\ln2$인 직선의 방정식 구하기

따라서 원점을 지나고 기울기가 $-\ln2$인 직선의 방정식은 $y=(-\ln2)x$

1235

정답 ④

STEP A 점 P에서 접선에 수직인 직선의 방정식 구하기

$g(x)=\cos 3x$라 하면

$g'(x)=-3\sin 3x$

$x=t$인 점에서의 접선의 기울기는

$g'(t)=-3\sin 3t$

이때 접선에 수직인 직선의 기울기는

$\frac{1}{3\sin 3t}$

점 P$(t,\ \cos 3t)$를 지나고 점 P에서의 접선과 수직인 직선의 방정식은

$y-\cos 3t=\frac{1}{3\sin 3t}(x-t)$

$\therefore\ y=\frac{1}{3\sin 3t}x-\frac{t}{3\sin 3t}+\cos 3t$

STEP B y절편 $f(t)$를 구하고 삼각함수의 극한을 이용하여 구하기

이때 y절편은 $f(t)=-\frac{t}{3\sin 3t}+\cos 3t$

따라서 $\lim_{t\to 0}f(t)=\lim_{t\to 0}\left(-\frac{t}{3\sin 3t}+\cos 3t\right)$

$=-\frac{1}{9}\lim_{t\to 0}\frac{3t}{\sin 3t}+\lim_{t\to 0}\cos 3t$

$=-\frac{1}{9}+1=\frac{8}{9}$

1236

정답 ②

STEP A 곱의 미분법을 이용하여 함수 $g(x)$를 미분하기

점 $(e,\ -e)$는 $y=f(x)$ 위의 점이므로 $f(e)=-e$

$y=f(x)$ 위의 점 $(e,\ -e)$에서의 접선의 기울기를 $f'(e)=a$라 하자.

$g(x)=f(x)\ln x^4$의 양변을 x에 대하여 미분하면

$g'(x)=f'(x)\cdot\ln x^4+f(x)\cdot\frac{4}{x}$

$y=g(x)$ 위의 점 $(e,\ -4e)$에서의 접선의 기울기는

$g'(e)=f'(e)\cdot\ln e^4+f(e)\cdot\frac{4}{e}=a\cdot 4+(-e)\cdot\frac{4}{e}=4a-4$

STEP B 두 접선이 서로 수직이므로 $f'(e)\cdot g'(e)=-1$임을 이용하여 $f'(e)$ 구하기

$x=e$에서 $f(x)$와 $g(x)$의 접선이 수직이므로

$f'(e)\times g'(e)=-1$

$a(4a-4)=-1,\ 4a^2-4a+1=0,\ (2a-1)^2=0$

따라서 $a=\frac{1}{2}$이므로 $100f'(e)=100a=50$

내신연계 출제문항 472

함수 $y=e^x$의 그래프 위의 x좌표가 양수인 점 A와 함수 $y=-\ln x$의 그래프 위의 점 B가 다음 조건을 만족시킨다.

(가) $\overline{OA}=2\overline{OB}$ (나) $\angle AOB=90°$

직선 OA의 기울기는? (단, O는 원점이다.)

① e ② $\frac{3}{\ln 3}$ ③ $\frac{2}{\ln 2}$ ④ $\frac{5}{\ln 5}$ ⑤ $\frac{e^2}{2}$

STEP A 지수함수와 로그함수의 그래프를 이용하여 조건을 만족하는 관계식 구하기

A$(a,\ e^a)$, B$(b,\ -\ln b)$라 하면

$a>0,\ b>0$

조건 (가)에서

$\overline{OA}=2\overline{OB},\ \overline{OA}^2=4\overline{OB}^2$

이므로

$a^2+e^{2a}=4\{b^2+(\ln b)^2\}$

$a^2\left\{1+\left(\frac{e^a}{a}\right)^2\right\}=4(\ln b)^2\left\{\left(\frac{b}{\ln b}\right)^2+1\right\}$ ······ ㉠

조건(나)에서

$\frac{e^a}{a}\times\frac{-\ln b}{b}=-1$이므로 $\frac{e^a}{a}=\frac{b}{\ln b}$ ······ ㉡

STEP B 방정식을 만족하는 점 A의 좌표 구하기

㉠, ㉡에서 $a^2\left\{1+\left(\frac{e^a}{a}\right)^2\right\}=4(\ln b)^2\left\{\left(\frac{e^a}{a}\right)^2+1\right\}$

$a^2\left\{1+\left(\frac{e^a}{a}\right)^2\right\}-4(\ln b)^2\left\{\left(\frac{e^a}{a}\right)^2+1\right\}=0$

$\{a^2-4(\ln b)^2\}\left\{1+\left(\frac{e^a}{a}\right)^2\right\}=0,\ \{a^2-4(\ln b)^2\}\left\{1+\left(\frac{e^a}{a}\right)^2\right\}=0$

$\{a-2(\ln b)\}\{a+2(\ln b)\}\left\{1+\left(\frac{e^a}{a}\right)^2\right\}=0$

$a+2(\ln b)>0,\ \left(\frac{e^a}{a}\right)^2+1>0(\because a>0,\ b>0)$이므로

$a=2\ln b\quad\therefore\ b=e^{\frac{a}{2}}$

㉡에 대입하면 $\frac{e^a}{a}=\frac{e^{\frac{a}{2}}}{\frac{a}{2}},\ \frac{1}{2}e^a=e^{\frac{a}{2}}$의 양변을 제곱하여 정리하면

$e^{2a}=4e^a$이므로 $e^a(e^a-4)=0$

$e^a=4(\because e^a>0),\ a=\ln 4$

따라서 $\overline{OA}$의 기울기는 $\frac{e^a}{a}=\frac{4}{\ln 4}=\frac{2}{\ln 2}$

다른풀이 회전을 이용하여 풀이하기

함수 $y=-\ln x$의 그래프는 함수 $y=e^x$의 그래프를 원점을 중심으로 시계방향으로 $90°$회전시킨 모양이고, 조건 (나)에 의하여 $\angle AOB=90°$이므로 점 B를 원점을 중심으로 시계반대방향으로 $90°$회전시킨 점을 B$'$이라 하면 점 B$'$은 곡선 $y=e^x$위에 있고 세 점 O, B$'$, A는 한 직선 위에 있다.

점 A의 좌표를 $(t,\ e^t)$이라 하면 조건 (가)에 의하여 점 B$'$의 좌표는 $\left(\frac{t}{2},\ \frac{e^t}{2}\right)$

이때 점 B$'$이 곡선 $y=e^x$ 위에 있으므로 $\frac{e^t}{2}=e^{\frac{t}{2}}$

양변을 제곱하면 $(e^t)^2=4e^t,\ e^t(e^t-4)=0$

$e^t>0$이므로 $e^t=4$

즉 $t=\ln 4=2\ln 2$이므로 점 A의 좌표는 $(2\ln 2,\ 4)$

따라서 직선 OA의 기울기는 $\frac{4}{2\ln 2}=\frac{2}{\ln 2}$

다른풀이 닮음을 이용하여 풀이하기

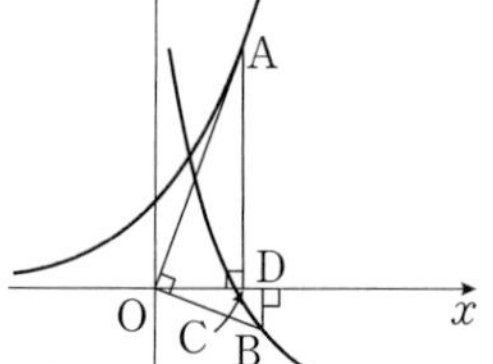

A에서 x축에 내린 수선의 발을 C, B에서 x축에 내린 수선의 발을 D라고 하면

$\angle AOC=\angle OBD,\ \angle ACO=\angle ODB$

이므로 $\triangle AOC\backsim\triangle OBD$(AA 닮음)

$\overline{AO}:\overline{OB}=2:1$이므로 닮음에 의해

$\overline{OC}=2\overline{BD},\ \overline{AC}=2\overline{OD}$이다.

$\overline{OD}=t$라 하면 $\overline{BD}=\ln t,\ \overline{OC}=2\ln t$

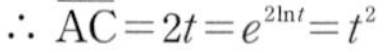

$\therefore\ \overline{AC}=2t=e^{2\ln t}=t^2$

따라서 $t=2,\ \frac{\overline{AC}}{\overline{OC}}=\frac{4}{2\ln 2}=\frac{2}{\ln 2}$

정답 ③

1237

정답 ③

STEP Ⓐ **기울기가 1인 접선의 접점의 x좌표 구하기**

$y'=\dfrac{1}{(1-x)^2}$이므로 접점의 좌표를 $\left(t,\ \dfrac{1}{1-t}\right)$라 하면

접선의 기울기가 1일 때, $\dfrac{1}{(1-t)^2}=1$

$\therefore\ t=0$ 또는 $t=2$

STEP Ⓑ **접점을 이용하여 접선의 방정식 구하기**

접점의 좌표는 $(0,\ 1)$ 또는 $(2,\ -1)$이므로

구하는 접선의 방정식은 $y=x+1$ 또는 $y=x-3$

따라서 두 접선의 y의 절편이 $1,\ -3$이므로 $a+b=-2$

내신연계 출제문항 473

곡선 $y=\dfrac{x}{1-x}$에 접하고 기울기가 4인 두 직선의 방정식을 각각 $y=4x+a,\ y=4x+b$라 할 때, 두 상수 $a,\ b$에 대하여 $a+b$의 값은? (단, $a>b$)

① -12 ② -10 ③ -8
④ -6 ⑤ -4

STEP Ⓐ **기울기가 4인 접선의 접점의 x좌표 구하기**

$f(x)=\dfrac{x}{1-x}$라고 하면 $f'(x)=\dfrac{1}{(1-x)^2}$

접점의 좌표를 $\left(t,\ \dfrac{t}{1-t}\right)$라고 하면

$f'(t)=4$에서 $\dfrac{1}{(1-t)^2}=4$이므로 $t=\dfrac{1}{2}$ 또는 $t=\dfrac{3}{2}$

STEP Ⓑ **접점을 이용하여 접선의 방정식 구하기**

즉 접점의 좌표는 $\left(\dfrac{1}{2},\ 1\right),\ \left(\dfrac{3}{2},\ -3\right)$

구하는 접선의 방정식은 $y=4x-1$ 또는 $y=4x-9$

따라서 $a=-1,\ b=-9$이므로 $a+b=-10$

정답 ②

1238

정답 ①

STEP Ⓐ **기울기가 4인 접선의 접점의 x좌표 구하기**

$y'=\ln x+3$이므로 접점의 좌표를 $(t,\ t\ln t+2t)$라 하면

접선의 기울기가 4일 때, $\ln t+3=4$

$\therefore\ t=e$

STEP Ⓑ **접점을 이용하여 접선의 방정식 구하기**

접점의 좌표는 $(e,\ 3e)$이므로 구하는 접선의 방정식은

$y-3e=4(x-e)\quad \therefore\ y=4x-e$

따라서 y절편은 $-e$

내신연계 출제문항 474

곡선 $y=x\ln x$에 접하고 기울기가 2인 접선의 방정식의 y절편은?

① $-e$ ② $-\dfrac{1}{e}$ ③ 1
④ e ⑤ $2e$

STEP Ⓐ **접점의 좌표를 구하기**

접점의 좌표를 $(a,\ a\ln a)$라고 하자.

$f(x)=x\ln x$로 놓으면

$f'(x)=\ln x+1$이므로

이 접점에서의 접선의 기울기는

$f'(a)=\ln a+1$

이때 접선의 기울기가 2이므로

$\ln a=1,\ a=e$

따라서 접점의 좌표는 $(e,\ e)$이다.

STEP Ⓑ **접선의 방정식 구하기**

접점의 좌표가 $(e,\ e)$이고 접선의 기울기가 2이므로 구하는 접선의 방정식은

$y-e=2(x-e)\quad \therefore\ y=2x-e$

따라서 y절편은 $-e$

정답 ①

1239

정답 ③

STEP Ⓐ **기울기가 1인 접선의 접점의 x좌표 구하기**

$y=\ln(x-7)$에 대하여 $y'=\dfrac{1}{x-7}$

기울기가 1일 때, 접점의 x좌표를 t라 하면

$\dfrac{1}{t-7}=1$이므로 $t=8$

STEP Ⓑ **접선의 방정식 구하기**

즉 접점의 좌표는 $(8,\ 0)$이므로 접선의 방정식은 $y=x-8$

STEP Ⓒ **삼각형 AOB의 넓이 구하기**

이 직선이 x축, y축과 만나는 점은 각각

$A(8,\ 0),\ B(0,\ -8)$

따라서 삼각형 AOB의 넓이는

$\dfrac{1}{2}\cdot\overline{OA}\cdot\overline{OB}=\dfrac{1}{2}\cdot 8\cdot|-8|=32$

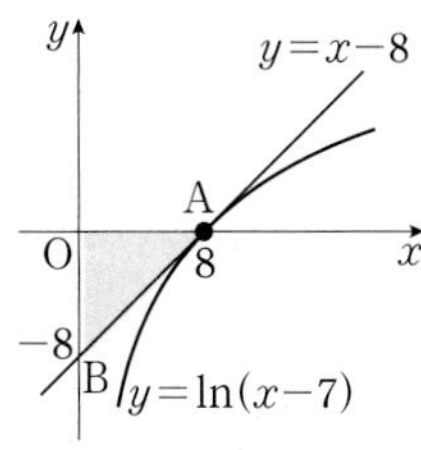

1240

정답 ③

STEP Ⓐ **기울기가 1인 접선의 접점의 x좌표 구하기**

$f(x)=x-x\ln x$라 하면

$f'(x)=1-\left(\ln x+x\cdot\dfrac{1}{x}\right)=-\ln x$

이때 접선의 기울기가 1이므로 $-\ln x=1\quad \therefore\ x=\dfrac{1}{e}$

STEP Ⓑ **접선의 방정식 구하기**

접점은 $\left(\dfrac{1}{e},\ \dfrac{2}{e}\right)$이므로 접선의 방정식은 $y-\dfrac{2}{e}=1\cdot\left(x-\dfrac{1}{e}\right)$

$\therefore\ y=x+\dfrac{1}{e}$

STEP Ⓒ **접선에 $(0,\ a)$를 대입하여 a의 값 구하기**

따라서 $y=x+\dfrac{1}{e}$이 점 $(0,\ a)$를 지나므로 $a=\dfrac{1}{e}$

내신연계 출제문항 475

곡선 $y=\ln(x+2)$에 접하고 기울기가 1인 접선의 방정식이 점 $(1, a)$를 지날 때, 상수 a의 값은?

① -2 ② -1 ③ 0
④ 1 ⑤ 2

STEP A 접선의 기울기가 1인 접선의 접점의 x좌표 구하기

$f(x)=\ln(x+2)$라 하면 $f'(x)=\dfrac{1}{x+2}$

접점의 좌표를 $(t, \ln(t+2))$라 하면 접선의 기울기가 1이므로

$f'(t)=\dfrac{1}{t+2}=1$에서 $t=-1$

STEP B 접선의 방정식 구하기

접점의 좌표는 $(-1, 0)$이므로 접선의 방정식은 $y-0=1(x+1)$

$\therefore y=x+1$

STEP C 접선에 $(1, a)$를 대입하여 a의 값 구하기

따라서 점 $(1, a)$를 지나므로 $a=1+1=2$

정답 ⑤

1241

STEP A 기울기가 $\dfrac{1}{e}$인 접선의 접점의 x좌표 구하기

$y=\ln x+a$에서 $y'=\dfrac{1}{x}$

이때 접선의 기울기가 $\dfrac{1}{e}$이므로 $\dfrac{1}{x}=\dfrac{1}{e}$ $\quad\therefore x=e$

STEP B 접점 $(e, 4)$를 곡선에 대입하여 a의 값 구하기

접점의 좌표는 $(e, 4)$이므로

이 점이 곡선 $y=\ln x+a$ 위의 점이므로 $4=\ln e+a$

따라서 $a=3$

내신연계 출제문항 476

직선 $y=5x+a$가 곡선 $y=x\ln x+2x$에 접할 때, 상수 a의 값은?

① $-\dfrac{1}{e}$ ② $-\dfrac{1}{e^2}$ ③ $-e^2$
④ e ⑤ $2e$

STEP A 기울기가 4인 접선의 접점의 x좌표 구하기

$y=x\ln x+2x$에서

$y'=\ln x+x\cdot\dfrac{1}{x}+2=\ln x+3$

기울기가 5인 접선의 x좌표를 t라 하면

$\ln t+3=5$에서 $t=e^2$

STEP B 접선에 대입하여 a의 값 구하기

접점의 좌표가 $(e^2, 4e^2)$이므로

이 점이 직선 $y=5x+a$ 위의 점이므로 $4e^2=5e^2+a$

따라서 $a=-e^2$

정답 ③

1242

STEP A 기울기가 2인 접선의 접점의 x좌표 구하기

$y=x-\cos x$에서 $y'=1+\sin x$

이때 접선의 기울기가 2이므로 $1+\sin x=2$, $\sin x=1$

$\therefore x=\dfrac{\pi}{2}$

STEP B 접점을 이용하여 a의 값 구하기

접점의 좌표는 $\left(\dfrac{\pi}{2}, \dfrac{\pi}{2}\right)$이므로 이 점이 직선 $y=2x+a$ 위의 점이므로

$\dfrac{\pi}{2}=2\cdot\dfrac{\pi}{2}+a$

따라서 $a=-\dfrac{\pi}{2}$

내신연계 출제문항 477

직선 $y=\dfrac{1}{2}x+a$가 곡선 $y=x+\cos x$에 접할 때, 상수 a의 값은? $\left(\text{단, } 0\le x\le\dfrac{\pi}{2}\right)$

① $\dfrac{\pi-\sqrt{3}}{6}$ ② $\dfrac{\pi+\sqrt{3}}{6}$ ③ $\dfrac{\pi+6\sqrt{3}}{12}$
④ $\dfrac{\pi+5\sqrt{3}}{10}$ ⑤ $\dfrac{2\pi+5\sqrt{3}}{12}$

STEP A 기울기가 $\dfrac{1}{2}$인 접선의 접점의 x좌표 구하기

$f(x)=x+\cos x$로 놓으면 $f'(x)=1-\sin x$

직선 $y=\dfrac{1}{2}x+a$에 접하므로 접선의 기울기가 $\dfrac{1}{2}$이다.

접점의 좌표를 $(t, t+\cos t)$라 하면 접선의 기울기가 $\dfrac{1}{2}$이므로

$1-\sin t=\dfrac{1}{2}$, $\sin t=\dfrac{1}{2}$ $\quad\therefore t=\dfrac{\pi}{6}\left(\because 0\le x\le\dfrac{\pi}{2}\right)$

STEP B 접선의 방정식 구하기

접점의 좌표는 $\left(\dfrac{\pi}{6}, \dfrac{\pi}{6}+\dfrac{\sqrt{3}}{2}\right)$이고 기울기가 $\dfrac{1}{2}$인 접선의 방정식은

$y-\left(\dfrac{\pi}{6}+\dfrac{\sqrt{3}}{2}\right)=\dfrac{1}{2}\cdot\left(x-\dfrac{\pi}{6}\right)$ $\quad\therefore y=\dfrac{1}{2}x+\dfrac{\pi}{12}+\dfrac{\sqrt{3}}{2}$

STEP C 상수 a의 값 구하기

따라서 이 직선이 직선 $y=\dfrac{1}{2}x+a$와 일치하므로 $a=\dfrac{\pi}{12}+\dfrac{\sqrt{3}}{2}=\dfrac{\pi+6\sqrt{3}}{12}$

1243

STEP A $x=e$인 점에서의 접선의 기울기가 1임을 이용하여 a의 값 구하기

$f(x)=2x\ln x-ax$로 놓으면 $f'(x)=2\ln x+2-a$

$x=e$인 점에서의 접선의 기울기가 1이므로 $f'(e)=2\ln e+2-a=1$

$\therefore a=3$

STEP B 접선의 방정식 구하기

$f(x)=2x\ln x-3x$에서 $f(e)=-e$이므로

점 $(e, -e)$에서의 접선의 방정식은 $y-(-e)=1\cdot(x-e)$

즉 $y=x-2e$이므로 $b=-2e$

따라서 $a+b=3-2e$

내신연계 출제문항 478

직선 $y=-x+b$가 곡선 $y=x\ln x+ax$에 접하고 그 접점의 x좌표가 e일 때, 두 상수 a, b에 대하여 $a+b$의 값은?

① $-3-e$　　② e　　③ $3+e$
④ $2+3e$　　⑤ $5+e$

STEP Ⓐ $x=e$인 점에서의 접선의 기울기가 -1임을 이용하여 a의 값 구하기

$f(x)=x\ln x+ax$로 놓으면

$f'(x)=\ln x+x\cdot\frac{1}{x}+a=\ln x+1+a$

$x=e$인 점에서의 접선의 기울기가 -1이므로 $f'(e)=\ln e+1+a=-1$

$\therefore a=-3$

STEP Ⓑ 접선의 방정식 구하기

$f(x)=x\ln x-3x$에서 $f(e)=-2e$이므로

점 $(e, -2e)$에서의 접선의 방정식은 $y-(-2e)=-1\cdot(x-e)$

$\therefore y=-x-e$

따라서 $a=-3$, $b=-e$이므로 $a+b=-3-e$

정답 ①

1244

 ⑤

STEP Ⓐ 기울기가 2인 접선의 접점의 x좌표 구하기

$x+2y+2=0$에서 직선 $y=-\frac{1}{2}x-1$이므로

이 직선에 수직인 직선의 기울기는 2

$y'=\ln x+x\cdot\frac{1}{x}+1=\ln x+2$에서 $\ln x+2=2$

$\therefore x=1$

STEP Ⓑ 접선의 방정식 구하기

이때 점 $(1, 1)$을 지나고 기울기가 2인 직선의 방정식은

$y-1=2(x-1)$

따라서 구하는 직선의 방정식은 $y=2x-1$이므로 $a=2$, $b=-1$

$\therefore a-b=2-(-1)=3$

1245

 ②

STEP Ⓐ $\sqrt{x}\le f(x)\le e^x$을 그래프 위치로 이해하기

조건에서 함수 $f(x)$가 $x>0$에서 미분가능하고 $f(1)=1$이고 $f(2)=e^2$이므로 함수 $f(x)$는 점 $(1, 1)$와 $(2, e^2)$을 지나고 조건에서 $\sqrt{x}\le f(x)\le e^x$이므로 오른쪽 그림과 같이 함수 $f(x)$의 그래프는 두 곡선 $y=\sqrt{x}$와 $y=e^x$ 사이에 있다.

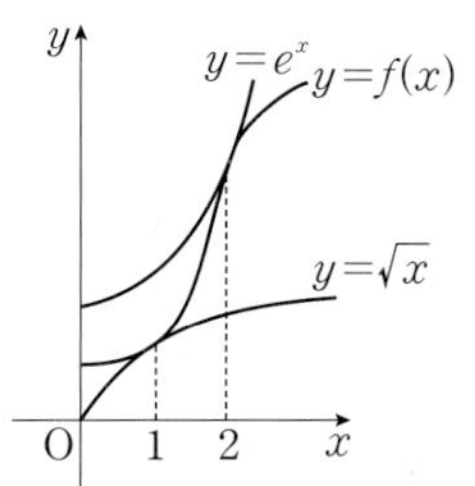

STEP Ⓑ 함수 $f(x)$가 두 점 $(1, 1)$, $(2, e^2)$에서 접함을 이용하여 구하기

함수 $f(x)$가 점 $(1, 1)$을 지나며 곡선 $y=\sqrt{x}$에 접하므로 $f'(1)=\frac{1}{2}$이고

함수 $f(x)$가 점 $(2, e^2)$을 지나며 곡선 $y=e^x$에 접하므로 $f'(2)=e^2$

따라서 $f'(1)+f'(2)=\frac{1}{2}+e^2$

1246

 ⑤

STEP Ⓐ 직선 AB와 점 P 사이의 거리가 최소일 때, 삼각형 PAB의 넓이가 최소가 됨을 이용하여 기울기가 1인 접선의 접점의 x좌표 구하기

삼각형 PAB의 넓이가 최소가 되려면 삼각형의 밑변을 AB라 하면 $\overline{AB}=2\sqrt{2}$로 일정하므로 높이가 최소일 때, 삼각형 PAB의 넓이가 최소이다. 이때 삼각형의 높이는 곡선 위 점 P에서 밑변 AB까지의 거리이므로 이 거리가 최소가 되려면 점 P에서의 접선이 직선 AB와 평행해야 한다.

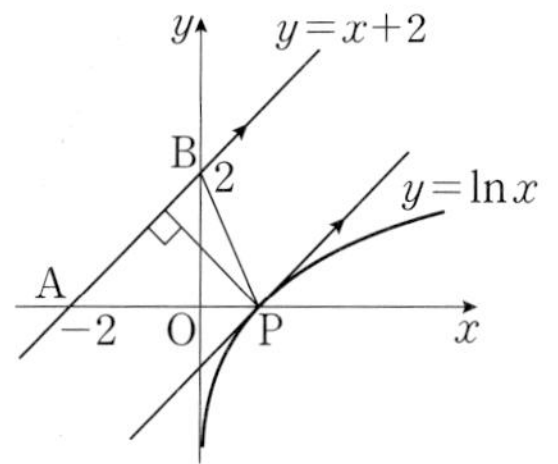

직선 AB의 방정식은 $y=x+2$이므로 기울기가 1이다.

$f(x)=\ln x$로 놓으면 $f'(x)=\frac{1}{x}$

점 P의 좌표를 $P(t, \ln t)$라 하면 점 P에서의 접선의 기울기는

1이어야 하므로 $f'(t)=\frac{1}{t}=1$　$\therefore t=1$

STEP Ⓑ 점 $P(1, 0)$에서 직선 AB까지 거리 구하기

즉 직선 AB에 평행한 접선의 접점의 좌표는 $(1, 0)$이므로

점 $P(1, 0)$에서 직선 $x-y+2=0$ 사이의 거리는 $\frac{|1-0+2|}{\sqrt{1^2+1^2}}=\frac{3}{\sqrt{2}}$

STEP Ⓒ 삼각형 ABP의 넓이의 최솟값 구하기

따라서 삼각형 ABP의 넓이의 최솟값은 $\frac{1}{2}\cdot\frac{3}{\sqrt{2}}\cdot2\sqrt{2}=3$

1247

 ⑤

STEP Ⓐ 기울기가 2인 접선의 접점의 x좌표 구하기

$f(x)=e^{2x-1}+1$로 놓으면 $f'(x)=2e^{2x-1}$

곡선 $f(x)=e^{2x-1}+1$의 점 (a, b)에서의 접선의 기울기가 2일 때, 곡선과 직선 사이의 거리가 최소이다.

$f'(x)=2e^{2x-1}=2$　$\therefore x=\frac{1}{2}$

STEP Ⓑ 점 $\left(\frac{1}{2}, 2\right)$에서 직선 AB까지 거리 구하기

즉 점 $\left(\frac{1}{2}, 2\right)$에서 직선 $2x-y-1=0$ 사이의 거리가 최단거리이다.

따라서 $\frac{\left|\frac{1}{2}\cdot2-2-1\right|}{\sqrt{2^2+1^2}}=\frac{2\sqrt{5}}{5}$

1248

 ③

STEP Ⓐ 직선 AB와 점 P 사이의 거리가 최소일 때, 삼각형 PAB의 넓이가 최소가 됨을 이용하여 기울기가 1인 접선의 접점의 x좌표 구하기

삼각형 PAB의 넓이가 최소가 되려면 삼각형의 밑변을 AB라 하면 $\overline{AB}=\sqrt{5}$로 일정하므로 높이가 최소일 때, 삼각형 PAB의 넓이가 최소이다. 이때 삼각형의 높이는 곡선 위 점 P에서 밑변 AB까지의 거리이므로 이 거리가 최소가 되려면 점 P에서의 접선이 직선 AB와 평행해야 한다.

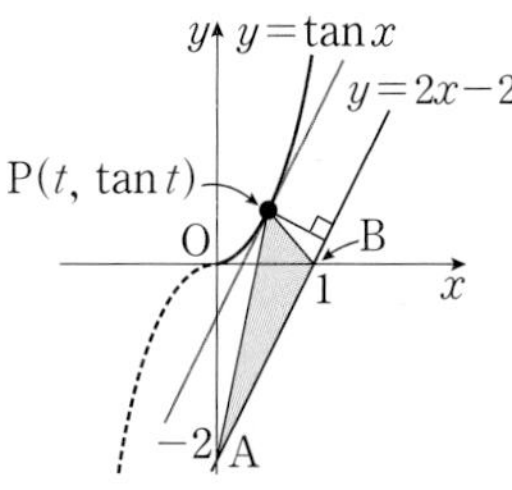

직선 AB의 방정식은 $y=2x-2$이므로 기울기가 2이다.

$f(x)=\tan x$로 놓으면 $f'(x)=\sec^2 x$

점 P의 좌표를 $P(t, \tan t)$라 하면

점 P에서의 접선의 기울기는 2이어야 하므로 $f'(t)=\sec^2 t=2$

$\frac{1}{\cos^2 t}=2$, $\cos t=\pm\frac{\sqrt{2}}{2}$ $\quad\therefore t=\frac{\pi}{4}\left(\because 0<t<\frac{\pi}{2}\right)$

STEP B 점 $P\left(\frac{\pi}{4}, 1\right)$에서 직선 AB까지 거리 구하기

즉, 직선 AB에 평행한 접선의 접점의 좌표는 $\left(\frac{\pi}{4}, 1\right)$이므로

점 P에서 직선 $y=2x-2$, 즉 $2x-y-2=0$ 사이의 거리는

$\frac{\left|2\cdot\frac{\pi}{4}-1-2\right|}{\sqrt{2^2+1^2}}=\frac{\left|\frac{\pi}{2}-3\right|}{\sqrt{5}}=\frac{3-\frac{\pi}{2}}{\sqrt{5}}$

STEP C 삼각형 ABP의 넓이의 최솟값 구하기

따라서 삼각형 ABP의 넓이의 최솟값은 $\frac{1}{2}\cdot\sqrt{5}\cdot\frac{3-\frac{\pi}{2}}{\sqrt{5}}=\frac{6-\pi}{4}$

내신연계 출제문항 479

다음 그림과 같이 곡선 $y=\sin x+1$ 위의 점 $P(a, b)$와 두 점 $A(2, 0)$, $B(0, 1)$이 있다. 삼각형 APB의 넓이가 최대가 되도록 하는 a의 값은? (단, $0<a\leq\pi$)

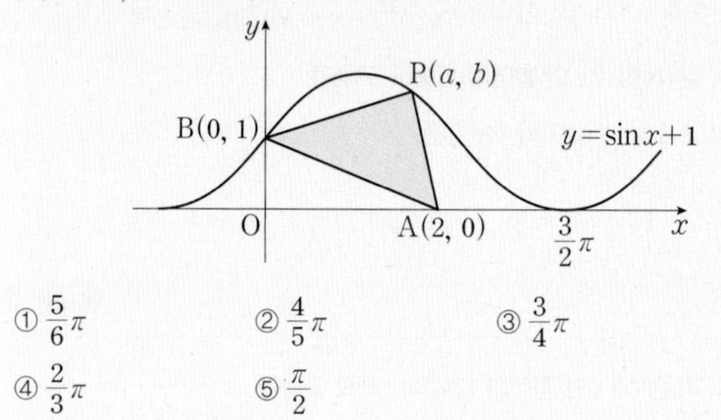

① $\frac{5}{6}\pi$ ② $\frac{4}{5}\pi$ ③ $\frac{3}{4}\pi$
④ $\frac{2}{3}\pi$ ⑤ $\frac{\pi}{2}$

STEP A 직선 AB와 점 P 사이의 거리가 최대일 때, 삼각형 PAB의 넓이가 최대가 됨을 이용하여 접선의 기울기가 $-\frac{1}{2}$인 접선의 접점의 x좌표 구하기

삼각형 APB의 넓이가 최대가 되기 위해서는 점 P에서 직선 AB까지의 거리가 최대가 되어야 한다.

이때 직선 AB의 기울기가 $-\frac{1}{2}$이므로 점 $P(a, b)$에서의 접선의 기울기는 $-\frac{1}{2}$이 되어야 한다.

$y=\sin x+1$에서 $y'=\cos x$이므로 점 $P(a, b)$에서의 접선의 기울기는

$\cos a=-\frac{1}{2}$

따라서 $0<a\leq\pi$이므로 $a=\frac{2}{3}\pi$

정답 ④

1249

정답 ②

STEP A 직선 AB와 점 P 사이의 거리가 최소일 때, 삼각형 PAB의 넓이가 최소가 됨을 이용하여 기울기가 $\frac{3}{2}$인 접선의 접점의 x좌표 구하기

삼각형 PAB의 넓이가 최소가 되려면 삼각형의 밑변 AB의 길이는 일정하므로 높이가 최소가 될 때이다.

높이가 최소인 순간의 점 P에서의 접선의 기울기는 직선 AB의 기울기와 같다.

직선 AB의 기울기는 $\frac{0-(-3)}{2-0}=\frac{3}{2}$

STEP B 지수방정식을 이용하여 a의 값 구하기

$y'=e^x-e^{-x}$이므로 $e^a-e^{-a}=\frac{3}{2}$

양변에 $2e^a$을 곱하여 정리하면 $2(e^a)^2-3e^a-2=0$, $(2e^a+1)(e^a-2)=0$

$2e^a+1>0$이므로 $e^a=2$

따라서 $a=\ln 2$

1250

정답 ④

STEP A 선분 PQ의 길이가 최소가 되는 상황을 이해하기

곡선 $y=\sqrt{x}-3$ 위의 임의의 점 Q의 좌표를 $(t, \sqrt{t}-3)(t\geq 0)$이라 하고 원점을 O라 하자.

선분 PQ의 길이가 최소가 되려면 점 Q에 대하여 선분 OQ와 원 $x^2+y^2=1$이 만나는 점이 P이고 원 $x^2+y^2=1$ 위의 점 P에서의 접선의 기울기와 곡선 $y=\sqrt{x}-3$ 위의 점 Q에서의 접선의 기울기와 같아야 한다.

STEP B $\overline{PQ}$의 최솟값 구하기

곡선 $f(x)=\sqrt{x}-3$ 위의 점 $Q(t, \sqrt{t}-3)(t>0)$에서의 접선의 기울기는

$f'(t)=\frac{1}{2\sqrt{t}}$

이때 점 $Q(t, \sqrt{t}-3)$에서 접선과 직선 OQ는 수직이므로

$\frac{1}{2\sqrt{t}}\times\frac{\sqrt{t}-3}{t}=-1$

$2(\sqrt{t})^3+\sqrt{t}-3=0$, $(\sqrt{t}-1)(2t+2\sqrt{t}+3)=0$

$t=1$이므로 $Q(1, -2)$, 즉 $\overline{PQ}$의 최솟값은 $\overline{PQ}=\overline{OQ}-1=\sqrt{5}-1$

STEP C a^2+b^2의 값 구하기

따라서 $a=5$, $b=1$이므로 $a^2+b^2=26$

1251

정답 ①

STEP A 접점의 좌표를 (t, te^t)로 놓고 접선의 방정식 구하기

$y'=(1+x)e^x$이므로 접점의 좌표를 (t, te^t)이라 하면

접선의 방정식은 $y=(1+t)e^t x-t^2e^t$ …… ㉠

STEP B 곡선 밖의 점 $(-4, 0)$을 대입하여 접점의 x좌표 구하기

이 접선이 점 $(-4, 0)$을 지나므로 $-4(1+t)e^t-t^2e^t=0$

$(t^2+4t+4)e^t=0$ $\quad\therefore t=-2$

STEP C 접선의 방정식 구하기

따라서 t의 값을 ㉠에 대입하면 구하는 접선의 방정식은 $y=-\frac{1}{e^2}x-\frac{4}{e^2}$

다른풀이 두 점을 지나는 직선의 기울기와 접점의 기울기가 같음을 이용

$y=xe^x$에서 $y'=(1+x)e^x$

접점의 좌표를 (t, te^t)이라 하면 이 점에서 접선의 기울기는 $(1+t)e^t$

이때 점 $(-4, 0)$과 접점 (t, te^t)을 지나는 직선의 기울기 $\frac{te^t}{t+4}$

즉 $\frac{te^t}{t+4}=(1+t)e^t$이므로 $t=(t+4)(1+t)$, $t^2+4t+4=0$

$(t+2)^2=0$ $\quad\therefore t=-2$

접점이 $\left(-2, -\frac{2}{e^2}\right)$이고 접선의 기울기는 $\frac{-2e^{-2}}{-2+4}=-\frac{1}{e^2}$

따라서 접선의 방정식은 $y+\frac{2}{e^2}=-\frac{1}{e^2}(x+2)$ $\quad\therefore y=-\frac{1}{e^2}x-\frac{4}{e^2}$

내/신/연/계/ 출제문항 480

점 $A(-4, 0)$에서 곡선 $y=xe^x$에 그은 접선이 y축과 만나는 점을 B라고 하자. 이때 삼각형 OAB의 넓이는? (단, O는 원점)

① $4e^{-2}$ ② $6e^{-2}$ ③ $8e^{-2}$
④ $10e^{-2}$ ⑤ $12e^{-2}$

STEP A 접점을 (t, te^t)라 하고 접선의 방정식 구하기

$y'=e^x+xe^x$이므로 접점의 좌표를 (t, te^t)으로 놓으면
접선의 방정식은 $y-te^t=e^t(1+t)(x-t)$

STEP B $(-4, 0)$을 대입하여 접선의 방정식 구하기

점 $A(-4, 0)$은 위 접선 위의 점이므로
$x=-4$, $y=0$을 대입하면
$-te^t=e^t(1+t)(-4-t)$, $t=-2$
이때 접선의 방정식은 $y=-e^{-2}x-4e^{-2}$

STEP C 삼각형 OAB의 넓이 구하기

따라서 $B(0, -4e^{-2})$이므로 $\triangle OAB=\frac{1}{2}\cdot 4\cdot|-4e^{-2}|=8e^{-2}$  정답 ③

1252

 정답 ④

STEP A 접점의 좌표를 $\left(t, \frac{\ln t}{t}\right)$로 놓고 접선의 방정식 구하기

$f(x)=\frac{\ln x}{x}$로 놓으면 $f'(x)=\frac{1-\ln x}{x^2}$
접점의 좌표를 $\left(t, \frac{\ln t}{t}\right)$로 놓으면
이 점에서 접선의 기울기는 $\frac{1-\ln t}{t^2}$이고 접선의 방정식은

$y=\frac{1-\ln t}{t^2}(x-t)+\frac{\ln t}{t}$ …… ㉠

STEP B 곡선 밖의 점 $(0, 0)$을 대입하여 접점의 x좌표 구하기

이 접선이 점 $(0, 0)$을 지나므로
$0=\frac{1-\ln t}{t^2}(0-t)+\frac{\ln t}{t}$, $0=-\frac{1-\ln t}{t}+\frac{\ln t}{t}$
$\frac{2\ln t-1}{t}=0$, $2\ln t=1$, $\ln t=\frac{1}{2}$
$\therefore t=\sqrt{e}$

STEP C 접선의 방정식을 구하고 점 $\left(a, \frac{1}{2}\right)$을 지남을 이용하여 a의 값 구하기

$t=\sqrt{e}$를 ㉠에 대입하면 $y=\frac{1}{2e}x$
이 직선이 점 $\left(a, \frac{1}{2}\right)$을 지나므로 $\frac{1}{2}=\frac{1}{2e}\cdot a$
따라서 $a=e$

내/신/연/계/ 출제문항 481

함수 $f(x)=\frac{\ln x}{x}$에 대하여 원점에서 곡선 $y=f(x)$에 그은 접선의 접점의 좌표가 (a, b)일 때, ab의 값은?

① $\frac{1}{4e}$ ② $\frac{1}{4\sqrt{e}}$ ③ $\frac{1}{4}$
④ $\frac{\sqrt{e}}{4}$ ⑤ $\frac{1}{2}$

STEP A 접점의 좌표를 $\left(t, \frac{\ln t}{t}\right)$로 놓고 접선의 방정식 구하기

$f'(x)=\frac{\frac{1}{x}\times x-\ln x}{x^2}=\frac{1-\ln x}{x^2}$이므로
곡선 $y=f(x)$ 위의 점 $\left(t, \frac{\ln t}{t}\right)$에서의 접선의 방정식은
$y-\frac{\ln t}{t}=\frac{1-\ln t}{t^2}(x-t)$

STEP B 곡선 밖의 점 $(0, 0)$을 대입하여 접점의 좌표 구하기

이 접선이 원점을 지나므로
$0-\frac{\ln t}{t}=\frac{1-\ln t}{t^2}(0-t)$에서 $\ln t=\frac{1}{2}$
$\therefore t=\sqrt{e}$

STEP C ab의 값 구하기

따라서 $t=\sqrt{e}$이므로 접점의 좌표는 $\left(\sqrt{e}, \frac{1}{2\sqrt{e}}\right)$ $\therefore ab=\sqrt{e}\times\frac{1}{2\sqrt{e}}=\frac{1}{2}$

 정답 ⑤

1253

 정답 ⑤

STEP A 접점의 좌표를 $(t, 3e^{t-1})$로 놓고 접선의 방정식 구하기

$y'=3e^{x-1}$이므로 점 A의 좌표를
$(t, 3e^{t-1})$로 놓으면
접선의 기울기는 $3e^{t-1}$이므로
접선의 방정식은
$y=3e^{t-1}(x-t)+3e^{t-1}$

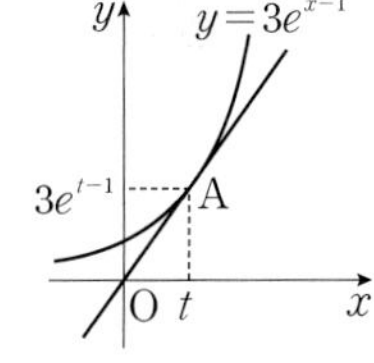

STEP B 곡선 밖의 점 $(0, 0)$을 대입하여 접점의 x좌표 구하기

이 접선이 원점 $O(0, 0)$을 지나므로 $0=3e^{t-1}(-t)+3e^{t-1}$
$\therefore t=1$

STEP C 선분 OA의 길이 구하기

따라서 $A(1, 3)$이므로 $\overline{OA}=\sqrt{1^2+3^2}=\sqrt{10}$

내/신/연/계/ 출제문항 482

함수 $f(x)=5e^{2x-1}$에 대하여 원점에서 곡선 $y=f(x)$에 그은 접선의 접점의 좌표가 (a, b)일 때, ab의 값은?

① $\frac{1}{2}$ ② 1 ③ $\frac{3}{2}$
④ $\frac{5}{2}$ ⑤ 4

STEP A 접점의 좌표를 $(t, 5e^{2t-1})$로 놓고 접선의 방정식 구하기

$y=5e^{2x-1}$에서 $y'=10e^{2x-1}$이므로
접점의 좌표를 $(t, 5e^{2t-1})$로 놓으면 접선의 기울기는 $10e^{2t-1}$
이때 접선의 방정식은 $y-5e^{2t-1}=10e^{2t-1}(x-t)$

STEP B 이 접선이 점 $(0, 0)$을 지날 때, 접점의 x좌표 구하기

이 접선이 원점 $O(0, 0)$을 지나므로
$0-5e^{2t-1}=10e^{2t-1}(0-t)$에서 $-1=2(-t)$
$\therefore t=\frac{1}{2}$

STEP C ab의 값 구하기

따라서 $t=\frac{1}{2}$이므로 접점의 좌표는 $\left(\frac{1}{2}, 5\right)$ $\therefore ab=\frac{1}{2}\cdot 5=\frac{5}{2}$  정답 ④

1254

정답 ②

STEP Ⓐ **접점의 좌표를 $\left(t,\ \frac{t-1}{t}\right)$로 놓고 접선의 방정식 구하기**

$f(x)=\frac{x-1}{x}$로 놓으면 $f'(x)=\frac{x-(x-1)}{x^2}=\frac{1}{x^2}$

접점의 좌표를 $\left(t,\ \frac{t-1}{t}\right)$이라 하면 접선의 기울기는 $f'(t)=\frac{1}{t^2}$이므로

접선의 방정식은 $y-\frac{t-1}{t}=\frac{1}{t^2}(x-t)$

$\therefore\ y=\frac{1}{t^2}x+\frac{t-2}{t}$

STEP Ⓑ **곡선 밖의 점 $(2,\ 2)$를 대입하여 접점의 x좌표에 관한 방정식 구하기**

이 접선이 점 $(2,\ 2)$를 대입하면

$2=\frac{2}{t^2}+\frac{t-2}{t}$

$t^2+2t-2=0$ …… ㉠

STEP Ⓒ **근과 계수의 관계를 이용하여 두 접선의 기울기의 곱 구하기**

방정식 ㉠의 두 근을 $\alpha,\ \beta$라 하면 근과 계수의 관계에 의하여

$\alpha\beta=-2$

따라서 접선의 기울기는 각각 $\frac{1}{\alpha^2},\ \frac{1}{\beta^2}$이므로 두 접선의 기울기의 곱은

$m_1m_2=\frac{1}{\alpha^2}\cdot\frac{1}{\beta^2}=\frac{1}{(\alpha\beta)^2}=\frac{1}{4}$

1255

STEP Ⓐ **접점의 좌표를 $(t,\ te^t)$로 놓고 접선의 방정식 구하기**

$y'=e^x+xe^x=e^x(x+1)$이므로 곡선 $y=xe^x$ 위의 점 $(t,\ te^t)$이라 하면

접선의 기울기는 $e^t(t+1)$이므로

접선의 방정식은 $y-te^t=e^t(t+1)(x-t)$

STEP Ⓑ **곡선 밖의 점 $(1,\ 0)$을 대입하여 접점의 x좌표에 관한 방정식 구하기**

이 접선이 점 $(1,\ 0)$을 지나므로 $-te^t=e^t(t+1)(1-t)$

$e^t>0$이므로 $-t=(t+1)(1-t)$

$\therefore\ t^2-t-1=0$ …… ㉠

STEP Ⓒ **근과 계수의 관계를 이용하여 두 접선의 기울기의 곱 구하기**

방정식 ㉠의 두 근을 $\alpha,\ \beta$라고 하면 근과 계수의 관계에 의하여

$\alpha+\beta=1,\ \alpha\beta=-1$

따라서 두 접선의 기울기의 곱은

$m_1m_2=e^\alpha(\alpha+1)e^\beta(\beta+1)=e^{\alpha+\beta}(\alpha\beta+\alpha+\beta+1)=e^1(-1+1+1)=e$

다른풀이 두 점을 지나는 직선의 기울기와 접선의 기울기가 같음을 이용하여 풀이하기

$y=xe^x$에서 $y'=(1+x)e^x$

접점의 좌표를 $(t,\ te^t)$이라 하면 이 점에서 접선의 기울기는 $(1+t)e^t$

이때 점 $(1,\ 0)$과 접점 $(t,\ te^t)$을 지나는 직선의 기울기 $\frac{te^t}{t-1}$

즉 $\frac{te^t}{t-1}=(1+t)e^t$이므로 $t=(t-1)(t+1),\ t^2-t-1=0$

위의 방정식의 두 근을 $\alpha,\ \beta$라고 하면 근과 계수의 관계에 의하여

$\alpha+\beta=1,\ \alpha\beta=-1$

따라서 두 접선의 기울기의 곱은

$m_1m_2=e^\alpha(\alpha+1)e^\beta(\beta+1)=e^{\alpha+\beta}(\alpha\beta+\alpha+\beta+1)=e^1(-1+1+1)=e$

내신연계 출제문항 483

점 $(2,\ 0)$에서 곡선 $y=(x-1)e^x$에 그은 두 접선의 기울기를 $m_1,\ m_2$라 할 때, m_1m_2의 값은?

① $\frac{1}{e}$ ② 1 ③ e
④ e^2 ⑤ e^3

STEP Ⓐ **접점의 좌표를 $(t,\ (t-1)e^t)$로 놓고 접선의 방정식 구하기**

$y'=e^x+(x-1)e^x=xe^x$이므로

곡선 $y=(x-1)e^x$ 위의 점 $(t,\ (t-1)e^t)$이라 하면

접선의 기울기는 te^t이므로 접선의 방정식은 $y-(t-1)e^t=te^t(x-t)$

STEP Ⓑ **곡선 밖의 점 $(2,\ 0)$을 대입하여 접점의 x좌표에 관한 방정식 구하기**

이 접선이 점 $(2,\ 0)$을 지나므로 $-(t-1)e^t=te^t(2-t)$

$e^t>0$이므로 양변을 e^t으로 나누면 $-(t-1)=t(2-t)$

$\therefore\ t^2-3t+1=0$ …… ㉠

STEP Ⓒ **근과 계수의 관계를 이용하여 두 접선의 기울기의 곱 구하기**

방정식 ㉠의 두 근을 $\alpha,\ \beta$라고 하면 근과 계수의 관계에 의하여

$\alpha+\beta=3,\ \alpha\beta=1$

따라서 두 접선의 기울기의 곱은 $m_1m_2=e^\alpha\alpha\times e^\beta\beta=\alpha\beta e^{\alpha+\beta}=1\times e^3=e^3$

다른풀이 두 점을 지나는 직선의 기울기와 접선의 기울기가 같음을 이용하여 풀이하기

$y=(x-1)e^x$에서 $y'=xe^x$

접점의 좌표를 $(t,\ (t-1)e^t)$이라 하면 이 점에서 접선의 기울기는 te^t

이때 점 $(2,\ 0)$과 접점 $(t,\ (t-1)e^t)$을 지나는 직선의 기울기 $\frac{(t-1)e^t}{t-2}$

즉 $\frac{(t-1)e^t}{t-2}=te^t$이므로 $t-1=t(t-2),\ t^2-3t+1=0$

위의 방정식의 두 근을 $\alpha,\ \beta$라고 하면 근과 계수의 관계에 의하여

$\alpha+\beta=3,\ \alpha\beta=1$

따라서 두 접선의 기울기의 곱은 $m_1m_2=e^\alpha\alpha\times e^\beta\beta=\alpha\beta e^{\alpha+\beta}=1\times e^3$

1256

STEP Ⓐ **곡선 위의 점에서 접선의 방정식 구하기**

$f(x)=\frac{1}{2}(\ln x)^2-4$라 하면 진수조건에 의하여 $x>0$이고

$f'(x)=\frac{\ln x}{x}$

곡선 $y=f(x)$ 위의 점 $\left(t,\ \frac{1}{2}(\ln t)^2-4\right)$에서의 접선의 방정식은

$y-\left\{\frac{1}{2}(\ln t)^2-4\right\}=\frac{\ln t}{t}(x-t)$ …… ㉠

STEP Ⓑ **원점 $(0,\ 0)$을 지나는 접점의 x좌표 구하기**

직선 ㉠이 원점 $(0,\ 0)$을 지나야 하므로

$-\frac{1}{2}(\ln t)^2+4=-\ln t$

$(\ln t)^2-2\ln t-8=0,\ (\ln t+2)(\ln t-4)=0$

$\ln t=-2$ 또는 $\ln t=4$에서 $t=e^{-2}$ 또는 $t=e^4$

STEP Ⓒ **m_1m_2의 값 구하기**

이때 접선의 기울기는 각각 $-2e^2,\ \frac{4}{e^4}$이므로 두 기울기 $m_1,\ m_2$의 곱은

$m_1m_2=-2e^2\times\frac{4}{e^4}=-\frac{8}{e^2}$

1257

정답 ③

STEP A 곡선 밖의 점 $(t,\ 0)$에서 그은 접선의 방정식 구하기

$f(x)=xe^x$이라 하면

$f'(x)=e^x+xe^x=(x+1)e^x$ …… ㉠

접점의 좌표를 $(p,\ pe^p)$이라 하면

접선의 기울기는 $f'(p)=(p+1)e^p$이 되므로 접선의 방정식은

$y=(p+1)e^p(x-p)+pe^p$

$\therefore\ y=(p+1)e^px-p^2e^p$

이것이 점 $\mathrm{A}(t,\ 0)$을 지나므로

$(p+1)e^pt-p^2e^p=0,\ e^p\{(p+1)t-p^2\}=0$

이때 $e^p\neq0$이므로 $p^2-tp-t=0$

STEP B 접선이 두 개이므로 근과 계수의 관계를 이용하여 t의 값 구하기

이때 접점이 두 개이므로 이를 만족하는 p의 값을 $\alpha,\ \beta$라 하면

근과 계수의 관계에서 $\alpha+\beta=t,\ \alpha\beta=-t$ …… ㉡

각각의 경우 접선의 기울기의 곱을 구하면 ㉠에서

$(\alpha+1)e^\alpha(\beta+1)e^\beta=e,\ (\alpha\beta+\alpha+\beta+1)e^{\alpha+\beta}=e$

여기에 ㉡을 대입하면 $e^t=e$

따라서 $t=1$

1258

STEP A 접점의 좌표를 $(t,\ \ln t+1)$로 놓고 접선의 방정식 구하기

곡선 $y=\ln x+1$에서 $y'=\dfrac{1}{x}$이므로

접점의 좌표를 $(t,\ \ln t+1)$이라 하면

접선 l의 기울기는 $\dfrac{1}{t}$이고 접선의 방정식은 $y-(\ln t+1)=\dfrac{1}{t}(x-t)$

$\therefore\ y=\dfrac{1}{t}x+\ln t$

STEP B 곡선 밖의 점 $(0,\ a)$를 대입하여 접점의 x좌표 구하기

이 접선이 점 $(0,\ a)$를 지나므로 $a=\ln t$

$\therefore\ t=e^a$

STEP C $\lim\limits_{x\to0}\dfrac{e^x-1}{x}=1$임을 이용하여 구하는 값 구하기

이때 접선 l이 x축과 만나는 점의 x좌표는 $x=-t\ln t=-ae^a$이므로

$\overline{\mathrm{OP}}=ae^a,\ \overline{\mathrm{OA}}=a$

따라서 $\lim\limits_{a\to0+}\dfrac{\overline{\mathrm{OP}}-\overline{\mathrm{OA}}}{2a^2}=\lim\limits_{a\to0+}\dfrac{ae^a-a}{2a^2}=\lim\limits_{a\to0+}\dfrac{e^a-1}{2a}=\dfrac{1}{2}$

내신연계 출제문항 484

0이 아닌 실수 a에 대하여 점 $(0,\ a)$를 지나는 직선 l이 곡선 $y=\ln x$에 접할 때, 직선 l의 x절편을 $f(a)$라 하자. $\lim\limits_{a\to0}\dfrac{f(a)+ae}{2ea^2}$의 값은?

① -2　② -1　③ $-\dfrac{1}{2}$

④ $\dfrac{1}{2}$　⑤ 1

STEP A 접점의 좌표를 $(t,\ \ln t)$로 놓고 접선의 방정식 구하기

$y=\ln x$에서 $y'=\dfrac{1}{x}$이므로 접점의 좌표를 $(t,\ \ln t)$라 하면

직선 l의 방정식은 $y-\ln t=\dfrac{1}{t}(x-t)$

$y=\dfrac{1}{t}x-1+\ln t$ …… ㉠

STEP B 곡선 밖의 점 $(0,\ a)$를 대입하여 접점의 x좌표 구하기

㉠이 점 $(0,\ a)$를 지나므로 $a=-1+\ln t,\ \ln t=a+1$

$\therefore\ t=e^{a+1}$

STEP C $\lim\limits_{a\to0}\dfrac{f(a)+ae}{2ea^2}$의 값 구하기

직선 l의 방정식은 $y=\dfrac{1}{e^{a+1}}x+a$이므로 x절편은 $-ae^{a+1}$

즉 $f(a)=-ae^{a+1}$

따라서 $\lim\limits_{a\to0}\dfrac{f(a)+ae}{2ea^2}=\lim\limits_{a\to0}\dfrac{-ae^{a+1}+ae}{2ea^2}=-\lim\limits_{a\to0}\dfrac{e^a-1}{2a}=-\dfrac{1}{2}$

1259

STEP A 점 $(f(a),\ g(a))$에서 $y=e^x$에 그은 접선의 방정식 구하기

$y=e^x$에서 $y'=e^x$이므로 접점의 좌표를 $(t,\ e^t)$라 하면

접선의 기울기 e^t이고 접선의 방정식은 $y-e^t=e^t(x-t)$

$\therefore\ y=e^tx-te^t+e^t$ …… ㉠

STEP B 점 $(\ln a,\ 0)$을 접선의 방정식에 대입하여 $f(a),\ g(a)$ 구하기

㉠이 점 $(\ln a,\ 0)$을 지나므로 $0=e^t\ln a-te^t+e^t$

$e^t>0$이므로 양변을 e^t으로 나누면

$0=\ln a-t+1$　$\therefore\ t=\ln a+1$

이때 접점의 좌표가 $(t,\ e^t)$이므로

$f(a)=\ln a+1,\ g(a)=e^{\ln a+1}=e^{\ln a}\cdot e=ae$

STEP C $\lim\limits_{a\to0+}\dfrac{f(a+1)-1}{g(a)}$의 값 구하기

$$\begin{aligned}\text{따라서 }\lim_{a\to0+}\frac{f(a+1)-1}{g(a)}&=\lim_{a\to0+}\frac{\{\ln(a+1)+1\}-1}{ae}\\&=\lim_{a\to0+}\frac{\ln(a+1)}{ea}\\&=\frac{1}{e}\lim_{a\to0+}\frac{\ln(a+1)}{a}\\&=\frac{1}{e}\times1=\frac{1}{e}\end{aligned}$$

1260

STEP A 접점의 좌표를 $(t,\ e^{t-1})$로 놓고 접선의 방정식 구하기

$y=e^{x-1}$에서 $y'=e^{x-1}$이므로 접점의 좌표를 $(t,\ e^{t-1})$이라 하면

접선의 기울기는 e^{t-1}이므로 접선의 방정식은

$y-e^{t-1}=e^{t-1}(x-t)$

STEP B 곡선 밖의 점 $(n\ln2,\ 0)$을 대입하여 접점의 y좌표 구하기

이 접선이 점 $(n\ln2,\ 0)$을 지나므로 $-e^{t-1}=e^{t-1}(n\ln2-t)$

$\therefore\ t=n\ln2+1$

즉 접점의 y좌표는 $a_n=e^{t-1}=e^{n\ln2+1-1}=e^{n\ln2}=2^n$

STEP C $\sum\limits_{n=1}^{\infty}ar^{n-1}=\dfrac{a}{1-r}$임을 이용하여 $\sum\limits_{n=1}^{\infty}\dfrac{1}{a_n}$의 값 구하기

따라서 $\sum\limits_{n=1}^{\infty}\dfrac{1}{a_n}=\sum\limits_{n=1}^{\infty}\dfrac{1}{2^n}=\dfrac{\frac{1}{2}}{1-\frac{1}{2}}=1$

II 미분법

1261

정답 ④

STEP A 기울기가 1인 접선의 접점의 x좌표 구하기

$f(x)=e^x$로 놓으면 $f'(x)=e^x$

접점의 좌표를 $(t,\ e^t)$이라 하면

접선의 기울기가 1이므로

$f'(t)=e^t=1$

$\therefore t=0$

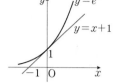

STEP B 접선의 방정식을 구하여 a의 값 구하기

즉 접점의 좌표는 $(0,\ 1)$이므로 접선의 방정식은 $y-1=(x-0)$

$\therefore y=x+1$

따라서 $a=1$

1262

 ③

STEP A 기울기가 1인 접선의 접점의 x좌표 구하기

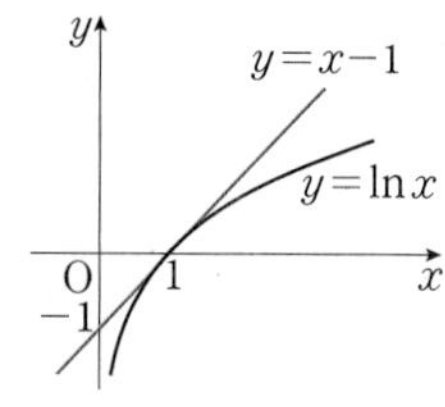

$f(x)=\ln x$로 놓으면 $f'(x)=\dfrac{1}{x}$

접점의 좌표를 $(t,\ \ln t)$라 하면

접선의 기울기가 1이므로

$f'(t)=\dfrac{1}{t}=1$

$\therefore t=1$

STEP B 접선의 방정식을 구하여 a의 값 구하기

즉 접점의 좌표는 $(1,\ 0)$이므로 구하는 접선의 방정식은 $y-0=1\cdot(x-1)$

$\therefore y=x-1$

따라서 $a=-1$

1263

 ④

STEP A 접점의 좌표를 $(t,\ e^t)$로 놓고 접선의 방정식 구하기

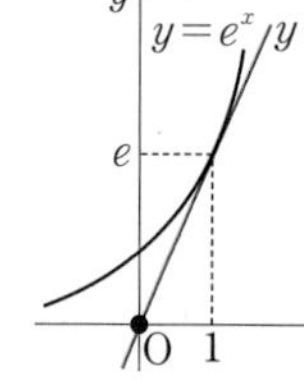

$f(x)=e^x$로 놓으면 $f'(x)=e^x$

접점의 좌표를 $(t,\ e^t)$라고 하면

접선의 기울기는 $f'(t)=e^t$

점 $(t,\ e^t)$에서 접선의 방정식은

$y-e^t=e^t(x-t)$

$y=e^tx-te^t+e^t$ …… ㉠

STEP B 접선이 점 $(0,\ 0)$을 지날 때, 접점의 x좌표 구하기

이 접선이 원점을 지나므로 $0=-te^t+e^t$ $\therefore t=1$

STEP C 접선의 방정식 구하기

따라서 $t=1$을 ㉠에 대입하면 구하는 접선의 방정식은 $y=ex$

1264

 ③

STEP A 접점의 좌표를 $(t,\ \ln t)$로 놓고 접선의 방정식 구하기

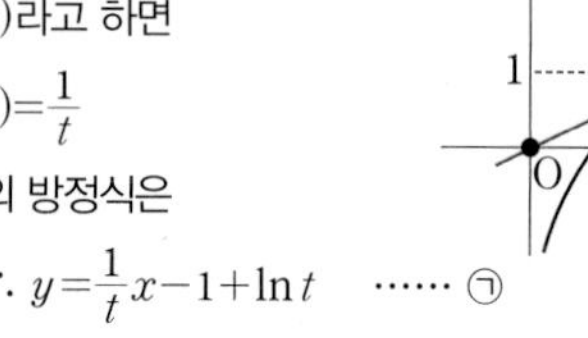

$f(x)=\ln x$로 놓으면 $f'(x)=\dfrac{1}{x}$

접점의 좌표를 $(t,\ \ln t)$라고 하면

접선의 기울기는 $f'(t)=\dfrac{1}{t}$

점 $(t,\ \ln t)$에서 접선의 방정식은

$y-\ln t=\dfrac{1}{t}(x-t)$ $\therefore y=\dfrac{1}{t}x-1+\ln t$ …… ㉠

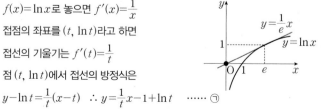

STEP B 접선이 점 $(0,\ 0)$을 지날 때, 접점의 x좌표 구하기

이 접선이 원점을 지나므로 $0=-1+\ln t$ $\therefore t=e$

STEP C 접선의 방정식 구하기

따라서 $t=e$를 ㉠에 대입하면 구하는 접선의 방정식은 $y=\dfrac{1}{e}x$

1265

 ③

STEP A 원점에서 곡선 $y=e^x$, $y=\ln x$에 그은 접선의 방정식 구하기

$(a,\ e^a)$를 접점으로 하는 접선의 방정식이 원점을 지나므로

$y-e^a=f'(a)(x-a)$, $0-e^a=e^a(0-a)$

$-e^a=-ae^a$ $\therefore a=1$

즉 구하는 접점은 $(1,\ e)$이고 접선의 방정식은

$y=ex$ …… ㉠

한편 $(b,\ \ln b)$를 접점으로 하는 접선의 방정식이 원점을 지나므로

$y-\ln b=\dfrac{1}{b}(x-b)$, $0-\ln b=\dfrac{1}{b}(0-b)$ $\therefore b=e$

즉 구하는 접점은 $(e,\ 1)$이고 접선의 방정식은

$y=\dfrac{1}{e}x$ …… ㉡

STEP B 삼각형 OAB의 넓이 구하기

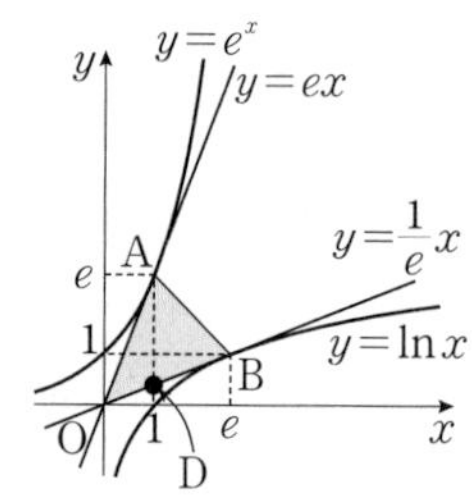

㉠, ㉡에서 삼각형 OAB는 오른쪽 그림과 같다.

따라서

$\triangle\text{OAB}=\triangle\text{AOD}+\triangle\text{ADB}$

$=\dfrac{1}{2}\cdot1\cdot\left(e-\dfrac{1}{e}\right)+\dfrac{1}{2}(e-1)\left(e-\dfrac{1}{e}\right)$

$=\dfrac{e^2-1}{2}$

내신연계 출제문항 485

원점 O에서 곡선 $y=\ln x$에 그은 접선과 곡선 $y=\ln x$의 교점을 P, 점 P를 지나고 접선에 수직인 직선이 x축과 만나는 점을 Q라고 할 때, 삼각형 OPQ의 넓이는?

① $e+\dfrac{1}{e}$ ② $\dfrac{1}{2}\left(e+\dfrac{1}{e}\right)$ ③ $2\left(e+\dfrac{1}{e}\right)$

④ $2\left(e-\dfrac{1}{e}\right)$ ⑤ $\dfrac{1}{3}\left(e-\dfrac{1}{e}\right)$

STEP A 접점의 좌표를 $(t,\ \ln t)$로 놓고 접선의 방정식 구하기

$f(x)=\ln x$로 놓으면 $f'(x)=\dfrac{1}{x}$

접점의 좌표를 $(t,\ \ln t)$라고 하면 접선의 기울기는 $f'(t)=\dfrac{1}{t}$

점 $(t,\ \ln t)$에서 접선의 방정식은 $y-\ln t=\dfrac{1}{t}(x-t)$

$y=\dfrac{1}{t}x-1+\ln t$ …… ㉠

STEP B 접선이 점 $(0,\ 0)$을 지날 때, 접점의 x좌표 구하기

이 접선이 원점을 지나므로 $0=-1+\ln t$ $\therefore t=e$

즉 접점의 좌표는 $\text{P}(e,\ 1)$

STEP C 접선의 방정식과 수직인 직선의 방정식을 구하여 △OPQ 구하기

점 $\text{P}(e,\ 1)$을 지나고 접선에 수직인 직선의 방정식은 $y-1=-e(x-e)$

따라서 점 Q의 좌표가 $\left(e+\dfrac{1}{e},\ 0\right)$이므로 삼각형 OPQ의 넓이는

$\dfrac{1}{2}\cdot\left(e+\dfrac{1}{e}\right)\cdot1=\dfrac{1}{2}\left(e+\dfrac{1}{e}\right)$

정답 ②

1266

정답 ②

STEP A **두 곡선 $y=e^x$, $y=\ln x$의 접선 중 $y=x$에 평행한 순간 접점 사이의 거리가 최소가 됨을 이용하기**

$y=e^x$에서 $y'=e^x$

곡선 $y=e^x$에 접하고 직선 $y=x$와 평행한 접선의 기울기가 1이므로

접점의 좌표를 $(t,\ e^t)$이라 하면 $e^t=1$

$\therefore\ t=0$

즉 접점의 좌표는 $(0,\ 1)$이고

이때 두 곡선 $y=e^x$, $y=\ln x$는 직선 $y=x$에 대하여 대칭이므로

$y=\ln x$에 접하고 $y=x$에 평행한 접선의 접점의 좌표는 $(1,\ 0)$

STEP B **두 점 P, Q 사이의 거리 구하기**

따라서 두 점 $(0,\ 1)$, $(1,\ 0)$ 사이의 거리가 구하는 선분 PQ의 길이의 최솟값이므로 $\sqrt{(1-0)^2+(0-1)^2}=\sqrt{2}$

다른풀이 증감표를 이용하여 선분 $\overline{\text{PQ}}$의 최솟값 구하기

STEP A **$y=e^x$와 $y=\ln x$가 서로 $y=x$에 대칭임을 이용하여 두 점 P, Q 사이의 거리 구하기**

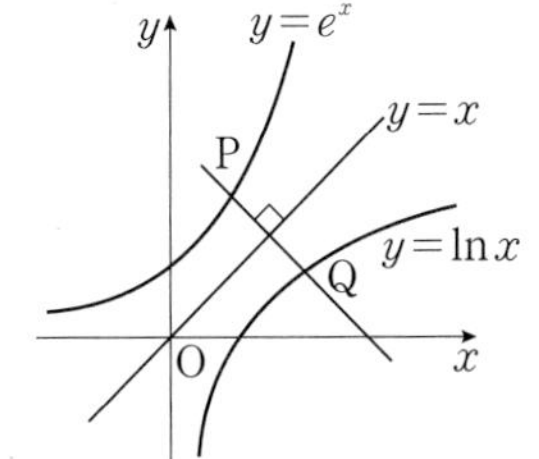

두 곡선 $y=e^x$과 $y=\ln x$는 직선 $y=x$에 대하여 대칭이다.

선분 PQ가 직선 $y=x$에 수직이므로 점 P와 점 Q는 직선 $y=x$에 대하여 대칭이다.

점 P의 좌표를 $\text{P}(t,\ e^t)$이라 하면 $\text{Q}(e^t,\ t)$

$\overline{\text{PQ}}=\sqrt{(e^t-t)^2+(t-e^t)^2}$

$=\sqrt{2(e^t-t)^2}$

$=\sqrt{2}(e^t-t)\,(\because e^t>t)$

STEP B **두 점 P, Q 사이의 거리를 미분하여 증감표에서 최소 구하기**

$f(t)=\sqrt{2}(e^t-t)$로 놓으면 $f'(t)=\sqrt{2}(e^t-1)$

$f'(t)=0$에서 $e^t=1$

$\therefore\ t=0$

함수 $f(t)$의 증가와 감소를 표로 나타내면 다음과 같다.

t	$\cdots$	0	$\cdots$
$f'(t)$	$-$	0	$+$
$f(t)$	↘	$\sqrt{2}$	↗

따라서 $f(t)$의 최솟값은 $f(0)=\sqrt{2}$

참고 두 곡선 $y=e^x$, $y=\ln x$에 동시에 접하는 원의 넓이의 최솟값
⇨ 지름인 선분 PQ의 길이의 최솟값이 $\sqrt{2}$이므로
넓이의 최솟값은 $\pi\left(\frac{\sqrt{2}}{2}\right)^2=\frac{\pi}{2}$

내신연계 출제문항 486

함수 $f(x)=\ln\frac{x}{k}$(k는 자연수)의 역함수를 $y=g(x)$라 할 때, 곡선 $y=f(x)$ 위의 점과 곡선 $y=g(x)$ 위의 점 사이의 최단 거리를 l_k라 하자. $l_k\geq 3\sqrt{2}$를 만족시키는 k의 최솟값은? (단, $e=2.7$로 계산한다.)

① 11　② 10　③ 9
④ 8　⑤ 7

STEP A **두 함수 $y=f(x)$, $y=g(x)$의 그래프가 직선 $y=x$에 대하여 대칭임을 이용하기**

다음 그림과 같이 두 함수 $y=f(x)$, $y=g(x)$의 그래프는 직선 $y=x$에 대하여 대칭이다.

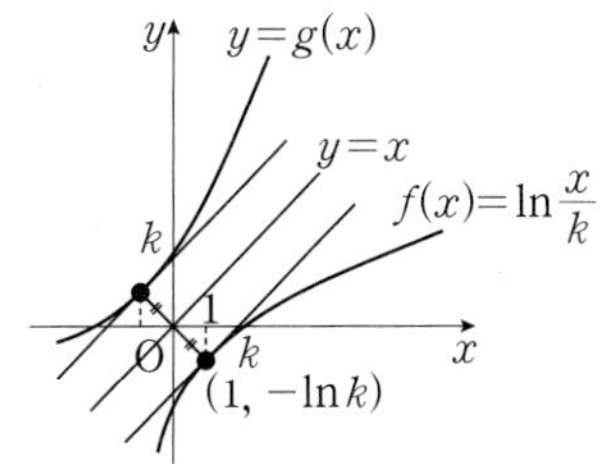

이때 곡선 $y=f(x)$ 위의 점과 곡선 $y=g(x)$ 위의 점 사이의 최단거리 l_k는 곡선 $y=f(x)$ 위의 점과 $y=x$ 위의 점 사이의 최단거리의 2배이다.

STEP B **곡선 $y=f(x)$ 위의 점과 직선 $y=x$ 사이의 거리가 최소가 되는 접점의 x좌표 구하기**

함수 $f(x)=\ln\frac{x}{k}$의 접선 중 기울기가 1인 접선에서 $y=x$까지 거리의 두 배가 l_k이므로 $f(x)=\ln\frac{x}{k}=\ln x-\ln k$에서

$f'(x)=\frac{1}{x}=1\quad\therefore\ x=1$

즉 접점의 좌표는 $\left(1,\ \ln\frac{1}{k}\right)$

STEP C **곡선 $y=f(x)$ 위의 점과 직선 $y=x$ 사이의 거리의 2배가 $3\sqrt{2}$ 이상이 되도록 하는 자연수 k의 최솟값 구하기**

곡선 $y=f(x)$ 위의 점 $\left(1,\ \ln\frac{1}{k}\right)$과 직선 $y=x$, 즉 $x-y=0$ 사이의 거리는

$$d=\frac{\left|1-\ln\frac{1}{k}\right|}{\sqrt{2}}=\frac{1+\ln k}{\sqrt{2}}=\frac{(1+\ln k)\sqrt{2}}{2}$$

$l_k=2d=(1+\ln k)\sqrt{2}\geq 3\sqrt{2}$

$|1+\ln k|\geq 3$, $1+\ln k\geq 3$($\because$ k는 자연수)

$\ln k\geq 2\quad\therefore\ k\geq e^2\fallingdotseq(2.7)^2\fallingdotseq 7.29$

따라서 자연수 k의 최솟값은 8

정답 ④

1267

정답 ①

STEP A **두 점 $(0,\ 0)$, $(1,\ 1)$에서의 접선의 기울기 구하기**

$f(x)=\frac{2x}{x+1}$에서 $f'(x)=\frac{2(x+1)-2x}{(x+1)^2}=\frac{2}{(x+1)^2}$이므로

두 점 $(0,\ 0)$, $(1,\ 1)$에서의 두 접선 l, m의 기울기는 $f'(0)=2$, $f'(1)=\frac{1}{2}$

STEP B **탄젠트의 덧셈정리를 이용하여 $\tan\theta$의 값 구하기**

두 직선 l, m이 x축의 양의 방향과 이루는 각의 크기를 θ_1, θ_2라 하면

$\tan\theta_1=2$, $\tan\theta_2=\frac{1}{2}$

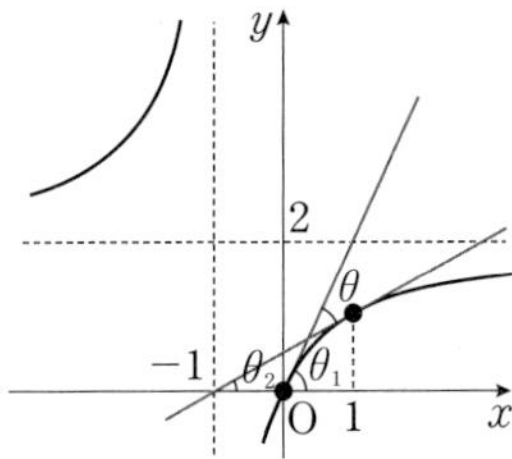

$$\tan\theta=|\tan(\theta_1-\theta_2)|=\left|\frac{\tan\theta_1-\tan\theta_2}{1+\tan\theta_1\tan\theta_2}\right|=\left|\frac{2-\frac{1}{2}}{1+2\cdot\frac{1}{2}}\right|=\frac{3}{4}$$

따라서 $12\tan\theta=9$

1268

정답 ③

STEP A 원점에서 곡선 $y=e^x$, $y=\ln x$에 그은 접선의 방정식 구하기

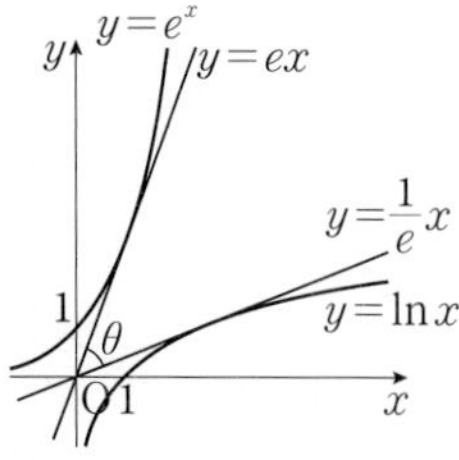

원점에서
곡선 $y=e^x$에 그은 접선의 방정식은
$y=ex$이고
곡선 $y=\ln x$에 그은 접선의 방정식은
$y=\frac{1}{e}x$이다.

STEP B 두 접선이 x축과 이루는 각의 크기를 α, β라 할 때, $\tan\alpha$, $\tan\beta$의 값 구하기

직선 $y=ex$가 x축의 양의 방향과 이루는 각의 크기를 α,

직선 $y=\frac{1}{e}x$가 x축의 양의 방향과 이루는 각의 크기를 β라 하면

$\tan\alpha=e$, $\tan\beta=\frac{1}{e}$

STEP C 탄젠트의 덧셈정리를 이용하여 $\tan\theta$의 값 구하기

따라서 $\tan\theta=|\tan(\alpha-\beta)|=\left|\frac{\tan\alpha-\tan\beta}{1+\tan\alpha\tan\beta}\right|=\left|\frac{e-\frac{1}{e}}{1+e\times\frac{1}{e}}\right|=\frac{1}{2}\left(e-\frac{1}{e}\right)$

내신연계 출제문항 487

원점에서 두 곡선 $y=e^{2x}$, $y=\ln x$에 각각 그은 두 접선이 이루는 예각의 크기를 θ라고 할 때, $\tan\theta$의 값은?

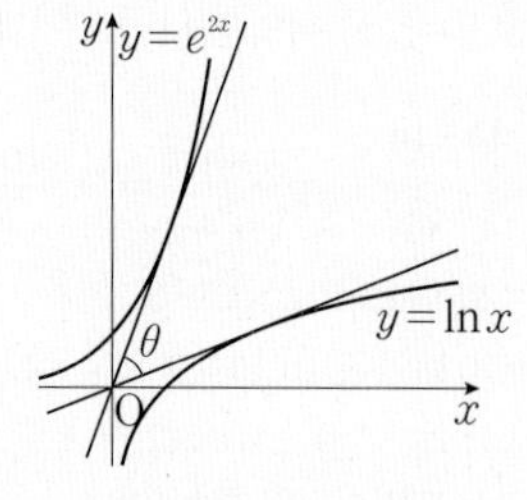

① $\frac{2}{3}e-\frac{1}{3e}$　② $\frac{2}{3}e+\frac{1}{3e}$
③ $\frac{2}{3}e^2-\frac{1}{e}$　④ $\frac{1}{3}e^2-\frac{3}{e}$
⑤ $\frac{2}{3}e^2+\frac{3}{e}$

STEP A 원점에서 곡선 $y=e^{2x}$, $y=\ln x$에 그은 접선의 방정식 구하기

$f(x)=e^{2x}$, $g(x)=\ln x$로 놓으면 $f'(x)=2e^{2x}$, $g'(x)=\frac{1}{x}$

원점에서 곡선 $y=e^{2x}$에 그은 접선의 접점을 (a, e^{2a})이라 하면

접선의 기울기가 $f'(x)=2e^{2a}$이므로 접선의 방정식은 $y=2e^{2a}(x-a)+e^{2a}$

이 접선이 원점을 지나므로 $0=-2ae^{2a}+e^{2a}$　$\therefore a=\frac{1}{2}$

즉 접선의 방정식은 $y=2ex$

원점에서 곡선 $y=\ln x$에 그은 접점을 $(b, \ln b)$라 하면

접선의 기울기는 $g'(b)=\frac{1}{b}$이므로 접선의 방정식은 $y=\frac{1}{b}(x-b)+\ln b$

이 접선이 원점을 지나므로 $\ln b-1=0$　$\therefore b=e$

즉 접선의 방정식은 $y=\frac{1}{e}x$

STEP B 두 접선이 x축과 이루는 각의 크기를 θ_1, θ_2라 할 때, $\tan\theta_1$, $\tan\theta_2$의 값 구하기

두 접선 $y=2ex$, $y=\frac{1}{e}x$가 x축의 양의 방향과 이루는 각의 크기를

각각 θ_1, θ_2라 하면 $\tan\theta_1=2e$, $\tan\theta_2=\frac{1}{e}$

STEP C 탄젠트의 덧셈정리를 이용하여 $\tan\theta$의 값 구하기

따라서 $\tan\theta=|\tan(\theta_1-\theta_2)|=\left|\frac{\tan\theta_1-\tan\theta_2}{1+\tan\theta_1\tan\theta_2}\right|=\left|\frac{2e-\frac{1}{e}}{1+2e\cdot\frac{1}{e}}\right|=\frac{2}{3}e-\frac{1}{3e}$

1269

정답 ③

STEP A 삼각형에서 두 내각의 크기의 합은 그와 이웃하지 않는 다른 한 내각의 외각의 크기와 같다는 성질을 이용하여 식 세우기

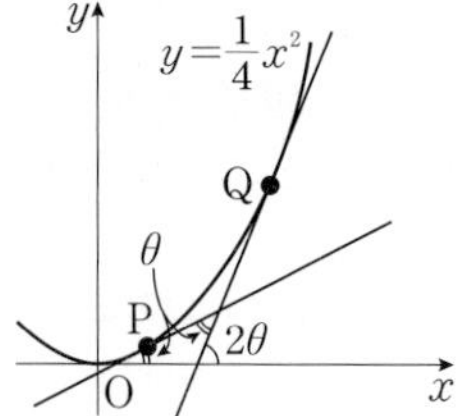

점 P에서 접선이 x축의 양의 방향과
이루는 각의 크기를 θ라 하면 두 접선
이 이루는 예각의 크기도 θ이므로
점 Q에서 접선이 x축의 양의 방향과
이루는 각의 크기는 $\theta+\theta=2\theta$

STEP B 삼각함수의 덧셈정리를 이용하여 a의 값 구하기

$f(x)=\frac{1}{4}x^2$으로 놓으면 $f'(x)=\frac{1}{2}x$

점 $\mathrm{P}\left(\sqrt{2}, \frac{1}{2}\right)$에서 접선이 x축의 양의 방향과 이루는 각을 θ라 하면

점 P에서의 접선의 기울기는 $f'(\sqrt{2})=\frac{\sqrt{2}}{2}=\tan\theta$

이때 점 $\mathrm{Q}\left(a, \frac{a^2}{4}\right)$에서 접선이 x축의 양의 방향과 이루는 각이 2θ이므로

점 Q에서의 접선의 기울기는 $f'(a)=\frac{1}{2}a=\tan 2\theta$

즉 $\frac{1}{2}a=\tan 2\theta=\frac{2\tan\theta}{1-\tan^2\theta}=\frac{\sqrt{2}}{\frac{1}{2}}=2\sqrt{2}$

$\frac{1}{2}a=2\sqrt{2}$　$\therefore a=4\sqrt{2}$

따라서 $a^2=32$

내신연계 출제문항 488

그림과 같이 좌표평면에 함수 $f(x)=\sqrt{3}\ln x$의 그래프와 직선 $l: y=-\frac{\sqrt{3}}{2}x+\frac{\sqrt{3}}{2}$이 있다. 곡선 $y=f(x)$ 위의 서로 다른 두 점 $\mathrm{A}(\alpha, f(\alpha))$, $\mathrm{B}(\beta, f(\beta))$에서의 접선을 각각 m, n이라 하자.
세 직선 l, m, n으로 둘러싸인 삼각형이 정삼각형일 때, $6(\alpha+\beta)$의 값은?

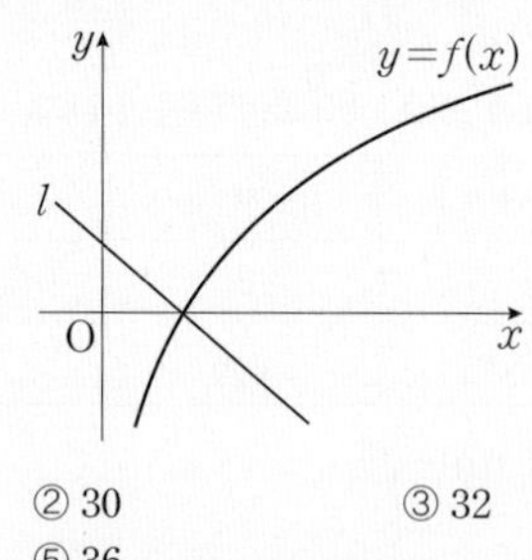

① 28　② 30　③ 32
④ 34　⑤ 36

STEP A 세 직선 l, m, n으로 둘러싸인 삼각형이 정삼각형이므로 두 접선 m, n과 직선 l이 이루는 예각의 크기는 60°임을 이용하기

직선 l의 기울기가 $-\frac{\sqrt{3}}{2}$이고 세 직선 l, m, n으로 둘러싸인 삼각형이 정삼각형이므로 두 접선 m, n과 직선 l이 이루는 예각의 크기는 60°

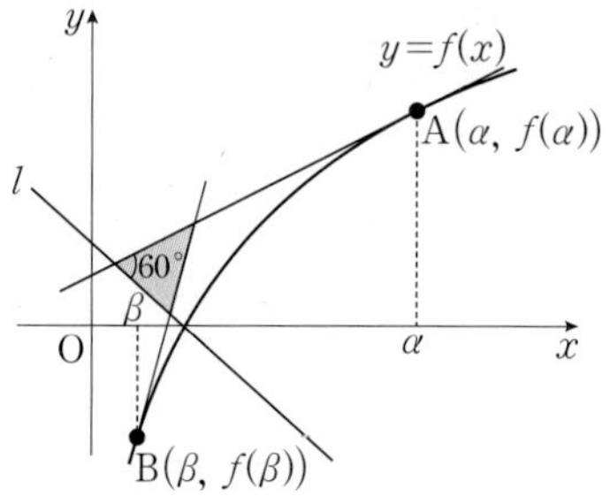

STEP B **삼각함수의 덧셈정리에 의하여 두 접선의 기울기 구하기**

직선 l과 이루는 예각의 크기가 $60°$인 직선의 기울기를 k라 하면
삼각함수의 덧셈정리에 의하여

$$\left|\frac{-\frac{\sqrt{3}}{2}-k}{1-\frac{\sqrt{3}}{2}k}\right|=\sqrt{3},\ \frac{-\sqrt{3}-2k}{2-\sqrt{3}k}=\pm\sqrt{3}$$

$\therefore k=\frac{\sqrt{3}}{5}$ 또는 $k=3\sqrt{3}$

STEP C **α, β의 값 구하기**

$f(x)=\sqrt{3}\ln x$에서 $f'(x)=\frac{\sqrt{3}}{x}$이므로

$f'(\alpha)=\frac{\sqrt{3}}{\alpha}=\frac{\sqrt{3}}{5}\quad \therefore \alpha=5$

$f'(\beta)=\frac{\sqrt{3}}{\beta}=3\sqrt{3}\quad \therefore \beta=\frac{1}{3}$

따라서 $6(\alpha+\beta)=6\left(5+\frac{1}{3}\right)=32$ 정답 ③

1270

STEP A **도함수를 이용하여 곡선 $y=e^x$의 접선의 기울기 구하기**

$y=e^x$에서 $y'=e^x$이므로
곡선 $y=e^x$ 위의 두 점 $\mathrm{A}(t,\ e^t)$, $\mathrm{B}(-t,\ e^{-t})$에서의
접선 l, m의 기울기는 각각 e^t, e^{-t}

STEP B **삼각함수의 덧셈정리를 이용하여 t의 값 구하기**

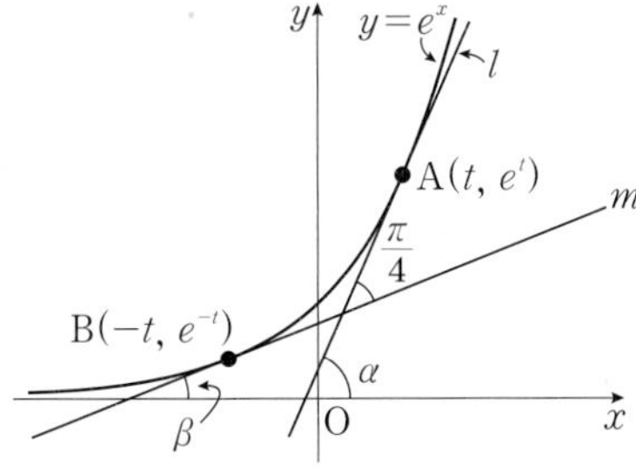

두 직선 l, m이 x축의 양의 방향과 이루는 각의 크기를 각각 α, β라 하면
$\tan\alpha=e^t$, $\tan\beta=e^{-t}$

$$\tan\frac{\pi}{4}=\tan(\alpha-\beta)=\frac{\tan\alpha-\tan\beta}{1+\tan\alpha\tan\beta}=\frac{e^t-e^{-t}}{1+e^te^{-t}}=1$$

즉 $e^t-e^{-t}=2$ …… ㉠
이때 ㉠의 양변에 e^t을 곱하면 $(e^t)^2-2e^t-1=0$
$e^t>0$이므로 $e^t=1+\sqrt{2}$ ⬅ 이차방정식의 근의 공식
$\therefore t=\ln(1+\sqrt{2})$

STEP C **두 점 A, B를 지나는 직선의 기울기 구하기**

따라서 두 점 $\mathrm{A}(t,\ e^t)$, $\mathrm{B}(-t,\ e^{-t})$을 지나는 직선 AB의 기울기는

$\frac{e^t-e^{-t}}{t-(-t)}=\frac{1}{\ln(1+\sqrt{2})}$ ⬅ $e^t-e^{-t}=2,\ t=\ln(1+\sqrt{2})$

1271

STEP A **$x=2$에서 두 곡선 $y=f(x)$, $y=g(x)$의 접선의 기울기 구하기**

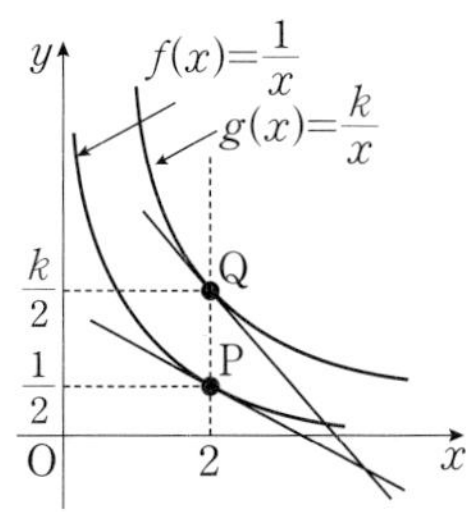

함수 $f(x)=\frac{1}{x}$ 위의 점 $\mathrm{P}\left(2,\ \frac{1}{2}\right)$에서 접선의 기울기는

$f'(x)=-\frac{1}{x^2}$이므로 $f'(2)=-\frac{1}{4}$

함수 $g(x)=\frac{k}{x}$ 위의 점 $\mathrm{Q}\left(2,\ \frac{k}{2}\right)$에서 접선의 기울기는

$g'(x)=-\frac{k}{x^2}$이므로 $g'(2)=-\frac{k}{4}$

STEP B **삼각함수의 덧셈정리를 이용하여 상수 k 구하기**

두 직선 l, m이 이루는 예각의 크기가 $\frac{\pi}{4}$이므로

$$\tan\frac{\pi}{4}=\left|\frac{f'(2)-g'(2)}{1+f'(2)g'(2)}\right|=\left|\frac{4k-4}{16+k}\right|=1$$

$k>1$이므로 $\left|\frac{4k-4}{16+k}\right|=\frac{4k-4}{16+k}=1\quad \therefore k=\frac{20}{3}$

따라서 $3k=20$

1272

STEP A **접점의 좌표를 $(t,\ te^{t-1})$로 놓고 접선의 방정식 구하기**

$f(x)=xe^{x-1}$이라 하면 $f'(x)=e^{x-1}+xe^{x-1}=e^{x-1}(x+1)$
접점의 좌표를 $(t,\ te^{t-1})$이라 하면 구하는 접선의 방정식은
$y-te^{t-1}=e^{t-1}(t+1)(x-t)$
$\therefore y=e^{t-1}(t+1)x-t^2e^{t-1}$

STEP B **곡선 밖의 점 $(a,\ 0)$을 대입하여 접점의 x좌표에 관한 방정식 구하기**

이 접선이 점 $(a,\ 0)$을 지나므로 $0=e^{t-1}(t+1)a-t^2e^{t-1}$
$e^{t-1}>0$이므로 양변을 e^{t-1}으로 나누면 $(t+1)a-t^2=0$
$\therefore t^2-at-a=0$ …… ㉠

STEP C **서로 다른 두 개의 접선을 가질 실수 a의 범위 구하기**

점 $(a,\ 0)$에서 서로 다른 두 개의 접선을 그을 수 있으려면 t에 대한
이차방정식 ㉠이 서로 다른 두 실근을 가져야 하므로 판별식을 D라고 하면
$D=a^2-4(-a)>0,\ a(a+4)>0$
따라서 $a<-4$ 또는 $a>0$

다른풀이 두 점을 지나는 직선의 기울기와 접점의 기울기가 같음을 이용하기

$y=xe^{x-1}$에서 $y'=e^{x-1}+xe^{x-1}=e^{x-1}(x+1)$
접점의 좌표를 $(t,\ te^{t-1})$이라 하면 이 점에서 접선의 기울기는 $e^{t-1}(t+1)$
이때 점 $(a,\ 0)$과 접점 $(t,\ te^{t-1})$을 지나는 직선의 기울기 $\frac{te^{t-1}}{t-a}$

즉 $\frac{te^{t-1}}{t-a}=e^{t-1}(t+1)$이므로 $t=(t+1)(t-a)$
$\therefore t^2-at-a=0$ …… ㉠
점 $(a,\ 0)$에서 서로 다른 두 개의 접선을 그을 수 있으려면 t에 대한
이차방정식 ㉠이 서로 다른 두 실근을 가져야 하므로 판별식을 D라고 하면
$D=a^2-4(-a)>0,\ a(a+4)>0$
따라서 $a<-4$ 또는 $a>0$

1273

정답 ②

STEP A **접점의 좌표를 $(t,\ te^{-t})$로 놓고 접선의 방정식 구하기**

$f(x)=xe^{-x}$로 놓으면 $f'(x)=e^{-x}-xe^{-x}=e^{-x}(1-x)$

접점의 좌표를 $(t,\ te^{-t})$이라 하면

이 점에서의 접선의 기울기는 $f'(t)=e^{-t}(1-t)$이므로 접선의 방정식은

$y-te^{-t}=e^{-t}(1-t)(x-t)$

STEP B **곡선 밖의 점 $(a,\ 0)$을 대입하여 접점의 x좌표에 관한 방정식 구하기**

이 직선이 점 $(a,\ 0)$을 지나므로 $0-te^{-t}=e^{-t}(1-t)(a-t)$

$e^{-t}>0$이므로 양변을 e^{t}으로 나누면

$\therefore t^2-at+a=0$ …… ㉠

STEP C **오직 하나의 접선을 가질 실수 a의 값 구하기**

점 $(a,\ 0)$에서 오직 하나의 접선을 그을 수 있으려면 a에 대한 이차방정식 ㉠이 중근을 가져야 하므로 판별식을 D라고 하면

$D=a^2-4a=a(a-4)=0$

따라서 $a\neq0$이므로 $a=4$

다른풀이 두 점을 지나는 직선의 기울기와 접점의 기울기가 같음을 이용

$y=xe^{-x}$에서 $y'=e^{-x}(1-x)$

접점의 좌표를 $(t,\ te^{-t})$이라 하면 이 점에서 접선의 기울기는

$e^{-t}(1-t)$

이때 점 $(a,\ 0)$과 접점 $(t,\ te^{-t})$을 지나는 직선의 기울기는

$\dfrac{te^{-t}}{t-a}$

즉 $\dfrac{te^{-t}}{t-a}=e^{-t}(1-t)$이므로 $t=(1-t)(t-a)$

$\therefore t^2-at+a=0$ …… ㉠

점 $(a,\ 0)$에서 오직 하나의 접선을 그을 수 있으려면 t에 대한 이차방정식 ㉠이 중근을 가져야 하므로 판별식을 D라고 하면

$D=a^2-4a=a(a-4)=0$

따라서 $a\neq0$이므로 $a=4$

1274

정답 ③

STEP A **접점의 좌표를 $(t,\ te^{t})$로 놓고 접선의 방정식 구하기**

$y=xe^{x}$에서 $y'=(x+1)e^{x}$

접점의 좌표를 $(t,\ te^{t})$이라 하면

이 점에서 접선의 기울기는 $(t+1)e^{t}$

이때 접선의 방정식은 $y-te^{t}=(t+1)e^{t}(x-t)$

$\therefore y=(t+1)(x-t)e^{t}+te^{t}$

STEP B **곡선 밖의 점 $(a,\ 0)$을 대입하여 접점의 x좌표에 관한 방정식 구하기**

이 직선은 $(a,\ 0)$을 지나므로 $0=(t+1)(a-t)e^{t}+te^{t}$

$e^{t}>0$이므로 양변을 e^{t}으로 나누면

$(t+1)(a-t)+t=0$

즉 $t^2-at-a=0$ …… ㉠

STEP C **접선을 가지지 않을 실수 a의 범위 구하기**

점 $(a,\ 0)$에서 접선을 그을 수 없으려면 t에 대한 이차방정식 ㉠이 실근을 가지지 않아야 하므로 판별식을 D라고 하면

$D=(-a)^2-4(-a)<0,\ a(a+4)<0$

$\therefore -4<a<0$

따라서 정수 a의 개수는 $-3,\ -2,\ -1$이므로 3

1275

정답 ②

STEP A **접점의 좌표를 $(t,\ e^{-t^2})$로 놓고 접선의 방정식 구하기**

$f(x)=e^{-x^2}$로 놓으면 $f'(x)=-2xe^{-x^2}$

접점의 좌표를 $(t,\ e^{-t^2})$이라 하면

이 점에서의 접선의 기울기는 $f'(t)=-2te^{-t^2}$이므로 접선의 방정식은

$y-e^{-t^2}=-2te^{-t^2}(x-t)$

STEP B **곡선 밖의 점 $(a,\ 0)$을 대입하여 접점의 x좌표에 관한 방정식 구하기**

이 직선이 점 $(a,\ 0)$을 지나므로 $-e^{-t^2}=-2te^{-t^2}(a-t)$

$e^{-t^2}>0$이므로 양변을 e^{-t^2}으로 나누면

$\therefore 2t^2-2at+1=0$ …… ㉠

STEP C **서로 다른 두 접선을 그을 수 있는 실수 a의 값 구하기**

점 $(a,\ 0)$에서 서로 다른 두 개의 접선을 그을 수 있으려면

t에 대한 이차방정식 ㉠이 서로 다른 두 실근을 가져야 하므로

판별식을 D라고 하면 $\dfrac{D}{4}=a^2-2>0$

$\therefore a<-\sqrt{2}$ 또는 $a>\sqrt{2}$

따라서 $\alpha=-\sqrt{2},\ \beta=\sqrt{2}$이므로 $\alpha^2+\beta^2=(-\sqrt{2})^2+(\sqrt{2})^2=4$

1276

정답 ② 

STEP A **접점의 좌표를 $(t,\ (t-a)e^{-t})$로 놓고 접선의 방정식 구하기**

$f(x)=(x-a)e^{-x}$로 놓으면

$f'(x)=e^{-x}-(x-a)e^{-x}=e^{-x}(1-x+a)$

접점의 좌표를 $(t,\ (t-a)e^{-t})$이라 하면

접선의 기울기는 $f'(t)=e^{-t}(1-t+a)$이므로

접선의 방정식은 $y-(t-a)e^{-t}=e^{-t}(1-t+a)(x-t)$

STEP B **곡선 밖의 점 $(0,\ 0)$을 대입하여 접점의 x좌표에 관한 방정식 구하기**

이 직선이 원점 $(0,\ 0)$을 지나므로 $-(t-a)e^{-t}=e^{-t}(1-t+a)(-t)$

$e^{-t}>0$이므로 양변을 e^{-t}으로 나누면 $-t+a=-t+t^2-at$

$\therefore t^2-at-a=0$ …… ㉠

STEP C **오직 하나의 접선을 그을 수 있는 실수 a의 값 구하기**

원점에서 단 하나의 접선을 그을 수 있으려면 t에 대한 이차방정식 ㉠이 중근을 가져야 하므로 판별식을 D라고 하면

$\dfrac{D}{4}=a^2+4a=0,\ a(a+4)=0$

따라서 $a\neq0$이므로 $a=-4$

내신연계 출제문항 489

점 $(a,\ 0)$에서 곡선 $y=(x+1)e^{x}$에 오직 하나의 접선을 그을 수 있을 때, 상수 a값은? (단, $a\neq-1$)

① -6 ② -5 ③ -4
④ -3 ⑤ -2

STEP A **접점의 좌표를 $(t,\ (t+1)e^{t})$로 놓고 접선의 방정식 구하기**

$f(x)=(x+1)e^{x}$로 놓으면 $f'(x)=e^{x}+(x+1)e^{x}=(x+2)e^{x}$

접점의 좌표를 $(t,\ (t+1)e^{t})$이라 하면

접선의 기울기는 $f'(t)=(t+2)e^{t}$이므로

접선의 방정식은 $y-(t+1)e^{t}=(t+2)e^{t}(x-t)$

STEP B 곡선 밖의 점 $(a, 0)$을 대입하여 접점의 x좌표에 관한 방정식 구하기

이 직선이 점 $(a, 0)$을 지나므로 $-(t+1)e^t=(t+2)e^t(a-t)$

$e^t>0$이므로 양변을 e^t으로 나누면 $-t-1=(t+2)(a-t)$

$\therefore t^2+(1-a)t-2a-1=0$ ...... ㉠

STEP C 오직 하나의 접선을 그을 수 있는 실수 a의 값 구하기

점 $(a, 0)$에서 오직 하나의 접선을 그을 수 있으므로 t에 대한 이차방정식 ㉠이 중근을 가져야 하므로 판별식을 D라고 하면

$\frac{D}{4}=(1-a)^2-4(-2a-1)=0$, $a^2+6a+5=0$, $(a+1)(a+5)=0$

따라서 $a\neq-1$이므로 $a=-5$  정답 ②

1277

 정답 ④

STEP A $x=t$에서 접선의 방정식 구하기

$f(x)=(x-1)e^x$이라 하면 $f'(x)=xe^x$

접점의 좌표를 $(t, (t-1)e^t)$이라고 하면 접선의 방정식은

$y=te^tx-(t^2-t+1)e^t$

STEP B 곡선 밖의 점 $(k, 0)$을 대입하여 접점의 x좌표에 관한 방정식 구하기

이 접선이 $(k, 0)$을 지나므로 $0=kte^t-(t^2-t+1)e^t$

$t^2-(k+1)t+1=0$ ...... ㉠

STEP C 서로 다른 두 개의 접선을 그을 수 있는 실수 k 값 구하기

이차방정식 ㉠의 판별식을 D라 하면
이 이차방정식이 서로 다른 두 실근을 가져야 하므로
$D=(k+1)^2-4>0$, $(k+3)(k-1)>0$, $k<-3$ 또는 $k>1$
따라서 k의 값이 될 수 없는 정수는 $-3, -2, -1, 0, 1$이므로 개수는 5

다른풀이 $f(x)=(x-1)e^x$의 그래프의 개형으로 풀이하기

$f(x)=(x-1)e^x$이라 하면 $f'(x)=xe^x=0$에서 $x=0$

$f''(x)=(1+x)e^x=0$에서 $x=-1$

함수 $f(x)$의 증가와 감소를 표로 나타내면 다음과 같다.

x	$\cdots$	-1	$\cdots$	0	$\cdots$
$f'(x)$	$-$	$-$	$-$	0	$+$
$f''(x)$	$-$	0	$+$	$+$	$+$
$f(x)$	↘	$-\frac{2}{e}$	↘	-1 (극소)	↗

곡선 위의 점 $\left(-1, -\frac{2}{e}\right)$에서의 접선의 기울기는 $f'(-1)=-\frac{1}{e}$이므로

접선의 방정식은 $y+\frac{2}{e}=-\frac{1}{e}(x+1)$ $\therefore y=-\frac{1}{e}x-\frac{3}{e}$

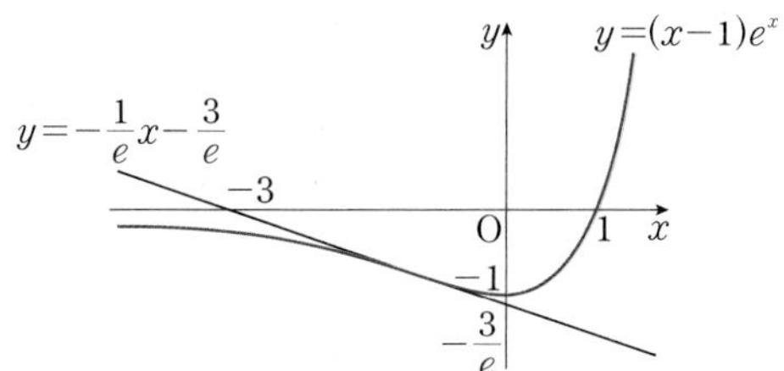

이 접선의 x절편은 -3이므로 $k<-3$ 또는 $k>1$일 때, 점 $(k, 0)$에서 곡선 $y=(x-1)e^x$에 두 개의 접선을 그을 수 있다.

참고 x축 위의 점 $(k, 0)$에서 곡선 $y=(x-1)e^x$에 접선을 그을 수 없을 때, 실수 k값의 범위를 구하여라. 정답 $-3<k<1$

내/신/연/계/ 출제문항 490

점 $(a, 0)$에서 곡선 $y=(x-4)e^x$에 서로 다른 두 개의 접선을 그을 수 있도록 하는 a의 값이 될 수 없는 정수의 개수는?

① 2 ② 3 ③ 4
④ 5 ⑤ 6

STEP A 접점의 좌표를 $(t, (t-4)e^t)$로 놓고 접선의 방정식 구하기

$f(x)=(x-4)e^x$로 놓으면 $f'(x)=e^x+(x-4)e^x=e^x(x-3)$

접점의 좌표를 $(t, (t-4)e^t)$이라 하면

접선의 기울기는 $f'(t)=e^t(t-3)$이므로

접선의 방정식은 $y-(t-4)e^t=e^t(t-3)(x-t)$

STEP B 곡선 밖의 점 $(a, 0)$을 대입하여 접점의 x좌표를 t에 관한 방정식으로 구하기

이 접선이 점 $(a, 0)$을 지나므로 $-(t-4)e^t=e^t(t-3)(a-t)$

$e^t>0$이므로 양변을 e^t으로 나누면 $-(t-4)=(t-3)(a-t)$

$\therefore t^2-(a+4)t+3a+4=0$ ...... ㉠

STEP C 서로 다른 두 개의 접선을 그을 수 있는 실수 a의 값의 범위 구하기

점 $(a, 0)$에서 서로 다른 두개의 접선을 그을 수 있으려면
t에 대한 이차방정식 ㉠이 서로 다른 두 실근을 가져야 하므로
판별식을 D라고 하면 $D=(a+4)^2-4(3a+4)>0$
$a^2-4a=a(a-4)>0$이므로 $a<0$ 또는 $a>4$

STEP D a의 값이 될 수 없는 정수의 개수 구하기

따라서 a의 값이 될 수 없는 정수는 $0, 1, 2, 3, 4$의 5 정답 ④

1278

 정답 ①

STEP A 두 곡선이 $x=t$에서 접할 조건 구하기

두 곡선 $y=ax^2$, $y=\ln x$가 $x=t$에서 서로 접한다고 하면

$at^2=\ln t$ ...... ㉠

또한, $y'=2ax$, $y'=\frac{1}{x}$에서 두 곡선의 접선은 기울기가 같으므로

$2at=\frac{1}{t}$, $at^2=\frac{1}{2}$ ...... ㉡

STEP B a의 값 구하기

따라서 ㉠, ㉡에서 $t=\sqrt{e}$이므로 $a=\frac{1}{2e}$

내/신/연/계/ 출제문항 491

두 곡선 $y=e^x$, $y=\frac{a}{x}$의 교점에서 각 곡선에 접하는 직선이 일치할 때, 상수 a의 값은?

① $-e^2$ ② $-\frac{1}{e}$ ③ $\frac{1}{e}$
④ e ⑤ e^2

STEP A 두 곡선이 $x=t$에서 접할 조건 구하기

두 곡선 $y=\frac{a}{x}$, $y=e^x$가 $x=t$에서 서로 접한다고 하면

$\frac{a}{t}=e^t$ ...... ㉠

또한, $y'=-\frac{a}{x^2}$, $y'=e^x$가 $x=t$에서 두 곡선의 접선은 기울기가 같으므로

$-\frac{a}{t^2}=e^t$ ...... ㉡

STEP B a의 값 구하기

㉠, ㉡에서 $-\frac{a}{t^2}=\frac{a}{t}$이므로 $t=-1$

따라서 ㉠에 대입하면 $a=-e^{-1}=-\frac{1}{e}$ 정답 ②

1279

정답 ④

STEP A 두 함수 $f(x)$, $g(x)$가 서로 역함수 관계임을 이해하기

두 함수 $f(x)$, $g(x)$는 서로 역함수 관계이므로
두 곡선은 직선 $y=x$에 대하여 대칭이므로
두 곡선이 한 점에서 만나면 곡선 $y=f(x)$와 직선 $y=x$도 그 점에서 만나므로 그 점에서 접한다.

STEP B 공통접선의 방정식을 이용하여 상수 a의 값 구하기

$h(x)=x$라 하고
곡선 $y=f(x)$와 직선 $y=h(x)$의 접점의 x좌표를 t라고 하면
$f(t)=h(t)$에서 $a^t=t$ …… ㉠
$f'(t)=h'(t)$에서 $a^t\ln a=1$ …… ㉡
㉠을 ㉡에 대입하면 $a=e^{\frac{1}{t}}$
이것을 ㉠에 대입하여 풀면 $t=e$
따라서 $a=e^{\frac{1}{e}}$

1280

정답 ③

STEP A 두 곡선이 $x=t$에서 접할 조건 구하기

두 곡선 $y=a-\sin^2 x$와 $y=\cos x$가 $x=t$에서 서로 접한다고 하면
$a-\sin^2 t=\cos t$ …… ㉠
또한, $y'=-2\sin x\cdot\cos x$, $y=-\sin x$가 $x=t$에서
두 곡선의 접선은 기울기가 같으므로
$-2\sin t\cos t=-\sin t$, $\sin t(2\cos t-1)=0$
$\therefore \sin t=0$ 또는 $\cos t=\frac{1}{2}$ $\quad\therefore t=\frac{\pi}{3}\,(\because 0<t<\pi)$

STEP B a의 값 구하기

따라서 ㉠에 대입하면 $a=\sin^2\left(\frac{\pi}{3}\right)+\cos\frac{\pi}{3}=\frac{3}{4}+\frac{1}{2}=\frac{5}{4}$

1281

정답 ③

STEP A 점 $(0,\ 0)$에서의 접선의 방정식 구하기

$f(x)=e^x-1$이라 하면
$f'(x)=e^x$이므로 점 $(0,\ 0)$에서의 접선의 기울기는
$f'(0)=e^0=1$
구하는 접선의 방정식은 $y-0=1\cdot(x-0)$
$\therefore y=x$

STEP B 접선 $y=x$가 곡선 $y=\ln x+a$에 접함을 이용하여 a 구하기

이때 접선 $y=x$가 곡선 $y=\ln x+a$에 접하므로 $f(x)=\ln x+a$라 놓으면
$f'(x)=\frac{1}{x}$이므로
접점의 좌표를 $(t,\ \ln t+a)$라 하면
이 점에서의 접선의 기울기는 $f'(t)=\frac{1}{t}$
접선의 방정식은 $y-(\ln t+a)=\frac{1}{t}(x-t)$

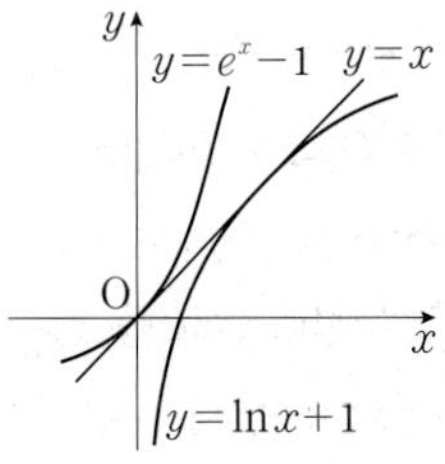

$\therefore y=\frac{1}{t}x-1+\ln t+a$ …… ㉠
㉠이 직선 $y=x$와 일치해야 하므로 $\frac{1}{t}=1$ …… ㉡
$-1+\ln t+a=0$ …… ㉢
㉡에서 $t=1$
따라서 ㉢에 대입하면 $-1+\ln 1+a=0$ $\quad\therefore a=1$

내신연계 출제문항 492

곡선 $y=\ln x$ 위의 점 $(e, 1)$에서의 접선이 곡선 $y=2x^2+k$에 접할 때, 상수 k의 값은?

① $\frac{1}{8e}$ ② $\frac{1}{8e^2}$ ③ $\frac{1}{e}$
④ $8e$ ⑤ $8e^2$

STEP A 점 $(e,\ 1)$에서의 접선의 방정식 구하기

$f(x)=\ln x$이라 하면 $f'(x)=\frac{1}{x}$이므로
점 $(e,\ 1)$에서의 접선의 기울기는 $f'(e)=\frac{1}{e}$
접선의 방정식은 $y-1=\frac{1}{e}(x-e)$ $\quad\therefore y=\frac{1}{e}x$

STEP B 두 곡선이 공통접선을 가짐을 이용하여 k 구하기

이 직선이 곡선 $y=2x^2+k$에 접하므로 $2x^2+k=\frac{1}{e}x$
이차방정식 $2ex^2-x+ke=0$의 판별식을 D라 하면
$D=1-8ke^2=0$
따라서 $k=\frac{1}{8e^2}$

정답 ②

1282

정답 ①

STEP A 두 곡선의 교점의 x좌표를 a로 놓고 관계식 구하기

두 곡선이 만나는 교점 점 P의 x좌표를 a라 하면
두 곡선 $y=ke^x+1$, $y=x^2-3x+4$가 점 P에서 만나므로
$ke^a+1=a^2-3a+4$ …… ㉠

STEP B 점 P에서 두 곡선에 접하는 두 직선이 서로 수직일 조건 구하기

또, $y=ke^x+1$에서 $y'=ke^x$이므로 점 P에서의 접선의 기울기는 ke^a
$y=x^2-3x+4$에서 $y'=2x-3$이므로 점 P에서 접선의 기울기는 $2a-3$
이 두 접선이 서로 수직이므로
$ke^a(2a-3)=-1$ …… ㉡

STEP C 교점의 x좌표를 구하여 k의 값 구하기

㉠에서 $ke^a=a^2-3a+3$이므로 ㉡에 대입하면
$(a^2-3a+3)(2a-3)=-1$, $2a^3-9a^2+15a-8=0$
$(a-1)(2a^2-7a+8)=0$
$a=1$ 또는 $2a^2-7a+8=0$
← 판별식을 D라 하면 $D=(-7)^2-4\times2\times8<0$이므로 허근
이므로 $a=1$
따라서 ㉠에서 $k=\frac{a^2-3a+3}{e^a}$이므로 $a=1$을 대입하면 $k=\frac{1}{e}$

내신연계 출제문항 493

두 함수

$$f(x)=ke^{x},\ g(x)=x^{3}+5x^{2}+9x+7$$

에 대하여 두 곡선 $y=f(x)$, $y=g(x)$가 점 P에서 만나고 점 P에서의 접선이 일치할 때, 모든 실수 k의 값의 곱은?

① $34e^{2}$ ② $38e^{2}$ ③ $42e^{2}$
④ $44e^{2}$ ⑤ $46e^{2}$

STEP Ⓐ **두 곡선의 교점의 x좌표를 t로 놓고 관계식 구하기**

점 P의 x좌표를 t라 하면

두 곡선 $y=f(x)$, $y=g(x)$가 점 P에서 만나므로 $f(t)=g(t)$에서

$ke^{t}=t^{3}+5t^{2}+9t+7$ ······ ㉠

STEP Ⓑ **점 P에서 두 곡선에 접하는 두 직선이 접하는 조건 구하기**

또, 점 P에서의 접선이 일치하므로 $f'(t)=g'(t)$에서

$ke^{t}=3t^{2}+10t+9$ ······ ㉡

STEP Ⓒ **모든 실수 k의 값의 곱 구하기**

㉠, ㉡에서 $t^{3}+5t^{2}+9t+7=3t^{2}+10t+9$

$t^{3}+2t^{2}-t-2=0$, $(t+2)(t+1)(t-1)=0$

$\therefore t=-2$ 또는 $t=-1$ 또는 $t=1$

이때 ㉡에서 $k=\dfrac{3t^{2}+10t+9}{e^{t}}$이므로

$t=-2$일 때, $k=e^{2}$

$t=-1$일 때, $k=2e$

$t=1$일 때, $k=\dfrac{22}{e}$

따라서 모든 실수 k의 값의 곱이 $e^{2}\times 2e\times\dfrac{22}{e}=44e^{2}$  정답 ④

1283

 정답 ②

STEP Ⓐ **점 $(1,\ e)$에서의 접선의 방정식 구하기**

$y=e^{x}$에서 $y'=e^{x}$

곡선 $y=e^{x}$ 위의 점 $(1,\ e)$에서의 접선의 방정식은 $y-e=e(x-1)$

$\therefore y=ex$

STEP Ⓑ **이차방정식이 중근을 가질 조건을 구하여 k의 값 구하기**

직선 $y=ex$가 곡선 $y=2\sqrt{x-k}$에 접하므로

방정식 $ex=2\sqrt{x-k}$가 중근을 갖는다.

즉 $e^{2}x^{2}=4(x-k)$, $e^{2}x^{2}-4x+4k=0$

이 이차방정식이 중근을 가지므로 판별식을 D라 하면 $\dfrac{D}{4}=4-4e^{2}k=0$

따라서 $k=\dfrac{1}{e^{2}}$

다른풀이 두 접선의 방정식이 서로 일치함을 이용하여 풀이하기

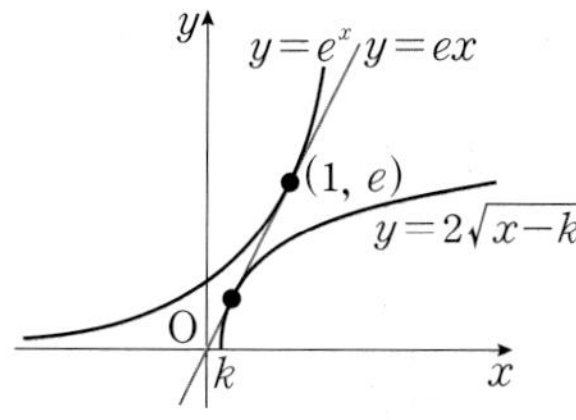

$f(x)=2\sqrt{x-k}$로 놓으면 $f'(x)=\dfrac{1}{\sqrt{x-k}}$

접점의 좌표를 $(t,\ 2\sqrt{t-k})$라 하면 이 점에서의 접선의 기울기는

$f'(t)=\dfrac{1}{\sqrt{t-k}}$이므로 접선의 방정식은 $y-2\sqrt{t-k}=\dfrac{1}{\sqrt{t-k}}(x-t)$

$y=\dfrac{1}{\sqrt{t-k}}x-\dfrac{t}{\sqrt{t-k}}+2\sqrt{t-k}$ ······ ㉠

㉠이 직선 $y=ex$와 일치해야 하므로

$\dfrac{1}{\sqrt{t-k}}=e$ ······ ㉡

$-\dfrac{t}{\sqrt{t-k}}+2\sqrt{t-k}=0$ ······ ㉢

㉢에서 $t=2(t-k)$ $\therefore t=2k$

㉡에 대입하면 $\dfrac{1}{\sqrt{2k-k}}=e$

따라서 $k=\dfrac{1}{e^{2}}$

내신연계 출제문항 494

곡선 $y=e^{x}$ 위의 점 $(1,\ e)$에서의 접선이 곡선 $y=\sqrt{x+k}$에 접할 때, 실수 k의 값은?

① $-\dfrac{1}{e}$ ② $-\dfrac{1}{e^{2}}$ ③ $-\dfrac{1}{4e^{2}}$
④ $-\dfrac{1}{9e^{2}}$ ⑤ $-\dfrac{3}{e^{2}}$

STEP Ⓐ **점 $(1,\ e)$에서의 접선의 방정식 구하기**

$f(x)=e^{x}$이라 하면 $f'(x)=e^{x}$

점 $(1,\ e)$에서의 접선의 기울기는 $f'(1)=e$이므로 접선의 방정식은

$y-e=e(x-1)$ $\therefore y=ex$

STEP Ⓑ **이차방정식이 중근을 가질 조건을 구하여 k의 값 구하기**

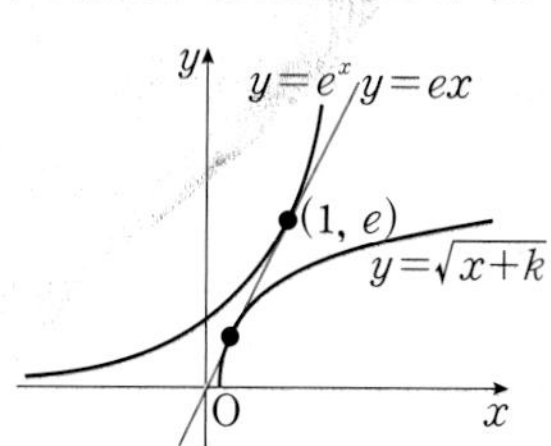

직선 $y=ex$가 곡선 $y=\sqrt{x+k}$에 접하므로

방정식 $ex=\sqrt{x+k}$가 중근을 갖는다.

즉 $e^{2}x^{2}=x+k$

이차방정식 $e^{2}x^{2}-x-k=0$의 판별식을 D라 하면

$D=1+4e^{2}k=0$

따라서 $k=-\dfrac{1}{4e^{2}}$  정답 ③

1284

정답 ④

STEP A $f'(x)=0$인 x의 값 구하기

$f(x)=x-2\sin x$에서 $f'(x)=1-2\cos x$

$f'(x)=0$에서 $\cos x=\frac{1}{2}$

$0<x<2\pi$이므로 $x=\frac{\pi}{3}$ 또는 $x=\frac{5}{3}\pi$

STEP B 함수 $f(x)$의 증감표를 나타내어 증가하는 구간 구하기

함수 $f(x)$의 증가와 감소를 표로 나타내면 다음과 같다.

x	0	…	$\frac{\pi}{3}$	…	$\frac{5}{3}\pi$	…	2π
$f'(x)$		$-$	0	$+$	0	$-$	
$f(x)$		↘		↗		↘	

따라서 함수 $f(x)$는 $\frac{\pi}{3}<x<\frac{5}{3}\pi$에서 증가한다.

다른풀이 삼각함수의 그래프를 이용하여 풀이하기

STEP A $f'(x)>0$인 부등식 작성하기

$f(x)=x-2\sin x$에서 $f'(x)=1-2\cos x$이므로 증가하는 구간은

$f'(x)=1-2\cos x>0$

$\therefore \cos x<\frac{1}{2}$

STEP B 그래프와 직선의 위치 관계를 이용하여 x의 범위 구하기

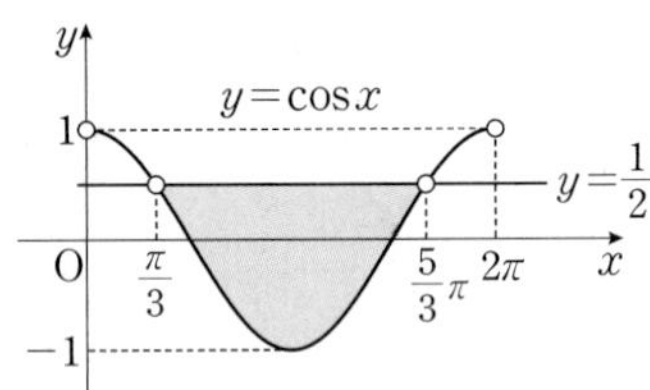

즉 함수 $y=\cos x$의 그래프가 직선 $y=\frac{1}{2}$보다 아래에 있는 x의 값의 범위가 주어진 부등식의 해이므로 그림에서 부등식의 해는 $\frac{\pi}{3}<x<\frac{5}{3}\pi$

1285

정답 ④

STEP A $f'(x)=0$인 x의 값 구하기

$f(x)=\frac{1}{2}x+\sin x$에서 $f'(x)=\frac{1}{2}+\cos x$

$f'(x)=0$에서 $\cos x=-\frac{1}{2}$

$0<x<2\pi$이므로 $x=\frac{2}{3}\pi$ 또는 $x=\frac{4}{3}\pi$

STEP B 함수 $f(x)$의 증감표를 나타내어 증가하는 구간 구하기

함수 $f(x)$의 증가와 감소를 표로 나타내면 다음과 같다.

x	0	…	$\frac{2}{3}\pi$	…	$\frac{4}{3}\pi$	…	2π
$f'(x)$		$+$	0	$-$	0	$+$	
$f(x)$		↗	극대	↘	극소	↗	

따라서 함수 $f(x)$는 $\frac{2}{3}\pi<x<\frac{4}{3}\pi$에서 감소이므로

$\alpha+\beta=\frac{2}{3}\pi+\frac{4}{3}\pi=2\pi$

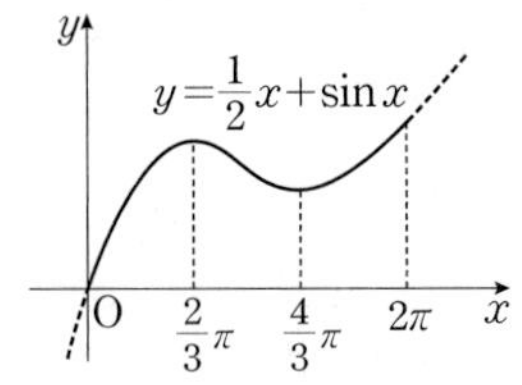

다른풀이 삼각함수의 그래프를 이용하여 풀이하기

STEP A $f'(x)>0$인 부등식 작성하기

$f(x)=\frac{1}{2}x+\sin x$에서 $f'(x)=\frac{1}{2}+\cos x$이므로 감소하는 구간은

$f'(x)=\frac{1}{2}+\cos x<0 \quad \therefore \cos x<-\frac{1}{2}$

STEP B 그래프와 직선의 위치 관계를 이용하여 x의 범위 구하기

즉 함수 $y=\cos x$의 그래프가 직선 $y=-\frac{1}{2}$보다 아래에 있는 x의 값의 범위가 주어진 부등식의 해이므로 그림에서 부등식의 해는 $\frac{2}{3}\pi<x<\frac{4}{3}\pi$

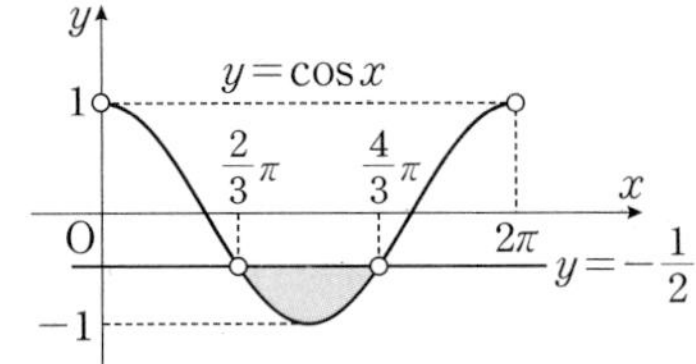

따라서 $\alpha+\beta=\frac{2}{3}\pi+\frac{4}{3}\pi=2\pi$

1286

정답 ⑤

STEP A 함수 $f(x)$가 증가하기 위한 조건 구하기

$f(x)=(x^2-6x+k)e^x$에서 $f'(x)=(x^2-4x+k-6)e^x$

실수 전체의 집합에서 함수 $f(x)$가 증가하려면 모든 실수 x에 대하여 $f'(x)\geq 0$이어야 한다.

즉 $e^x>0$이므로 $x^2-4x+k-6\geq 0$

STEP B 이차방정식의 판별식을 이용하여 k의 범위 구하기

이차방정식 $x^2-4x+k-6=0$의 판별식을 D라 하면

$\frac{D}{4}=4-k+6\leq 0 \quad \therefore k\geq 10$

따라서 k의 최솟값은 10

모든 실수 x에 대하여 이차부등식이 항상 성립할 조건은 다음과 같다. (단, $D=b^2-4ac$)

① $ax^2+bx+c>0 \Rightarrow a>0,\ D<0$

② $ax^2+bx+c\geq 0 \Rightarrow a>0,\ D\leq 0$

③ $ax^2+bx+c<0 \Rightarrow a<0,\ D<0$

④ $ax^2+bx+c\leq 0 \Rightarrow a<0,\ D\leq 0$

1287

정답 ③

STEP A 함수 $f(x)$가 역함수가 존재하는 조건 구하기

$f(x)=(x-a)e^{x^2}$에서 $f'(x)=e^{x^2}+(x-a)e^{x^2}\cdot 2x=e^{x^2}(2x^2-2ax+1)$

함수 $f(x)$가 역함수를 가지려면 함수 $f(x)$가 증가하는 함수하므로

$f'(x)\geq 0$이어야 한다.

즉 $e^x>0$이므로 모든 실수 x에 대하여 $2x^2-2ax+1\geq 0$

STEP B 이차방정식의 판별식을 이용하여 a의 범위 구하기

이차방정식 $2x^2-2ax+1=0$의 판별식을 D라 하면

$\frac{D}{4}=a^2-2\leq 0 \quad \therefore -\sqrt{2}\leq a\leq\sqrt{2}$

따라서 정수 a는 -1, 0, 1이므로 개수는 3

내/신/연/계/ 출제문항 495

함수 $f(x)=\left(x^2-ax+1-\frac{a}{2}\right)e^{2x}$이 역함수를 가지도록 하는 상수 a의 최댓값은?

① 1 ② 3 ③ 5
④ 7 ⑤ 9

STEP A 함수 $f(x)$가 역함수가 존재하는 조건 구하기

$f(x)=\left(x^2-ax+1-\frac{a}{2}\right)e^{2x}$에서

$f'(x)=(2x-a)e^{2x}+\left(x^2-ax+1-\frac{a}{2}\right)\cdot 2e^{2x}$

$=\{2x^2-2(a-1)x+2-2a\}e^{2x}$

함수 $f(x)$가 역함수를 가지려면 함수 $f(x)$가 증가하므로

$f'(x)\geq 0$이어야 한다.

즉 $e^{2x}>0$이므로 모든 실수 x에 대하여 $2x^2-2(a-1)x+2-2a\geq 0$

STEP B 이차방정식의 판별식을 이용하여 a의 범위 구하기

이차방정식 $2x^2-2(a-1)x+2-2a=0$의 판별식을 D라 하면

$\frac{D}{4}=(a-1)^2-4+4a\leq 0$, $(a+3)(a-1)\leq 0 \quad \therefore -3\leq a\leq 1$

따라서 상수 a의 최댓값은 1

정답 ①

1288

정답 ②

STEP A 함수 $f(x)$가 증가하기 위한 조건 구하기

$f(x)=(ax^2+1)e^x$에서 $f'(x)=2axe^x+(ax^2+1)e^x=(ax^2+2ax+1)e^x$

실수 전체의 집합에서 함수 $f(x)$가 증가하므로 $f'(x)\geq 0$이어야 한다.

즉 $e^x>0$이므로 모든 실수 x에 대하여

$ax^2+2ax+1\geq 0$ …… ㉠

STEP B 이차항의 계수가 미지수임을 이용하여 a의 범위 구하기

(i) $a=0$일 때, $1\geq 0$이므로 ㉠이 성립한다.

(ii) $a\neq 0$일 때, 방정식 $ax^2+2ax+1=0$의 판별식을 D라 하면

$a>0$, $D=(2a)^2-4a\leq 0$, $4a(a-1)\leq 0 \quad \therefore 0<a\leq 1$

(i), (ii)에서 구하는 a의 값의 범위는 $0\leq a\leq 1$

내/신/연/계/ 출제문항 496

함수 $f(x)=(ax^2-2)e^{-x}$이 실수 전체의 집합에서 증가하도록 하는 정수 a의 개수는?

① 1 ② 2 ③ 3
④ 4 ⑤ 5

STEP A 함수 $f(x)$가 증가하기 위한 조건 구하기

$f(x)=(ax^2-2)e^{-x}$에서

$f'(x)=2axe^{-x}+(ax^2-2)(-e^{-x})=(-ax^2+2ax+2)e^{-x}$

실수 전체의 집합에서 함수 $f(x)$가 증가하므로 $f'(x)\geq 0$이어야 한다.

즉 $e^{-x}>0$이므로 모든 실수 x에 대하여 $-ax^2+2ax+2\geq 0$

STEP B 이차항의 계수가 미지수임을 이용하여 a의 범위 구하기

즉 $ax^2-2ax-2\leq 0$ …… ㉠

(i) $a=0$일 때, $-2\leq 0$이므로 ㉠이 성립한다.

(ii) $a\neq 0$일 때, 방정식 $-ax^2+2ax+2=0$의 판별식을 D라 하면

$a<0$, $\frac{D}{4}=a^2+2a\leq 0$, $a(a+2)\leq 0 \quad \therefore -2\leq a<0$

(i), (ii)에서 구하는 a의 값의 범위는 $-2\leq a\leq 0$

따라서 정수 a는 -2, -1, 0이므로 개수는 3

정답 ③

1289

정답 ②

STEP A 함수 $f(x)$가 증가하기 위한 조건 구하기

$f(x)=ax+\ln(x^2+4)$에서 $f'(x)=a+\frac{2x}{x^2+4}=\frac{ax^2+2x+4a}{x^2+4}$

함수 $f(x)$는 실수 전체의 집합에 속하는 어떤 구간에서도 상수함수가 아니므로

함수 $f(x)$가 실수 전체의 집합에서 증가하려면 모든 실수 x에 대하여

$f'(x)\geq 0$이어야 한다.

$f'(x)=\frac{ax^2+2x+4a}{x^2+4}\geq 0$

즉 $x^2+4>0$이므로 모든 실수 x에 대하여

$ax^2+2x+4a\geq 0$ …… ㉠

STEP B 최고차항이 미지수인 이차부등식이 항상 성립할 조건 구하기

(i) $a=0$일 때, ㉠은 성립하지 않는다.

(ii) $a\neq 0$일 때, ㉠이 성립하려면 $a>0$이어야 한다.

방정식 $ax^2+2x+4a=0$의 판별식이 D라 하면 $a>0$이고

$\frac{D}{4}=1-4a^2\leq 0$, $(2a+1)(2a-1)\geq 0$

$\therefore a\leq -\frac{1}{2}$ 또는 $a\geq\frac{1}{2}$

즉 $a>0$이므로 $a\geq\frac{1}{2}$

(i), (ii)에 의하여 $a\geq\frac{1}{2}$

내/신/연/계/ 출제문항 497

함수 $f(x)=ax+\ln(x^2+9)$가 실수 전체의 집합에서 증가할 때, 상수 a의 범위는?

① $a\leq -\frac{1}{3}$ ② $a\geq\frac{1}{3}$ ③ $a\geq 1$
④ $0<a\leq\frac{1}{3}$ ⑤ $0<a\leq\frac{1}{2}$

STEP A 함수 $f(x)$가 증가하기 위한 조건 구하기

$f(x)=ax+\ln(x^2+9)$에서 $f'(x)=a+\frac{2x}{x^2+9}=\frac{ax^2+2x+9a}{x^2+9}$

함수 $f(x)$는 실수 전체의 집합에 속하는 어떤 구간에서도 상수함수가 아니므로

함수 $f(x)$가 실수 전체의 집합에서 증가하려면 모든 실수 x에 대하여

$f'(x)\geq 0$이어야 한다.

$f'(x)=\frac{ax^2+2x+9a}{x^2+9}\geq 0$

즉 $x^2+9>0$이므로 모든 실수 x에 대하여

$ax^2+2x+9a\geq 0$ …… ㉠

STEP B 최고차항이 미지수인 이차부등식이 항상 성립할 조건 구하기

(i) $a=0$일 때, ㉠은 성립하지 않는다.

(ii) $a\neq 0$일 때, ㉠이 성립하려면 $a>0$이어야 한다.

방정식 $ax^2+2x+9a=0$의 판별식이 D라 하면 $a>0$이고

$\frac{D}{4}=1-9a^2\leq 0$, $(3a+1)(3a-1)\geq 0$

$\therefore a\leq -\frac{1}{3}$ 또는 $a\geq \frac{1}{3}$

즉 $a>0$이므로 $a\geq \frac{1}{3}$

(i), (ii)에 의하여 $a\geq \frac{1}{3}$

정답 ②

1290

 ①

STEP A 함수 $f(x)$가 증가하기 위한 조건 구하기

$f(x)=\frac{x^2+2x+a}{x^2+1}$에서

$f'(x)=\frac{(2x+2)(x^2+1)-(x^2+2x+a)\cdot 2x}{(x^2+1)^2}=\frac{-2x^2+2(1-a)x+2}{(x^2+1)^2}$

함수 $f(x)$가 구간 $(-1, 1)$에서 증가하려면 $-1<x<1$에서

$f'(x)\geq 0$이어야 한다.

STEP B $-1<x<1$에서 $f'(x)\geq 0$를 만족하는 a의 범위 구하기

이때 $(x^2+1)^2>0$이므로 $g(x)=-2x^2+2(1-a)x+2$라 하면

$g(-1)=-2-2(1-a)+2\geq 0$에서 $a\geq 1$ ...... ㉠

$g(1)=-2+2(1-a)+2\geq 0$에서 $a\leq 1$ ...... ㉡

따라서 ㉠, ㉡을 만족하는 a의 값은 1

1291

 ①

STEP A $2\leq x<5$에서 함수 $f(x)$가 감소하기 위한 조건 구하기

$f(x)=-\ln x+ax$에서 $f'(x)=-\frac{1}{x}+a$

함수 $f(x)$가 구간 $(2, 5)$에서 감소하려면

$2<x<5$에서 $f'(x)\leq 0$이어야 한다.

STEP B 실수 a의 범위 구하기

$f'(2)=-\frac{1}{2}+a\leq 0$에서 $a\leq \frac{1}{2}$ ...... ㉠

$f'(5)=-\frac{1}{5}+a\leq 0$에서 $a\leq \frac{1}{5}$ ...... ㉡

따라서 ㉠, ㉡을 만족하는 a의 범위는 $a\leq \frac{1}{5}$이므로 a의 최댓값은 $\frac{1}{5}$

내신연계 출제문항 498

함수

$f(x)=e^x-kx$

가 구간 $(1, \infty)$에서 증가하기 위한 실수 k의 최댓값은?

① $\frac{1}{e}$ ② 1 ③ e

④ $2e$ ⑤ e^2

STEP A 함수 $f(x)$가 $x>1$에서 증가하기 위한 조건 구하기

$f(x)=e^x-kx$에서 $f'(x)=e^x-k$

함수 $f(x)$가 $x>1$에서 증가하려면 이 구간에서 $f'(x)\geq 0$이어야 하므로

$f'(1)\geq 0$이어야 한다.

STEP B k의 최댓값 구하기

$f(1)=e-k\geq 0$이므로 $k\leq e$

따라서 k의 최댓값은 e

 ③

1292

 ④

STEP A $x>0$에서 함수 $f(x)$가 증가하기 위한 조건 구하기

$f(x)=e^{2x}+ae^x-4x$에서 $f'(x)=2e^{2x}+ae^x-4$

함수 $f(x)$가 구간 $(0, \infty)$에서 증가하려면 $x>0$에서 $f'(x)\geq 0$이어야 한다.

$e^x=t$라 하면

$x>0$일 때, $t>1$이므로

$t>1$일 때, $2t^2+at-4\geq 0$이어야 한다.

STEP B 이차함수의 축을 이용하여 a의 범위 구하기

$g(t)=2t^2+at-4=2\left(t+\frac{a}{4}\right)^2-\frac{a^2}{8}-4$라 하면

이차함수 $y=g(t)$의 그래프의 축은 $t=-\frac{a}{4}$이다.

(i) $-\frac{a}{4}<1$, 즉 $a>-4$일 때,

$g(1)=2+a-4\geq 0$이어야 하므로 $a\geq 2$이다.

즉 $a>-4$에서 $a\geq 2$

(ii) $-\frac{a}{4}\geq 1$, 즉 $a\leq -4$일 때,

이차함수 $g(t)$의 꼭짓점의 y좌표가 $-\frac{a^2}{8}-4<0$이므로

만족하지 않는다. ⬅ $g(t)=2t^2+kt-4\geq 0$를 만족하지 않는다.

(i), (ii)에서 $a\geq 2$이므로 a의 최솟값은 2

1293

 ③

STEP A $f'(x)=0$인 x의 값 구하기

$f(x)=\frac{x}{x^2+4}$에서 $f'(x)=\frac{(x^2+4)-x\cdot 2x}{(x^2+4)^2}=\frac{-x^2+4}{(x^2+4)^2}$

$f'(x)=0$에서 $x=-2$ 또는 $x=2$

STEP B 함수 $f(x)$의 증감표를 이용하여 극댓값과 극솟값 구하기

함수 $f(x)$의 증가와 감소를 표로 나타내면 다음과 같다.

x	$\cdots$	-2	$\cdots$	2	$\cdots$
$f'(x)$	$-$	0	$+$	0	$-$
$f(x)$	↘	$-\frac{1}{4}$	↗	$\frac{1}{4}$	↘

$x=2$에서 극대이고 극댓값은 $M=\frac{1}{4}$

$x=-2$에서 극소이고 극솟값은 $m=-\frac{1}{4}$

따라서 $Mm=-\frac{1}{16}$

 함수 $f(x)=\frac{x}{x^2+4}$는 $\lim_{x\to\pm\infty} f(x)=0$이므로 x축을 점근선으로 하고 원점에 대하여 대칭인 함수이다. ($\because f(x)=-f(-x)$)

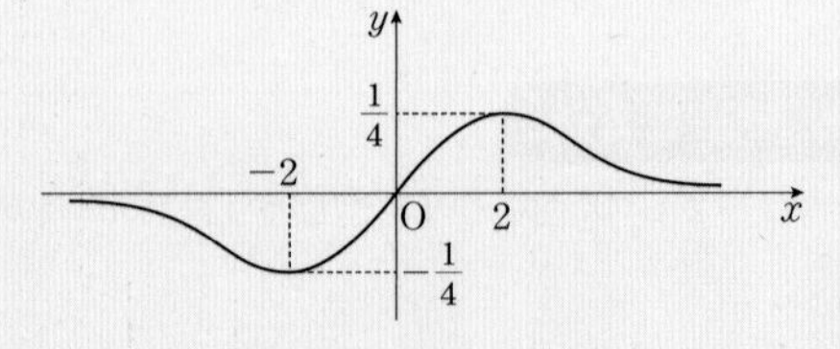

내신연계 출제문항 499

함수 $f(x)=\dfrac{2x}{x^2+1}$ 극댓값을 M, 극솟값을 m이라 할 때, Mm의 값은?

① $-\dfrac{1}{16}$ ② $-\dfrac{1}{8}$ ③ $-\dfrac{1}{4}$
④ $-\dfrac{1}{2}$ ⑤ -1

STEP A $f'(x)=0$**인** x**의 값 구하기**

$f(x)=\dfrac{2x}{x^2+1}$에서 $f'(x)=\dfrac{2(1-x^2)}{(x^2+1)^2}$

$f'(x)=0$에서 $x=1$ 또는 $x=-1$

STEP B **함수** $f(x)$**의 증감표를 이용하여 극댓값과 극솟값 구하기**

함수 $f(x)$의 증가와 감소를 표로 나타내면 다음과 같다.

x	$\cdots$	-1	$\cdots$	1	$\cdots$
$f'(x)$	$-$	0	$+$	0	$-$
$f(x)$	↘	-1	↗	1	↘

함수 $f(x)$는

$x=1$에서 극대이고 극댓값은

$M=f(1)=1$

$x=-1$에서 극소이고 극솟값은

$m=f(-1)=-1$

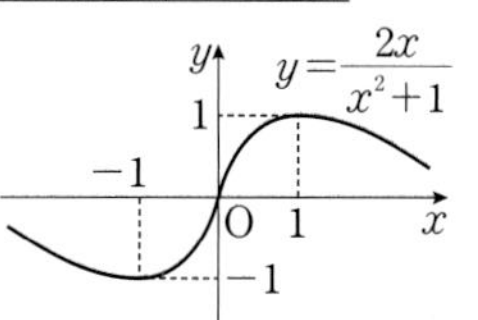

따라서 $Mm=1\cdot(-1)=-1$

정답 ⑤

1294

정답 ②

STEP A $f'(x)=0$**인** x**의 값 구하기**

$f(x)=\dfrac{2x-1}{x^2+2}$에서

$f'(x)=\dfrac{2(x^2+2)-(2x-1)\cdot 2x}{(x^2+2)^2}=\dfrac{-2(x-2)(x+1)}{(x^2+2)^2}$

$f'(x)=0$에서 $x=-1$ 또는 $x=2$

STEP B **함수** $f(x)$**의 증감표를 이용하여 극댓값과 극솟값 구하기**

함수 $f(x)$의 증가와 감소를 표로 나타내면 다음과 같다.

x	$\cdots$	-1	$\cdots$	2	$\cdots$
$f'(x)$	$-$	0	$+$	0	$-$
$f(x)$	↘	-1	↗	$\dfrac{1}{2}$	↘

함수 $f(x)$는

$x=-1$에서 극소이고 극솟값은 $f(-1)=-1$

$x=2$에서 극대이고 극댓값은 $f(2)=\dfrac{1}{2}$

따라서 $\alpha=2$, $\beta=-1$이므로 $\alpha^2+\beta^2=4+1=5$

1295

정답 ④

STEP A $f'(x)=0$**인** x**의 값 구하기**

$f(x)=\dfrac{x+1}{x^2+3}$에서

$f'(x)=\dfrac{(x^2+3)-(x+1)\cdot 2x}{(x^2+3)^2}=\dfrac{-x^2-2x+3}{(x^2+3)^2}=\dfrac{-(x-1)(x+3)}{(x^2+3)^2}$

$f'(x)=0$에서 $x=-3$ 또는 $x=1$

STEP B **함수** $f(x)$**의 증감표를 이용하여 극댓값과 극솟값 구하기**

함수 $f(x)$의 증가와 감소를 표로 나타내면 다음과 같다.

x	$\cdots$	-3	$\cdots$	1	$\cdots$
$f'(x)$	$-$	0	$+$	0	$-$
$f(x)$	↘	$-\dfrac{1}{6}$	↗	$\dfrac{1}{2}$	↘

함수 $f(x)$는

$x=1$에서 극대이고 극댓값 $f(1)=\dfrac{1}{2}$

$x=-3$에서 극소이고 극솟값 $f(-3)=-\dfrac{1}{6}$

따라서 극댓값과 극솟값의 합은 $\dfrac{1}{2}+\left(-\dfrac{1}{6}\right)=\dfrac{1}{3}$

내신연계 출제문항 500

함수 $f(x)=\dfrac{x-1}{x^2-x+1}$의 극댓값과 극솟값의 합은?

① -1 ② $-\dfrac{5}{6}$ ③ $-\dfrac{2}{3}$
④ $-\dfrac{1}{2}$ ⑤ $-\dfrac{1}{3}$

STEP A $f'(x)=0$**인** x**의 값 구하기**

$f(x)=\dfrac{x-1}{x^2-x+1}$에서

$f'(x)=\dfrac{(x^2-x+1)-(x-1)(2x-1)}{(x^2-x+1)^2}=\dfrac{-x(x-2)}{(x^2-x+1)^2}$

$f'(x)=0$에서 $x=0$ 또는 $x=2$

STEP B $f(x)$**의 증감표를 이용하여 극댓값과 극솟값 구하기**

함수 $f(x)$의 증가와 감소를 표로 나타내면 다음과 같다.

x	$\cdots$	0	$\cdots$	2	$\cdots$
$f'(x)$	$-$	0	$+$	0	$-$
$f(x)$	↘	극소	↗	극대	↘

함수 $f(x)$는

$x=0$에서 극소이고 극솟값은 $f(0)=-1$

$x=2$에서 극대이고 극댓값은 $f(2)=\dfrac{1}{3}$

따라서 극댓값과 극솟값의 합은 $\dfrac{1}{3}+(-1)=-\dfrac{2}{3}$

정답 ③

+α 함수 $f(x)=\dfrac{x-1}{x^2-x+1}$는 $\lim\limits_{x\to\pm\infty}f(x)=0$이므로

$y=0$을 점근선으로 하고 그래프는 다음과 같다.

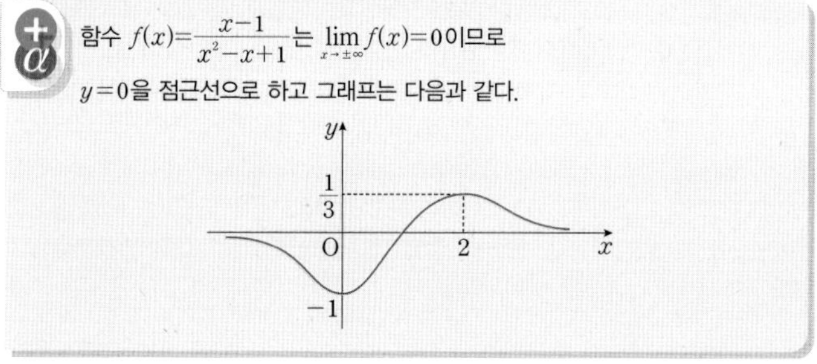

II 미분법

1296

정답 ③

STEP Ⓐ $f'(x)=0$인 x의 값 구하기

$f(x)=\frac{1}{2}x-\sin x$에서 $f'(x)=\frac{1}{2}-\cos x$

$f'(x)=0$에서 $\cos x=\frac{1}{2}$

$\therefore\ x=\frac{\pi}{3}$ 또는 $x=\frac{5}{3}\pi$

STEP Ⓑ 함수 $f(x)$의 증감표를 이용하여 극댓값과 극솟값 구하기

함수 $f(x)$의 증가와 감소를 표로 나타내면 다음과 같다.

x	0	$\cdots$	$\frac{\pi}{3}$	$\cdots$	$\frac{5}{3}\pi$	$\cdots$	2π
$f'(x)$		$-$	0	$+$	0	$-$	
$f(x)$	0	↘	$\frac{\pi}{6}-\frac{\sqrt{3}}{2}$	↗	$\frac{5}{6}\pi+\frac{\sqrt{3}}{2}$	↘	π

함수 $f(x)$는

$x=\frac{\pi}{3}$에서 극소이고 극솟값 $f\left(\frac{\pi}{3}\right)=\frac{\pi}{6}-\frac{\sqrt{3}}{2}$

$x=\frac{5}{3}\pi$에서 극대이고 극댓값 $f\left(\frac{5}{3}\pi\right)=\frac{5}{6}\pi+\frac{\sqrt{3}}{2}$

따라서 극댓값과 극솟값의 합은 $\frac{\pi}{6}-\frac{\sqrt{3}}{2}+\left(\frac{5}{6}\pi+\frac{\sqrt{3}}{2}\right)=\pi$

1297

정답 ②

STEP Ⓐ $f'(x)=0$인 x의 값 구하기

$$\begin{aligned}f'(x)&=\cos x(1+\cos x)+\sin x(-\sin x)\\&=\cos^2 x-\sin^2 x+\cos x\\&=2\cos^2 x+\cos x-1\\&=(\cos x+1)(2\cos x-1)\end{aligned}$$

이므로 $f'(x)=0$에서 $\cos x=-1$ 또는 $\cos x=\frac{1}{2}$

$0\le x\le 2\pi$이므로 $x=\frac{\pi}{3}$ 또는 $x=\frac{5}{3}\pi$ 또는 $x=\pi$

함수 $f(x)$의 증가와 감소를 표로 나타내면 다음과 같다.

x	0	$\cdots$	$\frac{\pi}{3}$	$\cdots$	π	$\cdots$	$\frac{5}{3}\pi$	$\cdots$	2π
$f'(x)$		$+$	0	$-$	0	$-$	0	$+$	
$f(x)$		↗	극대	↘		↘	극소	↗	

따라서 $x=\frac{\pi}{3}$에서 극대, $x=\frac{5}{3}\pi$에서 극소이므로 $a=\frac{\pi}{3}$

주의

$x=\pi$의 좌우에서 $f'(x)$의 부호가 바뀌지 않으므로 $x=\pi$에서 극값이 존재하지 않는다.

참고

$f''(x)=4\cos x(-\sin x)-\sin x=-\sin x(4\cos x+1)$이므로

$f''\left(\frac{\pi}{3}\right)=-\sin\frac{\pi}{3}\left(4\cos\frac{\pi}{3}+1\right)=-\frac{3\sqrt{3}}{2}<0$

$f''\left(\frac{5}{3}\pi\right)=-\sin\frac{5}{3}\pi\left(4\cos\frac{5}{3}\pi+1\right)=\frac{3\sqrt{3}}{2}>0$

$f''(\pi)=-\sin\pi(4\cos\pi+1)=0$

함수 $f(x)$는 $x=a$에서 극대가 되므로 $f'(a)=0$, $f''(a)<0$을 만족하는

$a=\frac{\pi}{3}$

내신연계 출제문항 501

구간 $[0,\ 2\pi]$에서 정의된 함수

$$f(x)=\cos x(1+\sin x)$$

의 극댓값은?

① $-\frac{3}{2}$ ② $-\frac{\sqrt{3}}{3}$ ③ $\frac{\sqrt{3}}{2}$

④ $\frac{3\sqrt{3}}{4}$ ⑤ $\frac{3\sqrt{3}}{2}$

STEP Ⓐ $f'(x)=0$인 x의 값 구하기

$$\begin{aligned}f'(x)&=\cos^2 x+(1+\sin x)(-\sin x)\\&=1-\sin^2 x-\sin x-\sin^2 x\\&=-2\sin^2 x-\sin x+1\\&=-(2\sin x-1)(\sin x+1)\end{aligned}$$

$f'(x)=0$에서 $\sin x=-1$ 또는 $\sin x=\frac{1}{2}$

$0\le x\le 2\pi$이므로 $x=\frac{\pi}{6}$ 또는 $x=\frac{5}{6}\pi$ 또는 $x=\frac{3}{2}\pi$

STEP Ⓑ 함수 $f(x)$의 증감표를 이용하여 극댓값 구하기

함수 $f(x)$의 증가와 감소를 표로 나타내면 다음과 같다.

x	0	$\cdots$	$\frac{\pi}{6}$	$\cdots$	$\frac{5}{6}\pi$	$\cdots$	$\frac{3}{2}\pi$	$\cdots$	2π
$f'(x)$		$+$	0	$-$	0	$+$	0	$+$	
$f(x)$		↗	극대	↘	극소	↗		↗	

따라서 $x=\frac{\pi}{6}$에서 극대이고 극댓값 $f\left(\frac{\pi}{6}\right)=\frac{3\sqrt{3}}{4}$을 갖는다.

정답 ④

주의

$x=\frac{3}{2}\pi$의 좌우에서 $f'(x)$의 부호가 바뀌지 않으므로 $x=\frac{3}{2}\pi$에서 극값이 존재하지 않는다.

1298

정답 ③

STEP Ⓐ $f'(x)=0$인 x의 값 구하기

$f(x)=4\cos x-\cos 2x$에서

$$\begin{aligned}f'(x)&=-4\sin x+2\sin 2x\\&=-4\sin x+4\sin x\cos x\\&=-4\sin x(1-\cos x)\end{aligned}$$

$f'(x)=0$에서 $\sin x=0$ 또는 $\cos x=1$

$\therefore\ x=\pi\left(\because \frac{\pi}{2}\le x\le\frac{3}{2}\pi\right)$

함수 $f(x)$의 증가와 감소를 표로 나타내면 다음과 같다.

x	$\frac{\pi}{2}$	$\cdots$	π	$\cdots$	$\frac{3}{2}\pi$
$f'(x)$		$-$	0	$+$	
$f(x)$		↘	극소	↗	

함수 $f(x)$는 $x=\pi$에서 극소이고 극솟값은 $f(\pi)=-5$

따라서 $a=\pi$, $b=-5$이므로 $ab=-5\pi$

1299

정답 ⑤

STEP A $f'(x)=0$인 x의 값 구하기

$f(x)=x+\cos 2x$에서 $f'(x)=1-2\sin 2x$

$f'(x)=0$에서 $\sin 2x=\frac{1}{2}$, $2x=\frac{\pi}{6}$ 또는 $2x=\frac{5}{6}\pi$

$\therefore x=\frac{\pi}{12}$ 또는 $x=\frac{5}{12}\pi$

STEP B 이계도함수를 이용하여 극댓값과 극솟값 구하기

$f''(x)=-4\cos 2x$

$f''\left(\frac{\pi}{12}\right)=-4\cos\frac{\pi}{6}=-2\sqrt{3}<0$

$f''\left(\frac{5}{12}\pi\right)=-4\cos\frac{5}{6}\pi=2\sqrt{3}>0$이므로 함수 $f(x)$는

$x=\frac{\pi}{12}$에서 극대이고 극댓값은 $f\left(\frac{\pi}{12}\right)=\frac{\pi}{12}+\frac{\sqrt{3}}{2}$

$x=\frac{5}{12}\pi$에서 극소이고 극솟값 $f\left(\frac{5}{12}\pi\right)=\frac{5}{12}\pi-\frac{\sqrt{3}}{2}$

따라서 극솟값은 $\frac{5}{12}\pi-\frac{\sqrt{3}}{2}$

1300

정답 ①

STEP A $f'(x)=0$인 x의 값 구하기

$f(x)=\cos x+x\sin x$에서 $f'(x)=-\sin x+\sin x+x\cos x=x\cos x$

$f'(x)=0$에서 $\cos x=0$ ($\because x>0$)

$\therefore x=\frac{\pi}{2}$ 또는 $x=\frac{3}{2}\pi$ ($\because 0<x<2\pi$)

STEP B 함수 $f(x)$의 증감표를 이용하여 극솟값 구하기

함수 $f(x)$의 증가와 감소를 표로 나타내면 다음과 같다.

x	(0)	$\cdots$	$\frac{\pi}{2}$	$\cdots$	$\frac{3}{2}\pi$	$\cdots$	(2π)
$f'(x)$		$+$	0	$-$	0	$+$	
$f(x)$		↗	$\frac{\pi}{2}$	↘	$-\frac{3}{2}\pi$	↗	

함수 $f(x)$는 $x=\frac{3}{2}\pi$일 때, 극솟값 $-\frac{3}{2}\pi$

따라서 $\alpha=\frac{3}{2}\pi$, $\beta=-\frac{3}{2}\pi$이므로 $\alpha\beta=-\frac{9}{4}\pi^2$

내신연계 출제문항 502

함수 $f(x)=\frac{\sin x}{\sin x+2}$ $(0\le x\le 2\pi)$의 극댓값과 극솟값의 합은?

① -1 ② $-\frac{2}{3}$ ③ $-\frac{1}{3}$
④ $-\frac{1}{2}$ ⑤ $\frac{1}{3}$

STEP A $f'(x)=0$인 x의 값 구하기

$f(x)=\frac{\sin x}{\sin x+2}$에서 $f'(x)=\frac{2\cos x}{(\sin x+2)^2}$

$f'(x)=0$에서 $\cos x=0$ $\therefore x=\frac{\pi}{2}$ 또는 $x=\frac{3}{2}\pi$

STEP B 함수 $f(x)$의 증감표를 이용하여 극댓값과 극솟값 구하기

함수 $f(x)$의 증가와 감소를 표로 나타내면 다음과 같다.

x	0	$\cdots$	$\frac{\pi}{2}$	$\cdots$	$\frac{3}{2}\pi$	$\cdots$	2π
$f'(x)$		$+$	0	$-$	0	$+$	
$f(x)$		↗	극대	↘	극소	↗	0

함수 $f(x)$는

$x=\frac{\pi}{2}$에서 극대이고 극댓값은 $f\left(\frac{\pi}{2}\right)=\frac{1}{3}$

$x=\frac{3}{2}\pi$에서 극소이고 극솟값 $f\left(\frac{3}{2}\pi\right)=-1$

따라서 극댓값과 극솟값의 합은 $-\frac{2}{3}$

정답 ②

1301

정답 ①

STEP A $f'(x)=0$인 x의 값 구하기

$f(x)=\tan x-2x$에서 $f'(x)=\sec^2 x-2$

$f'(x)=0$에서 $\sec x=\sqrt{2}$

$\therefore x=-\frac{\pi}{4}$ 또는 $x=\frac{\pi}{4}$

STEP B 함수 $f(x)$의 증감표를 이용하여 극댓값과 극솟값 구하기

함수 $f(x)$의 증가와 감소를 표로 나타내면 다음과 같다.

x	$\left(-\frac{\pi}{2}\right)$	$\cdots$	$-\frac{\pi}{4}$	$\cdots$	$\frac{\pi}{4}$	$\cdots$	$\left(\frac{\pi}{2}\right)$
$f'(x)$		$+$	0	$-$	0	$+$	
$f(x)$		↗	극대	↘	극소	↗	

$x=-\frac{\pi}{4}$에서 극대이고 극댓값은 $f\left(-\frac{\pi}{4}\right)=-1+\frac{\pi}{2}$

$x=\frac{\pi}{4}$에서 극소이고 극솟값은 $f\left(\frac{\pi}{4}\right)=1-\frac{\pi}{2}$

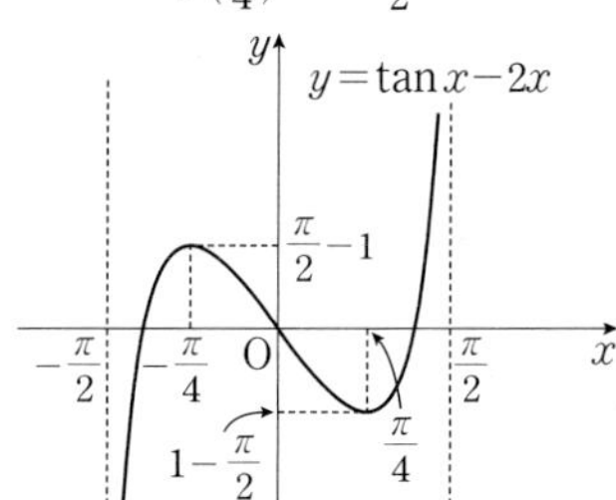

따라서 극댓값과 극솟값의 곱은 $\left(-1+\frac{\pi}{2}\right)\left(1-\frac{\pi}{2}\right)=-\left(\frac{\pi}{2}-1\right)^2$

내신연계 출제문항 503

$-\frac{\pi}{2}<x<\frac{\pi}{2}$에서 x에 대한 방정식 $\tan x-2x=k$가 서로 다른 세 실근을 갖도록 하는 실수 k의 값의 범위가 $\alpha<x<\beta$일 때, $\alpha\beta$의 값은?

① $-\left(\frac{\pi}{2}-1\right)^2$ ② $\left(\frac{\pi}{3}\right)^2-1$ ③ $\left(\frac{\pi}{4}\right)^2-1$
④ $\left(\frac{\pi}{2}\right)^2+1$ ⑤ $\left(\frac{\pi}{3}\right)^2+1$

STEP A $f'(x)=0$인 x의 값 구하기

$f(x)=\tan x-2x$라 하면 $f'(x)=\sec^2 x-2$

$f'(x)=0$에서 $\sec^2 x=2$, $\cos^2 x=\frac{1}{2}$

$\cos x=\frac{\sqrt{2}}{2}$ $\left(\because -\frac{\pi}{2}<x<\frac{\pi}{2}\right)$ $\therefore x=-\frac{\pi}{4}$ 또는 $x=\frac{\pi}{4}$

STEP B 함수 $f(x)$의 증감표를 이용하여 극댓값과 극솟값 구하기

$-\frac{\pi}{2}<x<\frac{\pi}{2}$에서 함수 $f(x)$의 증가와 감소를 표로 나타내면 다음과 같다.

x	$\left(-\frac{\pi}{2}\right)$	$\cdots$	$-\frac{\pi}{4}$	$\cdots$	$\frac{\pi}{4}$	$\cdots$	$\left(\frac{\pi}{2}\right)$
$f'(x)$		$+$	0	$-$	0	$+$	
$f(x)$		↗	극대	↘	극소	↗	

Ⅱ 미분법

함수 $f(x)$는

$x=-\frac{\pi}{4}$에서 극댓값 $f\left(-\frac{\pi}{4}\right)=\frac{\pi}{2}-1$

$x=\frac{\pi}{4}$에서 극솟값 $f\left(\frac{\pi}{4}\right)=1-\frac{\pi}{2}$를 갖는다.

$\lim_{x\to-\frac{\pi}{2}+} f(x)=-\infty$, $\lim_{x\to\frac{\pi}{2}-} f(x)=\infty$이므로 함수 $y=f(x)$의 그래프는 다음 그림과 같다.

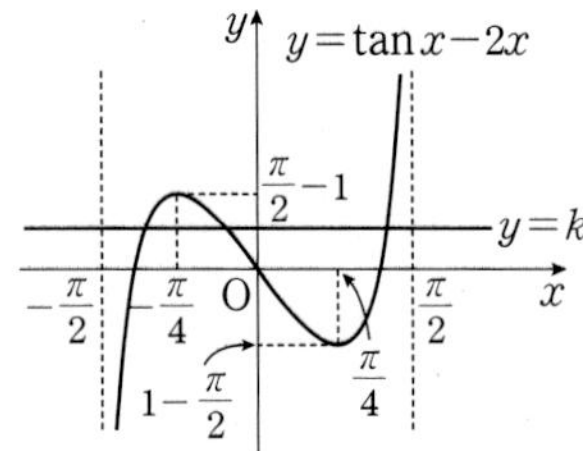

방정식 $f(x)=k$의 실근의 개수는 곡선 $y=f(x)$와 직선 $y=k$의 교점의 개수와 같으므로 방정식 $f(x)=k$가 서로 다른 세 실근을 갖기 위한 실수 k의 값의 범위는 $1-\frac{\pi}{2}<k<\frac{\pi}{2}-1$

따라서 $\alpha=1-\frac{\pi}{2}$, $\beta=\frac{\pi}{2}-1$이므로 $\alpha\beta=\left(-1+\frac{\pi}{2}\right)\left(1-\frac{\pi}{2}\right)=-\left(\frac{\pi}{2}-1\right)^2$

 ①

1302

 ③

STEP A $f'(x)=0$을 만족하는 x의 값 구하기

$f(x)=x^2e^x$에서 $f'(x)=(x^2+2x)e^x$

$f'(x)=0$에서 x의 값은 $x=-2$ 또는 $x=0$

STEP B 이계도함수를 이용하여 극댓값과 극솟값 구하기

$f''(x)=(x^2+4x+2)e^x$이므로

$f''(-2)=-2e^{-2}<0$, $f''(0)=2>0$

함수 $f(x)$는

$x=-2$에서 극대이고 극댓값은 $\frac{4}{e^2}$

$x=0$에서 극소이고 극솟값은 0

따라서 극댓값은 $\frac{4}{e^2}$

1303

 ④

STEP A $f'(x)=0$을 만족하는 x의 값 구하기

$f(x)=x(\ln x)^2$에서 $f'(x)=(\ln x)^2+x\cdot 2\ln x\cdot\frac{1}{x}=\ln x(\ln x+2)$

$f'(x)=0$에서 $x=\frac{1}{e^2}$ 또는 $x=1$

STEP B $f(x)$의 증감표를 이용하여 극댓값과 극솟값 구하기

함수 $f(x)$의 증가와 감소를 표로 나타내면 다음과 같다.

x	0	$\cdots$	$\frac{1}{e^2}$	$\cdots$	1	$\cdots$
$f'(x)$		$+$	0	$-$	0	$+$
$f(x)$		↗	극대	↘	극소	↗

함수 $f(x)$는

$x=\frac{1}{e^2}$에서 극대이고 극댓값 $f\left(\frac{1}{e^2}\right)=\frac{4}{e^2}$

$x=1$에서 극소이고 극솟값 $f(1)=0$

따라서 $a=\frac{4}{e^2}$, $b=0$이므로 $a+b=\frac{4}{e^2}$

내신연계 출제문항 504

함수 $f(x)=x^2\ln x$의 극솟값은?

① $-\frac{1}{2e}$　② $-\frac{1}{\sqrt{e}}$　③ $-\frac{1}{e}$

④ -1　⑤ $-e$

STEP A $f'(x)=0$을 만족하는 x의 값 구하기

$f(x)=x^2\ln x$에서 $x>0$이고

$f'(x)=2x\cdot\ln x+x^2\cdot\frac{1}{x}=x(2\ln x+1)$

$f'(x)=0$에서 $2\ln x+1=0$, $\ln x=-\frac{1}{2}$

$\therefore x=\frac{1}{\sqrt{e}}$

STEP B $f(x)$의 증가와 감소를 표로 나타내어 극솟값 구하기

함수 $f(x)$의 증가와 감소를 표로 나타내면 다음과 같다.

x	(0)	$\cdots$	$\frac{1}{\sqrt{e}}$	$\cdots$
$f'(x)$		$-$	0	$+$
$f(x)$		↘	극소	↗

따라서 함수 $f(x)$는 $x=\frac{1}{\sqrt{e}}$에서 극솟값 $f\left(\frac{1}{\sqrt{e}}\right)=-\frac{1}{2e}$을 가진다. 정답 ①

1304

 ②

STEP A $f'(x)=0$을 만족하는 x의 값 구하기

$f(x)=x-\ln x$에서 $f'(x)=1-\frac{1}{x}=\frac{x-1}{x}$

$f'(x)=0$에서 $x=1$

STEP B 함수 $f(x)$의 증감표를 이용하여 극솟값 구하기

함수 $f(x)$의 증가와 감소를 표로 나타내면 다음과 같다.

x	(0)	$\cdots$	1	$\cdots$
$f'(x)$		$-$	0	$+$
$f(x)$		↘	1	↗

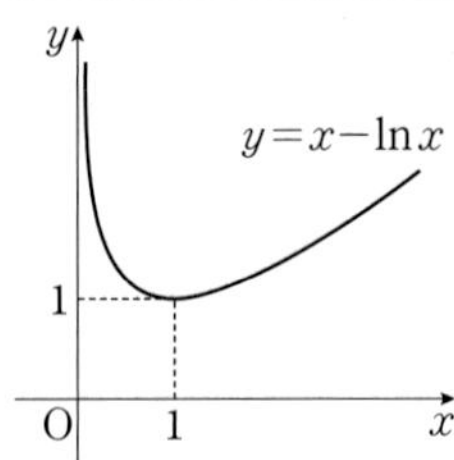

따라서 함수 $f(x)$는 $x=1$에서 극소이고 극솟값은 $f(1)=1$

다른풀이 이계도함수를 이용하여 극솟값 구하기

$f'(x)=1-\frac{1}{x}$이므로 $f'(x)=0$에서 $x=1$

$f''(x)=\frac{1}{x^2}$이므로 $f''(1)>0$

따라서 함수 $f(x)$는 $x=1$에서 극소이고 극솟값은 $f(1)=1$

1305

정답 ①

STEP A $f'(x)=0$을 만족하는 x의 값 구하기

$f(x)=x^2-3x+\ln x$에서 $x>0$

$f'(x)=2x-3+\dfrac{1}{x}=\dfrac{(2x-1)(x-1)}{x}$

$f'(x)=0$에서 $x=\dfrac{1}{2}$ 또는 $x=1$

STEP B 함수 $f(x)$의 증감표를 이용하여 극솟값 구하기

함수 $f(x)$의 증가와 감소를 표로 나타내면 다음과 같다.

x	0	$\cdots$	$\frac{1}{2}$	$\cdots$	1	$\cdots$
$f'(x)$		$+$	0	$-$	0	$+$
$f(x)$		↗	극대	↘	극소	↗

함수 $f(x)$는 $x=1$에서 극소이고 극솟값 -2를 가지므로 $a=1$, $b=-2$

따라서 $ab=-2$

다른풀이 이계도함수를 이용하여 극솟값 구하기

$f''(x)=2-\dfrac{1}{x^2}$이므로 $f''\left(\dfrac{1}{2}\right)=2-4=-2<0$

$f''(1)=2-1=1>0$

함수 $f(x)$는 $x=1$에서 극솟값 -2를 가지므로 $a=1$, $b=-2$

따라서 $ab=-2$

1306

정답 ②

STEP A $f'(x)=0$인 x의 값 구하기

$f(x)=(x^2-8)e^{-x+1}$에서

$f'(x)=2xe^{-x+1}-(x^2-8)e^{-x+1}$

$=(-x^2+2x+8)e^{-x+1}$

$=-(x-4)(x+2)e^{-x+1}$

$f'(x)=0$에서 $x=-2$ 또는 $x=4$

STEP B 함수 $f(x)$의 증가와 감소를 표로 나타내기

$f(x)$의 증가와 감소를 표로 나타내면 다음과 같다.

x	$\cdots$	-2	$\cdots$	4	$\cdots$
$f'(x)$	$-$	0	$+$	0	$-$
$f(x)$	↘	극소	↗	극대	↘

함수 $f(x)$는

$x=-2$에서 극소이고 극솟값은 $m=f(-2)=-4e^3$

$x=4$에서 극대이고 극댓값은 $M=f(4)=8e^{-3}$

따라서 $Mm=-4e^3\cdot 8e^{-3}=-32$

1307

정답 ④

STEP A $f'(x)=0$을 만족하는 x의 값 구하기

$f(x)=(x^2-3)e^{-x}$에서

$f'(x)=2x\cdot e^{-x}+(x^2-3)\cdot(-e^{-x})$

$=-(x^2-2x-3)e^{-x}$

$=-(x+1)(x-3)e^{-x}$

$f'(x)=0$에서 $e^{-x}>0$이므로 $(x+1)(x-3)=0$

$\therefore x=-1$ 또는 $x=3$

STEP B $f(x)$의 증가와 감소를 표로 나타내기

함수 $f(x)$의 증가와 감소를 표로 나타내면 다음과 같다.

x	$\cdots$	-1	$\cdots$	3	$\cdots$
$f'(x)$	$-$	0	$+$	0	$-$
$f(x)$	↘	극소	↗	극대	↘

함수 $f(x)$는

$x=-1$에서 극소이고 극솟값은 $b=f(-1)=-2e$

$x=3$에서 극대이고 극댓값은 $a=f(3)=6e^{-3}$

STEP C ab의 값 구하기

따라서 $ab=6e^{-3}\cdot(-2e)=-12e^{-2}=-\dfrac{12}{e^2}$

내/신/연/계/ 출제문항 505

함수 $f(x)=(x^2+2x-7)e^{-x}$의 극솟값 a와 극댓값 b를 갖는다. 두 상수 a, b의 곱 ab의 값은?

① -32 ② -30 ③ -28
④ -26 ⑤ -24

STEP A $f'(x)=0$을 만족하는 x의 값 구하기

$f(x)=(x^2+2x-7)e^{-x}$에서

$f'(x)=(x^2+2x-7)'\times e^{-x}+(x^2+2x-7)\times(e^{-x})'$

$=(2x+2)e^{-x}-(x^2+2x-7)e^{-x}$

$=-(x^2-9)e^{-x}=-(x+3)(x-3)e^{-x}$

$f'(x)=0$에서 $e^{-x}>0$이므로 $(x+3)(x-3)=0$, 즉 $x=-3$ 또는 $x=3$

STEP B $f(x)$의 증가와 감소를 표로 나타내기

함수 $f(x)$의 증가와 감소를 표로 나타내면 다음과 같다.

x	$\cdots$	-3	$\cdots$	3	$\cdots$
$f'(x)$	$-$	0	$+$	0	$-$
$f(x)$	↘	극소	↗	극대	↘

STEP C ab의 값 구하기

함수 $f(x)$는

$x=-3$에서 극소이고 극솟값은 $f(-3)=-4e^3$

$x=3$에서 극대이고 극댓값은 $f(3)=8e^{-3}$

따라서 $ab=8e^{-3}\times(-4e^3)=-32$ 정답 ①

1308

정답 ①

STEP A $f'(x)=0$을 만족하는 x의 값 구하기

$f(x)=\dfrac{\sin(\ln x)}{x}$에서 $f'(x)=\dfrac{\cos(\ln x)-\sin(\ln x)}{x^2}$

$f'(x)=0$에서 $\cos(\ln x)=\sin(\ln x)$

즉 $\ln x=\dfrac{\pi}{4}$ $(0<\ln x<2)$이므로 $x=e^{\frac{\pi}{4}}$

STEP B $f(x)$의 증감표를 이용하여 극댓값과 극솟값 구하기

함수 $f(x)$의 증가와 감소를 표로 나타내면 다음과 같다.

x	(0)	$\cdots$	$e^{\frac{\pi}{4}}$	$\cdots$
$f'(x)$		$+$	0	$-$
$f(x)$		↗	극대	↘

따라서 $f(x)$는 $x=e^{\frac{\pi}{4}}$에서 극대이고 극댓값은 $f(e^{\frac{\pi}{4}})=\dfrac{\frac{\sqrt{2}}{2}}{e^{\frac{\pi}{4}}}=\dfrac{\sqrt{2}}{2}e^{-\frac{\pi}{4}}$

내신연계 출제문항 506

열린구간 $(0, \pi)$에서 함수

$$f(x)=\ln(\sin x)+1$$

은 $x=a$에서 극값 b를 가진다. $a+b$의 값은?

① $\frac{\pi}{2}$ ② $\frac{\pi}{4}+1$ ③ $\frac{\pi}{2}+1$

④ $\frac{\pi}{3}+1$ ⑤ $\pi+1$

STEP A $f'(x)=0$인 x의 값 구하기

$f(x)=\ln(\sin x)+1$에서 $f'(x)=\frac{\cos x}{\sin x}$

$f'(x)=0$에서 $\cos x=0$

$\therefore x=\frac{\pi}{2}$

STEP B 함수 $f(x)$의 증가와 감소를 표로 나타내어 극댓값을 구하기

$0<x<\pi$에서 함수 $f(x)$의 증가와 감소를 표로 나타내면 다음과 같다.

x	(0)	$\cdots$	$\frac{\pi}{2}$	$\cdots$	(π)
$f'(x)$		$+$	0	$-$	
$f(x)$		↗	극대	↘	

$f(x)$는 $x=\frac{\pi}{2}$에서 극댓값은 $f\left(\frac{\pi}{2}\right)=\ln\left(\sin\frac{\pi}{2}\right)+1=1$

따라서 $a+b=\frac{\pi}{2}+1$

 ③

1309

 ②

STEP A $f'(x)=0$을 만족하는 x의 값 구하기

$f(x)=-x\ln x-(1-x)\ln(1-x)$에서

$$\begin{aligned}f'(x)&=-\ln x-x\cdot\frac{1}{x}-(-1)\ln(1-x)-(1-x)\cdot\frac{-1}{1-x}\\&=-\ln x-1+\ln(1-x)+1\\&=-\ln x+\ln(1-x)\\&=\ln\frac{1-x}{x}\end{aligned}$$

$f'(x)=0$에서 $\frac{1-x}{x}=1$이므로 $x=\frac{1}{2}$

STEP B $f(x)$의 증가와 감소를 표로 나타내기

열린구간 $(0, 1)$에서 함수 $f(x)$의 증가와 감소를 표로 나타내면 다음과 같다.

x	(0)	$\cdots$	$\frac{1}{2}$	$\cdots$	
$f'(x)$		$+$	0	$-$	
$f(x)$		↗	극대	↘	

STEP C 극댓값 구하기

따라서 함수 $f(x)$는 $x=\frac{1}{2}$에서 극대이고 극댓값은

$f\left(\frac{1}{2}\right)=\frac{1}{2}\ln 2+\frac{1}{2}\ln 2=\ln 2$

1310

 ③

STEP A 두 점 P, Q에서 접선의 x절편인 $r(t)$, $s(t)$ 구하기

$y=\ln x$에서 $y'=\frac{1}{x}$

점 $\mathrm{P}(t, \ln t)$에서의 접선의 방정식은 $y-\ln t=\frac{1}{t}(x-t)$

$\therefore r(t)=t-t\ln t$

점 $\mathrm{Q}(2t, \ln 2t)$에서의 접선의 방정식은 $y-\ln 2t=\frac{1}{2t}(x-2t)$

$\therefore s(t)=2t-2t\ln 2t$

STEP B $f(t)=r(t)-s(t)$의 극솟값 구하기

$f(t)=r(t)-s(t)=t(2\ln 2t-\ln t-1)$

$f'(t)=2\ln 2+\ln t=0$에서 $t=\frac{1}{4}$

함수 $f(t)$의 증가와 감소를 표로 나타내면 다음과 같다.

t	(0)	$\cdots$	$\frac{1}{4}$	$\cdots$
$f'(t)$		$-$	0	$+$
$f(t)$		↘	$-\frac{1}{4}$	↗

따라서 극솟값은 $f\left(\frac{1}{4}\right)=(2\ln 2-1)\cdot\frac{1}{4}+\frac{1}{4}\ln\frac{1}{4}=-\frac{1}{4}$

1311

 ③

STEP A $f'(x)=0$인 x의 값 구하기

$f(x)=e^{-x}\sin x$에서 $f'(x)=-e^{-x}\sin x+e^{-x}\cos x=e^{-x}(\cos x-\sin x)$

$f'(x)=0$에서 $e^{-x}>0$이므로 $\cos x-\sin x=0$

즉 $\cos x=\sin x$

$\therefore x=\frac{\pi}{4}$ 또는 $x=\frac{5}{4}\pi$ $(\because 0<x<2\pi)$

STEP B 함수 $f(x)$의 증가와 감소를 표로 나타내기

$0<x<2\pi$에서 함수 $f(x)$의 증가와 감소를 표로 나타내면 다음과 같다.

x	(0)	$\cdots$	$\frac{\pi}{4}$	$\cdots$	$\frac{5}{4}\pi$	$\cdots$	(2π)
$f'(x)$		$+$	0	$-$	0	$+$	
$f(x)$		↗	극대	↘	극소	↗	

함수 $f(x)$는

$x=\frac{\pi}{4}$에서 극대이고 극댓값은 $M=f\left(\frac{\pi}{4}\right)=\frac{\sqrt{2}}{2}e^{-\frac{\pi}{4}}$

$x=\frac{5}{4}\pi$에서 극소이고 극솟값은 $m=f\left(\frac{5}{4}\pi\right)=-\frac{\sqrt{2}}{2}e^{-\frac{5}{4}\pi}$

따라서 극댓값과 극솟값의 곱은 $Mm=\frac{\sqrt{2}}{2}e^{-\frac{\pi}{4}}\cdot\left(-\frac{\sqrt{2}}{2}e^{-\frac{5}{4}\pi}\right)=-\frac{1}{2}e^{-\frac{3}{2}\pi}$

다른풀이 이계도함수를 이용하여 극솟값 구하기

$f'(x)=e^{-x}(\cos x-\sin x)$에서 $f''(x)=-2e^{-x}\cos x$

$f'(x)=0$에서 $e^{-x}>0$이므로 $\cos x=\sin x$

즉 $x=\frac{\pi}{4}$ 또는 $x=\frac{5}{4}\pi$

$f''\left(\frac{\pi}{4}\right)=-\sqrt{2}e^{-\frac{\pi}{4}}<0$, $f''\left(\frac{5}{4}\pi\right)=\sqrt{2}e^{-\frac{5}{4}\pi}>0$

따라서 극댓값 $f\left(\frac{\pi}{4}\right)=\frac{\sqrt{2}}{2}e^{-\frac{\pi}{4}}$, 극솟값 $f\left(\frac{5}{4}\pi\right)=-\frac{\sqrt{2}}{2}e^{-\frac{5}{4}\pi}$를 가진다.

같은 문제 다른 표현

열린구간 $(0, 2\pi)$에서 정의된 함수 $f(x)=\frac{\sin x}{e^{x}}$가 $x=a$에서 극대이고 $x=b$에서 극소일 때, $a+b$의 값을 구하여라.

 $\frac{3}{2}\pi$

내신연계 출제문항 507

구간 $(0, 2\pi)$에서 함수

$$f(x)=e^{x}\sin x$$

의 극댓값을 M, 극솟값을 m이라 할 때, $\frac{m}{M}$의 값은?

① $-e^{\pi}$　　② $-\frac{1}{2}e^{-\pi}$　　③ $\frac{1}{2}e^{\pi}$

④ e^{π}　　⑤ $e^{2\pi}$

STEP Ⓐ $f'(x)=0$인 x의 값 구하기

$f'(x)=e^{x}\sin x+e^{x}\cos x=e^{x}(\sin x+\cos x)$이므로

$f'(x)=0$에서 $e^{x}>0$이므로 $\sin x+\cos x=0$

즉 $\sin x=-\cos x$　$\therefore x=\frac{3}{4}\pi$ 또는 $x=\frac{7}{4}\pi$

STEP Ⓑ 함수 $f(x)$의 증가와 감소를 표로 나타내기

$0\le x\le 2\pi$에서 함수 $f(x)$의 증가와 감소를 표로 나타내면 다음과 같다.

x	0	$\cdots$	$\frac{3}{4}\pi$	$\cdots$	$\frac{7}{4}\pi$	$\cdots$	2π
$f'(x)$		$+$	0	$-$	0	$+$	
$f(x)$	0	↗	$\frac{\sqrt{2}}{2}e^{\frac{3}{4}\pi}$	↘	$-\frac{\sqrt{2}}{2}e^{\frac{7}{4}\pi}$	↗	0

함수 $f(x)$는

$x=\frac{3}{4}\pi$에서 극대이고 극댓값은 $M=f\left(\frac{3}{4}\pi\right)=\frac{\sqrt{2}}{2}e^{\frac{3}{4}\pi}$

$x=\frac{7}{4}\pi$에서 극소이고 극솟값은 $m=f\left(\frac{7}{4}\pi\right)=-\frac{\sqrt{2}}{2}e^{\frac{7}{4}\pi}$

따라서 $\frac{m}{M}=\frac{-\frac{\sqrt{2}}{2}e^{\frac{7}{4}\pi}}{\frac{\sqrt{2}}{2}e^{\frac{3}{4}\pi}}=-e^{\pi}$

 ①

1312

정답 ①

STEP Ⓐ 몫의 미분법을 이용하여 $f'(x)$ 구하기

$f(x)=\frac{\sin x}{e^{2x}}=e^{-2x}\sin x$이므로

$f'(x)=-2e^{-2x}\sin x+e^{-2x}\cos x=e^{-2x}(-2\sin x+\cos x)$

$f''(x)=-2e^{-2x}(-2\sin x+\cos x)+e^{-2x}(-2\cos x-\sin x)$

$=e^{-2x}(3\sin x-4\cos x)$

STEP Ⓑ $f(x)$는 $x=a$에서 극솟값을 가지면 $f'(a)=0$, $f''(a)>0$임을 이용하기

이때 함수 $f(x)$는 $x=a$에서 극솟값을 가지므로

$f'(a)=0$, $f''(a)>0$이어야 한다.

이때 $e^{-2a}>0$이므로 $-2\sin a+\cos a=0$　…… ㉠

$3\sin a-4\cos a>0$　…… ㉡

이 성립해야 한다.

㉠에서 $\cos a=2\sin a$이므로 $\tan a=\frac{1}{2}$

㉠을 ㉡에 대입하면 $-5\sin a>0$, 즉 $\sin a<0$

$\tan a>0$이고 $\sin a<0$이므로 $\pi<a<\frac{3}{2}\pi$ (제 3사분면)

STEP Ⓒ $\tan a=\frac{1}{2}$이고 $\sin a<0$을 이용하여 $\cos a$ 구하기

한편 $\sec^{2}a=1+\tan^{2}a=1+\left(\frac{1}{2}\right)^{2}=\frac{5}{4}$에서 $\cos a=\frac{1}{\sec a}=\pm\frac{2}{\sqrt{5}}$

따라서 $\cos a=-\frac{2\sqrt{5}}{5}\left(\because \pi<a<\frac{3}{2}\pi\right)$

다른풀이 a의 사분면을 정하여 풀이하기

미분가능한 함수 $f(x)$가 $x=a$에서 극값을 가지므로 $f'(a)=0$이어야 한다.

$f(x)=\frac{\sin x}{e^{2x}}=e^{-2x}\sin x$이므로

$f'(x)=-2e^{-2x}\sin x+e^{-2x}\cos x=-e^{-2x}(2\sin x-\cos x)$

이때 $-e^{-2a}(2\sin a-\cos a)=0$에서 $\tan a=\frac{1}{2}$

(ⅰ) $0<a<\frac{\pi}{2}$일 때, $0<x<a$이면 $\sin x<\sin a$이고

$\cos x>\cos a$이므로

$2\sin x-\cos x<2\sin a-\cos a=0$　$\therefore f'(x)>0$

$a<x<\frac{\pi}{2}$이면 $\sin x>\sin a$이고 $\cos x<\cos a$이므로

$2\sin x-\cos x>2\sin a-\cos a=0$　$\therefore f'(x)<0$

즉 함수 $f(x)$는 $x=a$에서 극댓값을 갖는다.

(ⅱ) $\pi<a<\frac{3}{2}\pi$일 때, $\pi<x<a$이면 $\sin x>\sin a$이고

$\cos x<\cos a$이므로

$2\sin x-\cos x>2\sin a-\cos a=0$　$\therefore f'(x)<0$

$a<x<\frac{3\pi}{2}$이면 $\sin x<\sin a$이고 $\cos x>\cos a$이므로

$2\sin x-\cos x<2\sin a-\cos a=0$　$\therefore f'(x)>0$

즉 $x=a$에서 극솟값을 갖는다.

따라서 $\sec^{2}a=1+\tan^{2}a=\frac{5}{4}$에서 $\sec a=-\frac{\sqrt{5}}{2}\left(\because \pi<a<\frac{3}{2}\pi\right)$

$\therefore \cos a=-\frac{2\sqrt{5}}{5}$

1313

 ①

STEP Ⓐ $f'(x)=0$인 x의 값 구하기

$f(x)=e^{x}(\sin x+\cos x)$에서

$f'(x)=e^{x}(\sin x+\cos x)+e^{x}(\cos x-\sin x)=2e^{x}\cos x$

$0<x<2\pi$에서 $e^{x}>0$이므로 $f'(x)=0$이면 $\cos x=0$

$\therefore x=\frac{\pi}{2}$ 또는 $x=\frac{3}{2}\pi$

STEP Ⓑ 함수 $f(x)$의 증가와 감소를 표로 나타내기

$0<x<2\pi$에서 함수 $f(x)$의 증가와 감소를 표로 나타내면 다음과 같다.

x	(0)	$\cdots$	$\frac{\pi}{2}$	$\cdots$	$\frac{3}{2}\pi$	$\cdots$	(2π)
$f'(x)$		$+$	0	$-$	0	$+$	
$f(x)$		↗	극대	↘	극소	↗	

$x=\frac{\pi}{2}$에서 극대이고 극댓값은 $M=f\left(\frac{\pi}{2}\right)=e^{\frac{\pi}{2}}$

$x=\frac{3}{2}\pi$에서 극소이고 극솟값은 $m=f\left(\frac{3}{2}\pi\right)=-e^{\frac{3}{2}\pi}$

따라서 $Mm=-e^{2\pi}$

1314

 ③

STEP Ⓐ $f'(x)=0$인 x의 값 구하기

$f(x)=e^{-x}(\sin x+\cos x)$에서

$f'(x)=-e^{-x}(\sin x+\cos x)+e^{-x}(\cos x-\sin x)$

$=-2e^{-x}\sin x$

$f'(x)=0$에서 $e^{-x}>0$이므로 함수 $f'(x)$의 부호는 $\sin x$의 부호와 같다.

즉 $\sin x=0$　$\therefore x=n\pi\,(n=1, 2, 3, \cdots)$

$x>0$에서 함수 $f(x)$의 증가와 감소를 표로 나타내면 다음과 같다.

Ⅱ 미분법

x	0	$\cdots$	π	$\cdots$	2π	$\cdots$	3π	$\cdots$	4π	$\cdots$
$f'(x)$		$-$	0	$+$	0	$-$	0	$+$	0	$-$
$f(x)$		↘	극소	↗	극대	↘	극소	↗	극대	↘

이때 $x_n=2n\pi$ (단, n은 자연수)일 때, $f(x)$는 극대이고

극댓값은 $f(x_n)=f(2n\pi)=e^{-2n\pi}(\sin 2n\pi+\cos 2n\pi)=e^{-2n\pi}$

STEP B 등비급수 구하기

따라서 $\sum_{n=1}^{\infty} f(x_n)=\sum_{n=1}^{\infty} e^{-2n\pi}=\frac{e^{-2\pi}}{1-e^{-2\pi}}=\frac{1}{e^{2\pi}-1}$

내신연계 출제문항 508

함수 $f(x)=e^x(\sin x+\cos x)(x>0)$가 극댓값을 작은 것부터 차례로 $a_1, a_2, a_3, \cdots$ 이라 할 때, $\ln a_6$의 값은?

① $\frac{15}{2}\pi$ ② $\frac{17}{2}\pi$ ③ $\frac{19}{2}\pi$
④ $\frac{21}{2}\pi$ ⑤ $\frac{23}{2}\pi$

STEP A $f'(x)=0$인 x의 값 구하기

$f(x)=e^x(\sin x+\cos x)$에서

$f'(x)=e^x(\sin x+\cos x)+e^x(\cos x-\sin x)=2e^x\cos x$

$f'(x)=0$에서 $e^x>0$이므로 함수 $f'(x)$의 부호는 $\cos x$의 부호와 같다.

즉 $\cos x=0$ $\quad\therefore x=\frac{\pi}{2}+n\pi\,(n=0, 1, 2, 3, \cdots)$

$x>0$에서 함수 $f(x)$의 증가와 감소를 표로 나타내면 다음과 같다.

x	0	$\cdots$	$\frac{\pi}{2}$	$\cdots$	$\frac{3}{2}\pi$	$\cdots$	$\frac{5}{2}\pi$	$\cdots$	$\frac{7}{2}\pi$	$\cdots$
$f'(x)$		$+$	0	$-$	0	$+$	0	$-$	0	$+$
$f(x)$		↗	극대	↘	극소	↗	극대	↘	극소	↗

이때 $x=\frac{\pi}{2}+2n\pi$ (단, n은 음 아닌 정수)일 때,

$f(x)$는 극대이고 극댓값은 $f\left(\frac{\pi}{2}+2n\pi\right)=e^{\frac{\pi}{2}+2n\pi}$

STEP B $\ln a_6$의 값 구하기

따라서 $a_6=e^{\frac{\pi}{2}+10\pi}=e^{\frac{21}{2}\pi}$이므로 $\ln a_6=\ln e^{\frac{21}{2}\pi}=\frac{21}{2}\pi$ 정답 ④

1315

정답 ⑤

STEP A 몫의 미분법을 이용하여 $f'(x)$ 구하기

$f(x)=\frac{x^2+ax+b}{x+1}$에서 $f'(x)=\frac{x^2+2x+a-b}{(x+1)^2}$

STEP B $f'(-4)=0$, $f(-4)=-9$를 만족시키는 상수 a, b의 값 구하기

함수 $f(x)$가 $x=-4$에서 극댓값 -9를 가지므로 $f'(-4)=0$, $f(-4)=-9$

$f(-4)=\frac{16-4a+b}{-3}=-9$에서 $-4a+b=11$ …… ㉠

$f'(-4)=\frac{a-b+8}{9}=0$에서 $a-b=-8$ …… ㉡

㉠, ㉡을 연립하여 풀면 $a=-1$, $b=7$

$\therefore f(x)=\frac{x^2-x+7}{x+1}$

STEP C 함수 $f(x)$의 증가와 감소를 표로 나타내어 극솟값 구하기

$f'(x)=\frac{x^2+2x-8}{(x+1)^2}=\frac{(x+4)(x-2)}{(x+1)^2}$

$f'(x)=0$에서 $x=-4$ 또는 $x-2$

함수 $f(x)$의 증가와 감소를 표로 나타내면 다음과 같다.

x	$\cdots$	-4	$\cdots$	(-1)	$\cdots$	2	$\cdots$
$f'(x)$	$+$	0	$-$		$-$	0	$+$
$f(x)$	↗	극대	↘		↘	극소	↗

따라서 $x=2$일 때, 극솟값은 $f(2)=3$을 갖는다.

내신연계 출제문항 509

함수 $f(x)=\frac{x^2+ax+b}{x-2}$가 $x=-2$에서 극댓값 8을 가질 때, 두 상수 a, b에 대하여 $a+b$의 값은?

① -1 ② 0 ③ 1
④ 2 ⑤ 3

STEP A 함수의 몫의 미분법을 이용하여 $f'(x)$ 구하기

$f(x)=\frac{x^2+ax+b}{x-2}$에서

$f'(x)=\frac{(2x+a)(x-2)-(x^2+ax+b)}{(x-2)^2}=\frac{x^2-4x-2a-b}{(x-2)^2}$

STEP B $f(-2)=8$, $f'(-2)=0$을 만족하는 상수 a, b의 값 구하기

함수 $f(x)$가 $x=-2$에서 극댓값 8을 가지므로 $f(-2)=8$, $f'(-2)=0$

$f(-2)=\frac{4-2a+b}{-4}=8$, $-2a+b=-36$ …… ㉠

$f'(-2)=\frac{12-2a-b}{16}=0$, $2a+b=12$ …… ㉡

㉠, ㉡을 연립하여 풀면 $a=12$, $b=-12$

따라서 $a+b=0$ 정답 ②

1316

정답 ③

STEP A 몫의 미분법을 이용하여 $f'(x)$ 구하기

$f(x)=\frac{3x+k}{x^2+1}$에서

$f'(x)=\frac{3(x^2+1)-(3x+k)\times 2x}{(x^2+1)^2}=\frac{-3x^2-2kx+3}{(x^2+1)^2}$

STEP B $f'(3)=0$을 만족시키는 상수 k의 값 구하기

함수 $f(x)$가 $x=3$에서 극값을 가지므로

$f'(3)=\frac{-3\cdot 3^2-2k\cdot 3+3}{(3^2+1)^2}=-\frac{3(4+k)}{50}=0$에서 $k=-4$

$\therefore f(x)=\frac{3x-4}{x^2+1}$

STEP C $f(x)$의 증가와 감소를 표로 나타내어 $M+m$의 값 구하기

$f'(x)=-\frac{(3x+1)(x-3)}{(x^2+1)^2}$

$f'(x)=0$에서 $x=-\frac{1}{3}$ 또는 $x=3$

함수 $f(x)$의 증가와 감소를 표로 나타내면 다음과 같다.

x	$\cdots$	$-\frac{1}{3}$	$\cdots$	3	$\cdots$
$f'(x)$	$-$	0	$+$	0	$-$
$f(x)$	↘	극소	↗	극대	↘

$x=-\frac{1}{3}$에서 극소이고 극솟값은 $m=f\left(-\frac{1}{3}\right)=-\frac{9}{2}$

$x=3$에서 극대이고 극댓값은 $M=f(3)=\frac{1}{2}$

따라서 $M+m=\frac{1}{2}+\left(-\frac{9}{2}\right)=-4$

1317

정답 ①

STEP A 곱의 미분법을 이용하여 $f'(x)$ 구하기

$f(x)=(x^2+ax+b)e^{3x}$에서

$f'(x)=(2x+a)e^{3x}+3(x^2+ax+b)e^{3x}$

$\quad=\{3x^2+(3a+2)x+3b+a\}e^{3x}$

STEP B $f'(1)=0,\ f(1)=-2e^3$을 만족시키는 상수 $a,\ b$의 값 구하기

함수 $f(x)$가 $x=1$에서 극솟값 $-2e^3$을 가지므로 $f'(1)=0,\ f(1)=-2e^3$

$f'(1)=(4a+3b+5)e^{3x}=0$

$\therefore 4a+3b=-5$ ······ ㉠

$f(1)=(1+a+b)e^3=-2e^3$

$\therefore a+b=-3$ ······ ㉡

따라서 ㉠, ㉡을 연립하면 $a=4,\ b=-7$이므로 $ab=-28$

내신연계 출제문항 510

함수 $f(x)=xe^{ax+b}$이 $x=-1$에서 극솟값 $-\frac{1}{e}$을 가질 때, 상수 $a,\ b$에 대하여 $a+b$의 값은?

① -4 ② -3 ③ -1
④ 1 ⑤ 3

STEP A 곱의 미분법을 이용하여 $f'(x)$ 구하기

$f(x)=xe^{ax+b}$에서 $f'(x)=e^{ax+b}(1+ax)$

STEP B $f'(-1)=0,\ f(-1)=-\frac{1}{e}$을 만족시키는 상수 $a,\ b$의 값 구하기

함수 $f(x)$가 $x=-1$에서 극솟값 $-\frac{1}{e}$을 가지므로 $f'(-1)=e^{-a+b}(1-a)=0$

$\therefore a=1$

$f(x)=xe^{x+b}$이고 $f(-1)=-\frac{1}{e}$이므로 $-e^{-1+b}=-e^{-1}$

$\therefore b=0$

따라서 $a+b=1$

정답 ④

1318

정답 ③

STEP A $f'(x)=0$이 되는 x의 값 구하기

$f(x)=x^2e^x+a$로 놓으면

$f'(x)=2xe^x+x^2e^x=x(2+x)e^x$

$f'(x)=0$에서 $x=-2$ 또는 $x=0$

STEP B 함수 $f(x)$의 증가와 감소를 표로 나타내기

함수 $f(x)$의 증가와 감소를 표로 나타내면 다음과 같다.

x	$\cdots$	-2	$\cdots$	0	$\cdots$
$f'(x)$	$+$	0	$-$	0	$+$
$f(x)$	↗	극대	↘	극소	↗

STEP C 극솟값이 1일 때, 극댓값 구하기

함수 $f(x)$는 $x=0$에서 극소이고 극솟값은 $f(0)=a$

극솟값 1을 가지므로 $f(0)=a=1$

따라서 함수 $f(x)$는 $x=-2$에서 극대이고 극댓값을 가지므로

$f(-2)=4e^{-2}+1=\frac{4}{e^2}+1$

1319

정답 ④

STEP A $x=-\frac{1}{2}$에서 극댓값을 가짐을 이용하여 a의 값 구하기

$f(x)=xe^{2x}-(4x+a)e^x$의 도함수를 구하면

$f'(x)=(2x+1)e^{2x}-(4x+a+4)e^x$

함수 $f(x)$가 $x=-\frac{1}{2}$에서 극댓값을 가지므로 $f'\left(-\frac{1}{2}\right)=0$

즉 $f'\left(-\frac{1}{2}\right)=0-(-2+a+4)e^{-\frac{1}{2}}=0$에서 $a=-2$

STEP B 함수 $f(x)$의 극솟값 구하기

$f'(x)=(2x+1)e^{2x}-(4x+2)e^x=(2x+1)e^x(e^x-2)$

$f'(x)=0$에서 $x=-\frac{1}{2}$ 또는 $x=\ln 2$

함수 $f(x)$의 증가와 감소를 표로 나타내면 다음과 같다.

x	$\cdots$	$-\frac{1}{2}$	$\cdots$	$\ln 2$	$\cdots$
$f'(x)$	$+$	0	$-$	0	$+$
$f(x)$	↗	극대	↘	극소	↗

따라서 함수 $f(x)$는 $x=\ln 2$에서 극소이고 극솟값은 $f(\ln 2)=4-4\ln 2$

내신연계 출제문항 511

함수 $f(x)=a\ln\frac{2}{x}-x^2+5x$가 $x=\frac{1}{2}$에서 극값을 가질 때, 함수 $f(x)$의 극댓값은? (단, a는 상수이다.)

① 2 ② 4 ③ 6
④ 8 ⑤ 10

STEP A $x=\frac{1}{2}$에서 극값을 가질 때, 상수 a의 값 구하기

$f(x)=a\ln\frac{2}{x}-x^2+5x=a(\ln 2-\ln x)-x^2+5x$에서

$f'(x)=-\frac{a}{x}-2x+5$

함수 $f(x)$가 $x=\frac{1}{2}$에서 극값을 가지므로

$f'\left(\frac{1}{2}\right)=-2a-1+5=-2a+4=0$에서 $a=2$

STEP B 함수 $f(x)$의 극댓값 구하기

$f(x)=2\ln\frac{2}{x}-x^2+5x$이고

$f'(x)=-\frac{2}{x}-2x+5=-\frac{2x^2-5x+2}{x}=-\frac{(2x-1)(x-2)}{x}$

$f'(x)=0$에서 $x=\frac{1}{2}$ 또는 $x=2$

함수 $f(x)$의 증가와 감소를 표로 나타내면 다음과 같다.

x	(0)	$\cdots$	$\frac{1}{2}$	$\cdots$	2	$\cdots$
$f'(x)$		$-$	0	$+$	0	$-$
$f(x)$		↘	극소	↗	극대	↘

따라서 함수 $f(x)$는 $x=2$에서 극대이고 극댓값은

$f(2)=2\ln 1-4+10=6$

정답 ③

1320

 ②

STEP Ⓐ **몫의 미분법을 이용하여 $f'(x)$ 구하기**

$f(x)=\ln x+\frac{a}{x}-x$에서 $f'(x)=\frac{1}{x}-\frac{a}{x^2}-1=\frac{-x^2+x-a}{x^2}$

STEP Ⓑ **$f'(2)=0$을 만족시키는 상수 a의 값 구하기**

함수 $f(x)$가 $x=2$에서 극값을 가지므로

$f'(2)=0$에서 $-4+2-a=0$이므로 $a=-2$

즉 $f'(x)=\frac{-x^2+x+2}{x^2}$

STEP Ⓒ **함수 $f(x)$의 증가와 감소를 표로 나타내어 극솟값 구하기**

$f'(x)=\frac{-(x-2)(x+1)}{x^2}$

$f'(x)=0$에서 $x=2\,(\because x>0)$

$x>0$에서 함수 $f(x)$의 증가와 감소를 표로 나타내면 다음과 같다.

x	(0)	$\cdots$	2	$\cdots$
$f'(x)$		$+$	0	$-$
$f(x)$		↗	극대	↘

따라서 함수 $f(x)$는 $x=2$에서 극대이고 극댓값은 $f(2)=\ln 2-3$

내신연계 출제문항 512

함수

$$f(x)=3\ln x+ax-\frac{b}{x}$$

가 $x=1$에서 극솟값 -1을 가질 때, 상수 a, b에 대하여 ab의 값은?

① -4　② -3　③ -2
④ 2　⑤ 3

STEP Ⓐ **몫의 미분법을 이용하여 $f'(x)$ 구하기**

$f(x)=3\ln x+ax-\frac{b}{x}$에서 $f'(x)=\frac{3}{x}+a+\frac{b}{x^2}$

STEP Ⓑ **$f'(1)=0$, $f(1)=-1$을 만족시키는 상수 a, b의 값 구하기**

함수 $f(x)$가 $x=1$에서 극솟값 -1을 가지므로 $f'(1)=0$, $f(1)=-1$

$f(1)=a-b=-1$ …… ㉠

$f'(1)=3+a+b=0$에서 $a+b=-3$ …… ㉡

㉠, ㉡을 연립하여 풀면 $a=-2$, $b=-1$

따라서 $ab=2$

 ④

1321

정답 ③

STEP Ⓐ **$f'(x)=0$을 만족하는 x의 값 구하기**

$f'(x)=1-a\sin x$이므로 $f'(x)=0$에서 $\sin x=\frac{1}{a}$ …… ㉠

$0<x<2\pi$에서 방정식의 ㉠의 근을

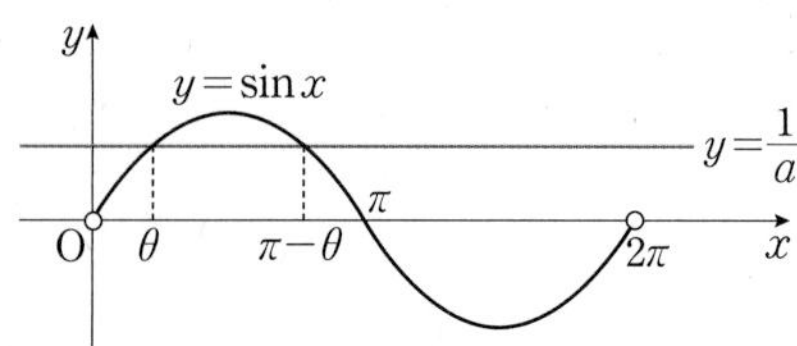

곡선 $y=\sin x$와 직선 $y=\frac{1}{a}\,(a>1)$이 만나는 점의 x좌표 중 $0<x<\frac{\pi}{2}$인 값을 θ라 하면 $f'(x)=0$에서 $x=\theta$ 또는 $x=\pi-\theta$

STEP Ⓑ **$f(x)$의 증가와 감소를 표로 나타내기**

열린구간 $(0,\,2\pi)$에서 함수 $f(x)$의 증가와 감소를 표로 나타내면 다음과 같다.

x	(0)	$\cdots$	θ	$\cdots$	$\pi-\theta$	$\cdots$	(2π)
$f'(x)$		$+$	0	$-$	0	$+$	
$f(x)$		↗	극대	↘	극소	↗	

STEP Ⓒ **$f(x)$의 극솟값 0임을 이용하여 극댓값 구하기**

이때 $f(x)$는 $x=\pi-\theta$에서 극솟값 0을 가지므로

$f(\pi-\theta)=(\pi-\theta)+a\cos(\pi-\theta)=0$ ⬅ $\cos(\pi-\theta)=-\cos\theta$

$\therefore\ \pi=\theta+a\cos\theta$ …… ㉡

따라서 함수 $f(x)$는 $x=\theta$에서 극댓값은 $f(\theta)=\theta+a\cos\theta$

㉡에서 $\pi=\theta+a\cos\theta$이므로 $f(\theta)=\pi$

내신연계 출제문항 513

함수 $f(x)=x+a\cos x\,(a>1)$가 $0<x<2\pi$에서 극솟값이 1을 갖도록 상수 a의 값을 정할 때, 함수 $f(x)$의 극댓값은?

① 1　② $\pi-1$　③ π
④ $\pi+1$　⑤ $\pi+2$

STEP Ⓐ **$f'(x)=0$을 만족하는 x의 값 구하기**

$f(x)=x+a\cos x$에서 $f'(x)=1-a\sin x$

$f'(x)=0$에서 $\sin x=\frac{1}{a}\left(0<\frac{1}{a}<1\right)$ …… ㉠

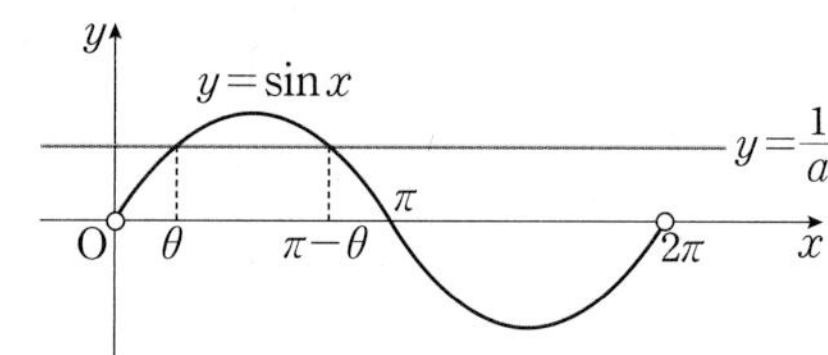

곡선 $y=\sin x$와 직선 $y=\frac{1}{a}\,(a>1)$이 만나는 점의 x좌표 중 $0<x<\frac{\pi}{2}$인 값을 θ라 하면 $f'(x)=0$에서 $x=\theta$ 또는 $x=\pi-\theta$

STEP Ⓑ **$f(x)$의 증가와 감소를 표로 나타내기**

열린구간 $(0,\,2\pi)$에서 함수 $f(x)$의 증가와 감소를 표로 나타내면 다음과 같다.

x	(0)	$\cdots$	θ	$\cdots$	$\pi-\theta$	$\cdots$	(2π)
$f'(x)$		$+$	0	$-$	0	$+$	
$f(x)$		↗	극대	↘	극소	↗	

STEP Ⓒ **$f(x)$의 극솟값 1임을 이용하여 극댓값 구하기**

이때 $f(x)$는 $x=\pi-\theta$에서 극솟값 1을 가지므로

$f(\pi-\theta)=\pi-\theta+a\cos(\pi-\theta)=\pi-\theta-a\cos\theta=1$ ⬅ $\cos(\pi-\theta)=-\cos\theta$

$\therefore\ \theta+a\cos\theta=\pi-1$

따라서 $f(x)$는 $x=\theta$에서 극댓값 $f(\theta)=\theta+a\cos\theta=\pi-1$

정답 ②

1322

정답 ②

STEP Ⓐ $f'(x)=0$인 x의 값 구하기

$f'(x)=e^x(x^2+2x+a)+e^x(2x+2)$

$\quad =e^x(x^2+4x+a+2)$

STEP Ⓑ 이차방정식이 중근 또는 허근을 가질 조건 구하기

함수 $f(x)$가 극값을 갖지 않으려면 $e^x>0$이므로

이차방정식 $x^2+4x+a+2=0$이 중근 또는 허근을 가져야 하므로

판별식을 D라 하면

$\dfrac{D}{4}=4-(a+2)\le 0 \quad \therefore a\ge 2$

따라서 a의 최솟값은 2

내신연계 출제문항 514

함수 $f(x)=e^x(x^2+4x+a)$의 극값이 존재하지 않도록 하는 실수 a의 최솟값은?

① 2　　② 3　　③ 4
④ 5　　⑤ 6

STEP Ⓐ $f'(x)=0$인 x의 값 구하기

$f'(x)=e^x(x^2+4x+a)+e^x(2x+4)$

$\quad =e^x(x^2+6x+a+4)$

STEP Ⓑ 이차방정식이 중근 또는 허근을 가질 조건 구하기

이때 함수 $f(x)$의 극값이 존재하지 않기 위해서는

이차방정식 $x^2+6x+a+4=0$의 판별식 D에 대하여 $D\le 0$이어야 한다.

$\dfrac{D}{4}=9-(a+4)\le 0$, 즉 $a\ge 5$

따라서 함수 $f(x)$의 극값이 존재하지 않도록 하는 실수 a의 최솟값은 5

정답 ④

1323

정답 ③

STEP Ⓐ $f'(x)$ 구하기

$f'(x)=4x-a+\dfrac{1}{x}=\dfrac{4x^2-ax+1}{x}$

STEP Ⓑ 극값을 가질 조건 구하기

함수 $f(x)$가 극값을 갖기 위해서는

$x>0$에서 방정식 $4x^2-ax+1=0$이 중근이 아닌 실근을 가져야 한다.

(i) 이차방정식 $4x^2-ax+1=0$의 판별식을 D라 하면

$\quad D=a^2-16>0$; $(a+4)(a-4)>0$

$\quad \therefore a<-4$ 또는 $a>4$

(ii) 이차방정식 $4x^2-ax+1=0$의 두 실근을 α, β라고 하면

$\quad$ 두 근의 합 $\alpha+\beta=\dfrac{a}{4}>0$, 즉 $a>0$

$\quad$ 두 근의 곱 $\alpha\beta=\dfrac{1}{4}$

(i), (ii)에서 $a>4$

따라서 정수 a의 최솟값은 5

내신연계 출제문항 515

함수

$$f(x)=\ln x^3+\frac{a}{x}-x$$

가 극댓값과 극솟값을 모두 가질 때, 모든 정수 a의 값의 합은?

① 1　　② 2　　③ 3
④ 4　　⑤ 5

STEP Ⓐ $f'(x)=0$인 x의 값 구하기

$f(x)=\ln x^3+\dfrac{a}{x}-x$는 $x>0$에서 정의한다.

$f'(x)=\dfrac{3}{x}-\dfrac{a}{x^2}-1=\dfrac{-x^2+3x-a}{x^2}$

STEP Ⓑ 이차방정식의 두 양의 실근을 가질 조건 구하기

이때 $x^2>0$이므로 함수 $f(x)$가 극값을 가지려면

이차방정식 $-x^2+3x-a=0$이 서로 다른 두 양의 실근을 가져야 한다.

(i) 이차방정식 $-x^2+3x-a=0$의 판별식을 D라 하면

$\quad D=9-4a>0 \quad \therefore a<\dfrac{9}{4}$

(ii) 이차방정식 $-x^2+3x-a=0$의 두 실근을 α, β라고 하면

$\quad$ 두 근의 합은 $\alpha+\beta=3>0$을 만족시키고

$\quad$ 두 근의 곱은 $\alpha\beta=a>0$이어야 한다.

(i), (ii)에서 $0<a<\dfrac{9}{4}$

따라서 정수 a는 1, 2이므로 구하는 합은 $1+2=3$

정답 ③

1324

정답 ②

STEP Ⓐ $f'(x)=0$인 x의 값 구하기

$f(x)=\ln x+\dfrac{a}{x}-x$는 $x>0$에서 정의된다.

$f'(x)=\dfrac{1}{x}-\dfrac{a}{x^2}-1=\dfrac{-x^2+x-a}{x^2}$

STEP Ⓑ 이차방정식의 두 양의 실근을 가질 조건 구하기

이때 $x^2>0$이므로 함수 $f(x)$가 극값을 가지려면

이차방정식 $-x^2+x-a=0$이 서로 다른 두 양의 실근을 가져야 한다.

(i) 이차방정식 $-x^2+x-a=0$의 판별식을 D라 하면

$\quad$ 판별식 $D=1-4a>0 \quad \therefore a<\dfrac{1}{4}$

(ii) 이차방정식 $-x^2+x-a=0$의 두 실근을 α, β라고 하면

$\quad$ 두 근의 합은 $\alpha+\beta=1>0$을 만족시키고

$\quad$ 두 근의 곱은 $\alpha\beta=a>0$이어야 한다.

(i), (ii)에서 $0<a<\dfrac{1}{4}$

이차방정식의 실근의 부호

계수가 실수인 이차방정식 $ax^2+bx+c=0$의 두 실근을 α, β

$D=b^2-4ac$라 할 때,

① 두 근이 모두 양수 $\iff D\ge 0$, $\alpha+\beta>0$, $\alpha\beta>0$

② 두 근이 모두 음수 $\iff D\ge 0$, $\alpha+\beta<0$, $\alpha\beta>0$

③ 두 근이 서로 다른 부호 $\iff \alpha\beta<0$

1325

정답 ②

STEP A $f'(x)=0$인 x의 값 구하기

$f(x)=kx-\ln(x^2+1)$에서 $f'(x)=k-\dfrac{2x}{x^2+1}=\dfrac{kx^2-2x+k}{x^2+1}$

STEP B 모든 실수 x에 대하여 $kx^2-2x+k\geq 0$이 성립할 조건 구하기

함수 $f(x)$가 극값을 갖지 않으려면 모든 실수 x에 대하여

$f'(x)\geq 0$이거나 $f'(x)\leq 0$이어야 한다.

이때 $x^2+1>0$이므로 $k>0$일 때, 모든 실수 x에 대하여

$f'(x)=kx^2-2x+k\geq 0$이면 된다.

이차방정식 $kx^2-2x+k=0(k>0)$의 판별식을 D라 하면

$\dfrac{D}{4}=1-k^2\leq 0$에서 $(k+1)(k-1)\geq 0$

이때 $k>0$이므로 $k\geq 1$

따라서 k의 최솟값은 1

1326

정답 ①

STEP A $f'(x)=0$인 x의 값 구하기

$f(x)=ax+\ln(x^2+9)$에서 $f'(x)=a+\dfrac{2x}{x^2+9}=\dfrac{ax^2+2x+9a}{x^2+9}$

STEP B 모든 실수 x에 대하여 $ax^2+2x+9a\geq 0$이 성립할 조건 구하기

함수 $f(x)$가 극값을 갖지 않으려면 모든 실수 x에 대하여

$f'(x)\geq 0$이거나 $f'(x)\leq 0$이어야 한다.

이때 $x^2+9>0$이므로 $a>0$일 때 모든 실수 x에 대하여

$f'(x)=ax^2+2x+9a\geq 0$이면 된다.

이차방정식 $ax^2+2x+9a=0$의 판별식을 D라 하면

$\dfrac{D}{4}=1-9a^2\leq 0$에서 $(3a+1)(3a-1)\geq 0$

이때 $a>0$이므로 $a\geq\dfrac{1}{3}$

따라서 a의 최솟값은 $\dfrac{1}{3}$

내신연계 출제문항 516

함수

$$f(x)=ax+\ln(x^2+4)$$

가 극값을 갖지 않을 때, a의 최솟값은? (단, $a>0$)

① $\dfrac{1}{3}$ ② $\dfrac{1}{2}$ ③ 1

④ $\dfrac{3}{2}$ ⑤ 2

STEP A $f'(x)=0$인 x의 값 구하기

$f(x)=ax+\ln(x^2+4)$에서 $f'(x)=a+\dfrac{2x}{x^2+4}=\dfrac{ax^2+2x+4a}{x^2+4}$

STEP B 모든 실수 x에 대하여 $ax^2+2x+4a\geq 0$이 성립할 조건 구하기

함수 $f(x)$가 극값을 갖지 않으려면 모든 실수 x에 대하여

$f'(x)\geq 0$이거나 $f'(x)\leq 0$이어야 한다.

이때 $x^2+4>0$이므로 $a>0$일 때 모든 실수 x에 대하여

$f'(x)=ax^2+2x+4a\geq 0$이면 된다.

이차방정식 $ax^2+2x+4a=0$의 판별식을 D라 하면

$\dfrac{D}{4}=1-4a^2\leq 0$에서 $(2a+1)(2a-1)\geq 0$

이때 $a>0$이므로 $a\geq\dfrac{1}{2}$

따라서 a의 최솟값은 $\dfrac{1}{2}$ 정답 ②

1327

정답 ④

STEP A 합성함수의 미분법을 이용하여 $f'(x)$ 구하기

$f(x)=\dfrac{1}{3}x-\ln(2x^2+n)$에서 $f'(x)=\dfrac{1}{3}-\dfrac{4x}{2x^2+n}=\dfrac{2x^2-12x+n}{6x^2+3n}$

STEP B 극값을 갖지 않을 조건 구하기

이때 $6x^2+3n>0$이므로 함수 $f(x)$가 극값을 갖지 않으려면

$f'(x)=0$, 즉 $2x^2-12x+n=0$이 중근 또는 허근을 가져야 한다.

이차방정식 $2x^2-12x+n=0$의 판별식을 D라 하면

$\dfrac{D}{4}=36-2n\leq 0$에서 $n\geq 18$

STEP C 자연수 n의 최솟값 구하기

따라서 구하는 자연수 n의 최솟값은 18

1328

정답 ③

STEP A $f'(x)$ 구하기

$f(x)=\sin x+ax+1$에서 $f'(x)=\cos x+a$

STEP B 함수 $f(x)$가 극값을 갖기 위한 조건 구하기

주어진 곡선이 극값을 가지려면 방정식 $f'(x)=0$이 실근을 갖고

실근의 좌우에서 $f'(x)$의 부호가 바뀌어야 한다.

$f'(x)=0$에서 $\cos x+a=0$ $\therefore \cos x=-a$

이 방정식이 실근을 가지려면 $y=\cos x$와 직선 $y=-a$가 만나야 하므로

다음 그림에서 $-1\leq -a\leq 1$이다.

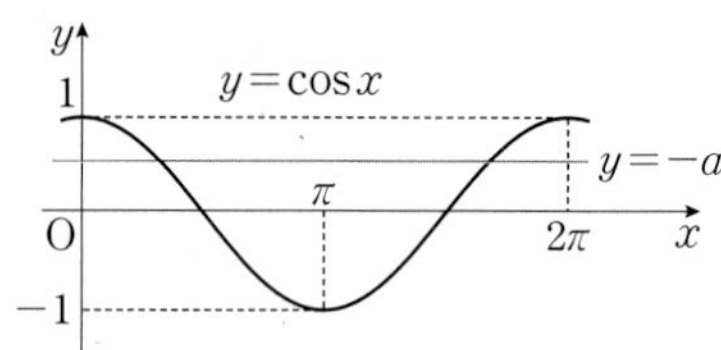

이때 $a=-1$이면 $f'(x)=\cos x-1\leq 0$

$a=1$이면 $f'(x)=\cos x+1\geq 0$

즉 $f'(x)=0$을 만족시키는 x의 값의 좌우에서 $f'(x)$의 부호가 바뀌지 않으므로 극값이 존재하지 않는다.

따라서 $-1<a<1$

다른풀이 함수 $f(x)$가 극값을 가지려면 ($f'(x)$의 최댓값)$\times$($f'(x)$의 최솟값)<0임을 이용하기

$f'(x)=\cos x+a$이므로

최댓값 $1+a$, 최솟값 $-1+a$

함수 $f(x)$가 상수함수가 아니므로 극값을 가지려면 도함수 $f'(x)=0$의 실근이 존재하고 그 실근의 좌우에서 $f'(x)$의 부호가 바뀌어야 하므로

($f'(x)$의 최댓값)$\times$($f'(x)$의 최솟값)<0이어야 한다.

따라서 $(1+a)(-1+a)<0$이므로 $-1<a<1$

1329 정답 ⑤

STEP Ⓐ **함수 $f(x)$가 극값을 갖지 않도록 하기 위한 조건 구하기**

$f(x)=ax+\sin x$에서 $f'(x)=a+\cos x$

$f(x)$가 극값을 갖지 않으려면 방정식 $f'(x)=0$이 실근을 갖지 않거나 $f'(x)=0$의 실근의 좌우에서 $f'(x)$의 부호가 바뀌지 않아야 한다.

STEP Ⓑ **$f'(x)=0$이 실근을 갖지 않는 조건과 부호가 바뀌지 않을 a의 범위 구하기**

$f'(x)=0$에서 $\cos x+a=0$ $\quad\therefore \cos x=-a$

곡선 $y=\cos x$와 직선 $y=-a$의 그래프는 다음과 같다.

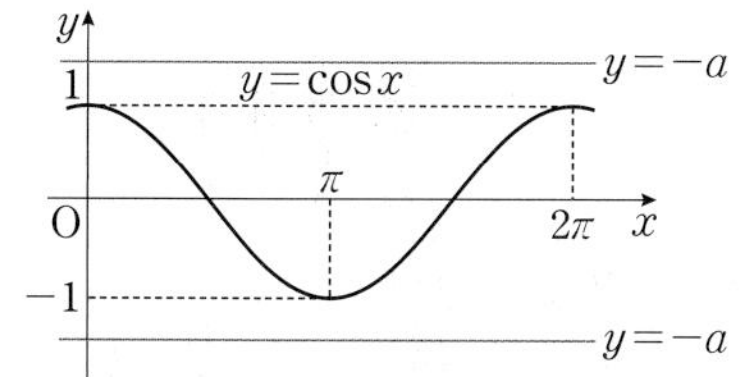

(ⅰ) 방정식 $\cos x=-a$가 실근을 갖지 않는 a의 값의 범위는
$a<-1$ 또는 $a>1$

(ⅱ) $a=-1$일 때, $f'(x)=\cos x-1\le 0$이고
$a=1$일 때, $f'(x)=\cos x+1\ge 0$이므로 $f'(x)=0$을 만족시키는 x의 값의 좌우에서 $f'(x)$의 부호가 바뀌지 않는다.

(ⅰ), (ⅱ)에서 구하는 a의 값의 범위는 $a\le -1$ 또는 $a\ge 1$

다른풀이 함수 $f(x)$가 극값을 갖지 않도록 하려면 모든 실수 x에 대하여 $f'(x)\ge 0$ 또는 $f'(x)\le 0$이어야 한다.

$f'(x)=a+\cos x$이므로 함수 $f(x)$가 극값을 갖지 않도록 하려면
모든 실수 x에 대하여 $a+\cos x\ge 0$ 또는 $a+\cos x\le 0$이어야 한다.
$a+\cos x\ge 0$일 때, $a\ge 1$이고 $a+\cos x\le 0$일 때, $a\le -1$
따라서 $a\le -1$ 또는 $a\ge 1$

내신연계 출제문항 517

0이 아닌 정수 a에 대하여 함수

$$f(x)=\frac{x}{4}-\frac{\sin x}{a}$$

가 극값을 갖도록 하는 a의 개수는?

① 3 ② 4 ③ 5
④ 6 ⑤ 7

STEP Ⓐ **$f'(x)$ 구하기**

$f(x)=\frac{x}{4}-\frac{\sin x}{a}$에서 $f'(x)=\frac{1}{4}-\frac{\cos x}{a}$

STEP Ⓑ **함수 $f(x)$가 극값을 갖기 위한 조건 구하기**

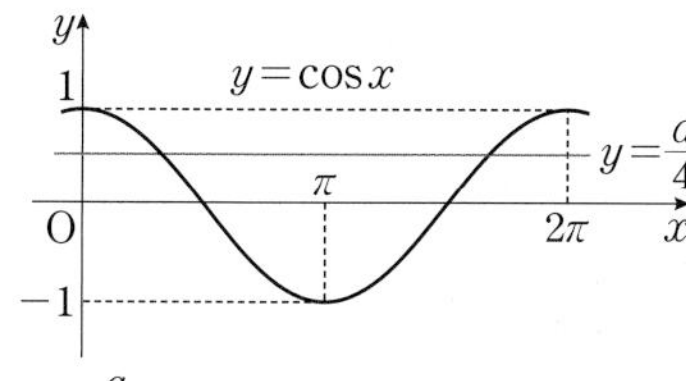

$f'(x)=0$에서 $\cos x=\frac{a}{4}$

함수 $f(x)$가 극값을 가져야 하므로 곡선 $y=\cos x$와 직선 $y=\frac{a}{4}$가 만나는 점이 존재해야 하고 직선 $y=\frac{a}{4}$가 곡선 $y=\cos x$의 접선이 아니어야 한다.

즉 $-1<\frac{a}{4}<1$

따라서 $-4<a<4$, $a\ne 0$이므로 정수 a의 값은 $-3, -2, -1, 1, 2, 3$이므로 개수는 6

정답 ④

1330 정답 ⑤

STEP Ⓐ **$f'(x)$ 구하기**

$f(x)=x+k\sin x$에서 $f'(x)=1+k\cos x$

STEP Ⓑ **함수 $f(x)$가 극값을 갖기 위한 조건 구하기**

주어진 곡선이 극값을 가지려면 방정식 $f'(x)=0$이 실근을 갖고 실근의 좌우에서 $f'(x)$의 부호가 바뀌어야 한다.

$f'(x)=0$에서 $1+k\cos x=0$ $\quad\therefore \cos x=-\frac{1}{k}$

이 방정식이 실근을 가지려면 $y=\cos x$와 직선 $y=-\frac{1}{k}$이 만나야 하므로

다음 그림에서 $-1\le -\frac{1}{k}\le 1$ $\quad\therefore -1\le \frac{1}{k}\le 1$

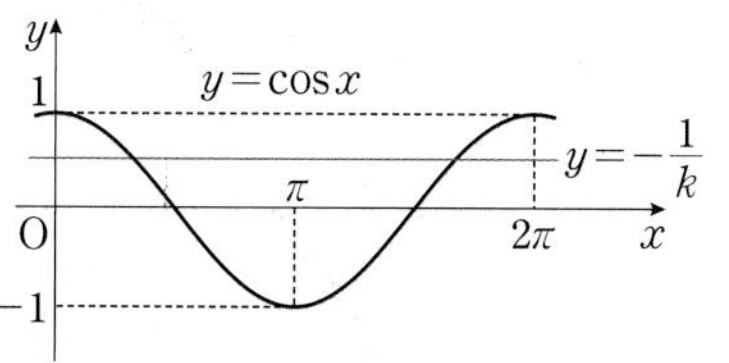

즉 $k\le -1$ 또는 $k\ge 1$

이때 $k=-1$이면 $f'(x)=1-\cos x\ge 0$

$k=1$이면 $f'(x)=1+\cos x\ge 0$

즉 $f'(x)=0$을 만족시키는 x의 값의 좌우에서 $f'(x)$의 부호가 바뀌지 않으므로 극값이 존재하지 않는다.

$\therefore k<-1$ 또는 $k>1$

1331 

STEP Ⓐ **$f''(x)<0$를 만족하는 구간 구하기**

구간 $[a, g]$에서 $f''(x)$의 부호를 조사하면 다음과 같다.

x	a	$\cdots$	b	$\cdots$	c	$\cdots$	d	$\cdots$	e	$\cdots$	g
$f''(x)$	+	+	0	−	−	−	0	+	+	+	+

따라서 함수 $y=f(x)$의 그래프의 모양이 위로 볼록하려면 $f''(x)<0$이어야 하므로 구하는 구간은 (b, d)

1332 

STEP Ⓐ **증가하면서 아래로 볼록한 구간 구하기**

조건 (가)에서 $f'(x)>0$이면 함수 $f(x)$는 증가하는 함수이다.

조건 (나)에서 $f''(x)>0$이면 함수 $f(x)$는 아래로 볼록하다.

따라서 두 조건을 동시에 만족하는 x의 범위는 $x>c$

1333

정답 ①

STEP Ⓐ $0 < x < \pi$**에서 위로 볼록한 구간 구하기**

$f(x)=x^2+4\cos x$라고 하면

$f'(x)=2x-4\sin x$이고 $f''(x)=2-4\cos x$

곡선 $y=f(x)$가 위로 볼록하면 $f''(x)<0$이어야 한다.

$2-4\cos x<0 \quad \therefore \cos x>\dfrac{1}{2}$

즉 $0<x<\pi$이므로 $0<x<\dfrac{\pi}{3}$

따라서 곡선 $y=f(x)$가 위로 볼록한 구간은 $\left(0, \dfrac{\pi}{3}\right)$

1334

정답 ②

STEP Ⓐ $f''(x)$ **구하기**

$f(x)=(-2x+8)e^x$이라 하면

$f'(x)=-2e^x+(-2x+8)e^x=(-2x+6)e^x$

$f''(x)=-2e^x(-2x+6)e^x=(-2x+4)e^x$

STEP Ⓑ $x<n$**에서 아래로 볼록한 범위 구하기**

$x<2$일 때, $f''(x)>0$이고 $x>2$일 때, $f''(x)<0$이므로

곡선 $y=f(x)$는 구간 $(-\infty, 2)$에서 아래로 볼록하다.

따라서 구하는 자연수 n은 1, 2이므로 개수는 2

내신연계 출제문항 518

곡선 $y=e^x\sin x$가 위로 볼록한 구간은? (단, $0<x<2\pi$)

① $\left(0, \dfrac{\pi}{2}\right)$ ② $\left(\dfrac{\pi}{2}, \pi\right)$ ③ $\left(\dfrac{\pi}{2}, \dfrac{3}{2}\pi\right)$

④ $\left(\dfrac{2}{3}\pi, \pi\right)$ ⑤ $\left(\dfrac{3}{2}\pi, 2\pi\right)$

STEP Ⓐ $f''(x)<0$**인 구간의 범위 구하기**

$f(x)=e^x\sin x$라 하면

$f'(x)=e^x\sin x+e^x\cos x$

$f''(x)=e^x\sin x+e^x\cos x+e^x\cos x-e^x\sin x=2e^x\cos x$

곡선 $y=f(x)$가 위로 볼록하려면 $f''(x)<0$이어야 한다.

$2e^x>0$이므로 $\cos x<0$

즉 $0<x<2\pi$에서 $\dfrac{\pi}{2}<x<\dfrac{3}{2}\pi$

따라서 곡선 $y=f(x)$가 위로 볼록한 구간은 $\left(\dfrac{\pi}{2}, \dfrac{3}{2}\pi\right)$ 정답 ③

1335

정답 ②

STEP Ⓐ $f''(x)<0$**인 구간 구하기**

$f(x)=x^2(\ln x-2)$라 하면

$f'(x)=2x(\ln x-2)+x^2\cdot\dfrac{1}{x}=2x\ln x-3x$

$f''(x)=2\ln x+2-3=2\ln x-1$

곡선 $y=f(x)$가 위로 볼록하려면 $f''(x)<0$이어야 한다.

$2\ln x-1<0, \ \ln x<\dfrac{1}{2} \quad \therefore x<e^{\frac{1}{2}}$

따라서 진수가 $x>0$이므로 $0<x<\sqrt{e}$

내신연계 출제문항 519

함수 $f(x)=x^2(\ln x-1)$이 구간 $x>k$에 속하는 임의의 서로 다른 두 실수 a, b에 대하여

$$f\left(\frac{a+b}{2}\right)<\frac{f(a)+f(b)}{2}$$

를 만족하는 실수 k의 최솟값은?

① $\dfrac{1}{\sqrt{e}}$ ② $\dfrac{1}{e}$ ③ 1

④ e ⑤ $\sqrt{e}$

STEP Ⓐ $f\left(\dfrac{a+b}{2}\right)<\dfrac{f(a)+f(b)}{2}$**를 만족하는 곡선** $f(x)$**의 모양 구하기**

$f\left(\dfrac{a+b}{2}\right)<\dfrac{f(a)+f(b)}{2}$이려면 함수 $f(x)$의 그래프는 아래로 볼록이므로 $f''(x)>0$이어야 한다.

STEP Ⓑ **아래로 볼록한 함수 구하기**

$f(x)=x^2(\ln x-1)$에서

$f'(x)=2x(\ln x-1)+x^2\cdot\dfrac{1}{x}=x(2\ln x-1)$

$f''(x)=(2\ln x-1)+2=2\ln x+1$

$f''(x)>0$에서 $2\ln x+1>0, \ \ln x>-\dfrac{1}{2} \quad \therefore x>e^{-\frac{1}{2}}$

구간 $x>\dfrac{1}{\sqrt{e}}$에서 함수 $f(x)$는 아래로 볼록하다.

따라서 $k\geq\dfrac{1}{\sqrt{e}}$이므로 k의 최솟값은 $\dfrac{1}{\sqrt{e}}$ 정답 ①

1336

정답 ①

STEP Ⓐ $\dfrac{f(b)-f(a)}{b-a}>\dfrac{f(c)-f(b)}{c-b}$**를 만족하는 곡선** $f(x)$**의 모양 구하기**

$0<a<b<c<\pi$일 때,

$\dfrac{f(b)-f(a)}{b-a}>\dfrac{f(c)-f(b)}{c-b}$를 만족하려면 다음 그림에서와 같이 함수 $y=f(x)$의 그래프가 위로 볼록이어야 한다.

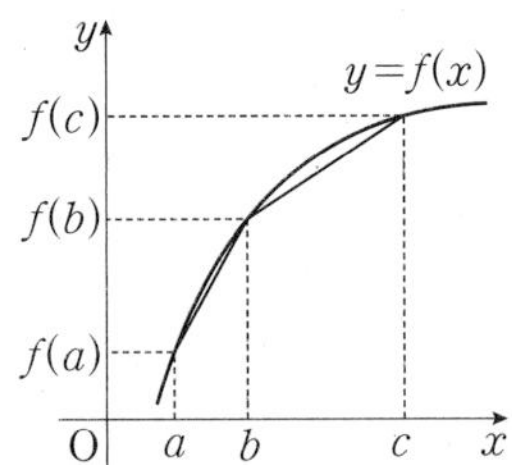

STEP Ⓑ **위로 볼록한 함수 구하기**

① $f(x)=\sin x$에서 $f'(x)=\cos x$, $f''(x)=-\sin x$이므로
열린구간 $(0, \pi)$에서 $f''(x)\leq 0$이므로 위로 볼록하다.

② $f(x)=\cos x$에서 $f'(x)=-\sin x$, $f''(x)=-\cos x$이므로
열린구간 $(0, \pi)$에서 항상 위로 볼록한 것은 아니다.

③ $f(x)=x^2$에서 $f'(x)=2x$, $f''(x)=2$이므로
열린구간 $(0, \pi)$에서 $f''(x)>0$이므로 아래로 볼록하다.

④ $f(x)=e^x$에서 $f'(x)=e^x$, $f''(x)=e^x$이므로
열린구간 $(0, \pi)$에서 $f''(x)>0$이므로 아래로 볼록하다.

⑤ $f(x)=x+\cos x$에서 $f'(x)=1-\sin x$, $f''(x)=-\cos x$이므로
열린구간 $(0, \pi)$에서 항상 위로 볼록한 것은 아니다.

따라서 위로 볼록한 함수는 ①이다.

내신연계 출제문항 520

$a<b<c$인 세 실수 a, b, c에 대하여 항상

$$\frac{f(b)-f(a)}{b-a}<\frac{f(c)-f(b)}{c-b}$$

를 만족하는 함수 $f(x)$를 다음 [보기] 중에서 있는 대로 고르면?

ㄱ. $f(x)=x+\cos x$
ㄴ. $f(x)=e^x-x$
ㄷ. $f(x)=\ln\frac{1}{x}$

① ㄱ ② ㄷ ③ ㄱ, ㄴ
④ ㄴ, ㄷ ⑤ ㄱ, ㄴ, ㄷ

STEP A $\frac{f(b)-f(a)}{b-a}<\frac{f(c)-f(b)}{c-b}$를 만족하는 곡선 $f(x)$의 모양 구하기

$a<b<c$일 때,

$\frac{f(b)-f(a)}{b-a}<\frac{f(c)-f(b)}{c-b}$를 만족하려면 다음 그림에서와 같이

함수 $y=f(x)$의 그래프가 아래로 볼록이어야 한다.

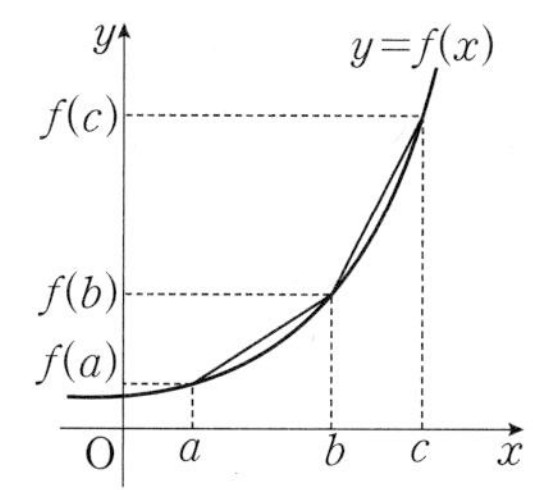

STEP B 아래로 볼록한 함수 구하기

ㄱ. $f(x)=x+\cos x$에서 $f'(x)=1-\sin x$, $f''(x)=-\cos x$
이므로 항상 아래로 볼록한 것은 아니다.

ㄴ. $f(x)=e^x-x$에서 $f'(x)=e^x-1$, $f''(x)=e^x>0$
이므로 아래로 볼록하다.

ㄷ. $f(x)=\ln\frac{1}{x}$에서 $f'(x)=-\frac{1}{x}$, $f''(x)=\frac{1}{x^2}>0$
이므로 아래로 볼록하다.

따라서 아래로 볼록한 함수는 ㄴ, ㄷ이다. 정답 ④

1337

정답 ③

STEP A $f\left(\frac{a+b}{2}\right)>\frac{f(a)+f(b)}{2}$를 만족하는 곡선 $f(x)$의 모양 구하기

$f\left(\frac{a+b}{2}\right)>\frac{f(a)+f(b)}{2}$이려면 함수 $f(x)$의 그래프는 위로 볼록이므로

$f''(x)<0$이어야 한다.

STEP B 위로 볼록한 함수 구하기

ㄱ. $f(x)=\ln(x+1)$에서 $f'(x)=\frac{1}{x+1}$, $f''(x)=-\frac{1}{(x+1)^2}<0$이므로
함수 $f(x)$는 위로 볼록하다.

ㄴ. $f(x)=e^x$에서 $f'(x)=e^x$, $f''(x)=e^x>0$이므로
함수 $f(x)$는 아래로 볼록하다.

ㄷ. $f(x)=2x^2+1$에서 $f'(x)=4x$, $f''(x)=4>0$이므로
함수 $f(x)$는 아래로 볼록하다.

ㄹ. $f(x)=\sin x(0<x<\pi)$에서 $f'(x)=\cos x$, $f''(x)=-\sin x<0$이므로
열린구간 $(0, \pi)$에서 $f''(x)\leq 0$이므로 위로 볼록하다.

따라서 함수 중에서 그래프가 위로 볼록한 것은 ㄱ, ㄹ이다.

내신연계 출제문항 521

열린구간 $(0, 1)$에 속하는 임의의 실수 a, b에 대하여

$$f\left(\frac{a+b}{2}\right)>\frac{f(a)+f(b)}{2}$$

를 만족하는 함수를 다음 [보기]에서 모두 고르면?

ㄱ. $f(x)=\sin x$
ㄴ. $f(x)=x\ln x$
ㄷ. $f(x)=xe^{-x}$

① ㄱ ② ㄴ ③ ㄱ, ㄷ
④ ㄴ, ㄷ ⑤ ㄱ, ㄴ, ㄷ

STEP A $f\left(\frac{a+b}{2}\right)>\frac{f(a)+f(b)}{2}$를 만족하는 곡선 $f(x)$의 모양 구하기

$f\left(\frac{a+b}{2}\right)>\frac{f(a)+f(b)}{2}$를 만족하려면 구간 $(0, 1)$에서 위로 볼록이므로

$f''(x)<0$이어야 한다.

STEP B 위로 볼록인 함수 구하기

ㄱ. $f(x)=\sin x$가 $f'(x)=\cos x$, $f''(x)=-\sin x$이므로
열린구간 $(0, 1)$에서 $f''(x)<0$이므로 함수 $f(x)$는 위로 볼록하다.

ㄴ. $f(x)=x\ln x$가 $f'(x)=\ln x+1$, $f''(x)=\frac{1}{x}$이므로
열린구간 $(0, 1)$에서 $f''(x)>0$이므로 함수 $f(x)$는 아래로 볼록하다.

ㄷ. $f(x)=xe^{-x}$에서 $f'(x)=e^{-x}-xe^{-x}=e^{-x}(1-x)$
$f''(x)=-e^{-x}(1-x)+e^{-x}(-1)=e^{-x}(x-2)$이므로
열린구간 $(0, 1)$에서 $f''(x)<0$이므로 함수 $f(x)$는 위로 볼록하다.

따라서 함수 중에서 그래프가 위로 볼록한 것은 ㄱ, ㄷ이다. 정답 ③

1338

정답 ②

STEP A $bf(a)<af(b)$를 만족하는 곡선 $f(x)$의 모양 구하기

$0<a<b<\frac{\pi}{2}$일 때, $a>0$, $b>0$이므로

부등식 $bf(a)<af(b)$에서 $\frac{f(a)}{a}<\frac{f(b)}{b}$이다.

두 점 $(0, 0)$, $(a, f(a))$를 지나는 직선의 기울기 $\frac{f(a)}{a}$

두 점 $(0, 0)$, $(b, f(b))$를 지나는 직선의 기울기 $\frac{f(b)}{b}$

⬅ $0<a<b<\frac{\pi}{2}$에서 원점과 점 $(a, f(a))$를 이은 직선의 기울기가 원점과 점 $(b, f(b))$를 이은 직선의 기울기보다 작다.

$\frac{f(a)}{a}<\frac{f(b)}{b}$를 만족하는 곡선은 아래로 볼록인 그래프이다.

STEP B 아래로 볼록인 함수 구하기

ㄱ. $f(x)=-\sin x$에서 $f'(x)=-\cos x$, $f''(x)=\sin x$
열린구간 $\left(0, \frac{\pi}{2}\right)$에서 $f''(x)>0$이므로 함수 $f(x)$는 아래로 볼록하다.

ㄴ. $f(x)=\cos x-1$에서 $f'(x)=-\sin x$, $f''(x)=-\cos x$
열린구간 $\left(0, \frac{\pi}{2}\right)$에서 $f''(x)<0$이므로 함수 $f(x)$는 위로 볼록하다.

ㄷ. $f(x)=e^x-1$에서 $f'(x)=e^x$, $f''(x)=e^x$
열린구간 $\left(0, \frac{\pi}{2}\right)$에서 $f''(x)>0$이므로 함수 $f(x)$는 아래로 볼록하다.

ㄹ. $f(x)=\ln(x+1)$에서 $f'(x)=\frac{1}{x+1}$, $f''(x)=-\frac{1}{(x+1)^2}$
열린구간 $\left(0, \frac{\pi}{2}\right)$에서 $f''(x)<0$이므로 함수 $f(x)$는 위로 볼록하다.

따라서 $bf(a)<af(b)$를 만족하는 함수는 ㄱ, ㄷ이다.

1339

정답 ①

STEP A $y=f(x)$**가 아래로 볼록하므로** $f''(x)>0$

$y=f(x)$가 아래로 볼록하므로 $f''(x)>0$

STEP B [보기]에서 참, 거짓 판단하기

ㄱ. $y=\{f(x)\}^2$에서

$y'=2f(x)f'(x)$, $y''=2\{f'(x)\}^2+2f(x)f''(x)>0$

이므로 곡선 $y=\{f(x)\}^2$은 아래로 볼록하다. [참]

ㄴ. $y=e^{f(x)}$에서

$y'=f'(x)e^{f(x)}$, $y''=f''(x)e^{f(x)}+\{f'(x)\}^2e^{f(x)}>0$

이므로 곡선 $y=e^{f(x)}$은 아래로 볼록하다. [거짓]

ㄷ. **반례** 곡선 $y=x^2+1$은 $y'=2x$, $y''=2>0$이므로 아래로 볼록하지만

곡선 $y=\dfrac{1}{x^2+1}$은 $y'=\dfrac{-2x}{(x^2+1)^2}$, $y''=\dfrac{6x^2-2}{(x^2+1)^3}$이므로

$-\dfrac{\sqrt{3}}{3}<x<\dfrac{\sqrt{3}}{3}$에서 $y''<0$

즉 곡선 $y=f(x)$가 아래로 볼록하고 $f(x)\neq 0$이지만

곡선 $y=\dfrac{1}{f(x)}$은 항상 아래로 볼록하지는 않다. [거짓]

따라서 옳은 것은 ㄱ이다.

1340

정답 ④

STEP A 이계도함수 $f''(x)=0$**인** x**의 좌표 구하기**

$f(x)=xe^x$에서 $f'(x)=e^x+xe^x=(x+1)e^x$

$f''(x)=e^x+(x+1)e^x=(x+2)e^x$

$f''(x)=0$에서 $(x+2)e^x=0 \quad \therefore x=-2$

이때 $x=-2$의 좌우에서 $f''(x)$의 부호가 변하므로

곡선 $y=f(x)$의 변곡점의 좌표는 $(-2,\ f(-2))$

STEP B 변곡점의 좌표 $(a,\ b)$ **구하기**

$f(-2)=-2e^{-2}=-\dfrac{2}{e^2}$이므로 변곡점의 좌표는 $\left(-2,\ -\dfrac{2}{e^2}\right)$

따라서 $a=-2$, $b=-\dfrac{2}{e^2}$이므로 $ab=\dfrac{4}{e^2}$

1341

정답 ⑤

STEP A 이계도함수 $f''(x)=0$**인** x**의 좌표 구하기**

$f(x)=\dfrac{1}{3}x^3+2\ln x\,(x>0)$라 하면

$f'(x)=x^2+\dfrac{2}{x}$, $f''(x)=2x-\dfrac{2}{x^2}=\dfrac{2x^3-2}{x^2}$

$x^2>0$이므로 $f''(x)=0$에서 $x=1$

STEP B 변곡점에서 접선의 기울기 구하기

$0<x<1$일 때, $f''(x)<0$이고 $x>1$일 때, $f''(x)>0$이므로

$x=1$에서 변곡점을 갖는다.

따라서 변곡점 $\left(1,\ \dfrac{1}{3}\right)$에서의 접선의 기울기는 $f'(1)=1^2+\dfrac{2}{1}=3$

내신연계 출제문항 522

곡선 $y=x^2+\ln x\,(x>0)$의 변곡점에서 그은 접선의 기울기는?

① $\sqrt{2}$ ② $2\sqrt{2}$ ③ $3\sqrt{2}$
④ 4 ⑤ $4\sqrt{2}$

STEP A 이계도함수 $f''(x)=0$**인** x**의 좌표 구하기**

$f(x)=x^2+\ln x\,(x>0)$이라 하면

$f'(x)=2x+\dfrac{1}{x}$, $f''(x)=2-\dfrac{1}{x^2}$

$f''(x)=0$에서 $x^2=\dfrac{1}{2} \quad \therefore x=\dfrac{\sqrt{2}}{2}\,(\because x>0)$

STEP B 변곡점에서 접선의 기울기 구하기

$x=\dfrac{\sqrt{2}}{2}$의 좌우에서 $f''(x)$의 부호가 바뀌므로

$x=\dfrac{\sqrt{2}}{2}$일 때, 변곡점을 가진다.

따라서 접선의 기울기는 $f'\left(\dfrac{\sqrt{2}}{2}\right)=2\cdot\dfrac{\sqrt{2}}{2}+\dfrac{1}{\dfrac{\sqrt{2}}{2}}=\sqrt{2}+\sqrt{2}=2\sqrt{2}$

정답 ②

1342

정답 ④

STEP A 이계도함수 $f''(x)=0$**인** x**의 좌표 구하기**

$f(x)=4\sin x+x^2$이라 하면

$f'(x)=4\cos x+2x$, $f''(x)=-4\sin x+2$

$f''(x)=0$에서

$\sin x=\dfrac{1}{2}\,(0<x<2\pi)$에서 $x=\dfrac{\pi}{6}$ 또는 $x=\dfrac{5}{6}\pi$

STEP B 변곡점에서 접선의 기울기 구하기

$x=\dfrac{\pi}{6}$의 좌우와 $x=\dfrac{5}{6}\pi$의 좌우에서 $f''(x)$의 부호가 바뀌므로

변곡점의 x좌표는 $x=\dfrac{\pi}{6}$ 또는 $\dfrac{5}{6}\pi$

변곡점에서의 접선의 기울기는

$x=\dfrac{\pi}{6}$일 때, $f'\left(\dfrac{\pi}{6}\right)=4\cos\dfrac{\pi}{6}+2\times\dfrac{\pi}{6}=2\sqrt{3}+\dfrac{\pi}{3}$

$x=\dfrac{5}{6}\pi$일 때, $f'\left(\dfrac{5}{6}\pi\right)=4\cos\dfrac{5}{6}\pi+2\times\dfrac{5}{6}\pi=-2\sqrt{3}+\dfrac{5}{3}\pi$

따라서 기울기의 합은 $\left(2\sqrt{3}+\dfrac{\pi}{3}\right)+\left(-2\sqrt{3}+\dfrac{5}{3}\pi\right)=2\pi$

1343

정답 ③

STEP A 이계도함수 $f''(x)=0$**인** x**의 좌표 구하기**

$f(x)=2\sin 2x+5x$에서 $f'(x)=4\cos 2x+5$, $f''(x)=-8\sin 2x$

$f''(x)=0$에서 $2x=\pi$

$\therefore x=\dfrac{\pi}{2}\,(\because 0<x<\pi)$

이때 $x=\dfrac{\pi}{2}$의 좌우에서 $f''(x)$의 부호가 변하므로

곡선 $y=f(x)$의 변곡점의 좌표는 $\left(\dfrac{\pi}{2},\ f\left(\dfrac{\pi}{2}\right)\right)$

STEP B 변곡점의 좌표 $(a,\ b)$ **구하기**

$f\left(\dfrac{\pi}{2}\right)=2\sin\pi+\dfrac{5}{2}\pi=\dfrac{5}{2}\pi$이므로 변곡점의 좌표는 $\left(\dfrac{\pi}{2},\ \dfrac{5}{2}\pi\right)$

따라서 $a=\dfrac{\pi}{2}$, $b=\dfrac{5}{2}\pi$이므로 $\dfrac{b}{a}=5$

내신연계 출제문항 523

함수 $f(x)=\dfrac{x}{\ln x}$에 대하여 곡선 $y=f(x)$의 변곡점의 좌표가 (a, b)일 때, 상수 a, b에 대하여 $\dfrac{a}{b}$의 값은?

① $\dfrac{1}{e^2}$ ② 2 ③ $\dfrac{e^2}{2}$
④ e^2 ⑤ e^4

STEP A 이계도함수 $f''(x)=0$인 x의 좌표 구하기

$f(x)=\dfrac{x}{\ln x}$에서

$$f'(x)=\frac{\ln x-1}{(\ln x)^2},\ f''(x)=\frac{\frac{1}{x}(\ln x)^2-(\ln x-1)\cdot 2\ln x\cdot\frac{1}{x}}{(\ln x)^4}=\frac{2-\ln x}{x(\ln x)^3}$$

$f''(x)=0$에서 $2-\ln x=0$ $\quad\therefore x=e^2$

이때 $x=e^2$의 좌우에서 $f''(x)$의 부호가 변하므로

곡선 $y=f(x)$의 변곡점의 좌표는 $(e^2,\ f(e^2))$

STEP B 변곡점의 좌표 (a, b) 구하기

$f(e^2)=\dfrac{e^2}{\ln e^2}=\dfrac{e^2}{2}$이므로 변곡점의 좌표는 $\left(e^2,\ \dfrac{e^2}{2}\right)$

따라서 $a=e^2$, $b=\dfrac{e^2}{2}$이므로 $\dfrac{a}{b}=2$  ②

1344

 ⑤

STEP A 이계도함수 $f''(x)=0$인 x의 좌표 구하기

$a>0$이므로 로그의 진수의 조건에 의하여 $x>0$이다.

$f(x)=\left(\ln\dfrac{1}{ax}\right)^2=\{-\ln ax\}^2=(\ln ax)^2$이라 하면

$$f'(x)=2\ln ax\cdot\frac{a}{ax}=\frac{2\ln ax}{x}$$

$$f''(x)=\frac{\frac{2}{x}\cdot x-2\ln ax}{x^2}=\frac{2(1-\ln ax)}{x^2}$$

$x^2>0$이므로 $f''(x)=0$에서 $1-\ln ax=0$이므로 $x=\dfrac{e}{a}$

STEP B 변곡점을 직선 $y=2x$에 대입하여 양수 a의 값 구하기

이때 $x=\dfrac{e}{a}$의 좌우에서 $f''(x)$의 부호가 바뀌므로 변곡점의 좌표는 $\left(\dfrac{e}{a},\ 1\right)$

이 변곡점 $\left(\dfrac{e}{a},\ 1\right)$이 직선 $y=2x$ 위에 있으므로 $1=2\cdot\dfrac{e}{a}$

따라서 $a=2e$

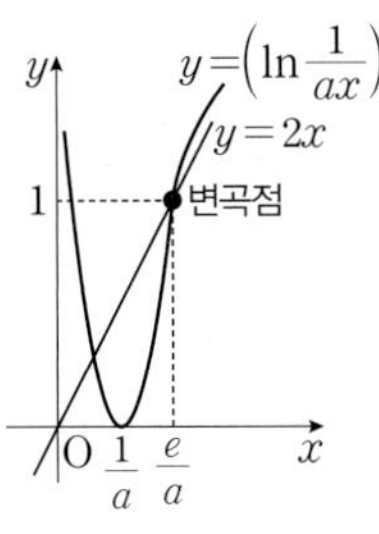

내신연계 출제문항 524

곡선 $y=(\ln ax)^2$의 변곡점이 직선 $y=3x-1$ 위에 있을 때, 양수 a의 값은?

① $\dfrac{e}{2}$ ② $\dfrac{3e}{2}$ ③ $\dfrac{5e}{2}$
④ $3e$ ⑤ $4e$

STEP A 이계도함수 $f''(x)=0$인 x의 좌표 구하기

$a>0$이므로 로그의 진수의 조건에 의하여 $x>0$이다.

$f(x)=(\ln ax)^2$로 놓으면

$$f'(x)=2\ln ax\cdot\frac{a}{ax}=\frac{2\ln ax}{x}$$

$$f''(x)=\frac{\frac{2}{x}\cdot x-2\ln ax}{x^2}=\frac{2(1-\ln ax)}{x^2}$$

$x^2>0$이므로 $f''(x)=0$에서 $1-\ln ax=0$이므로 $x=\dfrac{e}{a}$

STEP B 변곡점을 직선 $y=3x-1$에 대입하여 양수 a의 값 구하기

이때 $x=\dfrac{e}{a}$의 좌우에서 $f''(x)$의 부호가 바뀌므로 변곡점의 좌표는 $\left(\dfrac{e}{a},\ 1\right)$

이 변곡점 $\left(\dfrac{e}{a},\ 1\right)$이 직선 $y=3x-1$ 위에 있으므로 $1=3\cdot\dfrac{e}{a}-1$

따라서 $a=\dfrac{3e}{2}$ 정답 ②

1345

 ⑤

STEP A 이계도함수 $f''(x)=0$인 x의 좌표 구하기

$a>0$이므로 로그의 진수의 조건에 의하여 $x>0$이다.

$f(x)=(\ln ax)^2$으로 놓으면

$$f'(x)=2\ln ax\cdot\frac{a}{ax}=\frac{2\ln ax}{x}$$

$$f''(x)=\frac{\frac{2}{x}\cdot x-2\ln ax}{x^2}=\frac{2(1-\ln ax)}{x^2}$$

$x^2>0$이므로 $f''(x)=0$에서 $1-\ln ax=0$이므로 $x=\dfrac{e}{a}$

STEP B 변곡점을 직선 $y=7x$에 대입하여 양수 a의 값 구하기

이때 $x=\dfrac{e}{a}$의 좌우에서 $f''(x)$의 부호가 바뀌므로 변곡점의 좌표는 $\left(\dfrac{e}{a},\ 1\right)$

이 변곡점 $\left(\dfrac{e}{a},\ 1\right)$이 직선 $y=7x$ 위에 있으므로 $1=7\cdot\dfrac{e}{a}$

따라서 $a=7e$

1346

 ③

STEP A $y''=0$이 되는 $\cos^2 x$ 구하기

$y=\cos^n x$에서

$y'=n\cos^{n-1}x\cdot(-\sin x)=-n\cos^{n-1}x\sin x$

$$\begin{aligned}y''&=n(n-1)\cos^{n-2}x\sin^2 x-n\cos^{n-1}x\cos x\\&=n(n-1)\cos^{n-2}x(1-\cos^2 x)-n\cos^{n-1}x\cos x\\&=n(n-1)\cos^{n-2}x-n(n-1)\cos^n x-n\cos^n x\\&=n(n-1)\cos^{n-2}x-n^2\cos^n x\\&=n\cos^{n-2}x(n-1-n\cos^2 x)\end{aligned}$$

$0<x<\dfrac{\pi}{2}$에서 $0<\cos x<1$이고 $n\geq 2$이므로

$y''=0$에서 $n-1-n\cos^2 x=0$ $\quad\therefore \cos^2 x=1-\dfrac{1}{n}$

STEP B $\lim\limits_{n\to\infty} a_n$의 값 구하기

이때 $y=\cos^n x$에서 변곡점의 y좌표가 a_n이므로

$$a_n=y=\cos^n x=(\cos^2 x)^{\frac{n}{2}}=\left(1-\frac{1}{n}\right)^{\frac{n}{2}}$$

따라서 $\lim\limits_{n\to\infty} a_n=\lim\limits_{n\to\infty}\left(1-\dfrac{1}{n}\right)^{\frac{n}{2}}=\lim\limits_{n\to\infty}\left\{\left(1-\dfrac{1}{n}\right)^{-n}\right\}^{-\frac{1}{2}}$

$$=\lim_{n\to\infty}\left\{\left(1+\left(-\frac{1}{n}\right)\right)^{-n}\right\}^{-\frac{1}{2}}=e^{-\frac{1}{2}}=\frac{1}{\sqrt{e}}$$

참고

$\lim\limits_{n\to\infty} a_n=\lim\limits_{n\to\infty}\left(1-\dfrac{1}{n}\right)^{\frac{n}{2}}$

이때 $-\dfrac{1}{n}=t$로 놓으면 $n\to\infty$일 때, $t\to 0-$이므로

$\lim\limits_{n\to\infty}\left(1-\dfrac{1}{n}\right)^{\frac{n}{2}}=\lim\limits_{t\to 0-}(1+t)^{-\frac{1}{2t}}=e^{-\frac{1}{2}}=\dfrac{1}{\sqrt{e}}$

내신연계 출제문항 525

$n \geq 2$인 자연수 n에 대하여 좌표평면에서 곡선

$$y=\sin^n x\left(0<x<\frac{\pi}{2}\right)$$

의 변곡점의 y좌표를 a_n이라 할 때, $\lim_{n\to\infty} a_n$의 값은?

① $\frac{1}{\sqrt{e}}$ ② $\frac{1}{e}$ ③ 1
④ $\sqrt{e}$ ⑤ e

STEP Ⓐ $f'(x)$, $f''(x)$를 구하여 $f''(x)=0$이 되는 $\sin x$의 값 구하기

$f(x)=\sin^n x$라고 하면 $f'(x)=n\sin^{n-1}x\cos x$

$f''(x)=n(n-1)\sin^{n-2}x\cos^2 x-n\sin^n x$

$=n\sin^{n-2}x\{(n-1)\cos^2 x-\sin^2 x\}$

$=n\sin^{n-2}x(-n\sin^2 x+n-1)$

$f''(x)=0$에서 $\sin x=0$ 또는 $\sin^2 x=1-\frac{1}{n}$

$0<x<\frac{\pi}{2}$에서 $\sin x>0$이므로 $\sin x=\sqrt{1-\frac{1}{n}}$

STEP Ⓑ $\lim_{n\to\infty} a_n$의 값 구하기

$a_n=\sin^n x=\left(\sqrt{1-\frac{1}{n}}\right)^n=\left(1-\frac{1}{n}\right)^{\frac{n}{2}}$이므로

$\lim_{n\to\infty} a_n=\lim_{n\to\infty}\left(1-\frac{1}{n}\right)^{\frac{n}{2}}$

따라서 $-\frac{1}{n}=t$로 놓으면 $n\to\infty$일 때, $t\to 0-$이므로

$\lim_{n\to\infty}\left(1-\frac{1}{n}\right)^{\frac{n}{2}}=\lim_{t\to 0-}(1+t)^{-\frac{1}{2t}}=e^{-\frac{1}{2}}=\frac{1}{\sqrt{e}}$

정답 ①

1347

정답 ③

STEP Ⓐ $f'(x)$, $f''(x)$를 구하기

$f(x)=\ln(x^2+1)$에서

$f'(x)=\frac{2x}{x^2+1}$, $f''(x)=\frac{-2x^2+2}{(x^2+1)^2}=\frac{-2(x+1)(x-1)}{(x^2+1)^2}$

$f'(x)=0$에서 $x=0$

$f''(x)=0$에서 $x=-1$ 또는 $x=1$

함수 $f(x)$의 증가와 감소와 오목과 볼록을 표로 나타내면 다음과 같다.

x	$\cdots$	-1	$\cdots$	0	$\cdots$	1	$\cdots$
$f'(x)$	$-$	$-$	$-$	0	$+$	$+$	$+$
$f''(x)$	$-$	0	$+$	$+$	$+$	0	$-$
$f(x)$	↘	$\ln 2$ 변곡점	↘	0	↗	$\ln 2$ 변곡점	↗

함수 $f(x)$는 $x=0$에서 극소이고 극솟값은 $f(0)=0$

STEP Ⓑ [보기]의 참, 거짓 판단하기

ㄱ. $f'(-n)=\frac{-2n}{n^2+1}$, $f'(n)=\frac{2n}{n^2+1}$이므로 $f'(-n)=-f'(n)$ [참]

ㄴ. 곡선 $y=f(x)$는 열린구간 $(-1, 1)$에서 $f''(x)>0$이므로
아래로 볼록하다. [거짓]

ㄷ. 곡선 $y=f(x)$의 두 변곡점이 $(-1, \ln 2)$, $(1, \ln 2)$에서
$f'(-1)=-1$, $f'(1)=1$이므로 두 변곡점에서 접선은 서로 수직이다. [참]

따라서 옳은 것은 ㄱ, ㄷ이다.

내신연계 출제문항 526

곡선 $y=\ln(1+x^2)$의 변곡점에서의 접선의 기울기의 곱은?

① -2 ② -1 ③ 1
④ 2 ⑤ 4

STEP Ⓐ 이계도함수 $f''(x)=0$인 x의 좌표 구하기

$f(x)=\ln(1+x^2)$이라 하면

$f'(x)=\frac{2x}{1+x^2}$, $f''(x)=\frac{2(1+x^2)-2x\cdot 2x}{(1+x^2)^2}=\frac{-2x^2+2}{(1+x^2)^2}$

$x^2+1>0$이므로 $f''(x)=0$에서 $x=-1$ 또는 $x=1$

이때 $x=-1$ 또는 $x=1$의 좌우에서 $f''(x)$의 부호가 바뀌므로

두 변곡점의 좌표 $(-1, \ln 2)$, $(1, \ln 2)$

STEP Ⓑ 변곡점에서 접선의 기울기 구하기

접선의 기울기 $f'(-1)=-1$ 또는 $f'(1)=1$

따라서 접선의 기울기의 곱은 $-1\cdot 1=-1$

정답 ②

1348

정답 ①

STEP Ⓐ 함수의 극소가 되는 점 A, 변곡점에서 접선의 방정식 구하기

$f(x)=x(\ln x)^2$이라고 하면 $f'(x)=(\ln x+2)\ln x$이므로

$f'(x)=0$에서 $x=\frac{1}{e^2}$ 또는 $x=1$

함수 $f(x)$의 증가와 감소를 표로 나타내면 다음과 같다.

x	0	$\cdots$	$\frac{1}{e^2}$	$\cdots$	1	$\cdots$
$f'(x)$		$+$	0	$-$	0	$+$
$f(x)$		↗	$\frac{4}{e^2}$	↘	0	↗

즉 함수 $f(x)$는 $x=1$일 때, 극소이므로 $\mathrm{A}(1, 0)$

한편 $f''(x)=\frac{2}{x}(\ln x+1)$이므로 $f''(x)=0$에서 $x=\frac{1}{e}$

$x=\frac{1}{e}$의 좌우에서 $f''(x)$의 부호가 바뀌므로 변곡점의 좌표는 $\left(\frac{1}{e}, \frac{1}{e}\right)$

$f'\left(\frac{1}{e}\right)=-1$이므로 변곡점에서의 접선의 방정식은 $y-\frac{1}{e}=-1\left(x-\frac{1}{e}\right)$

$\therefore y=-x+\frac{2}{e}$

STEP Ⓑ 삼각형 ABC의 넓이 구하기

이 접선이 x축, y축과 만나는 점이 각각 B, C이므로 $\mathrm{B}\left(\frac{2}{e}, 0\right)$, $\mathrm{C}\left(0, \frac{2}{e}\right)$

따라서 삼각형 ABC의 넓이는 $\frac{1}{2}\cdot\left(1-\frac{2}{e}\right)\cdot\frac{2}{e}=\frac{e-2}{e^2}$

1349

정답 ⑤

STEP Ⓐ $y=f'(x)$의 그래프를 이용하여 참, 거짓 판별하기

함수 $f(x)$의 증가와 감소를 표로 나타내면 다음과 같다.

x	-1	$\cdots$	0	$\cdots$	4	$\cdots$	6	$\cdots$	7
$f'(x)$		$-$	0	$+$		$+$	0	$+$	
$f''(x)$		$+$		$+$	0	$-$	0	$+$	
$f(x)$		↘	극소	↗	변곡점	↗	변곡점	↗	

ㄱ. $f(x)$는 $x=0$에서 극솟값을 가진다. [참]

ㄴ. $f(x)$는 $x=4$, $x=6$에서 변곡점이다. [참]

ㄷ. $4<x<6$에서 $f'(x)>0$이므로 $f(x)$는 증가한다. [참]

따라서 옳은 것은 ㄱ, ㄴ, ㄷ이다.

1350
정답 ②

STEP A $y=f'(x)$의 그래프를 이용하여 참, 거짓 판별하기

ㄱ. 함수 $f(x)$가 어떤 구간에서 $f''(x)>0$이면
곡선 $y=f(x)$는 이 구간에서 아래로 볼록하다. [참]

ㄴ. 함수 $f(x)$가 어떤 구간에서 $f''(x)<0$이면
곡선 $y=f(x)$는 이 구간에서 위로 볼록하다. [참]

ㄷ. 함수 $f(x)$가 $f''(a)=0$이면
점 $(a,\ f(a))$는 곡선 $y=f(x)$의 변곡점이다. [거짓]

반례 $f(x)=x^4$에서 $f''(x)=12x^2$이므로 $f''(0)=0$이지만
$x=0$의 좌우에서 $f''(x)$의 부호가 바뀌지 않으므로
$(0,\ 0)$은 변곡점이 아니다.

따라서 옳은 것은 ㄱ, ㄴ이다.

내신연계 출제문항 527

실수 전체의 집합에서 이계도함수를 갖는 함수 $f(x)$에 대하여 옳은 것만을 [보기]에서 있는 대로 고른 것은?

ㄱ. $f'(a)=0$일 때, $f''(a)<0$이면 $x=a$에서 $f(x)$는 극대이다.
ㄴ. 어떤 구간에서 $f''(x)>0$이면 그 구간에서 $y=f(x)$의 접선의 기울기는 증가한다.
ㄷ. 어떤 구간에서 $f''(x)>0$이면 그 구간에서 $y=f(x)$는 증가한다.
ㄹ. $x=a$의 좌우에서 $f''(x)$의 부호가 바뀌면 $f'(a)<0$이다.

① ㄱ ② ㄱ, ㄴ ③ ㄴ, ㄷ
④ ㄴ, ㄹ ⑤ ㄱ, ㄴ, ㄹ

STEP A $y=f'(x)$의 그래프를 이용하여 참, 거짓 판별하기

ㄱ. $f'(a)=0$일 때, $f''(a)<0$이면 $x=a$에서 $f(x)$는 극대이다. [참]

ㄴ. 어떤 구간에서 $f''(x)>0$이면 그 구간에서 $y=f(x)$의 접선의 기울기는 증가한다. [참]

ㄷ. 어떤 구간에서 $f''(x)>0$이면 그 구간에서 $y=f(x)$는 그 구간에서 아래로 볼록이다. [거짓]

ㄹ. $x=a$의 좌우에서 $f''(x)$의 부호가 바뀌면 $f'(a)=0$이다. [거짓]

따라서 옳은 것은 ㄱ, ㄴ이다. 정답 ②

1351

정답 ③

STEP A $y=f'(x)$의 그래프를 이용하여 참, 거짓 판별하기

함수 $f(x)$의 증가와 감소를 표로 나타내면 다음과 같다.

x	a	$\cdots$	b	$\cdots$	c	$\cdots$	d	$\cdots$	e
$f'(x)$	0	$+$		$+$	0	$+$		$+$	0
$f''(x)$		$+$	0	$-$	0	$+$	0	$-$	
$f(x)$		↗	변곡점	↗	변곡점	↗	변곡점	↗	

ㄱ. 닫힌구간 $[b,\ d]$에서 함수 $f(x)$는 극값을 갖지 않는다. [거짓]

ㄴ. 함수 $f(x)$는 구간 $(b,\ c)$, $(d,\ e)$에서 위로 볼록하다. [거짓]

ㄷ. 함수 $f(x)$는 $x=c$에서 $f''(x)$의 부호가 바뀌므로 변곡점을 갖는다. [참]

따라서 옳은 것은 ㄷ이다.

1352
정답 ①

STEP A $y=f'(x)$의 그래프를 이용하여 참, 거짓 판별하기

함수 $f(x)$의 증가와 감소를 표로 나타내면 다음과 같다.

x	$\cdots$	-2	$\cdots$	-1	$\cdots$	1	$\cdots$	2	$\cdots$	3	$\cdots$
$f'(x)$	$+$	0	$-$	$-$	$-$	0	$-$		$+$	0	$+$
$f''(x)$	$-$	$-$	$-$	0	$+$	0	$-$	$-$	$-$	0	$+$
$f(x)$	↗	극대	↘	변곡점	↘	변곡점	↘	극소	↗	변곡점	↗

ㄱ. $x=-2$, $x=2$의 좌우에서 $f'(x)$의 부호가 바뀌므로
함수 $y=f(x)$는 $x=-2$, $x=2$에서 극값을 가진다. [거짓]

ㄴ. 함수 $f(x)$는 $x=-1$, $x=1$, $x=3$에서 변곡점을 가진다. [거짓]

ㄷ. ㄴ에 의하여 $x=-1$, $x=1$, $x=3$일 때, 변곡점을 갖고
$f'(1)=0$, $f'(3)=0$이므로 변곡점에서의 접선 중 x축과 평행한 직선이 존재한다. [참]

ㄹ. 구간 $(0,\ 1)$에서 $f'(x)<0$이므로 함수 $f(x)$는 감소한다.
구간 $(0,\ 1)$에서 $f'(x)$는 증가하므로 $f''(x)>0$이다.
즉 구간 $(0,\ 1)$함수 $f(x)$는 아래로 볼록하다. [거짓]

따라서 옳은 것은 ㄷ이다.

1353

정답 ③

STEP A 함수 $f(x)$의 증감표를 작성하기

함수 $f(x)$의 증가와 감소를 표로 나타내면 다음과 같다.

x	$\cdots$	a	$\cdots$	b	$\cdots$	0	$\cdots$	c	$\cdots$	d	$\cdots$	e	$\cdots$	f	$\cdots$
$f'(x)$	$-$	0	$+$	$+$	$+$	0	$+$	$+$	$+$	0	$-$	$-$	$-$	0	$+$
$f''(x)$	$+$	$+$	$+$	0	$-$	0	$+$	0	$-$	$-$	$-$	0	$+$	$+$	$+$
$f(x)$	↘	극소	↗	변곡점	↗	변곡점	↗	변곡점	↗	극대	↘	변곡점	↘	극소	↗

STEP B [보기]의 진위판단하기

ㄱ. 함수 $f(x)$는 다항함수이므로 함수 $f'(x)$는 미분가능한 함수이다.
$f''(x)=0$을 만족시키는 x의 값의 좌우에서 $f''(x)$의 부호가 바뀔 때,
함수 $f(x)$는 변곡점을 갖는다.
이때 변곡점의 개수는 함수 $f'(x)$의 극점의 개수와 같다.
즉 $x=b$, $x=0$, $x=c$, $x=e$에서 변곡점을 가지므로 변곡점은 4개이다. [참]

ㄴ. $f(x)$는 구간 $[a,\ e]$에서 $f'(x)$의 값이 양에서 음으로 바뀌는 x의 값은 d가 유일하다.
즉 구간 $[a,\ e]$에서 극대가 되는 x는 $x=d$이므로 1개이다. [참]

ㄷ. 구간 $[a,\ d]$에서 함수 $f(x)$는 증가하고 구간 $[d,\ e]$에서 함수 $f(x)$는 감소한다.

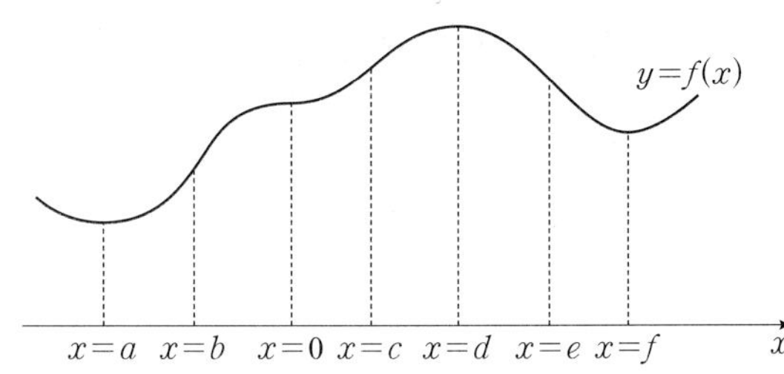

즉 구간 $[a,\ e]$에서 최댓값은 $f(d)$이다. [거짓]

따라서 옳은 것은 ㄱ, ㄴ이다.

1354

정답 ③

STEP A $y=f'(x)$**의 그래프를 이용하여 참, 거짓 판별하기**

ㄱ. $f''(x)=0$인 $x=1$ 또는 $x=4$ 또는 $x=6$이므로
변곡점은 3개이다. [참]

ㄴ. 오른쪽 그림의 $x=\alpha$, $x=\beta$에서
$f'(x)$의 부호가 바뀌는 x값이 두 개
이므로 극값은 두 점에서 만들어진다.
[거짓]

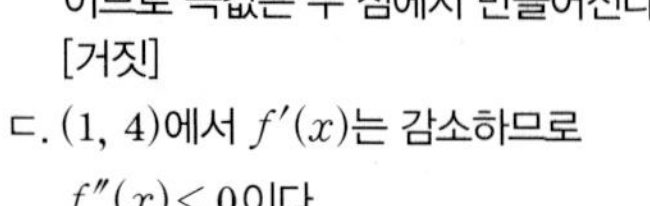

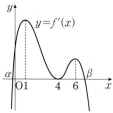

ㄷ. $(1,\ 4)$에서 $f'(x)$는 감소하므로
$f''(x)<0$이다.
$(1,\ 4)$에서 $f(x)$는 위로 볼록이므로
$f\left(\dfrac{x_1+x_2}{2}\right)>\dfrac{f(x_1)+f(x_2)}{2}$이다. [거짓]

STEP B $y=f(x)$**의 그래프를 이용하여 참, 거짓 판별하기**

ㄹ. $f(0)=0$일 때, $y=f(x)$의 그래프의 개형은 그림과 같다.

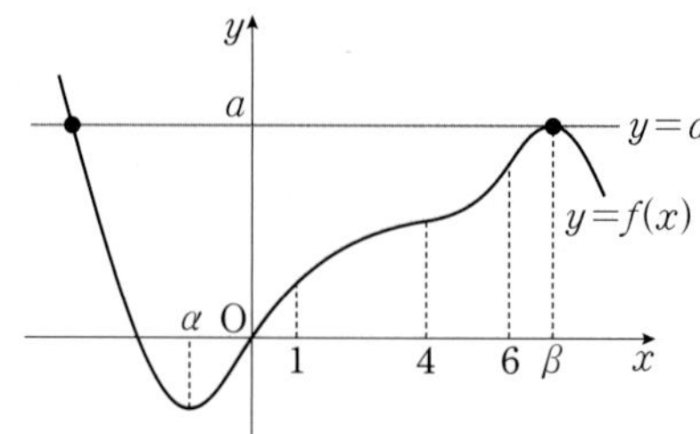

즉 $y=f(x)$의 그래프와 직선 $y=a$가 서로 다른 두 점에서 만나면 $y=a$의 그래프가 $y=f(x)$의 그래프의 극대 또는 극소인 점을 지나야 한다.
$a>0$이므로 $f(x)$의 극댓값은 a가 된다. [참]

따라서 옳은 것은 ㄱ, ㄹ이다.

1355

STEP A **함수** $f(x)$**가 원점 대칭이고** $f(x)\neq 1$**임을 이용하기**

ㄱ. 조건 (나)에 의하여 함수 $f(x)$가 $f(x)=-f(-x)$를 만족하므로 원점에 대하여 대칭이고 조건(가)에서 $f(x)\neq 1$이므로 모든 실수 x에 대하여 $f(x)\neq -1$이다. [참]

STEP B $-1<f(x)<1$**임을 이용하여 증가함수임을 보이기**

ㄴ. $f(x)$는 모든 실수 x에서 미분가능하고 연속인 원점 대칭 함수이므로 반드시 원점을 지나야 한다.
또한, $f(x)\neq 1$, $f(x)\neq -1$이므로 $-1<f(x)<1$
이때 $1+f(x)>0$, $1-f(x)>0$이므로
조건(다)에서
$f'(x)=\{1+f(x)\}\{1+f(-x)\}=\{1+f(x)\}\{1-f(x)\}>0$
즉 $f'(x)>0$이므로 함수 $f(x)$는 모든 실수 x에서 증가한다. [거짓]

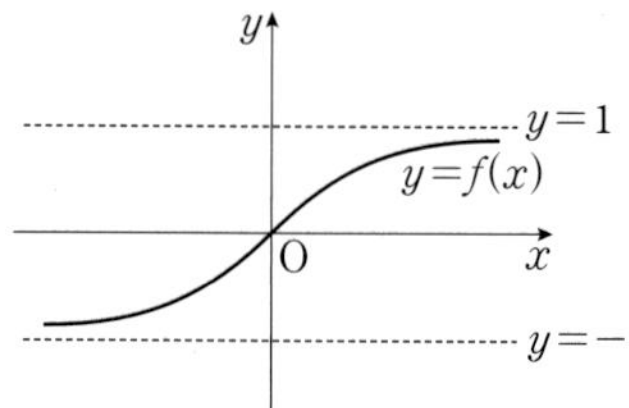

STEP C $f(0)=0$**임을 이용하여** $f''(x)=0$**인** x **구하기**

ㄷ. $f'(x)=\{1+f(x)\}\{1+f(-x)\}$
$=\{1+f(x)\}\{1-f(x)\}$
$=1-\{f(x)\}^2$

양변을 x에 대하여 미분하면 $f''(x)=-2f(x)f'(x)$
이때 $f''(x)=0$이면 $f'(x)>0$이므로 $f(x)=0$
그런데 $f(x)$는 원점에 대하여 대칭이므로 $f(0)=0$
즉 $f(x)$는 증가하므로 변곡점은 원점 1개이다. [거짓]

따라서 옳은 것은 ㄱ이다.

참고

조건 (나), (다)에서
$f(x)=-f(-x)$이므로
$f'(x)=\{1+f(x)\}\{1+f(-x)\}=\{1+f(x)\}\{1-f(x)\}$에서
$\dfrac{f'(x)}{\{1+f(x)\}\{1-f(x)\}}=1$, 즉 $\dfrac{f'(x)}{\{f(x)+1\}\{f(x)-1\}}=-1$이므로
$\dfrac{1}{2}\left\{\dfrac{f'(x)}{f(x)-1}-\dfrac{f'(x)}{f(x)+1}\right\}=-1$
양변을 부정적분하면
$\int\left\{\dfrac{f'(x)}{f(x)-1}-\dfrac{f'(x)}{f(x)+1}\right\}dx=\int -2dx$
$\ln|f(x)-1|-\ln|f(x)+1|=-2x+C$
$\ln\dfrac{|f(x)-1|}{|f(x)+1|}=-2x+C$
조건 (나)에서 $f(0)=0$이므로 $C=0$
$1+f(x)>0$, $1-f(x)>0$이므로 $-\dfrac{f(x)-1}{f(x)+1}=e^{-2x}$
$1-f(x)=e^{-2x}f(x)+e^{-2x}$
$(e^{-2x}+1)f(x)=1-e^{-2x}$
따라서 $f(x)=\dfrac{1-e^{-2x}}{1+e^{-2x}}$이고 그래프는 다음과 같다.

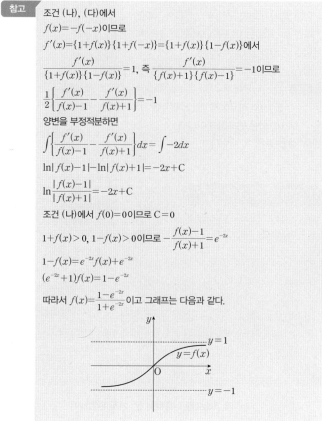

1356

STEP A $f'(x)$, $f''(x)$ **구하기**

$f'(x)=\dfrac{-4x}{(x^2+b)^2}$

$f''(x)=-\dfrac{4(x^2+b)^2-4x\times 2(x^2+b)\times 2x}{(x^2+b)^4}$
$=-\dfrac{4(x^2+b)\{(x^2+b)-4x^2\}}{(x^2+b)^4}$
$=\dfrac{4(3x^2-b)}{(x^2+b)^3}$

STEP B $f(2)=a$, $f''(2)=0$**을 만족하는 상수** a, b**의 값 구하기**

점 $(2,\ a)$가 곡선 $f(x)=\dfrac{2}{x^2+b}\ (b>0)$의 변곡점이므로 $f(2)=a$

$\dfrac{2}{4+b}=a$ …… ㉠

이때 변곡점의 x좌표 중 하나가 $x=2$이므로 $f''(2)=0$

$\dfrac{4(12-b)}{(4+b)^3}=0$ $\quad\therefore b=12$

즉 $b=12$이므로 ㉠에 대입하여 정리하면 $a=\dfrac{1}{8}$

따라서 $\dfrac{b}{a}=\dfrac{12}{\frac{1}{8}}=12\cdot 8=96$

1357

정답 ②

STEP A $f'(x)$, $f''(x)$ 구하기

$f(x)=xe^x+ax^2+bx$에서 $f'(x)=e^x+xe^x+2ax+b$

$f''(x)=e^x+e^x+xe^x+2a=(2+x)e^x+2a$

STEP B $f'(0)=0$, $f''(-2)=0$을 만족하는 상수 a, b 구하기

$x=0$에서 극소이므로 $f'(0)=1+b=0$ $\therefore b=-1$

변곡점의 x좌표가 -2이므로 $f''(-2)=(2-2)e^{-2}+2a=0$ $\therefore a=0$

따라서 $a=0$, $b=-1$이므로 $a+b=-1$

내신연계 출제문항 528

함수 $f(x)=(2x+a)e^{-bx}$은 $x=-2$에서 극값을 갖고 곡선 $y=f(x)$의 변곡점의 x좌표가 -1일 때, 상수 a, b에 대하여 $a+b$의 값은? (단, $b\neq 0$)

① 3 ② 4 ③ 5
④ 6 ⑤ 7

STEP A $f'(x)$, $f''(x)$ 구하기

$f(x)=(2x+a)e^{-bx}$에서

$f'(x)=2e^{-bx}+(2x+a)(-b)e^{-bx}=e^{-bx}(-2bx-ab+2)$

$f''(x)=-be^{-bx}(-2bx-ab+2)+e^{-bx}(-2b)=e^{-bx}(2b^2x+ab^2-4b)$

STEP B $f'(-2)=0$, $f''(-1)=0$을 만족하는 상수 a, b 구하기

$x=-2$에서 극값을 가지므로 $f'(-2)=e^{2b}(4b-ab+2)=0$

$\therefore 4b-ab+2=0$ …… ㉠

변곡점의 x좌표가 -1이므로 $f''(-1)=e^b(-2b^2+ab^2-4b)=0$

$-2b^2+ab^2-4b=0$

$\therefore 2b-ab+4=0 (\because b\neq 0)$ …… ㉡

따라서 ㉠, ㉡에서 $a=6$, $b=1$ 이므로 $a+b=7$

정답 ⑤

1358

정답 ②

STEP A $f(e)=3e^2$임을 이용하여 a, b의 관계식 구하기

점 $(e, 3e^2)$이 곡선 $y=f(x)$ 위의 점이므로

$f(e)=ae^2+be^2\ln e=(a+b)e^2=3e^2$

$\therefore a+b=3$ …… ㉠

STEP B $f''(e)=0$임을 이용하여 a, b의 관계식 구하기

이때 $f'(x)=2ax+2bx\ln x+bx^2\times\frac{1}{x}=(2a+b)x+2bx\ln x$

$f''(x)=2a+b+2b\ln x+2bx\times\frac{1}{x}=2a+3b+2b\ln x$

$f''(e)=0$에서 $f''(e)=2a+5b=0$ …… ㉡

STEP C $a-b$의 값 구하기

㉠, ㉡을 연립하여 풀면 $a=5$, $b=-2$

따라서 $a-b=5-(-2)=7$

1359

정답 ③

STEP A $f'(x)$, $f''(x)$ 구하기

$f(x)=ax^2+bx-\ln x$에서

$f'(x)=2ax+b-\frac{1}{x}$, $f''(x)=2a+\frac{1}{x^2}$

STEP B $f'(1)=0$, $f''\left(\frac{1}{2}\right)=0$을 이용하여 a, b 구하기

함수 $f(x)$가 $x=1$에서 극대이므로

$f'(1)=2a+b-1=0$ …… ㉠

변곡점의 x좌표가 $\frac{1}{2}$이므로 $f''\left(\frac{1}{2}\right)=2a+4=0$

$a=-2$를 ㉠에 대입하면 $b=5$ $\therefore a=-2$, $b=5$

STEP C 함수 $f(x)$의 극솟값 구하기

$f(x)=-2x^2+5x-\ln x$

$f'(x)=-4x+5-\frac{1}{x}=-\frac{4x^2-5x+1}{x}=-\frac{(4x-1)(x-1)}{x}$

$f'(x)=0$에서 $x=\frac{1}{4}$ 또는 $x=1$

함수 $f(x)$의 증가와 감소를 표로 나타내면 다음과 같다.

x	(0)	$\cdots$	$\frac{1}{4}$	$\cdots$	1	$\cdots$
$f'(x)$		$-$	0	$+$	0	$-$
$f(x)$		↘	극소	↗	극대	↘

따라서 $f(x)$는 $x=\frac{1}{4}$에서 극소이고 극솟값은

$f\left(\frac{1}{4}\right)=-2\left(\frac{1}{4}\right)^2+5\cdot\frac{1}{4}-\ln\frac{1}{4}=\frac{9}{8}+2\ln 2$

내신연계 출제문항 529

함수

$$f(x)=ax^2+bx+\ln x$$

가 $x=1$에서 극솟값을 갖고 그래프의 변곡점의 x좌표가 $\frac{1}{2}$일 때, 함수 $f(x)$의 극댓값은?

① $-8+2\ln 2$ ② $-1-2\ln 2$ ③ $-\frac{9}{8}-2\ln 2$

④ $\frac{8}{9}+2\ln 2$ ⑤ $2+3\ln 2$

STEP A $f'(x)$, $f''(x)$ 구하기

$f(x)=ax^2+bx+\ln x$에서

$f'(x)=2ax+b+\frac{1}{x}$, $f''(x)=2a-\frac{1}{x^2}$

STEP B $f'(1)=0$, $f''\left(\frac{1}{2}\right)=0$을 이용하여 a, b 구하기

함수 $f(x)$가 $x=1$에서 극소이므로

$f'(1)=2a+b+1=0$ …… ㉠

변곡점의 x좌표가 $\frac{1}{2}$이므로 $f''\left(\frac{1}{2}\right)=2a-4=0$

$a=2$를 ㉠에 대입하면 $b=-5$ $\therefore a=2$, $b=-5$

STEP C 함수 $f(x)$의 극댓값 구하기

$f(x)=2x^2-5x+\ln x$

$f'(x)=4x-5+\frac{1}{x}=\frac{4x^2-5x+1}{x}=\frac{(4x-1)(x-1)}{x}$

$f'(x)=0$에서 $x=\frac{1}{4}$ 또는 $x=1$

함수 $f(x)$의 증가와 감소를 표로 나타내면 다음과 같다.

x	(0)	$\cdots$	$\frac{1}{4}$	$\cdots$	1	$\cdots$
$f'(x)$		$+$	0	$-$	0	$+$
$f(x)$		↗	극대	↘	극소	↗

따라서 $f(x)$는 $x=\frac{1}{4}$에서 극대이고 극댓값은

$f\left(\frac{1}{4}\right)=2\left(\frac{1}{4}\right)^2-5\cdot\frac{1}{4}+\ln\frac{1}{4}=-\frac{9}{8}-2\ln 2$

정답 ③

1360

정답 ①

STEP Ⓐ $f'(x)$, $f''(x)$ 구하기

$f(x)=\dfrac{ax+b}{x^2+c}$에서

$f'(x)=\dfrac{a(x^2+c)-(ax+b)\cdot 2x}{(x^2+c)^2}=\dfrac{-ax^2-2bx+ac}{(x^2+c)^2}$

$f''(x)=\dfrac{(-2ax-2b)(x^2+c)^2-(-ax^2-2bx+ac)\cdot 2(x^2+c)\cdot 2x}{(x^2+c)^4}$

STEP Ⓑ **함수 $f(x)$에서 $f(-2)=-1$, $f'(-2)=0$, $f''(0)=0$을 이용하여 a, b, c 구하기**

이때 $x=-2$에서 극솟값 -1이므로 $f(-2)=-1$, $f'(-2)=0$

$f(-2)=\dfrac{-2a+b}{4+c}=-1$

$\therefore\ -2a+b=-4-c$ ...... ㉠

$f'(-2)=\dfrac{-4a+4b+ac}{(4+c)^2}=0$

$\therefore\ -4a+4b+ac=0$ ...... ㉡

또한, $x=0$에서 변곡점을 가지므로 $f''(0)=0$

즉 $f''(0)=\dfrac{-2bc^2}{c^4}=\dfrac{-2b}{c^2}=0$

$\therefore\ b=0$ ...... ㉢

㉠, ㉡, ㉢을 연립하여 풀면 $a=4$, $b=0$, $c=4$

STEP Ⓒ **함수 $f(x)$의 극댓값 구하기**

$f(x)=\dfrac{4x}{x^2+4}$에서 $f'(x)=\dfrac{-4x^2+16}{(x^2+4)^2}$

$f'(x)=0$에서 $x=-2$ 또는 $x=2$

함수 $f(x)$의 증가와 감소를 표로 나타내면 다음과 같다.

x	$\cdots$	-2	$\cdots$	2	$\cdots$
$f'(x)$	$-$	0	$+$	0	$-$
$f(x)$	↘	극소	↗	극대	↘

따라서 $x=2$에서 극대이고 극댓값은 $f(2)=1$

1361

정답 ④

STEP Ⓐ **$f'\left(\dfrac{7}{6}\pi\right)=0$임을 이용하여 a, b, c의 관계식 구하기**

$f(x)=a\sin x+b\cos x+cx$에서

$f'(x)=a\cos x-b\sin x+c$

$f''(x)=-a\sin x-b\cos x$

함수 $f(x)$가 $x=\dfrac{7}{6}\pi$에서 극소이므로 $f'\left(\dfrac{7}{6}\pi\right)=0$

$-\dfrac{\sqrt{3}}{2}a+\dfrac{1}{2}b+c=0$ ...... ㉠

STEP Ⓑ **변곡점의 좌표를 이용하여 a, b, c의 값 구하기**

또, 곡선 $y=f(x)$의 변곡점의 좌표가 $\left(\dfrac{3}{2}\pi,\ -\dfrac{3}{2}\pi\right)$이므로

$f\left(\dfrac{3}{2}\pi\right)=-\dfrac{3}{2}\pi$, $f''\left(\dfrac{3}{2}\pi\right)=0$

$-a+\dfrac{3}{2}\pi c=-\dfrac{3}{2}\pi$ $\quad\therefore\ a=0$

STEP Ⓒ **$a+b+c$의 값 구하기**

따라서 $a=0$, $c=-1$이므로 이를 ㉠에 대입하면 $b=2$

$\therefore\ a+b+c=1$

1362

정답 ①

STEP Ⓐ **이계도함수 $f''(x)=0$인 x의 좌표 구하기**

$f(x)=ax^2+e^x+e^{-x}$로 놓으면

$f'(x)=2ax+e^x-e^{-x}$, $f''(x)=2a+e^x+e^{-x}$

주어진 곡선이 변곡점을 가지려면 방정식 $f''(x)=0$이 실근을 갖고

실근의 좌우에서 $f''(x)$의 부호가 바뀌어야 한다.

$f''(x)=0$에서 $2a+e^x+e^{-x}=0$

$\therefore\ e^x+e^{-x}=-2a$

STEP Ⓑ **변곡점을 갖기 위한 실수 a의 값의 범위 구하기**

이 방정식이 실근을 가지려면 곡선 $y=e^x+e^{-x}$와 직선 $y=-2a$가

만나야 하므로 다음 그림에서 $-2a\ge 2$

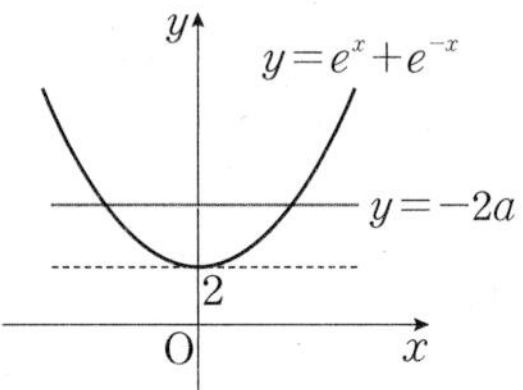

이때 $-2a=2$이면 $f''(x)=e^x+e^{-x}-2\ge 0$

$f''(x)=0$을 만족시키는 x의 값의 좌우에서 $f''(x)$의 부호가 바뀌지 않으므로

변곡점이 될 수 없다.

따라서 $-2a>2$이므로 $a<-1$

참고 $y=e^x+e^{-x}$의 그래프는 현수선의 그래프와 모양이 비슷하다.

1363

정답 ⑤

STEP Ⓐ **이계도함수 $f''(x)=0$인 두 그래프의 관계 구하기**

$f(x)=\dfrac{1}{2}ax^2+3\sin x+x$에서

$f'(x)=ax+3\cos x+1$, $f''(x)=a-3\sin x$

함수 $f(x)$가 변곡점을 가지려면 방정식 $f''(x)=0$의 실근이 존재하고

그 실근의 좌우에서 $f''(x)$의 부호가 바뀌어야 한다.

이때 $f''(x)=0$에서 $a-3\sin x=0$

$\therefore\ \sin x=\dfrac{a}{3}$

STEP Ⓑ **변곡점을 갖기 위한 실수 a의 값의 범위 구하기**

이 방정식이 실근을 가지려면 곡선 $y=\sin x$와 직선 $y=\dfrac{a}{3}$가 만나야 하므로

다음 그림에서 $-1\le\dfrac{a}{3}\le 1$

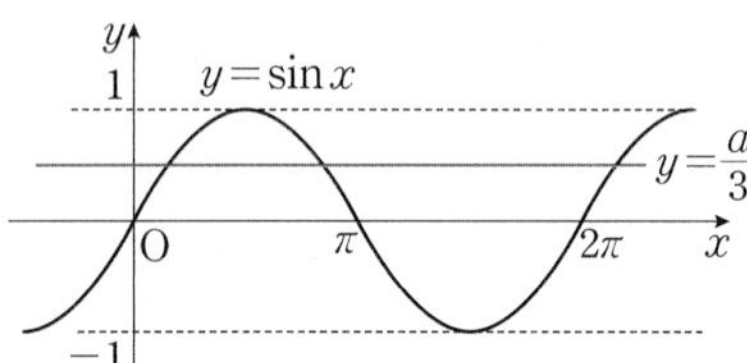

즉 $-3\le a\le 3$

이때 $a=-3$이면 $f''(x)=-3(1+\sin x)\le 0$

$a=3$이면 $f''(x)=3(1-\sin x)\ge 0$

이때 $f''(x)=0$을 만족시키는 x의 값의 좌우에서 $f''(x)$의 부호가 바뀌지

않으므로 변곡점이 존재하지 않는다.

따라서 $-3<a<3$

내신연계 출제문항 530

곡선 $f(x)=ax^2+x+2\sin x$가 열린구간 $(0,\ 2\pi)$에서 변곡점을 가지기 위한 정수 a의 개수는?

① 1 ② 2 ③ 3
④ 4 ⑤ 5

STEP A 이계도함수 $f''(x)=0$인 두 그래프의 관계 구하기

$f(x)=ax^2+x+2\sin x$에서

$f'(x)=2ax+1+2\cos x,\ f''(x)=2a-2\sin x$

함수 $f(x)$가 변곡점을 가지려면 방정식 $f''(x)=0$의 실근이 존재하고 그 실근의 좌우에서 $f''(x)$의 부호가 바뀌어야 한다.

이때 $f''(x)=0$에서 $2a-2\sin x=0 \quad \therefore \sin x=a$

STEP B 변곡점을 갖기 위한 실수 a의 값의 범위 구하기

이 방정식이 실근을 가지려면 곡선 $y=\sin x$와 직선 $y=a$가 만나야 하므로 다음 그림에서 $-1\le a\le 1$

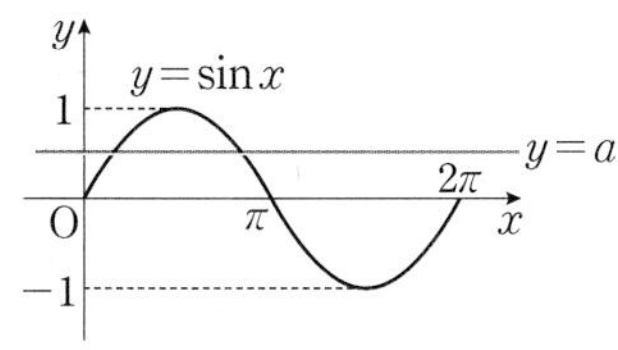

이때 $a=-1$ 이면 $f''(x)=-2(1+\sin x)\le 0$

$a=1$이면 $f''(x)=2(1-\sin x)\ge 0$

즉 $f''(x)=0$을 만족시키는 x의 값의 좌우에서 $f''(x)$의 부호가 바뀌지 않으므로 변곡점이 존재하지 않는다.

$\therefore -1<a<1$

따라서 정수 a는 0이므로 개수는 1  정답 ①

1364

 정답 ④

STEP A 이계도함수 $f''(x)=0$인 두 그래프의 관계 구하기

$y=ax^2-2\sin 2x$에서

$y'=2ax-4\cos 2x,\ y''=2a+8\sin 2x$

함수 y가 변곡점을 가지려면 방정식 $y''=0$의 실근이 존재하고 그 실근의 좌우에서 y''의 부호가 바뀌어야 한다.

이때 $y''=0$에서 $2a+8\sin 2x=0 \quad \therefore \sin 2x=-\dfrac{a}{4}$

STEP B 변곡점을 갖기 위한 실수 a의 값의 범위 구하기

이 방정식이 실근을 가지려면 곡선 $y=\sin 2x$와 직선 $y=-\dfrac{a}{4}$가 만나야 하므로 다음 그림에서 $-1\le -\dfrac{a}{4}\le 1$

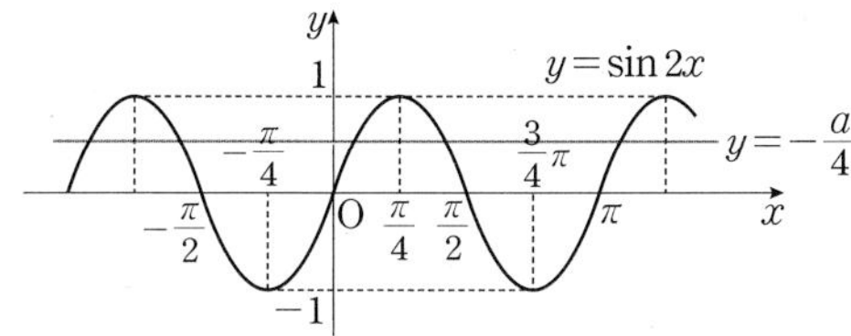

$\therefore -4\le a\le 4$

이때 $a=-4$이면 $f''(x)=-8(1-\sin 2x)\le 0$

$a=4$이면 $f''(x)=8(1+\sin 2x)\ge 0$

즉 $y''=0$을 만족시키는 x의 값의 좌우에서 y''의 부호가 바뀌지 않으므로 변곡점이 존재하지 않는다.

$\therefore -4<a<4$

STEP C 정수 a의 개수 구하기

따라서 정수 a의 값은 $-3,\ -2,\ -1,\ 0,\ 1,\ 2,\ 3$이므로 개수는 7

내신연계 출제문항 531

곡선

$$f(x)=ax^2-3x+\cos 2x$$

가 변곡점을 갖도록 하는 정수 a의 개수는?

① 1 ② 2 ③ 3
④ 4 ⑤ 5

STEP A 이계도함수 $f''(x)=0$인 두 그래프의 관계 구하기

$f(x)=ax^2-3x+\cos 2x$에서

$f'(x)=2ax-3-2\sin 2x,\ f''(x)=2a-4\cos 2x$

함수 $f(x)$가 변곡점을 가지려면 방정식 $f''(x)=0$의 실근이 존재하고 그 실근의 좌우에서 $f''(x)$의 부호가 바뀌어야 한다.

이때 $f''(x)=0$에서 $2a-4\cos 2x=0 \quad \therefore \cos 2x=\dfrac{a}{2}$

STEP B 변곡점을 갖기 위한 실수 a의 값의 범위 구하기

이 방정식이 실근을 가지려면 곡선 $y=\cos 2x$와 직선 $y=\dfrac{a}{2}$가 만나야 하므로 다음 그림에서 $-1\le \dfrac{a}{2}\le 1$

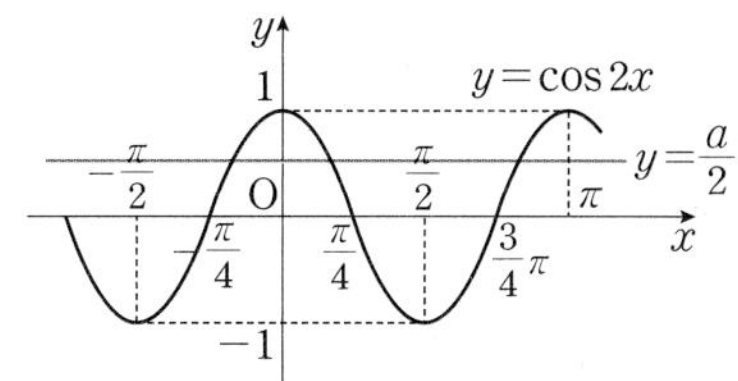

$\therefore -2\le a\le 2$

이때 $a=-2$ 이면 $f''(x)=-4(1+\cos 2x)\le 0$

$a=2$이면 $f''(x)=4(1-\cos 2x)\ge 0$

즉 $f''(x)=0$을 만족시키는 x의 값의 좌우에서 $f''(x)$의 부호가 바뀌지 않으므로 변곡점이 존재하지 않는다.

$\therefore -2<a<2$

STEP C 정수 a의 개수 구하기

따라서 정수 a의 값은 $-1,\ 0,\ 1$이므로 개수는 3  정답 ③

1365

정답 ③

STEP A 이계도함수 $y''=0$인 두 그래프의 관계 구하기

$y=ax^2-2x+4\cos x$에서

$y'=2ax-2-4\sin x$, $y''=2a-4\cos x$

곡선 $y=ax^2-2x+4\cos x$가 변곡점을 갖기 위해서는 $y''=0$이 되는 x의 값이 존재하고 그 점의 좌우에서 y''의 부호가 바뀌어야 한다.

이때 $y''=0$에서 $\cos x=\frac{a}{2}$,

즉 $\cos x=\frac{a}{2}$를 만족하는 실수 x가 존재해야 한다.

STEP B 변곡점을 갖기 위한 실수 a의 값의 범위 구하기

이 방정식이 실근을 가지려면 $y=\cos x$와 직선 $y=\frac{a}{2}$가 만나야 하므로

그림에서 $-1\leq\frac{a}{2}<1$

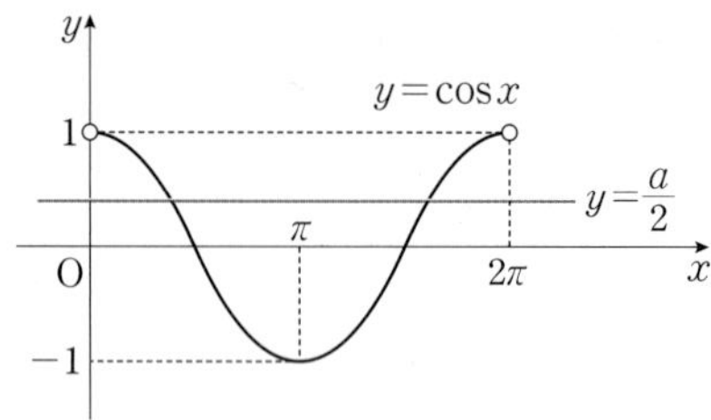

$\therefore -2\leq a<2$

이때 $a=-2$이면 $y''=-4-4\cos x=-4(1+\cos x)\leq 0$

즉 $y''\leq 0$이므로 그 점의 좌우에서 y''의 부호가 변하지 않는다.

$\therefore -2<a<2$

따라서 정수 a는 -1, 0, 1이므로 개수는 3이다.

다른풀이 y''의 범위를 구하여 풀이하기

$0<x<2\pi$일 때, $-1\leq\cos x<1$이므로

$2a-4<y''\leq 2a+4$

$y''=0$이 되는 x의 값이 존재하기 위해서는

$2a-4<0$이고 $2a+4\geq 0$

이때 $2a+4=0$이면 $y''\leq 0$이므로 그 점의 좌우에서 y''의 부호가 변하지 않는다.

변곡점이 존재하기 위해서는 $2a-4<0$이고 $2a+4>0$이어야 한다.

즉 $a<2$이고 $a>-2$에서 $-2<a<2$

따라서 정수 a는 -1, 0, 1이므로 개수는 3

1366

정답 ①

STEP A 이계도함수 $f''(x)=0$인 두 그래프의 관계 구하기

$f(x)=3\sin kx+4x^3$에서

$f'(x)=3k\cos kx+12x^2$, $f''(x)=-3k^2\sin kx+24x$

함수 $f(x)$가 변곡점 하나를 가지려면 방정식 $f''(x)=0$의 실근이 한 개 존재하고 그 실근의 좌우에서 $f''(x)$의 부호가 바뀌어야 한다.

이때 $f''(x)=0$에서 $3k^2\sin kx=24x$

즉 $k^2\sin kx=8x$를 만족하는 실수 x의 값이 오직 하나이어야 한다.

STEP B 함수의 그래프가 한 개의 변곡점을 갖도록 하는 조건 구하기

$g(x)=k^2\sin kx$라 하면 곡선 $y=g(x)$는 원점에 대하여 대칭이고

곡선 $y=g(x)$와 직선 $y=8x$가 원점에서만 만나야 하므로

곡선 $y=g(x)$ 위의 점 $(0, 0)$에서의 접선의 기울기가 8 이하이어야 한다.

$g'(x)=k^3\cos kx$이므로 $g'(0)=k^3$

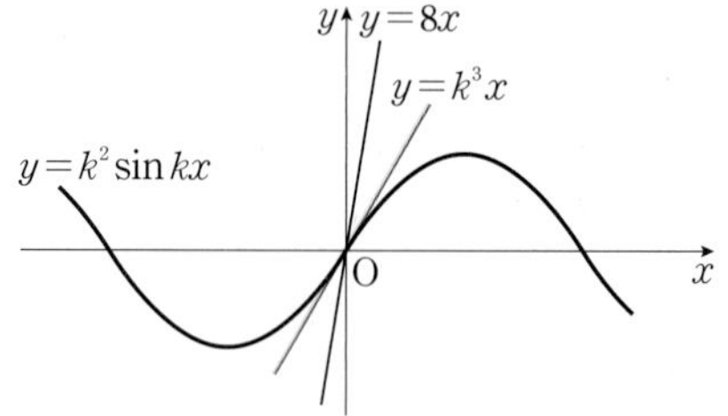

따라서 $k^3\leq 8$에서 $k\leq 2$이므로 실수 k의 최댓값은 2

내신연계 출제문항 532

곡선

$$f(x)=\sin x+\frac{1}{2}ax^2-2x\,(0<x<2\pi)$$

가 두 개의 변곡점을 갖도록 하는 실수 a의 값의 범위는?

① $-1\leq a\leq 1$　② $-1<a<1$　③ $-1<a<0$

④ $0\leq a<1$　⑤ $-1<a<0$ 또는 $0<a<1$

STEP A 이계도함수 $f''(x)=0$인 두 그래프의 관계 구하기

$f(x)=\sin x+\frac{1}{2}ax^2-2x$로 놓으면

$f'(x)=\cos x+ax-2$, $f''(x)=-\sin x+a$

함수 $f(x)$가 변곡점을 가지려면 방정식 $f''(x)=0$의 서로 다른 두 실근을 갖고 이 실근의 좌우에서 $f''(x)$의 부호가 바뀌어야 한다.

이때 $f''(x)=0$에서 $-\sin x+a=0$　$\therefore \sin x=a$

STEP B 함수의 그래프가 두 개의 변곡점을 갖도록 하는 조건 구하기

이 방정식이 $0<x<2\pi$에서 곡선 $y=\sin x$와 직선 $y=a$가 서로 다른 두 점에서 만나야 하므로 다음 그림에서

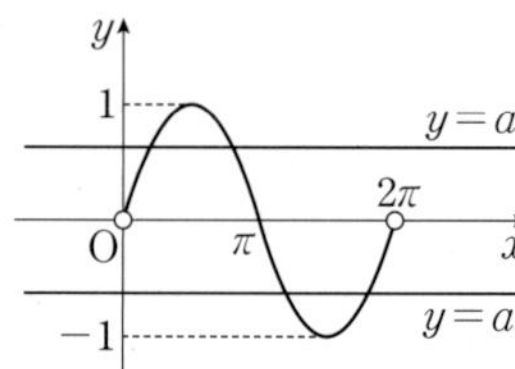

$-1<a<0$ 또는 $0<a<1$

정답 ⑤

1367

정답 ①

STEP A **이계도함수 $f''(x)=0$인 두 그래프의 관계 구하기**

$f(x)=2x^2+a\cos x$에서

$f'(x)=4x-a\sin x$, $f''(x)=4-a\cos x$

주어진 곡선이 변곡점을 갖지 않으려면 방정식 $f''(x)=0$이 실근을 갖지 않거나 $f''(x)=0$의 실근의 좌우에서 $f''(x)$의 부호가 바뀌지 않아야 한다.

이때 $f''(x)=0$에서 $4-a\cos x=0$

$\therefore \cos x=\dfrac{4}{a}$ …… ㉠

STEP B **$y=\cos x$와 직선 $y=\dfrac{4}{a}$가 만나지 않고 접하기 위한 조건 구하기**

$y=\cos x$와 직선 $y=\dfrac{4}{a}$가 다음 그림과 같다.

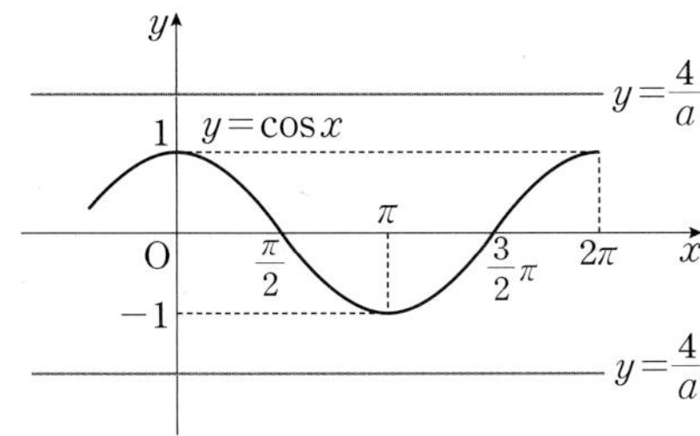

(i) 방정식 ㉠이 실근을 갖지 않으려면 위의 그림과 같이 곡선 $y=\cos x$와 직선 $y=\dfrac{4}{a}$가 만나지 않아야 하므로

$\dfrac{4}{a}<-1$ 또는 $\dfrac{4}{a}>1$

$\therefore -4<a<0$ 또는 $0<a<4$

(ii) $a=-4$ 또는 $a=4$이면

$f''(x)=4(1+\cos x)$ 또는 $f''(x)=4(1-\cos x)$이므로 $f''(x)\geq 0$

즉 $f''(x)=0$을 만족시키는 x의 값의 좌우에서 $f''(x)$의 부호가 바뀌지 않으므로 곡선 $y=f(x)$가 변곡점을 갖지 않는다.

(i), (ii)에서 $-4\leq a<0$ 또는 $0<a\leq 4$

STEP C **정수 a의 개수 구하기**

따라서 정수 a는 $-4, -3, -2, -1, 1, 2, 3, 4$이므로 개수는 8

내/신/연/계/ 출제문항 533

함수

$$f(x)=2x^2+a\sin x$$

가 변곡점을 갖지 않도록 하는 정수 a의 개수는?

① 7 ② 8 ③ 9
④ 10 ⑤ 11

STEP A **이계도함수 $f''(x)=0$인 두 그래프의 관계 구하기**

$f(x)=2x^2+a\sin x$에서

$f'(x)=4x+a\cos x$, $f''(x)=4-a\sin x$

주어진 곡선이 변곡점을 갖지 않으려면 방정식 $f''(x)=0$이 실근을 갖지 않거나 $f''(x)=0$의 실근의 좌우에서 $f''(x)$의 부호가 바뀌지 않아야 한다.

이때 $f''(x)=0$에서 $4-a\sin x=0$

$\therefore \sin x=\dfrac{4}{a}$ …… ㉠

STEP B **$y=\sin x$와 직선 $y=\dfrac{4}{a}$가 만나지 않고 접하기 위한 조건 구하기**

$y=\sin x$와 직선 $y=\dfrac{4}{a}$가 다음 그림과 같다.

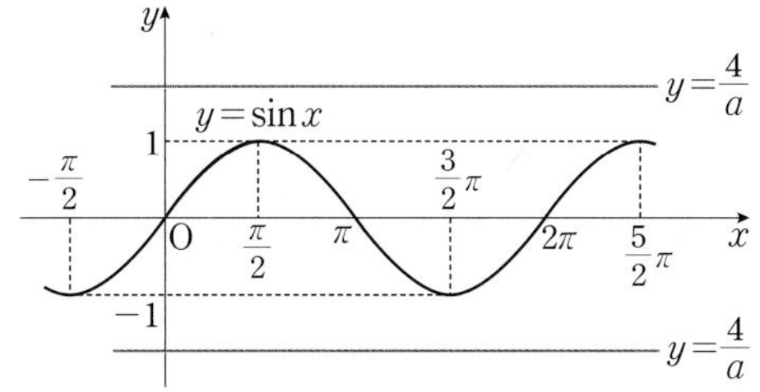

(i) $a=0$인 경우

$f''(x)=4>0$이므로 곡선 $y=f(x)$는 변곡점을 갖지 않는다.

(ii) $a\neq 0$인 경우

방정식 ㉠이 실근을 갖지 않으려면 위의 그림과 같이 곡선 $y=\sin x$와 직선 $y=\dfrac{4}{a}$가 만나지 않아야 하므로

$\dfrac{4}{a}<-1$ 또는 $\dfrac{4}{a}>1$

$\therefore -4<a<0$ 또는 $0<a<4$

(ii) $a=-4$ 또는 $a=4$이면

$f''(x)=4(1+\sin x)$ 또는 $f''(x)=4(1-\sin x)$이므로 $f''(x)\geq 0$

즉 $f''(x)=0$을 만족시키는 x의 값의 좌우에서 $f''(x)$의 부호가 바뀌지 않으므로 곡선 $y=f(x)$가 변곡점을 갖지 않는다.

(i)~(iii)에서 $-4\leq a\leq 4$

STEP C **정수 a의 개수 구하기**

따라서 정수 a의 값은 $-4, -3, -2, -1, 0, 1, 2, 3, 4$이므로 개수는 9

 ③

1368

정답 ⑤

STEP Ⓐ **함수 $f(x)$의 증감표를 이용하여 그래프 그리기**

① $f(x)=\dfrac{x^2}{x-1}$에서 함수 $f(x)$는 $x\neq1$인 모든 실수 x에서 정의한다.

$f'(x)=\dfrac{2x(x-1)-x^2}{(x-1)^2}=\dfrac{x(x-2)}{(x-1)^2}$

$f'(x)=0$에서 $x=0$ 또는 $x=2$

$f''(x)=\dfrac{(2x-2)(x-1)^2-(x^2-2x)\cdot2(x-1)}{(x-1)^4}=\dfrac{2}{(x-1)^3}$

이므로 $f''(x)=0$인 x의 값은 존재하지 않는다.

함수 $f(x)$의 증가와 감소, 오목과 볼록을 표로 나타내면 다음과 같다.

x	$\cdots$	0	$\cdots$	(1)	$\cdots$	2	$\cdots$
$f'(x)$	+	0	−		−	0	+
$f''(x)$	−	−	−		+	+	+
$f(x)$	↗	극대	↘		↘	극소	↗

$\lim_{x\to-\infty}f(x)=-\infty$, $\lim_{x\to\infty}f(x)=\infty$, $\lim_{x\to1-}f(x)=-\infty$, $\lim_{x\to1+}f(x)=\infty$

이므로 함수 $y=f(x)$의 그래프의 개형은 다음 그림과 같다.

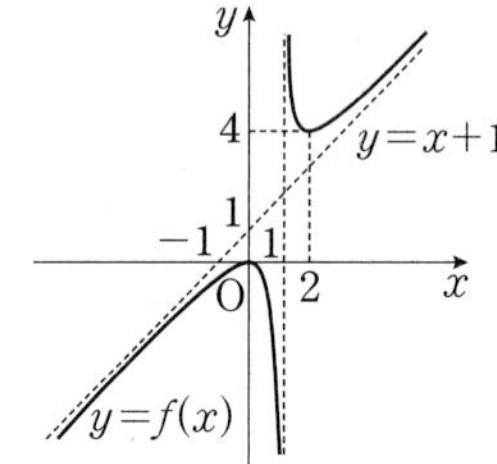

② $f(x)=e^{-x^2}$에서

$f'(x)=-2xe^{-x^2}=0$에서 $x=0$

$f''(x)=-2e^{-x^2}+4x^2e^{-x^2}=2e^{-x^2}(2x^2-1)$

$f''(x)=0$에서 $x=-\dfrac{\sqrt{2}}{2}$ 또는 $x=\dfrac{\sqrt{2}}{2}$

함수 $f(x)$의 증가와 감소, 오목과 볼록을 표로 나타내면 다음과 같다.

x	$\cdots$	$-\dfrac{\sqrt{2}}{2}$	$\cdots$	0	$\cdots$	$\dfrac{\sqrt{2}}{2}$	$\cdots$
$f'(x)$	+	+	+	0	−	−	−
$f''(x)$	+	0	−	−	−	0	+
$f(x)$	↗	$\dfrac{1}{\sqrt{e}}$ (변곡점)	↗	1 (극댓값)	↘	$\dfrac{1}{\sqrt{e}}$ (변곡점)	↘

따라서 함수 $f(x)$는 $x=0$에서 극댓값 1을 갖고, 극솟값은 갖지 않는다.

또, 변곡점의 좌표는 $\left(-\dfrac{1}{\sqrt{2}}, \dfrac{1}{\sqrt{e}}\right)$, $\left(\dfrac{1}{\sqrt{2}}, \dfrac{1}{\sqrt{e}}\right)$

$\lim_{x\to\infty}e^{-x^2}=\lim_{x\to\infty}\dfrac{1}{e^{x^2}}=0$, $\lim_{x\to-\infty}e^{-x^2}=\lim_{x\to-\infty}\dfrac{1}{e^{x^2}}=0$

이므로 점근선은 x축이다.

함수 $y=e^{-x^2}$의 그래프의 개형은 다음 그림과 같다.

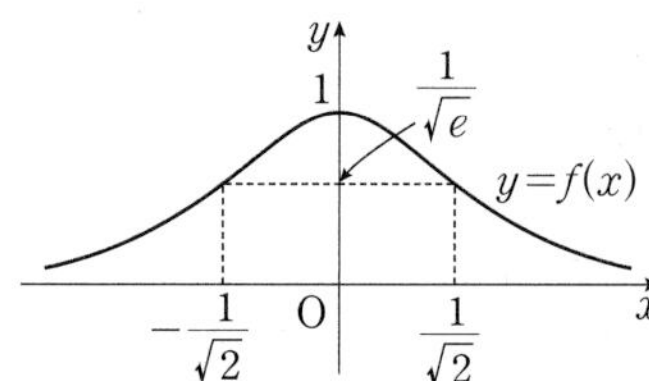

③ $f(x)=x-\ln x$

$f'(x)=1-\dfrac{1}{x}$이므로 $f'(x)=0$에서 $x=1$

$f''(x)=\dfrac{1}{x^2}$이므로 $f''(x)>0$

함수 $f(x)$의 증가와 감소, 오목과 볼록을 표로 나타내면 다음과 같다.

x	0	$\cdots$	1	$\cdots$
$f'(x)$		−	0	+
$f''(x)$		+	+	+
$f(x)$		↘	1	↗

또, $\lim_{x\to0+}(x-\ln x)=\infty$,

$\lim_{x\to\infty}(x-\ln x)=\infty$이므로

함수 $y=x-\ln x$의 그래프는

오른쪽 그림과 같다.

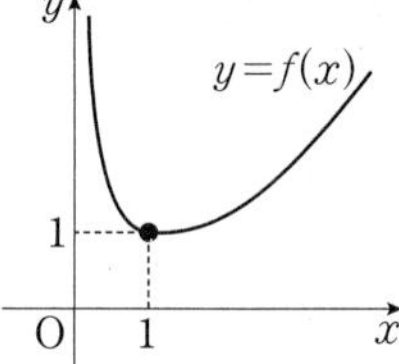

④ $f(x)=x+2\sin x\,(0<x<2\pi)$

$f'(x)=1+2\cos x$

$f'(x)=0$에서 $\cos x=-\dfrac{1}{2}$ $\quad\therefore x=\dfrac{2}{3}\pi$ 또는 $x=\dfrac{4}{3}\pi$

$f''(x)=-2\sin x$

$f''(x)=0$에서 $\sin x=0$ $\quad\therefore x=\pi$

함수 $f(x)$의 증가와 감소, 오목과 볼록을 표로 나타내면 다음과 같다.

x	$\cdots$	$\dfrac{2}{3}\pi$	$\cdots$	π	$\cdots$	$\dfrac{4}{3}\pi$	$\cdots$
$f'(x)$	+	0	−		−	0	+
$f''(x)$	−		−	0	+		+
$f(x)$	↗	극대	↘	변곡점	↘	극소	↗

함수 $f(x)$는 $x=\dfrac{2}{3}\pi$에서 극대이고

극댓값은 $f\left(\dfrac{2}{3}\pi\right)=\dfrac{2}{3}\pi+\sqrt{3}$

$x=\dfrac{4}{3}\pi$에서 극소이고 극솟값은

$f\left(\dfrac{4}{3}\pi\right)=\dfrac{4}{3}\pi-\sqrt{3}$이므로 그래프의

개형은 오른쪽 그림과 같다.

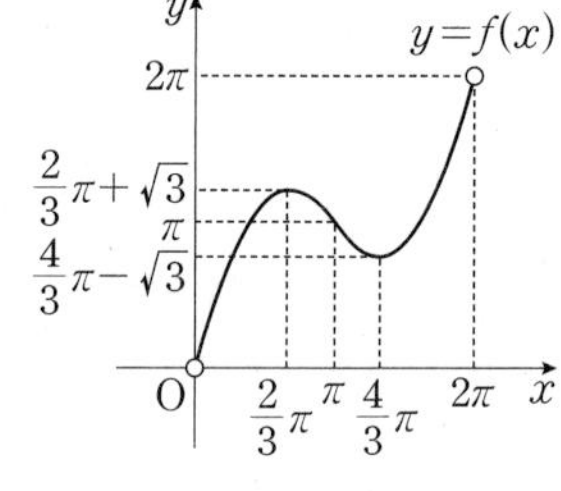

⑤ $f(x)=\dfrac{\ln x}{x}$

$f(x)=\dfrac{\ln x}{x}$에서 $x>0$이고 $f'(x)=\dfrac{\dfrac{1}{x}\cdot x-\ln x}{x^2}=\dfrac{1-\ln x}{x^2}$

$f''(x)=\dfrac{-\dfrac{1}{x}\cdot x^2-(1-\ln x)\cdot2x}{x^4}=\dfrac{2\ln x-3}{x^3}$

$f'(x)=0$에서

$1-\ln x=0$에서 $x=e$

$f''(x)=0$에서

$2\ln x-3=0$에서 $x=e^{\frac{3}{2}}$

함수 $f(x)$의 증가와 감소 및 오목과 볼록을 표로 정리하면 다음과 같다.

x	(0)	$\cdots$	e	$\cdots$	$e^{\frac{3}{2}}$	$\cdots$
$f'(x)$		+	0	−	−	−
$f''(x)$		−	−	−	0	+
$f(x)$		↗	$\dfrac{1}{e}$	↘	$\dfrac{3}{2}e^{-\frac{3}{2}}$	↘

이때

$\lim_{x\to\infty}\dfrac{\ln x}{x}=0$, $\lim_{x\to0+}\dfrac{\ln x}{x}=-\infty$이므로 x축이 점근선이다.

따라서 극댓점 $\left(e, \dfrac{1}{e}\right)$, 변곡점 $\left(e^{\frac{3}{2}}, \dfrac{3}{2}e^{-\frac{3}{2}}\right)$이고 그래프의 개형은 다음 그림과 같다.

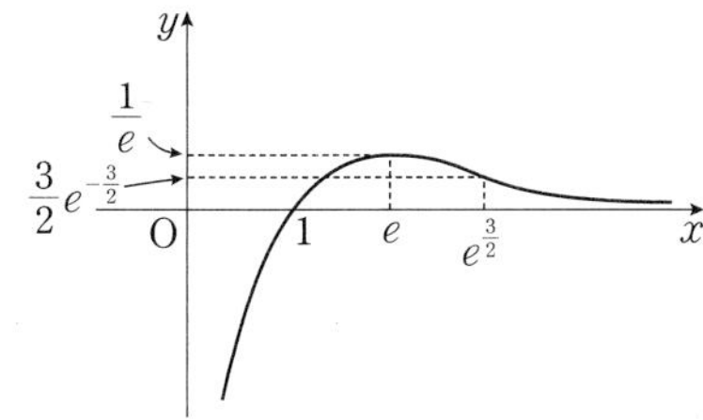

따라서 그래프의 개형 중 옳지 않은 것은 ⑤이다.

1369

정답 ④

STEP Ⓐ **함수 $f(x)$의 증감표를 이용하여 그래프 그리기**

① $f(x)=xe^x$에서

$f'(x)=e^x+xe^x=(x+1)e^x$

$f''(x)=e^x+(x+1)e^x=(x+2)e^x$

$f'(x)=0$에서 $x=-1$

$f''(x)=0$에서 $x=-2$

함수 $f(x)$의 증가와 감소, 오목과 볼록을 표로 나타내면 다음과 같다.

x	$\cdots$	-2	$\cdots$	-1	$\cdots$
$f'(x)$	$-$	$-$	$-$	0	$+$
$f''(x)$	$-$	0	$+$	$+$	$+$
$f(x)$	↘	$-\frac{2}{e^2}$	↘	$-\frac{1}{e}$	↗

$\lim_{x\to-\infty}f(x)=0$, $\lim_{x\to\infty}f(x)=\infty$이므로 함수 $y=f(x)$의 그래프는 다음 그림과 같다.

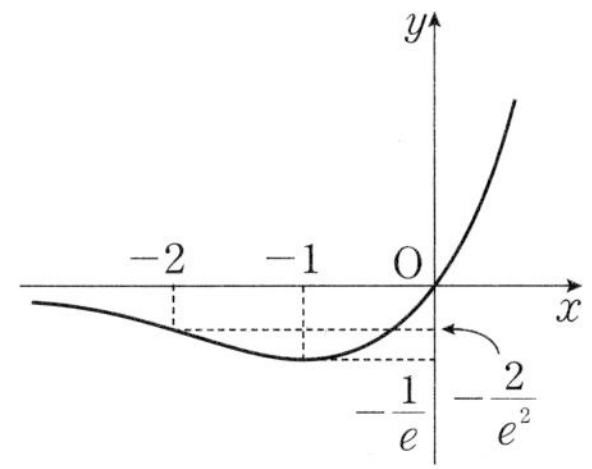

② $f(x)=x\ln x$에서 $f'(x)=\ln x+x\cdot\frac{1}{x}=\ln x+1$

$f'(x)=0$에서 $\ln x=-1$이므로 $x=\frac{1}{e}$

$f''(x)=\frac{1}{x}$이므로 $x>0$에서 $f''(x)>0$

즉 $y=f(x)$는 구간 $(0, \infty)$에서 아래로 볼록하다.

함수 $f(x)$의 증가와 감소를 표로 나타내면 다음과 같다.

x	(0)	$\cdots$	$\frac{1}{e}$	$\cdots$
$f'(x)$		$-$	0	$+$
$f(x)$		↘	극소	↗

함수 $f(x)$는 $x=\frac{1}{e}$일 때,

극소이고 극솟값은 $f\left(\frac{1}{e}\right)=\frac{1}{e}\ln\frac{1}{e}=-\frac{1}{e}$

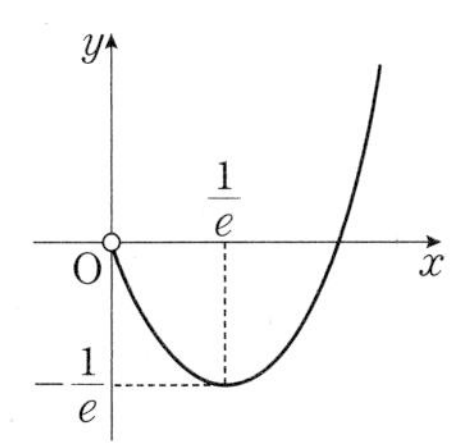

③ $f(x)=x^2e^x$에서

$f'(x)=2xe^x+x^2e^x=(x^2+2x)e^x$

$f''(x)=(2x+2)e^x+(x^2+2x)e^x=(x^2+4x+2)e^x$

$f'(x)=0$에서 $x=-2$ 또는 $x=0$

$f''(x)=0$에서 $x=-2-\sqrt{2}$ 또는 $x=-2+\sqrt{2}$

함수 $f(x)$의 증가와 감소를 표로 나타내면 다음과 같다.

x	$\cdots$	-2	$\cdots$	0	$\cdots$
$f'(x)$	$+$	0	$-$	0	$+$
$f(x)$	↗	극대	↘	극소	↗

$x=-2$에서 극대이고 극댓값은

$f(-2)=4e^{-2}$

$x=0$에서 극소이고 극솟값은

$f(0)=0$

$\lim_{x\to-\infty}f(x)=0$, $\lim_{x\to\infty}f(x)=\infty$

이므로 함수 $y=f(x)$의 그래프는

오른쪽 그림과 같다.

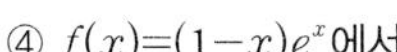

④ $f(x)=(1-x)e^x$에서

$f'(x)=-e^x+(1-x)e^x=-xe^x$

$f''(x)=-e^x-xe^x=-(x+1)e^x$

$f'(x)=0$에서 $x=0$

$f''(x)=0$에서 $x=-1$

함수 $f(x)$의 증가와 감소를 표로 나타내면 다음과 같다.

x	$\cdots$	-1	$\cdots$	0	$\cdots$
$f'(x)$	$+$		$+$	0	$-$
$f''(x)$	$+$	0	$-$		$-$
$f(x)$	↗	변곡점	↗	극대	↘

$x=0$에서 극대이고 극댓값은 $f(0)=1$

$\lim_{x\to-\infty}f(x)=0$, $\lim_{x\to\infty}f(x)=-\infty$

이므로 함수 $y=f(x)$의 그래프는

오른쪽 그림과 같다.

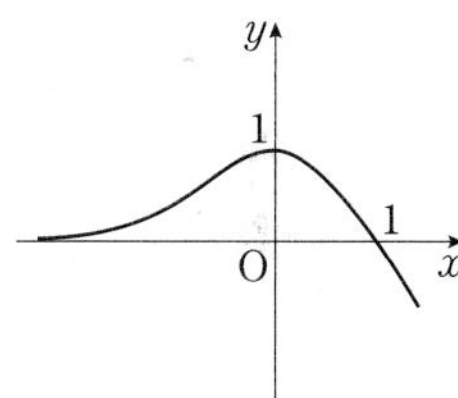

⑤ $f(x)=xe^{-x}$에서

$f'(x)=e^{-x}-xe^{-x}=(1-x)e^{-x}$이므로

$f'(x)=0$에서 $x=1$

$f''(x)=-e^{-x}-(1-x)e^{-x}=(-2+x)e^{-x}$

$f''(x)=0$에서 $x=2$

함수 $f(x)$의 증가와 감소, 오목과 볼록을 표로 나타내면 다음과 같다.

x	$\cdots$	1	$\cdots$	2	$\cdots$
$f'(x)$	$+$	0	$-$	$-$	$-$
$f''(x)$	$-$	$-$	$-$	0	$+$
$f(x)$	↗	극대	↘	변곡점	↘

함수 $f(x)$는 $x=1$에서

극대이고 극댓값은 $f(1)=\frac{1}{e}$

$x=2$에서 변곡점의 y좌표는

$f(2)=\frac{2}{e^2}$이므로 그래프는

오른쪽 그림과 같다.

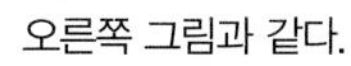

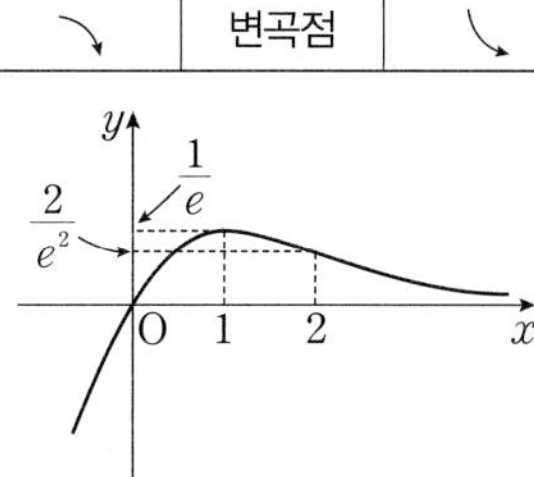

따라서 그래프의 개형 중 옳지 않은 것은 ④이다.

내신연계 출제문항 534

다음 중 함수의 그래프의 개형을 바르게 나타내지 않은 것은?

① $y=\ln(x^2+1)$

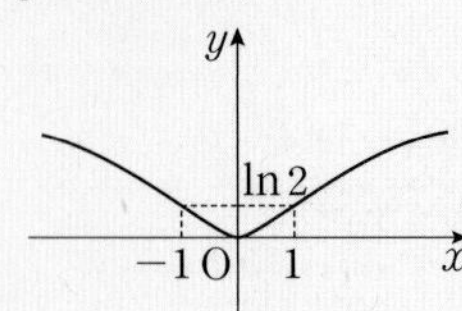

② $f(x)=4\sqrt{x}-x$

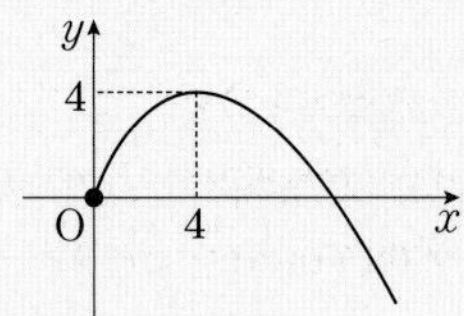

③ $f(x)=(\ln x)^2$

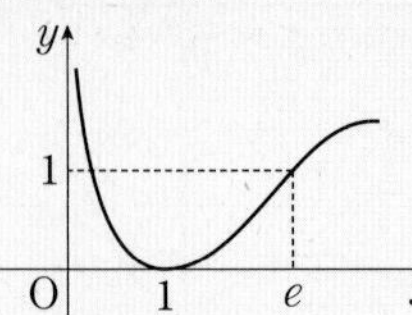

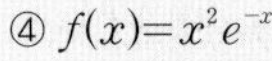
④ $f(x)=x^2e^{-x}$

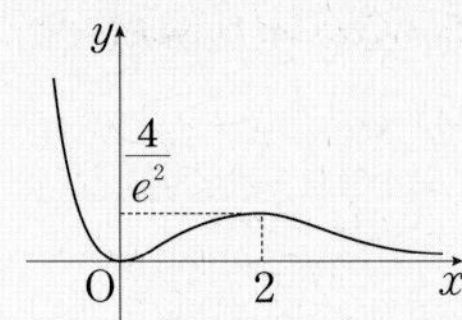

⑤ $y=x^2\ln x$

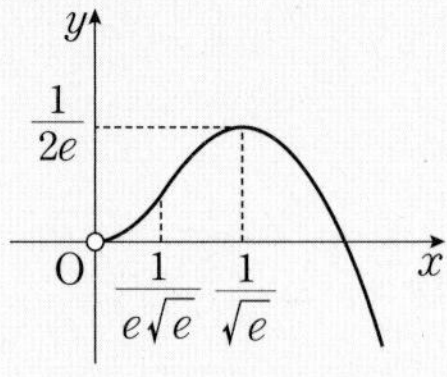

STEP A 함수 $f(x)$의 증감표를 이용하여 그래프 그리기

① $f(x)=\ln(x^2+1)$에서

$x^2+1>0$이므로 함수 $f(x)$의 정의역은 실수 전체의 집합이다.

$f(-x)=f(x)$이므로 함수 $f(x)$의 그래프는 y축에 대하여 대칭이다.

$f(0)=0$이므로 점 $(0, 0)$을 지난다.

$f'(x)=\dfrac{2x}{x^2+1}$이므로 $f'(x)=0$에서 $x=0$

$f''(x)=\dfrac{-2x^2+2}{(x^2+1)^2}$이므로 $f''(x)=0$에서 $x=-1$ 또는 $x=1$

함수 $f(x)$의 증가와 감소, 오목과 볼록을 표로 나타내면 다음과 같다.

x	$\cdots$	-1	$\cdots$	0	$\cdots$	1	$\cdots$
$f'(x)$	$-$	$-$	$-$	0	$+$	$+$	$+$
$f''(x)$	$-$	0	$+$	$+$	$+$	0	$-$
$f(x)$	↘	$\ln 2$	↘	0 (극소)	↗	$\ln 2$	↗

$x=0$에서 극소이고 극솟값은 $f(0)=0$

$\lim\limits_{x\to\infty}f(x)=\infty$, $\lim\limits_{x\to-\infty}f(x)=\infty$이므로

함수 $y=f(x)$의 그래프의 개형은 오른쪽 그림과 같다.

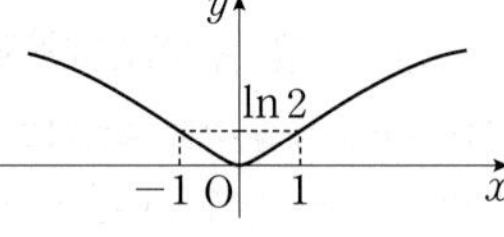

② $f(x)=4\sqrt{x}-x$에서 $x\geq 0$이고

$f'(x)=\dfrac{2}{\sqrt{x}}-1=\dfrac{2-\sqrt{x}}{\sqrt{x}}$, $f''(x)=-x^{-\frac{3}{2}}=-\dfrac{1}{\sqrt{x^3}}$

$f'(x)=0$에서 $2-\sqrt{x}=0$이므로 $x=4$

$f''(x)=-\dfrac{1}{\sqrt{x^3}}<0$이므로 위로 볼록

함수 $f(x)$의 증가와 감소, 오목과 볼록을 표로 나타내면 다음과 같다.

x	0	$\cdots$	4	$\cdots$
$f'(x)$		$+$	0	$-$
$f''(x)$		$-$	$-$	$-$
$f(x)$	0	↗	4	↘

이때

$\lim\limits_{x\to\infty}(4\sqrt{x}-x)=\lim\limits_{x\to\infty}x\left(\dfrac{4}{\sqrt{x}}-1\right)=-\infty$

이므로 함수 $f(x)=4\sqrt{x}-x$의 그래프의 개형은 오른쪽 그림과 같다.

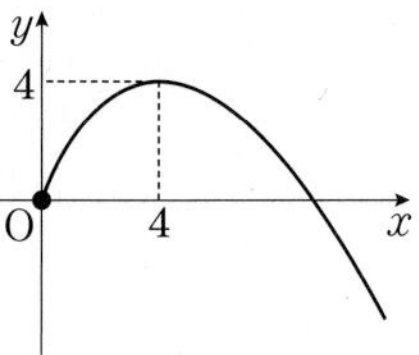

③ $f(x)=(\ln x)^2$

$f'(x)=\dfrac{2\ln x}{x}$, $f''(x)=\dfrac{2(1-\ln x)}{x^2}$

$f'(x)=0$에서 $\ln x=0$ $\quad\therefore x=1$

$f''(x)=0$에서 $1-\ln x=0$ $\quad\therefore x=e$

함수 $f(x)$의 증가와 감소, 오목과 볼록을 표로 나타내면 다음과 같다.

x	(0)	$\cdots$	1	$\cdots$	e	$\cdots$	$+\infty$
$f'(x)$		$-$	0	$+$	$+$	$+$	
$f''(x)$		$+$	$+$	$+$	0	$-$	
$f(x)$	$+\infty$	↘	0	↗	1	↗	$+\infty$

따라서 극소점 $(1, 0)$,

변곡점 $(e, 1)$이고

$\lim\limits_{x\to0+}(\ln x)^2=\infty$, $\lim\limits_{x\to\infty}(\ln x)^2=\infty$

이므로 개형은 오른쪽 그림과 같다.

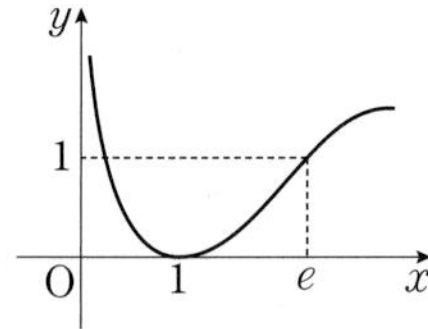

④ $f(x)=x^2e^{-x}$에서

$f'(x)=2xe^{-x}-x^2e^{-x}=(2x-x^2)e^{-x}$

$f''(x)=(2-2x)e^{-x}-(2x-x^2)e^{-x}=(x^2-4x+2)e^{-x}$

$f'(x)=0$에서 $x=0$ 또는 $x=2$

$f''(x)=0$에서 $x=2-\sqrt{2}$ 또는 $x=2+\sqrt{2}$

함수 $f(x)$의 증가와 감소, 오목과 볼록을 표로 나타내면 다음과 같다.

x	$\cdots$	0	$\cdots$	$2-\sqrt{2}$	$\cdots$	2	$\cdots$	$2+\sqrt{2}$	$\cdots$
$f'(x)$	$-$	0	$+$		$+$	0	$-$		$-$
$f''(x)$	$+$	$+$	$+$	0	$-$	$-$	$-$	0	$+$
$f(x)$	↘	극소	↗	변곡점	↗	극대	↘	변곡점	↘

이때 $\lim\limits_{x\to\infty}f(x)=\lim\limits_{x\to\infty}x^2e^{-x}=\lim\limits_{x\to\infty}\dfrac{x^2}{e^x}=0$이므로

x축이 점근선이고 $\lim\limits_{x\to-\infty}f(x)=\lim\limits_{x\to-\infty}x^2e^{-x}=\infty$

극솟점 $(0, 0)$, 극댓값 $(2, 4e^{-2})$,

변곡점 $(2-\sqrt{2}, (6-4\sqrt{2})e^{-(2-\sqrt{2})})$, $(2+\sqrt{2}, (6+4\sqrt{2})e^{-(2+\sqrt{2})})$이고

그래프의 개형은 다음 그림과 같다.

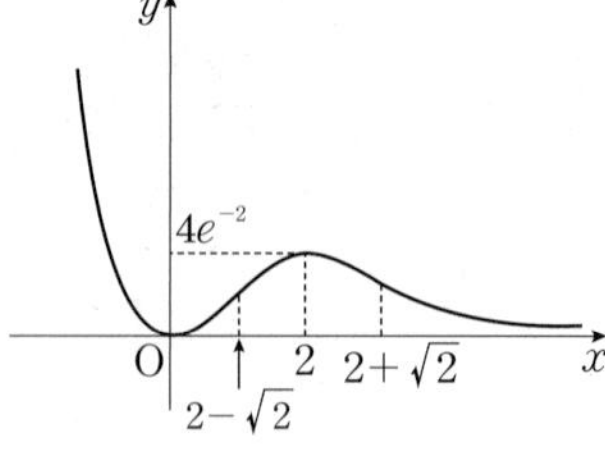

⑤ $f(x)=x^2\ln x$에서

$f'(x)=2x\ln x+x^2\cdot\dfrac{1}{x}=x(2\ln x+1)$

$f''(x)=2\ln x+1+x\cdot\dfrac{2}{x}=2\ln x+3$

$f'(x)=0$에서 $x=\dfrac{1}{\sqrt{e}}$

$f''(x)=0$에서 $x=\dfrac{1}{e\sqrt{e}}$

함수 $f(x)$의 증가와 감소, 오목과 볼록을 표로 나타내면 다음과 같다.

x	(0)	$\cdots$	$\frac{1}{e\sqrt{e}}$	$\cdots$	$\frac{1}{\sqrt{e}}$	$\cdots$
$f'(x)$		$-$	$-$	$-$	0	$+$
$f''(x)$		$-$	0	$+$	$+$	$+$
$f(x)$		↘	변곡점	↘	극소	↗

$x=\frac{1}{\sqrt{e}}$에서 극소이고 극솟값은 $f\left(\frac{1}{\sqrt{e}}\right)=-\frac{1}{2e}$이고 그래프의 개형은 다음 그림과 같다.

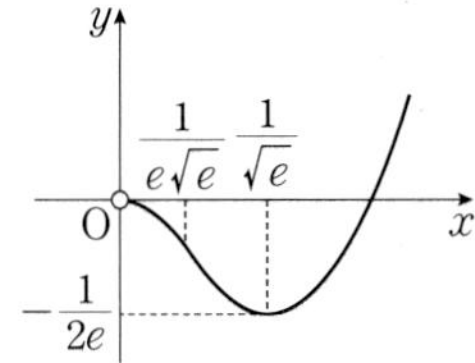

따라서 옳지 않은 그래프의 개형은 ⑤이다. 정답 ⑤

1370

정답 ④

STEP A 함수 $f(x)$의 증감표를 이용하여 그래프 그리기

$f(x)=xe^x$에서

$f'(x)=e^x+xe^x=(x+1)e^x$

$f''(x)=e^x+(x+1)e^x=(x+2)e^x$

$f'(x)=0$에서 $x=-1$, $f''(x)=0$에서 $x=-2$

함수 $f(x)$의 증가와 감소, 오목과 볼록을 표로 나타내면 다음과 같다.

x	$\cdots$	-2	$\cdots$	-1	$\cdots$
$f'(x)$	$-$	$-$	$-$	0	$+$
$f''(x)$	$-$	0	$+$	$+$	$+$
$f(x)$	↘	$-\frac{2}{e^2}$	↘	$-\frac{1}{e}$	↗

$\lim_{x\to-\infty}f(x)=0$, $\lim_{x\to\infty}f(x)=\infty$이므로 함수 $y=f(x)$의 그래프는 다음 그림과 같다.

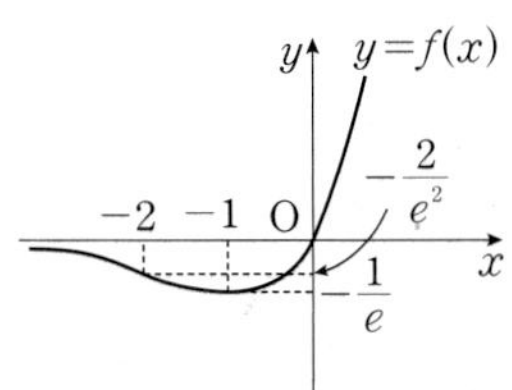

STEP B [보기]의 참, 거짓 판단하기

ㄱ. $-2<x<-1$에서 $f''(x)>0$이므로 함수 $y=f(x)$의 그래프는 아래로 볼록이다.

$-2<a<b<-1$ 일 때, $f\left(\frac{a+b}{2}\right)<\frac{f(a)+f(b)}{2}$를 만족한다. [거짓]

ㄴ. 변곡점의 좌표는 $\left(-2, -\frac{2}{e^2}\right)$이다. [참]

ㄷ. 극솟값은 $x=-1$일 때, $-\frac{1}{e}$이다. [참]

따라서 옳은 것은 ㄴ, ㄷ이다.

내신연계 출제문항 535

함수 $f(x)=-xe^x$의 그래프에 대하여 [보기]에서 옳은 것만을 있는 대로 고른 것은?

ㄱ. $x=-1$에서 극댓값 $\frac{1}{e}$을 갖는다.

ㄴ. 변곡점의 좌표는 $\left(-2, \frac{2}{e^2}\right)$이다.

ㄷ. 방정식 $f(x)=\frac{1}{3}$의 실근의 개수는 2이다.

① ㄱ ② ㄷ ③ ㄱ, ㄴ
④ ㄴ, ㄷ ⑤ ㄱ, ㄴ, ㄷ

STEP A $f'(x)$, $f''(x)$의 값 구하기

$f(x)=-xe^x$에서

$f'(x)=-e^x-xe^x=-e^x(x+1)$

$f''(x)=-e^x(x+1)-e^x=-e^x(x+2)$

$f'(x)=0$에서 $x=-1$

$f''(x)=0$에서 $x=-2$

STEP B $f(x)$의 증감표 작성하기

함수 $f(x)$의 증가와 감소, 오목과 볼록을 표로 나타내면 다음과 같다.

x	$\cdots$	-2	$\cdots$	-1	$\cdots$
$f'(x)$	$+$	$+$	$+$	0	$-$
$f''(x)$	$+$	0	$-$	$-$	$-$
$f(x)$	↗	$\frac{2}{e^2}$ (변곡점)	↗	$\frac{1}{e}$ (극댓값)	↘

STEP C [보기]의 참, 거짓 판단하기

ㄱ. $f''(-1)<0$이므로 주어진 함수는 $x=-1$에서 극댓값 $\frac{1}{e}$을 갖는다. [참]

ㄴ. 주어진 함수의 변곡점의 좌표는 $\left(-2, \frac{2}{e^2}\right)$이다. [참]

ㄷ. 오른쪽 그림과 같이 $f(x)$의 그래프가 직선 $y=\frac{1}{3}$과 두 점에서 만나므로 방정식 $f(x)=\frac{1}{3}$의 실근의 개수는 2이다. [참]

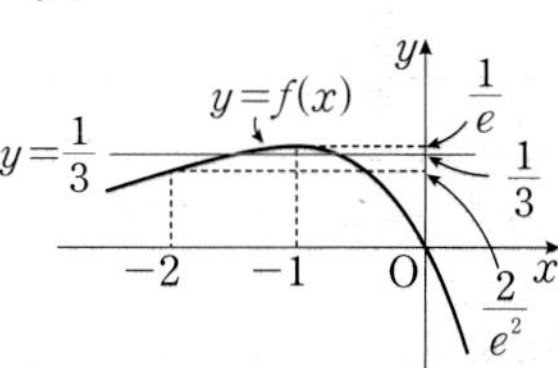

따라서 옳은 것은 ㄱ, ㄴ, ㄷ이다. 정답 ⑤

1371

정답 ⑤

STEP A 함수 $f(x)$의 증감표를 이용하여 그래프 그리기

$f(x)=x\ln x$에서 $f'(x)=\ln x+x\cdot\frac{1}{x}=\ln x+1$

$f'(x)=0$에서 $\ln x=-1$이므로 $x=\frac{1}{e}$

또한, $f''(x)=\frac{1}{x}$이므로 $x>0$에서 $f''(x)>0$

즉 $y=f(x)$는 구간 $(0, \infty)$에서 아래로 볼록하다.

함수 $f(x)$의 증가와 감소를 표로 나타내면 다음과 같다.

x	(0)	$\cdots$	$\frac{1}{e}$	$\cdots$
$f'(x)$		$-$	0	$+$
$f(x)$		↘	극소	↗

함수 $f(x)$는 $x=\frac{1}{e}$일 때,

극소이고 극솟값은

$f\left(\frac{1}{e}\right)=\frac{1}{e}\ln\frac{1}{e}=-\frac{1}{e}$

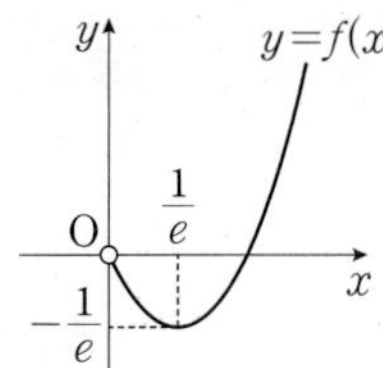

STEP B **[보기]의 참, 거짓 판단하기**

ㄱ. $x>0$에서 $f''(x)=\frac{1}{x}>0$이므로 $y=f(x)$의 그래프는 아래로 볼록하다.

즉 $0<a<b$일 때, $f\left(\frac{a+b}{2}\right)<\frac{f(a)+f(b)}{2}$를 만족한다. [참]

ㄴ. 함수 $f(x)$는 $x=\frac{1}{e}$일 때, 극소이고 극솟값은 $f\left(\frac{1}{e}\right)=\frac{1}{e}\ln\frac{1}{e}=-\frac{1}{e}$ [참]

ㄷ. ㄴ에서 함수 $f(x)$는 $x=\frac{1}{e}$에서

최솟값 $-\frac{1}{e}$을 갖는다.

또한, $\lim_{x\to\infty}f(x)=\infty$, $\lim_{x\to 0+}f(x)=0$

이므로 함수 $y=f(x)$의 그래프는

오른쪽 그림과 같다.

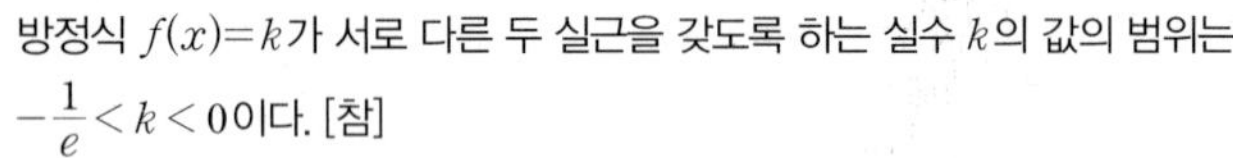

방정식 $f(x)=k$가 서로 다른 두 실근을 갖도록 하는 실수 k의 값의 범위는

$-\frac{1}{e}<k<0$이다. [참]

따라서 옳은 것은 ㄱ, ㄴ, ㄷ이다.

1372

정답 ③

STEP A **함수 $f(x)$의 증감표를 이용하여 그래프 그리기**

$f(x)=-2x^2+5x-\ln x$에서 $x>0$이고 $f'(x)=-4x+5-\frac{1}{x}$이므로

$f'(x)=0$에서 $x=\frac{1}{4}$ 또는 $x=1$

$f''(x)=-4+\frac{1}{x^2}$

$f''(x)=0$에서 $x=\frac{1}{2}$

함수 $f(x)$의 증가와 감소, 오목과 볼록을 표로 나타내면 다음과 같다.

x	(0)	$\cdots$	$\frac{1}{4}$	$\cdots$	$\frac{1}{2}$	$\cdots$	1	$\cdots$
$f'(x)$		$-$	0	$+$	$+$	$+$	0	$-$
$f''(x)$		$+$	$+$	$+$	0	$-$	$-$	$-$
$f(x)$		↘	극소	↗	변곡점	↗	극대	↘

$x=\frac{1}{4}$에서 극소이고 극솟값은 $f\left(\frac{1}{4}\right)=-\frac{1}{8}+\frac{5}{4}-\ln\frac{1}{4}=\frac{9}{8}+2\ln 2$

$x=1$에서 극대이고 극댓값은 $f(1)=3$

STEP B **[보기]의 참, 거짓 판단하기**

ㄱ. $x=1$에서 극대이고 극댓값은 $f(1)=3$ [참]

ㄴ. $f''\left(\frac{1}{2}\right)=0$이고 $x=\frac{1}{2}$의 좌우에서 $f''(x)$의 부호가 바뀌므로

점 $\left(\frac{1}{2}, 2+\ln 2\right)$는 변곡점이다. [참]

ㄷ. $0<x<\frac{1}{2}$에서 $f''(x)>0$이므로 $0<x<\frac{1}{2}$에서 아래로 볼록하다.

$0<a<b<\frac{1}{2}$에서 $f\left(\frac{a+b}{2}\right)<\frac{f(a)+f(b)}{2}$이다. [거짓]

따라서 옳은 것은 ㄱ, ㄴ이다.

내신연계 출제문항 536

함수 $f(x)=-x^2+3x-\ln x$의 그래프에 대한 설명으로 옳은 것만을 [보기]에서 있는 대로 고른 것은?

ㄱ. $x=1$에서 극댓값 2를 갖는다.
ㄴ. 변곡점은 2개이다.
ㄷ. x축과 한 점에서 만난다.

① ㄱ ② ㄴ ③ ㄱ, ㄴ
④ ㄱ, ㄷ ⑤ ㄴ, ㄷ

STEP A **함수 $f(x)$의 증감표를 이용하여 그래프 그리기**

함수 $f(x)$의 정의역은 양의 실수 전체의 집합이다.

$f'(x)=-2x+3-\frac{1}{x}$이므로 $f'(x)=0$에서 $x=\frac{1}{2}$ 또는 $x=1$

$f''(x)=-2+\frac{1}{x^2}$이므로 $f''(x)=0$에서 $x=\frac{\sqrt{2}}{2}$

$x>0$일 때, 함수 $f(x)$의 증가와 감소, 곡선 $y=f(x)$의 오목과 볼록을 표로 나타내면 다음과 같다.

x	(0)	$\cdots$	$\frac{1}{2}$	$\cdots$	$\frac{\sqrt{2}}{2}$	$\cdots$	1	$\cdots$
$f'(x)$		$-$	0	$+$	$+$	$+$	0	$-$
$f''(x)$		$+$	$+$	$+$	0	$-$	$-$	$-$
$f(x)$		↘	극소	↗	변곡점	↗	극대	↘

한편, $\lim_{x\to 0+}f(x)=\infty$, $\lim_{x\to\infty}f(x)=-\infty$

이므로 함수 $y=f(x)$의 그래프의 개형은 오른쪽 그림과 같다.

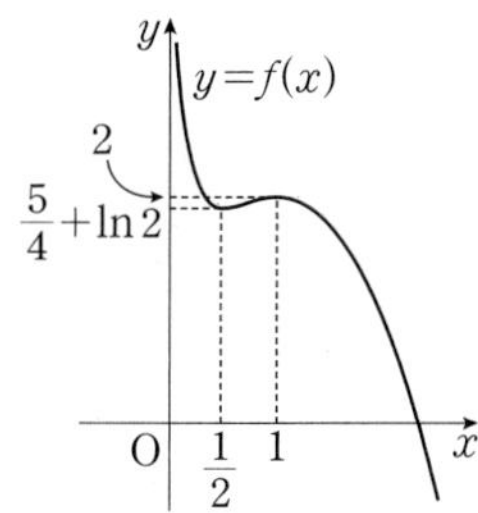

STEP B **[보기]의 참, 거짓 판단하기**

ㄱ. $x=1$에서 극댓값 2를 갖는다. [참]

ㄴ. $f''\left(\frac{\sqrt{2}}{2}\right)=0$이고 $x=\frac{\sqrt{2}}{2}$의 좌우에서 $f''(x)$의 부호가 바뀌므로

$x=\frac{\sqrt{2}}{2}$에서 변곡점을 가지므로 변곡점은 1개이다. [거짓]

ㄷ. $y=f(x)$의 그래프의 개형에서 x축과 한 점에서 만난다. [참]

따라서 옳은 것은 ㄱ, ㄷ이다.

정답 ④

1373

정답 ⑤

STEP A 함수 $f(x)$의 증감표를 이용하여 그래프 그리기

정의역은 실수 전체의 집합이다.

$f'(x)=-2xe^{-x^2}=0$에서 $x=0$

$f''(x)=-2e^{-x^2}+4x^2e^{-x^2}=2e^{-x^2}(2x^2-1)$

$f''(x)=0$에서 $x=-\frac{\sqrt{2}}{2}$ 또는 $x=\frac{\sqrt{2}}{2}$

함수 $f(x)$의 증가와 감소, 오목과 볼록을 표로 나타내면 다음과 같다.

x	$\cdots$	$-\frac{\sqrt{2}}{2}$	$\cdots$	0	$\cdots$	$\frac{\sqrt{2}}{2}$	$\cdots$
$f'(x)$	$+$	$+$	$+$	0	$-$	$-$	$-$
$f''(x)$	$+$	0	$-$	$-$	$-$	0	$+$
$f(x)$	↗	$\frac{1}{\sqrt{e}}$ (변곡점)	↗	1 (극댓값)	↘	$\frac{1}{\sqrt{e}}$ (변곡점)	↘

$\lim_{x\to\infty}f(x)=0$, $\lim_{x\to-\infty}f(x)=0$이므로 x축을 점근선으로 한다.

즉 함수 $f(x)=e^{-x^2}$의 그래프를 그리면 다음 그림과 같다.

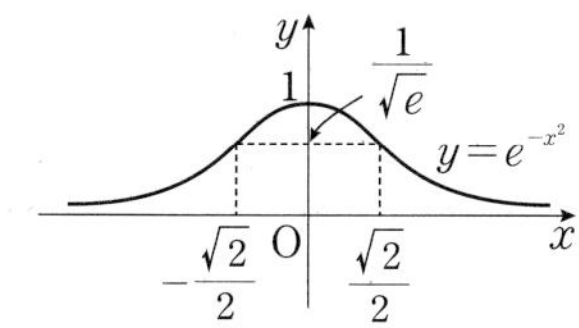

STEP B [보기]의 참, 거짓 판단하기

ㄱ. 극댓값은 1이고 극솟값은 없다. [거짓]

ㄴ. 변곡점은 $\left(-\frac{\sqrt{2}}{2}, \frac{1}{\sqrt{e}}\right)$, $\left(\frac{\sqrt{2}}{2}, \frac{1}{\sqrt{e}}\right)$이므로 2개이다. [참]

ㄷ. $-\frac{\sqrt{2}}{2}<x<\frac{\sqrt{2}}{2}$에서 $f''(x)<0$이므로 $f(x)$는 위로 볼록하다.

즉 $0<a<b<\frac{1}{2}$에서 $f\left(\frac{a+b}{2}\right)>\frac{f(a)+f(b)}{2}$이다. [참]

따라서 옳은 것은 ㄴ, ㄷ이다.

내신연계 출제문항 537

함수 $f(x)=e^{-2x^2}$에 대한 다음 [보기]의 설명 중 옳은 것을 고른 것은?

> ㄱ. $y=f(x)$의 그래프는 y축에 대하여 대칭이다.
> ㄴ. 치역은 $\{y\,|\,y\le 1\}$이다.
> ㄷ. $-\frac{1}{4}<a<b<\frac{1}{4}$에서 $f\left(\frac{a+b}{2}\right)<\frac{f(a)+f(b)}{2}$이다.
> ㄹ. $y=f(x)$의 그래프의 변곡점은 2개이다.

① ㄴ ② ㄷ ③ ㄱ, ㄹ
④ ㄱ, ㄷ, ㄹ ⑤ ㄴ, ㄷ, ㄹ

STEP A 함수 $f(x)$의 증감표를 이용하여 그래프 그리기

$f(x)=e^{-2x^2}$에서 $f'(x)=-4xe^{-2x^2}$

$f'(x)=0$에서 $x=0$

$f''(x)=-4e^{-2x^2}+(-4x)\cdot(-4xe^{-2x^2})$

$=4e^{-2x^2}(4x^2-1)$

$=4e^{-2x^2}(2x+1)(2x-1)$

$f''(x)=0$에서 $x=-\frac{1}{2}$ 또는 $x=\frac{1}{2}$

함수 $f(x)$의 증가와 감소, 오목과 볼록을 표로 나타내면 다음과 같다.

x	$\cdots$	$-\frac{1}{2}$	$\cdots$	0	$\cdots$	$\frac{1}{2}$	$\cdots$
$f'(x)$	$+$	$+$	$+$	0	$-$	$-$	$-$
$f''(x)$	$+$	0	$-$	$-$	$-$	0	$+$
$f(x)$	↗	$\frac{1}{\sqrt{e}}$	↗	1	↘	$\frac{1}{\sqrt{e}}$	↘

$\lim_{x\to\infty}e^{-2x^2}=0$, $\lim_{x\to-\infty}e^{-2x^2}=0$이므로 x축이 점근선이다.

따라서 함수 $f(x)=e^{-2x^2}$의 그래프는 오른쪽 그림과 같다.

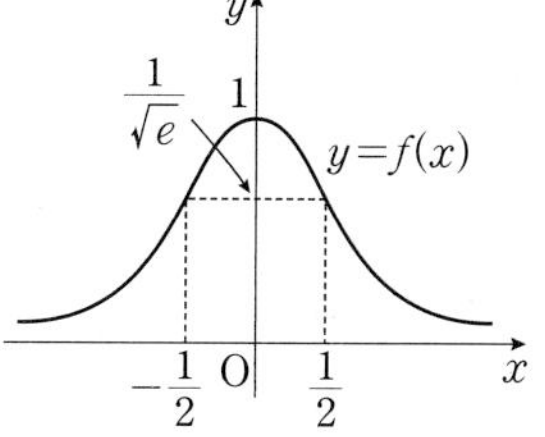

STEP B [보기]의 참, 거짓 판단하기

ㄱ. 모든 실수 x에 대하여 $f(-x)=e^{-2(-x)^2}=e^{-2x^2}=f(x)$이므로 $y=f(x)$의 그래프는 y축에 대하여 대칭이다. [참]

ㄴ. 치역은 $\{y\,|\,0<y\le 1\}$이다. [거짓]

ㄷ. 구간 $\left(-\frac{1}{2}, \frac{1}{2}\right)$에서 $f''(x)<0$이므로 이 구간에서 $y=f(x)$는 위로 볼록이다.

즉 $-\frac{1}{4}<a<b<\frac{1}{4}$에서 $f\left(\frac{a+b}{2}\right)>\frac{f(a)+f(b)}{2}$이다. [거짓]

ㄹ. 변곡점은 $\left(-\frac{1}{2}, \frac{1}{\sqrt{e}}\right)$, $\left(\frac{1}{2}, \frac{1}{\sqrt{e}}\right)$이다. [참]

따라서 옳은 것은 ㄱ, ㄹ이다. 정답 ③

1374

정답 ④

STEP A 함수 $f(x)$의 증감표를 작성하기

$f(x)=e^{-x}\cos x$에서

$f'(x)=-e^{-x}\cos x+e^{-x}(-\sin x)=-e^{-x}(\cos x+\sin x)$

$f''(x)=e^{-x}(\cos x+\sin x)-e^{-x}(-\sin x+\cos x)=2e^{-x}\sin x$

이때 $0<x<2\pi$에 대하여

$f'(x)=0$에서 $\cos x+\sin x=0$이므로 $x=\frac{3}{4}\pi$ 또는 $x=\frac{7}{4}\pi$

$f''(x)=0$에서 $\sin x=0$이므로 $x=\pi$

함수 $f(x)$의 증가와 감소, 오목과 볼록을 표로 나타내면 다음과 같다.

x	(0)	$\cdots$	$\frac{3}{4}\pi$	$\cdots$	π	$\cdots$	$\frac{7}{4}\pi$	$\cdots$	(2π)
$f'(x)$		$-$	0	$+$	$+$	$+$	0	$-$	
$f''(x)$		$+$	$+$	$+$	0	$-$	$-$	$-$	
$f(x)$		↘	극소	↗	$-e^{-\pi}$	↗	극대	↘	

STEP B [보기]의 참, 거짓 판단하기

ㄱ. $x=\frac{3}{4}\pi$에서 극소이다. [참]

ㄴ. $f''(x)=2e^{-x}\sin x$이고 $0<x<\pi$에서 $f''(x)>0$이므로 곡선 $y=f(x)$는 아래로 볼록하다. [거짓]

ㄷ. 함수 $f(x)$는 $x=\pi$에서 변곡점을 가지므로 $f(\pi)=-\frac{1}{e^{\pi}}$

즉 변곡점의 좌표는 $\left(\pi, -\frac{1}{e^{\pi}}\right)$이다. [참]

따라서 옳은 것은 ㄱ, ㄷ이다.

1375

정답 ④

STEP A 함수 $f(x)$의 증감표를 이용하여 그래프 그리기

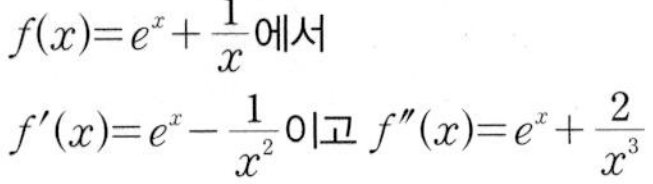

$f(x)=e^x+\frac{1}{x}$에서

$f'(x)=e^x-\frac{1}{x^2}$이고 $f''(x)=e^x+\frac{2}{x^3}$

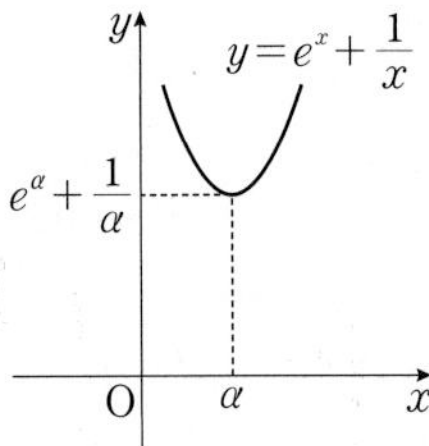

STEP B [보기]의 진위판단하기

ㄱ. 함수 $x=\alpha$에서 극값을 가지므로 $f'(\alpha)=e^{\alpha}-\frac{1}{\alpha^2}=0 \quad \therefore e^{\alpha}=\frac{1}{\alpha^2}$ [참]

ㄴ. 모든 양수 x에 대하여 $f''(x)=e^x+\frac{2}{x^3}>0$이므로

곡선 $y=f(x)$의 변곡점은 존재하지 않는다. [거짓]

ㄷ. $f'(\alpha)=0$이고 모든 양수 x에 대하여 $f''(x)>0$이므로

$f'(x)$는 증가하는 함수이다.

즉 함수 $f(x)$는 아래로 볼록이고 $x=\alpha$에서 극솟값을 최솟값으로 갖는다. [참]

따라서 옳은 것은 ㄱ, ㄷ이다.

1376

정답 ③

STEP A 함수 $f(x)$의 그래프의 개형을 그리기

$f(x)=4\ln x+\ln(10-x)$의 진수조건에 의하여 $x>0$, $10-x>0$

$\therefore 0<x<10$

$f(x)=4\ln x+\ln(10-x)$에서 $f'(x)=\frac{4}{x}+\frac{-1}{10-x}=\frac{-5(x-8)}{x(10-x)}$

$f'(x)=0$에서 $x=8$

함수 $f(x)$의 증가와 감소를 나타내는 표는 다음과 같다.

x	0	$\cdots$	8	$\cdots$	10
$f'(x)$		$+$	0	$-$	0
$f(x)$	$-\infty$	↗	$13\ln 2$	↘	$-\infty$

$x=8$일 때, 극댓값은 $f(8)=13\ln 2$이고

$\lim_{x\to 0+}f(x)=-\infty$, $\lim_{x\to 10-}f(x)=-\infty$이므로 그래프의 개형은 다음과 같다.

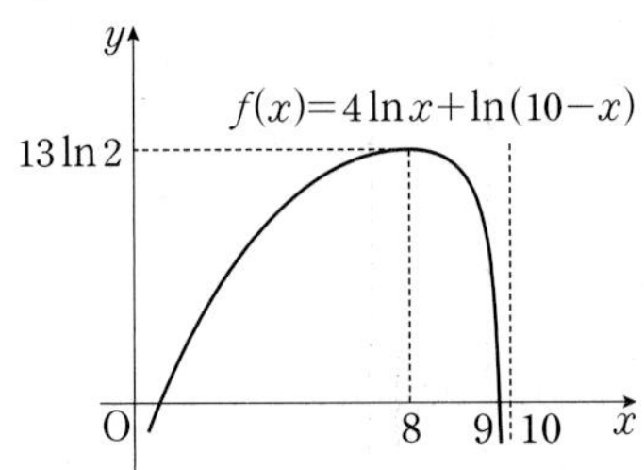

진수조건 $0<x<10$이므로 $f(x)$는 $x=8$에서 극대이고 최대이다.

STEP B 그래프에서 [보기]의 참, 거짓 판단하기

ㄱ. 함수 $f(x)$의 최댓값은 $13\ln 2$이다. [참]

다른풀이 $g(x)=x^4(10-x)$의 극대가 최대임을 이용하여 구하기

이때 $f(x)=\ln x^4+\ln(10-x)=\ln x^4(10-x)$에서

$g(x)=x^4(10-x)=-x^5+10x^4$로 놓으면

$g'(x)=-5x^4+40x^3=-5x^3(x-8)$이므로

$x=8$에서 극댓값이자 최댓값 $g(8)=8^4(10-8)=2^{13}$을 갖는다.

$\left(\therefore \lim_{x\to 0+}f(x)=-\infty,\ \lim_{x\to 10-}f(x)=-\infty\right)$

이때 $f(x)=\ln g(x)$에서 밑 e가 1보다 크므로 $f(x)$는 $x=8$일 때,

최댓값 $f(8)=\ln g(8)=\ln 2^{13}=13\ln 2$ [참]

ㄴ. 함수 $y=f(x)$의 그래프는 x축과 서로 다른 두 점에서 만나므로

방정식 $f(x)=0$이 서로 다른 두 실근을 갖는다. [참]

ㄷ. $f(x)=\ln x^4+\ln(10-x)=\ln x^4(10-x)$에서

$g(x)=x^4(10-x)=-x^5+10x^4$로 놓으면

$y=e^{f(x)}=e^{\ln g(x)}=g(x)^{\ln e}=g(x)$

$g'(x)=-5x^4+40x^3$이므로

$g''(x)=-20x^3+120x^2=-20x^2(x-6)=0$에서

$g(x)$는 $x=6$일 때, 변곡점이다.

즉 $y=e^{f(x)}$의 그래프는 $0<x<6$에서 $y''>0$이므로 아래로 볼록하고

$6<x<10$일 때, $y''<0$이므로 위로 볼록하다. [거짓]

다른풀이 함수 $y=e^{f(x)}$를 미분하여 y''의 부호 알아보기

함수 $y=e^{f(x)}$에서 $y'=f'(x)e^{f(x)}$

$y''=f''(x)e^{f(x)}+f'(x)\cdot f'(x)e^{f(x)}=[f''(x)+\{f'(x)\}^2]e^{f(x)}$

이때 $e^{f(x)}>0$이므로 $f''(x)+\{f'(x)\}^2$의 부호를 조사하면

$$f''(x)+\{f'(x)\}^2=-\frac{4}{x^2}+\frac{-1}{(x-10)^2}+\left\{\frac{5(x-8)}{x(x-10)}\right\}^2$$

$$=\frac{-4(x-10)^2-x^2+25(x-8)^2}{x^2(x-10)^2}$$

$$=\frac{20x^2-320x+1200}{x^2(x-10)^2}$$

$$=\frac{20(x-6)}{x^2(x-10)}$$

즉 $0<x<6$에서 곡선 $y''>0$이므로 $y=e^{f(x)}$의 그래프는 아래로 볼록하고 $6<x<10$일 때, $y''<0$이므로 위로 볼록하다. [거짓]

따라서 옳은 것은 ㄱ, ㄴ이다.

1377

정답 ⑤

STEP A $f'(x)=0$, $f''(x)=0$인 x의 값 구하기

$f'(x)=1+2\cos x$

$f'(x)=0$에서 $\cos x=-\frac{1}{2}$

$\therefore x=\frac{2}{3}\pi$ 또는 $x=\frac{4}{3}\pi$

STEP B 함수 $f(x)$의 증가와 감소를 표로 나타내어 그래프 그리기

함수 $f(x)$의 증가와 감소를 표로 나타내면 다음과 같다.

x	$\cdots$	$\frac{2}{3}\pi$	$\cdots$	$\frac{4}{3}\pi$	$\cdots$
$f'(x)$	$+$	0	$-$	0	$+$
$f(x)$	↗	극대	↘	극소	↗

함수 $f(x)$는 $x=\frac{2}{3}\pi$에서 극대이고

극댓값은 $f\left(\frac{2}{3}\pi\right)=\frac{2}{3}\pi+\sqrt{3}$

$x=\frac{4}{3}\pi$에서 극대이고 극솟값은

$f\left(\frac{4}{3}\pi\right)=\frac{4}{3}\pi-\sqrt{3}$이므로 그래프의 개형은 오른쪽 그림과 같다.

STEP C 그래프에서 [보기]의 참, 거짓 판단하기

ㄱ. 함수 $f(x)$는 $x=\frac{2}{3}\pi$에서 극댓값을 $x=\frac{4}{3}\pi$에서 극솟값을 갖는다. [참]

ㄴ. 극댓값은 $f\left(\frac{2}{3}\pi\right)=\frac{2}{3}\pi+\sqrt{3}$과 극솟값은 $f\left(\frac{4}{3}\pi\right)=\frac{4}{3}\pi-\sqrt{3}$이므로

합은 2π이다. [참]

ㄷ. $0<a<b<\frac{\pi}{2}$일 때, $a>0$, $b>0$이므로

부등식 $af(b)<bf(a)$에서 $\frac{f(b)}{b}<\frac{f(a)}{a}$이다.

⬅ $0<a<b<\frac{\pi}{2}$에서 원점과 점 $(a,\ f(a))$를 이은 직선의 기울기가 원점과 점 $(b,\ f(b))$를 이은 직선의 기울기보다 크다.

이때 $f''(x)=-2\sin x$ 이므로

$0<x<\frac{\pi}{2}$일 때, $f''(x)<0$

즉 곡선 $y=f(x)$는 위로 볼록이다.

$f(0)=0$이고 $0<x<\frac{\pi}{2}$일 때,

$f'(x)>0$이므로 함수 $y=f(x)$의 그래프의 개형은 오른쪽과 같다. [참]

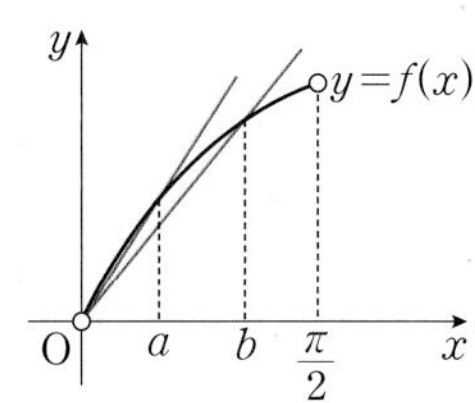

따라서 옳은 것은 ㄱ, ㄴ, ㄷ이다.

1378

정답 ③

STEP Ⓐ $f'(x)=0$, $f''(x)=0$인 x의 값 구하기

$f(x)$의 정의역은 실수 전체의 집합이고 $f(0)=0$이므로 원점을 지난다.

$f(x)=\frac{2x}{x^2+1}$에서

$f'(x)=\frac{2(x^2+1)-2x\cdot 2x}{(x^2+1)^2}=\frac{-2(x^2-1)}{(x^2+1)^2}=\frac{-2(x-1)(x+1)}{(x^2+1)^2}$

$f''(x)=\frac{-4x(x^2+1)^2+2(x^2-1)\cdot 2(x^2+1)\cdot 2x}{(x^2+1)^4}=\frac{4x(x^2-3)}{(x^2+1)^3}$

$f'(x)=0$에서 $x=-1$ 또는 $x=1$

$f''(x)=0$에서 $x=-\sqrt{3}$ 또는 $x=0$ 또는 $x=\sqrt{3}$

한편 $f(-x)=-f(x)$이므로 이 함수의 그래프는 원점에 대하여 대칭이다.

함수 $f(x)$의 증가와 감소, 오목과 볼록을 표로 나타내면 다음과 같다.

x	$\cdots$	$-\sqrt{3}$	$\cdots$	-1	$\cdots$	0	$\cdots$	1	$\cdots$	$\sqrt{3}$	$\cdots$
$f'(x)$	$-$	$-$	$-$	0	$+$	$+$	$+$	0	$-$	$-$	$-$
$f''(x)$	$-$	0	$+$	$+$	$+$	0	$-$	$-$	$-$	0	$+$
$f(x)$	↘	$-\frac{\sqrt{3}}{2}$	↘	-1	↗	0	↗	1	↘	$\frac{\sqrt{3}}{2}$	↘

$\lim_{x\to\infty}f(x)=0$, $\lim_{x\to-\infty}f(x)=0$이므로 점근선은 x축이다.

즉 함수 $y=f(x)$의 그래프는 그림과 같다.

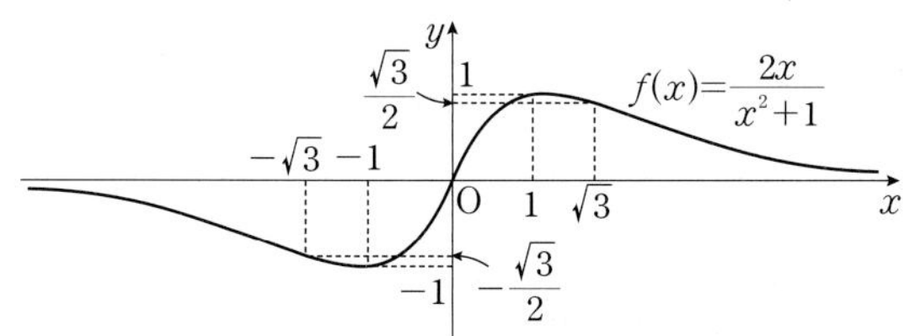

STEP Ⓑ [보기]의 참, 거짓 판단하기

ㄱ. $f(-x)=-f(x)$이므로 그래프는 원점에 대하여 대칭이다. [참]

ㄴ. $x=-\sqrt{3}$, $x=0$, $x=\sqrt{3}$의 좌우에서 $f''(x)$의 부호가 바뀌므로 변곡점은 3개이다. [참]

ㄷ. $f(x)$의 최댓값은 $f(1)=1$, 최솟값은 $f(-1)=-1$ [참]

ㄹ. $-\sqrt{3}<x<0$에서 $f''(x)>0$이므로 $f(x)$는 아래로 볼록이다.

즉 $-\sqrt{3}<a<b<0$에서 $f\left(\frac{a+b}{2}\right)<\frac{f(a)+f(b)}{2}$이다. [거짓]

따라서 옳은 것은 ㄱ, ㄴ, ㄷ이다.

내신연계 출제문항 538

함수 $f(x)=\frac{2x}{x^2+1}$의 그래프에 대한 설명으로 옳은 것만을 [보기]에서 고른 것은?

ㄱ. 함수 $f(x)$의 치역은 $\{y|-1\le y\le 1\}$이다.

ㄴ. $0<a<b<\sqrt{3}$에서 $f'(a)>\frac{f(b)-f(a)}{b-a}$이다.

ㄷ. 방정식 $f(x)=x$는 서로 다른 세 실근을 가진다.

① ㄱ ② ㄴ ③ ㄷ
④ ㄱ, ㄴ ⑤ ㄱ, ㄴ, ㄷ

STEP Ⓐ $f'(x)=0$, $f''(x)=0$인 x의 값 구하기

$f(x)$의 정의역은 실수 전체의 집합이고 $f(0)=0$이므로 원점을 지난다.

$f(x)=\frac{2x}{x^2+1}$에서

$f'(x)=\frac{2(x^2+1)-2x\cdot 2x}{(x^2+1)^2}=\frac{-2(x^2-1)}{(x^2+1)^2}=\frac{-2(x-1)(x+1)}{(x^2+1)^2}$

$f''(x)=\frac{-4x(x^2+1)^2+2(x^2-1)\cdot 2(x^2+1)\cdot 2x}{(x^2+1)^4}=\frac{4x(x^2-3)}{(x^2+1)^3}$

$f'(x)=0$에서 $x=-1$ 또는 $x=1$

$f''(x)=0$에서 $x=-\sqrt{3}$ 또는 $x=0$ 또는 $x=\sqrt{3}$

한편 $f(-x)=-f(x)$이므로 이 함수의 그래프는 원점에 대하여 대칭이다.

함수 $f(x)$의 증가와 감소, 오목과 볼록을 표로 나타내면 다음과 같다.

x	$\cdots$	$-\sqrt{3}$	$\cdots$	-1	$\cdots$	0	$\cdots$	1	$\cdots$	$\sqrt{3}$	$\cdots$
$f'(x)$	$-$	$-$	$-$	0	$+$	$+$	$+$	0	$-$	$-$	$-$
$f''(x)$	$-$	0	$+$	$+$	$+$	0	$-$	$-$	$-$	0	$+$
$f(x)$	↘	$-\frac{\sqrt{3}}{2}$	↘	-1	↗	0	↗	1	↘	$\frac{\sqrt{3}}{2}$	↘

$\lim_{x\to\infty}f(x)=0$, $\lim_{x\to-\infty}f(x)=0$이므로 점근선은 x축이다.

즉 함수 $y=f(x)$의 그래프는 그림과 같다.

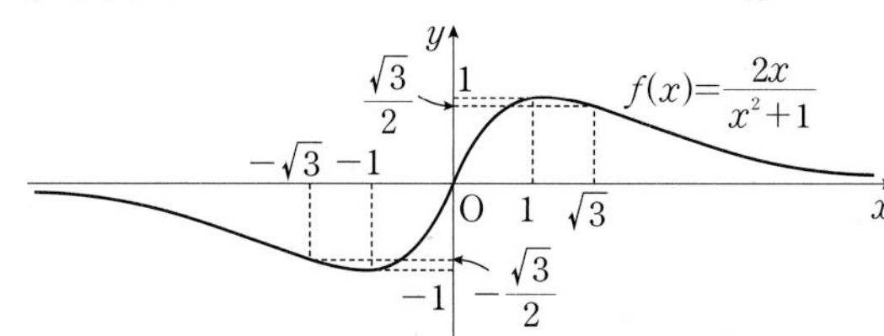

STEP Ⓑ [보기]의 참, 거짓 판단하기

ㄱ. 함수 $f(x)$의 치역은 $\{y|-1\le y\le 1\}$이다. [참]

ㄴ. $0<x<\sqrt{3}$에서 $f''(x)<0$이므로 함수 $y=f(x)$는 위로 볼록하므로

$f'(a)>\frac{f(b)-f(a)}{b-a}$인 a, b가 존재한다. [참]

ㄷ. $f'(0)=2$이므로 함수 $y=f(x)$의 그래프는 직선 $y=x$와 다음 그림과 같이 세 점에서 만나므로 방정식 $f(x)=x$는 서로 다른 세 실근을 갖는다. [참]

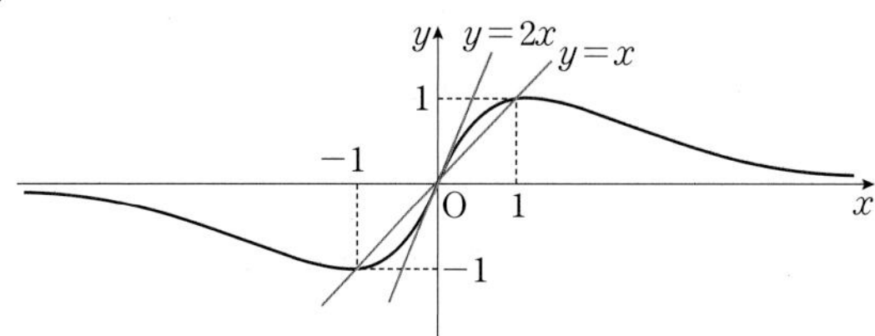

따라서 옳은 것은 ㄱ, ㄴ, ㄷ이다.

정답 ⑤

1379

 ②

STEP A $y=\dfrac{2x}{x^2+1}$ **의 그래프와 직선 $y=k$와 만나도록 하는 k의 범위 구하기**

$f(x)=\dfrac{2x}{x^2+1}$로 놓으면

$f'(x)=\dfrac{2(x^2+1)-2x\cdot 2x}{(x^2+1)^2}=\dfrac{-2(x^2-1)}{(x^2+1)^2}=\dfrac{-2(x-1)(x+1)}{(x^2+1)^2}$

$f''(x)=\dfrac{-4x(x^2+1)^2+2(x^2-1)\cdot 2(x^2+1)\cdot 2x}{(x^2+1)^4}=\dfrac{4x(x^2-3)}{(x^2+1)^3}$

$f'(x)=0$에서 $x=-1$ 또는 $x=1$

$f''(x)=0$에서 $x=-\sqrt{3}$ 또는 $x=0$ 또는 $x=\sqrt{3}$

함수 $f(x)$의 증가와 감소, 오목과 볼록을 표로 나타내면 다음과 같다.

x	$\cdots$	$-\sqrt{3}$	$\cdots$	-1	$\cdots$	0	$\cdots$	1	$\cdots$	$\sqrt{3}$	$\cdots$
$f'(x)$	$-$	$-$	$-$	0	$+$	$+$	$+$	0	$-$	$-$	$-$
$f''(x)$	$-$	0	$+$	$+$	$+$	0	$-$	$-$	$-$	0	$+$
$f(x)$	↘	$-\dfrac{\sqrt{3}}{2}$	↘	-1	↗	0	↗	1	↘	$\dfrac{\sqrt{3}}{2}$	↘

$\lim_{x\to\infty}f(x)=0$, $\lim_{x\to-\infty}f(x)=0$이므로 점근선은 x축이다.

즉 함수 $y=f(x)$의 그래프는 다음 그림과 같다.

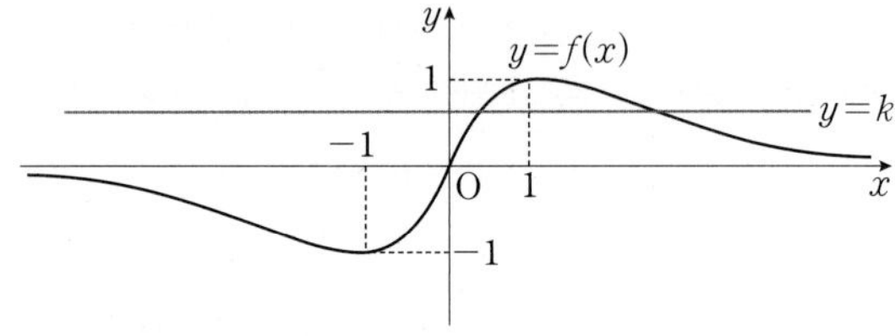

STEP C 정수 k의 개수 구하기

방정식 $\dfrac{2x}{x^2+1}=k$가 적어도 하나의 실근을 가지려면 $y=f(x)$의 그래프와 직선 $y=k$가 교점을 갖도록 한다.

k의 값의 범위는 $-1\le k\le 1$

따라서 정수 k는 -1, 0, 1이므로 3

1380

 ①

STEP A $f'(x)$**를 이용하여 $y=f(x)$의 그래프 개형 그리기**

$f(x)=\dfrac{2x}{x^2+1}$에서

$f'(x)=\dfrac{2(x^2+1)-2x\cdot 2x}{(x^2+1)^2}=\dfrac{-2x^2+2}{(x^2+1)^2}$

$f'(x)=0$에서 $x=-1$ 또는 $x=1$

함수 $f(x)$의 증가와 감소를 표로 나타내면 다음과 같다.

x	$\cdots$	-1	$\cdots$	1	$\cdots$
$f'(x)$	$-$	0	$+$	0	$-$
$f(x)$	↘	-1	↗	1	↘

$f(0)=0$, $\lim_{x\to\infty}f(x)=0$, $\lim_{x\to-\infty}f(x)=0$이므로

함수 $f(x)$의 그래프는 다음 그림과 같다.

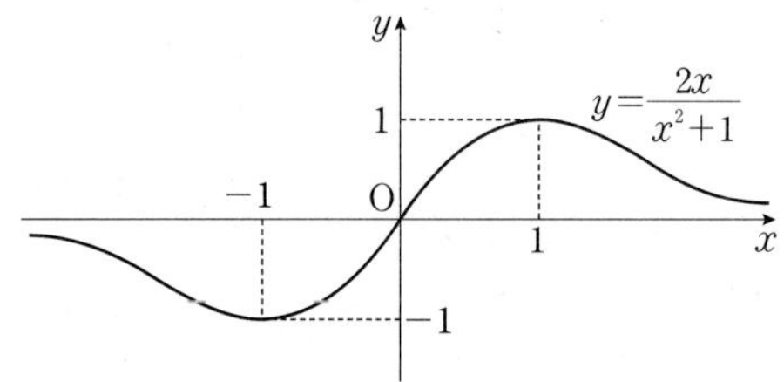

STEP B 최댓값과 최솟값을 구하여 a의 범위 구하기

함수 $f(x)$는 $x=1$에서 최댓값 1, $x=-1$에서 최솟값 -1을 갖는다.

구간 $[-a-1,\ a]$에서 $M+m=0$이려면

이 구간에서 함수 $f(x)$가 최댓값과 최솟값을 모두 가져야하므로 $a\ge 1$

따라서 a의 최솟값은 1

내신연계 출제문항 539

양수 a에 대하여 닫힌구간 $[-a,\ a]$에서 함수

$$f(x)=\frac{x-5}{(x-5)^2+36}$$

의 최댓값을 M, 최솟값을 m이라 할 때, $M+m=0$이 되도록 하는 a의 최솟값은?

① 11 ② 12 ③ 13
④ 14 ⑤ 15

STEP A $f'(x)$**를 이용하여 $y=f(x)$의 그래프 개형 그리기**

$f(x)=\dfrac{x-5}{(x-5)^2+36}$에서

$f'(x)=\dfrac{1\cdot\{(x-5)^2+36\}-(x-5)\cdot 2(x-5)}{\{(x-5)^2+36\}^2}$

$=\dfrac{36-(x-5)^2}{\{(x-5)^2+36\}^2}$

$=\dfrac{(1+x)(11-x)}{\{(x-5)^2+36\}^2}$

$f'(x)=0$에서 $x=11$ 또는 $x=-1$

함수 $f(x)$의 증가와 감소를 표로 나타내면 다음과 같다.

x	$\cdots$	-1	$\cdots$	11	$\cdots$
$f'(x)$	$-$	0	$+$	0	$-$
$f(x)$	↘	극소	↗	극대	↘

$f(5)=0$, $x=-1$에서 극솟값 $-\dfrac{1}{12}$이고 $x=11$에서 극댓값 $\dfrac{1}{12}$

$\lim_{n\to\pm\infty}f(x)=0$이므로 $y=0$을 점근선으로 한다.

함수 $y=f(x)$의 그래프의 개형은 다음 그림과 같다.

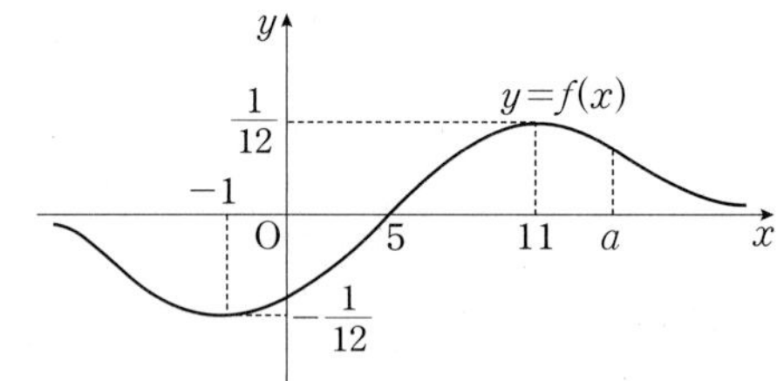

STEP B 최댓값과 최솟값의 합이 0이 되기 위한 a의 범위 구하기

즉 $x=-1$에서 최솟값 $-\dfrac{1}{12}$, $x=11$에서 최댓값 $\dfrac{1}{12}$을 가지고

$[-a,\ a]$에서 (최댓값)+(최솟값)$=0$이 되려면 $-a\le -1$, $a\ge 11$이므로

$a\ge 11$

따라서 a의 최솟값은 11

정답 ①

참고

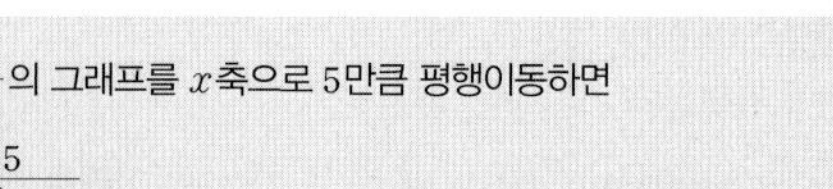

$y=\dfrac{x}{x^2+36}$의 그래프를 x축으로 5만큼 평행이동하면

$y=\dfrac{x-5}{(x-5)^2+36}$

1381

정답 ④

STEP A $f'(x)=0$, $f''(x)=0$**인** x**의 값 구하기**

함수 $f(x)$는 $x \neq 1$인 모든 실수 x에서 정의한다.

$f'(x)=\dfrac{2x(x-1)-x^2}{(x-1)^2}=\dfrac{x(x-2)}{(x-1)^2}$

$f'(x)=0$에서 $x=0$ 또는 $x=2$

$f''(x)=\dfrac{(2x-2)(x-1)^2-(x^2-2x)\cdot 2(x-1)}{(x-1)^4}=\dfrac{2}{(x-1)^3}$

이므로 $f''(x)=0$인 x의 값은 존재하지 않는다.

STEP B **함수** $f(x)$**의 증가와 감소를 표로 나타내어 그래프 그리기**

함수 $f(x)$의 증가와 감소를 표로 나타내면 다음과 같다.

x	$\cdots$	0	$\cdots$	(1)	$\cdots$	2	$\cdots$
$f'(x)$	+	0	−		−	0	+
$f''(x)$	−	−	−		+	+	+
$f(x)$	↗	극대	↘		↘	극소	↗

$\lim_{x\to-\infty}f(x)=-\infty$, $\lim_{x\to\infty}f(x)=\infty$, $\lim_{x\to1-}f(x)=-\infty$, $\lim_{x\to1+}f(x)=\infty$

이므로 함수 $y=f(x)$의 그래프의 개형은 다음 그림과 같다.

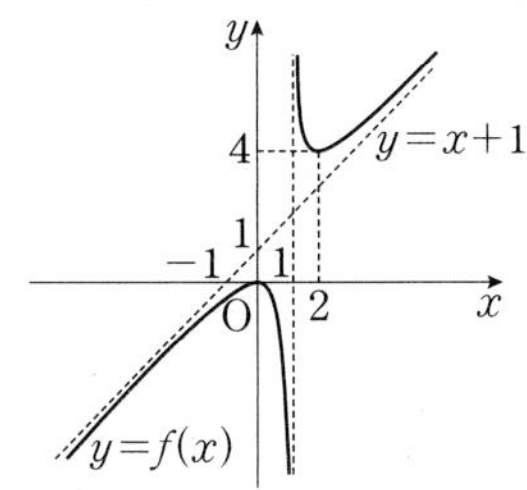

STEP C **[보기]의 진위판단하기**

ㄱ. 함수 $f(x)$는 $x=2$에서 극솟값을 $x=0$에서 극댓값을 갖는다. [참]

ㄴ. 함수 $f(x)$의 변곡점은 존재하지 않는다. [거짓]

ㄷ. $\lim_{x\to1-}f(x)=-\infty$, $\lim_{x\to1+}f(x)=\infty$이므로

직선 $x=1$은 함수 $y=f(x)$의 그래프의 점근선이다.

또한, $f(x)=\dfrac{x^2}{x-1}=\dfrac{(x-1)(x+1)+1}{x-1}=x+1+\dfrac{1}{x-1}$에서

$x\to\infty$ 또는 $x\to-\infty$일 때, $f(x)\to x+1$이므로

직선 $y=x+1$은 함수 $y=f(x)$의 그래프의 점근선이다.

즉 점근선의 방정식은 $x=1$, $y=x+1$이다. [참]

따라서 옳은 것은 ㄱ, ㄷ이다.

1382

정답 ③

STEP A **함수의 도함수를 이용하여** $f'(0)$ **구하기**

함수 $f(x)=\dfrac{x}{x^2+1}$에서

$f'(x)=\dfrac{1\cdot(x^2+1)-x(2x)}{(x^2+1)^2}=\dfrac{1-x^2}{(x^2+1)^2}$

$f''(x)=\dfrac{(-2x)(x^2+1)^2-(1-x^2)\{2(x^2+1)\cdot 2x\}}{(x^2+1)^4}$

$=\dfrac{2x(x^2+1)\{-(x^2+1)-2(1-x^2)\}}{(x^2+1)^4}=\dfrac{2x(x^2-3)}{(x^2+1)^3}$

ㄱ. $f'(x)=\dfrac{1-x^2}{(x^2+1)^2}$에서 $f'(0)=\dfrac{1}{1}=1$ [참]

STEP B **극댓값, 극솟값, 점근선을 이용하여** $f(x)\ge-\dfrac{1}{2}$ **구하기**

ㄴ. $f'(x)=\dfrac{1-x^2}{(x^2+1)^2}=0$에서 $x=-1$ 또는 $x=1$

함수 $f(x)$의 증가와 감소를 표로 나타내면 다음과 같다.

x	$\cdots$	−1	$\cdots$	1	$\cdots$
$f'(x)$	−	0	+	0	−
$f(x)$	↘	$-\dfrac{1}{2}$	↗	$\dfrac{1}{2}$	↘

함수 $f(x)$는 $x=-1$에서 극솟값 $-\dfrac{1}{2}$을 갖고 $x=1$에서 극댓값 $\dfrac{1}{2}$을 갖는다.

$\lim_{x\to\infty}f(x)=\lim_{x\to\infty}\dfrac{x}{x^2+1}=0$

$x>0$일 때, $f(x)>0$이므로 함수 $f(x)$는 $x=-1$에서 극소이면서 최소이다.

따라서 모든 실수 x에 대하여 $f(x)\ge-\dfrac{1}{2}$이다. [참]

STEP C **평균값 정리를 이용하여** $\dfrac{f(b)-f(a)}{b-a}<f'(0)=1$**임을 보이기**

ㄷ. $f''(x)=\dfrac{2x(x^2-3)}{(x^2+1)^3}$이므로 $f''(x)=0$에서

$x=0$ 또는 $x=-\sqrt{3}$ 또는 $x=\sqrt{3}$

$f''(x)$의 증가와 감소를 표로 나타내면 다음과 같다.

x	$\cdots$	$-\sqrt{3}$	$\cdots$	0	$\cdots$	$\sqrt{3}$	$\cdots$
$f''(x)$	−	0	+	0	−	0	+
$f'(x)$		$-\dfrac{\sqrt{3}}{4}$		1		$\dfrac{\sqrt{3}}{4}$	

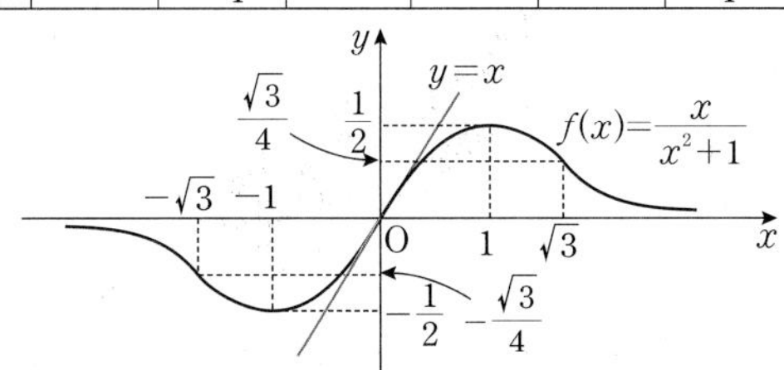

함수 $f'(x)$는 $x<-\sqrt{3}$ 또는 $0<x<\sqrt{3}$에서 감소하고

$-\sqrt{3}<x<0$ 또는 $x>\sqrt{3}$에서 증가하므로 함수 $f'(x)$는

열린구간 $(0, 1)$에서 감소한다.

즉 $0<x<1$인 모든 실수 x에 대하여

$f'(x)<f'(0)=1$ …… ㉠

함수 $f(x)$가 닫힌구간 $[0, 1]$에서 연속이고 열린구간 $(0, 1)$에서

미분가능하므로 평균값의 정리에 의하여 $0<a<b<1$인

모든 실수 a, b에 대하여 $\dfrac{f(b)-f(a)}{b-a}=f'(c)$를 만족시키는 c가 열린구간

$(0, 1)$에 적어도 하나 존재한다. …… ㉡

㉠, ㉡에서 $0<a<b<1$일 때, $\dfrac{f(b)-f(a)}{b-a}<f'(0)=1$이다. [거짓]

따라서 옳은 것은 ㄱ, ㄴ이다.

내신연계 출제문항 540

다음 [보기]에서 함수 $f(x)=\dfrac{x}{x^2+1}$에 대한 설명으로 옳은 것은?

> ㄱ. 함수 $f(x)$는 $x=-1$에서 극솟값을 가진다.
> ㄴ. 함수 $y=f(x)$의 변곡점은 3개이다.
> ㄷ. 모든 실수 x에 대하여 $f'(-x)=f'(x)$이다.
> ㄹ. $0<a<b<\sqrt{3}$에서 $f\left(\dfrac{a+b}{2}\right)>\dfrac{f(a)+f(b)}{2}$이다.

① ㄱ ② ㄷ ③ ㄱ, ㄴ, ㄷ
④ ㄱ, ㄷ, ㄹ ⑤ ㄱ, ㄴ, ㄷ, ㄹ

STEP A $f'(x)=0$, $f''(x)=0$**인** x**의 값 구하기**

$f'(x)=\dfrac{x^2+1-x\cdot 2x}{(x^2+1)^2}=\dfrac{-(x^2-1)}{(x^2+1)^2}=-\dfrac{(x+1)(x-1)}{(x^2+1)^2}$

$f''(x)\dfrac{-2x(x^2+1)^2+(x^2-1)\cdot 2(x^2+1)\cdot 2x}{(x^2+1)^4}=\dfrac{2x(x+\sqrt{3})(x-\sqrt{3})}{(x^2+1)^3}$

$f'(x)=0$에서 $x=-1$ 또는 $x=1$

$f''(x)=0$에서 $x=-\sqrt{3}$ 또는 $x=0$ 또는 $x=\sqrt{3}$

함수 $f(x)$의 증가와 감소, 오목과 볼록을 표로 나타내면 다음과 같다.

x	$\cdots$	$-\sqrt{3}$	$\cdots$	-1	$\cdots$	0	$\cdots$	1	$\cdots$	$\sqrt{3}$	$\cdots$
$f'(x)$	$-$	$-$	$-$	0	$+$	$+$	$+$	0	$-$	$-$	$-$
$f''(x)$	$-$	0	$+$	$+$	$+$	0	$-$	$-$	$-$	0	$+$
$f(x)$	↘	$-\frac{\sqrt{3}}{4}$	↘	$-\frac{1}{2}$	↗	0	↗	$\frac{1}{2}$	↘	$\frac{\sqrt{3}}{4}$	↘

함수 $f(x)$의 정의역은 실수 전체의 집합이다.

모든 실수 x에 대하여 $f(-x)=-f(x)$이므로 함수 $y=f(x)$의 그래프는 원점에 대하여 대칭이다.

$f(0)=0$이므로 원점을 지난다.

$\lim_{x\to\infty} f(x)=0,\ \lim_{x\to-\infty} f(x)=0$이므로 x축이 점근선이다.

따라서 $f(x)=\frac{x}{x^2+1}$의 그래프의 개형을 그리면 다음 그림과 같다.

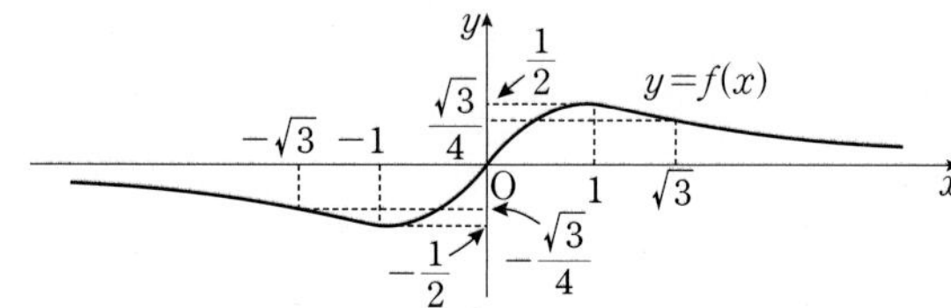

STEP B [보기]의 참, 거짓 판단하기

ㄱ. 함수 $f(x)$는 $x=-1$에서 극솟값을 가진다. [참]

ㄴ. $x=-\sqrt{3},\ x=0,\ x=\sqrt{3}$의 좌우에서 $f''(x)$의 부호가 바뀌므로 변곡점은 3개이다. [참]

ㄷ. 모든 실수 x에 대하여 $f(-x)=-f(x)$이므로 함수 $y=f(x)$의 그래프는 원점에 대하여 대칭이고 $f'(-x)=f'(x)$이다. [참]

ㄹ. $0<x<\sqrt{3}$에서 $f''(x)<0$ 이므로 $f(x)$는 위로 볼록이다.

$0<a<b<\sqrt{3}$에서 $f\left(\frac{a+b}{2}\right)>\frac{f(a)+f(b)}{2}$이다. [참]

따라서 옳은 것은 ㄱ, ㄴ, ㄷ, ㄹ이다.

정답 ⑤

1383

정답 ②

STEP A $f'(x)=0$인 x의 값 구하기

$f(x)=\frac{\ln x}{x}$로 놓으면

$$f'(x)=\frac{\frac{1}{x}\cdot x-\ln x\cdot 1}{x^2}=\frac{1-\ln x}{x^2}$$

$f'(x)=0$에서 $x=e$

STEP B 함수 $f(x)$의 증감표를 이용하여 극댓값 구하기

함수 $f(x)$의 증가와 감소를 표로 나타내면 다음과 같다.

x	(0)	$\cdots$	e	$\cdots$
$f'(x)$		$+$	0	$-$
$f(x)$		↗	$\frac{1}{e}$	↘

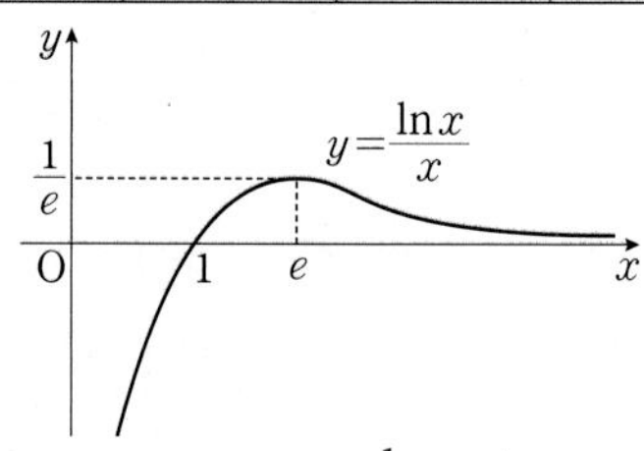

따라서 $x=e$에서 극대이고 극댓값 $f(e)=\frac{1}{e}$ $\quad\therefore ab=e\cdot\frac{1}{e}=1$

1384

정답 ③

STEP A $f'(x)=0$인 x의 값 구하기

$f(x)=\frac{\ln x}{x}$로 놓으면

$$f'(x)=\frac{\frac{1}{x}\cdot x-\ln x}{x^2}=\frac{1-\ln x}{x^2}$$

$f'(x)=0$에서 $x=e$

STEP B 함수 $f(x)$의 증감표를 이용하여 극댓값 구하기

$x>0$에서 함수 $f(x)$의 증가와 감소를 표로 나타내면 다음과 같다.

x	(0)	$\cdots$	e	$\cdots$
$f'(x)$		$+$	0	$-$
$f(x)$		↗	$\frac{1}{e}$	↘

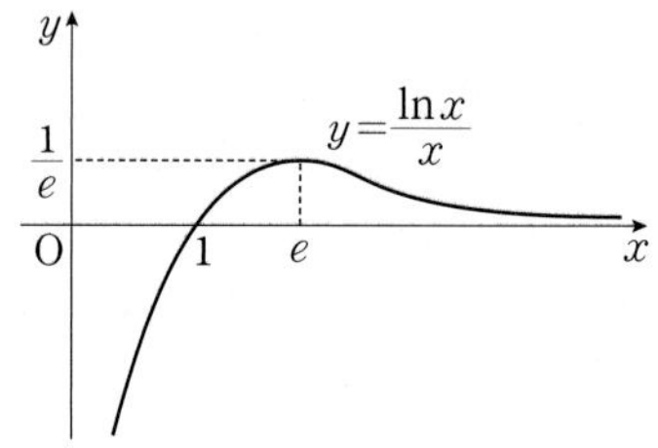

따라서 함수 $f(x)$는 $x=e$에서 극대이면서 최대이다.

내신연계 출제문항 541

$1\le x\le e^3$에서 함수 $y=-\frac{\ln x}{x}$의 최댓값을 M, 최솟값을 m이라 할 때, $M+m$의 값은?

① -1 ② $-\frac{1}{e}$ ③ $-\frac{1}{2}$

④ $\frac{2}{e}$ ⑤ e

STEP A $f'(x)=0$인 x의 값 구하기

$f(x)=-\frac{\ln x}{x}$로 놓으면

$$f'(x)=-\frac{\frac{1}{x}\cdot x-\ln x}{x^2}=\frac{\ln x-1}{x^2}$$

$f'(x)=0$에서 $x=e$

STEP B $1\le x\le e^3$에서 최댓값, 최솟값 구하기

$1\le x\le e^3$에서 함수 $f(x)$의 증가와 감소를 표로 나타내면 다음과 같다.

x	1	$\cdots$	e	$\cdots$	e^3
$f'(x)$		$-$	0	$+$	
$f(x)$	0	↘	$-\frac{1}{e}$	↗	$-\frac{3}{e^3}$

함수 $f(x)$는

$x=1$일 때, 최댓값 $M=f(1)=0$

$x=e$일 때, 최솟값 $m=f(e)=-\frac{1}{e}$

따라서 $M+m=0-\frac{1}{e}=-\frac{1}{e}$

정답 ②

1385

정답 ②

STEP Ⓐ $f''(x)=0$인 x의 값 구하기

$f'(x)=\dfrac{\frac{1}{x}\cdot x-\ln x\cdot 1}{x^2}=\dfrac{1-\ln x}{x^2}$

$f''(x)=\dfrac{-\frac{1}{x}\cdot x^2-(1-\ln x)2x}{x^4}=\dfrac{-3+2\ln x}{x^3}$

$f''(x)=0$에서 $\ln x=\frac{3}{2}$이므로 $x=e^{\frac{3}{2}}$

STEP Ⓑ 변곡점에서 접선의 기울기 구하기

$x=e^{\frac{3}{2}}$의 좌우에서 $f''(x)$의 부호가 바뀌므로 변곡점의 좌표는 $\left(e^{\frac{3}{2}}, \frac{3}{2}e^{-\frac{3}{2}}\right)$

이때 변곡점에서의 접선의 기울기는 $f'\left(e^{\frac{3}{2}}\right)=-\frac{1}{2}e^{-3}$

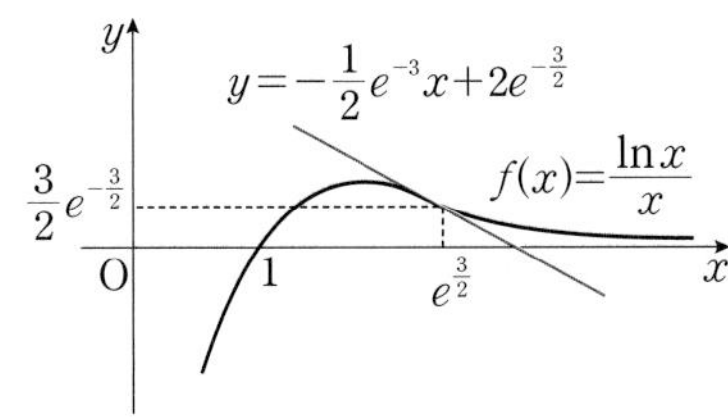

1386

정답 ①

STEP Ⓐ $f'(x)=0$인 x의 값 구하기

방정식 $\frac{\ln x}{x}=a$가 오직 하나의 실근을 가지려면

곡선 $y=\frac{\ln x}{x}$와 상수함수 $y=a$가 한 점에서 만나야 한다.

$f(x)=\frac{\ln x}{x}$로 놓으면 $f'(x)=\dfrac{\frac{1}{x}\cdot x-\ln x\cdot 1}{x^2}=\dfrac{1-\ln x}{x^2}$

$f'(x)=0$에서 $x=e$

STEP Ⓑ 함수 $f(x)$의 증감표를 이용하여 극댓값 구하기

함수 $f(x)$의 증가와 감소를 표로 나타내면 다음과 같다.

x	(0)	$\cdots$	e	$\cdots$
$f'(x)$		$+$	0	$-$
$f(x)$		↗	$\frac{1}{e}$	↘

$x=e$에서 극대이고 극댓값 $f(e)=\frac{1}{e}$

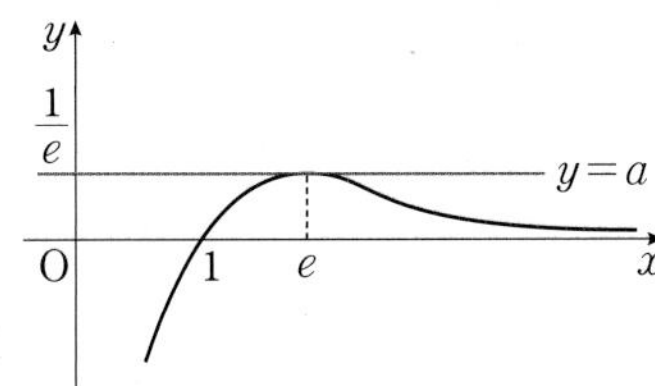

따라서 곡선 $y=\frac{\ln x}{x}$와 상수함수 $y=a$가 한 점에서 만나기 위해서는 양수 $a=\frac{1}{e}$이어야 한다.

1387

정답 ③

STEP Ⓐ $f'(x)=0$, $f''(x)=0$인 x의 값 구하기

$f(x)=\frac{\ln x}{x}$에서 $x>0$이고 $f'(x)=\dfrac{\frac{1}{x}\cdot x-\ln x}{x^2}=\dfrac{1-\ln x}{x^2}$

$f''(x)=\dfrac{-\frac{1}{x}\cdot x^2-(1-\ln x)\cdot 2x}{x^4}=\dfrac{2\ln x-3}{x^3}$

$f'(x)=0$에서

$1-\ln x=0$에서 $x=e$

$f''(x)=0$에서

$2\ln x-3=0$에서 $x=e^{\frac{3}{2}}$

STEP Ⓑ 함수 $f(x)$의 증감표를 이용하여 극댓값 구하기

함수 $f(x)$의 증가와 감소, 오목과 볼록을 표로 나타내면 다음과 같다.

x	(0)	$\cdots$	e	$\cdots$	$e^{\frac{3}{2}}$	$\cdots$
$f'(x)$		$+$	0	$-$	$-$	$-$
$f''(x)$		$-$	$-$	$-$	0	$+$
$f(x)$		↗	$\frac{1}{e}$	↘	$\frac{3}{2}e^{-\frac{3}{2}}$	↘

이때 $\lim_{x\to\infty}\frac{\ln x}{x}=0$, $\lim_{x\to 0+}\frac{\ln x}{x}=-\infty$이므로 x축이 점근선이다.

극댓점 $\left(e, \frac{1}{e}\right)$, 변곡점 $\left(e^{\frac{3}{2}}, \frac{3}{2}e^{-\frac{3}{2}}\right)$이고 그래프의 개형은 다음과 같다.

STEP Ⓒ [보기]의 참, 거짓 판단하기

ㄱ. 함수 $f(x)$는 $x=e$에서 극댓값 $\frac{1}{e}$을 갖는다. [참]

ㄴ. $f''(x)=\dfrac{-\frac{1}{x}\cdot x^2-(1-\ln x)\cdot 2x}{x^4}=\dfrac{2\ln x-3}{x^3}$

$f''(x)=0$에서 $2\ln x-3=0$이므로 $x=e^{\frac{3}{2}}$

$f''\left(e^{\frac{3}{2}}\right)=0$이고 $x=e^{\frac{3}{2}}$의 좌우에서 $f''(x)$의 부호가 바뀌므로 $x=e^{\frac{3}{2}}$에서 변곡점을 갖는다.

이때 변곡점의 좌표는 $\left(e^{\frac{3}{2}}, \frac{3}{2}e^{-\frac{3}{2}}\right)$이다. [참]

ㄷ. $y=f(x)$의 그래프의 개형을 그리면 다음 그림과 같다.

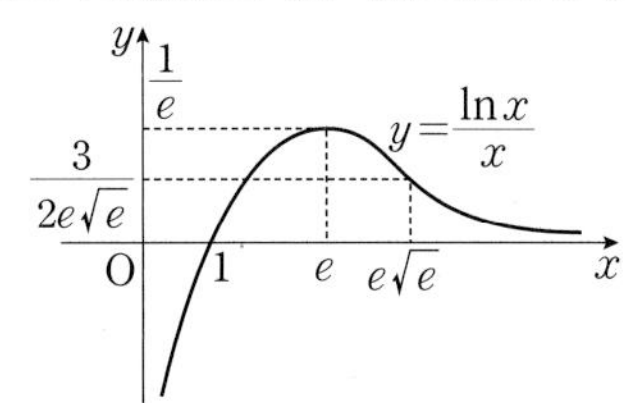

즉 함수 $y=f(x)$의 그래프는 x축과 한 점에서 만난다. [거짓]

따라서 옳은 것은 ㄱ, ㄴ이다.

내/신/연/계/ 출제문항 542

함수 $f(x)=\frac{\ln x}{x}$에 대한 설명 중 옳은 것은?
(단, $\lim_{x\to0+}f(x)=-\infty$, $\lim_{x\to\infty}f(x)=0$이고 e는 자연로그의 밑이다.)

① 극솟값은 $\frac{1}{e}$이다.
② 변곡점의 x좌표는 $x=e^{\frac{3}{2}}$
③ 함수 $y=f(x)$의 그래프는 구간 $(1, \infty)$에서 아래로 볼록하다.
④ 함수 $y=f(x)$의 그래프는 x축과 서로 다른 두 점에서 만난다.
⑤ 방정식 $f(x)-\frac{2}{e}=0$은 서로 다른 두 실근을 갖는다.

STEP A 함수 $f(x)$의 증감표를 이용하여 그래프 그리기

$f(x)=\frac{\ln x}{x}$에서 $x>0$이고

$f'(x)=\frac{\frac{1}{x}\cdot x-\ln x}{x^2}=\frac{1-\ln x}{x^2}$

$f''(x)=\frac{-\frac{1}{x}\cdot x^2-(1-\ln x)\cdot 2x}{x^4}=\frac{2\ln x-3}{x^3}$

$f'(x)=0$에서 $1-\ln x=0$

$\therefore x=e$

$f''(x)=0$에서 $2\ln x-3=0$이므로 $x=e^{\frac{3}{2}}$

함수 $f(x)$의 증가와 감소, 오목과 볼록을 표로 나타내면 다음과 같다.

x	(0)	$\cdots$	e	$\cdots$	$e^{\frac{3}{2}}$	$\cdots$
$f'(x)$		+	0	−	−	−
$f''(x)$		−	−	−	0	+
$f(x)$		↗	$\frac{1}{e}$	↘	변곡점	↘

이때 $\lim_{x\to\infty}\frac{\ln x}{x}=0$이므로 점근선은 x축이다.

$y=f(x)$의 그래프의 개형을 그리면 다음 그림과 같다.

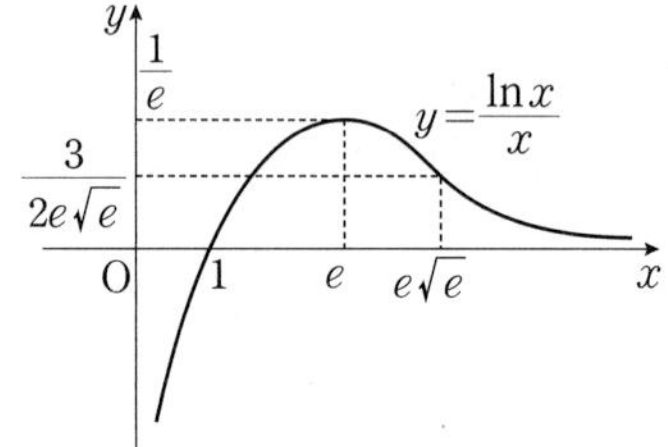

STEP B [보기]의 참, 거짓 판단하기

① 함수 $f(x)$는 $x=e$에서 극댓값 $\frac{1}{e}$을 갖는다. [거짓]

② $f''(x)=\frac{-\frac{1}{x}\cdot x^2-(1-\ln x)\cdot 2x}{x^4}=\frac{2\ln x-3}{x^3}$

$f''(x)=0$에서 $2\ln x-3=0$이므로 $x=e^{\frac{3}{2}}$

$f''(e^{\frac{3}{2}})=0$이고 $x=e^{\frac{3}{2}}$의 좌우에서 $f''(x)$의 부호가 바뀌므로

$x=e^{\frac{3}{2}}$에서 변곡점을 갖는다. [참]

③ $0<x<e^{\frac{3}{2}}$에서 $f''(x)<0$

$x>e^{\frac{3}{2}}$에서 $f''(x)>0$

즉 $0<x<e^{\frac{3}{2}}$에서 함수 $f(x)$는 위로 볼록하고

$x>e^{\frac{3}{2}}$에서 함수$f(x)$는 아래로 볼록하다. [거짓]

④ 함수 $y=f(x)$의 그래프는 x축과 한 점에서 만난다. [거짓]

⑤ 함수 $y=f(x)$의 그래프와 직선 $y=\frac{2}{e}$와 만나지 않으므로

방정식 $f(x)-\frac{2}{e}=0$은 실근을 갖지 않는다. [거짓]

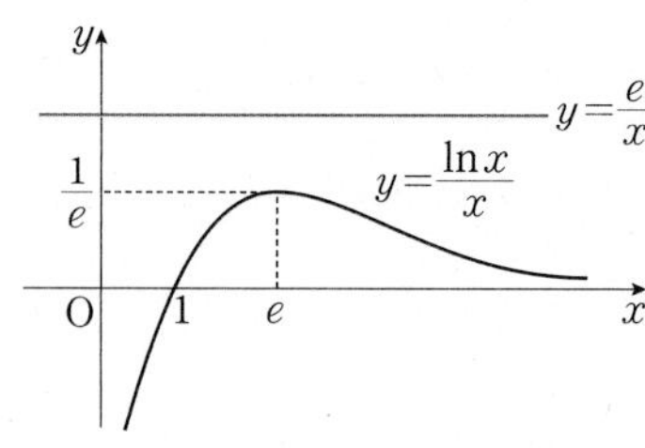

따라서 옳은 것은 ②이다.

정답 ②

내/신/연/계/ 출제문항 543

직선 $y=5x$가 곡선 $y=a\ln x$에 접할 때, 양수 a의 값은?

① $3e$　② $\frac{7}{2}e$　③ $4e$
④ $\frac{9}{2}e$　⑤ $5e$

STEP A $f'(x)=0$인 x의 값 구하기

곡선 $y=a\ln x$와 직선 $y=5x$가 접하므로

$a\ln x=5x$에서 $\frac{\ln x}{x}=\frac{5}{a}$

즉 곡선 $y=\frac{\ln x}{x}$와 직선 $y=\frac{5}{a}$가 접해야 한다.

$f(x)=\frac{\ln x}{x}$라 하면 $f'(x)=\frac{\frac{1}{x}\cdot x-\ln x\cdot 1}{x^2}=\frac{1-\ln x}{x^2}$

$f'(x)=0$에서 $x=e$

STEP B 함수 $f(x)$의 증감표를 이용하여 극댓값 구하기

함수 $f(x)$의 증가와 감소를 표로 나타내면 다음과 같다.

x	(0)	$\cdots$	e	$\cdots$
$f'(x)$		+	0	−
$f(x)$		↗	$\frac{1}{e}$	↘

함수 $y=f(x)$의 그래프는 다음 그림과 같다.

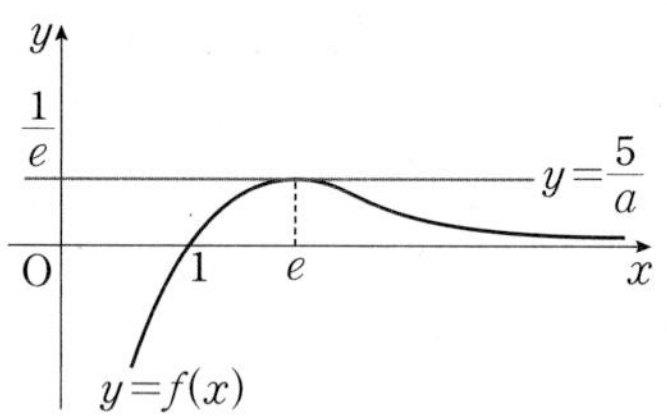

따라서 $\frac{5}{a}=\frac{1}{e}$이므로 $a=5e$

다른풀이 접점을 $\mathrm{T}(t, a\ln t)$라 하자.

$y'=\frac{a}{x}$에서 접선의 기울기는 $\frac{a}{t}$이므로 접선의 방정식은

$y-a\ln t=\frac{a}{t}(x-t)$

이 직선이 원점을 지나므로

$0-a\ln t=\frac{a}{t}(0-t)$에서 $\ln t=1$, $t=e$

따라서 점 (e, a)에서의 접선의 방정식이 $y=\frac{a}{e}x$이므로 $\frac{a}{e}=5$에서 $a=5e$

정답 ⑤

1388

정답 ③

STEP A [보기]의 참, 거짓 판단하기

ㄱ. $f(x)=\frac{\ln x}{x^n}$에서 $f'(x)=\frac{1-n\ln x}{x^{n+1}}$

$f'(x)=0$에서 $1-n\ln x=0$, $x=e^{\frac{1}{n}}$

$f(x)$의 증가와 감소를 표로 나타내면 다음과 같다.

x	0	$\cdots$	$e^{\frac{1}{n}}$	$\cdots$
$f'(x)$		$+$	0	$-$
$f(x)$		↗	$\frac{1}{en}$	↘

함수 $f(x)$는 $x=e^{\frac{1}{n}}$에서 극대이고 극댓값은 $f(e^{\frac{1}{n}})=\frac{1}{en}$을 갖는다. [참]

ㄴ. $n=1$일 때, $f'(x)=\frac{1-\ln x}{x^2}$이므로 $f''(x)=\frac{2\ln x-3}{x^3}$

이때 $0<x<e^{\frac{3}{2}}$에서 $f''(x)<0$이므로 함수 $f(x)$의 그래프는 위로 볼록하다. [참]

ㄷ. 함수 $f(x)$는 $x=e^{\frac{1}{n}}$에서 극대이면서 최대이므로 모든 자연수 n에 대하여

$f(x)\leq\frac{1}{en}\leq\frac{1}{e}$이다. [거짓]

따라서 옳은 것은 ㄱ, ㄴ이다.

1389

정답 ⑤

STEP A 변곡점의 좌표 구하기

$f(x)=xe^{-x}$에서

$f'(x)=e^{-x}-xe^{-x}=(1-x)e^{-x}$

$f''(x)=-e^{-x}-(1-x)e^{-x}=(x-2)e^{-x}$

$f''(x)=0$에서 $x=2$

$x=2$의 좌우에서 $f''(x)$의 부호가 바뀌고 $f(2)=2e^{-2}$이므로

곡선 $y=f(x)$의 변곡점의 좌표는 $(2,\ 2e^{-2})$

STEP B 변곡점에서의 접선의 방정식 구하기

곡선 $y=f(x)$의 변곡점 $(2,\ 2e^{-2})$에서의 접선의 기울기는

$f'(2)=(1-2)\times e^{-2}=-\frac{1}{e^2}$이므로 접선의 방정식은

$y-2e^{-2}=-e^{-2}(x-2)$

$\therefore\ y=-e^{-2}x+4e^{-2}$

따라서 $a=-e^{-2}$, $b=4e^{-2}$이므로 $a+b=-e^{-2}+4e^{-2}=3e^{-2}$

내신연계 출제문항 544

곡선 $y=xe^{-x}$의 변곡점을 A라 하고, 점 A에서 접하는 접선이 x축, y축과 만나는 점을 각각 B, C라고 할 때, 삼각형 OBC의 넓이는? (단, O는 원점)

① $\frac{1}{e^2}$ ② $\frac{2}{e^2}$ ③ $\frac{8}{e^2}$

④ $\frac{4}{e}$ ⑤ $\frac{2}{e}$

STEP A 변곡점의 좌표 구하기

$f(x)=xe^{-x}$이라고 하면

$f'(x)=(1-x)e^{-x}$, $f''(x)=(x-2)e^{-x}$

$f''(x)=0$에서 $x=2$

$x=2$의 좌우에서 $f''(x)$의 부호가 바뀌므로 $A\left(2,\ \frac{2}{e^2}\right)$

STEP B 변곡점에서의 접선의 방정식 구하기

또, $f'(2)=-\frac{1}{e^2}$이므로 점 A에서 접하는 접선의 방정식은

$y=-\frac{1}{e^2}x+\frac{4}{e^2}$

STEP C 삼각형 OBC의 넓이 구하기

따라서 $B(4,\ 0)$, $C\left(0,\ \frac{4}{e^2}\right)$이므로 삼각형 OBC의 넓이는 $\frac{1}{2}\times4\times\frac{4}{e^2}=\frac{8}{e^2}$

정답 ③

1390

정답 ②

STEP A $f(x)=xe^{-x}$의 증감표를 이용하여 그래프 그리기

$f(x)=xe^{-x}$에서 $f'(x)=e^{-x}-xe^{-x}=e^{-x}(1-x)$

$f'(x)=0$에서 $x=1$

구간 $-1\leq x\leq3$에서 함수 $f(x)$의 증가와 감소를 표로 나타내면 다음과 같다.

x	-1	$\cdots$	1	$\cdots$	3
$f'(x)$		$+$	0	$-$	
$f(x)$	$-e$	↗	$\frac{1}{e}$	↘	$\frac{3}{e^3}$

STEP B $-1\leq x\leq3$에서 최댓값 최솟값 구하기

따라서 함수 $f(x)$는

$x=1$에서 최댓값 $M=\frac{1}{e}$

$x=-1$에서 최솟값 $m=-e$

이므로 $Mm=-1$

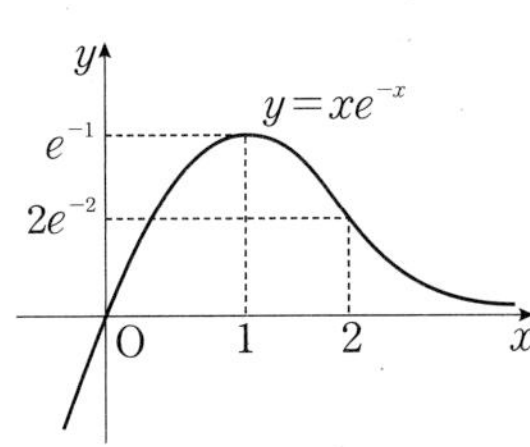

내신연계 출제문항 545

닫힌구간 $[0,\ 2]$에서 함수 $f(x)=xe^{-x}$ 최댓값을 M, 최솟값을 m이라 할 때, $M+m$의 값은?

① -1 ② $-\frac{1}{e}$ ③ 1

④ $\frac{1}{e}$ ⑤ e

STEP A $f'(x)=0$인 x의 값 구하기

$f(x)=xe^{-x}$에서 $f'(x)=e^{-x}-xe^{-x}=(1-x)e^{-x}$

$f'(x)=0$에서 $x=1$

STEP B 구간 $[0,\ 2]$에서 최댓값, 최솟값 구하기

닫힌구간 $[0,\ 2]$에서 $f(x)$의 증가와 감소를 표로 나타내면 다음과 같다.

x	0	$\cdots$	1	$\cdots$	2
$f'(x)$		$+$	0	$-$	
$f(x)$	0	↗	$\frac{1}{e}$	↘	$\frac{2}{e^2}$

$f(x)$는

$x=1$일 때, 최댓값 $M=f(1)=\frac{1}{e}$

$x=0$일 때, 최솟값 $m=f(0)=0$

따라서 $M+m=\frac{1}{e}+0=\frac{1}{e}$

정답 ④

1391

정답 ①

STEP A **직사각형 OQPR의 넓이 구하기**

점 P의 좌표를 $(x,\ e^{-x})$이라 하면

$\overline{PR}=x,\ \overline{PQ}=e^{-x}$

직사각형 OQPR의 넓이를 $f(x)$라고 할 때, $f(x)=xe^{-x}$

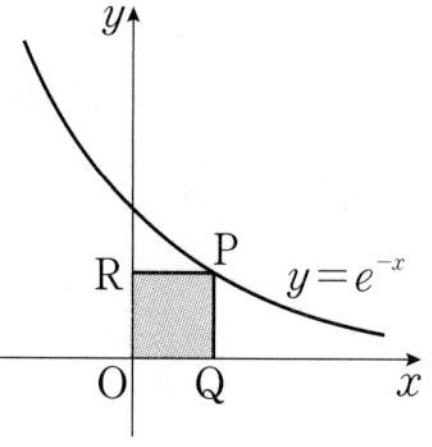

STEP B **$f(x)=xe^{-x}$의 증감표를 이용하여 그래프 그리기**

$f(x)=xe^{-x}$에서 $f'(x)=e^{-x}-xe^{-x}=e^{-x}(1-x)$

$f'(x)=0$에서 $x=1$

함수 $f(x)$의 증가와 감소를 표로 나타내면 다음과 같다.

x	$\cdots$	1	$\cdots$
$f'(x)$	+	0	−
$f(x)$	↗	극대	↘

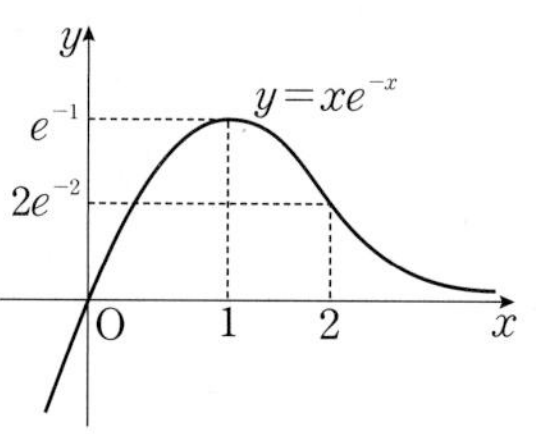

따라서 직사각형 OQPR의 넓이는

$x=1$일 때, 최댓값은 $\frac{1}{e}$

1392

정답 ③

STEP A **$f(x)=xe^{-x}$의 증감표를 이용하여 그래프 그리기**

$xe^{-x}-a=0$에서 $xe^{-x}=a$

$f(x)=xe^{-x}$이라 하면 $f'(x)=-(x-1)e^{-x}$

$f'(x)=0$에서 $x=1$

함수 $f(x)$의 증가와 감소를 조사하면 다음 표와 같다.

x	$\cdots$	1	$\cdots$
$f'(x)$	+	0	−
$f(x)$	↗	극대	↘

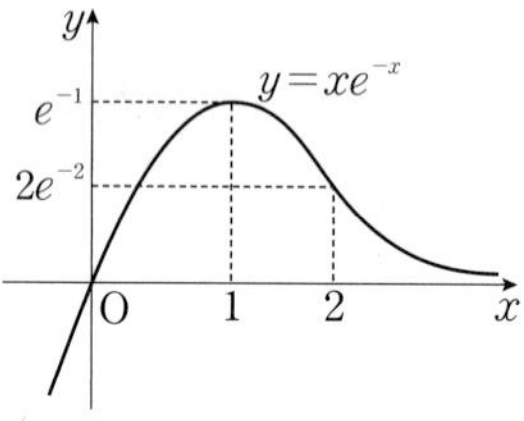

이때 $\lim_{x\to\infty}f(x)=\lim_{x\to\infty}xe^{-x}=\lim_{x\to\infty}\frac{x}{e^x}=0$

이므로 $\lim_{x\to-\infty}f(x)=\lim_{x\to-\infty}xe^{-x}=-\infty$

x축이 점근선이고 오른쪽 그림과 같다.

STEP B **$f(x)=xe^{-x}$와 $y=a$가 두 점에서 만나기 위한 a의 범위 구하기**

주어진 방정식이 서로 다른 두 실근을 가지려면 함수 $y=f(x)$의 그래프와 직선 $y=a$가 서로 다른 두 점에서 만나야 한다.

따라서 구하는 a의 값의 범위는 $0<a<\frac{1}{e}$

내신연계 출제문항 546

방정식 $3xe^{-x}-1=0$의 서로 다른 실근의 개수는?

① 1　② 2　③ 3
④ 4　⑤ 5

STEP A **$f'(x)=0$인 x의 값 구하기**

방정식 $3xe^{-x}-1=0$의 서로 다른 실근의 개수는 $xe^{-x}=\frac{1}{3}$에서

곡선 $y=xe^{-x}$와 상수함수 $y=\frac{1}{3}$의 교점의 개수와 같으므로

$f(x)=xe^{-x}$이라 하면 $f'(x)=e^{-x}-xe^{-x}=(1-x)e^{-x}$

$f'(x)=0$에서 $e^{-x}>0$이므로 $x-1=0$, 즉 $x=1$

STEP B **함수 $f(x)$의 증감표를 이용하여 그래프 그리기**

함수 $f(x)$의 증가와 감소를 표로 나타내고 함수 $y=f(x)$의 그래프를 그리면 다음과 같다.

x	$\cdots$	1	$\cdots$
$f'(x)$	+	0	−
$f(x)$	↗	극대	↘

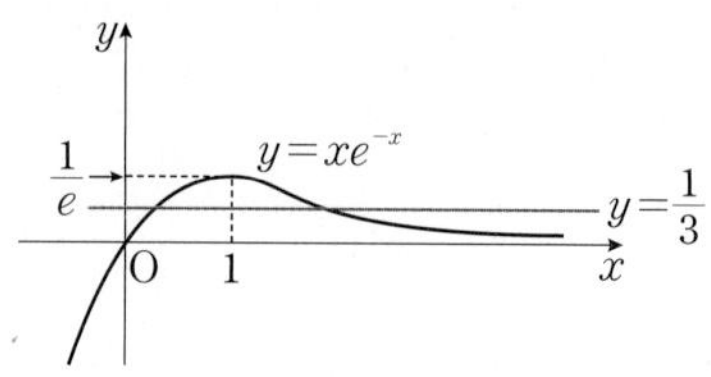

STEP C **$3xe^{-x}-1=0$의 실근의 개수 구하기**

함수 $f(x)$는 $x=1$에서 극대이고 극댓값은 $f(1)=\frac{1}{e}$

$\lim_{x\to\infty}f(x)=0$이므로 x축이 점근선이고 $\lim_{x\to-\infty}f(x)=-\infty$

따라서 함수 $y=f(x)$의 그래프와 상수함수 $y=\frac{1}{3}$이 서로 다른 두 점에서 만나므로 방정식 $3xe^{-x}-1=0$의 서로 다른 실근의 개수는 2

다른풀이 사잇값 정리를 이용하여 풀이하기

함수 $f(x)=3xe^{-x}-1$은 닫힌구간 $[0,\ 2]$에서 연속이고,

$f(0)=-1<0,\ f(1)=\frac{3}{e}-1>0,\ f(2)=\frac{6}{e^2}-1<0$

이므로 사잇값 정리에 의하여 방정식 $3xe^{-x}-1=0$은

열린구간 $(0,\ 1),\ (1,\ 2)$에서 각각 적어도 하나의 실근을 갖는다.

그런데 함수 $f(x)$는 열린구간 $(0,\ 1)$에서 증가하고 열린구간 $(1,\ 2)$에서 감소하므로 두 열린구간에서 각각 하나의 실근을 갖는다.

정답 ②

1393

정답 ③

STEP A **$f(x)=xe^{-x}$의 증감표를 이용하여 그래프 그리기**

부등식 $ke^x\geq x$에서 양변을 e^x로 나누면 $k\geq xe^{-x}$

$f(x)=xe^{-x}$라 하면

$f'(x)=e^{-x}-xe^{-x}=(1-x)e^{-x}$

$f'(x)=0$에서 $e^{-x}>0$이므로 $x-1=0$, 즉 $x=1$

함수 $f(x)$의 증가와 감소를 표로 나타내면 다음과 같다.

x	$\cdots$	1	$\cdots$
$f'(x)$	+	0	−
$f(x)$	↗	극대	↘

함수 $f(x)$는 $x=1$에서 최댓값이 $\frac{1}{e}$이다.

STEP B **$ke^x\geq x$가 성립할 때, 상수 k의 최솟값 구하기**

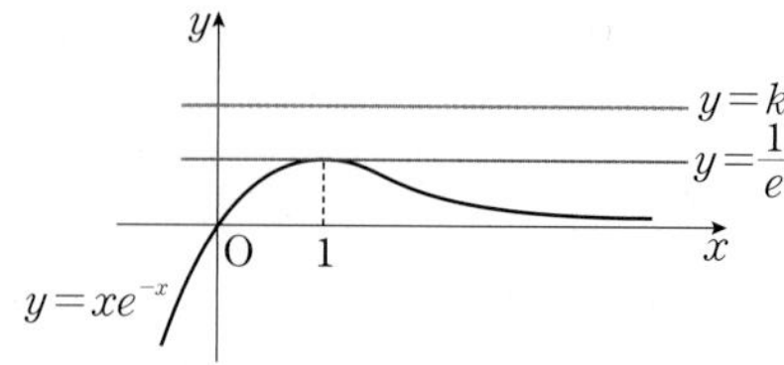

모든 실수 x에 대하여 $f(x)\leq k$이므로 $k\geq\frac{1}{e}$

따라서 k의 최솟값은 $\frac{1}{e}$

내신연계 출제문항 547

모든 실수 x에 대하여 부등식 $\frac{x}{e^x} \le k$를 만족하는 상수 k의 최솟값은?

① $-\frac{2}{e}$ ② $-\frac{1}{e^2}$ ③ $\frac{1}{e^2}$
④ $\frac{1}{e}$ ⑤ $\frac{2}{e}$

STEP Ⓐ $f(x)=xe^{-x}$로 놓고 $f(x)$의 증감표 구하기

$f(x)=\frac{x}{e^x}$라고 하면 $f'(x)=\frac{1-x}{e^x}$

$f'(x)=0$에서 $x=1$

함수 $f(x)$의 증가와 감소를 표로 나타내면 다음과 같다.

x	$\cdots$	1	$\cdots$
$f'(x)$	+	0	−
$f(x)$	↗	극대	↘

함수 $f(x)$는 $x=1$에서

극대이면서 최대이므로 최댓값은 $f(1)=\frac{1}{e}$

STEP Ⓑ $f(x) \le k$인 상수 k의 최솟값 구하기

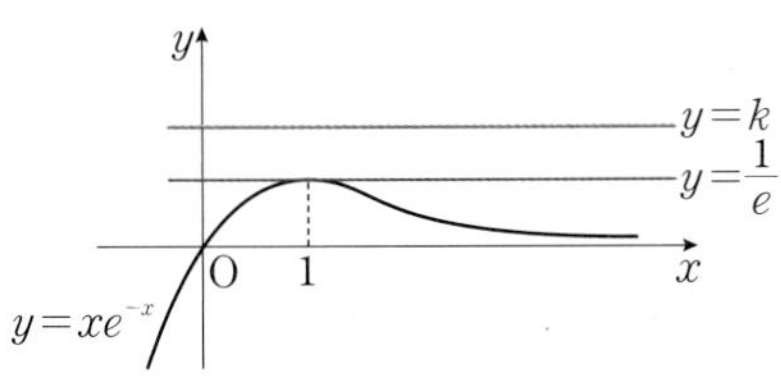

즉 $\frac{x}{e^x} \le \frac{1}{e}$이므로 $k \ge \frac{1}{e}$

따라서 상수 k의 최솟값은 $\frac{1}{e}$

 ④

1394

 ④

STEP Ⓐ $f(x)=xe^{-x}$을 증감표를 이용하여 그래프 그리기

$f(x)=xe^{-x}$에서

$f'(x)=-(x-1)e^{-x}$, $f''(x)=(x-2)e^{-x}$

$f'(x)=0$에서 $x=1$

$f''(x)=0$에서 $x=2$

함수 $f(x)$의 증가와 감소 및 오목과 볼록을 표로 나타내면 다음과 같다.

x	$\cdots$	1	$\cdots$	2	$\cdots$
$f'(x)$	+	0	−	−	−
$f''(x)$	−	−	−	0	+
$f(x)$	↗	극대	↘	변곡점	↘

$\lim_{x\to\infty} f(x)=\lim_{x\to\infty} xe^{-x}=\lim_{x\to\infty}\frac{x}{e^x}=\lim_{x\to\infty}\frac{1}{e^x}=0$이므로

x축이 점근선이고 극댓점 $\left(1,\ \frac{1}{e}\right)$, 변곡점 $(2,\ 2e^{-2})$이고

그래프의 개형은 다음과 같다.

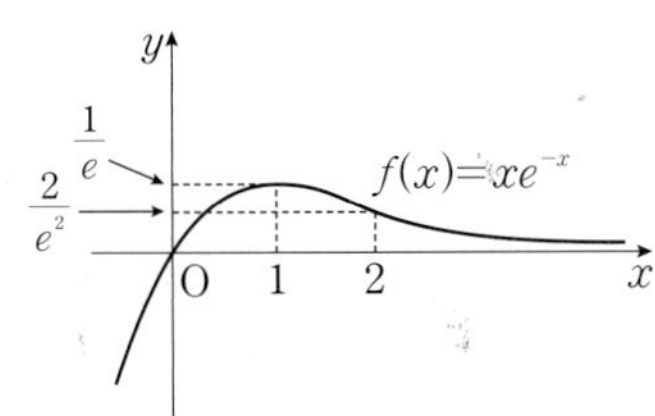

STEP Ⓑ [보기]의 참, 거짓 판단하기

ㄱ. 함수 $f(x)$는 $x=1$에서 극대이면서 최대이므로 최댓값은 $f(1)=\frac{1}{e}$ [참]

ㄴ. 곡선 $y=f(x)$는 구간 $2<a<b$에서 아래로 볼록이므로

$f\left(\frac{a+b}{2}\right)<\frac{f(a)+f(b)}{2}$이다. [거짓]

ㄷ. 방정식 $f(\ln x)=\frac{1}{e}$에서 $\ln x=t$라 하면 $f(t)=\frac{1}{e}$

이때 $f(t)=\frac{1}{e}$을 만족시키는 t의 값은 $t=1$뿐이므로 $\ln x=1$에서

주어진 방정식을 만족시키는 x의 값은 $x=e$뿐이다. [참]

따라서 옳은 것은 ㄱ, ㄷ이다.

1395

 ③

STEP Ⓐ $f'(x)=0$, $f''(x)=0$인 x의 값 구하기

$f(x)=\frac{x^2}{e^x}$에서

$f'(x)=\frac{2xe^x-x^2e^x}{e^{2x}}=\frac{2x-x^2}{e^x}=\frac{x(2-x)}{e^x}$

$f''(x)=\frac{(2-2x)e^x-(2x-x^2)e^x}{e^{2x}}=\frac{x^2-4x+2}{e^x}$

$f'(x)=0$에서 $x=0$ 또는 $x=2$

$f''(x)=0$인 x의 값은 $x^2-4x+2=0$

$\therefore x=2-\sqrt{2}$ 또는 $x=2+\sqrt{2}$

STEP Ⓑ 함수 $f(x)$의 증감표를 이용하여 극댓값 구하기

함수 $f(x)$의 증가와 감소, 오목과 볼록을 표로 나타내면 다음과 같다.

x	$\cdots$	0	$\cdots$	$2-\sqrt{2}$	$\cdots$	2	$\cdots$	$2+\sqrt{2}$	$\cdots$
$f'(x)$	−	0	+		+	0	−		−
$f''(x)$	+	+	+	0	−	−	−	0	+
$f(x)$	↘	극소	↗	변곡점	↗	극대	↘	변곡점	↘

이때 $\lim_{x\to\infty} f(x)=\lim_{x\to\infty}\frac{x^2}{e^x}=0$이므로 x축이 점근선이고

$\lim_{x\to-\infty} f(x)=\lim_{x\to-\infty} x^2e^{-x}=\infty$

따라서 극솟점 $(0,\ 0)$, 극댓값 $(2,\ 4e^{-2})$,

변곡점 $(2-\sqrt{2},\ (6-4\sqrt{2})e^{2-\sqrt{2}})$, $(2+\sqrt{2},\ (6+4\sqrt{2})e^{2+\sqrt{2}})$이고

그래프의 개형은 다음 그림과 같다.

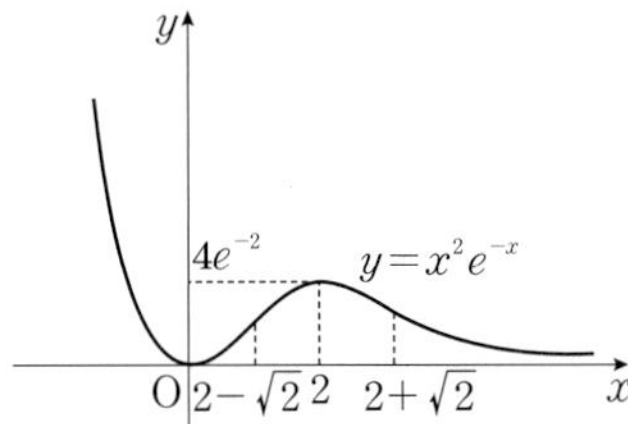

STEP Ⓒ [보기]의 참, 거짓 판단하기

ㄱ. $x=0$일 때, 극솟값을 갖는다. [참]

ㄴ. $x=2$일 때, 극댓값을 갖는다. [참]

ㄷ. 변곡점의 x좌표는 $x=2-\sqrt{2}$, $x=2+\sqrt{2}$이므로 그 합은 4 [거짓]

따라서 옳은 것은 ㄱ, ㄴ이다.

1396

정답 ④

STEP Ⓐ $f'(x)=0$인 x의 값 구하기

$f'(x)=2xe^{-x}-x^2e^{-x}=(2x-x^2)e^{-x}$

$f'(x)=0$에서 $x=0$ 또는 $x=2$

STEP Ⓑ 함수 $f(x)$의 증감표를 이용하여 극대 극소 구하기

함수 $f(x)$의 증가와 감소를 표로 나타내면 다음과 같다.

x	$\cdots$	0	$\cdots$	2	$\cdots$
$f'(x)$	$-$	0	$+$	0	$-$
$f(x)$	↘	극소	↗	극대	↘

따라서 $x=2$에서 극대이고 극댓값은 $f(2)=4e^{-2}$

1397

정답 ②

STEP Ⓐ $f'(x)=0$이 되는 x의 값 구하기

$f(x)=x^2e^{-x}$에서 $f'(x)=2xe^{-x}-x^2e^{-x}=(2x-x^2)e^{-x}$

$f'(x)=0$에서 $x=0$ 또는 $x=2$

STEP Ⓑ 함수의 최댓값과 최솟값 구하기

닫힌구간 $[0, 3]$에서 함수 $f(x)$의 증가와 감소를 표로 나타내면 다음과 같다.

x	0	$\cdots$	2	$\cdots$	3
$f'(x)$		$+$	0	$-$	
$f(x)$	0	↗	극대	↘	$9e^{-3}$

함수 $f(x)$는 $x=2$에서 최대이고 최댓값은 $M=f(2)=\dfrac{4}{e^2}$

$x=0$에서 최소이고 최솟값은 $m=f(0)=0$

STEP Ⓒ $M+m$의 값 구하기

따라서 $M+m=\dfrac{4}{e^2}$

내신연계 출제문항 548

함수 $f(x)=x^2e^{-x}$의 그래프에서 극대, 극소가 되는 점을 각각 A, B라 할 때, 선분 AB의 중점의 y좌표는?

① e^{-2}　② $2e^{-2}$　③ $4e^{-2}$
④ $6e^{-2}$　⑤ $8e^{-2}$

STEP Ⓐ $f'(x)=0$인 x의 값 구하기

$f(x)=x^2e^{-x}$에서 $f'(x)=2xe^{-x}-x^2e^{-x}=x(2-x)e^{-x}$

모든 실수 x에 대하여 $e^{-x}>0$이므로

$f'(x)=0$에서 $x=0$ 또는 $x=2$

STEP Ⓑ 함수 $f(x)$의 증감표를 이용하여 극대 극소 구하기

함수 $f(x)$의 증가와 감소를 표로 나타내면 다음과 같다.

x	$\cdots$	0	$\cdots$	2	$\cdots$
$f'(x)$	$-$	0	$+$	0	$-$
$f(x)$	↘	극소	↗	극대	↘

함수 $x=2$에서 극대이고 극댓값은 $f(2)=4e^{-2}$

$f(x)$는 $x=0$에서 극소이고 극솟값은 $f(0)=0$이므로

$\mathrm{A}(2, 4e^{-2})$, $\mathrm{B}(0, 0)$

따라서 선분 AB의 중점의 y좌표는 $\dfrac{0+4e^{-2}}{2}=2e^{-2}$

정답 ②

1398

정답 ②

STEP Ⓐ $f'(x)=0$인 x의 값 구하기

$f(x)=ax^2e^{-x}$에서 $f'(x)=a(2xe^{-x}-x^2e^{-x})=-ax(x-2)e^{-x}$

$f'(x)=0$에서 $x=0$ 또는 $x=2$

STEP Ⓑ 함수 $f(x)$의 증감표를 이용하여 극대 극소 구하기

$a>0$이므로 함수 $f(x)$의 증가와 감소를 표로 나타내면 다음과 같다.

x	$\cdots$	0	$\cdots$	2	$\cdots$
$f'(x)$	$-$	0	$+$	0	$-$
$f(x)$	↘	극소	↗	극대	↘

함수 $f(x)$는

$x=0$에서 극소이고 극솟값은 $m=f(0)=0$

$x=2$에서 극대이고 극댓값은 $M=f(2)=4ae^{-2}$

STEP Ⓒ $M+m=8$를 만족하는 상수 a의 값 구하기

따라서 $M+m=8$이므로 $4ae^{-2}=8$에서 $a=2e^2$

다른풀이 $f(x)$의 이계도함수를 이용하여 풀이하기

$f'(x)=-ax(x-2)e^{-x}=0$에서 $x=0$ 또는 $x=2$

$f'(x)=a(2x-x^2)e^{-x}$에서

$f''(x)=a\{(2-2x)e^{-x}-(2x-x^2)e^{-x}\}=a(x^2-4x+2)e^{-x}$

$f''(0)=2a>0$

$f''(2)=-2ae^{-2}<0$이므로 이계도함수를 이용한 극값의 판정에 의하여

함수 $f(x)$는 $x=0$에서 극소이고 $x=2$에서 극대이다.

내신연계 출제문항 549

닫힌구간 $[1, 3]$에서 함수 $f(x)=ax^2e^{-x}$의 최댓값이 $8e^{-2}$일 때, 양수 a의 값은?

① $\dfrac{1}{e}$　② $\dfrac{1}{2}$　③ 1
④ 2　⑤ e

STEP Ⓐ $f'(x)=0$인 x의 값 구하기

$f(x)=ax^2e^{-x}$에서 $f'(x)=2axe^{-x}-ax^2e^{-x}=ax(2-x)e^{-x}$

$f'(x)=0$에서 $x=2\,(\because 1\leq x\leq 3)$

STEP Ⓑ 구간 $[1, 3]$에서 최댓값이 $8e^{-2}$임을 이용하여 a의 값 구하기

닫힌구간 $[1, 3]$에서 $f(x)$의 증가와 감소를 표로 나타내면 다음과 같다.

x	1	$\cdots$	2	$\cdots$	3
$f'(x)$		$+$	0	$-$	
$f(x)$	ae^{-1}	↗		↘	$9ae^{-3}$

$f(x)$는 $x=2$일 때, 최댓값이 $f(2)=4ae^{-2}$이므로 $4ae^{-2}=8e^{-2}$

따라서 $a=2$

정답 ④

1399

정답 ③

STEP A $a=f(x)$꼴로 변형하여 $y=f(x)$의 그래프 그리기

방정식 $x^2e^{-x}-a=0$

즉 $x^2e^{-x}=a$가 서로 다른 세 실근을 가지려면 함수 $y=x^2e^{-x}$의 그래프와 직선 $y=a$가 서로 다른 세 점에서 만나야 한다.

$f(x)=x^2e^{-x}$로 놓으면

$f'(x)=2xe^{-x}-x^2e^{-x}=xe^{-x}(2-x)$

$f'(x)=0$에서 $x=0$ 또는 $x=2$

함수 $f(x)$의 증가와 감소를 조사하면 다음 표와 같다.

x	$\cdots$	0	$\cdots$	2	$\cdots$
$f'(x)$	$-$	0	$+$	0	$-$
$f(x)$	↘	0	↗	$\frac{4}{e^2}$	↘

$\lim_{x\to-\infty}f(x)=\infty$, $\lim_{x\to\infty}f(x)=0$이므로 함수 $y=f(x)$의 그래프는 다음 그림과 같다.

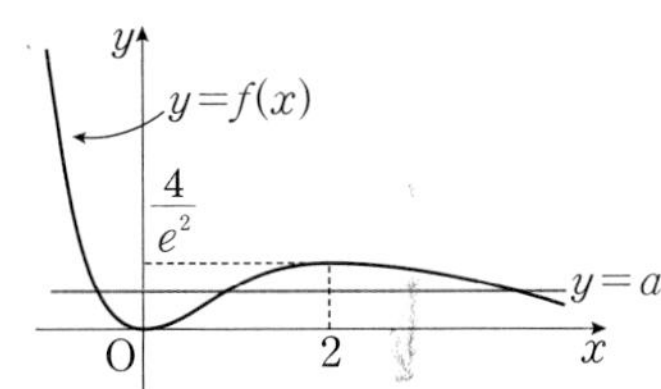

STEP B 방정식 $x^2e^{-x}-a=0$이 서로 다른 세 실근을 갖도록 상수 a의 범위 구하기

주어진 방정식이 서로 다른 세 실근을 가지려면 함수 $f(x)=x^2e^{-x}$의 그래프와 직선 $y=a$가 서로 다른 세 점에서 만나야 한다.

따라서 구하는 a의 값의 범위는 $0<a<\frac{4}{e^2}$

내신연계 출제문항 550

방정식 $x^2e^{-\frac{1}{2}x}-a=0$의 서로 다른 실근의 개수가 2일 때, 상수 a의 값은? $\left(\text{단, } \lim_{x\to\infty}x^2e^{-\frac{1}{2}x}=0\right)$

① $\frac{1}{\sqrt{e}}$　② $\frac{4}{e}$　③ $\frac{9}{e\sqrt{e}}$

④ $\frac{16}{e^2}$　⑤ $\frac{25}{e^2\sqrt{e}}$

STEP A $a=f(x)$꼴로 변형하여 $f'(x)=0$인 x의 값 구하기

$x^2e^{-\frac{1}{2}x}-a=0$에서 $x^2e^{-\frac{1}{2}x}=a$

$f(x)=x^2e^{-\frac{1}{2}x}$이라 하면

$f'(x)=2xe^{-\frac{1}{2}x}+x^2\times\left(-\frac{1}{2}e^{-\frac{1}{2}x}\right)=-\frac{1}{2}x(x-4)e^{-\frac{1}{2}x}$

$f'(x)=0$에서 $x=0$ 또는 $x=4$

STEP B 함수 $f(x)$의 증감표를 이용하여 그래프 그리기

함수 $f(x)$의 증가와 감소를 표로 나타내면 다음과 같다.

x	$\cdots$	0	$\cdots$	4	$\cdots$
$f'(x)$	$-$	0	$+$	0	$-$
$f(x)$	↘	극소	↗	극대	↘

함수 $f(x)$는 $x=0$에서

극솟값 $f(0)=0$, $x=4$에서 극댓값 $f(4)=16e^{-2}$을 갖는다.

이때 $\lim_{x\to-\infty}f(x)=\infty$, $\lim_{x\to\infty}f(x)=0$이므로 함수 $y=f(x)$의 그래프는 다음 그림과 같다.

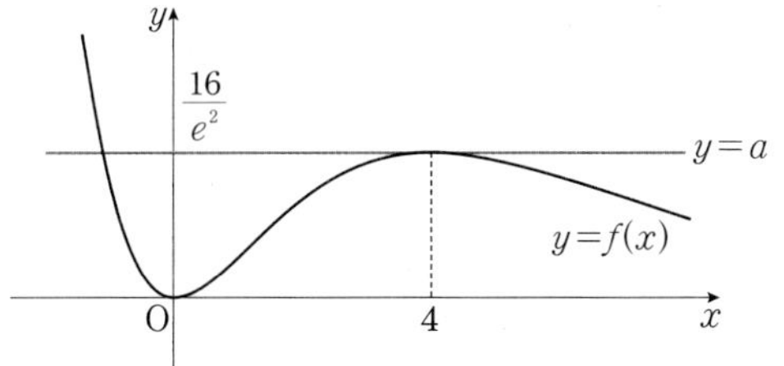

STEP C 서로 다른 실근의 개수가 2일 상수 a의 값 구하기

따라서 방정식 $f(x)=a$의 서로 다른 실근의 개수가 2이므로

직선 $y=a$가 극대인 점 $\left(4, \frac{16}{e^2}\right)$을 지나야 하므로 $a=\frac{16}{e^2}$

정답 ④

1400

정답 ⑤

STEP A $g_n'(x)=0$을 만족하는 x의 값 구하기

$g_n(x)=x^ne^{-x}$이라 하면

$n=1$일 때, $g_1'(x)=e^{-x}+x(-e^{-x})=-e^{-x}(x-1)$이므로

$g_1'(x)=0$에서 $x=1$

$n\ge2$일 때, $g_n'(x)=nx^{n-1}e^{-x}+x^n(-e^{-x})=-x^{n-1}e^{-x}(x-n)$이므로

$g_n'(x)=0$에서 $x=0$ 또는 $x=n$

STEP B 함수 $g_n(x)$의 증감표를 이용하기

(ⅰ) $n=1$일 때, 함수 $g_1(x)$의 증가와 감소를 표로 나타내면 다음과 같다.

x	$\cdots$	1	$\cdots$
$g_1'(x)$	$+$	0	$-$
$g_1(x)$	↗	극대	↘

(ⅱ) n이 1이 아닌 홀수일 때, 함수 $g_n(x)$의 증가와 감소를 표로 나타내면 다음과 같다.

x	$\cdots$	0	$\cdots$	n	$\cdots$
$g_n'(x)$	$+$	0	$+$	0	$-$
$g_n(x)$	↗		↗	극대	↘

(ⅲ) n이 짝수일 때, 함수 $g_n(x)$의 증가와 감소를 표로 나타내면 다음과 같다.

x	$\cdots$	0	$\cdots$	n	$\cdots$
$g_n'(x)$	$-$	0	$+$	0	$-$
$g_n(x)$	↘	극소	↗	극대	↘

(ⅰ)~(ⅲ)에서 함수 $g_n(x)$는 n의 값에 관계없이 $x=n$에서 극댓값 $g_n(x)$를 갖는다.

이때 $\lim_{x\to\infty}g_n(x)=\lim_{x\to\infty}x^ne^{-x}=0$이고 $\lim_{x\to-\infty}g_n(x)=\lim_{x\to-\infty}x^ne^{-x}$에서

$x=-t$라 하면 $x\to-\infty$일 때, $t\to\infty$이므로 $\lim_{x\to-\infty}x^ne^{-x}=\lim_{t\to\infty}(-t)^ne^t$

즉 n이 홀수이면 $\lim_{x\to-\infty}g_n(x)=-\infty$이고 n이 짝수이면 $\lim_{x\to-\infty}g_n(x)=\infty$

이므로 함수 $y=g_n(x)$의 그래프의 개형은 다음 그림과 같다.

(ⅰ) $n=1$일 때	(ⅱ) n이 1이 아닌 홀수 일 때	(ⅲ) n이 짝수 일 때
$y=g_1(x)$, O, 1, x	$y=g_n(x)$, O, n, x	$y=g_n(x)$, O, n, x

주어진 방정식의 서로 다른 실근의 개수는 n의 값에 따라 다음과 같다.

$n=1$일 때, $g_1(1)=1^1e^{-1}=\frac{1}{e}$이고 $2<e<3$이므로 $g_1(1)<1$

즉 $f(1)=0$

$n=2$일 때, $g_2(2)=2^2e^{-2}=\dfrac{4}{e^2}$이고 $4<e^2<9$이므로 $g_2(2)<1$

즉 $f(2)=1$

$n=3$일 때, $g_3(3)=3^3e^{-3}=\dfrac{27}{e^3}$이고 $8<e^3<27$이므로 $g_3(3)>1$

즉 $f(3)=2$

$n=4$일 때, $g_4(4)=4^4e^{-4}=\dfrac{256}{e^4}$이고 $16<e^4<81$이므로 $g_4(4)>1$

즉 $f(4)=3$

마찬가지 방법으로 $f(5)=f(7)=f(9)=2$, $f(6)=f(8)=f(10)=3$이므로

$\sum_{n=1}^{10}f(n)=0+1+2+3+2+3+2+3+2+3=21$

1401

STEP A **도함수 $f'(x)$와 이계도함수 $f''(x)$를 구하기**

$f(x)=x^ne^{-x}$에서

$f'(x)=nx^{n-1}e^{-x}+x^n(-e^{-x})=x^{n-1}e^{-x}(n-x)$

$f''(x)=(n-1)x^{n-2}e^{-x}(n-x)+x^{n-1}(-e^{-x})(n-x)+x^{n-1}e^{-x}(-1)$

$\quad =x^{n-2}e^{-x}(x^2-2nx+n^2-n)$

STEP B **[보기]의 참, 거짓 판단하기**

ㄱ. $f(x)=x^ne^{-x}$에서 $f\left(\dfrac{n}{2}\right)=\left(\dfrac{n}{2}\right)^ne^{-\frac{n}{2}}$ …… ㉠

$f'(x)=nx^{n-1}e^{-x}-x^ne^{-x}=x^{n-1}e^{-x}(n-x)$이므로

$f'\left(\dfrac{n}{2}\right)=\left(\dfrac{n}{2}\right)^{n-1}\cdot e^{-\frac{n}{2}}\cdot\dfrac{n}{2}=\left(\dfrac{n}{2}\right)^ne^{-\frac{n}{2}}$ …… ㉡

㉠과 ㉡에서 $f\left(\dfrac{n}{2}\right)=f'\left(\dfrac{n}{2}\right)$ [참]

ㄴ. $f'(x)=x^{n-1}e^{-x}(n-x)$이므로 $f'(x)=0$에서 $x=0$ 또는 $x=n$

함수 $f(x)$의 증가와 감소를 표로 나타내면 다음과 같다.

x	$\cdots$	0	$\cdots$	n	$\cdots$
$f'(x)$		0	$+$	0	$-$
$f(x)$			↗	극대	↘

함수 $f(x)$는 $x=n$에서 극댓값을 갖는다. [참]

ㄷ. $f''(x)=x^{n-2}e^{-x}(x^2-2nx+n^2-n)$

$f''(x)$의 값이 n이 홀수일 때는 $x=0$의 좌우에서 음에서 양으로 변하므로 점 $(0, 0)$은 곡선 $y=f(x)$의 변곡점이다.

그러나 n이 짝수일 때는 $x=0$의 좌우에서 $f''(x)$의 부호가 변하지 않는다.

즉 점 $(0, 0)$이 곡선 $y=f(x)$의 변곡점이라 할 수 없다. [거짓]

참고 $n=4$일 때, $f''(x)=x^2e^{-x}(x^2-8x+12)$이므로 $f''(0)=0$이지만 $x=0$의 좌우에서 $f''(x)$의 부호가 변하지 않는다.
즉 n이 4 이상의 짝수인 경우 $x=0$의 좌우에서 $f''(x)$의 부호가 변하지 않는다.
그러므로 점 $(0, 0)$이 곡선 $y=f(x)$의 변곡점이라 할 수 없다. [거짓]

따라서 옳은 것은 ㄱ, ㄴ이다.

+α $f(x)=x^ne^{-x}$에서 n이 3 이상일 때, 그래프의 개형은 다음과 같다.

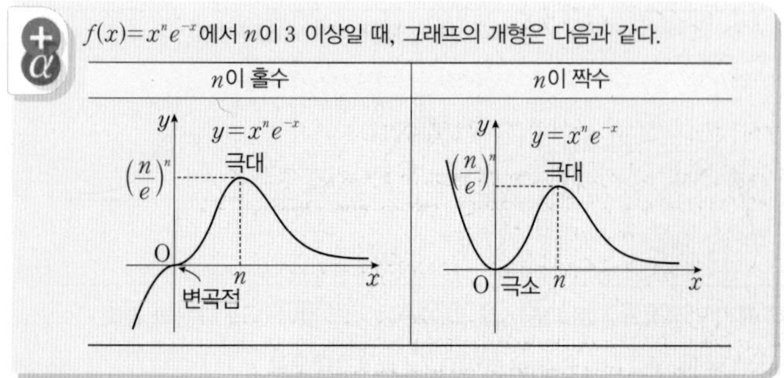

내신연계 출제문항 551

함수 $f(x)=(-x^2+x)e^{-x}$에 대하여 [보기]에서 옳은 것을 있는 대로 고르면?

> ㄱ. $f(x)$는 구간 $(-\infty, \infty)$에서 극값을 2개 갖는다.
> ㄴ. $f(x)$는 변곡점을 2개 갖는다.
> ㄷ. $y=-\dfrac{1}{e}x+\dfrac{1}{e}$ 위의 임의의 점에서 $y=f(x)$ 위에 그은 접선의 개수는 1개이다.

① ㄱ ② ㄴ ③ ㄱ, ㄴ
④ ㄱ, ㄷ ⑤ ㄱ, ㄴ, ㄷ

STEP A **[보기]의 참, 거짓 판단하기**

ㄱ. $f(x)=(-x^2+x)e^{-x}$에서 $f'(x)=(x^2-3x+1)e^{-x}$

$f'(x)=0$에서 $x^2-3x+1=0$의 이차방정식은 서로 다른 두 실근을 가지므로 극값을 2개 갖는다. [참]

ㄴ. $f''(x)=-(x^2-5x+4)e^{-x}$

$f''(x)=0$에서 $x^2-5x+4=(x-1)(x-4)=0$

$\therefore x=1$ 또는 $x=4$, 즉 변곡점 2개를 갖는다. [참]

ㄷ. 변곡점 $(1, 0)$에서의 접선이 $y=-\dfrac{1}{e}x+\dfrac{1}{e}$이므로

아래 그림에서와 같이 $y=-\dfrac{1}{e}x+\dfrac{1}{e}$ 위의 임의의 점에서 접선은 변곡점 $(1, 0)$에서의 접선과 다른 여러 접선을 그을 수 있다. [거짓]

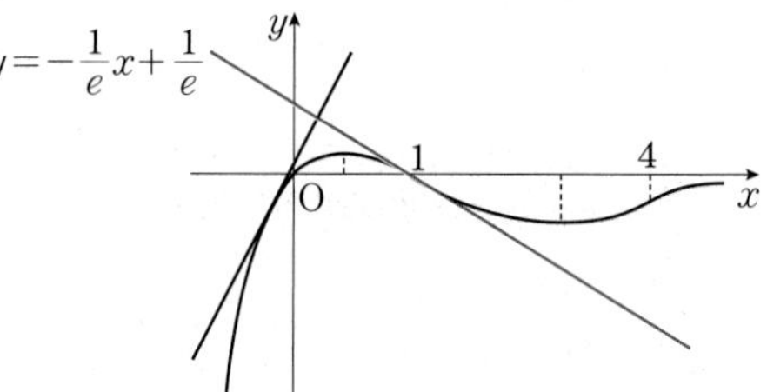

따라서 옳은 것은 ㄱ, ㄴ이다. 정답 ③

1402

STEP A **$f'(x)$에서 증감표를 이용하여 그래프 개형 그리기**

$f(x)=x^ne^{-x}$에서 $f'(x)=nx^{n-1}e^{-x}+x^n(-e^{-x})=x^{n-1}e^{-x}(n-x)$

$f'(x)=0$에서 $x=0$ 또는 $x=n$

함수 $f(x)$의 증가와 감소를 표로 나타내면 다음과 같다.

x		$\cdots$	0	$\cdots$	n	$\cdots$
n이 짝수	$f'(x)$	$-$	0	$+$	0	$-$
	$f(x)$	↘	0	↗	$\left(\dfrac{n}{e}\right)^n$	↘
n이 홀수	$f'(x)$	$+$	0	$+$	0	$-$
	$f(x)$	↗	0	↗	$\left(\dfrac{n}{e}\right)^n$	↘

$\lim_{n\to\infty}f(x)=\lim_{n\to\infty}x^ne^{-x}=\lim_{n\to\infty}\dfrac{x^n}{e^x}=0$이므로 점근선은 $y=0$이다.

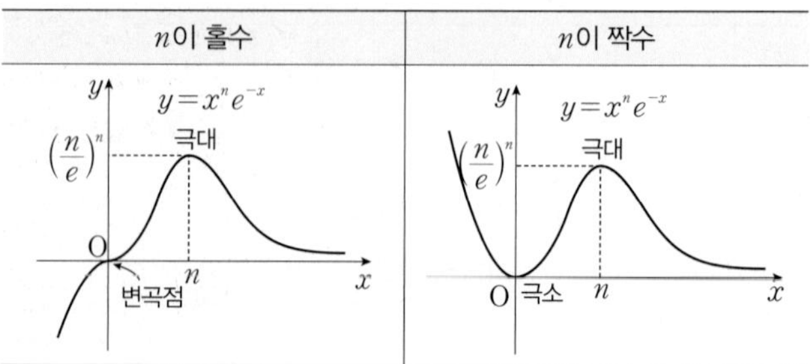

STEP **B** **$y=f(x)$의 그래프의 개형에서 [보기]의 참, 거짓 판단하기**

ㄱ. n이 짝수일 때, $f(x)$는 $x=0$에서 최솟값(극솟값) 0을 가진다. [참]

ㄴ. n이 짝수일 때, $f(x)$는 $x=0$에서 극솟값 0을 갖고 $x=n$에서 극댓값 $\left(\frac{n}{e}\right)^n$을 갖는다. [참]

ㄷ. n이 홀수일 때, $f(x)$는 $x=n$에서 극댓값 $\left(\frac{n}{e}\right)^n$을 갖고 극솟값은 존재하지 않는다. [거짓]

ㄹ. 함수 $f(x)$가 닫힌구간 $[0, n]$에서 연속이고 열린구간 $(0, n)$에서 미분가능하므로 평균값의 정리에 의해

$\frac{f(n)-f(0)}{n-0}=f'(a)$인 $a(0<a<n)$가 적어도 하나 존재한다.

$f(0)=0,\ f(n)=\left(\frac{n}{e}\right)^n$에서 $\frac{f(n)-f(0)}{n-0}=\frac{n^{n-1}}{e^n}$이므로

$f'(a)=\frac{n^{n-1}}{e^n}$을 만족시키는 a가 존재한다. [참]

따라서 옳은 것은 ㄱ, ㄴ, ㄹ이다.

1403

정답 ③

STEP **A** **$f'(x)=0$을 만족하는 x의 값 구하기**

$f(x)=\frac{2(x-1)}{x^2+3}$에서

$$f'(x)=\frac{2(x^2+3)-2(x-1)\cdot 2x}{(x^2+3)^2}=\frac{-2(x^2-2x-3)}{(x^2+3)^2}=\frac{-2(x-3)(x+1)}{(x^2+3)^2}$$

$f'(x)=0$에서 $x=-1$ 또는 $x=3$

STEP **B** **증감표를 이용하여 최댓값과 최솟값 구하기**

함수 $f(x)$의 증가와 감소를 표로 나타내면 다음과 같다.

x	$\cdots$	-1	$\cdots$	3	$\cdots$
$f'(x)$	$-$	0	$+$	0	$-$
$f(x)$	↘	-1	↗	$\frac{1}{3}$	↘

$\lim_{x\to\infty}f(x)=\lim_{x\to-\infty}f(x)=0$이므로 함수 $f(x)$는

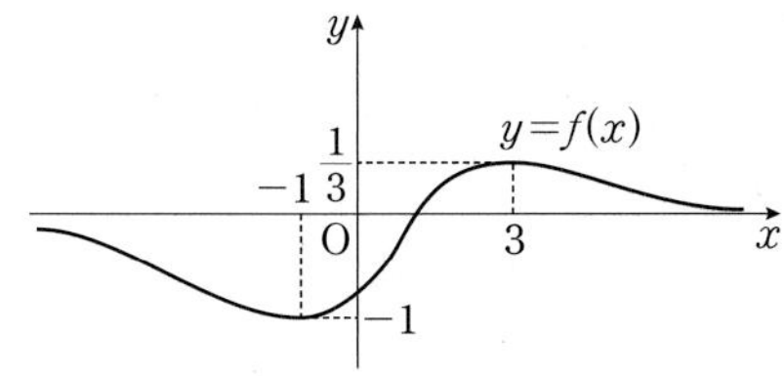

$x=3$일 때, 최댓값 $M=f(3)=\frac{1}{3}$

$x=-1$일 때, 최솟값 $m=f(-1)=-1$

따라서 $M+m=\frac{1}{3}+(-1)=-\frac{2}{3}$

1404

정답 ⑤

STEP **A** **$f'(x)=0$을 만족하는 x의 값 구하기**

$f(x)=\frac{x}{x^2-x+1}$에서

$$f'(x)=\frac{(x^2-x+1)-x(2x-1)}{(x^2-x+1)^2}=\frac{-x^2+1}{(x^2-x+1)^2}=-\frac{(x+1)(x-1)}{(x^2-x+1)^2}$$

$f'(x)=0$에서 $x=-1$ 또는 $x=1$

STEP **B** **구간 $[-2, 2]$에서 최댓값과 최솟값 구하기**

구간 $[-2, 2]$에서 함수 $f(x)$의 증가와 감소를 표로 나타내면 다음과 같다.

x	-2	$\cdots$	-1	$\cdots$	1	$\cdots$	2
$f'(x)$		$-$	0	$+$	0	$-$	
$f(x)$	$-\frac{2}{7}$	↘	$-\frac{1}{3}$	↗	1	↘	$\frac{2}{3}$

함수 $f(x)$는

$x=1$일 때, 최댓값 $M=f(1)=1$

$x=-1$일 때, 최솟값 $m=f(-1)=-\frac{1}{3}$

따라서 $M+m=1+\left(-\frac{1}{3}\right)=\frac{2}{3}$

1405

정답 ④

STEP **A** **$f'(x)=0$을 만족하는 x의 값 구하기**

$f(x)=x\sqrt{1-x^2}$에서 $-1\le x\le 1$

$$f'(x)=\sqrt{1-x^2}+\frac{-2x^2}{2\sqrt{1-x^2}}=\frac{1-2x^2}{\sqrt{1-x^2}}$$

$f'(x)=0$에서 $1-2x^2=0$

$\therefore x=-\frac{1}{\sqrt{2}}$ 또는 $x=\frac{1}{\sqrt{2}}$

STEP **B** **$-1\le x\le 1$에서 최댓값과 최솟값 구하기**

$-1\le x\le 1$에서 함수 $f(x)$의 증가와 감소를 표로 나타내면 다음과 같다.

x	-1	$\cdots$	$-\frac{1}{\sqrt{2}}$	$\cdots$	$\frac{1}{\sqrt{2}}$	$\cdots$	1
$f'(x)$		$-$	0	$+$	0	$-$	
$f(x)$	0	↘	$-\frac{1}{2}$	↗	$\frac{1}{2}$	↘	0

함수 $f(x)$는

$x=\frac{1}{\sqrt{2}}$일 때, 최댓값은 $M=f\left(\frac{1}{\sqrt{2}}\right)=\frac{1}{2}$

$x=-\frac{1}{\sqrt{2}}$일 때, 최솟값은 $m=f\left(-\frac{1}{\sqrt{2}}\right)=-\frac{1}{2}$

따라서 $M-m=\frac{1}{2}-\left(-\frac{1}{2}\right)=1$

내신연계 출제문항 552

닫힌구간 $[-2, 2]$에서 함수 $f(x)=x\sqrt{4-x^2}$의 최댓값을 M, 최솟값은 m이라 하면 $M+m$의 값은?

① -4　　② -2　　③ 0
④ 2　　⑤ 4

STEP Ⓐ $f'(x)=0$이 되는 x의 값 구하기

$f(x)=x\sqrt{4-x^2}$에서

$$f'(x)=\sqrt{4-x^2}-\frac{x^2}{\sqrt{4-x^2}}=\frac{(4-x^2)-x^2}{\sqrt{4-x^2}}=\frac{-2(x+\sqrt{2})(x-\sqrt{2})}{\sqrt{4-x^2}}$$

$f'(x)=0$에서 $x=-\sqrt{2}$ 또는 $x=\sqrt{2}$

STEP Ⓑ 함수의 최댓값과 최솟값 구하기

닫힌구간 $[-2, 2]$에서 함수 $f(x)$의 증가와 감소를 표로 나타내면 다음과 같다.

x	-2	$\cdots$	$-\sqrt{2}$	$\cdots$	$\sqrt{2}$	$\cdots$	2
$f'(x)$		$-$	0	$+$	0	$-$	
$f(x)$	0	↘	극소	↗	극대	↘	0

함수 $f(x)$는 $x=\sqrt{2}$에서 최대이고 최댓값은 $M=f(2)=2$

$x=-\sqrt{2}$에서 최소이고 최솟값은 $m=f(-\sqrt{2})=-2$

STEP Ⓒ $M+m$의 값 구하기

따라서 $M+m=0$

 ③

1406

 ⑤

STEP Ⓐ 상품의 이익은 (판매액)$-$(소요비용)이므로 $f(x)$식 작성하기

상품의 가격이 x(만 원)이고 $\sqrt{100-x}$(톤)이 팔리므로

이익을 $f(x)$(만 원)이라 하면 $f(x)=(x-1)\sqrt{100-x}$

STEP Ⓑ 구간 $(0, 100)$에서 $f(x)$의 최댓값 구하기

$$f'(x)=\sqrt{100-x}-\frac{x-1}{2\sqrt{100-x}}=\frac{-3x+201}{2\sqrt{100-x}}$$

$f'(x)=0$에서 $x=67$

구간 $0<x<100$에서 함수 $f(x)$의 증가와 감소를 표로 나타내면 다음과 같다.

x	(0)	$\cdots$	67	$\cdots$	(100)
$f'(x)$		$+$	0	$-$	
$f(x)$		↗	$66\sqrt{33}$	↘	

따라서 이 회사의 최대 이익은 $f(67)=66\sqrt{33}$(만 원)

내신연계 출제문항 553

어느 회사에서 만든 상품의 가격을 1톤에 x만 원으로 정하면 $\sqrt{64-x}$톤이 팔린다고 한다. 이 상품 1톤을 만드는데 1만 원이 들 때, 이 상품을 팔아서 생기는 최대 이익은? (단, $0<x<64$)

① 43만 원　　② $42\sqrt{21}$만 원　　③ $43\sqrt{21}$만 원
④ $45\sqrt{21}$만 원　　⑤ $66\sqrt{21}$만 원

STEP Ⓐ 상품의 이익의 식 작성하기

상품의 가격이 x만 원일 때, 이익을 $f(x)$만 원이라고 하면

$f(x)=(x-1)\sqrt{64-x}$

$$f'(x)=\sqrt{64-x}-\frac{x-1}{2\sqrt{64-x}}=\frac{-3x+129}{2\sqrt{64-x}}$$

$f'(x)=0$에서 $x=43$

STEP Ⓑ 구간 $0<x<64$에서 $f(x)$의 최댓값 구하기

구간 $0<x<64$에서 함수 $f(x)$의 증가와 감소를 표로 나타내면 다음과 같다.

x	(0)	$\cdots$	43	$\cdots$	(64)
$f'(x)$		$+$	0	$-$	
$f(x)$		↗	$42\sqrt{21}$	↘	

따라서 이 회사의 최대 이익은 $f(43)=42\sqrt{21}$(만 원)

 ②

1407

 ②

STEP Ⓐ 닫힌구간 $[0, a]$에서 함수 $f(x)$의 증감표 작성하기

$f(x)=(x+a)\sqrt{a^2-x^2}$에서

$$f'(x)=\sqrt{a^2-x^2}+(x+a)\cdot\frac{-x}{\sqrt{a^2-x^2}}=\frac{-2x^2-ax+a^2}{\sqrt{a^2-x^2}}$$

$$=\frac{-(2x-a)(x+a)}{\sqrt{a^2-x^2}}$$

$f'(x)=0$에서 $x=\frac{a}{2}$ ($\because 0\le x\le a$)

함수 $f(x)$의 증가와 감소를 표로 나타내면 다음과 같다.

x	0	$\cdots$	$\frac{a}{2}$	$\cdots$	a
$f'(x)$		$+$	0	$-$	
$f(x)$	a^2	↗	$\frac{3\sqrt{3}}{4}a^2$	↘	0

STEP Ⓑ 최댓값 $M(a)$의 값 구하기

닫힌구간 $[0, a]$에서 함수 $f(x)$는 $x=\frac{a}{2}$일 때, 극대이고 최대이므로

최댓값은 $M(a)=f\left(\frac{a}{2}\right)=\frac{3\sqrt{3}}{4}a^2$

STEP Ⓒ 극한값 구하기

$$\text{따라서 } \lim_{a\to\infty}\frac{M(a)}{\sqrt{3a^2+2}}=\lim_{a\to\infty}\frac{\frac{3\sqrt{3}}{4}a^2}{\sqrt{3a^2+2}}=\frac{\frac{3\sqrt{3}}{4}}{\sqrt{3}}=\frac{3}{4}$$

1408

 ②

STEP Ⓐ $f'(x)=0$을 만족하는 x의 값 구하기

$f(x)=\sin x-x\cos x$에서

$f'(x)=\cos x-(\cos x-x\sin x)=x\sin x$

$f'(x)=0$에서 $x=0$ 또는 $\sin x=0$

$\therefore x=0$ 또는 $x=\pi$ 또는 $x=2\pi$ ($\because 0\le x\le 2\pi$)

STEP Ⓑ 구간 $[0, 2\pi]$에서 최댓값과 최솟값 구하기

구간 $[0, 2\pi]$에서 함수 $f(x)$의 증가와 감소를 표로 나타내면 다음과 같다.

x	0	$\cdots$	π	$\cdots$	2π
$f'(x)$	0	$+$	0	$-$	0
$f(x)$	0	↗	π	↘	-2π

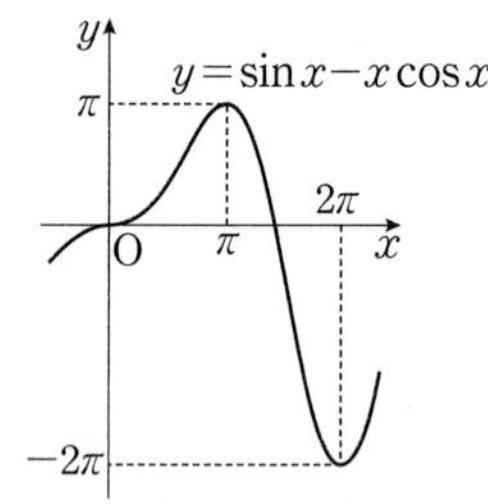

함수 $f(x)$는 $0\le x\le 2\pi$에서

$x=\pi$에서 최댓값 $M=f(\pi)=\pi$

$x=2\pi$에서 최솟값 $m=f(2\pi)=-2\pi$

따라서 $M+m=\pi+(-2\pi)=-\pi$

내신연계 출제문항 554

구간 $[0, 2\pi]$에서 함수

$$f(x)=\cos x+x\sin x$$

의 최댓값을 M, 최솟값을 m이라 할 때, $M+m$의 값은?

① -2π ② $-\pi$ ③ π
④ 2π ⑤ 3π

STEP A $f'(x)=0$을 만족하는 x의 값 구하기

$f(x)=\cos x+x\sin x$에서

$f'(x)=-\sin x+\sin x+x\cos x=x\cos x$

$f'(x)=0$에서 $x=0$ 또는 $\cos x=0$

$\therefore\ x=0$ 또는 $x=\frac{\pi}{2}$ 또는 $x=\frac{3}{2}\pi\,(\because\ 0\le x\le 2\pi)$

STEP B 구간 $[0, 2\pi]$에서 최댓값과 최솟값 구하기

구간 $[0, 2\pi]$에서 함수 $f(x)$의 증가와 감소를 표로 나타내면 다음과 같다.

x	0	$\cdots$	$\frac{\pi}{2}$	$\cdots$	$\frac{3}{2}\pi$	$\cdots$	2π
$f'(x)$		$+$	0	$-$	0	$+$	
$f(x)$	1	↗	$\frac{\pi}{2}$	↘	$-\frac{3}{2}\pi$	↗	1

함수 $f(x)$는

$x=\frac{\pi}{2}$일 때, 최댓값 $M=f\left(\frac{\pi}{2}\right)=\frac{\pi}{2}$

$x=\frac{3}{2}\pi$일 때, 최솟값 $m=f\left(\frac{3}{2}\pi\right)=-\frac{3}{2}\pi$

따라서 $M+m=\frac{\pi}{2}+\left(-\frac{3}{2}\pi\right)=-\pi$

 ②

내신연계 출제문항 555

구간 $[0, \pi]$에서 함수

$$f(x)=x+2\cos x$$

의 최댓값을 M, 최솟값을 m이라 할 때, $M+m$의 값은?

① $\frac{\pi}{3}$ ② $\frac{\pi}{2}$ ③ π
④ $\frac{3}{2}\pi$ ⑤ 2π

STEP A $f'(x)=0$을 만족하는 x의 값 구하기

$f(x)=x+2\cos x$에서 $f'(x)=1-2\sin x$

$f'(x)=0$에서 $\sin x=\frac{1}{2}$

$\therefore\ x=\frac{\pi}{6}$ 또는 $x=\frac{5}{6}\pi\,(\because\ 0\le x\le \pi)$

STEP B 구간 $[0, \pi]$에서 최댓값과 최솟값 구하기

구간 $[0, \pi]$에서 함수 $f(x)$의 증가와 감소를 표로 나타내면 다음과 같다.

x	0	$\cdots$	$\frac{\pi}{6}$	$\cdots$	$\frac{5}{6}\pi$	$\cdots$	π
$f'(x)$		$+$	0	$-$	0	$+$	
$f(x)$	2	↗	$\frac{\pi}{6}+\sqrt{3}$	↘	$\frac{5}{6}\pi-\sqrt{3}$	↗	$\pi-2$

함수 $f(x)$는

$x=\frac{\pi}{6}$일 때, 최댓값 $M=f\left(\frac{\pi}{6}\right)=\frac{\pi}{6}+\sqrt{3}$

$x=\frac{5}{6}\pi$일 때, 최솟값 $m=\frac{5}{6}\pi-\sqrt{3}$

따라서 $M+m=\pi$

 ③

1409

 ②

STEP A $f'(x)=0$을 만족하는 x의 값 구하기

$f(x)=x-2\sin x$에서 $f'(x)=1-2\cos x$

$f'(x)=0$에서 $\cos x=\frac{1}{2}$

$\therefore\ x=\frac{\pi}{3}\,(\because\ 0\le x\le \pi)$

STEP B 구간 $[0, \pi]$에서 최댓값과 최솟값 구하기

구간 $[0, \pi]$에서 함수 $f(x)$의 증가와 감소를 나타내면 다음과 같다.

x	0	$\cdots$	$\frac{\pi}{3}$	$\cdots$	π
$f'(x)$	0	$-$	0	$+$	0
$f(x)$	0	↘	$\frac{\pi}{3}-\sqrt{3}$	↗	π

함수 $f(x)$는

$x=\pi$일 때, 최댓값 $M=f(\pi)=\pi$

$x=\frac{\pi}{3}$일 때, 최솟값 $m=f\left(\frac{\pi}{3}\right)=\frac{\pi}{3}-\sqrt{3}$

따라서 $M+m=\pi+\frac{\pi}{3}-\sqrt{3}=\frac{4}{3}\pi-\sqrt{3}$

1410

 ④

STEP A $f'(x)=0$을 만족하는 x의 값 구하기

$f(x)=2\sin x+\sin 2x$에서

$f'(x)=2\cos x+2\cos 2x$

$=4\cos^2 x+2\cos x-2$ ← $\cos 2x=2\cos^2 x-1$

$=2(2\cos x-1)(\cos x+1)$

$f'(x)=0$에서 $\cos x=\frac{1}{2}$ 또는 $\cos x=-1$

$\therefore\ x=\frac{\pi}{3}$ 또는 π

STEP B 구간 $[0, \pi]$에서 최댓값과 최솟값 구하기

구간 $[0, \pi]$에서 함수 $f(x)$의 증가와 감소를 나타내면 다음과 같다.

x	0	$\cdots$	$\frac{\pi}{3}$	$\cdots$	π
$f'(x)$		$+$	0	$-$	
$f(x)$	0	↗	$\frac{3\sqrt{3}}{2}$	↘	0

함수 $f(x)$는

$x=\frac{\pi}{3}$일 때, 최댓값 $M=f\left(\frac{\pi}{3}\right)=\frac{3\sqrt{3}}{2}$

$x=0$ 또는 $x=\pi$일 때, 최솟값 $m=f(0)=f(\pi)=0$

따라서 $M+m=\frac{3\sqrt{3}}{2}+0=\frac{3\sqrt{3}}{2}$

내신연계 출제문항 556

닫힌구간 $[0, \pi]$에서 함수

$$f(x)=\sin x+\sin x\cos x$$

의 최댓값을 M, 최솟값을 m이라 할 때, $M+m$의 값은?

① $\frac{\sqrt{2}}{2}$ ② $\frac{\sqrt{3}}{2}$ ③ $\frac{3\sqrt{3}}{4}$

④ $\frac{3\sqrt{3}}{2}$ ⑤ $2\sqrt{3}$

STEP A $f'(x)=0$**이 되는** x**의 값 구하기**

$$\begin{aligned} f'(x)&=\cos x+\cos x\cos x+\sin x(-\sin x)\\ &=\cos x+\cos^2 x-\sin^2 x\\ &=\cos x+\cos^2 x-(1-\cos^2 x)\\ &=2\cos^2 x+\cos x-1\\ &=(2\cos x-1)(\cos x+1) \end{aligned}$$

$f'(x)=0$에서 $x=\frac{\pi}{3}$ 또는 $x=\pi$

STEP B 함수의 최댓값과 최솟값 구하기

닫힌구간 $[0, \pi]$에서 함수 $f(x)$의 증가와 감소를 표로 나타내면 다음과 같다.

x	0	$\cdots$	$\frac{\pi}{3}$	$\cdots$	π
$f'(x)$		$+$	0	$-$	0
$f(x)$	0	↗	$\frac{3\sqrt{3}}{4}$	↘	0

함수 $f(x)$는

$x=\frac{\pi}{3}$에서 최대이고 최댓값은 $M=f\left(\frac{\pi}{3}\right)=\frac{3\sqrt{3}}{4}$

$x=0$, $x=\pi$에서 최소이고 최솟값은 $m=f(0)=f(\pi)=0$

STEP C $M+m$**의 값 구하기**

따라서 $M+m=\frac{3\sqrt{3}}{4}$

 ③

1411

 ⑤

STEP A $f'(x)=0$**을 만족하는** x**의 값 구하기**

$f(x)=\frac{e^x}{\cos x}$에서 $f'(x)=\frac{e^x\cos x+e^x\sin x}{\cos^2 x}$

$f'(x)=0$에서 $e^x\cos x+e^x\sin x=0$, 즉 $\tan x=-1$

$\therefore x=-\frac{\pi}{4}$

STEP B 구간 $\left[-\frac{\pi}{4}, \frac{\pi}{4}\right]$**에서 최댓값과 최솟값 구하기**

구간 $\left[-\frac{\pi}{4}, \frac{\pi}{4}\right]$에서 함수 $f(x)$의 증가와 감소를 나타내면 다음과 같다.

x	$-\frac{\pi}{4}$	$\cdots$	$\frac{\pi}{4}$
$f'(x)$	0	$+$	$+$
$f(x)$	$\sqrt{2}e^{-\frac{\pi}{4}}$	↗	$\sqrt{2}e^{\frac{\pi}{4}}$

함수 $f(x)$는

$x=\frac{\pi}{4}$일 때, 최댓값 $M=f\left(\frac{\pi}{4}\right)=\sqrt{2}e^{\frac{\pi}{4}}$

$x=-\frac{\pi}{4}$일 때, 최솟값 $m=f\left(-\frac{\pi}{4}\right)=\sqrt{2}e^{-\frac{\pi}{4}}$

따라서 $Mm=\sqrt{2}e^{\frac{\pi}{4}}\cdot\sqrt{2}e^{-\frac{\pi}{4}}=2$

다른풀이 구간 $\left[-\frac{\pi}{4}, \frac{\pi}{4}\right]$에서 증가함수임을 이용하여 풀이하기

$f'(x)=\frac{e^x\cos x+e^x\sin x}{\cos^2 x}=\frac{e^x(\cos x+\sin x)}{\cos^2 x}$

$-\frac{\pi}{4}\le x\le\frac{\pi}{4}$에서

두 함수 $y=\cos x$, $y=-\sin x$의 그래프는 오른쪽 그림과 같으므로

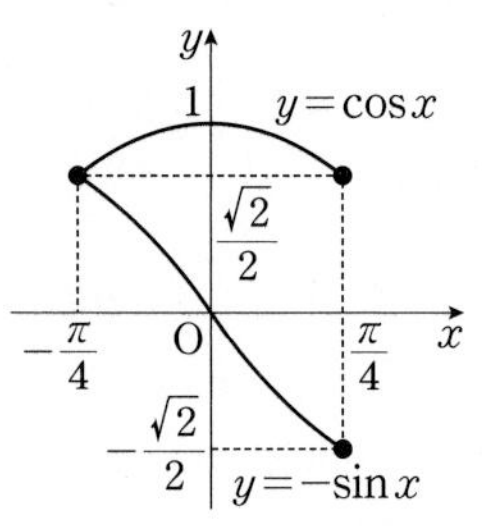

$\cos x+\sin x=\cos x-(-\sin x)\ge 0$

즉 구간 $\left[-\frac{\pi}{4}, \frac{\pi}{4}\right]$에서 $f'(x)>0$

이므로 함수 $f(x)$가 증가한다.

함수 $f(x)$는

$x=-\frac{\pi}{4}$일 때, 최솟값 $m=\sqrt{2}e^{-\frac{\pi}{4}}$

$x=\frac{\pi}{4}$일 때, 최댓값 $M=\sqrt{2}e^{\frac{\pi}{4}}$

따라서 $Mm=\sqrt{2}e^{\frac{\pi}{4}}\cdot\sqrt{2}e^{-\frac{\pi}{4}}=2$

내신연계 출제문항 557

$-\frac{\pi}{4}\le x\le\frac{\pi}{4}$에서 함수 $f(x)=\frac{e^{2x}}{\cos x}$의 최댓값을 M, 최솟값을 m이라 할 때, Mm의 값은?

① $-\frac{\sqrt{2}}{2}$ ② -2 ③ $-\sqrt{2}e^{\frac{\pi}{4}}$

④ $2e^{\frac{\pi}{4}}$ ⑤ 2

STEP A $f'(x)=0$**을 만족하는** x**의 값 구하기**

$f(x)=\frac{e^{2x}}{\cos x}$에서

$f'(x)=\frac{2e^{2x}\cos x+e^x\sin x}{\cos^2 x}=\frac{e^{2x}(2\cos x+\sin x)}{\cos^2 x}$

$f'(x)=0$에서 $2\cos x+\sin x=0$, 즉 $\tan x=-2$

$-\frac{\pi}{4}\le x\le\frac{\pi}{4}$에서 $f'(x)>0$

STEP B 구간 $\left[-\frac{\pi}{4}, \frac{\pi}{4}\right]$**에서 최댓값과 최솟값 구하기**

구간 $\left[-\frac{\pi}{4}, \frac{\pi}{4}\right]$ 함수 $f(x)$의 증가와 감소를 표로 나타내면 다음과 같다.

x	$-\frac{\pi}{4}$	$\cdots$	$\frac{\pi}{4}$
$f'(x)$		$+$	
$f(x)$	$\sqrt{2}e^{-\frac{\pi}{2}}$	↗	$\sqrt{2}e^{\frac{\pi}{2}}$

함수 $f(x)$는

$x=\frac{\pi}{4}$일 때, 최댓값 $M=f\left(\frac{\pi}{4}\right)=\sqrt{2}e^{\frac{\pi}{2}}$

$x=-\frac{\pi}{4}$일 때, 최솟값 $m=f\left(-\frac{\pi}{4}\right)=\sqrt{2}e^{-\frac{\pi}{2}}$

따라서 $Mm=\sqrt{2}e^{\frac{\pi}{2}}\cdot\sqrt{2}e^{-\frac{\pi}{2}}=2$

 ⑤

1412

정답 ③

STEP A $f'(x)=0$을 만족하는 x의 값 구하기

$f(x)=\sin x(1+\cos x)$에서

$$f'(x)=\cos x(1+\cos x)+\sin x(-\sin x)$$
$$=\cos x+\cos^2 x-\sin^2 x$$
$$=2\cos^2 x+\cos x-1$$
$$=(2\cos x-1)(\cos x+1)$$

$f'(x)=0$에서 $\cos x=\frac{1}{2}$ 또는 $\cos x=-1$

$\therefore x=\frac{\pi}{3}$ 또는 $x=\pi$ 또는 $x=\frac{5}{3}\pi$

STEP B 구간 $[0, 2\pi]$에서 최댓값과 최솟값 구하기

구간 $[0, 2\pi]$에서 함수 $f(x)$의 증가와 감소를 나타내면 다음과 같다.

x	0	$\cdots$	$\frac{\pi}{3}$	$\cdots$	π	$\cdots$	$\frac{5}{3}\pi$	$\cdots$	2π
$f'(x)$		+	0	−	0	−	0	+	
$f(x)$	0	↗	$\frac{3\sqrt{3}}{4}$	↘	0	↘	$-\frac{3\sqrt{3}}{4}$	↗	0

함수 $f(x)$는

$x=\frac{\pi}{3}$일 때, 최댓값 $M=f\left(\frac{\pi}{3}\right)=\frac{\sqrt{3}}{2}\cdot\frac{3}{2}=\frac{3\sqrt{3}}{4}$

$x=\frac{5}{3}\pi$일 때, 최솟값 $m=f\left(\frac{5}{3}\pi\right)=-\frac{\sqrt{3}}{2}\cdot\frac{3}{2}=-\frac{3\sqrt{3}}{4}$

따라서 $M+m=0$

내신연계 출제문항 558

함수 $f(x)=\sin x(1-\cos x)(0\leq x\leq\pi)$가 $x=a$에서 최댓값을 가질 때, 상수 a의 값은?

① 0　② $\frac{\pi}{6}$　③ $\frac{\pi}{4}$
④ $\frac{\pi}{2}$　⑤ $\frac{2}{3}\pi$

STEP A $f'(x)=0$을 만족하는 x의 값 구하기

$f(x)=\sin x(1-\cos x)$에서

$$f'(x)=\cos x(1-\cos x)+\sin x\cdot\sin x$$
$$=\cos x-\cos^2 x+\sin^2 x$$
$$=\cos x-\cos^2 x+(1-\cos^2 x)$$
$$=-2\cos^2 x+\cos x+1$$
$$=-(2\cos x+1)(\cos x-1)$$

$f'(x)=0$에서 $\cos x=-\frac{1}{2}$ 또는 $\cos x=1$

$\therefore x=0$ 또는 $x=\frac{2}{3}\pi$

STEP B 구간 $[0, \pi]$에서 최댓값 구하기

구간 $[0, \pi]$에서 함수 $f(x)$의 증가와 감소를 나타내면 다음과 같다.

x	0	$\cdots$	$\frac{2}{3}\pi$	$\cdots$	π
$f'(x)$	0	+	0	−	
$f(x)$	0	↗	$\frac{3\sqrt{3}}{4}$	↘	0

따라서 함수 $y=f(x)$는 $x=\frac{2}{3}\pi$에서 최댓값을 가지므로 $a=\frac{2}{3}\pi$  정답 ⑤

1413

정답 ④

STEP A $f'(x)=0$을 만족하는 x의 값 구하기

$f(x)=\frac{\sin x}{\cos x+2}$에서

$$f'(x)=\frac{(\sin x)'(\cos x+2)-\sin x(\cos x+2)'}{(\cos x+2)^2}$$
$$=\frac{\cos x(\cos x+2)+\sin^2 x}{(\cos x+2)^2}$$
$$=\frac{2\cos x+1}{(\cos x+2)^2}$$

$f'(x)=0$에서 $\cos x=-\frac{1}{2}$이므로 $x=\frac{2}{3}\pi$ 또는 $x=\frac{4}{3}\pi$

STEP B 구간 $[0, 2\pi]$에서 함수 $f(x)$의 증가와 감소를 표로 나타내기

구간 $[0, 2\pi]$에서 함수 $f(x)$의 증가와 감소를 표로 나타내면 다음과 같다.

x	0	$\cdots$	$\frac{2}{3}\pi$	$\cdots$	$\frac{4}{3}\pi$	$\cdots$	2π
$f'(x)$		+	0	−	0	+	
$f(x)$	0	↗	$\frac{\sqrt{3}}{3}$	↘	$-\frac{\sqrt{3}}{3}$	↗	0

STEP C $a+b$의 값 구하기

함수 $f(x)$는

$x=\frac{2}{3}\pi$일 때, 극대이고 최대이므로 최댓값 $f\left(\frac{2}{3}\pi\right)=\frac{\sqrt{3}}{3}$

$x=\frac{4}{3}\pi$일 때, 극소이고 최소이므로 최솟값 $f\left(\frac{4}{3}\pi\right)=-\frac{\sqrt{3}}{3}$

따라서 $a=\frac{2}{3}\pi$, $b=\frac{4}{3}\pi$이므로 $a+b=\frac{2}{3}\pi+\frac{4}{3}\pi=2\pi$

1414

 정답 ④

STEP A $f'(x)=0$인 x의 값 구하기

$f(x)=e^x-x$에서 $f'(x)=e^x-1$

$f'(x)=0$에서 $x=0$

STEP B 구간 $[-1, 2]$에서 최댓값, 최솟값 구하기

구간 $[-1, 2]$에서 함수 $f(x)$의 증가와 감소를 표로 나타내면 다음과 같다.

x	−1	$\cdots$	0	$\cdots$	2
$f'(x)$		−	0	+	0
$f(x)$	$e^{-1}+1$	↘	1	↗	e^2-2

함수 $f(x)$는

$x=2$일 때, 최댓값 $M=f(2)=e^2-2$

$x=0$일 때, 최솟값 $m=f(0)=1$

따라서 $M+m=e^2-2+1=e^2-1$

내신연계 출제문항 559

닫힌구간 $[-3, 1]$에서 함수 $f(x)=e^x-x$의 최댓값을 M, 최솟값은 m이라 할 때, $\mathrm{M}-m$의 값은?

① $\frac{1}{e}+1$　② $\frac{1}{e^3}+1$　③ $\frac{1}{e^3}+2$
④ e^3+1　⑤ e^2+2

STEP A $f'(x)=0$인 x의 값 구하기

$f(x)=e^x-x$에서 $f'(x)=e^x-1$

$f'(x)=0$에서 $x=0$

II 미분법

STEP B 구간 $[-3, 1]$에서 최댓값, 최솟값 구하기

구간 $[-3, 1]$에서 함수 $f(x)$의 증가와 감소를 표로 나타내면 다음과 같다.

x	-3	$\cdots$	0	$\cdots$	1
$f'(x)$		$-$	0	$+$	
$f(x)$	$\frac{1}{e^3}+3$	↘	1	↗	$e-1$

따라서 함수 $f(x)$는

$x=-3$에서 최대이고 최댓값은 $M=f(-3)=\frac{1}{e^3}+3$

$x=0$에서 최소이고 최솟값은 $m=f(0)=1$

따라서 $M-m=\frac{1}{e^3}+3-1=\frac{1}{e^3}+2$

 ③

1415

 ②

STEP A $f'(x)=0$인 x의 값 구하기

$f(x)=(x+1)e^{-x}$에서 $f'(x)=e^{-x}-(x+1)e^{-x}=-xe^{-x}$

$f'(x)=0$에서 $x=0$

STEP B 구간 $[-1, 3]$에서 최댓값 구하기

구간 $[-1, 3]$에서 함수 $f(x)$의 증가와 감소를 표로 나타내면 다음과 같다.

x	-1	$\cdots$	0	$\cdots$	3
$f'(x)$		$+$	0	$-$	
$f(x)$	0	↗	1	↘	$4e^{-3}$

따라서 함수 $f(x)$는 $x=0$에서 최대이고 최댓값은 $f(0)=1$

1416

 ①

STEP A $f'(x)=0$인 x의 값 구하기

$f(x)=(x^2-2)e^{-2x}$에서

$$f'(x)=2xe^{-2x}-2(x^2-2)e^{-2x}$$
$$=-2(x^2-x-2)e^{-2x}$$
$$=-2(x+1)(x-2)e^{-2x}$$

$f'(x)=0$에서 $x=-1$ 또는 $x=2$

STEP B 구간 $[0, 3]$에서 최댓값, 최솟값 구하기

구간 $[0, 3]$에서 함수 $f(x)$의 증가와 감소를 표로 나타내면 다음과 같다.

x	0	$\cdots$	2	$\cdots$	3
$f'(x)$		$+$	0	$-$	
$f(x)$	-2	↗	$\frac{2}{e^4}$	↘	$\frac{7}{e^6}$

함수 $f(x)$는

$x=2$에서 최댓값 $M=f(2)=\frac{2}{e^4}$

$x=0$에서 최솟값 $m=f(0)=-2$

따라서 $M+m=\frac{2}{e^4}+(-2)=\frac{2}{e^4}-2$

1417

 ③

STEP A $f'(x)=0$인 x의 값 구하기

$f(x)=3x-x\ln x$에서 $f'(x)=3-\ln x-1=2-\ln x$

$f'(x)=0$에서 $\ln x=2 \quad \therefore x=e^2$

STEP B 구간 $[1, e^3]$에서 최댓값 구하기

구간 $[1, e^3]$에서 함수 $f(x)$의 증가와 감소를 표로 나타내면 다음과 같다.

x	1	$\cdots$	e^2	$\cdots$	e^3
$f'(x)$		$+$	0	$-$	
$f(x)$	3	↗	e^2	↘	0

따라서 함수 $f(x)$는 $x=e^2$일 때, 최댓값 $f(e^2)=e^2$

내신연계 출제문항 560

구간 $[1, e^2]$에서 함수 $f(x)=2x-x\ln x$의 최댓값은?

① 1 ② e ③ e^2
④ $2e^2$ ⑤ $3e^2$

STEP A $f'(x)=0$인 x의 값 구하기

$f(x)=2x-x\ln x$에서 $f'(x)=2-\ln x-1=1-\ln x$

$f'(x)=0$에서 $\ln x=1 \quad \therefore x=e$

STEP B 구간 $[1, e^2]$에서 최댓값 구하기

구간 $[1, e^2]$에서 함수 $f(x)$의 증가와 감소를 표로 나타내면 다음과 같다.

x	1	$\cdots$	e	$\cdots$	e^2
$f'(x)$		$+$	0	$-$	
$f(x)$	2	↗	e	↘	0

따라서 함수 $f(x)$는 $x=e$에서 극대이고 최대이므로 최댓값 $f(e)=e$

 ②

1418

 ④

STEP A 진수조건을 이용하여 x의 범위 구하기

$f(x)=2\ln x+\ln(6-x)$에서
진수조건이 $x>0$, $6-x>0$이므로 $0<x<6$

STEP B $f'(x)=0$인 x의 값 구하기

$f(x)=2\ln x+\ln(6-x)$에서 $f'(x)=\frac{2}{x}-\frac{1}{6-x}=\frac{3(x-4)}{x(x-6)}$

$f'(x)=0$에서 $x=4$

STEP C $0<x<6$에서 최댓값 구하기

$0<x<6$에서 함수 $f(x)$의 증가와 감소를 표로 나타내면 다음과 같다.

x	(0)	$\cdots$	4	$\cdots$	(6)
$f'(x)$		$+$	0	$-$	
$f(x)$		↗	$5\ln 2$	↘	

따라서 함수 $f(x)$는 $x=4$일 때, 최댓값 $f(4)=5\ln 2$

1419

정답 ②

STEP A $f'(x)=0$인 x의 값 구하기

$W=5t-20\ln(t+1)+70$에서 $\frac{dW}{dt}=5-20\cdot\frac{1}{t+1}$

$\frac{dW}{dt}=0$에서 $t=3$

STEP B $0\le t\le 15$에서 최솟값 구하기

구간 $0\le t\le 15$에서 함수 W의 증가와 감소를 표로 나타내면 다음과 같다.

t	0	$\cdots$	3	$\cdots$	15
$\frac{dW}{dt}$		$-$	0	$+$	
W	70	↘	$85-40\ln 2$	↗	$145-80\ln 2$

따라서 $t=3$일 때, 극소이며 최소이다.
즉 3개월 후 몸무게가 최소이다.

내신연계 출제문항 561

혈액 속에 투입된 주사약의 농도는 시간에 따라 변한다.
어떤 주사약을 투여하고 t시간이 지난 후 혈액 속에 남아 있는 주사약의 농도를 $f(t)\%$라 할 때,

$$f(t)=100te^{-\frac{1}{2}t}\ (t\ge 0)$$

으로 나타낼 수 있다고 한다. 이때 혈액 속에 남아 있는 이 주사약의 농도가 최대일 때, 시간은?

① $\frac{1}{2}$ ② $\frac{1}{e}$ ③ 1
④ 2 ⑤ e

STEP A $f'(t)=0$을 만족하는 t의 값 구하기

$f(t)=100te^{-\frac{1}{2}t}$에서 $f'(t)=100\left(e^{-\frac{1}{2}t}-\frac{1}{2}te^{-\frac{1}{2}t}\right)=100\left(1-\frac{1}{2}t\right)e^{-\frac{1}{2}t}$

$f'(t)=0$에서 $t=2$

STEP B $t\ge 0$에서 최댓값과 최솟값 구하기

함수 $f(t)$의 증가와 감소를 표로 나타내고 그 그래프를 그리면 오른쪽 그림과 같다.

t	0	$\cdots$	2	$\cdots$
$f'(t)$		$+$	0	$-$
$f(t)$	0	↗	$\frac{200}{e}$	↘

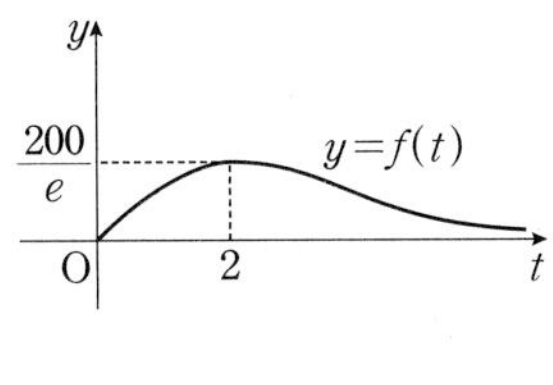

따라서 혈액 속에 남아 있는 주사약의 농도는 주사약을 투여하고 2시간이 지난 후에 가장 높아짐을 알 수 있다. 정답 ④

1420

정답 ②

STEP A $f'(x)=0$을 만족하는 x 구하기

$f(x)=a(x-\sin 2x)$에서 $f'(x)=a(1-2\cos 2x)$

$f'(x)=0$에서 $\cos 2x=\frac{1}{2}$

$0\le 2x\le\pi$이므로 $2x=\frac{\pi}{3}$ $\quad\therefore x=\frac{\pi}{6}$

$0\le x\le\frac{\pi}{2}$에서 함수 $f(x)$의 증가와 감소를 표로 나타내면 다음과 같다.

x	0	$\cdots$	$\frac{\pi}{6}$	$\cdots$	$\frac{\pi}{2}$
$f'(x)$	0	$-$	0	$+$	
$f(x)$	0	↘	극소	↗	$\frac{1}{2}\pi a$

STEP B 함수 $f(x)$의 최댓값이 π임을 이용하여 a 구하기

$a>0$에서 $x=\frac{\pi}{2}$에서 최댓값을 가지므로 $f\left(\frac{\pi}{2}\right)=\frac{1}{2}\pi a=\pi$

따라서 $a=2$

1421

정답 ⑤

STEP A $f'(x)=0$을 만족하는 x 구하기

$f(x)=x\ln x-2x+k$에서 $f'(x)=\ln x+1-2=\ln x-1$

$f'(x)=0$에서 $x=e$

함수 $f(x)$의 증가와 감소를 표로 나타내면 다음과 같다.

x	$\cdots$	e	$\cdots$
$f'(x)$	$-$	0	$+$
$f(x)$	↘	$-e+k$	↗

STEP B 함수 $f(x)$의 최솟값이 0임을 이용하여 k값 구하기

함수 $f(x)$는 $x=e$일 때, 극소이면서 최소이므로 최솟값은 $-e+k$

따라서 $-e+k=0$이므로 $k=e$

내신연계 출제문항 562

함수 $f(x)=x\ln x-2x+k$의 최솟값이 e일 때, 실수 k의 값은?

① 1 ② 2 ③ e
④ $2e$ ⑤ $3e$

STEP A $f'(x)=0$을 만족하는 x 구하기

$f(x)=x\ln x-2x+k$에서 $f'(x)=\ln x+1-2=\ln x-1$

$f'(x)=0$에서 $x=e$

함수 $f(x)$의 증가와 감소를 표로 나타내면 다음과 같다.

x	$\cdots$	e	$\cdots$
$f'(x)$	$-$	0	$+$
$f(x)$	↘	$-e+k$	↗

STEP B 함수 $f(x)$의 최솟값이 e임을 이용하여 k값 구하기

함수 $f(x)$는 $x=e$일 때, 극소이면서 최소이므로 최솟값은 $f(e)=-e+k$

따라서 $-e+k=e$이므로 $k=2e$ 정답 ④

1422

정답 ④

STEP A $f'(x)=0$을 만족하는 x 구하기

$f(x)=\frac{1}{4}x^2-\frac{1}{2}\ln kx$에서 $f'(x)=\frac{1}{2}x-\frac{1}{2x}=\frac{(x+1)(x-1)}{2x}$

$f'(x)=0$에서 $x=1\ (\because x>0)$

함수 $f(x)$의 증가와 감소를 표로 나타내면 다음과 같다.

x	(0)	$\cdots$	1	$\cdots$
$f'(x)$		$-$	0	$+$
$f(x)$		↘	$\frac{1}{4}-\frac{1}{2}\ln k$	↗

STEP B 함수 $f(x)$의 최솟값이 0임을 이용하여 k값 구하기

함수 $f(x)$는 $x=1$일 때, 극소이고 최소이므로 최솟값은 $f(1)=\frac{1}{4}-\frac{1}{2}\ln k$

함수 $f(x)$의 최솟값이 0이므로 $\frac{1}{4}-\frac{1}{2}\ln k=0$, $\ln k=\frac{1}{2}$

따라서 $k=\sqrt{e}$

1423

정답 ①

STEP Ⓐ y축에 평행한 직선을 $x=t$로 놓고 $\overline{PQ}$의 값을 t에 대한 식으로 나타내기

y축에 평행한 직선을 $x=t$ (t는 실수 전체 범위)라 하면

두 점 P, Q의 좌표는 각각 $P(t,\ e^t)$, $Q(t,\ t)$이므로

$f(t)=\overline{PQ}$라 하면 $f(t)=e^t-t$

STEP Ⓑ 함수 $f(t)$의 증감표를 이용하여 최솟값 구하기

$f'(t)=e^t-1$

$f'(t)=0$에서 $e^t=1$ $\therefore t=0$

함수 $f(t)$의 증가와 감소를 표로 나타내면 다음과 같다.

t	$\cdots$	0	$\cdots$
$f'(t)$	$-$	0	$+$
$f(t)$	↘	1	↗

함수 $f(t)$는 $t=0$에서 극소이면서 최소이다.

따라서 $\overline{PQ}$의 길이의 최솟값은 1

내신연계 출제문항 563

오른쪽 그림과 같이 직선 $x=t$가 직선 $y=x$, 곡선 $y=\sqrt{x-2}$와 만나는 점을 각각 P, Q라 할 때, 선분 PQ의 최솟값은? (단, $t>2$)

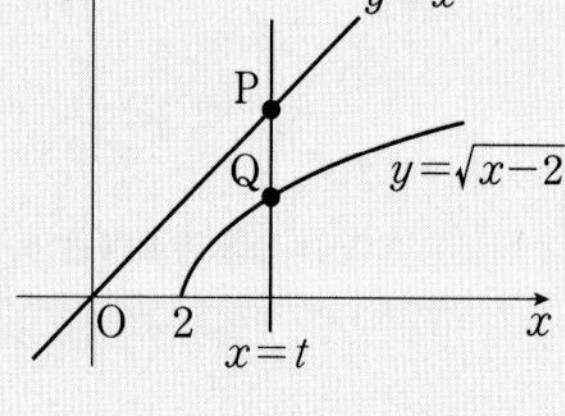

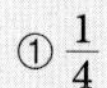

① $\frac{1}{4}$ ② 1 ③ $\frac{4}{3}$ ④ $\frac{7}{4}$ ⑤ $\frac{9}{4}$

STEP Ⓐ $\overline{PQ}$의 값을 t에 대한 식으로 나타내기

두 점 P, Q의 좌표는 각각 $P(t,\ t)$, $Q(t,\ \sqrt{t-2})$이므로

$f(t)=\overline{PQ}$라 하면 $f(t)=t-\sqrt{t-2}$

STEP Ⓑ 함수 $f(t)$의 증감표를 이용하여 최솟값 구하기

$f'(t)=1-\dfrac{1}{2\sqrt{t-2}}=\dfrac{2\sqrt{t-2}-1}{2\sqrt{t-2}}$

$f'(t)=0$에서 $2\sqrt{t-2}=1$

$\therefore t=\dfrac{9}{4}$

함수 $f(t)$의 증가와 감소를 표로 나타내면 다음과 같다.

t	(2)	$\cdots$	$\frac{9}{4}$	$\cdots$
$f'(t)$		$-$	0	$+$
$f(t)$		↘	$\frac{7}{4}$	↗

따라서 함수 $f(t)$는 $t=\dfrac{9}{4}$에서 극소이면서 최소이므로 $\overline{PQ}$의 길이의 최솟값은

$f\left(\dfrac{9}{4}\right)=\dfrac{9}{4}-\sqrt{\dfrac{9}{4}-2}=\dfrac{7}{4}$

정답 ④

1424

정답 ④

STEP Ⓐ $\overline{PQ}=x$로 놓고 은하가 이동하는 시간을 x에 대한 식으로 나타내기

$\overline{PQ}=x$, 은하가 $A \to Q \to B$까지 이동하는 시간을 $f(x)$라고 하면

$f(x)=\dfrac{\sqrt{x^2+60^2}}{2}+\dfrac{80-x}{4}$

← 시간$=\dfrac{거리}{속도}$

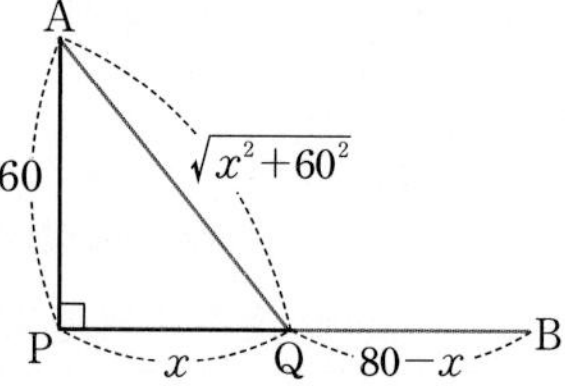

STEP Ⓑ 함수 $f(x)$의 증감표를 이용하여 최소가 되는 x의 값 구하기

$f'(x)=\dfrac{x}{2\sqrt{x^2+60^2}}-\dfrac{1}{4}=\dfrac{2x-\sqrt{x^2+60^2}}{4\sqrt{x^2+60^2}}$

$f'(x)=0$에서 $2x-\sqrt{x^2+60^2}=0$이므로 $x=20\sqrt{3}$(m)

$f(x)$의 증가와 감소를 표로 나타내면 다음과 같다.

x	(0)	$\cdots$	$20\sqrt{3}$	$\cdots$
$f'(x)$		$-$	0	$+$
$f(x)$		↘	극소	↗

따라서 $f(x)$는 $x=20\sqrt{3}$ m에서 극소이면서 최소이다.

내신연계 출제문항 564

오른쪽 그림과 같이 섬으로부터 가장 가까운 해안의 P지점까지의 거리는 3km이고 P지점과 마을의 거리는 5km라고 한다. 해안의 한 지점 Q를 정하여 섬과 마을을 연결하는 다리와 도로를 건설하려고 한다.

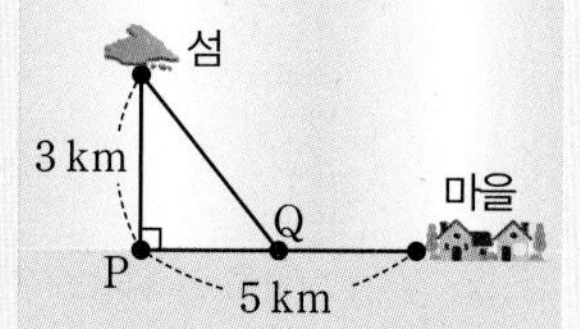

다리의 건설비용은 1km당 5억 원,

도로의 건설비용은 1km당 3억 원이라고 할 때, 섬에서 마을까지 다리와 도로를 건설하는 비용의 최솟값은?

① 17억 ② 19억 ③ 21억 ④ 27억 ⑤ 32억

STEP Ⓐ 다리와 도로를 건설하는데 드는 건설비용을 x로 나타내기

$\overline{PQ}=x$km로 놓고

건설비용을 $C(x)$라고 하면

$C(x)=5\sqrt{x^2+9}+3(5-x)$

$C'(x)=\dfrac{5x}{\sqrt{x^2+9}}-3$

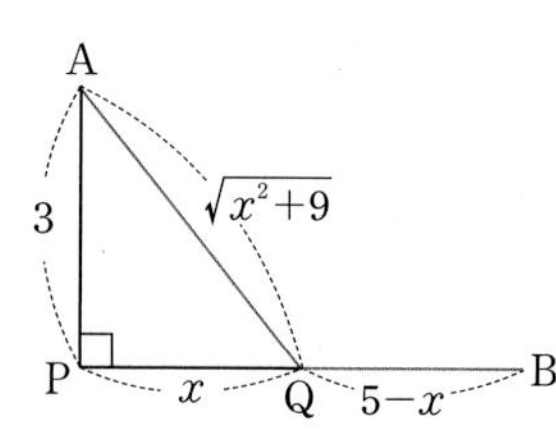

$C'(x)=0$에서 $5x=3\sqrt{x^2+9}$

양변을 제곱하면 $25x^2=9x^2+81$

$\therefore x=\dfrac{9}{4}$ ($\because 0<x<5$)

STEP Ⓑ 건설비용을 x에 대해 미분하여 극솟값 구하기

$0<x<5$에서 $C(x)$의 증가와 감소를 표로 나타내면 다음과 같다.

x	(0)	$\cdots$	$\frac{9}{4}$	$\cdots$
$C'(x)$		$-$	0	$+$
$C(x)$		↘	극소	↗

따라서 $C(x)$는 $x=\dfrac{9}{4}$에서 극소이면서 최소이므로 건설비용의 최솟값은

$C\left(\dfrac{9}{4}\right)=5\sqrt{\left(\dfrac{9}{4}\right)^2+9}+3\left(5-\dfrac{9}{4}\right)=27$

정답 ④

1425

정답 ②

STEP A $\overline{OP}$의 길이를 θ로 나타내기

A에서 OQ에 내린 수선의 발을 M이라 하자.

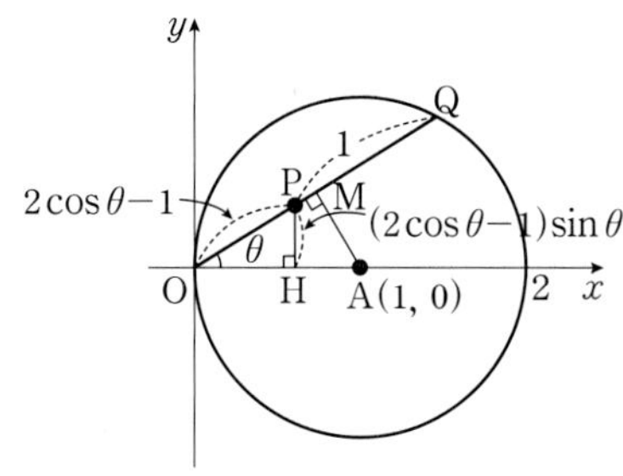

$\overline{OM}=\overline{OA}\cos\theta=\cos\theta$

$\overline{OM}=\overline{QM}$이므로 $\overline{OQ}=2\overline{OM}=2\cos\theta$ $\quad\therefore \overline{OP}=\overline{OQ}-\overline{PQ}=2\cos\theta-1$

$\overline{OQ}=2\cos\theta$이므로 $\overline{OP}=2\cos\theta-1$

STEP B 점 P의 y좌표가 최대가 되는 $\cos\theta$의 값 구하기

P에서 x축에 내린 수선의 발을 H라 하면

P의 y좌표는 선분 PH의 길이와 같다.

즉 $\overline{PH}=(2\cos\theta-1)\sin\theta$

$f(\theta)=(2\cos\theta-1)\sin\theta$라 하면

$f'(\theta)=-2\sin\theta\cdot\sin\theta+(2\cos\theta-1)\cos\theta$

$=-2\sin^2\theta+(2\cos\theta-1)\cos\theta$

$=4\cos^2\theta-\cos\theta-2$

$f'(\theta)=0$에서 $4\cos^2\theta-\cos\theta-2=0$

$\therefore \cos\theta=\dfrac{1\pm\sqrt{33}}{8}$

$0<\theta<\dfrac{\pi}{3}$에서 $\dfrac{1}{2}<\cos\theta<1$이므로 $\cos\theta=\dfrac{1+\sqrt{33}}{8}$일 때,

$f(\theta)$는 극댓값을 가지며 최댓값이 된다.

따라서 $a=1$, $b=33$이므로 $a+b=1+33=34$

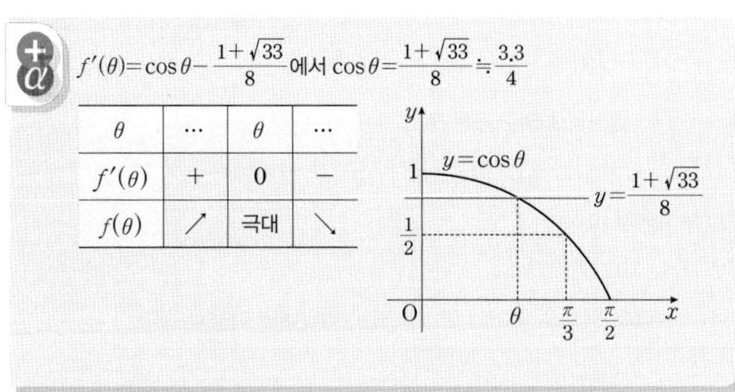

$f'(\theta)=\cos\theta-\dfrac{1+\sqrt{33}}{8}$에서 $\cos\theta=\dfrac{1+\sqrt{33}}{8}\fallingdotseq\dfrac{3.3}{4}$

θ	$\cdots$	θ	$\cdots$
$f'(\theta)$	$+$	0	$-$
$f(\theta)$	↗	극대	↘

내신연계 출제문항 565

오른쪽 그림과 같이 두 점 O(0, 0), A(2, 0)을 지름의 양 끝 점으로 하는 원 위의 점 중 제1사분면의 점을 P라 하자.

반직선 OP 위의 점 $\overline{PQ}=2$를 만족시킨다.

$\angle POA=\theta$일 때, 점 Q의 y좌표를 $f(\theta)$라 하자. $f(\theta)$의 최댓값은?

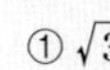

① $\sqrt{3}$ ② $\dfrac{5\sqrt{3}}{4}$ ③ $\dfrac{3\sqrt{3}}{2}$

④ $\dfrac{7\sqrt{3}}{4}$ ⑤ $2\sqrt{3}$

STEP A 점 Q의 y좌표 $f(\theta)$ 구하기

점 P는 제1사분면의 점이므로 $0<\theta<\dfrac{\pi}{2}$

삼각형 OPA는 직각삼각형이므로 $\overline{OP}=2\cos\theta$이고 $\overline{OQ}=2\cos\theta+2$

즉 점 Q의 y좌표 $f(\theta)$는

$f(\theta)=(2\cos\theta+2)\sin\theta=2(\sin\theta\cos\theta+\sin\theta)$

STEP B $0<\theta<\dfrac{\pi}{2}$에서 $f(\theta)$의 최댓값 구하기

이때 $f'(\theta)=2(\cos^2\theta-\sin^2\theta+\cos\theta)$

$=2(2\cos^2\theta+\cos\theta-1)$

$=2(2\cos\theta-1)(\cos\theta+1)$

$f'(\theta)=0$에서 $\cos\theta=\dfrac{1}{2}\left(\because 0<\theta<\dfrac{\pi}{2}\right)$이므로 $\theta=\dfrac{\pi}{3}$

$0<\theta<\dfrac{\pi}{2}$에서 $f(\theta)$의 증가와 감소를 표로 나타내면 다음과 같다.

θ	(0)	$\cdots$	$\dfrac{\pi}{3}$	$\cdots$	$\left(\dfrac{\pi}{2}\right)$
$f'(\theta)$		$+$	0	$-$	
$f(\theta)$		↗	극대	↘	

함수 $f(\theta)$는 $\theta=\dfrac{\pi}{3}$일 때, 극대이면서 최대가 되고 최댓값은

$f\left(\dfrac{\pi}{3}\right)=\left(2\cos\dfrac{\pi}{3}+2\right)\sin\dfrac{\pi}{3}=\dfrac{3\sqrt{3}}{2}$

정답 ③

1426

정답 ⑤

STEP A 점 A에서 접선의 방정식 구하기

점 A의 좌표를 $A(a, e^a)(a<0)$이라 하면

$y=e^x$에서 $y'=e^x$이므로 점 A에서의 접선의 방정식은 $y-e^a=e^a(x-a)$

$\therefore y=e^ax+e^a(1-a)$

STEP B 점 A에서의 접선과 x축, y축으로 둘러싸인 부분의 넓이 구하기

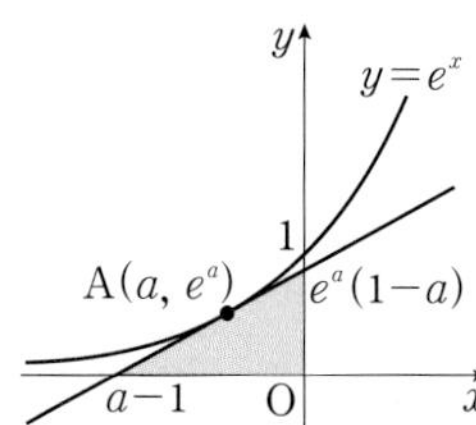

이 접선이 x축, y축과 만나는 점을 각각 $(a-1, 0)$, $(0, e^a(1-a))$

구하는 넓이를 $S(a)$라 하면

$S(a)=\dfrac{1}{2}\times|a-1|\times(1-a)e^a=\dfrac{e^a(1-a)^2}{2}$

STEP C 넓이의 최댓값 구하기

$S'(a)=\dfrac{1}{2}\{e^a(1-a)^2-e^a\cdot2(1-a)\}=\dfrac{e^a(a+1)(a-1)}{2}$

$S'(a)=0$에서 $a=-1$ 또는 $a=1$

$S(a)$의 증가와 감소를 표로 나타내면 다음과 같다.

a	$\cdots$	-1	$\cdots$	0	$\cdots$	1	$\cdots$
$S'(a)$	$+$	0	$-$	$-$	$-$	0	$+$
$S(a)$	↗	$\dfrac{2}{e}$	↘	$\dfrac{1}{2}$	↘	0	↗

따라서 $a=-1$일 때, 극대이면서 최대이므로 넓이의 최댓값은

$S(-1)=2e^{-1}=\dfrac{2}{e}$

내신연계 출제문항 566

곡선 $y=e^{-x}$ 위의 점 $\mathrm{A}(a,\ e^{-a})$에서의 접선과 x축, y축으로 둘러싸인 부분의 넓이를 최대로 하는 양수 a의 값은?

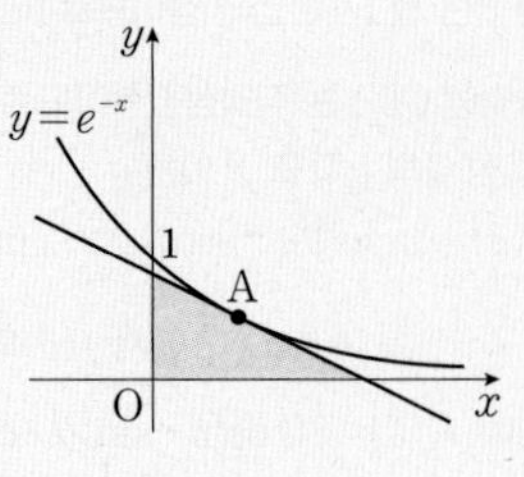

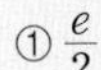 ① $\frac{e}{2}$　　② e

③ 1　　④ $\frac{1}{e}$

 ⑤ $\frac{2}{e}$

STEP Ⓐ 점 A에서 접선의 방정식 구하기

$y=e^{-x}$에서 $y'=-e^{-x}$이므로

점 $\mathrm{A}(a,\ e^{-a})$에서의 접선의 방정식은 $y-e^{-a}=-e^{-a}(x-a)$

$\therefore\ y=-e^{-a}x+(1+a)e^{-a}$

STEP Ⓑ 점 A에서의 접선과 x축, y축으로 둘러싸인 부분의 넓이 구하기

접선이 x축, y축과 만나는 점을

각각 $(a+1,\ 0)$, $(0,\ (a+1)e^{-a})$

구하는 넓이를 $S(a)$라 하면

$S(a)=\frac{1}{2}(1+a)^2\cdot e^{-a}\ (a>0)$

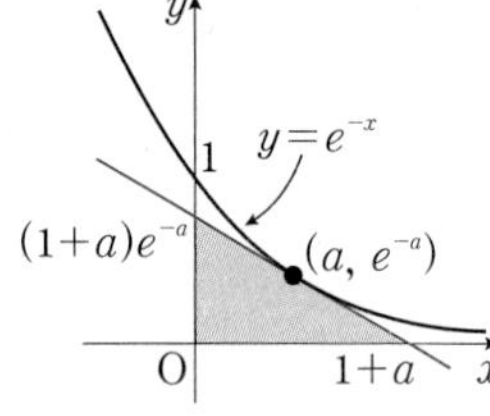

STEP Ⓒ 넓이가 최대가 되는 양수 a의 값 구하기

$S'(a)=\frac{1}{2}\{2(1+a)e^{-a}-(a+1)^2e^{-a}\}=\frac{-(a+1)(a-1)e^{-a}}{2}$

$S'(a)=0$에서 $a=1\ (\because\ a>0)$

$S(a)$의 증가와 감소를 표로 나타내면 다음과 같다.

a	(0)	$\cdots$	1	$\cdots$
$S'(a)$		$+$	0	$-$
$S(a)$		↗	$2e^{-1}$	↘

따라서 $S(a)$는 $a=1$일 때, 극대이면서 최대이다.

 정답 ③

1427

 정답 ③

STEP Ⓐ 점 $\mathrm{P}(t,\ \ln t)$에서 접선의 방정식 구하기

$y=\ln x$에서 $y'=\frac{1}{x}$이므로

점 $\mathrm{P}(t,\ \ln t)(0<t<1)$에서 접선의 방정식은 $y-\ln t=\frac{1}{t}(x-t)$

$\therefore\ y=\frac{1}{t}x-1+\ln t$

STEP Ⓑ 접선과 x축, y축으로 둘러싸인 부분의 넓이 구하기

이 접선이 x축, y축과 만나는 점이

각각 $\mathrm{Q}(t(1-\ln t),\ 0)$, $\mathrm{R}(0,\ -1+\ln t)$

이므로 삼각형 OQR의 넓이를

$S(t)$라 하면

$S(t)=\frac{1}{2}t(1-\ln t)\cdot(1-\ln t)$

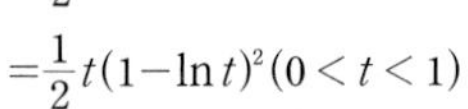
$\quad=\frac{1}{2}t(1-\ln t)^2\ (0<t<1)$

STEP Ⓒ 넓이의 최댓값 구하기

$S'(t)=\frac{1}{2}(1-\ln t)^2-(1-\ln t)=-\frac{1}{2}(1-\ln t)(1+\ln t)$

$S'(t)=0$에서 $\ln t=-1$　$\therefore\ t=\frac{1}{e}\ (\because\ 0<t<1)$

$0<t<1$에서 $S(t)$의 증가와 감소를 표로 나타내면 다음과 같다.

t	(0)	$\cdots$	$\frac{1}{e}$	$\cdots$	(1)
$S'(t)$		$+$	0	$-$	
$S(t)$		↗	$\frac{2}{e}$	↘	

따라서 $x=\frac{1}{e}$일 때, 극대이면서 최대이므로 넓이의 최댓값은

$S\left(\frac{1}{e}\right)=\frac{1}{2e}(1+1)^2=\frac{2}{e}$

내신연계 출제문항 567

곡선 $y=-\ln x$ 위의 점 $(t,\ -\ln t)$ $(0<t<1)$에서의 접선이 x축, y축과 만나는 점을 각각 A, B라 할 때, 삼각형 OAB의 넓이의 최댓값은? (단, O는 원점이고 e는 자연로그의 밑이다.)

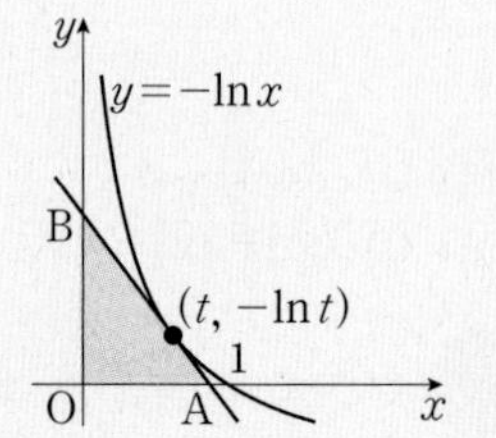

① $\frac{1}{e^3}$　　② $\frac{2}{e^2}$

③ $\frac{2}{e}$　　④ $\frac{e}{2}$

 ⑤ e

STEP Ⓐ 점 $(t,\ -\ln t)$에서 접선의 방정식 구하기

$y=-\ln x$에서 $y'=-\frac{1}{x}$이므로

점 $(t,\ -\ln t)(0<t<1)$에서 접선의 방정식은

$y+\ln t=-\frac{1}{t}(x-t)$　$\therefore\ y=-\frac{1}{t}x+1-\ln t$

STEP Ⓑ 접선과 x축, y축으로 둘러싸인 부분의 넓이 구하기

이 접선이 x축, y축과 만나는 점을

각각 $\mathrm{A}(t(1-\ln t),\ 0)$, $\mathrm{B}(0,\ 1-\ln t)$

이므로 삼각형 OAB의 넓이를 $S(t)$라

하면

$S(t)=\frac{1}{2}t(1-\ln t)\cdot(1-\ln t)$

$\quad=\frac{1}{2}t(1-\ln t)^2$

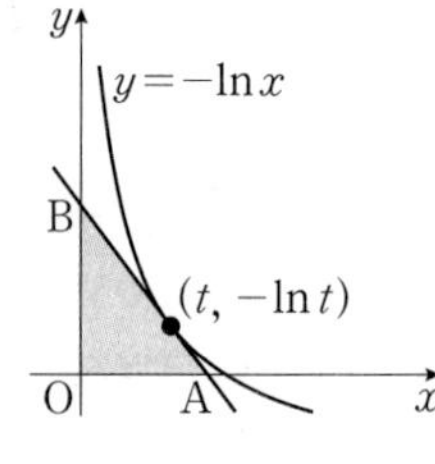

STEP Ⓒ 넓이의 최댓값 구하기

$S'(t)=\frac{1}{2}(1-\ln t)^2-(1-\ln t)=\frac{1}{2}(1-\ln t)(-1-\ln t)$

$S'(t)=0$에서 $\ln t=-1$

$\therefore\ t=\frac{1}{e}\ (\because\ 0<t<1)$

$0<t<1$에서 $S(t)$의 증가와 감소를 표로 나타내면 다음과 같다.

t	(0)	$\cdots$	$\frac{1}{e}$	$\cdots$	(1)
$S'(t)$		$+$	0	$-$	
$S(t)$		↗	$\frac{2}{e}$	↘	

따라서 $t=\frac{1}{e}$일 때, 극대이면서 최대이므로 넓이의 최댓값은

$S\left(\frac{1}{e}\right)=\frac{1}{2e}(1+1)^2=\frac{2}{e}$

 정답 ③

1428

정답 ④

STEP A 점 P에서 접선에 수직인 직선의 방정식 구하기

$f(x)=\ln x(x>1)$ 위의 점 $P(t,\ \ln t)$라 하면

$f'(x)=\frac{1}{x}$이므로 $f'(t)=\frac{1}{t}$

점 P에서의 접선에 수직인 직선의 방정식은

$y-\ln t=-t(x-t)$

STEP B 삼각형 PQR의 넓이 구하기

이 직선의 x축의 교점은 $Q\left(t+\frac{\ln t}{t},\ 0\right)$, $R(t,\ 0)$이므로

삼각형 PQR의 넓이 $S(t)$라 하면

$S(t)=\frac{1}{2}\cdot\frac{\ln t}{t}\cdot\ln t=\frac{1}{2}(\ln t)^2\cdot\frac{1}{t}$

STEP C 넓이의 최댓값 구하기

$S'(t)=\ln t\cdot\frac{1}{t^2}-\frac{1}{2}(\ln t)^2\cdot\frac{1}{t^2}$

$=\frac{1}{t^2}\ln t\left(1-\frac{1}{2}\ln t\right)$

$S'(t)=0$에서 $\ln t=2$ $\quad\therefore t=e^2$

$S(t)$의 증가와 감소를 표로 나타내면 다음과 같다.

t	(0)	$\cdots$	e^2	$\cdots$
$S'(t)$		+	0	−
$S(t)$		↗	$\frac{2}{e^2}$	↘

따라서 $t=e^2$일 때, 극대이면서 최대이므로 삼각형 PQR의 넓이의 최댓값은

$S(e^2)=\frac{1}{2}\cdot\frac{1}{e^2}\cdot 2^2=\frac{2}{e^2}$

내신연계 출제문항 568

오른쪽 그림과 같이 곡선 $y=-2\ln x$ 위의 점 $P(t,\ -2\ln t)(0<t<1)$에서 x축에 내린 수선의 발을 A라 하고 점 P에서의 접선이 x축과 만나는 점을 B라 할 때, 삼각형 PAB의 넓이의 최댓값은?

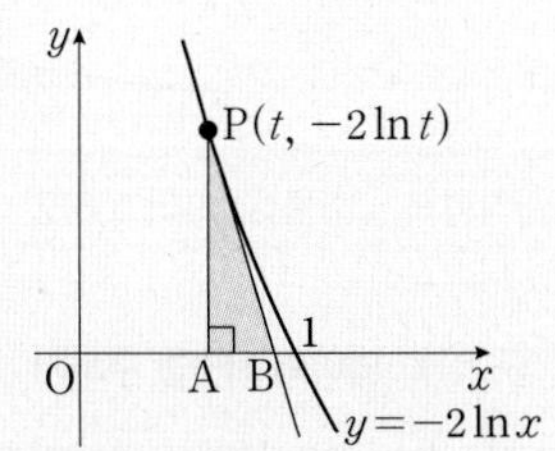

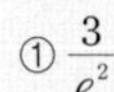

① $\frac{3}{e^2}$ ② $\frac{7}{2e^2}$

③ $\frac{4}{e^2}$ ④ $\frac{9}{2e^2}$

⑤ $\frac{5}{e^2}$

STEP A 점 $(t,\ -\ln t)$에서 접선의 방정식 구하기

$y=-2\ln x$에서 $y'=-\frac{2}{x}$이므로

점 $(t,\ -2\ln t)(0<t<1)$에서 접선의 방정식은 $y+2\ln t=-\frac{2}{t}(x-t)$

$\therefore y=-\frac{2}{t}x+2-2\ln t$

STEP B 접선과 x축, y축으로 둘러싸인 부분의 넓이 구하기

이 접선이 x축과 만나는 점을 각각 $B(t-t\ln t,\ 0)$, $A(t,\ 0)$이므로

삼각형 PAB의 넓이를 $S(t)$라 하면

$S(t)=\frac{1}{2}t\ln t\cdot(2\ln t)=t(\ln t)^2$

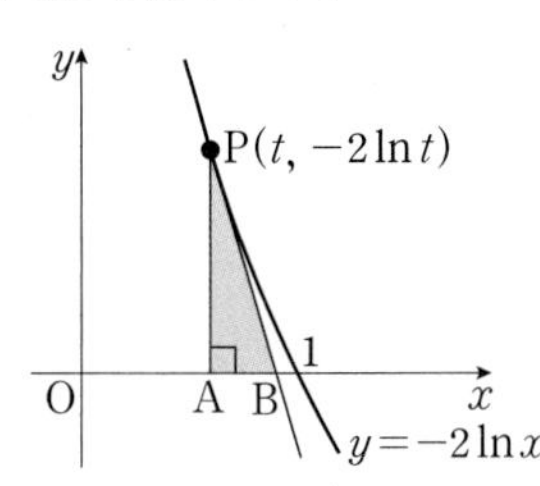

STEP C 넓이의 최댓값 구하기

$S'(t)=(\ln t)^2+2t(\ln t)\cdot\frac{1}{t}=\ln t(\ln t+2)$

$S'(t)=0$에서 $\ln t=0$ 또는 $\ln t=-2$

$\therefore t=\frac{1}{e^2}(\because 0<t<1)$

$0<t<1$에서 $S(t)$의 증가와 감소를 표로 나타내면 다음과 같다.

t	(0)	$\cdots$	$\frac{1}{e^2}$	$\cdots$	(1)
$S'(t)$		+	0	−	
$S(t)$		↗	$\frac{2}{e}$	↘	

따라서 $t=\frac{1}{e^2}$일 때, 극대이면서 최대이므로 넓이의 최댓값은

$S\left(\frac{1}{e^2}\right)=\frac{1}{e^2}\left(\ln\frac{1}{e^2}\right)^2=\frac{4}{e^2}$

정답 ③

1429

정답 ④

STEP A 점 $P(t,\ 2e^{-t})$에서 접선의 방정식 구하기

곡선 $f(x)=2e^{-x}$라 하면

$f'(x)=-2e^{-x}$

점 $P(t,\ 2e^{-t})$에서의 접선의 기울기는 $f'(t)=-2e^{-t}$이므로

접선의 방정식은 $y-2e^{-t}=-2e^{-t}(x-t)$

이 접선이 y축과 만나는 점은 $x=0$을 대입하면

$y=2e^{-t}(t+1)$이므로 점 $B(0,\ 2e^{-t}(t+1))$

STEP B 삼각형 APB의 넓이 구하기

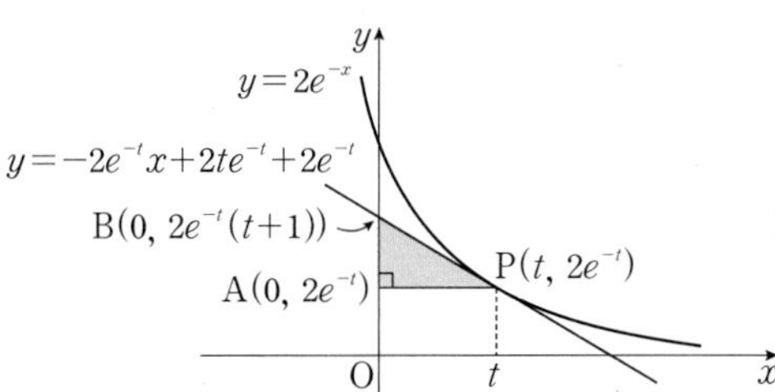

점 $P(t,\ 2e^{-t})$에서 y축에 내린 수선의 발은 $A(0,\ 2e^{-t})$이므로

삼각형 APB의 넓이를 $S(t)$라 하면

$S(t)=\frac{1}{2}\cdot\overline{AP}\cdot\overline{AB}=\frac{1}{2}t\{2e^{-t}(t+1)-2e^{-t}\}=t^2e^{-t}(t>0)$

STEP C 증감표를 이용하여 최대가 되는 t의 값 구하기

$S'(t)=2te^{-t}-t^2e^{-t}=te^{-t}(2-t)$

$S'(t)=0$에서 $t=0$ 또는 $t=2$

함수 $S(t)$의 증가와 감소를 표로 나타내면 다음과 같다.

t	(0)	$\cdots$	2	$\cdots$
$S'(t)$		+	0	−
$S(t)$		↗	극대	↘

$t>0$에서 $t=2$일 때, 극대이고 최대가 되므로 다음 그림과 같다.

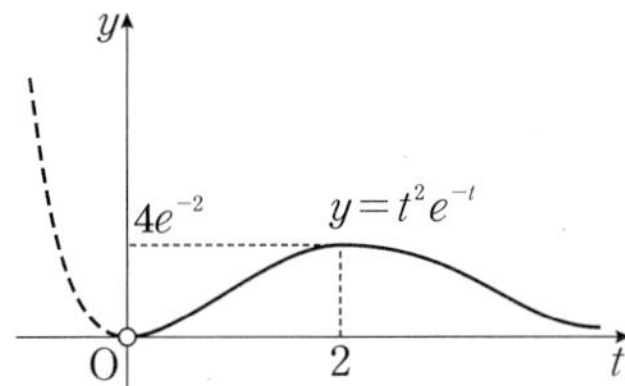

따라서 함수 $S(t)$는 $t=2$일 때, 최대가 된다.

1430

정답 ②

STEP A 직사각형의 넓이의 식 세우기

곡선 $y=e^{-\frac{x^2}{2}}$은 y축에 대하여 대칭이므로 직사각형도 y축 대칭이다.

그림과 같이 제 1사분면에 있는 직사각형의 꼭짓점을 $\mathrm{P}\left(a,\ e^{-\frac{a^2}{2}}\right)$이라 하자.

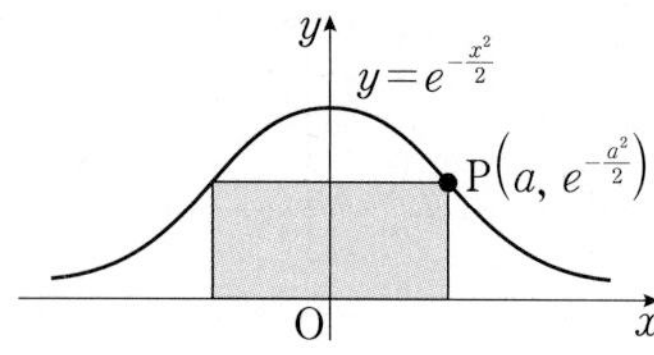

직사각형의 넓이를 $S(a)$라고 하면

$S(a)=2ae^{-\frac{a^2}{2}}\ (a>0)$

STEP B 넓이의 최댓값 구하기

$S'(a)=2e^{-\frac{a^2}{2}}+2ae^{-\frac{a^2}{2}}(-a)=2(1-a^2)e^{-\frac{a^2}{2}}$

$S'(a)=0$에서 $a=1\ (\because a>0)$

$a>0$에서 함수 $S(a)$의 증가와 감소를 표로 나타내면 다음과 같다.

a	(0)	$\cdots$	1	$\cdots$
$S'(a)$		$+$	0	$-$
$S(a)$		↗	$\frac{2}{\sqrt{e}}$	↘

따라서 $S(a)$는 $a=1$에서 극대이고 최대이므로 넓이의 최댓값은

$S(1)=\frac{2}{\sqrt{e}}$

내신연계 출제문항 569

자연수 n에 대하여 그림과 같이 두 꼭짓점은 x축 위에 있고 다른 두 꼭짓점은 곡선 $y=e^{-\frac{n}{2}x^2}$ 위에 있는 직사각형의 넓이의 최댓값을 a_k라 할 때, $\sum_{n=1}^{\infty}(a_n a_{n+1})^2$의 값은?

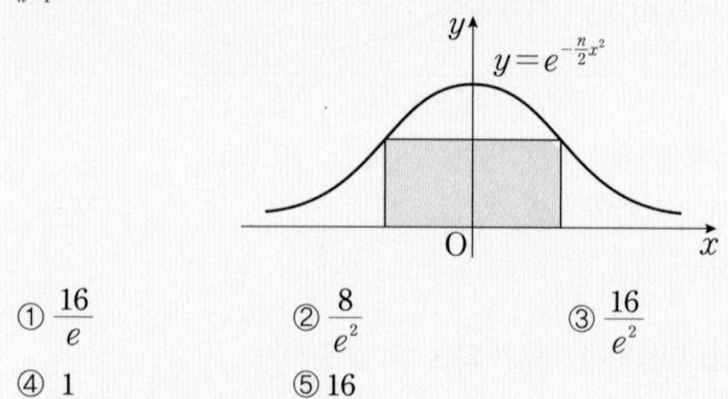

① $\frac{16}{e}$ ② $\frac{8}{e^2}$ ③ $\frac{16}{e^2}$
④ 1 ⑤ 16

STEP A 직사각형의 넓이의 식 세우기

곡선 $y=e^{-\frac{n}{2}x^2}$은 y축에 대하여 대칭이므로 직사각형도 y축 대칭이다.

그림과 같이 제 1사분면에 있는 직사각형의 꼭짓점을 $\mathrm{P}\left(a,\ e^{-\frac{n}{2}a^2}\right)$이라 하자.

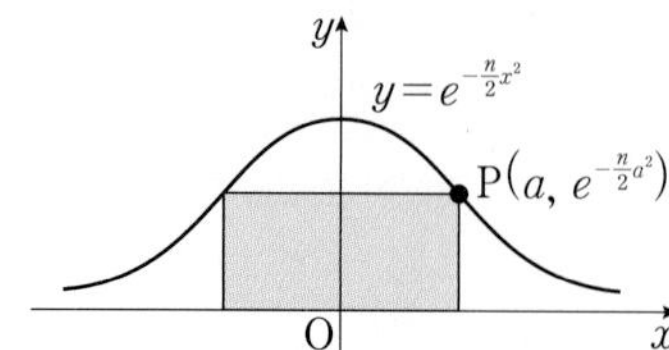

직사각형의 넓이를 $S(a)$라고 하면

$S(a)=2ae^{-\frac{n}{2}a^2}\ (a>0)$

STEP B 넓이의 최댓값 구하기

$S'(a)=2(1-na^2)e^{-\frac{n}{2}a^2}$

$S'(a)=0$에서 $a=\frac{1}{\sqrt{n}}\ (\because a>0)$

$a>0$에서 함수 $S(a)$의 증가와 감소를 표로 나타내면 다음과 같다.

a	(0)	$\cdots$	$\frac{1}{\sqrt{n}}$	$\cdots$
$S'(a)$		$+$	0	$-$
$S(a)$		↗	$\frac{2}{\sqrt{en}}$	↘

$S(a)$는 $a=\frac{1}{\sqrt{n}}$에서 극대이고 최대이므로 넓이의 최댓값은

$a_n=S\left(\frac{1}{\sqrt{n}}\right)=\frac{2}{\sqrt{n}}\cdot e^{-\frac{1}{2}}=\frac{2}{\sqrt{en}}$

STEP C $\sum_{n=1}^{\infty}(a_n a_{n+1})^2$의 값 구하기

$(a_n a_{n+1})^2=\frac{4}{en}\cdot\frac{4}{e(n+1)}=\frac{16}{e^2}\cdot\frac{1}{n(n+1)}$

따라서 $\sum_{n=1}^{\infty}(a_n a_{n+1})^2=\frac{16}{e^2}\sum_{n=1}^{\infty}\frac{1}{n(n+1)}=\frac{16}{e^2}\lim_{n\to\infty}\sum_{k=1}^{n}\frac{1}{k(k+1)}$

$=\frac{16}{e^2}\lim_{n\to\infty}\sum_{k=1}^{n}\left(\frac{1}{k}-\frac{1}{k+1}\right)$

$=\frac{16}{e^2}\lim_{n\to\infty}\left(1-\frac{1}{n+1}\right)$

$=\frac{16}{e^2}$

정답 ③

1431

정답 ⑤

STEP A 직사각형의 넓이의 식 세우기

제 1사분면 위에 있는 직사각형의 꼭짓점의 좌표를 $\mathrm{P}(x,\ e^{-x})\ (x>0)$

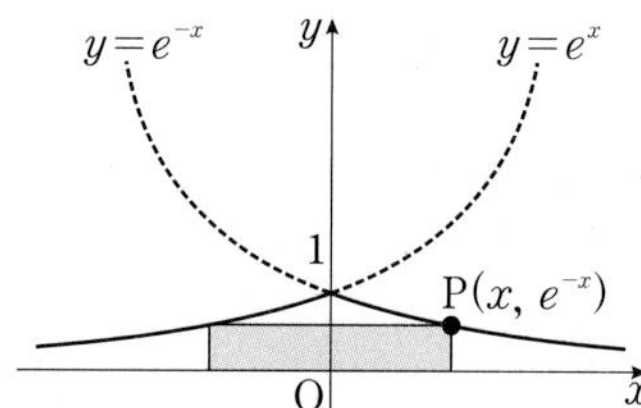

직사각형의 넓이를 $S(x)$라고 하면

$S(x)=2xe^{-x}$

STEP B 넓이의 최댓값 구하기

$S'(x)=2(1-x)e^{-x}$이므로 $S'(x)=0$에서 $x=1$

$x\geq 0$에서 $S(x)$의 증가와 감소를 표로 나타내면 다음과 같다.

x	0	$\cdots$	1	$\cdots$
$S'(x)$		$+$	0	$-$
$S(x)$		↗	$\frac{2}{e}$	↘

따라서 함수 $S(x)$는 $x=1$에서 극대이면서 최대이고 최댓값은 $S(1)=\frac{2}{e}$

1432

정답 ④

STEP A 직사각형의 넓이의 식 세우기

점 P의 좌표를 $(a,\ \ln a)$로 놓고 직사각형 ORPQ의 넓이를 $S(a)$라 하면

$S(a)=a(-\ln a)=-a\ln a$

STEP B 넓이의 최댓값 구하기

$S'(a)=-\ln a-a\cdot\dfrac{1}{a}=-(\ln a+1)$

$S'(a)=0$에서 $a=\dfrac{1}{e}$

이때 $0<a<1$에서 함수 $S(a)$의 증가와 감소를 조사하면 다음 표와 같다.

a	(0)	$\cdots$	$\dfrac{1}{e}$	$\cdots$	(1)
$S'(a)$		$+$	0	$-$	
$S(a)$		↗	극대	↘	

따라서 $S(a)$는 $a=\dfrac{1}{e}$일 때, 극대이면서 최대이므로 직사각형 ORPQ의 넓이의 최댓값은 $S\left(\dfrac{1}{e}\right)=-\dfrac{1}{e}\ln\dfrac{1}{e}=\dfrac{1}{e}$

1433

정답 ③

STEP A ABCD의 넓이를 θ를 이용하여 나타내기

$\angle\text{AOD}=\theta$라 하고 점 D에서 $\overline{\text{AO}}$에 내린 수선의 발을 E라고 하면 $\overline{\text{DE}}=2\sin\theta$, $\overline{\text{OE}}=2\cos\theta$, $\overline{\text{CD}}=4\cos\theta$

사다리꼴 ABCD의 넓이를 $S(\theta)$라고 하면

$S(\theta)=\dfrac{1}{2}(4+4\cos\theta)2\sin\theta$

$=4\sin\theta(1+\cos\theta)$

STEP B $S(\theta)$의 증감표를 작성하여 최댓값 구하기

$S'(\theta)=4\cos\theta(1+\cos\theta)+4\sin\theta(-\sin\theta)$

$=4(\cos\theta+\cos^2\theta-\sin^2\theta)$

$=4(\cos\theta+\cos^2\theta+\cos^2\theta-1)$

$=4(\cos\theta+1)(2\cos\theta-1)$

$S'(\theta)=0$일 때, $0<\theta<\dfrac{\pi}{2}$이므로 $\cos\theta=\dfrac{1}{2}$에서 $\theta=\dfrac{\pi}{3}$

$S(\theta)$의 증가와 감소를 표로 나타내면 다음과 같다.

θ	0	$\cdots$	$\dfrac{\pi}{3}$	$\cdots$	$\dfrac{\pi}{2}$
$S'(\theta)$		$+$	0	$-$	
$S(\theta)$		↗	극대	↘	

따라서 $\theta=\dfrac{\pi}{3}$일 때, 극대이고 최대이므로 넓이의 최댓값은

$S\left(\dfrac{\pi}{3}\right)=4\sin\dfrac{\pi}{3}\left(1+\cos\dfrac{\pi}{3}\right)=4\cdot\dfrac{\sqrt{3}}{2}\left(1+\dfrac{1}{2}\right)=3\sqrt{3}$

내신연계 출제문항 570

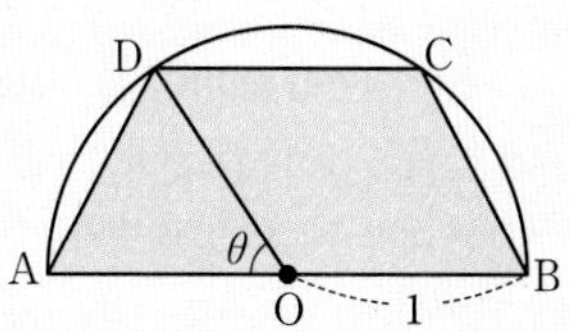

오른쪽 그림은 반지름의 길이가 1인 반원에서 지름 AB를 한 변으로 하고 반원에 내접하는 사다리꼴 ABCD를 나타낸 것이다. $\angle\text{AOD}=\theta$라고 하면 사다리꼴 ABCD의 넓이는 $\theta=a$일 때, 최댓값 b를 가진다. 상수 $a,\ b$에 대하여 ab의 값은? $\left(\text{단, } 0<\theta<\dfrac{\pi}{2}\right)$

① $\dfrac{\sqrt{3}}{4}\pi$　② $\dfrac{\sqrt{3}}{2}\pi$　③ $\dfrac{3}{4}\pi$

④ $\dfrac{2}{3}\pi$　⑤ $\dfrac{3}{2}\pi$

STEP A 사다리꼴 ABCD의 넓이를 $S(\theta)$라 할 때, $S(\theta)$를 θ에 관한 삼각함수로 나타내기

오른쪽 그림과 같이 $\angle\text{AOD}=\theta\left(0<\theta<\dfrac{\pi}{2}\right)$이므로 점 D에서 $\overline{\text{OA}}$에 내린 수선의 발을 H라 하면

$\overline{\text{DH}}=\sin\theta$, $\overline{\text{OH}}=\cos\theta$, $\overline{\text{CD}}=2\cos\theta$

사다리꼴 ABCD의 넓이를

$S(\theta)=\dfrac{1}{2}(\overline{\text{AB}}+\overline{\text{DC}})\cdot\overline{\text{DH}}=\dfrac{1}{2}(2+2\cos\theta)\cdot\sin\theta=(1+\cos\theta)\sin\theta$

STEP B $S(\theta)$가 최대가 되는 θ의 값 구하기

$S'(\theta)=\{-\sin^2\theta+(1+\cos\theta)\cos\theta\}$

$=-(1-\cos^2\theta)+(1+\cos\theta)\cos\theta$

$=(2\cos^2\theta+\cos\theta-1)=(\cos\theta+1)(2\cos\theta-1)$

$S'(\theta)=0$에서 $\cos\theta+1>0$이므로 $\cos\theta=\dfrac{1}{2}$

$\therefore\ \theta=\dfrac{\pi}{3}\left(0<\theta<\dfrac{\pi}{2}\right)$

$0<\theta<\dfrac{\pi}{2}$에서 $S(\theta)$의 증가와 감소를 표로 나타내면 다음과 같다.

θ	(0)	$\cdots$	$\dfrac{\pi}{3}$	$\cdots$	$\left(\dfrac{\pi}{2}\right)$
$S'(\theta)$		$+$	0	$-$	
$S(\theta)$		↗	최대	↘	

$0<\theta<\dfrac{\pi}{2}$에서 함수 $S(\theta)$는 $\theta=\dfrac{\pi}{3}$에서 극대이고 최대이므로 최댓값은

$S\left(\dfrac{\pi}{3}\right)=\dfrac{3\sqrt{3}}{4}$

STEP C ab의 값 구하기

따라서 $a=\dfrac{\pi}{3}$, $b=\dfrac{3\sqrt{3}}{4}$이므로 $ab=\dfrac{\sqrt{3}}{4}\pi$

정답 ①

참고 삼각함수의 넓이를 이용하여 넓이 유도

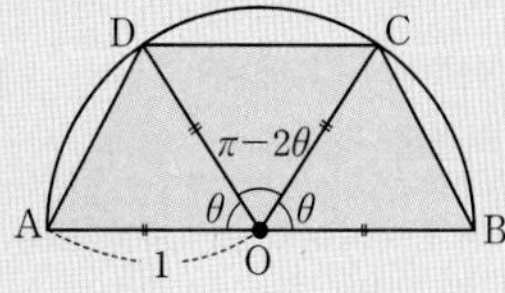

$\angle\text{AOD}=\angle\text{BOC}=\theta$, $\angle\text{DOC}=\pi-2\theta$, $\overline{\text{OA}}=\overline{\text{OB}}=\overline{\text{OC}}=\overline{\text{OD}}=1$이므로

□ABCD의 넓이를 $S(\theta)$라고 하면

$S(\theta)=\triangle\text{AOD}+\triangle\text{BOC}+\triangle\text{DOC}$

$=\dfrac{1}{2}\sin\theta+\dfrac{1}{2}\sin\theta+\dfrac{1}{2}\sin(\pi-2\theta)$

$=\sin\theta+\dfrac{1}{2}\sin2\theta$

$=(1+\cos\theta)\sin\theta$

1434

정답 ⑤

STEP A 단면의 넓이를 θ를 이용하여 나타내기

오른쪽 그림과 같이 꼭짓점 B, C에서 변 AD에 내린 수선의 발을 각각 E, F라 하자

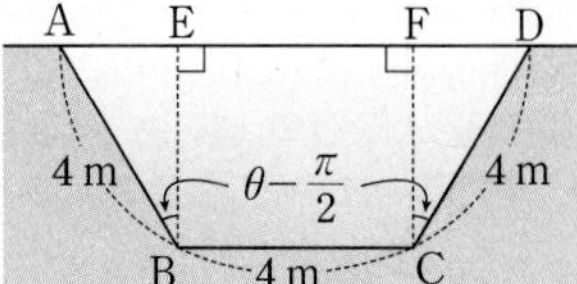

$\angle ABE=\angle DCF=\theta-\frac{\pi}{2}$이므로

$\overline{AE}=\overline{DF}=4\sin\left(\theta-\frac{\pi}{2}\right)=-4\cos\theta$

$\overline{BE}=\overline{CF}=4\cos\left(\theta-\frac{\pi}{2}\right)=4\sin\theta$

$S(\theta)=$(사다리꼴 ABCD의 넓이)

$=\frac{1}{2}\times(8-8\cos\theta)\times 4\sin\theta$

$=16\sin\theta(1-\cos\theta)$

STEP B 넓이를 θ에 대해 미분하여 최댓값 구하기

$S'(\theta)=16\{\cos\theta(1-\cos\theta)+\sin\theta\sin\theta\}$

$=16\{\cos\theta-\cos^2\theta+\sin^2\theta\}$

$=-16\{2\cos^2\theta-\cos\theta-1\}$

$=-16(2\cos\theta+1)(\cos\theta-1)$

이때 $\frac{\pi}{2}<\theta<\pi$이므로 $S'(\theta)=0$에서 $\cos\theta=-\frac{1}{2}$ $\quad\therefore\ \theta=\frac{2}{3}\pi$

$S(\theta)$의 증가와 감소를 표로 나타내면 다음과 같다.

θ	$\left(\frac{\pi}{2}\right)$	$\cdots$	$\frac{2}{3}\pi$	$\cdots$	(π)
$S'(\theta)$		$+$	0	$-$	
$S(\theta)$		↗	극대	↘	

따라서 $S(\theta)$는 $\theta=\frac{2}{3}\pi$일 때, 극대이고 최대이므로 넓이의 최댓값은

$S\left(\frac{2}{3}\pi\right)=16\cdot\frac{\sqrt{3}}{2}\cdot\frac{3}{2}=12\sqrt{3}$

내신연계 출제문항 571

저수지로부터 농사에 사용할 물을 끌어오기 위하여 수로를 새로 설치하려고 한다. 수로의 단면의 모양은 오른쪽 그림과 같이

$\overline{AB}=\overline{BC}=\overline{CD}=1\text{m}$

인 사다리꼴이고 바닥면과 옆면이 이루는 각의 크기를 θ라 할 때, 단면의 넓이의 최댓값은? $\left(\text{단, }\frac{\pi}{2}<\theta<\pi\right)$

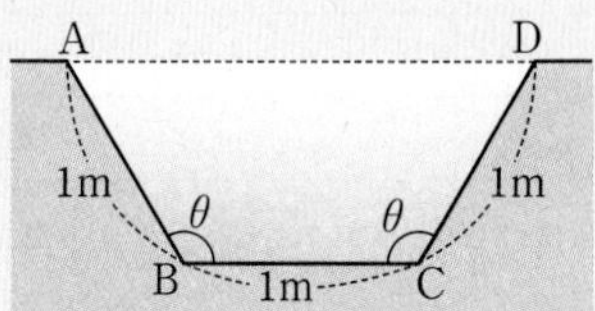

① $\frac{2\sqrt{3}}{3}\text{m}^2$ ② $\frac{3\sqrt{3}}{4}\text{m}^2$ ③ $2\sqrt{3}\text{m}^2$

④ $4\sqrt{3}\text{m}^2$ ⑤ $6\sqrt{3}\text{m}^2$

STEP A 단면의 넓이를 θ를 이용하여 나타내기

오른쪽 그림과 같이 꼭짓점 B, C에서 변 AD에 내린 수선의 발을 각각 E, F라 하자.

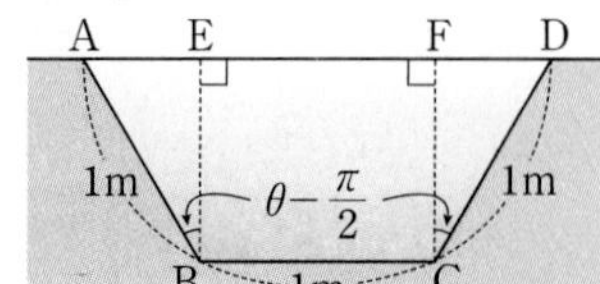

$\angle ABE=\angle DCF=\theta-\frac{\pi}{2}$이므로

$\overline{AE}=\overline{DF}=\sin\left(\theta-\frac{\pi}{2}\right)=-\cos\theta$

$\overline{BE}=\overline{CF}=\cos\left(\theta-\frac{\pi}{2}\right)=\sin\theta$

수로의 단면의 넓이를 $S(\theta)$라 하면

$S(\theta)=$(사다리꼴 ABCD의 넓이)

$=\frac{1}{2}\times(2-2\cos\theta)\times\sin\theta$

$=\sin\theta(1-\cos\theta)$

STEP B 넓이를 θ에 대해 미분하여 최댓값 구하기

$S'(\theta)=\cos\theta(1-\cos\theta)+\sin\theta\sin\theta$

$=\cos\theta-\cos^2\theta+\sin^2\theta$

$=-2\cos^2\theta+\cos\theta+1$

$=-(2\cos\theta+1)(\cos\theta-1)$

이때 $\frac{\pi}{2}<\theta<\pi$이므로 $S'(\theta)=0$에서 $\cos\theta=-\frac{1}{2}$ $\quad\therefore\ \theta=\frac{2}{3}\pi$

$S(\theta)$의 증가와 감소를 표로 나타내면 다음과 같다.

θ	$\left(\frac{\pi}{2}\right)$	$\cdots$	$\frac{2}{3}\pi$	$\cdots$	(π)
$S'(\theta)$		$+$	0	$-$	
$S(\theta)$		↗	$\frac{3\sqrt{3}}{4}$	↘	

따라서 $S(\theta)$는 $\theta=\frac{2}{3}\pi$일 때, 극대이자 최대이므로

수로의 단면의 넓이의 최댓값은 $S\left(\frac{2}{3}\pi\right)=\frac{\sqrt{3}}{2}\cdot\frac{3}{2}=\frac{3\sqrt{3}}{4}$

따라서 넓이의 최댓값은 $\frac{3\sqrt{3}}{4}\text{m}^2$

②

1435

정답 ②

STEP A 삼각형의 넓이를 삼각함수를 이용하여 나타내기

오른쪽 그림과 같이 원 O에 내접하는 이등변삼각형 ABC에서 꼭지각의 크기를 $\angle A=x\,(0<x<\pi)$

밑변 BC의 중점을 D라 하면

$\angle BOD=x$, $\angle BDO=90°$

$\overline{BD}=a\sin x$, $\overline{OD}=a\cos x$이므로

$\triangle ABC=\frac{1}{2}\times\overline{BC}\times\overline{AD}$

$=\frac{1}{2}\times 2\overline{BD}\times(\overline{AO}+\overline{OD})$

$=\frac{1}{2}\times 2a\sin x\times(a+a\cos x)$

$=a^2(\sin x+\sin x\cos x)$

STEP B 넓이의 최댓값 구하기

$f(x)=a^2(\sin x+\sin x\cos x)$라 하면

$f'(x)=a^2(\cos x+\cos^2 x-\sin^2 x)$

$=a^2(2\cos^2 x+\cos x-1)$

$=a^2(\cos x+1)(2\cos x-1)$

$f'(x)=0$에서 $\cos x=-1$ 또는 $\cos x=\frac{1}{2}$

$0<x<\pi$이므로 $x=\frac{\pi}{3}$

열린구간 $(0, \pi)$에서 함수 $f(x)$의 증가와 감소를 표로 나타내면 다음과 같다.

x	(0)	$\cdots$	$\frac{\pi}{3}$	$\cdots$	(π)
$f'(x)$		$+$	0	$-$	
$f(x)$		↗	$\frac{3\sqrt{3}}{4}a^2$(극대)	↘	

따라서 함수 $f(x)$는 $x=\frac{\pi}{3}$에서 최댓값 $\frac{3\sqrt{3}}{4}a^2$을 가지므로

구하는 넓이의 최댓값은 $\frac{3\sqrt{3}}{4}a^2$

1436

정답 ⑤

STEP A 사진이 출력되는 부분의 넓이가 24cm^2임을 이용하여 관계식 세우기

직사각형 모양의 종이의 가로의 길이를 $x$cm, 세로의 길이를 $y$cm라고 하면

$(x-2)(y-3)=24,\ xy-3x-2y+6=24$

$\therefore\ y=\dfrac{3x+18}{x-2}$

STEP B 직사각형 모양의 종이의 넓이의 최솟값 구하기

직사각형 모양의 종이의 넓이를 S라고 하면

$S=xy=x\cdot\dfrac{3x+18}{x-2}=\dfrac{3x^2+18x}{x-2}$

$S'=\dfrac{(6x+18)(x-2)-(3x^2+18x)}{(x-2)^2}=\dfrac{3(x-6)(x+2)}{(x-2)^2}$

이때 $x>2$이므로 함수 S는 $x=6$에서 극소이면서 최소이다.
따라서 직사각형 모양의 종이의 넓이의 최솟값은

$S(6)=\dfrac{3\cdot6^2+18\cdot6}{6-2}=54(\text{cm}^2)$

1437

 ⑤

STEP A 넓이 $S(\theta)$를 θ에 관한 식으로 나타내기

직각삼각형 OAB에서 $\angle\text{AOB}=\theta$이므로 $\overline{\text{AB}}=\sin\theta,\ \overline{\text{OB}}=\cos\theta$

$S(\theta)=\triangle\text{OAB}+\square\text{ABCD}-$(부채꼴 OAQ의 넓이)

$\quad=\dfrac{1}{2}\sin\theta\cos\theta+\sin^2\theta-\dfrac{1}{2}\theta$

STEP B $S(\theta)$가 최대가 되도록 하는 선분 AB 구하기

$S'(\theta)=\dfrac{1}{2}\{\cos\theta\cos\theta+\sin\theta(-\sin\theta)\}+2\sin\theta\cos\theta-\dfrac{1}{2}$

$\quad=\dfrac{1}{2}\{(1-\sin^2\theta)-\sin^2\theta\}+2\sin\theta\cos\theta-\dfrac{1}{2}$

$\quad=\sin\theta(2\cos\theta-\sin\theta)$

$0<\theta<\dfrac{\pi}{2}$에서 $\sin\theta>0$이므로

$S'(\theta)=0$에서 $2\cos\theta-\sin\theta=0\quad\therefore\ \tan\theta=2$

$\tan\theta=2$를 만족시키는 θ의 값을 $\alpha\left(0<\alpha<\dfrac{\pi}{2}\right)$라 하자.

함수 $S(\theta)$의 증가와 감소를 표로 나타내면 다음과 같다.

θ		$\cdots$	α	$\cdots$	$\left(\dfrac{\pi}{2}\right)$
$S'(\theta)$		$+$	0	$-$	
$S(\theta)$		↗	극대	↘	

함수 $S(\theta)$는 $\theta=\alpha$일 때, 극대이면서 최대이므로 색칠한 부분의 넓이를 최대로 하는 선분 AB의 길이는 $\tan\alpha=2$일 때의 $\sin\alpha$의 값과 같다.

$\therefore\ \overline{\text{AB}}=\sin\alpha=\dfrac{2\sqrt{5}}{5}$

1438

 ④

STEP A $\overline{\text{CF}}=\overline{\text{EF}}=x$로 놓고 $\overline{\text{CG}}$를 x로 나타내기

$\overline{\text{CF}}=\overline{\text{EF}}=x(3<x\le6)$라고 하면

$\overline{\text{DF}}=6-x,\ \overline{\text{DE}}=\sqrt{x^2-(6-x)^2}=\sqrt{12(x-3)}$

$\triangle\text{DCE}\backsim\triangle\text{CGF}$(AA닮음)에서

$\overline{\text{DC}}:\overline{\text{CG}}=\overline{\text{DE}}:\overline{\text{CF}}$이므로

$6:\overline{\text{CG}}=\sqrt{12(x-3)}:x$

$\therefore\ \overline{\text{CG}}=\dfrac{6x}{\sqrt{12(x-3)}}$

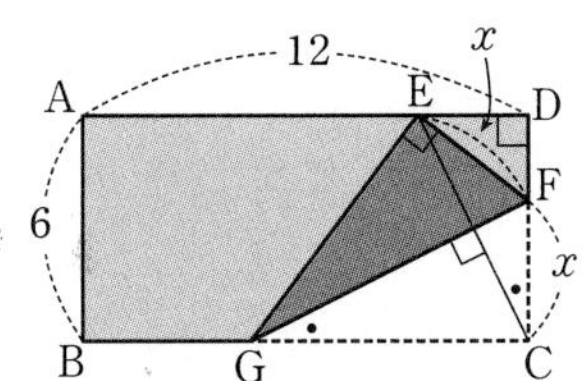

STEP B 삼각형 EFG의 넓이의 최솟값 구하기

삼각형 EFG의 넓이를 $S(x)$라고 하면

$S(x)=\dfrac{1}{2}\times\overline{\text{EF}}\times\overline{\text{EG}}=\dfrac{1}{2}\times\overline{\text{CF}}\times\overline{\text{CG}}=\dfrac{3x^2}{\sqrt{12(x-3)}}$

$S'(x)=\dfrac{9x(x-4)}{2(x-3)\sqrt{12(x-3)}}$

$S'(x)=0$에서 $x=4$

함수 $S(x)$의 증가와 감소를 표로 나타내면 다음과 같다.

x	(3)	$\cdots$	4	$\cdots$	6
$S'(x)$		$-$	0	$+$	
$S(x)$		↘	$8\sqrt{3}$	↗	18

따라서 삼각형 EFG의 넓이는 $x=4$에서 극소이고 최소이므로 최솟값은 $S(4)=8\sqrt{3}$

1439

 ③

STEP A 원기둥 모양의 통조림의 겉넓이를 x에 관한 식으로 정리하기

부피가 $128\pi\text{cm}^3$인 원기둥의 밑면의 반지름의 길이를 $x$cm$(x>0)$,
높이를 $h$cm$(h>0)$라 하면 부피 V는 $V=\pi x^2h=128\pi$에서 $h=\dfrac{128}{x^2}$

원기둥의 겉넓이를 $f(x)$라 하면

$f(x)=2\times\pi x^2+2\pi xh=2\pi x^2+\dfrac{256}{x}\pi$

STEP B 철판의 넓이 $f(x)$의 증가와 감소를 표로 나타내기

$f'(x)=4\pi x-\dfrac{256}{x^2}\pi=4\pi\times\dfrac{(x-4)(x^2+4x+16)}{x^2}$

$f'(x)=0$에서 $x=4$

$x>0$일 때, 함수 $f(x)$의 증가와 감소를 표로 나타내면 다음과 같다.

x	(0)	$\cdots$	4	$\cdots$
$f'(x)$		$-$	0	$+$
$f(x)$		↘	96π(극소)	↗

STEP C 철판의 넓이가 최소가 되도록 하는 밑면의 반지름의 길이와 높이 구하기

함수 $f(x)$는 $x=4$에서 극소이고 최소이므로

구하는 밑면의 반지름의 길이는 4cm, 높이는 $\dfrac{128}{4^2}=8(\text{cm})$

따라서 $a=4,\ b=8$이므로 $ab=32$

내신연계 출제문항 572

철판을 사용하여 부피가 2π인 뚜껑이 있는 원기둥 모양의 물탱크를 만들려고 한다. 사용되는 철판의 넓이가 최소가 되도록 하는 밑면의 반지름의 길이와 높이는? (단, 철판의 두께는 고려하지 않는다.)

① 반지름의 길이가 1, 높이가 2 ② 반지름의 길이가 2, 높이가 3
③ 반지름의 길이가 1, 높이가 5 ④ 반지름의 길이가 2, 높이가 4
⑤ 반지름의 길이가 π, 높이가 2π

STEP A 밑면의 반지름의 길이를 x, 높이를 h라고 하고 겉넓이를 x에 관한 식으로 나타내기

밑면의 반지름의 길이를 x, 높이를 h라고 하면

부피 V는 $V=\pi x^2h=2\pi$, 즉 $h=\dfrac{2}{x^2}$

겉넓이를 $f(x)$라고 하면

$f(x)=2\pi x^2+2\pi xh=2\pi\left(x^2+\dfrac{2}{x}\right)$

STEP B **넓이를 x에 대해 미분하여 최솟값 구하기**

$f'(x)=0$인 x의 값을 구하면

$f'(x)=2\pi\left(2x-\frac{2}{x^2}\right)=4\pi\cdot\frac{x^3-1}{x^2}=0$

즉 $x=1$

함수 $f(x)$의 증가와 감소를 표로 나타내면 다음과 같다.

x	0	$\cdots$	1	$\cdots$
$f'(x)$		$-$	0	$+$
$f(x)$		↘	6π	↗

따라서 밑면의 반지름의 길이가 1, 높이가 2일 때, 사용되는 철판의 넓이가 6π로 최소가 된다. 정답 ①

참고

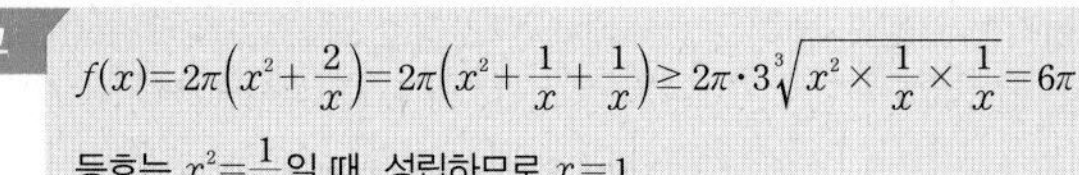

$f(x)=2\pi\left(x^2+\frac{2}{x}\right)=2\pi\left(x^2+\frac{1}{x}+\frac{1}{x}\right)\geq 2\pi\cdot 3\sqrt[3]{x^2\times\frac{1}{x}\times\frac{1}{x}}=6\pi$

등호는 $x^2=\frac{1}{x}$일 때, 성립하므로 $x=1$

1440

정답 ③

STEP A **넓이를 x에 관한 식으로 나타내기**

직육면체의 부피가 32이므로

$x^2h=32 \quad \therefore h=\frac{32}{x^2}$

플라스틱의 넓이를 $S(x)$라고 하면

$S(x)=4xh+x^2=\frac{128}{x}+x^2=\frac{x^3+128}{x}$

STEP B **넓이를 x에 대해 미분하여 최솟값 구하기**

$S'(x)=\frac{2(x-4)(x^2+4x+16)}{x^2}$

$S'(x)=0$에서 $x=4$

x	0	$\cdots$	4	$\cdots$
$S'(x)$		$-$	0	$+$
$S(x)$		↘	48	↗

따라서 $S(x)$는 $x=4$일 때, 최솟값 48을 가지므로 플라스틱의 넓이가 최소일 때, $x=4$

참고

$S(x)=\frac{128}{x}+x^2=\frac{64}{x}+\frac{64}{x}+x^2\geq 3\sqrt[3]{\frac{64}{x}\times\frac{64}{x}\times x^2}=48$

등호는 $\frac{64}{x}=x^2$일 때, 성립하므로 $x=4$

1441

정답 ②

STEP A **부피를 h에 관한 식으로 나타내기**

밑면의 반지름의 길이를 r,

높이를 h라 하면

원뿔의 모선의 길이가 10이므로

$100=r^2+h^2$

원뿔의 부피를 V라 하면

$V=\frac{1}{3}\pi r^2h=\frac{1}{3}\pi(100-h^2)h$

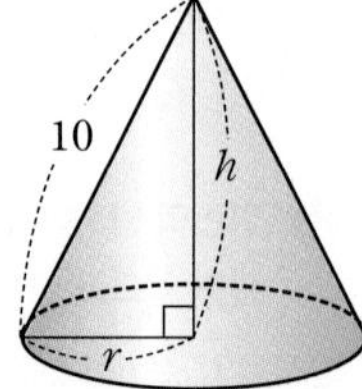

STEP B **부피를 h에 대해 미분하여 최대가 되는 h 구하기**

$V'=\frac{\pi}{3}(100-3h^2)=0$에서 $h=\frac{10\sqrt{3}}{3}$ $(\because 0<h<10)$

V의 증가와 감소를 표로 나타내면 다음과 같다.

h	0	$\cdots$	$\frac{10\sqrt{3}}{3}$	$\cdots$	10
V'		$+$	0	$-$	
V		↗	극대	↘	

V는 $h=\frac{10\sqrt{3}}{3}$일 때, 최대이고 $r=\sqrt{100-\left(\frac{10\sqrt{3}}{3}\right)^2}=\frac{10\sqrt{6}}{3}$

이때 부채꼴의 호의 길이와 원뿔의 밑면의 둘레의 길이가 같으므로

$10\theta=2\pi r$에서 $10\theta=2\pi\times\frac{10\sqrt{6}}{3}$

따라서 $\theta=\frac{2\sqrt{6}}{3}\pi$

내신연계 출제문항 573

다음 그림과 같이 반지름의 길이가 9cm인 원 모양의 종이에서 중심각의 크기가 θ인 부채꼴을 잘라 내고 남은 부분으로 원뿔 모양의 물컵을 만들려고 한다. 물컵의 부피의 최댓값은?

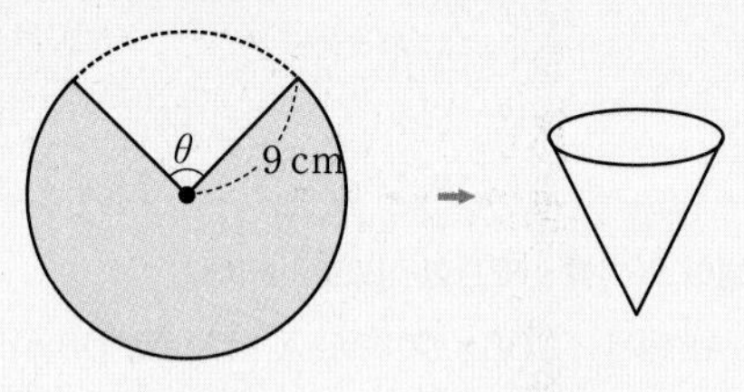

① $54\sqrt{3}\pi$ ② $24\sqrt{3}\pi$ ③ $24\sqrt{2}\pi$
④ $16\sqrt{2}\pi$ ⑤ $9\sqrt{3}\pi$

STEP A **부피 V를 r로 표현하기**

물컵의 윗면의 반지름의 길이를 $r$cm, 물컵의 높이를 $h$cm라고 하면

$h=\sqrt{9^2-r^2}$

물컵의 부피를 $V(r)$cm^{3}라고 하면

$V(r)=\frac{1}{3}\pi r^2h=\frac{1}{3}\pi r^2\sqrt{9^2-r^2}$

STEP B **증감표를 이용하여 최댓값 구하기**

$V'(r)=\frac{1}{3}\pi\left(2r\sqrt{81-r^2}-\frac{r^3}{\sqrt{81-r^2}}\right)=\frac{r(162-3r^2)}{3\sqrt{81-r^2}}\pi$

$V'(r)=0$에서 $r^2=54$이므로 $r=3\sqrt{6}$

함수 $V(r)$의 증가와 감소를 표로 나타내면 다음과 같다.

r	0	$\cdots$	$3\sqrt{6}$	$\cdots$	9
$V'(r)$		$+$	0	$-$	
$V(r)$	0	↗	$54\sqrt{3}\pi$ (극대)	↘	0

따라서 물컵의 부피의 최댓값은 $54\sqrt{3}\pi$ 정답 ①

참고

남아있는 부채꼴의 호의 길이는 $9(2\pi-\theta)$이고 물컵의 윗면의 둘레의 길이와 남아있는 부채꼴의 호의 길이가 같으므로

$2\pi r=9(2\pi-\theta)$

즉 $\theta=\frac{2\pi}{9}(9-r)$

따라서 물컵의 부피가 최대일 때, θ의 값은 $\theta=\frac{2\pi}{9}(9-3\sqrt{6})$

1442

정답 ⑤

STEP A 닮음을 이용하여 원뿔의 밑면의 반지름의 길이와 높이의 관계 구하기

원뿔의 밑면의 반지름의 길이를 $r(r>1)$, 높이를 h라 하자.
원뿔의 꼭짓점을 A, 밑면인 원의 중심을 B, 구의 중심을 O라 하면
직선 AB를 포함하는 평면으로 자른 원뿔의 단면은 다음 그림과 같다.

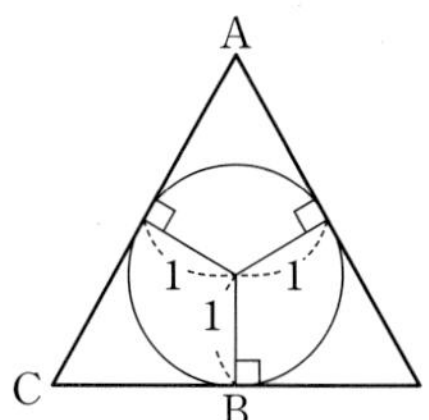

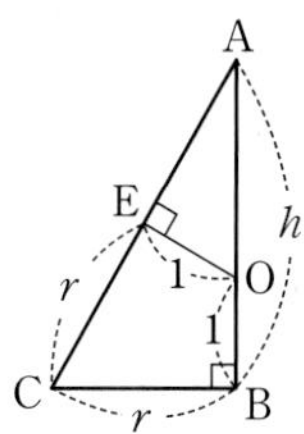

위의 오른쪽 그림에서 두 삼각형 $\triangle ABC \backsim \triangle AEO$이므로

$\overline{AB}:\overline{AE}=\overline{BC}:\overline{EO}$

$h:\sqrt{(h-1)^2-1^2}=r:1$

$h=r\sqrt{h^2-2h}$, $h^2=r^2(h^2-2h)$

$\therefore r^2=\dfrac{h}{h-2}(h>2)$

STEP B 직원뿔의 겉넓이의 최솟값 구하기

직원뿔의 부피를 $V(h)$라 하면

$V(h)=\dfrac{1}{3}\pi r^2 h=\dfrac{1}{3}\cdot\pi\cdot\dfrac{h}{h-2}\cdot h=\dfrac{\pi}{3}\cdot\dfrac{h^2}{h-2}(h>2)$

$V'(h)=\dfrac{\pi}{3}\cdot\dfrac{2h(h-2)-h^2}{(h-2)^2}=\dfrac{\pi}{3}\cdot\dfrac{h(h-4)}{(h-2)^2}$

$V(h)$의 증가와 감소를 표로 나타내면 다음과 같다.

h	(2)	$\cdots$	4	$\cdots$
$V'(h)$		$-$	0	$+$
$V(h)$		↘	$\dfrac{8}{3}\pi$	↗

따라서 직원뿔의 부피는 $h=4$일 때, 극소이면서 최소이므로 최솟값은

$V(4)=\dfrac{8}{3}\pi$

내신연계 출제문항 574

오른쪽 그림과 같이 원뿔에 반지름의 길이가 1인 구가 내접하고 있다. 이 원뿔의 겉넓이의 최솟값은?

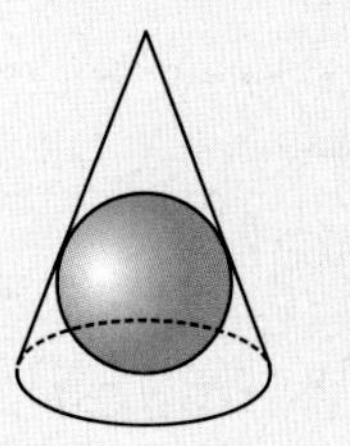

① 6π　② 7π　③ 8π　④ 9π　⑤ 10π

STEP A 닮음을 이용하여 원뿔의 밑면의 반지름의 길이와 모선의 길이의 관계 구하기

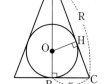

원뿔의 밑면의 반지름의 길이를 $r(r>1)$, 모선의 길이를 R이라 하자.
원뿔의 꼭짓점을 A, 밑면인 원의 중심을 B, 구의 중심을 O라 하면 직선 AB를 포함하는 평면으로 자른 원뿔의 단면은 오른쪽 그림과 같다.
그림에서 원뿔의 밑면인 원의 지름의 한 끝을 C, 점 O에서 선분 AC에 내린 수선의 발을 H라 하면 삼각형 ABC와 삼각형 AHO는 닮은 삼각형이므로

$\overline{AC}:\overline{BC}=\overline{AO}:\overline{HO}$

$\mathrm{R}:r=(\sqrt{\mathrm{R}^2-r^2}-1):1$에서 $r\sqrt{\mathrm{R}^2-r^2}=\mathrm{R}+r$

$\mathrm{R}>r$이므로 $r\sqrt{\mathrm{R}-r}\sqrt{\mathrm{R}+r}=\mathrm{R}+r$에서 $r\sqrt{\mathrm{R}-r}=\sqrt{\mathrm{R}+r}$

양변을 제곱하여 정리하면 $\mathrm{R}=\dfrac{r^3+r}{r^2-1}$

STEP B 원뿔의 겉넓이의 최솟값 구하기

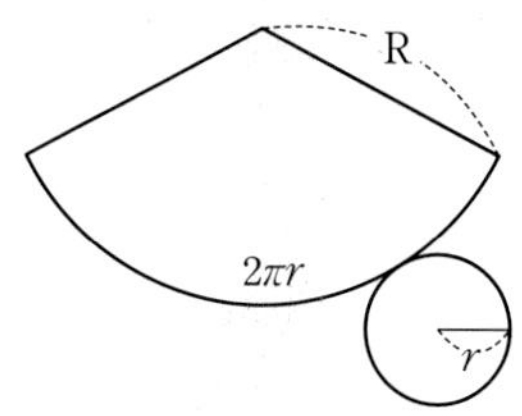

위의 그림과 같은 원뿔의 전개도에서 원뿔의 겉넓이를 S라 하면

$S=\dfrac{1}{2}\times\mathrm{R}\times 2\pi r+\pi r^2$

$=\dfrac{1}{2}\times\dfrac{r^3+r}{r^2-1}\times 2\pi r+\pi r^2$

$=2\pi\times\dfrac{r^4}{r^2-1}$

$f(r)=\dfrac{r^4}{r^2-1}$이라 하면 $f'(r)=\dfrac{2r^3(r^2-2)}{(r^2-1)^2}$

$f'(r)=0$에서 $r>1$이므로 $r=\sqrt{2}$

함수 $f(r)$는 $r=\sqrt{2}$에서 극소이면서 최소이므로

최솟값은 $f(\sqrt{2})=\dfrac{4}{2-1}=4$

따라서 구하는 원뿔의 겉넓이의 최솟값은 $2\pi\times 4=8\pi$

정답 ③

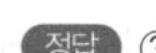

+α 원뿔의 겉넓이를 S라 하면

$S=2\pi\times\dfrac{r^4}{r^2-1}=2\pi\times\dfrac{r^4-1+1}{r^2-1}$

$=2\pi\left(r^2+1+\dfrac{1}{r^2-1}\right)$

$=2\pi\left(r^2-1+\dfrac{1}{r^2-1}+2\right)$

$\geq 2\pi\left\{2\sqrt{(r^2-1)\times\dfrac{1}{r^2-1}}+2\right\}$ (단, 등호는 $r=\sqrt{2}$일 때 성립)

$=2\pi(2+2)=8\pi$

따라서 구하는 원뿔의 겉넓이의 최솟값은 8π이다.

1443

정답 해설참조

1단계 점 $P(t, \ln t)$에서의 접선의 방정식을 구한다. ◀ 40%

곡선 $y=\ln x$ 위의 점 $P(t, \ln t)(t>1)$에서의 접선의 기울기는

$\frac{1}{t}$이므로 접선의 방정식은 $y-\ln t=\frac{1}{t}(x-t)$

$y=\frac{1}{t}x-1+\ln t$ …… ㉠

2단계 두 선분 PQ, QR의 길이를 각각 t에 대한 식으로 나타낸다. ◀ 30%

직선 ㉠이 x축과 만나는 점 Q의 좌표는 $(t-t\ln t, 0)$

점 P에서 x축에 내린 수선의 발 R의 좌표는 $(t, 0)$

$\overline{PQ}=\sqrt{(t\ln t)^2+(\ln t)^2}=\ln t\sqrt{t^2+1}$

$\overline{QR}=t-(t-\ln t)=t\ln t$

3단계 $\lim_{t\to\infty}\frac{\overline{PQ}}{\overline{QR}}$의 값을 구한다. ◀ 30%

따라서 $\lim_{t\to\infty}\frac{\overline{PQ}}{\overline{QR}}=\lim_{t\to\infty}\frac{\ln t\sqrt{t^2+1}}{t\ln t}=\lim_{t\to\infty}\frac{\sqrt{t^2+1}}{t}=1$

1444

정답 해설참조

1단계 두 함수의 그래프의 교점의 좌표를 구한다. ◀ 30%

두 함수의 그래프의 교점의 x좌표를 t라고 하면

$f(t)=g(t)$에서 $t\ln t=\ln t$, $(t-1)\ln t=0$

즉 $t=1$이므로 교점의 좌표는 $(1, 0)$

2단계 두 그래프에 동시에 접하는 접선의 기울기를 구한다. ◀ 30%

이때 $f'(x)=1+\ln x$, $g'(x)=\frac{1}{x}$이므로 점 $(1, 0)$에서 접하는 접선의

기울기는 $f'(1)=g'(1)=1$

3단계 접선의 방정식을 구한다. ◀ 40%

따라서 점 $(1, 0)$에서 기울기가 1인 접선의 방정식은

$y-0=x-1$ $\therefore y=x-1$

1445

정답 해설참조

1단계 곡선과 접하도록 직선을 평행이동 했을 때, 그 접점이 T임을 서술한다. ◀ 20%

직선 $y=2ex-2$를 평행이동하여 곡선에 접할 때,

그 접점과 직선 사이의 거리가 최소이므로 이 접점은 점 T이다.

2단계 접선의 기울기가 $2e$임을 이용하여 점 T의 x좌표를 구한다. ◀ 30%

$f(x)=e^{2x}+1$이라 하면 $f'(x)=2e^{2x}$

접점의 좌표를 $T(a, e^{2a}+1)$이라고 하면

이 점에서의 접선의 기울기가 $2e$이어야 하므로

$f'(a)=2e^{2a}=2e$에서 $e^{2a}=e$, $2a=1$ $\therefore a=\frac{1}{2}$

3단계 점 T의 좌표를 구한다. ◀ 20%

점 T의 좌표는 $\left(\frac{1}{2}, e+1\right)$

4단계 거리의 최솟값을 구한다. ◀ 30%

따라서 점 $T\left(\frac{1}{2}, e+1\right)$과 직선 $2ex-y-2=0$ 사이의 거리가 최솟값이므로

$\frac{|e-(e+1)-2|}{\sqrt{4e^2+(-1)^2}}=\frac{3}{\sqrt{4e^2+1}}$

1446

정답 해설참조

1단계 원점에서 곡선 $y=e^x$에 그은 접선의 방정식을 구한다. ◀ 20%

원점에서 곡선 $y=e^x$에 그은 접선의 접점을 (a, e^a)이라 하면

접선의 기울기가 $f'(x)=e^a$이므로 접선의 방정식은 $y=e^a(x-a)+e^a$

이 접선이 원점을 지나므로 $0=-ae^a+e^a$ $\therefore a=1$

즉 접선의 방정식은 $y=ex$

2단계 원점에서 곡선 $y=\ln x$에 그은 접선의 방정식을 구한다. ◀ 20%

원점에서 곡선 $y=\ln x$에 그은 접점을 $(b, \ln b)$라 하면

접선의 기울기는 $g'(b)=\frac{1}{b}$이므로 접선의 방정식은 $y=\frac{1}{b}(x-b)+\ln b$

이 접선이 원점을 지나므로 $\ln b-1=0$ $\therefore b=e$

즉 접선의 방정식은 $y=\frac{1}{e}x$

3단계 두 접선이 x축과 이루는 각의 크기를 θ_1, θ_2라 할 때, $\tan\theta_1$, $\tan\theta_2$의 값을 구한다. ◀ 10%

두 접선의 방정식 $y=ex$, $y=\frac{1}{e}x$가 x축의 양의 방향과 이루는 각의 크기를

각각 θ_1, θ_2라 하면 $\tan\theta_1=e$, $\tan\theta_2=\frac{1}{e}$

4단계 탄젠트의 덧셈정리를 이용하여 $\tan\theta$의 값 구하기 ◀ 30%

$\theta=\theta_1-\theta_2$이므로

$\tan\theta=\tan(\theta_1-\theta_2)=\frac{\tan\theta_1-\tan\theta_2}{1+\tan\theta_1\tan\theta_2}=\frac{e-\frac{1}{e}}{1+e\cdot\frac{1}{e}}=\frac{1}{2}\left(e-\frac{1}{e}\right)$

5단계 $\cos\theta$의 값을 구한다. ◀ 20%

따라서 $1+\tan^2\theta=\sec^2\theta$이므로 $\cos\theta=\frac{1}{\sqrt{1+\tan^2\theta}}=\frac{2e}{e^2+1}$

1447

정답 해설참조

1단계 $f(x)=(x-1)e^x$로 놓고 $f'(x)$를 구한다. ◀ 10%

$f(x)=(x-1)e^x$에서

$f'(x)=e^x+(x-1)e^x=xe^x$

2단계 접점의 좌표를 $(t, (t-1)e^t)$로 놓고 접선의 방정식을 구한다. ◀ 20%

접점의 좌표를 $(t, (t-1)e^t)$이라 하면

접선의 기울기는 $f'(t)=te^t$이므로

접선의 방정식은 $y-(t-1)e^t=te^t(x-t)$

3단계 곡선 밖의 점 $(a, 0)$을 대입하여 접점의 x좌표를 t에 관한 방정식으로 나타낸다. ◀ 20%

이 접선이 점 $(a, 0)$을 지나므로

$-(t-1)e^t=te^t(a-t)$, $t^2-(a+1)t+1=0$ …… ㉠

4단계 3단계에서 방정식이 서로 다른 두 개의 접선을 그을 수 있는 실수 a의 값의 범위를 구한다. ◀ 20%

이 이차방정식 ㉠이 서로 다른 두 개의 실근을 가져야 하므로

㉠의 판별식을 D라 하면

$D=(a+1)^2-4>0$, $a^2+2a-3=(a+3)(a-1)>0$이므로

$a<-3$ 또는 $a>1$

5단계 a의 값이 될 수 없는 정수의 개수를 구한다. ◀ 10%

따라서 a의 값이 될 수 없는 정수는 -3, -2, -1, 0, 1의 5

6단계 점 $(a, 0)$에서 곡선 $y=(x-1)e^x$에 접선을 그을 수 없을 때, 실수 k값의 범위를 구한다. ◀ 20%

이차방정식 ㉠이 허근을 가져야 하므로 ㉠의 판별식을 D라 하면

$D=(a+1)^2-4<0$, $a^2+2a-3=(a+3)(a-1)<0$이므로 $-3<a<1$

1448

정답 해설참조

1단계	곡선 $y=(x-2)e^x$의 극솟값과 변곡점을 구한다.	◀ 40%

$f(x)=(x-2)e^x$로 놓으면 $f'(x)=e^x+(x-2)e^x=(x-1)e^x$

$f''(x)=e^x+(x-1)e^x=xe^x$

$f'(x)=0$에서 $x=1$이고 $f''(x)=0$에서 $x=0$

함수 $f(x)$의 증가와 감소, 오목과 볼록을 표로 나타내면 다음과 같다.

x	$\cdots$	0	$\cdots$	1	$\cdots$
$f'(x)$	$-$	$-$	$-$	0	$+$
$f''(x)$	$-$	0	$+$	$+$	$+$
$f(x)$	↘	변곡점	↘	극소	↗

$x=1$일 때,

극소이고 극솟값은 $f(1)=-e$

변곡점의 y의 값은 $f(0)=-2$

변곡점은 $(0,\ -2)$

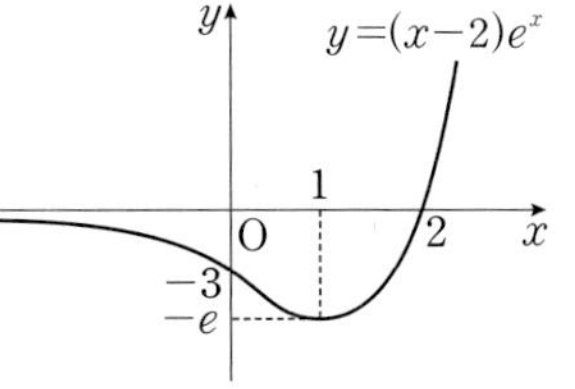

2단계	x축 위의 점 $(k,\ 0)$에서 곡선 $y=(x-2)e^x$에 두 개의 접선을 그을 수 있도록 하는 실수 k의 값의 범위를 구한다. (단, $\lim_{x\to-\infty}(x-2)e^x=0$)	◀ 60%

$f(x)=(x-2)e^x$이라 하면 $f'(x)=e^x+(x-2)e^x=(x-1)e^x$

접점의 좌표를 $(t,\ (t-2)e^t)$이라고 하면

접선의 방정식은 $y-(t-2)e^t=(t-1)e^t(x-t)$

이 접선이 점 $(k,\ 0)$을 지나므로 $-(t-2)e^t=(t-1)e^t(k-t)$

$t^2-(k+2)t+k+2=0$

이 이차방정식이 서로 다른 두개의 실근 가져야 하므로 판별식을 D라고 하면

$D=(k+2)^2-4(k+2)>0,\ (k+2)(k-2)>0 \quad \therefore k<-2$ 또는 $k>2$

1449

정답 해설참조

1단계	함수 $f(x)=\ln x$로 놓고 닫힌구간 $[x,\ x+1]$에서 평균값 정리를 이용하여 식을 작성한다.	◀ 50%

평균값 정리에 의하여

$x>0$일 때, 함수 $f(x)=\ln x$가 닫힌구간 $[x,\ x+1]$에서 연속이고

열린구간 $(x,\ x+1)$에서 미분가능하므로 $\dfrac{\ln(x+1)-\ln x}{(x+1)-x}=f'(c)$인

c가 열린구간 $(x,\ x+1)$에 적어도 하나 존재한다.

2단계	부등식 $\dfrac{1}{x+1}<\ln(x+1)-\ln x<\dfrac{1}{x}$을 증명한다.	◀ 50%

이때 $x<c<x+1$이므로 $\dfrac{1}{x+1}<\dfrac{1}{c}<\dfrac{1}{x}$

한편 $f(x)=\ln x$에서 $f'(x)=\dfrac{1}{x}$이므로 $f'(c)=\dfrac{1}{c}$

따라서 $\dfrac{1}{x+1}<\ln(x+1)-\ln x<\dfrac{1}{x}$이 성립한다.

1450

정답 해설참조

1단계	곡선 $y=f(x)$ 위의 임의의 점 $\mathrm{P}(a,\ e^{ka})$에서의 접선의 방정식을 구한다.	◀ 40%

$f'(x)=ke^{kx}$이므로 구하는 접선은 점 $(a,\ e^{ka})$를 지나고 기울기가 ke^{ka}인 직선이다.

즉 $y-e^{ka}=ke^{ka}(x-a),\ y=ke^{ka}x-kae^{ka}+e^{ka}$ ...... ㉠

2단계	접선이 직선 $y=x$임을 이용하여 k의 값을 구한다.	◀ 40%

㉠이 원점을 지나므로 $0=-kae^{ka}+e^{ka},\ 0=e^{ka}(1-ka)$, 즉 $ka=1$

㉠의 기울기가 1이므로 $ke^{ka}=ke^1=1$, 즉 $k=\dfrac{1}{e}$

3단계	점 P의 좌표를 구한다.	◀ 20%

따라서 $ka=1$에서 $a=e$이므로 점 P의 좌표는 $(e,\ e)$

1451

정답 해설참조

1단계	원의 넓이가 최소인 경우를 서술한다.	◀ 30%

조건을 만족하는 원은 기울기가 1인 직선이 두 함수 $f(x)$, $g(x)$의 그래프와 접하는 두 접점을 지름의 양 끝 점으로 하는 원이다.

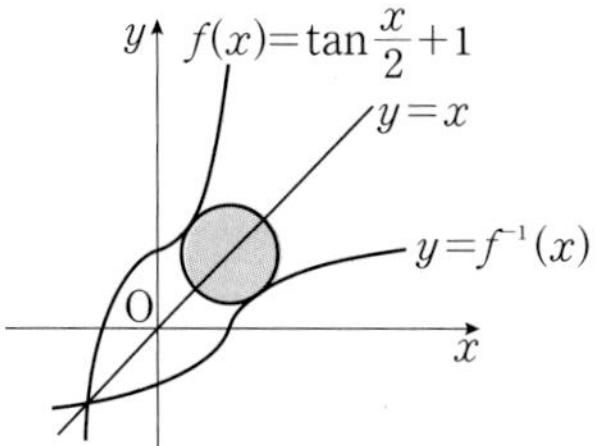

2단계	접선의 기울기가 1이 될 때의 접점의 x좌표를 구한다.	◀ 40%

$f'(x)=\dfrac{1}{2}\sec^2\dfrac{x}{2}=1$에서 $\sec^2\dfrac{x}{2}=2$

$\sec\dfrac{x}{2}=\sqrt{2}$, 즉 $x=\dfrac{\pi}{2}$

3단계	넓이가 최소인 원의 넓이를 구한다.	◀ 30%

따라서 $\left(\dfrac{\pi}{2},\ 2\right)$, $\left(2,\ \dfrac{\pi}{2}\right)$를 지름의 양 끝 점으로 하는 원의 넓이는

$$\pi\left\{\frac{\sqrt{\left(2-\frac{\pi}{2}\right)^2+\left(2-\frac{\pi}{2}\right)^2}}{2}\right\}^2=\frac{\pi}{2}\left(2-\frac{\pi}{2}\right)^2$$

1452

정답 해설참조

1단계	함수 $f(x)$가 $x=\dfrac{\pi}{3}$와 $x=\pi$에서 극값을 가질 때, 상수 a, b의 값을 구한다.	◀ 50%

$f(x)=a\sin x+b\cos x+x$에서 $f'(x)=a\cos x-b\sin x+1$

함수 $f(x)$가 $x=\dfrac{\pi}{3}$와 $x=\pi$에서 극값을 가지므로

$f'\left(\dfrac{\pi}{3}\right)=0,\ f'(\pi)=0$

$f'\left(\dfrac{\pi}{3}\right)=\dfrac{a}{2}-\dfrac{\sqrt{3}}{2}b+1=0,\ a-\sqrt{3}b+2=0$ ...... ㉠

$f'(\pi)=-a+1=0 \quad \therefore a=1$

㉠에 대입하면 $b=\sqrt{3}$

2단계	$g'(x)=0$인 x의 값을 구한다.	◀ 20%

$g(x)=x+\sqrt{3}-\ln x$에서 $g'(x)=1-\dfrac{1}{x}$

$g'(x)=0$에서 $x=1$

3단계	함수 $y=g(x)$의 극솟값을 구한다.	◀ 30%

$x>0$에서 함수 $g(x)$의 증가와 감소를 표로 나타내면 다음과 같다.

x	0	$\cdots$	4	$\cdots$
$S'(x)$		$-$	0	$+$
$S(x)$		↘	48	↗

따라서 함수 $g(x)$에서 $x=1$에서 극소이고 극솟값 $g(1)=1+\sqrt{3}$

1453

정답 해설참조

1단계 합성함수의 미분법을 이용하여 $f'(x)$를 구한다. ◀ 30%

$f(x)=ax+\ln(x^2+4)$에서

$f'(x)=a+\frac{2x}{x^2+4}=\frac{ax^2+2x+4a}{x^2+4}$

2단계 극값을 갖지 않을 조건을 구한다. ◀ 50%

이때 $x^2+4>0$이므로 함수 $f(x)$가 극값을 갖지 않으려면 $f'(x)=0$

즉 $ax^2+2x+4a=0$이 중근 또는 허근을 가져야 한다.

이차방정식 $ax^2+2x+4a=0$의 판별식을 D라 하면

$\frac{D}{4}=1-4a^2\leq 0$에서 $a\geq\frac{1}{2}$ ($\because a>0$)

3단계 양수 a의 최솟값을 구한다. ◀ 20%

따라서 양수 a의 최솟값은 $\frac{1}{2}$

1454

정답 해설참조

예시 $f(x)=x^4$이면

$f'(x)=4x^3$

$f''(x)=12x^2$

이때 $f''(0)=0$이지만 $x=0$의 좌우에서 $f''(x)$의 부호가 바뀌지 않으므로 점 $(0, 0)$은 곡선 $y=f(x)$의 변곡점이 아니다.

1455

정답 해설참조

1단계 함수 $f(x)$가 극값을 갖는 x의 값을 구한다. ◀ 40%

미분가능한 함수 $f(x)$에 대하여 $f'(a)=0$이고

$x=a$의 좌우에서 $f'(x)$의 부호가 바뀌면 $x=a$에서 극값을 갖는다.

따라서 함수 $f(x)$가 극값을 갖는 x의 값은 $x=-2$, $x=0$, $x=4$

2단계 $f''(-1)=f''(1)=f''(2)=f''(3)=f''(5)=0$임을 이용하여 이계도함수 $y=f''(x)$의 그래프의 개형을 그린다. ◀ 60%

$y=f'(x)$의 그래프에서 $f''(-1)=f''(1)=f''(2)=f''(3)=f''(5)=0$이므로

이계도함수 $y=f''(x)$의 그래프의 개형은 다음과 같다.

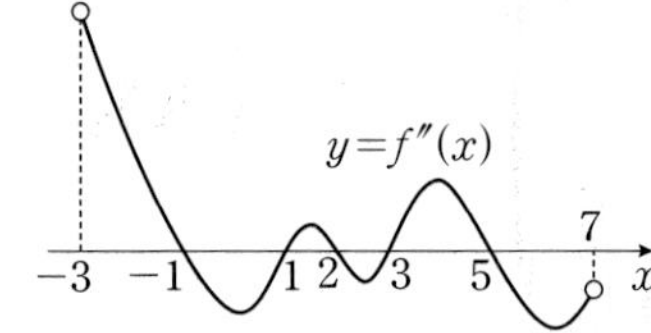

1456

정답 해설참조

1단계 변곡점 A의 좌표를 구한다. ◀ 30%

$f(x)=xe^{-x}$에서

$f'(x)=e^{-x}-xe^{-x}=(1-x)e^{-x}$

$f''(x)=-e^{-x}-(1-x)e^{-x}=(x-2)e^{-x}$

$f''(x)=0$에서 $x=2$

$x=2$의 좌우에서 $f''(x)$의 부호가 바뀌므로 $x=2$일 때, 변곡점을 가지므로

변곡점의 좌표는 $(2, f(2))$이다.

$f(2)=2e^{-2}$이므로 변곡점의 좌표는 $\mathrm{A}(2, 2e^{-2})$

2단계 곡선 $y=f(x)$ 위의 점 A에서의 접선의 기울기를 구한다. ◀ 20%

변곡점 $\mathrm{A}(2, 2e^{-2})$에서 접선의 기울기는 $f'(2)=(1-2)\times e^{-2}=-\frac{1}{e^2}$

3단계 점 A에서의 접선의 방정식을 구한다. ◀ 20%

점 $\mathrm{A}\left(2, \frac{2}{e^2}\right)$에서의 접선의 기울기는 $f'(2)=-\frac{1}{e^2}$이므로

접선의 방정식은 $y-\frac{2}{e^2}=-\frac{1}{e^2}(x-2)$ $\quad\therefore y=-\frac{1}{e^2}x+\frac{4}{e^2}$

4단계 점 A에서의 접선이 x축, y축과 만나는 점을 각각 B, C라고 할 때, 삼각형 OBC의 넓이를 구한다. (단, O는 원점) ◀ 30%

접선 $y=-\frac{1}{e^2}x+\frac{4}{e^2}$이 x축, y축과

만나는 점을 각각 B, C이므로

$\mathrm{B}(4, 0)$, $\mathrm{C}\left(0, \frac{4}{e^2}\right)$

따라서 삼각형 OBC의 넓이는 $\frac{1}{2}\cdot 4\cdot\frac{4}{e^2}=\frac{8}{e^2}$

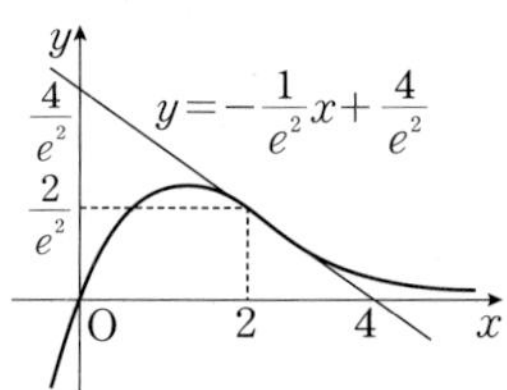

1457

정답 해설참조

1단계 $f''(x)$를 구한다. ◀ 20%

$f(x)=\ln(x^2+1)^2=2\ln(x^2+1)$라 하면

$f'(x)=\frac{4x}{x^2+1}$

$f''(x)=\frac{4(x^2+1)-4x\cdot 2x}{(x^2+1)^2}=-\frac{4(x+1)(x-1)}{(x^2+1)^2}$

2단계 $y=f(x)$의 두 변곡점 사이의 거리를 구한다. ◀ 30%

$f''(x)=0$에서 $x=-1$ 또는 $x=1$

이때 $x=-1$, $x=1$의 좌우에서 $f''(x)$의 부호가 바뀌므로

두 변곡점의 좌표는 $(-1, 2\ln 2)$, $(1, 2\ln 2)$

따라서 두 변곡점 사이의 거리는 2

3단계 $y=f(x)$의 두 변곡점의 접선의 기울기의 곱을 구한다. ◀ 20%

두 변곡점에서의 접선의 기울기의 곱은

$f'(-1)\times f'(1)=(-2)\times 2=-4$

4단계 두 변곡점의 접선의 방정식을 구한다. ◀ 30%

변곡점 $(-1, 2\ln 2)$에서의 접선의 기울기는 $f'(-1)=-2$이므로

접선의 방정식은 $y-2\ln 2=-2(x+1)$

$\therefore y=-2x-2+2\ln 2$

변곡점 $(1, 2\ln 2)$에서의 접선의 기울기는 $f(1)=2$이므로

접선의 방정식은 $y-2\ln 2=2(x-1)$

$\therefore y=2x-2+2\ln 2$

참고 $f'(x)=0$에서 $x=0$이므로 함수 $f(x)$의 증가와 감소, 곡선 $y=f(x)$의 오목과 볼록을 표로 나타내면 다음과 같다.

x	$\cdots$	-1	$\cdots$	0	$\cdots$	1	$\cdots$
$f'(x)$	$-$	$-$	$-$	0	$+$	$+$	$+$
$f''(x)$	$-$	0	$+$	$+$	$+$	0	$-$
$f(x)$	↘	변곡점	↘	(극소)	↗	변곡점	↗

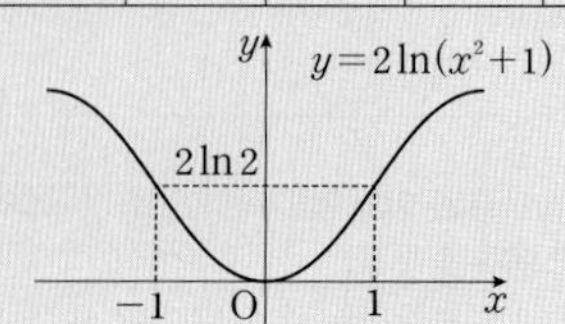

1458

정답 해설참조

1단계 $f'(x)$, $f''(x)$를 구한다. ◀ 20%

$f(x)=\ln(x^2+1)$에서

$f'(x)=\dfrac{2x}{x^2+1}$

$f''(x)=\dfrac{-2x^2+2}{(x^2+1)^2}=\dfrac{-2(x+1)(x-1)}{(x^2+1)^2}$

2단계 곡선 $y=f(x)$의 $x=a$에서 극솟값 $f(a)$를 구한다. ◀ 30%

$f'(x)=0$에서 $x=0$

$f''(x)=0$에서 $x=-1$ 또는 $x=1$

함수 $f(x)$의 증가와 감소, 오목과 볼록을 표로 나타내면 다음과 같다.

x	$\cdots$	-1	$\cdots$	0	$\cdots$	1	$\cdots$
$f'(x)$	$-$	$-$	$-$	0	$+$	$+$	$+$
$f''(x)$	$-$	0	$+$	$+$	$+$	0	$-$
$f(x)$	↘	$\ln 2$	↘	0	↗	$\ln 2$	↗

함수 $f(x)$는 $x=0$에서 극대이고 극솟값은 $f(0)=0$

3단계 곡선 $y=f(x)$의 두 변곡점을 구한다. ◀ 30%

$f''(x)=0$에서 $x=-1$ 또는 $x=1$

곡선 $y=f(x)$의 두 변곡점의 좌표는 $(-1, \ln 2)$, $(1, \ln 2)$

4단계 삼각형의 넓이를 구한다. ◀ 20%

따라서 구하는 삼각형의 넓이는 $\dfrac{1}{2}\times 2\times \ln 2=\ln 2$

1459

정답 해설참조

1단계 함수 $y=f(x)$가 $x=4$에서 극소임을 이용하여 a, b의 관계식을 구한다. ◀ 30%

$f(x)=ax^2+bx+\ln x$에서 $f'(x)=2ax+b+\dfrac{1}{x}$

함수 $f(x)$가 $x=4$에서 극소이므로 $f'(4)=0$

$8a+b+\dfrac{1}{4}=0$ …… ㉠

2단계 함수 $y=f(x)$의 변곡점의 x좌표가 2임을 이용하여 a, b의 값을 구한다. ◀ 30%

$f''(x)=2a-\dfrac{1}{x^2}$에서

곡선 $y=f(x)$의 변곡점의 x좌표가 2이므로 $f''(2)=0$

$2a-\dfrac{1}{4}=0$ $\quad\therefore a=\dfrac{1}{8}$

$a=\dfrac{1}{8}$을 ㉠에 대입하면 $b=-\dfrac{5}{4}$

3단계 함수 $y=f(x)$의 극댓값을 구한다. ◀ 40%

$f'(x)=0$에서 $\dfrac{1}{4}x-\dfrac{5}{4}+\dfrac{1}{x}=0$

$x^2-5x+4=0$, $x=1$ 또는 $x=4$

따라서 함수 $f(x)$는 $x=1$에서 극대이고 극댓값은 $f(1)=-\dfrac{9}{8}$

1460

정답 해설참조

1단계 함수 $f(x)$의 정의역과 좌표축과의 교점을 구한다. ◀ 10%

$f(x)=\dfrac{x}{x^2+1}$라 하면 함수 $f(x)$의 정의역은 실수 전체의 집합이고

$f(0)=0$이므로 원점을 지난다.

2단계 함수 $y=f(x)$의 대칭성을 구한다. ◀ 10%

$f(-x)=-f(x)$이므로 이 함수의 그래프는 원점에 대하여 대칭이다.

3단계 $f'(x)=0$인 x의 값과 $f''(x)=0$인 x의 값을 구한다. ◀ 20%

$f'(x)=\dfrac{-x^2+1}{(x^2+1)^2}=-\dfrac{(x+1)(x-1)}{(x^2+1)^2}$이므로 $f'(x)=0$에서

$x=-1$ 또는 $x=1$

$f''(x)=\dfrac{2x^3-6x}{(x^2+1)^3}=\dfrac{2x(x+\sqrt{3})(x-\sqrt{3})}{(x^2+1)^3}$이므로 $f''(x)=0$에서

$x=-\sqrt{3}$ 또는 $x=0$ 또는 $x=\sqrt{3}$

4단계 함수 $y=f(x)$의 증가와 감소, 극대와 극소, 오목과 볼록, 변곡점을 나타내는 표를 작성한다. ◀ 30%

함수 $f(x)$의 증가와 감소를 표로 나타내면 다음과 같다.

x	$\cdots$	$-\sqrt{3}$	$\cdots$	-1	$\cdots$	0	$\cdots$	1	$\cdots$	$\sqrt{3}$	$\cdots$
$f'(x)$	$-$	$-$	$-$	0	$+$	$+$	$+$	0	$-$	$-$	$-$
$f''(x)$	$-$	0	$+$	$+$	$+$	0	$-$	$-$	$-$	0	$+$
$f(x)$	↘	$-\frac{\sqrt{3}}{4}$	↘	$-\frac{1}{2}$	↗	0	↗	$\frac{1}{2}$	↘	$\frac{\sqrt{3}}{4}$	↘

함수 $f(x)$는

$x=-1$에서 극소이고 극솟값 $-\dfrac{1}{2}$

$x=1$에서 극대이고 극댓값 $\dfrac{1}{2}$을 갖고

곡선 $y=f(x)$의 변곡점의 좌표는 $\left(-\sqrt{3}, -\dfrac{\sqrt{3}}{4}\right)$, $(0, 0)$, $\left(\sqrt{3}, \dfrac{\sqrt{3}}{4}\right)$

5단계 $\lim\limits_{x\to\infty}f(x)$, $\lim\limits_{x\to-\infty}f(x)$를 구하여 점근선을 찾는다. ◀ 10%

$\lim\limits_{x\to\infty}f(x)=0$, $\lim\limits_{x\to-\infty}f(x)=0$이므로 x축이 점근선이다.

6단계 그래프의 개형을 그린다. ◀ 20%

따라서 함수 $y=\dfrac{x}{x^2+1}$의 그래프의 개형은 다음 그림과 같다.

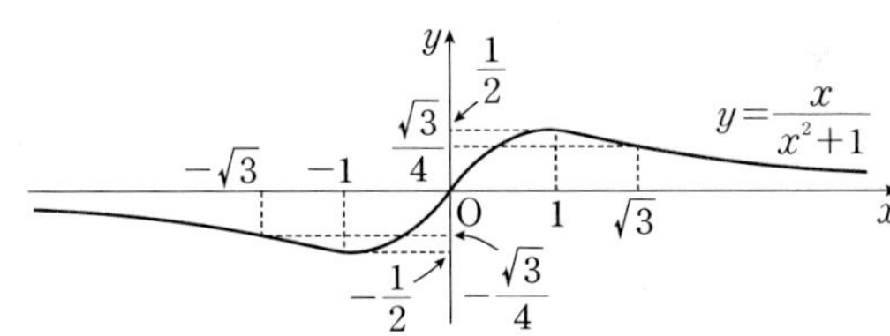

1461

정답 해설참조

1단계 함수 $f(x)$의 그래프의 개형을 그려라. ◀ 50%

$f(x)=\dfrac{x}{x^2+4}$라 하면 함수 $f(x)$의 정의역은 실수 전체의 집합이고

$f(0)=0$이므로 원점을 지난다.

$f(-x)=-f(x)$이므로 이 함수의 그래프는 원점에 대하여 대칭이다.

$f'(x)=\dfrac{x^2+4-x\cdot 2x}{(x^2+4)^2}=\dfrac{-x^2+4}{(x^2+4)^2}=0$에서

$x=-2$ 또는 $x=2$

함수 $f(x)$의 증가와 감소를 표로 나타내면 다음과 같다.

x	$\cdots$	-2	$\cdots$	2	$\cdots$
$f'(x)$	$-$	0	$+$	0	$-$
$f(x)$	↘	$-\frac{1}{4}$	↗	$\frac{1}{4}$	↘

$\lim\limits_{x\to\infty}f(x)=0$, $\lim\limits_{x\to-\infty}f(x)=0$이므로 함수 $f(x)$의 그래프는 다음 그림과 같다.

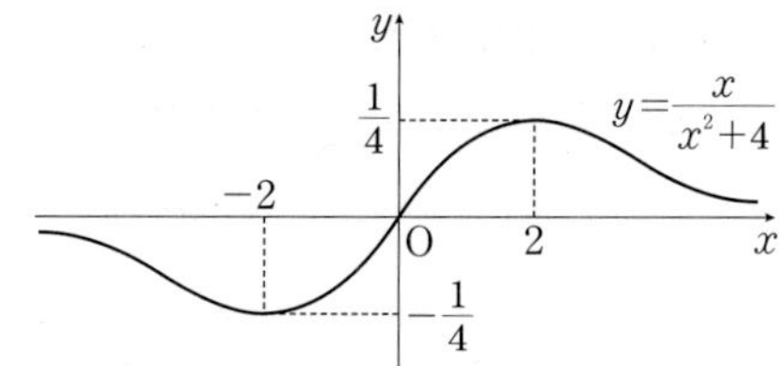

2단계	함수 $f(x)$의 최댓값과 최솟값을 구하여라.	◀ 20%

함수 $f(x)$는

$x=2$에서 극대이고 최대이므로 최댓값 $\frac{1}{4}$

$x=-2$에서 극소이고 최소이므로 최솟값 $-\frac{1}{4}$을 갖는다.

3단계	양수 a에 대하여 구간 $[-a, a+1]$에서 함수 $f(x)$의 최댓값을 M, 최솟값을 m이라고 하자. 이때 $M+m=0$이 되도록 하는 a의 최솟값을 구하여라.	◀ 30%

구간 $[-a, a+1]$에서 $M+m=0$이려면 이 구간에서 함수 $f(x)$가 최댓값과 최솟값을 모두 가져야하므로 $a \ge 2$

따라서 a의 최솟값은 2

1462

정답 해설참조

1단계	사각형 OACB의 넓이 $f(\theta)$를 구한다.	◀ 20%

사각형 OACB가 평행사변형이므로

$f(\theta)=2\times\triangle OAB=2\times\frac{1}{2}\times\overline{OA}\times\overline{OB}\times\sin\theta$

$=2\times\frac{1}{2}\times1\times\sqrt{\cos^2\theta+\sin^2\theta}\times\sin\theta$

$=\sin\theta$

2단계	선분 OC의 길이의 제곱 $g(\theta)$를 구한다.	◀ 20%

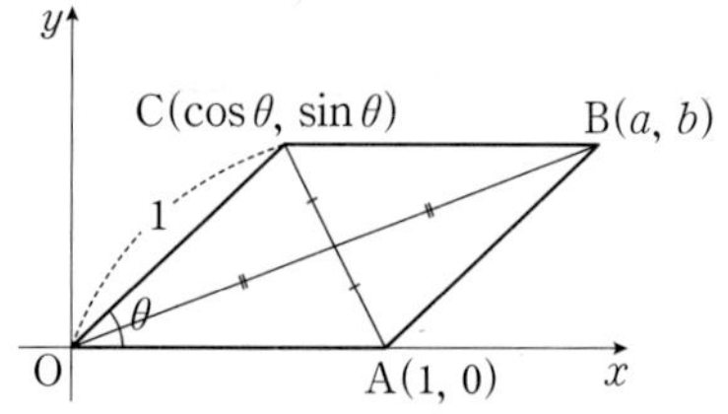

또, 평행사변형 OACB의 대각선의 중점은 일치하므로

C의 좌표를 (a, b)라 하면 $\left(\frac{\cos\theta+1}{2}, \frac{\sin\theta}{2}\right)=\left(\frac{a}{2}, \frac{b}{2}\right)$

$\therefore a=\cos\theta+1, b=\sin\theta \quad \therefore C(\cos\theta+1, \sin\theta)$

이때 $g(\theta)=\overline{OC}^2=(\cos\theta+1)^2+\sin^2\theta=2+2\cos\theta$

3단계	$\lim_{\theta\to0+}\frac{\theta\times g(\theta)}{f(\theta)}$의 값을 구한다. (단, $0<\theta<\frac{\pi}{2}$)	◀ 30%

$\lim_{\theta\to0+}\frac{\theta\cdot g(\theta)}{f(\theta)}=\lim_{\theta\to0+}\frac{\theta\cdot(2+2\cos\theta)}{\sin\theta}=\lim_{\theta\to0+}\frac{\theta}{\sin\theta}\cdot\lim_{\theta\to0+}(2+2\cos\theta)$

$=1\cdot(2+2\cdot1)=4$

4단계	$f(\theta)+g(\theta)$의 최댓값을 구한다.	◀ 30%

$f(\theta)+g(\theta)=\sin\theta+2\cos\theta+2$에서 $\{f(\theta)+g(\theta)\}'=\cos\theta-2\sin\theta$

$\{f(\theta)+g(\theta)\}'=0$에서 $2\sin\theta=\cos\theta$를 만족하는 θ의 값을 α라 하면

$2\sin\alpha=\cos\alpha \quad \therefore \tan\alpha=\frac{1}{2}$

함수 $f(\theta)+g(\theta)$의 증가와 감소를 표로 나타내면 다음과 같다.

θ	(0)	…	α	…	$\left(\frac{\pi}{2}\right)$
$\{f(\theta)+g(\theta)\}'$		+	0	−	
$f(\theta)+g(\theta)$		↗	극대	↘	

함수 $f(\theta)+g(\theta)$는 $\theta=\alpha\left(0<\alpha<\frac{\pi}{2}\right)$일 때, 극대이자 최대이다.

즉 $\tan\alpha=\frac{1}{2}$이므로 $\sin\alpha=\frac{1}{\sqrt{5}}$, $\cos\alpha=\frac{2}{\sqrt{5}}$

따라서 최댓값은 $f(\alpha)+g(\alpha)=\sin\alpha+2\cos\alpha+2=\frac{1}{\sqrt{5}}+\frac{4}{\sqrt{5}}+2=2+\sqrt{5}$

1463

정답 해설참조

1단계	$\overline{PQ}=x$km로 놓고 다리와 도로를 건설하는데 드는 건설비용을 x로 나타낸다.	◀ 30%

$\overline{PQ}=x$km로 놓고

건설비용을 $C(x)$라고 하면

$C(x)=5\sqrt{x^2+16}+3(7-x)$

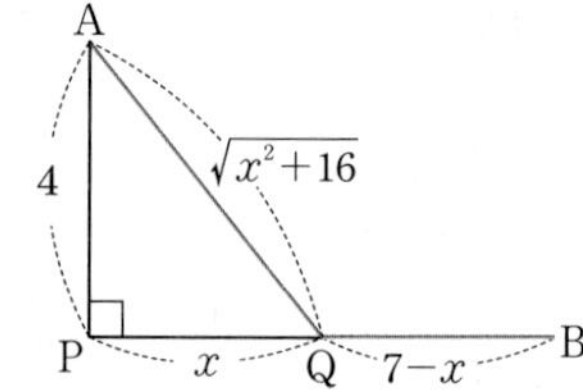

2단계	건설비용을 x에 대한 증감표를 작성하여 극소가 되는 x의 값을 구한다.	◀ 40%

$C'(x)=\frac{5x}{\sqrt{x^2+16}}-3$

$C'(x)=0$에서 $5x=3\sqrt{x^2+16}$

양변을 제곱하면 $25x^2=9(x^2+16) \quad \therefore x=3(\because 0<x<7)$

$0<x<7$에서 $C(x)$의 증가와 감소를 표로 나타내면 다음과 같다.

x	(0)	…	3	…	(7)
$C'(x)$		−	0	+	
$C(x)$		↘	극소	↗	

3단계	건설비용의 최솟값을 구한다.	◀ 30%

따라서 $C(x)$는 $x=3$에서 극소이면서 최소이므로 건설비용의 최솟값은 $C(3)=37$

1464

정답 해설참조

1단계	곡선 위의 점 (t, e^{-t})에서의 접선의 방정식을 구한다.	◀ 30%

$f(x)=e^{-x}$이라 하면 $f'(x)=-e^{-x}$

점 (t, e^{-t})에서의 접선의 기울기는 $f'(t)=-e^{-t}$이므로 접선의 방정식은

$y-e^{-t}=-e^{-t}(x-t)$, 즉 $y=-e^{-t}x+(t+1)e^{-t}$ …… ㉠

2단계	삼각형 OPQ의 넓이를 t에 대한 함수로 나타낸다.	◀ 30%

㉠에 $y=0$, $x=0$을 각각 대입하여 두 점 P, Q의 좌표를 구하면

$P(t+1, 0)$, $Q(0, (t+1)e^{-t})$

이때 삼각형 OPQ의 넓이를 $f(t)$이라 하면

$f(t)=\frac{1}{2}\cdot(t+1)\cdot(t+1)e^{-t}=\frac{1}{2}(t+1)^2e^{-t}\,(t>0)$

3단계	삼각형 OPQ의 넓이의 최댓값을 구한다.	◀ 40%

$f'(t)=(t+1)e^{-t}+\frac{1}{2}(t+1)^2(-e^{-t})=\frac{(t+1)(1-t)}{2}e^{-t}$

$t>0$일 때, $f'(t)=0$에서 $t=1$

함수 $f(t)$의 증가와 감소를 표로 나타내면 다음과 같다.

t	(0)	…	1	…
$f'(t)$		+	0	−
$f(t)$		↗	극대	↘

함수 $f(t)$는 $t=1$일 때, 극대이고 최대이므로 최댓값은 $f(1)=\frac{2}{e}$

따라서 삼각형 OPQ의 넓이의 최댓값은 $\frac{2}{e}$

STEP 3 행복한 1등급 문제

1465

정답 6

STEP Ⓐ 조건 (가), (나)를 만족하는 접선 l의 방정식 구하기

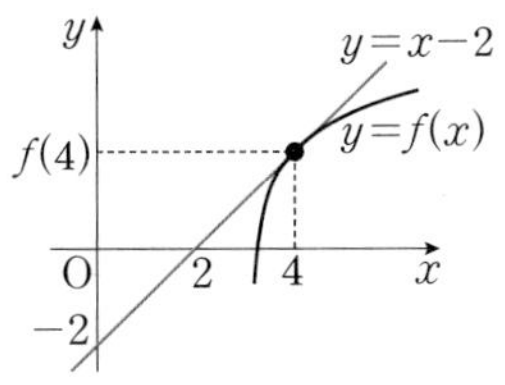

조건 (가)에서 직선 l이 제 2사분면을 지나지 않고
조건 (나)에서 직선 l과 x축 및 y축으로 둘러싸인 도형인 직각이등변삼각형의 넓이가 2이므로 오른쪽 그림과 같이 직선 l의 x절편과 y절편은 각각 2, -2이다.

함수 $y=f(x)$ 위의 점 $(4, f(4))$에서의 접선 l은 기울기가 1이고
점 $(2, 0)$을 지나므로 직선 l의 방정식은 $y=x-2$
즉 $f(4)=2$, $f'(4)=1$ ← $x=4$일 때, $y=x-2$에 대입하면 $y=2$

STEP Ⓑ 곱의 미분법을 이용하여 $g'(2)$의 값 구하기

$g(x)=xf(2x)$에서 $g'(x)=f(2x)+2xf'(2x)$
따라서 $g'(2)=f(4)+4f'(4)=2+4\cdot1=6$

1466

정답 $-\frac{1}{12}$

STEP Ⓐ 함수 $g(x)$의 범위 구하기

$g(x)=-4\sin x-4\cos^2 x+4$에서
$g(x)=-4\sin x-4(1-\sin^2 x)+4=4\sin^2 x-4\sin x$에서
$\sin x=u$로 놓으면 $-1\le u\le 1$이고
$g(x)=4\sin^2 x-4\sin x=4u^2-4u=4\left(u-\frac{1}{2}\right)^2-1$
$u=\frac{1}{2}$일 때 최솟값 -1, $u=-1$일 때 최댓값 8을 가지므로 $-1\le g(x)\le 8$

STEP Ⓑ 함수 $(f\circ g)(x)$의 최댓값과 최솟값 구하기

$(f\circ g)(x)=f(g(x))$에서 $g(x)=t$로 놓으면
$-1\le t\le 8$이고 $f(t)=\frac{t-1}{t^2+3}$
$f'(t)=\frac{1\times(t^2+3)-(t-1)\times 2t}{(t^2+3)^2}=\frac{-t^2+2t+3}{(t^2+3)^2}=\frac{-(t+1)(t-3)}{(t^2+3)^2}$
$f'(t)=0$에서 $t=-1$ 또는 $t=3$
$-1\le t\le 8$일 때 함수 $f(t)$의 증가와 감소를 표로 나타내면 다음과 같다.

t	-1	$\cdots$	3	$\cdots$	8
$f'(t)$		$+$	0	$-$	
$f(t)$	$-\frac{1}{2}$	↗	$\frac{1}{6}$	↘	$\frac{7}{67}$

함수 $f(t)$의 최댓값은 $t=3$일 때, $M=f(3)=\frac{1}{6}$
최솟값은 $t=-1$일 때, $m=f(-1)=-\frac{1}{2}$
따라서 $Mm=\frac{1}{6}\times\left(-\frac{1}{2}\right)=-\frac{1}{12}$

1467

정답 $\frac{\sqrt{6}}{6}$

STEP Ⓐ 접선 l_1, l_2의 방정식 구하기

$y=x^3$에서 $y'=3x^2$이므로 점 $P(a, a^3)$에서의 접선 l_1의 방정식은
$y-a^3=3a^2(x-a)$, 즉 $y=3a^2x-2a^3$
직선 l_1과 곡선 $y=x^3$의 교점의 x좌표는 $3a^2x-2a^3=x^3$
$(x-a)^2(x+2a)=0$에서 $x=a$ 또는 $x=-2a$
점 Q의 좌표는 $(-2a, -8a^3)$
곡선 $y=x^3$ 위의 점 $Q(-2a, -8a^3)$에서의 접선 l_2의 방정식은
$y-(-8a^3)=3\times(-2a)^2\{x-(-2a)\}$
즉 $y=12a^2x+16a^3$

STEP Ⓑ 삼각함수의 덧셈정리를 이용하여 $\tan\theta$의 값 구하기

두 직선 l_1, l_2가 x축의 양의 방향과 이루는 각의 크기를 각각 θ_1, θ_2라 하면
$\tan\theta_1=3a^2$, $\tan\theta_2=12a^2$이고
두 직선 l_1, l_2가 이루는 예각의 크기를 θ라 하면
$\tan\theta=|\tan(\theta_2-\theta_1)|=\left|\frac{12a^2-3a^2}{1+12a^2\times 3a^2}\right|=\frac{9a^2}{1+36a^4}$

STEP Ⓒ 예각의 크기가 최대일 때, a의 값 구하기

$a>0$일 때, $f(a)=\frac{9a^2}{1+36a^4}$이라 하면
$f'(a)=\frac{18a(1+36a^4)-9a^2\times 144a^3}{(1+36a^4)^2}$
$=\frac{18a(1+36a^4-72a^4)}{(1+36a^4)^2}=\frac{18a(1-36a^4)}{(1+36a^4)^2}$
$a>0$일 때, $f'(a)=0$에서 $a^4=\frac{1}{36}$이므로 $a=\frac{\sqrt{6}}{6}$
$0<a<\frac{\sqrt{6}}{6}$일 때, $f'(a)>0$이고 $a>\frac{\sqrt{6}}{6}$일 때, $f'(a)<0$이므로
$a=\frac{\sqrt{6}}{6}$일 때, $f(a)$는 극대이면서 최대이다.
따라서 구하는 a의 값은 $\frac{\sqrt{6}}{6}$

1468

정답 395

STEP Ⓐ 기울기가 n인 $y=f(x)$에 접하는 접점의 x좌표 구하기

$f(x)=e^{nx-1}+1$로 놓으면 $f'(x)=ne^{nx-1}$
직선 $y=nx-1$과 평행하고 곡선 $y=f(x)$에 접하는 직선의 접점을
$(t, e^{nt-1}+1)$로 놓으면 곡선 $y=f(x)$ 위의 점 $(t, e^{nt-1}+1)$에서의
접선의 기울기는 $f'(t)=ne^{nt-1}=n$이므로 $nt-1=0$, 즉 $t=\frac{1}{n}$

STEP Ⓑ 선분 PQ의 길이의 최솟값 a_n 구하기

곡선 $y=e^{nx-1}+1$ 위의 점 $\left(\frac{1}{n}, 2\right)$에서의 접선의 방정식은
$y-2=n\left(x-\frac{1}{n}\right)$, 즉 $y=nx+1$
선분 PQ의 길이의 최솟값 a_n은 평행한 두 직선 $y=nx+1$, $y=nx-1$ 사이의 거리와 같다.

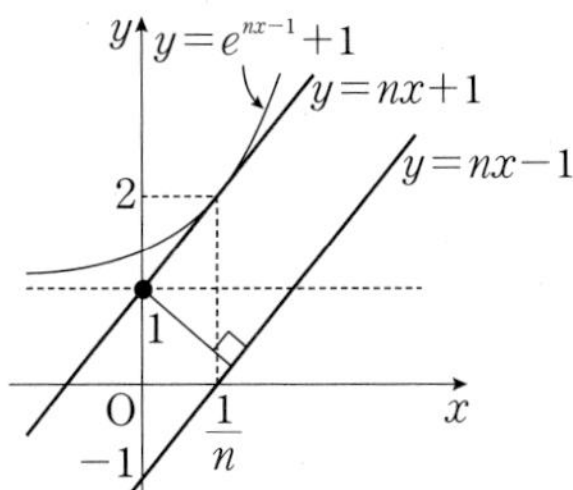

또한, 평행한 두 직선 $y=nx+1$, $y=nx-1$ 사이의 거리는 직선 $y=nx+1$ 위의 점 $(0, 1)$과 직선 $nx-y-1=0$ 사이의 거리와 같으므로
$a_n=\frac{|-1-1|}{\sqrt{n^2+(-1)^2}}=\frac{2}{\sqrt{n^2+1}}$

STEP Ⓒ $\sum_{n=1}^{10}\frac{4}{{a_n}^2}$의 값 구하기

따라서 $\sum_{n=1}^{10}\frac{4}{{a_n}^2}=\sum_{n=1}^{10}(n^2+1)=\frac{10\times 11\times 21}{6}+10\times 1=385+10=395$

1469

정답 -9

STEP A 조건 (가)에서 $x=\ln\frac{2}{3}$가 변곡점임을 이용하기

$f(x)=ae^{3x}+be^{x}$에서 $f'(x)=3ae^{3x}+be^{x}$, $f''(x)=9ae^{3x}+be^{x}$이고

$f(x)$는 이계도함수가 존재하고 조건 (가)에 의해 $x=\ln\frac{2}{3}$에서

이계도함수의 부호가 바뀌므로 $f''\left(\ln\frac{2}{3}\right)=0$임을 알 수 있다.

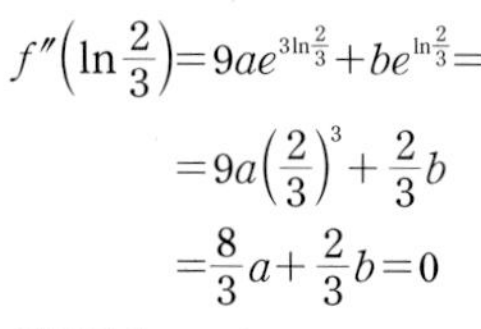

$$f''\left(\ln\frac{2}{3}\right)=9ae^{3\ln\frac{2}{3}}+be^{\ln\frac{2}{3}}=0$$
$$=9a\left(\frac{2}{3}\right)^3+\frac{2}{3}b$$
$$=\frac{8}{3}a+\frac{2}{3}b=0$$

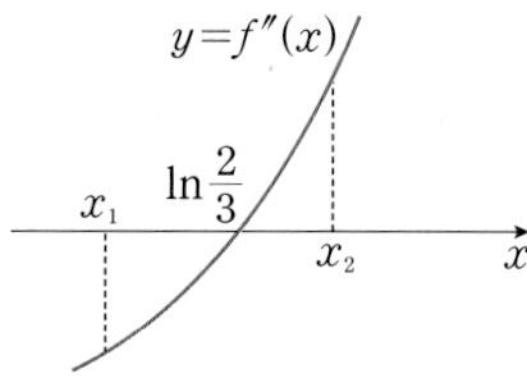

이므로 $b=-4a$

이때 $a>0$이므로 $b<0$

STEP B $x\ge k$에서 $f(x)$가 역함수가 존재하려면 증가함수임을 이용하기

또한, 조건 (나)에서 $f(x)$의 역함수가 존재하므로

$x\ge k$에서 $y=f(x)$는 $a>0$이므로 증가함수이어야 한다.

즉 $f'(x)\ge 0(\because a>0)$

$f(x)=3ae^{3x}+be^{x}=3ae^{3x}-4ae^{x}=ae^{x}(3e^{2x}-4)\ge 0$

$e^{2x}\ge\frac{4}{3}$, $2x\ge\ln\frac{4}{3}$ $\quad\therefore x\ge\frac{1}{2}\ln\frac{4}{3}$

즉 k의 최솟값이 m이므로 $m=\frac{1}{2}\ln\frac{4}{3}$

또한, $f(2m)=-\frac{80}{9}$이므로

$f\left(\ln\frac{4}{3}\right)=ae^{3\ln\frac{4}{3}}-4ae^{\ln\frac{4}{3}}=a\left(\frac{4}{3}\right)^3-4a\cdot\frac{4}{3}=-\frac{80}{27}a$

$-\frac{80}{27}a=-\frac{80}{9}$이므로 $a=3$

STEP C $f(0)$의 값 구하기

$a=3$, $b=-12$이므로 $f(x)=3e^{3x}-12e^{x}$

따라서 $f(0)=3-12=-9$

다른풀이 $e^{2m}=\frac{4}{3}$임을 이용하여 풀이하기

STEP A 조건 (가)에서 $x=\ln\frac{2}{3}$가 변곡점임을 확인하기

$f'(x)=3ae^{3x}+be^{x}$, $f''(x)=9ae^{3x}+be^{x}$

조건 (가)에서 함수 $f(x)$가 $x=\ln\frac{2}{3}$에서 변곡점을 가지므로 $f''\left(\ln\frac{2}{3}\right)=0$

$f''\left(\ln\frac{2}{3}\right)=9ae^{3\ln\frac{2}{3}}+be^{\ln\frac{2}{3}}=9a\left(\frac{2}{3}\right)^3+\frac{2}{3}b=\frac{8a+2b}{3}=0$

이므로 $b=-4a$

이때 $a>0$이므로 $b<0$

STEP B 조건 (나)에서 $f(x)$의 역함수가 존재하기 위한 실수 k의 최솟값이 m이므로 $f'(m)=0$임을 이용하여 구하기

조건 (나)에 의해 $f(x)$의 역함수가 존재하도록 하는 실수 k의 최솟값은

$f'(x)=0$일 때이므로 $f'(m)=0$을 만족하고 $f(2m)=-\frac{80}{9}$을 이용하여

식을 정리하여 함수 $f(x)$의 증가와 감소를 조사하면

$f'(x)=3ae^{3x}+be^{x}=3ae^{3x}-4ae^{x}=ae^{x}(3e^{2x}-4)(\because b=-4a)$

$f'(x)=0$에서 $e^{2x}=\frac{4}{3}$이므로

조건 (나)에서 $f'(m)=0$에서 $e^{2m}=\frac{4}{3}$

$f(2m)=-\frac{80}{9}$에서

$f(2m)=ae^{6m}-4ae^{2m}=a(e^{2m})^3-4ae^{2m}=a\left(\frac{4}{3}\right)^3-4a\left(\frac{4}{3}\right)=-\frac{80}{27}a$

$-\frac{80}{27}a=-\frac{80}{9}$이므로 $a=3$

STEP C $f(0)$의 값 구하기

$a=3$, $b=-12$이므로 $f(x)=3e^{3x}-12e^{x}$

따라서 $f(0)=3-12=-9$

1470

정답 64

STEP A 두 곡선이 한 점에서 만나도록 하는 관계식을 구하기

$g(x)=t^3\ln(x-t)$, $h(x)=2e^{x-a}$이라 하면

$g'(x)=\frac{t^3}{x-t}$, $h'(x)=2e^{x-a}$

곡선 $y=g(x)$는 위로 볼록하고 곡선 $y=h(x)$는 아래로 볼록하므로

곡선 $y=t^3\ln(x-t)$와 곡선 $y=2e^{x-a}$한 점에서 만나려면 두 곡선은

교점에서 접한다.

즉 두 곡선 위의 교점에서의 접선의 기울기가 서로 같다.

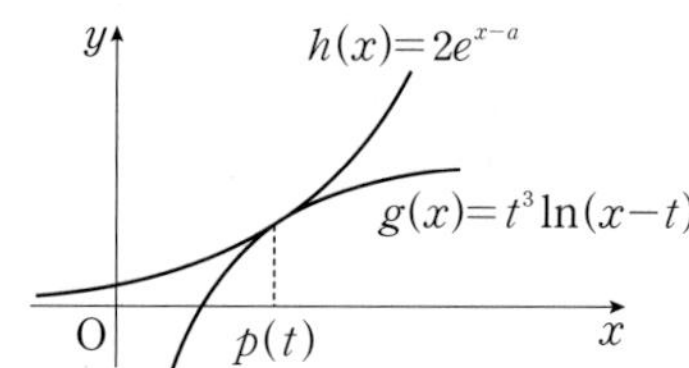

이때 두 그래프가 접하는 교점의 x좌표를 $p(t)(p(t)>t)$라 하면

$g(p(t))=h(p(t))$에서

$t^3\ln\{p(t)-t\}=2e^{p(t)-a}$ $\quad\cdots\cdots$ ㉠

이고

$g'(p(t))=h'(p(t))$에서

$\frac{t^3}{p(t)-t}=2e^{p(t)-a}$ $\quad\cdots\cdots$ ㉡

㉠, ㉡을 연립하여 풀면 $t^3\ln\{p(t)-t\}=\frac{t^3}{p(t)-t}$

t가 양의 실수이므로 $\ln\{p(t)-t\}=\frac{1}{p(t)-t}$

STEP B $p(t)-t=c$로 놓고 c가 상수임을 보이기

즉 $\{p(t)-t\}\ln\{p(t)-t\}=1$

이때 $p(t)-t=c$로 놓으면

$c\ln c=1$을 만족하는 c는 두 곡선

$y=\ln x$, $y=\frac{1}{x}$의 교점이므로

유일한 상수이다.

y, $y=\frac{1}{x}$, $y=\ln x$, O, c, x

← $x\ln x=1$에서 $\ln x=\frac{1}{x}$을 만족하는 $x=c$

STEP C $a=f(t)$인 식을 작성하기

㉡에서 $\frac{t^3}{p(t)-t}=2e^{p(t)-a}$의 양변에 자연로그를 취하면

$3\ln t-\ln\{p(t)-t\}=\ln 2+p(t)-a$에서

$a=-3\ln t+\ln\{p(t)-t\}+\ln 2+p(t)$

$=-3\ln t+\ln c+\ln 2+t+c$ ← $p(t)-t=c$에서 $p(t)=t+c$

$\therefore a=f(t)=-3\ln t+\ln c+\ln 2+t+c$

STEP D $\left\{f'\left(\frac{1}{3}\right)\right\}^2$의 값 구하기

$f(t)=-3\ln t+\ln c+\ln 2+t+c$의 양변을 t에 대하여 미분하면

$f'(t)=-\frac{3}{t}+1$ ← c는 상수

$f'\left(\frac{1}{3}\right)=-9+1=-8$

따라서 $\left\{f'\left(\frac{1}{3}\right)\right\}^2=(-8)^2=64$

부정적분을 이용하여 풀이하기

$\ln\{p(t)-t\}=\dfrac{1}{p(t)-t}$의 양변을 t에 대하여 미분하면

$\dfrac{p'(t)-1}{p(t)-t}=\dfrac{-p'(t)+1}{\{p(t)-t\}^2}$

$\dfrac{p'(t)-1}{p(t)-t}\left\{1+\dfrac{1}{p(t)-t}\right\}=0$

즉 $p'(t)=1(\because p(t)-t>0)$

$\therefore p(t)=t+C$ (단, C는 적분상수이고 $C>0$)

㉡에 대입하면

$\dfrac{t^3}{C}=2e^{t+C-a}$ ⬅ $\dfrac{t^3}{p(t)-t}=2e^{p(t)}-a$

$e^{t+C-a}=\dfrac{t^3}{2C}$

$t+C-a=\ln\dfrac{t^3}{2C}$ $\quad\therefore a=f(t)=t+C-\ln\dfrac{t^3}{2C}$

양변을 t에 대하여 미분하면

$f'(t)=1-\dfrac{\frac{3t^2}{2C}}{\frac{t^3}{2C}}=1-\dfrac{3}{t}$이므로 $f'\left(\dfrac{1}{3}\right)=-8$

따라서 $\left\{f'\left(\dfrac{1}{3}\right)\right\}^2=(-8)^2=64$

1471

정답 $\sqrt{2}$

STEP Ⓐ **$\tan\theta$를 삼각함수의 덧셈정리를 이용하여 x의 식으로 나타내기**

$\overline{BC}=x$라 하고

$\angle ACB=\alpha$, $\angle DCB=\beta$라 하면

$\tan\alpha=\dfrac{2}{x}$, $\tan\beta=\dfrac{1}{x}$이므로

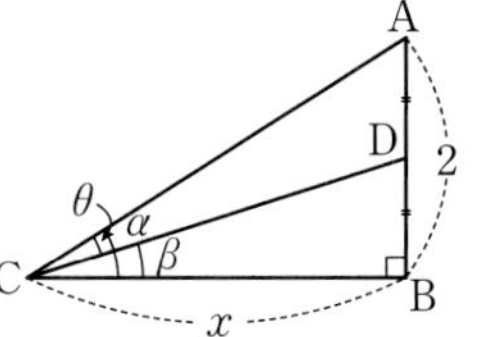

$\tan\theta=\tan(\alpha-\beta)=\dfrac{\tan\alpha-\tan\beta}{1+\tan\alpha\tan\beta}$

$=\dfrac{\frac{2}{x}-\frac{1}{x}}{1+\frac{2}{x}\cdot\frac{1}{x}}=\dfrac{x}{x^2+2}$

STEP Ⓑ **$f'(x)$를 이용하여 $\tan\theta$가 최대가 되는 x 구하기**

$f(x)=\dfrac{x}{x^2+2}$라 하면

$f'(x)=\dfrac{x^2+2-2x^2}{(x^2+2)^2}=\dfrac{-x^2+2}{(x^2+2)^2}$

$f'(x)=0$에서 $x=-\sqrt{2}$ 또는 $x=\sqrt{2}$

$x>0$에서 함수 $f(x)$의 증가와 감소를 표로 나타내면 다음과 같다.

x	0	$\cdots$	$\sqrt{2}$	$\cdots$
$f'(x)$		+	0	−
$f(x)$		↗	극대	↘

$x=\sqrt{2}$일 때, 극대이며 최대이다.

따라서 $\overline{BC}=\sqrt{2}$

다른풀이 산술평균과 기하평균을 이용하여 x의 값 구하기

$f(x)=\dfrac{x}{x^2+2}=\dfrac{1}{x+\frac{2}{x}}$

이때 $x+\dfrac{2}{x}$가 최소일 때, $\tan\theta$는 최대이고 θ도 최대이다.

산술평균과 기하평균의 관계에 의하여 $x+\dfrac{2}{x}\geq 2\sqrt{x\cdot\dfrac{2}{x}}=2\sqrt{2}$

이때 등호는 $x=\dfrac{2}{x}$, 즉 $x^2=2$일 때, 성립한다.

따라서 $x=\overline{BC}=\sqrt{2}$

1472

정답 $\dfrac{\pi}{3}-\dfrac{\sqrt{3}}{6}$

STEP Ⓐ **조건 (가)를 만족하는 상수 a의 값 구하기**

$g(x)=\sin(x^2+ax+b)$이므로

$g'(x)=(2x+a)\cos(x^2+ax+b)$

조건 (가)에서 모든 실수 x에 대하여

$(-2x+a)\cos(x^2-ax+b)=-(2x+a)\cos(x^2+ax+b)$

$x=0$을 대입하면 $a\cos b=-a\cos b$

$\therefore 2a\cos b=0$

$0<b<\dfrac{\pi}{2}$에서 $\cos b\neq 0$이므로 $a=0$

STEP Ⓑ **조건 (나)를 만족하는 상수 b의 값 구하기**

$g(x)=\sin(x^2+b)$

$g'(x)=2x\cos(x^2+b)$

$g''(x)=2\cos(x^2+b)-4x^2\sin(x^2+b)$

조건 (나)에서 점 $(k,\ g(k))$는 곡선 $y=g(x)$의 변곡점이므로 $g''(k)=0$

$2\cos(k^2+b)-4k^2\sin(k^2+b)=0$ ……㉠

$k=0$이면 $0<b<\dfrac{\pi}{2}$에서 $\cos b\neq 0$이므로

㉠이 성립하지 않고 $\cos(k^2+b)=0$이면

㉠에서 $\sin(k^2+b)=0$이므로

$\sin^2(k^2+b)+\cos^2(k^2+b)=1$이 성립하지 않는다.

즉 $k\neq 0$, $\cos(k^2+b)\neq 0$이므로

㉠에서 $\tan(k^2+b)=\dfrac{1}{2k^2}$ …… ㉡

조건 (나) $2kg(k)=\sqrt{3}g'(k)$에서

$2k\sin(k^2+b)=2\sqrt{3}k\cos(k^2+b)$

$\tan(k^2+b)=\sqrt{3}$ …… ㉢

㉡, ㉢에서 $\dfrac{1}{2k^2}=\sqrt{3}$

$k^2=\dfrac{\sqrt{3}}{6}$

㉢에서 $\tan\left(\dfrac{\sqrt{3}}{6}+b\right)=\sqrt{3}$이고 $0<b<\dfrac{\pi}{2}$이므로 $\dfrac{\sqrt{3}}{6}+b=\dfrac{\pi}{3}$

$\therefore b=\dfrac{\pi}{3}-\dfrac{\sqrt{3}}{6}$

STEP Ⓒ **$a+b$의 값 구하기**

따라서 $a+b=0+\left(\dfrac{\pi}{3}-\dfrac{\sqrt{3}}{6}\right)=\dfrac{\pi}{3}-\dfrac{\sqrt{3}}{6}$

미분가능한 함수 $g(x)$에 대하여

① $g(-x)=g(x)$이면 $g'(-x)=-g'(x)$ (역은 성립한다.)

② $g(-x)=-g(x)$이면 $g'(-x)=g'(x)$ (역은 성립하지 않는다.)

조건 (가)에서 $g'(-x)=-g'(x)$이면 $g(-x)=g(x)$이 성립하므로

$\sin(f(-x))=\sin(f(x))$

즉 $\sin(x^2-ax+b)=\sin(x^2+ax+b)$이므로 $a=0$

1473

정답 ③

STEP A $f'(x)$, $f''(x)$**를 이용하여 함수** $y=f(x)$**의 그래프의 개형을 그리기**

$\ln(5-x)$에서 진수 $5-x>0$이므로 $y=f(x)$의 정의역은 $x<5$

$f(x)=2\ln(5-x)+\dfrac{1}{4}x^2$에서

$$f'(x)=\frac{-2}{5-x}+\frac{x}{2}=\frac{4+x(x-5)}{2(x-5)}=\frac{x^2-5x+4}{2(x-5)}=\frac{(x-1)(x-4)}{2(x-5)}$$

이때 $f'(x)=0$에서 $x=1$ 또는 $x=4$

$$f''(x)=\frac{-2}{(x-5)^2}+\frac{1}{2}=\frac{-4+(x-5)^2}{2(x-5)^2}=\frac{x^2-10x+21}{2(x-5)^2}=\frac{(x-3)(x-7)}{2(x-5)^2}$$

$f''(x)=0$에서 $x=3(\because x<5)$

함수 $f(x)$의 증가와 감소, 오목과 볼록을 나타내면 다음과 같다.

x	$\cdots$	1	$\cdots$	3	$\cdots$	4	$\cdots$	5
$f'(x)$	$-$	0	$+$	$+$	$+$	0	$-$	
$f''(x)$	$+$	$+$	$+$	0	$-$	$-$	$-$	
$f(x)$	↘	극소	↗	$f(3)$	↗	극대	↘	

$x=1$일 때, 극솟값 $f(1)=\dfrac{1}{4}+4\ln 2$

$x=3$에서 변곡점 $f(3)=\dfrac{9}{4}+2\ln 2$

$x=4$일 때, 극댓값 $f(4)=4$

STEP B **그래프에서 [보기]의 참, 거짓 판단하기**

ㄱ. 함수 $f(x)$는 $x=4$에서 극댓값을 갖는다. [참]

ㄴ. 곡선 $y=f(x)$의 변곡점의 개수는 1이다. [거짓]

ㄷ. 함수 $y=f(x)$의 그래프와 직선 $y=\dfrac{1}{4}$은 다음 그림과 같으므로

방정식 $f(x)=\dfrac{1}{4}$의 실근의 개수는 1이다. [참]

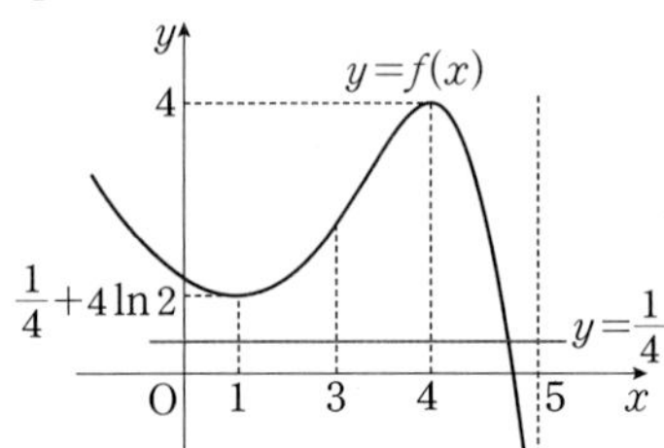

따라서 옳은 것은 ㄱ, ㄷ이다.

1474

정답 52

STEP A **함수** $f(x)$**가 역함수를 가질 조건 찾기**

$f(x)$가 역함수를 가지려면 $f(x)$가 일대일 함수이어야 한다.

즉 함수 $f(x)$는 증가함수 이거나 감소함수이다.

따라서 함수 $f(x)$는 모든 실수 x에 대하여

$f'(x)\ge 0$ 또는 $f'(x)\le 0$이어야 한다.

STEP B $y=f'(x)$**의 그래프 개형 그리기**

$f(x)$를 x에 대하여 미분하면

$$f'(x)=e^{x+1}\{x^2+(n-2)x-n+3\}+e^{x+1}\{2x+(n-2)\}+a$$
$$=e^{x+1}(x^2+nx+1)+a$$

이때 $\lim\limits_{x\to\infty}f'(x)=\infty$이고 $\lim\limits_{x\to-\infty}f'(x)=a$

$f(x)$가 역함수를 갖기 위해선 $f'(x)\ge 0$이어야 한다.

$f''(x)$를 구하면

$$f''(x)=e^{x+1}(x^2+nx+1)+e^{x+1}(2x+n)$$
$$f''(x)=e^{x+1}(x^2+(n+2)x+n+1)$$
$$=e^{x+1}(x+1)\{x+(n+1)\}$$

$f''(x)=0$에서 $x=-(n+1)$ 또는 $x=-1$

함수 $f'(x)$의 증가와 감소를 표로 나타내면 다음과 같다.

x	$\cdots$	$-(n+1)$	$\cdots$	-1	$\cdots$
$f''(x)$	$+$	0	$-$	0	$+$
$f'(x)$	↗	극대	↘	극소	↗

함수 $f'(x)$의 그래프의 개형은 다음 그림과 같다.

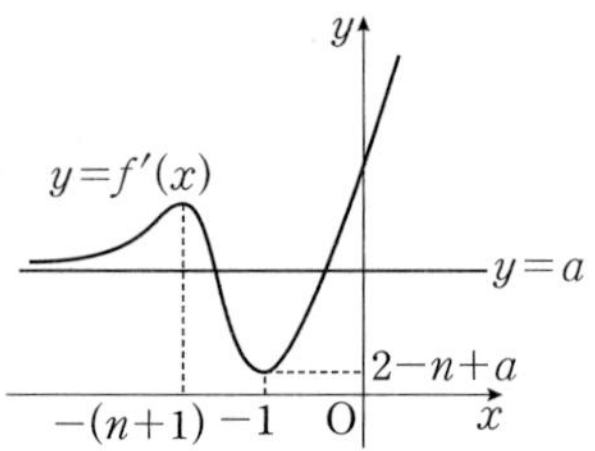

STEP C $g(n)$**을 구하기**

n이 2 이상의 자연수에서 함수 $f'(x)$는 $x=-1$에서 극소이며 최솟값이므로

$f'(-1)=e^0\{(-1)^2+n(-1)+1\}+a=2-n+a\ge 0 \quad \therefore a\ge n-2$

이때 실수 a의 최솟값 $g(n)$은 $g(n)=n-2$

$1\le g(n)\le 8$에서 $1\le n-2\le 8 \quad \therefore 3\le n\le 10$

따라서 구하는 모든 n의 값의 합은 $3+4+5+\cdots+10=\dfrac{8(3+10)}{2}=52$

1475

정답 e^2

STEP A $\mathrm{P}\left(t, \dfrac{\ln kt}{t}\right)$**에서의 접선의 방정식 구하기**

$$y=\frac{\ln kx}{x}\text{에서 } y'=\frac{\frac{k}{kx}\times x-\ln kx}{x^2}=\frac{1-\ln kx}{x^2}$$

이때 곡선 $y=\dfrac{\ln kx}{x}$ 위의 점 $\mathrm{P}\left(t, \dfrac{\ln kt}{t}\right)$에서의 접선의 방정식은

$$y-\frac{\ln kt}{t}=\frac{1-\ln kt}{t^2}(x-t)$$

STEP B **접선의** y**절편** $f(t)$**의 극댓값 구하기**

$$f(t)=\frac{1-\ln kt}{t^2}\times(-t)+\frac{\ln kt}{t}=\frac{2\ln kt-1}{t}$$

$$f'(t)=\frac{2\times\frac{k}{kt}\times t-(2\ln kt-1)}{t^2}=\frac{3-2\ln kt}{t^2}$$

$f'(t)=0$에서 $3-2\ln kt=0$이므로 $kt=e^{\frac{3}{2}} \quad \therefore t=\dfrac{1}{k}e^{\frac{3}{2}}$

$t>0$에서 함수 $f(t)$의 증가와 감소를 표로 나타내면 다음과 같다.

t	(0)	$\cdots$	$\frac{1}{k}e^{\frac{3}{2}}$	$\cdots$
$f'(t)$		$+$	0	$-$
$f(t)$		↗	극대	↘

$$\lim_{x\to\infty}\frac{\ln kx}{x}=\lim_{x\to\infty}\left(\frac{\ln kx}{kx}\times k\right)=0$$

함수 $f(t)$는 $t=\dfrac{1}{k}e^{\frac{3}{2}}$에서 극대이면서 최대이므로 함수 $f(t)$의 최댓값은

$$f\left(\frac{1}{k}e^{\frac{3}{2}}\right)=\frac{2\ln\left(k\times\frac{1}{k}e^{\frac{3}{2}}\right)-1}{\frac{1}{k}e^{\frac{3}{2}}}=2ke^{-\frac{3}{2}}$$

STEP C $f(t)$**의 최댓값이** $2\sqrt{e}$**가 되도록 하는 양수** k**의 값 구하기**

이때 함수 $f(t)$의 최댓값이 $2\sqrt{e}$이므로 $2ke^{-\frac{3}{2}}=2\sqrt{e}$

따라서 $k=\sqrt{e}\times e^{\frac{3}{2}}=e^{\frac{1}{2}+\frac{3}{2}}=e^2$

1476

정답 $-\frac{\sqrt{e}}{4}$

STEP A 함수 $f(x)$의 그래프 그리기

$f(x)=\frac{\ln x}{x}$에서 $f'(x)=\frac{1-\ln x}{x^2}$

$f'(x)=0$에서 $1-\ln x=0$

$\therefore x=e$

$x>0$이므로 $x=e$에서 극대이고

그래프는 오른쪽과 같다.

← $\lim_{x\to\infty} f(x)=0$이므로 점근선 $y=0$

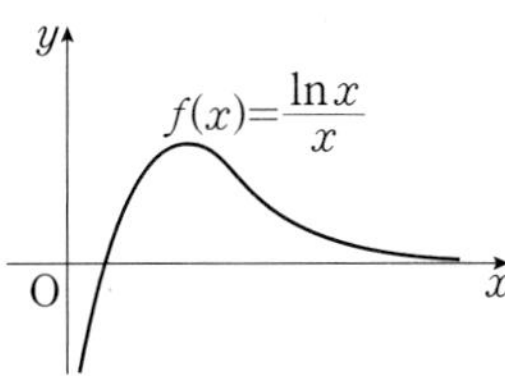

STEP B 원점에서 곡선 $y=f(x)$에 그은 접선의 기울기 a의 값 구하기

원점에서 $y=f(x)$의 그래프에 그은

접선의 접점의 좌표를 $\left(k,\ \frac{\ln k}{k}\right)$라

하면 접선의 방정식은

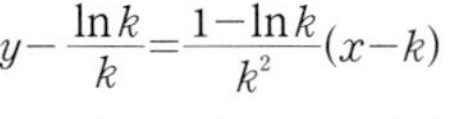

$y-\frac{\ln k}{k}=\frac{1-\ln k}{k^2}(x-k)$

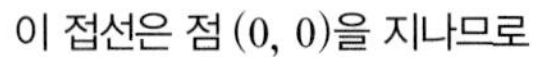

이 접선은 점 $(0,\ 0)$을 지나므로

$-\frac{\ln k}{k}=\frac{1-\ln k}{k^2}\times(-k)$, $\ln k=\frac{1}{2}$ 이므로 $k=\sqrt{e}$

즉 $g(a)=\sqrt{e}$이고 $a=f'(k)=f's(\sqrt{e})=\frac{1-\ln\sqrt{e}}{(\sqrt{e})^2}=\frac{1}{2e}$

STEP C $a\times g'(a)$의 값 구하기

기울기가 t인 직선이 곡선 $y=f(x)$에

접할 때, 접점의 x좌표가 $g(t)$이므로

$f'(g(t))=t$

즉 $f'(g(t))=\frac{1-\ln g(t)}{\{g(t)\}^2}=t$

← $f'(x)=\frac{1-\ln x}{x^2}$

$1-\ln g(t)=t\cdot\{g(t)\}^2$

양변을 t에 대하여 미분하면 $-\frac{g'(t)}{g(t)}=\{g(t)\}^2+2tg(t)g'(t)$

t에 a를 대입하면

$-\frac{g'(a)}{g(a)}=\{g(a)\}^2+2ag(a)g'(a)$ ...... ㉠

㉠의 식에 $g(a)=\sqrt{e}$와 $a=\frac{1}{2e}$을 대입하면

$-\frac{g'(a)}{\sqrt{e}}=e+2\times\frac{1}{2e}\times\sqrt{e}\times g'(a)$ $\quad\therefore g'(a)=-\frac{e\sqrt{e}}{2}$

따라서 $a\times g'(a)=\frac{1}{2e}\times\left(-\frac{e\sqrt{e}}{2}\right)=-\frac{\sqrt{e}}{4}$

다른풀이 곡선의 접선 및 합성함수의 미분법을 이용하여 풀이하기

$f'(x)=\frac{1-\ln x}{x^2}$에서 $f'(g(t))=t$이므로

$\frac{1-\ln(g(t))}{\{g(t)\}^2}=t$ ...... ㉠

한편 원점 $(0,\ 0)$에서 함수 $f(x)=\frac{\ln x}{x}$에 그은 접선의 방정식을 $S(s,\ f(s))$라

하면 선분 OS의 기울기와 S에서 그은 접선의 기울기가 같으므로

$\frac{\frac{\ln s}{s}-0}{s-0}=\frac{1-\ln s}{s^2}$ ...... ㉡

㉡을 풀면 $s=\sqrt{e}$이므로 $a=\frac{1}{2e}$임을 알 수 있다.

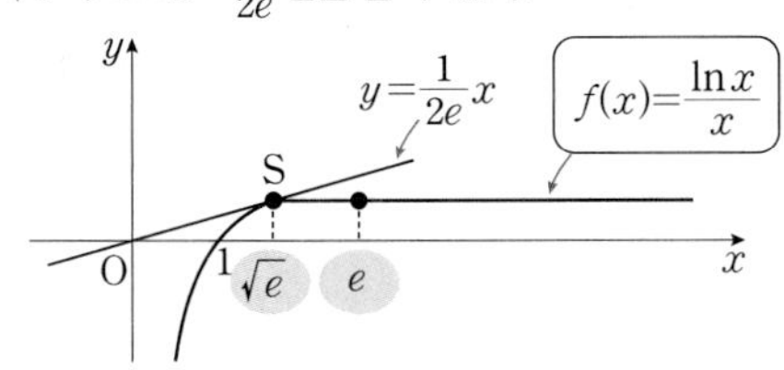

㉠의 식에서 양변에 $\{g(t)\}^2$을 곱하여 정리하면

$1-\ln(g(t))=t\{g(t)\}^2$이고 양변을 t로 미분하면

$-\frac{g'(t)}{g(t)}=\{g(t)\}^2+2tg(t)g'(t)$ ...... ㉢

㉢의 식에 $t=\frac{1}{2e}$를 대입하면 $g\left(\frac{1}{2e}\right)=\sqrt{e}$이므로

$-\frac{g'\left(\frac{1}{2e}\right)}{\sqrt{e}}=\{\sqrt{e}\}^2+2\times\frac{1}{2e}\times\sqrt{e}\times g'\left(\frac{1}{2e}\right)$

정리하면 $g'\left(\frac{1}{2e}\right)=-\frac{e\sqrt{e}}{2}$

따라서 $a\times g'(a)=\frac{1}{2e}\times\left\{-\frac{e\sqrt{e}}{2}\right\}=-\frac{\sqrt{e}}{4}$

1477

정답 -24

STEP A 곡선 $y=f(x)$ 위의 점 P에서 그은 접선의 x절편 $g(t)$ 구하기

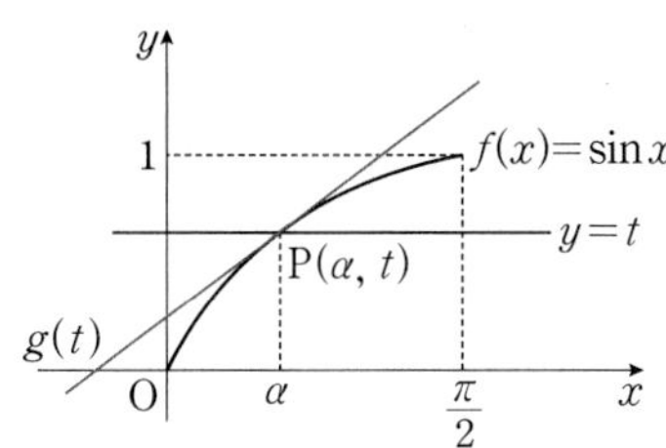

점 P를 $P(\alpha(t),\ t)$라 하면

$f(\alpha(t))=t$ ← α는 t의 함수이다.

즉 $\sin\alpha(t)=t$

점 $P(\alpha(t),\ t)$에서 접선의 방정식은 $y-t=f'(\alpha(t))\{x-\alpha(t)\}$이고

$y-t=\cos\alpha(t)\{x-\alpha(t)\}$에서 x절편은

$g(t)=\frac{-t}{\cos\alpha(t)}+\alpha(t)$

STEP B $g'\left(\frac{2\sqrt{2}}{3}\right)$의 값 구하기

이때 $\sin\alpha(t)=t$에서 $\cos\alpha(t)\alpha'(t)=1$

$\alpha'(t)=\frac{1}{\cos\alpha(t)}$ ← $f(\alpha(t))=t$에서 $\alpha'(t)=\frac{1}{f'(\alpha(t))}$

이므로

$$g'(t)=\frac{-\cos\alpha(t)-t\sin\alpha(t)\alpha'(t)}{\cos^2\alpha(t)}+\alpha'(t)$$

$$=\frac{-\cos\alpha(t)-t\sin\alpha(t)\cdot\frac{1}{\cos\alpha(t)}}{\cos^2\alpha(t)}+\frac{1}{\cos\alpha(t)}$$

$$=-\frac{1}{\cos\alpha(t)}-\frac{t\sin\alpha(t)}{\cos^3\alpha(t)}+\frac{1}{\cos\alpha(t)}$$

$$=-\frac{t\sin\alpha(t)}{\cos^3\alpha(t)}$$ ← $\sin\alpha(t)=t$

$$=-\frac{t^2}{\cos^3\alpha(t)}$$

$\sin\alpha\left(\frac{2\sqrt{2}}{3}\right)=\frac{2\sqrt{2}}{3}$이므로

$$\cos\alpha\left(\frac{2\sqrt{2}}{3}\right)=\sqrt{1-\sin^2\alpha\left(\frac{2\sqrt{2}}{3}\right)}$$

$$=\sqrt{1-\left(\frac{2\sqrt{2}}{3}\right)^2}=\frac{1}{3}$$

따라서 $g'\left(\frac{2\sqrt{2}}{3}\right)=-\frac{\left(\frac{2\sqrt{2}}{3}\right)^2}{\cos^3\alpha\left(\frac{2\sqrt{2}}{3}\right)}=-\frac{\frac{8}{9}}{\frac{1}{27}}=-24$

참고
점 P를 $P(\alpha, t)$라 하면 $f(\alpha)=t$
$\sin\alpha=t$이므로 $\cos\alpha=\sqrt{1-\sin^2\alpha}=\sqrt{1-t^2}$이다.
접선의 방정식은 $y-f(\alpha)=f'(\alpha)(x-\alpha)$이고
$y-\sin\alpha=\cos\alpha(x-\alpha)$에서 $-\sin\alpha=\cos\alpha(g(t)-\alpha)$
$g(t)=\alpha-\tan\alpha$이다.
$\sin\alpha=t$의 양변을 t에 대하여 미분하면 $\cos\alpha\dfrac{d\alpha}{dt}=1$이므로
$\dfrac{d\alpha}{dt}=\dfrac{1}{\cos\alpha}$
$g'(t)=\dfrac{d\alpha}{dt}-\sec^2\alpha\dfrac{d\alpha}{dt}=\dfrac{1}{\cos\alpha}-\dfrac{1}{\cos^3\alpha}=\dfrac{\cos^2\alpha-1}{\cos^3\alpha}=\dfrac{-t^2}{(1-t^2)^{\frac{3}{2}}}$
따라서 $g'\left(\dfrac{2\sqrt{2}}{3}\right)=-24$

1478

정답 $\sqrt{14}$

STEP A 선분 AP의 길이를 t에 대한 함수로 나타내기

점 P의 좌표를 $\left(t, \dfrac{1}{t}\right)$이라 하면
선분 AP의 길이가 최소가 되는 점 P는 제1사분면에 있으므로 $t>0$
$f(t)=\overline{AP}^2$이라 하면
$f(t)=(t-4)^2+\left(\dfrac{1}{t}-4\right)^2=t^2-8t+\dfrac{1}{t^2}-\dfrac{8}{t}+32$

STEP B $f'(t)=0$인 t의 값 구하기

$f'(t)=2t-8-\dfrac{2}{t^3}+\dfrac{8}{t^2}=\dfrac{2(t^4-4t^3+4t-1)}{t^3}$
$=\dfrac{2(t+1)(t-1)(t^2-4t+1)}{t^3}$
$t>0$일 때, $f'(t)=0$에서 $t=1$ 또는 $t=2\pm\sqrt{3}$

STEP C 함수 $f(t)$의 증감표를 작성하여 선분 AP의 최솟값 구하기

이때 함수 $f(t)$의 증가와 감소를 표로 나타내면 다음과 같다.

t	(0)	$\cdots$	$2-\sqrt{3}$	$\cdots$	1	$\cdots$	$2+\sqrt{3}$	$\cdots$
$f'(t)$		$-$	0	$+$	0	$-$	0	$+$
$f(t)$		↘	14 (극소)	↗	18 (극대)	↘	14 (극소)	↗

따라서 함수 $f(t)$의 최솟값은 14이므로 선분 AP의 길이의 최솟값은 $\sqrt{14}$

1479

정답 $6\pi+9\sqrt{3}$

STEP A 넓이 $S(\theta)$를 θ에 관한 식으로 나타내기

$\angle BOD=\theta\left(0<\theta<\dfrac{\pi}{2}\right)$라고 하면 도형 OBDC의 넓이 $S(\theta)$는

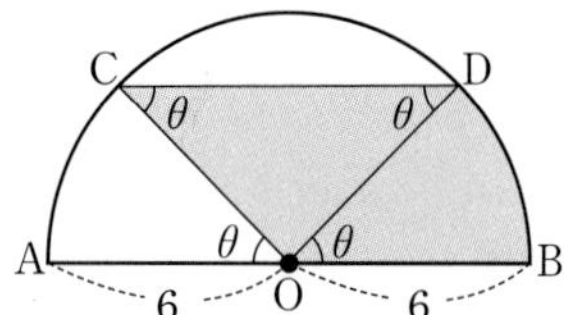

$S(\theta)=$(부채꼴 BOD의 넓이)+(△COD의 넓이)
$=\dfrac{1}{2}\cdot6^2\cdot\theta+\dfrac{1}{2}\cdot6^2\cdot\sin(\pi-2\theta)$
$=18(\theta+\sin2\theta)\left(0<\theta<\dfrac{\pi}{2}\right)$

STEP B $S'(\theta)$를 이용하여 넓이의 최댓값 구하기

$S'(\theta)=18(1+2\cos2\theta)$
$S'(\theta)=0$에서 $\cos2\theta=-\dfrac{1}{2}$이므로 $\theta=\dfrac{\pi}{3}$

함수 $S(\theta)$의 증가와 감소를 표로 나타내면 다음과 같다.

θ	0	$\cdots$	$\dfrac{\pi}{3}$	$\cdots$	$\dfrac{\pi}{2}$
$S'(\theta)$		$+$	0	$-$	
$S(\theta)$	0	↗	$6\pi+9\sqrt{3}$	↘	9π

따라서 $S(\theta)$는 $\theta=\dfrac{\pi}{3}$일 때, 극대이면서 최대이므로
도형 OBDC의 넓이의 최댓값은 $S\left(\dfrac{\pi}{3}\right)=6\pi+9\sqrt{3}$

1480

정답 $5\sqrt{5}$

STEP A 막대의 길이를 θ에 관한 식으로 나타내기

다음 그림과 같이 점 P를 지나 양쪽 벽에 끝점 A, B를 갖는 선분 AB의 길이의 최솟값이 막대 길이의 최댓값이 된다.

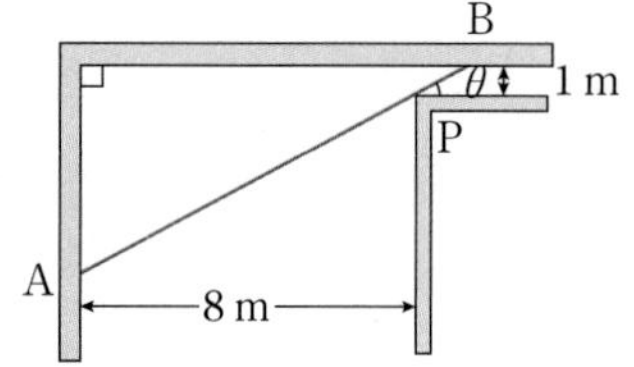

이때 직각으로 만나는 통로와 막대가 이루는 각의 크기를 $\theta\left(0<\theta<\dfrac{\pi}{2}\right)$,
막대의 길이 $\overline{AB}$를 $f(\theta)$라 하면
$\overline{AB}=\overline{AP}+\overline{BP}=\dfrac{8}{\cos\theta}+\dfrac{1}{\sin\theta}\left(0<\theta<\dfrac{\pi}{2}\right)$

STEP B 막대의 최대길이 구하기

$f(\theta)=\dfrac{8}{\cos\theta}+\dfrac{1}{\sin\theta}$이라 하면
$f'(\theta)=\dfrac{8\sin\theta}{\cos^2\theta}-\dfrac{\cos\theta}{\sin^2\theta}=\dfrac{\cos^3\theta(8\tan^3\theta-1)}{\sin^2\theta\cos^2\theta}$
$f'(\theta)=0$에서 $\tan\theta=\dfrac{1}{2}\left(0<\theta<\dfrac{\pi}{2}\right)$ ······ ㉠
㉠을 만족하는 θ를 $\theta=\alpha$라 하면 $0<\theta<\dfrac{\pi}{2}$에서
함수 $f(\theta)$의 증가와 감소를 표로 나타내면 다음과 같다.

θ	(0)	$\cdots$	α	$\cdots$	$\left(\dfrac{\pi}{2}\right)$
$f'(\theta)$		$-$	0	$+$	
$f(\theta)$		↘	$5\sqrt{5}$	↗	

$\theta=\alpha$일 때, $f(\theta)$는 극소이면서 최소이고
$\tan\alpha=\dfrac{1}{2}$일 때, $\sin\alpha=\dfrac{1}{\sqrt{5}}$, $\cos\alpha=\dfrac{2}{\sqrt{5}}\left(\because 0<\theta<\dfrac{\pi}{2}\right)$이므로
$f(\theta)$의 최솟값은 $f(\alpha)=\dfrac{8}{\cos\alpha}+\dfrac{1}{\sin\alpha}=4\sqrt{5}+\sqrt{5}=5\sqrt{5}$
따라서 막대를 바닥면에 수평으로 들고 모서리를 돌아갈 수 있는 막대의 최대길이는 $5\sqrt{5}$m

12 STEP 1 내신정복 기출유형 방정식과 부등식의 활용

1481

정답 ④

STEP A 주어진 방정식을 $f(x)=k$꼴로 변형하여 $y=f(x)$의 그래프 개형 그리기

주어진 조건을 만족하는 함수 $y=f(x)$의 그래프의 개형을 그리면 오른쪽 그림과 같다.

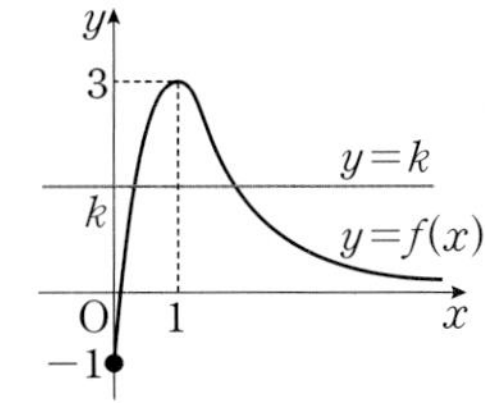

STEP B 두 그래프가 서로 다른 두 교점이 존재하도록 하는 k의 범위 구하기

따라서 $f(x)-k=0$이 서로 다른 두 실근을 가질 때, 곡선 $y=f(x)$와 직선 $y=k$의 교점은 2개이므로 $0<k<3$

1482

정답 ③

STEP A 방정식을 두 그래프의 교점의 개수로 이해하기

$\dfrac{3}{x^2-4x+7}=k$이 서로 다른 두 실근을 가지려면

곡선 $y=\dfrac{3}{x^2-4x+7}$과 $y=k$가 서로 다른 두 점에서 만나면 된다.

STEP B $y=f(x)$의 그래프 개형 그리기

$f(x)=\dfrac{3}{x^2-4x+7}$로 놓으면

$f'(x)=\dfrac{-3(2x-4)}{(x^2-4x+7)^2}$

$f'(x)=0$에서 $x=2$

$f'(x)$의 증가와 감소를 표로 나타내면 다음과 같다.

x	$\cdots$	2	$\cdots$
$f'(x)$	$+$	0	$-$
$f(x)$	↗	1	↘

이때 $\lim\limits_{x\to\infty}f(x)=0$, $\lim\limits_{x\to-\infty}f(x)=0$이므로 점근선은 $y=0$이고 $y=f(x)$의 그래프는 오른쪽 그림과 같다.

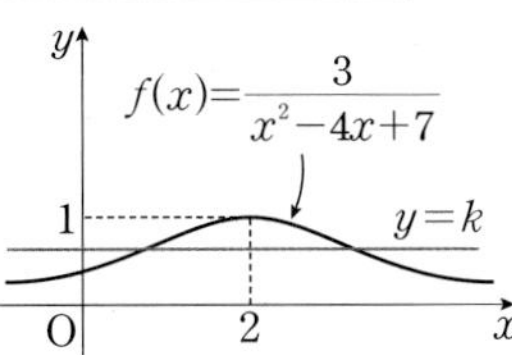

STEP C $y=f(x)$와 $y=k$가 만나기 위한 실수 k의 범위 구하기

따라서 주어진 방정식이 서로 다른 두 실근을 가지려면

$f(x)=\dfrac{3}{x^2-4x+7}$와 $y=k$가 만나는 k의 값의 범위는 $0<k<1$

참고 $f(x)=\dfrac{3}{x^2-4x+7}=\dfrac{3}{(x-2)^2+3}$이므로 $y=\dfrac{3}{x^2+3}$의 그래프를 x축으로 2만큼 평행이동한 그래프이다.

1483

정답 ③

STEP A 방정식을 두 그래프의 교점의 개수로 이해하기

$x^3+\dfrac{3}{x}=k$가 서로 다른 두 실근을 가지려면

곡선 $y=x^3+\dfrac{3}{x}$과 $y=k$가 서로 다른 두 점에서 만나면 된다.

STEP B $f(x)=x^3+\dfrac{3}{x}$의 그래프의 개형 그리기

$f(x)=x^3+\dfrac{3}{x}$으로 놓으면

$f'(x)=3x^2-\dfrac{3}{x^2}=\dfrac{3(x^4-1)}{x^2}$

$f'(x)=0$에서 $x=-1$ 또는 $x=1$

함수 $f(x)$의 증가와 감소를 표로 나타내면 다음과 같다.

x	$\cdots$	-1	$\cdots$	(0)	$\cdots$	1	$\cdots$
$f'(x)$	$+$	0	$-$		$-$	0	$+$
$f(x)$	↗	-4	↘		↘	4	↗

$\lim\limits_{x\to0+}f(x)=\infty$, $\lim\limits_{x\to\infty}f(x)=\infty$이고

함수 $f(x)$는 $x=-1$에서 극대이고 극댓값은 $f(-1)=-4$,

$x=1$에서 극소이고 극솟값은 $f(1)=4$

한편 $f(-x)=-f(x)$이므로 함수 $y=f(x)$의 그래프는 원점에 대하여 대칭이다.

STEP C 두 그래프가 서로 다른 두 교점이 존재하도록 하는 k의 범위 구하기

따라서 $y=f(x)$의 그래프는 오른쪽 그림과 같으므로 직선 $y=k$가 서로 다른 두 점에서 만나도록 하는 실수 k의 값의 범위는 $k<-4$ 또는 $k>4$

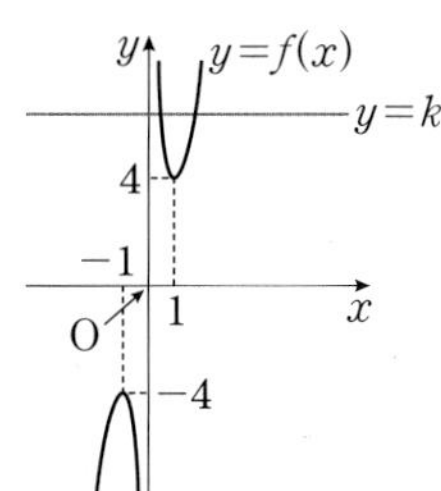

내신연계 출제문항 575

방정식 $4x^2+\dfrac{1}{x}=k$가 서로 다른 세 실근을 갖도록 하는 실수 k의 범위는?

① $k>2$　② $k>3$　③ $k>4$
④ $k<5$　⑤ $k<6$

STEP A $f(x)=4x^2+\dfrac{1}{x}$의 그래프의 개형 그리기

$f(x)=4x^2+\dfrac{1}{x}$로 놓으면

$f'(x)=8x-\dfrac{1}{x^2}=\dfrac{8x^3-1}{x}$

$f'(x)=0$에서 $8x^3-1=0$　$\therefore x=\dfrac{1}{2}$

함수 $f(x)$의 증가와 감소를 조사하면 다음 표와 같다.

x	$\cdots$	(0)	$\cdots$	$\frac{1}{2}$	$\cdots$
$f'(x)$	$-$		$-$	0	$+$
$f(x)$	↘		↘	3	↗

이때 $\lim\limits_{x\to0-}\left(4x^2+\dfrac{1}{x}\right)=-\infty$, $\lim\limits_{x\to0+}\left(4x^2+\dfrac{1}{x}\right)=\infty$

$\lim\limits_{x\to\infty}\left(4x^2+\dfrac{1}{x}\right)=\infty$, $\lim\limits_{x\to-\infty}\left(4x^2+\dfrac{1}{x}\right)=\infty$이고

$x=\dfrac{1}{2}$에서 극소이고 극솟값은 $f\left(\dfrac{1}{2}\right)=3$

STEP B $y=f(x)$, $y=k$가 서로 다른 세 점에서 만날 때, k의 범위 구하기

따라서 $y=f(x)$의 그래프는 오른쪽 그림과 같으므로 직선 $y=k$가 서로 다른 세 점에서 만나도록 하는 실수 k의 값의 범위는 $k>3$

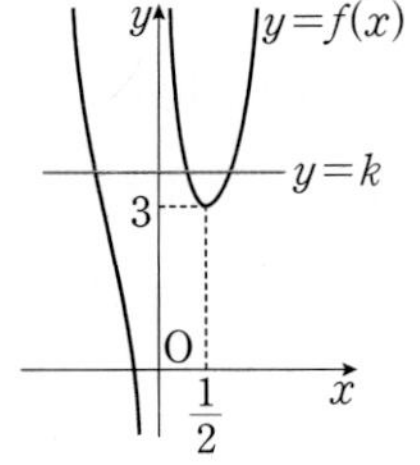

1484

정답 ②

STEP A 방정식을 두 그래프의 교점의 개수로 이해하기

$x-\sqrt{x+1}-n=0$의 서로 다른 두 실근은 $x-\sqrt{x+1}=n$에서

곡선 $y=x-\sqrt{x+1}$과 $y=n$이 서로 다른 두 점에서 만나면 된다.

STEP B $f(x)=x-\sqrt{x+1}(x\geq-1)$로 놓고 증감표 작성하기

$f(x)=x-\sqrt{x+1}(x\geq-1)$라 하면

$f'(x)=1-\dfrac{1}{2\sqrt{x+1}}=\dfrac{2\sqrt{x+1}-1}{2\sqrt{x+1}}$

$f'(x)=0$에서 $2\sqrt{x+1}-1=0$이므로 $x=-\dfrac{3}{4}$

$x\geq-1$에서 함수 $f(x)$의 증가와 감소를 표로 나타내면 다음과 같다.

x	-1	$\cdots$	$-\frac{3}{4}$	$\cdots$
$f'(x)$		$-$	0	$+$
$f(x)$	-1	↘	$-\frac{5}{4}$	↗

$\lim_{x\to\infty}f(x)=\infty$이고 $x=-\dfrac{3}{4}$에서

극소이고 극솟값은 $f\left(-\dfrac{3}{4}\right)=-\dfrac{5}{4}$

STEP C 서로 다른 두 실근을 가질 n의 범위 구하기

따라서 곡선 $y=f(x)$와 직선 $y=n$이 서로 다른 두 점에서 만나려면

$-\dfrac{5}{4}<n\leq-1$이어야 하므로 실수 n의 최댓값은 -1

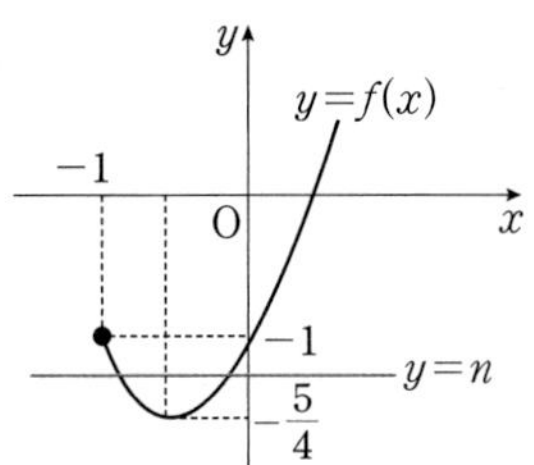

내신연계 출제문항 576

방정식

$$x-2\sqrt{x-1}=k$$

가 서로 다른 두 실근을 갖도록 하는 실수 k의 최댓값은?

① -2 ② -1 ③ 0
④ 1 ⑤ 2

STEP A 방정식을 두 그래프의 교점의 개수로 이해하기

$x-2\sqrt{x-1}=k$의 서로 다른 두 실근은 $x-2\sqrt{x-1}-k$에서

곡선 $y=x-2\sqrt{x-1}$과 $y=k$가 서로 다른 두 점에서 만나면 된다.

STEP B $f(x)=x-2\sqrt{x-1}$로 놓고 증감표 작성하기

$f(x)=x-2\sqrt{x-1}(x\geq1)$라 하면

$f'(x)=1-\dfrac{1}{\sqrt{x-1}}=\dfrac{\sqrt{x-1}-1}{\sqrt{x-1}}$

$f'(x)=0$에서 $\sqrt{x-1}-1=0$이므로 $x=2$

$x\geq1$에서 함수 $f(x)$의 증가와 감소를 표로 나타내면 다음과 같다.

x	1	$\cdots$	2	$\cdots$
$f'(x)$		$-$	0	$+$
$f(x)$	1	↘	0	↗

$\lim_{x\to\infty}f(x)=\infty$이고 $x=2$에서 극소이고 극솟값은 $f(2)=0$

STEP C 서로 다른 두 실근을 가질 n의 범위 구하기

따라서 곡선 $y=f(x)$와 직선 $y=k$가 서로 다른 두 점에서 만나려면 $0<k\leq1$이어야 하므로 실수 k의 최댓값은 1

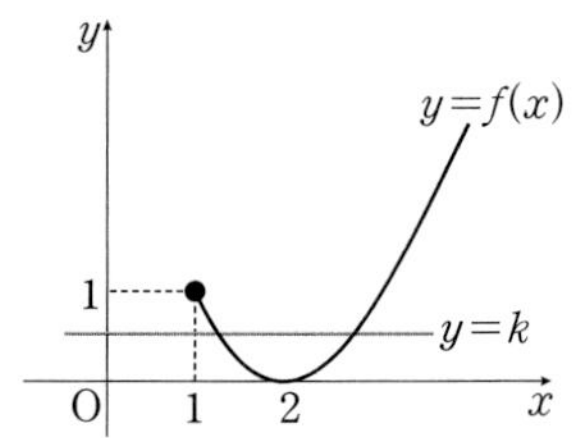

1485

정답 ⑤

STEP A 방정식을 두 그래프의 교점의 개수로 이해하기

$\sqrt{x}+\dfrac{4}{x}=k$가 서로 다른 두 실근을 가지려면

곡선 $y=\sqrt{x}+\dfrac{4}{x}$와 $y=k$가 서로 다른 두 점에서 만나면 된다.

STEP B $f(x)=\sqrt{x}+\dfrac{4}{x}$의 그래프의 개형 그리기

$f(x)=\sqrt{x}+\dfrac{4}{x}$로 놓으면

$f'(x)=\dfrac{1}{2\sqrt{x}}-\dfrac{4}{x^2}=\dfrac{x\sqrt{x}-8}{2x^2}$

$f'(x)=0$에서 $x=4$

함수 $f(x)$의 증가와 감소를 표로 나타내면 다음과 같다.

x	0	$\cdots$	4	$\cdots$
$f'(x)$		$-$	0	$+$
$f(x)$		↘	극소	↗

함수 $f(x)$는 $x=4$일 때, 극소이고 극솟값은 $f(4)=3$

STEP C 두 그래프 $y=\sqrt{x}+\dfrac{4}{x}$, $y=k$가 두 점에서 만나도록 하는 k의 범위 구하기

$y=f(x)$의 그래프는 오른쪽 그림과 같으므로 직선 $y=k$가 서로 다른 두 점에서 만나도록 하는 실수 k의 값의 범위는 $k>3$

따라서 정수 k의 최솟값은 4

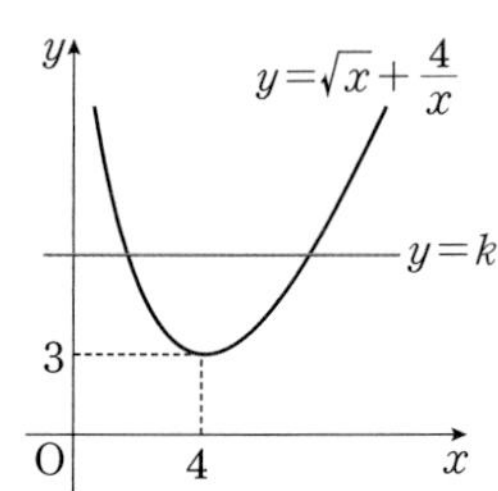

1486

정답 ④

STEP A $f(x)=\dfrac{x^3}{(x-1)^2}$ 의 그래프의 개형 그리기

$f(x)=\dfrac{x^3}{(x-1)^2}$ 에서

$f'(x)=\dfrac{3x^2(x-1)^2-x^3\cdot 2(x-1)}{(x-1)^4}=\dfrac{x^2(x-3)}{(x-1)^3}$

$f'(x)=0$에서 $x=0$ 또는 $x=3$

함수 $f(x)$의 증가와 감소를 표로 나타내면 다음과 같다.

x	$\cdots$	0	$\cdots$	(1)	$\cdots$	3	$\cdots$
$f'(x)$	+	0	+		−	0	+
$f(x)$	↗		↗		↘	$\dfrac{27}{4}$	↗

$\lim\limits_{x\to 1}f(x)=\infty$이고 함수 $f(x)$는 $x=3$에서 극소이고 극솟값은 $f(3)=\dfrac{27}{4}$

STEP B 두 그래프 $y=f(x)$, $y=k$가 서로 다른 세 점에서 만날 때, k의 범위 구하기

따라서 $y=f(x)$의 그래프의 개형은 오른쪽 그림과 같으므로 직선 $y=k$가 서로 다른 세 점에서 만나도록 하는 실수 k의 값의 범위는 $k>\dfrac{27}{4}$

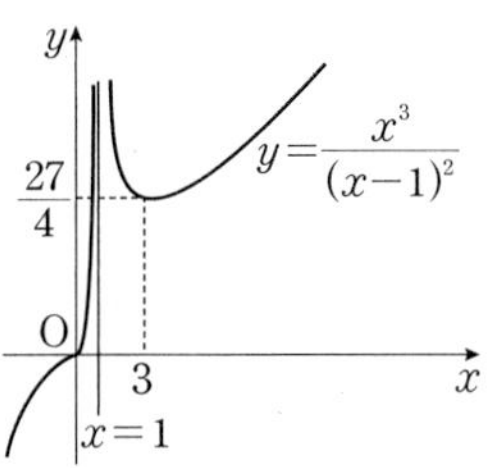

방정식 $x^3=k(x-1)^2$

(ⅰ) $x=1$일 때, $1^3=k(1-1)^2$, $1=0$이므로 $x=1$은 주어진 방정식의 근이 아니다.

(ⅱ) $x\neq 1$일 때, 양변을 $(x-1)^2$으로 나누면 $\dfrac{x^3}{(x-1)^2}=k$

방정식 $\dfrac{x^3}{(x-1)^2}=k$의 실근은 함수 $f(x)=\dfrac{x^3}{(x-1)^2}$의 그래프와 직선 $y=k$가 만나는 교점의 x좌표이다.

1487

정답 ②

STEP A $y=e^x$와 $y=x+a$가 서로 다른 두 점에서 만나기 위한 조건 구하기

방정식 $e^x=x+a$가 서로 다른 두 실근을 가지려면
$y=e^x$와 $y=x+a$가 서로 다른 두 점에서 만나면 된다.
즉 두 그래프가 서로 다른 두 점에서 만나려면 직선 $y=x+a$가 $y=e^x$에 접하면서 기울기가 1인 접선보다 위에 위치하면 된다.

STEP B $y=e^x$에 접하면서 기울기가 1인 접선의 방정식 구하기

$y=e^x$에 접하면서 기울기가 1인 직선의 접점을 $(t,\ e^t)$라 하면
$y'=e^t$에서 접선의 기울기가 1이므로 $e^t=1$ $\quad\therefore t=0$
점 $(0,\ 1)$에서 접선의 방정식은 $y=x+1$

STEP C 곡선 $y=f(x)$와 직선 $y=x+a$의 교점이 2개일 a의 값의 범위 구하기

따라서 곡선 $y=e^x$와 직선 $y=x+a$가 서로 다른 두 점에서 만나는 a의 값의 범위는 직선 $y=x+a$가 직선 $y=x+1$보다 위에 위치해야 하므로
$a>1$

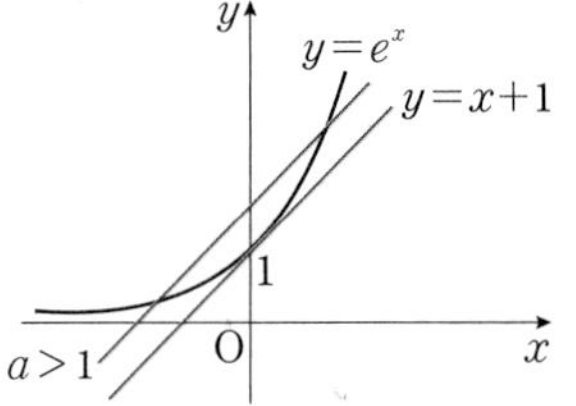

다른풀이 두 곡선 $y=e^x-x$와 $y=a$가 서로 다른 두 점에서 만나도록 풀이하기

STEP A 방정식을 두 그래프의 교점의 개수로 이해하기

$e^x=x+a$에서 $e^x-x=a$이므로 실근을 가지려면
곡선 $y=e^x-x$와 $y=a$가 만나면 된다.

STEP B $f(x)=e^x-x$의 그래프 개형 그리기

$f(x)=e^x-x$로 놓으면
$f'(x)=e^x-1$
$f'(x)=0$에서 $x=0$
함수 $f(x)$의 증가와 감소를 표로 나타내면 다음과 같다.

x	$\cdots$	0	$\cdots$
$f'(x)$	−	0	+
$f(x)$	↘	1	↗

함수 $f(x)$의 $x=0$에서 극소이고 극솟값은 $f(0)=1$

STEP C 두 그래프 $y=f(x)$, $y=k$가 만나도록 하는 k의 범위 구하기

함수 $y=f(x)$의 그래프는 오른쪽 그림과 같다.
따라서 함수 $y=e^x-x$의 그래프와 직선 $y=a$가 교점을 두 개 갖기 위한 a의 범위는 $a>1$

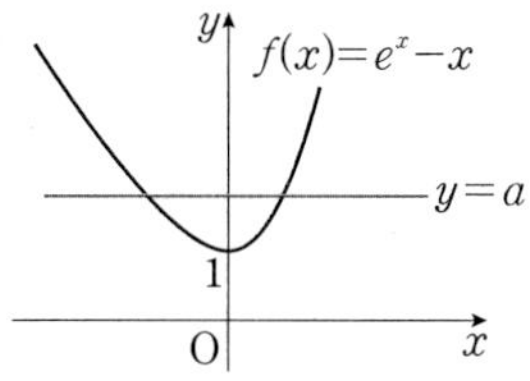

1488

정답 ②

STEP A 방정식을 두 그래프의 교점의 개수로 이해하기

$xe^x-k=0$이 서로 다른 두 실근을 가지려면
곡선 $y=xe^x$와 $y=k$가 서로 다른 두 점에서 만나면 된다.

STEP B $y=xe^x$의 그래프 개형 그리기

$f(x)=xe^x$로 놓으면
$f'(x)=e^x+xe^x=(1+x)e^x$
$f'(x)=0$에서 $e^x>0$이므로 $x=-1$
함수 $f(x)$의 증가와 감소를 표로 나타내면 다음과 같다.

x	$\cdots$	-1	$\cdots$
$f'(x)$	−	0	+
$f(x)$	↘	$-\dfrac{1}{e}$	↗

$\lim\limits_{x\to-\infty}xe^x=0$, $\lim\limits_{x\to\infty}xe^x=\infty$이고

함수 $f(x)$는 $x=-1$에서 극소이고 극솟값은 $f(-1)=-\dfrac{1}{e}$

STEP C 두 그래프 $y=f(x)$, $y=k$가 두 점에서 만나도록 하는 k의 범위 구하기

따라서 $y=f(x)$의 그래프의 개형은 오른쪽 그림과 같으므로 직선 $y=k$가 서로 다른 두 점에서 만나도록 하는 실수 k의 값의 범위는 $-\dfrac{1}{e}<k<0$

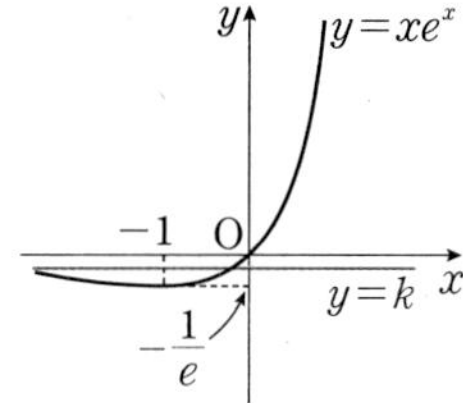

1489

정답 ③

STEP A 방정식을 두 그래프의 교점의 개수로 이해하기

$\frac{e^x+e^{-x}}{2}=k$가 서로 다른 두 실근을 가지려면

곡선 $y=\frac{e^x+e^{-x}}{2}$와 $y=k$가 서로 다른 두 점에서 만나면 된다.

STEP B $f(x)=\frac{e^x+e^{-x}}{2}$의 그래프 개형 그리기

$f(x)=\frac{e^x+e^{-x}}{2}$이라 하면

$f'(x)=\frac{e^x-e^{-x}}{2}$

$f'(x)=0$에서 $x=0$

함수 $f(x)$의 증가와 감소를 표로 나타내면 다음과 같다.

x	$\cdots$	0	$\cdots$
$f'(x)$	$-$	0	$+$
$f(x)$	↘	1	↗

함수 $f(x)$는 $x=0$에서 극소이고 극솟값은 $f(0)=1$

또, $\lim_{x\to\infty}f(x)=\infty$, $\lim_{x\to-\infty}f(x)=\infty$이다.

STEP C 두 그래프 $y=f(x)$, $y=k$가 두 점에서 만나도록 하는 k의 범위 구하기

따라서 $y=f(x)$의 그래프의 개형은 오른쪽 그림과 같으므로 직선 $y=k$가 서로 다른 두 점에서 만나도록 하는 실수 k의 값의 범위는 $k>1$

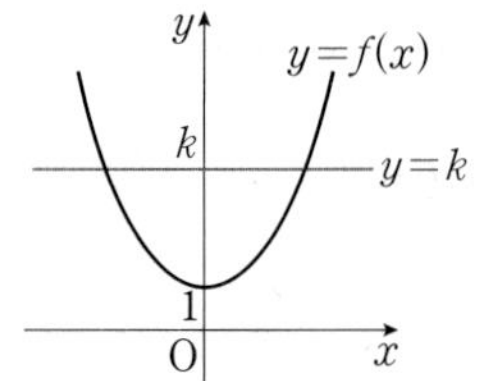

1490

정답 ④

STEP A 방정식을 두 그래프의 교점의 개수로 이해하기

$2x^2=ke^{x-2}$에서 $2x^2e^{-x+2}=k$가 서로 다른 두 실근을 가지려면

곡선 $y=2x^2e^{-x+2}$와 $y=k$가 서로 다른 두 점에서 만나면 된다.

STEP B $f(x)=2x^2e^{-x+2}$의 그래프 개형 그리기

$f(x)=2x^2e^{-x+2}$로 놓으면

$f'(x)=4xe^{-x+2}-2x^2e^{-x+2}=-2x(x-2)e^{-x+2}$

$f'(x)=0$에서 $x=0$ 또는 $x=2$

함수 $f(x)$의 증가와 감소를 조사하면 다음 표와 같다.

x	$\cdots$	0	$\cdots$	2	$\cdots$
$f'(x)$	$-$	0	$+$	0	$-$
$f(x)$	↘	0	↗	8	↘

또, $\lim_{x\to-\infty}f(x)=\infty$, $\lim_{x\to\infty}f(x)=0$

함수 $f(x)$는 $x=0$에서 극소이고 극솟값은 $f(0)=0$

$x=2$일 때, 극대이고 극댓값은 $f(2)=8$

STEP C 두 그래프 $y=f(x)$, $y=k$가 서로 다른 세 점에서 만날 때, k의 범위 구하기

$y=f(x)$의 그래프의 개형은 오른쪽 그림과 같으므로 직선 $y=k$가 서로 다른 세 점에서 만나도록 하는 실수 k의 값의 범위는 $0<k<8$

따라서 정수 k는 $1, 2, 3, \cdots, 7$이므로 개수는 7

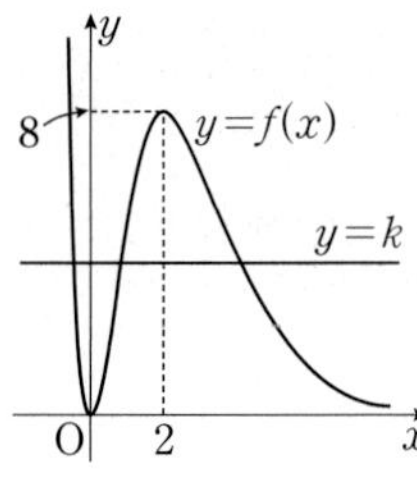

내신연계 출제문항 577

방정식

$$xe^{2-x}=k$$

가 서로 다른 두 실근을 갖도록 하는 실수 k의 값의 범위는?

① $-\frac{1}{e}<k<0$　② $0<k<\frac{1}{e}$　③ $0<k<e$

④ $\frac{1}{e}<k<e$　⑤ $k>e$

STEP A 방정식을 두 그래프의 교점의 개수로 이해하기

$xe^{2-x}=k$가 서로 다른 두 실근을 가지려면

곡선 $y=xe^{2-x}$와 $y=k$가 서로 다른 두 점에서 만나면 된다.

STEP B $f(x)=xe^{2-x}$의 그래프 개형 그리기

$f(x)=xe^{2-x}$이라 하면

$f'(x)=e^{2-x}(1-x)$

$f'(x)=0$에서 $x=1$

함수 $f(x)$의 증가와 감소를 조사하면 다음 표와 같다.

x	$\cdots$	1	$\cdots$
$f'(x)$	$+$	0	$-$
$f(x)$	↗	e	↘

$\lim_{x\to\infty}f(x)=0$, $\lim_{x\to-\infty}f(x)=-\infty$

함수 $f(x)$는 $x=1$에서 극대이고 극댓값은 $f(1)=e$

STEP C 두 그래프 $y=f(x)$, $y=k$가 서로 다른 두 점에서 만날 때, k의 범위 구하기

따라서 $y=f(x)$의 그래프의 개형은 오른쪽 그림과 같으므로 주어진 방정식이 서로 다른 두 실근을 갖도록 하는 실수 k의 값의 범위는 $0<k<e$

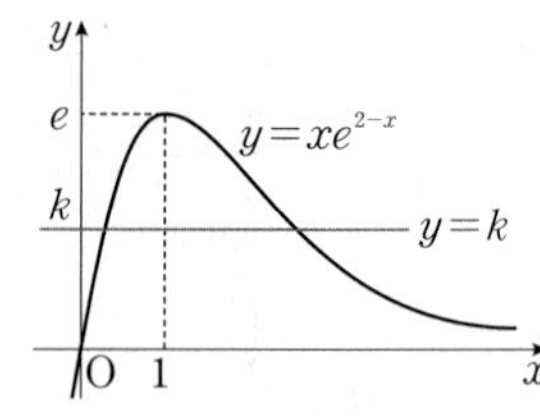

정답 ③

1491

정답 ④

STEP A 방정식을 두 그래프의 교점의 개수로 이해하기

방정식 $ke^{2x}-e^x+1=0$을 k에 대하여 정리하면

$k=\frac{e^x-1}{e^{2x}}$이고 방정식의 실근은

두 함수 $y=\frac{e^x-1}{e^{2x}}$, $y=k$의 그래프의 교점의 x좌표와 같다.

STEP B $f(x)=\frac{e^x-1}{e^{2x}}$의 그래프 개형 그리기

$f(x)=\frac{e^x-1}{e^{2x}}$로 놓으면

$f'(x)=\frac{e^x\cdot e^{2x}-(e^x-1)\cdot 2e^{2x}}{e^{4x}}=\frac{-e^x+2}{e^{2x}}$

$f'(x)=0$에서 $x=\ln 2$

함수 $f(x)$의 증가와 감소를 표로 나타내면 다음과 같다.

x	$\cdots$	$\ln 2$	$\cdots$
$f'(x)$	$+$	0	$-$
$f(x)$	↗	$\frac{1}{4}$	↘

$\lim_{x\to\infty}f(x)=\lim_{x\to\infty}\frac{e^x-1}{e^{2x}}=\lim_{x\to\infty}\frac{1-\frac{1}{e^x}}{e^x}=0$

$\lim_{x\to-\infty}f(x)=\lim_{x\to-\infty}\frac{e^x-1}{e^{2x}}=-\infty$이고

⬅ $\lim_{x\to-\infty}\frac{e^x-1}{e^{2x}}$에서 $x=-t$로 놓으면 $x\to-\infty$일 때, $t\to\infty$이므로

$\lim_{x\to-\infty}\frac{e^x-1}{e^{2x}}=\lim_{t\to\infty}\frac{e^{-t}-1}{e^{-2t}}=\lim_{t\to\infty}(e^t-e^{2t})=\lim_{t\to\infty}e^t(1-e^t)=-\infty$

함수 $f(x)$는 $x=\ln 2$에서 극소이고 극솟값은 $f(\ln 2)=\frac{1}{4}$

STEP C 두 그래프 $y=f(x)$, $y=k$가 두 점에서 만나도록 하는 k의 범위 구하기

따라서 $y=f(x)$의 그래프의 개형은 오른쪽 그림과 같으므로 직선 $y=k$가 서로 다른 두 점에서 만나도록 하는 실수 k의 값의 범위는

$0<k<\frac{1}{4}$

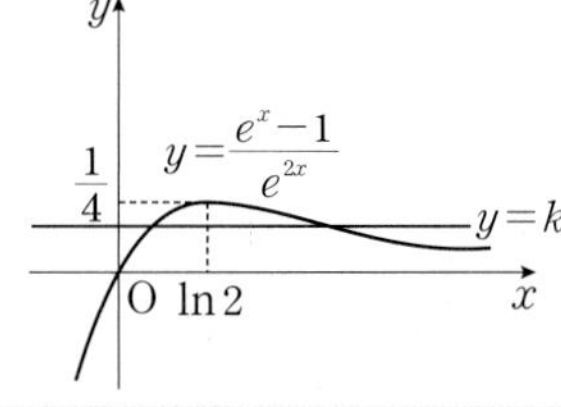

방정식 $ke^{2x}-e^x+1=0$의 서로 다른 실근의 개수는

① $k\le0$일 때, 1개

② $0<k<\frac{1}{4}$일 때, 2개

③ $k=\frac{1}{4}$일 때, 1개

④ $k>\frac{1}{4}$일 때, 0개

1492

정답 ③

STEP A 방정식을 두 그래프의 교점의 개수로 이해하기

$(e^x-x-3)^2=k$에서 $(e^x-x-3)^2\ge0$이므로 $k\ge0$

$(e^x-x-3)^2=k$에서 $e^x-x-3=\pm\sqrt{k}$가 서로 다른 세 실근을 가지려면 곡선 $y=e^x-x-3$와 $y=\pm\sqrt{k}$가 서로 다른 세 점에서 만나면 된다.

STEP B $f(x)=e^x-x-3$의 그래프 개형 그리기

$f(x)=e^x-x-3$로 놓으면

$f'(x)=e^x-1$

$f'(x)=0$에서 $x=0$

함수 $y=f(x)$의 증가와 감소를 표로 나타내면 다음과 같다.

x	$\cdots$	0	$\cdots$
$f'(x)$	$-$	0	$+$
$f(x)$	↘	-2	↗

또, $\lim_{x\to-\infty}f(x)=\infty$, $\lim_{x\to\infty}f(x)=\infty$

STEP C 두 그래프 $y=f(x)$, $y=\pm\sqrt{k}$가 세 점에서 만나도록 하는 k의 값 구하기

그림과 같이 직선 $y=-\sqrt{k}$가 점 $(0,\ -2)$를 지날 때,

함수 $y=f(x)$의 그래프와 직선 $y=\pm\sqrt{k}$는 서로 다른 세 점에서 만난다.

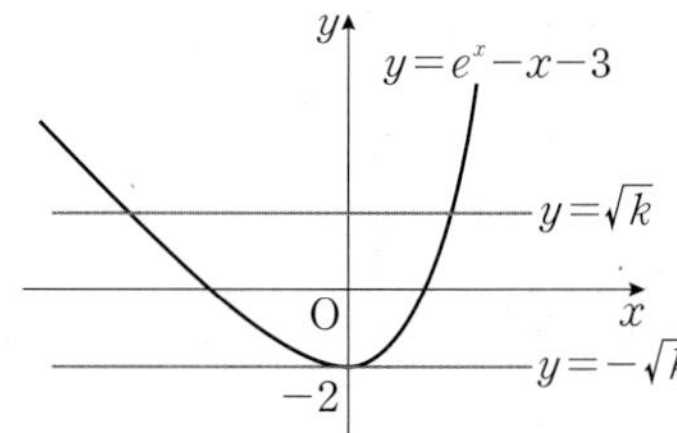

따라서 $-\sqrt{k}=-2$에서 $k=4$

1493

정답 ③

STEP A 곡선 $y=\ln x$와 직선 $y=x+k$의 교점이 한 개일 조건 이해하기

방정식 $\ln x=x+k$가 오직 한 개의 실근을 가지려면 오른쪽 그림과 같이 곡선 $y=\ln x$와 직선 $y=x+a$가 접해야 한다.

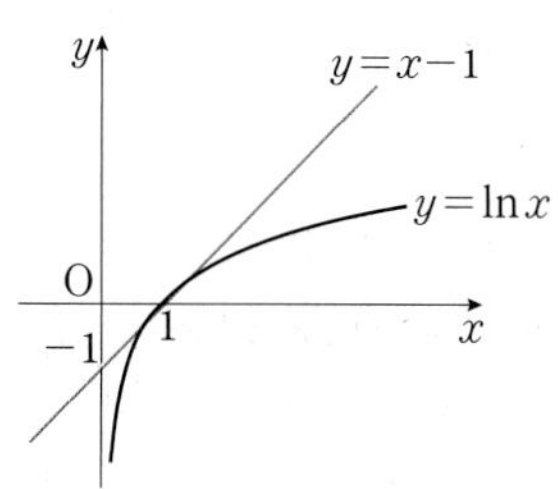

STEP B $y=\ln x$에 접하면서 기울기가 1인 접선의 방정식 구하기

$y=\ln x$에 접하면서 기울기가 1인 직선의 접점을 $(t,\ \ln t)$라 하면

$y'=\frac{1}{x}$에서 접선의 기울기가 1이므로 $\frac{1}{t}=1$ $\quad\therefore t=1$

점 $(1,\ 0)$에서 접선의 방정식은 $y-0=1\cdot(x-1)$

즉 접선의 방정식은 $y=x-1$

STEP C 서로 다른 두 실근을 가질 a의 범위 구하기

따라서 $a=-1$일 때, 방정식 $\ln x=x+a$는 중근을 가지므로 서로 다른 두 실근을 가지려면 $a<-1$

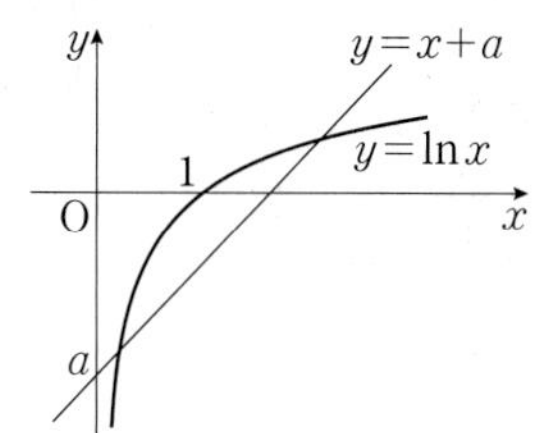

다른풀이 방정식 $\ln x=x+a$의 실근은 두 함수 $y=\ln x-x$, $y=a$의 교점의 x좌표와 같음을 이용하기

주어진 방정식의 실근은 두 함수 $y=\ln x-x$, $y=a$의 그래프의 교점의 x좌표와 같다.

$f(x)=\ln x-x$로 놓으면 $f'(x)=\frac{1}{x}-1$

$f'(x)=0$에서 $x=1$

함수 $f(x)$의 증가와 감소를 표로 나타내고 그래프를 그리면 다음과 같다.

x	(0)	$\cdots$	1	$\cdots$
$f'(x)$		$+$	0	$-$
$f(x)$		↗	-1	↘

또, $\lim_{x\to0+}f(x)=-\infty$이고 $\lim_{x\to\infty}f(x)=-\infty$

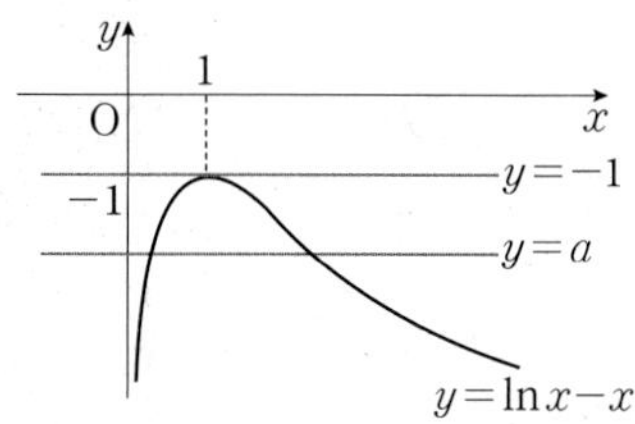

따라서 주어진 방정식의 서로 다른 두 실근을 가지려면 $a<-1$

내신연계 출제문항 578

x에 대한 방정식 $\ln x=x+k$가 오직 한 개의 실근을 가질 때, 실수 k의 값은?

① -3　　② -2　　③ -1
④ 0　　⑤ 1

STEP Ⓐ 곡선 $y=\ln x$와 직선 $y=x+k$의 교점이 한 개일 조건 이해하기

방정식 $\ln x=x+k$가 오직 한 개의 실근을 가지려면 오른쪽 그림과 같이 곡선 $y=\ln x$와 직선 $y=x+k$가 접해야 한다.

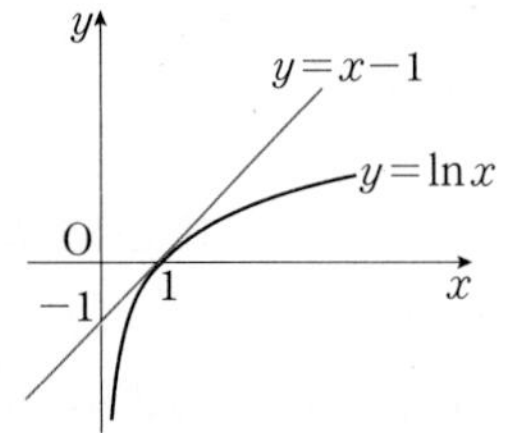

STEP Ⓑ $y=\ln x$에 접하면서 기울기가 1인 접선의 방정식 구하기

$y=\ln x$에 접하면서 기울기가 1인 직선의 접점을 $(t,\ \ln t)$라 하면

$y'=\dfrac{1}{x}$에서 접선의 기울기가 1이므로 $\dfrac{1}{t}=1$ $\quad\therefore t=1$

점 $(1,\ 0)$에서 접선의 방정식은 $y-0=1\cdot(x-1)$

즉 접선의 방정식은 $y=x-1$

STEP Ⓒ 서로 다른 두 실근을 가질 a의 범위 구하기

따라서 $k=-1$일 때, 방정식 $\ln x=x+a$는 중근을 가진다.

다른풀이 방정식을 상수 a와 x에 대한 식 $f(x)$로 분리하여 풀이하기

주어진 방정식의 실근은 두 함수 $y=\ln x-x$, $y=a$의 그래프의 교점의 x좌표와 같다.

$f(x)=\ln x-x$로 놓으면 $f'(x)=\dfrac{1}{x}-1$

$f'(x)=0$에서 $x=1$

함수 $f(x)$의 증가와 감소를 표로 나타내고 그래프를 그리면 다음과 같다.

x	(0)	$\cdots$	1	$\cdots$
$f'(x)$		$+$	0	$-$
$f(x)$		↗	-1	↘

또, $\lim\limits_{x\to0+}f(x)=-\infty$이고 $\lim\limits_{x\to\infty}f(x)=-\infty$이다.

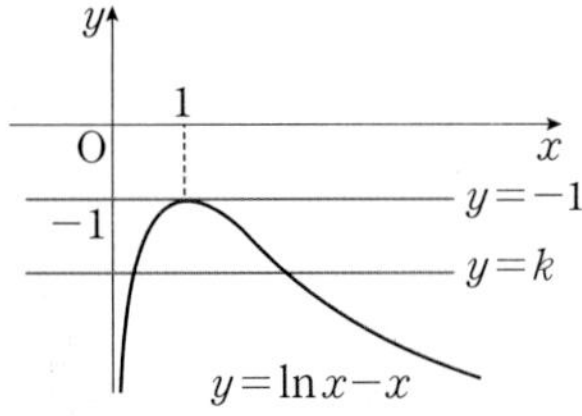

따라서 주어진 방정식의 한 개의 실근을 가지려면 $k=-1$

정답 ③

1494

정답 ⑤

STEP Ⓐ 방정식을 두 그래프의 교점의 개수로 이해하기

$2x-2\ln x=a$가 실근을 갖지 않으려면
곡선 $y=2x-2\ln x$와 $y=a$가 만나지 않으면 된다.

STEP Ⓑ $f(x)=2x-2\ln x$의 그래프 개형 그리기

$f(x)=2x-2\ln x$로 놓으면 함수 $f(x)$는 $x>0$에서 정의되고

$f'(x)=2-\dfrac{2}{x}$

$f'(x)=0$에서 $x=1$

$x>0$에서 $f(x)$의 증가와 감소를 표로 나타내면 다음과 같다.

x	0	$\cdots$	1	$\cdots$
$f'(x)$		$-$	0	$+$
$f(x)$		↘	2	↗

또, $\lim\limits_{x\to0+}f(x)=\infty$, $\lim\limits_{x\to\infty}f(x)=\infty$이다.

STEP Ⓒ 곡선 $y=f(x)$와 직선 $y=a$가 만나지 않을 a의 값의 범위 구하기

따라서 함수 $y=f(x)$의 그래프는 오른쪽 그림과 같으므로 실수 a의 값의 범위는 $a<2$

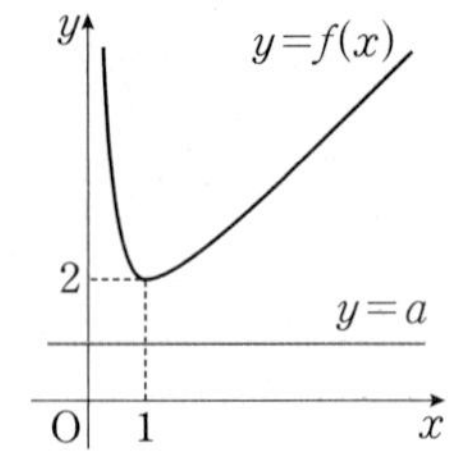

1495

정답 ④

STEP Ⓐ 방정식을 두 그래프의 교점의 개수로 이해하기

$\ln x-x+20-n=0$에서 $\ln x-x=n-20$이 서로 다른 두 실근을 가지려면
곡선 $y=\ln x-x$와 $y=n-20$이 서로 다른 두 점에서 만나면 된다.

STEP Ⓑ $f(x)=\ln x-x$의 그래프 개형 그리기

$f(x)=\ln x-x$로 놓으면 함수 $f(x)$는 $x>0$에서 정의되고

$f'(x)=\dfrac{1}{x}-1$

$f'(x)=0$에서 $\dfrac{1}{x}=1$이므로 $x=1$

$x>0$에서 $f(x)$의 증가와 감소를 표로 나타내면 다음과 같다.

x	(0)	$\cdots$	1	$\cdots$
$f'(x)$		$+$	0	$-$
$f(x)$		↗	-1	↘

이때 $\lim\limits_{x\to0+}f(x)=-\infty$, $\lim\limits_{x\to\infty}f(x)=-\infty$이므로

함수 $y=f(x)$의 그래프는 다음과 같다.

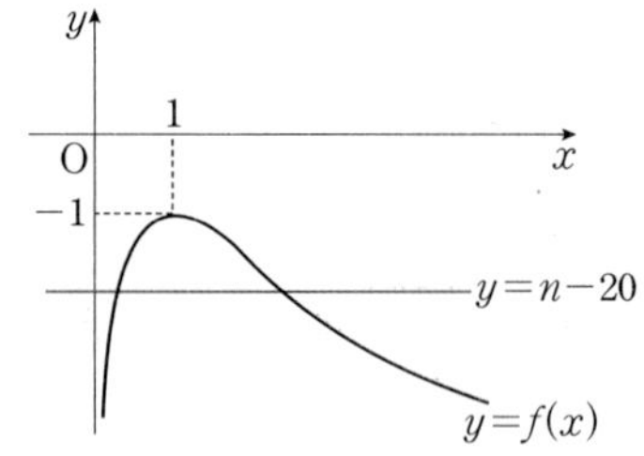

STEP Ⓒ 곡선 $y=f(x)$와 직선 $y=n-20$의 교점이 두 개일 n의 값의 범위 구하기

방정식 $\ln x-x+20-n=0$이 서로 다른 두 실근을 가지려면
곡선 $f(x)=\ln x-x$와 직선 $y=n-20$이 서로 다른 두 점에서 만나야 하므로
$n-20<-1$에서 $n<19$
따라서 자연수 n은 $1,\ 2,\ 3,\ \cdots,\ 18$이므로 18

다른풀이 두 곡선 $y=\ln x-x+20$, $y=n$이 서로 다른 두 점에서 만나도록 풀이하기

STEP Ⓐ 주어진 방정식은 $f(x)=n$꼴로 변형하여 $y=f(x)$의 그래프 그리기

방정식 $\ln x-x+20-n=0$이 서로 다른 두 실근을 가지려면
$\ln x-x+20=n$에서 두 함수 $y=\ln x-x+20$과 $y=n$의 그래프가
서로 다른 두 점에서 만나면 된다.

$f(x)=\ln x-x+20$이라 하면

$f'(x)=\dfrac{1}{x}-1\ (x>0)$

$f'(x)=0$에서 $x=1$

$x>0$에서 $f(x)$의 증가와 감소를 표로 나타내면 다음과 같다.

x	(0)	$\cdots$	1	$\cdots$
$f'(x)$		$+$	0	$-$
$f(x)$		↗	극대	↘

즉 함수 $f(x)$은 $x=1$일 때, 극댓값 19를 갖고

$\lim_{x\to 0}(\ln x-x+20)=-\infty$, $\lim_{x\to\infty}(\ln x-x+20)=-\infty$이므로

$y=\ln x-x+20$의 그래프는 다음 그림과 같다.

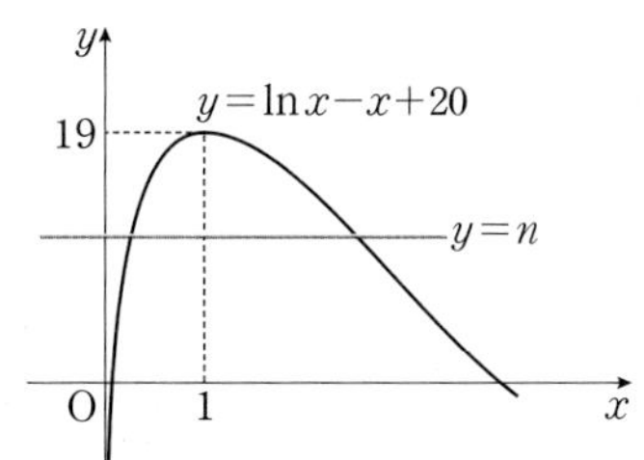

STEP B **두 함수 $y=\ln x-x+20$과 $y=n$의 그래프가 서로 다른 두 점에서 만날 때, n의 범위 구하기**

두 함수 $y=\ln x-x+20$과 $y=n$의 그래프가 서로 다른 두 점에서 만나려면 $n<19$이어야 한다.

따라서 $n<19$를 만족하는 자연수 n의 개수는 18

다른풀이 두 곡선 $y=\ln x$, $y=x+n-20$이 서로 다른 두 점에서 만나도록 풀이하기

STEP A **$y=\ln x$와 $y=x-20+n$이 서로 다른 두 점에서 만나기 위한 조건 구하기**

방정식 $\ln x-x+20-n=0$이 서로 다른 두 실근을 가지려면 $y=\ln x$와 $y=x-20+n$이 서로 다른 두 점에서 만나면 된다.

이때 두 그래프가 서로 다른 두 점에서 만나려면 직선 $y=x-20+n$이 $y=\ln x$에 접하면서 기울기가 1인 접선보다 아래에 위치하면 된다.

STEP B **$y=\ln x$에 접하면서 기울기가 1인 접선의 방정식 구하기**

$y=\ln x$에 접하면서 기울기가 1인 직선의 접점을 $(t,\ \ln t)$라 하면

$y'=\frac{1}{x}$에서 접선의 기울기가 1이므로

$\frac{1}{t}=1 \quad \therefore t=1$

점 $(1,\ 0)$에서 접선의 방정식은

$y-0=1\cdot(x-1)$

즉 접선의 방정식은 $y=x-1$

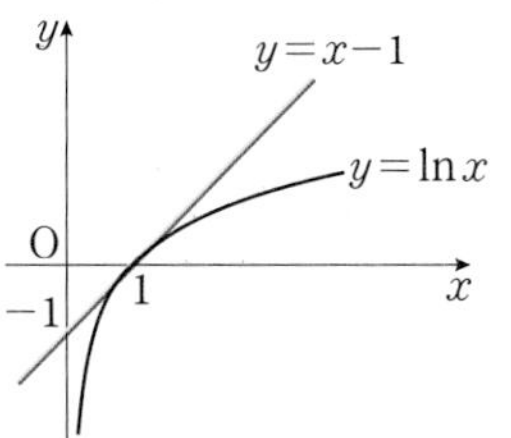

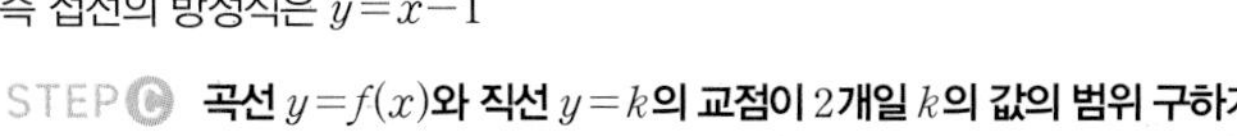

STEP C **곡선 $y=f(x)$와 직선 $y=k$의 교점이 2개일 k의 값의 범위 구하기**

곡선 $y=\ln x$와 직선 $y=x-20+n$이 서로 다른 두 점에서 만나는 k의 값의 범위는 직선 $y=x-20+n$이 직선 $y=x-1$보다 아래에 위치해야 하므로

$-20+n<-1 \quad \therefore n<19$

따라서 구하는 자연수의 개수는 18

내신연계 출제문항 579

x에 대한 방정식

$$\ln x-x-a+10=0$$

이 서로 다른 두 실근을 갖도록 하는 자연수 a의 최댓값은?

① 7 ② 8 ③ 9
④ 10 ⑤ 11

STEP A **방정식을 두 그래프의 교점의 개수로 이해하기**

$\ln x-x-a+10=0$에서 $\ln x-x=a-10$이 서로 다른 두 실근을 가지려면 곡선 $y=\ln x-x$와 $y=a-10$이 서로 다른 두 점에서 만나면 된다.

STEP B **$f(x)=\ln x-x$의 그래프 개형 그리기**

$f(x)=\ln x-x$로 놓으면 함수 $f(x)$는 $x>0$에서 정의되고

$f'(x)=\frac{1}{x}-1$

$f'(x)=0$에서 $\frac{1}{x}=1$이므로 $x=1$

$x>0$에서 $f(x)$의 증가와 감소를 표로 나타내면 다음과 같다.

x	(0)	$\cdots$	1	$\cdots$
$f'(x)$		$+$	0	$-$
$f(x)$		↗	-1	↘

이때, $\lim_{x\to 0+}f(x)=-\infty$, $\lim_{x\to\infty}f(x)=-\infty$이므로

함수 $y=f(x)$의 그래프는 다음과 같다.

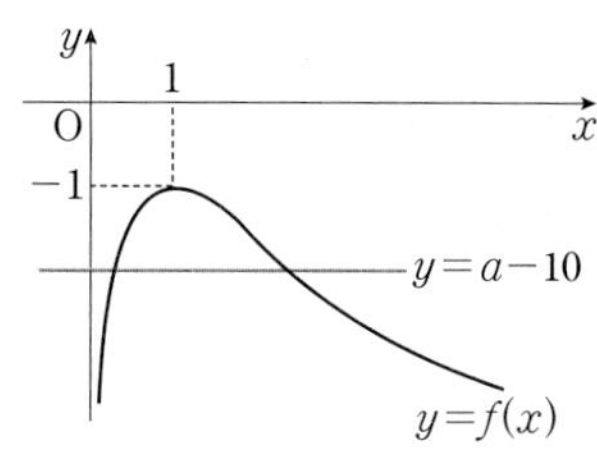

STEP C **곡선 $y=f(x)$와 직선 $y=a-10$의 교점이 두 개일 n의 값의 범위 구하기**

방정식 $\ln x-x-a+10=0$이 서로 다른 두 실근을 가지려면 곡선 $f(x)=\ln x-x$와 직선 $y=a-10$이 서로 다른 두 점에서 만나야 하므로 $n-10<-1$에서 $n<9$이다.

따라서 자연수 a의 최댓값은 8

다른풀이 $f(x)=\ln x-x-a+10$으로 놓고 풀이하기

$f(x)=\ln x-x-a+10$이라 하면

$f'(x)=\frac{1}{x}-1$이므로 $f'(x)=0$에서 $x=1$

$x>0$일 때, 함수 $f(x)$의 증가와 감소를 표로 나타내면 다음과 같다.

x	(0)	$\cdots$	1	$\cdots$
$f'(x)$		$+$	0	$-$
$f(x)$		↗	$-a+9$ (극대)	↘

방정식 $f(x)=0$이 서로 다른 두 실근을 가지려면

함수 $y=f(x)$의 그래프가 x축과 서로 다른 두 점에서 만나야 한다.

즉 $-a+9>0$이어야 하므로 $a<9$

따라서 자연수 a의 최댓값은 8

정답 ②

1496

 ②

STEP A **방정식을 두 그래프의 교점의 개수로 이해하기**

$x\ln x-2x=k$가 적어도 하나의 실근을 가지려면
곡선 $y=x\ln x-2x$와 $y=k$가 적어도 하나의 교점을 가져야 한다.

STEP B **$f(x)=x\ln x-2x$의 그래프 개형 그리기**

$f(x)=x\ln x-2x$로 놓으면 함수 $f(x)$는 $x>0$에서 정의되고
$f'(x)=\ln x-1=0$
$f'(x)=0$에서 $x=e$
함수 $f(x)$의 증가와 감소를 표로 나타내면 다음과 같다.

x	(0)	$\cdots$	e	$\cdots$
$f'(x)$		$-$	0	$+$
$f(x)$		↘	$-e$	↗

함수 $f(x)$는 $x=e$일 때, 극소이면서 최소이므로 최솟값은 $f(e)=-e$

STEP C **두 그래프가 교점이 존재하도록 하는 k의 범위 구하기**

$y=f(x)$의 그래프는 오른쪽 그림과 같으므로 직선 $y=k$가 교점을 갖도록 하는 k의 값의 범위는 $k\ge -e$
따라서 상수 k의 최솟값은 $-e$

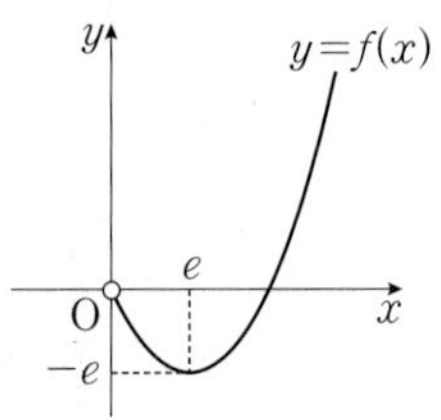

내신연계 출제문항 580

방정식

$$e\ln x=x+n-4$$

가 서로 다른 두 실근을 갖도록 하는 자연수 n의 최댓값은?
(단, $\lim_{x\to\infty}(e\ln x-x)=-\infty$)

① 2 ② 3 ③ 4
④ 5 ⑤ 6

STEP A **방정식을 두 그래프의 교점의 개수로 이해하기**

$e\ln x=x+n-4$에서 $e\ln x-x=n-4$가 서로 다른 두 실근을 가지려면
곡선 $y=e\ln x-x$와 $y=n-4$가 서로 다른 두 점에서 만나다.

STEP B **$f(x)=e\ln x-x$의 그래프 개형 그리기**

$f(x)=e\ln x-x$로 놓으면 함수 $f(x)$는 $x>0$에서 정의되고
$f'(x)=\dfrac{e}{x}-1=0$
$f'(x)=0$에서 $\dfrac{e}{x}=1$이므로 $x=e$
$x>0$에서 $f(x)$의 증가와 감소를 표로 나타내면 다음과 같다.

x	(0)	$\cdots$	e	$\cdots$
$f'(x)$		$+$	0	$-$
$f(x)$		↗	0	↘

이때 $\lim_{x\to 0+}f(x)=-\infty$, $\lim_{x\to\infty}f(x)=-\infty$이므로
함수 $y=f(x)$의 그래프는 다음과 같다.

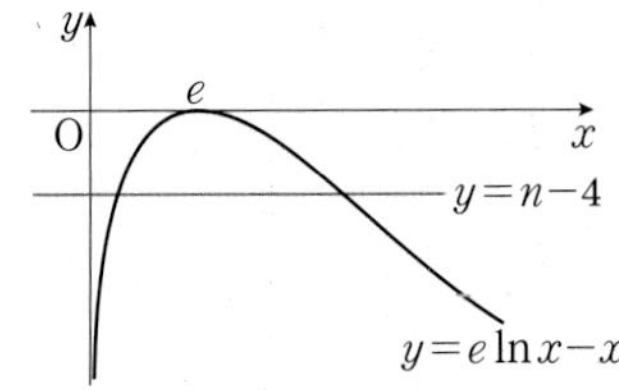

STEP C **곡선 $y=f(x)$와 직선 $y=n-4$의 교점이 두 개일 n의 값의 범위 구하기**

방정식 $e\ln x=x+n-4$가 서로 다른 두 실근을 가질 때,
$f(x)=e\ln x-x$와 $y=n-4$가 서로 다른 두 점에서 만나도록 하는 실수 n은
$n-4<0 \quad \therefore n<4$
따라서 자연수 n의 최댓값은 3

 ②

1497

 ②

STEP A **함수 $f(x)=\sin x$의 그래프와 직선 $y=kx$의 위치관계를 그래프로 나타내기**

함수 $f(x)=\sin x(-\pi<x<\pi)$의 그래프와 직선 $y=kx$는 다음 그림과 같다.

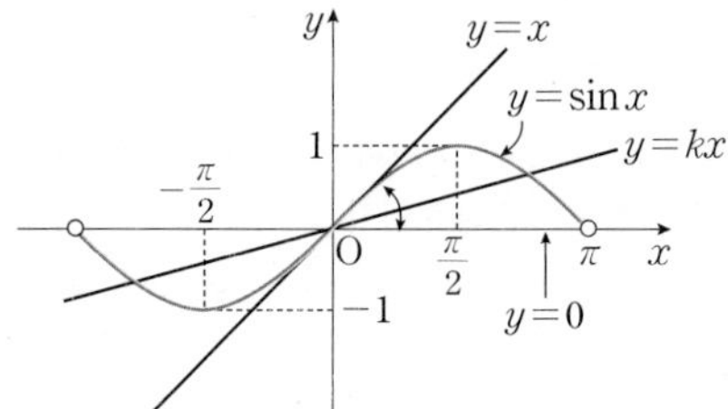

STEP B **방정식 $\sin x=kx$가 서로 다른 세 실근을 갖는 k범위 구하기**

한편 $f'(x)=\cos x$에서 $f'(0)=1$이므로 곡선 $y=\sin x$ 위의 점 $(0, 0)$에서의 접선의 기울기는 1이다.
따라서 방정식 $\sin x=kx$가 서로 다른 세 실근을 갖도록 하는 상수 k의 값의 범위는 $0<k<1$

구간 $-\pi\le x\le\pi$에서 방정식 $\sin x=kx$가 서로 다른 세 실근을 갖기 위한 실수 k의 값의 범위를 구하여라.

방정식 $\sin x=kx$가 서로 다른 세 실근을 가지려면 함수 $y=\sin x$의 그래프와 직선 $y=kx$의 교점이 3개이어야 하므로 $k\ge 0$이고 k는 곡선 $y=\sin x$ 위의 점 $(0, 0)$에서의 접선의 기울기보다 작아야 한다.

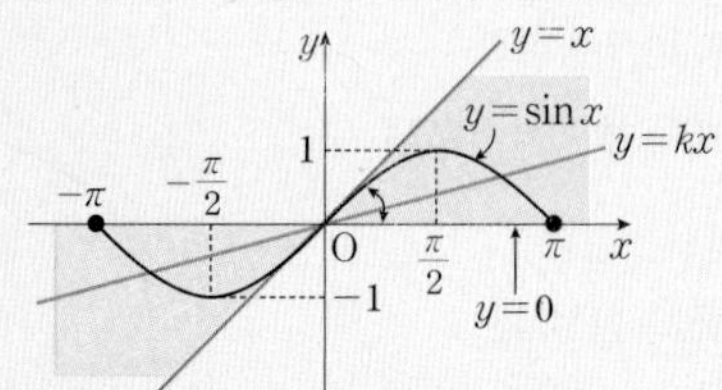

이때 $y'=\cos x$이므로 점 $(0, 0)$에서의 접선의 기울기는 $\cos 0=1$
따라서 방정식 $\sin x=kx$가 서로 다른 세 실근을 갖도록 하는 상수 k의 값의 범위는 $0\le k<1$

1498

 ①

STEP A **방정식 $f(x)=g(x)$의 실근의 최대 개수 구하기**

$h(x)=f(x)-g(x)$라 하면 $h(0)=f(0)-g(0)=-2$
$x>0$일 때, $h'(x)=f'(x)-g'(x)>0$
$x<0$일 때, $h'(x)=f'(x)-g'(x)<0$
이때 함수 $y=h(x)$의 그래프는 다음과 같은 두 가지 경우로 나눠 그릴 수 있다.

(i) $h(x)=0$의 실근의 개수가 최대인 경우

x	$\cdots$	0	$\cdots$
$f'(x)$	$-$		$+$
$f(x)$	↘	-2	↗

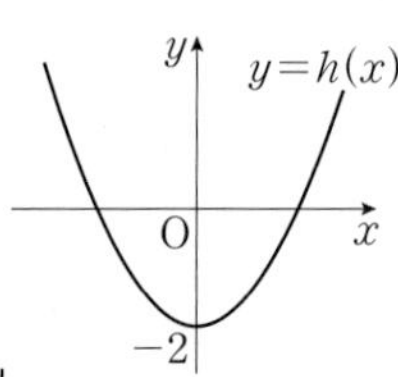

$y=h(x)$의 그래프의 개형은 오른쪽 그림과 같다.
즉 실근의 최대 개수는 2

STEP B 방정식 $f(x)=g(x)$의 실근의 최소 개수 구하기

(ii) $h(x)=0$의 실근의 개수가 최소인 경우

$\lim_{x\to-\infty}h(x)=0$이고 $\lim_{x\to\infty}h(x)=0$이면

$y=h(x)$의 그래프의 개형은 오른쪽 그림과 같다.

즉 실근의 최소의 개수는 0

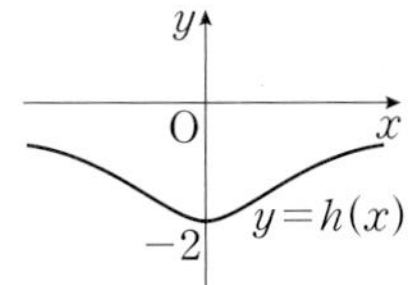

(i), (ii)에서 $M=2$, $m=0$이므로 $M+m=2$

1499

정답 ①

STEP A 주어진 방정식은 $f(x)=k$꼴로 변형하여 $y=f(x)$의 그래프 그리기

방정식 $\ln x=kx$를 변형하면 $\frac{\ln x}{x}=k$이므로 주어진 방정식의 실근은

두 함수 $y=\frac{\ln x}{x}$, $y=k$의 그래프의 교점의 x좌표와 같다.

$f(x)=\frac{\ln x}{x}$로 놓으면 $f(x)$는 $x>0$에서 정의된다.

$f'(x)=\frac{1-\ln x}{x^2}=0$에서 $x=e$

함수 $f(x)$의 증가와 감소를 표와 그래프로 나타내면 다음과 같다.

x	0	$\cdots$	e	$\cdots$
$f'(x)$		+	0	−
$f(x)$		↗	$\frac{1}{e}$	↘

또, $\lim_{x\to0+}\frac{\ln x}{x}=-\infty$, $\lim_{x\to\infty}\frac{\ln x}{x}=0$

STEP B 방정식 $\ln x=kx$가 서로 다른 두 개의 실근을 갖도록 실수 k 구하기

따라서 함수 $y=f(x)$의 그래프와 직선 $y=k$가 서로 다른 두 점에서 만나려면 $0<k<\frac{1}{e}$

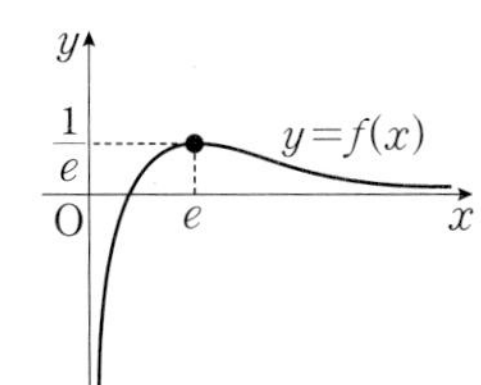

다른풀이 $y=\ln x$와 $y=kx$의 교점의 개수를 이용하여 풀이하기

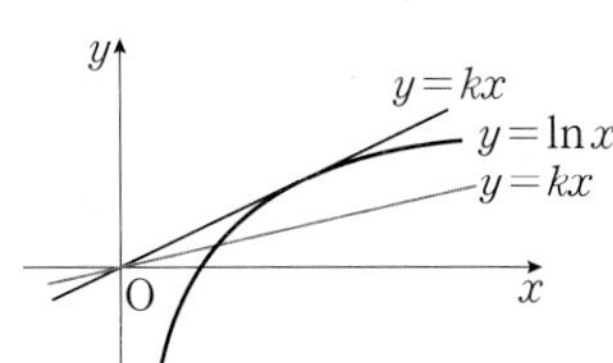

$\ln x=kx$가 서로 다른 두 실근을 가지려면 위 그림과 같이 $y=kx$의 기울기가 0보다 크고 $\ln x$와 접할 때보다 작아야 한다.

$y=\ln x$와 접하고 원점을 지나는 직선은 $y=\frac{1}{e}$이므로 k의 범위는 $0<k<\frac{1}{e}$

내신연계 출제문항 581

곡선 $y=\ln x$와 직선 $y=ax$가 오직 한 점에서 만나도록 하는 양수 a의 값은?

① $\frac{1}{e}$ ② $\frac{2}{e}$ ③ 1
④ e ⑤ $2e$

STEP A 곡선 $y=\ln x$와 직선 $y=ax$가 접할 때, a의 값 구하기

$y=\ln x$ …… ㉠

$y=ax$ …… ㉡

곡선 ㉠ 위의 점 $(t,\ \ln t)$에서의 접선의 방정식은 $y-\ln t=\frac{1}{t}(x-t)$

이 직선이 원점을 지나려면 $0-\ln t=\frac{1}{t}(0-t)$ $\therefore t=e$

원점을 지나는 ㉠의 접선의 방정식은 $y=\frac{1}{e}x$

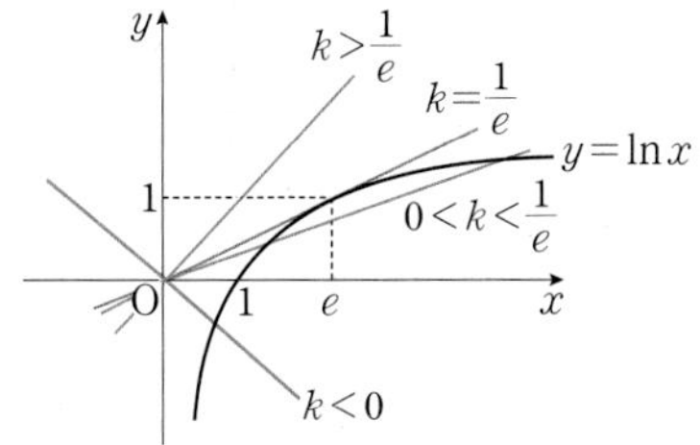

따라서 곡선 $y=\ln x$와 직선 $y=ax$가 오직 한 점에서 만나려면

$a<0$, $a=\frac{1}{e}$이므로 양수 a는 $a=\frac{1}{e}$

다른풀이 곡선 $y=\ln x-ax$의 그래프를 이용하여 풀이하기

주어진 곡선과 직선이 오직 한 점에서 만나려면 방정식 $\ln x=ax$

즉 $\ln x-ax=0$이 한 개의 실근을 가져야 한다.

$f(x)=\ln x-ax$라 하면 $f'(x)=\frac{1}{x}-a$

$f'(x)=0$에서 $x=\frac{1}{a}$

함수 $f(x)$의 증가와 감소를 표와 그래프로 나타내면 다음과 같다.

x	(0)	$\cdots$	$\frac{1}{a}$	$\cdots$
$f'(x)$		+	0	−
$f(x)$		↗	$-\ln a-1$	↘

함수 $f(x)$는 $x=\frac{1}{a}$에서 최댓값 $-\ln a-1$을 갖는다.

따라서 방정식 $f(x)=0$이 오직 한 개의 실근을 가지려면

$-\ln a-1=0$이어야 하므로 $\ln a=-1$ $\therefore a=\frac{1}{e}$

정답 ①

1500

정답 ③

STEP A 주어진 방정식을 $f(x)=k$꼴로 변형하여 $y=f(x)$의 그래프 그리기

$e^x=kx$에서 $x\neq0$이므로 $k=\frac{e^x}{x}$

$f(x)=\frac{e^x}{x}$이라고 하면 곡선 $y=\frac{e^x}{x}$과 직선 $y=k$의 교점의 개수가 방정식 $e^x=kx$의 서로 다른 실근의 개수이다.

$f'(x)=\frac{(x-1)e^x}{x^2}$이므로 $f'(x)=0$에서 $x=1$

함수 $f(x)$의 증가와 감소를 표와 그래프로 나타내면 다음과 같다.

x	$\cdots$	(0)	$\cdots$	1	$\cdots$
$f'(x)$	−		−	0	+
$f(x)$	↘		↘	e	↗

$\lim_{x\to-\infty}f(x)=0$, $\lim_{x\to\infty}f(x)=\infty$,

$\lim_{x\to0-}f(x)=-\infty$, $\lim_{x\to0+}f(x)=\infty$

이므로 함수 $y=f(x)$의 그래프는 오른쪽 그림과 같다.

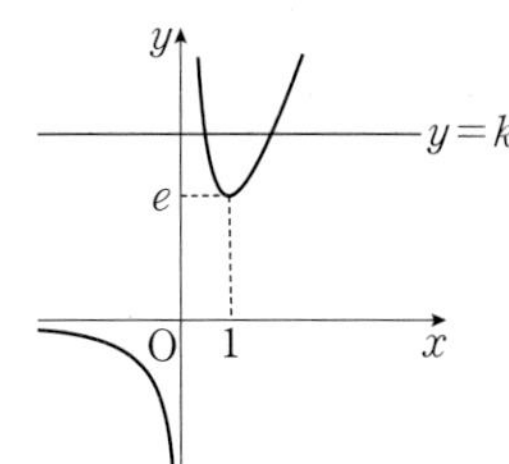

STEP B 실수 k의 범위를 만족하는 실근의 개수 구하기

ㄱ. $k>e$이면 서로 다른 실근의 개수는 2이다. [참]

ㄴ. $0\le k<e$이면 서로 다른 실근의 개수는 0이다. [거짓]

ㄷ. $k<0$ 또는 $k=e$이면 서로 다른 실근의 개수는 1이다. [참]

따라서 옳은 것은 ㄱ, ㄷ이다.

다른풀이 접선의 방정식을 이용하여 풀이하기

방정식 $e^x=kx$의 실근을 두 함수 $y=e^x$, $y=kx$의 교점으로 본다.

방정식 $e^x=kx$의 실근의 개수는

$y=e^x$ …… ㉠

$y=kx$ …… ㉡

의 그래프의 교점의 개수와 같다.

곡선 ㉠ 위의 점 $(a,\ e^a)$에서의 접선의 방정식은 $y-e^a=e^a(x-a)$

이 직선이 원점을 지나려면 $0-e^a=e^a(0-a)$ $\quad\therefore a=1$

따라서 원점을 지나는 접선의 방정식은 $y=ex$이므로 다음 그림에서 실근의 개수는 다음과 같다.

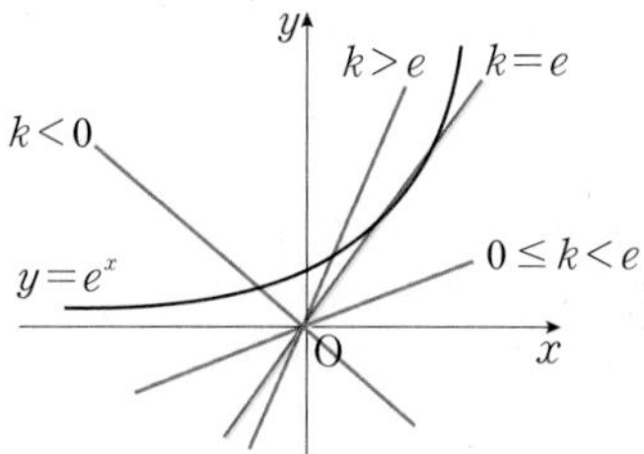

$k>e$일 때 2개, $k=e$일 때 1개, $0\le k<e$일 때 0개,
$k<0$일 때 1개이다.

내신연계 출제문항 582

실수 x에 대한 방정식 $e^x=kx$의 서로 다른 실근의 개수를 $f(k)$라 하자. 실수 k에 대한 방정식 $f(k)=a^k$이 실근을 갖게 하는 양의 실수 a의 범위는? (단 $a\ne1$)

① $0<a<e^2$ ② $1<a<2^{\frac{1}{e}}$ ③ $a>2^{\frac{1}{e}}$
④ $a>e^2$ ⑤ $2^{\frac{1}{e}}<a<2^e$

STEP A 주어진 방정식을 $f(x)=k$꼴로 변형하여 $y=f(x)$의 그래프 그리기

$x=0$은 방정식 $e^x=kx$의 근이 아니므로 $x\ne0$

양변을 x로 나누면 $\dfrac{e^x}{x}=k$ …… ㉠

이때 방정식 ㉠의 실근은 두 함수 $y=\dfrac{e^x}{x}$, $y=k$의 그래프의 교점의 x좌표와 같다.

$g(x)=\dfrac{e^x}{x}$으로 놓으면 $g'(x)=\dfrac{e^x(x-1)}{x^2}$

$g'(x)=0$에서 $x=1$

함수 $g(x)$의 증가와 감소를 표로 나타내면 다음과 같다.

x	$\cdots$	(0)	$\cdots$	1	$\cdots$
$g'(x)$	$-$		$-$	0	$+$
$g(x)$	↘		↘	e	↗

$\lim\limits_{x\to0+}g(x)=\infty$, $\lim\limits_{x\to0-}g(x)=-\infty$,
$\lim\limits_{x\to\infty}g(x)=\infty$, $\lim\limits_{x\to-\infty}g(x)=0$
이므로 함수 $y=g(x)$의 그래프의 개형은 오른쪽 그림과 같다.

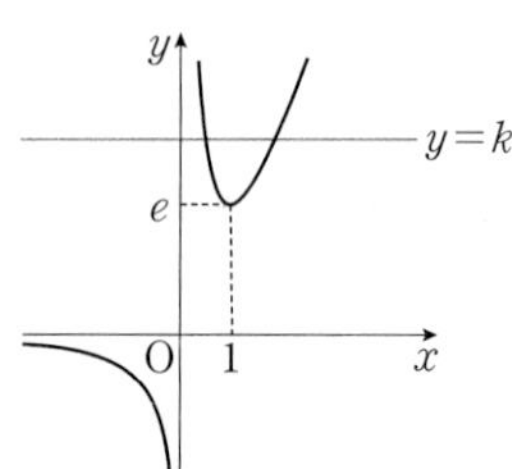

STEP B $f(k)$를 구하여 실근의 갖게 하는 양의 실수 a의 범위 구하기

즉 방정식 $e^x=kx$의 서로 다른 실근의 개수는
$k>e$일 때 2개, $k=e$일 때 1개,
$0\le k<e$일 때 0개, $k<0$일 때 1개
이므로 함수 $y=f(k)$의 그래프는 다음 그림과 같다.

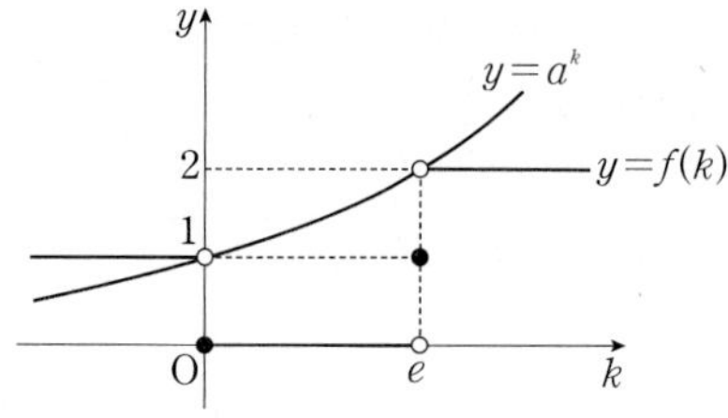

지수함수 $y=a^k$은 $(0,\ 1)$을 지나므로

(i) $0<a<1$이면 주어진 방정식은 실근을 갖지 않는다.

(ii) $a>1$이면 점 $(e,\ 2)$를 지날 때, $2=a^e$ $\quad\therefore a=2^{\frac{1}{e}}$

따라서 실근을 가지려면 $1<a<2^{\frac{1}{e}}$ 정답 ②

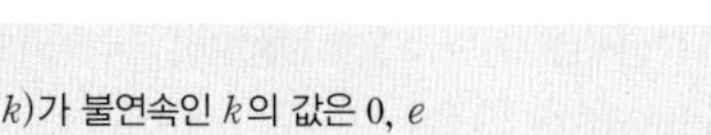

1501 정답 ①

STEP A 원점에서 $y=\ln x$, $y=e^x$에 그은 접선의 방정식 구하기

$f(x)=\ln x$, $g(x)=e^x$이라 할 때, 원점에서 $f(x)$, $g(x)$에 그은 접선은 다음 그림과 같다.

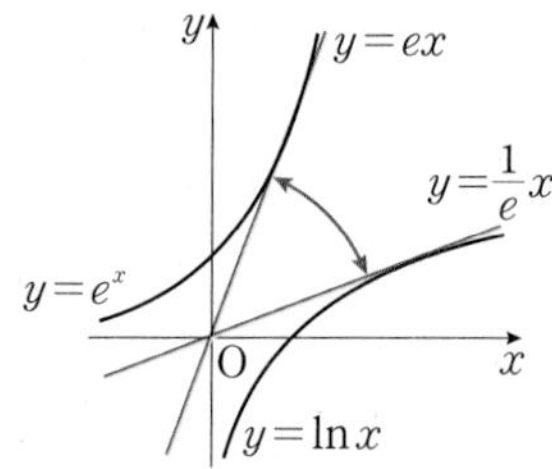

(i) $f'(x)=\dfrac{1}{x}$이므로 $y=f(x)$ 위의 점 $(a,\ \ln a)$에서의 접선의 방정식은

$y-\ln a=\dfrac{1}{a}(x-a)$, $y=\dfrac{1}{a}x+\ln a-1$

이 직선이 점 $(0,\ 0)$을 지나므로 $0=\ln a-1$ $\quad\therefore a=e$

즉 접선의 기울기는 $\dfrac{1}{e}$

(ii) $g'(x)=e^x$이므로 $y=g(x)$ 위의 점 $(a,\ e^a)$에서의 접선의 방정식은

$y-e^a=e^a(x-a)$

이 직선이 점 $(0,\ 0)$을 지나므로 $-e^a=e^a(-a)$ $\quad\therefore a=1$

즉 접선의 기울기는 e

STEP B 두 방정식 $\ln x=kx$와 $e^x=kx$가 모두 실근을 갖지 않을 k의 범위 구하기

(i), (ii)에 의하여 직선 $y=kx$가 두 곡선 $y=\ln x$, $y=e^x$와 만나지 않을 조건은 $\dfrac{1}{e}<k<e$

다른풀이 $y=\dfrac{\ln x}{x}$, $y=\dfrac{e^x}{x}$의 그래프를 그려 $y=k$의 교점의 위치 확인하기

$f(x)=\dfrac{\ln x}{x}\ (x>0)$라고 하면 $f'(x)=\dfrac{1-\ln x}{x^2}$

$f'(x)=0$에서 $x=e$

함수 $f(x)$의 증가와 감소를 표와 그래프로 나타내면 다음과 같다.

x	0	$\cdots$	e	$\cdots$
$f'(x)$		$+$	0	$-$
$f(x)$		↗	$\frac{1}{e}$	↘

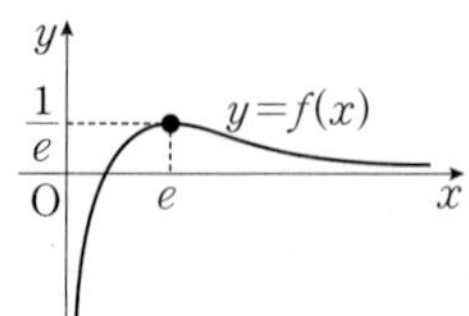

$\lim\limits_{x\to0+}f(x)=-\infty$, $\lim\limits_{x\to\infty}f(x)=0$이므로
함수 $y=f(x)$의 그래프는 오른쪽 그림과 같다.

방정식 $\ln x = kx$가 실근을 갖지 않으려면
함수 $y=f(x)$의 그래프와 직선 $y=k$가 만나지 않아야 하므로

$k > \frac{1}{e}$ …… ㉠

또, $g(x)=\frac{e^x}{x}(x \neq 0)$이라고 하면 $g'(x)=\frac{e^x(x-1)}{x^2}$

$g'(x)=0$에서 $x=1$

x	…	1	…
$g'(x)$	$-$	0	$+$
$g(x)$	↘	e	↗

$\lim_{x \to 0+} g(x)=\infty$, $\lim_{x \to \infty}(x)=\infty$

$\lim_{x \to 0-} g(x)=-\infty$, $\lim_{x \to -\infty} g(x)=0$

이므로 함수 $y=g(x)$의 그래프는 오른쪽 그림과 같다.

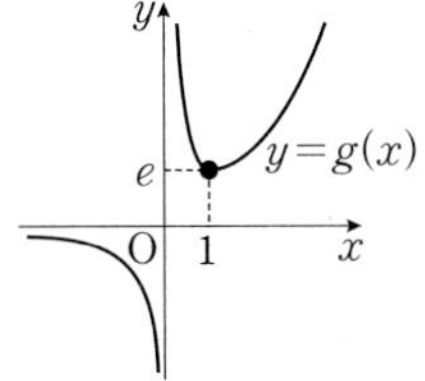

방정식 $e^x = kx$가 실근을 갖지 않으려면 함수 $y=g(x)$의 그래프와 직선 $y=k$가 만나지 않아야 하므로

$0 \le k < e$ …… ㉡

따라서 ㉠, ㉡에서 $\frac{1}{e} < k < e$

내/신/연/계/ 출제문항 583

직선 $y=ax$가 두 곡선 $y=e^x$, $y=\ln x$와 모두 만나지 않을 때, 양수 a의 값의 범위는?

① $\frac{1}{e}<a<e$ ② $1<a<e$ ③ $\frac{1}{e}<a<1$
④ $\frac{1}{e}<a<e^2$ ⑤ $\frac{1}{e^2}<a<e^2$

STEP A 원점에서 $y=\ln x$, $y=e^x$에 그은 접선의 방정식 구하기

$f(x)=\ln x$, $g(x)=e^x$이라고 할 때, 원점에서 $f(x)$, $g(x)$에 그은 접선은 다음 그림과 같다.

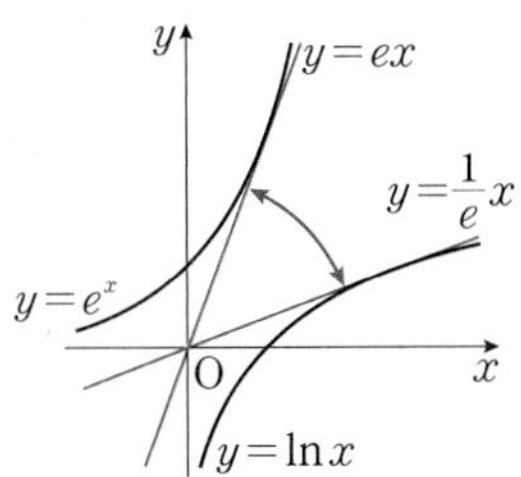

(i) $f'(x)=\frac{1}{x}$이므로 $y=f(x)$ 위의 점 $(a, \ln a)$에서의 접선의 방정식은

$y-\ln a=\frac{1}{a}(x-a)$, $y=\frac{1}{a}x+\ln a-1$

이 직선이 점 $(0, 0)$을 지나므로 $0=\ln a-1$ $\therefore a=e$

즉 접선의 기울기는 $\frac{1}{e}$

(ii) $g'(x)=e^x$이므로 $y=g(x)$ 위의 점 (a, e^a)에서의 접선의 방정식은

$y-e^a=e^a(x-a)$

이 직선이 점 $(0, 0)$을 지나므로 $-e^a=e^a(-a)$ $\therefore a=1$

즉 접선의 기울기는 e

STEP B 두 방정식 $\ln x=ax$와 $e^x=ax$가 모두 실근을 갖지 않을 a의 범위 구하기

(i), (ii)에 의하여 직선 $y=ax$가 두 곡선 $y=\ln x$, $y=e^x$와 만나지 않을 조건은 $\frac{1}{e}<a<e$

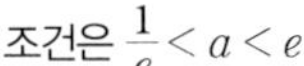

정답 ①

1502

정답 ④

STEP A $f(x)=e^x-a-x$로 놓고 $f'(x)$의 증감표 구하기

$e^x-a \ge x$에서 $e^x-a-x \ge 0$

$f(x)=e^x-a-x$로 놓으면 $f'(x)=e^x-1$

$f'(x)=0$에서 $e^x=1$ $\therefore x=0$

함수 $f(x)$의 증가와 감소를 나타내는 표는 다음과 같다.

x	…	0	…
$f'(x)$	$-$	0	$+$
$f(x)$	↘	$1-a$	↗

STEP B $f(x)$의 최솟값을 구하여 a의 범위 구하기

함수 $f(x)$는 $x=0$일 때, 극소이면서 최소이므로 최솟값은 $1-a \ge 0$

따라서 $a \le 1$이므로 a의 최댓값은 1

다른풀이 $e^x-x \ge a$로 놓고 풀이하기

STEP A $f(x)=e^x-x$로 놓고 $f'(x)$의 증감표 구하기

$e^x-a \ge x$, 즉 $e^x-x \ge a$

$f(x)=e^x-x$로 놓으면 $f'(x)=e^x-1$

$f'(x)=0$에서 $e^x=1$ $\therefore x=0$

함수 $f(x)$의 증가와 감소를 나타내는 표는 다음과 같다.

x	…	0	…
$f'(x)$	$-$	0	$+$
$f(x)$	↘	1	↗

STEP B $f(x)$의 최솟값을 구하여 a의 범위 구하기

즉 함수 $f(x)$의 최솟값은 $f(0)=1$이므로 모든 실수 x에 대하여 $f(x) \ge a$가 항상 성립하려면 $a \le 1$이어야 한다.

따라서 실수 a의 최댓값은 1

같은 문제 다른 표현

모든 실수 x에 대하여 부등식 $e^x \ge x+a$가 항상 성립하도록 하는 실수 a의 최댓값을 구하여라.

내/신/연/계/ 출제문항 584

모든 실수 x에 대하여 부등식 $e^x \ge 2x+k$가 항상 성립할 때, 상수 k의 최댓값은?

① $2-2\ln 2$ ② $-2\ln 2$ ③ $2+2\ln 2$
④ $\frac{e}{2}$ ⑤ $2-2e$

STEP A $f(x)=e^x-2x-k$로 놓고 $f'(x)=0$인 x의 값 구하기

$e^x \ge 2x+k$에서 $f(x)=e^x-2x-k$로 놓으면 $f'(x)=e^x-2$

$f'(x)=0$에서 $e^x=2$ $\therefore x=\ln 2$

STEP B 최솟값이 0보다 크거나 같음을 이용하여 k의 범위 구하기

함수 $f(x)$의 증가와 감소를 표로 나타내면 다음과 같다.

x	…	$\ln 2$	…
$f'(x)$	$-$	0	$+$
$f(x)$	↘	극소	↗

함수 $f(x)$는 $x=\ln 2$에서 극소이면서 최소이므로

모든 실수 x에 대하여 최솟값 $f(\ln 2)=e^{\ln 2}-2\ln 2-k \ge 0$이 되어야 하므로

$2-\ln 2-k \ge 0$ $\therefore k \le 2-2\ln 2$

따라서 k의 최댓값은 $2-2\ln 2$

정답 ①

1503

정답 ④

STEP Ⓐ $h(x)=e^{2x}-ax$로 놓고 증감표 작성하기

$e^{2x}\ge ax$에서 $e^{2x}-ax\ge 0$

$h(x)=e^{2x}-ax$로 놓으면 $h'(x)=2e^{2x}-a$

$h'(x)=0$에서 $e^x=\sqrt{\frac{a}{2}}$

$\therefore\ x=\ln\sqrt{\frac{a}{2}}$

함수 $h(x)$의 증가와 감소를 나타내는 표는 다음과 같다.

x	$\cdots$	$\ln\sqrt{\frac{a}{2}}$	$\cdots$
$h'(x)$	$-$	0	$+$
$h(x)$	↘	$\frac{a}{2}-a\ln\sqrt{\frac{a}{2}}$	↗

STEP Ⓑ $h(x)$의 최솟값을 구하여 a의 범위 구하기

함수 $h(x)$는 $x=\ln\sqrt{\frac{a}{2}}$일 때, 극소이면서 최소이므로

$\frac{a}{2}-a\ln\sqrt{\frac{a}{2}}\ge 0,\ \ln\sqrt{\frac{a}{2}}\le\frac{1}{2}$

이때 a는 양수이므로 $\ln\frac{a}{2}\le 1,\ \frac{a}{2}\le e\quad\therefore\ a\le 2e$

따라서 양수 a의 최댓값은 $2e$

다른풀이 원점에서 $f(x)=e^{2x}$에 그은 접선을 유도하여 a의 최댓값 구하기

함수 $f(x)=e^{2x}$ 위의 점 $(a,\ e^{2a})$에서

접선의 방정식은 $y-e^{2a}=2e^{2a}(x-a)$

이 접선이 원점을 지나므로

$-e^{2a}=-a\cdot 2e^{-2a}\quad\therefore\ a=\frac{1}{2}$

즉 접선의 방정식은 $g(x)=2ex$

따라서 $f(x)\ge g(x)$이기 위한 상수

k의 최댓값은 오른쪽 그림에서와

같이 $2e$

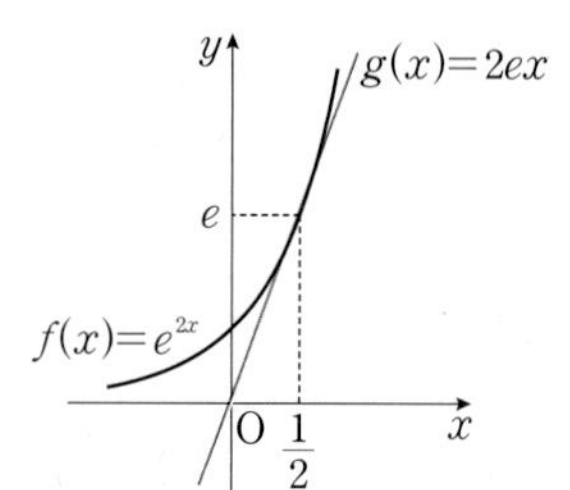

내신연계 출제문항 585

모든 실수 x에 대하여 $e^x\ge ax$가 성립할 때, 양수 a의 최댓값은?

① 1 ② 2 ③ e
④ 4 ⑤ e^2

STEP Ⓐ $f(x)=e^x-ax$로 놓고 증감표 작성하기

$e^x\ge ax$에서 $e^x-ax\ge 0$

$f(x)=e^x-ax$로 놓으면 $f'(x)=e^x-a$

$f'(x)=0$에서 $e^x=a$

$\therefore\ x=\ln a$

함수 $f(x)$의 증가와 감소를 표로 나타내면 다음과 같다.

x	$\cdots$	$\ln a$	$\cdots$
$f'(x)$	$-$	0	$+$
$f(x)$	↘	$a-a\ln a$	↗

STEP Ⓑ $f(x)$의 최솟값을 구하여 k의 범위 구하기

함수 $f(x)$는 $x=\ln a$일 때, 극소이면서 최소이므로

$a-a\ln a\ge 0,\ a\ln a\le a$

이때 a는 양수이므로 $\ln a\le 1\quad\therefore\ a\le e$

따라서 양수 a의 최댓값은 e

정답 ③

1504

정답 ①

STEP Ⓐ $f(x)=x-\ln ax$로 놓고 $f'(x)$를 구하여 증감표 구하기

$f(x)=x-\ln ax$로 놓으면 진수 조건 $x>0$

$f'(x)=1-\frac{1}{x}$

$f'(x)=0$에서 $x=1$

$x>0$에서 함수 $f(x)$의 증가와 감소를 표로 나타내면 다음과 같다.

x	(0)	$\cdots$	1	$\cdots$
$f'(x)$		$-$	0	$+$
$f(x)$		↘	극소	↗

STEP Ⓑ $f(x)$의 최솟값을 구하여 k의 최솟값 구하기

함수 $f(x)$의 최솟값은 $f(1)=1-\ln a$이므로 $1-\ln a\ge 0\quad\therefore\ \ln a\le 1$

따라서 $0<a\le e$

다른 표현 같은 문제

$x>0$일 때, 부등식 $x\ge\ln ax$가 항상 성립하도록 양수 a의 값의 범위를 구하여라.

내신연계 출제문항 586

$x>0$일 때, 부등식

$x^2\ln x\ge a$

가 성립하도록 하는 실수 a의 최댓값은?

① $-2e$ ② $-e$ ③ $-\frac{1}{e}$
④ $-\frac{1}{2e}$ ⑤ $-\frac{1}{4e}$

STEP Ⓐ $f(x)=x^2\ln x$로 놓고 $x>0$에서 증감표 작성하기

$f(x)=x^2\ln x$로 놓고 모든 양의 실수 x에 대하여

$f(x)\ge a$가 성립하도록 하는 실수 a의 최댓값을 구하면 된다.

$f(x)=x^2\ln x$라 하면

$f'(x)=2x\ln x+x^2\cdot\frac{1}{x}=x(2\ln x+1)$

$f'(x)=0$에서 $\ln x=-\frac{1}{2}\quad\therefore\ x=e^{-\frac{1}{2}}=\frac{1}{\sqrt{e}}$

구간 $(0,\ \infty)$에서 함수 $f(x)$의 증가와 감소를 표로 나타내면 다음과 같다.

x	(0)	$\cdots$	$\frac{1}{\sqrt{e}}$	$\cdots$
$f'(x)$		$-$	0	$+$
$f(x)$		↘	$-\frac{1}{2e}$	↗

STEP Ⓑ 실수 a의 최댓값 구하기

함수 $f(x)$는 $x=\frac{1}{\sqrt{e}}$에서 극소이면서 최소이므로

함수 $f(x)$의 최솟값은 $f\left(\frac{1}{\sqrt{e}}\right)=-\frac{1}{2e}$

모든 양의 실수 x에 대하여 $f(x)\ge a$가 성립하도록 하려면

함수 $f(x)$의 최솟값 $f\left(\frac{1}{\sqrt{e}}\right)$은 a 이상이어야 한다.

따라서 $a\le-\frac{1}{2e}$이므로 실수 a의 최댓값은 $-\frac{1}{2e}$

정답 ④

1505

정답 ①

STEP A $f(x)=x\ln x-x$로 놓고 증감표 작성하기

부등식 $x\ln x \geq x+k$, 즉 $x\ln x-x \geq k$에서

$f(x)=x\ln x-x$로 놓으면

$f'(x)=\ln x+x\cdot\frac{1}{x}-1=\ln x$

$f'(x)=0$에서 $x=1$

$x>0$에서 함수 $f(x)$의 증가와 감소를 나타내는 표는 다음과 같다.

x	(0)	$\cdots$	1	$\cdots$
$f'(x)$		$-$	0	$+$
$f(x)$		↘	-1	↗

STEP B 함수 $f(x)$의 최솟값을 구하여 실수 k의 범위 구하기

함수 $f(x)$는 $x>0$일 때, $x=1$에서 극소이면서 최소이다.

함수 $f(x)$의 최솟값은 $f(1)=-1$ 이므로 $x>0$에서 부등식 $f(x)\geq k$가 성립하려면 $k\leq -1$이어야 한다.

따라서 k의 최댓값은 -1

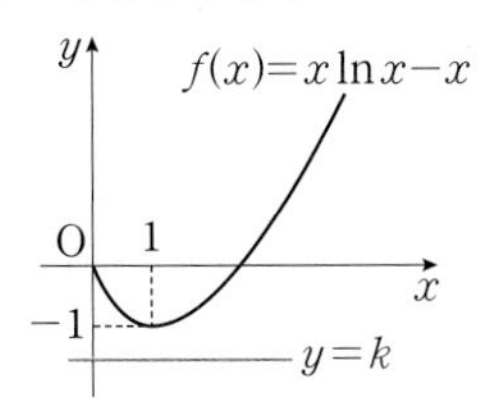

내신연계 출제문항 587

양의 실수 x에 대하여 부등식

$$\frac{1}{e}x \geq \ln x+k$$

가 성립하도록 하는 상수 k의 최댓값은?

① -4　② -3　③ -2
④ -1　⑤ 0

STEP A $f(x)=\frac{1}{e}x-\ln x-k$로 놓고 증감표 작성하기

$\frac{1}{e}x \geq \ln x+k$에서 $f(x)=\frac{1}{e}x-\ln x-k$로 놓으면

$f'(x)=\frac{1}{e}-\frac{1}{x}$

$f'(x)=0$에서 $x=e$

$x>0$에서 함수 $f(x)$의 증가와 감소를 나타내는 표는 다음과 같다.

x	(0)	$\cdots$	e	$\cdots$
$f'(x)$		$-$	0	$+$
$f(x)$		↘	극소	↗

STEP B 함수 $f(x)$의 최솟값을 구하여 실수 k의 범위 구하기

함수 $f(x)$는 $x>0$일 때, $x=e$에서 극소이면서 최소이다.

함수 $f(x)$의 최솟값은 $f(e)=1-1-k=-k$이므로 $-k\geq 0$　$\therefore k\leq 0$

따라서 k의 최댓값은 0

정답 ⑤

1506

정답 ①

STEP A $f(x)=2x+k-\ln(x-1)$로 놓고 증감표 작성하기

$f(x)=2x+k-\ln(x-1)$이라 하면

$f'(x)=2-\frac{1}{x-1}=\frac{2x-3}{x-1}$이므로 $f'(x)=0$에서 $x=\frac{3}{2}$

$x>1$일 때, 함수 $f(x)$의 증가와 감소를 표로 나타내면 다음과 같다.

x	(1)	$\cdots$	$\frac{3}{2}$	$\cdots$
$f'(x)$		$-$	0	$+$
$f(x)$		↘	$3+k+\ln 2$ (극소)	↗

STEP B 함수 $f(x)$의 최솟값을 구하여 실수 k의 범위 구하기

$x>1$일 때, 함수 $f(x)$는 $x=\frac{3}{2}$에서 극소이고 최솟값은

$f\left(\frac{3}{2}\right)=3+k+\ln 2$를 가지므로 $3+k+\ln 2\geq 0$

$k\geq -3-\ln 2$

따라서 실수 k의 최솟값은 $-3-\ln 2$

내신연계 출제문항 588

$x>1$에서 부등식

$$x\geq \ln(x-1)+k$$

가 항상 성립하도록 하는 실수 k의 최댓값은?

① 0　② 1　③ 2
④ 3　⑤ 4

STEP A $f(x)=x-\ln(x-1)-k$로 놓고 증감표 작성하기

$x\geq \ln(x-1)+k$에서 $x-\ln(x-1)-k\geq 0$

$f(x)=x-\ln(x-1)-k$로 놓으면

$f'(x)=1-\frac{1}{x-1}=\frac{x-2}{x-1}$

$f'(x)=0$에서 $x=2$

함수 $f(x)$의 증가와 감소를 표로 나타내면 다음과 같다.

x	(1)	$\cdots$	2	$\cdots$
$f'(x)$		$-$	0	$+$
$f(x)$		↘	극소	↗

STEP B $f(x)$의 최솟값을 구하여 k의 범위 구하기

$x>1$에서 $f(x)$의 최솟값은 $x=2$에서 극소이면서 최소이므로

최솟값은 $f(2)=2-\ln 1-k\geq 0$　$\therefore k\leq 2$

따라서 실수 k의 최댓값은 2

다른풀이 $y=x$가 $y=\ln(x-1)+k$와 접함을 이용하여 풀이하기

$y=x$와 $y=\ln(x-1)+k$라 하면 두 곡선이 접할 때, k의 값을 구하면 된다.

$y=\ln(x-1)+k$에서 $y'=\frac{1}{x-1}$

즉 $\frac{1}{x-1}=1$

$\therefore x=2$

y
y=x
y=ln(x+1)+k
(2, 2)
O
x

따라서 두 곡선이 접하는 접점은 $(2,\ 2)$이므로 $2=\ln(2-1)+k$　$\therefore k=2$

정답 ③

II 미분법

1507

 ④

STEP A $f(x)=x^2-4\ln(1-x)+k$**로 놓고** $f(x)$**의 증감표 작성하기**

$f(x)=x^2-4\ln(1-x)+k$라 하고 $x<1$인 모든 실수 x에 대하여 $f(x)\ge 0$을 만족시키는 실수 k의 최솟값을 구하면 된다.

$f'(x)=2x-4\cdot\dfrac{-1}{1-x}=\dfrac{-2(x+1)(x-2)}{1-x}$

$x<1$일 때, $f'(x)=0$에서 $x=-1$

함수 $f(x)$의 증가와 감소를 표로 나타내면 다음과 같다.

x	$\cdots$	-1	$\cdots$	(1)
$f'(x)$	$-$	0	$+$	
$f(x)$	↘	극소	↗	

함수 $f(x)$는 $x=-1$에서 극소이면서 최소이므로

함수 $f(x)$의 최솟값은 $f(-1)=1-4\ln 2+k$

STEP B **함수** $f(x)$**의 최솟값을 구하여 실수** k**의 범위 구하기**

$x<1$인 모든 실수 x에 대하여 $f(x)\ge 0$이 성립하기 위하서는 함수 $f(x)$의 최솟값이 0보다 크거나 같아야 한다.

따라서 $1-4\ln 2+k\ge 0$에서 $k\ge 4\ln 2-1$

즉 실수 k의 최솟값은 $4\ln 2-1$

1508

 ③

STEP A $f(x)=(\ln x)^2-2\ln x-2a+9$**로 놓고 증감표 작성하기**

$f(x)=(\ln x)^2-2\ln x-2a+9$로 놓으면

$f'(x)=2\ln x\cdot\dfrac{1}{x}-\dfrac{2}{x}=\dfrac{2\ln x-2}{x}=\dfrac{2(\ln x-1)}{x}$

$f'(x)=0$에서 $\ln x=1\quad\therefore x=e$

$x>0$에서 함수 $f(x)$의 증가와 감소를 나타내는 표는 다음과 같다.

x	(0)	$\cdots$	e	$\cdots$
$f'(x)$		$-$	0	$+$
$f(x)$		↘	$-2a+8$	↗

STEP B **함수** $f(x)$**의 최솟값을 구하여 실수** a**의 범위 구하기**

함수 $f(x)$는 $x>0$일 때, $x=e$에서 극소이면서 최소이다.

함수 $f(x)$의 최솟값은 $f(e)=-2a+8$

$x>0$일 때, $f(x)\ge 0$이어야 하므로 $-2a+8\ge 0\quad\therefore a\le 4$

따라서 a의 최댓값은 4

내/신/연/계/ 출제문항 589

$x>0$일 때, 부등식

$$(\ln x)^2-4\ln x\ge a$$

가 성립하도록 하는 실수 a의 최댓값은?

① -5 ② -4 ③ -3
④ -2 ⑤ -1

STEP A $f(x)=(\ln x)^2-4\ln x-a$**로 놓고 증감표 작성하기**

부등식 $(\ln x)^2-4\ln x\ge a$에서 $(\ln x)^2-4\ln x-a\ge 0$

$f(x)=(\ln x)^2-4\ln x-a$로 놓으면

$f'(x)=2\ln x\cdot\dfrac{1}{x}-\dfrac{4}{x}=\dfrac{2\ln x-4}{x}=\dfrac{2(\ln x-2)}{x}$이므로

$f'(x)=0$에서 $\ln x=2\quad\therefore x=e^2$

$x>0$에서 함수 $f(x)$의 증가와 감소를 나타내는 표는 다음과 같다.

x	(0)	$\cdots$	e^2	$\cdots$
$f'(x)$		$-$	0	$+$
$f(x)$		↘	$-4-a$	↗

STEP B **함수** $f(x)$**의 최솟값을 구하여 실수** a**의 범위 구하기**

함수 $f(x)$는 $x>0$일 때, $x=e^2$에서 극소이면서 최소이다.

함수 $f(x)$의 최솟값은 $f(e^2)=-4-a$이다.

$x>0$일 때, $f(x)\ge 0$이어야 하므로 $-4-a\ge 0\quad\therefore a\le -4$

따라서 a의 최댓값은 -4

정답 ②

1509

 ②

STEP A $f(x)=\dfrac{\ln x}{x^2}$**로 놓고 증감표 작성하기**

$\dfrac{\ln x}{x}\le kx$에서 $x>0$이므로 $\dfrac{\ln x}{x^2}\le k$

$f(x)=\dfrac{\ln x}{x^2}$로 놓으면 $f'(x)=\dfrac{1-2\ln x}{x^3}$

$f'(x)=0$에서 $x=\sqrt{e}$

함수 $f(x)$의 증가와 감소를 표로 나타내면 다음과 같다.

x	0	$\cdots$	$\sqrt{e}$	$\cdots$
$f'(x)$		$+$	0	$-$
$f(x)$		↗	$\dfrac{1}{2e}$	↘

STEP B $f(x)$**의 최댓값을 구하여** k**의 범위 구하기**

함수 $f(x)$는 $x=\sqrt{e}$에서 극대이면서 최대이므로

최댓값은 $f(\sqrt{e})=\dfrac{1}{2e}$이므로 $\dfrac{\ln x}{x^2}\le\dfrac{1}{2e}$

따라서 $k\ge\dfrac{1}{2e}$이어야 하므로 상수 k의 최솟값은 $\dfrac{1}{2e}$

내/신/연/계/ 출제문항 590

두 함수 $f(x)=\ln x$, $g(x)=\dfrac{1}{2}kx^2$에 대하여 $x>0$에서 부등식 $f(x)\le g(x)$가 성립하기 위한 양수 k의 최솟값은?

① $\dfrac{1}{2e}$ ② $\dfrac{1}{e}$ ③ $\dfrac{2}{e}$
④ e ⑤ $2e$

STEP A $f(x)=\dfrac{2\ln x}{x^2}$**로 놓고 증감표 작성하기**

$x>0$일 때, 부등식 $f(x)\le g(x)$에서 $\ln x\le\dfrac{1}{2}kx^2$

즉 $\dfrac{2\ln x}{x^2}\le k$

$f(x)=\dfrac{2\ln x}{x^2}$로 놓으면

$f'(x)=\dfrac{\dfrac{2}{x}\cdot x^2-2\ln x\cdot 2x}{x^4}=\dfrac{2(1-2\ln x)}{x^3}$

$f'(x)=0$에서 $1-2\ln x=0\quad\therefore x=\sqrt{e}$

$x>0$에서 함수 $f(x)$의 증가와 감소를 표로 나타내면 다음과 같다.

x	0	$\cdots$	$\sqrt{e}$	$\cdots$
$f'(x)$		$+$	0	$-$
$f(x)$		↗	$\dfrac{1}{e}$	↘

STEP B $f(x)$의 최댓값을 구하여 k의 범위 구하기

함수 $f(x)$는

$x=\sqrt{e}$에서 극대이면서 최대이고 최댓값은 $f(\sqrt{e})=\frac{1}{e}$이므로

$x>0$에서 부등식 $f(x)\le k$가 성립하려면 $k\ge\frac{1}{e}$이어야 한다.

따라서 k의 최솟값은 $\frac{1}{e}$

정답 ②

1510

정답 ③

STEP A $f(x)=(2x-1)e^{-x^2}$의 그래프를 그려서 빈칸추론하기

$f(x)=(2x-1)e^{-x^2}$이라 하자.

$f'(x)=2e^{-x^2}+(2x-1)e^{-x^2}\cdot(-2x)$

$=(\boxed{-4x^2+2x+2})\times e^{-x^2}$

$=-2(2x+1)(x-1)e^{-x^2}$

$f'(x)=0$에서 $x=-\frac{1}{2}$ 또는 $x=1$

함수 $f(x)$의 증가와 감소를 표로 나타내면 다음과 같다.

x	$\cdots$	$-\frac{1}{2}$	$\cdots$	1	$\cdots$
$f'(x)$	$-$	0	$+$	0	$-$
$f(x)$	↘	$-\frac{2}{\sqrt[4]{e}}$	↗	$\frac{1}{e}$	↘

함수 $f(x)$는 $x=-\frac{1}{2}$일 때, 극소이고 극솟값은 $\boxed{-\frac{2}{\sqrt[4]{e}}}$이다.

함수 $y=f(x)$의 그래프의 개형을 그리면

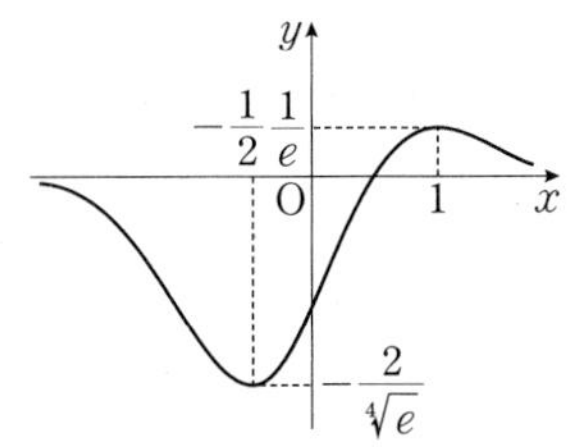

이므로 함수 $f(x)$의 최솟값은 $\boxed{-\frac{2}{\sqrt[4]{e}}}$이다.

$(2x-1)e^{-x^2}\ge-\frac{2}{\sqrt[4]{e}}$이므로 $k\le-\frac{2}{\sqrt[4]{e}}$

따라서 $2x-1\ge ke^{x^2}$을 성립시키는 실수 k의 최댓값은 $\boxed{-\frac{2}{\sqrt[4]{e}}}$이다.

$\therefore\ g(x)=-4x^2+2x+2,\ p=-\frac{2}{\sqrt[4]{e}}$

따라서 $g(2)\cdot p=\frac{20}{\sqrt[4]{e}}$

1511

정답 ①

STEP A 최솟값이 존재하지 않으므로 $x\ge0$에서 $f(x)$가 증가하는 함수이고 $f(0)\ge0$임을 이용하여 부등식을 만족하는 k의 범위 구하기

$\cos x\ge k-x^2$에서 $\cos x+x^2-k\ge0$

$f(x)=\cos x+x^2-k$로 놓으면

$f'(x)=-\sin x+2x,\ f''(x)=-\cos x+2$

$x\ge0$일 때, $f''(x)>0$이므로 $f'(x)$는 증가하는 함수이다.

또한, $f'(0)=0$이므로 $x\ge0$에서 $f'(x)\ge0$

즉 함수 $f(x)$는 $x\ge0$에서 증가한다.

STEP B $f(x)$의 최솟값을 구하여 k의 범위 구하기

$x\ge0$에서 함수 $f(x)$의 최솟값이 $f(0)=1-k$이므로 $1-k\ge0$

$\therefore\ k\le1$

따라서 k의 최댓값은 1

참고 $x>0$에서 두 함수 $y=2x$, $y=\sin x$의 위치 관계가 오른쪽 그림과 같으므로 항상 $2x>\sin x$이다.
따라서 $f'(x)=-\sin x+2x>0$

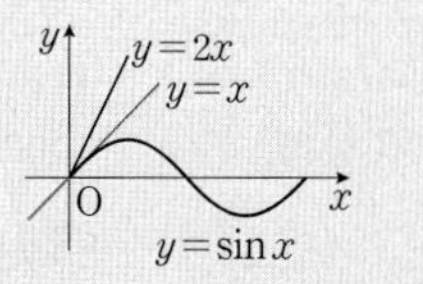

1512

정답 ②

STEP A 최솟값이 존재하지 않으므로 $x>0$에서 $f(x)$가 증가하는 함수이고 $f(0)\ge0$임을 이용하여 부등식을 만족하는 k의 범위 구하기

$\cos x>k-\frac{\pi}{2}x^2$에서 $\cos x-k+\frac{\pi}{2}x^2>0$

$f(x)=\cos x-k+\frac{\pi}{2}x^2$로 놓으면

$f'(x)=-\sin x+\pi x, f''(x)=-\cos x+\pi$

$x>0$일 때, $f''(x)>0$이므로 $x>0$에서 $f'(x)$는 증가한다.

STEP B $f'(x)>0$이면 $f(x)$는 증가한다.

$f'(0)=0$이고 $x>0$에서 $f'(x)>0$

즉 $f(x)$는 $x>0$에서 증가한다.

이때 $f(0)=1-k$가 최솟값이므로 $1-k\ge0$

따라서 $k\le1$

참고 $x>0$에서 두 함수 $y=\pi x$, $y=\sin x$의 위치 관계가 오른쪽 그림과 같으므로 항상 $\pi x>\sin x$이다.
따라서 $f'(x)=-\sin x+\pi x>0$

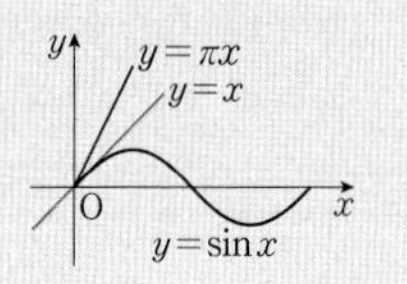

내신연계 출제문항 591

모든 실수 x에 대하여 부등식

$$x^2-\cos x\ge k$$

를 만족시키는 실수 k의 최댓값은?

① -2 ② -1 ③ 0
④ 1 ⑤ 2

STEP A 모든 실수 x에 대하여 $f(x)$가 증가하고 최솟값이 0 이상임을 이용하여 k의 범위 구하기

$x^2-\cos x\ge k$에서 $x^2-\cos x-k\ge0$

$f(x)=x^2-\cos x-k$로 놓으면

$f'(x)=2x+\sin x$

$f''(x)=2+\cos x$

이때 $-1\le\cos x\le1$이므로 $1\le\cos x+2\le3$

모든 실수 x에 대하여 $f''(x)>0$이므로 $f'(x)$는 증가하고

$f'(0)=0$ ← $f'(0)=2\cdot0+\sin 0=0$

STEP B 함수 $f(x)$의 최솟값을 이용하여 k의 범위 구하기

즉 $x=0$에서 $f'(x)$의 부호가 음에서 양으로 바뀌므로

함수 $f(x)$는 $x=0$에서 극소이면서 최소이므로 최솟값은

$f(0)=0-1-k=-1-k$

모든 실수 x에 대하여 주어진 부등식이 성립하려면 $-1-k\ge0$ $\therefore\ k\le-1$

따라서 실수 k의 최댓값은 -1 정답 ②

1513

정답 ②

STEP A $f''(x)>0$이면 $f'(x)$는 증가함을 이용하기

$f(x)=e^x-\frac{x^2}{2}-x+k$로 놓으면

$f'(x)=e^x-x-1$, $f''(x)=e^x-1$

$x>0$일 때, $f''(x)>0$이므로 $x>0$에서 $f'(x)$는 증가한다.

STEP B $f'(x)>0$이면 $f(x)$는 증가함을 이용하기

또, $f'(0)=0$이므로 $x>0$에서 $f'(x)>0$

즉 $f(x)$는 $x>0$에서 증가한다.

이때 $f(0)=1+k$이므로 $1+k\geq 0$ $\quad\therefore k\geq -1$

따라서 실수 k의 최솟값은 -1

참고

$e^x-\frac{x^2}{2}-x+k\geq 0$에서

$e^x+k\geq \frac{x^2}{2}+x$

$x>0$에서 두 함수

$y=e^x+k$, $y=\frac{x^2}{2}+x$가

$x=t$에서 접할 때,

k가 최솟값을 가진다.

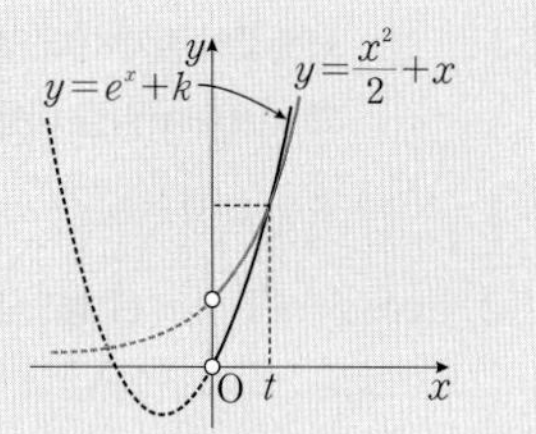

내신연계 출제문항 592

$x>0$인 모든 실수 x에 대하여 부등식

$$e^x>k+x+\frac{x^2}{2}$$

이 성립하도록 하는 상수 k의 최댓값은?

① 1 ② 2 ③ 3
④ 4 ⑤ 5

STEP A 부등식을 $f(x)>k$의 꼴로 정리하여 $f'(x)=0$인 x의 값 구하기

$e^x>k+x+\frac{x^2}{2}$에서 $e^x-x-\frac{x^2}{2}>k$

$f(x)=e^x-x-\frac{x^2}{2}$으로 놓으면

$f'(x)=e^x-1-x$, $f''(x)=e^x-1$

$x>0$에서 $f''(x)>0$이므로 $f'(x)$는 증가이다.

또, $x=0$일 때, $f'(x)=0$이므로 $x>0$일 때, $f'(x)>0$이다.

즉 이 구간에서 $f(x)$도 증가이다.

STEP B 함수 $f(x)$의 범위를 구하여 실수 k의 최댓값 구하기

이때 $x=0$일 때, $f(x)=1$이므로 $x>0$일 때, $f(x)>1$

즉 $f(x)=e^x-x-\frac{x^2}{2}$의 그래프는 다음 그림과 같으므로 $k\leq 1$

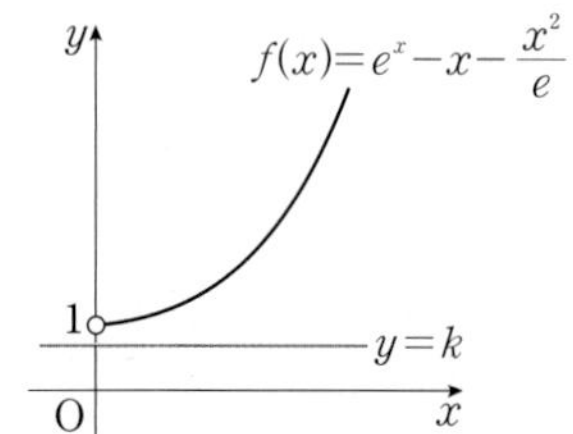

따라서 구하는 실수 k의 최댓값은 1

정답 ①

1514

정답 ②

STEP A $f(x)=x\ln x-3x+2+k$로 놓고 증감표 작성하기

$f(x)=x\ln x-3x+2+k$로 놓으면

$f'(x)=\ln x+1-3=\ln x-2$

$f'(x)=0$에서 $\ln x=2$

$\therefore x=e^2$

함수 $f(x)$의 증가와 감소를 표로 나타내면 다음과 같다.

x	(0)	$\cdots$	e	$\cdots$	e^2	$\cdots$
$f'(x)$		$-$	$-$	$-$	0	$+$
$f(x)$				↘	극소	↗

STEP B $f(x)$의 최솟값을 구하여 k의 범위 구하기

$e\leq x\leq e^2$에서 $f'(x)\leq 0$이므로 함수 $f(x)$는 감소하므로

$x=e$에서 최댓값은 $f(e)=e-3e+2+k=-2e+2+k$

$e\leq x\leq e^2$에서 $f(x)\leq 0$을 만족해야 하므로

$-2e+2+k\leq 0$

$\therefore k\leq 2e-2$

따라서 실수 k의 최댓값은 $2e-2$

1515

정답 ⑤

STEP A $y=\frac{e^x}{x}$의 그래프에서 $a\leq\frac{e^x}{x}\leq b$를 만족하는 a, b의 범위 구하기

$ax\leq e^x\leq bx$에서 $a\leq\frac{e^x}{x}\leq b$

$f(x)=\frac{e^x}{x}$이라 놓으면

$f'(x)=\frac{e^x x-e^x}{x^2}=\frac{(x-1)e^x}{x^2}$

$f'(x)=0$에서 $x=1$

$1\leq x\leq 2$에서 함수 $f(x)$의 증가와 감소를 표로 나타내면 다음과 같다.

x	1	$\cdots$	2
$f'(x)$	0	$+$	
$f(x)$	e	↗	$\frac{e^2}{2}$

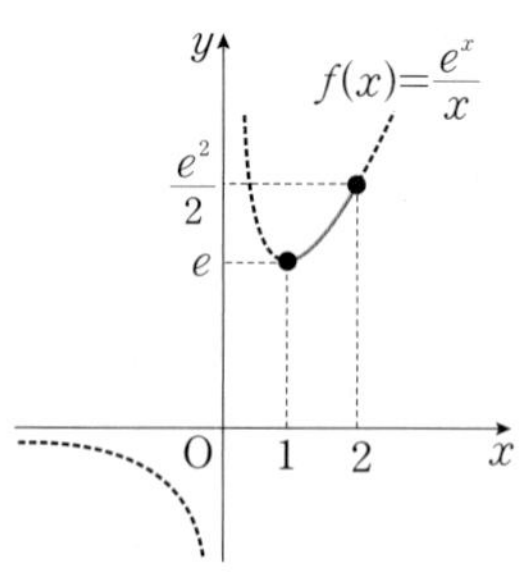

$1\leq x\leq 2$에서 $f'(x)\geq 0$이므로 함수 $f(x)$는 증가한다.

$x=1$일 때, $f(x)$의 최솟값은 $f(1)=e$

$x=2$일 때, $f(x)$의 최댓값은 $f(2)=\frac{e^2}{2}$

이므로 $e\leq\frac{e^x}{x}\leq\frac{e^2}{2}$

STEP B $b-a$의 최솟값 구하기

따라서 $a\leq e$, $b\geq\frac{e^2}{2}$이므로 $b-a$의 최솟값은 $\frac{e^2}{2}-e=e\left(\frac{e}{2}-1\right)$

다른풀이 $y=e^x$가 $1 \le x \le 2$에서 두 직선 $y=\frac{e^2}{2}x$, $y=ex$ 사이에 존재하면 됨을 이용하여 구하기

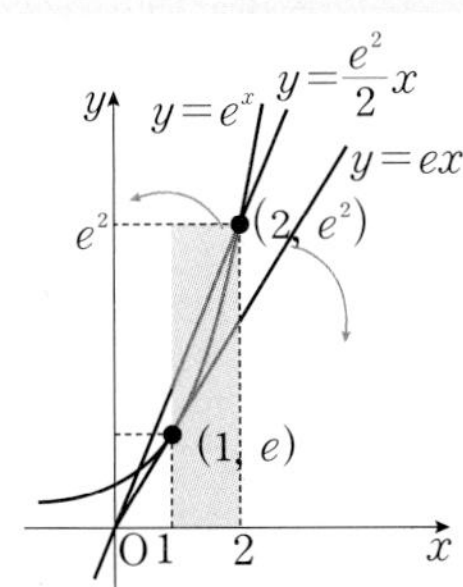

$1 \le x \le 2$인 모든 실수 x에 대하여 부등식 $ax \le e^x \le bx$가 성립하려면
$1 \le x \le 2$에서 직선 $y=ax$보다 곡선 $y=e^x$이 위에 있고
곡선 $y=e^x$보다 직선 $y=bx$가 위에 있도록 하면 된다.
곡선 $y=e^x$과 직선 $y=kx$(k는 상수)가 점 $(1, e)$에서 접하므로

$a \le e$ ...... ㉠

원점과 점 $(2, e^2)$을 지나는 직선은 $y=\frac{e^2}{2}x$이므로

$b \ge \frac{e^2}{2}$ ...... ㉡

따라서 ㉠, ㉡에서 $b-a$의 최솟값은 $\frac{e^2}{2}-e=e\left(\frac{e}{2}-1\right)$

1516

정답 ④

STEP A $y=\frac{\ln x}{x}$**의 그래프에서** $\alpha \le \frac{\ln x}{x} \le \beta$**를 만족하는** α, β**의 범위 구하기**

$\alpha x \le \ln x \le \beta x$에서 x로 나누면 $\alpha \le \frac{\ln x}{x} \le \beta$

$f(x)=\frac{\ln x}{x}$로 놓으면

$f'(x)=\frac{\frac{1}{x}\cdot x-\ln x\cdot 1}{x^2}=\frac{1-\ln x}{x^2}$

$f'(x)=0$에서 $x=e$

$\frac{1}{e} \le x \le e^2$일 때, 함수 $f(x)$의 증가와 감소를 표로 나타내면 다음과 같다.

x	$\frac{1}{e}$	$\cdots$	e	$\cdots$	e^2
$f'(x)$		$+$	0	$-$	
$f(x)$	$-e$	↗	$\frac{1}{e}$	↘	$\frac{2}{e^2}$

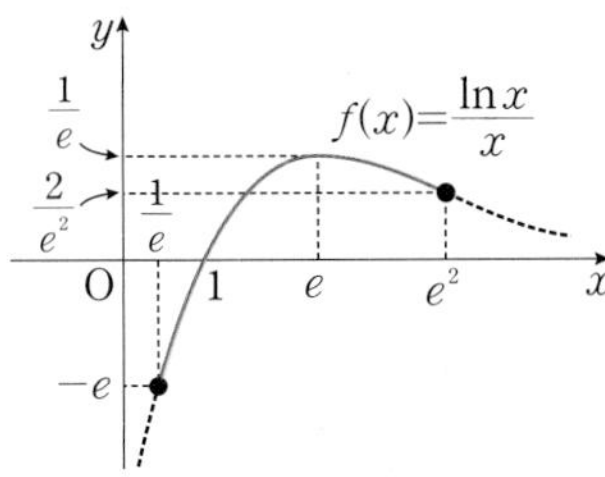

함수 $f(x)$는

$\frac{1}{e} \le x \le e^2$에서 $x=e$일 때, $f(x)$의 최댓값은 $f(e)=\frac{1}{e}$

$x=\frac{1}{e}$일 때, $f(x)$의 최솟값은 $f\left(\frac{1}{e}\right)=-e$이므로 $-e \le \frac{\ln x}{x} \le \frac{1}{e}$

STEP B $b-a$**의 최솟값 구하기**

따라서 $\alpha \le -e$, $\beta \ge \frac{1}{e}$이므로 $\beta-\alpha$의 최솟값은 $\frac{1}{e}+e$

다른풀이 $y=\ln x$가 $\frac{1}{e} \le x \le e^2$에서 두 직선 $y=\frac{1}{e}x$, $y=-ex$ 사이에 존재하면 됨을 이용하여 구하기

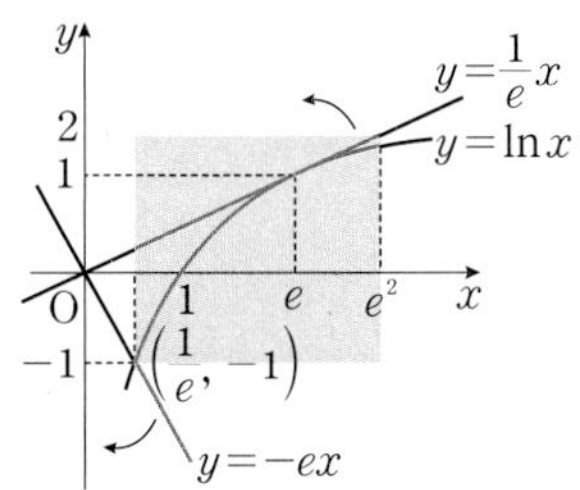

$\frac{1}{e} \le x \le e^2$인 모든 실수 x에 대하여 부등식 $\alpha x \le \ln x \le \beta x$가 성립하려면
$\frac{1}{e} \le x \le e^2$에서 직선 $y=\alpha x$보다 곡선 $y=\ln x$가 위에 있고
곡선 $y=\ln x$보다 직선 $y=\beta x$가 위에 있도록 하면 된다.
곡선 $y=\ln x$와 직선 $y=kx$(k는 상수)가 점 $(e, 1)$에서 접하므로

$\beta \ge \frac{1}{e}$ ...... ㉠

원점과 점 $\left(\frac{1}{e}, -1\right)$을 지나는 직선은 $y=-ex$이므로

$\alpha \le -e$ ...... ㉡

따라서 ㉠, ㉡에서 $\beta-\alpha$의 최솟값은 $\frac{1}{e}-(-e)=\frac{1}{e}+e$

내신연계 출제문항 593

$1 \le x \le 3$인 모든 실수 x에 대하여 부등식

$ax \le \ln x \le bx$

가 성립하도록 실수 a, b를 정할 때, $b-a$의 최솟값은?

① $\frac{1}{e}$　② 1　③ e
④ $e+\frac{1}{e}$　⑤ $e+\frac{3}{e}$

STEP A $y=\frac{\ln x}{x}$**의 그래프에서** $a \le \frac{\ln x}{x} \le b$**를 만족하는** a, b**의 범위 구하기**

$ax \le \ln x \le bx$에서 x로 나누면 $a \le \frac{\ln x}{x} \le b$

$f(x)=\frac{\ln x}{x}$로 놓으면

$f'(x)=\frac{\frac{1}{x}\cdot x-\ln x\cdot 1}{x^2}=\frac{1-\ln x}{x^2}$

$f'(x)=0$에서 $x=e$

$1 \le x \le 3$일 때, 함수 $f(x)$의 증가와 감소를 표로 나타내면 다음과 같다.

x	1	$\cdots$	e	$\cdots$	3
$f'(x)$	$+$	$+$	0	$-$	$-$
$f(x)$	0	↗	$\frac{1}{e}$	↘	$\frac{\ln 3}{3}$

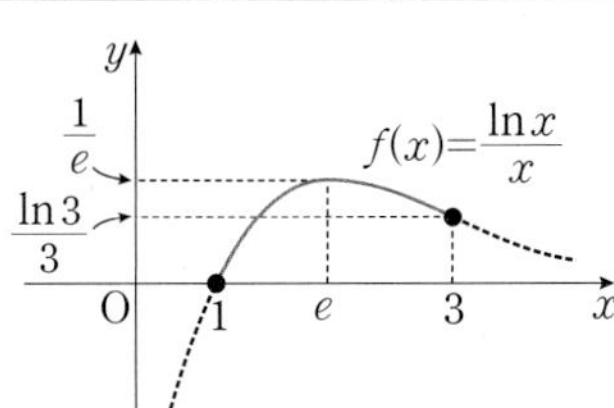

함수 $f(x)$는 $1 \le x \le 3$에서

$x=e$일 때, $f(x)$의 최댓값은 $f(e)=\frac{1}{e}$

$x=1$일 때, $f(x)$의 최솟값은 $f(1)=0$이므로 $0 \le \frac{\ln x}{x} \le \frac{1}{e}$

STEP B $b-a$**의 최솟값 구하기**

따라서 $a \le 0$, $b \ge \frac{1}{e}$이므로 $b-a$의 최솟값은 $\frac{1}{e}-0=\frac{1}{e}$

정답 ①

13 속도 가속도
STEP 1 내신정복기출유형

1517
정답 ④

STEP A 점 P의 시각 t에서의 속도, 가속도 구하기

점 P의 시각 t에서의 속도를 $v(t)$, 가속도를 $a(t)$라고 하면

$v(t)=f'(t)=e^t-1,\ a(t)=f''(t)=e^t$

STEP B $t=1$일 때, 점 P의 속도와 가속도의 곱 구하기

$v(1)=e-1,\ a(1)=e$

따라서 $t=1$일 때, 점 P의 속도와 가속도의 곱은 $(e-1)e$

1518
정답 ③

STEP A 점 P의 시각 $t=\frac{1}{3}$에서의 가속도의 크기 구하기

$x(t)=t+\frac{20}{\pi^2}\cos(2\pi t)$에서

$x'(t)=1-\frac{40}{\pi}\sin(2\pi t),\ x''(t)=-80\cos(2\pi t)$

따라서 시각 $t=\frac{1}{3}$에서의 점 P의 가속도의 크기는

$\left|x''\left(\frac{1}{3}\right)\right|=\left|-80\cos\frac{2}{3}\pi\right|=40$

내신연계 출제문항 594

수직선 위를 움직이는 점 P의 시각 t에서의 위치 $x=f(t)$가

$$f(t)=2t+\sin\frac{\pi}{2}t$$

일 때, $t=1$에서 점 P의 속도와 가속도의 곱은?

① $-\frac{\pi^2}{4}$　② $-\frac{\pi^2}{2}$　③ $-\pi^2$

④ $\frac{\pi^2}{4}$　⑤ $\frac{\pi^2}{2}$

STEP A 점 P의 시각 t에서의 속도, 가속도 구하기

점 P의 시각 t에서의 속도를 $v(t)$, 가속도를 $a(t)$라고 하면

$v(t)=f'(t)=2+\frac{\pi}{2}\cos\frac{\pi}{2}t,\ a(t)=f''(t)=-\frac{\pi^2}{4}\sin\frac{\pi}{2}t$

STEP B $t=1$일 때, 점 P의 속도와 가속도의 곱 구하기

$v(1)=2,\ a(1)=-\frac{\pi^2}{4}$

따라서 $t=1$일 때, 점 P의 속도와 가속도의 곱은 $-\frac{\pi^2}{2}$ 

1519
정답 ④

STEP A 점 P의 시각 t에서의 속도 구하기

점 P의 시각 t에서의 속도를 v라고 하면

$v=\frac{dx}{dt}=\frac{1}{2}\cos\frac{t}{2}-\frac{1}{4}$

STEP B 점 P의 속도가 0이 되는 a의 값 구하기

$t=a$일 때, 점 P의 속도가 0이라 하면

$\frac{1}{2}\cos\frac{a}{2}-\frac{1}{4}=0,\ \cos\frac{a}{2}=\frac{1}{2}$

$\therefore a=\frac{2}{3}\pi,\ \frac{10}{3}\pi,\ \frac{14}{3}\pi,\ \cdots$

따라서 점 P가 처음으로 운동방향을 바꿀 때의 시각은 $\frac{2}{3}\pi$

1520
정답 ④

STEP A 점 P의 시각 t에서의 속도, 가속도 구하기

점 P의 시각 t에서의 속도를 $v(t)$, 가속도를 $a(t)$라고 하면

$v(t)=\frac{dx}{dt}=\frac{2t}{t^2+7}$

$a(t)=\frac{dv}{dt}=\frac{2(t^2+7)-2t\cdot 2t}{(t^2+7)^2}=\frac{-2t^2+14}{(t^2+7)^2}$

STEP B 점 P의 가속도가 0일 때의 속도 구하기

점 P의 가속도가 0이므로 $a(t)=\frac{-2t^2+14}{(t^2+7)^2}=0$에서 $t=\sqrt{7}$

따라서 속도는 $v(\sqrt{7})=\frac{2\sqrt{7}}{(\sqrt{7})^2+7}=\frac{\sqrt{7}}{7}$

1521

STEP A 시각 t에서의 점 P의 속도와 가속도 구하기

점 P의 시각 t에서의 속도와 가속도를 각각 $v(t),\ a(t)$라고 하면

$v(t)=f'(t)=\frac{\pi a}{2}\cos\frac{\pi}{2}t-\frac{\pi b}{2}\sin\frac{\pi}{2}t$

$a(t)=f''(t)=-\frac{\pi^2 a}{4}\sin\frac{\pi}{2}t-\frac{\pi^2 b}{4}\cos\frac{\pi}{2}t$

STEP B $t=3$에서의 속도와 가속도 구하기

$t=3$에서의 속도는

$v(3)=\frac{\pi a}{2}\cos\frac{3}{2}\pi-\frac{\pi b}{2}\sin\frac{3}{2}\pi=\frac{\pi b}{2}$이므로

$\frac{\pi b}{2}=-\pi\quad \therefore b=-2$

$t=3$에서의 가속도는

$a(3)=-\frac{\pi^2 a}{4}\sin\frac{3}{2}\pi-\frac{\pi^2 b}{4}\cos\frac{3}{2}\pi=\frac{\pi^2 a}{4}$이므로

$\frac{\pi^2 a}{4}=\frac{\pi^2}{2}\quad \therefore a=2$

따라서 $a=2,\ b=-2$이므로 $a+b=2+(-2)=0$

1522

STEP A 시각 t에서의 점 P의 속도 구하기

$\frac{dx}{dt}=3t^2-6,\ \frac{dy}{dt}=4t$이므로

점 P의 시각 t에서의 속도는 $(3t^2-6,\ 4t)$

STEP B 시각 $t=2$에서의 점 P의 속도의 크기 구하기

$t=2$에서의 점 P의 속도가 $(6,\ 8)$

따라서 $t=2$에서의 점 P의 속도의 크기는 $\sqrt{6^2+8^2}=10$

1523

정답 ③

STEP Ⓐ **시각 t에서의 점 P의 속도 구하기**

$x=t-\frac{2}{t}$, $y=2t+\frac{1}{t}$에서 $\frac{dx}{dt}=1+\frac{2}{t^2}$, $\frac{dy}{dt}=2-\frac{1}{t^2}$이므로

점 P의 시각 $t\,(t>0)$에서의 속도는 $\left(1+\frac{2}{t^2},\ 2-\frac{1}{t^2}\right)$

STEP Ⓑ **시각 $t=1$에서 점 P의 속도의 크기 구하기**

시각 $t=1$에서 점 P의 속도는 $(3,\ 1)$

따라서 시각 $t=1$에서 점 P의 속도의 크기는 $\sqrt{3^2+1^2}=\sqrt{10}$

1524

정답 ③

STEP Ⓐ **시각 t에서의 점 P의 속도 구하기**

$x=\ln(t+1)$, $y=t^2+1$에서 $\frac{dx}{dt}=\frac{1}{t+1}$, $\frac{dy}{dt}=2t$이므로

시각 t에서 점 P의 속도는 $\left(\frac{1}{t+1},\ 2t\right)$

STEP Ⓑ **1초 후의 점 P의 속도와 속력 구하기**

시각 $t=1$에서 점 P의 속도는 $\left(\frac{1}{2},\ 2\right)$

따라서 1초 후의 점 P의 속력은 $\sqrt{\left(\frac{1}{2}\right)^2+2^2}=\frac{\sqrt{17}}{2}$

1525

STEP Ⓐ **시각 t에서의 점 P의 속도 구하기**

$\frac{dx}{dt}=2$, $\frac{dy}{dt}=2t-3$이므로

점 P의 시각 t에서의 속도는 $(2,\ 2t-3)$

점 P의 시각 t에서의 속력은 $\sqrt{2^2+(2t-3)^2}=\sqrt{4t^2-12t+13}$

STEP Ⓑ **점 P의 속력이 $\sqrt{5}$인 시각의 합 구하기**

이때 $\sqrt{4t^2-12t+13}=\sqrt{5}$에서 $4t^2-12t+8=0$

$4(t-1)(t-2)=0$

따라서 $t=1$ 또는 $t=2$이므로 합은 $1+2=3$

내신연계 출제문항 595

좌표평면 위를 움직이는 점 P$(x,\ y)$의 시각 t에서의 위치가

$$x=8t,\ y=2t^2-4t$$

이다. 점 P의 속력이 $8\sqrt{10}$일 때의 시각은?

① 3 ② 5 ③ 7
④ 9 ⑤ 11

STEP Ⓐ **시각 t에서의 점 P의 속도 구하기**

$\frac{dx}{dt}=8$, $\frac{dy}{dt}=4t-4$이므로

점 P의 시각 t에서의 속도는 $(8,\ 4t-4)$

점 P의 시각 t에서의 속력은 $\sqrt{8^2+(4t-4)^2}=4\sqrt{t^2-2t+5}$

STEP Ⓑ **점 P의 속력이 $8\sqrt{10}$인 시각 구하기**

이때 $4\sqrt{t^2-2t+5}=8\sqrt{10}$에서 $t^2-2t-35=0$, $(t+5)(t-7)=0$

따라서 $t>0$이므로 $t=7$

정답 ③

1526

정답 ②

STEP Ⓐ **시각 t에서의 점 P의 속도 구하기**

$x=t+\sin t$, $y=3+\cos t$에서 $\frac{dx}{dt}=1+\cos t$, $\frac{dy}{dt}=-\sin t$이므로

점 P의 시각 $t\,(t>0)$에서의 속도는 $(1+\cos t,\ -\sin t)$

STEP Ⓑ **시각 $t=\frac{\pi}{3}$에서 점 P의 속도의 크기 구하기**

$t=\frac{\pi}{3}$에서 점 P의 속도는 $\left(\frac{3}{2},\ -\frac{\sqrt{3}}{2}\right)$

따라서 시각 $t=\frac{\pi}{3}$에서 점 P의 속도의 크기는 $\sqrt{\left(\frac{3}{2}\right)^2+\left(-\frac{\sqrt{3}}{2}\right)^2}=\sqrt{3}$

내신연계 출제문항 596

좌표평면 위를 움직이는 점 P의 시각 $t\,(0<t<\pi)$에서의 위치 P$(x,\ y)$가

$$x=\cos t+2,\ y=3\sin t+1$$

이다. 시각 $t=\frac{\pi}{6}$에서 점 P의 속력은?

① $\sqrt{5}$ ② $\sqrt{6}$ ③ $\sqrt{7}$
④ $2\sqrt{2}$ ⑤ 3

STEP Ⓐ **시각 t에서의 점 P의 속도 구하기**

$x=\cos t+2$에서 $\frac{dx}{dt}=-\sin t$

$y=3\sin t+1$에서 $\frac{dy}{dt}=3\cos t$

시각 t에서 점 P의 속도는 $(-\sin t,\ 3\cos t)$

STEP Ⓑ **시각 $t=\frac{\pi}{6}$에서 점 P의 속력 구하기**

$t=\frac{\pi}{6}$일 때, 점 P의 속도는 $\left(-\sin\frac{\pi}{6},\ 3\cos\frac{\pi}{6}\right)$

즉 $\left(-\frac{1}{2},\ \frac{3\sqrt{3}}{2}\right)$

따라서 시각 $t=\frac{\pi}{6}$에서 점 P의 속력은 $\sqrt{\left(-\frac{1}{2}\right)^2+\left(\frac{3\sqrt{3}}{2}\right)^2}=\sqrt{\frac{28}{4}}=\sqrt{7}$

1527

STEP Ⓐ **시각 t에서의 점 P의 속도 구하기**

$x=3\cos t+\cos 3t$, $y=3\sin t-\sin 3t$에서

$\frac{dx}{dt}=-3\sin t-3\sin 3t$, $\frac{dy}{dt}=3\cos t-3\cos 3t$이므로

시각 t에서 점 P의 속도는 $(-3\sin t-3\sin 3t,\ 3\cos t-3\cos 3t)$

STEP Ⓑ **시각 $t=\frac{\pi}{4}$에서 점 P의 속도의 크기 구하기**

$t=\frac{\pi}{4}$에서 점 P의 속도는 $\left(-3\sin\frac{\pi}{4}-3\sin\frac{3}{4}\pi,\ 3\cos\frac{\pi}{4}-3\cos\frac{3}{4}\pi\right)$

즉 $(-3\sqrt{2},\ 3\sqrt{2})$

따라서 시각 $t=\frac{\pi}{4}$에서 점 P의 속력은 $\sqrt{(-3\sqrt{2})^2+(3\sqrt{2})^2}=6$

1528

STEP Ⓐ **시각 t에서의 점 P의 속도 구하기**

$x=e^{-t}\cos t,\ y=e^{-t}\sin t$에서

$\frac{dx}{dt}=-e^{-t}(\cos t+\sin t),\ \frac{dy}{dt}=-e^{-t}(\sin t-\cos t)$이므로

시각 t에서 점 P의 속도는 $(-e^{-t}(\cos t+\sin t),\ -e^{-t}(\sin t-\cos t))$

STEP Ⓑ **시각 $t=2$에서 점 P의 속도의 크기 구하기**

점 P의 속력은

$\sqrt{\{-e^{-t}(\sin t+\cos t)\}^2+\{-e^{-t}(\sin t-\cos t)\}^2}=\sqrt{2e^{-2t}}=\sqrt{2}e^{-t}$

따라서 $t=2$일 때, 점 P의 속력은 $\frac{\sqrt{2}}{e^2}$

1529

STEP Ⓐ **시각 t에서의 점 P의 속도 구하기**

$x=e^t\cos 2t,\ y=e^t\sin 2t$에서

$\frac{dx}{dt}=e^t\cos 2t-2e^t\sin 2t,\ \frac{dy}{dt}=e^t\sin 2t+2e^t\cos 2t$에서

점 P의 시각 $t=\frac{\pi}{4}$에서의 속도는

$\left(e^{\frac{\pi}{4}}\cos\frac{\pi}{2}-2e^{\frac{\pi}{4}}\sin\frac{\pi}{2},\ e^{\frac{\pi}{4}}\sin\frac{\pi}{2}+2e^{\frac{\pi}{4}}\cos\frac{\pi}{2}\right)$

즉 $\left(-2e^{\frac{\pi}{4}},\ e^{\frac{\pi}{4}}\right)$

STEP Ⓑ **시각 $t=\frac{\pi}{4}$에서 점 P의 속력 구하기**

점 P의 시각 $t=\frac{\pi}{4}$에서의 속력은 $\sqrt{\left(-2e^{\frac{\pi}{4}}\right)^2+\left(e^{\frac{\pi}{4}}\right)^2}=\sqrt{5}e^{\frac{\pi}{4}}$

따라서 $k=\sqrt{5}$

내신연계 출제문항 597

시각 t에서 좌표평면 위를 움직이는 점 P의 x좌표와 y좌표가

$x=e^t\cos t,\ y=e^t\sin t$

이다. 점 P의 속력이 $\sqrt{2}e^3$일 때의 시각은?

① 1 ② 2 ③ 3
④ 4 ⑤ 5

STEP Ⓐ **시각 t에서의 점 P의 속도 구하기**

$x=e^t\cos t,\ y=e^t\sin t$에서

$\frac{dx}{dt}=e^t(\cos t-\sin t),\ \frac{dy}{dt}=e^t(\sin t+\cos t)$이므로

시각 t에서 점 P의 속도는 $(e^t(\cos t-\sin t),\ e^t(\sin t+\cos t))$

STEP Ⓑ **점 P의 속력이 $\sqrt{2}e^3$일 때, 시간 구하기**

시각 t에서 점 P의 속력은

$\sqrt{\{e^t(\cos t-\sin t)\}^2+\{e^t(\sin t+\cos t)\}^2}=\sqrt{2}e^t$

따라서 $\sqrt{2}e^t=\sqrt{2}e^3$이므로 $t=3$ 

1530

STEP Ⓐ **시각 t에서의 점 P의 속도 구하기**

$x=\frac{1}{2}t^2,\ y=\frac{1}{2}t^2-2t$에서 $\frac{dx}{dt}=t,\ \frac{dy}{dt}=t-2$이므로

점 P의 속도는 $(t,\ t-2)$

STEP Ⓑ **점 P의 속력이 최소일 때, 시간 구하기**

즉 점 P의 속력은 $\sqrt{t^2+(t-2)^2}=\sqrt{2t^2-4t+4}=\sqrt{2(t-1)^2+2}$

따라서 $t=1$일 때, 점 P의 속력의 최솟값은 $\sqrt{2}$

1531

정답 ⑤

STEP Ⓐ **시각 t에서의 점 P의 속도 구하기**

$x=2t,\ y=-t^2+4t$에서 $\frac{dx}{dt}=2,\ \frac{dy}{dt}=-2t+4$이므로

시각 t에서 점 P의 속도는 $(2,\ -2t+4)$

STEP Ⓑ **점 P의 속력이 최소일 때, 시간 구하기**

점 P의 시각 t에서의 속력은 $\sqrt{2^2+(-2t+4)^2}=\sqrt{4(t-2)^2+4}$

즉 $t=2$일 때, 속력이 최소가 되므로

점 P의 위치는 $x=2\cdot 2=4,\ y=-2^2+4\cdot 2=4$이므로 P$(4,\ 4)$

따라서 $a=4,\ b=4$이므로 $a+b=8$

1532

정답 ③

STEP Ⓐ **시각 t에서의 점 P의 속도 구하기**

$x=-1+\sin 2t,\ y=t+\cos 2t$에서

$\frac{dx}{dt}=2\cos 2t,\ \frac{dy}{dt}=1-2\sin 2t$이므로

시각 t에서 점 P의 속도는 $(2\cos 2t,\ 1-2\sin 2t)$

STEP Ⓑ **점 P의 속력의 최댓값 구하기**

점 P의 속력은 $\sqrt{(2\cos 2t)^2+(1-2\sin 2t)^2}=\sqrt{-4\sin 2t+5}$

따라서 $-1\le\sin 2t\le 1$이므로 $\sin 2t=-1$일 때, 점 P의 속력의 최댓값은

$\sqrt{4+5}=3$

내신연계 출제문항 598

좌표평면 위를 움직이는 점 P의 시각 t에서의 좌표 $(x,\ y)$가

$x=-1+2\sin t,\ y=t+2\cos t$

로 나타내어질 때, 점 P의 속도의 크기의 최댓값은?

① 1 ② 2 ③ 3
④ 4 ⑤ 5

STEP Ⓐ **시각 t에서의 점 P의 속도 구하기**

$\frac{dx}{dt}=2\cos t,\ \frac{dy}{dt}=1-2\sin t$이므로

점 P의 시각 t에서의 속도는 $(2\cos t,\ 1-2\sin t)$

STEP Ⓑ **점 P의 속도의 크기의 최댓값 구하기**

점 P의 속도의 크기는

$\sqrt{(2\cos t)^2+(1-2\sin t)^2}=\sqrt{5-4\sin t}$

이때 $\sqrt{5-4\sin t}$는 $\sin t=-1$일 때 최대이므로 점 P의 속도의 크기의

최댓값은 $\sqrt{5+4}=\sqrt{9}=3$ 

1533

정답 ④

STEP A 시각 t에서의 점 P의 속도 구하기

$x=3t-\sin t$, $y=4-\cos t$에서 $\frac{dx}{dt}=3-\cos t$, $\frac{dy}{dt}=\sin t$이므로

점 P의 시각 t에서 속도는 $(3-\cos t,\ \sin t)$

STEP B 점 P의 속력의 최댓값 M, 최솟값 m을 구하기

점 P의 시각 t에서 속력은

$\sqrt{(3-\cos t)^2+\sin^2 t}=\sqrt{9-6\cos t+\cos^2 t+\sin^2 t}$

$=\sqrt{10-6\cos t}$

이때 $-1\le\cos t\le 1$이므로 속력의 최댓값 M은 $\cos t=-1$일 때,

$M=\sqrt{10-6\times(-1)}=4$

또, 속력의 최솟값 m은 $\cos t=1$일 때, $m=\sqrt{10-6\times(1)}=2$

따라서 $M+m=4+2=6$

내/신/연/계/ 출제문항 599

좌표평면 위를 움직이는 점 $\mathrm{P}(x,\ y)$의 시각 t에서의 위치가

$x=-1+2\sin t$, $y=t+2\cos t$

일 때, 점 P의 속력의 최댓값은?

① 2 ② 3 ③ 5
④ 6 ⑤ 9

STEP A 시각 t에서의 점 P의 속도 구하기

$x=-1+2\sin t$, $y=t+2\cos t$에서

$\frac{dx}{dt}=2\cos t$, $\frac{dy}{dt}=1-2\sin t$이므로

시각 t에서 점 P의 속도는 $(2\cos t,\ 1-2\sin t)$

STEP B 점 P의 속력의 최댓값 구하기

점 P의 속력은 $\sqrt{(2\cos t)^2+(1-2\sin t)^2}=\sqrt{5-4\sin t}$

따라서 $-1\le\sin t\le 1$이므로 $\sin t=-1$일 때, 점 P의 속력의 최댓값은

$\sqrt{5+4}=\sqrt{9}=3$

정답 ②

1534

정답 ③

STEP A 점 P의 시각 t에서의 속도 구하기

점 P의 시각 $t\left(0<t<\frac{\pi}{2}\right)$에서의

$x=t+\sin t\cos t$에서 $\frac{dx}{dt}=1+\cos^2 t-\sin^2 t=2\cos^2 t$ ← $1-\sin^2 t=\cos^2 t$

$y=\tan t$에서 $\frac{dy}{dt}=\sec^2 t$이므로 속도는 $\left(\frac{dx}{dt},\ \frac{dy}{dt}\right)=(2\cos^2 t,\ \sec^2 t)$

STEP B P의 시각 t에서의 속력 구하기

P의 시각 t에서의 속력은

$\sqrt{\left(\frac{dx}{dt}\right)^2+\left(\frac{dy}{dt}\right)^2}=\sqrt{(2\cos^2 t)^2+(\sec^2 t)^2}$

STEP C 산술평균과 기하평균을 이용하여 점 P의 속력의 최솟값 구하기

이때 $4\cos^4 t>0$, $\sec^4 t>0$이므로 산술평균과 기하평균에 의하여

$4\cos^4 t+\sec^4 t\ge 2\sqrt{4\cos^4 t\times\sec^4 t}$

$=2\sqrt{4\cos^4 t\times\frac{1}{\cos^4 t}}$

$=4$ (단, 등호는 $4\cos^4 t=\sec^4 t$일 때 성립)

따라서 P의 시각 t에서의 속력 $\sqrt{4\cos^4 t+\sec^4 t}$의 최댓값은 $\sqrt{4}=2$

내/신/연/계/ 출제문항 600

좌표평면 위를 움직이는 점 P의 시각 $t\,(t>0)$에서의 위치 $(x,\ y)$가

$x=2\sqrt{t+1}$, $y=t-\ln(t+1)$

이다. 점 P의 속력의 최솟값은?

① $\frac{\sqrt{3}}{8}$ ② $\frac{\sqrt{6}}{8}$ ③ $\frac{\sqrt{3}}{4}$
④ $\frac{\sqrt{6}}{4}$ ⑤ $\frac{\sqrt{3}}{2}$

STEP A 시각 t에서의 점 P의 속도 구하기

$x=2\sqrt{t+1}$에서 $\frac{dx}{dt}=\frac{1}{\sqrt{t+1}}$

$y=t-\ln(t+1)$에서 $\frac{dy}{dt}=1-\frac{1}{t+1}$

점 P의 속도는 $\left(\frac{1}{\sqrt{t+1}},\ \frac{t}{t+1}\right)$

STEP B 점 P의 속력의 최솟값 구하기

점 P의 속력은

$\frac{1}{t+1}+\frac{t^2}{(t+1)^2}=\frac{t+1+t^2}{(t+1)^2}=\frac{t^2+2t+1-t}{t^2+2t+1}$

$=1-\frac{t}{t^2+2t+1}=1-\frac{1}{t+2+\frac{1}{t}}$

이때 $t>0$이므로

$t+\frac{1}{t}+2\ge 2\sqrt{t\cdot\frac{1}{t}}+2=4$ ← 산술평균과 기하평균

$\frac{t}{t^2+2t+1}=\frac{1}{t+\frac{1}{t}+2}\le\frac{1}{4}\left(\because t+\frac{1}{t}\ge 2\right)$

따라서 속력의 최솟값은 $\sqrt{1-\frac{1}{4}}=\frac{\sqrt{3}}{2}$

정답 ⑤

1535

정답 ③

STEP A 시각 t에서의 점 P의 속도의 크기 구하기

$x=2\sqrt{t}$, $y=t^2+\frac{1}{8t}$에서 $\frac{dx}{dt}=\frac{1}{\sqrt{t}}$, $\frac{dy}{dt}=2t-\frac{1}{8t^2}$이므로

점 P의 속도의 크기는

$\sqrt{\left(\frac{dx}{dt}\right)^2+\left(\frac{dy}{dt}\right)^2}=\sqrt{\left(\frac{1}{\sqrt{t}}\right)^2+\left(2t-\frac{1}{8t^2}\right)^2}$

$=\sqrt{\frac{1}{t}+4t^2-\frac{1}{2t}+\frac{1}{64t^4}}$

$=\sqrt{4t^2+\frac{1}{2t}+\frac{1}{64t^4}}$

$=\left|2t+\frac{1}{8t^2}\right|$

$=2t+\frac{1}{8t^2}$

STEP B 극대 극소를 이용하여 최솟값 구하기

$t>0$에서 $f(t)=2t+\frac{1}{8t^2}$이라 하면

$f'(t)=2-\frac{1}{4t^3}$이므로 $f'(t)=0$에서 $t=\frac{1}{2}$

$f(t)$는 $t=\frac{1}{2}$에서 극소이면서 최소이므로

최솟값 $f\left(\frac{1}{2}\right)=1+\frac{1}{2}=\frac{3}{2}$을 갖는다.

따라서 $a=\frac{1}{2}$, $m=\frac{3}{2}$이므로 $am=\frac{1}{2}\times\frac{3}{2}=\frac{3}{4}$

1536

정답 ①

STEP A 점 P의 시각 t에서의 가속도 구하기

$x=t^2+2t$, $y=at^2$

$\frac{dx}{dt}=2t+2$, $\frac{dy}{dt}=2at$에서 $\frac{dx^2}{d^2t}=2$, $\frac{dy^2}{d^2t}=2a$이므로

점 P의 시각 t에서의 가속도 $(2,\ 2a)$

STEP B $t=1$에서의 점 P의 가속도의 크기 구하기

이때 시각 $t=1$일 때, 가속도의 크기는 $\sqrt{4+4a^2}=2\sqrt{2}$

따라서 $a^2=1$이므로 양수 a는 $a=1$

1537

정답 ③

STEP A 시각 t에서의 속도 구하기

$\frac{dx}{dt}=1+\frac{2}{t^2}$, $\frac{dy}{dt}=2-\frac{1}{t^2}$

STEP B 시각 t에서의 가속도 구하기

이므로 $\frac{d^2x}{dt^2}=-\frac{4}{t^3}$, $\frac{d^2y}{dt^2}=\frac{2}{t^3}$

STEP C 1초 후의 점 P의 가속도의 크기 구하기

따라서 1초 후의 점 P의 가속도는 $(-4,\ 2)$이므로 기속도의 크기는

$\sqrt{16+4}=2\sqrt{5}$

1538

정답 ③

STEP A 점 P의 시각 t에서의 가속도 구하기

$x=t-e^t$, $y=t+e^t$

$\frac{dx}{dt}=1-e^t$, $\frac{dy}{dt}=1+e^t$에서 $\frac{dx^2}{d^2t}=-e^t$, $\frac{dy^2}{d^2t}=e^t$이므로

점 P의 시각 t에서의 가속도 $(-e^t,\ e^t)$

STEP B $t=3$에서의 점 P의 가속도의 크기 구하기

이때 시각 $t=3$일 때, 가속도는 $(-e^3,\ e^3)$

따라서 점 P의 시각 $t=3$에서 가속도의 크기는 $\sqrt{e^6+e^6}=\sqrt{2}e^3$

내신연계 출제문항 601

좌표평면 위를 움직이는 점 P의 시각 t에서의 위치 $(x,\ y)$가

$$x=t+e^t,\ y=t-e^t$$

일 때, 시각 t에서 점 P의 가속도의 크기가 $\sqrt{2}e^3$일 때, t의 값은?

① 2 ② 3 ③ 4
④ 5 ⑤ 6

STEP A 점 P의 시각 t에서의 가속도 구하기

$x=t+e^t$, $y=t-e^t$

$\frac{dx}{dt}=1+e^t$, $\frac{dy}{dt}=1-e^t$에서 $\frac{dx^2}{d^2t}=e^t$, $\frac{dy^2}{d^2t}=-e^t$이므로

점 P의 시각 t에서의 가속도 $(e^t,\ -e^t)$

STEP B 점 P의 가속도의 크기가 $\sqrt{2}e^3$일 때, t의 값 구하기

이때 시각 t에서의 가속도의 크기는 $\sqrt{e^{2t}+e^{2t}}=\sqrt{2}e^t$

따라서 $\sqrt{2}e^t=\sqrt{2}e^3$이므로 $t=3$

정답 ②

1539

정답 ①

STEP A 점 P의 시각 t에서의 가속도 구하기

$x=2\cos t$, $y=3\sin t$에서 속도와 가속도는 각각

$\frac{dx}{dt}=-2\sin t$, $\frac{dy}{dt}=3\cos t$

$\frac{d^2x}{dt^2}=-2\cos t$, $\frac{d^2y}{dt^2}=-3\sin t$

점 P의 시각 t에서의 가속도 $(-2\cos t,\ -3\sin t)$

STEP B $t=\pi$일 때, 점 P의 가속도의 크기 구하기

이때 시각 $t=\pi$일 때, 가속도는 $(-2\cos\pi,\ -3\sin\pi)$, 즉 $(2,\ 0)$

따라서 가속도의 크기는 $\sqrt{2^2+0}=2$

내신연계 출제문항 602

좌표평면 위를 움직이는 점 $P(x,\ y)$의 시각 t에서의 위치가

$$x=1+\sin 2t,\ y=1-\frac{1}{2}\cos 2t$$

일 때, 점 P의 시각 $t=\frac{\pi}{6}$에서의 가속도의 크기는?

① $2\sqrt{3}$ ② $\sqrt{13}$ ③ $\sqrt{14}$
④ $\sqrt{15}$ ⑤ 4

STEP A 점 P의 시각 t에서의 가속도 구하기

$x=1+\sin 2t$, $y=1-\frac{1}{2}\cos 2t$에서 $\frac{dx}{dt}=2\cos 2t$, $\frac{dy}{dt}=\sin 2t$

$\frac{dx^2}{d^2t}=-4\sin 2t$, $\frac{dy^2}{d^2t}=2\cos 2t$이므로

점 P의 시각 t에서의 가속도 $(-4\sin 2t,\ 2\cos 2t)$

STEP B $t=\frac{\pi}{6}$일 때, 점 P의 가속도의 크기 구하기

이때 시각 $t=\frac{\pi}{6}$일 때, 점 P의 가속도 $(-2\sqrt{3},\ 1)$

따라서 점 P의 시각 $t=\frac{\pi}{6}$에서 가속도의 크기는 $\sqrt{(-2\sqrt{3})^2+1^2}=\sqrt{13}$

정답 ②

1540

정답 ②

STEP A 점 P의 속력이 2일 때, t의 값 구하기

$x=2t+1$, $y=t-\frac{1}{3}t^3$에서 $\frac{dx}{dt}=2$, $\frac{dy}{dt}=1-t^2$이므로

점 P의 시각 t에서의 속도는 $(2,\ 1-t^2)$

이때 점 P의 속력이 2이므로 $\sqrt{2^2+(1-t^2)^2}=2$

$t^4-2t^2+5=4$, $(t^2-1)^2=0$

$t>0$이므로 $t=1$

STEP B $t=1$일 때, 점 P의 가속도 구하기

$\frac{d^2x}{dt^2}=0$, $\frac{d^2y}{dt^2}=-2t$이므로 점 P의 시각 t에서 가속도는 $(0,\ -2t)$

이때 시각 $t=1$일 때, 가속도는 $(0,\ -2)$

STEP C 가속도의 크기 구하기

따라서 $t=1$에서의 가속도의 크기는 $\sqrt{0^2+(-2\cdot 1)^2}=2$

내신연계 출제문항 603

좌표평면 위를 움직이는 점 P의 시각 t에서의 위치 (x, y)가

$$x=t^2,\ y=t-\frac{1}{3}t^3$$

이다. 점 P의 속력이 5일 때의 가속도의 크기는?

① $\sqrt{10}$　② $\sqrt{15}$　③ $2\sqrt{5}$
④ 5　⑤ $\sqrt{30}$

STEP A 점 P의 속력이 5일 때, t의 값 구하기

$x=t^2,\ y=t-\frac{1}{3}t^3$에서 $\frac{dx}{dt}=2t,\ \frac{dy}{dt}=1-t^2$이므로

점 P의 시각 t에서의 속도는 $(2t,\ 1-t^2)$

이때 점 P의 속력이 5이므로 $\sqrt{(2t)^2+(1-t^2)^2}=5$

$t^4+2t^2+1=25,\ t^4+2t^2-24=0,\ (t^2+6)(t^2-4)=0$

$t>0$이므로 $t=2$

STEP B $t=2$일 때, 점 P의 가속도 구하기

$\frac{d^2x}{dt^2}=2,\ \frac{d^2y}{dt^2}=-2t$이므로

점 P의 시각 t에서 가속도는 $(2,\ -2t)$

이때 시각 $t=2$일 때, 가속도는 $(2,\ -4)$

STEP C 가속도의 크기 구하기

따라서 $t=2$에서의 가속도의 크기는 $\sqrt{2^2+(-4)^2}=2\sqrt{5}$　 ③

1541

 ③

STEP A 점 P의 속력이 $\sqrt{2}e$일 때, t의 값 구하기

$x=e^t\cos t$에서 $\frac{dx}{dt}=e^t(\cos t-\sin t)$

$y=e^t\sin t$에서 $\frac{dy}{dt}=e^t(\sin t+\cos t)$이므로

점 P의 시각 t에서의 속도는 $(e^t(\cos t-\sin t),\ e^t(\sin t+\cos t))$

이때 점 P의 속력이 $\sqrt{2}e$이므로

$\sqrt{e^{2t}(\cos t-\sin t)^2+e^{2t}(\sin t+\cos t)^2}=e^t\sqrt{2(\sin^2 t+\cos^2 t)}=\sqrt{2}e^t$

$\sqrt{2}e=\sqrt{2}e^t\quad\therefore t=1$

STEP B $t=1$일 때, 점 P의 가속도 구하기

$\frac{d^2x}{dt^2}=-2e^t\sin t,\ \frac{d^2y}{dt^2}=2e^t\cos t$이므로

점 P의 시각 t에서 가속도는 $(-2e^t\sin t,\ 2e^t\cos t)$이므로

가속도의 크기는

$\sqrt{4e^{2t}\sin^2 t+4e^{2t}\cos^2 t}=2e^t\sqrt{\sin^2 t+\cos^2 t}=2e^t$

따라서 가속도의 크기는 $2e$

내신연계 출제문항 604

좌표평면 위를 움직이는 점 $P(x, y)$에서 시각 t에서의 위치가

$$x=e^{2t}\cos t,\ y=e^{2t}\sin t$$

로 나타내어진다. 점 P의 속력이 $\sqrt{5}e^4$일 때, 가속도의 크기는?

① $2e^2$　② $5e$　③ $\sqrt{5}e^4$
④ $5e^4$　⑤ $5(e^2+1)$

STEP A 점 P의 속력이 $\sqrt{5}e^4$일 때, t의 값 구하기

$x=e^{2t}\cos t$에서 $\frac{dx}{dt}=2e^{2t}\cos t-e^{2t}\sin t=e^{2t}(2\cos t-\sin t)$

$y=e^{2t}\sin t$에서 $\frac{dy}{dt}=2e^{2t}\sin t+e^{2t}\cos t=e^{2t}(2\sin t+\cos t)$

이므로

점 P의 시각 t에서의 속도는 $(e^{2t}(2\cos t-\sin t),\ e^{2t}(2\sin t+\cos t))$

이때 점 P의 속력이 $\sqrt{5}e^4$이므로

$\sqrt{e^{4t}(2\cos t-\sin t)^2+e^{4t}(2\sin t+\cos t)^2}=e^{2t}\sqrt{5(\sin^2 t+\cos^2 t)}=\sqrt{5}e^{2t}$

$\sqrt{5}e^{2t}=\sqrt{5}e^4\quad\therefore t=2$

STEP B $t=2$일 때, 점 P의 가속도의 크기 구하기

$\frac{d^2x}{dt^2}=2e^{2t}(2\cos t-\sin t)+e^{2t}(-2\sin t-\cos t)=e^{2t}(3\cos t-4\sin t)$

$\frac{d^2y}{dt^2}=2e^{2t}(2\sin t+\cos t)+e^{2t}(2\cos t-\sin t)=e^{2t}(3\sin t+4\cos t)$이므로

점 P의 시각 t에서 가속도는 $(e^{2t}(3\cos t-4\sin t),\ e^{2t}(3\sin t+4\cos t))$

이므로 가속도의 크기는

$\sqrt{e^{4t}(3\cos t-4\sin t)^2+e^{4t}(3\sin t+4\cos t)^2}=e^{2t}\sqrt{25(\cos^2 t+\sin^2 t)}=5e^{2t}$

따라서 $t=2$에서 점 P의 가속도의 크기는 $5e^4$　 ④

1542

정답 ③

STEP A 점 P의 속력이 $\sqrt{2}e^\pi$일 때, 시간 구하기

$\frac{dx}{dt}=e^t(\cos t-\sin t),\ \frac{dy}{dt}=e^t(\sin t+\cos t)$이고

점 P의 속력이 $\sqrt{2}e^\pi$이므로

$\sqrt{\{e^t(\cos t-\sin t)\}^2+\{e^t(\sin t+\cos t)\}^2}=\sqrt{2}e^\pi$

$\sqrt{2}e^t=\sqrt{2}e^\pi\quad\therefore t=\pi$

STEP B 점 P의 가속도 구하기

$\frac{d^2x}{dt^2}=-2e^t\sin t,\ \frac{d^2y}{dt^2}=2e^t\cos t$이므로

$t=\pi$에서 점 P의 가속도는 $(0,\ -2e^\pi)$

따라서 $a=0,\ b=-2e^\pi$이므로 $a+b=-2e^\pi$

1543

정답 ①

STEP A 점 P의 속도와 가속도 구하기

$\frac{dx}{dt}=2at-a\cos t$, $\frac{dy}{dt}=1+a\sin t$

$\frac{d^2x}{dt^2}=2a+a\sin t$, $\frac{d^2y}{dt^2}=a\cos t$이므로

점 P의 시각 t에서의 가속도는 $(2a+a\sin t,\ a\cos t)$

STEP B $t=\pi$에서의 가속도의 크기가 $\sqrt{5}$임을 이용하여 a의 값 구하기

점 P의 시각 $t=\pi$에서의 가속도 $(2a+a\sin\pi,\ a\cos\pi)$

즉 $(2a,\ -a)$이므로

가속도의 크기는 $\sqrt{4a^2+a^2}=\sqrt{5}a$

가속도의 크기가 $\sqrt{5}$이므로 $\sqrt{5}a=\sqrt{5}$

따라서 $a=1$

1544

STEP A 점 P에서 속도 구하기

$x=a(t-\sin t)$, $y=a(1-\cos t)$에서

$\frac{dx}{dt}=a(1-\cos t)$, $\frac{dy}{dt}=a\sin t$

$\frac{d^2x}{dt^2}=a\sin t$, $\frac{d^2y}{dt^2}=a\cos t$

STEP B 가속도의 크기가 $\sqrt{10}$일 때, 양수 a 구하기

점 P의 가속도의 크기가 $\sqrt{10}$이므로

$\sqrt{(a\sin t)^2+(a\cos t)^2}=a\sqrt{\sin^2 t+\cos^2 t}=a=\sqrt{10}$

따라서 $a=\sqrt{10}$

1545

STEP A 점 P의 속력이 최대가 되는 값 구하기

$x=1-\cos 4t$에서 $\frac{dx}{dt}=4\sin 4t$

$y=\frac{1}{4}\sin 4t$에서 $\frac{dy}{dt}=\cos 4t$

점 P의 시각 t에서 속도는 $(4\sin 4t,\ \cos 4t)$이므로

점 P의 속력은

$$\begin{aligned}\sqrt{(4\sin 4t)^2+(\cos 4t)^2}&=\sqrt{16\sin^2 4t+\cos^2 4t}\\&=\sqrt{16\sin^2 4t+(1-\sin^2 4t)}\\&=\sqrt{15\sin^2 4t+1}\end{aligned}$$

이때 점 P는 $\sin^2 4t=1$일 때, 속력이 최대이고

$\cos^2 4t=0$이다. ⬅ $\cos^2 4t=1-\sin^2 4t$

STEP B 점 P의 가속도의 크기 구하기

또한, $\frac{d^2x}{dt^2}=16\cos 4t$, $\frac{d^2y}{dt^2}=-4\sin 4t$

점 P의 시각 t에서 가속도는 $(16\cos 4t,\ -4\sin 4t)$이므로

점 P의 가속도의 크기는

$$\sqrt{\left(\frac{d^2x}{dt^2}\right)^2+\left(\frac{d^2y}{dt^2}\right)^2}=\sqrt{256\cos^2 4t+16\sin^2 4t}$$

따라서 점 P 속력이 최대일 때, 가속도의 크기는 $\sqrt{256\cdot 0+16\cdot 1}=4$

⬅ $\sin^2 4t=1$, $\cos^2 4t=0$

1546

정답 ③

STEP A 점 P의 속도의 크기가 최대가 되는 $\sin t$의 값 구하기

$\frac{dx}{dt}=1+2\sin t$, $\frac{dy}{dt}=-\sqrt{3}\cos t$

점 P의 시각 t에서 속도는 $(1+2\sin t,\ -\sqrt{3}\cos t)$이므로

점 P의 속도의 크기는

$$\begin{aligned}\sqrt{\left(\frac{dx}{dt}\right)^2+\left(\frac{dy}{dt}\right)^2}&=\sqrt{(1+2\sin t)^2+(-\sqrt{3}\cos t)^2}\\&=\sqrt{1+4\sin t+4\sin^2 t+3\cos^2 t}\\&=\sqrt{1+4\sin t+4\sin^2 t+3(1-\sin^2 t)}\\&=\sqrt{\sin^2 t+4\sin t+4}\\&=\sqrt{(\sin t+2)^2}\\&=\sin t+2\end{aligned}$$

$-1\le\sin t\le 1$이므로 $\sin t=1$일 때, 점 P의 속도의 크기는 최대이다.

STEP B 점 P의 가속도의 크기 구하기

$\frac{d^2x}{dt^2}=2\cos t$, $\frac{d^2y}{dt^2}=\sqrt{3}\sin t$

점 P의 시각 t에서 가속도는 $(2\cos t,\ \sqrt{3}\sin t)$이므로

점 P의 가속도의 크기는

$$\begin{aligned}\sqrt{\left(\frac{d^2x}{dt^2}\right)^2+\left(\frac{d^2y}{dt^2}\right)^2}&=\sqrt{(2\cos t)^2+(\sqrt{3}\sin t)^2}\\&=\sqrt{4\cos^2 t+3\sin^2 t}\\&=\sqrt{4-4\sin^2 t+3\sin^2 t}\\&=\sqrt{4-\sin^2 t}\end{aligned}$$

따라서 점 P 속도의 크기가 최대가 되는 것은 $\sin t=1$이므로 가속도의 크기는 $\sqrt{4-1}=\sqrt{3}$

1547

STEP A 점 P의 속력이 최대가 되는 값 구하기

$x=t+\cos t$, $y=2\sin t$에서

$\frac{dx}{dt}=1-\sin t$, $\frac{dy}{dt}=2\cos t$이므로

점 P의 시각 t에서 속도는 $(1-\sin t,\ 2\cos t)$이므로

점 P의 속력은

$$\begin{aligned}\sqrt{(1-\sin t)^2+(2\cos t)^2}&=\sqrt{-3\sin^2 t-2\sin t+5}\\&=\sqrt{-3\left(\sin t+\frac{1}{3}\right)^2+\frac{16}{3}}\end{aligned}$$

$-1\le\sin t\le 1$에서 점 P의 속력이 최대가 되는 $\sin t=-\frac{1}{3}$

STEP B $\sin t=-\frac{1}{3}$일 때, 점 P의 가속도의 크기 구하기

또, $\frac{d^2x}{dt^2}=-\cos t$, $\frac{d^2y}{dt^2}=-2\sin t$이므로

점 P의 시각 t에서 가속도는 $(-\cos t,\ -2\sin t)$이므로

점 P의 가속도의 크기는

$\sqrt{(-\cos t)^2+(-2\sin t)^2}=\sqrt{1-\sin^2 t+4\sin^2 t}=\sqrt{1+3\sin^2 t}$

따라서 점 P의 속력이 최대가 되는 시각에서의 가속도의 크기는

$\sin t=-\frac{1}{3}$일 때의 가속도의 크기이므로 가속도의 크기는

$$\sqrt{1+3\cdot\left(-\frac{1}{3}\right)^2}=\sqrt{\frac{4}{3}}=\frac{2\sqrt{3}}{3}$$

내신연계 출제문항 605

좌표평면 위를 움직이는 점 P의 시각 $t(t>0)$에서의 위치 $(x,\ y)$가

$$x=2\cos t,\ y=t-\sin t$$

이다. 점 P의 속력의 최댓값은?

① $\frac{\sqrt{3}}{3}$　② $\frac{2\sqrt{3}}{3}$　③ $\sqrt{3}$
④ $\frac{4\sqrt{3}}{3}$　⑤ $\frac{5\sqrt{3}}{3}$

STEP Ⓐ **점 P의 시각 t에서의 속도 구하기**

$x=2\cos t,\ y=t-\sin t$에서

$\frac{dx}{dt}=-2\sin t,\ \frac{dy}{dt}=1-\cos t$

점 P의 시각 t에서 속도 $(-2\sin t,\ 1-\cos t)$

STEP Ⓑ **점 P의 속력의 최댓값을 구하기**

점 P의 속력은

$$\begin{aligned}\sqrt{(-2\sin t)^2+(1-\cos t)^2}&=\sqrt{4\sin^2 t+1-2\cos t+\cos^2 t}\\&=\sqrt{4(1-\cos^2 t)+1-2\cos t+\cos^2 t}\\&=\sqrt{-3\cos^2 t-2\cos t+5}\\&=\sqrt{-3\left(\cos t+\frac{1}{3}\right)^2+\frac{16}{3}}\end{aligned}$$

따라서 $-1\le\cos t\le 1$에서 $\cos t=-\frac{1}{3}$일 때, 속력의 최댓값은

$\sqrt{\frac{16}{3}}=\frac{4\sqrt{3}}{3}$

 정답 ④

1548

 정답 ③

STEP Ⓐ **축구공이 지면에 떨어질 때 시각 구하기**

축구공이 지면에 떨어지는 시각은 $y=0$일 때이므로

$10\sqrt{3}t-5t^2=0,\ 5t(2\sqrt{3}-t)=0$

$\therefore t=2\sqrt{3}\ (t\neq 0$이기 때문)

STEP Ⓑ **축구공이 지면에 떨어질 때의 속력 구하기**

$\frac{dx}{dt}=10,\ \frac{dy}{dt}=10\sqrt{3}-10t$이므로

시각 t에서 축구공의 속도는 $(10,\ 10\sqrt{3}-10t)$

따라서 $t=2\sqrt{3}$일 때, 축구공의 속도는 $(10,\ -10\sqrt{3})$이므로

축구공이 지면에 다시 떨어질 때의 속력은 $\sqrt{10^2+(-10\sqrt{3})^2}=20(\mathrm{m/s})$

1549

 정답 ①

STEP Ⓐ **축구공이 지면에 떨어질 때 시각 구하기**

축구공이 지면에 떨어지는 순간의 높이는 $0\mathrm{m}$이므로

$5t-5t^2=0\quad\therefore t=1$

STEP Ⓑ **축구공이 지면에 떨어질 때의 속력 구하기**

$\frac{dx}{dt}=5\sqrt{3},\ \frac{dy}{dt}=5-10t$이므로

$t=1$에서의 속도는 $(5\sqrt{3},\ 5-10)=(5\sqrt{3},\ -5)$

따라서 $t=1$에서의 속도의 크기는

$\sqrt{(5\sqrt{3})^2+(-5)^2}=\sqrt{75+25}=\sqrt{100}=10(\mathrm{m/s})$

내신연계 출제문항 606

골프 선수인 윤아가 수평면으로부터 $45°$의 각을 이루는 방향으로 $20\mathrm{m/s}$의 속력으로 골프공을 쳤다.
이 공의 t초 후의 수평 방향의 위치 $x\mathrm{m}$와 수직 방향의 위치 $y\mathrm{m}$가

$$x=10\sqrt{2}t,\ y=-5t^2+10\sqrt{2}t$$

일 때, 골프공이 지면에 떨어질 때의 속력은? (단위는 $\mathrm{m/s}$)

① 10　② 15　③ 20
④ 25　⑤ 30

STEP Ⓐ **골프공이 지면에 떨어질 때 시각 구하기**

골프공이 지면에 다시 떨어지면 $y=0$이므로

$-5t^2+10\sqrt{2}t=5t(-t+2\sqrt{2})=0$

$\therefore t=2\sqrt{2}$

STEP Ⓑ **골프공이 지면에 떨어질 때의 속력 구하기**

이때 $\frac{dx}{dt}=10\sqrt{2},\ \frac{dy}{dt}=-10t+10\sqrt{2}$이므로

$t=2\sqrt{2}$에서 속도는 $(10\sqrt{2},\ -10\sqrt{2})$

따라서 $t=2\sqrt{2}$일 때, 속력은 $\sqrt{(10\sqrt{2})^2+(-10\sqrt{2})^2}=20(\mathrm{m/s})$

 정답 ③

1550

 정답 ④

STEP Ⓐ **공이 최고점에 도달할 때까지 걸린 시간 구하기**

공이 최고점에 도달할 때까지 걸린 시간은 속도는 $\frac{dy}{dt}=0$이므로

$\frac{dy}{dt}=10\sqrt{2}-10t$에서 $10\sqrt{2}-10t=0$

$\therefore t=\sqrt{2}$

STEP Ⓑ **공이 지면에 떨어질 때의 속력 구하기**

$\frac{dx}{dt}=10\sqrt{2},\ \frac{dy}{dt}=10\sqrt{2}-10t$이므로

시각 t에서 속도는 $(10\sqrt{2},\ 10\sqrt{2}-10t)$

공이 지면에 다시 떨어질 때 위치의 y좌표가 0이므로

$10\sqrt{2}t-5t^2=0,\ 5t(2\sqrt{2}-t)=0$

$\therefore t=2\sqrt{2}$

이때 $t=2\sqrt{2}$에서 속도는 $(10\sqrt{2},\ -10\sqrt{2})$이므로

공이 지면에 다시 떨어질 때의 속력은

$\sqrt{(10\sqrt{2})^2+(-10\sqrt{2})^2}=20(\mathrm{m/s})$

STEP Ⓒ **ab의 값 구하기**

따라서 $a=\sqrt{2},\ b=20$이므로 $ab=20\sqrt{2}$

STEP 2 서술형 기출유형

1551

정답 해설참조

1단계 주어진 방정식은 $x=1$을 근으로 가짐을 보인다. ◀ 20%

주어진 방정식에 $x=1$을 대입하면 $e-e=0$이므로 주어진 방정식은 $x=1$을 근으로 갖는다.

2단계 함수 $y=e^x-\frac{e}{x}$의 그래프와 x축이 만나는 점의 개수를 조사한다. ◀ 40%

$f(x)=e^x-\frac{e}{x}$이라 하면

$f'(x)=e^x+\frac{e}{x^2}$이므로 $f'(x)>0\left(\because e^x>0,\ \frac{e}{x^2}>0\right)$

함수 $f(x)$는 실수 전체에서 증가하고 $f(1)=0$이므로

함수 $f(x)=e^x-\frac{e}{x}$의 그래프와 x축의 교점은 1개이다.

3단계 1, 2단계에서 방정식 $e^x-\frac{e}{x}=0$의 실근이 1뿐임을 서술하여라. ◀ 40%

주어진 방정식이 $x=1$을 근으로 갖고 함수 $y=e^x-\frac{e}{x}$의 그래프는 x축과 오직 한 점에서 만나므로 방정식 $e^x-\frac{e}{x}=0$의 실근은 1뿐이다.

1552

정답 해설참조

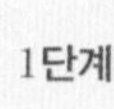

1단계 방정식 $\frac{e^x}{x}=n-4$의 서로 다른 실근의 개수를 a_n이라 할 때, $\sum_{n=1}^{10}a_n$의 값을 구한다. ◀ 50%

방정식 $\frac{e^x}{x}=n-4$에서 $f(x)=\frac{e^x}{x}\ (x\neq 0)$이라 놓으면

$f'(x)=\frac{e^x x-e^x}{x^2}=\frac{(x-1)e^x}{x^2}$

$f'(x)=0$에서 $x=1\ (\because e^x>0)$

함수 $f(x)$의 증가와 감소를 표로 나타내면 다음과 같다.

x	$\cdots$	(0)	$\cdots$	1	$\cdots$
$f'(x)$	$-$		$-$	0	$+$
$f(x)$	↘		↘	e	↗

이때 $\lim_{x\to 0-}f(x)=-\infty$, $\lim_{x\to 0+}f(x)=\infty$, $\lim_{x\to -\infty}f(x)=0$, $\lim_{x\to\infty}f(x)=\infty$이므로

함수 $y=f(x)$의 그래프는 오른쪽과 같다.

따라서 곡선 $y=f(x)$와 직선 $y=n-4$의 교점의 개수는

$n-4<0$, 즉 $n<4$일 때 1개

$0\le n-4<e$, 즉 $4\le n<e+4$일 때 0개

$n-4=e$, 즉 $n=e+4$일 때 1개

$n-4>e$, 즉 $n>e+4$일 때 2개이다.

$a_1=a_2=a_3=1$, $a_4=a_5=a_6=0$, $a_7=a_8=a_9=a_{10}=2$

이므로

$\sum_{n=1}^{10}a_n=1\times 3+0\times 3+2\times 4=11$

2단계 방정식 $\frac{\ln x}{x}=\frac{1}{n}$의 서로 다른 실근의 개수를 a_n이라 할 때, $\sum_{n=1}^{10}a_n$의 값을 구한다. ◀ 50%

방정식 $\frac{\ln x}{x}=\frac{1}{n}$에서 $f(x)=\frac{\ln x}{x}\ (x>0)$라 놓으면

$f'(x)=\frac{\frac{1}{x}\times x-\ln x}{x^2}=\frac{1-\ln x}{x^2}$

$f'(x)=0$에서 $1-\ln x=0$이므로 $x=e$이다.

$x>0$에서 함수 $f(x)$의 증가와 감소를 표로 나타내면 다음과 같다.

x	(0)	$\cdots$	e	$\cdots$
$f'(x)$		$+$	0	$-$
$f(x)$		↗	$\frac{1}{e}$	↘

이때 $\lim_{x\to 0+}f(x)=-\infty$, $\lim_{x\to\infty}f(x)=0$이므로

함수 $y=f(x)$의 그래프는 다음과 같다.

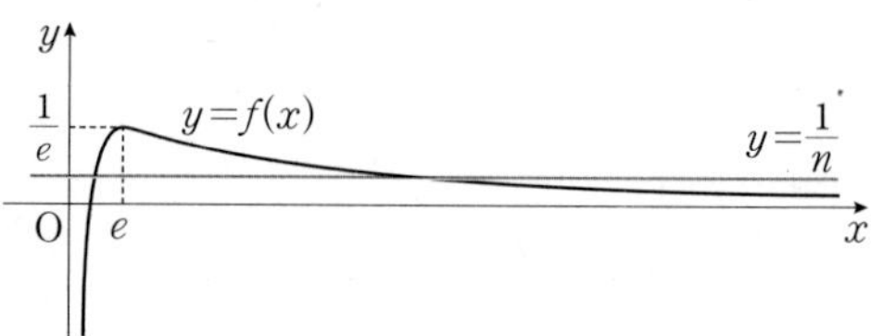

곡선 $y=f(x)$와 직선 $y=\frac{1}{n}$의 교점의 개수는

$0<\frac{1}{n}<\frac{1}{e}$, 즉 $n>e$일 때 2개

$\frac{1}{n}=\frac{1}{e}$, 즉 $n=e$일 때 1개

$\frac{1}{n}>\frac{1}{e}$, 즉 $0<n<e$일 때 0개

따라서 $a_1=a_2=0$, $a_3=a_4=\cdots=a_{10}=2$이므로 $\sum_{n=1}^{10}a_n=0\times 2+2\times 8=16$

1553

정답 해설참조

1단계 주어진 방정식을 $f(x)=k$꼴로 변형하여 $y=f(x)$의 그래프 개형을 그린다. ◀ 50%

$\ln x-kx=0$에서 $x>0$이므로 $k=\frac{\ln x}{x}$

$f(x)=\frac{\ln x}{x}$로 놓으면 $f'(x)=\frac{\frac{1}{x}\cdot x-\ln x}{x^2}=\frac{1-\ln x}{x^2}$

$f'(x)=0$

$\ln x=1$에서 $x=e$

함수 $f(x)$의 증가와 감소를 표로 정리하면 다음과 같다.

x	(0)	$\cdots$	e	$\cdots$
$f'(x)$		$+$	0	$-$
$f(x)$		↗	$\frac{1}{e}$	↘

이때 $\lim_{x\to\infty}\frac{\ln x}{x}=0$, $\lim_{x\to 0+}\frac{\ln x}{x}=-\infty$이므로 x축이 점근선이다.

함수 $f(x)$는 $x=e$일 때, 극대이고 극댓값은 $f(e)=\frac{1}{e}$이므로

그래프의 개형은 다음 그림과 같다.

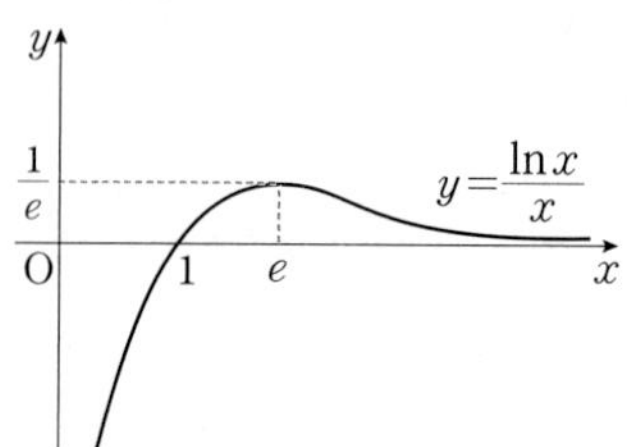

2단계 함수 $y=f(x)$와 직선 $y=k$의 교점의 개수를 만족하는 k의 범위를 다음 표에 나타낸다. ◀ 50%

방정식 $\ln x-kx=0$, 즉 $f(x)=k$의 서로 다른 실근의 개수는 k의 범위는 다음과 같다.

실근의 개수	k의 범위
0	$k>\frac{1}{e}$
1	$k=\frac{1}{e}$, $k\le 0$
2	$0<k<\frac{1}{e}$

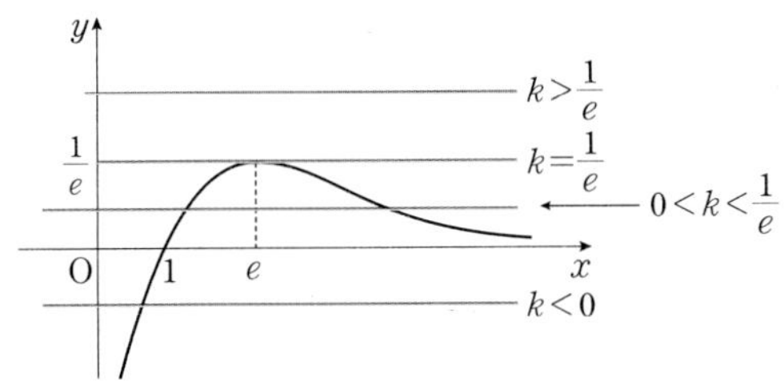

1554

정답 해설참조

1단계 모든 실수 x에 대하여 부등식 $e^x \ge x+1$이 성립함을 서술한다. ◀ 30%

$f(x)=e^x-x-1$이라 하면 $f'(x)=e^x-1$

$f'(x)=0$을 만족시키는 x의 값은 $x=0$

함수 $f(x)$의 증가와 감소를 표로 나타내고 이를 이용하여 그래프를 그리면 다음과 같다.

x	$\cdots$	0	$\cdots$
$f'(x)$	$-$	0	$+$
$f(x)$	↘	0	↗

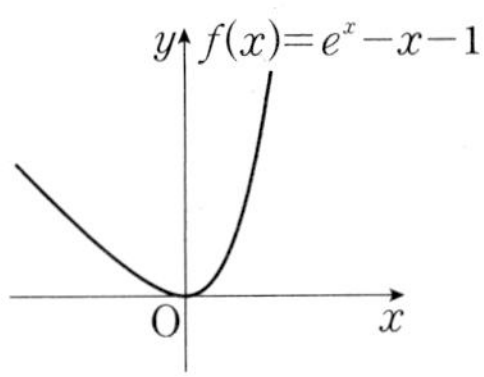

함수 $f(x)$는 $x=0$에서 최소이고 최솟값은 0이므로 모든 실수 x에 대하여

$e^x-x-1\ge 0$

따라서 모든 실수 x에 대하여 부등식 $e^x \ge x+1$이 성립한다.

2단계 $x>0$일 때, 부등식 $x\ln x \ge x-1$이 성립함을 서술한다. ◀ 30%

$f(x)=x\ln x-x+1$이라 하면 $f'(x)=\ln x$

$f'(x)=0$에서 $x=1$

x	0	$\cdots$	1	$\cdots$
$f'(x)$		$-$	0	$+$
$f(x)$		↘	0	↗

함수 $f(x)$는 $x=1$에서 최소이고 최솟값은 0이므로

$x>0$인 모든 x에 대하여 $x\ln x-x+1\ge 0$

따라서 $x>0$일 때, 부등식 $x\ln x\ge x-1$이 성립한다.

3단계 $x\ge 0$일 때, 부등식 $x\ge \ln(x+1)$이 성립함을 서술한다. ◀ 40%

$f(x)=x-\ln(x+1)$이라고 하면

$f'(x)=1-\frac{1}{x+1}$

$f'(x)=0$에서 $x=0$

$x\ge 0$일 때, 함수 $f(x)$의 증가와 감소를 표로 나타내면 다음과 같다.

x	0	$\cdots$
$f'(x)$	0	$+$
$f(x)$	0	↗

이때 함수 $f(x)$의 최솟값이 0이므로 $f(x)\ge 0$, 즉 $x-\ln(x+1)\ge 0$

따라서 $x\ge 0$일 때, 부등식 $x\ge \ln(x+1)$이 성립한다.

1555

정답 해설참조

1단계 $f(x)=\tan x-2x$로 놓고 $-\frac{\pi}{2}<x<\frac{\pi}{2}$에서 증감표를 작성한다. ◀ 40%

$f(x)=\tan x-2x$라 하면 $f'(x)=\sec^2 x-2$

$f'(x)=0$에서 $\sec^2 x=2$, 즉 $\cos^2 x=\frac{1}{2}$

$-\frac{\pi}{2}<x<\frac{\pi}{2}$이므로 $x=-\frac{\pi}{4}$ 또는 $x=\frac{\pi}{4}$

$-\frac{\pi}{2}<x<\frac{\pi}{2}$에서 함수 $f(x)$의 증가와 감소를 표로 나타내면 다음과 같다.

x	$\left(-\frac{\pi}{2}\right)$	$\cdots$	$-\frac{\pi}{4}$	$\cdots$	$\frac{\pi}{4}$	$\cdots$	$\left(\frac{\pi}{2}\right)$
$f'(x)$		$+$	0	$-$	0	$+$	
$f(x)$		↗	극대	↘	극소	↗	

2단계 함수 $f(x)$의 극댓값과 극솟값을 구하여 그래프의 개형을 그린다. ◀ 40%

함수 $f(x)$는 $x=-\frac{\pi}{4}$에서 극대이고 극댓값은 $f\left(-\frac{\pi}{4}\right)=\frac{\pi}{2}-1$

$x=\frac{\pi}{4}$에서 극소이고 극솟값은 $f\left(\frac{\pi}{4}\right)=1-\frac{\pi}{2}$를 갖는다

또한, $\lim_{x\to -\frac{\pi}{2}+} f(x)=-\infty$, $\lim_{x\to \frac{\pi}{2}-} f(x)=\infty$이므로

함수 $y=f(x)$의 그래프의 개형은 다음 그림과 같다.

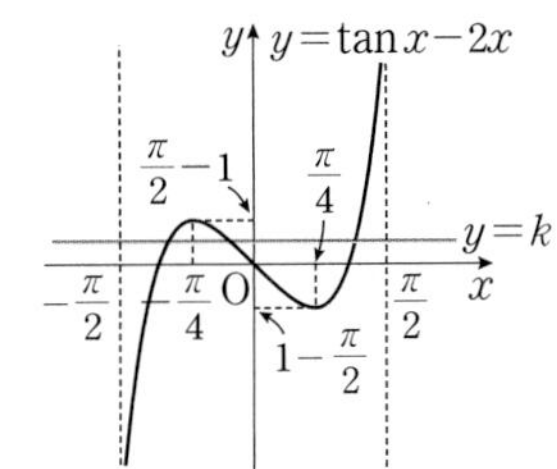

3단계 방정식 $f(x)=k$가 서로 다른 세 실근을 갖도록 하는 실수 k의 값의 범위를 구한다. ◀ 20%

따라서 방정식 $f(x)=k$의 실근의 개수는 함수 $y=f(x)$의 그래프와 직선 $y=k$의 교점의 개수와 같으므로 방정식 $f(x)=k$가 서로 다른 세 실근을 갖도록 하는 실수 k의 값의 범위는 $1-\frac{\pi}{2}<k<\frac{\pi}{2}-1$

1556

정답 해설참조

1단계 $x^2-3+ke^{-x}\ge 0$의 양변에 e^x을 곱하여 $(x^2-3)e^x\ge -k$로 정리하여 $f(x)=(x^2-3)e^x$로 놓고 함수 $f(x)$의 증가와 감소를 표로 나타낸다. ◀ 50%

부등식 $x^2-3+ke^{-x}\ge 0$의 양변에 e^x을 곱하면

$(x^2-3)e^x+k\ge 0$, $(x^2-3)e^x\ge -k$

$f(x)=(x^2-3)e^x$이라 하면 $f'(x)=2xe^x+(x^2-3)e^x=(x^2+2x-3)e^x$

$f'(x)=0$에서 $x^2+2x-3=0$, $(x+3)(x-1)=0$

$\therefore x=-3$ 또는 $x=1$

$x\ge 0$일 때, 함수 $f(x)$의 증가와 감소를 표로 나타내면 다음과 같다.

x	0	$\cdots$	1	$\cdots$
$f'(x)$		$-$	0	$+$
$f(x)$	-3	↘	극소	↗

2단계 $x\ge 0$에서 함수 $f(x)$의 최솟값을 구한다. ◀ 20%

$x\ge 0$일 때, 함수 $f(x)$는 $x=1$에서 극소이고 최소이므로

최솟값은 $f(1)=-2e$를 갖는다.

3단계	실수 k의 최솟값을 구한다.	◀ 30%

부등식 $(x^2-3)e^x \geq -k$가 성립하기 위해서는 $-2e \geq -k$ $\quad \therefore k \geq 2e$
따라서 실수 k의 최솟값은 $2e$

1557

정답 해설참조

1단계	점 P의 속도를 구한다.	◀ 20%

$x=e^t\cos t,\ y=e^t\sin t$에서

$\dfrac{dx}{dt}=e^t\cos t-e^t\sin t=e^t(\cos t-\sin t)$

$\dfrac{dy}{dt}=e^t\sin t+e^t\cos t=e^t(\sin t+\cos t)$이므로

점 P의 시각 t에서의 속도는 $(e^t(\cos t-\sin t),\ e^t(\sin t+\cos t))$

2단계	점 P의 속도의 크기가 $e\sqrt{2e}$일 때, 시각을 구한다.	◀ 30%

점 P의 시각 t에서의 속도의 크기는

$\sqrt{e^{2t}(\cos t-\sin t)^2+e^{2t}(\sin t+\cos t)^2}=\sqrt{e^{2t}\cdot 2(\cos^2 t+\sin^2 t)}=\sqrt{2}e^t$

이때 $\sqrt{2}e^t=e\sqrt{2e}$일 때, $\sqrt{2}e^t=\sqrt{2}e^{\frac{3}{2}}$이므로 $t=\dfrac{3}{2}$

3단계	점 P의 가속도를 구한다.	◀ 30%

$\dfrac{d^2x}{dt^2}=(e^t\cos t-e^t\sin t)-(e^t\sin t+e^t\cos t)=-2e^t\sin t$

$\dfrac{d^2y}{dt^2}=(e^t\sin t+e^t\cos t)+(e^t\cos t-e^t\sin t)=2e^t\cos t$이므로

점 P의 시각 t에서의 가속도는 $(-2e^t\sin t,\ 2e^t\cos t)$

4단계	$t=2$에서 점 P의 가속도의 크기를 구한다.	◀ 20%

점 P의 시각 t에서의 가속도의 크기는

$\sqrt{(-2e^t\sin t)^2+(2e^t\cos t)^2}=\sqrt{4e^{2t}(\sin^2 t+\cos^2 t)}=2e^t$

따라서 $t=2$에서 점 P의 가속도의 크기는 $2e^2$

1558

정답 해설참조

1단계	점 P의 속도를 구한다.	◀ 20%

$x=1-\cos 3t,\ y=\dfrac{1}{3}\sin 3t$에서 $\dfrac{dx}{dt}=3\sin 3t,\ \dfrac{dy}{dt}=\cos 3t$이므로

점 P의 시각 t에서의 속도는 $(3\sin 3t,\ \cos 3t)$

2단계	점 P의 속도의 크기의 최댓값을 구한다.	◀ 30%

점 P의 시각 t에서의 속력은

$$\sqrt{\left(\frac{dx}{dt}\right)^2+\left(\frac{dy}{dt}\right)^2}=\sqrt{9\sin^2 3t+\cos^2 3t}$$
$$=\sqrt{8\sin^2 3t+(\sin^2 3t+\cos^2 3t)}$$
$$=\sqrt{8\sin^2 3t+1}$$

따라서 $0\leq \sin^2 3t\leq 1$이므로 속도의 크기의 최댓값은 $\sqrt{8+1}=\sqrt{9}=3$

3단계	점 P의 가속도를 구한다.	◀ 20%

$\dfrac{d^2x}{dt^2}=9\cos 3t,\ \dfrac{d^2y}{dt^2}=-3\sin 3t$이므로

점 P의 시각 t에서의 가속도는 $(9\cos 3t,\ -3\sin 3t)$

4단계	점 P의 가속도의 크기의 최댓값을 구한다.	◀ 30%

점 P의 시각 t에서의 가속도의 크기는

$$\sqrt{\left(\frac{d^2x}{dt^2}\right)^2+\left(\frac{d^2y}{dt^2}\right)^2}=\sqrt{81\cos^2 3t+9\sin^2 3t}$$
$$=\sqrt{72\cos^2 3t+9(\sin^2 3t+\cos^2 3t)}$$
$$=\sqrt{72\cos^2 3t+9}$$

따라서 $0\leq \cos^2 3t\leq 1$이므로 가속도의 크기의 최댓값은 $\sqrt{72+9}=\sqrt{81}=9$

1559

정답 해설참조

1단계	점 P의 속도를 구한다.	◀ 20%

$x=at^2+a\sin t,\ y=a\sin t\,(a>0)$에서

$\dfrac{dx}{dt}=2at+a\cos t,\ \dfrac{dy}{dt}=a\cos t$

2단계	점 P의 가속도를 구한다.	◀ 20%

$\dfrac{d^2x}{dt^2}=2a-a\sin t,\ \dfrac{d^2y}{dt^2}=-a\sin t$

3단계	$t=\frac{\pi}{2}$에서 점 P의 가속도의 크기가 $5\sqrt{2}$일 때, 상수 a의 값을 구한다.	◀ 30%

이때 $t=\dfrac{\pi}{2}$에서 가속도는 $(a,\ -a)$

가속도의 크기가 $5\sqrt{2}$이므로 $\sqrt{a^2+(-a)^2}=5\sqrt{2},\ a^2=25$

그런데 $a>0$이므로 $a=5$

4단계	$t=\frac{\pi}{2}$에서 점 P의 속력을 구한다.	◀ 30%

$\dfrac{dx}{dt}=10t+5\cos t,\ \dfrac{dy}{dt}=5\cos t$

따라서 $t=\dfrac{\pi}{2}$에서 속도는 $(5\pi,\ 0)$이므로 점 P의 속력은 $\sqrt{(5\pi)^2+0^2}=5\pi$

1560

정답 해설참조

1단계	돌이 최고 높이에 도달하는 시각을 구한다.	◀ 40%

최고 높이에서의 속도는 $\dfrac{dy}{dt}=0$이므로

$\dfrac{dy}{dt}=v_0\sin\alpha-gt$에서 $v_0\sin\alpha-gt=0$

$\therefore t=\dfrac{v_0}{g}\sin\alpha$

2단계	돌이 수평면에 닿는 순간의 속력을 구한다.	◀ 60%

$\dfrac{dx}{dt}=v_0\cos\alpha,\ \dfrac{dy}{dt}=v_0\sin\alpha-gt$이므로

시각 t에서

돌의 속도는 $(v_0\cos\alpha,\ v_0\sin\alpha-gt)$

돌의 속력은 $\sqrt{v_0^2\cos^2\alpha+(v_0\sin\alpha-gt)^2}=\sqrt{v_0^2-2v_0\sin\alpha\times gt+g^2t^2}$

이때 돌이 수평면에 닿는 순간은 $y=0$이므로

$v_0(\sin\alpha)t-\dfrac{1}{2}gt^2=0$에서 $t=\dfrac{2v_0}{g}\sin\alpha$

따라서 돌이 수평면에 닿는 순간의 속력은

$$\sqrt{v_0^2-2v_0\sin\alpha\times g\times\frac{2v_0}{g}\sin\alpha+g^2\times\left(\frac{2v_0}{g}\right)^2\sin^2\alpha}=\sqrt{v_0^2}=v_0$$

1561

정답 해설참조

1단계 시각 t(초)에서 점 P의 위치를 구한다. ◀ 40%

점 P가 점 $(3, 0)$을 출발하여 시계 반대 방향으로 매초 2라디안만큼 회전하므로 시각 t초 후 선분 OP가 x축의 양의 방향과 이루는 각의 크기는 $2t$이므로 시각 t초일 때의 점 P의 위치는

$x=3\cos 2t$, $y=3\sin 2t$

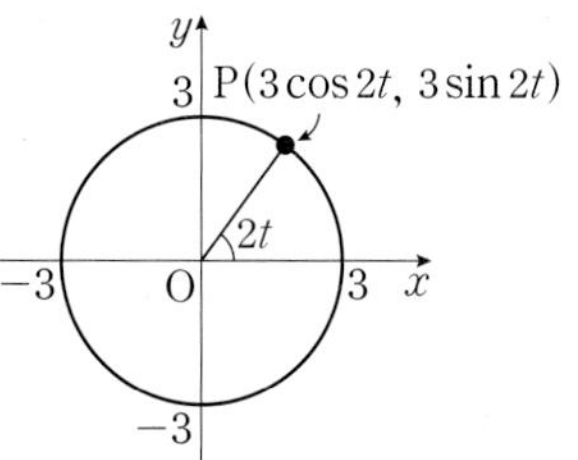

2단계 시각 t(초)에서 점 P의 속도와 속력을 구한다. ◀ 30%

$\frac{dx}{dt}=-6\sin 2t$, $\frac{dy}{dt}=6\cos 2t$이므로

점 P의 속도는 $(-6\sin 2t,\ 6\cos 2t)$이고

점 P의 속력은 $\sqrt{(-6\sin 2t)^2+(6\cos 2t)^2}=6\sqrt{\sin^2 2t+\cos^2 2t}=6$

3단계 시각 t(초)에서 점 P의 가속도와 가속도의 크기를 구한다. ◀ 30%

$\frac{d^2x}{dt^2}=-12\cos 2t$, $\frac{d^2y}{dt^2}=-12\sin 2t$이므로

점 P의 가속도는 $(-12\cos 2t,\ -12\sin 2t)$이고

점 P의 가속도의 크기는

$\sqrt{(-12\cos 2t)^2+(-12\sin 2t)^2}=12\sqrt{\cos^2 2t+\sin^2 2t}=12$

내신연계 출제문항 607

원 운동하는 물체 P를 원의 중심이 원점에 오도록 좌표평면 위에 위치시켰을 때, P가 점 $(0, 2)$를 출발하여 시계 반대 방향으로 매초 3라디안만큼 회전한다고 한다.

점 P의 시각 t초일 때의 위치를 (x, y)라 할 때, 다음 단계로 구하는 과정을 서술하여라.

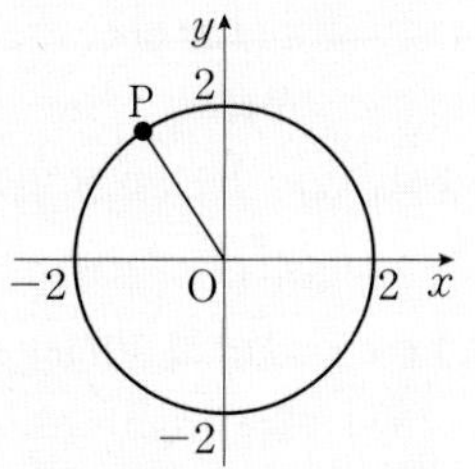

[1단계] 시각 t(초)에서 점 P의 위치를 구한다.
[2단계] 시각 t(초)에서 점 P의 속도와 속력을 구한다.
[3단계] 시각 t(초)에서 점 P의 가속도와 가속도의 크기를 구한다.

1단계 시각 t(초)에서 점 P의 위치를 구한다. ◀ 40%

점 P가 점 $(0, 2)$를 출발하여 시계 반대 방향으로 매초 3라디안만큼 회전하므로 시각 t초 후 선분 OP가 y축의 양의 방향과 이루는 각의 크기는 $3t$이므로 t초 후 동경 OP가 나타내는 각의 크기는 $\frac{\pi}{2}+3t$이다.

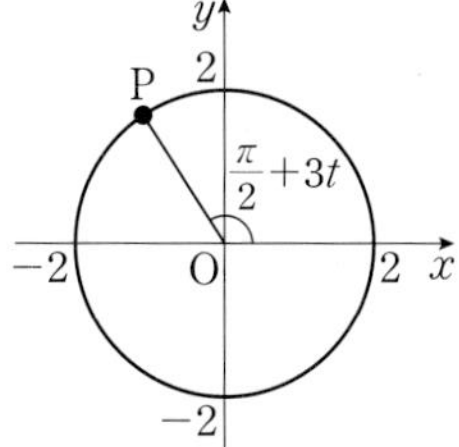

시각 t초일 때의 점 P의 위치는

$x=2\cos\left(\frac{\pi}{2}+3t\right)=-2\sin 3t$, $y=2\sin\left(\frac{\pi}{2}+3t\right)=2\cos 3t$

2단계 시각 t(초)에서 점 P의 속도와 속력을 구한다. ◀ 30%

$\frac{dx}{dt}=-6\cos 3t$, $\frac{dy}{dt}=-6\sin 3t$이므로

점 P의 속도는 $(-6\cos 3t,\ -6\sin 3t)$이고

점 P의 속력은 $\sqrt{(-6\cos 3t)^2+(-6\sin 3t)^2}=6\sqrt{\cos^2 3t+\sin^2 3t}=6$

3단계 시각 t(초)에서 점 P의 가속도와 가속도의 크기를 구한다. ◀ 30%

$\frac{d^2x}{dt^2}=18\sin 3t$, $\frac{d^2y}{dt^2}=-18\cos 3t$이므로

점 P의 가속도는 $(18\sin 3t,\ -18\cos 3t)$이고

점 P의 가속도의 크기는

$\sqrt{(18\sin 3t)^2+(-18\cos 3t)^2}=18\sqrt{\cos^2 3t+\sin^2 3t}=18$ 정답 해설참조

좌표평면 위에 중심이 원점이고 반지름의 길이가 r인 원 위를 움직이는 점 $P(x, y)$의 시각 t에서의 위치가 $x=r\cos t$, $y=r\sin t$

y
r
P($r\cos t$, $r\sin t$)
t
−r
O
r
x
−r

① 점 P의 시각 t에서의 속도는
$(-r\sin t,\ r\cos t)$

② 점 P의 시각 t에서의 속력은
$\sqrt{\left(\frac{dx}{dt}\right)^2+\left(\frac{dy}{dt}\right)^2}=\sqrt{(-r\sin t)^2+(r\cos t)^2}=r$

③ 점 P의 시각 t에서의 가속도는
$\left(\frac{d^2x}{dt^2},\ \frac{d^2y}{dt^2}\right)=(-r\cos t,\ -r\sin t)$

④ 점 P의 시각 t에서의 가속도의 크기는
$\sqrt{\left(\frac{d^2x}{dt^2}\right)^2+\left(\frac{d^2y}{dt^2}\right)^2}=\sqrt{(-r\cos t)^2+(-r\sin t)^2}=r$

등속 원운동에서 점 P의 시각 t에서의 위치가 $(r\cos\omega t,\ r\sin\omega t)$(단, $r>0$이고 $\omega\neq 0$인 실수)일 때, 점 P의 속도와 가속도가 수직이다.

1562

정답 해설참조

1단계 점 P의 시각 t에서의 위치 x, y의 좌표를 구한다. ◀ 50%

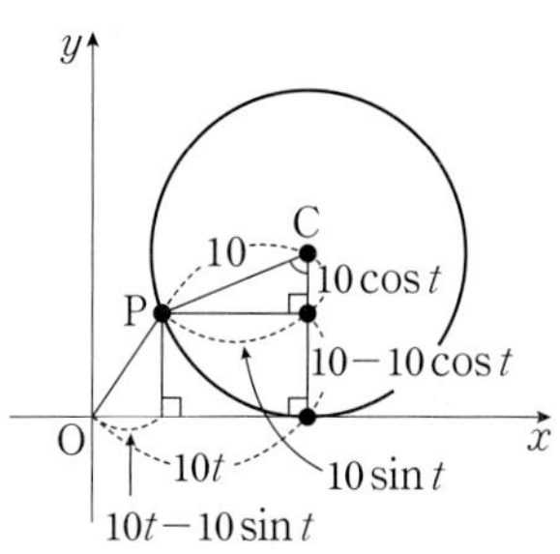

원 위의 한 점 P가 원점 O에 있다가 t초 후에 t라디안만큼 회전하므로

점 P의 좌표는 $x=10t-10\sin t$, $y=10-10\cos t$

2단계 $t=\pi$일 때, 점 P의 속력을 구한다. ◀ 30%

$\frac{dx}{dt}=10-10\cos t$, $\frac{dy}{dt}=10\sin t$

점 P의 시각 t에서 속도는 $(10-10\cos t,\ 10\sin t)$

점 P의 속력은

$\sqrt{(10-10\cos t)^2+(10\sin t)^2}=\sqrt{100-200\cos t+100(\cos^2 t+\sin^2 t)}$

$=10\sqrt{2(1-\cos t)}$(cm/s)

$t=\pi$일 때, 점 P의 속력은 $10\sqrt{4}=20$

3단계 $t=\pi$일 때, 점 P의 가속도를 구한다. ◀ 20%

$\frac{d^2x}{dt^2}=10\sin t$, $\frac{d^2y}{dt^2}=10\cos t$

점 P의 시각 t에서 가속도는 $(10\sin t,\ 10\cos t)$

따라서 $t=\pi$일 때, 점 P의 가속도는 $(0,\ -10)$

1563

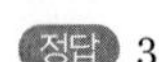 3

STEP A $f(x)$가 증가하는 함수이고 $f'(0)=g'(0)$을 이용하여 a의 최댓값 구하기

$f(x)=\tan 3x$, $g(x)=ax$라 하면
오른쪽 그림과 같이 $0<x<\frac{\pi}{6}$에서
$f(x)=\tan 3x$의 그래프가 $g(x)=ax$의
그래프보다 위쪽에 존재하면 된다.
$f'(x)=3\sec^2 3x$이므로 $0<x<\frac{\pi}{6}$에서
$f'(x)$는 증가하는 함수이다.
$f(0)=g(0)$이므로 $0<x<\frac{\pi}{6}$에서 $f(x)>g(x)$가 성립하려면
$x=0$에서 접할 때, a가 최대가 된다.
$f'(0)=g'(0)$에서 $3\sec^2 0=a$ $\quad\therefore 3=a$
따라서 a의 최댓값은 3

1564

 3

STEP A 주어진 방정식은 $g(x)=t$꼴로 변형하여 $y=g(x)$의 그래프 그리기

$g(x)=e^x(\sin x-\cos x)(0\le x\le 2\pi)$라 하면
$g(x)=0$에서 $\sin x=\cos x$이므로 $x=\frac{\pi}{4}$ 또는 $x=\frac{5}{4}\pi$
또한, $g'(x)=e^x(\sin x-\cos x)+e^x(\cos x+\sin x)$
$=2e^x\sin x\,(0<x<2\pi)$
$g'(x)=0$에서 $x=\pi$
즉 함수 $g(x)$의 증가와 감소를 표로 나타내면 다음과 같다.

x	0	$\cdots$	π	$\cdots$	2π
$g'(x)$		$+$	0	$-$	
$g(x)$	-1	↗	e^{π}	↘	$-e^{2\pi}$

함수 $y=g(x)$의 그래프는 개형은 다음 그림과 같다.

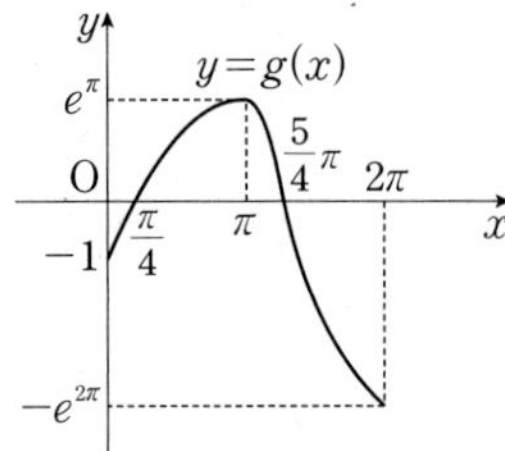

STEP B 함수 $y=f(t)$의 불연속인 점의 개수 구하기

따라서 $f(t)=\begin{cases}0 & (t<-e^{2\pi} \text{ 또는 } e^{\pi}<t)\\ 1 & (-e^{2\pi}\le t<-1 \text{ 또는 } t=e^{\pi})\\ 2 & (-1\le t<e^{\pi})\end{cases}$

이므로 함수 $y=f(t)$의 그래프는 그림과 같다.

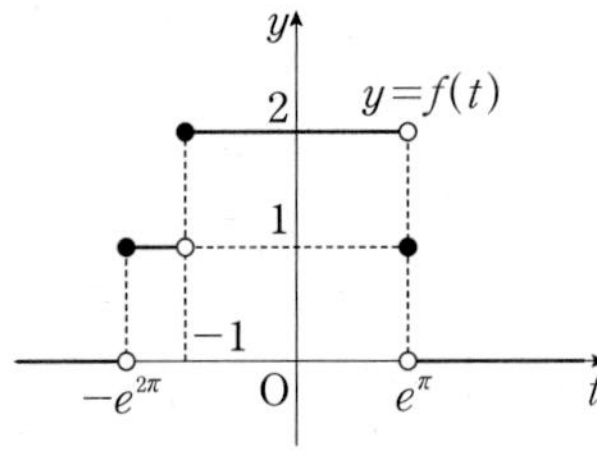

즉 함수 $y=f(t)$의 불연속인 점의 개수는 3이다.

1565

정답 25

STEP A $f(x)=x^2e^{ax}$의 그래프의 개형을 그리기

함수 $f(x)=x^2e^{ax}\,(a<0)$에서
$f'(x)=(x^2)'e^{ax}+x^2(e^{ax})'=2xe^{ax}+ax^2e^{ax}$
$=(ax^2+2x)e^{ax}=ax\left(x+\frac{2}{a}\right)e^{ax}$
$f(x)$의 증가와 감소를 표로 나타내면 다음과 같다.

x	$\cdots$	0	$\cdots$	$-\frac{2}{a}$	$\cdots$
$f'(x)$	$-$	0	$+$	0	$-$
$f(x)$	↘	0	↗	$\frac{4}{a^2e^2}$	↘

따라서 함수 $f(x)$는 $x=0$에서 극솟값 0을 갖고
$x=-\frac{2}{a}$에서 극댓값 $\frac{4}{a^2e^2}$를 갖는다.
또, $\lim_{x\to-\infty}f(x)=\infty$이고 $\lim_{x\to\infty}f(x)=0$이므로
함수 $f(x)=x^2e^{ax}\,(a<0)$의 그래프는 다음 그림과 같다.

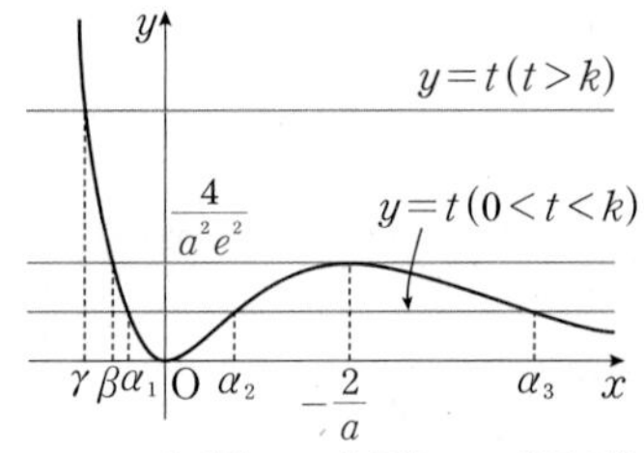

STEP B $g(t)$는 $0<t<k$ 또는 $t=k$ 또는 $t>k$로 나누어 불연속인 점 구하기

부등식 $f(x)\ge t\,(t>0)$을 만족시키는 x의 최댓값 $g(t)$에 대하여 $k=\frac{4}{a^2e^2}$라 하면 $g(t)$는 $0<t<k$ 또는 $t=k$ 또는 $t>k$로 나누어 생각할 수 있다.

(i) $0<t<k$일 때, 방정식 $f(x)=t$의 서로 다른 세 실근을 α_1, α_2, α_3라 하면 부등식 $f(x)\ge t$의 해는 그림에서 $x\le\alpha_1$ 또는 $\alpha_2\le x\le\alpha_3$이므로 부등식을 만족시키는 x의 최댓값은 α_3이므로 $g(t)=\alpha_3$

(ii) $t=k$일 때, 방정식 $f(x)=t$의 음의 실근을 β라 하면 부등식 $f(x)\ge t$의 해는 $x\le\beta$ 또는 $x=-\frac{2}{a}$이므로 $g(t)=-\frac{2}{a}$

(iii) $t>k$일 때, 방정식 $f(x)=t$의 실근을 γ라 하면 부등식 $f(x)\ge t$의 해는 $x\le\gamma$ 이므로 $g(t)=\gamma$

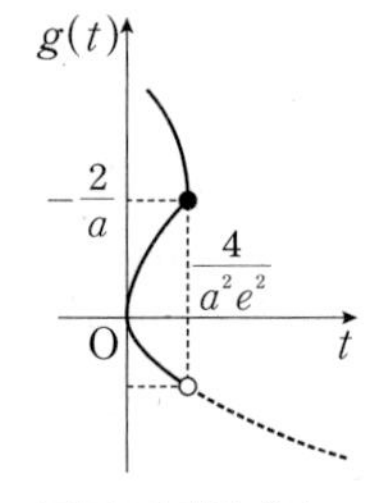

정의역이 $\left\{x\,|\,x<\beta,\ x\ge-\frac{2}{a}\right\}$인 함수
$h(x)$를 $h(x)=\begin{cases}h_1(x)=f(x) & (x<\beta)\\ h_2(x)=f(x) & \left(x\ge-\frac{2}{a}\right)\end{cases}$
라 정의하면 두 함수 $y=h_1(x)$와 $y=h_2(x)$는 각각의 정의역에서 일대일대응이므로 역함수를 갖는다.
또한, $y=h_1(x)$의 치역은 $\{y\,|\,y>k\}$이고 $y=h_2(x)$의 치역은 $\{y\,|\,0<y\le k\}$이므로 함수 $h(x)$의 역함수의 정의역은 $\{x\,|\,x>0\}$
이때 $h(x)=t$를 만족하는 x의 값은 방정식 $f(x)=t$의 해 중에서 최댓값이므로 $h(x)$의 역함수가 $g(t)$이다.
$g(t)$는 $0<t<k$, $t>k$인 모든 점에서 연속함수이므로
$t=k$에서의 연속성을 조사하면 된다.
$\lim_{t\to k-}g(t)=-\frac{2}{a}$에서 $a<0$이므로 $-\frac{2}{a}>0$
$\lim_{t\to k+}g(t)=\beta$에서 $\beta<0$이므로 $\lim_{t\to k-}g(t)\ne\lim_{t\to k+}g(t)$
즉 함수 $g(t)$는 $t=k$에서만 불연속이다.
$k=\frac{4}{a^2e^2}=\frac{16}{e^2}$, $\frac{4}{a^2}=16$ $\quad\therefore a^2=\frac{1}{4}$

따라서 $100a^2=100\cdot\frac{1}{4}=25$

1566

정답 15

STEP Ⓐ $f(x)$를 미분하여 a, b, c의 관계식 구하기

$f(x)=(ax^2+bx+c)e^x$에서

$f'(x)=(2ax+b)e^x+(ax^2+bx+c)e^x=\{ax^2+(2a+b)x+b+c\}e^x$

$f'(x)=0$에서 $ax^2+(2a+b)x+b+c=0$ …… ㉠

조건 (가)에서 방정식 ㉠의 두 근이 $-\sqrt{3}$, $\sqrt{3}$이므로 근과 계수에 의하여

$-\dfrac{2a+b}{a}=0$, $\dfrac{b+c}{a}=-3$ $\quad\therefore b=-2a$, $c=-a$

$\therefore f(x)=(ax^2-2ax-a)e^x$

STEP Ⓑ 평균값 정리를 이용하여 abc의 최댓값 구하기

조건 (나)에서 $0 \le x_1 < x_2$인 임의의 두 실수 x_1, x_2에 대하여

$f(x_1)-f(x_2)+x_2-x_1 \ge 0$이므로 양변을 x_2-x_1로 나누어 식을 정리하면

$\dfrac{f(x_1)-f(x_2)}{x_2-x_1} \ge -1\,(\because x_2-x_1>0)$

함수 $f(x)$가 닫힌구간 $[x_1, x_2]$에서 연속이고 열린구간 (x_1, x_2)에서

미분가능하므로 평균값 정리에 의하여 $\dfrac{f(x_1)-f(x_2)}{x_2-x_1}=f'(c)$인 c가

x_1과 x_2 사이에 존재한다.

$\therefore x>0$에서 $f'(x) \ge -1$

$f'(x)=(ax^2-3a)e^x$이므로 $x>0$일 때, 부등식 $(ax^2-3a)e^x \ge -1$이 성립한다.

$a>0$이므로 $(x^2-3)e^x \ge -\dfrac{1}{a}$ …… ㉠

$g(x)=(x^2-3)e^x$이라 하면

$g'(x)=2xe^x+(x^2-1)e^x=(x^2+2x-3)e^x=(x+3)(x-1)e^x$

$g'(x)=0$에서 $x=-3$ 또는 $x=1$

함수 $g(x)$의 증가와 감소를 표로 나타내면 다음과 같다.

x	(0)	$\cdots$	1	$\cdots$
$g'(x)$		$-$	0	$+$
$g(x)$		↘	극소	↗

즉 $x>0$일 때, $g(x)$는 $x=1$에서 최솟값을 갖는다.

$g(1)=-2e$이므로 부등식 ㉠이 $x>0$에서 항상 성립하려면 $-2e \ge -\dfrac{1}{a}$

즉 $a \le \dfrac{1}{2e}$이므로 $abc=a\times(-2a)\times(-a)=2a^3 \le 2\times\left(\dfrac{1}{2e}\right)^3=\dfrac{1}{4e^3}$

따라서 abc의 최댓값은 $\dfrac{1}{4e^3}$이므로 $k=\dfrac{1}{4}$ $\quad\therefore 60k=60\times\dfrac{1}{4}=15$

> **참고**
> $g''(x)=\{ax^2+bx+c-2(2ax+b)+2a\}$
> $f(x)$의 변곡점에서 $f'(x)$의 최솟값을 가지므로
> $f''(x)=a(x^2+2x-3)e^x=0$에서 $x=-3$ 또는 $x=1$
> $x \ge 0$을 만족하는 $x=1$에서 $f'(x)$의 최솟값을 갖는다.
> $f'(1)=-2ae=-1$에서 $a=\dfrac{1}{2e}$ $\quad\therefore a \le \dfrac{1}{2e}$

1567

정답 $\sqrt{2}$

STEP Ⓐ 점 P의 속력이 최대가 되는 값 구하기

$x=3\cos t-\sin t$, $y=3\cos t+\sin t$에서

$\dfrac{dx}{dt}=-3\sin t-\cos t$, $\dfrac{dy}{dt}=-3\sin t+\cos t$이므로

시각 t에서의 점 P의 속력은

$$\sqrt{\left(\dfrac{dx}{dt}\right)^2+\left(\dfrac{dy}{dt}\right)^2}=\sqrt{(-3\sin t-\cos t)^2+(-3\sin t+\cos t)^2}$$
$$=\sqrt{18\sin^2 t+2\cos^2 t}=\sqrt{18\sin^2 t+2(1-\sin^2 t)}$$
$$=\sqrt{16\sin^2 t+2}$$

점 P의 속력은 $\sin^2 t=1$일 때 최대이다.

STEP Ⓑ $\sin^2 t=1$일 때, 점 P의 가속도의 크기 구하기

또, $\dfrac{d^2x}{dt^2}=-3\cos t+\sin t$, $\dfrac{d^2y}{dt^2}=-3\cos t-\sin t$이므로

시각 t에서의 점 P의 가속도의 크기는

$$\sqrt{\left(\dfrac{d^2x}{dt^2}\right)^2+\left(\dfrac{d^2y}{dt^2}\right)^2}=\sqrt{(-3\cos t+\sin t)^2+(-3\cos t-\sin t)^2}$$
$$=\sqrt{18\cos^2 t+2\sin^2 t}=\sqrt{18(1-\sin^2 t)+2\sin^2 t}$$
$$=\sqrt{18-16\sin^2 t}$$

따라서 $\sin^2 t=1$인 시각 t에서의 점 P의 가속도의 크기는 $\sqrt{18-16}=\sqrt{2}$

1568

정답 $\dfrac{90\sqrt{109}}{109}$ m/s

STEP Ⓐ 자동차의 속도 구하기

자동차가 직선 도로 위를 30m/s의 속도로 달리므로 t초 후의 거리를 x라 하고

자동차의 관찰자로부터 거리를 y라 하면

$\dfrac{dx}{dt}=30$이고 $y=\sqrt{200^2+x^2}$이므로

$\dfrac{dy}{dt}=\dfrac{d}{dx}\sqrt{200^2+x^2}\times\dfrac{dx}{dt}=\dfrac{x}{\sqrt{200^2+x^2}}\times 30$

STEP Ⓑ 2초 후 자동차의 속도 구하기

관찰자의 정면을 통과하고 2초가 지난 후 $x=2\cdot 30=60$이므로

자동차가 관찰자로부터 멀어지는 속도는

$\dfrac{dy}{dt}=\dfrac{60}{\sqrt{200^2+60^2}}\times 30=\dfrac{90\sqrt{109}}{109}$ m/s

내신연계 출제문항 608

그림과 같이 직선도로 위의 A지점으로부터 도로에 수직으로 800m 떨어진 P지점에서 도로를 달리는 자동차의 속도를 측정하려고 한다. 초속 100m의 일정한 속도로 달리는 자동차 A지점을 지난 후 P지점에서 멀어지는 속력이 60m/초가 되는 순간은 몇 초 후인지 구하여라.

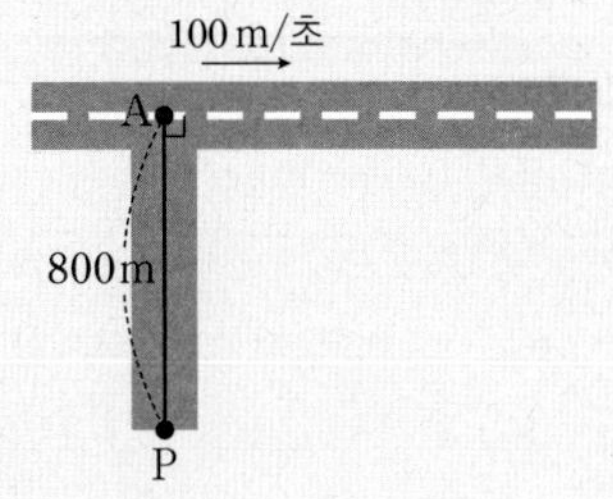

STEP Ⓐ 자동차의 속도 구하기

자동차가 A지점으로부터 멀어진 거리를 x라 하고

P지점으로부터 멀어진 거리를 y라 하면

$\dfrac{dx}{dt}=100$이고 $y=\sqrt{800^2+x^2}$이므로

$\dfrac{dy}{dt}=\dfrac{d}{dx}\sqrt{800^2+x^2}\times\dfrac{dx}{dt}=\dfrac{x}{\sqrt{800^2+x^2}}\times 100$

STEP Ⓑ A지점을 지난 후 P지점에서 멀어지는 속력이 60m/s이 되는 시각 구하기

$\dfrac{100x}{\sqrt{800^2+x^2}}=60$인 순간은 $5x=3\sqrt{800^2+x^2}$

$25x^2=9(800^2+x^2)$, $16x^2=9\times 800^2$

$x^2=600^2$ $\quad\therefore x=600\,(\because x>0)$

따라서 초속 100m인 자동차가 600m를 갈 때까지 걸린 시간은 6초 정답 6초

01 STEP 1 내신정복기출유형 여러 가지 함수의 적분법

1569

 ②

STEP A 접선의 기울기가 도함수임을 이용하여 $f'(x)$ 구하기

$f'(x)=\dfrac{x-1}{x}=1-\dfrac{1}{x}$이므로

$f(x)=\displaystyle\int\left(1-\frac{1}{x}\right)dx=x-\ln|x|+C$

STEP B $f(1)=0$을 이용하여 적분상수 구하기

곡선 $y=f(x)$가 점 $(1,\ 0)$지나므로 $f(1)=1-0+C=0$

$\therefore\ C=-1$

STEP C $f(e)$의 값 구하기

따라서 $f(x)=x-\ln|x|-1$이므로 $f(e)=e-2$

1570

 ②

STEP A 접선의 기울기가 도함수임을 이용하여 $f'(x)$ 구하기

$y=f(x)$ 위의 점 $(x,\ y)$에서의 접선의 기울기가 $-\dfrac{1}{x}$이므로

$f'(x)=-\dfrac{1}{x}$

STEP B $f(1)=0$을 이용하여 적분상수 구하기

$f(x)=-\ln|x|+C$

$x=1$에서 $y=-1+1=0$이므로 접점이 $(1,\ 0)$이므로

$f(1)=-\ln 1+C=C=0$

STEP C $f(e)$의 값 구하기

따라서 $f(x)=-\ln|x|$이므로 $f(e)=-\ln e=-1$

1571

 ①

STEP A 부정적분을 이용하여 $f(x)$ 구하기

$$\begin{aligned}f(x)&=\int\frac{(x-1)(x+2)}{x^2}dx\\&=\int\frac{x^2+x-2}{x^2}dx\\&=\int\left(1+\frac{1}{x}-\frac{2}{x^2}\right)dx\\&=x+\ln|x|+\frac{2}{x}+C\ (\text{단, } C\text{는 적분상수})\end{aligned}$$

STEP B $f(1)=2$를 만족하는 적분상수 구하기

$f(1)=2$이므로 $f(1)=1+0+2+C$

$2=1+0+2+C \quad \therefore\ C=-1$

STEP C $f(2)$의 값 구하기

따라서 $f(x)=x+\ln|x|+\dfrac{2}{x}-1$이므로 $f(2)=2+\ln 2$

1572

 ③

STEP A 접선의 기울기가 도함수임을 이용하여 $f'(x)$ 구하기

$y=f(x)$ 위의 점 $(x,\ y)$에서의 접선의 기울기가

$f'(x)=\dfrac{(2\sqrt{x}-1)^2}{x}=4-4x^{-\frac{1}{2}}+\dfrac{1}{x}$이므로

$f(x)=\displaystyle\int\left(4-4x^{-\frac{1}{2}}+\frac{1}{x}\right)dx=4x-8x^{\frac{1}{2}}+\ln|x|+C$

STEP B $f(1)=-3$을 이용하여 적분상수 구하기

곡선이 점 $(1,\ -3)$을 지나므로 $f(1)=-4+C=-3$에서 $C=1$

STEP C $f(4)$의 값 구하기

곡선이 점 $(4,\ a)$를 지나므로 $f(4)=\ln 4+1=a$

따라서 $a=2\ln 2+1$

1573

 ②

STEP A 함수 $f(x)$의 도함수 $f'(x)$ 구하기

$F'(x)=f(x)$이므로

$F(x)=xf(x)-x\sqrt{x}-x$의 양변을 x에 관하여 미분하면

$f(x)=f(x)+xf'(x)-\dfrac{3}{2}\sqrt{x}-1$에서 $f'(x)=\dfrac{3}{2}\dfrac{\sqrt{x}}{x}+\dfrac{1}{x}$

STEP B 부정적분을 이용하여 $f(x)$ 구하기

$f(x)=\displaystyle\int f'(x)dx=\int\left(\frac{3}{2}\frac{\sqrt{x}}{x}+\frac{1}{x}\right)dx=3\sqrt{x}+\ln|x|+C$

STEP C $f(1)=2$를 만족하는 적분상수를 구한 후 $f(e)$의 값 구하기

이때 $f(1)=3+0+C=2$

$\therefore\ C=-1$

따라서 $f(x)=3\sqrt{x}+\ln|x|-1$이므로 $f(e)=3\sqrt{e}+1-1=3\sqrt{e}$

내신연계 출제문항 609

미분가능한 함수 $f(x)$에 대하여 $f(x)$의 한 부정적분 $F(x)$가

$$F(x)=xf(x)-\sqrt{x},\ F(1)=0$$

을 만족할 때, $f(4)$는?

① $-\dfrac{1}{2}$ ② -1 ③ $\dfrac{3}{2}$
④ 2 ⑤ 3

STEP A 함수 $f(x)$의 도함수 $f'(x)$ 구하기

$F'(x)=f(x)$이므로

$F(x)=xf(x)-\sqrt{x}$의 양변을 x에 관하여 미분하면

$f(x)=f(x)+xf'(x)-\dfrac{1}{2\sqrt{x}}$에서 $f'(x)=\dfrac{1}{2x\sqrt{x}}$

STEP B 부정적분을 이용하여 $f(x)$ 구하기

$f(x)=\displaystyle\int f'(x)dx=\int\frac{1}{2x\sqrt{x}}dx=\frac{1}{2}\int x^{-\frac{3}{2}}dx=-\frac{1}{\sqrt{x}}+C$

STEP C $F(1)=0$을 만족하는 적분상수를 구한 후 $f(4)$의 값 구하기

이때 $F(1)=f(1)-1=0$에서 $f(1)=1$이므로

$f(1)=-1+C=1$에서 $C=2$

따라서 $f(x)=-\dfrac{1}{\sqrt{x}}+2$이므로 $f(4)=-\dfrac{1}{2}+2=\dfrac{3}{2}$

 ③

1574

정답 ②

STEP A 함수 $f(x)$의 도함수 $f'(x)$ 구하기

$F'(x)=f(x)$이므로 주어진 식의 양변을 x에 대하여 미분하면

$f(x)=f(x)+xf'(x)-2x+2,\ f'(x)=2-\dfrac{2}{x}$

STEP B 부정적분을 이용하여 $f(x)$ 구하기

$f(x)=\displaystyle\int\left(2-\frac{2}{x}\right)dx=2x-2\ln|x|+C$

STEP C $f(1)=0$을 만족하는 적분상수를 구한 후 $f\left(\dfrac{1}{e}\right)$의 값 구하기

이때 $f(1)=0$에서 $C=-2$

따라서 $f(x)=2x-2\ln|x|-2$ 이므로 $f\left(\dfrac{1}{e}\right)=\dfrac{2}{e}+2-2=\dfrac{2}{e}$

내신연계 출제문항 610

미분가능한 함수 $f(x)$의 한 부정적분이 $F(x)$라고 할 때, 다음 조건을 모두 만족시키는 $f(\sqrt{2})$의 값은?

> (가) $F(x)=xf(x)-\dfrac{1}{x}$
>
> (나) $f\left(\dfrac{1}{\sqrt{2}}\right)=2$

① 1 ② $\dfrac{7}{6}$ ③ $\dfrac{5}{4}$

④ 2 ⑤ $\dfrac{15}{7}$

STEP A 함수 $f(x)$의 도함수 $f'(x)$ 구하기

조건 (가)의 양변을 x에 대하여 미분하면

$f(x)=f(x)+xf'(x)+\dfrac{1}{x^2}$이므로 $f'(x)=-\dfrac{1}{x^3}$

STEP B 부정적분을 이용하여 $f(x)$ 구하기

$f(x)=\displaystyle\int\left(-\frac{1}{x^3}\right)dx=\frac{1}{2x^2}+C$

STEP C $f\left(\dfrac{1}{\sqrt{2}}\right)=2$를 만족하는 적분상수를 구한 후 $f(e)$의 값 구하기

조건 (나)에서 $f\left(\dfrac{1}{\sqrt{2}}\right)=1+C=2$

$\therefore C=1$

따라서 $f(x)=\dfrac{1}{2x^2}+1$이므로 $f(\sqrt{2})=\dfrac{5}{4}$

정답 ③

1575

정답 ①

STEP A 함수 $f(x)$의 도함수 $f'(x)$ 구하기

$F'(x)=f(x)$이므로

$F(x)=xf(x)-x^3+\ln x$의 양변을 x에 관하여 미분하면

$f(x)=f(x)+xf'(x)-3x^2+\dfrac{1}{x}$에서 $xf'(x)=3x^2-\dfrac{1}{x}$

$f'(x)=3x-\dfrac{1}{x^2}$

STEP B 부정적분을 이용하여 $f(x)$ 구하기

$f(x)=\displaystyle\int\left(3x-\frac{1}{x^2}\right)dx=\frac{3}{2}x^2+\frac{1}{x}+C$

STEP C $f(2)=\dfrac{1}{2}$을 만족하는 적분상수를 구한 후 $f\left(\dfrac{1}{6}\right)$의 값 구하기

$f(2)=6+\dfrac{1}{2}+C=\dfrac{1}{2}$에서 $C=-6$

따라서 $f(x)=\dfrac{3}{2}x^2+\dfrac{1}{x}-6$이므로 $f\left(\dfrac{1}{6}\right)=\dfrac{1}{24}+6-6=\dfrac{1}{24}$

내신연계 출제문항 611

$x>0$에서 미분가능한 함수 $f(x)$의 한 부정적분 $F(x)$에 대하여

$$F(x)=xf(x)-\ln x,\ f(1)=2$$

일 때, $f\left(\dfrac{1}{2}\right)$의 값은?

① $\dfrac{1}{2}$ ② 1 ③ $\dfrac{3}{2}$

④ 2 ⑤ 3

STEP A 함수 $f(x)$의 도함수 $f'(x)$ 구하기

$F'(x)=f(x)$이므로

$F(x)=xf(x)-\ln x$의 양변을 x에 관하여 미분하면

$f(x)=f(x)+xf'(x)-\dfrac{1}{x}$, 즉 $f'(x)=\dfrac{1}{x^2}$

STEP B 부정적분을 이용하여 $f(x)$ 구하기

양변을 x에 대하여 적분하면 $f(x)=\displaystyle\int\frac{1}{x^2}dx=-\frac{1}{x}+C$

STEP C $f(2)=\dfrac{1}{2}$을 만족하는 적분상수를 구한 후 $f\left(\dfrac{1}{2}\right)$의 값 구하기

$f(1)=2$에서 $C=3$이므로 $f(x)=-\dfrac{1}{x}+3$

따라서 $f\left(\dfrac{1}{2}\right)=-2+3=1$

정답 ②

1576

정답 ⑤

STEP A 함수 $f'(x)$의 부정적분 $f(x)$ 구하기

$F(x)=xf(x)-x-\ln x$의 양변을 x에 대하여 미분하면

$f(x)=f(x)+xf'(x)-1-\dfrac{1}{x}$

$f'(x)=\dfrac{1}{x}+\dfrac{1}{x^2}$

$\therefore\ f(x)=\displaystyle\int\left(\frac{1}{x}+\frac{1}{x^2}\right)dx=\ln x-\frac{1}{x}+C$

STEP B $f(1)=3$을 이용하여 적분상수 구하기

이때 $f(1)=3$이므로 $-1+C=3$ $\therefore C=4$

STEP C $f(e^{-4})$의 값 구하기

따라서 $f(x)=\ln x-\dfrac{1}{x}+4$이므로 $f(e^{-4})=-4-\dfrac{1}{e^{-4}}+4=-e^4$

1577

정답 ①

STEP A 지수함수의 부정적분을 이용하여 $f(x)$ 구하기

$f'(x)=\dfrac{xe^x-1}{x}=e^x-\dfrac{1}{x}$이므로 $f(x)=\displaystyle\int\left(e^x-\frac{1}{x}\right)dx=e^x-\ln|x|+C$

STEP B $f(1)=e$임을 이용하여 적분상수 구하기

$f(1)=e+C=e$이므로 $C=0$

STEP C $f(-1)$의 값 구하기

따라서 $f(x)=e^x-\ln|x|$이므로 $f(-1)=e^{-1}-\ln|-1|=\dfrac{1}{e}$

1578

 ②

STEP A 지수함수의 부정적분을 이용하여 $f(x)$ 구하기

$f'(x)=2e^{2x}-e^x$이므로

$f(x)=\int(2e^{2x}-e^x)dx=e^{2x}-e^x+C$

STEP B $f(0)=-6$임을 이용하여 적분상수 구하기

$f(0)=-6$ 이므로 $f(0)=1-1+C$

$-6=1-1+C \quad \therefore C=-6$

$\therefore f(x)=e^{2x}-e^x-6$

STEP C 방정식을 만족하는 x의 값 구하기

$f(x)=0$에서 $e^{2x}-e^x-6=0$, $(e^x-3)(e^x+2)=0$

따라서 $e^x>0$이므로 $e^x=3 \quad \therefore x=\ln 3$

내신연계 출제문항 612

$x>0$에서 $f'(x)=\frac{1}{x}-2e^x$을 만족시키는 함수 $y=f(x)$의 그래프가 점 $(1, e)$를 지날 때, 방정식

$$f(x)+2e^x-3e-2=0$$

을 만족시키는 x의 값은?

① $\frac{2}{e}$ ② 1 ③ e
④ e^2 ⑤ $3e^2$

STEP A 지수함수의 부정적분을 이용하여 $f(x)$ 구하기

$f(x)=\int\left(\frac{1}{x}-2e^x\right)dx=\ln x-2e^x+C$

STEP B $f(1)=e$임을 이용하여 적분상수 구하기

함수 $y=f(x)$의 그래프가 점 $(1, e)$를 지나므로

$f(1)=0-2e+C=e \quad \therefore C=3e$

$\therefore f(x)=\ln x-2e^x+3e$

STEP C 방정식을 만족하는 x의 값 구하기

$f(x)+2e^x-3e-2=\ln x-2e^x+3e+2e^x-3e-2$
$=\ln x-2=0$

따라서 $\ln x=2$이므로 $x=e^2$

 ④

1579

정답 ③

STEP A 지수함수의 부정적분을 이용하여 $f(x)$ 구하기

$f(x)=\int\frac{e^{3x}+1}{e^x+1}dx$
$=\int(e^{2x}-e^x+1)dx$
$=\frac{1}{2}e^{2x}-e^x+x+C$ ← $e^{3x}+1=(e^x+1)(e^{2x}-e^x+1)$

STEP B $f(0)=\frac{1}{2}$을 이용하여 적분상수 구하기

$f(0)=\frac{1}{2}$에서 $\frac{1}{2}-1+C=\frac{1}{2}$, $C=1$

STEP C $f(\ln 2)$의 값 구하기

따라서 $f(x)=\frac{1}{2}e^{2x}-e^x+x+1$이므로 $f(\ln 2)=2-2+\ln 2+1=\ln 2+1$

내신연계 출제문항 613

곡선 $y=f(x)$ 위의 점 $(x, f(x))$에서의 접선의 기울기가 $\frac{e^{2x}-4}{e^x+2}$이고 이 곡선은 점 $(0, 2)$를 지날 때. 이때 $f(\ln 3)$의 값은?

① $4-2\ln 3$ ② $1-\ln 3$ ③ $2+\ln 3$
④ $3+2\ln 3$ ⑤ $2-2\ln 3$

STEP A 지수함수의 부정적분을 이용하여 $f(x)$ 구하기

곡선 $y=f(x)$ 위의 점 $(x, f(x))$에서의 접선의 기울기는

$f'(x)=\frac{e^{2x}-4}{e^x+2}=\frac{(e^x-2)(e^x+2)}{e^x+2}=e^x-2$

$f(x)=\int(e^x-2)dx=e^x-2x+C$

STEP B $f(0)=2$임을 이용하여 적분상수 구하기

이 곡선이 점 $(0, 2)$를 지나므로 $1+C=2 \quad \therefore C=1$

STEP C $f(\ln 3)$의 값 구하기

따라서 $f(x)=e^x-2x+1$이므로 $f(\ln 3)=4-2\ln 3$

정답 ①

1580

정답 ②

STEP A 함수 $f(x)$의 도함수 $f'(x)$ 구하기

$f(x)=x\ln x-x+2$에서 $f'(x)=\ln x+1-1=\ln x$

STEP B 함수 $f'(x)$의 역함수 $g(x)$ 구하기

이때 $g(x)$는 $f'(x)$의 역함수이므로 $g(x)=e^x$

STEP C $G(0)=1$을 이용하여 $G(\ln 2)$의 값 구하기

$G(x)=\int g(x)dx=\int e^x dx=e^x+C$

$G(0)=e^0+C=1+C=1$이므로 $C=0$

따라서 $G(x)=e^x$에서 $G(\ln 2)=e^{\ln 2}=2$

내신연계 출제문항 614

함수 $f(x)=x\ln x-x$의 도함수를 $f'(x)$라 하고 함수 $f'(x)$의 역함수를 $g(x)$라 하자.

$$\int g(x-1)dx=h(x)+C\text{이고 } h(1)=1$$

일 때, $h(2)$의 값은? (단, C는 적분상수)

① $\frac{1}{e}$ ② 1 ③ 2
④ e ⑤ $2e$

STEP A 함수 $f(x)$의 도함수 $f'(x)$ 구하기

$f(x)=x\ln x-x$에서

$f'(x)=(x\ln x-x)'=\ln x+x\cdot\frac{1}{x}-1=\ln x$

STEP B 함수 $f'(x)$의 역함수 $g(x)$ 구하기

이때 $g(x)$는 $f'(x)$의 역함수이므로 $g(x)=e^x$

STEP C $h(1)=1$을 이용하여 $h(2)$의 값 구하기

즉 $\int g(x-1)dx=\int e^{x-1}dx=e^{x-1}+C$

이때 $h(1)=1$이므로 $h(x)=e^{x-1}$

따라서 $h(2)=e$

정답 ④

1581

정답 ③

STEP A 지수함수의 부정적분을 이용하여 $f(x)$ 구하기

$f(x)=\int 2^x \ln 2dx=\ln 2\int 2^x dx$

$=\ln 2\cdot\dfrac{2^x}{\ln 2}+C=2^x+C$ (단, C는 적분상수)

STEP B $f(0)=1$임을 이용하여 적분상수 구하기

이때 $f(0)=1$이므로 $1+C=1$ $\quad\therefore C=0$

$\therefore f(x)=2^x$

STEP C 등비급수를 이용하여 구하기

따라서 $\lim\limits_{n\to\infty}\sum\limits_{k=1}^{n}\dfrac{1}{f(k)}=\sum\limits_{n=1}^{\infty}\dfrac{1}{f(n)}=\sum\limits_{n=1}^{\infty}\dfrac{1}{2^n}=\sum\limits_{n=1}^{\infty}\left(\dfrac{1}{2}\right)^n=\dfrac{\frac{1}{2}}{1-\frac{1}{2}}=1$

내신연계 출제문항 615

미분가능한 함수 $f(x)$에 대하여

$$f'(x)=3^x\ln 3,\ f(0)=1$$

일 때, $\sum\limits_{n=1}^{\infty}\dfrac{1}{f(n)}$의 값은?

① $\dfrac{1}{2}$ ② 1 ③ $\dfrac{3}{2}$ ④ 2 ⑤ $\dfrac{5}{2}$

STEP A 지수함수의 부정적분을 이용하여 $f(x)$ 구하기

$f(x)=\int 3^x\ln 3dx=\ln 3\int 3^x dx$

$=\ln 3\cdot\dfrac{3^x}{\ln 3}+C=3^x+C$ (단, C는 적분상수)

STEP B $f(0)=1$임을 이용하여 적분상수 구하기

이때 $f(0)=1+C=1$에서 $C=0$

$\therefore f(x)=3^x$

STEP C 등비급수를 이용하여 구하기

따라서 $\sum\limits_{n=1}^{\infty}\dfrac{1}{f(n)}=\sum\limits_{n=1}^{\infty}\dfrac{1}{3^n}=\sum\limits_{n=1}^{\infty}\left(\dfrac{1}{3}\right)^n=\dfrac{\frac{1}{3}}{1-\frac{1}{3}}=\dfrac{1}{2}$ 정답 ①

1582

정답 ⑤

STEP A 주어진 식의 양변을 미분하여 $f(x)$ 구하기

$F(x)+\int e^x f(x)dx=e^{3x}+3x$

양변을 x에 대하여 미분하면

$f(x)+e^x f(x)=3e^{3x}+3$

$(1+e^x)f(x)=3(e^x+1)(e^{2x}-e^x+1)$

$\therefore f(x)=3(e^{2x}-e^x+1)$

STEP B $f(\ln 2)$의 값 구하기

따라서 $f(\ln 2)=3(e^{2\ln 2}-e^{\ln 2}+1)=9$

1583

정답 ④

STEP A $f'(x)$, $g'(x)$ 구하기

$f'(x)+g'(x)=2e^x$ ...... ㉠

$f'(x)-g'(x)=2$ ...... ㉡

㉠+㉡에서 $f'(x)=e^x+1$

㉠−㉡에서 $g'(x)=e^x-1$

STEP B $f(x)$, $g(x)$를 구하고 $f(1)$, $g(1)$ 구하기

$f(x)=\int(e^x+1)dx=e^x+x+C_1$

$f(0)=1$에서 $C_1=0$이므로 $f(x)=e^x+x$

$g(x)=\int(e^x-1)dx=e^x-x+C_2$

$g(0)=1$에서 $C_2=0$이므로 $g(x)=e^x-x$

따라서 $f(1)g(1)=(e+1)(e-1)=e^2-1$

내신연계 출제문항 616

다음 조건을 모두 만족시키는 두 함수 $f(x)$, $g(x)$에 대하여 $\{f(1)-1\}\{g(1)+1\}$의 값은?

(가) $f'(x)+g'(x)=e^x$, $f'(x)-g'(x)=e^{-x}$ (나) $f(0)=1$, $g(0)=0$

① $\dfrac{1}{4}(e-e^{-1})$ ② $\dfrac{1}{4}(e^2-e^{-2})$ ③ $\dfrac{1}{2}(e^2-e^{-2})$ ④ $\dfrac{1}{2}(e+e^{-1})$ ⑤ $\dfrac{1}{2}(e^2+e^{-2})$

STEP A $f(x)$, $g(x)$ 구하기

조건 (가)에서

$f'(x)=\dfrac{1}{2}(e^x+e^{-x})$, $g'(x)=\dfrac{1}{2}(e^x-e^{-x})$이므로

$f(x)=\dfrac{1}{2}(e^x-e^{-x})+C_1$, $g(x)=\dfrac{1}{2}(e^x+e^{-x})+C_2$

STEP B 조건 (나)를 이용하여 적분상수 구하기

조건 (나)에서 $C_1=1$, $C_2=-1$이므로

$f(x)=\dfrac{1}{2}(e^x-e^{-x})+1$, $g(x)=\dfrac{1}{2}(e^x+e^{-x})-1$

STEP C $\{f(1)-1\}\{g(1)+1\}$의 값 구하기

따라서 $\{f(1)-1\}\{g(1)+1\}=\dfrac{1}{2}(e-e^{-1})\dfrac{1}{2}(e+e^{-1})=\dfrac{1}{4}(e^2-e^{-2})$ 정답 ②

1584

정답 ①

STEP A $\sin^2 x=1-\cos^2 x$를 이용하여 $f(x)$ 구하기

$f(x)=\int\dfrac{\sin^2 x}{1+\cos x}dx=\int\dfrac{1-\cos^2 x}{1+\cos x}dx=\int(1-\cos x)dx$

$=x-\sin x+C$

STEP B $f(0)=1$을 이용하여 적분상수 구하기

이때 $f(0)=1$에서 $C=1$이므로 $f(x)=x-\sin x+1$

STEP C $f\left(\dfrac{\pi}{2}\right)$의 값 구하기

따라서 $f\left(\dfrac{\pi}{2}\right)=\dfrac{\pi}{2}-1+1=\dfrac{\pi}{2}$

1585

정답 ①

STEP A $1+\tan x^2=\sec^2 x$를 이용하여 $f(x)$ 구하기

$1+\tan x^2=\sec^2 x$이므로

$f(x)=\int\frac{1}{(1+\tan^2 x)\cos^2 x}dx=\int\frac{1}{\sec^2\cos^2 x}dx=\int 1dx=x+C$

STEP B $f\left(\frac{\pi}{4}\right)=0$을 이용하여 적분상수 구하기

이때 $f\left(\frac{\pi}{4}\right)=0$에서 $C=-\frac{\pi}{4}$이므로 $f(x)=x-\frac{\pi}{4}$

STEP C $f\left(\frac{\pi}{2}\right)$의 값 구하기

따라서 $f\left(\frac{\pi}{2}\right)=\frac{\pi}{2}-\frac{\pi}{4}=\frac{\pi}{4}$

내신연계 출제문항 617

함수 $f(x)$에 대하여 $f'(x)=\frac{3+2x\cos^2 x}{1-\sin^2 x}$, $f(0)=1$일 때, $f\left(\frac{\pi}{4}\right)$의 값은?

① $\frac{\pi^2}{8}+2$ ② $\frac{\pi^2}{16}+4$ ③ $\frac{\pi^2}{4}$
④ $\frac{\pi^2}{4}+2$ ⑤ π^2

STEP A 삼각함수의 관계를 이용하여 $f(x)$ 구하기

$f'(x)=\frac{3+2x\cos^2 x}{1-\sin^2 x}=\frac{3+2x\cos^2 x}{\cos^2 x}=3\sec^2 x+2x$

$f(x)=\int(3\sec^2 x+2x)dx=3\tan x+x^2+C$

STEP B $f(0)=1$을 이용하여 적분상수 구하기

$f(0)=1$일 때, $f(0)=0+0+C=1$ $\therefore C=1$

STEP C $f\left(\frac{\pi}{4}\right)$의 값 구하기

따라서 $f(x)=3\tan x+x^2+1$이므로 $f\left(\frac{\pi}{4}\right)=\frac{\pi^2}{16}+4$  정답 ②

1586

 정답 ②

STEP A 삼각함수의 부정적분 $f(x)$ 구하기

$f'(x)=\tan^2 x$이므로

$f(x)=\int\tan^2 x dx=\int(\sec^2 x-1)dx=\tan x-x+C$

STEP B $f(0)=1$을 이용하여 적분상수 구하기

곡선 $y=f(x)$가 $(0, 1)$을 지나므로 $f(0)=1$ $\therefore C=1$

STEP C $f\left(\frac{\pi}{4}\right)$의 값 구하기

따라서 $f(x)=\tan x-x+1$이므로 $f\left(\frac{\pi}{4}\right)=2-\frac{\pi}{4}$

내신연계 출제문항 618

함수 $f(x)$가

$$f'(x)=(\tan x+\cot x)^2,\ f\left(\frac{\pi}{4}\right)=0$$

을 만족할 때, $f\left(\frac{\pi}{3}\right)$의 값은?

① $\frac{\sqrt{3}}{3}$ ② $\frac{2\sqrt{3}}{3}$ ③ $\sqrt{3}$
④ $2\sqrt{3}$ ⑤ $3\sqrt{3}$

STEP A 삼각함수의 부정적분 $f(x)$ 구하기

$f'(x)=(\tan x+\cot x)^2$이므로

$f(x)=\int(\tan x+\cot x)^2 dx=\int(\tan^2 x+2+\cot^2 x)dx$

$=\int\{(\sec^2 x-1)+2+(\csc^2 x-1)\}dx=\int(\sec^2 x+\csc^2 x)dx$

$=\tan x-\cot x+C$

STEP B $f\left(\frac{\pi}{4}\right)=0$을 이용하여 적분상수 구하기

$f\left(\frac{\pi}{4}\right)=\tan\frac{\pi}{4}-\cot\frac{\pi}{4}+C=0$이므로 $C=0$

STEP C $f\left(\frac{\pi}{3}\right)$의 값 구하기

따라서 $f(x)=\tan x-\cot x$이므로 $f\left(\frac{\pi}{3}\right)=\sqrt{3}-\frac{1}{\sqrt{3}}=\frac{2\sqrt{3}}{3}$ 정답 ②

1587

정답 ④

STEP A 삼각함수의 적분을 이용하여 구하기

$\int\frac{1}{1+\cos x}dx=\int\frac{1-\cos x}{(1+\cos x)(1-\cos x)}dx=\int\frac{1-\cos x}{1-\cos^2 x}dx$

$=\int\frac{1-\cos x}{\sin^2 x}dx=\int\left(\frac{1}{\sin^2 x}-\frac{1}{\sin x}\cdot\frac{\cos x}{\sin x}\right)dx$

$=\int(\csc^2 x-\csc x\cot x)dx=-\cot x+\csc x+C$

STEP B $f\left(\frac{\pi}{4}\right)=\sqrt{2}$를 이용하여 적분상수 구하기

이때 $f\left(\frac{\pi}{4}\right)=\sqrt{2}$이므로 $f\left(\frac{\pi}{4}\right)=-1+\sqrt{2}+C=\sqrt{2}$ $\therefore C=1$

STEP C $f\left(\frac{\pi}{6}\right)$의 값 구하기

따라서 $f\left(\frac{\pi}{6}\right)=-\cot\frac{\pi}{6}+\csc\frac{\pi}{6}+1=-\sqrt{3}+2+1=-\sqrt{3}+3$

내신연계 출제문항 619

함수 $f(x)$에 대하여

$$f'(x)=\frac{1}{1-\sin x},\ f\left(\frac{\pi}{4}\right)=\sqrt{2}$$

가 성립할 때, $f\left(\frac{\pi}{3}\right)$의 값은?

① $\sqrt{3}-1$ ② $\sqrt{3}$ ③ $\sqrt{3}+1$
④ $\sqrt{3}+2$ ⑤ $\sqrt{3}+3$

STEP A 삼각함수의 적분을 이용하여 구하기

$f(x)=\int\frac{1}{1-\sin x}dx=\int\frac{1+\sin x}{(1-\sin x)(1+\sin x)}dx$

$=\int\frac{1+\sin x}{1-\sin^2 x}dx=\int\frac{1+\sin x}{\cos^2 x}dx$

$=\int\left(\frac{1}{\cos^2 x}+\frac{1}{\cos x}\cdot\frac{\sin x}{\cos x}\right)dx$

$=\int(\sec^2 x+\sec x\tan x)dx$

$=\tan x+\sec x+C$

STEP B $f\left(\frac{\pi}{4}\right)=\sqrt{2}$을 이용하여 적분상수 구하기

이때 $f\left(\frac{\pi}{4}\right)=\sqrt{2}$이므로 $f\left(\frac{\pi}{4}\right)=1+\sqrt{2}+C=\sqrt{2}$ $\therefore C=-1$

STEP C $f\left(\frac{\pi}{3}\right)$의 값 구하기

따라서 $f(x)=\tan x+\sec x-1$이므로 $f\left(\frac{\pi}{3}\right)=\sqrt{3}+2-1=\sqrt{3}+1$ 정답 ③

1588

정답 ④

STEP A 등비급수 $\sum_{n=1}^{\infty} ar^{n-1}=\frac{a}{1-r}(-1<r<1)$ 이용하기

$0<x<\frac{\pi}{2}$에서 $-1<-\cos x<0$이므로

$f(x)=1-\cos x+\cos^2 x-\cos^3 x+\cdots$

$=\frac{1}{1-(-\cos x)}=\frac{1}{1+\cos x}$

STEP B $\int \frac{1}{1+\cos x}dx$ 부정적분하기

$F(x)=\int \frac{1}{1+\cos x}dx=\int \frac{1-\cos x}{1-\cos^2 x}dx$

$=\int \frac{1-\cos x}{\sin^2 x}dx=\int\left(\frac{1}{\sin^2 x}-\frac{\cos x}{\sin x}\cdot\frac{1}{\sin x}\right)dx$

$=\int(\csc^2 x-\cot x\csc x)dx$

$=-\cot x+\csc x+C$

$F\left(\frac{\pi}{4}\right)=-1+\sqrt{2}+C=1+\sqrt{2}$이므로 $C=2$

따라서 $F(x)=-\cot x+\csc x+2$

다른풀이 삼각함수 공식 $1+\cos x=2\cos^2\frac{x}{2}$를 이용하여 부정적분하기

$F(x)=\int \frac{1}{1+\cos x}dx=\int \frac{1}{2\cos^2\frac{x}{2}}dx=\frac{1}{2}\int \sec^2\frac{x}{2}dx=\tan\frac{x}{2}+C$

내신연계 출제문항 620

$f(x)=-1+\sin x-\sin^2 x+\sin^3 x-\cdots$로 정의되는 함수 $f(x)$의 부정적분 $F(x)$라고 하자. $F\left(\frac{\pi}{4}\right)=\sqrt{2}+1$일 때, $F(x)$를 구하면?
$\left(단, -\frac{\pi}{2}<x<\frac{\pi}{2}\right)$

① $\tan x+\sec x+1$
② $\sec x-\tan x+2$
③ $\cot x+\sec x+1$
④ $\sec x-\cot x+2$
⑤ $\cot x+\csc x+2$

STEP A 등비급수 $\sum_{n=1}^{\infty} ar^{n-1}=\frac{a}{1-r}(-1<r<1)$ 이용하기

$-\frac{\pi}{2}<x<\frac{\pi}{2}$에서 $-1<-\sin x<1$이므로

$f(x)=-1+\sin x-\sin^2 x+\sin^3 x-\cdots$

$=\frac{-1}{1-(-\sin x)}=\frac{-1}{1+\sin x}$

STEP B $\int \frac{-1}{1+\sin x}dx$ 부정적분하기

$F(x)=\int \frac{-1}{1+\sin x}dx=-\int \frac{1-\sin x}{1-\sin^2 x}dx$

$=-\int \frac{1-\sin x}{\cos^2 x}dx=\int\left(-\frac{1}{\cos^2 x}+\frac{\sin x}{\cos x}\cdot\frac{1}{\cos x}\right)dx$

$=\int(-\sec^2 x+\tan x\sec x)dx$

$=\sec x-\tan x+C$

$F\left(\frac{\pi}{4}\right)=\sqrt{2}-1+C=\sqrt{2}+1$이므로 $C=2$

따라서 $F(x)=\sec x-\tan x+2$

정답 ②

1589

정답 ④

STEP A 여러 가지 함수의 부정적분을 구하기

① $\int \frac{\cos^3 x-1}{\cos^2 x}dx=\int(\cos x-\sec^2 x)dx=\sin x-\tan x+C$ [참]

② $\int \frac{1+\sin x}{\cos^2 x}dx=\int\left(\frac{1}{\cos^2 x}+\frac{1}{\cos x}\cdot\frac{\sin x}{\cos x}\right)dx$

$=\int(\sec^2 x+\sec x\tan x)dx=\tan x+\sec x+C$ [참]

③ $\int \cot^2 x dx=\int(\csc^2 x-1)dx=-\cot x-x+C$ [참]

④ $\int \frac{\cos x}{1-\cos^2 x}dx=\int \frac{\cos x}{\sin^2 x}dx=\int \frac{1}{\sin x}\cdot\frac{\cos x}{\sin x}dx$

$=\int \csc x\cot x dx=-\csc x+C$ [거짓]

⑤ $\int \frac{1}{1-\sin x}dx=\int \frac{1+\sin x}{(1-\sin x)(1+\sin x)}dx=\int \frac{1+\sin x}{1-\sin^2 x}dx$

$=\int \frac{1+\sin x}{\cos^2 x}dx=\int\left(\frac{1}{\cos^2 x}+\frac{1}{\cos x}\cdot\frac{\sin x}{\cos x}\right)dx$

$=\int(\sec^2 x+\sec x\tan x)dx=\tan x+\sec x+C$ [참]

따라서 옳지 않은 것은 ④이다.

내신연계 출제문항 621

다음 부정적분 중 옳지 않은 것은? (단, C는 적분상수)

① $\int \frac{\cos^2 x}{1+\sin x}dx=x+\cos x+C$

② $\int \frac{1}{1-\sin^2 x}dx=\tan x+C$

③ $\int \frac{1+\sin x}{1-\sin^2}dx=\tan x+\sec x+C$

④ $\int \frac{1}{1+\cos x}dx=\tan x+\csc x+C$

⑤ $\int \frac{1}{1+\cos 2x}dx=\frac{1}{2}\tan x+C$

STEP A 여러 가지 함수의 부정적분을 구하기

① $\int \frac{\cos^2 x}{1+\sin x}dx=\int \frac{1-\sin^2 x}{1+\sin x}dx$

$=\int \frac{(1-\sin x)(1+\sin x)}{1+\sin x}dx$

$=\int(1-\sin)dx=x+\cos x+C$

② $\int \frac{1}{1-\sin^2 x}dx=\int \frac{1}{\cos^2 x}dx=\int \sec^2 x dx=\tan x+C$

③ $\int \frac{1+\sin x}{1-\sin^2}dx=\int \frac{1+\sin x}{\cos^2 x}dx=\int\left(\frac{1}{\cos^2 x}+\frac{1}{\cos x}\cdot\frac{\sin x}{\cos x}\right)dx$

$=\int(\sec^2 x+\sec x\tan x)dx=\tan x+\sec x+C$

④ $\int \frac{1}{1+\cos x}dx=\int \frac{1-\cos x}{(1+\cos x)(1-\cos x)}dx$

$=\int \frac{1-\cos x}{1-\cos^2 x}dx=\int \frac{1-\cos x}{\sin^2 x}dx$

$=\int\left(\frac{1}{\sin^2 x}-\frac{1}{\sin x}\cdot\frac{\cos x}{\sin x}\right)dx$

$=\int(\csc^2 x-\csc x\cot x)dx$

$=-\cot x+\csc x+C$

⑤ $\int \frac{1}{1+\cos 2x}dx=\int \frac{1}{1+\cos^2 x-\sin^2 x}dx=\int \frac{1}{2\cos^2 x}dx$

$=\frac{1}{2}\int \sec^2 x dx=\frac{1}{2}\tan x+C$

따라서 옳지 않은 것은 ④이다.

정답 ④

Ⅲ 적분법

1590 정답 ③

STEP Ⓐ **분수꼴의 극한의 성질과 미분계수의 정의를 이용하여 $f'(x)$ 구하기**

$\lim_{x\to\pi}\frac{f(x)}{x-\pi}=2k+6$에서

$x\to\pi$일 때, (분모)→0이고 극한값이 존재하므로 (분자)→0이어야 한다.

즉 $\lim_{x\to\pi}f(x)=0$이므로 $f(\pi)=0$

이때 $\lim_{x\to\pi}\frac{f(x)}{x-\pi}=\lim_{x\to\pi}\frac{f(x)-f(\pi)}{x-\pi}=f'(\pi)$이므로

$f'(\pi)=k\cos\pi=-k=2k+6$에서 $3k=-6$ $\quad\therefore k=-2$

$\therefore f'(x)=-2\cos x$

STEP Ⓑ **$f(\pi)=0$을 이용하여 적분상수 구하기**

$f'(x)=-2\cos x$이므로 $f(x)=\int(-2\cos x)dx=-2\sin x+C$

$f(\pi)=0$이므로 $C=0$

STEP Ⓒ **$f\left(-\frac{\pi}{2}\right)$의 값 구하기**

따라서 $f(x)=-2\sin x$이므로 $f\left(-\frac{\pi}{2}\right)=-2\sin\left(-\frac{\pi}{2}\right)=2\sin\frac{\pi}{2}=2$

내신연계 출제문항 622

함수 $f(x)$에 대하여

$$f'(x)=\sin x-a\cos x\text{이고 }\lim_{x\to\frac{\pi}{2}}\frac{f(x)}{2x-\pi}=a$$

일 때, $f\left(-\frac{\pi}{2}\right)$의 값은? (단, a는 상수)

① $\frac{1}{2}$ ② $\frac{1}{4}$ ③ 1
④ 2 ⑤ 4

STEP Ⓐ **분수꼴의 극한의 성질과 미분계수의 정의를 이용하여 상수 a의 값 구하기**

$\lim_{x\to\frac{\pi}{2}}\frac{f(x)}{2x-\pi}=a$에서

$x\to\frac{\pi}{2}$일 때, (분모)→0이고 극한값이 존재하므로 (분자)→0이어야 한다.

즉 $\lim_{x\to\frac{\pi}{2}}f(x)=0$이므로 $f\left(\frac{\pi}{2}\right)=0$

이때 $\lim_{x\to\frac{\pi}{2}}\frac{f(x)}{2x-\pi}=\lim_{x\to\frac{\pi}{2}}\frac{1}{2}\cdot\frac{f(x)-f\left(\frac{\pi}{2}\right)}{x-\frac{\pi}{2}}=\frac{1}{2}f'\left(\frac{\pi}{2}\right)$이므로

$\frac{1}{2}f'\left(\frac{\pi}{2}\right)=\frac{1}{2}\cdot1=\frac{1}{2}$ ← $f'\left(\frac{\pi}{2}\right)=\sin\frac{\pi}{2}-a\cos\frac{\pi}{2}=1$

$\therefore a=\frac{1}{2}$

STEP Ⓑ **$f\left(\frac{\pi}{2}\right)=0$을 이용하여 적분상수 구하기**

$f'(x)=\sin x-\frac{1}{2}\cos x$에서

$f(x)=\int\left(\sin x-\frac{1}{2}\cos x\right)dx=-\cos x-\frac{1}{2}\sin x+C$

이때 $f\left(\frac{\pi}{2}\right)=0$이므로 $C=\frac{1}{2}$

STEP Ⓒ **$f\left(-\frac{\pi}{2}\right)$의 값 구하기**

따라서 $f(x)=-\cos x-\frac{1}{2}\sin x+\frac{1}{2}$이므로 $f\left(-\frac{\pi}{2}\right)=\frac{1}{2}+\frac{1}{2}=1$ 정답 ③

1591 정답 ①

STEP Ⓐ **주어진 함수를 x에 대하여 미분하여 $f'(x)$ 구하기**

$F'(x)=f(x)$이므로

$F(x)=xf(x)-x\sin x-\cos x$의 양변을 x에 대하여 미분하면

$f(x)=f(x)+xf'(x)-x\cos x \quad\therefore f'(x)=\cos x$

STEP Ⓑ **$f\left(\frac{\pi}{2}\right)=-1$을 이용하여 적분상수 구하기**

양변을 x에 대하여 적분하면 $f(x)=\int\cos x dx=\sin x+C$

$f\left(\frac{\pi}{2}\right)=-1$에서 $C=-2$

STEP Ⓒ **$f(\pi)$의 값 구하기**

따라서 $f(x)=\sin x-2$이므로 $f(\pi)=-2$

내신연계 출제문항 623

미분가능한 함수 $f(x)$의 한 부정적분 $F(x)$에 대하여

$$F(x)=xf(x)+x\cos x-\sin x,\ f(\pi)=1$$

일 때, $f\left(\frac{\pi}{3}\right)$의 값은?

① -1 ② $-\frac{\sqrt{3}}{2}$ ③ $-\frac{1}{2}$
④ $\frac{1}{2}$ ⑤ $\frac{\sqrt{3}}{2}$

STEP Ⓐ **주어진 함수를 x에 대하여 미분하여 $f'(x)$ 구하기**

$F'(x)=f(x)$이므로

$F(x)=xf(x)+x\cos x-\sin x$의 양변을 x에 대하여 미분하면

$f(x)=f(x)+xf'(x)-x\sin x \quad\therefore f'(x)=\sin x$

STEP Ⓑ **$f\left(\frac{\pi}{2}\right)=-1$을 이용하여 적분상수 구하기**

$f(x)=\int\sin x dx=-\cos x+C$

이때 $f(\pi)=1$이므로 $C=0$

STEP Ⓒ **$f\left(\frac{\pi}{3}\right)$의 값 구하기**

따라서 $f(x)=-\cos x$이므로 $f\left(\frac{\pi}{3}\right)=-\frac{1}{2}$ 

1592 

STEP Ⓐ **미분계수의 정의를 이용하여 변형하기**

조건 (가)에 의하여

$\lim_{h\to0}\frac{f(x+h)-f(x)}{3h}=\frac{1}{\sin^2x}$에서 $\frac{1}{3}f'(x)=\frac{1}{\sin^2x}=\csc^2x$

$\therefore f'(x)=3\csc^2x$

STEP Ⓑ **$f\left(\frac{\pi}{4}\right)=-3$을 이용하여 적분상수 구하기**

$f(x)=\int3\csc^2x dx=-3\cot x+C$

조건 (나)에 의하여

$f\left(\frac{\pi}{4}\right)=-3$이므로 $f\left(\frac{\pi}{4}\right)=-3\cot\frac{\pi}{4}+C=-3$

$\therefore C=0$

STEP Ⓒ **$f\left(\frac{\pi}{6}\right)$의 값 구하기**

따라서 $f(x)=-3\cot x$이므로 $f\left(\frac{\pi}{6}\right)=-3\cot\frac{\pi}{6}=-3\sqrt{3}$

내신연계 출제문항 624

열린구간 $\left(-\frac{\pi}{2}, \frac{\pi}{2}\right)$에서 미분가능한 함수 $f(x)$가 다음 조건을 만족할 때, $f\left(\frac{\pi}{4}\right)$의 값은?

> (가) $\lim_{h \to 0}\frac{f(x+h)-f(x)}{2h}=\sec^2 x$
> (나) $f(0)=2$

① $\frac{3}{2}$　② 2　③ $\frac{5}{2}$
④ 3　⑤ 4

STEP A **미분계수의 정의를 이용하여 변형하기**

조건 (가)에 의하여

$$\lim_{h \to 0}\frac{f(x+h)-f(x)}{2h}=\lim_{h \to 0}\frac{f(x+h)-f(x)}{h}\cdot\frac{1}{2}$$
$$=\frac{1}{2}f'(x)=\sec^2 x$$

$\therefore f'(x)=2\sec^2 x$

STEP B **$f(0)=2$를 이용하여 적분상수 구하기**

$f(x)=\int 2\sec^2 x dx=2\tan x+C$

조건 (나)에 의하여

$f(0)=0+C=2$이므로 $C=2$

STEP C **$f\left(\frac{\pi}{4}\right)$의 값 구하기**

따라서 $f(x)=2\tan x+2$이므로 $f\left(\frac{\pi}{4}\right)=2\tan\frac{\pi}{4}+2=2+2=4$  정답 ⑤

1593

정답 ⑤

STEP A **주어진 함수를 x에 대하여 미분하여 $g'(x)$ 구하기**

$f(x)=F(x)+e^x\sin x$의 양변을 x에 대하여 미분하면

$f'(x)=f(x)+e^x\sin x+e^x\cos x$ …… ㉠

$g(x)=e^{-x}f(x)$의 양변을 x에 대하여 미분하면

$$g'(x)=-e^{-x}f(x)+e^{-x}f'(x)$$
$$=e^{-x}\{f'(x)-f(x)\}$$
$$=e^{-x}(e^x\sin x+e^x\cos x)(\because ㉠)$$
$$=\sin x+\cos x$$

STEP B **$f(0)=1$을 이용하여 적분상수 구하기**

$g(x)=\int(\sin x+\cos x)dx=-\cos x+\sin x+C$ …… ㉡

$f(0)=1$이므로 $g(0)=e^0f(0)=1$

㉡에서 $g(0)=-1+0+C=1$이므로 $C=2$

STEP C **$g\left(\frac{\pi}{2}\right)$ 구하기**

$\therefore g(x)=-\cos x+\sin x+2$

따라서 $g\left(\frac{\pi}{2}\right)=-\cos\frac{\pi}{2}+\sin\frac{\pi}{2}+2=0+1+2=3$

1594

정답 ⑤

STEP A **$\sin^2\frac{x}{2}=\frac{1-\cos x}{2}$를 이용하여 적분하기**

$f'(x)=2\sin^2\frac{x}{2}+\sin x$에서

$$f(x)=\int\left(2\sin^2\frac{x}{2}+\sin x\right)dx$$
$$=\int\left(2\cdot\frac{1-\cos x}{2}+\sin x\right)dx \quad \Leftarrow \sin^2\frac{x}{2}=\frac{1-\cos x}{2}$$
$$=x-\sin x-\cos x+C$$

STEP B **$f(0)=1$임을 이용하여 적분상수 구하기**

이때 $f(0)=-1+C=1$이므로 $C=2$

STEP C **$f(\pi)$의 값 구하기**

따라서 $f(x)=x-\sin x-\cos x+2$이므로 $f(\pi)=\pi-0+1+2=\pi+3$

1595

정답 ④

STEP A **$\cos^2 x=\frac{1}{2}(1+\cos 2x)$를 이용하여 적분하기**

$f'(x)=4\cos^2 x+\cos x$이므로

$$f(x)=\int(4\cos^2 x+\cos x)dx=\int\left(4\cdot\frac{1+\cos 2x}{2}+\cos x\right)dx$$
$$=2x+\sin 2x+\sin x+C$$

STEP B **$f(0)=0$임을 이용하여 적분상수 구하기**

한편 $f(0)=C=0$

STEP C **$f\left(\frac{\pi}{2}\right)$의 값 구하기**

따라서 $f(x)=2x+\sin 2x+\sin x$이므로 $f\left(\frac{\pi}{2}\right)=\pi+\sin\pi+\sin\frac{\pi}{2}=\pi+1$

1596

정답 ①

STEP A **삼각함수의 부정적분을 이용하여 $f(x)$ 구하기**

$$f(x)=\int f'(x)dx=\int(\sin 2x-\cos x)dx$$
$$=-\frac{1}{2}\cos 2x-\sin x+C$$

STEP B **$f(x)$의 증감표를 작성하여 적분상수 구하기**

$$f'(x)=\sin 2x-\cos x$$
$$=2\sin x\cos x-\cos x$$
$$=\cos x(2\sin x-1)$$

$f'(x)=0$에서 $\cos x=0$ 또는 $\sin x=\frac{1}{2}$

$x=\frac{\pi}{2}$ 또는 $x=\frac{\pi}{6}$ 또는 $x=\frac{5}{6}\pi(\because 0<x<\pi)$

함수 $f(x)$의 증가와 감소를 표로 나타내면 다음과 같다.

x	0	…	$\frac{\pi}{6}$	…	$\frac{\pi}{2}$	…	$\frac{5}{6}\pi$	…	π
$f'(x)$		−	0	+	0	−	0	+	
$f(x)$		↘	극소	↗	극대	↘	극소	↗	

함수 $f(x)$는 $x=\frac{\pi}{6}$, $x=\frac{5}{6}\pi$에서 극솟값 $\frac{1}{4}$을 가지므로

$f\left(\frac{\pi}{6}\right)=f\left(\frac{5}{6}\pi\right)=\frac{1}{4}$, $f\left(\frac{5}{6}\pi\right)=-\frac{1}{4}-\frac{1}{2}+C=\frac{1}{4}$ $\quad\therefore C=1$

STEP C **$f(x)$의 극댓값 구하기**

따라서 $f(x)=-\frac{1}{2}\cos 2x-\sin x+1$이고 $x=\frac{\pi}{2}$에서 극댓값을 가지므로

$f\left(\frac{\pi}{2}\right)=-\frac{1}{2}\cdot(-1)-1+1=\frac{1}{2}$

내신연계 출제문항 625

$0<x<\pi$에서 정의된 함수 $f(x)$에 대하여

$$f'(x)=\sin x-\cos 2x$$

이고 $f(x)$의 극솟값이 0일 때, $f(x)$의 극댓값은?

① $\frac{1}{2}$　② $\frac{\sqrt{3}}{2}$　③ $\frac{3}{2}$

④ $\sqrt{3}$　⑤ $\frac{3\sqrt{3}}{2}$

STEP Ⓐ **삼각함수의 부정적분을 이용하여 $f(x)$ 구하기**

$f(x)=\int(\sin x-\cos 2x)dx$

$=-\cos x-\frac{1}{2}\sin 2x+C$

STEP Ⓑ **$f(x)$의 증감표를 작성하여 적분상수 구하기**

$f'(x)=\sin x-\cos 2x$

$=\sin x-(\cos^2 x-\sin^2 x)$

$=2\sin^2 x+\sin x-1$

$=(\sin x+1)(2\sin x-1)$

$f'(x)=0$에서 $\sin x=\frac{1}{2}\,(0<x<\pi)$

$x=\frac{\pi}{6}$ 또는 $x=\frac{5}{6}\pi$

함수 $f(x)$의 증가와 감소를 표로 나타내면 다음과 같다.

x	0	$\cdots$	$\frac{\pi}{6}$	$\cdots$	$\frac{5}{6}\pi$	$\cdots$	π
$f'(x)$		$-$	0	$+$	0	$-$	
$f(x)$		↘	극소	↗	극대	↘	

이때 $f(x)$는 $x=\frac{\pi}{6}$에서 극소이고 극솟값이 0이므로

$f\left(\frac{\pi}{6}\right)=-\frac{\sqrt{3}}{2}-\frac{\sqrt{3}}{4}+C=0 \quad \therefore C=\frac{3\sqrt{3}}{4}$

STEP Ⓒ **$f(x)$의 극댓값 구하기**

따라서 $f(x)-\cos x-\frac{1}{2}\sin 2x+\frac{3\sqrt{3}}{4}$이므로 $x=\frac{5}{6}\pi$에서 극대이고

극댓값은 $f\left(\frac{5}{6}\pi\right)=\frac{3\sqrt{3}}{4}+\frac{3\sqrt{3}}{4}=\frac{3\sqrt{3}}{2}$

정답 ⑤

1597

정답 ③

STEP Ⓐ **함수 $f'(x)$의 부정적분을 이용하여 $f(x)$ 구하기**

$f'(x)=\begin{cases} e^x & (x<1) \\ \frac{1}{x} & (x>1) \end{cases}$에서

$f(x)=\int f'(x)dx=\begin{cases} e^x+C_1 & (x<1) \\ \ln x+C_2 & (x>1) \end{cases}$ (단, C_1, C_2는 적분상수)

STEP Ⓑ **연속함수를 이용하여 적분상수 C_1, C_2의 값 구하기**

$f(x)$가 연속함수이므로 $x=1$에서 연속이고 $f(1)=2e$이므로

$\lim_{x\to1-}f(x)=\lim_{x\to1-}(e^x+C_1)=e+C_1=2e \quad \therefore C_1=e$

$\lim_{x\to1+}f(x)=\lim_{x\to1+}(\ln x+C_2)=C_2=2e$

STEP Ⓒ **$f(e)-f(0)$의 값 구하기**

따라서 $f(x)=\begin{cases} e^x+e & (x<1) \\ \ln x+2e & (x\ge1) \end{cases}$이므로

$f(e)-f(0)=(\ln e+2e)-(e^0+e)=e$

1598

정답 ③

STEP Ⓐ **함수 $f'(x)$의 부정적분을 이용하여 $f(x)$ 구하기**

$f'(x)=\begin{cases} 3^x\ln 3 & (x<1) \\ \frac{2}{x^3} & (x>1) \end{cases}$에서

$f(x)=\int f'(x)dx=\begin{cases} 3^x+C_1 & (x\le1) \\ -\frac{1}{x^2}+C_2 & (x>1) \end{cases}$ (단, C_1, C_2는 적분상수)

STEP Ⓑ **연속함수를 이용하여 적분상수 C_1, C_2의 값 구하기**

$f(x)$가 원점을 지나므로 $f(0)=0$

$f(0)=1+C_1=0$에서 $C_1=-1$

$f(x)$가 $x=1$에서 연속이므로 $\lim_{x\to1-}(3^x+C_1)=\lim_{x\to1-}\left(-\frac{1}{x^2}+C_2\right)$

$3+C_1=-1+C_2$에서 $C_2=3$

STEP Ⓒ **$f(2)$의 값 구하기**

따라서 $f(x)=\begin{cases} 3^x-1 & (x\le1) \\ -\frac{1}{x^2}+3 & (x>1) \end{cases}$이므로 $f(2)=-\frac{1}{4}+3=\frac{11}{4}$

내신연계 출제문항 626

모든 실수 x에 대하여 연속인 함수 $f(x)$의 도함수 $f'(x)$가

$$f'(x)=\begin{cases} \frac{1}{x^2} & (x<-1) \\ 2^x\ln 2 & (x>-1) \end{cases}$$이고 $f(-2)=\frac{1}{2}$

일 때, $f(2)$의 값은?

① $\frac{1}{2}$　② 2　③ $\frac{5}{2}$

④ 4　⑤ $\frac{9}{2}$

STEP Ⓐ **함수 $f'(x)$의 부정적분을 이용하여 $f(x)$ 구하기**

$f'(x)=\begin{cases} \frac{1}{x^2} & (x<-1) \\ 2^x\ln 2 & (x>-1) \end{cases}$에서

$f(x)=\int f'(x)dx=\begin{cases} -\frac{1}{x}+C_1 & (x<-1) \\ 2^x+C_2 & (x>-1) \end{cases}$ (단, C_1, C_2는 적분상수)

STEP Ⓑ **$f(-2)=\frac{1}{2}$과 연속함수를 이용하여 적분상수 C_1, C_2의 값 구하기**

$f(-2)=\frac{1}{2}$이므로 $\frac{1}{2}+C_1=\frac{1}{2} \quad \therefore C_1=0$

$f(x)$가 연속함수이므로 $x=-1$에서 연속이다.

$\lim_{x\to-1-}f(x)=\lim_{x\to-1-}\left(-\frac{1}{x}\right)=1$

$\lim_{x\to-1+}f(x)=\lim_{x\to-1+}(2^x+C_2)=2^{-1}+C_2$

$1=\frac{1}{2}+C_2 \quad \therefore C_2=\frac{1}{2}$

STEP Ⓒ **$f(2)$의 값 구하기**

따라서 $f(x)=\begin{cases} -\frac{1}{x} & (x<-1) \\ 2^x+\frac{1}{2} & (x>-1) \end{cases}$이므로 $f(2)=4+\frac{1}{2}=\frac{9}{2}$

정답 ⑤

1599

정답 ③

STEP A 함수 $f'(x)$의 부정적분을 이용하여 $f(x)$ 구하기

$f'(x)=\begin{cases} \cos x & (x<0) \\ 1+\sin x & (x>0) \end{cases}$에서

$f(x)=\begin{cases} \sin x+C_1 & (x \le 0) \\ x-\cos x+C_2 & (x>0) \end{cases}$ (단, C_1, C_2는 적분상수)

STEP B $f\left(\frac{\pi}{2}\right)=0$과 연속함수를 이용하여 적분상수 C_1, C_2의 값 구하기

$f\left(\frac{\pi}{2}\right)=0$이므로 $f\left(\frac{\pi}{2}\right)=\frac{\pi}{2}+C_2=0 \quad \therefore C_2=-\frac{\pi}{2}$

또, 함수 $f(x)$가 미분가능하므로 $x=0$에서 연속이다.

$\lim_{x \to 0-}(\sin x+C_1)=\lim_{x \to 0+}(x-\cos x+C_2)=f(0)$

$C_1=-1+C_2 \quad \therefore C_1=-1-\frac{\pi}{2}$

STEP C $f(\pi)+f(-\pi)$의 값 구하기

따라서 $f(x)=\begin{cases} \sin x-1-\frac{\pi}{2} & (x \le 0) \\ x-\cos x-\frac{\pi}{2} & (x>0) \end{cases}$이므로

$f(\pi)+f(-\pi)=\pi+1-\frac{\pi}{2}+\left(0-1-\frac{\pi}{2}\right)=0$

1600

정답 ③

STEP A 함수 $f'(x)$의 부정적분을 이용하여 $f(x)$ 구하기

(ⅰ) $x>0$일 때,

$f(x)=\int \frac{1-\cos 2x}{2}dx=\frac{1}{2}x-\frac{1}{4}\sin 2x+C$

$f\left(\frac{\pi}{2}\right)=1$이므로 $C=1-\frac{\pi}{4}$

$\therefore f(x)=\frac{1}{2}x-\frac{1}{4}\sin 2x+1-\frac{\pi}{4}$

(ⅱ) $x<0$일 때,

$f(x)=\int k\cos x dx=k\sin x+C$

$f\left(-\frac{\pi}{2}\right)=1$이므로 $-k+C=1$, $C=1+k$

$\therefore f(x)=k\sin x+1+k$

STEP B $x=0$에서 연속임을 이용하여 k의 값 구하기

따라서 $x=0$에서 연속이므로 $f(0)=\lim_{x \to 0-}f(x)=\lim_{x \to 0+}f(x)$에서

$1+k=1-\frac{\pi}{4} \quad \therefore k=-\frac{\pi}{4}$

참고

$f'(x)=\begin{cases} \sin^2 x & (x>0) \\ k\cos x & (x<0) \end{cases}$이고 $f\left(\frac{\pi}{2}\right)=f\left(-\frac{\pi}{2}\right)=1$인 함수 $f(x)$가 $x=0$에서 연속이라고 한다.
이때 k의 값을 구하는 문제와 같다.

내신연계 출제문항 627

연속함수 $f(x)$가 다음 두 조건을 만족시킬 때, $f(-2\pi)$의 값은?
(단, k는 상수)

> (가) $f'(x)=\begin{cases} \cos^2 x & (x>0) \\ k\sin x & (x<0) \end{cases}$
> (나) $f(\pi)=f(-\pi)=4$

① $-\frac{\pi}{6}+2$ ② $-\frac{\pi}{4}+1$ ③ $-\frac{\pi}{3}+1$
④ $-\frac{\pi}{2}+4$ ⑤ $-2\pi+2$

STEP A 함수 $f'(x)$의 부정적분을 이용하여 $f(x)$ 구하기

(ⅰ) $x>0$일 때,

$f(x)=\int \cos^2 x dx=\int \frac{1+\cos 2x}{2}dx$

$=\frac{1}{2}x+\frac{1}{4}\sin 2x+C_1$ (C_1는 적분상수)

이때 $f(\pi)=\frac{\pi}{2}+C_1=4$이므로 $C_1=4-\frac{\pi}{2}$ …… ㉠

(ⅱ) $x<0$일 때,

$f(x)=\int k\sin x dx=-k\cos x+C_2$ (C_2는 적분상수)

이때 $f(-\pi)=k+C_2=4$이므로 $C_2=4-k$ …… ㉡

STEP B $x=0$에서 연속임을 이용하여 k의 값 구하기

또한, $f(x)$는 $x=0$에서 연속이므로 $C_1=-k+C_2$

㉠, ㉡을 대입하면 $4-\frac{\pi}{2}=-k+4-k$

$\therefore k=\frac{\pi}{4}$, $C_1=-\frac{\pi}{2}+4$, $C_2=-\frac{\pi}{4}+4$

따라서 $f(-2\pi)=-\frac{\pi}{4}\cos(-2\pi)+\left(-\frac{\pi}{4}+4\right)=-\frac{\pi}{2}+4$

정답 ④

1601

정답 ①

STEP A $f(x)$가 $x=-1$, $x=1$에서 연속임을 이용하여 적분상수 구하기

$f(x)=\int f'(x)dx=\begin{cases} x+C_1 & (x<-1) \\ -\frac{2}{\pi}\cos\frac{\pi}{2}x+C_2 & (-1<x<1) \\ -x+C_3 & (x>1) \end{cases}$

$f(0)=0$이므로 $-\frac{2}{\pi}+C_2=0$, $C_2=\frac{2}{\pi}$

$f(x)$가 연속함수이므로 $x=-1$, $x=1$에서 연속이다.

(ⅰ) $x=-1$에서 연속

$\lim_{x \to -1-}(x+C_1)=\lim_{x \to -1+}\left(-\frac{2}{\pi}\cos\frac{\pi}{2}x+\frac{2}{\pi}\right)$

$-1+C_1=\frac{2}{\pi} \quad \therefore C_1=\frac{2}{\pi}+1$

(ⅱ) $x=1$에서 연속

$\lim_{x \to 1-}\left(-\frac{2}{\pi}\cos\frac{\pi}{2}x+\frac{2}{\pi}\right)=\lim_{x \to 1+}(-x+C_3)$

$\frac{2}{\pi}=-1+C_3 \quad \therefore C_3=\frac{2}{\pi}+1$

STEP B $f(x)$를 구하여 $f(-2)+f(2)$의 값 구하기

따라서 $f(x)=\begin{cases} x+\frac{2}{\pi}+1 & (x<-1) \\ -\frac{2}{\pi}\cos\frac{\pi}{2}x+\frac{2}{\pi} & (-1<x<1) \\ -x+\frac{2}{\pi}+1 & (x>1) \end{cases}$이므로

$f(-2)+f(2)=-2+\frac{2}{\pi}+1+\left(-2+\frac{2}{\pi}+1\right)=\frac{4}{\pi}-2$

Ⅲ 적분법

STEP 1 내신정복기출유형

02 치환적분과 부분적분

1602

정답 ①

STEP Ⓐ $x^2+x-1=t$로 치환하여 적분하기

$x^2+x-1=t$로 놓고 양변을 x에 대하여 미분하면

$2x+1=\dfrac{dt}{dx}$이므로 $(2x+1)dx=dt$

$f(x)=\displaystyle\int(2x+1)(x^2+x-1)^5dx=\int t^5dt=\frac{1}{6}t^6+C=\frac{1}{6}(x^2+x-1)^6+C$

STEP Ⓑ $f(0)=1$을 이용하여 적분상수 구하기

이때 $f(0)=1$이므로 $C=\dfrac{5}{6}$

STEP Ⓒ $f(1)$ 구하기

따라서 $f(x)=\dfrac{1}{6}(x^2+x-1)^6+\dfrac{5}{6}$이므로 $f(1)=\dfrac{1}{6}+\dfrac{5}{6}=1$

1603

 ②

STEP Ⓐ $x^2+x-3=t$로 치환하여 적분하기

$x^2+x-3=t$로 놓으면 $(2x+1)dx=dt$이므로

$f(x)=\displaystyle\int(6x+3)(x^2+x-3)^2dx=\int 3t^2dt=t^3+C=(x^3+x-3)^3+C$

STEP Ⓑ $f(1)=1$을 이용하여 적분상수 구하기

이때 $y=f(x)$가 $(1,\ 1)$을 지나므로 $f(1)=-1+C=1$

$\therefore\ C=2$

STEP Ⓒ $f(0)$의 값 구하기

따라서 $f(x)=(x^3+x-3)^3+2$이므로 $f(0)=-27+2=-25$

1604

 ①

STEP Ⓐ 조건 (가), (나)에서 함수 $f(x)$를 결정하기

조건 (가)에 의하여 $\displaystyle\lim_{x\to\infty}\frac{f(x)}{x^2+3x-4}=1$에서 $f(x)=x^2+ax+b$이라 하면

조건 (나)에 의하여 $\displaystyle\lim_{x\to3}\frac{x^2+ax+b}{x-3}=4$

$x\to3$일 때, (분모)$\to0$이고 극한값이 존재하므로 (분자)$\to0$이어야 한다.

즉 $\displaystyle\lim_{x\to3}(x^2+ax+b)=0$

$9+3a+b=0\quad\therefore\ b=-3(a+3)$ …… ㉠

$$\begin{aligned}\lim_{x\to3}\frac{x^2+ax+b}{x-3}&=\lim_{x\to3}\frac{x^2+ax-3(a+3)}{x-3}\\&=\lim_{x\to3}\frac{(x-3)(x+a+3)}{x-3}\\&=3+a+3=6+a=4\end{aligned}$$

$\therefore\ a=-2$

㉠에서 $b=-3\quad\therefore\ f(x)=x^2-2x-3$

STEP Ⓑ $x^2-2x-3=t$로 치환하여 $F(x)$ 구하기

이때 $F(x)=\displaystyle\int(x-1)\{f(x)\}^3dx=\int(x-1)\{x^2-2x-3\}^3dx$

$x^2-2x-3=t$로 놓으면 $(2x-2)dx=dt$이므로

$$\begin{aligned}\int(x-1)\{x^2-2x-3\}^3dx&=\frac{1}{2}\int t^3dt+C=\frac{1}{8}t^4+C\\&=\frac{1}{8}(x^2-2x-3)^4+C\end{aligned}$$

따라서 $F(1)-F(-1)=(32+C)-(0+C)=32$

1605

정답 ⑤

STEP Ⓐ $\displaystyle\int\frac{f'(x)}{f(x)}dx=\ln|f(x)|+C$를 이용하여 $f(x)$ 구하기

$\dfrac{f'(x)}{f(x)}=2$의 양변을 x에 대하여 적분하면

$\displaystyle\int\frac{f'(x)}{f(x)}dx=\int 2dx$

$\ln f(x)=2x+C$, 즉 $f(x)=e^{2x+C}$

STEP Ⓑ $f(1)=1$을 이용하여 적분상수 구하기

$f(1)=1$에서 $e^{2+C}=1$이므로 $C=-2$

STEP Ⓒ $f(2)$의 값 구하기

따라서 $f(x)=e^{2x-2}$이므로 $f(2)=e^2$

내신연계 출제문항 628

모든 실수 x에 대하여 $f(x)>0$이고

$$\frac{f'(x)}{f(x)}=-2,\ f(0)=\frac{1}{e}$$

일 때, 함수 $f(-1)$의 값은?

① e ② e^2 ③ e^3
④ $2e^3$ ⑤ e^4

STEP Ⓐ $\displaystyle\int\frac{f'(x)}{f(x)}dx=\ln|f(x)|+C$를 이용하여 $f(x)$ 구하기

$\dfrac{f'(x)}{f(x)}=-2$의 양변을 x에 대하여 적분하면

$\displaystyle\int\frac{f'(x)}{f(x)}dx=\int -2dx$

$\ln f(x)=-2x+C$, 즉 $f(x)=e^{-2x+C}$

STEP Ⓑ $f(0)=\dfrac{1}{e}$을 이용하여 적분상수 구하기

$f(0)=e^C=\dfrac{1}{e}$에서 $C=-1$

STEP Ⓒ $f(-1)$의 값 구하기

따라서 $f(x)=e^{-2x-1}$이므로 $f(-1)=e$ 정답 ①

1606

 ④

STEP Ⓐ $\displaystyle\int\frac{f'(x)}{f(x)}dx=\ln|f(x)|+C$를 이용하여 $f(x)$ 구하기

$$\begin{aligned}f(x)=\int f'(x)dx=\int\frac{2x}{1+x^2}dx=\int\frac{(1+x^2)'}{1+x^2}dx\\=\ln|1+x^2|+C\ (\text{단, }C\text{는 적분상수})\end{aligned}$$

이때 $1+x^2>0$이므로 $f(x)=\ln(1+x^2)+C$

STEP Ⓑ $f(0)=0$을 이용하여 적분상수 구하기

곡선 $y=f(x)$가 원점을 지나므로 $f(0)=\ln1+C=0$에서 $C=0$

STEP Ⓒ $f(2)$의 값 구하기

따라서 $f(x)=\ln(1+x^2)$이므로 $f(2)=\ln(1+4)=\ln5$

1607

정답 ①

STEP A $\frac{f'(x)}{f(x)}$ 꼴의 치환적분을 이용하여 $f(x)$ 구하기

$f(x)=\int f'(x)dx=\int \frac{x}{x^2+1}dx=\frac{1}{2}\int \frac{2x}{x^2+1}dx=\frac{1}{2}\ln(x^2+1)+C$

STEP B $f(0)=\frac{1}{2}$을 이용하여 적분상수 구하기

이때 $f(0)=\frac{1}{2}$이므로 $C=\frac{1}{2}$

STEP C $f(\sqrt{e-1})$의 값 구하기

따라서 $f(x)=\frac{1}{2}\ln(x^2+1)+\frac{1}{2}$이므로 $f(\sqrt{e-1})=\frac{1}{2}\ln(e-1+1)+\frac{1}{2}=1$

내신연계 출제문항 629

미분가능한 함수 $f(x)$의 도함수가

$$f'(x)=\frac{2x}{x^2+1},\ f(0)=0$$

일 때, $f(\sqrt{e^2-1})$의 값은?

① 1 ② 2 ③ 3
④ 4 ⑤ 5

STEP A $\frac{f'(x)}{f(x)}$ 꼴의 치환적분을 이용하여 $f(x)$ 구하기

$f(x)=\int f'(x)dx=\int \frac{2x}{x^2+1}dx=\int \frac{(x^2+1)'}{x^2+1}dx=\ln(x^2+1)+C$

STEP B $f(0)=0$을 이용하여 적분상수 구하기

$f(0)=0$이므로 $C=0$

STEP C $f(\sqrt{e^2-1})$의 값 구하기

따라서 $f(x)=\ln(x^2+1)$이므로 $f(\sqrt{e^2-1})=\ln(e^2-1+1)=2$  ②

1608

 ④

STEP A $\frac{f'(x)}{f(x)}$ 꼴의 치환적분을 이용하여 $f(x)$ 구하기

$f(x)=\int \frac{\sin x}{2+\cos x}dx=-\int \frac{-\sin x}{2+\cos x}dx=-\ln(2+\cos x)+C$

STEP B $f(0)=0$을 이용하여 적분상수 구하기

이때 $f(0)=0$이므로 $C=\ln 3$

STEP C $f(\pi)$의 값 구하기

따라서 $f(x)=-\ln(2+\cos x)+\ln 3$이므로 $f(\pi)=-\ln(2-1)+\ln 3=\ln 3$

내신연계 출제문항 630

함수 $f(x)$가

$$f(x)=\int \frac{\cos x}{2+\sin x}dx,\ f\left(\frac{3}{2}\pi\right)=0$$

을 만족할 때, $f\left(\frac{\pi}{2}\right)$의 값은?

① 0 ② $\ln 2$ ③ 1
④ $\ln 3$ ⑤ 2

STEP A 치환적분을 이용하여 $f(x)$ 구하기

$f(x)=\int \frac{\cos x}{2+\sin x}dx=\int \frac{(2+\sin x)'}{2+\sin x}dx=\ln|2+\sin x|+C$

STEP B $f\left(\frac{3}{2}\pi\right)=0$을 이용하여 적분상수 구하기

$f\left(\frac{3}{2}\pi\right)=0$에서 $C=0$

STEP C $f\left(\frac{\pi}{2}\right)$의 값 구하기

따라서 $f(x)=\ln|2+\sin x|$이므로 $f\left(\frac{\pi}{2}\right)=\ln 3$  ④

1609

 ①

STEP A 등비급수를 이용하여 $f(x)$를 구한 후 치환적분을 이용하여 $F(x)$ 구하기

$0<x<\pi$에서 $-1<-\cos x<1$이므로

$f(x)=\sin x-\sin x\cos x+\sin x\cos^2 x-\cdots=\frac{\sin x}{1-(-\cos x)}$

$$F(x)=\int f(x)dx=\int \frac{\sin x}{1+\cos x}dx=-\int \frac{-\sin x}{1+\cos x}dx$$
$$=-\ln(1+\cos x)+C$$

STEP B $F\left(\frac{\pi}{2}\right)=0$을 이용하여 적분상수 구하기

$F\left(\frac{\pi}{2}\right)=-\ln(1+0)+C=0 \quad \therefore C=0$

STEP C $F(0)$의 값 구하기

따라서 $F(x)=-\ln(1+\cos x)$이므로 $F(0)=-\ln 2=\ln\frac{1}{2}$

내신연계 출제문항 631

$0<x<\frac{1}{2}$에서 정의된 함수

$$f(x)=1+2x+4x^2+8x^3+\cdots$$

에 대하여 $f(x)$의 한 부정적분을 $F(x)$라고 하자.

$F(0)=1$일 때, $F\left(\frac{1}{4}\right)$의 값은?

① 1 ② $\frac{1}{2}\ln 2$ ③ $\frac{1}{2}\ln 2+1$
④ $2\ln 2+1$ ⑤ $-2\ln 2-1$

STEP A 등비급수 $\sum_{n=1}^{\infty}ar^{n-1}=\frac{a}{1-r}(-1<r<1)$ 이용하기

$0<x<\frac{1}{2}$에서 $0<2x<1$이므로

$f(x)=1+2x+4x^2+8x^3+\cdots=\frac{1}{1-2x}$

STEP B $\int\frac{f'(x)}{f(x)}dx=\ln|f(x)|+C$를 이용하여 $F\left(\frac{1}{4}\right)$ 구하기

$f(x)$의 한 부정적분이 $F(x)$이므로

$F(x)=\int \frac{1}{1-2x}dx=-\frac{1}{2}\ln|1-2x|+C$

이때 $F(0)=C=1$이므로 $F(x)=-\frac{1}{2}\ln|1-2x|+1$

따라서 $F\left(\frac{1}{4}\right)=\frac{1}{2}\ln 2+1$  ③

1610

정답 ⑤

STEP A 여러 가지 치환적분법을 이용하여 구하기

① $\cos x=t$로 놓으면 $-\sin x=\dfrac{dt}{dx}$이므로

$$\int \tan x dx=\int \frac{\sin x}{\cos x}dx=-\int \frac{-\sin x}{\cos x}dx=-\int \frac{1}{t}dt$$
$$=-\ln|t|+C=-\ln|\cos x|+C$$

② $e^x+1=t$로 놓으면 $e^x=\dfrac{dt}{dx}$이므로

$$\int \frac{e^x}{e^x+1}dx=\int \frac{1}{t}dt=\ln t+C=\ln(e^x+1)+C$$

③ $\ln x=t$로 놓으면 $\dfrac{1}{x}=\dfrac{dt}{dx}$이므로

$$\int \frac{1}{x\ln x}dx=\int \frac{1}{t}dt=\ln|t|+C=\ln|\ln x|+C$$

④ $\displaystyle\int \frac{1-e^{2x}}{1+e^{2x}}dx=\int \frac{e^{-x}-e^x}{e^{-x}+e^x}dx$

$e^{-x}+e^x=t$로 놓으면 $-(e^{-x}-e^x)=\dfrac{dt}{dx}$

$$\int -\frac{1}{t}dt=-\ln|t|+C=-\ln|e^x+e^{-x}|+C$$

⑤ $\sin x+\cos x=t$로 놓으면 $\cos x-\sin x=\dfrac{dt}{dx}$이므로

$$\int \frac{\cos x-\sin x}{\sin x+\cos x}dx=\int \frac{1}{t}dx=\ln|t|+C=\ln|\sin x+\cos x|+C$$ [거짓]

따라서 옳지 않은 것은 ⑤이다.

내신연계 출제문항 632

다음 부정적분 중 옳지 않은 것은? (단, C는 적분상수이다.)

① $\displaystyle\int \cot x dx=\ln|\sin x|+C$

② $\displaystyle\int \frac{e^x-e^{-x}}{e^x+e^{-x}}dx=\ln(e^x+e^{-x})+C$

③ $\displaystyle\int \frac{3x^2-1}{x^3-x+1}dx=\ln|x^3-x+1|+C$

④ $\displaystyle\int \frac{\sin x}{2+\cos x}dx=\ln(2+\cos x)+C$

⑤ $\displaystyle\int \frac{1}{\cos^2 x(1+\tan x)}dx=\ln|1+\tan x|+C$

STEP A 여러 가지 치환적분법을 이용하여 구하기

① $\sin x=t$로 놓으면 $\cos x=\dfrac{dt}{dx}$이므로

$$\int \cot x dx=\int \frac{\cos x}{\sin x}dx=\int \frac{1}{t}dt=\ln|t|+C=\ln|\sin x|+C$$

② $e^x+e^{-x}=t$로 놓으면 $e^x-e^{-x}=\dfrac{dt}{dx}$이므로

$$\int \frac{e^x-e^{-x}}{e^x+e^{-x}}dx=\int \frac{1}{t}dt=\ln t+C=\ln(e^x+e^{-x})+C$$

③ $x^3-x+1=t$로 놓으면 $3x^2-1=\dfrac{dt}{dx}$이므로

$$\int \frac{3x^2-1}{x^3-x+1}dx=\int \frac{1}{t}dt=\ln|t|+C=\ln|x^3-x+1|+C$$

④ $2+\cos x=t$로 놓으면 $-\sin x=\dfrac{dt}{dx}$이므로

$$\int \frac{\sin x}{2+\cos x}dx=\int \frac{1}{t}(-dt)=-\ln|t|+C$$
$$=-\ln(2+\cos x)+C\ (\because 2+\cos x>0)$$ [거짓]

⑤ $1+\tan x=t$로 놓으면 $\sec^2 x=\dfrac{dt}{dx}$이므로 $\sec^2 x dx=dt$

$$\int \frac{1}{\cos^2 x(1+\tan x)}dx=\int \frac{\sec^2 x}{1+\tan x}dx=\int \frac{1}{t}dt$$
$$=\ln|t|+C=\ln|1+\tan x|+C$$

따라서 옳지 않은 것은 ④이다.

정답 ④

1611

정답 ③

STEP A 조건 (가)에서 $f(1)$, $f'(1)$의 값 구하기

조건 (가)의 $\displaystyle\lim_{x\to 1}\frac{f(x)}{x-1}=k+2$에 의하여

$x\to 1$일 때, (분모)$\to 0$이고 극한값이 존재하므로 (분자)$\to 0$이어야 한다.

즉 $\displaystyle\lim_{x\to 1}f(x)=0$이므로 $f(1)=0$

또한, $\displaystyle\lim_{x\to 1}\frac{f(x)}{x-1}=\lim_{x\to 1}\frac{f(x)-f(1)}{x-1}=f'(1)=k+2$

STEP B 조건 (나)를 이용하여 k의 값 구하기

이때 $f'(1)=\dfrac{k}{2}=k+2$ $\therefore k=-4$

STEP C $\dfrac{f'(x)}{f(x)}$ 꼴의 치환적분을 이용하여 $f(x)$ 구하기

조건 (나)에서 $f'(x)=\dfrac{-4x}{x^2+1}$

$$f(x)=\int \frac{-4x}{x^2+1}dx=-2\int \frac{2x}{x^2+1}dx=-2\ln|x^2+1|+C$$

이때 $f(1)=-2\ln 2+C=0$이므로 $C=2\ln 2$

$\therefore f(x)=-2\ln(x^2+1)+2\ln 2$

따라서 $f(0)=2\ln 2$

1612

정답 ②

STEP A 치환적분법을 이용하여 함수의 식 구하기

조건 (가)에서

$\{f(x)\}^2 f'(x)=\dfrac{2x}{x^2+1}$의 양변을 각각 x에 대하여 적분하면

$$\int \{f(x)\}^2 f'(x)dx=\int \frac{2x}{x^2+1}dx$$

$f(x)=t$라 할 때, $f'(x)=\dfrac{dt}{dx}$이므로

$$\int \{f(x)\}^2 f'(x)dx=\int t^2 dt=\frac{1}{3}t^3+C_1$$
$$=\frac{1}{3}\{f(x)\}^3+C_1\ (C_1\text{은 적분상수})$$

$$\int \frac{2x}{x^2+1}dx=\ln(x^2+1)+C_2\ (C_2\text{는 적분상수})$$

$\therefore \{f(x)\}^3=3\ln(x^2+1)+C$ (C는 적분상수)

STEP B $f(0)=0$을 이용하여 적분상수 구하기

조건 (나)에서 $f(0)=0$이므로 $C=0$

STEP C $\{f(1)\}^3$의 값 구하기

따라서 $\{f(x)\}^3=3\ln(x^2+1)$이므로 $\{f(1)\}^3=3\ln 2$

1613

정답 ①

STEP A 부분분수로 분해하여 부정적분 구하기

$\frac{5}{x^2+x-6}=\frac{5}{(x-2)(x+3)}=\frac{1}{x-2}-\frac{1}{x+3}$이므로

$$\int\frac{5}{x^2+x-6}dx=\int\left(\frac{1}{x-2}-\frac{1}{x+3}\right)dx$$
$$=\ln|x-2|-\ln|x+3|+C$$
$$=\ln\left|\frac{x-2}{x+3}\right|+C$$

STEP B $a-b$의 값 구하기

따라서 $a=-2$, $b=3$이므로 $a-b=-5$

1614

정답 ①

STEP A 부분분수로 분해하여 부정적분 구하기

$$f(x)=\int\frac{2}{x^2-4x+3}dx=\int\frac{2}{(x-3)(x-1)}dx$$
$$=\int\left(\frac{1}{x-3}-\frac{1}{x-1}\right)dx$$
$$=\ln|x-3|-\ln|x-1|+C$$
$$=\ln\left|\frac{x-3}{x-1}\right|+C$$

STEP B $f(2)=5$를 이용하여 적분상수 구하기

이때 $f(2)=C=5$이므로 $f(x)=\ln\left|\frac{x-3}{x-1}\right|+5$

STEP C $f(4)$의 값 구하기

따라서 $f(x)=\ln\left|\frac{x-3}{x-1}\right|+5$이므로 $f(4)=\ln\frac{1}{3}+5=5-\ln 3$

내신연계 출제문항 633

함수 $f(x)$의 도함수가

$$f'(x)=\frac{3}{x^2-x-2},\ f\left(\frac{1}{2}\right)=3$$

일 때, $f(0)$의 값은?

① $\ln 2$ ② $\ln 2+1$ ③ $\ln 2+2$
④ $\ln 3+2$ ⑤ $\ln 2+3$

STEP A 부분분수로 분해하여 부정적분 구하기

$f'(x)=\frac{3}{x^2-x-2}=\frac{1}{x-2}-\frac{1}{x+1}$이므로

$$f(x)=\int\left(\frac{1}{x-2}-\frac{1}{x+1}\right)dx$$
$$=\ln|x-2|-\ln|x+1|+C$$
$$=\ln\left|\frac{x-2}{x+1}\right|+C$$

STEP B $f\left(\frac{1}{2}\right)=3$을 이용하여 적분상수 구하기

$f\left(\frac{1}{2}\right)=3$이므로 $C=3$

STEP C $f(0)$의 값 구하기

따라서 $f(x)=\ln\left|\frac{x-2}{x+1}\right|+3$이므로 $f(0)=\ln 2+3$

정답 ⑤

1615

정답 ③

STEP A 부분분수로 분해하여 부정적분 구하기

점 (x, y)에서의 접선의 기울기가 $f'(x)=\frac{2}{x^2-1}$이므로

$$f(x)=\int\frac{2}{x^2-1}dx=\int\left(\frac{1}{x-1}-\frac{1}{x+1}\right)dx$$
$$=\ln|x-1|-\ln|x+1|+C$$

STEP B $f(0)=\ln 2$를 이용하여 적분상수 구하기

이때 이 곡선의 y절편이 $\ln 2$이므로 $f(0)=C=\ln 2$

STEP C $f(3)$의 값 구하기

따라서 $f(x)=\ln\left|\frac{x-1}{x+1}\right|+\ln 2$이므로 $f(3)=\ln\frac{1}{2}+\ln 2=0$

1616

정답 ④

STEP A 부분분수로 분해하여 부정적분 구하기

$$f(x)=\int\frac{2}{x^2-1}dx=\int\left(\frac{1}{x-1}-\frac{1}{x+1}\right)dx$$
$$=\ln|x-1|-\ln|x+1|+C$$

$f(2)=0-\ln 3+C=-\ln 3$ $\quad\therefore C=0$

즉 $f(x)=\ln\left|\frac{x-1}{x+1}\right|$

STEP B $\sum_{n=2}^{49}f(n)$의 값 구하기

$$\sum_{n=2}^{49}f(n)=\sum_{n=2}^{49}\ln\left|\frac{n-1}{n+1}\right|=\ln\frac{1}{3}+\ln\frac{2}{4}+\ln\frac{3}{5}+\ln\frac{4}{6}+\cdots+\ln\frac{48}{50}$$
$$=\ln\frac{1}{3}\cdot\frac{2}{4}\cdot\frac{3}{5}\cdot\frac{4}{6}\cdot\cdots\cdot\frac{47}{49}\cdot\frac{48}{50}$$
$$=\ln\frac{1\cdot 2}{49\cdot 50}=-2\ln 35$$

따라서 $a=-2$, $b=35$이므로 $a+b=33$

1617

정답 ①

STEP A 부분분수로 분해하여 미정계수 구하기

$\frac{x}{x^2-3x+2}=\frac{a}{x-1}+\frac{b}{x-2}$로 놓으면

$\frac{a}{x-1}+\frac{b}{x-2}=\frac{(a+b)x+(-2a-b)}{(x-1)(x-2)}$이므로

$(a+b)x+(-2a-b)=x$

위의 등식은 x에 대한 항등식이므로

즉 $a+b=1$, $-2a-b=0$에서 $a=-1$, $b=2$

STEP B $\int\frac{f'(x)}{f(x)}dx=\ln|f(x)|+C$를 이용하여 부정적분하기

$$f(x)=\int\frac{x}{x^2-3x+2}dx=\int\left(\frac{-1}{x-1}+\frac{2}{x-2}\right)dx$$
$$=-\ln|x-1|+2\ln|x-2|+C$$

이때 $f(0)=0+2\ln 2+C=0$이므로 $C=-2\ln 2$

따라서 $f(4)=-\ln 3+2\ln 2-2\ln 2=-\ln 3$

내신연계 출제문항 634

함수 $f(x)=\int \frac{x+1}{x^2-4x+3}dx$에 대하여 $f(2)=0$일 때, $f(4)$의 값은?

① $-\ln 3$ ② $-\ln 4$ ③ $-\ln 5$
④ $-\ln 6$ ⑤ $-\ln 7$

STEP A 항등식을 이용하여 이항분리하기

$\frac{x+1}{x^2-4x+3}=\frac{x+1}{(x-3)(x-1)}=\frac{a}{x-3}+\frac{b}{x-1}$로 놓으면

$\frac{a}{x-3}+\frac{b}{x-1}=\frac{(a+b)x-(a+3b)}{(x-3)(x-1)}$이므로

$(a+b)x-(a+3b)=x+1$

위의 등식은 x에 대한 항등식이므로

즉 $a+b=1$, $a+3b=-1$이므로 $a=2$, $b=-1$

즉 $\frac{x+1}{x^2-4x+3}=\frac{2}{x-3}-\frac{1}{x-1}$

STEP B $\int \frac{f'(x)}{f(x)}dx=\ln|f(x)|+C$를 이용하여 부정적분하기

$$f(x)=\int \frac{x+1}{x^2-4x+3}dx=\int\left(\frac{2}{x-3}-\frac{1}{x-1}\right)dx$$
$$=2\ln|x-3|-\ln|x-1|+C$$
$$=\ln\frac{(x-3)^2}{|x-1|}+C$$

이때 $f(2)=0$이므로 $C=0$

따라서 $f(x)=\ln\frac{(x-3)^2}{|x-1|}$이므로 $f(4)=\ln\frac{1}{3}=-\ln 3$

 ①

1618

 ⑤

STEP A $x^2+2x+3=t$로 치환하여 부정적분 구하기

$x^2+2x+3=t$라 놓으면

$(2x+2)dx=dt$이므로

$f(x)=\int(x+1)\sqrt{x^2+2x+3}\,dx=\frac{1}{2}\int\sqrt{t}\,dt=\frac{1}{2}\cdot\frac{2}{3}t\sqrt{t}+C$

$f(x)=\frac{1}{3}(x^2+2x+3)\sqrt{x^2+2x+3}+C$

STEP B $f(0)=0$을 이용하여 적분상수 구하기

$f(0)=0$이므로 $f(0)=\sqrt{3}+C=0$ $\quad\therefore C=-\sqrt{3}$

STEP C $f(4)$의 값 구하기

따라서 $f(x)=\frac{1}{3}(x^2+2x+3)\sqrt{x^2+2x+3}-\sqrt{3}$이므로

$f(4)=\frac{1}{3}\cdot 27\cdot 3\sqrt{3}-\sqrt{3}=26\sqrt{3}$

내신연계 출제문항 635

실수 전체의 집합에서 미분가능한 함수 $f(x)$에 대하여

$f'(x)=x\sqrt{x^2+1}$이고 $f(0)=-\frac{2}{3}$일 때, $f(2\sqrt{2})$의 값은?

① 8 ② 11 ③ 13
④ 15 ⑤ 17

STEP A $x^2+1=t$로 치환하여 부정적분 구하기

$x^2+1=t$라 놓으면 $2xdx=dt$이므로

$\int x\sqrt{x^2+1}\,dx=\int\frac{1}{2}\sqrt{t}\,dt=\frac{1}{3}t\sqrt{t}+C=\frac{1}{3}(x^2+1)\sqrt{x^2+1}+C$

STEP B $f(0)=-\frac{2}{3}$를 이용하여 적분상수 구하기

$f(0)=-\frac{2}{3}$이므로 $\frac{1}{3}+C=-\frac{2}{3}$에서 $C=-1$

STEP C $f(2\sqrt{2})$의 값 구하기

따라서 $f(x)=\frac{1}{3}(x^2+1)\sqrt{x^2+1}-1$이므로 $f(2\sqrt{2})=\frac{1}{3}\cdot 9\cdot 3-1=8$

정답 ①

1619

 ④

STEP A $x^2+1=t$로 치환하여 부정적분 구하기

$\lim_{h\to 0}\frac{f(x+h)-f(x)}{h}=f'(x)=2x\sqrt{x^2+1}$에서

$f(x)=\int f'(x)dx=\int 2x\sqrt{x^2+1}\,dx$

$x^2+1=t$로 놓으면 $2xdx=dt$이므로

$\int 2x\sqrt{x^2+1}\,dx=\int\sqrt{t}\,dt=\frac{2}{3}t\sqrt{t}+C=\frac{2}{3}(x^2+1)\sqrt{x^2+1}+C$

STEP B $f(0)=\frac{2}{3}$를 이용하여 적분상수 구하기

이때 $f(0)=\frac{2}{3}$이므로 $C=0$

STEP C $f(2\sqrt{2})$의 값 구하기

따라서 $f(x)=\frac{2}{3}(x^2+1)\sqrt{x^2+1}$이므로 $f(2\sqrt{2})=\frac{2}{3}\cdot 9\cdot 3=18$

내신연계 출제문항 636

함수 $f(x)=\int\frac{x}{\sqrt{1-x^2}}dx$에 대하여 $f(1)=0$일 때, $f\left(\frac{3}{5}\right)$의 값은?

① $-\frac{1}{5}$ ② $-\frac{3}{5}$ ③ $-\frac{4}{5}$
④ $\frac{2}{5}$ ⑤ $\frac{4}{5}$

STEP A $1-x^2=t$로 치환하여 부정적분 구하기

$1-x^2=t$로 놓으면 $-2xdx=dt$이므로

$$f(x)=\int\frac{x}{\sqrt{1-x^2}}dx=\int\frac{1}{\sqrt{t}}\cdot\left(-\frac{1}{2}\right)dt=-\frac{1}{2}\int t^{-\frac{1}{2}}dt$$
$$=-\frac{1}{2}\cdot 2t^{\frac{1}{2}}+C=-\sqrt{t}+C=-\sqrt{1-x^2}+C$$

STEP B $f(1)=0$을 이용하여 적분상수 구하기

이때 $f(1)=0$이므로 $C=0$

STEP C $f\left(\frac{3}{5}\right)$의 값 구하기

따라서 $f(x)=-\sqrt{1-x^2}$이므로 $f\left(\frac{3}{5}\right)=-\frac{4}{5}$

 ③

1620

정답 ①

STEP Ⓐ $\sqrt{x+1}=t$로 치환하여 부정적분하기

$f'(x)=\dfrac{x-1}{\sqrt{x+1}}$에서 $f(x)=\displaystyle\int\dfrac{x-1}{\sqrt{x+1}}dx$

$\sqrt{x+1}=t$로 놓으면 $x=t^2-1$이고 양변을 x에 관하여 미분하면

$1=2t\cdot\dfrac{dt}{dx}\quad\therefore dx=2tdt$

$$f(x)=\int\frac{x-1}{\sqrt{x+1}}dx=\int 2(t^2-2)dt$$
$$=\frac{2}{3}t^3-4t+C$$
$$=\frac{2}{3}(x+1)\sqrt{x+1}-4\sqrt{x+1}+C$$

STEP Ⓑ 함수 $f(x)$의 증감표를 이용하여 적분상수 구하기

이때 $f'(x)=\dfrac{x-1}{\sqrt{x+1}}$이므로 $f'(x)=0$에서 $x=1$

함수 $f(x)$의 증가와 감소를 표로 나타내면 다음과 같다.

x	(-1)	$\cdots$	1	$\cdots$
$f'(x)$		$-$	0	$+$
$f(x)$		↘	극소	↗

즉 $f(x)$는 $x=1$에서 극소이고 극솟값을 가지므로

$f(1)=\dfrac{4}{3}\sqrt{2}-4\sqrt{2}+C=-\dfrac{8}{3}\sqrt{2}+C=-\dfrac{8}{3}\sqrt{2}\quad\therefore C=0$

STEP Ⓒ $f(8)$의 값 구하기

따라서 $f(x)=\dfrac{2}{3}(x+1)\sqrt{x+1}-4\sqrt{x+1}$이므로

$f(8)=\dfrac{2}{3}\cdot9\cdot3-4\cdot3=18-12=6$

1621

정답 ②

STEP Ⓐ $\sin x=t$로 치환하여 $f(x)$ 구하기

$f(x)=\displaystyle\int(1-\sin^2x)\sin2xdx=\int2(1-\sin^2x)\sin x\cos xdx$

$\sin x=t$로 놓으면 $\cos xdx=dt$

$$f(x)=\int2(1-t^2)tdt=\int(2t-2t^3)dt$$
$$=t^2-\frac{1}{2}t^4+C$$
$$=\sin^2x-\frac{1}{2}\sin^4x+C$$

STEP Ⓑ $f(\pi)=0$을 이용하여 적분상수 구하기

이때 $f(\pi)=0-0+C=0\quad\therefore C=0$

STEP Ⓒ $f\left(\dfrac{\pi}{2}\right)$의 값 구하기

따라서 $f(x)=\sin^2x-\dfrac{1}{2}\sin^4x$이므로 $f\left(\dfrac{\pi}{2}\right)=1-\dfrac{1}{2}=\dfrac{1}{2}$

다른풀이 $1-\sin^2x=\cos^2x$로 변형하여 풀이하기

$$f(x)=\int(1-\sin^2x)\sin2xdx=\int(2\cos^2x\sin x\cos x)dx$$
$$=\int(2\sin x\cos^3x)dx$$

$\cos x=t$로 놓으면 $-\sin xdx=dt$

$f(t)=\displaystyle\int-2t^3dt=-\dfrac{1}{2}t^4+C=-\dfrac{1}{2}\cos^4x+C$

이때 $f(\pi)=-\dfrac{1}{2}+C=0\quad\therefore C=\dfrac{1}{2}$

따라서 $f(x)=-\dfrac{1}{2}\cos^4x+\dfrac{1}{2}$이므로 $f\left(\dfrac{\pi}{2}\right)=\dfrac{1}{2}$

내신연계 출제문항 637

$f(x)=\displaystyle\int(\sin^3x+1)\cos xdx$에 대하여 $f(\pi)=1$일 때, $f\left(\dfrac{\pi}{2}\right)$의 값은?

① $\dfrac{3}{4}$ ② 1 ③ $\dfrac{3}{2}$ ④ 2 ⑤ $\dfrac{9}{4}$

STEP Ⓐ 치환적분을 이용하여 $f(x)$ 구하기

$\sin x=t$로 놓으면 $\cos xdx=dt$이므로

$$f(x)=\int(\sin^3x+1)\cos xdx=\int(t^3+1)dt$$
$$=\frac{1}{4}t^4+t+C=\frac{1}{4}\sin^4x+\sin x+C$$

STEP Ⓑ $f(\pi)=1$을 이용하여 적분상수 구하기

이때 $f(\pi)=1$이므로 $C=1$

STEP Ⓒ $f\left(\dfrac{\pi}{2}\right)$의 값 구하기

따라서 $f(x)=\dfrac{1}{4}\sin^4x+\sin x+1$이므로 $f\left(\dfrac{\pi}{2}\right)=\dfrac{9}{4}$

정답 ⑤

1622

정답 ②

STEP Ⓐ $1-\cos x=t$로 치환하여 $f(x)$ 구하기

$f(x)=\displaystyle\int\dfrac{\sin^3x}{1+\cos x}dx=\int\dfrac{(1-\cos^2x)\sin x}{1+\cos x}dx=\int(1-\cos x)\sin xdx$

이때 $1-\cos x=t$로 놓으면 $\sin xdx=dt$이므로

$f(x)=\displaystyle\int(1-\cos x)\sin xdx=\int tdt=\dfrac{1}{2}t^2+C=\dfrac{1}{2}(1-\cos x)^2+C$

STEP Ⓑ $f(0)=0$을 이용하여 적분상수 구하기

이때 $f(0)=C$에서 $C=0$

STEP Ⓒ $f(\pi)$의 값 구하기

따라서 $f(x)=\dfrac{1}{2}(1-\cos x)^2$이므로 $f(\pi)=2$

내신연계 출제문항 638

함수 $f(x)=\displaystyle\int\dfrac{\cos^3x}{1-\sin x}dx$에 대하여 $f(\pi)=\dfrac{1}{2}$일 때, $f\left(\dfrac{\pi}{2}\right)$의 값은?

① $-\dfrac{1}{2}$ ② $-\dfrac{2}{3}$ ③ 1 ④ $\dfrac{1}{2}$ ⑤ 2

STEP Ⓐ $1+\sin x=t$로 치환하여 $f(x)$ 구하기

$f(x)=\displaystyle\int\dfrac{\cos^3x}{1-\sin x}dx=\int\dfrac{(1-\sin^2x)\cos x}{1-\sin x}dx=\int(1+\sin x)\cos xdx$

$1+\sin x=t$로 놓으면 $\cos xdx=dt$이므로

$\displaystyle\int(1+\sin x)\cos xdx=\int tdt=\dfrac{1}{2}t^2+C=\dfrac{1}{2}(1+\sin x)^2+C$

STEP Ⓑ $f(\pi)=\dfrac{1}{2}$을 이용하여 적분상수 구하기

이때 $f(\pi)=\dfrac{1}{2}+C=\dfrac{1}{2}$에서 $C=0$

STEP Ⓒ $f\left(\dfrac{\pi}{2}\right)$의 값 구하기

따라서 $f(x)=\dfrac{1}{2}(1+\sin x)^2$이므로 $f\left(\dfrac{\pi}{2}\right)=2$

정답 ⑤

1623

정답 ⑤

STEP A $\tan x=t$**로 치환하여** $f(x)$ **구하기**

$\tan x=t$로 놓으면 $\sec^2 x dx=dt$

$f(x)=\int \tan x \sec^2 x dx=\int t dt=\frac{1}{2}t^2+C=\frac{1}{2}\tan^2 x+C$

STEP B $f(\pi)=\frac{1}{2}$**을 이용하여 적분상수 구하기**

이때 $f(\pi)=\frac{1}{2}$이므로 $C=\frac{1}{2}$

STEP C $f\left(\frac{\pi}{3}\right)$**의 값 구하기**

따라서 $f(x)=\frac{1}{2}\tan^2 x+\frac{1}{2}$이므로 $f\left(\frac{\pi}{3}\right)=\frac{1}{2}\cdot(\sqrt{3})^2+\frac{1}{2}=2$

1624

정답 ⑤

STEP A $\sin x=t$**로 치환하여** $f(x)$ **구하기**

$f(x)=\int \cos^3 x dx=\int (1-\sin^2 x)\cos x dx$

$\sin x=t$로 놓으면 $\cos x dx=dt$이므로

$f(x)=\int (1-t^2)dt=t-\frac{1}{3}t^3+C=\sin x-\frac{1}{3}\sin^3 x+C$

STEP B $f(0)=2$**를 이용하여 적분상수 구하기**

$f(0)=2$이므로 $C=2$

STEP C $f\left(\frac{\pi}{2}\right)$**의 값 구하기**

따라서 $f(x)=\sin x-\frac{1}{3}\sin^3 x+2$이므로 $f\left(\frac{\pi}{2}\right)=\frac{8}{3}$

내신연계 출제문항 639

곡선 $y=f(x)$ 위의 점 (x, y)에서의 접선의 기울기는 $\cos^3 x$에 정비례하고 곡선 위의 $x=0$인 점에서의 접선의 방정식은 $y=x-1$이라 할 때, $f\left(\frac{\pi}{6}\right)$의 값은?

① $-\frac{1}{3}$ ② $-\frac{13}{24}$ ③ $-\frac{13}{12}$
④ $-\frac{1}{12}$ ⑤ $\frac{1}{3}$

STEP A 치환적분을 이용하여 $f(x)$ **구하기**

$f'(x)=k\cos^3 x$ (k는 상수)라고 하면

$f(x)=\int k\cos^3 x dx=\int k(1-\sin^2 x)\cos x dx$

$\sin x=t$로 놓으면 $\cos x dx=dt$이므로

$f(x)=\int k(1-t^2)dt=k\left(t-\frac{1}{3}t^3\right)+C=k\left(\sin x-\frac{1}{3}\sin^3 x\right)+C$

STEP B $f(0)=-1,\ f'(0)=1$**을 이용하여 적분상수와** k **구하기**

$x=0$에서의 접선의 방정식이 $y=x-1$이므로

$f(0)=-1,\ f'(0)=1$

$f(0)=-1$에서 $f(0)=C=-1$

$f'(0)=1$에서 $f'(0)=k\cos^3 0=k=1$

STEP C $f\left(\frac{\pi}{6}\right)$**의 값 구하기**

따라서 $f(x)=\sin x-\frac{1}{3}\sin^3 x-1$이므로 $f\left(\frac{\pi}{6}\right)=\frac{1}{2}-\frac{1}{24}-1=-\frac{13}{24}$

정답 ②

1625

정답 ④

STEP A 치환적분을 이용하여 $f(x)$ **구하기**

$\cos x=t$로 놓으면 $-\sin x dx=dt$이므로

$f(x)=\int \sin^3 x\cos^4 x dx=\int (1-\cos^2 x)\sin x\cos^4 x dx$

$=\int (1-t^2)t^4(-dt)=\int (t^6-t^4)dt$

$=\frac{1}{7}t^7-\frac{1}{5}t^5+C$

$=\frac{1}{7}\cos^7 x-\frac{1}{5}\cos^5 x+C$

따라서 $a=\frac{1}{7},\ b=-\frac{1}{5}$이므로 $7a-5b=1+1=2$

1626

정답 ④

STEP A $1+\tan^2 x=\sec^2 x$**를 이용하여 정리하기**

$f(x)=\int f'(x)dx=\int \sec^6 x dx=\int \sec^4 x\sec^2 x dx$

$=\int (1+\tan^2 x)^2\sec^2 x dx$

STEP B $\tan x=t$**로 치환하여** $f(x)$ **구하기**

이때 $\tan x=t$로 놓으면 $\sec^2 x dx=dt$

$f(x)=\int (1+\tan^2 x)^2\sec^2 x dx=\int (1+t^2)^2 dt=\int (t^4+2t^2+1)dt$

$=\frac{1}{5}t^5+\frac{2}{3}t^3+t+C$

$=\frac{1}{5}\tan^5 x+\frac{2}{3}\tan^3 x+\tan x+C$

STEP C $f(0)=0$**을 이용하여 적분상수 구한 후** $f\left(\frac{\pi}{3}\right)$**의 값 구하기**

이때 $f(0)=0$에서 $C=0$

따라서 $f(x)=\frac{1}{5}\tan^5 x+\frac{2}{3}\tan^3 x+\tan x$이므로

$f\left(\frac{\pi}{3}\right)=\frac{9\sqrt{3}}{5}+2\sqrt{3}+\sqrt{3}=\frac{24\sqrt{3}}{5}$

1627

정답 ④

STEP A $\tan x=t$**로 치환하여 부정적분하기**

$\lim_{h\to 0}\frac{f(x+2h)-f(x)}{h}=\boxed{2}\times f'(x)$이므로

$f'(x)=\frac{1}{2}(\tan x+\tan^3 x)$

$f(x)=\frac{1}{2}\int \tan x(1+\tan^2 x)dx=\frac{1}{2}\int (\tan x\times\boxed{\sec^2 x})dx$

$\tan x=t$로 놓으면 $\frac{dt}{dx}=\sec^2 x$이므로

$f(x)=\frac{1}{2}\int t dt=\frac{1}{4}t^2+C=\boxed{\frac{1}{4}}\times\tan^2 x+C$

이때 $f\left(\frac{\pi}{4}\right)=\frac{1}{4}\times\tan^2\frac{\pi}{4}+C=-\frac{3}{4}$이므로 $C=\boxed{-1}$

따라서 $f(x)=\boxed{\frac{1}{4}\tan^2 x-1}$

STEP B $a\times b\times c\times g\left(\frac{\pi}{4}\right)\times h\left(\frac{\pi}{3}\right)$**의 값 구하기**

$a=2,\ b=\frac{1}{4},\ c=-1,\ g\left(\frac{\pi}{4}\right)=\sec^2\frac{\pi}{4}=2,\ h\left(\frac{\pi}{3}\right)=\frac{1}{4}\tan^2\frac{\pi}{3}-1=-\frac{1}{4}$

이므로 $a\times b\times c\times g\left(\frac{\pi}{4}\right)\times h\left(\frac{\pi}{3}\right)=2\times\frac{1}{4}\times(-1)\times 2\times\left(-\frac{1}{4}\right)=\frac{1}{4}$

1628

정답 ③

STEP A $1+\tan^2 x=\sec^2 x$를 이용하여 정리하기

$$f'(x)=\tan x+\tan^2 x+\tan^3 x+\tan^4 x$$
$$=\tan x(1+\tan^2 x)+\tan^2 x(1+\tan^2 x)$$
$$=(\tan x+\tan^2 x)(1+\tan^2 x)$$
$$=(\tan x+\tan^2 x)\sec^2 x$$

$\therefore\ f(x)=\int(\tan x+\tan^2 x)\sec^2 x dx$

STEP B $\tan x=t$로 치환하여 $f(x)$ 구하기

이때 $\tan x=t$로 놓으면 $\sec^2 x dx=dt$

$$\int(\tan x+\tan^2 x)\sec^2 x dx=\int(t+t^2)dt$$
$$=\frac{1}{3}t^3+\frac{1}{2}t^2+C$$
$$=\frac{1}{3}\tan^3 x+\frac{1}{2}\tan^2 x+C$$

STEP C $f(0)=0$을 이용하여 적분상수 구한 후 $f\left(\frac{\pi}{4}\right)$의 값 구하기

이때 $f(0)=0$에서 $C=0$

따라서 $f(x)=\frac{1}{3}\tan^3 x+\frac{1}{2}\tan^2 x$이므로 $f\left(\frac{\pi}{4}\right)=\frac{1}{3}+\frac{1}{2}=\frac{5}{6}$

내신연계 출제문항 640

$-\frac{\pi}{2}<x<\frac{\pi}{2}$에서 정의된 미분가능한 함수 $f(x)$가

$$f'(x)=\tan x+\tan^3 x,\ f(0)=1$$

을 만족할 때, $f\left(\frac{\pi}{4}\right)$의 값은?

① $\frac{1}{2}$ ② $\frac{2}{3}$ ③ 1
④ $\frac{3}{2}$ ⑤ 2

STEP A $1+\tan^2 x=\sec^2 x$를 이용하여 정리하기

$f'(x)=\tan x+\tan^3 x$이므로

$$f(x)=\int(\tan x+\tan^3 x)dx=\int\tan x(1+\tan^2 x)dx=\int\tan x\sec^2 x dx$$

STEP B $\tan x=t$로 치환하여 $f(x)$ 구하기

$\tan x=t$로 놓으면 $\sec^2 x dx=dt$이므로

$$\int\tan x\sec^2 x dx=\int t dt=\frac{1}{2}t^2+C=\frac{1}{2}\tan^2 x+C$$

$\therefore\ f(x)=\frac{1}{2}\tan^2 x+C$

STEP C $f(0)=1$을 이용하여 적분상수 구한 후 $f\left(\frac{\pi}{4}\right)$의 값 구하기

이때 $f(0)=C=1$

따라서 $f(x)=\frac{1}{2}\tan^2 x+1$이므로 $f\left(\frac{\pi}{4}\right)=\frac{1}{2}+1=\frac{3}{2}$

정답 ④

1629

정답 ③

STEP A $x^3=t$로 치환하여 부정적분 구하기

$x^3=t$로 놓으면 $3x^2 dx=dt$이므로

$$\int x^2 e^{x^3}dx=\frac{1}{3}\int e^t dt=\frac{1}{3}e^t+C$$

$\therefore\ \int x^2 e^{x^3}dx=\frac{1}{3}e^{x^3}+C$

따라서 $a=\frac{1}{3}$, $b=3$이므로 $ab=1$

1630

정답 ①

STEP A $x^2=t$로 치환하여 $f(x)$ 구하기

$x^2=t$로 놓으면 $\frac{dt}{dx}=2x$이므로

$$f(x)=\int 2xe^{-x^2}dx=\int e^{-t}dt=-e^{-t}+C$$
$$=-e^{-x^2}+C \text{ (단, } C\text{는 적분상수)}$$

STEP B $f(0)=1$을 이용하여 적분상수 구하기

$f(0)=-1+C=1$이므로 $C=2$

STEP C $f(1)$의 값 구하기

따라서 $f(x)=-e^{-x^2}+2$이므로 $f(1)=-e^{-1}+2=2-\frac{1}{e}$

내신연계 출제문항 641

함수 $f(x)$에 대하여

$$f(x)=\int 6xe^{x^2+1}dx,\ f(0)=3e$$

일 때, $f(1)$의 값은?

① e^2 ② $2e^2$ ③ $3e^2$
④ $4e^2$ ⑤ $5e^2$

STEP A $x^2+1=t$로 치환하여 $f(x)$ 구하기

$x^2+1=t$라 놓으면 $2xdx=dt$이므로

$$f(x)=\int 6xe^{x^2+1}dx=\int 3e^t dt=3e^t+C=3e^{x^2+1}+C$$

STEP B $f(0)=2$를 이용하여 적분상수 구하기

이때 $f(0)=3e+C=3e$이므로 $C=0$

STEP C $f(1)$의 값 구하기

따라서 $f(x)=3e^{x^2+1}$이므로 $f(1)=3e^2$

정답 ③

1631

정답 ②

STEP A $\frac{1}{x}=t$로 치환하여 $f(x)$ 구하기

$\frac{1}{x}=t$로 놓으면 $-\frac{1}{x^2}dx=dt$이므로

$$f(x)=\int\frac{1}{x^2}e^{\frac{1}{x}}dx=\int e^t\cdot(-1)dt=-e^t+C=-e^{\frac{1}{x}}+C$$

STEP B $f(1)=-e$를 이용하여 적분상수 구하기

이때 $f(1)=-e+C=-e$이므로 $C=0$

STEP C $f(2)$의 값 구하기

따라서 $f(x)=-e^{\frac{1}{x}}$이므로 $f(2)=-e^{\frac{1}{2}}=-\sqrt{e}$

1632

정답 ③

STEP A $e^x+3=t$로 치환하여 $f(x)$ 구하기

$e^x+3=t$로 놓으면 $e^x dx=dt$이므로

$$f(x)=\int\frac{e^x}{\sqrt{e^x+3}}dx=\int\frac{1}{\sqrt{t}}dt$$
$$=2\sqrt{t}+C=2\sqrt{e^x+3}+C$$

STEP B $f(0)=2$를 이용하여 적분상수 구하기

이때 $f(0)=2$이므로 $4+C=2 \quad \therefore C=-2$

STEP C $f(\ln 6)$의 값 구하기

따라서 $f(x)=2\sqrt{e^x+3}-2$이므로 $f(\ln 6)=2\sqrt{e^{\ln 6}+3}-2=2\sqrt{9}-2=4$

1633

정답 ②

STEP A $x^2-1=t$로 치환하여 $f(x)$ 구하기

$x^2-1=t$로 놓으면 $2xdx=dt$이고

$$\int xe^{x^2-1}dx=\int\frac{1}{2}e^{x^2-1}\cdot 2xdx=\int\frac{1}{2}e^t dt$$
$$=\frac{1}{2}e^t+C=\frac{1}{2}e^{x^2-1}+C$$

STEP B $f(0)=\frac{1}{2e}$을 이용하여 적분상수 구하기

$f(0)=\frac{1}{2}e^{-1}+C=\frac{1}{2e}$에서 $C=0$이므로 $f(x)=\frac{1}{2}e^{x^2-1}$

STEP C $f(x)$의 최댓값 구하기

또한, $1\le x\le 2$에서 $f'(x)=xe^{x^2-1}>0$이므로 $f(x)$는 증가하는 함수이다.

따라서 $f(x)$의 최댓값은 $f(2)=\frac{1}{2}e^3$

내신연계 출제문항 642

$0\le x\le \ln 3$에서 함수 $f(x)$를

$$f(x)=\int e^x\sqrt{e^x+1}\,dx$$

라고 하자. $f(0)=\frac{4}{3}\sqrt{2}$일 때, $f(x)$의 최댓값은?

① $\frac{3}{2}$ ② $\frac{10}{3}$ ③ 5
④ $\frac{16}{3}$ ⑤ $\frac{18}{3}$

STEP A $e^x+1=t$로 치환하여 적분하기

$e^x+1=t$로 놓으면 $e^x dx=dt$

$$f(x)=\int\sqrt{t}\,dt=\frac{2}{3}t^{\frac{3}{2}}+C=\frac{2}{3}(e^x+1)\sqrt{e^x+1}+C$$

$$f(0)=\frac{2}{3}(1+1)\sqrt{1+1}+C=\frac{4}{3}\sqrt{2}+C=\frac{4}{3}\sqrt{2}$$

$\therefore C=0$

$\therefore f(x)=\frac{2}{3}(e^x+1)\sqrt{e^x+1}$

STEP B $f(x)$가 증가함수임을 이용하여 최댓값 구하기

이때 $1\le x\le 3$에서 $f'(x)=e^x\sqrt{e^x+1}>0$이므로

증가하는 함수이므로 $x=\ln 3$일 때, 최대이다.

따라서 $x=\ln 3$일 때, 최대이므로 $f(\ln 3)=\frac{2}{3}(3+1)\sqrt{3+1}=\frac{16}{3}$

정답 ④

1634

정답 ③

STEP A 미분계수의 정의에 의하여 $f'(x)$ 구하기

조건 (가)에서 함수 $f(x)$는 미분가능한 함수이므로

$$\lim_{h\to 0}\frac{f(x+h)-f(x-h)}{h}=\lim_{h\to 0}\frac{f(x+h)-f(x)}{h}+\lim_{h\to 0}\frac{f(x-h)-f(x)}{-h}$$
$$=f'(x)+f'(x)$$
$$=2f'(x)$$

즉 $2f'(x)=4xe^{x^2}$에서 $f'(x)=2xe^{x^2}$

STEP B $x^2=t$로 치환하여 $f(x)$ 구하기

$f(x)=\int 2xe^{x^2}dx$에서

$x^2=t$로 놓으면 $2xdx=dt$이므로

$f(x)=\int 2xe^{x^2}dx=\int e^t dt=e^t+C=e^{x^2}+C$ (단, C는 적분상수)

STEP C $x=1$에서 미분가능하면 연속이므로 적분상수 C 구하기

함수 $f(x)$가 미분가능하면서 연속이므로

조건 (나)에서 $\lim_{x\to 1}f(x)=f(1)$이므로 $e+C=e$

즉 $C=0$

따라서 $f(x)=e^{x^2}$이므로 $f(\sqrt{\ln 3})=e^{(\sqrt{\ln 3})^2}=e^{\ln 3}=3$

내신연계 출제문항 643

실수 전체의 집합에서 미분가능한 함수 $f(x)$에 대하여

$$\lim_{h\to 0}\frac{f(x+h)-f(x-h)}{h}=4xe^{x^2}\text{이고 } f(0)=2$$

일 때, $f(\sqrt{\ln 2})$의 값은?

① 1 ② 2 ③ 3
④ $e+1$ ⑤ $e+2$

STEP A 미분계수의 정의에 의하여 $f'(x)$ 구하기

$$\lim_{h\to 0}\frac{f(x+h)-f(x-h)}{h}=\lim_{h\to 0}\frac{f(x+h)-f(x)-f(x-h)+f(x)}{h}$$
$$=\lim_{h\to 0}\frac{f(x+h)-f(x)}{h}+\lim_{h\to 0}\frac{f(x-h)-f(x)}{h}$$
$$=f'(x)+f'(x)$$
$$=2f'(x)$$

즉 $2f'(x)=4xe^{x^2}$이므로 $f'(x)=2xe^{x^2}$

STEP B $x^2=t$로 치환하여 $f(x)$ 구하기

$f(x)=\int 2xe^{x^2}dx$

$x^2=t$로 놓으면 $\frac{dt}{dx}=2x$이므로

$f(x)=\int 2xe^{x^2}dx=\int e^t dt=e^t+C=e^{x^2}+C$ (단, C는 적분상수)

STEP C $f(0)=2$임을 이용하여 적분상수를 구한 후 $f(\sqrt{\ln 2})$의 값 구하기

$f(0)=1+C=2$에서 $C=1$이므로 $f(x)=e^{x^2}+1$

따라서 $f(\sqrt{\ln 2})=e^{\ln 2}+1=3$

정답 ③

1635

정답 ③

STEP A 여러 가지 치환적분법을 이용하여 구하기

① $\ln x=t$로 놓으면 $\frac{1}{x}=\frac{dt}{dx}$이므로

$$\int\frac{1}{x\sqrt{2+\ln x}}dx=\int\frac{1}{\sqrt{t}}dt=\int t^{-\frac{1}{2}}dt=2t^{\frac{1}{2}}+C=2\sqrt{t}+C=2\sqrt{2+\ln x}+C$$

② $\ln x=t$로 놓으면 $\frac{1}{x}=\frac{dt}{dx}$이므로

$$\int\frac{\sin(\ln x)}{x}dx=\int\sin t\,dt=-\cos t+C=-\cos(\ln x)+C$$

③ $\sin x=t$로 놓으면 $\cos x=\frac{dt}{dx}$이므로

$$\int\sin^3 x\cos x\,dx=\int t^3 dt=\frac{1}{4}t^4+C=\frac{1}{4}\sin^4 x+C$$ [거짓]

④ $x^2+3=t$로 놓으면 $2x=\frac{dt}{dx}$이므로

$$\int 2x\sqrt{x^2+3}\,dx=\int\sqrt{t}\,dt=\frac{2}{3}t\sqrt{t}+C=\frac{2}{3}(x^2+3)\sqrt{x^2+3}+C$$

⑤ $x^2+1=t$로 놓으면 $2x=\frac{dt}{dx}$이므로

$$\int\frac{2x}{\sqrt{x^2+1}}dx=\int\frac{1}{\sqrt{t}}dt=\int t^{-\frac{1}{2}}dt=2t^{\frac{1}{2}}+C=2\sqrt{t}+C=2\sqrt{x^2+1}+C$$

따라서 옳지 않은 것은 ③이다.

내신연계 출제문항 644

다음 부정적분 중 옳지 않은 것은? (단, C는 적분상수이다.)

① $\int\cos^2 x\sin x\,dx=-\frac{1}{3}\cos^3 x+C$

② $\int xe^{x^2}dx=\frac{1}{2}e^{x^2}+C$

③ $\int\frac{\ln x}{x}=\ln x-x+C$

④ $\int x\sqrt{x^2-1}\,dx=\frac{1}{3}(x^2-1)\sqrt{x^2-1}+C$

⑤ $\int e^x\sqrt{e^x+1}\,dx=\frac{2}{3}(e^x+1)\sqrt{e^x+1}+C$

STEP A 여러 가지 치환적분법을 이용하여 구하기

① $\cos x=t$로 놓으면 $\frac{dt}{dx}=-\sin x$이므로

$$\int\cos^2 x\sin x\,dx=-\int\cos^2 x\times(-\sin x)dx=-\int\cos^2 x\times(\cos x)'dx=-\int t^2 dt=-\frac{1}{3}t^3+C=-\frac{1}{3}\cos^3 x+C$$

② $x^2=t$로 놓으면 $2x=\frac{dt}{dx}$이므로

$$\int xe^{x^2}dx=\int\frac{1}{2}e^t dx=\frac{1}{2}e^x+C=\frac{1}{2}e^{x^2}+C$$

③ $\ln x=t$로 놓으면 $\frac{1}{x}=\frac{dt}{dx}$이므로

$$\int\frac{\ln x}{x}=\int t\,dt=\frac{1}{2}t^2+C=\frac{1}{2}(\ln x)^2+C$$ [거짓]

④ $x^2-1=t$로 놓으면 $2x=\frac{dt}{dx}$이므로

$$\int x\sqrt{x^2-1}\,dx=\frac{1}{2}\int\sqrt{t}\,dt=\frac{1}{2}\cdot\frac{2}{3}t\sqrt{t}+C=\frac{1}{3}(x^2-1)\sqrt{x^2-1}+C$$

⑤ $e^x+1=t$로 놓으면 $e^x=\frac{dt}{dx}$이므로

$$\int e^x\sqrt{e^x+1}\,dx=\int\sqrt{t}\,dt=\frac{2}{3}t\sqrt{t}+C=\frac{2}{3}(e^x+1)\sqrt{e^x+1}+C$$

따라서 옳지 않은 것은 ③이다. 정답 ③

1636

정답 ③

STEP A $\ln x=t$로 치환하여 $f(x)$ 구하기

$\ln x=t$로 놓으면 $\frac{1}{x}dx=dt$이므로

$$f(x)=\int\frac{4(\ln x)^3}{x}dx=\int 4t^3 dt=t^4+C=(\ln x)^4+C$$

STEP B $f(e)=2$일 때, 적분상수 구하기

이때 $f(e)=2$이므로 $C=1$

STEP C $f(e^3)$의 값 구하기

따라서 $f(x)=(\ln x)^4+1$이므로 $f(e^3)=(\ln e^3)^4+1=82$

1637

정답 ⑤

STEP A $\ln x=t$로 치환하여 $f(x)$ 구하기

$f'(x)=\frac{4\ln\sqrt{x}}{x}$이므로

$$f(x)=\int\frac{4\ln\sqrt{x}}{x}dx=\int\frac{4\ln x^{\frac{1}{2}}}{x}dx=\int\frac{2\ln x}{x}dx$$

$\ln x=t$로 놓으면 $\frac{dt}{dx}=\frac{1}{x}$이므로

$$f(x)=\int\frac{2\ln x}{x}dx=\int 2t\,dt=t^2+C=(\ln x)^2+C$$ (단, C는 적분상수)

STEP B $f(1)=2$일 때, 적분상수 구하기

$f(1)=(\ln 1)^2+C=2$이므로 $C=2$

STEP C $f(e^3)$의 값 구하기

따라서 $f(x)=(\ln x)^2+2$이므로 $f(e^3)=(\ln e^3)^2+2=3^2+2=11$

내신연계 출제문항 645

함수 $f(x)=\int\frac{\sqrt{\ln x}}{x}dx$에 대하여 $f(e)=\frac{4}{3}$일 때, $f(e^4)$의 값은? (단, e는 자연로그의 밑이다.)

① 5　② 6　③ 7　④ 8　⑤ 9

STEP A 치환적분을 이용하여 $f(x)$ 구하기

$\ln x=t$로 놓으면 $\frac{1}{x}dx=dt$이므로

$$f(x)=\int\frac{\sqrt{\ln x}}{x}dx=\int\sqrt{t}\,dt=\frac{2}{3}t^{\frac{3}{2}}+C=\frac{2}{3}(\ln x)^{\frac{3}{2}}+C$$ (단, C는 적분상수)

STEP B $f(e)=\frac{4}{3}$일 때, 적분상수 구하기

이때 $f(e)=\frac{4}{3}$이므로 $\frac{2}{3}+C=\frac{4}{3}$　$\therefore C=\frac{2}{3}$

STEP C $f(e^4)$의 값 구하기

따라서 $f(x)=\frac{2}{3}(\ln x)^{\frac{3}{2}}+\frac{2}{3}$이므로 $f(e^4)=\frac{2}{3}\cdot 4^{\frac{3}{2}}+\frac{2}{3}=\frac{16}{3}+\frac{2}{3}=6$

정답 ②

1638

정답 ①

STEP A **치환적분을 이용하여 $f(x)$ 구하기**

$xf'(x)=2\ln x$에서 $f'(x)=\dfrac{2\ln x}{x}$

$f(x)=\displaystyle\int\frac{2\ln x}{x}dx$

$\ln x=t$로 놓으면 $\dfrac{1}{x}dx=dt$

$f(x)=\displaystyle\int\frac{2\ln x}{x}dx=\int 2t\,dt=t^2+C \quad \therefore\ f(x)=(\ln x)^2+C$

STEP B **$f(1)=-3$일 때, 적분상수 구하기**

이때 $f(1)=-3$이므로 $C=-3$

STEP C **$f(x)=2\ln x$를 만족하는 모든 x의 값의 곱 구하기**

$f(x)=(\ln x)^2-3$

이때 $(\ln x)^2-3=2\ln x$, $(\ln x-3)(\ln x+1)=0$

$\therefore\ \ln x=3$ 또는 $\ln x=-1$

따라서 x의 값은 $x=e^3$ 또는 $x=\dfrac{1}{e}$이므로 모든 x의 값의 곱은 $e^3\cdot\dfrac{1}{e}=e^2$

내신연계 출제문항 646

함수 $f(x)=\displaystyle\int\frac{\ln x}{x}dx$에 대하여 $f(1)=\dfrac{9}{2}$일 때, $f(x)=3\ln x$를 만족시키는 x의 값은?

① e^2 ② e^3 ③ e^4
④ e^5 ⑤ e^6

STEP A **$\ln x=t$로 치환하여 $f(x)$ 구하기**

$f(x)=\displaystyle\int\frac{\ln x}{x}dx$에서 $\ln x=t$로 놓으면 $\dfrac{1}{x}dx=dt$이므로

$\displaystyle\int\frac{\ln x}{x}dx=\int t\,dt=\frac{1}{2}t^2+C=\frac{1}{2}(\ln x)^2+C$

STEP B **$f(1)=\dfrac{9}{2}$일 때, 적분상수 구하기**

$f(1)=\dfrac{9}{2}$이므로 $C=\dfrac{9}{2}$

STEP C **$f(x)=3\ln x$를 만족하는 로그방정식을 만족하는 x의 값 구하기**

$f(x)=\dfrac{1}{2}(\ln x)^2+\dfrac{9}{2}$

$f(x)=3\ln x$에서 $\dfrac{1}{2}(\ln x)^2+\dfrac{9}{2}=3\ln x$

$(\ln x)^2-6\ln x+9=0$, $(\ln x-3)^2=0$에서 $\ln x=3$

따라서 $x=e^3$

 ②

1639

정답 ①

STEP A **치환적분을 이용하여 $f(x)$ 구하기**

$\ln x=t$로 놓으면 $\dfrac{1}{x}dx=dt$이므로

$f(x)=\displaystyle\int\frac{1}{x}\cos(\ln x)dx=\int\cos t\,dt=\sin t+C=\sin(\ln x)+C$

STEP B **$f(e^{-\pi})=-1$임을 이용하여 적분상수 구하기**

$f(e^{-\pi})=-1$이므로 $\sin(\ln e^{-\pi})+C=\sin(-\pi)+C=C=-1$

$\therefore\ f(x)=\sin(\ln x)-1$

STEP C **방정식 $f(x)=-\dfrac{1}{2}$의 근 구하기**

$1\le x\le e^{\frac{\pi}{2}}$에서 $0\le\ln x\le\dfrac{\pi}{2}$

$f(x)=-\dfrac{1}{2}$에서 $\sin(\ln x)=\dfrac{1}{2} \quad \therefore\ \ln x=\dfrac{\pi}{6}$

따라서 구하는 해는 $x=e^{\frac{\pi}{6}}$

내신연계 출제문항 647

$x>1$에서 정의된 함수 $f(x)$가

$$f(x)=\int\frac{1}{x}\cos(\ln x)dx,\ f(e^{\pi})=0$$

을 만족한다. 방정식 $f(x)=0$의 실근을 작은 수부터 차례로

$a_1,\ a_2,\ a_3,\ \cdots$

이라고 할 때, $\ln(a_2\times a_4\times a_6\times a_8\times a_{10})$의 값은?

① 10π ② 15π ③ 20π
④ 25π ⑤ 30π

STEP A **$\ln x=t$로 치환하여 $f(x)$ 구하기**

$f(x)=\displaystyle\int\frac{1}{x}\cos(\ln x)dx$에서 $\ln x=t$로 놓으면 $\dfrac{1}{x}dx=dt$

$f(x)=\displaystyle\int\cos t\,dt=\sin t+C=\sin(\ln x)+C$

STEP B **$f(e^{\pi})=0$임을 이용하여 적분상수 구하기**

$f(e^{\pi})=0$이므로 $C=0$

$\therefore\ f(x)=\sin(\ln x)$

STEP C **$f(x)=0$의 실근 구하기**

$x>1$이므로 $\ln x>0$

$\sin(\ln x)=0$에서 $\ln a_n=n\pi$ (단, n은 자연수)

따라서 $\ln(a_2\times a_4\times a_6\times a_8\times a_{10})=\ln a_2+\ln a_4+\ln a_6+\ln a_8+\ln a_{10}$
$=2\pi+4\pi+6\pi+8\pi+10\pi=30\pi$

 ⑤

1640

 ④

STEP A **$\ln x=t$로 치환하여 $f(x)$ 구하기**

$\ln x=t$로 놓으면 $\dfrac{1}{x}dx=dt$이므로

$f(x)=\displaystyle\int\frac{(\ln x)^2}{x}dx=\int t^2dt=\frac{1}{3}t^3+C=\frac{1}{3}(\ln x)^3+C$

이때 $f(1)=0$이므로 $C=0 \quad \therefore\ f(x)=\dfrac{1}{3}(\ln x)^3$

STEP B **[보기]의 참, 거짓 판단하기**

ㄱ. $f(e)=\dfrac{1}{3}(\ln e)^3=\dfrac{1}{3}$ [참]

ㄴ. $f'(x)=\dfrac{1}{x}(\ln x)^2=0$에서 $x=1$

함수 $f(x)$의 증가와 감소를 표로 나타내면 다음과 같다.

x	(0)	$\cdots$	1	$\cdots$
$f'(x)$		+	0	+
$f(x)$		↗		↗

즉 $x>0$에서 $f'(x)=\dfrac{1}{x}(\ln x)^2\ge 0$이므로

$x=1$에서 함수 $f(x)$는 증가하므로 극값을 갖지 않는다. [거짓]

ㄷ. $f(x)$가 증가하는 함수이므로 닫힌구간 $\left[\dfrac{1}{e},\ e^2\right]$에서

최댓값은 $f(e^2)=\dfrac{1}{3}(\ln e^2)^3=\dfrac{8}{3}$

최솟값은 $f\left(\dfrac{1}{e}\right)=\dfrac{1}{3}\left(\ln\dfrac{1}{e}\right)^3=-\dfrac{1}{3}$ [참]

따라서 옳은 것은 ㄱ, ㄷ이다.

1641

정답 ⑤

STEP A 양변을 x에 대하여 미분하여 $f'(x)$ 구하기

$F(x)=xf(x)-x\ln x$의 양변을 x에 대하여 미분하면

$f(x)=f(x)+xf'(x)-\ln x-1$

$\therefore f'(x)=\frac{\ln x}{x}+\frac{1}{x}$

STEP B $\ln x=t$로 치환하여 $f(x)$ 구하기

$\ln x=t$로 놓으면 $\frac{1}{x}dx=dt$이므로

$f(x)=\int\left(\frac{\ln x}{x}+\frac{1}{x}\right)dx=\frac{1}{2}(\ln x)^2+\ln x+C$

STEP C $f(e)=\frac{5}{2}$를 이용하여 적분상수를 구한 후 $f'(e)+f(e^2)$의 값 구하기

$f(e)=\frac{5}{2}$이므로 $\frac{1}{2}+1+C=\frac{5}{2}$ $\quad\therefore C=1$

$\therefore f(x)=\frac{1}{2}(\ln x)^2+\ln x+1$

따라서 $f'(e)+f(e^2)=\frac{2}{e}+5$

1642

정답 ③

STEP A 부분적분을 이용하여 $f(x)$ 구하기

$f(x)=\int(x+1)e^{-x}dx$에서 $u(x)=x+1$, $v'(x)=e^{-x}$으로 놓으면

$u'(x)=1$, $v(x)=-e^{-x}$이므로

$f(x)=-(x+1)e^{-x}+\int e^{-x}dx$

$=-(x+1)e^{-x}-e^{-x}+C$

$=-(x+2)e^{-x}+C$

STEP B $f(0)=0$을 이용하여 적분상수 구하기

$f(0)=0$에서 $f(0)=-2+C$이므로 $C=2$

STEP C $f(-1)$의 값 구하기

따라서 $f(x)=-(x+2)e^{-x}+2$이므로 $f(-1)=-e+2$

내신연계 출제문항 648

함수 $f(x)$에 대하여 $e^xf'(x)=x+2$가 성립할 때, $f(-4)-f(0)$의 값은? (단, e는 자연로그의 밑이다.)

① e^4 ② e^4+1 ③ e^4+2
④ e^4+3 ⑤ e^4+4

STEP A 부분적분을 이용하여 $f(x)$ 구하기

$e^xf'(x)=x+2$에서 $f'(x)=(x+2)e^{-x}$

$f(x)=\int(x+2)e^{-x}dx$에서 $u(x)=x+2$, $v'(x)=e^{-x}$으로 놓으면

$u'(x)=1$, $v(x)=-e^{x}$이므로

$f(x)=-(x+2)e^{-x}+\int e^{-x}dx$

$=-(x+2)e^{-x}-e^{-x}+C$

$=-(x+3)e^{-x}+C$

STEP B $f(-4)-f(0)$의 값 구하기

따라서 $f(-4)-f(0)=e^4+C+3-C=e^4+3$

정답 ④

1643

정답 ②

STEP A 부분적분을 이용하여 $f(x)$ 구하기

$f(x)=\int(x-1)e^{2x}dx$

$=\frac{(x-1)}{2}e^{2x}-\int\frac{1}{2}e^{2x}dx$

$=\frac{(x-1)}{2}e^{2x}-\frac{1}{4}e^{2x}+C$

$=\frac{(2x-3)}{4}e^{2x}+C$

STEP B $f(0)=-\frac{3}{4}$을 이용하여 적분상수 구하기

$f(0)=-\frac{3}{4}$에서 $C=0$

STEP C $f(1)$의 값 구하기

따라서 $f(x)=\frac{(2x-3)}{4}e^{2x}$이므로 $f(1)=-\frac{e^2}{4}$

1644

정답 ②

STEP A 부분적분을 이용하여 $f'(3)=0$, $f(0)=3$을 만족하는 a, C 구하기

$f(x)=\int(x+a)e^xdx$에서 $f'(x)=(x+a)e^x$이므로

$f'(3)=(3+a)e^3=0$ $\quad\therefore a=-3$

또한, $f(x)=\int(x-3)e^xdx=(x-3)e^x-e^x+C$   ⬅ $u(x)=x-3$, $v'(x)=e^x$

$f(0)=-3-1+C=3$ $\quad\therefore C=7$

STEP B $f(4)$의 값 구하기

따라서 $f(x)=(x-3)e^x-e^x+7$이므로 $f(4)=7$

내신연계 출제문항 649

실수 a에 대하여 함수 $f(x)=\int(x+a)e^xdx$가

$f'(2)=0$, $f(0)=2$

를 만족할 때, $f(3)$의 값은?

① 5 ② 6 ③ 7
④ 8 ⑤ 9

STEP A $f'(2)=0$을 만족하는 상수 a의 값 구하기

$f'(x)=(x+a)e^x$이므로

$f'(2)=(2+a)e^2=0$에서 $a=-2$

$f(x)=\int(x-2)e^xdx=(x-2)e^x-\int e^xdx$

$=(x-2)e^x-e^x+C$

$=(x-3)e^x+C$

STEP B $f(0)=2$를 이용하여 적분상수 구하기

$f(0)=-3+C=2$에서 $C=5$

STEP C $f(3)$의 값 구하기

따라서 $f(x)=(x-3)e^x+5$이므로 $f(3)=(3-3)e^3+5=5$

정답 ①

1645

정답 ③

STEP Ⓐ **부분적분을 이용하여 적분상수를 구하여 $f(x)$ 구하기**

$u(x)=2x+3,\ v'(x)=e^x$로 놓으면

$u'(x)=2,\ v(x)=e^x$이므로

$$f(x)=\int(2x+3)e^x dx=(2x+3)e^x-\int 2e^x dx$$
$$=(2x+3)e^x-2e^x+C=(2x+1)e^x+C$$

STEP Ⓑ **$f(0)=1$임을 이용하여 적분상수 구하기**

이때 $f(0)=1$이므로 $1+C=1$에서 $C=0$

$\therefore\ f(x)=(2x+1)e^x$

STEP Ⓒ **주어진 식의 값 구하기**

따라서 $\dfrac{f(1)}{e}+\dfrac{f(2)}{e^2}+\dfrac{f(3)}{e^3}+\cdots+\dfrac{f(10)}{e^{10}}=\dfrac{3e}{e}+\dfrac{5e^2}{e^2}+\dfrac{7e^3}{e^3}+\cdots+\dfrac{21e^{10}}{e^{10}}$

$$=3+5+7+\cdots+21$$
$$=\frac{10(3+21)}{2}$$
$$=120$$

1646

정답 ③

STEP Ⓐ **부분적분을 이용하여 $f(x)$ 구하기**

$$f(x)=\int xe^x dx=xe^x-\int e^x dx=xe^x-e^x+C$$

STEP Ⓑ **$f(x)$의 극솟값이 3임을 이용하여 적분상수 구하기**

$f'(x)=xe^x$에서 $f'(x)=0\quad \therefore\ x=0$

함수 $f(x)$의 증가와 감소를 표로 나타내면 다음과 같다.

x	$\cdots$	0	$\cdots$
$f'(x)$	$-$	0	$+$
$f(x)$	↘	극소	↗

$f(x)$의 극솟값이 3이므로 $f(0)=-1+C=3\quad \therefore\ C=4$

STEP Ⓒ **$f(1)$의 값 구하기**

따라서 $f(x)=xe^x-e^x+4$이므로 $f(1)=4$

1647

정답 ③

STEP Ⓐ **부분적분을 이용하여 $f(x)$ 구하기**

$$f(x)=\int\left\{(1-x)e^{-x}+\frac{1}{x}\right\}dx$$
$$=\int(1-x)e^{-x}dx+\int\frac{1}{x}dx$$
$$=(x-1)e^{-x}-\int e^{-x}dx+\ln x$$
$$=xe^{-x}+\ln x+C$$

STEP Ⓑ **$f(1)=\dfrac{1}{e}$을 이용하여 적분상수 구하기**

$y=f(x)$의 그래프가 점 $\left(1,\ \dfrac{1}{e}\right)$을 지나므로 $f(1)=\dfrac{1}{e}$

$\therefore\ C=0$

STEP Ⓒ **방정식 $f(x)-xe^{-x}=2$를 만족시키는 x의 값 구하기**

따라서 $f(x)=xe^{-x}+\ln x$이므로 $f(x)-xe^{-x}=2$에서 $\ln x=2$

$\therefore\ x=e^2$

1648

정답 ①

STEP Ⓐ **부분적분을 이용하여 $f(x)$ 구하기**

$\displaystyle\lim_{h\to 0}\frac{f(x+h)-f(x)}{h}=f'(x)=x^2e^{-x}$이므로

$$f(x)=\int x^2e^{-x}dx$$
$$=-x^2e^{-x}-\int(-2xe^{-x})dx \quad \Leftarrow u(x)=x^2,\ v'(x)=e^{-x}$$
$$=-x^2e^{-x}+\int 2xe^{-x}dx$$
$$=-x^2e^{-x}-2xe^{-x}-\int(-2e^{-x})dx$$
$$=-x^2e^{-x}-2xe^{-x}-2e^{-x}+C$$
$$=-(x^2+2x+2)e^{-x}+C$$

STEP Ⓑ **$f(-1)=-e$를 이용하여 적분상수 구하기**

이때 $f(-1)=-e+C=-e$이므로 $C=0$

STEP Ⓒ **$f(1)$의 값 구하기**

따라서 $f(x)=-(x^2+2x+2)e^{-x}$이므로 $f(1)=-5e^{-1}$

내/신/연/계/ 출제문항 650

미분가능한 함수 $f(x)$가 다음 조건을 만족시킬 때, $f(0)$의 값은?
(단, e는 자연로그의 밑이다.)

> (가) $\displaystyle\lim_{h\to 0}\frac{f(x+h)-f(x-h)}{h}=2(x+1)e^x$
> (나) $\displaystyle\lim_{x\to 1}f(x)=3e$

① 1　② 2　③ e
④ $2e$　⑤ $3e$

STEP Ⓐ **도함수의 정의를 이용하여 $f'(x)$ 구하기**

조건 (가)에서 함수 $f(x)$가 미분가능한 함수이므로

$$\lim_{h\to 0}\frac{f(x+h)-f(x-h)}{h}=\lim_{h\to 0}\frac{f(x+h)-f(x)}{h}+\lim_{h\to 0}\frac{f(x+(-h))-f(x)}{(-h)}$$
$$=f'(x)+f'(x)$$
$$=2f'(x)$$

즉 $2f'(x)=2(x+1)e^x$이므로 $f'(x)=(x+1)e^x$

STEP Ⓑ **부분적분을 이용하여 적분상수를 구하여 $f(x)$ 구하기**

$u(x)=x+1,\ v'(x)=e^x$로 놓으면

$u'(x)=1,\ v(x)=e^x$이므로

$$\therefore\ f(x)=\int(x+1)e^x dx=(x+1)e^x-\int e^x dx$$
$$=(x+1)e^x-e^x+C \text{ (단, } C\text{는 적분상수)}$$
$$=xe^x+C$$

STEP Ⓒ **연속을 이용하여 적분상수 구하기**

조건 (나)에서 함수 $f(x)$는 미분가능한 함수이므로

$f(x)$는 모든 실수 x에 대하여 연속이고

$\displaystyle\lim_{x\to 1}f(x)=f(1)=3e,\ e+C=3e\quad \therefore\ C=2e$

STEP Ⓓ **$f(0)$의 값 구하기**

따라서 $f(x)=xe^x+2e$이므로 $f(0)=2e$

정답 ④

1649

정답 ③

STEP Ⓐ **양변을 x에 대하여 미분하여 $f'(x)$ 구하기**

$F'(x)=f(x)$이므로

$F(x)=xf(x)-x^2e^x$의 양변을 x에 대하여 미분하면

$f(x)=f(x)+xf'(x)-2xe^x-x^2e^x$

$f'(x)=2e^x+xe^x=e^x(2+x)$

STEP Ⓑ **부분적분을 이용하여 $f(x)$ 구하기**

$f(x)=\int e^x(2+x)dx$에서 $u(x)=2+x$, $v'(x)=e^x$로 놓으면

$u'(x)=1$, $v(x)=e^x$이므로

$$f(x)=\int e^x(2+x)dx=e^x(2+x)-\int e^x dx$$
$$=e^x(2+x)-e^x+C$$
$$=e^x(x+1)+C$$

STEP Ⓒ **$f(0)=1$을 이용하여 적분상수를 구한 후 $f(1)$의 값 구하기**

$f(0)=1$이므로 $C=0$

따라서 $f(x)=e^x(x+1)$이므로 $f(1)=2e$

내/신/연/계/ 출제문항 651

미분가능한 함수 $f(x)$의 한 부정적분 $F(x)$가 다음 두 조건을 만족시킨다.

(가) $F(x)=xf(x)-x^2e^{2x}$
(나) $f(0)=0$

이때 $f\left(\frac{1}{2}\right)$의 값은?

① $\frac{1}{e}-\frac{1}{2}$ ② $e-1$ ③ $e-\frac{1}{2}$
④ $e+\frac{1}{2}$ ⑤ $e+1$

STEP Ⓐ **양변을 x에 대하여 미분하여 $f'(x)$ 구하기**

$F(x)=xf(x)-x^2e^{2x}$의 양변을 x에 대하여 미분하면

$f(x)=f(x)+xf'(x)-2xe^{2x}-2x^2e^{2x}$에서 $f'(x)=2e^{2x}+2xe^{2x}$

STEP Ⓑ **부분적분을 이용하여 $f(x)$ 구하기**

$$f(x)=\int(2e^{2x}+2xe^{2x})dx=\int 2e^{2x}dx+\int 2xe^{2x}dx$$
$$=e^{2x}+\left(xe^{2x}-\int e^{2x}dx\right)$$
$$=e^{2x}+xe^{2x}-\frac{1}{2}e^{2x}+C$$
$$=\left(x+\frac{1}{2}\right)e^{2x}+C$$

STEP Ⓒ **$f(0)=0$을 이용하여 적분상수를 구한 후 $f\left(\frac{1}{2}\right)$의 값 구하기**

$f(0)=0$이므로 $C=-\frac{1}{2}$

따라서 $f(x)=\left(x+\frac{1}{2}\right)e^{2x}-\frac{1}{2}$이므로 $f\left(\frac{1}{2}\right)=e-\frac{1}{2}$

 ③

1650

정답 ②

STEP Ⓐ **양변을 미분한 후 부분적분을 이용하여 함수 $f(x)$ 구하기**

$\int f(x)dx=xf(x)-x^2e^{-x}$의 양변을 미분하면

$f(x)=f(x)+xf'(x)-(2xe^{-x}-x^2e^{-x})$

$f'(x)=2e^{-x}-xe^{-x}=-(x-2)e^{-x}$

이때 $f(x)=\int -(x-2)e^{-x}dx=(x-2)e^{-x}-\int e^{-x}dx+C$

$$=(x-2)e^{-x}+e^{-x}+C$$
$$=(x-1)e^{-x}+C \text{ (}C\text{는 적분상수)}$$

$f(1)=C=0$

$f(x)=-2e^{-x}-(-xe^{-x}-e^{-x})=(x-1)e^{-x}$

STEP Ⓑ **증감표를 이용하여 극댓값 구하기**

$f'(x)=(2-x)e^{-x}=0$에서 $x=2$

함수 $f(x)$의 증가와 감소를 표로 나타내면 다음과 같다.

x	$\cdots$	2	$\cdots$
$f'(x)$	+	0	−
$f(x)$	↗	극대	↘

따라서 $x=2$에서 극댓값은 $f(2)=e^{-2}=\frac{1}{e^2}$

내/신/연/계/ 출제문항 652

미분가능한 함수 $f(x)$의 부정적분의 하나를 $F(x)$라 할 때,

$$F(x)=xf(x)+x^2e^{-x},\ f(0)=2$$

를 만족한다. 이때 $f(1)$의 값은?

① 1 ② e ③ $2e$
④ $3e$ ⑤ $4e$

STEP Ⓐ **양변을 x에 대하여 미분하여 $f'(x)$ 구하기**

$F'(x)=f(x)$이므로

$F(x)=xf(x)+x^2e^{-x}$의 양변을 미분하면

$f(x)=f(x)+xf'(x)+2xe^{-x}-x^2e^{-x}$에서 $f'(x)=xe^{-x}-2e^{-x}$

STEP Ⓑ **부분적분을 이용하여 $f(x)$ 구하기**

즉 $f(x)=\int(xe^{-x}-2e^{-x})dx=(1-x)e^{-x}+C$

STEP Ⓒ **$f(0)=2$를 이용하여 적분상수를 구한 후 $f(1)$의 값 구하기**

이때 $f(0)=1+C=2$이므로 $f(x)=(1-x)e^{-x}+1$

따라서 $f(1)=1$

정답 ①

1651

정답 ③

STEP A 조건 (가), (나)에서 $f'(x)$ 구하기

조건(나)의 $\lim_{x\to1}\frac{f(x)-2}{x-1}=5$에서

$x\to1$일 때, (분모)$\to0$이고 극한값이 존재하므로 (분자)$\to0$이어야 한다.

즉 $\lim_{x\to1}\{f(x)-2\}=0$이므로 $\lim_{x\to1}f(x)=2$

이때 $f(x)$가 미분가능한 함수이면 $f(x)$는 연속함수이므로

$f(1)=\lim_{x\to1}f(x)=2$ …… ㉠

$\lim_{x\to1}\frac{f(x)-2}{x-1}=\lim_{x\to1}\frac{f(x)-f(1)}{x-1}=f'(1)=5$

$f'(x)=axe^{x-1}$에서 $f'(1)=5$이므로 $a=5$

$\therefore f'(x)=5xe^{x-1}$

STEP B 부분적분을 이용하여 $f(x)$ 구하고 $f(2)-a$ 구하기

조건(가)의 $f(x)=\int 5xe^{x-1}dx$에서 $u(x)=5x,\ v'(x)=e^{x-1}$으로 놓으면

$u'(x)=5,\ v(x)=e^{x-1}$이므로

$f(x)=\int 5xe^{x-1}dx=5xe^{x-1}-\int 5e^{x-1}dx=5xe^{x-1}-5e^{x-1}+C$

STEP C $f(1)=2$를 이용하여 적분상수를 구한 후 $f(a)$의 값 구하기

이때 ㉠에서 $f(1)=5-5+C=2$이므로 $C=2$

따라서 $f(x)=5xe^{x-1}-5e^{x-1}+2$이므로

$f(a)=f(5)=25e^4-5e^4+2=20e^4+2$

1652

STEP A 부분적분법을 이용하여 함수 $f(x)$ 구하기

함수 $f(x)$에 대하여 $f(x)+xf'(x)=\frac{d}{dx}\{xf(x)\}=x^2e^x$이므로

$$\begin{aligned}xf(x)&=\int x^2e^xdx=x^2e^x-\int 2xe^xdx\\&=x^2e^x-\left(2xe^x-\int 2e^xdx\right)\\&=x^2e^x-2xe^x+2e^x+C\\&=e^x(x^2-2x+2)+C\ (C\text{는 적분상수})\end{aligned}$$

STEP B $f(1)=e$임을 이용하여 적분상수 구하기

이때 $f(1)=e+C=e$이므로 $C=0$

STEP C $f(2)$의 값 구하기

따라서 $xf(x)=e^x(x^2-2x+2)$이므로 $x=2$를 대입하면 $2f(2)=2e^2$

$\therefore f(2)=e^2$

1653

STEP A 부분적분을 이용하여 $f(x)$ 구하기

$f'(x)=x\cos x$에서 $f(x)=\int x\cos x dx$

$u(x)=x,\ v'(x)=\cos x$로 놓으면 $u'(x)=1,\ v(x)=\sin x$이므로

$f(x)=\int x\cos xdx=x\sin x-\int \sin xdx=x\sin x+\cos x+C$

STEP B $f(0)=-1$을 이용하여 적분상수 구하기

이때 $f(0)=-1$이므로 $f(0)=1+C=-1$ $\therefore C=-2$

STEP C $f(\pi)$의 값 구하기

따라서 $f(x)=x\sin x+\cos x-2$이므로 $f(\pi)=-3$

1654

정답 ②

STEP A 부분적분을 이용하여 $f(x)$ 구하기

$f'(x)=x\sin 2x$에서 $f(x)=\int x\sin 2xdx$

$u(x)=x,\ v'(x)=\sin 2x$로 놓으면 $u'(x)=1,\ v(x)=-\frac{1}{2}\cos 2x$

$$\begin{aligned}f(x)&=-\frac{1}{2}x\cos 2x-\int\left(-\frac{1}{2}\cos 2x\right)dx\\&=-\frac{1}{2}x\cos 2x+\frac{1}{4}\sin 2x+C\end{aligned}$$

STEP B $f(0)=\frac{1}{4}$을 이용하여 적분상수 구하기

이때 $f(0)=\frac{1}{4}$이므로 $f(0)=C=\frac{1}{4}$

STEP C $f\left(\frac{\pi}{4}\right)$의 값 구하기

따라서 $f(x)=-\frac{1}{2}x\cos 2x+\frac{1}{4}\sin 2x+\frac{1}{4}$이므로 $f\left(\frac{\pi}{4}\right)=\frac{1}{4}+\frac{1}{4}=\frac{1}{2}$

내신연계 출제문항 653

함수 $f(x)$에 대하여

$$f(x)=\int x\cos 2xdx,\ f\left(\frac{\pi}{2}\right)=\frac{3}{4}$$

일 때, $f(0)$의 값은?

① $\frac{1}{3}$ ② $\frac{2}{3}$ ③ 1
④ $\frac{5}{4}$ ⑤ 2

STEP A 부분적분을 이용하여 $f(x)$ 구하기

$f(x)=\int x\cos 2xdx$에서 $u(x)=x,\ v'(x)=\cos 2x$로 놓으면

$u'(x)=1,\ v(x)=\frac{1}{2}\sin 2x$이므로

$$\begin{aligned}f(x)&=\int x\cos 2xdx=x\left(\frac{1}{2}\sin 2x\right)-\int\frac{1}{2}\sin 2xdx\\&=\frac{1}{2}x\sin 2x+\frac{1}{4}\cos 2x+C\end{aligned}$$

STEP B $f\left(\frac{\pi}{2}\right)=\frac{3}{4}$을 이용하여 적분상수 구하기

이때 $f\left(\frac{\pi}{2}\right)=\frac{3}{4}$이므로 $f\left(\frac{\pi}{2}\right)=-\frac{1}{4}+C=\frac{3}{4}$ $\therefore C=1$

STEP C $f(0)$의 값 구하기

따라서 $f(x)=\frac{1}{2}x\sin 2x+\frac{1}{4}\cos 2x+1$이므로 $f(0)=\frac{1}{4}+1=\frac{5}{4}$ 정답 ④

1655

STEP A 부분적분을 이용하여 $f(x)$ 구하기

$f'(x)=(x-\pi)\cos x$이므로 $f(x)=\int(x-\pi)\cos xdx$

$u(x)=x-\pi,\ v'(x)=\cos x$로 놓으면 $u'(x)=1,\ v(x)=\sin x$이므로

$$\begin{aligned}f(x)&=\int(x-\pi)\cos xdx=(x-\pi)\sin x-\int\sin xdx\\&=(x-\pi)\sin x+\cos x+C\end{aligned}$$

STEP B $f(0)=2$를 이용하여 적분상수 구하기

이때 $f(0)=2$이므로 $C=1$

STEP C $f(\pi)$의 값 구하기

따라서 $f(x)=(x-\pi)\sin x+\cos x+1$이므로 $f(\pi)=\cos\pi+1=-1+1=0$

1656

정답 ②

STEP A 부분적분을 이용하여 $f(x)$ 구하기

$\int x^2 \sin 2x dx = f(x) + \int x\cos 2x dx$에서

$\int x^2 \sin 2x dx = x^2\left(-\frac{1}{2}\cos 2x\right) - 2x\left(-\frac{1}{4}\sin 2x\right) + 2\left(\frac{1}{8}\cos 2x\right) + C_1$

$\int x\cos 2x dx = x\left(\frac{1}{2}\sin 2x\right) - \left(-\frac{1}{4}\cos 2x\right) + C_2$이므로

$f(x) = -\frac{1}{2}x^2\cos 2x + C$ (단, $C_1 - C_2 = C$)

STEP B $f(0)=0$을 이용하여 적분상수 구하기

$f(0)=0$이므로 $C=0$

STEP C $f(\pi)$의 값 구하기

따라서 $f(x) = -\frac{1}{2}x^2\cos 2x$이므로 $f(\pi) = -\frac{\pi^2}{2}$

내/신/연/계/ 출제문항 654

함수 $F(x) = \int x^2 \sin x dx$에 대하여 $F(0)=2$일 때, $F(\pi)$의 값은?

① $-\pi^2+2$ ② $-\pi$ ③ π
④ π^2-2 ⑤ $2\pi^2-3$

STEP A 부분적분을 이용하여 $f(x)$ 구하기

$f(x) = x^2$, $g'(x) = \sin x$로 놓으면

$f'(x) = 2x$, $g(x) = -\cos x$

$$F(x) = \int x^2 \sin x dx$$
$$= -x^2\cos x - \int 2x(-\cos x)dx$$
$$= -x^2\cos x + 2\int x\cos x dx \quad \cdots\cdots ㉠$$

$\int x\cos x dx$에서 $u(x) = x$, $v'(x) = \cos x$라고 하면

$u'(x) = 1$, $v(x) = \sin x$

$$\therefore \int x\cos x dx = x\sin x - \int \sin x dx$$
$$= x\sin x + \cos x + C_1 \quad \cdots\cdots ㉡$$

㉡을 ㉠에 대입하면

$$F(x) = -x^2\cos x + 2(x\sin x + \cos x + C_1)$$
$$= -x^2\cos x + 2x\sin x + 2\cos x + C$$

STEP B $F(0)=2$를 이용하여 적분상수 구하기

이때 $F(0)=2$이므로 $F(0) = 2 + C = 2$

$\therefore C = 0$

STEP C $F(\pi)$의 값 구하기

따라서 $F(x) = -x^2\cos x + 2x\sin x + 2\cos x$이므로 $F(\pi) = \pi^2 - 2$ 정답 ④

1657

정답 ⑤

STEP A $f'(x)$ 구하기

$F(x) = xf(x) - x^2\sin x$의 양변을 x에 대하여 미분하면

$F'(x) = f(x) + xf'(x) - 2x\sin x - x^2\cos x$

$F'(x) = f(x)$이므로 $f'(x) = 2\sin x + x\cos x$

STEP B $f'(x) = 2\sin x + x\cos x$를 적분하여 $f(x)$ 구하기

$$f(x) = \int (2\sin x + x\cos x)dx = -2\cos x + x\sin x - \int \sin x dx$$
$$= -2\cos x + x\sin x + \cos x + C$$
$$= -\cos x + x\sin x + C$$

$f(0) = -1 + C = 0$에서 $C = 1$

$\therefore f(x) = -\cos x + x\sin x + 1$

따라서 $f(\pi) = -\cos\pi + \pi\sin\pi + 1 = 1 + 1 = 2$

내/신/연/계/ 출제문항 655

$x > 0$에서 정의된 함수 $f(x)$의 한 부정적분 $F(x)$에 대하여

$$F(x) = xf(x) + x^2\cos x,\ F\left(\frac{\pi}{2}\right) = 0$$

이 성립할 때, $f(\pi)$의 값은?

① $\pi-2$ ② $\pi-1$ ③ π
④ $\pi+1$ ⑤ $\pi+2$

STEP A $f'(x)$ 구하기

$F(x) = xf(x) + x^2\cos x$의 양변을 x에 대하여 미분하면

$F'(x) = f(x) + xf'(x) + 2x\cos x - x^2\sin x$

$F'(x) = f(x)$이므로 $f'(x) = -2\cos x + x\sin x$

STEP B $f'(x) = -2\cos x + x\sin x$를 적분하여 $f(x)$ 구하기

$$f(x) = \int (-2\cos x + x\sin x)dx = -2\sin x - x\cos x + \int \cos x dx$$
$$= -2\sin x - x\cos x + \sin x + C$$
$$= -\sin x - x\cos x + C$$

이때 $F\left(\frac{\pi}{2}\right) = 0$이므로 $F\left(\frac{\pi}{2}\right) = \frac{\pi}{2}f\left(\frac{\pi}{2}\right) + 0 = 0 \quad \therefore f\left(\frac{\pi}{2}\right) = 0$

$f\left(\frac{\pi}{2}\right) = -1 + C = 0 \quad \therefore C = 1$

$\therefore f(x) = -\sin x - x\cos x + 1$

따라서 $f(\pi) = -\sin\pi - \pi\cos\pi + 1 = \pi + 1$ 정답 ④

1658

정답 ②

STEP A 부분적분을 이용하여 $xf(x)$ 구하기

$\{xf(x)\}' = f(x) + xf'(x)$이므로 조건 (나)에 의하여

$$xf(x) = \int \{f(x) + xf'(x)\}dx = \int x\cos x dx$$
$$= x\sin x - \int \sin x dx = x\sin x + \cos x + C \text{ (단, } C\text{는 적분상수)}$$

STEP B $f\left(\frac{\pi}{2}\right) = 1$을 이용하여 적분상수 구하기

조건 (가)에서 $f\left(\frac{\pi}{2}\right) = 1$이므로 $\frac{\pi}{2}f\left(\frac{\pi}{2}\right) = \frac{\pi}{2}\sin\frac{\pi}{2} + \cos\frac{\pi}{2} + C$

$\frac{\pi}{2} = \frac{\pi}{2} + C$이므로 $C = 0$

STEP C $f(\pi)$의 값 구하기

따라서 $xf(x) = x\sin x + \cos x$이므로 $x = \pi$를 대입하면

$\pi f(\pi) = \pi\sin\pi + \cos\pi = -1 \quad \therefore f(\pi) = -\frac{1}{\pi}$

1659

정답 ③

STEP Ⓐ 부분적분을 한 번 더 하여 $F(x)$ 구하기

$f(x)=e^x$, $g'(x)=\sin x$로 놓으면

$f'(x)=e^x$, $g(x)=-\cos x$

$F(x)=\int e^x \sin x dx=-e^x \cos x+\int e^x \cos x dx$ …… ㉠

$\int e^x \cos x dx$에서 $u(x)=e^x$, $v'(x)=\cos x$라고 하면

$u'(x)=e^x$, $v(x)=\sin x$

$\therefore \int e^x \cos x dx=e^x \sin x-\int e^x \sin x dx$

$=e^x \sin x-F(x)+C_1$ …… ㉡

㉡을 ㉠에 대입하면

$F(x)=-e^x \cos x+e^x \sin x-F(x)+C_1$

즉 $2F(x)=e^x(\sin x-\cos x)+C_1$이므로

$F(x)=\frac{1}{2}e^x(\sin x-\cos x)+C$

STEP Ⓑ $F(0)=\frac{1}{2}$을 이용하여 적분상수 구하기

$F(0)=\frac{1}{2}$이므로 $-\frac{1}{2}+C=\frac{1}{2}$ $\quad\therefore C=1$

STEP Ⓒ $F(2\pi)$의 값 구하기

따라서 $F(x)=\frac{1}{2}e^x(\sin x-\cos x)+1$이므로 $F(2\pi)=-\frac{1}{2}e^{2\pi}+1$

내신연계 출제문항 656

함수 $f(x)$에 대하여

$$f(x)=\int e^x \cos x dx,\ f(0)=\frac{1}{2}$$

일 때, 함수 $f(\pi)$의 값은?

① $-\frac{1}{2}e^{2\pi}$ ② $-\frac{1}{2}e^{\pi}$ ③ $-\frac{1}{2}e^{2\pi}+1$

④ $\frac{1}{4}e^{2\pi}+2$ ⑤ $\frac{1}{2}e^{2\pi}+4$

STEP Ⓐ 부분적분을 한 번 더 하여 $F(x)$ 구하기

$f(x)=\int e^x \cos x dx$에서 $u(x)=e^x$, $v'(x)=\cos x$로 놓으면

$u'(x)=e^x$, $v(x)=\sin x$이므로

$f(x)=e^x \sin x-\int e^x \sin x dx$ …… ㉠

$\int e^x \sin x dx$에서 부분적분법을 다시 한번 적용하면

$\int e^x \sin x dx=-e^x \cos x+\int e^x \cos x dx=-e^x \cos x+f(x)$

이것을 ㉠에 대입하면

$f(x)=e^x \sin x-\{-e^x \cos x+f(x)\}$

$\therefore f(x)=\frac{1}{2}e^x(\sin x+\cos x)+C$

STEP Ⓑ $f(0)=\frac{1}{2}$을 이용하여 적분상수 구하기

$f(0)=\frac{1}{2}$이므로 $\frac{1}{2}+C=\frac{1}{2}$ $\quad\therefore C=0$

STEP Ⓒ $f(\pi)$의 값 구하기

따라서 $f(x)=\frac{1}{2}e^x(\sin x+\cos x)$이므로 $f(\pi)=-\frac{1}{2}e^{\pi}$

정답 ②

1660

정답 ②

STEP Ⓐ (지수함수)×(삼각함수)꼴의 부분적분법 구하기

$f(x)=\sin x$, $g'(x)=e^{2x}$로 놓으면

$f'(x)=\cos x$, $g(x)=\frac{1}{2}e^{2x}$

$\int e^{2x}\sin x dx=\frac{1}{2}e^{2x}\sin x-\frac{1}{2}\int e^{2x}\cos x dx$ …… ㉠

$\int e^{2x}\cos x dx$를 한 번 더 적용하면

$\int e^{2x}\cos x dx=\frac{1}{2}e^{2x}\cos x+\frac{1}{2}\int e^{2x}\sin x dx$ …… ㉡

㉡을 ㉠에 대입하여 정리하면

$\int e^{2x}\sin x dx=\frac{1}{2}e^{2x}\sin x-\frac{1}{2}\left(\frac{1}{2}e^{2x}\cos x+\frac{1}{2}\int e^{2x}\sin x dx\right)$

$\frac{5}{4}\int e^{2x}\sin x dx=\frac{1}{2}e^{2x}\sin x-\frac{1}{4}e^{2x}\cos x$이므로

$\int e^{2x}\sin x dx=e^{2x}\left(\frac{2}{5}\sin x-\frac{1}{5}\cos x\right)+C$

STEP Ⓑ $a+b$의 값 구하기

따라서 $a=\frac{2}{5}$, $b=-\frac{1}{5}$이므로 $a+b=\frac{1}{5}$

다른풀이 $f(x)=\sin x$, $g'(x)=e^{2x}$로 놓고 부분적분하여 풀이하기

STEP Ⓐ 부분적분법을 이용하여 식을 정리하기

$f(x)=\sin x$, $g'(x)=e^{2x}$로 놓으면

$f'(x)=\cos x$, $g(x)=2e^{2x}$

$\int e^{2x}\sin x dx=-e^{2x}\cos x+2\int e^{2x}\cos x dx$

$=-e^{2x}\cos x+2\left(e^{2x}\sin x-2\int e^{2x}\sin x dx\right)$

STEP Ⓑ $a+b$의 값 구하기

$5\int e^{2x}\sin x dx=e^{2x}(2\sin x-\cos x)$

즉 $\int e^{2x}\sin x dx=e^{2x}\left(\frac{2}{5}\sin x-\frac{1}{5}\cos x\right)+C$

따라서 $a=\frac{2}{5}$, $b=-\frac{1}{5}$이므로 $a+b=\frac{1}{5}$

1661

정답 ③

STEP Ⓐ 부분적분을 한 번 더 하여 $F(x)$ 구하기

$f(x)=\int(\cos x-\sin x)e^{-x}dx$

$=\int e^{-x}\cos x dx-\int e^{-x}\sin x dx$

$=\frac{1}{2}\{-e^{-x}\cos x-(-\sin x)e^{-x}\}-\frac{1}{2}\{-e^{-x}\sin x-e^{-x}\cos x\}+C$

$=e^{-x}\sin x+C$

STEP Ⓑ $f(0)=\frac{1}{2}$을 이용하여 적분상수 구하기

$f(0)=0$이므로 $C=0$

STEP Ⓒ $f\left(\frac{\pi}{6}\right)$의 값 구하기

따라서 $f(x)=e^{-x}\sin x$이므로 $f\left(\frac{\pi}{6}\right)=\frac{1}{2}e^{-\frac{\pi}{6}}$

1662

정답 ④

STEP A 로그함수의 부분적분을 이용하여 $f(x)$ 구하기

$f(x)=\int \ln(x+e)dx=\int (x+e)'\ln(x+e)dx$

$=(x+e)\ln(x+e)-\int (x+e)\cdot\frac{1}{x+e}dx$

$=(x+e)\ln(x+e)-x+C$

STEP B $f(0)=0$임을 이용하여 적분상수 구하기

이때 $f(0)=0$이므로 $e+C=0$ $\quad\therefore C=-e$

STEP C $f(e)$의 값 구하기

따라서 $f(e)=2e\ln(2e)-2e=2e\ln 2$

내/신/연/계/ 출제문항 657

함수 $f(x)$에 대하여

$$f'(x)=\ln(x+1)$$

이고 $y=f(x)$의 그래프가 원점을 지날 때, 함수 $f(e-1)$의 값은?

① 1 ② $e-1$ ③ 2
④ e ⑤ $e+1$

STEP A 로그함수의 부분적분을 이용하여 $f(x)$ 구하기

$f(x)=\int \ln(x+1)dx$에서 $x+1=t$로 놓으면 $\frac{dx}{dt}=1$이므로

$f(x)=\int \ln t dt=t\ln t-\int t\cdot\frac{1}{t}dt$

$=t\ln t-t+C$

$=(x+1)\ln(x+1)-(x+1)+C$

STEP B $f(0)=0$임을 이용하여 적분상수 구하기

$f(0)=0$이므로 $C=1$

STEP C $f(e-1)$의 값 구하기

따라서 $f(x)=(x+1)\ln(x+1)-x$이므로 $f(e-1)=e-(e-1)=1$  정답 ①

1663

 정답 ②

STEP A 함수 $f(x)=e^x-1$의 역함수 $f^{-1}(x)$ 구하기

$y=e^x-1$로 놓으면 $y+1=e^x$

이 식의 양변에 로그를 취하면 $x=\ln(y+1)$

x와 y를 서로 바꾸면 $y=\ln(x+1)$

STEP B 로그함수의 부분적분을 이용하여 $g(x)$ 구하기

$f^{-1}(x)=\ln(x+1)$이므로 $g(x)=\int \ln(x+1)dx$

이때 $x+1=t$로 놓으면 $1=\frac{dt}{dx}$이므로

$g(x)=\int \ln(x+1)dx=\int \ln t dt$

$u(t)=\ln t$, $v'(t)=1$로 놓으면 $u'(t)=\frac{1}{t}$, $v(t)=t$이므로

$g(x)=\int \ln t dt=t\ln t-\int 1dt$

$=t\ln t-t+C=(x+1)\ln(x+1)-(x+1)+C$

STEP C $g(0)=1$임을 이용하여 적분상수를 구한 후 $g(e-1)$의 값 구하기

이때 $g(0)=1$이므로 $-1+C=1$ $\quad\therefore C=2$

따라서 $g(x)=(x+1)\ln(x+1)-x+1$이므로 $g(e-1)=e-(e-1)+1=2$

1664

정답 ③

STEP A 로그함수의 부분적분을 이용하여 $f(x)$ 구하기

$f(x)=\int 2x\ln x dx$에서 $u(x)=\ln x$, $v'(x)=2x$로 놓으면

$u'(x)=\frac{1}{x}$, $v(x)=x^2$이므로

$f(x)=\int 2x\ln x dx=\ln x\cdot x^2-\int \frac{1}{x}\cdot x^2 dx$

$=x^2\ln x-\int x dx=x^2\ln x-\frac{1}{2}x^2+C$

STEP B $f(1)=-\frac{1}{2}$임을 이용하여 적분상수 구하기

이때 $f(1)=-\frac{1}{2}$이므로 $f(1)=-\frac{1}{2}+C=-\frac{1}{2}$ $\quad\therefore C=0$

STEP C $f(e)$의 값 구하기

따라서 $f(x)=x^2\ln x-\frac{1}{2}x^2$이므로 $f(e)=e^2-\frac{1}{2}e^2=\frac{1}{2}e^2$

내/신/연/계/ 출제문항 658

함수 $f(x)$에 대하여

$$f'(x)=x\ln x,\ f(1)=-\frac{1}{4}$$

일 때, $f(e)$의 값은?

① $\frac{1}{4}e^2$ ② $\frac{1}{3}e^2$ ③ $\frac{1}{2}e^2$
④ e^2 ⑤ $2e^2$

STEP A 로그함수의 부분적분을 이용하여 $f(x)$ 구하기

$f(x)=\int x\ln x dx$에서 $u(x)=\ln x$, $v'(x)=x$로 놓으면

$u'(x)=\frac{1}{x}$, $v(x)=\frac{1}{2}x^2$이므로

$f(x)=\frac{1}{2}x^2\ln x-\int \frac{1}{2}x dx=\frac{1}{2}x^2\ln x-\frac{1}{4}x^2+C$

STEP B $f(1)=-\frac{1}{4}$임을 이용하여 적분상수 구하기

이때 $f(1)=-\frac{1}{4}$이므로 $f(1)=\frac{1}{2}\cdot 1^2\cdot\ln 1-\frac{1}{4}\cdot 1^2+C=-\frac{1}{4}$

$\therefore C=0$

STEP C $f(e)$의 값 구하기

따라서 $f(x)=\frac{1}{2}x^2\ln x-\frac{1}{4}x^2$이므로 $f(e)=\frac{1}{4}e^2$ 정답 ①

1665

 정답 ⑤

STEP A 로그함수의 부분적분을 이용하여 $f(x)$ 구하기

$f(x)=\int (4x+1)\ln x dx$에서 $u(x)=\ln x$, $v'(x)=4x+1$로 놓으면

$u'(x)=\frac{1}{x}$, $v(x)=2x^2+x$이므로

$f(x)=(2x^2+x)\ln x-\int (2x^2+x)\cdot\frac{1}{x}dx$

$=(2x^2+x)\ln x-\int (2x+1)dx$

$=(2x^2+x)\ln x-x^2-x+C$

STEP B $f(1)=3$임을 이용하여 적분상수 구하기

$f(1)=3$에서 $-1-1+C=3$ $\quad\therefore C=5$

STEP C $f(e)$의 값 구하기

따라서 $f(x)=(2x^2+x)\ln x-x^2-x+5$이므로 $f(e)=e^2+5$

내신연계 출제문항 659

함수 $f(x)$가

$$f(x)=\int(x+1)\ln x dx,\ f(1)=-\frac{5}{4}$$

일 때, $f(e)$의 값은?

① $\frac{e}{2}$ ② $\frac{e^2}{3}$ ③ $\frac{e^2}{4}$
④ $e+2$ ⑤ e^2+3

STEP Ⓐ 로그함수의 부분적분을 이용하여 $f(x)$ 구하기

$f(x)=\int(x+1)\ln x dx$에서 $u(x)=\ln x,\ v'(x)=x+1$로 놓으면

$u'(x)=\frac{1}{x},\ v(x)=\frac{1}{2}x^2+x$이므로

$$\begin{aligned}f(x)=\int(x+1)\ln x&=\left(\frac{1}{2}x^2+x\right)\ln x-\int\left(\frac{1}{2}x^2+x\right)\frac{1}{x}dx\\&=\frac{1}{2}x^2\ln x+x\ln x-\int\left(\frac{1}{2}x+1\right)dx\\&=\frac{1}{2}x^2\ln x+x\ln x-\frac{1}{4}x^2-x+C\end{aligned}$$

STEP Ⓑ $f(1)=-\frac{5}{4}$임을 이용하여 적분상수 구하기

이때 $f(1)=-\frac{5}{4}$이므로 $C=0$

STEP Ⓒ $f(e)$의 값 구하기

따라서 $f(x)=\frac{1}{2}x^2\ln x+x\ln x-\frac{1}{4}x^2-x$이므로

$f(e)=\frac{e^2}{2}-\frac{e^2}{4}+e-e=\frac{e^2}{4}$  정답 ③

1666

 정답 ③

STEP Ⓐ 로그함수의 부분적분을 이용하여 $f(x)$ 구하기

$f(x)=\int x^2\ln x dx$에서 $u(x)=\ln x,\ v'(x)=x^2$으로 놓으면

$u'(x)=\frac{1}{x},\ v(x)=\frac{1}{3}x^3$이므로

$$\begin{aligned}f(x)=\int x^2\ln x dx&=\ln x\cdot\frac{1}{3}x^3-\int\left(\frac{1}{x}\cdot\frac{1}{3}x^3\right)dx\\&=\frac{1}{3}x^3\ln x-\frac{1}{3}\int x^2dx\\&=\frac{1}{3}x^3\ln x-\frac{1}{9}x^3+C\end{aligned}$$

STEP Ⓑ $f(1)=-\frac{1}{9}$임을 이용하여 적분상수 구하기

이때 $f(1)=-\frac{1}{9}$이므로 $f(1)=-\frac{1}{9}+C=-\frac{1}{9}$ $\therefore C=0$

STEP Ⓒ $f(e)$의 값 구하기

따라서 $f(x)=\frac{1}{3}x^3\ln x-\frac{1}{9}x^3+C$이므로 $f(e)=\frac{1}{3}e^3-\frac{1}{9}e^3=\frac{2}{9}e^3$

1667

 정답 ③

STEP Ⓐ 로그함수의 부분적분을 이용하여 $f(x)$ 구하기

$f'(x)=(\ln x)^2$이므로 $f(x)=\int(\ln x)^2dx=x(\ln x)^2-2x\ln x+2x+C$

STEP Ⓑ $f(1)=2$임을 이용하여 적분상수 구하기

이때 $f(1)=2$이므로 $f(1)=2+C=2$ $\therefore C=0$

STEP Ⓒ $f(e)$의 값 구하기

따라서 $f(x)=x(\ln x)^2-2x\ln x+2x$이므로 $f(e)=e-2e+2e=e$

내신연계 출제문항 660

함수 $f(x)$에 대하여

$$f'(x)=(\ln x)^2$$

일 때, $f(e^2)-f(e)$의 값은?

① $2e^2-e$ ② $2e^2$ ③ $2e^2+1$
④ $3e^2$ ⑤ $3e^2+2$

STEP Ⓐ 로그함수의 부분적분을 이용하여 $f(x)$ 구하기

$f'(x)=(\ln x)^2$이므로

$$\begin{aligned}f(x)=\int(\ln x)^2dx&=x(\ln x)^2-2\int\ln x dx\\&=x(\ln x)^2-2\left(x-\ln x-\int dx\right)\\&=x(\ln x)^2-2x\ln x+2x+C\end{aligned}$$

STEP Ⓑ $f(e^2)-f(e)$의 값 구하기

따라서 $f(e^2)-f(e)=2e^2-e$  정답 ①

1668

 정답 ②

STEP Ⓐ 조건을 미분하여 도함수 $f'(x)$ 구하기

$F(x)=xf(x)-x^2\ln x$의 양변을 미분하면

$f(x)=f(x)+xf'(x)-2x\ln x-x$

$f'(x)=2\ln x+1$

STEP Ⓑ 로그함수의 부분적분을 이용하여 $f(x)$ 구하기

$f(x)=\int(2\ln x+1)dx=2x\ln x-x+C$

이때 $f(e)=3e$에서 $C=2e$

$\therefore f(x)=2x\ln x-x+2e,\ f(1)=-1+2e$

STEP Ⓒ [보기]의 참, 거짓 판단하기

ㄱ. $f(x)=2x\ln x-x+2e$ [거짓]

ㄴ. $f'(x)=2\ln x+1$ [참]

ㄷ. $f(1)=-1+2e$ [거짓]

따라서 옳은 것은 ㄴ이다.

1669

 정답 ②

STEP Ⓐ 로그함수의 부분적분을 이용하여 $xf(x)$ 구하기

$xf'(x)+f(x)=\ln x+1$에서 $\{xf(x)\}'=\ln x+1$이므로

$xf(x)=\int(\ln x+1)dx=(x\ln x-x)+x+C=x\ln x+C$

STEP Ⓑ $f(1)=0$임을 이용하여 적분상수 구하기

$xf(x)=x\ln x+C$의 양변에 $x=1$을 대입하면

$1\cdot f(1)=1\cdot\ln 1+C$에서 $f(1)=C=0$

STEP Ⓒ $f(e^2)$의 값 구하기

따라서 $xf(x)=x\ln x$에서 $f(x)=\ln x$이므로 $f(e^2)=\ln e^2=2$

내신연계 출제문항 661

$x>0$에서 정의된 함수 $f(x)$가

$$f(x)+xf'(x)=(\ln x)^2$$

을 만족하고 $f(1)=2$일 때, $f(e)$의 값은?

① $\frac{1}{e}$ ② 1 ③ e
④ e^2 ⑤ e^3

STEP A 로그함수의 부분적분을 이용하여 $xf(x)$ 구하기

$xf'(x)+f(x)=(\ln x)^2$에서 $\{xf(x)\}'=(\ln x)^2$

$\therefore xf(x)=\int(\ln x)^2dx$

이때 $u(x)=(\ln x)^2$, $v'(x)=1$로 놓으면

$u'(x)=\frac{2}{x}\ln x$, $v(x)=x$이므로

$\int(\ln x)^2dx=x(\ln x)^2-2\int\ln x dx$

$\int(\ln x)^2dx=x(\ln x)^2-2\left(x\ln x-\int dx\right)+C$ (단, C는 적분상수)

$=x(\ln x)^2-2x\ln x+2x+C$

즉 $xf(x)=x(\ln x)^2-2x\ln x+2x+C$

STEP B $f(1)=2$임을 이용하여 적분상수 구하기

이때 $f(1)=2$이므로 $f(1)=0-0+2+C=2$ $\therefore C=0$

$f(x)=(\ln x)^2-2\ln x+2$

STEP C $f(e)$의 값 구하기

따라서 $f(x)=(\ln x)^2-2\ln x+2$이므로 $f(e)=1^2-2+2=1$

 ②

1671

정답 ①

STEP A 부분적분을 이용하여 $f(x)$ 구하기

$f(x)=\int f'(x)dx=\int x\ln x dx$에서

$u(x)=\ln x$, $v'(x)=x$로 놓으면

$u'(x)=\frac{1}{x}$, $v(x)=\frac{1}{2}x^2$이므로

$f(x)=\int x\ln x dx=\frac{1}{2}x^2\ln x-\int\left(\frac{1}{x}\cdot\frac{1}{2}x^2\right)dx$

$=\frac{1}{2}x^2\ln x-\int\frac{1}{2}x dx$

$=\frac{1}{2}x^2\ln x-\frac{1}{4}x^2+C$ (단, C는 적분상수)

STEP B $f(x)$의 증감표를 작성하여 적분상수 구하기

$f'(x)=x\ln x=0$에서 $x>0$이므로 $\ln x=0$

즉 $x=1$

함수 $f(x)$의 증가와 감소를 표로 나타내면 다음과 같다.

x	(0)	$\cdots$	1	$\cdots$
$f'(x)$		$-$	0	$+$
$f(x)$		↘	극소	↗

함수 $f(x)$는 $x=1$에서 극소이고 극솟값은 $-\frac{1}{4}$이므로

$f(1)=-\frac{1}{4}+C=-\frac{1}{4}$에서 $C=0$

STEP C $f(e)$의 값 구하기

따라서 $f(x)=\frac{1}{2}x^2\ln x-\frac{1}{4}x^2$이므로 $f(e)=\frac{1}{2}e^2-\frac{1}{4}e^2=\frac{e^2}{4}$

1670

 ③

STEP A 곱의 미분법을 이용하여 조건 (가)를 정리하기

조건 (가)에서

$\{f(x)g(x)\}'=f'(x)g(x)+f(x)g'(x)=h(x)$이므로

$\int h(x)dx=\int\ln x dx$

즉 $f(x)g(x)=x\ln x-x+C$ (단, C는 적분상수)

이때 $f(x)=x$이므로 $xg(x)=x\ln x-x+C$ …… ㉠

STEP B 적분상수 C를 구하고 $g(e^2)$ 구하기

조건 (나)에서

$g(1)=-1$이므로 ㉠에 $x=1$을 대입하면

$g(1)=-1+C=-1$ $\therefore C=0$

따라서 $g(x)=\ln x-1$이므로 $g(e)=1-1=0$

1672

 ④

STEP A 함수 $f'(x)$의 부정적분을 이용하여 $f(x)$ 구하기

(i) $x<1$일 때, $f'(x)=2x+3$이므로

$f(x)=\int(2x+3)dx=x^2+3x+C_1$ (단, C_1는 적분상수)

(ii) $x>1$일 때, $f'(x)=\ln x$이므로

$f(x)=\int\ln x dx=x\ln x-x+C_2$ (단, C_2는 적분상수)

$\therefore f(x)=\begin{cases} x^2+3x+C_1 & (x<1) \\ x\ln x-x+C_2 & (x>1) \end{cases}$

STEP B 연속함수를 이용하여 적분상수 C_1, C_2의 값 구하기

이때 $f(e)=2$이므로 $f(e)=e\ln e-e+C_2=2$

$\therefore C_2=2$

함수 $f(x)$가 실수 전체의 집합에서 연속이므로 $x=1$에서도 연속이다.

즉 $\lim_{x\to1+}f(x)=\lim_{x\to1-}f(x)=f(1)$을 만족시킨다.

$\lim_{x\to1+}f(x)=\lim_{x\to1+}(x\ln x-x+C_2)=-1+2=1$

$\lim_{x\to1-}f(x)=\lim_{x\to1-}(x^2+3x+C_1)=1+3+C_1$

$1=1+3+C_1$이므로 $C_1=-3$

$f(x)=\begin{cases} x^2+3x-3 & (x\le1) \\ x\ln x-x+2 & (x>1) \end{cases}$

STEP C $f(-6)$ 구하기

따라서 $x=-6$일 때, $f(x)=x^2+3x-3$이므로 $f(-6)=36-18-3=15$

1673

정답 ②

STEP A 각 구간에서 부정적분을 이용하여 $f(x)$ 구하기

(i) $x>0$일 때, $f'(x)=2xe^x$이므로

$f(x)=\int 2xe^x dx=2xe^x-2\int e^x dx=2xe^x-2e^x+C_1$

(단, C_1는 적분상수)

(ii) $x<0$일 때, $f'(x)=\cos x$이므로

$f(x)=\int \cos x dx=\sin x+C_2$ (단, C_2는 적분상수)

$\therefore f(x)=\begin{cases} 2xe^x-2e^x+C_1 & (x \ge 0) \\ \sin x+C_2 & (x<0) \end{cases}$

STEP B 연속함수를 이용하여 적분상수 C_1, C_2의 값 구하기

이때 $f(1)=1$이므로 $f(1)=2e-2e+C_1=1$

$\therefore C_1=1$

함수 $f(x)$가 $x=0$에서 연속이므로

$\lim_{x\to 0+}f(x)=\lim_{x\to 0-}f(x)=f(0)$을 만족시킨다.

$\lim_{x\to 0+}f(x)=\lim_{x\to 0+}(2xe^x-2e^x+1)=-2+1=-1$

$\lim_{x\to 0-}f(x)=\lim_{x\to 0-}(\sin x+C_2)=C_2$

즉 $-1=C_2$

$\therefore f(x)=\begin{cases} 2xe^x-2e^x+1 & (x \ge 0) \\ \sin x-1 & (x<0) \end{cases}$

STEP C $f(0)+f\left(-\frac{\pi}{6}\right)$ 구하기

따라서 $f(0)+f\left(-\frac{\pi}{6}\right)=-1+\left\{\sin\left(-\frac{\pi}{6}\right)-1\right\}=-\frac{5}{2}$

내신연계 출제문항 662

연속함수 $f(x)$에 대하여

$$f'(x)=\begin{cases} xe^x & (x<0) \\ x^2 & (x>0) \end{cases},\ f(1)=\frac{4}{3}$$

일 때, $f(-1)$의 값은?

① $2-\frac{2}{e}$ ② $2-\frac{1}{e}$ ③ $1+\frac{1}{e}$

④ $2+\frac{1}{e}$ ⑤ $2+\frac{2}{e}$

STEP A 각 구간에서 부정적분을 이용하여 $f(x)$ 구하기

$f'(x)=\begin{cases} xe^x & (x<0) \\ x^2 & (x>0) \end{cases}$에서

$f(x)=\begin{cases} xe^x-e^x+C_1 & (x<0) \\ \frac{1}{3}x^3+C_2 & (x>0) \end{cases}$

STEP B 연속함수를 이용하여 적분상수 C_1, C_2의 값 구하기

$f(1)=\frac{4}{3}$에서 $\frac{1}{3}+C_2=\frac{4}{3}$

$\therefore C_2=1$

이때 $f(x)$가 $x=0$에서 연속이므로 $f(0)=-1+C_1=C_2$

$\therefore C_1=2$

STEP C $f(-1)$의 값 구하기

따라서 $f(x)=\begin{cases} xe^x-e^x+2 & (x<0) \\ \frac{1}{3}x^3+1 & (x>0) \end{cases}$이므로 $f(-1)=-e^{-1}-e^{-1}+2=2-\frac{2}{e}$

정답 ①

STEP 2 서술형 기출유형

1674

정답 해설참조

1단계	함수 $f(x)$를 $\cot x$, $\csc x$의 식으로 나타낸다.	◀ 30%

$f(x)=\frac{\cos x(\cos x-1)}{\sin^2 x}=\frac{\cos^2 x-\cos x}{\sin^2 x}$

$=\frac{\cos^2 x}{\sin^2 x}-\frac{1}{\sin x}\cdot\frac{\cos x}{\sin x}$

$=\cot^2 x-\csc x\cot x$

$\therefore f(x)=\cot^2 x-\csc x\cot x$

2단계	함수 $y=\csc x$의 도함수를 이용하여 부정적분 $\int \csc x\cot x dx$를 구한다.	◀ 30%

$y=\csc x$의 도함수가 $y'=-\csc x\cot x$이므로

$\int \csc x\cot x dx=-\csc x+C$ (단, C는 적분상수)

3단계	부정적분 $\int f(x)dx$를 구한다.	◀ 40%

따라서 $1+\cot^2 x=\csc^2 x$에서

$\int \cot^2 x dx=\int(\csc^2 x-1)dx=-\cot x+C$이므로

$\int f(x)dx=\int(\cot^2 x-\csc x\cot x)dt$

$=\int(\csc^2 x-1-\csc x\cot x)dt$

$=-\cot x-x+\csc x+C$ (단, C는 적분상수)

1675

정답 해설참조

1단계	등식 $\cos^2\frac{x}{2}=\frac{1+\cos x}{2}$가 성립함을 보인다.	◀ 40%

$\cos x=\cos\left(\frac{x}{2}+\frac{x}{2}\right)$

$=\cos\frac{x}{2}\cos\frac{x}{2}-\boxed{\sin\frac{x}{2}\sin\frac{x}{2}}$

$=\cos^2\frac{x}{2}-\left(1-\boxed{\cos^2\frac{x}{2}}\right)$

$=\boxed{2}\times\cos^2\frac{x}{2}-1$

따라서 등식 ㉠이 성립한다.

2단계	㉠을 이용하여 부정적분 $\int\cos^2\frac{x}{2}dx$를 구한다.	◀ 20%

$\int\cos^2\frac{x}{2}dx=\int\frac{1+\cos x}{2}dx=\frac{1}{2}(x+\sin x)+C$ (단, C는 적분상수)

3단계	2단계의 결과를 이용하여 부정적분 $\int\sin^2\frac{x}{2}dx$를 구하고 그 과정을 서술한다.	◀ 40%

$\sin^2\frac{x}{2}=1-\cos^2\frac{x}{2}$이므로

$\int\sin^2\frac{x}{2}dx=\int\left(1-\cos^2\frac{x}{2}\right)dx$

$=\int 1dx-\int\cos^2\frac{x}{2}dx$

$=x-\left(\frac{1}{2}x+\frac{1}{2}\sin x\right)+C$

$=\frac{1}{2}x-\frac{1}{2}\sin x+C$

1676

정답 해설참조

1단계	함수 $f(x)$가 $f(x)=\int\cos^3 x dx$, $f\left(\frac{\pi}{2}\right)=\frac{5}{3}$를 만족시킬 때, 함수 $f(x)$를 구한다.	◀ 50%

$f(x)=\int\cos^3 x dx=\int\cos^2 x\cos x dx=\int(1-\sin^2 x)\cos x dx$

$\sin x=t$로 놓으면 $\frac{dt}{dx}=\cos x$이므로

$\int(1-\sin^2 x)\cos x dx=\int(1-t^2)dt=t-\frac{1}{3}t^3+C$

$=\sin x-\frac{1}{3}\sin^3 x+C$

$f\left(\frac{\pi}{2}\right)=\frac{5}{3}$이므로 $1-\frac{1}{3}+C=\frac{5}{3}$ $\quad\therefore C=1$

따라서 $f(x)=\sin x-\frac{1}{3}\sin^3 x+1$

2단계	함수 $f(x)$가 $f(x)=\int\sin^3 x dx$, $f(\pi)=1$을 만족시킬 때, 함수 $f(x)$를 구한다.	◀ 50%

$f(x)=\int\sin^3 x dx=\int(1-\cos^2 x)\sin x dx$

$\cos x=t$로 놓으면 $\frac{dt}{dx}=-\sin x$이므로

$\int(1-\cos^2 x)\sin x dx=\int(t^2-1)dt=\frac{1}{3}t^3-t+C$

$=\frac{1}{3}\cos^3 x-\cos x+C$

$f(\pi)=1$이므로 $-\frac{1}{3}+1+C=1$ $\quad\therefore C=\frac{1}{3}$

따라서 $f(x)=\frac{1}{3}\cos^3 x-\cos x+\frac{1}{3}$

1677

정답 해설참조

방법 1	치환적분법을 이용하여 부정적분을 구한다.	◀ 30%

$\sin x=t$로 놓으면 $\cos x dx=dt$이므로

$\int\sin x\cos x dx=\int t dt=\frac{1}{2}t^2+C=\frac{1}{2}\sin^2 x+C$

다른풀이 $t=\cos x$로 놓고 치환적분법을 이용하기

$t=\cos x$로 놓으면 $-\sin x dx=dt$이므로

$\int\sin x\cos x dx=\int\{-\cos x(\cos x)'\}dx=\int(-t)dt$

$=-\frac{1}{2}t^2+C=-\frac{1}{2}\cos^2 x+C$

$=-\frac{1}{2}(1-\sin^2 x)+C$

$=\frac{1}{2}\sin^2 x+C$

방법 2	부분적분법을 이용하여 부정적분을 구한다.	◀ 40%

$f(x)=\sin x$, $g'(x)=\cos x$로 놓으면

$f'(x)=\cos x$, $g(x)=\sin x$이므로

$\int\sin x\cos x dx=\sin^2 x-\int\cos x\sin x dx$

$\therefore \int\sin x\cos x dx=\frac{1}{2}\sin^2 x+C$

방법 3	$2\sin x\cos x=\sin 2x$임을 이용하여 부정적분을 구한다.	◀ 30%

$\int\sin x\cos x dx=\frac{1}{2}\int\sin 2x dx=-\frac{1}{4}\cos 2x+C$

$=-\frac{1}{4}(1-2\sin^2 x)+C$

$=\frac{1}{2}\sin^2 x+C$

1678

정답 해설참조

1단계	부분적분을 이용하여 함수 $f(x)$를 구한다.	◀ 30%

$f(x)=\int f'(x)dx=\int x\cos x dx=x\sin x-\int\sin x dx$

$=x\sin x+\cos x+C$

2단계	함수 $f(x)$의 극댓값이 $\frac{\pi}{2}$임을 이용하여 적분상수를 구한다.	◀ 40%

$0<x<\pi$에서 $f'(x)=x\cos x=0$에서 $x=\frac{\pi}{2}$이므로

함수 $f(x)$의 증가와 감소를 표로 나타내면 다음과 같다.

x	0	$\cdots$	$\frac{\pi}{2}$	$\cdots$	π
$f'(x)$		+	0	−	
$f(x)$		↗	극대	↘	

$x=\frac{\pi}{2}$에서 극대이고 극댓값은 $f\left(\frac{\pi}{2}\right)=\frac{\pi}{2}+C=\frac{\pi}{2}$에서 $C=0$

3단계	$f\left(\frac{\pi}{4}\right)$의 값을 구한다.	◀ 30%

따라서 $f(x)=x\sin x+\cos x$이므로 $f\left(\frac{\pi}{4}\right)=\frac{\sqrt{2}}{2}\left(\frac{\pi}{4}+1\right)$

1679

정답 해설참조

1단계	부분적분을 이용하여 곡선 $f(x)$를 구한다.	◀ 60%

$f'(x)=x\ln x$이므로 $f(x)=\int x\ln x dx$

$u(x)=\ln x$, $v'(x)=x$로 놓으면 $u'(x)=\frac{1}{x}$, $v(x)=\frac{1}{2}x^2$

$f(x)=\frac{1}{2}x^2\ln x-\int\frac{1}{2}x dx=\frac{1}{2}x^2\ln x-\frac{1}{4}x^2+C$

2단계	곡선 $f(x)$이 점 $(1, 0)$을 지남을 이용하여 적분상수를 구한다.	◀ 20%

이 곡선이 점 $(1, 0)$을 지나므로 $f(1)=-\frac{1}{4}+C=0$ $\quad\therefore C=\frac{1}{4}$

3단계	$f(e)$의 값을 구한다.	◀ 20%

따라서 $f(x)=\frac{1}{2}x^2\ln x-\frac{1}{4}x^2+\frac{1}{4}$이므로 $f(e)=\frac{e^2}{4}+\frac{1}{4}$

1680

정답 해설참조

1단계	$F(x)=xf(x)-x^2e^{2x}$의 양변을 x에 대하여 미분하여 도함수 $f'(x)$를 구한다.	◀ 30%

$F'(x)=f(x)$이므로 $F(x)=xf(x)-x^2e^{2x}$의 양변을 x에 대하여 미분하면

$f(x)=f(x)+xf'(x)-2xe^{2x}-2x^2e^{2x}$

$f'(x)=2e^{2x}+2xe^{2x}=2e^{2x}(1+x)$

2단계	부분적분을 이용하여 $f(x)$를 구한다.	◀ 40%

$f(x)=\int 2e^{2x}(1+x)dx$에서 $u(x)=1+x$, $v'(x)=2e^{2x}$로 놓으면

$u'(x)=1$, $v(x)=e^{2x}$이므로 $f(x)=\int 2e^{2x}(1+x)dx=e^{2x}(1+x)-\int e^{2x}dx$

$\therefore f(x)=e^{2x}(1+x)-\frac{1}{2}e^{2x}+C$ (단, C는 적분상수) $\quad\cdots\cdots$ ㉠

3단계	$f(0)=\frac{1}{4}$을 이용하여 $f(x)$의 적분상수를 구한다.	◀ 20%

$f(0)=\frac{1}{4}$이므로 ㉠의 양변에 $x=0$을 대입하면

$f(0)=1-\frac{1}{2}+C$에서 $\frac{1}{4}=\frac{1}{2}+C$ $\quad\therefore C=-\frac{1}{4}$

4단계	$f(2)$의 값을 구한다.	◀ 10%

따라서 $f(x)=\frac{1}{2}e^{2x}+xe^{2x}-\frac{1}{4}$이므로 $f(2)=\frac{5}{2}e^4-\frac{1}{4}$

1681

정답 해설참조

1단계	$F(x)=xf(x)-x^2\sin x$의 양변을 x에 대하여 미분하여 도함수 $f'(x)$를 구한다.	◀ 30%

$F(x)=xf(x)-x^2\sin x$의 양변을 x에 대하여 미분하여 정리하면

$f'(x)=2\sin x+x\cos x$

2단계	부분적분을 이용하여 $f(x)$를 구한다.	◀ 30%

$$f(x)=\int(2\sin x+x\cos x)dx$$
$$=-2\cos x+(\cos x+x\sin x)+C$$
$$=x\sin x-\cos x+C$$

3단계	$F(2\pi)=4\pi$를 이용하여 $f(x)$의 적분상수를 구한다.	◀ 30%

$F(2\pi)=2\pi f(2\pi)-(2\pi)^2\sin 2\pi=4\pi$에서

$f(2\pi)=2$이므로 $-1+C=2$ $\quad\therefore C=3$

4단계	$f(\pi)$의 값을 구한다.	◀ 10%

따라서 $f(x)=x\sin x-\cos x+3$이므로 $f(\pi)=4$

1682

정답 해설참조

1단계	조건 (가)에서 도함수 $f'(x)$를 구한다.	◀ 30%

조건 (가)에서

$$\lim_{h\to 0}\frac{f(x+h)-f(x-h)}{h}=\lim_{h\to 0}\frac{f(x+h)-f(x)}{h}+\lim_{h\to 0}\frac{f(x-h)-f(x)}{-h}$$
$$=f'(x)+f'(x)$$
$$=2f'(x)$$

이므로 $2f'(x)=4xe^{x^2}$

$\therefore f'(x)=2xe^{x^2}$

2단계	치환적분을 이용하여 $f(x)$를 구한다.	◀ 40%

$f(x)=\int f'(x)dx=\int 2xe^{x^2}dx$이므로

$x^2=t$라 하면 $2x=\frac{dt}{dx}$

$f(x)=\int 2xe^{x^2}dx=\int e^t dt=e^t+C$

$\therefore f(x)=e^{x^2}+C$ (단, C는 적분상수)

3단계	조건 (나)를 이용하여 적분상수를 구한다.	◀ 20%

조건 (나)에서

함수 $f(x)$는 $x=1$에서 연속이므로

$f(1)=\lim_{x\to 1}f(x)=e$에서 $e+C=e$ $\quad\therefore C=0$

4단계	$f(3)$을 구한다.	◀ 10%

따라서 $f(x)=e^{x^2}$이므로 $f(3)=e^9$

1683

정답 해설참조

1단계	(가), (나), (다)에 알맞은 것을 써넣는다.	◀ 50%

부분적분법에 의하여

$\int e^x\sin x dx=-e^x\cos x+\boxed{\int e^x\cos x dx}$ ······ ㉠

$\boxed{\int e^x\cos x dx}$에 부분적분법을 다시 적용하면

$\boxed{\int e^x\cos x dx}=\boxed{e^x\sin x}-\int e^x\sin x dx$ ······ ㉡

㉡를 ㉠에 대입하면

$\int e^x\sin x dx=-e^x\cos x+\left(\boxed{e^x\sin x}-\int e^x\sin x dx\right)$

따라서 $\int e^x\sin x dx=\boxed{\frac{1}{2}e^x(\sin x-\cos x)}+C$

2단계	부정적분 $\int e^x\cos x dx$를 구한다.	◀ 50%

부분적분법에 의하여

$\int e^x\cos x dx=e^x\sin x-\int e^x\sin x dx$ ······ ㉠

$\int e^x\sin x dx$에 부분적분법을 다시 적용하면

$\int e^x\sin x dx=-e^x\cos x+\int e^x\cos x dx$ ······ ㉡

㉡을 ㉠에 대입하면

$\int e^x\cos x dx=e^x\sin x-\left(-e^x\cos x+\int e^x\cos x dx\right)$

따라서 $\int e^x\cos x dx=\frac{1}{2}e^x(\sin x+\cos x)+C$

1684

정답 해설참조

1단계	조건 (가)를 이용하여 각 범위에서 부정적분 $f(x)$를 구한다.	◀ 30%

조건 (가)에서

(i) $x<0$일 때,

$f(x)=\int(2\cos 2x-2)dx=\sin 2x-2x+C_1$ (C_1는 적분상수)

(ii) $x>0$일 때,

$f(x)=\int k\sin 2x dx=-\frac{k}{2}\cos 2x+C_2$ (C_2는 적분상수)

2단계	조건 (나)를 이용하여 적분상수를 구한다.	◀ 30%

조건 (나)에서

$f\left(-\frac{\pi}{2}\right)=1$이므로 $\pi+C_1=1$에서 $C_1=1-\pi$

$f\left(\frac{\pi}{2}\right)=1$이므로 $\frac{k}{2}+C_2=1$에서 $C_2=1-\frac{k}{2}$

3단계	함수 $f(x)$가 연속임을 이용하여 상수 k의 값을 구한다.	◀ 40%

$f(x)=\begin{cases}\sin 2x-2x+1-\pi & (x<0)\\ -\frac{k}{2}\cos 2x+1-\frac{k}{2} & (x\ge 0)\end{cases}$이고

함수 $f(x)$는 $x=0$에서 연속이므로 $\lim_{x\to 0-}f(x)=\lim_{x\to 0+}f(x)=f(0)$

$1-\pi=-\frac{k}{2}+1-\frac{k}{2}$ $\quad\therefore k=\pi$

1685

정답 해설참조

1단계 조건 (가), (나)에서 $f(x)$를 구한다. ◀ 40%

$f'(x)+g'(x)=e^x$, $f'(x)-g'(x)=e^{-x}$을 연립하면

$f'(x)=\frac{1}{2}(e^x+e^{-x})$, $g'(x)=\frac{1}{2}(e^x-e^{-x})$이므로

$f(x)=\int\frac{1}{2}(e^x+e^{-x})dx=\frac{1}{2}(e^x-e^{-x})+C_1$

$f(0)=0$이므로 $C_1=0$

$\therefore f(x)=\frac{1}{2}(e^x-e^{-x})$

2단계 조건 (가), (나)에서 $g(x)$를 구한다. ◀ 40%

$g(x)=\int\frac{1}{2}(e^x-e^{-x})dx=\frac{1}{2}(e^x+e^{-x})+C_2$

$g(0)=0$이므로 $C_2=-1$

$\therefore g(x)=\frac{1}{2}(e^x+e^{-x})-1$

3단계 $f(1)+g(1)$을 구한다. ◀ 20%

$f(1)+g(1)=\frac{1}{2}(e-e^{-1})+\frac{1}{2}(e+e^{-1})-1=e-1$

1686

정답 해설참조

1단계 $f(0)$의 값을 구한다. ◀ 20%

$f(x+y)=2f(x)f(y)$에 $x=0$, $y=0$을 대입하면

$f(0)=2f(0)f(0)$

이때 $f(0)>0$이므로 $f(0)=\frac{1}{2}$

2단계 도함수의 정의를 이용하여 $\frac{f'(x)}{f(x)}$를 구한다. ◀ 40%

도함수의 정의에 의하여

$$f'(x)=\lim_{h\to0}\frac{f(x+h)-f(x)}{h}=\lim_{h\to0}\frac{2f(x)f(h)-f(x)}{h}$$

$$=2f(x)\lim_{h\to0}\frac{f(h)-\frac{1}{2}}{h}=2f(x)\lim_{h\to0}\frac{f(h)-f(0)}{h}$$

$$=2f(x)f'(0)$$

$$=2f(x)\ (\because f'(0)=1)$$

$\therefore \frac{f'(x)}{f(x)}=2$

3단계 치환적분을 이용하여 $f(x)$를 구한다. ◀ 40%

$\int\frac{f'(x)}{f(x)}dx=\int 2dx$에서 $\ln|f(x)|=2x+C$

$\therefore f(x)=e^{2x+C}$

$f(0)=\frac{1}{2}$이므로 $e^C=\frac{1}{2}$ $\quad\therefore C=\ln\frac{1}{2}$

따라서 $f(x)=e^{2x+\ln\frac{1}{2}}=e^{2x}\cdot e^{\ln\frac{1}{2}}=\frac{1}{2}e^{2x}$

STEP 3 행복한 1등급 문제

1687

정답 16mm

STEP Ⓐ 치환적분을 이용하여 $f(x)$ 구하기

$16-x^2=t$로 놓으면 $-2xdx=dt$

$$f(x)=\int\frac{3}{4}x\sqrt{16-x^2}dx=\int-\frac{3}{8}\sqrt{16-x^2}\cdot(-2x)dx$$
$$=\int-\frac{3}{8}\sqrt{t}\,dt$$
$$=-\frac{1}{4}t^{\frac{3}{2}}+C$$
$$=-\frac{1}{4}(16-x^2)^{\frac{3}{2}}+C$$

STEP Ⓑ 4시까지 내린 비의 양 구하기

$f(0)=0$에서 $C=16$이므로 $f(4)=16$

따라서 4시까지 내린 비의 양은 16mm

1688

정답 1

STEP Ⓐ $e^x=t$로 치환하여 부분분수로 변형하여 $f(x)$ 구하기

$e^x=t$로 놓으면 $\frac{dt}{dx}=e^x$

$$f(x)=\int\frac{1}{e^x+1}dx=\int\frac{1}{t(t+1)}dt=\int\left(\frac{1}{t}-\frac{1}{t+1}\right)dt$$
$$=\ln\left|\frac{t}{t+1}\right|+C$$
$$=\ln\frac{e^x}{e^x+1}+C$$

STEP Ⓑ $f(1)-f(-1)$의 값 구하기

따라서 $f(1)-f(-1)=\ln\frac{e}{e+1}-\ln\frac{e^{-1}}{e^{-1}+1}=\ln\frac{e}{e+1}-\ln\frac{1}{e+1}=\ln e=1$

1689

정답 $-e^2$

STEP Ⓐ 매개변수의 미분법을 이용하여 $f'(t)$ 구하기

조건 (가)에서 $\frac{dy}{dx}=\frac{\frac{dy}{dt}}{\frac{dx}{dt}}=\frac{f'(t)}{2t+2}=\frac{1}{2t^2}$

$f'(t)=\frac{t+1}{t^2}=\frac{1}{t}+\frac{1}{t^2}$

STEP Ⓑ 부정적분을 이용하여 $f(x)$ 구하기

$f(t)=\int\left(\frac{1}{t}+\frac{1}{t^2}\right)dt=\ln|t|-\frac{1}{t}+C$

조건 (나)에서 $f(1)=\ln1-1+C=1$ $\quad\therefore C=2$

STEP Ⓒ $f\left(\frac{1}{e^2}\right)$의 값 구하기

따라서 $f(t)=\ln t-\frac{1}{t}+2$이므로 $f\left(\frac{1}{e^2}\right)=-2-e^2+2=-e^2$

1690

정답 $2e^3$

STEP Ⓐ **곱의 미분법을 이용하여 조건 (가)를 x에 대하여 적분하기**

$F(x)+xf(x)=F(x)+xF'(x)=\{xF(x)\}'$

주어진 식의 양변을 x에 대하여 적분하면

$xF(x)=\int(2x+2)e^x dx$

STEP Ⓑ **부분적분을 이용하여 $xF(x)$ 구하기**

$u(x)=2x+2,\ v'(x)=e^x$로 놓으면 $u'(x)=2,\ v(x)=e^x$이므로

$\int(2x+2)e^x dx=(2x+2)e^x-\int 2e^x dx$

$=(2x+2)e^x-2e^x+C$

$=2xe^x+C$ (C는 적분상수)

$\therefore\ xF(x)=2xe^x+C$

STEP Ⓒ **$F(1)=2e$를 이용하여 적분상수를 구한 후 $F(3)$ 구하기**

이때 $F(1)=2e$이므로 $F(1)=2e+C=2e$에서 $C=0$

$xF(x)=2xe^x$이므로 $F(x)=2e^x$ ($\because\ x\neq 0$)

따라서 $F(3)=2e^3$

1691

 e^{12}

STEP Ⓐ **$f(x)$의 역함수가 $g(x)$이므로 $g'(f(x))=\dfrac{1}{f'(x)}$임을 이용하기**

미분가능한 함수 $f(x)$의 역함수가 $g(x)$이므로 $g(f(x))=x$를 만족한다.

이때 $g(f(x))=x$의 양변을 x에 대하여 미분하면

$g'(f(x))f'(x)=1$

즉 $g'(f(x))\neq 0$이고 $g'(f(x))=\dfrac{1}{f'(x)}$이므로

조건 (나)에서

$f(x)g'(f(x))=\dfrac{f(x)}{f'(x)}=\dfrac{1}{x^2+1}\quad \therefore\ \dfrac{f'(x)}{f(x)}=x^2+1$

STEP Ⓑ **부정적분을 이용하여 적분상수를 구하여 $f(3)$ 구하기**

양변을 x에 대하여 적분하면

$\int\dfrac{f'(x)}{f(x)}dx=\int(x^2+1)dx$

$\ln|f(x)|=\dfrac{1}{3}x^3+x+C$ (단, C는 적분상수)

$|f(x)|=e^{\frac{1}{3}x^3+x+C}$

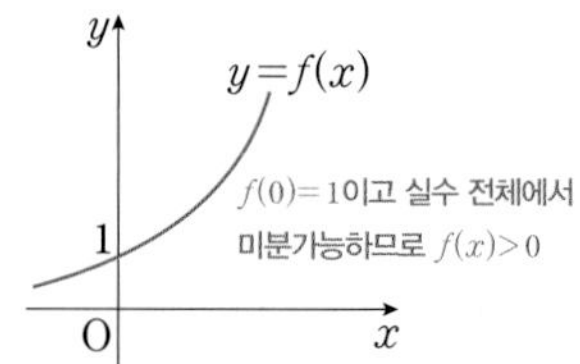

조건 (가)에서 $f(0)=1>0$이고

함수 $f(x)$가 실수 전체의 집합에서 미분가능하므로

$f(x)=e^{\frac{1}{3}x^3+x+C}$

이때 조건 (가)에서 $f(0)=1$에서 $C=0$

따라서 $f(x)=e^{\frac{1}{3}x^3+x}$이므로 $f(3)=e^{12}$

1692

정답 72

STEP Ⓐ **부분적분법을 이용하여 적분상수 구하기**

조건 (나)에서 $\dfrac{xf'(x)-f(x)}{x^2}=\left(\dfrac{f(x)}{x}\right)'=xe^x$

$\int\left(\dfrac{f(x)}{x}\right)'dx=\int xe^x dx$에서 $\dfrac{f(x)}{x}=(x-1)e^x+C$ (C는 적분상수)

STEP Ⓑ **$f(1)=0$를 이용하여 적분상수 구하기**

$f(1)=0$이므로 $C=0$

$\therefore\ \dfrac{f(x)}{x}=(x-1)e^x$

STEP Ⓒ **$f(3)\times f(-3)$의 값 구하기**

따라서 $f(x)=x(x-1)e^x$이므로 $f(3)=6e^3,\ f(-3)=12e^{-3}$

$\therefore\ f(3)\times f(-3)=72$

1693

 $8e$

STEP Ⓐ **$x<0$일 때, 함수 $f(x)$의 식 작성하기**

조건 (나)에서

$f(x_2)-f(x_1)=3x_2-3x_1$이므로 $\dfrac{f(x_2)-f(x_1)}{x_2-x_1}=3$

이때 임의의 $x_1\,(x_1<0)$에 대하여

$f'(x_1)=\lim\limits_{x\to x_1}\dfrac{f(x)-f(x_1)}{x-x_1}=\lim\limits_{x\to x_1}3=3$이므로 $x<0$일 때, $f'(x)=3$

$f(x)=\int 3dx=3x+C$ (C는 적분상수)

$\therefore\ f(x)=\begin{cases} axe^{2x}+bx^2 & (x>0) \\ 3x+C & (x<0) \end{cases}$

함수 $f(x)$가 $x=0$에서 미분가능하므로 $x=0$에서 연속이다.

조건 (가)에서

$f(0)=\lim\limits_{x\to 0+}f(x)=\lim\limits_{x\to 0+}(axe^{2x}+bx^2)=0$

즉 $\lim\limits_{x\to 0+}(axe^{2x}+bx^2)=\lim\limits_{x\to 0-}(3x+C)=0$

$\lim\limits_{x\to 0-}f(x)=C=f(0)=0$이므로 $x<0$일 때, $f(x)=3x$

$\therefore\ f(x)=\begin{cases} axe^{2x}+bx^2 & (x>0) \\ 3x & (x<0) \end{cases}$

STEP Ⓑ **함수 $f(x)$가 $x=0$에서 미분가능임을 이용하여 $a,\ b$의 값 구하기**

함수 $f(x)$가 $x=0$에서 미분가능하므로

$\lim\limits_{x\to 0+}\dfrac{f(x)-f(0)}{x-0}=\lim\limits_{x\to 0-}\dfrac{f(x)-f(0)}{x-0}$이어야 한다.

$\lim\limits_{x\to 0+}\dfrac{f(x)-f(0)}{x-0}=\lim\limits_{x\to 0+}\dfrac{axe^{2x}+bx^2}{x}=\lim\limits_{x\to 0+}(ae^{2x}+bx)=a$

$\lim\limits_{x\to 0-}\dfrac{f(x)-f(0)}{x-0}=\lim\limits_{x\to 0-}\dfrac{3x}{x}=3$이므로 $a=3$

또한, $f\left(\dfrac{1}{2}\right)=2e$이므로 $f\left(\dfrac{1}{2}\right)=\dfrac{3e}{2}+\dfrac{b}{4}=2e$에서 $b=2e$

$\therefore\ f(x)=\begin{cases} 3xe^{2x}+2ex^2 & (x>0) \\ 3x & (x<0) \end{cases}$

STEP Ⓒ **$f'\left(\dfrac{1}{2}\right)$의 값 구하기**

따라서 $f'(x)=\begin{cases} 3e^{2x}+6xe^{2x}+4ex & (x>0) \\ 3 & (x<0) \end{cases}$이므로

$f'\left(\dfrac{1}{2}\right)=3e+3e+2e=8e$

1694 정답 ④

STEP Ⓐ 합성함수의 미분법을 이용하여 부정적분 계산하기

$y=\frac{2}{3}\{f(x)\}^3$의 양변을 x로 미분하면 $y'=2\{f(x)\}^2f'(x)$이고

$y=\frac{1}{3}\{f(2x+1)\}^3\times\frac{1}{2}$의 양변을 x로 미분하면

$y'=\{f(2x+1)\}^2f'(2x+1)$이므로

조건 (가)에서

$\int 2\{f(x)\}^2f'(x)dx=\int\{f(2x+1)\}^2f'(2x+1)dx$이므로

$\frac{2}{3}\{f(x)\}^3=\frac{1}{3}\{f(2x+1)\}^3\times\frac{1}{2}+C$ (단, C는 적분상수)

$\{f(2x+1)\}^3=4\{f(x)\}^3+C'\ (C'=-6C)$ …… ㉠

㉠에 $x=-1$을 대입하면 $\{f(-1)\}^3=4\{f(-1)\}^3+C'$에서

$C'=-3\{f(-1)\}^3$ …… ㉡

STEP Ⓑ 조건 (나)를 이용하여 C'의 값을 구하고 $f(-1)$의 값 구하기

조건 (나)에서

㉠에 $x=-\frac{1}{8}$을 대입하면

$\left\{f\left(\frac{3}{4}\right)\right\}^3=4\left\{f\left(-\frac{1}{8}\right)\right\}^3+C'=4+C'$

㉠에 $x=\frac{3}{4}$을 대입하면

$\left\{f\left(\frac{5}{2}\right)\right\}^3=4\left\{f\left(\frac{3}{4}\right)\right\}^3+C'=4(4+C')+C'=16+5C'$

㉠에 $x=\frac{5}{2}$를 대입하면

$\{f(6)\}^3=4\left\{f\left(\frac{5}{2}\right)\right\}^3+C'=4(16+5C')+C'=64+21C'$

즉 $2^3=64+21C'$

$C'=-\frac{8}{3}$ …… ㉢

㉡, ㉢에서 $-3\{f(-1)\}^3=-\frac{8}{3}$ $\therefore \{f(-1)\}^3=\frac{8}{9}$

따라서 $f(-1)=\sqrt[3]{\frac{8}{9}}=\sqrt[3]{\frac{8\cdot3}{27}}=\frac{2\sqrt[3]{3}}{3}$

다른풀이 구간 $[-1, a]$에서 정적분을 이용하여 풀이하기

STEP Ⓐ 구간 $[-1, a]$로 조건 (가)의 양변을 정적분하기

조건 (가)의 양변을 구간 $[-1, a]$에서 정적분하면

← 두 함수 $\{f(x)\}^3$, $\{f(2x+1)\}^3$에 $x=-1$을 대입하면 $\{f(-1)\}^3$로 함숫값이 같다.

$\int_{-1}^{a}2\{f(x)\}^2f'(x)dx=\int_{-1}^{a}\{f(2x+1)\}^2f'(2x+1)dx$

$\left[\frac{2}{3}\{f(x)\}^3\right]_{-1}^{a}=\left[\frac{1}{6}\{f(2x+1)\}^3\right]_{-1}^{a}$

$\frac{2}{3}\{f(a)\}^3-\frac{2}{3}\{f(-1)\}^2=\frac{1}{6}\{f(2a+1)\}^3-\frac{1}{6}\{f(-1)\}^3$

$\therefore 4\{f(a)\}^3-\{f(2a+1)\}^3=3\{f(-1)\}^3$ …… ㉠

STEP Ⓑ 조건 (나)를 이용하여 $f(-1)$을 구하기

㉠에 $x=-\frac{1}{8}$을 대입하면

$4\left\{f\left(-\frac{1}{8}\right)\right\}^3-\left\{f\left(\frac{3}{4}\right)\right\}^3=3\{f(-1)\}^3$ …… ㉡

㉠에 $x=\frac{3}{4}$을 대입하면

$4\left\{f\left(\frac{3}{4}\right)\right\}^3-\left\{f\left(\frac{5}{2}\right)\right\}^3=3\{f(-1)\}^3$ …… ㉢

㉠에 $x=\frac{5}{2}$를 대입하면

$4\left\{f\left(\frac{5}{2}\right)\right\}^3-\{f(6)\}^3=3\{f(-1)\}^3$ …… ㉣

이때 ㉡, ㉢에서

$4\left[4\left\{f\left(-\frac{1}{8}\right)\right\}^3-3\{f(-1)\}^3\right]-\left\{f\left(\frac{5}{2}\right)\right\}^3=3\{f(-1)\}^3$

← ㉡에서 $\left\{f\left(\frac{3}{4}\right)\right\}^3=\left\{f\left(-\frac{1}{8}\right)\right\}^3-3\{f(-1)\}^3$

즉 $16\left\{f\left(-\frac{1}{8}\right)\right\}^3-\left\{f\left(\frac{5}{2}\right)\right\}^3=15\{f(-1)\}^3$ …… ㉤

㉤을 ㉣에 대입하면

$4\left[16\left\{f\left(-\frac{1}{8}\right)\right\}^3-15\{f(-1)\}^3\right]-\{f(6)\}^3=3\{f(-1)\}^3$

← ㉤에서 $\left\{f\left(\frac{5}{2}\right)\right\}^3=16\left\{f\left(-\frac{1}{8}\right)\right\}^3-15\{f(-1)\}^3$

$64\left\{f\left(-\frac{1}{8}\right)\right\}^3-\{f(6)\}^3=63\{f(-1)\}^3$

조건 (다)에서 $f\left(-\frac{1}{8}\right)=1$, $f(6)=2$이므로 $64\cdot1^3-8=63\{f(-1)\}^3$

$\therefore \{f(-1)\}^3=\frac{8}{9}$

따라서 $f(-1)=\sqrt[3]{\frac{8}{9}}=\sqrt[3]{\frac{8\cdot3}{27}}=\frac{2\sqrt[3]{3}}{3}$

1695

정답 ③

STEP A 유리함수의 정적분의 값 구하기

$\int_1^3 \frac{3x-1}{x^2}dx = \int_1^3\left(\frac{3}{x}-\frac{1}{x^2}\right)dx = \left[3\ln|x|+\frac{1}{x}\right]_1^3 = 3\ln 3 - \frac{2}{3}$

1696

정답 ②

STEP A 유리함수의 정적분의 값 구하기

$\int_a^b \frac{1}{x}dx = \left[\ln|x|\right]_a^b = \ln b - \ln a = \ln\frac{b}{a}$

① $\int_{a+1}^{b+1}\frac{1}{x}dx = \left[\ln|x|\right]_{a+1}^{b+1} = \ln(b+1)-\ln(a+1) = \ln\frac{b+1}{a+1}$

② $\int_{2a}^{2b}\frac{1}{x}dx = \left[\ln|x|\right]_{2a}^{2b} = \ln 2b - \ln 2a = \ln\frac{2b}{2a} = \ln\frac{b}{a}$

③ $\int_{a^2}^{b^2}\frac{1}{x}dx = \left[\ln|x|\right]_{a^2}^{b^2} = \ln b^2 - \ln a^2 = \ln\frac{b^2}{a^2} = 2\ln\frac{b}{a}$

④ $\int_{\sqrt{a}}^{\sqrt{b}}\frac{1}{x}dx = \left[\ln|x|\right]_{\sqrt{a}}^{\sqrt{b}} = \ln\sqrt{b} - \ln\sqrt{a} = \ln\frac{\sqrt{b}}{\sqrt{a}} = \frac{1}{2}\ln\frac{b}{a}$

⑤ $\int_{\frac{1}{a}}^{\frac{1}{b}}\frac{1}{x}dx = \left[\ln|x|\right]_{\frac{1}{a}}^{\frac{1}{b}} = \ln\frac{1}{b} - \ln\frac{1}{a} = \ln\frac{\frac{1}{b}}{\frac{1}{a}} = \ln\frac{a}{b}$

따라서 주어진 식과 같은 것은 ②이다.

1697

정답 ③

STEP A 유리함수의 정적분의 값 구하기

$\int_0^1 \frac{1}{x^2+3x+2}dx = \int_0^1 \frac{1}{(x+1)(x+2)}dx = \int_0^1\left(\frac{1}{x+1}-\frac{1}{x+2}\right)dx$

$= \left[\ln|x+1| - \ln|x+2|\right]_0^1 = (\ln 2 - \ln 3) - (\ln 1 - \ln 2)$

$= \ln 2 - \ln 3 + \ln 2 = \ln\frac{4}{3}$

따라서 $k=\frac{4}{3}$

내신연계 출제문항 663

$\int_2^3 \frac{4}{x^2-1}dx = \ln a$일 때, 상수 a의 값은?

① $\frac{2}{3}$ ② $\frac{3}{2}$ ③ 2 ④ $\frac{9}{4}$ ⑤ $\frac{7}{2}$

STEP A 유리함수의 정적분의 값 구하기

$\int_2^3 \frac{4}{x^2-1}dx = \ln a = \int_2^3 \frac{4}{(x-1)(x+1)}dx = 2\int_2^3\left(\frac{1}{x-1}-\frac{1}{x+1}\right)dx$

$= 2\left[\ln|x-1| - \ln|x+1|\right]_2^3 = 2\left[\ln\frac{|x-1|}{|x+1|}\right]_2^3$

$= 2\ln\frac{3}{2} = \ln\frac{9}{4}$

따라서 $a=\frac{9}{4}$

정답 ④

1698

정답 ③

STEP A 지수함수의 정적분의 값 구하기

$\int_2^4 2e^{2x-4}dx = \left[e^{2x-4}\right]_2^4 = e^4 - 1 = k$

따라서 $\ln(k+1) = \ln(e^4-1+1) = \ln e^4 = 4$

다른풀이 평행이동을 이용한 정적분의 성질을 이용하여 풀이하기

$\int_2^4 2e^{2x-4}dx = \int_2^4 2e^{2(x-2)}dx = \int_0^2 2e^{2x}dx = \left[e^{2x}\right]_0^2 = e^4-1$

따라서 $k=e^4-1$이므로 $\ln(k+1) = \ln e^4 = 4$

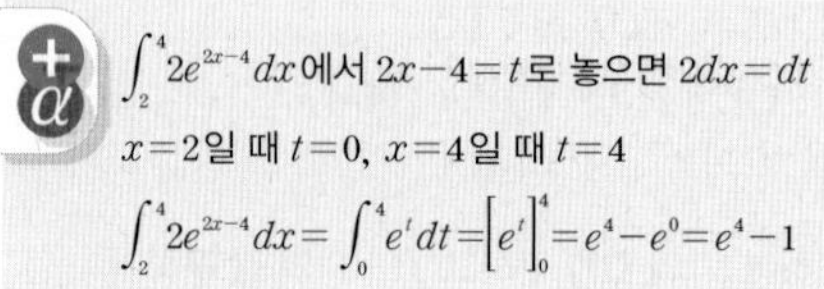

$\int_2^4 2e^{2x-4}dx$에서 $2x-4=t$로 놓으면 $2dx=dt$

$x=2$일 때 $t=0$, $x=4$일 때 $t=4$

$\int_2^4 2e^{2x-4}dx = \int_0^4 e^t dt = \left[e^t\right]_0^4 = e^4 - e^0 = e^4-1$

1699

정답 ②

STEP A 지수함수의 정적분의 값 구하기

$\int_1^2 \frac{8^x-1}{2^x-1}dx = \int_1^2 \frac{(2^x-1)(2^{2x}+2^x+1)}{2^x-1}dx$

$= \int_1^2 (4^x+2^x+1)dx$

$= \left[\frac{4^x}{\ln 4}+\frac{2^x}{\ln 2}+x\right]_1^2$

$= \frac{8}{\ln 2}+1$

1700

정답 ③

STEP A 지수함수의 정적분의 값 구하기

$a_n = \int_0^n 5^x \ln 5 dx = \left[5^x\right]_0^n = 5^n - 1$

따라서 $\sum_{n=1}^{\infty}\frac{1}{1+a_n} = \sum_{n=1}^{\infty}\frac{1}{5^n} = \frac{\frac{1}{5}}{1-\frac{1}{5}} = \frac{1}{4}$

1701

정답 ⑤

STEP A 삼각함수의 정적분의 값 구하기

$\int_0^{\pi}(\sin x + \cos x)^2 dx$

$= \int_0^{\pi}(1+\sin 2x)dx$ ← $\sin^2 x + 2\sin x\cos x + \cos^2 x = 1 + \sin 2x$

$= \left[x - \frac{1}{2}\cos 2x\right]_0^{\pi}$

$= \pi - \frac{1}{2} - \left(-\frac{1}{2}\right)$

$= \pi$

내신연계 출제문항 664

정적분 $\int_0^{\frac{\pi}{2}}(\sin 2x\cos x+\cos 2x\sin x)dx$의 값은?

① $-\frac{3}{2}$ ② $-\frac{1}{5}$ ③ 0
④ $\frac{1}{3}$ ⑤ 1

STEP Ⓐ 삼각함수의 정적분의 값 구하기

$$\int_0^{\frac{\pi}{2}}(\sin 2x\cos x+\cos 2x\sin x)dx=\int_0^{\frac{\pi}{2}}\sin(2x+x)dx$$
$$=\left[-\frac{1}{3}\cos 3x\right]_0^{\frac{\pi}{2}}$$
$$=0-\left(-\frac{1}{3}\right)=\frac{1}{3}$$

정답 ④

1702

정답 ③

STEP Ⓐ 삼각함수의 정적분의 값 구하기

$$\int_{-\pi}^0\frac{\sin^2 x}{1+\cos x}dx=\int_{-\pi}^0\frac{1-\cos^2 x}{1+\cos x}dx=\int_{-\pi}^0(1-\cos x)dx$$
$$=\left[x-\sin x\right]_{-\pi}^0=\pi$$

1703

정답 ③

STEP Ⓐ 삼각함수의 정적분의 값 구하기

$$\int_{\frac{\pi}{4}}^{\frac{\pi}{3}}(\sec^2 x+\csc^2 x)dx=\left[\tan x-\cot x\right]_{\frac{\pi}{4}}^{\frac{\pi}{3}}=\left(\sqrt{3}-\frac{1}{\sqrt{3}}\right)-(1-1)=\frac{2\sqrt{3}}{3}$$

1704

정답 ④

STEP Ⓐ 삼각함수의 정적분의 값 구하기

$$\int_0^{\frac{\pi}{4}}\frac{1+2x\cos^2 x}{1-\sin^2 x}dx=\int_0^{\frac{\pi}{4}}\frac{1+2x\cos^2 x}{\cos^2 x}dx=\int_0^{\frac{\pi}{4}}(\sec^2 x+2x)dx$$
$$=\left[\tan x+x^2\right]_0^{\frac{\pi}{4}}=1+\frac{\pi^2}{16}$$

내신연계 출제문항 665

정적분 $\int_0^{\frac{\pi}{4}}\frac{\sin^2 x}{1-\sin^2 x}dx$의 값은?

① $1-\frac{\pi}{2}$ ② $1-\frac{\pi}{4}$ ③ 1
④ $1+\frac{\pi}{4}$ ⑤ $1+\frac{\pi}{2}$

STEP Ⓐ 삼각함수의 정적분의 값 구하기

$$\int_0^{\frac{\pi}{4}}\frac{\sin^2 x}{1-\sin^2 x}dx=\int_0^{\frac{\pi}{4}}\frac{\sin^2 x}{\cos^2 x}dx=\int_0^{\frac{\pi}{4}}\tan^2 x dx$$
$$=\int_0^{\frac{\pi}{4}}(\sec^2 x-1)dx$$
$$=\left[\tan x-x\right]_0^{\frac{\pi}{4}}=1-\frac{\pi}{4}$$

정답 ②

1705

정답 ①

STEP Ⓐ 유리함수와 삼각함수의 정적분의 값 구하기

$$\int_{-\frac{\pi}{3}}^{-\frac{\pi}{6}}\left(\frac{1}{x}-\tan x\right)dx=\int_{-\frac{\pi}{3}}^{-\frac{\pi}{6}}\left(\frac{1}{x}-\frac{\sin x}{\cos x}\right)dx$$
$$=\left[\ln|x|+\ln|\cos x|\right]_{-\frac{\pi}{3}}^{-\frac{\pi}{6}} \quad \leftarrow \int\tan x dx=-\ln|\cos x|+C$$
$$=\ln\frac{\pi}{6}-\ln\frac{\pi}{3}+\ln\frac{\sqrt{3}}{2}-\ln\frac{1}{2}$$
$$=\ln\frac{1}{2}+\ln\sqrt{3}-\ln 2-\ln\frac{1}{2}$$
$$=\frac{1}{2}\ln 3-\ln 2$$

1706

정답 ④

STEP Ⓐ 적분구간이 같은 경우 정적분 계산하기

$$\int_0^1(e^x+1)^2dx-\int_0^1(e^x-1)^2dx=\int_0^1\{(e^x+1)^2-(e^x-1)^2\}dx$$
$$=4\int_0^1 e^x dx=4\left[e^x\right]_0^1$$
$$=4(e-1)$$

1707

정답 ①

STEP Ⓐ 적분구간이 같은 경우 정적분 계산하기

$$\int_0^{\ln 2}\frac{e^{2x}}{e^x-1}dx+\int_{\ln 2}^0\frac{1}{e^t-1}dt=\int_0^{\ln 2}\frac{e^{2x}}{e^x-1}dx-\int_0^{\ln 2}\frac{1}{e^x-1}dx$$
$$=\int_0^{\ln 2}\frac{e^{2x}-1}{e^x-1}dx$$
$$=\int_0^{\ln 2}(e^x+1)dx$$
$$=\left[e^x+x\right]_0^{\ln 2}$$
$$=(2+\ln 2)-(1+0)$$
$$=1+\ln 2$$

1708

정답 ④

STEP Ⓐ 적분구간이 같은 경우 정적분 계산하기

$$\int_1^2\frac{2x+1}{x^2+3x}dx-\int_1^2\frac{2x-2}{x^2+3x}dx=\int_1^2\frac{(2x+1)-(2x-2)}{x^2+3x}dx$$
$$=\int_1^2\frac{3}{x^2+3x}dx$$
$$=\int_1^2\frac{3}{x(x+3)}dx$$
$$=\int_1^2\left(\frac{1}{x}-\frac{1}{x+3}\right)dx$$
$$=\left[\ln|x|-\ln|x+3|\right]_1^2$$
$$=\left[\ln\left|\frac{x}{x+3}\right|\right]_1^2$$
$$=\ln\frac{2}{5}-\ln\frac{1}{4}$$
$$=\ln\frac{8}{5}$$

내신연계 출제문항 666

정적분 $\int_{-1}^{2}\frac{x-1}{x+2}dx+\int_{2}^{1}\frac{x-1}{x+2}dx$의 값은?

① $-3\ln 3$　② $1-3\ln 3$　③ $2-3\ln 3$
④ $3-2\ln 3$　⑤ $3+2\ln 3$

STEP A 피적분함수가 같은 경우 정적분 계산하기

$$\int_{-1}^{2}\frac{x-1}{x+2}dx+\int_{2}^{1}\frac{x-1}{x+2}dx$$
$$=\int_{-1}^{1}\frac{x-1}{x+2}dx=\int_{-1}^{1}\left(1-\frac{3}{x+2}\right)dx$$
$$=\Big[x-3\ln|x+2|\Big]_{-1}^{1}$$
$$=2-3\ln 3$$

 정답 ③

1709

 정답 ②

STEP A 적분구간이 같은 경우 정적분 계산하기

$$\int_{0}^{\frac{\pi}{4}}(3x+2\tan^2 x)dx-\int_{0}^{\frac{\pi}{4}}(3y-2\tan^2 y)dy$$
$$=\int_{0}^{\frac{\pi}{4}}(3x+2\tan^2 x)dx-\int_{0}^{\frac{\pi}{4}}(3x-2\tan^2 x)dx$$
$$=\int_{0}^{\frac{\pi}{4}}\{3x+2\tan^2 x-(3x-2\tan^2 x)\}dx$$
$$=\int_{0}^{\frac{\pi}{4}}(4\tan^2 x)dx=4\int_{0}^{\frac{\pi}{4}}(\sec^2 x-1)dx$$
$$=4\Big[\tan x-x\Big]_{0}^{\frac{\pi}{4}}$$
$$=4-\pi$$

1710

 정답 ②

STEP A 피적분함수가 같은 경우 정적분 계산하기

$$\int_{e}^{e^2}\ln x dx-\int_{e^4}^{e^2}\ln x dx+\int_{e^4}^{e^6}\ln x dx$$
$$=\int_{e}^{e^2}\ln x dx+\int_{e^2}^{e^4}\ln x dx+\int_{e^4}^{e^6}\ln x dx$$
$$=\int_{e}^{e^6}\ln x dx$$
$$=\Big[x\ln x-x\Big]_{e}^{e^6}$$
$$=5e^6$$

1711

 정답 ④

STEP A 적분구간이 같은 경우 정적분 계산하기

$$\int_{0}^{\frac{\pi}{2}}\frac{\sin x}{1+\cos x}dx-\int_{\frac{\pi}{2}}^{0}\frac{2\sin x}{1+\cos x}dx$$
$$=\int_{0}^{\frac{\pi}{2}}\frac{3\sin x}{1+\cos x}dx=-3\int_{0}^{\frac{\pi}{2}}\frac{(1+\cos x)'}{1+\cos x}dx$$
$$=-3\Big[\ln|1+\cos x|\Big]_{0}^{\frac{\pi}{2}}$$
$$=-3(\ln 1-\ln 2)$$
$$=3\ln 2$$

내신연계 출제문항 667

정적분 $\int_{0}^{\frac{\pi}{2}}\frac{\sin^2 x}{\sin+\cos x}dx+\int_{\frac{\pi}{2}}^{0}\frac{\cos^2 x}{\sin+\cos x}dx$의 값은?

① -2　② -1　③ 0
④ 1　⑤ 2

STEP A 적분구간이 같은 경우 정적분 계산하기

$$\int_{0}^{\frac{\pi}{2}}\frac{\sin^2 x}{\sin+\cos x}dx+\int_{\frac{\pi}{2}}^{0}\frac{\cos^2 x}{\sin+\cos x}dx$$
$$=\int_{0}^{\frac{\pi}{2}}\frac{\sin^2 x}{\sin+\cos x}dx-\int_{0}^{\frac{\pi}{2}}\frac{\cos^2 x}{\sin+\cos x}dx$$
$$=\int_{0}^{\frac{\pi}{2}}\frac{\sin^2 x-\cos^2 x}{\sin+\cos x}dx$$
$$=\int_{0}^{\frac{\pi}{2}}\frac{(\sin x-\cos x)(\sin x+\cos x)}{\sin+\cos x}dx$$
$$=\int_{0}^{\frac{\pi}{2}}(\sin x-\cos x)dx$$
$$=\Big[-\cos x-\sin x\Big]_{0}^{\frac{\pi}{2}}$$
$$=-1-(-1)=0$$

정답 ③

1712

 정답 ②

STEP A 절댓값 안의 식이 양인 구간과 음인 구간을 나누어 적분하기

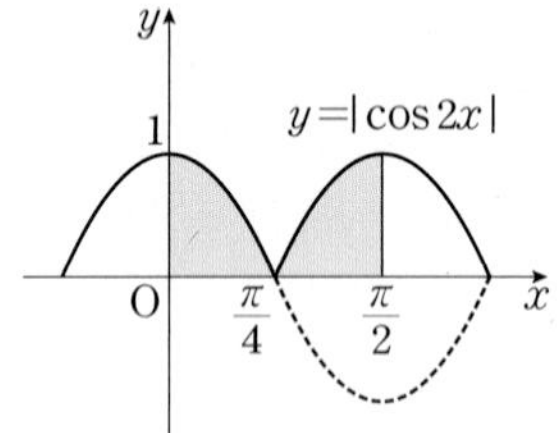

$f(x)=|\cos 2x|$이라 하면

$$f(x)=\begin{cases}\cos 2x & \left(0\le x\le\frac{\pi}{4}\right)\\ -\cos 2x & \left(\frac{\pi}{4}<x\le\frac{\pi}{2}\right)\end{cases}$$

$$\int_{0}^{\frac{\pi}{2}}|\cos 2x|dx=\int_{0}^{\frac{\pi}{4}}\cos 2x dx+\int_{\frac{\pi}{4}}^{\frac{\pi}{2}}(-\cos 2x)dx$$
$$=\left[\frac{\sin 2x}{2}\right]_{0}^{\frac{\pi}{4}}-\left[\frac{\sin 2x}{2}\right]_{\frac{\pi}{4}}^{\frac{\pi}{2}}$$
$$=\frac{1}{2}+\frac{1}{2}=1$$

참고 그림에서 색칠된 부분의 넓이가 같으므로
$\int_{0}^{\frac{\pi}{2}}|\cos 2x|dx=2\int_{0}^{\frac{\pi}{4}}\cos 2x dx$

내/신/연/계/ 출제문항 668

정적분 $\int_{-\frac{\pi}{2}}^{\frac{\pi}{2}}|\sin x\cos x|dx$의 값은?

① $\frac{1}{2}$ ② 1 ③ $\frac{3}{2}$
④ 3 ⑤ 4

STEP A 절댓값 안의 식이 양인 구간과 음인 구간을 나누어 적분하기

$\sin x\cos x=\frac{1}{2}\sin 2x$이므로

$$\begin{aligned}\int_{-\frac{\pi}{2}}^{\frac{\pi}{2}}|\sin x\cos x|dx&=\int_{-\frac{\pi}{2}}^{0}(-\sin x\cos x)dx+\int_{0}^{\frac{\pi}{2}}\sin x\cos xdx\\&=\int_{-\frac{\pi}{2}}^{0}\left(-\frac{1}{2}\sin 2x\right)dx+\int_{0}^{\frac{\pi}{2}}\frac{1}{2}\sin 2xdx\\&=\left[\frac{1}{4}\cos 2x\right]_{-\frac{\pi}{2}}^{0}+\left[-\frac{1}{4}\cos 2x\right]_{0}^{\frac{\pi}{2}}\\&=\left(\frac{1}{4}+\frac{1}{4}\right)+\left(\frac{1}{4}+\frac{1}{4}\right)=1\end{aligned}$$

다른풀이 치환적분을 이용하여 풀이하기

$$\begin{aligned}\int_{-\frac{\pi}{2}}^{\frac{\pi}{2}}|\sin x\cos x|dx&=\int_{-\frac{\pi}{2}}^{0}|\sin x\cos x|dx+\int_{0}^{\frac{\pi}{2}}|\sin x\cos x|dx\\&=\int_{-\frac{\pi}{2}}^{0}(-\sin x\cos x)dx+\int_{0}^{\frac{\pi}{2}}\sin x\cos xdx \quad\cdots\cdots ㉠\end{aligned}$$

$\sin x=t$로 놓으면 $\cos x=\frac{dt}{dx}$이고

$x=-\frac{\pi}{2}$일 때, $t=-1$이고 $x=0$일 때, $t=0$이고

$x=\frac{\pi}{2}$일 때, $t=1$이므로

㉠에서 $\int_{-\frac{\pi}{2}}^{\frac{\pi}{2}}|\sin x\cos x|dx=\int_{-1}^{0}(-t)dt+\int_{0}^{1}tdt$

$$=\left[-\frac{1}{2}t^2\right]_{-1}^{0}+\left[\frac{1}{2}t^2\right]_{0}^{1}$$

$$=\frac{1}{2}+\frac{1}{2}=1$$

정답 ②

1713

정답 ④

STEP A 절댓값 안의 식이 양인 구간과 음인 구간을 나누어 적분하기

$$\begin{aligned}a_k&=\int_{0}^{\pi}k|\cos x|dx\\&=k\int_{0}^{\frac{\pi}{2}}\cos xdx+k\int_{\frac{\pi}{2}}^{\pi}(-\cos x)dx\\&=k\Big[\sin x\Big]_{0}^{\frac{\pi}{2}}-k\Big[\sin x\Big]_{\frac{\pi}{2}}^{\pi}\\&=2k\end{aligned}$$

STEP B $\sum_{k=1}^{10}ka_k$의 값 구하기

따라서 $\sum_{k=1}^{10}ka_k=\sum_{k=1}^{10}2k^2=2\cdot\frac{10\cdot 11\cdot 21}{6}=770$

1714

정답 ③

STEP A 닫힌구간 $\left[0, \frac{\pi}{2}\right]$에서 방정식 $\sin x-\cos x=0$의 해를 구하기

$\sin x-\cos x=0$에서 $\sin x=\cos x$이므로

$\tan x=1 \quad \therefore x=\frac{\pi}{4}$

STEP B 닫힌구간 $\left[0, \frac{\pi}{2}\right]$에서 $|\sin x-\cos x|$을 만족시키는 구간 구하기

$$|\sin x-\cos x|=\begin{cases}\cos x-\sin x & \left(0\le x\le\frac{\pi}{4}\right)\\-\cos x+\sin x & \left(\frac{\pi}{4}<x\le\frac{\pi}{2}\right)\end{cases}$$

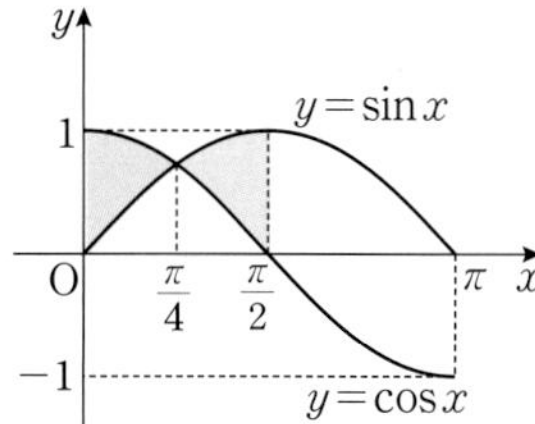

STEP C 정적분 $\int_{0}^{\frac{\pi}{2}}|\sin x-\cos x|dx$의 값 구하기

$$\begin{aligned}\int_{0}^{\frac{\pi}{2}}|\sin x-\cos x|dx&=\int_{0}^{\frac{\pi}{4}}(\cos x-\sin x)dx+\int_{\frac{\pi}{4}}^{\frac{\pi}{2}}(-\cos x+\sin x)dx\\&=\Big[\sin x+\cos x\Big]_{0}^{\frac{\pi}{4}}+\Big[-\sin x-\cos x\Big]_{\frac{\pi}{4}}^{\frac{\pi}{2}}\\&=\left\{\left(\frac{\sqrt{2}}{2}+\frac{\sqrt{2}}{2}\right)-1\right\}+\left\{-1-\left(-\frac{\sqrt{2}}{2}-\frac{\sqrt{2}}{2}\right)\right\}\\&=2\sqrt{2}-2\end{aligned}$$

내/신/연/계/ 출제문항 669

정적분 $\int_{0}^{\pi}|\sin x+\cos x|dx$의 값은?

① $2\sqrt{2}-2$ ② $\sqrt{2}$ ③ $2\sqrt{2}$
④ $2\sqrt{2}+1$ ⑤ $3\sqrt{2}+1$

STEP A 닫힌구간 $[0, \pi]$에서 방정식 $\sin x+\cos x=0$의 해를 구하기

$\sin x+\cos x=0$에서 $\sin x=-\cos x$이므로

$\tan x=-1 \quad \therefore x=\frac{3}{4}\pi$

STEP B 닫힌구간 $[0, \pi]$에서 $\sin x+\cos x\ge 0$, $\sin x+\cos x\le 0$을 만족시키는 구간 구하기

$$|\sin x+\cos x|=\begin{cases}\sin x+\cos x & \left(0\le x\le\frac{3}{4}\pi\right)\\-\sin x-\cos x & \left(\frac{3}{4}\pi<x\le\pi\right)\end{cases}$$

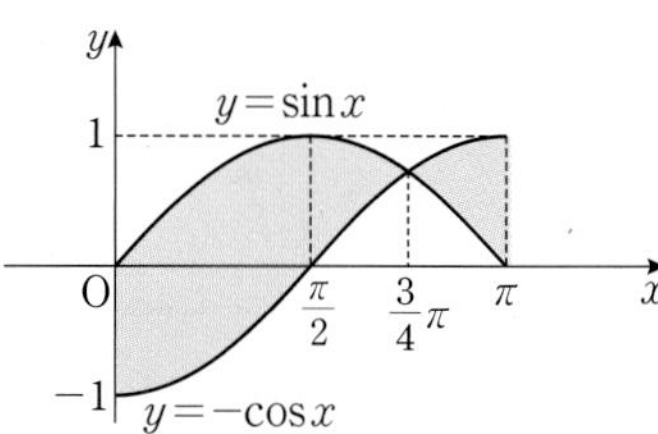

STEP C 정적분 $\int_{0}^{\pi}|\sin x+\cos x|dx$의 값 구하기

$$\begin{aligned}&\int_{0}^{\pi}|\sin x+\cos x|dx\\&=\int_{0}^{\frac{3}{4}\pi}(\sin x+\cos x)dx+\int_{\frac{3}{4}\pi}^{\pi}(-\sin x-\cos x)dx\\&=\Big[-\cos x+\sin x\Big]_{0}^{\frac{3}{4}\pi}+\Big[\cos x-\sin x\Big]_{\frac{3}{4}\pi}^{\pi}\\&=\left\{\left(\frac{\sqrt{2}}{2}+\frac{\sqrt{2}}{2}\right)-(-1+0)\right\}+\left\{(-1-0)-\left(-\frac{\sqrt{2}}{2}-\frac{\sqrt{2}}{2}\right)\right\}\\&=\sqrt{2}+1-1+\sqrt{2}\\&=2\sqrt{2}\end{aligned}$$

정답 ③

1715

정답 ③

STEP A 절댓값 안의 식이 양인 구간과 음인 구간을 나누어 적분하기

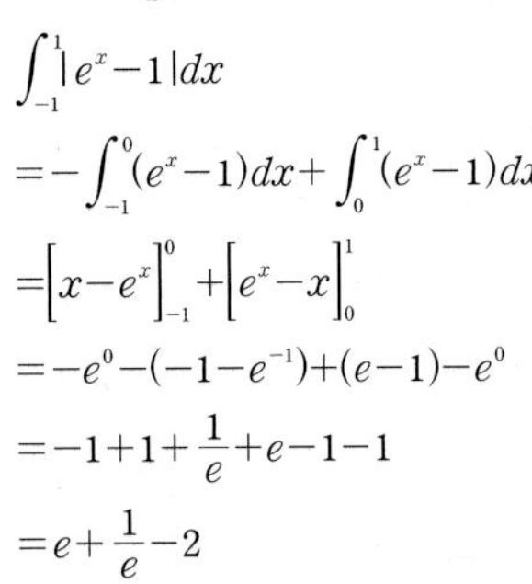

$$\int_{-1}^{1}|e^x-1|dx$$
$$=-\int_{-1}^{0}(e^x-1)dx+\int_{0}^{1}(e^x-1)dx$$
$$=\Big[x-e^x\Big]_{-1}^{0}+\Big[e^x-x\Big]_{0}^{1}$$
$$=-e^0-(-1-e^{-1})+(e-1)-e^0$$
$$=-1+1+\frac{1}{e}+e-1-1$$
$$=e+\frac{1}{e}-2$$

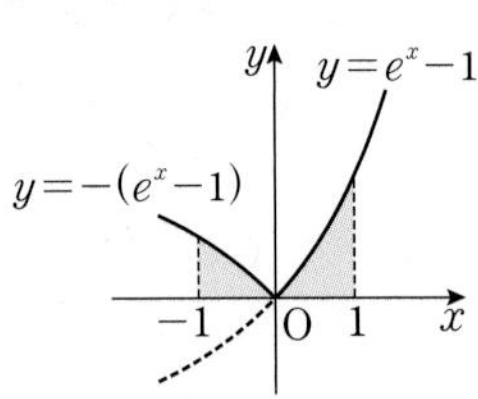

다른풀이 치환적분을 이용하여 풀이하기

두 함수 $y=e^x$, $y=1$의 그래프는 오른쪽 그림과 같다.

즉 $|e^x-1|=\begin{cases}-e^x+1 & (-1\le x<0)\\ e^x-1 & (0\le x\le 1)\end{cases}$

이므로

$$\int_{-1}^{1}|e^x-1|dx$$
$$=-\int_{-1}^{0}(e^x-1)dx+\int_{0}^{1}(e^x-1)dx$$
$$=\Big[x-e^x\Big]_{-1}^{0}+\Big[e^x-x\Big]_{0}^{1}$$
$$=e+\frac{1}{e}-2$$

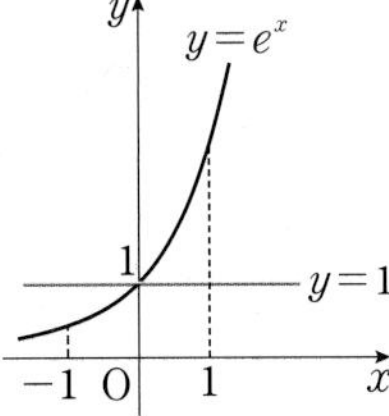

내신연계 출제문항 670

정적분 $\int_{0}^{2}|3^x-3|dx$의 값은?

① $\frac{3}{\ln 4}$　② $\frac{2}{\ln 3}$　③ $\frac{4}{\ln 3}$　④ $\frac{3}{\ln 2}$　⑤ $\frac{4}{\ln 2}$

STEP A 절댓값 안의 식이 양인 구간과 음인 구간을 나누어 적분하기

$f(x)=|3^x-3|$이라 하면

$f(x)=\begin{cases}-3^x+3 & (0\le x\le 1)\\ 3^x-3 & (1\le x\le 2)\end{cases}$

$$\int_{0}^{2}|3^x-3|dx$$
$$=\int_{0}^{1}(-3^x+3)dx+\int_{1}^{2}(3^x-3)dx$$
$$=\Big[-\frac{3^x}{\ln 3}+3x\Big]_{0}^{1}+\Big[\frac{3^x}{\ln 3}-3x\Big]_{1}^{2}$$
$$=\frac{4}{\ln 3}$$

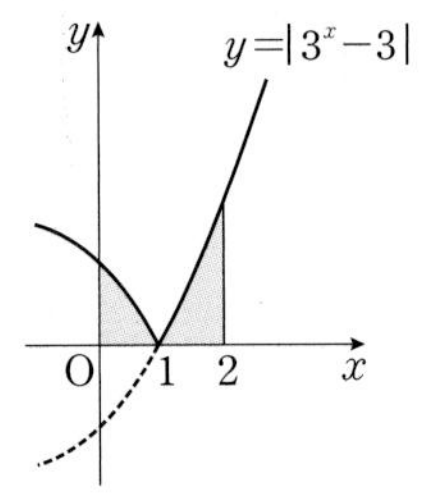

정답 ③

1716

정답 ②

STEP A 절댓값 안의 식이 양인 구간과 음인 구간을 나누어 적분하기

$|\ln x-1|=\begin{cases}1-\ln x & (1\le x<e)\\ \ln x-1 & (e\le x\le e^2)\end{cases}$이므로

$$\int_{1}^{e^2}|\ln x-1|dx=\int_{1}^{e}(1-\ln x)dx+\int_{e}^{e^2}(\ln x-1)dx$$
$$=\int_{1}^{e}1dx-\int_{1}^{e}\ln x dx+\int_{e}^{e^2}\ln x dx-\int_{e}^{e^2}1dx$$
$$=\Big[x\Big]_{1}^{e}-\Big[x\ln x-x\Big]_{1}^{e}+\Big[x\ln x-x\Big]_{e}^{e^2}-\Big[x\Big]_{e}^{e^2}$$
$$=(e-1)-\{(e-e)-(0-1)\}+\{(2e^2-e^2)-(e-e)\}-(e^2-e)$$
$$=(e-1)-1+e^2-(e^2-e)$$
$$=2e-2$$

1717

정답 ④

STEP A 절댓값 안의 식이 양인 구간과 음인 구간을 나누어 적분하기

오른쪽 그림과 같이

$|e^x-e^a|=\begin{cases}-e^x+e^a & (x<a)\\ e^x-e^a & (x\ge a)\end{cases}$이므로

$$f(a)=\int_{0}^{1}|e^x-e^a|dx$$
$$=\int_{0}^{a}(-e^x+e^a)dx+\int_{a}^{1}(e^x-e^a)dx$$
$$=\Big[-e^x+e^a x\Big]_{0}^{a}+\Big[e^x-e^a x\Big]_{a}^{1}$$
$$=(2a-3)e^a+e+1$$

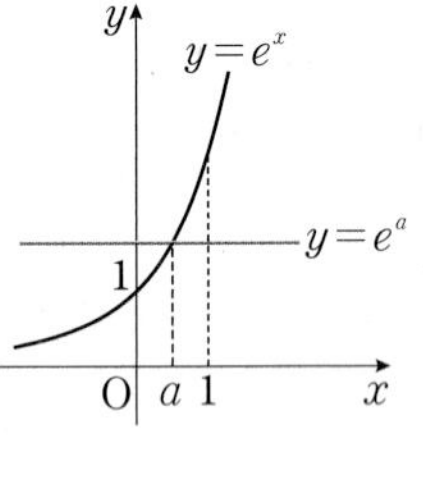

STEP B $f(a)$의 증감표를 이용하여 최소가 되는 a의 값 구하기

양변을 a에 대하여 미분하면

$f'(a)=2e^a+(2a-3)e^a=(2a-1)e^a$

$f'(a)=0$에서 $a=\frac{1}{2}$

함수 $f(a)$의 증가와 감소를 표로 나타내면 다음과 같다.

a	0	$\cdots$	$\frac{1}{2}$	$\cdots$	π
$f'(a)$		$-$	0	$+$	
$f(a)$		↘	극소	↗	

따라서 함수 $f(a)$는 $a=\frac{1}{2}$에서 $f(a)$는 극소이면서 최솟값을 갖는다.

1718

정답 ③

STEP A 우함수와 기함수의 정적분의 값 구하기

$x^3\cos 2x$, x, $\sin x$는 원점에 대하여 대칭이므로

$$\int_{-\frac{\pi}{2}}^{\frac{\pi}{2}}(x^3\cos 2x+x+\sin x)dx=0$$

참고

$f(x)=x^3\cos 2x+x+\sin x$라 하면

$f(-x)=-x^3\cos(-2x)-x+\sin(-x)=-f(x)$

따라서 $f(x)$는 원점에 대하여 대칭이다.

내/신/연/계/ 출제문항 671

정적분 $\int_{-\frac{\pi}{2}}^{0}(\sin x+\cos x)dx+\int_{0}^{\frac{\pi}{2}}(\sin x+\cos x)dx$의 값은?

① -2 ② -1 ③ 0
④ 1 ⑤ 2

STEP Ⓐ 우함수와 기함수의 정적분의 값 구하기

$y=\sin x$는 원점에 대하여 대칭이므로 $\int_{-\frac{\pi}{2}}^{\frac{\pi}{2}}\sin x dx=0$

$\int_{-\frac{\pi}{2}}^{0}(\sin x+\cos x)dx+\int_{0}^{\frac{\pi}{2}}(\sin x+\cos x)dx$

$=\int_{-\frac{\pi}{2}}^{\frac{\pi}{2}}(\sin x+\cos x)dx=\int_{-\frac{\pi}{2}}^{\frac{\pi}{2}}\sin x dx+\int_{-\frac{\pi}{2}}^{\frac{\pi}{2}}\cos x dx$

$=0+2\int_{0}^{\frac{\pi}{2}}\cos x dx=2\Big[\sin x\Big]_{0}^{\frac{\pi}{2}}$

$=2(1-0)=2$

정답 ⑤

1719

정답 ②

STEP Ⓐ 우함수와 기함수의 정적분의 값 구하기

$y=\sin \pi x$는 원점에 대하여 대칭이므로 $\int_{-1}^{1}\sin \pi x dx=0$

$\therefore \int_{-1}^{1}(e^x-\sin \pi x)dx=\int_{-1}^{1}e^x dx-\int_{-1}^{1}\sin \pi x dx=\int_{-1}^{1}e^x dx-0$

$=\Big[e^x\Big]_{-1}^{1}=e-\frac{1}{e}$

1720

정답 ⑤

STEP Ⓐ $-x=t$로 치환하여 $\int_{-\pi}^{0}f(x)dx=\int_{0}^{\pi}f(-x)dx$임을 구하기

$-x=t$로 놓으면 $-dx=dt$이고
$x=-\pi$일 때, $t=\pi$이고 $x=0$일 때, $t=0$이므로
$\int_{-\pi}^{0}f(x)dx=\int_{\pi}^{0}\{-f(-t)\}dt=\int_{0}^{\pi}f(-x)dx$

STEP Ⓑ 정적분의 성질을 이용하여 $\int_{-\pi}^{\pi}f(x)dx$의 값 구하기

$\int_{-\pi}^{\pi}f(x)dx=\int_{-\pi}^{0}f(x)dx+\int_{0}^{\pi}f(x)dx=\int_{0}^{\pi}f(-x)dx+\int_{0}^{\pi}f(x)dx$

$=\int_{0}^{\pi}\{f(x)+f(-x)\}dx=\int_{0}^{\pi}\cos\frac{x}{2}dx=\Big[2\sin\frac{x}{2}\Big]_{0}^{\pi}=2$

다른풀이 $f(x)=\cos\frac{x}{2}-f(-x)$임을 이용하여 풀이하기

$\int_{-\pi}^{\pi}f(x)dx=\int_{-\pi}^{\pi}\Big\{\cos\frac{x}{2}-f(-x)\Big\}dx$

$=\int_{-\pi}^{\pi}\cos\frac{x}{2}dx-\int_{-\pi}^{\pi}f(-x)dx$ …… ㉠

한편 $\int_{-\pi}^{\pi}f(-x)dx$에서 $-x=t$라고 하면 $-dx=dt$이고
$x=-\pi$일 때, $t=\pi$이고 $x=\pi$일 때, $t=-\pi$이므로
$\int_{-\pi}^{\pi}f(-x)dx=\int_{\pi}^{-\pi}f(t)(-1)dt=\int_{-\pi}^{\pi}f(t)dt$ …… ㉡

㉡을 ㉠에 대입하면
$\int_{-\pi}^{\pi}f(x)dx=\Big[2\sin\frac{x}{2}\Big]_{-\pi}^{\pi}-\int_{-\pi}^{\pi}f(x)dx$이므로 $2\int_{-\pi}^{\pi}f(x)dx=4$

$\therefore \int_{-\pi}^{\pi}f(x)dx=2$

내/신/연/계/ 출제문항 672

연속함수 $f(x)$가

$$f(x)+f(-x)=2\cos x-1$$

를 만족할 때, 정적분 $\int_{-\pi}^{\pi}f(x)dx$의 값은?

① -3π ② -2π ③ $-\pi$
④ 0 ⑤ 2π

STEP Ⓐ 정적분의 성질과 치환적분을 이용하여 나타내기

$f(x)+f(-x)=2\cos x-1$에서

$\int_{-\pi}^{\pi}\{f(x)+f(-x)\}=\int_{-\pi}^{\pi}(2\cos x-1)dx$

$\int_{-\pi}^{\pi}f(x)dx+\int_{-\pi}^{\pi}f(-x)dx=2\int_{0}^{\pi}(2\cos x-1)dx$

이때 $\int_{-\pi}^{\pi}f(-x)dx$에서 $-x=t$로 놓으면 $-dx=dt$이고
$x=-\pi$일 때, $t=\pi$이고 $x=\pi$일 때, $t=-\pi$이므로
$\int_{-\pi}^{\pi}f(-x)dx=-\int_{\pi}^{-\pi}f(t)dt=\int_{-\pi}^{\pi}f(t)dt=\int_{-\pi}^{\pi}f(x)dx$

$\therefore 2\int_{-\pi}^{\pi}f(x)dx=2\int_{0}^{\pi}(2\cos x-1)dx$

STEP Ⓑ $\int_{-\pi}^{\pi}f(x)dx$의 값 구하기

따라서 $\int_{-\pi}^{\pi}f(x)dx=\int_{0}^{\pi}(2\cos x-1)dx=\Big[2\sin x-x\Big]_{0}^{\pi}=-\pi$

다른풀이 $f(x)=2\cos x-1-f(-x)$임을 이용하여 풀이하기

$f(x)+f(-x)=2\cos x-1$에서
$f(x)=2\cos x-1-f(-x)$

$\int_{-\pi}^{\pi}f(x)dx=\int_{-\pi}^{\pi}\{2\cos x-1-f(-x)\}dx$

$\int_{-\pi}^{\pi}f(x)dx=2\int_{0}^{\pi}(2\cos x-1)dx-\int_{-\pi}^{\pi}f(-x)dx$ …… ㉠

⬅ $2\cos x-1$ 우함수

$-x=t$로 놓으면 $-dx=dt$이고
$x=-\pi$일 때, $t=\pi$이고 $x=\pi$일 때, $t=-\pi$이므로
$\int_{-\pi}^{\pi}f(-x)dx=-\int_{\pi}^{-\pi}f(t)dt=\int_{-\pi}^{\pi}f(t)dt=\int_{-\pi}^{\pi}f(x)dx$

㉠에 대입하면
$\int_{-\pi}^{\pi}f(x)dx=2\int_{0}^{\pi}(2\cos x-1)dx-\int_{-\pi}^{\pi}f(x)dx$

$2\int_{-\pi}^{\pi}f(x)dx=2\int_{0}^{\pi}(2\cos x-1)dx=2\Big[2\sin x-x\Big]_{0}^{\pi}=-2\pi$

$\therefore \int_{-\pi}^{\pi}f(x)dx=-\pi$

정답 ③

1721

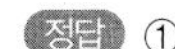
정답 ①

STEP Ⓐ $a-x=t$로 치환하여 변형하기

$t=a-x$로 놓으면 $dt=-dx$
$x=a+1$일 때, $t=-1$이고 $x=a-1$일 때, $t=1$이므로
$\int_{a-1}^{a+1}f(a-x)dx=\int_{1}^{-1}f(t)(-1)dt=\int_{-1}^{1}f(t)dt$

STEP Ⓑ 연속함수 $y=f(x)$가 우함수임을 이용하기

함수 $y=f(x)$의 그래프가 y축에 대하여 대칭이므로
$\int_{-1}^{1}f(t)dt=2\int_{0}^{1}f(t)dt=24$

따라서 $\int_{0}^{1}f(x)dx=12$

다른풀이 모든 실수 a에 대해 성립하므로 $f(x)$가 우함수임을 이용하기

모든 실수 a에 대하여 $\int_{a-1}^{a+1} f(a-x)dx=24$가 성립하므로

$a=0$을 식에 대입하면 $\int_{-1}^{1} f(-x)dx=24$

한편 연속함수 $y=f(x)$의 그래프가 y축에 대하여 대칭이므로

$f(x)=f(-x)$이 성립한다.

$\int_{-1}^{1} f(-x)dx=\int_{-1}^{1} f(x)dx=2\int_{0}^{1} f(x)dx=24$

따라서 $\int_{0}^{1} f(x)dx=12$

1722

STEP A 기함수 $f(x)$를 미분하면 $f'(x)$가 우함수임을 이용하기

조건 (나)에서 곡선 $y=f(x)$는 원점에 대하여 대칭이므로

$f'(x)$는 y축에 대하여 대칭이다.

즉 $f'(x)\tan x$와 $f'(x)\tan^3 x$는 원점에 대하여 대칭이므로

$\int_{-1}^{1} f'(x)\tan x dx=0$, $\int_{-1}^{1} f'(x)\tan^3 x dx=0$

STEP B 조건 (가)와 $f(0)=0$을 이용하여 정적분 계산하기

$$\int_{-1}^{1} f'(x)(1+\tan x+\tan^3 x)dx=2\int_{0}^{1} f'(x)dx+0+0$$
$$=2\Big[f(x)\Big]_0^1=2(f(1)-f(0))$$

조건 (가)에서 $f(1)=3$이고 조건(나)에서 $f(0)=0$

따라서 $2(f(1)-f(0))=6$

내신연계 출제문항 673

도함수가 실수 전체의 집합에서 연속인 함수 $f(x)$가 다음 조건을 만족시킨다.

> (가) 모든 실수 x에 대하여 $f(-x)=-f(x)$이다.
> (나) $f(\pi)=0$
> (다) $\int_{0}^{\pi} x^2 f'(x)dx=-8\pi$

$\int_{-\pi}^{\pi}(x+\cos x)f(x)dx=k\pi$일 때, 상수 k의 값은?

① 2　② 4　③ 6
④ 8　⑤ 10

STEP A 우함수와 기함수의 정적분의 값 구하기

조건 (가)에서 $f(x)$의 그래프는 원점에 대하여 대칭이므로

$f(x)\cos x$는 원점에 대하여 대칭이고 ← 기함수×우함수=기함수

$xf(x)$는 y축에 대하여 대칭이다. ← 기함수×기함수=우함수

$\int_{-\pi}^{\pi}(x+\cos x)f(x)dx=\int_{-\pi}^{\pi} xf(x)dx+\int_{-\pi}^{\pi}\cos x f(x)dx$

이때 $\int_{-\pi}^{\pi} xf(x)dx=2\int_{0}^{\pi} xf(x)dx$

$\int_{-\pi}^{\pi}\cos x f(x)dx=0$이므로 $\int_{-\pi}^{\pi}(x+\cos x)f(x)dx=2\int_{0}^{\pi} xf(x)dx$

STEP B 부분적분을 이용하여 k 구하기

조건 (다)에서 부분적분법에 의하여

$$\int_{0}^{\pi} x^2 f'(x)dx=\Big[x^2 f(x)\Big]_0^{\pi}-2\int_{0}^{\pi} xf(x)dx=0-2\int_{0}^{\pi} xf(x)dx \quad \leftarrow f(\pi)=0$$
$$=-8\pi$$

따라서 $2\int_{0}^{\pi} xf(x)dx=8\pi$이므로 $k=8$

1723

정답 ①

STEP A $3x+6=t$로 치환하여 정적분 계산하기

$3x+6=t$로 놓으면 $3dx=dt$

$x=-2$일 때, $t=0$이고 $x=-1$일 때, $t=3$

따라서 $\int_{-2}^{-1} f(3x+6)dx=\int_{0}^{3} f(t)\frac{1}{3}dt=\frac{1}{3}\int_{0}^{3} f(t)dt=\frac{1}{3}\cdot 3=1$

1724

STEP A $a-x=t$로 치환하여 정적분 계산하기

$\int_{0}^{\frac{a}{2}}\{f(x)+f(a-x)\}dx=\int_{0}^{\frac{a}{2}} f(x)dx+\int_{0}^{\frac{a}{2}} f(a-x)dx$

$\int_{0}^{\frac{a}{2}} f(a-x)dx$에서 $a-x=t$로 놓으면 $-dx=dt$

$x=0$일 때, $t=a$이고 $x=\frac{a}{2}$일 때, $t=\frac{a}{2}$이므로

$\int_{0}^{\frac{a}{2}} f(a-x)dx=\int_{a}^{\frac{a}{2}} -f(t)dt=\int_{\frac{a}{2}}^{a} f(x)dx$

STEP B 정적분의 성질을 이용하여 구하기

$$\text{따라서 } \int_{0}^{\frac{a}{2}}\{f(x)+f(a-x)\}dx=\int_{0}^{\frac{a}{2}} f(x)dx+\int_{\frac{a}{2}}^{a} f(x)dx$$
$$=\int_{0}^{a} f(x)dx$$

내신연계 출제문항 674

연속함수 $f(x)$에 대하여 다음 중 정적분 $\int_{0}^{a}\{f(x)+f(2a-x)\}dx$의 값과 같은 것은?

① $\int_{0}^{a} f(x)dx$　② $\int_{0}^{2a} f(x)dx$　③ $2\int_{0}^{a} f(x)dx$
④ $2\int_{0}^{2a} f(x)dx$　⑤ $\int_{-a}^{a} f(x)dx$

STEP A $2a-x=t$로 치환하여 정적분 계산하기

$\int_{0}^{a}\{f(x)+f(2a-x)\}dx=\int_{0}^{a} f(x)dx+\int_{0}^{a} f(2a-x)dx$

$\int_{0}^{a} f(2a-x)dx$에서 $2a-x=t$로 놓으면 $-dx=dt$

$x=0$일 때, $t=2a$이고 $x=a$일 때, $t=a$이므로

$\int_{0}^{a} f(2a-x)dx=\int_{2a}^{a} -f(t)dt=\int_{a}^{2a} f(x)dx$

STEP B 정적분의 성질을 이용하여 구하기

$$\text{따라서 } \int_{0}^{a}\{f(x)+f(2a-x)\}dx=\int_{0}^{a} f(x)dx+\int_{a}^{2a} f(x)dx$$
$$=\int_{0}^{2a} f(x)dx$$

1725

정답 ②

STEP A $1-x=t$로 치환하여 정적분 계산하기

$\int_0^1 \{f(x)+f(1-x)\}dx=\int_0^1 f(x)dx+\int_0^1 f(1-x)dx$

$\int_0^1 f(1-x)dx$에서 $1-x=t$로 놓으면 $-dx=dt$

$x=0$일 때, $t=1$이고 $x=1$일 때, $t=0$이므로 $\int_0^1 f(1-x)dx=-\int_1^0 f(t)dt$

STEP B 정적분의 성질을 이용하여 구하기

따라서 $\int_0^1 f(x)dx-\int_1^0 f(t)dt=\int_0^1 f(x)dx+\int_0^1 f(x)dx$

$=2\int_0^1 f(x)dx=2\int_0^1 \sqrt{x}\,dx$

$=2\left[\frac{2}{3}x\sqrt{x}\right]_0^1=\frac{4}{3}$

내/신/연/계/ 출제문항 675

함수 $f(x)=2^x$일 때, $\int_0^{\frac{1}{2}}\{f(x)+f(1-x)\}dx$의 값은?

① $\frac{1}{\ln 2}$ ② $\frac{1}{\ln 3}$ ③ $\ln 2$
④ $\ln 3$ ⑤ $\ln 4$

STEP A $1-x=t$로 치환하여 정적분 계산하기

$\int_0^{\frac{1}{2}}\{f(x)+f(1-x)\}dx=\int_0^{\frac{1}{2}} f(x)dx+\int_0^{\frac{1}{2}} f(1-x)dx$

$\int_0^{\frac{1}{2}} f(1-x)dx$에서 $1-x=t$로 놓으면 $-dx=dt$

$x=0$일 때, $t=1$이고 $x=\frac{1}{2}$일 때, $t=\frac{1}{2}$이므로

$\int_0^{\frac{1}{2}} f(1-x)dx=-\int_1^{\frac{1}{2}} f(t)dt$

STEP B 정적분의 성질을 이용하여 구하기

따라서 $\int_0^{\frac{1}{2}} f(x)dx-\int_1^{\frac{1}{2}} f(t)dt=\int_0^{\frac{1}{2}} f(x)dx+\int_{\frac{1}{2}}^1 f(x)dx=\int_0^1 f(x)dx$

$=\int_0^1 2^x dx=\left[\frac{2^x}{\ln 2}\right]_0^1=\frac{1}{\ln 2}$ 정답 ①

1726

정답 ②

STEP A 조건 (가)에서 함수 $f(x)$는 $x=a$에 대하여 대칭인 함수임을 이용하기

조건 (가)에서
$f(a-x)=f(a+x)$을 만족하는
함수 $f(x)$는 $x=a$에 대하여
대칭인 함수이고 $a-x=t$라 하면
$x=a-t$이므로 $f(t)=f(2a-t)$
즉 $f(2a-x)=f(x)$

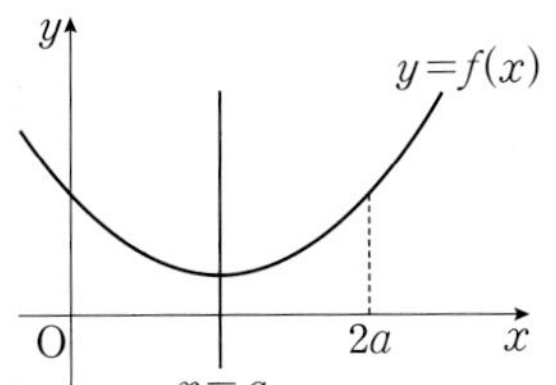

$\int_0^a \{f(2x)+f(2a-x)\}dx=\int_0^a f(2x)dx+\int_0^a f(x)dx$

STEP B 치환적분을 이용하여 구하기

$\int_0^a f(2x)dx$에서 $2x=t$로 치환하면

$\int_0^a f(2x)dx=\int_0^{2a} f(t)\frac{1}{2}dt=\frac{1}{2}\int_0^{2a} f(t)dt=\frac{1}{2}\times 2\int_0^a f(t)dt=8$

따라서 $\int_0^a f(2x)dx+\int_0^a f(x)dx=8+8=16$

1727

정답 ③

STEP A $x=3$에 대하여 대칭임을 이용하기

함수 $f(x)$는 조건 (가)에서 직선 $x=3$에 대하여 대칭이므로

$\int_0^3 f(x)dx=\int_3^6 f(x)dx=8$

STEP B 치환적분을 이용하여 구하기

$\int_0^3 \{f(2x)+f(6-x)\}dx=\int_0^3 f(2x)dx+\int_0^3 f(6-x)dx$

(i) $\int_0^3 f(2x)dx$에서 $2x=t$로 놓으면 $2dx=dt$

$x=0$일 때, $t=0$이고 $x=3$일 때, $t=6$이므로

$\int_0^3 f(2x)dx=\frac{1}{2}\int_0^6 f(t)dt=\frac{1}{2}\left\{\int_0^3 f(t)dt+\int_3^6 f(t)dt\right\}$

$=\frac{1}{2}(8+8)=8$

(ii) $\int_0^3 f(6-x)dx$에서 $6-x=t$로 놓으면 $-dx=dt$

$x=0$일 때, $t=6$이고 $x=3$일 때, $t=3$이므로

$\int_0^3 f(6-x)dx=-\int_6^3 f(t)dt=\int_3^6 f(t)dt=8$

(i), (ii)에서 $\int_0^3 \{f(2x)+f(6-x)\}dx=\int_0^3 f(2x)dx+\int_0^3 f(6-x)dx$

$=8+8=16$

내/신/연/계/ 출제문항 676

연속함수 $f(x)$가 다음 조건을 만족시킨다.

> (가) 모든 실수 x에 대하여 $f(1-x)=f(1+x)$이다.
> (나) $\int_0^1 f(x)dx=6$

이때 정적분 $\int_0^1 \{f(2x)+f(2-x)\}dx$의 값은?

① 8 ② 12 ③ 16
④ 18 ⑤ 24

STEP A $x=1$에 대하여 대칭임을 이용하기

함수 $f(x)$는 조건 (가)에서 직선 $x=1$에 대하여 대칭이므로

$\int_0^1 f(x)dx=\int_1^2 f(x)dx=6$

STEP B 치환적분을 이용하여 주어진 식 구하기

한편 구하는 식은

$\int_0^1 \{f(2x)+f(2-x)\}dx=\int_0^1 f(2x)dx+\int_0^1 f(2-x)dx$

(i) $\int_0^1 f(2x)dx$에서 $2x=t$로 놓으면 $2dx=dt$

$x=0$일 때, $t=0$이고 $x=1$일 때, $t=2$이므로

$\int_0^1 f(2x)dx=\frac{1}{2}\int_0^2 f(t)dt=\frac{1}{2}\left\{\int_0^1 f(t)dt+\int_1^2 f(t)dt\right\}$

$=\frac{1}{2}(6+6)=6$

(ii) $\int_0^1 f(2-x)dx$에서 $2-x=t$로 놓으면 $-dx=dt$

$x=0$일 때, $t=2$이고 $x=1$일 때, $t=1$이므로

$\int_0^1 f(2-x)dx=-\int_2^1 f(t)dt=\int_1^2 f(t)dt=6$

(i), (ii)에서 $\int_0^1 \{f(2x)+f(2-x)\}dx=\int_0^1 f(2x)dx+\int_1^2 f(x)dx$

$=6+6=12$ 정답 ②

1728

정답 ②

STEP Ⓐ $f(x+2)=f(x)$이므로 함수 $f(x)$는 주기가 2인 함수인 그래프 그리기

조건 (나)에서 $f(x+2)=f(x)$인 함수는 주기가 2인 함수이므로

$f(x)=\begin{cases} 2x^2+1 & (0 \le x \le 1) \\ -2x+5 & (1 < x \le 2) \end{cases}$인 그래프는 다음 그림과 같다.

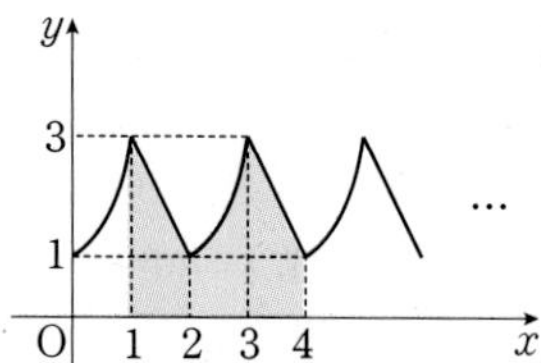

STEP Ⓑ 치환적분을 이용하여 주어진 식 계산하기

$\int_1^2 f(3x-2)dx$에서 $3x-2=t$로 놓으면 $3dx=dt$

따라서 $x=1$일 때, $t=1$이고 $x=2$일 때, $t=4$

$\int_1^2 f(3x-2)dx=\frac{1}{3}\int_1^4 f(t)dt$이므로

$\frac{1}{3}\int_1^4 f(t)dt=\frac{1}{3}\left\{2\int_1^2(-2t+5)dt+\int_0^1(2t^2+1)dt\right\}$

$=\frac{2}{3}\left[-t^2+5t\right]_1^2+\frac{1}{3}\left[\frac{2}{3}t^3+t\right]_0^1$

$=\frac{2}{3}(6-4)+\frac{1}{3}\cdot\frac{5}{3}=\frac{17}{9}$

1729

정답 ④

STEP Ⓐ 조건 (나)에서 $2x=t$, $3x=s$로 치환하여 정적분 정리하기

조건 (나)에 의하여

$\int_1^{\frac{3}{2}} f(2x)dx=7$에서 $2x=t$로 놓으면 $2dx=dt$이고

$x=1$일 때, $t=2$이고 $x=\frac{3}{2}$일 때, $t=3$이므로

$\int_1^{\frac{3}{2}} f(2x)dx=\int_2^3 \frac{1}{2}f(t)dt=\frac{1}{2}\int_2^3 f(t)dt=7$

$\therefore \int_2^3 f(t)dt=14$ …… ㉠

또, $\int_1^{\frac{4}{3}} f(3x)dx=1$에서 $3x=s$로 놓으면 $3dx=ds$이고

$x=1$일 때, $s=3$이고 $x=\frac{4}{3}$일 때, $s=4$이므로

$\int_1^{\frac{4}{3}} f(3x)dx=\int_3^4 \frac{1}{3}f(s)ds=\frac{1}{3}\int_3^4 f(s)ds=1$

$\therefore \int_3^4 f(s)ds=3$ …… ㉡

$\therefore \int_2^4 f(x)dx=\int_2^3 f(x)dx+\int_3^4 f(x)dx=17$

STEP Ⓑ 함수 $f(x)$가 주기가 2인 주기함수임을 이용하여 정적분 계산하기

조건 (가)에서 모든 실수 x에 대하여 $f(x)=f(x+2)$이므로

$\int_1^2 f(x)dx=\int_3^4 f(x)dx=3$

$\int_2^{12} f(x)dx=\int_2^4 f(x)dx+\int_4^6 f(x)dx+\cdots+\int_{10}^{12} f(x)dx$

$=5\int_2^4 f(x)dx=5\cdot 17=85$

따라서 $\int_{2001}^{2012} f(x)dx=\int_{2\times1000+1}^{2\times1000+12} f(x)dx=\int_1^{12} f(x)dx$

$=\int_1^2 f(x)dx+\int_2^{12} f(x)dx=\int_1^2 f(x)dx+5\int_2^4 f(x)dx$

$=3+85=88$

+α

$\int_{2009}^{2011} f(x)dx=\cdots=\int_{2001}^{2003} f(x)dx=\cdots=\int_1^3 f(x)dx$

$\int_{2011}^{2012} f(x)dx=\int_1^2 f(x)dx$

$\therefore \int_{2001}^{2012} f(x)dx=\int_{2001}^{2003} f(x)dx+\int_{2003}^{2005} f(x)dx+\cdots$

$+\int_{2009}^{2011} f(x)dx+\int_{2011}^{2012} f(x)dx$

$=5\int_1^3 f(x)dx+\int_1^2 f(x)dx$

$=5\times17+3=88$

내신연계 출제문항 677

연속함수 $f(x)$가 다음 조건을 만족시킨다.

> (가) $\int_{a-1}^{a+1} f(a-x)dx=8$
> (나) 모든 실수 x에 대하여 $f(-x)=f(x)$, $f(x)=f(x+2)$

이때 정적분 $\int_2^3 2xf(x^2)dx$의 값은?

① 10 ② 12 ③ 16
④ 18 ⑤ 20

STEP Ⓐ $a-x=t$로 치환하여 정적분 정리하기

조건 (가)에서 $a-x=t$라 하면 $-dx=dt$

$x=a-1$일 때, $t=1$이고 $x=a+1$일 때, $t=-1$이므로

$\int_{a-1}^{a+1} f(a-x)dx=\int_1^{-1} f(t)(-dt)=\int_{-1}^1 f(t)dt=8$

$\therefore \int_0^1 f(t)dt=4$

STEP Ⓑ 우함수와 주기함수를 이용하여 정리하기

조건 (나)에서 $f(-x)=f(x)$이므로

함수 $y=f(x)$의 그래프는 y축에 대하여 대칭이고

$f(x)=f(x+2)$이므로

$\int_0^1 f(x)dx=\int_1^2 f(x)dx=\int_2^3 f(x)dx=\cdots=\int_8^9 f(x)dx=4$

STEP Ⓒ $x^2=u$로 치환하여 적분하기

따라서 $x^2=u$로 놓으면 $2xdx=du$이고

$x=2$일 때, $u=4$이고 $x=3$일 때, $u=9$이므로

$\int_2^3 2xf(x^2)dx=\int_4^9 f(u)du=5\int_0^1 f(x)dx=5\times4=20$

정답 ⑤

1730

정답 ③

STEP Ⓐ $2x+1=t$로 치환하여 정적분 정리하기

$2x+1=t$로 놓으면 $2dx=dt$
$x=1$일 때, $t=3$이고 $x=0$일 때, $t=1$

$\int_0^1 f(2x+1)dx=\frac{1}{2}\int_1^3 f(t)dt$

STEP Ⓑ 주어진 조건을 만족하는 정적분 구하기

따라서 $\frac{1}{2}\int_1^3 f(t)dt=\frac{1}{2}\left(\int_1^2 f(x)dx+\int_2^3 f(x)dx\right)$

$=\frac{1}{2}\left(\int_1^2 (2x-1)dx+\int_2^3 3dx\right)$

$=\frac{1}{2}\left(\left[x^2-x\right]_1^2+\left[3x\right]_2^3\right)=\frac{5}{2}$

다른풀이 $2x+1=t$로 치환하고 그래프의 넓이를 이용하여 정적분의 값 구하기

$2x+1=t$로 놓으면 $2dx=dt$
$x=1$일 때, $t=3$이고
$x=0$일 때, $t=1$

$\int_0^1 f(2x+1)dx=\frac{1}{2}\int_1^3 f(t)dt$

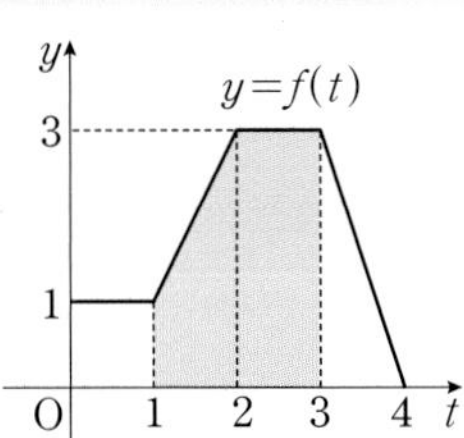

$\int_1^3 f(t)dt$의 값은 오른쪽 그림에서 색칠한 부분의 넓이와 같으므로

$\int_1^3 f(t)dt=\frac{1}{2}(1+3)\cdot1+1\cdot3=5$

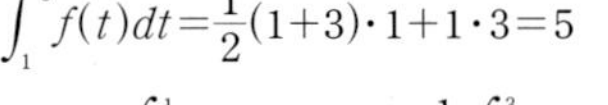

따라서 $\int_0^1 f(2x+1)dx=\frac{1}{2}\int_1^3 f(t)dt=\frac{5}{2}$

내신연계 출제문항 678

$0\le x\le 6$에서 정의된 함수 $f(x)$의 그래프가 오른쪽 그림과 같을 때, $\int_1^2 f(3x-2)dx$의 값은?

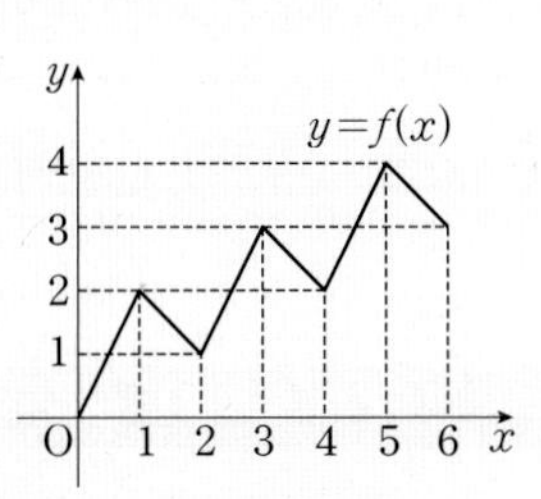

① 2 ② 3
③ 4 ④ 5
⑤ 6

STEP Ⓐ $3x-2=t$로 치환하여 정적분 정리하기

$3x-2=t$로 놓으면 $3dx=dt$
$x=1$일 때, $t=1$이고 $x=2$일 때, $t=4$

$\int_1^2 f(3x-2)dx=\frac{1}{3}\int_1^4 f(t)dt$

STEP Ⓑ 주어진 조건을 만족하는 정적분 구하기

따라서 닫힌구간 $[1, 4]$에서 함수 $y=f(x)$의 그래프와 x축 사이의 넓이를 구하면 되므로 $\frac{1}{3}\int_1^4 f(t)dt=\frac{1}{3}\times6=2$

정답 ①

1731

정답 ①

STEP Ⓐ $2x=t$로 치환하여 정적분 계산하기

$2x=t$로 놓으면 $2dx=dt$이고
$x=0$일 때, $t=0$이고 $x=2$일 때, $t=4$이므로

$\int_0^2 f(2x)dx=\frac{1}{2}\int_0^4 f(t)dt=\frac{1}{2}\left\{\int_0^3 f(x)dx+\int_3^4 f(x)dx\right\}$

$=\frac{1}{2}\{6+(-2)\}=2$

내신연계 출제문항 679

오른쪽 그림과 같이 곡선 $y=f(x)$와 x축으로 둘러싸인 두 도형을 각각 A, B라고 하자.
A의 넓이가 1, B의 넓이가 3일 때, 정적분 $\int_0^9 \frac{f(\sqrt{x})}{\sqrt{x}}dx$의 값은?

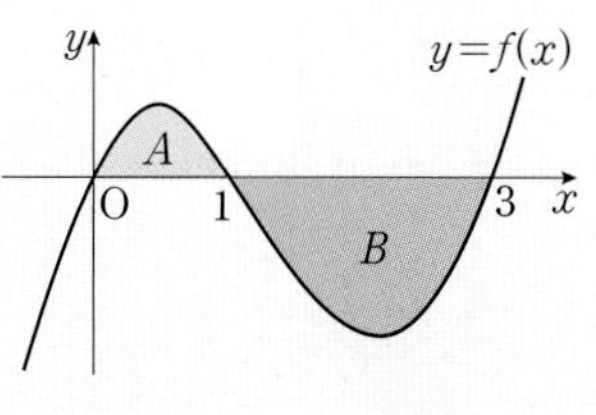

① -4 ② -3 ③ -1
④ 3 ⑤ 4

STEP Ⓐ $\sqrt{x}=t$로 치환하여 정적분 정리하기

$\sqrt{x}=t$로 놓으면 $\frac{1}{2\sqrt{x}}dx=dt$
$x=0$일 때, $t=0$이고 $x=9$일 때, $t=3$

$\int_0^9 \frac{f(\sqrt{x})}{\sqrt{x}}dx=\int_0^3 2f(t)dt=2\int_0^3 f(x)dx$

$=2\left\{\int_0^1 f(x)dx+\int_1^3 f(x)dx\right\}$ …… ㉠

STEP Ⓑ 주어진 조건을 만족하는 정적분 구하기

이때 $\int_0^1 f(x)dx=1$, $\int_1^3 f(x)dx=-3$

따라서 ㉠에 대입하면 $\int_0^9 \frac{f(\sqrt{x})}{\sqrt{x}}dx=2(1-3)=-4$

정답 ①

1732

정답 ③

STEP Ⓐ $\sqrt{x}+1=t$로 치환하여 치환적분법을 이용하여 정리하기

$\int_1^4 \frac{f(\sqrt{x}+1)}{2\sqrt{x}}dx$에서 $\sqrt{x}+1=t$로 놓으면

$\frac{1}{2\sqrt{x}}dx=dt$
$x=1$일 때, $t=2$이고 $x=4$일 때, $t=3$이므로

$\int_1^4 \frac{f(\sqrt{x}+1)}{2\sqrt{x}}dx=\int_2^3 f(t)dt$

STEP Ⓑ 넓이를 이용하여 정적분 계산하기

따라서 닫힌구간 $[2, 3]$에서 함수 $y=f(x)$의 그래프와 x축 사이의 넓이를 구하면 되므로 $\int_1^4 \frac{f(\sqrt{x}+1)}{2\sqrt{x}}dx=\frac{1}{2}\cdot(2+4)\cdot1=3$

Ⅲ 적분법

1733

정답 ①

STEP A $\int_a^b \frac{f'(x)}{f(x)}dx=\Big[\ln|f(x)|\Big]_a^b$ 임을 이용하여 정적분 계산하기

$x^2+2x+5=t$로 놓으면 $2(x+1)dx=dt$

$x=-1$일 때, $t=4$이고 $x=1$일 때, $t=8$

따라서 $2\int_{-1}^{1}\frac{x+1}{x^2+2x+5}dx=\int_4^8\frac{1}{t}dt=\Big[\ln|t|\Big]_4^8=\ln 2$

다른풀이 $\int\frac{f'(x)}{f(x)}dx=\ln f(x)+C$를 이용하여 정적분 계산

$$\int_{-1}^{1}\frac{2x+2}{x^2+2x+5}dx=\int_{-1}^{1}\frac{(x^2+2x+5)'}{x^2+2x+5}dx$$
$$=\Big[\ln(x^2+2x+5)\Big]_{-1}^{1}$$
$$=\ln 8-\ln 4=\ln\frac{8}{4}$$
$$=\ln 2$$

1734

 ②

STEP A $\int_a^b \frac{f'(x)}{f(x)}dx=\Big[\ln|f(x)|\Big]_a^b$ 임을 이용하여 정적분 계산하기

$$\int_{-a}^{a}\frac{e^x}{e^x+1}dx=\int_{-a}^{a}\frac{(e^x+1)'}{e^x+1}dx=\Big[\ln(e^x+1)\Big]_{-a}^{a}$$
$$=\ln(1+e^a)-\ln(1+e^{-a})$$
$$=\ln\frac{e^a+1}{e^{-a}+1}=\ln\frac{e^a(1+e^a)}{1+e^a}$$
$$=\ln e^a=a$$

따라서 $a=2$

내신연계 출제문항 680

정적분 $\int_0^{\ln 2}\frac{-e^{-x}}{1+e^{-x}}dx$의 값은?

① 0 ② $\ln\frac{3}{4}$ ③ $\ln\frac{5}{4}$
④ $\ln 2$ ⑤ 1

STEP A $\int_a^b \frac{f'(x)}{f(x)}dx=\Big[\ln|f(x)|\Big]_a^b$ 임을 이용하여 정적분 계산하기

$$\int_0^{\ln 2}\frac{-e^{-x}}{1+e^{-x}}dx=\int_0^{\ln 2}\frac{(1+e^{-x})'}{1+e^{-x}}dx=\Big[\ln|1+e^{-x}|\Big]_0^{\ln 2}$$
$$=\ln\frac{3}{2}-\ln 2=\ln\frac{3}{4}$$

정답 ②

1735

 ③

STEP A $\int_a^b \frac{f'(x)}{f(x)}dx=\Big[\ln|f(x)|\Big]_a^b$ 임을 이용하여 정적분 계산하기

$$\int_0^{\ln 5}\frac{e^x}{e^x+e^{-x}}dx=\int_0^{\ln 5}\frac{e^{2x}}{e^{2x}+1}dx=\frac{1}{2}\int_0^{\ln 5}\frac{(e^{2x}+1)'}{e^{2x}+1}dx$$
$$=\frac{1}{2}\Big[\ln(e^{2x}+1)\Big]_0^{\ln 5}$$
$$=\frac{1}{2}(\ln(e^{2\ln 5}+1)-\ln 2)$$
$$=\frac{1}{2}(\ln 26-\ln 2)$$
$$=\frac{1}{2}\ln 13$$

내신연계 출제문항 681

$f(x)=e^{-2x}$, $g(x)=\frac{1}{x+1}$일 때, 정적분 $\int_0^{\ln 5}g(f(x))dx$의 값은?

① $\frac{1}{2}\ln 13$ ② $\ln 5$ ③ $\ln 6$
④ $\frac{3}{2}\ln 3$ ⑤ $\ln 30$

STEP A 합성함수의 식을 정리하기

$f(x)=e^{-2x}$, $g(x)=\frac{1}{x+1}$일 때,

$g(f(x))=g(e^{-2x})=\frac{1}{e^{-2x}+1}$

STEP B 로그함수의 치환적분을 이용하여 구하기

따라서 $\int_0^{\ln 5}g(f(x))dx=\int_0^{\ln 5}\frac{1}{e^{-2x}+1}dx=\int_0^{\ln 5}\frac{1}{2}\cdot\frac{2e^{2x}}{e^{2x}+1}dx$
$$=\Big[\frac{1}{2}\ln(e^{2x}+1)\Big]_0^{\ln 5}$$
$$=\frac{1}{2}\{\ln(e^{2\ln 5}+1)-\ln(e^0+1)\}$$
$$=\frac{1}{2}\{\ln 26-\ln 2\}$$ ← $e^{2\ln 5}=5^{2\ln e}=5^2$
$$=\frac{1}{2}\ln 13$$

정답 ①

1736

정답 ③

STEP A $x^2+1=t$로 치환하여 정적분의 값 구하기

$x^2+1=t$로 놓으면 $2xdx=dt$이고

$x=0$일 때, $t=1$이고 $x=\sqrt{3}$일 때, $t=4$이므로

$\int_0^{\sqrt{3}}2x\sqrt{x^2+1}\,dx=\int_1^4\sqrt{t}\,dt=\Big[\frac{2}{3}t^{\frac{3}{2}}\Big]_1^4=\frac{16}{3}-\frac{2}{3}=\frac{14}{3}$

내신연계 출제문항 682

정적분 $\int_{\sqrt{2}}^{\sqrt{6}}\sqrt{x^4-2x^2}\,dx=\frac{q}{p}$일 때, $p+q$의 값은?
(단, p, q는 서로소인 자연수이다.)

① 9 ② 11 ③ 13
④ 17 ⑤ 19

STEP A $\sqrt{x^4-2x^2}=x\sqrt{x^2-2}$로 정리하기

$\int_{\sqrt{2}}^{\sqrt{6}}\sqrt{x^4-2x^2}\,dx=\int_{\sqrt{2}}^{\sqrt{6}}x\sqrt{x^2-2}\,dx$

STEP B $x^2-2=t$로 치환하여 정적분 계산하기

$x^2-2=t$로 놓으면 $2xdx=dt$

$x=\sqrt{2}$일 때, $t=0$이고 $x=\sqrt{6}$일 때, $t=4$

$\int_{\sqrt{2}}^{\sqrt{6}}x\sqrt{x^2-2}\,dx=\int_0^4\frac{1}{2}\sqrt{t}\,dt=\Big[\frac{1}{3}t\sqrt{t}\Big]_0^4=\frac{8}{3}$

따라서 $p=3$, $q=8$이므로 $p+q=11$

정답 ②

1737

정답 ④

STEP A $\sqrt{x-1}=t$로 치환하여 정적분 계산하기

$\sqrt{x-1}=t$로 놓으면 $x=t^2+1$, $dx=2tdt$

$x=1$일 때, $t=0$이고 $x=2$일 때, $t=1$

따라서 $\int_1^2 x\sqrt{x-1}\,dx=\int_0^1 (t^2+1)t(2t)dt$

$=2\int_0^1 (t^4+t^2)dt$

$=2\left[\frac{t^5}{5}+\frac{t^3}{3}\right]_0^1=\frac{16}{15}$

내신연계 출제문항 683

정적분 $\int_{-1}^2 \frac{x}{\sqrt{3-x}}dx$의 값은?

① $\frac{2}{3}$ ② $\frac{4}{5}$ ③ 1
④ $\frac{4}{3}$ ⑤ 2

STEP A $\sqrt{3-x}=t$로 치환하여 정적분 계산하기

$\sqrt{3-x}=t$로 놓으면 $3-x=t^2$, $-dx=2tdt$

$x=-1$일 때, $t=2$이고 $x=2$일 때, $t=1$

따라서 $\int_{-1}^2 \frac{x}{\sqrt{3-x}}dx=\int_2^1 \frac{3-t^2}{t}(-2tdt)$

$=-2\int_2^1 (3-t^2)dt$

$=-2\left[3t-\frac{1}{3}t^3\right]_2^1$

$=-2\left\{\left(3-\frac{1}{3}\right)-\left(6-\frac{8}{3}\right)\right\}$

$=\frac{4}{3}$

정답 ④

1738

정답 ②

STEP A $\sqrt{x^2-1}=t$로 치환하여 정적분의 값 구하기

$\sqrt{x^2-1}=t$로 놓으면 $x^2=t^2+1$

양변을 x에 대해 미분하면 $2xdx=2tdt$이고

$x=1$일 때, $t=0$이고 $x=\sqrt{2}$일 때, $t=1$

따라서 $\int_1^{\sqrt{2}} x^3\sqrt{x^2-1}\,dx=\int_0^1 (t^2+1)t^2dt=\int_0^1 (t^4+t^2)dt$

$=\left[\frac{1}{5}t^5+\frac{1}{3}t^3\right]_0^1=\frac{1}{5}+\frac{1}{3}=\frac{8}{15}$

다른풀이 $x^2-1=t$로 치환하여 정적분 구하기

$\int_1^{\sqrt{2}} x^3\sqrt{x^2-1}\,dx$에서 $x^2-1=t$로 놓으면

양변을 x에 대해 미분하면 $2xdx=dt$이고

$x=1$일 때, $t=0$이고 $x=\sqrt{2}$일 때, $t=1$

따라서 $\int_1^{\sqrt{2}} x^3\sqrt{x^2-1}\,dx$ ← $\int_1^{\sqrt{2}} x^2\cdot\sqrt{x^2-1}\cdot xdx$

$=\int_0^1 \frac{1}{2}(t+1)\sqrt{t}\,dt=\frac{1}{2}\int_0^1 (t^{\frac{3}{2}}+t^{\frac{1}{2}})dt$

$=\frac{1}{2}\left[\frac{2}{5}t^{\frac{5}{2}}+\frac{2}{3}t^{\frac{3}{2}}\right]_0^1=\frac{1}{2}\left(\frac{2}{5}+\frac{2}{3}\right)$

$=\frac{1}{2}\cdot\frac{16}{15}=\frac{8}{15}$

내신연계 출제문항 684

정적분 $\int_0^1 x^3\sqrt{x^2+1}\,dx=a\sqrt{2}+b$일 때, 두 유리수 a, b에 대하여 $30(a+b)$의 값은?

① 8 ② 12 ③ 16
④ 18 ⑤ 24

STEP A $x^2+1=t$로 치환하여 정적분의 값 구하기

$\int_0^1 x^3\sqrt{x^2+1}\,dx$에서 $x^2+1=t$로 놓으면 $x^2=t-1$이므로

x에 대해 미분하면 $2xdx=dt$

$x=0$일 때, $t=1$이고 $x=1$일 때, $t=2$

$\int_0^1 x^3\sqrt{x^2+1}\,dx=\int_0^1\left(\frac{1}{2}x^2\sqrt{x^2+1}\cdot 2x\right)dx=\int_1^2 \frac{1}{2}(t-1)\sqrt{t}\,dt$

$=\int_1^2 \frac{1}{2}(t^{\frac{3}{2}}-t^{\frac{1}{2}})dt=\left[\frac{1}{5}t^{\frac{5}{2}}-\frac{1}{3}t^{\frac{3}{2}}\right]_1^2$

$=\left(\frac{4\sqrt{2}}{5}-\frac{2\sqrt{2}}{3}\right)-\left(\frac{1}{5}-\frac{1}{3}\right)$

$=\frac{2}{15}\sqrt{2}+\frac{2}{15}$

따라서 $a=\frac{2}{15}$, $b=\frac{2}{15}$이므로 $30(a+b)=30\left(\frac{2}{15}+\frac{2}{15}\right)=8$

 ①

1739

 ②

STEP A $x^2=t$로 치환하여 정적분 계산하기

$x^2=t$로 놓으면 $2xdx=dt$, $xdx=\frac{1}{2}dt$

$x=0$일 때, $t=0$이고 $x=1$일 때, $t=1$

따라서 $\int_0^1 xe^{x^2}dx=\frac{1}{2}\int_0^1 e^t dt=\frac{1}{2}\left[e^t\right]_0^1=\frac{1}{2}(e-1)$

1740

 ②

STEP A $\ln x=t$로 치환하여 정적분 계산하기

$\ln x=t$로 놓으면 $\frac{1}{x}dx=dt$

$x=e$일 때, $t=1$이고 $x=e^2$일 때, $t=2$

따라서 $\int_e^{e^2} \frac{\ln(\ln x)}{x}dx=\int_1^2 \ln t\,dt=\left[t\ln t-t\right]_1^2=2\ln 2-1$

1741

 ⑤

STEP A $\ln x=t$로 치환하여 정적분 계산하기

$\ln x=t$로 놓으면 $\frac{1}{x}dx=dt$

$x=1$일 때, $t=0$이고 $x=e$일 때, $t=1$

따라서 $\int_1^e \frac{2(\ln x)^3+1}{x}dx=\int_0^1 (2t^3+1)dt=\left[\frac{1}{2}t^4+t\right]_0^1=\frac{3}{2}$

내신연계 출제문항 685

정적분 $\int_{1}^{e^2}\frac{(\ln x)^3}{x}dx$의 값은?

① $2\ln 2$　② 2　③ $4\ln 2$
④ 4　⑤ $6\ln 2$

STEP Ⓐ $\ln x=t$로 치환하여 정적분 계산하기

$\ln x=t$로 놓으면 $\frac{1}{x}dx=dt$

$x=1$일 때, $t=0$이고 $x=e^2$일 때, $t=2$

따라서 $\int_{1}^{e^2}\frac{(\ln x)^3}{x}dx=\int_{0}^{2}t^3dt=\left[\frac{1}{4}t^4\right]_0^2=4$　정답 ④

1742

정답 ②

STEP Ⓐ $\ln x=t$로 치환하여 정적분 계산하기

$f(a)=\int_{1}^{a}\frac{\sqrt{\ln x}}{x}dx$에서 $\ln x=t$로 놓으면 $\frac{1}{x}dx=dt$

$x=1$일 때, $t=0$이고 $x=a$일 때, $t=\ln a$

$f(a)=\int_{0}^{\ln a}\sqrt{t}\,dt=\left[\frac{2}{3}t^{\frac{3}{2}}\right]_0^{\ln a}=\frac{2}{3}(\ln a)^{\frac{3}{2}}$

STEP Ⓑ $f(a^4)$과 같은 것 구하기

따라서 $f(a^4)=\frac{2}{3}(\ln a^4)^{\frac{3}{2}}=\frac{2}{3}\cdot 4^{\frac{3}{2}}(\ln a)^{\frac{3}{2}}=8\cdot\frac{2}{3}(\ln a)^{\frac{3}{2}}=8f(a)$

1743

정답 ②

STEP Ⓐ $1+\ln x=t$로 치환하여 정적분 계산하기

$1+\ln x=t$로 놓으면 $\frac{1}{x}dx=dt$

$x=1$일 때, $t=1$이고 $x=e^2$일 때, $t=3$

따라서 $\int_{1}^{e^2}\frac{3}{x(1+\ln x)^2}dx=\int_{1}^{3}\frac{3}{t^2}dt=\left[-\frac{3}{t}\right]_1^3=2$

내신연계 출제문항 686

정적분 $\int_{e}^{e^2}\frac{1}{x\ln x}dx$의 값은?

① -1　② $-\ln 2$　③ $\ln 2$
④ 1　⑤ 2

STEP Ⓐ $\ln x=t$로 치환하여 정적분 계산하기

$\ln x=t$로 놓으면 $\frac{1}{x}dx=dt$

$x=e$일 때, $t=1$이고 $x=e^2$일 때, $t=2$

따라서 $\int_{e}^{e^2}\frac{1}{x\ln x}dx=\int_{1}^{2}\frac{1}{t}dt=\left[\ln t\right]_1^2=\ln 2$　정답 ③

1744

정답 ④

STEP Ⓐ $\ln x=t$로 치환하여 정적분 계산하기

$\ln x=t$로 놓으면 $\frac{1}{x}dx=dt$

$x=1$일 때, $t=0$이고 $x=e$일 때, $t=1$

따라서 $\int_{1}^{e}\frac{\ln x}{x(\ln x+1)}dx=\int_{1}^{e}\frac{\ln x}{\ln x+1}\cdot\frac{1}{x}dx=\int_{0}^{1}\frac{t}{t+1}dt$

$=\int_{0}^{1}\left(1-\frac{1}{t+1}\right)dt=\left[t-\ln(t+1)\right]_0^1$

$=1-\ln 2$

1745

정답 ⑤

STEP Ⓐ $\ln x=t$로 치환하여 a_n 구하기

$\ln x=t$로 놓으면 $\frac{1}{x}dx=dt$

$x=1$일 때, $t=\ln 1=0$이고 $x=e^n$일 때, $t=\ln e^n=n$

$a_n=\int_{0}^{n}t\,dt=\left[\frac{1}{2}t^2\right]_0^n=\frac{1}{2}n^2$, $a_{n+1}=\frac{1}{2}(n+1)^2$

STEP Ⓑ 급수의 성질을 이용하여 구하기

따라서 $\sum_{n=1}^{\infty}\frac{1}{\sqrt{a_na_{n+1}}}=\sum_{n=1}^{\infty}\frac{2}{n(n+1)}=\lim_{n\to\infty}\sum_{k=1}^{n}2\left(\frac{1}{k}-\frac{1}{k+1}\right)$

$=\lim_{n\to\infty}2\left(1-\frac{1}{n+1}\right)=2$

내신연계 출제문항 687

자연수 n에 대하여 $a_n=\int_{1}^{e}\frac{(\ln x)^n}{x}dx$일 때, $\sum_{n=1}^{\infty}a_na_{n+1}$의 값은?

① $\frac{7}{15}$　② $\frac{3}{4}$　③ $\frac{1}{2}$
④ 1　⑤ $\frac{3}{2}$

STEP Ⓐ $\ln x=t$로 치환하여 a_n 구하기

$\ln x=t$로 놓으면 $\frac{1}{x}dx=dt$

$x=1$일 때, $t=0$이고 $x=e$일 때, $t=1$이므로

$a_n=\int_{1}^{e}\frac{(\ln x)^n}{x}dx=\int_{0}^{1}t^ndt=\left[\frac{1}{n+1}t^{n+1}\right]_0^1=\frac{1}{n+1}$

STEP Ⓑ 급수의 성질을 이용하여 구하기

따라서 $\sum_{n=1}^{\infty}a_na_{n+1}$

$=\sum_{n=1}^{\infty}\frac{1}{(n+1)(n+2)}=\lim_{n\to\infty}\sum_{k=1}^{n}\left(\frac{1}{k+1}-\frac{1}{k+2}\right)$

$=\lim_{n\to\infty}\left\{\left(\frac{1}{2}-\frac{1}{3}\right)+\left(\frac{1}{3}-\frac{1}{4}\right)+\left(\frac{1}{4}-\frac{1}{5}\right)+\cdots+\left(\frac{1}{n+1}-\frac{1}{n+2}\right)\right\}$

$=\lim_{n\to\infty}\left(\frac{1}{2}-\frac{1}{n+2}\right)=\frac{1}{2}$　정답 ③

1746

정답 ②

STEP Ⓐ 조건 (나)를 만족하는 식 작성하기

$f(2021)=f(4\times 505+1)=f(1)$이고

$f(2022)=f(4\times 505+2)=f(2)$이므로

$\int_{2021}^{2022}f(x)dx=\int_{1}^{2}f(x)dx=\int_{1}^{2}\frac{1}{x(1+\ln x)^2}dx$

STEP Ⓑ $1+\ln x=t$로 놓고 치환적분법 구하기

$1+\ln x=t$로 놓으면 $\frac{1}{x}dx=dt$

$x=1$일 때, $t=1$이고 $x=2$일 때, $t=1+\ln 2$

따라서 $\int_{1}^{2}\frac{1}{x(1+\ln x)^2}dx=\int_{1}^{1+\ln 2}\frac{1}{t^2}dt=\left[-\frac{1}{t}\right]_1^{1+\ln 2}$

$=-\frac{1}{1+\ln 2}+1=\frac{\ln 2}{1+\ln 2}$

1747

정답 ②

STEP A 접선이 x축의 양의 방향과 이루는 각의 크기가 $\theta(x)$이면 접선의 기울기 $\tan\theta(x)$ 구하기

곡선 $y=x^3+1$ 위의 점 $(x,\ y)$에서의 접선이 x축의 양의 방향과 이루는 각의 크기가 $\theta(x)$이므로 $\tan\theta(x)$는 접선의 기울기가 같다.
$y=x^3+1$의 도함수 $y'=3x^2$이므로 $\tan\theta(x)=3x^2$

STEP B $x^3=t$로 치환하여 정적분 계산하기

$\int_0^1 e^{x^3}\tan\theta(x)dx=\int_0^1 3x^2e^{x^3}dx$
$x^3=t$로 놓으면 $3x^2dx=dt$
$x=0$일 때, $t=0$이고 $x=1$일 때, $t=1$
따라서 $\int_0^1 3x^2e^{x^3}dx=\int_0^1 e^t dt=\Big[e^t\Big]_0^1=e-1$

내신연계 출제문항 688

곡선 $y=\ln x$ 위의 점 $\mathrm{P}(x,\ y)$에서의 접선이 x축의 양의 방향과 이루는 각의 크기를 $\theta(x)$라고 할 때, 정적분 $\int_1^{e^2}5(\ln x)^4\tan\theta(x)dx$의 값은?

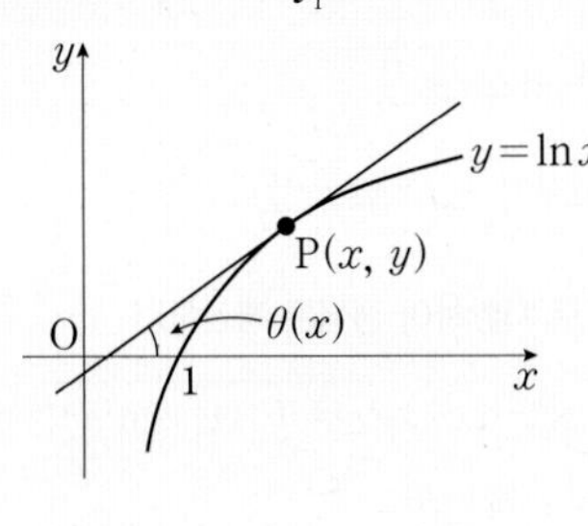

① 28 ② 30 ③ 32
④ 36 ⑤ 42

STEP A 접선이 x축의 양의 방향과 이루는 각의 크기가 $\theta(x)$이면 접선의 기울기 $\tan\theta(x)$ 구하기

곡선 $y=\ln x$ 위의 점 $(x,\ y)$에서의 접선이 x축의 양의 방향과 이루는 각의 크기가 $\theta(x)$이므로 $\tan\theta(x)$는 접선의 기울기가 같다.
$y=\ln x$의 도함수 $y'=(\ln x)'=\frac{1}{x}$이므로 $\tan\theta(x)=\frac{1}{x}$

STEP B $\ln x=t$로 치환하여 정적분 계산하기

$\int_1^{e^2}5(\ln x)^4\tan\theta(x)dx=5\int_1^{e^2}\frac{(\ln x)^4}{x}dx$
$\ln x=t$로 놓으면 $\frac{1}{x}dx=dt$
$x=1$일 때, $t=\ln 1=0$이고 $x=e^2$일 때, $t=\ln e^2=2$
따라서 $5\int_1^{e^2}\frac{(\ln x)^4}{x}dx=5\int_0^2 t^4dt=5\Big[\frac{1}{5}t^5\Big]_0^2=32$

정답 ③

1748

정답 ①

STEP A $\sin x=t$로 치환하여 정적분 계산하기

$\int_0^{\frac{\pi}{2}}(\sin^3x+1)\cos x dx$에서
$\sin x=t$로 놓으면 $\cos x dx=dt$
$x=0$일 때, $t=0$이고 $x=\frac{\pi}{2}$일 때, $t=1$
따라서 $\int_0^{\frac{\pi}{2}}(\sin^3x+1)\cos x dx=\int_0^1(t^3+1)dt=\Big[\frac{1}{4}t^4+t\Big]_0^1=\frac{1}{4}+1=\frac{5}{4}$

1749

정답 ③

STEP A $\cos x=t$로 치환하여 정적분 계산하기

$\int_0^{\pi}(1-\cos^3x)\cos x\sin x dx$에서
$\cos x=t$로 놓으면 $-\sin x dx=dt$
$x=0$일 때, $t=1$이고 $x=\pi$일 때, $t=-1$
따라서 $\int_0^{\pi}(1-\cos^3x)\cos x\sin x dx=-\int_1^{-1}(1-t^3)t dt=\int_{-1}^1(t-t^4)dt$
$=2\int_0^1(-t^4)dt=2\Big[-\frac{1}{5}t^5\Big]_0^1=-\frac{2}{5}$

내신연계 출제문항 689

정적분 $\int_0^{\pi}(1-\cos^3x)\sin x dx$의 값은?

① 1 ② 2 ③ 3
④ 4 ⑤ 5

STEP A $\cos x=t$로 치환하여 정적분 계산하기

$\cos x=t$로 놓으면 $-\sin x dx=dt$
$x=0$일 때, $t=1$이고 $x=\pi$일 때, $t=-1$
따라서 $\int_0^{\pi}(1-\cos^3x)\sin x dx=-\int_1^{-1}(1-t^3)dt=2\int_0^1 1dt=2\Big[t\Big]_0^1=2$

정답 ②

1750

정답 ②

STEP A 이배각 공식을 이용하여 식을 정리하기

$\int_0^{\frac{\pi}{2}}\sin 2x\cos x dx=\int_0^{\frac{\pi}{2}}2\sin x\cos x\cos x dx=2\int_0^{\frac{\pi}{2}}\sin x\cos^2x dx$

STEP B $\cos x=t$로 치환하여 정적분 계산하기

이때 $\cos x=t$로 놓으면 $-\sin x dx=dt$
$x=0$일 때, $t=1$이고 $x=\frac{\pi}{2}$일 때, $t=0$
따라서 $2\int_0^{\frac{\pi}{2}}\sin x\cos^2x dx=-2\int_1^0 t^2dt=2\int_0^1 t^2dt=2\Big[\frac{1}{3}t^3\Big]_0^1=\frac{2}{3}$

내신연계 출제문항 690

정적분 $\int_0^{\frac{\pi}{2}}\sin 2x(\sin x+1)dx$의 값은?

① $\frac{1}{3}$ ② $\frac{2}{3}$ ③ 1
④ $\frac{5}{3}$ ⑤ $\frac{7}{2}$

STEP A 이배각 공식을 이용하여 식을 정리하기

$\int_0^{\frac{\pi}{2}}\sin 2x(\sin x+1)dx=\int_0^{\frac{\pi}{2}}2\sin x\cos x(\sin x+1)dx$

STEP B $\sin x=t$로 치환하여 정적분 계산하기

$\sin x=t$로 치환하면 $\cos x dx=dt$
$x=0$일 때, $t=0$이고 $x=\frac{\pi}{2}$일 때, $t=1$
따라서 $\int_0^{\frac{\pi}{2}}\sin 2x(\sin x+1)dx=\int_0^1(2t^2+2t)dt=\Big[\frac{2t^3}{3}+t^2\Big]_0^1=\frac{5}{3}$ 정답 ④

1751

정답 ②

STEP A 이배각 공식을 이용하여 식을 정리하기

$\int_0^{\frac{\pi}{2}} \cos 2x \sin x dx = \int_0^{\frac{\pi}{2}} (2\cos^2 x - 1)\sin x dx$

STEP B $\cos x = t$로 치환하여 정적분 계산하기

$\cos x = t$로 놓으면 $-\sin x dx = dt$

$x=0$일 때, $t=1$이고 $x=\frac{\pi}{2}$일 때, $t=0$

따라서 $\int_0^{\frac{\pi}{2}} (2\cos^2 x-1)\sin x dx = -\int_1^0 (2t^2-1)dt = \int_0^1 (2t^2-1)dt$

$= \left[\frac{2}{3}t^3 - t\right]_0^1 = -\frac{1}{3}$

1752

정답 ②

STEP A $\ln x = s$로 치환하여 정적분 계산하기

$\int_{e^2}^{e^3} \frac{a+\ln x}{x} dx$에서 $\ln x = s$로 놓으면 $\frac{1}{x}dx = ds$

$x=e^2$일 때, $s=2$이고 $x=e^3$일 때, $s=3$이므로

$\int_{e^2}^{e^3} \frac{a+\ln x}{x} dx = \int_2^3 (a+s)ds = \left[as + \frac{1}{2}s^2\right]_2^3 = a + \frac{5}{2}$

STEP B $\sin x = t$로 치환하여 정적분 계산하기

$\int_0^{\frac{\pi}{2}} (1+\sin x)\cos x dx$에서 $\sin x = t$로 놓으면 $\cos x dx = dt$

$x=0$일 때, $t=0$이고 $x=\frac{\pi}{2}$일 때, $t=1$

$\int_0^{\frac{\pi}{2}} (1+\sin x)\cos x dx = \int_0^1 (1+t)dt = \left[t + \frac{1}{2}t^2\right]_0^1 = \frac{3}{2}$

따라서 $a + \frac{5}{2} = \frac{3}{2}$이므로 $a = -1$

1753

정답 ⑤

STEP A 삼각함수의 관계식을 이용하여 정리하기

$\int_0^{\frac{\pi}{2}} \sin^3 x dx = \int_0^{\frac{\pi}{2}} \sin^2 x \cdot \sin x dx = \int_0^{\frac{\pi}{2}} (1-\cos^2 x)\sin x dx$

STEP B $\cos x = t$로 치환하여 정적분 계산하기

$\cos x = t$로 놓으면 $-\sin x dx = dt$

또, $x=0$일 때, $t=1$이고 $x=\frac{\pi}{2}$일 때, $t=0$

따라서 $\int_0^{\frac{\pi}{2}} (1-\cos^2 x)\sin x dx = \int_1^0 (1-t^2)(-dt) = \int_0^1 (1-t^2)dt$

$= \left[t - \frac{1}{3}t^3\right]_0^1 = \frac{2}{3}$

내신연계 출제문항 691

정적분 $\int_0^{\frac{\pi}{2}} \cos^3 x dx$의 값은

① $\frac{2}{9}$　② $\frac{1}{3}$　③ $\frac{4}{9}$

④ $\frac{5}{9}$　⑤ $\frac{2}{3}$

STEP A 삼각함수의 관계식을 이용하여 정리하기

$\int_0^{\frac{\pi}{2}} \cos^3 x dx = \int_0^{\frac{\pi}{2}} \cos^2 x \cdot \cos x dx = \int_0^{\frac{\pi}{2}} (1-\sin^2 x)\cos x dx$

STEP B $\sin x = t$로 치환하여 정적분 계산하기

$\sin x = t$로 놓으면 $\cos x dx = dt$

또, $x=0$일 때, $t=0$이고 $x=\frac{\pi}{2}$일 때, $t=1$

따라서 $\int_0^{\frac{\pi}{2}} (1-\sin^2 x)\cos x dx = \int_0^1 (1-t^2)dt = \left[t - \frac{1}{3}t^3\right]_0^1 = \frac{2}{3}$

정답 ⑤

1754

정답 ④

STEP A 반각공식을 이용하여 구하기

조건 (가)에서

$\int_0^{\pi} \sin^2 x dx = \int_0^{\pi} \frac{1-\cos 2x}{2} dx = \left[\frac{1}{2}\left(x - \frac{1}{2}\sin 2x\right)\right]_0^{\pi} = \frac{\pi}{2}$

따라서 $a = \frac{\pi}{2}$

다른풀이 부분적분을 이용하여 풀이하기

$\int_0^{\pi} \sin^2 x dx = \int_0^{\pi} \sin x \cdot \sin x dx = \left[-\sin x \cos x\right]_0^{\pi} + \int_0^{\pi} \cos^2 x dx$

$= 0 + \int_0^{\pi} (1-\sin^2 x)dx = \left[x\right]_0^{\pi} - \int_0^{\pi} \sin^2 x dx$

$= \pi - \int_0^{\pi} \sin^2 x dx$

$2\int_0^{\pi} \sin^2 x dx = \pi$이므로 $\int_0^{\pi} \sin^2 x dx = \frac{\pi}{2}$

STEP B $\sin x = t$로 치환하여 정적분 계산하기

$\int_0^{\frac{\pi}{2}} \cos^3 x dx = \int_0^{\frac{\pi}{2}} \cos^2 x \cdot \cos x dx = \int_0^{\frac{\pi}{2}} (1-\sin^2 x)\cos x dx$

$\sin x = t$로 놓으면 $\cos x dx = dt$

또, $x=0$일 때, $t=0$이고 $x=\frac{\pi}{2}$일 때, $t=1$이므로

$\int_0^{\frac{\pi}{2}} (1-\sin^2 x)\cos x dx = \int_0^1 (1-t^2)dt = \left[t - \frac{1}{3}t^3\right]_0^1 = \frac{2}{3}$

$\therefore b = \frac{2}{3}$

따라서 $ab = \frac{\pi}{2} \cdot \frac{2}{3} = \frac{\pi}{3}$

+α 암기해야 할 삼각함수의 기본 정적분 계산

① $\int_0^{\frac{\pi}{2}} \sin x dx = \int_0^{\frac{\pi}{2}} \cos x dx = 1$

② $\int_0^{\frac{\pi}{2}} \sin^2 x dx = \int_0^{\frac{\pi}{2}} \cos^2 x dx = \frac{\pi}{4}$

③ $\int_0^{\pi} \sin^2 x dx = \int_0^{\pi} \cos^2 x dx = \frac{\pi}{2}$

④ $\int_0^{\frac{\pi}{2}} \sin^3 x dx = \int_0^{\frac{\pi}{2}} \cos^3 x dx = \frac{2}{3}$

1755

정답 ②

STEP A $\sin x = t$로 치환하여 치환적분을 이용하여 구하기

$\cos^5 x = (\cos^2 x)^2 \cos x = (1-\sin^2 x)^2 \cos x$이므로

$\int_0^{\frac{\pi}{2}} \cos^5 x dx = \int_0^{\frac{\pi}{2}} (1-\sin^2 x)^2 \cos x dx$

$\sin x = t$로 놓으면 $\cos x = \frac{dt}{dx}$

$x=0$일 때, $t=0$이고 $x=\frac{\pi}{2}$일 때, $t=1$

따라서 $\int_0^{\frac{\pi}{2}} (1-\sin^2 x)^2 \cos x dx = \int_0^1 (1-t^2)^2 dt = \int_0^1 (1-2t^2+t^4)dt$

$= \left[t - \frac{2}{3}t^3 + \frac{1}{5}t^5\right]_0^1 = \frac{8}{15}$

1756

정답 ②

STEP A $\sin x=t$로 치환하여 정적분 계산하기

$$\int_0^{\frac{\pi}{2}}(\cos x+3\cos^3 x)dx=\int_0^{\frac{\pi}{2}}\cos x(1+3\cos^2 x)dx$$
$$=\int_0^{\frac{\pi}{2}}\cos\{1+3(1-\sin^2 x)\}dx$$
$$=\int_0^{\frac{\pi}{2}}\cos x(4-3\sin^2 x)dx$$

여기서 $\sin x=t$로 놓으면 $\cos x dx=dt$

$x=0$일 때, $t=0$이고 $x=\frac{\pi}{2}$일 때, $t=1$

따라서 $\int_0^{\frac{\pi}{2}}\cos x(4-3\sin^2 x)dx=\int_0^1(4-3t^2)dt=\Big[4t-t^3\Big]_0^1=3$

다른풀이 $\cos^3 x=(1-\sin^2 x)\cos x$임을 이용하여 풀이하기

$$\int_0^{\frac{\pi}{2}}(\cos x+3\cos^3 x)dx$$
$$=\int_0^{\frac{\pi}{2}}\cos x dx+3\int_0^{\frac{\pi}{2}}\cos^3 x dx$$
$$=\Big[\sin x\Big]_0^{\frac{\pi}{2}}+3\int_0^{\frac{\pi}{2}}(1-\sin^2 x)\cos x dx$$ ← $\sin x=t$로 치환하면 $\cos x dx=dt$이고 $x=0$일 때 $t=0$, $x=\frac{\pi}{2}$일 때 $t=1$
$$=1+3\int_0^1(1-t^2)dt$$
$$=1+3\Big[t-\frac{t^3}{3}\Big]_0^1$$
$$=1+2=3$$

내/신/연/계/ 출제문항 692

정적분 $\int_0^{\frac{\pi}{2}}\sqrt{\cos x-\cos^3 x}\,dx$의 값은?

① $\frac{1}{3}$　② $\frac{2}{3}$　③ 1
④ $\frac{4}{3}$　⑤ $\frac{5}{3}$

STEP A $\cos x=t$로 치환하여 치환적분을 이용하여 구하기

$$\int_0^{\frac{\pi}{2}}\sqrt{\cos x-\cos^3 x}\,dx=\int_0^{\frac{\pi}{2}}\sqrt{\cos x(1-\cos^2 x)}\,dx$$
$$=\int_0^{\frac{\pi}{2}}\sqrt{\cos x\sin^2 x}\,dx$$
$$=\int_0^{\frac{\pi}{2}}\sin x\sqrt{\cos x}\,dx \quad \cdots\cdots ㉠$$

㉠에서 $\cos x=t$로 놓으면 $-\sin x dx=dt$이고

$x=0$일 때, $t=1$이고 $x=\frac{\pi}{2}$일 때, $t=0$

따라서 $\int_0^{\frac{\pi}{2}}\sin x\sqrt{\cos x}\,dx=-\int_1^0\sqrt{t}\,dt=\int_0^1\sqrt{t}\,dt=\Big[\frac{2}{3}t^{\frac{3}{2}}\Big]_0^1=\frac{2}{3}$

정답 ②

1757

정답 ④

STEP A $\tan x=t$로 치환하여 정적분 구하기

$\tan x=t$라 하면 $\sec^2 x dx=dt$이고

$x=-\frac{\pi}{4}$일 때, $t=-1$이고 $x=\frac{\pi}{4}$일 때, $t=1$

따라서 $\int_{-\frac{\pi}{4}}^{\frac{\pi}{4}}(1-\tan^2 x)\sec^2 x dx=\int_{-1}^1(1-t^2)dt=\Big[t-\frac{1}{3}t^3\Big]_{-1}^1=\frac{4}{3}$

내/신/연/계/ 출제문항 693

정적분 $\int_{\frac{\pi}{6}}^{\frac{\pi}{3}}\frac{1}{(2\sqrt{3}+\tan x)\cos^2 x}dx$의 값은?

① $\frac{1}{3}\ln 3$　② $\frac{1}{2}\ln 3$　③ 1
④ $\ln\frac{8}{7}$　⑤ $\ln\frac{9}{7}$

STEP A $\tan x=t$로 치환하여 치환적분법을 이용하기

$$\frac{1}{(2\sqrt{3}+\tan x)\cos^2 x}=\frac{\sec^2 x}{2\sqrt{3}+\tan x}$$

$\tan x=t$로 놓으면 $\sec^2 x=\frac{dt}{dx}$이고

$x=\frac{\pi}{6}$일 때, $t=\frac{\sqrt{3}}{3}$이고 $x=\frac{\pi}{3}$일 때, $t=\sqrt{3}$

따라서 $\int_{\frac{\pi}{6}}^{\frac{\pi}{3}}\frac{1}{(2\sqrt{3}+\tan x)\cos^2 x}dx=\int_{\frac{\sqrt{3}}{3}}^{\sqrt{3}}\frac{1}{2\sqrt{3}+t}dt$
$$=\Big[\ln|2\sqrt{3}+t|\Big]_{\frac{\sqrt{3}}{3}}^{\sqrt{3}}$$
$$=\ln 3\sqrt{3}-\ln\frac{7\sqrt{3}}{3}$$
$$=\ln\left(3\sqrt{3}\times\frac{3}{7\sqrt{3}}\right)$$
$$=\ln\frac{9}{7}$$

정답 ⑤

1758

정답 ②

STEP A $\tan x=t$로 치환하여 치환적분법을 이용하기

$\int_0^{\frac{\pi}{4}}\frac{\cos(\tan x)}{\cos^2 x}dx$에서 $\tan x=t$로 놓으면

$\sec^2 x dx=dt$이고

$x=0$일 때, $t=0$이고 $x=\frac{\pi}{4}$일 때, $t=1$이므로

$$\int_0^{\frac{\pi}{4}}\frac{\cos(\tan x)}{\cos^2 x}dx=\int_0^1\cos t dt=\Big[\sin t\Big]_0^1=\sin 1-\sin 0=\sin 1$$

1759

정답 ②

STEP A $f(\theta)$ 구하기

$\overline{OH}=\overline{OP}\cos\theta$, $\overline{PH}=\overline{OP}\sin\theta$이므로

$$f(\theta)=\frac{\overline{OH}}{\overline{PH}}=\frac{\overline{OP}\cos\theta}{\overline{OP}\sin\theta}=\cot\theta$$

STEP B 치환적분을 이용하여 구하기

따라서 $\int_{\frac{\pi}{6}}^{\frac{\pi}{3}}f(\theta)d\theta=\int_{\frac{\pi}{6}}^{\frac{\pi}{3}}\cot\theta d\theta=\int_{\frac{\pi}{6}}^{\frac{\pi}{3}}\frac{\cos\theta}{\sin\theta}d\theta$ ← $\int\cot x dx=\ln|\sin x|+C$
$$=\Big[\ln|\sin\theta|\Big]_{\frac{\pi}{6}}^{\frac{\pi}{3}}=\ln\frac{\sqrt{3}}{2}-\ln\frac{1}{2}$$
$$=\ln\sqrt{3}=\frac{1}{2}\ln 3$$

1760

정답 ③

STEP Ⓐ $\tan x=t$로 치환하여 계산하기

ㄱ. $a_1+a_3=\int_0^{\frac{\pi}{4}}\tan x dx+\int_0^{\frac{\pi}{4}}\tan^3 x dx=\int_0^{\frac{\pi}{4}}\tan x(1+\tan^2 x)dx$

$=\int_0^{\frac{\pi}{4}}\tan x\sec^2 x dx$

$\tan x=t$로 놓으면 $\sec^2 x dx=dt$

$x=0$일 때, $t=0$이고 $x=\frac{\pi}{4}$일 때, $t=1$

$\int_0^{\frac{\pi}{4}}\tan x\sec^2 x dx=\int_0^1 t dt=\left[\frac{1}{2}t^2\right]_0^1=\frac{1}{2}$ [참]

ㄴ. ㄱ과 마찬가지로 생각하면

$a_2+a_4=\int_0^1 t^2 dt=\left[\frac{1}{3}t^3\right]_0^1=\frac{1}{3}$

$\therefore a_1+a_2+a_3+a_4=\frac{1}{2}+\frac{1}{3}$ [참]

STEP Ⓑ $\sum_{k=1}^{100}a_k$의 값의 규칙성을 찾아 계산하기

ㄷ. ㄱ과 ㄴ에서 $k=1, 2, 3, \cdots$일 때,

$a_{4k-3}+a_{4k-1}=\int_0^1 t^{4k-3}dt=\frac{1}{4k-2}$

$a_{4k-2}+a_{4k}=\int_0^1 t^{4k-2}dt=\frac{1}{4k-1}$

$\therefore a_{4k-3}+a_{4k-2}+a_{4k-1}+a_{4k}=\frac{1}{4k-2}+\frac{1}{4k-1}$

$\therefore \sum_{k=1}^{100}a_k=(a_1+a_2+a_3+a_4)+\cdots+(a_{97}+a_{98}+a_{99}+a_{100})$

$=\left(\frac{1}{2}+\frac{1}{3}\right)+\left(\frac{1}{6}+\frac{1}{7}\right)+\cdots+\left(\frac{1}{98}+\frac{1}{99}\right)$ [거짓]

따라서 옳은 것은 ㄱ, ㄴ이다.

내신연계 출제문항 694

함수 $f(x)=\tan x+\tan^3 x$에 대하여 $\int_0^{\frac{\pi}{4}}f(x)dx$의 값은?

① $\frac{1}{2}$ ② 1 ③ $\frac{3}{2}$
④ 2 ⑤ $2\sqrt{2}$

STEP Ⓐ $\tan x=t$로 치환하여 치환적분법을 이용하기

$f(x)=\tan x+\tan^3 x=\tan x(1+\tan^2 x)=\tan x\sec^2 x$

$\tan x=t$로 놓으면 $\sec^2 x dx=dt$

$x=0$일 때, $t=0$이고 $x=\frac{\pi}{4}$일 때, $t=1$

따라서 $\int_0^{\frac{\pi}{4}}\tan x\sec^2 x dx=\int_0^1 t dt=\left[\frac{1}{2}t^2\right]_0^1=\frac{1}{2}$

정답 ①

1761

정답 ③

STEP Ⓐ $x=3\sin\theta$로 치환하여 삼각치환법 구하기

$x=3\sin\theta\left(-\frac{\pi}{2}\le\theta\le\frac{\pi}{2}\right)$로 놓으면 $3\cos\theta d\theta=dx$

$x=0$일 때, $\theta=0$이고 $x=\frac{3}{2}$일 때, $\theta=\frac{\pi}{6}$이므로

$\int_0^{\frac{3}{2}}\frac{1}{\sqrt{9-x^2}}dx=\int_0^{\frac{\pi}{6}}\frac{1}{\sqrt{9-9\sin^2\theta}}\cdot 3\cos\theta d\theta=\int_0^{\frac{\pi}{6}}\frac{1}{\sqrt{9\cos^2\theta}}\cdot 3\cos\theta d\theta$

$=\int_0^{\frac{\pi}{6}}d\theta=\left[\theta\right]_0^{\frac{\pi}{6}}=\frac{\pi}{6}$

STEP Ⓑ $\cos\alpha$의 값 구하기

따라서 $\cos\frac{\pi}{6}=\frac{\sqrt{3}}{2}$

내신연계 출제문항 695

정적분 $\int_0^{\sqrt{2}}\frac{1}{\sqrt{4-x^2}}dx$의 값을 a라 할 때, $\sin a$의 값은?

① 0 ② $\frac{1}{2}$ ③ $\frac{\sqrt{2}}{2}$
④ $\frac{\sqrt{3}}{2}$ ⑤ 1

STEP Ⓐ $x=2\sin\theta$로 치환하여 삼각치환법 구하기

$x=2\sin\theta\left(-\frac{\pi}{2}<\theta<\frac{\pi}{2}\right)$로 놓으면 $2\cos\theta d\theta=dx$

$x=0$일 때, $\theta=0$이고 $x=\sqrt{2}$일 때, $\theta=\frac{\pi}{4}$이므로

$\int_0^{\sqrt{2}}\frac{1}{\sqrt{4-x^2}}dx=\int_0^{\frac{\pi}{4}}\left(\frac{1}{\sqrt{4-4\sin^2\theta}}\times 2\cos\theta\right)d\theta$

$=\int_0^{\frac{\pi}{4}}\left(\frac{1}{2\cos\theta}\times 2\cos\theta\right)d\theta$

$=\int_0^{\frac{\pi}{4}}1 d\theta=\left[\theta\right]_0^{\frac{\pi}{4}}=\frac{\pi}{4}$

따라서 $a=\frac{\pi}{4}$이므로 $\sin a=\sin\frac{\pi}{4}=\frac{\sqrt{2}}{2}$

정답 ③

1762

정답 ②

STEP Ⓐ $x=3\tan\theta$로 치환하여 삼각치환법 구하기

$x=3\tan\theta\left(-\frac{\pi}{2}<\theta<\frac{\pi}{2}\right)$로 놓으면 $3\sec^2\theta d\theta=dx$이고

$x=0$일 때, $\theta=0$이고 $x=3$일 때, $\theta=\frac{\pi}{4}$이므로

$\int_0^3\frac{4}{x^2+9}dx=\int_0^{\frac{\pi}{4}}\left\{\frac{4}{9(\tan^2\theta+1)}\times 3\sec^2\theta\right\}d\theta$

$=\int_0^{\frac{\pi}{4}}\left(\frac{4}{3}\times\frac{1}{\sec^2\theta}\times\sec^2\theta\right)d\theta$

$=\int_0^{\frac{\pi}{4}}\frac{4}{3}d\theta=\left[\frac{4}{3}\theta\right]_0^{\frac{\pi}{4}}=\frac{\pi}{3}$

STEP Ⓑ $\cos a$의 값 구하기

따라서 $a=\frac{\pi}{3}$이므로 $\cos a=\cos\frac{\pi}{3}=\frac{1}{2}$

내신연계 출제문항 696

정적분 $\int_{-1}^1\frac{1}{1+x^2}dx$의 값을 a라 할 때, $\sin a$의 값은?

① 0 ② $\frac{1}{2}$ ③ $\frac{\sqrt{2}}{2}$
④ $\frac{\sqrt{3}}{2}$ ⑤ 1

STEP Ⓐ $x=\tan\theta$로 치환하여 삼각치환법 구하기

$x=\tan\theta\left(-\frac{\pi}{2}<\theta<\frac{\pi}{2}\right)$로 놓으면 $\sec^2\theta d\theta=dx$

$x=-1$일 때, $\theta=-\frac{\pi}{4}$이고 $x=1$일 때, $\theta=\frac{\pi}{4}$

$\int_{-1}^1\frac{1}{1+x^2}dx=\int_{-\frac{\pi}{4}}^{\frac{\pi}{4}}\frac{1}{1+\tan^2\theta}\cdot\sec^2\theta d\theta=\int_{-\frac{\pi}{4}}^{\frac{\pi}{4}}\frac{\sec^2\theta}{\sec^2\theta}d\theta$

$=\int_{-\frac{\pi}{4}}^{\frac{\pi}{4}}1 d\theta=\left[\theta\right]_{-\frac{\pi}{4}}^{\frac{\pi}{4}}=\frac{\pi}{2}$

STEP Ⓑ $\sin a$의 값 구하기

따라서 $\sin a=\sin\frac{\pi}{2}=1$

정답 ⑤

1763

정답 ③

STEP A $x=a\tan\theta$로 치환하여 삼각치환법 구하기

$x=a\tan\theta\left(-\frac{\pi}{2}<\theta<\frac{\pi}{2}\right)$로 놓으면 $a\sec^2\theta d\theta=dx$

$x=-a$일 때, $\theta=-\frac{\pi}{4}$이고 $x=a$일 때, $\theta=\frac{\pi}{4}$

$$\int_{-a}^{a}\frac{1}{a^2+x^2}dx=\int_{-\frac{\pi}{4}}^{\frac{\pi}{4}}\frac{1}{a^2+a^2\tan^2\theta}\cdot a\sec^2\theta d\theta$$
$$=\int_{-\frac{\pi}{4}}^{\frac{\pi}{4}}\frac{1}{a^2\sec^2\theta}\cdot a\sec^2\theta d\theta$$
$$=\int_{-\frac{\pi}{4}}^{\frac{\pi}{4}}\frac{1}{a}d\theta$$
$$=\left[\frac{1}{a}\theta\right]_{-\frac{\pi}{4}}^{\frac{\pi}{4}}=\frac{\pi}{2a}$$

따라서 $\frac{\pi}{2a}=\frac{\pi}{6}$이므로 $a=3$

내신연계 출제문항 697

정적분 $\int_{-2}^{2}\frac{1}{x^2+4}dx$의 값은?

① $\frac{\pi}{4}$　② 1　③ $\frac{\pi}{2}$
④ $\frac{3\pi}{4}$　⑤ $\frac{3\pi}{2}$

STEP A $x=2\tan\theta$로 치환하여 삼각치환법 구하기

$x=2\tan\theta\left(-\frac{\pi}{2}<\theta<\frac{\pi}{2}\right)$로 놓으면 $\frac{dx}{d\theta}=2\sec^2\theta$이고

$x=-2$일 때, $\theta=-\frac{\pi}{4}$이고 $x=2$일 때, $\theta=\frac{\pi}{4}$

따라서 $\int_{-2}^{2}\frac{1}{x^2+4}dx=\int_{-\frac{\pi}{4}}^{\frac{\pi}{4}}\frac{1}{4(\tan^2\theta+1)}\cdot 2\sec^2\theta d\theta$
$$=\int_{-\frac{\pi}{4}}^{\frac{\pi}{4}}\frac{1}{2}d\theta=\left[\frac{1}{2}\theta\right]_{-\frac{\pi}{4}}^{\frac{\pi}{4}}=\frac{\pi}{4}$$

정답 ①

1764

정답 ③

STEP A $x=\sqrt{2}\sin\theta$로 치환하여 정적분 계산하기

조건 (가)에서

$x=\sqrt{2}\sin\theta\left(-\frac{\pi}{2}\le\theta\le\frac{\pi}{2}\right)$로 놓으면 $dx=\sqrt{2}\cos\theta d\theta$

$x=0$일 때, $\theta=0$이고 $x=\sqrt{2}$일 때, $\theta=\frac{\pi}{2}$이므로

$$\int_0^{\sqrt{2}}\sqrt{2-x^2}dx=\int_0^{\frac{\pi}{2}}\sqrt{2-2\sin^2\theta}\cdot\sqrt{2}\cos\theta d\theta$$
$$=2\int_0^{\frac{\pi}{2}}\cos^2\theta d\theta$$
$$=2\cdot\frac{\pi}{4}=\frac{\pi}{2}$$

다른풀이 사분원의 넓이를 이용하여 정적분 계산하기

$y=\sqrt{2-x^2}$의 그래프는 중심이 원점이고 반지름의 길이가 $\sqrt{2}$인 원의 위쪽 반원이므로 $\int_0^{\sqrt{2}}\sqrt{2-x^2}dx$의 값은 반지름의 길이가 $\sqrt{2}$인 원의 넓이의 $\frac{1}{4}$과 같다.

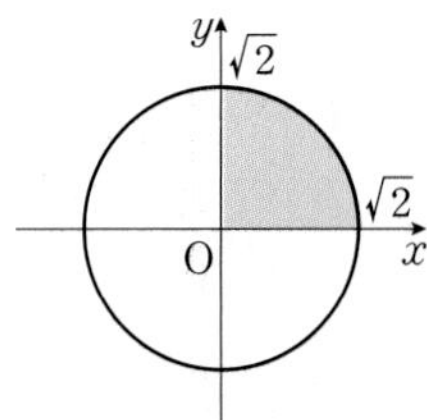

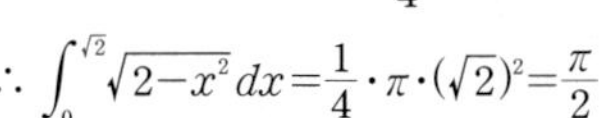
$\therefore\int_0^{\sqrt{2}}\sqrt{2-x^2}dx=\frac{1}{4}\cdot\pi\cdot(\sqrt{2})^2=\frac{\pi}{2}$

STEP B $x=3\tan\theta$로 치환하여 정적분 계산하기

조건 (나)에서

$x=3\tan\theta\left(-\frac{\pi}{2}<\theta<\frac{\pi}{2}\right)$로 놓으면 $3\sec^2\theta d\theta=dx$

$x^2+9=9\tan^2\theta+9=9\sec^2\theta$

$x=0$일 때, $\theta=0$이고 $x=\sqrt{3}$일 때, $\theta=\frac{\pi}{6}$이므로

$$\int_0^{\sqrt{3}}\frac{1}{x^2+9}dx=\int_0^{\frac{\pi}{6}}\frac{3\sec^2\theta d\theta}{9\sec^2\theta}=\int_0^{\frac{\pi}{6}}\frac{1}{3}d\theta=\frac{\pi}{18}$$

따라서 $a=\frac{\pi}{2}$, $b=\frac{\pi}{18}$이므로 $\frac{a}{b}=9$

내신연계 출제문항 698

다음 조건을 만족하는 정적분을 각각 a, b라 할 때, $a-b$의 값은?

(가) $\int_0^{\sqrt{2}}\sqrt{4-x^2}dx=a$
(나) $\int_{-1}^{1}\frac{1}{1+x^2}dx=b$

① $\frac{\pi}{4}$　② 1　③ $\frac{\pi}{2}$
④ $\frac{3}{2}\pi$　⑤ $\frac{\pi}{2}+1$

STEP A $x=2\sin\theta$로 놓고 치환적분을 이용하여 정적분의 값 구하기

조건 (가)에서

$x=2\sin\theta\left(-\frac{\pi}{2}\le\theta\le\frac{\pi}{2}\right)$로 놓으면 $2\cos\theta d\theta=dx$

$x=0$일 때, $\theta=0$이고 $x=\sqrt{2}$일 때, $\theta=\frac{\pi}{4}$이므로

$$\int_0^{\sqrt{2}}\sqrt{4-x^2}dx=4\int_0^{\frac{\pi}{4}}\cos^2\theta d\theta=4\int_0^{\frac{\pi}{4}}\frac{1+\cos 2\theta}{2}d\theta=\frac{\pi}{2}+1$$

STEP B $x=\tan\theta$로 놓고 치환적분을 이용하여 정적분의 값 구하기

조건 (나)에서

$x=\tan\theta\left(-\frac{\pi}{2}<\theta<\frac{\pi}{2}\right)$로 놓으면 $\sec^2\theta d\theta=dx$

$1+x^2=1+\tan^2\theta=\sec^2\theta$

$x=-1$일 때, $\theta=-\frac{\pi}{4}$이고 $x=1$일 때, $\theta=\frac{\pi}{4}$이므로

$$\int_{-1}^{1}\frac{1}{1+x^2}dx=\int_{-\frac{\pi}{4}}^{\frac{\pi}{4}}\frac{1}{\sec^2\theta}\cdot\sec^2\theta d\theta=\int_{-\frac{\pi}{4}}^{\frac{\pi}{4}}d\theta=\left[\theta\right]_{-\frac{\pi}{4}}^{\frac{\pi}{4}}=\frac{\pi}{2}$$

따라서 $a=\frac{\pi}{2}+1$, $b=\frac{\pi}{2}$이므로 $a-b=1$

정답 ②

1765

정답 ②

STEP A $x=\tan\theta$로 놓고 치환적분을 이용하여 정적분의 값 구하기

$x=\tan\theta\left(-\frac{\pi}{2}<\theta<\frac{\pi}{2}\right)$로 놓으면 $\frac{dx}{d\theta}=\sec^2\theta$, 즉 $dx=\sec^2\theta d\theta$이고

$x=\frac{1}{\sqrt{3}}$일 때, $\theta=\frac{\pi}{6}$이고 $x=1$일 때, $\theta=\frac{\pi}{4}$

따라서 $\int_{\frac{1}{\sqrt{3}}}^{1}\frac{1}{x^2\sqrt{1+x^2}}dx=\int_{\frac{\pi}{6}}^{\frac{\pi}{4}}\frac{1}{\tan^2\theta\sqrt{1+\tan^2\theta}}\cdot\sec^2\theta d\theta$
$$=\int_{\frac{\pi}{6}}^{\frac{\pi}{4}}\frac{\sec\theta}{\tan^2\theta}d\theta\ (\because 1+\tan^2\theta=\sec^2\theta)$$
$$=\int_{\frac{\pi}{6}}^{\frac{\pi}{4}}\frac{1}{\cos\theta}\cdot\frac{\cos^2\theta}{\sin^2\theta}d\theta$$
$$=\int_{\frac{\pi}{6}}^{\frac{\pi}{4}}\csc\theta\cdot\cot\theta d\theta=\left[-\csc\theta\right]_{\frac{\pi}{6}}^{\frac{\pi}{4}}$$
$$=-\sqrt{2}-(-2)=2-\sqrt{2}$$

내신연계 출제문항 699

정적분 $\int_{0}^{\ln 3}\frac{1}{3e^{-x}+e^{x}}dx$의 값은?

① $\frac{1}{18}\pi$ ② $\frac{\sqrt{2}}{18}\pi$ ③ $\frac{\sqrt{3}}{18}\pi$

④ $\frac{1}{9}\pi$ ⑤ $\frac{\sqrt{5}}{18}\pi$

STEP A $e^{x}=t$로 치환하여 정적분 정리하기

$\int_{0}^{\ln 3}\frac{1}{3e^{-x}+e^{x}}dx=\int_{0}^{\ln 3}\frac{e^{x}}{3+e^{2x}}dx$에서 $e^{x}=t$라 하면

$e^{x}dx=dt$이고

$x=0$일 때, $t=1$이고 $x=\ln 3$일 때, $t=3$이므로

$\int_{0}^{\ln 3}\frac{e^{x}}{3+e^{2x}}dx=\int_{1}^{3}\frac{1}{3+t^{2}}dt$

STEP B $x=\sqrt{3}\tan\theta$로 놓고 치환적분을 이용하여 정적분의 값 구하기

$\int_{1}^{3}\frac{1}{3+t^{2}}dt$에서 $t=\sqrt{3}\tan\theta\left(-\frac{\pi}{2}<\theta<\frac{\pi}{2}\right)$라 하면

$1=\sqrt{3}\sec^{2}\theta\frac{d\theta}{dt}$이고

$t=1$일 때, $\theta=\frac{\pi}{6}$이고 $t=3$일 때, $\theta=\frac{\pi}{3}$

따라서 $\int_{1}^{3}\frac{1}{3+t^{2}}dt=\int_{\frac{\pi}{6}}^{\frac{\pi}{3}}\left\{\frac{1}{3(1+\tan^{2}\theta)}\cdot\sqrt{3}\sec^{2}\theta\right\}d\theta$

$=\int_{\frac{\pi}{6}}^{\frac{\pi}{3}}\left(\frac{\sqrt{3}}{3}\cdot\frac{1}{\sec^{2}\theta}\cdot\sec^{2}\theta\right)d\theta$

$=\int_{\frac{\pi}{6}}^{\frac{\pi}{3}}\frac{\sqrt{3}}{3}d\theta=\left[\frac{\sqrt{3}}{3}\theta\right]_{\frac{\pi}{6}}^{\frac{\pi}{3}}=\frac{\sqrt{3}}{18}\pi$

 ③

1766

 ④

STEP A 정적분의 값을 구하여 참, 거짓 판단하기

① $\int_{1}^{4}\frac{(2\sqrt{x}-1)^{2}}{x}dx=\int_{1}^{4}\frac{4x-4\sqrt{x}+1}{x}dx=\int_{1}^{4}(4-4x^{-\frac{1}{2}}+x^{-1})dx$

$=\left[4x-8\sqrt{x}+\ln|x|\right]_{1}^{4}=2\ln 2+4$

② $\int_{0}^{1}\frac{9^{x}-1}{3^{x}+1}dx=\int_{0}^{1}\frac{(3^{x}+1)(3^{x}-1)}{3^{x}+1}dx=\int_{0}^{1}(3^{x}-1)dx$

$=\left[\frac{3^{x}}{\ln 3}-x\right]_{0}^{1}=\frac{2}{\ln 3}-1$

③ $\int_{\frac{\pi}{6}}^{\frac{\pi}{4}}\frac{1}{\sin^{2}x-1}dx=-\int_{\frac{\pi}{6}}^{\frac{\pi}{4}}\frac{1}{\cos^{2}x}dx=-\int_{\frac{\pi}{6}}^{\frac{\pi}{4}}\sec^{2}xdx$

$=-\left[\tan x\right]_{\frac{\pi}{6}}^{\frac{\pi}{4}}=-1+\frac{\sqrt{3}}{3}$

④ $\sin x=t$로 놓으면 $\frac{dt}{dx}=\cos x$

$x=0$일 때, $t=0$이고 $x=\frac{\pi}{6}$일 때, $t=\frac{1}{2}$이므로

$\int_{0}^{\frac{\pi}{6}}\cos^{3}xdx=\int_{0}^{\frac{\pi}{6}}\cos^{2}x\cos xdx=\int_{0}^{\frac{\pi}{6}}(1-\sin^{2}x)\cos xdx$

$=\int_{0}^{\frac{1}{2}}(1-t^{2})dt=\left[t-\frac{1}{3}t^{3}\right]_{0}^{\frac{1}{2}}=\frac{11}{24}$ [거짓]

⑤ $x=4\sin\theta\left(-\frac{\pi}{2}<\theta<\frac{\pi}{2}\right)$로 놓으면 $\frac{dx}{d\theta}=4\cos\theta$

$x=2$일 때, $\theta=\frac{\pi}{6}$이고 $x=2\sqrt{3}$일 때, $\theta=\frac{\pi}{3}$이므로

$\int_{2}^{2\sqrt{3}}\frac{1}{\sqrt{16-x^{2}}}dx=\int_{\frac{\pi}{6}}^{\frac{\pi}{3}}\frac{1}{4\cos\theta}\cdot 4\cos\theta d\theta=\int_{\frac{\pi}{6}}^{\frac{\pi}{3}}1d\theta=\left[\theta\right]_{\frac{\pi}{6}}^{\frac{\pi}{3}}=\frac{\pi}{6}$

따라서 정적분의 값이 옳지 않은 것은 ④이다.

내신연계 출제문항 700

다음 정적분의 값이 옳지 않은 것은?

① $\int_{\frac{\pi}{6}}^{\frac{\pi}{2}}\frac{\cos x-\cos^{3}x}{\sin^{2}x}dx=\frac{1}{2}$

② $\int_{0}^{\frac{\pi}{6}}(\sin^{3}x+1)\cos xdx=\frac{33}{64}$

③ $\int_{\frac{\pi}{6}}^{\frac{\pi}{3}}\frac{1}{\sin x\cos x\cot x}dx=\frac{2\sqrt{3}}{3}$

④ $\int_{1}^{e}\ln\sqrt[x]{x}\,dx=1$

⑤ $\int_{-3}^{3}\frac{1}{9+x^{2}}dx=\frac{\pi}{6}$

STEP A 정적분의 값을 구하여 참, 거짓 판단하기

① $\int_{\frac{\pi}{6}}^{\frac{\pi}{2}}\frac{\cos x-\cos^{3}x}{\sin^{2}x}dx=\int_{\frac{\pi}{6}}^{\frac{\pi}{2}}\frac{\cos x(1-\cos^{2}x)}{\sin^{2}x}dx$

$=\int_{\frac{\pi}{6}}^{\frac{\pi}{2}}\frac{\cos x\sin^{2}x}{\sin^{2}x}dx=\int_{\frac{\pi}{6}}^{\frac{\pi}{2}}\cos xdx$

$=\left[\sin x\right]_{\frac{\pi}{6}}^{\frac{\pi}{2}}=1-\frac{1}{2}=\frac{1}{2}$

② $\int_{0}^{\frac{\pi}{6}}(\sin^{3}x+1)\cos xdx$에서 $\sin x=t$로 놓으면 $\cos xdx=dt$이고

$x=0$일 때, $t=0$이고 $x=\frac{\pi}{6}$일 때, $t=\frac{1}{2}$이므로

$\int_{0}^{\frac{\pi}{6}}(\sin^{3}x+1)\cos xdx=\int_{0}^{\frac{1}{2}}(t^{3}+1)dt=\left[\frac{1}{4}t^{4}+t\right]_{0}^{\frac{1}{2}}$

$=\frac{1}{4}\cdot\left(\frac{1}{2}\right)^{4}+\frac{1}{2}-0=\frac{33}{64}$

③ $\int_{\frac{\pi}{6}}^{\frac{\pi}{3}}\frac{1}{\sin x\cos x\cot x}dx=\int_{\frac{\pi}{6}}^{\frac{\pi}{3}}\frac{1}{\sin x\cos x\cdot\frac{\cos x}{\sin x}}dx$

$=\int_{\frac{\pi}{6}}^{\frac{\pi}{3}}\sec^{2}xdx$

$=\left[\tan x\right]_{\frac{\pi}{6}}^{\frac{\pi}{3}}=\tan\frac{\pi}{3}-\tan\frac{\pi}{6}$

$=\sqrt{3}-\frac{\sqrt{3}}{3}=\frac{2\sqrt{3}}{3}$

④ $\int_{1}^{e}\ln\sqrt[x]{x}\,dx=\int_{1}^{e}\frac{1}{x}\ln xdx$에서 $\ln x=t$로 놓으면 $\frac{1}{x}dx=dt$

$x=1$일 때, $t=0$이고 $x=e$일 때, $t=1$

$\int_{1}^{e}\frac{1}{x}\ln xdx=\int_{0}^{1}tdt=\left[\frac{1}{2}t^{2}\right]_{0}^{1}=\frac{1}{2}$

⑤ $x=3\tan\theta\left(-\frac{\pi}{2}<\theta<\frac{\pi}{2}\right)$로 놓으면 $3\sec^{2}\theta d\theta=dx$이고

$x=-3$일 때, $\theta=-\frac{\pi}{4}$이고 $x=3$일 때, $\theta=\frac{\pi}{4}$이므로

$\int_{-3}^{3}\frac{1}{x^{2}+9}dx=\int_{-\frac{\pi}{4}}^{\frac{\pi}{4}}\left\{\frac{1}{9(\tan^{2}\theta+1)}\cdot 3\sec^{2}\theta\right\}d\theta$

$=\int_{-\frac{\pi}{4}}^{\frac{\pi}{4}}\left(\frac{1}{3}\cdot\frac{1}{\sec^{2}\theta}\cdot\sec^{2}\theta\right)d\theta$

$=\int_{-\frac{\pi}{4}}^{\frac{\pi}{4}}\frac{1}{3}d\theta=\left[\frac{1}{3}\theta\right]_{-\frac{\pi}{4}}^{\frac{\pi}{4}}=\frac{\pi}{6}$

따라서 정적분의 값이 옳지 않은 것은 ④이다.

정답 ④

1767

 ⑤

STEP A 정적분의 부분적분법 구하기

$\int_{4}^{8}xf'(x)dx=\left[xf(x)\right]_{4}^{8}-\int_{4}^{8}f(x)dx$

$=8f(8)-4f(4)-35=45$

내신연계 출제문항 701

오른쪽 그림은 미분가능한 함수 $f(x)$의 그래프이다. $f(0)=0$, $f(2)=3$이고 $y=f(x)$와 x축 및 직선 $x=2$로 둘러싸인 부분의 넓이가 1일 때, 정적분 $\int_0^2 2xf'(x)dx$의 값은?

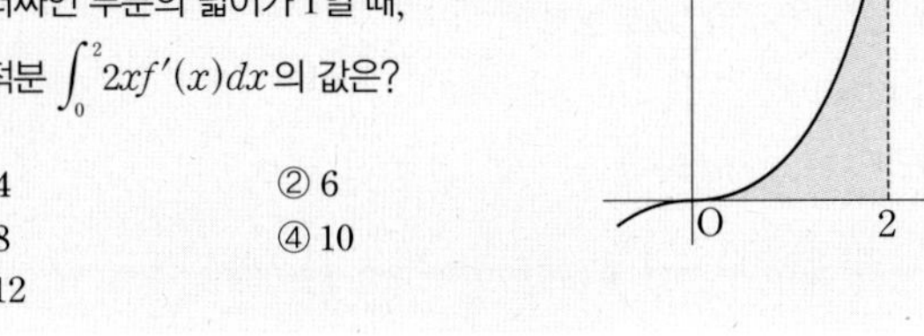

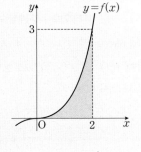

① 4　② 6　③ 8　④ 10　⑤ 12

STEP A 정적분의 부분적분법을 이용하기

$$\int_0^2 2xf'(x)dx=2\int_0^2 xf'(x)dx=2\Big[xf(x)\Big]_0^2-2\int_0^2 f(x)dx$$
$$=2\cdot2f(2)-2\int_0^2 f(x)dx$$

STEP B 주어진 조건을 만족하는 정적분 구하기

이때 $f(2)=3$이고 $y=f(x)$와 x축 및 직선 $x=2$로 둘러싸인 부분의 넓이가 1이므로 $\int_0^2 f(x)dx=1$

따라서 $\int_0^2 2xf'(x)dx=2\cdot2f(2)-2\cdot1=10$　 ④

1768

 ⑤

STEP A 정적분의 부분적분법 구하기

$$\int_1^2 xf''(x)dx=\Big[xf'(x)\Big]_1^2-\int_1^2 f'(x)dx$$
$$=\Big[xf'(x)\Big]_1^2-\Big[f(x)\Big]_1^2$$
$$=(2f'(2)-f'(1))-(f(2)-f(1))$$
$$=2\cdot3-2-(1-1)=4$$

내신연계 출제문항 702

함수 $f(x)$가 모든 실수 x에 대하여 미분가능하고 이계도함수가 연속인 함수 $f(x)$에 대하여

$$\lim_{x\to1}\frac{f(x)-2}{x-1}=3,\ \lim_{x\to3}\frac{f(x)+3}{x-3}=5$$

일 때, 정적분 $\int_1^3 xf''(x)dx$의 값은?

① 15　② 17　③ 19　④ 21　⑤ 23

STEP A 분수꼴의 극한의 성질과 미분계수의 정의를 이용하기

$\lim_{x\to1}\frac{f(x)-2}{x-1}=3$에서

$x\to1$일 때, (분모)$\to0$이고 극한값이 존재하므로 (분자)$\to0$이어야 한다.

즉 $\lim_{x\to1}\{f(x)-2\}=0$이므로 $f(1)=2$

또한, $\lim_{x\to1}\frac{f(x)-2}{x-1}=\lim_{x\to1}\frac{f(x)-f(1)}{x-1}=f'(1)=3$

$\lim_{x\to3}\frac{f(x)+3}{x-3}=5$에서

$x\to3$일 때, (분모)$\to0$이고 극한값이 존재하므로 (분자)$\to0$이어야 한다.

즉 $\lim_{x\to3}\{f(x)+3\}=0$이므로 $f(3)=-3$

또한, $\lim_{x\to3}\frac{f(x)+3}{x-3}=\lim_{x\to1}\frac{f(x)-f(3)}{x-3}=f'(3)=5$

STEP B 정적분의 부분적분법 구하기

따라서 $\int_1^3 xf''(x)dx=\Big[xf'(x)\Big]_1^3-\int_1^3 f'(x)dx$

$$=\Big[xf'(x)\Big]_1^3-\Big[f(x)\Big]_1^3$$
$$=(3f'(3)-f'(1))-(f(3)-f(1))$$
$$=3\cdot5-3-(-3-2)=17$$

정답 ②

1769

 ④

STEP A 정적분의 부분적분법 구하기

$$\int_0^2 f(x)g(x)dx=\int_0^2 f(x)f'(x)dx \quad \Leftarrow f'(x)=g(x)$$
$$=\Big[\{f(x)\}^2\Big]_0^2-\int_0^2 f'(x)f(x)dx$$
$$=\{f(2)\}^2-\{f(0)\}^2-\int_0^2 f'(x)f(x)dx$$
$$=25-9-\int_0^2 f'(x)f(x)dx$$

따라서 $\int_0^2 f(x)g(x)dx=\frac{1}{2}\times16=8$

다른풀이 $f(x)=t$로 놓고 치환적분법으로 풀이하기

$f(x)=t$로 놓으면 $\frac{dt}{dx}=f'(x)=g(x)$이고

$x=0$일 때, $t=3$이고 $x=2$일 때, $t=5$이므로

$\int_0^2 f(x)g(x)dx=\int_3^5 tdt=\Big[\frac{1}{2}t^2\Big]_3^5=8$

참고 $\int_0^2 f(x)g(x)dx=\int_0^2 f(x)f'(x)dx=\Big[\{f(x)\}^2\Big]_0^2-\int_0^2 f(x)f'(x)dx$

내신연계 출제문항 703

두 함수 $f(x)$와 $g(x)$가 다음 조건을 만족시킬 때, $\int_a^b f(x)g(x)dx$의 값은?

> (가) $f'(x)=g(x)$
> (나) $f(a)=3$, $f(b)=5$

① 2　② 4　③ 6　④ 8　⑤ 10

STEP A $f(x)=t$로 치환하여 적분하기

조건 (가)에서 $f(x)=t$로 놓으면 $f'(x)dx=dt$이고

$x=a$일 때, $f(a)$이고 $x=b$일 때, $t=f(b)$이므로

$$\int_a^b f(x)g(x)dx=\int_a^b f(x)f'(x)dx=\int_{f(a)}^{f(b)} tdt$$
$$=\Big[\frac{1}{2}t^2\Big]_{f(a)}^{f(b)}=\frac{1}{2}[\{f(b)\}^2-\{f(a)\}^2]$$

STEP B 조건 (나)를 이용하여 구하기

따라서 $f(b)=5$, $f(a)=3$이므로 $\int_a^b f(x)g(x)dx=\frac{1}{2}(5^2-3^2)=8$　정답 ④

1770

정답 ③

STEP A 부분적분을 이용하여 정적분 계산하기

$f'(x)=\frac{1}{4}g(x)$의 양변을 x에 대하여 적분하면 $f(x)=\frac{1}{4}\int g(x)dx$

$\int g(x)dx=G(x)$로 놓으면 $G(x)=4f(x)$

부분적분법에 의하여

$$\int_a^b f(x)g(x)dx=\Big[f(x)G(x)\Big]_a^b-\int_a^b f'(x)G(x)dx$$
$$=\Big[4\{f(x)\}^2\Big]_a^b-\int_a^b \frac{1}{4}g(x)\cdot 4f(x)dx$$
$$=4[\{f(b)\}^2-\{f(a)\}^2]-\int_a^b f(x)g(x)dx$$

$2\int_a^b f(x)g(x)dx=4[\{f(b)\}^2-\{f(a)\}^2]$

따라서 $\int_a^b f(x)g(x)dx=2[\{f(b)\}^2-\{f(a)\}^2]$

1771

정답 ⑤

STEP A 부분적분을 이용하여 정적분 계산하기

ㄱ. $\int_0^8\{f(x)+xf'(x)\}dx=\int_0^8 f(x)dx+\int_0^8 xf'(x)dx$
$$=\int_0^8 f(x)dx+\Big[xf(x)\Big]_0^8-\int_0^8 f(x)dx$$
$$=\Big[xf(x)\Big]_0^8=8f(8)=96 \text{ [참]}$$

참고 $\int_0^8\{f(x)+xf'(x)\}dx=\int_0^8\frac{d}{dx}\{xf(x)\}dx$

STEP B $\int_0^8 f(x)dx$와 $\int_0^8 xf'(x)dx$의 그래프에서 해석하여 구하기

$f'(x)>0$, $f''(x)<0$이므로 $y=f(x)$는 증가하면서 위로 볼록인 그래프이다.

ㄴ. $\int_0^8 f(x)dx$은 $x=0$에서 $x=8$까지의 정적분이고

$\int_0^8 xf'(x)dx=\Big[xf(x)\Big]_0^8-\int_0^8 f(x)dx=8f(8)-\int_0^8 f(x)dx$이므로

$\int_0^8 xf'(x)dx$는 아래 그림에서 직사각형의 넓이 $8f(8)$에서

정적분 $\int_0^8 f(x)dx$를 뺀 값이므로

항상 $\int_0^8 f(x)dx>\int_0^8 xf'(x)dx$가 성립한다. [참]

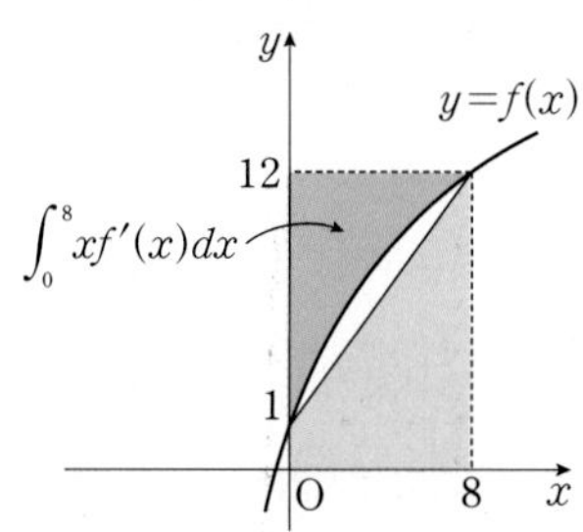

ㄷ. $f'(x)>0$, $f''(x)<0$이므로 $y=f(x)$는 증가하면서 위로 볼록인 그래프이므로 $x=0$에서 $x=8$까지의 정적분 값이 사다리꼴의 넓이보다 항상 크다.

즉 $\int_0^8 f(x)dx>\frac{1}{2}(1+12)\cdot 8=52$ [참]

따라서 항상 옳은 것은 ㄱ, ㄴ, ㄷ이다.

1772

정답 ⑤

STEP A (다항함수)×(지수함수)의 부분적분 구하기

$\int_{-1}^2|x|e^x dx=-\int_{-1}^0 xe^x dx+\int_0^2 xe^x dx$

이때 $f(x)=x$, $g'(x)=e^x$으로 놓으면

$f'(x)=1$, $g(x)=e^x$

$$\int_{-1}^2|x|e^x dx=-\int_{-1}^0 xe^x dx+\int_0^2 xe^x dx$$
$$=\left(-\Big[xe^x\Big]_{-1}^0+\int_{-1}^0 e^x dx\right)+\left(\Big[xe^x\Big]_0^2-\int_0^2 e^x dx\right)$$
$$=-\frac{1}{e}+\Big[e^x\Big]_{-1}^0+2e^2-\Big[e^x\Big]_0^2$$
$$=-\frac{1}{e}+\left(1-\frac{1}{e}\right)+2e^2-(e^2-1)$$
$$=e^2-\frac{2}{e}+2$$

1773

정답 ③

STEP A (다항함수)×(지수함수)의 부분적분 구하기

$$\int_0^1 x^2e^x dx=\Big[x^2e^x\Big]_0^1-\int_0^1 2xe^x dx$$
$$=e-2\int_0^1 xe^x dx$$
$$=e-2\Big[xe^x\Big]_0^1+2\int_0^1 e^x dx$$
$$=-e+2\Big[e^x\Big]_0^1$$
$$=e-2$$

내 신 연 계 출제문항 704

정적분 $\int_0^1(x^2+3)e^x dx$의 값은?

① $3e-2$ ② $4e-3$ ③ $4e-5$
④ $6e-2$ ⑤ $6e+1$

STEP A (다항함수)×(지수함수)의 부분적분 구하기

$$\int_0^1(x^2+3)e^x dx=\Big[(x^2+3)e^x\Big]_0^1-\int_0^1 2xe^x dx$$
$$=4e-3-2\int_0^1 xe^x dx$$
$$=4e-3-2\Big[xe^x\Big]_0^1+2\int_0^1 e^x dx$$
$$=2e-3+2\Big[e^x\Big]_0^1$$
$$=4e-5$$

정답 ③

1774

정답 ⑤

STEP A (다항함수)×(지수함수)의 부분적분 구하기

$$\int_0^2 e^x f(x)dx=\int_0^1 e^x(x+1)dx+\int_1^2 e^x(3-x)dx$$
$$=\Big[(x+1)e^x-e^x\Big]_0^1+\Big[(3-x)e^x+e^x\Big]_1^2$$
$$=2e^2-2e$$

내신연계 출제문항 705

함수 $f(x)=|x-1|$에 대하여 정적분 $\int_0^2 f(x)e^x dx$의 값은?

① e^2-1 ② e^2+1 ③ $2e-2$
④ $2e-1$ ⑤ $e+2$

STEP A (다항함수)×(지수함수)의 부분적분 구하기

$f(x)=|x-1|=\begin{cases}-(x-1) & (x\le 1)\\ x-1 & (x>1)\end{cases}$이므로

$$\int_0^2 f(x)e^x dx=-\int_0^1 (x-1)e^x dx+\int_1^2 (x-1)e^x dx$$
$$=-\Big[(x-1)e^x-e^x\Big]_0^1+\Big[(x-1)e^x-e^x\Big]_1^2$$
$$=2e-2$$

정답 ③

1775

정답 ①

STEP A (다항함수)×(지수함수)의 부분적분 구하기

$f(x)=\frac{e^x-e^{-x}}{2}$에서 $f'(x)=\frac{1}{2}(e^x+e^{-x})$이므로

$$\int_{-1}^1 xf'(x)dx=\frac{1}{2}\int_{-1}^1 (xe^x+xe^{-x})dx=\frac{1}{2}\int_{-1}^1 xe^x dx+\frac{1}{2}\int_{-1}^1 xe^{-x}dx$$
$$=\frac{1}{2}\Big[xe^x-e^x\Big]_{-1}^1+\frac{1}{2}\Big[-xe^{-x}-e^{-x}\Big]_{-1}^1=e^{-1}-e^{-1}=0$$

1776

정답 ⑤

STEP A (다항함수)×(지수함수)의 부분적분 구하기

$f(x)=x^n$, $g'(x)=e^x$으로 놓으면

$f'(x)=nx^{n-1}$, $g(x)=e^x$이므로

$$\mathrm{I}_n=\int_0^1 x^n e^x dx=\Big[x^n e^x\Big]_0^1-\int_0^1 nx^{n-1}e^x dx=e-n\int_0^1 x^{n-1}e^x dx$$

이때 $\mathrm{I}_{n-1}=\int_0^1 x^{n-1}e^x dx$이므로 $\mathrm{I}_n=e-n\mathrm{I}_{n-1}$

따라서 $n\mathrm{I}_{n-1}+\mathrm{I}_n=e$

1777

정답 ③

STEP A $\mathrm{I}_n=\int_0^1 x^n e^x dx$이면 $\mathrm{I}_n=e-n\mathrm{I}_{n-1}$ (단, $n=2, 3, 4, \cdots$)임을 이용하여 참, 거짓 판단하기

ㄱ. $\mathrm{I}_1=\int_0^1 xe^x dx=\Big[xe^x\Big]_0^1-\int_0^1 e^x dx=e-\Big[e^x\Big]_0^1=1$

$\mathrm{I}_2=\int_0^1 x^2e^x dx=\Big[x^2e^x\Big]_0^1-\int_0^1 2xe^x dx$

$=e-2e+\Big[2e^x\Big]_0^1$

$=e-2$ …… ㉠

즉 $\mathrm{I}_1>\mathrm{I}_2$ [참]

ㄴ. $\mathrm{I}_n=\int_0^1 x^n e^x dx=\Big[x^n e^x\Big]_0^1-\int_0^1 nx^{n-1}e^x dx$

$=e-n\mathrm{I}_{n-1}$ …… ㉡

즉 $n\mathrm{I}_{n-1}+\mathrm{I}_n=e$ [거짓]

ㄷ. ㉠, ㉡에 의하여

$\mathrm{I}_4=e-4\mathrm{I}_3=e-4(e-3\mathrm{I}_2)=-3e+12(e-2)=9e-24$ [참]

따라서 옳은 것은 ㄱ, ㄷ이다.

내신연계 출제문항 706

자연수 n에 대하여

$$\mathrm{I}_n=\int_0^1 x^n e^x dx$$

라 할 때, [보기]에서 옳은 것만을 있는 대로 고른 것은?

> ㄱ. $\mathrm{I}_1=1$
> ㄴ. $\mathrm{I}_2=e-1$
> ㄷ. $\mathrm{I}_n=e-n\mathrm{I}_{n-1}$ (단, $n=2, 3, 4, \cdots$)

① ㄱ ② ㄱ, ㄴ ③ ㄱ, ㄷ
④ ㄴ, ㄷ ⑤ ㄱ, ㄴ, ㄷ

STEP A $\mathrm{I}_n=\int_0^1 x^n e^x dx$이면 $\mathrm{I}_n=e-n\mathrm{I}_{n-1}$ (단, $n=2, 3, 4, \cdots$)임을 이용하여 참, 거짓 판단하기

ㄱ. $\mathrm{I}_1=\int_0^1 xe^x dx$에서 $f(x)=x$, $g'(x)=e^x$으로 놓으면

$f'(x)=1$, $g(x)=e^x$

부분적분법에 의하여

$\mathrm{I}_1=\Big[xe^x\Big]_0^1-\int_0^1 e^x dx=e-\Big[e^x\Big]_0^1=e-(e-1)=1$ [참]

ㄴ. $\mathrm{I}_2=\int_0^1 x^2e^x dx$에서 $f(x)=x^2$, $g'(x)=e^x$으로 놓으면

$f'(x)=2x$, $g(x)=e^x$

부분적분법에 의하여

$\mathrm{I}_2=\Big[x^2e^x\Big]_0^1-\int_0^1 2xe^x dx=e-2\int_0^1 xe^x dx=e-2$ [거짓]

ㄷ. $\mathrm{I}_n=\int_0^1 x^n e^x dx$에서 $f(x)=x^n$, $g'(x)=e^x$으로 놓으면

$f'(x)=nx^{n-1}$, $g(x)=e^x$

부분적분법에 의하여

$\mathrm{I}_n=\Big[x^n e^x\Big]_0^1-\int_0^1 nx^{n-1}e^x dx=e-n\int_0^1 x^{n-1}e^x dx$

$=e-n\mathrm{I}_{n-1}(n=2, 3, 4, \cdots)$ [참]

따라서 옳은 것은 ㄱ, ㄷ이다.

정답 ③

1778

정답 ③

STEP A (다항함수)×(삼각함수)의 부분적분 구하기

$\int_0^\pi x\sin 3x dx$에서 $f(x)=x$, $g'(x)=\sin 3x$로 놓으면

$f'(x)=1$, $g(x)=-\frac{1}{3}\cos 3x$이므로

$$\int_0^\pi x\sin 3x dx=\Big[x\cdot\Big(-\frac{1}{3}\cos 3x\Big)\Big]_0^\pi+\frac{1}{3}\int_0^\pi \cos 3x dx$$
$$=\frac{\pi}{3}+\frac{1}{9}\Big[\sin 3x\Big]_0^\pi=\frac{\pi}{3}$$

1779

정답 ②

STEP A (다항함수)×(삼각함수)의 부분적분 구하기

$f(x)=x+1$, $g'(x)=\cos x$로 놓으면

$f'(x)=1$, $g(x)=\sin x$이므로

$$\int_0^{\frac{\pi}{2}}(x+1)\cos x dx=\Big[(x+1)\sin x\Big]_0^{\frac{\pi}{2}}-\int_0^{\frac{\pi}{2}}\sin x dx$$
$$=\Big(\frac{\pi}{2}+1\Big)-\Big[-\cos x\Big]_0^{\frac{\pi}{2}}$$
$$=\frac{\pi}{2}+1-1=\frac{\pi}{2}$$

내/신/연/계/ 출제문항 707

정적분 $\int_0^{\pi} x\cos(\pi-x)dx$의 값은?

① 1　② 2　③ $\pi-1$
④ π　⑤ $\pi+2$

STEP A $f(x)=x,\ g'(x)=-\cos x$**로 놓고 부분적분법을 이용하기**

$\cos(\pi-x)=-\cos x$이므로

$\int_0^{\pi} x\cos(\pi-x)dx=\int_0^{\pi} x(-\cos x)dx$에서

$f(x)=x,\ g'(x)=-\cos x$로 놓으면

$f'(x)=1,\ g(x)=-\sin x$이므로

$$\begin{aligned}\int_0^{\pi} x\cos(\pi-x)dx&=\int_0^{\pi} x(-\cos x)dx\\&=\Big[x(-\sin x)\Big]_0^{\pi}-\int_0^{\pi}1\cdot(-\sin x)dx\\&=0+\Big[-\cos x\Big]_0^{\pi}\\&=-\cos\pi+\cos 0=2\end{aligned}$$

다른풀이 $u(x)=x, v'(x)=\cos(\pi-x)$로 놓고 풀이하기

$u(x)=x,\ v'(x)=\cos(\pi-x)$라 하면

$u'(x)=1,\ v(x)=-\sin(\pi-x)$이므로 부분적분을 이용하면

$$\begin{aligned}\int_0^{\pi} x\cos(\pi-x)dx&=\Big[-x\sin(\pi-x)\Big]_0^{\pi}+\int_0^{\pi}\sin(\pi-x)dx\\&=(-\pi\sin 0)-0+\Big[\cos(\pi-x)\Big]_0^{\pi}\\&=1-(-1)=2\end{aligned}$$

정답 ②

1780

정답 ④

STEP A **(다항함수)×(삼각함수)의 부분적분 구하기**

$f(x)=x,\ g'(x)=\cos kx$로 놓으면

$f'(x)=1,\ g(x)=\frac{1}{k}\sin kx$이므로

$$\begin{aligned}\int_0^{\frac{\pi}{k}} x\cos kx dx&=\Big[x\cdot\frac{1}{k}\sin kx\Big]_0^{\frac{\pi}{k}}-\int_0^{\frac{\pi}{k}}\frac{1}{k}\sin kx dx\\&=0-\Big[-\frac{1}{k^2}\cos kx\Big]_0^{\frac{\pi}{k}}=-\frac{2}{k^2}\end{aligned}$$

이때 $-\frac{2}{k^2}=-\frac{1}{8}$에서 $k^2=16$

따라서 $k>0$이므로 $k=4$

1781

정답 ②

STEP A **(다항함수)×(삼각함수)의 부분적분 구하기**

$\int_0^{\frac{\pi}{2}} x^2\sin x dx$에서 $f(x)=x^2,\ g'(x)=\sin x$로 놓으면

$f'(x)=2x,\ g(x)=-\cos x$이므로

$\int_0^{\frac{\pi}{2}} x^2\sin x dx=\Big[-x^2\cos x\Big]_0^{\frac{\pi}{2}}-\int_0^{\frac{\pi}{2}}(-2x\cos x)dx=\int_0^{\frac{\pi}{2}}2x\cos x dx$

다시 $u(x)=2x,\ v'(x)=\cos x$로 놓으면

$u'(x)=2,\ v(x)=\sin x$

따라서 $\int_0^{\frac{\pi}{2}}2x\cos x dx=\Big[2x\sin x\Big]_0^{\frac{\pi}{2}}-\int_0^{\frac{\pi}{2}}2\sin x dx$

$=\pi-2\Big[-\cos x\Big]_0^{\frac{\pi}{2}}=\pi-2$

내/신/연/계/ 출제문항 708

정적분 $\int_0^{\pi} x(\sin x+\cos x)dx$의 값은?

① $\pi-1$　② $\pi-2$　③ $\pi+1$
④ $\pi+2$　⑤ 2π

STEP A **(다항함수)×(삼각함수)의 부분적분 구하기**

$f(x)=x,\ g'(x)=\sin x+\cos x$로 놓으면

$f'(x)=1,\ g(x)=-\cos x+\sin x$이므로

$$\begin{aligned}\int_0^{\pi} x(\sin x+\cos x)dx&=\Big[x(\sin x-\cos x)\Big]_0^{\pi}-\int_0^{\pi}(\sin x-\cos x)dx\\&=\pi-\Big[-\cos x-\sin x\Big]_0^{\pi}\\&=\pi-(1-(-1))\\&=\pi-2\end{aligned}$$

정답 ②

1782

정답 ②

STEP A **(다항함수)×(삼각함수)의 부분적분 구하기**

$$\begin{aligned}&\int_0^{\pi}\frac{x^3}{x+\cos x}dx-\int_0^{\pi}\frac{x\cos^2 x}{x+\cos x}dx\\&=\int_0^{\pi}\frac{x^3-x\cos^2 x}{x+\cos x}dx\\&=\int_0^{\pi}\frac{x(x-\cos x)(x+\cos x)}{x+\cos x}dx\\&=\int_0^{\pi}(x^2-x\cos x)dx\\&=\int_0^{\pi}x^2dx-\int_0^{\pi}x\cos x dx\\&=\Big[\frac{1}{3}x^3\Big]_0^{\pi}-\Big[x\cdot\sin x\Big]_0^{\pi}+\int_0^{\pi}(1\cdot\sin x)dx\\&=\frac{\pi^3}{3}-0+\Big[-\cos x\Big]_0^{\pi}\\&=\frac{\pi^3}{3}+\{1-(-1)\}\\&=\frac{\pi^3}{3}+2\end{aligned}$$

1783

정답 ①

STEP A **(다항함수)×(삼각함수)의 부분적분 구하기**

$f(x)=x,\ g'(x)=\sec^2 x$로 놓으면

$f'(x)=1,\ g(x)=\tan x$

$$\begin{aligned}\int_0^{\frac{\pi}{3}} x\sec^2 x dx&=\Big[x\tan x\Big]_0^{\frac{\pi}{3}}-\int_0^{\frac{\pi}{3}}\tan x dx\\&=\Big[x\tan x\Big]_0^{\frac{\pi}{3}}-\Big(-\Big[\ln|\cos x|\Big]_0^{\frac{\pi}{3}}\Big)\\&=\frac{\sqrt{3}}{3}\pi+\ln\frac{1}{2}=\frac{\sqrt{3}}{3}\pi-\ln 2\end{aligned}$$

← $\int\tan x dx=\ln|\cos x|+C$

참고 $\int_0^{\frac{\pi}{3}} x\sec^2 x dx=\Big[x\tan x+\ln|\cos x|\Big]_0^{\frac{\pi}{3}}$

1784

정답 ②

STEP A (다항함수)×(로그함수)의 부분적분 구하기

함수 $y=x\ln x$에서 $f(x)=\ln x$, $g'(x)=x$로 놓으면

$f'(x)=\frac{1}{x}$, $g(x)=\frac{1}{2}x^2$

$$\begin{aligned}\int_1^e(4x\ln x)dx&=4\int_1^e(x\ln x)dx\\&=4\left\{\left[\frac{1}{2}x^2\ln x\right]_1^e-\int_1^e\left(\frac{1}{x}\cdot\frac{1}{2}x^2\right)dx\right\}\\&=4\left\{\frac{1}{2}e^2-\left[\frac{1}{4}x^2\right]_1^e\right\}=2e^2-4\left(\frac{1}{4}e^2-\frac{1}{4}\right)\\&=e^2+1\end{aligned}$$

참고 $\int_1^e(4x\ln x)dx$는 함수 $y=4x\ln x$의 그래프에서 구간 $[1, e]$에서 면적과 같다.

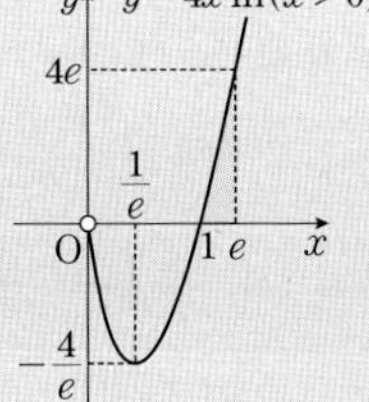

1785

정답 ①

STEP A (다항함수)×(로그함수)의 부분적분 구하기

$\int_{\frac{e}{2}}^e\ln 2xdx$에서 $f(x)=\ln 2x$, $g'(x)=1$로 놓으면

$f'(x)=\frac{1}{2x}\times 2=\frac{1}{x}$, $g(x)=x$

따라서 $$\begin{aligned}\int_{\frac{e}{2}}^e\ln 2xdx&=\left[x\ln 2x\right]_{\frac{e}{2}}^e-\int_{\frac{e}{2}}^e 1dx=\left(e\ln 2e-\frac{e}{2}\ln e\right)-\left[x\right]_{\frac{e}{2}}^e\\&=\left\{e(\ln 2+\ln e)-\frac{e}{2}\right\}-\left(e-\frac{e}{2}\right)\\&=e\ln 2+\frac{e}{2}-\frac{e}{2}=e\ln 2\end{aligned}$$

1786

정답 ③

STEP A 정적분의 성질을 이용하여 정리하기

$$\begin{aligned}&\int_e^{\frac{1}{2}}f(x)dx-\int_2^{\frac{1}{2}}f(x)dx+\int_1^e f(x)dx\\&=\int_e^{\frac{1}{2}}f(x)dx+\int_{\frac{1}{2}}^2 f(x)dx+\int_1^e f(x)dx\\&=\int_1^2 f(x)dx\\&=\int_1^2 x\ln xdx\end{aligned}$$

STEP B (다항함수)×(로그함수)의 부분적분 구하기

$\int_1^2 x\ln xdx$에서 $f(x)=\ln x$, $g'(x)=x$로 놓으면

$f'(x)=\frac{1}{x}$, $g(x)=\frac{1}{2}x^2$

따라서 $$\begin{aligned}\int_1^2 x\ln xdx&=\left[\frac{1}{2}x^2\ln x\right]_1^2-\int_1^2\frac{1}{2}xdx\\&=(2\ln 2-0)-\left[\frac{1}{4}x^2\right]_1^2\\&=2\ln 2-\left(1-\frac{1}{4}\right)\\&=2\ln 2-\frac{3}{4}\end{aligned}$$

1787

정답 ⑤

STEP A (다항함수)×(로그함수)의 부분적분 구하기

$\int_1^e x(1-\ln x)dx=\int_1^e(x-x\ln x)dx=\int_1^e xdx-\int_1^e x\ln xdx$

$\int_1^e xdx=\left[\frac{1}{2}x^2\right]_1^e=\frac{1}{2}e^2-\frac{1}{2}$

$\int_1^e x\ln xdx$에서 $f(x)=\ln x$, $g'(x)=x$로 놓으면

$f'(x)=\frac{1}{x}$, $g(x)=\frac{1}{2}x^2$이므로

$$\begin{aligned}\int_1^e x\ln xdx&=\left[\frac{1}{2}x^2\ln x\right]_1^e-\int_1^e\frac{1}{2}xdx\\&=\left(\frac{1}{2}e^2-0\right)-\left[\frac{1}{4}x^2\right]_1^e\\&=\frac{1}{2}e^2-\left(\frac{1}{4}e^2-\frac{1}{4}\right)\\&=\frac{1}{4}e^2+\frac{1}{4}\end{aligned}$$

따라서 $$\begin{aligned}\int_1^e xdx-\int_1^e x\ln xdx&=\left(\frac{1}{2}e^2-\frac{1}{2}\right)-\left(\frac{1}{4}e^2+\frac{1}{4}\right)\\&=\frac{1}{4}e^2-\frac{3}{4}=\frac{1}{4}(e^2-3)\end{aligned}$$

다른풀이 $f(x)=1-\ln x$, $g'(x)=x$로 놓고 부분적분하기

$f(x)=1-\ln x$, $g'(x)=x$로 놓으면

$f'(x)=-\frac{1}{x}$, $g(x)=\frac{1}{2}x^2$이므로

$$\begin{aligned}\int_1^e x(1-\ln x)dx&=\left[\frac{1}{2}x^2(1-\ln x)\right]_1^e-\int_1^e\left(\frac{1}{2}x^2\right)\left(-\frac{1}{x}\right)dx\\&=\left(\frac{1}{2}e^2-\frac{1}{2}\right)+\int_1^e\frac{1}{2}xdx\\&=\left(\frac{1}{2}e^2-\frac{1}{2}\right)+\left[\frac{1}{4}x^2\right]_1^e\\&=\left(\frac{1}{2}e^2-\frac{1}{2}\right)+\left(\frac{1}{4}e^2-\frac{1}{4}\right)\\&=\frac{1}{4}e^2-\frac{3}{4}\\&=\frac{1}{4}(e^2-3)\end{aligned}$$

내/신/연/계/ 출제문항 709

함수

$$f(x)=\begin{cases}-e^x+e & (x<1)\\ x\ln x & (x\ge 1)\end{cases}$$

일 때, $\int_0^e f(x)dx$의 값은?

① $\frac{1}{4}e^2+\frac{1}{4}$　② $\frac{1}{2}e^2+\frac{1}{4}$　③ $\frac{1}{4}e^2+\frac{5}{4}$
④ $\frac{1}{2}e^2+1$　⑤ $\frac{1}{4}e^2+4$

STEP A (다항함수)×(로그함수)의 부분적분 구하기

$$\begin{aligned}\int_0^e f(x)dx&=\int_0^1(-e^x+e)dx+\int_1^e x\ln xdx\\&=\left[-e^x+ex\right]_0^1+\left(\left[\frac{1}{2}x^2\ln x\right]_1^e-\int_1^e\frac{1}{2}xdx\right)\\&=1+\frac{1}{2}e^2-\left[\frac{1}{4}x^2\right]_1^e\\&=1+\frac{1}{4}e^2+\frac{1}{4}\\&=\frac{1}{4}e^2+\frac{5}{4}\end{aligned}$$

정답 ③

1788

정답 ④

STEP Ⓐ (다항함수)×(로그함수)의 부분적분 구하기

$\int_1^6 \frac{\ln x}{x^2}dx$에서 $f(x)=\ln x$, $g'(x)=\frac{1}{x^2}$로 놓으면

$f'(x)=\frac{1}{x}$, $g(x)=-\frac{1}{x}$이므로

$$\int_1^6 \frac{\ln x}{x^2}dx=\left[-\frac{1}{x}\ln x\right]_1^6-\int_1^6 \frac{1}{x}\cdot\left(-\frac{1}{x}\right)dx$$
$$=-\frac{1}{6}\ln 6-\left[\frac{1}{x}\right]_1^6=\frac{5}{6}-\frac{1}{6}\ln 6$$
$$=\frac{5-\ln 6}{6}$$

참고 $\int \frac{\ln x}{x^n}dx=\frac{x^{1-n}}{1-n}\ln x-\frac{x^{1-n}}{(1-n)^2}+C$ (단, $x\geq 2$)

1789

정답 ⑤

STEP Ⓐ (다항함수)×(로그함수)의 부분적분 구하기

$\int_1^e \frac{\ln x}{x^2}dx$에서 $f(x)=\ln x$, $g'(x)=\frac{1}{x^2}$로 놓으면

$f'(x)=\frac{1}{x}$, $g(x)=-\frac{1}{x}$이므로

$$\int_1^e \frac{\ln x}{x^2}dx=\left[-\frac{1}{x}\ln x\right]_1^e-\int_1^e\left(-\frac{1}{x}\right)\cdot\frac{1}{x}dx=-\frac{1}{e}+\int_1^e\frac{1}{x^2}dx$$
$$=-\frac{1}{e}+\left[-\frac{1}{x}\right]_1^e=-\frac{1}{e}-\frac{1}{e}+1=1-\frac{2}{e}$$

STEP Ⓑ 정적분 계산하기

따라서 $\int_0^1(1+2e^{-x})dx-\int_1^e\frac{\ln x}{x^2}dx$

$$=\left[x-2e^{-x}\right]_0^1-\left\{\left[-\frac{\ln x}{x}\right]_1^e-\int_1^e\left(-\frac{1}{x^2}\right)dx\right\}$$
$$=\left(3-\frac{2}{e}\right)-\left(1-\frac{2}{e}\right)=2$$

내신연계 출제문항 710

$a=\int_1^e\frac{\ln x}{x^2}dx$, $b=\int_{-1}^1|x|e^x dx$일 때, $b-a$의 값은?

① 1 ② 2 ③ 3
④ 4 ⑤ 5

STEP Ⓐ (다항함수)×(로그함수)의 부분적분 구하기

$$a=\int_1^e\frac{\ln x}{x^2}dx$$
$$=\left[-\frac{1}{x}\ln x\right]_1^e-\int_1^e\frac{1}{x}\cdot\left(-\frac{1}{x}\right)dx$$
$$=-\frac{1}{e}-\left[\frac{1}{x}\right]_1^e=1-\frac{2}{e}$$

STEP Ⓑ (다항함수)×(지수함수)의 부분적분 구하기

$$b=\int_{-1}^1|x|e^x dx$$
$$=\int_{-1}^0(-x)e^x dx+\int_0^1 xe^x dx$$
$$=\left[-xe^x\right]_{-1}^0-\int_{-1}^0(-1)e^x dx+\left[xe^x\right]_0^1-\int_0^1 e^x dx$$
$$=-\frac{1}{e}+\left[e^x\right]_{-1}^0+e-\left[e^x\right]_0^1=2-\frac{2}{e}$$

따라서 $b-a=2-\frac{2}{e}-\left(1-\frac{2}{e}\right)=1$

정답 ①

1790

정답 ⑤

STEP Ⓐ (다항함수)×(로그함수)의 부분적분 구하기

$\int_e^{e^2}\frac{\ln x-1}{x^2}dx$에서 $f(x)=\ln x-1$, $g'(x)=\frac{1}{x^2}$로 놓으면

$f'(x)=\frac{1}{x}$, $g(x)=-\frac{1}{x}$

$$\int_e^{e^2}\frac{\ln x-1}{x^2}dx=\left[-\frac{\ln x-1}{x}\right]_e^{e^2}+\int_e^{e^2}\frac{1}{x^2}dx=\left[-\frac{\ln x-1}{x}\right]_e^{e^2}+\left[-\frac{1}{x}\right]_e^{e^2}$$
$$=-\frac{1}{e^2}+\left(-\frac{1}{e^2}+\frac{1}{e}\right)=\frac{e-2}{e^2}$$

다른풀이 치환적분을 이용하여 풀이하기

$\ln x=t$로 놓으면 $\frac{1}{x}dx=dt$

$x=e^2$일 때, $t=2$이고 $x=e$일 때, $t=1$

$$\int_e^{e^2}\frac{\ln x-1}{x^2}dx=\int_1^2\frac{t-1}{x}dt=\int_1^2\frac{t-1}{e^t}dt$$ ← $\ln x=t$에서 $x=e^t$

$$=\int_1^2(t-1)e^{-t}dt=\left[-(t-1)e^{-t}\right]_1^2+\int_1^2 e^{-t}dt$$
$$=-e^{-2}+\left[-e^{-t}\right]_1^2=-2e^{-2}+e^{-1}=-\frac{2}{e^2}+\frac{1}{e}=\frac{e-2}{e^2}$$

1791

정답 ③

STEP Ⓐ $f'(1)=3$을 이용하여 a의 값 구하기

$f(x)=a\ln x+b$에서 $f'(x)=\frac{a}{x}$이므로 $f'(1)=a=3$

STEP Ⓑ 부분적분을 이용하여 b의 값 구하기

$$\int_1^e f(x)dx=\int_1^e(3\ln x+b)dx=\left[3(x\ln x-x)+bx\right]_1^e=be-(-3+b)$$

즉 $be-(-3+b)=2e+1$이므로 $b=2$

따라서 $a=3$, $b=2$이므로 $a+b=5$

1792

정답 ③

STEP Ⓐ 치환적분과 부분적분을 이용하여 참, 거짓 판별하기

① $t=5-x^2$으로 놓으면 $-2xdx=dt$

$x=-1$일 때, $t=4$이고 $x=2$일 때, $t=1$이므로

$$\int_{-1}^2\frac{x}{\sqrt{5-x^2}}dx=-\frac{1}{2}\int_4^1\frac{1}{\sqrt{t}}dt=-\left[\sqrt{t}\right]_4^1=1$$

② $\cot x=\frac{\cos x}{\sin x}$이고 $(\sin x)'=\cos x$이므로

$$\int_{\frac{\pi}{6}}^{\frac{\pi}{3}}\cot x dx=\int_{\frac{\pi}{6}}^{\frac{\pi}{3}}\frac{\cos x}{\sin x}dx=\left[\ln|\sin x|\right]_{\frac{\pi}{6}}^{\frac{\pi}{3}}=\frac{\ln 3}{2}$$

③ $\int_0^{\frac{\pi}{2}}\sin^3 x dx=\int_0^{\frac{\pi}{2}}\sin^2 x\sin x dx=\int_0^{\frac{\pi}{2}}(1-\cos^2 x)\sin x dx$

$\cos x=t$로 놓으면 $-\sin x dx=dt$

$x=0$일 때, $t=1$이고 $x=\frac{\pi}{2}$일 때, $t=0$이므로

$$\int_0^{\frac{\pi}{2}}(1-\cos^2 x)\sin x dx=-\int_1^0(1-t^2)dt=-\left[t-\frac{1}{3}t^3\right]_1^0=\frac{2}{3}$$

④ $\int_0^1 xe^{-3x}dx=\left[-\frac{1}{3}xe^{-3x}\right]_0^1+\int_0^1\frac{1}{3}e^{-3x}dx$

$$=-\frac{1}{3e^3}+\left[-\frac{1}{9}e^{-3x}\right]_0^1=-\frac{4}{9e^3}+\frac{1}{9}$$

⑤ $\int_1^e x\ln x dx=\left[\frac{1}{2}x^2\ln x\right]_1^e-\int_1^e\frac{1}{2}x dx=\frac{e^2}{2}-\left[\frac{1}{4}x^2\right]_1^e=\frac{e^2}{4}+\frac{1}{4}$

따라서 옳지 않은 것은 ③이다.

1793

정답 ④

STEP A (지수함수)×(삼각함수)의 부분적분을 이용하여 구하기

$\text{I}=\int_0^{\frac{\pi}{2}} e^x \sin x dx=\left[e^x \sin x\right]_0^{\frac{\pi}{2}}-\int_0^{\frac{\pi}{2}} e^x \cos x dx$

$=e^{\frac{\pi}{2}}-\left\{\left[e^x \cos x\right]_0^{\frac{\pi}{2}}-\int_0^{\frac{\pi}{2}} e^x(-\sin x)dx\right\}$

$=e^{\frac{\pi}{2}}-(-1+\text{I})=e^{\frac{\pi}{2}}+1-\text{I}$

이므로 $2\text{I}=e^{\frac{\pi}{2}}+1$

STEP B $a+b$의 값 구하기

따라서 $\text{I}=\frac{1}{2}e^{\frac{\pi}{2}}+\frac{1}{2}$이므로 $a=\frac{1}{2}$, $b=\frac{1}{2}$ $\therefore a+b=1$

1794

정답 ②

STEP A (지수함수)×(삼각함수)의 부분적분을 이용하여 구하기

$\int_0^{\pi} e^x \cos x dx$에서 $f(x)=\cos x$, $g'(x)=e^x$으로 놓으면

$f'(x)=-\sin x$, $g(x)=e^x$이므로

$\int_0^{\pi} e^x \cos x dx=\left[e^x \cos x\right]_0^{\pi}+\int_0^{\pi} e^x \sin x dx$ …… ㉠

또, $\int_0^{\pi} e^x \sin x dx$에서 $u(x)=\sin x$, $v'(x)=e^x$으로 놓으면

$u'(x)=\cos x$, $v(x)=e^x$이므로

$\int_0^{\pi} e^x \sin x dx=\left[e^x \sin x\right]_0^{\pi}-\int_0^{\pi} e^x \cos x dx$

$=-\int_0^{\pi} e^x \cos x dx$ …… ㉡

㉡을 ㉠에 대입하면 $\int_0^{\pi} e^x \cos x dx=\left[e^x \cos x\right]_0^{\pi}-\int_0^{\pi} e^x \cos x dx$

따라서 식을 정리하면 $2\int_0^{\pi} e^x \cos x dx=\left[e^x \cos x\right]_0^{\pi}$에서

$\int_0^{\pi} e^x \cos x dx=\frac{1}{2}\left[e^x \cos x\right]_0^{\pi}=\frac{1}{2}(-e^{\pi}-1)=-\frac{1}{2}(e^{\pi}+1)$

내신연계 출제문항 711

등식

$$\int_0^{\pi} e^x \sin x dx=ae^{\pi}+b$$

을 만족시키는 두 유리수 a와 b에 대하여 $a+b$의 값은?

① $-\frac{1}{2}$ ② -1 ③ 0
④ $\frac{1}{2}$ ⑤ 1

STEP A (지수함수)×(삼각함수)의 부분적분을 이용하여 구하기

$\text{I}=\int_0^{\pi} e^x \sin x dx=\left[e^x \sin x\right]_0^{\pi}-\int_0^{\pi} e^x \cos x dx$

$=0-\left\{\left[e^x \cos x\right]_0^{\pi}-\int_0^{\pi} e^x(-\sin x)dx\right\}$

$=0-(-e^{\pi}-1+\text{I})=e^{\pi}+1-\text{I}$

이므로 $2\text{I}=e^{\pi}+1$

STEP B $a+b$의 값 구하기

따라서 $\text{I}=\frac{1}{2}e^{\pi}+\frac{1}{2}$이므로 $a=\frac{1}{2}$, $b=\frac{1}{2}$ $\therefore a+b=1$ 정답 ⑤

1795

정답 ①

STEP A (지수함수)×(삼각함수)의 부분적분을 이용하여 구하기

$\int_0^{\frac{\pi}{2}} e^{-x}(\sin x+\cos x)dx$

$=\left[e^{-x}(-\cos x+\sin x)\right]_0^{\frac{\pi}{2}}-\int_0^{\frac{\pi}{2}} e^{-x}(\cos x-\sin x)dx$

$=e^{-\frac{\pi}{2}}+1-\left[e^{-x}(\sin x+\cos x)\right]_0^{\frac{\pi}{2}}-\int_0^{\frac{\pi}{2}} e^{-x}(\sin x+\cos x)dx$

$=2-\int_0^{\frac{\pi}{2}} e^{-x}(\sin x+\cos x)dx$

따라서 $2\int_0^{\frac{\pi}{2}} e^{-x}(\sin x+\cos x)dx=2$에서 $\int_0^{\frac{\pi}{2}} e^{-x}(\sin x+\cos x)dx=1$

다른풀이 $\int_0^{\frac{\pi}{2}} e^{-x}\sin x dx$를 부분적분하여 정적분 계산하기

$\int_0^{\frac{\pi}{2}} e^{-x}\sin x dx$에서 $f(x)=e^{-x}$, $g'(x)=\sin x$로 놓으면

$f'(x)=-e^{-x}$, $g(x)=-\cos x$

$\int_0^{\frac{\pi}{2}} e^{-x}\sin x dx=\left[-e^{-x}\cos x\right]_0^{\frac{\pi}{2}}-\int_0^{\frac{\pi}{2}} e^{-x}\cos x dx$

$=1-\int_0^{\frac{\pi}{2}} e^{-x}\cos x dx$

따라서 $\int_0^{\frac{\pi}{2}} e^{-x}\sin x dx+\int_0^{\frac{\pi}{2}} e^{-x}\cos x dx=1$이므로

$\int_0^{\frac{\pi}{2}} e^{-x}(\sin x+\cos x)dx=1$

내신연계 출제문항 712

정적분 $\int_0^{\pi} e^{-x}\cos x dx$의 값은?

① $\frac{e^{-\pi}-1}{2}$ ② $e^{-\pi}-1$ ③ $\frac{e^{-\pi}}{2}$
④ $\frac{e^{-\pi}+1}{2}$ ⑤ $e^{-\pi}$

STEP A $\int_0^{\pi} e^{-x}\cos x dx$ 부분적분하기

$f(x)=e^{-x}$, $g'(x)=\cos x$로 놓으면

$f'(x)=-e^{-x}$, $g(x)=\sin x$이므로

$\int_0^{\pi} e^{-x}\cos x dx=\left[e^{-x}\sin x\right]_0^{\pi}+\int_0^{\pi} e^{-x}\sin x dx$

$=\int_0^{\pi} e^{-x}\sin x dx$ …… ㉠

STEP B $\int_0^{\pi} e^{-x}\sin x dx$ 부분적분하기

$\int_0^{\pi} e^{-x}\sin x dx$에서 다시 $u(x)=e^{-x}$, $v'(x)=\sin x$로 놓으면

$u'(x)=-e^{-x}$, $v(x)=-\cos x$이므로

$\int_0^{\pi} e^{-x}\sin x dx=\left[-e^{-x}\cos x\right]_0^{\pi}-\int_0^{\pi} e^{-x}\cos x dx$

$=e^{-\pi}+1-\int_0^{\pi} e^{-x}\cos x dx$ …… ㉡

STEP C 주어진 정적분 구하기

㉠, ㉡에서 $2\int_0^{\pi} e^{-x}\cos x dx=e^{-\pi}+1$

따라서 $\int_0^{\pi} e^{-x}\cos x dx=\frac{e^{-\pi}+1}{2}$ 정답 ④

1796

정답 ③

STEP Ⓐ $x^2=t$로 치환하여 정적분 하기

$x^2=t$로 놓으면 $2xdx=dt$

$x=1$일 때, $t=1$이고 $x=n$일 때, $t=n^2$이므로

$f(n)=\int_1^n (x^2e^{x^2}\cdot x)dx=\int_1^{n^2}\frac{1}{2}te^t dt$

STEP Ⓑ (다항함수)×(지수함수)의 부분적분 구하기

$\int_1^{n^2}\frac{1}{2}te^t dt=\frac{1}{2}\Big[te^t-e^t\Big]_1^{n^2}=\frac{1}{2}(n^2e^{n^2}-e^{n^2})=\frac{e^{n^2}}{2}(n^2-1)$

따라서 $\frac{f(5)}{f(3)}=\frac{12\cdot e^{25}}{4\cdot e^9}=3e^{16}$

내신연계 출제문항 713

수열 $\{a_n\}$에 대하여 $a_n=\int_0^1 x^{2n-1}e^{x^n}dx$일 때, $\sum_{n=1}^{\infty}a_na_{n+1}$의 값은?

① 1　② $\frac{3}{2}$　③ 2

④ 5　⑤ 9

STEP Ⓐ $x^n=t$로 치환하여 정적분 정리하기

$\int_0^1 x^{2n-1}e^{x^n}dx$에서 $x^n=t$로 놓으면 $nx^{n-1}dx=dt$이고

$x=0$일 때, $t=0$이고 $x=1$일 때, $t=1$

$a_n=\int_0^1 x^{2n-1}e^{x^n}dx=\int_0^1 x^n\cdot x^{n-1}e^{x^n}dx=\frac{1}{n}\int_0^1 te^t dt$

STEP Ⓑ (다항함수)×(지수함수)의 부분적분 구하기

$\frac{1}{n}\int_0^1 te^t dt$에서 $u(t)=t$, $v'(t)=e^t$으로 놓으면

$u'(t)=1$, $v(t)=e^t$이므로

$\frac{1}{n}\int_0^1 te^t dt=\frac{1}{n}\left\{\Big[te^t\Big]_0^1-\int_0^1 e^t dt\right\}=\frac{1}{n}\left\{(e-0)-\Big[e^t\Big]_0^1\right\}$

$=\frac{1}{n}\{e-(e-1)\}=\frac{1}{n}$

$a_n=\frac{1}{n}$이므로 $a_na_{n+1}=\frac{1}{n}\cdot\frac{1}{n+1}$

STEP Ⓒ 급수의 성질을 이용하여 구하기

따라서 $\sum_{n=1}^{\infty}a_na_{n+1}=\sum_{n=1}^{\infty}\frac{1}{n(n+1)}=\lim_{n\to\infty}\sum_{k=1}^{n}\frac{1}{k(k+1)}=\lim_{n\to\infty}\sum_{k=1}^{n}\left(\frac{1}{k}-\frac{1}{k+1}\right)$

$=\lim_{n\to\infty}\left\{\left(\frac{1}{1}-\frac{1}{2}\right)+\left(\frac{1}{2}-\frac{1}{3}\right)+\cdots+\left(\frac{1}{n}-\frac{1}{n+1}\right)\right\}$

$=\lim_{n\to\infty}\left(\frac{1}{1}-\frac{1}{n+1}\right)=1$

정답 ①

1797

정답 ④

STEP Ⓐ 치환적분을 이용하여 조건 (나)의 식을 변형하기

$\int_0^1 (x-1)f'(x+1)dx=-4$에서 $x+1=t$로 놓으면 $dx=dt$

$x=0$일 때, $t=1$이고 $x=1$일 때, $t=2$

$\int_0^1 (x-1)f'(x+1)dx=\int_1^2 (t-2)f'(t)dt$

STEP Ⓑ 부분적분을 이용하여 정적분 계산하기

$\int_1^2 (t-2)f'(t)dt=\Big[(t-2)f(t)\Big]_1^2-\int_1^2 f(t)dt=f(1)-\int_1^2 f(t)dt$

$=2-\int_1^2 f(t)dt=-4$

따라서 $\int_1^2 f(x)dx=6$

1798

정답 ④

STEP Ⓐ $\int_0^1 f(x)g'(x)dx=\frac{1}{6}$의 부분적분을 이용하기

$g(x)=x^3$에서 $g(1)=1$, $g(0)=0$

$\int_0^1 f(x)g'(x)dx=\Big[f(x)g(x)\Big]_0^1-\int_0^1 f'(x)g(x)dx$

$=f(1)g(1)-f(0)g(0)-\int_0^1\frac{x^2}{(1+x^3)^2}dx$

$=f(1)-\int_0^1\frac{x^2}{(1+x^3)^2}dx$ …… ㉠

STEP Ⓑ 치환적분을 이용하여 $f(1)$의 값 구하기

$\int_0^1\frac{x^2}{(1+x^3)^2}dx$에서 $1+x^3=t$로 놓으면 $3x^2dx=dt$

$x=0$일 때, $t=1$이고 $x=1$일 때, $t=2$이므로

$\int_0^1\frac{x^2}{(1+x^3)^2}dx=\int_1^2\frac{1}{3}\cdot\frac{1}{t^2}dt=\frac{1}{3}\Big[-\frac{1}{t}\Big]_1^2=\frac{1}{3}\left(-\frac{1}{2}+1\right)=\frac{1}{6}$

㉠에서 $\int_0^1 f(x)g'(x)dx=f(1)-\int_0^1\frac{x^2}{(1+x^3)^2}dx=f(1)-\frac{1}{6}$

따라서 $f(1)-\frac{1}{6}=\frac{1}{6}$에서 $f(1)=\frac{1}{3}$

내신연계 출제문항 714

함수 $f(x)$에 대하여 $f'(x)=\frac{1}{(1+x^2)^2}$이고 함수 $g(x)=x$일 때, $\int_0^1 f(x)g'(x)dx=\frac{1}{4}$이다. 이때 $f(1)$의 값은?

① $\frac{1}{8}$　② $\frac{2}{7}$　③ $\frac{1}{3}$

④ $\frac{5}{9}$　⑤ $\frac{1}{2}$

STEP Ⓐ $\int_0^1 f(x)g'(x)dx=\frac{1}{4}$의 부분적분을 이용하기

$g(x)=x$에서 $g(1)=1$, $g(0)=0$

$\int_0^1 f(x)g'(x)dx=\Big[f(x)g(x)\Big]_0^1-\int_0^1 f'(x)g(x)dx$

$=f(1)g(1)-f(0)g(0)-\int_0^1\frac{x}{(1+x^2)^2}dx$

$=f(1)-\int_0^1\frac{x}{(1+x^2)^2}dx$ …… ㉠

STEP Ⓑ 치환적분을 이용하여 $f(1)$의 값 구하기

$\int_0^1\frac{x}{(1+x^2)^2}dx$에서 $1+x^2=t$로 놓으면 $2xdx=dt$

$x=0$일 때, $t=1$이고 $x=1$일 때, $t=2$이므로

$\int_0^1\frac{x}{(1+x^2)^2}dx=\frac{1}{2}\int_1^2\frac{1}{t^2}dt=\frac{1}{2}\Big[-\frac{1}{t}\Big]_1^2=-\frac{1}{2}\left(\frac{1}{2}-\frac{1}{1}\right)=\frac{1}{4}$

㉠에서 $\int_0^1 f(x)g'(x)dx=f(1)-\int_0^1\frac{1}{(1+x^2)^2}dx=f(1)-\frac{1}{4}$

따라서 $f(1)-\frac{1}{4}=\frac{1}{4}$이므로 $f(1)=\frac{1}{2}$

정답 ⑤

1799

정답 ③

STEP Ⓐ 역함수의 성질과 합성함수의 미분을 이용하여 식 정리하기

$g(x)$는 $f(x)$의 역함수이므로

$g(f(x))=x$의 양변을 x에 대하여 미분하면

$g'(f(x))f'(x)=1$　$\therefore g'(f(x))=\frac{1}{f'(x)}$

STEP B **치환적분법을 이용하여 정적분 구하기**

$\int_{1}^{5}\frac{40}{g'(f(x))\{f(x)\}^2}dx=40\int_{1}^{5}\frac{f'(x)}{\{f(x)\}^2}dx$

$f(x)=t$로 놓으면 $f'(x)dx=dt$

$g(2)=1$, $g(5)=5$에서 $f(1)=2$, $f(5)=5$이므로

$x=1$일 때, $t=2$이고 $x=5$일 때, $t=5$

따라서 $40\int_{1}^{5}\frac{f'(x)}{\{f(x)\}^2}dx=40\int_{2}^{5}\frac{1}{t^2}dt=40\left[-\frac{1}{t}\right]_{2}^{5}=-40\left(\frac{1}{5}-\frac{1}{2}\right)=12$

1800

정답 ⑤

STEP A **역함수의 성질과 역함수의 미분을 이용하여 식을 정리하기**

$f(x)=\sin x$이고 $f(g(x))=x$이므로 $\sin g(x)=x$

양변을 x에 대하여 미분하면 $\cos g(x)g'(x)=1$

$\therefore \frac{1}{g'(x)}=\cos g(x)$

$\int_{\frac{1}{2}}^{1}\frac{1}{g'(x)}dx=\int_{\frac{1}{2}}^{1}\cos g(x)dx=\int_{\frac{1}{2}}^{1}\sqrt{1-\sin^2 g(x)}\,dx=\int_{\frac{1}{2}}^{1}\sqrt{1-x^2}\,dx$

STEP B **삼각치환적분법을 이용하여 $\int_{\frac{1}{2}}^{1}\frac{1}{g'(x)}dx$ 구하기**

$x=\sin\theta\left(-\frac{\pi}{2}\le\theta\le\frac{\pi}{2}\right)$로 놓으면 $dx=\cos\theta d\theta$이고

$x=\frac{1}{2}$일 때, $\theta=\frac{\pi}{6}$이고 $x=1$일 때, $\theta=\frac{\pi}{2}$

따라서 $\int_{\frac{1}{2}}^{1}\sqrt{1-x^2}\,dx=\int_{\frac{\pi}{6}}^{\frac{\pi}{2}}\sqrt{1-\sin^2\theta}\cdot\cos\theta d\theta=\int_{\frac{\pi}{6}}^{\frac{\pi}{2}}\cos^2\theta d\theta$

$=\int_{\frac{\pi}{6}}^{\frac{\pi}{2}}\frac{1+\cos 2\theta}{2}d\theta=\frac{1}{2}\left[\theta+\frac{1}{2}\sin 2\theta\right]_{\frac{\pi}{6}}^{\frac{\pi}{2}}$

$=\frac{\pi}{6}-\frac{\sqrt{3}}{8}$

삼각함수의 덧셈정리를 이용하면

$\cos 2\theta=\cos(\theta+\theta)=\cos\theta\cos\theta-\sin\theta\sin\theta$

$=\cos^2\theta-\sin^2\theta=2\cos^2\theta-1(\because \sin^2\theta+\cos^2\theta=1)$

이므로 $\cos^2\theta=\frac{1+\cos 2\theta}{2}$

다른풀이 치환적분을 이용하여 풀이하기

STEP A **역함수의 성질과 역함수의 미분을 이용하기**

함수 $f(x)$의 역함수가 $g(x)$이므로

$f(g(x))=x$의 양변을 x에 대하여 미분하면 $f'(g(x))g'(x)=1$

즉 $g'(x)=\frac{1}{f'(g(x))}$이므로 $\int_{\frac{1}{2}}^{1}\frac{1}{g'(x)}dx=\int_{\frac{1}{2}}^{1}f'(g(x))dx$

STEP B **$g(x)=t$로 치환하여 정적분 구하기**

이때 $g(x)=t$라 하면 $g'(x)=\frac{1}{f'(t)}$이고 $g'(x)dx=dt$

$x=\frac{1}{2}$이면 $g\left(\frac{1}{2}\right)=t$이므로 $f(t)=\frac{1}{2}$, $\sin t=\frac{1}{2}$ $\therefore t=\frac{\pi}{6}$

$x=1$이면 $g(1)=t$이므로 $f(t)=1$, $\sin t=1$ $\therefore t=\frac{\pi}{2}$

$\int_{\frac{1}{2}}^{1}\frac{1}{g'(x)}dx=\int_{\frac{1}{2}}^{1}f'(g(x))dx=\int_{\frac{\pi}{6}}^{\frac{\pi}{2}}f'(t)\frac{1}{g'(x)}dt$

$=\int_{\frac{\pi}{6}}^{\frac{\pi}{2}}f'(t)f'(t)dt=\int_{\frac{\pi}{6}}^{\frac{\pi}{2}}\{f'(t)\}^2dt$

$=\int_{\frac{\pi}{6}}^{\frac{\pi}{2}}\cos^2 x dx=\int_{\frac{\pi}{6}}^{\frac{\pi}{2}}\frac{1+\cos 2x}{2}dx$

$=\left[\frac{1}{2}x+\frac{1}{4}\sin 2x\right]_{\frac{\pi}{6}}^{\frac{\pi}{2}}=\left(\frac{\pi}{4}+0\right)-\left(\frac{\pi}{12}+\frac{\sqrt{3}}{8}\right)$

$=\frac{\pi}{6}-\frac{\sqrt{3}}{8}$

내신연계 출제문항 715

정의역이 $\{x|x>0\}$인 미분가능한 함수 $f(x)$는 양의 실수 전체의 집합에서 증가한다. 함수 $f(x)$의 역함수를 $g(x)$라 하자.

모든 양의 실수 x에 대하여

$$\int_{2}^{f(x)}g(t)dt=\int_{2}^{x}2dt$$

일 때, $f(4)$의 값은?

① $\ln 2+2$ ② $2\ln 2+2$ ③ $3\ln 2+2$

④ $4\ln 2+2$ ⑤ $5\ln 2+2$

STEP A **양변에 $x=2$를 대입하여 $f(2)$의 값 구하기**

$\int_{2}^{f(x)}g(t)dt=\int_{2}^{x}2dt$의 양변에 $x=2$를 대입하면

$\int_{2}^{f(2)}g(t)dt=\int_{2}^{2}2dt=0$

모든 실수 x에 대하여 $g(x)>0$이므로 $\int_{2}^{f(2)}g(t)dt=0$이려면

$f(2)=2$이어야 한다.

STEP B **양변을 x로 미분하여 $f'(x)$ 구하기**

$\int_{2}^{f(x)}g(t)dt=\int_{2}^{x}2dt$의 양변을 x에 대하여 미분하면

$g(f(x))f'(x)=2$

함수 $g(x)$가 함수 $f(x)$의 역함수이므로 $g(f(x))=x$

$xf'(x)=2$ $\therefore f'(x)=\frac{2}{x}$

STEP C **$f(4)$의 값 구하기**

$f(x)=\int\frac{2}{x}dx=2\ln|x|+C$ (단, C는 적분상수)

$f(2)=2\ln 2+C=2$이므로 $C=2-2\ln 2$

따라서 $x>0$에서 $f(x)=2\ln x+2-2\ln 2$

$f(4)=2\ln 4+2-2\ln 2=2\ln 2+2$

정답 ②

오른쪽 그림에서

$\int_{2}^{f(x)}g(t)dt=xf(x)-\int_{2}^{x}f(t)dt-4$

이므로 $xf(x)-\int_{2}^{x}f(t)dt=3x-2$

양변을 x에 대하여 미분하면

$f(x)+xf'(x)-f(x)=3$ $\therefore f'(x)=\frac{3}{x}$

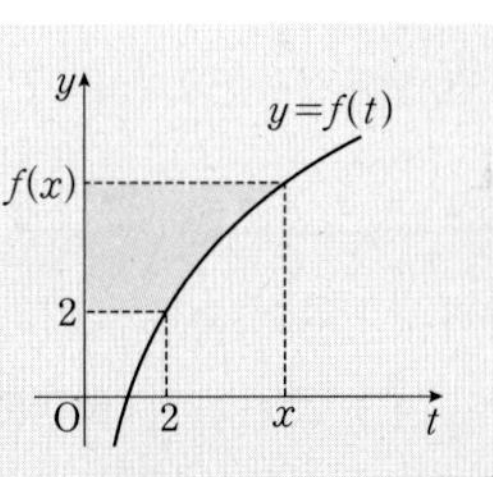

내신연계 출제문항 716

함수 $f(x)=\sin x\left(-\frac{\pi}{2}<x<\frac{\pi}{2}\right)$의 역함수를 $g(x)$라 할 때,

$\int_{\frac{1}{2}}^{\frac{\sqrt{3}}{2}}g'(x)dx$의 값은?

① $\frac{\pi}{6}$ ② $\frac{\pi}{4}$ ③ $\frac{\pi}{3}$

④ $\frac{\pi}{2}$ ⑤ π

STEP A **역함수의 성질을 이용하여 정적분 구하기**

$g\left(\frac{\sqrt{3}}{2}\right)=\alpha$, $g\left(\frac{1}{2}\right)=\beta$라 하면 $\sin\alpha=\frac{\sqrt{3}}{2}$, $\sin\beta=\frac{1}{2}$

$\therefore \alpha=\frac{\pi}{3}$, $\beta=\frac{\pi}{6}\left(\because -\frac{\pi}{2}<x<\frac{\pi}{2}\right)$

$\int_{\frac{1}{2}}^{\frac{\sqrt{3}}{2}}g'(x)dx=\left[g(x)\right]_{\frac{1}{2}}^{\frac{\sqrt{3}}{2}}=g\left(\frac{\sqrt{3}}{2}\right)-g\left(\frac{1}{2}\right)=\alpha-\beta=\frac{\pi}{3}-\frac{\pi}{6}=\frac{\pi}{6}$ 정답 ①

1801

정답 ②

STEP A **역함수의 성질과 역함수의 미분을 이용하여 $g'(x)$ 구하기**

함수 $f(x)$의 역함수가 $g(x)$이므로

$f(g(x))=x$의 양변을 x에 대하여 미분하면

$f'(g(x))g'(x)=1$ …… ㉠

주어진 조건에서 $f'(g(x))=1+\{f(g(x))\}^2=1+x^2$이므로

㉠에서 $g'(x)=\dfrac{1}{1+x^2}$

$\therefore\ g'(1)=\dfrac{1}{2}$

STEP B **삼각치환적분법을 이용하여 $g'(1)\cdot g(1)$ 구하기**

$g(x)=\displaystyle\int\frac{1}{1+x^2}dx$이므로 $x=\tan\theta\left(-\dfrac{\pi}{2}<\theta<\dfrac{\pi}{2}\right)$로 놓으면

$dx=\sec^2\theta d\theta$

$\therefore\ g(\tan\theta)=\displaystyle\int\frac{\sec^2\theta}{1+\tan^2\theta}d\theta=\int\frac{\sec^2\theta}{\sec^2\theta}d\theta=\int 1d\theta=\theta+C$

$f(0)=0$에서 $g(0)=0$이고 $0=\tan\theta$에서 $\theta=0$이므로

$g(0)=0+C=0\quad\therefore\ C=0$

$\therefore\ g(\tan\theta)=\theta$

$1=\tan\theta$에서 $\theta=\dfrac{\pi}{4}$이므로 $g(1)=\dfrac{\pi}{4}$

따라서 $g'(1)\cdot g(1)=\dfrac{1}{2}\cdot\dfrac{\pi}{4}=\dfrac{\pi}{8}$

내신연계 출제문항 717

함수 $f(x)$의 도함수 $f'(x)$와 이계도함수 $f''(x)$가 각각 모든 실수에서 연속이고 함수 $f(x)$의 역함수 $g(x)$의 도함수 $g'(x)$가 모든 실수 x에 대하여 $g'(x)>0$을 만족시킨다.

$f'(0)=1$, $f'(1)=e$일 때, $\displaystyle\int_0^1 f''(x)\ln g'(f(x))dx$의 값은?

(단, 모든 실수 x에 대하여 $f''(x)>0$이다.)

① $-\dfrac{1}{3}$ ② $-\dfrac{1}{2}$ ③ -1

④ -2 ⑤ -3

STEP A **$f(g(x))=x$를 미분하면 $f'(g(x))g'(x)=1$임을 이용하여 $g'(x)$ 구하기**

함수 $f(x)$의 역함수가 $g(x)$이므로

$g(f(x))=x$의 양변을 x에 대하여 미분하면 $g'(f(x))f'(x)=1$

$\therefore\ g'(f(x))=\dfrac{1}{f'(x)}$

$$\begin{aligned}\int_0^1 f''(x)\ln g'(f(x))dx&=\int_0^1 f''(x)\ln\frac{1}{f'(x)}dx\\&=-\int_0^1 f''(x)\ln f'(x)dx\end{aligned}$$

STEP B **부분적분을 이용하여 주어진 식 구하기**

$f'(x)=t$로 놓으면 $f''(x)dx=dt$

$x=0$일 때, $t=1$이고 $x=1$일 때, $t=e$

$-\displaystyle\int_0^1 f''(x)\ln f'(x)dx=-\int_1^e \ln t\,dt$

$p(t)=\ln t$, $q'(t)=1$이라 하면

$p'(t)=\dfrac{1}{t}$, $q(t)=t$

$$\begin{aligned}\text{따라서 }-\int_1^e\ln t\,dt&=-\Big[t\ln t\Big]_1^e+\int_1^e dt=-e+\Big[t\Big]_1^e\\&=-e+(e-1)=-1\end{aligned}$$

정답 ③

04 STEP 1 내신정복기출유형 정적분으로 정의된 함수

1802

정답 ②

STEP A **$\displaystyle\int_0^1 e^t f(t)dt=a$로 치환하여 $f(x)$ 구하기**

$\displaystyle\int_0^1 e^t f(t)dt=a$($a$는 상수)로 놓으면 $f(x)=e^{-x}-a$

STEP B **지수함수의 적분을 이용해서 a 구하기**

$\displaystyle\int_0^1 e^t(e^{-t}-k)dt=a$

$\displaystyle\int_0^1 e^t(e^{-t}-a)dt=\int_0^1(1-ae^t)dt=\Big[t-ae^t\Big]_0^1=1-ae+a=a$에서

$a=\dfrac{1}{e}$, 즉 $f(x)=e^{-x}-\dfrac{1}{e}$

STEP C **$f(-1)$의 값 구하기**

따라서 $f(-1)=e-\dfrac{1}{e}$

1803

정답 ①

STEP A **$\displaystyle\int_0^{\frac{1}{2}} f(t)dt=a$로 치환하여 $f(x)$ 구하기**

$f(x)=\cos\pi x+\displaystyle\int_0^{\frac{1}{2}}f(t)dt$에서 $\displaystyle\int_0^{\frac{1}{2}}f(t)dt=a$($a$는 상수)로 놓으면

$f(x)=\cos\pi x+a$

STEP B **삼각함수의 적분을 이용해서 a구하기**

$a=\displaystyle\int_0^{\frac{1}{2}}f(x)dx=\int_0^{\frac{1}{2}}(\cos\pi x+a)dx=\Big[\frac{1}{\pi}\sin\pi x+ax\Big]_0^{\frac{1}{2}}=\frac{1}{\pi}+\frac{1}{2}a$

$\therefore\ a=\dfrac{2}{\pi}$

STEP C **$f(1)$의 값 구하기**

따라서 $f(x)=\cos\pi x+\dfrac{2}{\pi}$이므로 $f(1)=-1+\dfrac{2}{\pi}$

내신연계 출제문항 718

실수 전체의 집합에서 연속인 함수 $f(x)$가

$$f(x)=\cos\left(\frac{\pi}{2}x\right)-\int_0^1 f(t)dt$$

를 만족시킬 때, $\displaystyle\int_0^1 f(x)dx$의 값은?

① $\dfrac{1}{\pi}$ ② $\dfrac{2}{\pi}$ ③ $\dfrac{3}{\pi}$

④ $\dfrac{4}{\pi}$ ⑤ $\dfrac{5}{\pi}$

STEP A **$\displaystyle\int_0^1 f(t)dt=a$로 치환하여 $f(x)$ 구하기**

$\displaystyle\int_0^1 f(t)dt=a$($a$는 상수)로 놓으면 $f(x)=\cos\left(\dfrac{\pi}{2}x\right)-a$

STEP B **삼각함수의 적분을 이용해서 a 구하기**

$$\begin{aligned}a=\int_0^1 f(t)dt&=\int_0^1\left\{\cos\left(\frac{\pi}{2}t\right)-a\right\}dt=\left[\frac{2}{\pi}\sin\left(\frac{\pi}{2}t\right)-at\right]_0^1\\&=\left(\frac{2}{\pi}-a\right)-0=\frac{2}{\pi}-a\end{aligned}$$

$a=\dfrac{2}{\pi}-a$이므로 $a=\dfrac{1}{\pi}$

따라서 $\displaystyle\int_0^1 f(x)dx=\frac{1}{\pi}$

정답 ①

1804

정답 ⑤

STEP Ⓐ $\int_{1}^{e}\frac{f(t)}{t}dt=a$로 치환하여 $f(x)$ 구하기

$\int_{1}^{e}\frac{f(t)}{t}dt=a$($a$는 상수)로 놓으면 $f(x)=x-a$

STEP Ⓑ 분수함수의 적분을 이용하여 a 구하기

$a=\int_{1}^{e}\frac{t-a}{t}dt=\int_{1}^{e}\left(1-\frac{a}{t}\right)dt$

$=\Big[t-a\ln|t|\Big]_{1}^{e}=e-a-1$

$\therefore\ a=\frac{e-1}{2}$

STEP Ⓒ $f(e)$의 값 구하기

따라서 $f(x)=x-\frac{e-1}{2}$이므로 $f(e)=\frac{e+1}{2}$

1805

정답 ②

STEP Ⓐ $\int_{0}^{1}f(t)dt=a$로 치환하기

$f(x)=\frac{x}{x^2+1}+2\int_{0}^{1}f(t)dt$에서 $\int_{0}^{1}f(t)dt=a$로 놓으면

$f(x)=\frac{x}{x^2+1}+2a$

STEP Ⓑ 치환적분법을 이용하여 a 구하기

$a=\int_{0}^{1}\left(\frac{t}{t^2+1}+2a\right)dt=\frac{1}{2}\int_{0}^{1}\frac{2t}{t^2+1}dt+2a$

$=\frac{1}{2}\Big[\ln(t^2+1)\Big]_{0}^{1}+2a=\frac{1}{2}\ln 2+2a$

$\therefore\ a=-\frac{1}{2}\ln 2$

따라서 $f(x)=\frac{x}{x^2+1}-\ln 2$이므로 $f(0)=-\ln 2$

1806

정답 ③

STEP Ⓐ $\int_{0}^{\frac{\pi}{2}}f(t)dt=a$로 치환하여 $f(x)$ 구하기

$\int_{0}^{\frac{\pi}{2}}f(t)dt=a$($a$는 상수)로 놓으면 $f(x)=x\cos x+a$

STEP Ⓑ 부분적분을 이용해서 a 구하기

$\int_{0}^{\frac{\pi}{2}}f(t)dt=\int_{0}^{\frac{\pi}{2}}(t\cos t+a)dt$

$=\int_{0}^{\frac{\pi}{2}}t\cos t dt+\int_{0}^{\frac{\pi}{2}}a dt$

$=\Big[t\sin t\Big]_{0}^{\frac{\pi}{2}}-\int_{0}^{\frac{\pi}{2}}\sin t dt+\Big[at\Big]_{0}^{\frac{\pi}{2}}$

$=\frac{\pi}{2}-\Big[-\cos t\Big]_{0}^{\frac{\pi}{2}}+\frac{\pi}{2}a$

$=\frac{\pi}{2}-1+\frac{\pi}{2}a$

이때 $\int_{0}^{\frac{\pi}{2}}f(t)dt=a$이므로 $\frac{\pi}{2}-1+\frac{\pi}{2}a=a$에서 $a=-1$

STEP Ⓒ $f(0)$의 값 구하기

따라서 $f(x)=x\cos x-1$이므로 $f(0)=-1$

1807

정답 ②

STEP Ⓐ $\int_{0}^{\frac{\pi}{2}}f(x)\cos x dx=k$로 치환하여 $f(x)$ 구하기

$\int_{0}^{\frac{\pi}{2}}f(x)\cos x dx=k$($k$는 상수) …… ㉠

으로 놓으면 $f(x)=\sin x+2k$ …… ㉡

STEP Ⓑ 삼각함수의 적분을 이용하여 k값 구하기

㉡을 ㉠에 대입하면

$\int_{0}^{\frac{\pi}{2}}f(t)\cos t dt=\int_{0}^{\frac{\pi}{2}}(\sin t+2k)\cos t dt$

$=\int_{0}^{\frac{\pi}{2}}\left(\frac{1}{2}\sin 2t+2k\cos t\right)dt$

$=\Big[-\frac{1}{4}\cos 2t+2k\sin t\Big]_{0}^{\frac{\pi}{2}}$

$=\left(\frac{1}{4}+2k\right)-\left(-\frac{1}{4}\right)=\frac{1}{2}+2k$

즉 $\frac{1}{2}+2k=k$이므로 $k=-\frac{1}{2}$

STEP Ⓒ $f\left(\frac{\pi}{6}\right)$의 값 구하기

따라서 $f(x)=\sin x-1$이므로 $f\left(\frac{\pi}{6}\right)=\frac{1}{2}-1=-\frac{1}{2}$

내신연계 출제문항 719

연속함수 $f(x)$가

$$f(x)=\cos x+\int_{0}^{\frac{\pi}{3}}f(x)\sin x dx$$

를 만족시킬 때, $f\left(\frac{\pi}{3}\right)$의 값은?

① $\frac{3}{2}$　② $\frac{3}{4}$　③ $\frac{5}{4}$　④ $\frac{5}{2}$　⑤ $\frac{3\sqrt{3}}{2}$

STEP Ⓐ $\int_{0}^{\frac{\pi}{3}}f(x)\sin x dx=k$로 치환하여 $f(x)$ 구하기

$\int_{0}^{\frac{\pi}{3}}f(x)\sin x dx=k$($k$는 상수) …… ㉠

으로 놓으면 $f(x)=\cos x+k$ …… ㉡

STEP Ⓑ 삼각함수의 적분을 이용하여 k값 구하기

㉡을 ㉠에 대입하면

$\int_{0}^{\frac{\pi}{3}}f(t)\sin t dt=\int_{0}^{\frac{\pi}{3}}(\cos t+k)\sin t dt$

$=\int_{0}^{\frac{\pi}{3}}\left(\frac{1}{2}\sin 2t+k\sin t\right)dt$

$=\Big[-\frac{1}{4}\cos 2t-k\cos t\Big]_{0}^{\frac{\pi}{3}}$

$=\frac{3}{8}+\frac{1}{2}k$

즉 $k=\frac{3}{8}+\frac{1}{2}k$이므로 $k=\frac{3}{4}$

STEP Ⓒ $f\left(\frac{\pi}{3}\right)$의 값 구하기

따라서 $f(x)=\cos x+\frac{3}{4}$이므로 $f\left(\frac{\pi}{3}\right)=\frac{1}{2}+\frac{3}{4}=\frac{5}{4}$

정답 ③

1808

정답 ③

STEP A $\int_0^1 e^{-t}f(t)dt=a$로 치환하여 $f(x)$ 구하기

$\int_0^1 e^{-t}f(t)dt=a$로 놓으면 $f(x)=x+a$

STEP B 부분적분을 이용하여 a 구하기

$$\int_0^1 e^{-t}f(t)dt=\int_0^1 e^{-t}(t+a)dt=\Big[-e^{-t}(t+a)\Big]_0^1+\int_0^1 e^{-t}dt$$
$$=-\frac{1}{e}(1+a)+a+\Big[-e^{-t}\Big]_0^1=-\frac{2}{e}-\frac{a}{e}+a+1$$

이때 $-\frac{2}{e}-\frac{a}{e}+a+1=a$이므로 $a=e-2$

STEP C $f(2)$의 값 구하기

따라서 $f(x)=x+e-2$이므로 $f(2)=e$

내신연계 출제문항 720

연속함수 $f(x)$가 모든 실수 x에 대하여

$$f(x)=e^x+\int_0^1 tf(t)dt$$

를 만족시킬 때, $\int_0^1 f(x)dx$의 값은?

① $e-1$ ② e ③ $e+1$
④ $2e$ ⑤ $2e+1$

STEP A $\int_0^1 tf(t)dt=k$로 치환하여 $f(x)$ 구하기

$f(x)=e^x+\int_0^1 tf(t)dt$에서 $\int_0^1 tf(t)dt=k$(k는 상수) …… ㉠

로 놓으면 $f(x)=e^x+k$

STEP B 부분적분을 이용해서 k를 구하기

이것을 ㉠에 대입하면 $k=\int_0^1 t(e^t+k)dt$

$$k=\int_0^1 te^t dt+\int_0^1 ktdt=\Big[te^t-e^t\Big]_0^1+\Big[\frac{1}{2}kt^2\Big]_0^1=1+\frac{k}{2}$$

$\therefore k=2$

STEP C $\int_0^1 f(x)dx$의 값 구하기

따라서 $f(x)=e^x+2$이므로

$$\int_0^1 f(x)dx=\int_0^1 (e^x+2)dx=\Big[e^x+2x\Big]_0^1=e+1$$

정답 ③

1809

정답 ①

STEP A $\int_1^e f(t)dt=a$로 치환하여 $f(x)$ 구하기

$f(x)=\ln x+\int_1^e f(t)dt$에서 $\int_1^e f(t)dt=a$로 놓으면 $f(x)=\ln x+a$

STEP B 부분적분을 이용하여 a의 값 구하기

$$\int_1^e f(t)dt=\int_1^e (\ln t+a)dt=\Big[t\ln t\Big]_1^e-\int_1^e 1dt+\Big[at\Big]_1^e$$
$$=e-(e-1)+a(e-1)=a$$

$-(e-2)a=1 \quad \therefore a=-\frac{1}{(e-2)}$

STEP C $f(e^2)$의 값 구하기

따라서 $f(x)=\ln x-\frac{1}{e-2}$이므로 $f(e^2)=2-\frac{1}{e-2}=\frac{2e-5}{e-2}$

1810

정답 ①

STEP A $\int_1^e f(t)dt=a$로 치환하여 $f(x)$ 구하기

$f(x)=x\ln x+\int_1^e f(t)dt$에서 $\int_1^e f(t)dt=a$(a는 상수)로 놓으면

$f(x)=x\ln x+a$

STEP B 부분적분을 이용하여 a의 값 구하기

$$\int_1^e f(t)dt=\int_1^e (t\ln t+a)dt=\Big[\frac{1}{2}t^2\ln t\Big]_1^e-\int_1^e \frac{1}{2}tdt+\Big[at\Big]_1^e$$
$$=\frac{1}{2}e^2-\frac{1}{4}(e^2-1)+a(e-1)=a$$

$-(e-2)a=\frac{e^2+1}{4} \quad \therefore a=-\frac{e^2+1}{4(e-2)}$

STEP C $\int_1^e f(t)dt$의 값 구하기

따라서 $\int_1^e f(t)dt=-\frac{e^2+1}{4(e-2)}$

1811

정답 ③

STEP A 적분구간의 변수를 정하고 $\int_1^e f(t)dt=a$로 치환하기

$$f(x)=\ln x-\int_1^e \frac{f(t)}{x}dt=\ln x-\frac{1}{x}\int_1^e f(t)dt$$

$\int_1^e f(t)dt=a$(a는 상수)라 하면 $f(x)=\ln x-\frac{a}{x}$이므로

STEP B 정적분을 계산하여 a를 구하고 $f(1)$의 값 구하기

$$a=\int_1^e\Big(\ln t-\frac{a}{t}\Big)dt=\int_1^e \ln tdt-a\int_1^e \frac{1}{t}dt$$
$$=\Big[t\ln t\Big]_1^e-\int_1^e t\cdot\frac{1}{t}dt-a\Big[\ln t\Big]_1^e=e-\Big[t\Big]_1^e-a$$
$$=e-(e-1)-a=1-a$$

즉 $a=1-a$에서 $a=\frac{1}{2}$

따라서 $f(x)=\ln x-\frac{1}{2x}$이므로 $f(1)=-\frac{1}{2}$

1812

정답 ④

STEP A $\int_0^1 tf(t)dt=a$로 치환하여 $f(x)$ 구하기

$f(x)=e^{x^2}+\int_0^1 tf(t)dt$에서 $\int_0^1 tf(t)dt=a$(a는 상수)로 놓으면

$f(x)=e^{x^2}+a$

STEP B 치환적분을 이용해서 a 구하기

$$a=\int_0^1 tf(t)dt=\int_0^1 t(e^{t^2}+a)dt=\int_0^1 (te^{t^2}+at)dt$$
$$=\int_0^1 te^{t^2}dt+\Big[\frac{a}{2}t^2\Big]_0^1=\int_0^1 te^{t^2}dt+\frac{a}{2} \quad \cdots\cdots ㉠$$

$t^2=z$로 놓으면 $2tdt=dz$

$t=0$일 때, $z=0$이고 $t=1$일 때, $z=1$이므로

$$\int_0^1 te^{t^2}dt=\int_0^1 \frac{e^z}{2}dz=\Big[\frac{e^z}{2}\Big]_0^1=\frac{e}{2}-\frac{1}{2}$$

㉠에서 $a=\frac{e}{2}-\frac{1}{2}+\frac{a}{2}$이므로 $a=e-1$

STEP C $\int_0^1 xf(x)dx$의 값 구하기

따라서 $\int_0^1 xf(x)dx=\int_0^1 tf(t)dt=a=e-1$

1813

정답 ①

STEP A $\int_{1}^{1} f(x)dx=0$임을 이용하여 $f(1)$의 값 구하기

$xf(x)=3x+\int_{1}^{x} f(t)dt$ …… ㉠

㉠의 양변에 $x=1$을 대입하면

$f(1)=3+0 \quad \therefore f(1)=3$

STEP B 주어진 식의 양변을 x에 대하여 미분하여 $f'(x)$ 구하기

㉠의 양변을 x에 대하여 미분하면 $f(x)+xf'(x)=3+f(x)$

$xf'(x)=3 \quad \therefore f'(x)=\frac{3}{x}$

STEP C $f'(x)$를 적분하여 적분상수를 구한 후 $f\left(\frac{1}{e}\right)$ 구하기

$f(x)=\int \frac{3}{x}dx=3\ln|x|+C$이므로 $f(1)=C=3$

따라서 $f(x)=3\ln|x|+3$에서 $f\left(\frac{1}{e}\right)=3\ln\frac{1}{e}+3=-3+3=0$

내/신/연/계/ 출제문항 721

양의 실수 전체의 집합에서 정의된 미분가능한 함수 $f(x)$가 $x>0$인 모든 실수 x에 대하여

$$\int_{1}^{x} f(t)dt=xf(x)-2x$$

를 만족시킬 때, $f(e)$의 값은?

① 2　② 4　③ 6
④ 8　⑤ 10

STEP A $\int_{1}^{1} f(x)dx=0$임을 이용하여 $f(1)$의 값 구하기

$\int_{1}^{x} f(t)dt=xf(x)-2x$ …… ㉠

㉠의 양변에 $x=1$을 대입하면

$0=f(1)-2 \quad \therefore f(1)=2$

STEP B 주어진 식의 양변을 x에 대하여 미분하여 $f'(x)$ 구하기

㉠의 양변을 x에 대하여 미분하면 $f(x)=f(x)+xf'(x)-2$

$f'(x)=\frac{2}{x}$

STEP C $f'(x)$를 적분하여 적분상수를 구한 후 $f(e)$ 구하기

$f(x)=\int \frac{2}{x}dx=2\ln|x|+C$ (단, C는 적분상수)

$f(1)=0+C=2$이므로 $C=2$

따라서 $f(x)=2\ln|x|+2=2\ln x+2$이므로 $f(e)=2\ln e+2=4$  ②

1814

 ②

STEP A $\int_{0}^{0} f(t)dt=0$을 이용하여 a의 값 구하기

$\int_{0}^{x} f(t)dt=e^{x}+ax+a$ …… ㉠

㉠의 양변에 $x=0$을 대입하면

$0=e^{0}+a=1+a \quad \therefore a=-1$

STEP B 양변을 미분하여 $f(x)$ 구하기

㉠의 양변을 x에 대하여 미분하면 $f(x)=e^{x}+a$

STEP C $f(\ln 2)$의 값 구하기

따라서 $f(x)=e^{x}-1$이므로 $f(\ln 2)=e^{\ln 2}-1=2-1=1$

1815

정답 ②

STEP A $\int_{e}^{e} f(t)dt=0$을 이용하여 k의 값 구하기

$\int_{e}^{x} f(t)dt=x\ln x-x+k$ …… ㉠

㉠의 양변에 $x=e$를 대입하면

$0=e-e+k \quad \therefore k=0$

STEP B 양변을 미분하여 $f(x)$ 구하기

㉠의 양변을 x에 대하여 미분하면

$f(x)=\ln x+1-1=\ln x$

STEP C $f(e)$의 값 구하기

따라서 $f(e)=\ln e=1$이므로 $f(e)=k=1+0=1$

1816

 ②

STEP A $\int_{0}^{0} f(t)dt=0$을 이용하여 a의 값 구하기

$\int_{0}^{x} f(t)dt=\cos 2x+ax^{2}+a$ …… ㉠

㉠의 양변에 $x=0$을 대입하면

$\cos 0+a\cdot 0^{2}+a=0 \quad \therefore a=-1$

STEP B 주어진 식에 a의 값을 대입한 후 양변을 미분하여 $f(x)$ 구하기

$a=-1$을 대입하면

$\int_{0}^{x} f(t)dt=\cos 2x-x^{2}-1$

㉠의 양변을 x에 대하여 미분하면

$f(x)=-2\sin 2x-2x$

따라서 $f\left(\frac{\pi}{2}\right)=-2\sin\pi-\pi=-\pi$

1817

 ②

STEP A $\int_{\frac{\pi}{2}}^{\frac{\pi}{2}} f(t)dt=0$을 이용하여 $f\left(\frac{\pi}{2}\right)$의 값 구하기

$xf(x)=x^{2}\sin x+\int_{\frac{\pi}{2}}^{x} f(t)dt$ …… ㉠

㉠의 양변에 $x=\frac{\pi}{2}$를 대입하면

$\frac{\pi}{2}f\left(\frac{\pi}{2}\right)=\frac{\pi^{2}}{4}\sin\frac{\pi}{2}+0 \quad \therefore f\left(\frac{\pi}{2}\right)=\frac{\pi}{2}$

STEP B 양변을 미분하여 $f(x)$ 구하기

㉠의 양변을 x에 대하여 미분하면

$f(x)+xf'(x)=2x\sin x+x^{2}\cos x+f(x)$

$xf'(x)=2x\sin x+x^{2}\cos x$

$f'(x)=2\sin x+x\cos x$

$\therefore f(x)=\int(2\sin x+x\cos x)dx$

$=-\cos x+x\sin x+C$ …… ㉡

STEP C $f(\pi)$의 값 구하기

㉡의 양변에 $x=\frac{\pi}{2}$를 대입하면

$f\left(\frac{\pi}{2}\right)=\frac{\pi}{2}+C=\frac{\pi}{2} \quad \therefore C=0$

따라서 $f(x)=-\cos x+x\sin x$이므로 $f(\pi)=-\cos\pi+\pi\sin\pi=1$

내신연계 출제문항 722

모든 실수 x에서 미분가능한 함수 $f(x)$가

$$\int_0^x f(t)dt = xf(x) - x^2\sin x$$

를 만족시킨다. $f(\pi)=2$일 때, $f\left(\frac{\pi}{2}\right)$의 값은?

① $\frac{\pi}{2}$　② $\frac{\pi}{2}+1$　③ π
④ $\pi+1$　⑤ $\pi+2$

STEP Ⓐ **양변을 x에 대하여 미분하여 $f'(x)$ 구하기**

$\int_0^x f(t)dt = xf(x) - x^2\sin x$의 양변을 x에 대하여 미분하면

$f(x)=f(x)+xf'(x)-2x\sin x - x^2\cos x$

$f'(x)=2\sin x + x\cos x$

STEP Ⓑ **부분적분을 이용하여 $f(x)$ 구하기**

$f(x)=\int(2\sin x + x\cos x)dx$

$= -2\cos x + \int x\cos x dx$ …… ㉠

$\int x\cos x dx = x\sin x - \int \sin x dx$

$= x\sin x + \cos x + C$ …… ㉡

㉡을 ㉠에 대입하여 정리하면 $f(x)=x\sin x - \cos x + C$

STEP Ⓒ **$f(\pi)=2$를 이용하여 적분상수를 구한 후 $f\left(\frac{\pi}{2}\right)$의 값 구하기**

이때 $f(\pi)=2$에서 $1+C=2$, $C=1$

따라서 $f(x)=x\sin x - \cos x + 1$이므로 $f\left(\frac{\pi}{2}\right)=\frac{\pi}{2}+1$

정답 ②

1818

정답 ③

STEP Ⓐ **$\int_1^1 f(t)dt=0$을 이용하여 $f(1)$의 값 구하기**

$\int_1^x f(t)dt = xf(x) - x^2e^{-x}$ …… ㉠

㉠의 양변에 $x=1$을 대입하면 $0=f(1)-e^{-1}$　$\therefore f(1)=e^{-1}$

STEP Ⓑ **양변을 미분하여 $f(x)$구하기**

㉠의 양변을 x에 대하여 미분하면

$f(x)=f(x)+xf'(x)-(2xe^{-x}-x^2e^{-x})$

$f'(x)=(2-x)e^{-x}$

$\therefore f(x)=\int(2-x)e^{-x}dx = -(2-x)e^{-x} - \int e^{-x}dx$

$=(x-1)e^{-x}+C$ …… ㉡

STEP Ⓒ **$f(3)$의 값 구하기**

㉡의 양변에 $x=1$을 대입하면 $f(1)=C=e^{-1}$　$\therefore f(x)=(x-1)e^{-x}+e^{-1}$

따라서 $f(3)=2e^{-3}+e^{-1}$

내신연계 출제문항 723

함수 $f(x)$가

$$xf(x)=x^2e^x+\int_1^x f(t)dt$$

일 때, $f(2)$의 값은?

① $2e^2$　② $3e^2$　③ $3e^2-1$
④ $3e^2-e$　⑤ $3e^2+e$

STEP Ⓐ **$\int_1^1 f(t)dt=0$을 이용하여 $f(1)$의 값 구하기**

$xf(x)=x^2e^x+\int_1^x f(t)dt$ …… ㉠

㉠의 양변에 $x=1$을 대입하면 $f(1)=e$

STEP Ⓑ **양변을 미분하여 $f(x)$ 구하기**

양변을 x에 대하여 미분하면 $f(x)+xf'(x)=(x^2+2x)e^x+f(x)$

$f'(x)=(x+2)e^x$

$\therefore f(x)=\int(x+2)e^x dx=(x+2)e^x-\int e^x dx$

$=(x+1)e^x+C$ …… ㉡

㉡의 양변에 $x=1$을 대입하면 $f(1)=2e+C=e$　$\therefore C=-e$

STEP Ⓒ **$f(2)$의 값 구하기**

따라서 $f(x)=(x+1)e^x-e$이므로 $f(2)=3e^2-e$

정답 ④

1819

정답 ②

STEP Ⓐ **$\int_e^e f(t)dt=0$을 이용하여 $f(e)$의 값 구하기**

$xf(x)-\int_e^x f(t)dt = x^2\ln x$ …… ㉠

㉠의 양변에 $x=e$를 대입하면 $ef(e)-\int_e^e f(t)dt=e^2\ln e$, $ef(e)=e^2$

$\therefore f(e)=e$

STEP Ⓑ **주어진 식의 양변을 x에 대하여 미분하여 $f'(x)$ 구하기**

㉠의 양변을 x에 대하여 미분하면 $f(x)+xf'(x)-f(x)=2x\ln x+x$

$xf'(x)=2x\ln x+x$　$\therefore f'(x)=2\ln x+1$ ($\because x>0$)

STEP Ⓒ **$f'(x)$를 적분하여 적분상수를 구한 후 $f(1)$ 구하기**

$\therefore f(x)=\int(2\ln x+1)dx=2(x\ln x - x)+x+C=2x\ln x - x + C$

$f(e)=e$이므로 $f(e)=2e\ln e - e + C = e + C$

즉 $e=e+C$　$\therefore C=0$

따라서 $f(x)=2x\ln x - x$이므로 $f(1)=-1$

내신연계 출제문항 724

양의 실수 전체의 집합에서 정의된 미분 가능한 함수 $f(x)$가

$$xf(x)=x^2\ln x+\int_1^x f(t)dt$$

를 만족시킬 때, $f(e)$의 값은?

① $e-1$　② e　③ $e+1$
④ $e+2$　⑤ $2e$

STEP Ⓐ **$\int_1^1 f(t)dt=0$을 이용하여 $f(1)$의 값 구하기**

$xf(x)=x^2\ln x+\int_1^x f(t)dt$ …… ㉠

㉠의 양변에 $x=1$을 대입하면 $f(1)=\ln 1+\int_1^1 f(t)dt=0$

$\therefore f(1)=0$

STEP Ⓑ **주어진 식의 양변을 x에 대하여 미분하여 $f'(x)$ 구하기**

주어진 등식의 양변을 x에 대하여 미분하면

$f(x)+xf'(x)=2x\ln x + x^2\cdot\frac{1}{x}+f(x)$

$xf'(x)=2x\ln x + x$

$\therefore f'(x)=2\ln x+1$ ($\because x>0$)

STEP C $f'(x)$를 적분하여 적분상수를 구한 후 $f(e)$ 구하기

$\therefore f(x)=\int(2\ln x+1)dx=2(x\ln x-x)+x+C=2x\ln x-x+C$

$f(1)=0$이므로 $f(1)=2\ln 1-1+C=0$

$\therefore C=1$

따라서 $f(x)=2x\ln x-x+1$이므로 $f(e)=2e\ln e-e+1=e+1$  ③

1820

 ④

STEP A **양변을 x에 대하여 미분하여 $f'(x)$ 구하기**

$xf(x)=x\ln x+\int_e^x f(t)dt$ …… ㉠

㉠의 양변을 x에 대하여 미분하면

$f(x)+xf'(x)=\ln x+1+f(x)$

$f'(x)=\frac{\ln x}{x}+\frac{1}{x}$

STEP B **$\ln x=t$로 치환하여 치환적분을 이용하여 구하기**

$f(x)=\int f'(x)dx=\int\left(\frac{\ln x}{x}+\frac{1}{x}\right)dx$

$=\int\frac{\ln x}{x}dx+\int\frac{1}{x}dx$

$\int\frac{\ln x}{x}dx$에서 $\ln x=t$로 놓으면 $\frac{dt}{dx}=\frac{1}{x}$이므로

$\int\frac{\ln x}{x}dx=\int t\,dt=\frac{1}{2}t^2+C_1$ (단, C_1은 적분상수)

$=\frac{1}{2}(\ln x)^2+C_1$

$f(x)=\frac{1}{2}(\ln x)^2+\ln x+C$ (단, C는 적분상수) …… ㉡

STEP C **적분상수를 구하여 $f(e^3)$ 구하기**

㉠의 양변에 $x=e$를 대입하면

$ef(e)=e \quad \therefore f(e)=1$

㉡에서 $f(e)=\frac{1}{2}+1+C$이므로

$\frac{3}{2}+C=1$에서 $C=-\frac{1}{2}$

따라서 $f(x)=\frac{1}{2}(\ln x)^2+\ln x-\frac{1}{2}$이므로 $f(e^3)=\frac{1}{2}\times 3^2+3-\frac{1}{2}=7$

1821

 ①

STEP A **$f(x)=\int_0^x\frac{1}{e^t+1}dt$를 미분하여 $f'(x)$ 구하기**

$f(x)=\int_0^x\frac{1}{e^t+1}dt$에서 양변을 x에 대하여 미분하면

$f'(x)=\frac{1}{e^x+1}$

STEP B **$f(x)+1=t$로 치환하여 치환적분을 이용하여 구하기**

$\int_0^a\frac{\ln\{f(x)+1\}}{e^x+1}dx$에서 $f(x)+1=t$로 놓으면

양변을 x에 대하여 미분하면 $f'(x)dx=dt$

즉 $\frac{1}{e^x+1}dx=dt$

또, $x=0$일 때, $f(0)=0$이므로 $t=f(0)+1=1$

$x=a$일 때, $f(a)=2$이므로 $t=f(a)+1=3$

따라서 $\int_0^a\frac{\ln\{f(x)+1\}}{e^x+1}dx=\int_1^3\ln t\,dt=\Big[t\ln t\Big]_1^3-\int_1^3 1dt$

$=3\ln 3-\Big[x\Big]_1^3=3\ln 3-2$

내신연계 출제문항 725

함수 $f(x)=\int_0^x\frac{1}{e^t-1}dt$에 대하여 $f(a)=3$이 성립할 때,

정적분 $\int_0^a\frac{\ln\{f(x)+1\}}{e^x-1}dx$의 값은? (단, a는 실수)

① $4\ln 2-3$ ② $6\ln 2-3$ ③ $8\ln 2-3$
④ $4\ln 2+1$ ⑤ $8\ln 2+3$

STEP A **$f(x)=\int_0^x\frac{1}{e^t-1}dt$를 미분하여 $f'(x)$ 구하기**

$f(x)=\int_0^x\frac{1}{e^t-1}dt$에서 양변을 x에 대하여 미분하면

$f'(x)=\frac{1}{e^x-1}$

STEP B **$f(x)+1=t$로 치환하여 치환적분을 이용하여 구하기**

$\int_0^a\frac{\ln\{f(x)+1\}}{e^x-1}dx$에서 $f(x)+1=t$로 놓고

양변을 x로 미분하면 $f'(x)dx=dt$

즉 $\frac{1}{e^x-1}dx=dt$

또, $x=0$일 때, $f(0)=0$이므로 $t=f(0)+1=1$

$x=a$일 때, $f(a)=3$이므로 $t=f(a)+1=4$

따라서 $\int_0^a\frac{\ln\{f(x)+1\}}{e^x-1}dx=\int_1^4\ln t\,dt=\Big[t\ln t\Big]_1^4-\int_1^4 1dt$

$=4\ln 4-\Big[x\Big]_1^4=8\ln 2-3$ 정답 ③

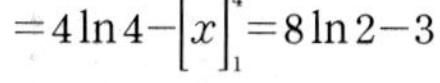

1822

 ②

STEP A **양변을 x에 대하여 미분하여 $f'(x)$ 구하기**

$f(x)=\int_0^x\frac{1}{1+t^6}dt$의 양변을 x에 대하여 미분하면

$f'(x)=\frac{1}{1+x^6}$

STEP B **$f(x)=t$로 치환하여 정적분 구하기**

$\int_0^a\frac{e^{f(x)}}{1+x^6}dx$에서 $f(x)=t$로 놓으면 $\frac{dt}{dx}=\frac{1}{1+x^6}$이고

$x=a$에서 $t=f(a)=\frac{1}{2}$

$x=0$에서 $t=f(0)=0\left(\because f(0)=\int_0^0\frac{1}{1+t^3}dt=0\right)$

따라서 $\int_0^a\frac{e^{f(x)}}{1+x^3}dx=\int_0^{\frac{1}{2}}e^t dt=\Big[e^t\Big]_0^{\frac{1}{2}}=e^{\frac{1}{2}}-1=\sqrt{e}-1$

다른풀이 $e^{f(x)}=t$로 치환하여 주어진 정적분의 값을 구하기

STEP A **$f(x)=\int_0^x\frac{1}{1+t^6}dt$를 미분하여 $\int_0^a\frac{e^{f(x)}}{1+x^6}dx$에 대입하기**

$f(x)=\int_0^x\frac{1}{1+t^6}dt$의 양변을 x에 대하여 미분하면

$f'(x)=\frac{1}{1+x^6}$이므로 $\int_0^a\frac{e^{f(x)}}{1+x^6}dx=\int_0^a e^{f(x)}\cdot f'(x)dx$

STEP B **$e^{f(x)}=t$로 치환하여 주어진 정적분의 값을 구하기**

$e^{f(x)}=t$로 놓으면 $f'(x)e^{f(x)}dx=dt$

$\therefore \frac{e^{f(x)}}{1+x^6}dx=dt$

$x=a$에서 $t=e^{f(a)}=e^{\frac{1}{2}}=\sqrt{e}$

$x=0$에서 $t=e^{f(0)}=e^0=1\left(\because f(0)=\int_0^0\frac{1}{1+t^6}dt=0\right)$

따라서 $\int_0^a\frac{e^{f(x)}}{1+x^6}dx=\int_1^{\sqrt{e}}1dt=\sqrt{e}-1$

내신연계 출제문항 726

함수 $f(x)=\int_0^x \frac{1}{1+t^3}dt$가 $f(a)=3$을 만족시킬 때,

$\int_0^a \frac{e^{f(x)}}{1+x^3}dx$의 값은? (단, a는 상수이다.)

① $e-1$ ② $\sqrt{e}-1$ ③ e^3-1
④ 1 ⑤ e^6-1

STEP Ⓐ **양변을 x에 대하여 미분하여 $f'(x)$ 구하기**

$f(x)=\int_0^x \frac{1}{1+t^3}dt$의 양변을 x에 대하여 미분하면

$f'(x)=\frac{1}{1+x^3}$

STEP Ⓑ **$f(x)=t$로 치환하여 정적분 구하기**

$\int_0^a \frac{e^{f(x)}}{1+x^3}dx$에서 $f(x)=t$로 놓으면 $\frac{dt}{dx}=\frac{1}{1+x^3}$이고

$x=a$에서 $t=f(a)=3$

$x=0$에서 $t=f(0)=0\left(\because f(0)=\int_0^0 \frac{1}{1+t^3}dt=0\right)$

따라서 $\int_0^a \frac{e^{f(x)}}{1+x^3}dx=\int_0^3 e^t dt=\left[e^t\right]_0^3=e^3-1$

정답 ③

1823

STEP Ⓐ **$x-t=u$로 치환하여 $\int_0^x f(x-t)dt$ 정리하기**

$\int_0^x f(x-t)dt=e^{2x}+e^x-2$에서 $x-t=u$로 놓으면 $-dt=du$이고

$t=0$일 때, $u=x$이고 $t=x$일 때, $u=0$이므로

$\int_0^x f(x-t)dt=-\int_x^0 f(u)du=\int_0^x f(u)du$

STEP Ⓑ **양변을 x에 대하여 미분하여 $f(x)$ 구하기**

즉 $\int_0^x f(u)du=e^{2x}+e^x-2$이므로

양변을 x에 대하여 미분하면 $f(x)=2e^{2x}+e^x$

따라서 $f(\ln 3)=2e^{2\ln 3}+e^{\ln 3}=2\times 9+3=21$

1824

STEP Ⓐ **$\int_k^k f(x)dx=0$을 이용하여 b 구하기**

주어진 등식의 양변에 $x=0$을 대입하면

$0=1-b \quad \therefore b=1$

좌변을 정리하면

$\int_0^x (x-t)f(t)dt=x\int_0^x f(t)dt-\int_0^x tf(t)dt$이므로

$x\int_0^x f(t)dt-\int_0^x tf(t)dt=e^x-ax-b$

STEP Ⓑ **x에 대하여 미분하여 $\int_k^k f(x)dx=0$을 이용하여 a 구하기**

위의 양변을 x에 대하여 미분하면

$(x)'\int_0^x f(t)dt+x\left(\int_0^x f(t)dt\right)'-\left(\int_0^x tf(t)dt\right)'=e^x-a$

$\int_0^x f(t)dt=e^x-a$ …… ㉠

㉠에 $x=0$을 대입하면 $0=1-a \quad \therefore a=1$

따라서 $a=1$, $b=1$이므로 $a+b=2$

1825

STEP Ⓐ **$\int_k^k f(x)dx=0$과 x에 대하여 미분하여 a, b 구하기**

주어진 등식의 양변에 $x=1$을 대입하면

$0=a+b \quad \therefore a+b=0$ …… ㉠

좌변을 정리하면

$\int_1^x (x-t)f(t)dt=x\int_1^x f(t)dt-\int_1^x tf(t)dt$이므로

$x\int_1^x f(t)dt-\int_1^x tf(t)dt=x^2\ln x+ax+b$

양변을 x에 대하여 미분하면

$\int_1^x f(t)dt+xf(x)-xf(x)=2x\ln x+x^2\cdot\frac{1}{x}+a$

$=2x\ln x+x+a$

$\therefore \int_1^x f(t)dt=2x\ln x+x+a$

양변에 다시 $x=1$을 대입하면

$0=0+1+a$ …… ㉡

㉠, ㉡을 연립하여 풀면 $a=-1$, $b=1$

STEP Ⓑ **$\int_1^2 f(x)dx$의 값 구하기**

$\int_1^x f(t)dt=2x\ln x+x-1$이므로 양변을 x에 대하여 미분하면

$f(x)=2\ln x+2x\cdot\frac{1}{x}+1=2\ln x+3$

따라서 $\int_1^2 f(x)dx=\int_1^2 (2\ln x+3)dx=\left[2x\ln x-2x+3x\right]_1^2$

$=4\ln 2+2-1=4\ln 2+1$

$\int_1^x f(t)dt=2x\ln x+x-1$이므로 $x=2$를 대입하면

$\int_1^2 f(t)dt=4\ln 2+2-1=4\ln 2+1$

1826

STEP Ⓐ **$\int_a^x (x-t)f'(t)dt$를 포함한 등식을 미분하기**

$f(x)=xe^x+x+\int_0^x (x-t)f'(t)dt$

$=xe^x+x+x\int_0^x f'(t)dt-\int_0^x tf'(t)dt$

양변을 x에 대하여 미분하면

$f'(x)=e^x+xe^x+1+\int_0^x f'(t)dt+xf'(x)-xf'(x)$

$f'(x)=e^x+xe^x+1+\left[f(x)\right]_0^x=(x+1)e^x+1+f(x)-f(0)$

STEP Ⓑ **$f(0)=0$임을 이용하여 식을 정리하기**

또, 조건식에 $x=0$을 대입하면 $f(0)=0$이므로

$f'(x)-f(x)=(x+1)e^x+1$

STEP Ⓒ **$f'(2)-f(2)$의 값 구하기**

따라서 $f'(2)-f(2)=3e^2+1$

1827

정답 ②

STEP A $\int_a^x (x-t)f(t)dt$를 포함한 등식을 미분하여 $f(x)$ 구하기

$\int_0^x f(t)dt = x + \int_0^x (x-t)f(t)dt$에서

$\int_0^x f(t)dt = x + x\int_0^x f(t)dt - \int_0^x tf(t)dt$

양변을 x에 대하여 미분하면

$f(x) = 1 + \int_0^x f(t)dt + xf(x) - xf(x)$

$f(x) = 1 + \int_0^x f(t)dt$ …… ㉠

또, 양변을 x에 대하여 미분하면 $f'(x) = f(x)$

STEP B $\frac{f'(x)}{f(x)} = 1$을 이용하여 $f(x)$ 구하기

$f'(x) = f(x)$에서 $\frac{f'(x)}{f(x)} = 1$

양변을 x에 대하여 적분하면

$\int \frac{f'(x)}{f(x)}dx = \int dx$

$\ln|f(x)| = x + C$, $|f(x)| = e^{x+C}$

$f(x) = e^{x+C}$

㉠에 $x=0$을 대입하면

$f(0) = 1$이므로 $C=0$ $\therefore f(x) = e^x$

STEP C $\int_0^1 xf(x)dx$의 값 구하기

따라서 $\int_0^1 xf(x)dx = \int_0^1 xe^x dx = \left[xe^x - e^x\right]_0^1 = 0-(0-e^0) = 1$

내신연계 출제문항 727

미분가능한 함수 $f(x)$가 모든 실수 x에서 $f(x) > 0$이고,

$$\int_0^x f(t)dt = 3x + \int_0^x (x-t)f(t)dt$$

를 만족시킬 때, $f(2)$의 값은?

① 1 ② 2 ③ e
④ $2e$ ⑤ $3e^2$

STEP A $\int_a^x (x-t)f(t)dt$를 포함한 등식을 미분하기

$\int_0^x f(t)dt = 3x + x\int_0^x f(t)dt - \int_0^x tf(t)dt$의

양변을 x에 대하여 미분하면

$f(x) = 3 + \int_0^x f(t)dt + xf(x) - xf(x)$

$f(x) = 3 + \int_0^x f(t)dt$ …… ㉠

STEP B $\frac{f'(x)}{f(x)} = 1$을 이용하여 $f(x)$ 구하기

양변을 x에 대하여 미분하면

$f'(x) = f(x)$

$f(x) > 0$이므로 $\frac{f'(x)}{f(x)} = 1$에서 양변을 x에 대하여 적분하면

$\ln|f(x)| = x + C$ $\therefore f(x) = e^{x+C}$

한편 ㉠에서 $f(0) = 3$이므로 $C = \ln 3$

STEP C $f(2)$의 값 구하기

따라서 $f(x) = e^{x+\ln 3} = 3e^x$이므로 $f(2) = 3e^2$

정답 ⑤

1828

정답 ②

STEP A 양변을 x에 대하여 미분하기

$\int_0^x xf(t)dt = x\int_0^x f(t)dt$이므로

$\sin 2x + x\int_0^x f(t)dt = ax + \int_0^x tf(t)dt$의 양변을 x에 대하여 미분하면

$2\cos 2x + \int_0^x f(t)dt + xf(x) = a + xf(x)$

STEP B $\int_k^k f(x)dx = 0$임을 이용하여 a의 값 구하기

즉 $\int_0^x f(t)dt = a - 2\cos 2x$ …… ㉠

㉠의 양변에 $x=0$을 대입하면

$0 = a-2$, 즉 $a=2$

STEP C $af\left(\frac{\pi}{4}\right)$의 값 구하기

㉠의 양변을 x에 대하여 미분하면

$f(x) = 4\sin 2x$

따라서 $a \times f\left(\frac{\pi}{4}\right) = 2 \times 4\sin\frac{\pi}{2} = 8$

내신연계 출제문항 728

실수 전체의 집합에서 연속인 함수 $f(x)$가 모든 실수 x에 대하여

$$x\int_0^x f(t)dt - \int_0^x tf(t)dt = ae^{2x} - 4x + b$$

를 만족시킬 때, $f(a)f(b)$의 값은? (단, a, b는 상수이다.)

① 16 ② $8e$ ③ 36
④ 64 ⑤ $8e^2$

STEP A 원래의 식과 미분한 식에 $x=0$을 대입하여 a, b의 값 구하기

$x\int_0^x f(t)dt - \int_0^x tf(t)dt = ae^{2x} - 4x + b$ …… ㉠

㉠의 양변에 $x=0$을 대입하면 $0 = a+b$ …… ㉡

㉠의 양변을 x에 대하여 미분하면

$\int_0^x f(t)dt + xf(x) - xf(x) = 2ae^{2x} - 4$

즉 $\int_0^x f(t)dt = 2ae^{2x} - 4$ …… ㉢

㉢의 양변에 $x=0$을 대입하면

$0 = 2a-4$ $\therefore a=2$

㉡에서 $b=-2$

STEP B $f(a)f(b)$의 값 구하기

$\int_0^x f(t)dt = 4e^{2x} - 4$의 양변을 x에 대하여 미분하면

$f(x) = 8e^{2x}$

따라서 $f(a)f(b) = f(2)f(-2) = (8e^4) \times (8e^{-4}) = 64e^{4-4} = 64$

정답 ④

III 적분법

1829

정답 ①

STEP Ⓐ $x-t=z$로 치환하여 치환적분법을 이용하여 $F'(x)$ 구하기

$F(x)=\int_0^x tf(x-t)dt$에서 $x-t=z$로 놓고 t에 대하여 미분하면

$-dt=dz$

$t=0$일 때, $z=x$이고 $t=x$일 때, $z=0$이므로

$$\begin{aligned}F(x)&=\int_0^x tf(x-t)dt\\&=\int_x^0(x-z)f(z)\cdot(-1)dz\\&=\int_0^x(x-z)f(z)dz\\&=x\int_0^x f(z)dz-\int_0^x zf(z)dz\end{aligned}$$

양변을 x에 대하여 미분하면

$$\begin{aligned}F'(x)&=\int_0^x f(z)dz+xf(x)-xf(x)\\&=\int_0^x f(z)dz\\&=\int_0^x\frac{1}{1+z}dz\\&=\Big[\ln|1+z|\Big]_0^x\\&=\ln(1+x)\ (\because x\geq 0)\end{aligned}$$

STEP Ⓑ $F'(a)=\ln 10$을 만족하는 a의 값을 구하기

따라서 $F'(a)=\ln(1+a)=\ln 10$에서 $1+a=10$이므로 $a=9$

다른풀이 대칭성을 이용하여 정적분 계산하기

$F(x)=\int_0^x tf(x-t)dt\ (x\geq 0)$

함수 $y=tf(x-t)$의 그래프를 직선 $t=\frac{x}{2}$에 대하여 대칭이동하면

함수 $y=(x-t)f(t)$의 그래프이므로

$$\begin{aligned}F(x)&=\int_0^x tf(x-t)dt\\&=\int_0^x(x-t)f(t)dt\\&=x\int_0^x f(t)dt-\int_0^x tf(t)dt\end{aligned}\quad\cdots\cdots ㉠$$

㉠의 양변을 x에 대하여 미분하면

$F'(x)=\int_0^x f(t)dt+xf(x)-xf(x)=\int_0^x f(t)dt$

$F'(a)=\int_0^a\frac{1}{1+t}dt=\Big[\ln|1+t|\Big]_0^a=\ln(1+a)$

$F'(a)=\ln 10$에서 $\ln(1+a)=\ln 10$, $1+a=10$

따라서 $a=9$

함수의 그래프의 대칭성을 이용한 정적분

닫힌구간 $[0, a]$에서 연속인 함수 $f(x)$에 대하여 $y=f(a-x)$와 $y=f(x)$의 그래프가 직선 $x=\frac{a}{2}$에 대하여 대칭이고 적분구간이 $[0, a]$이기 때문에 다음이 성립한다.

$$\int_0^a f(a-x)dx=\int_0^a f(x)dx$$

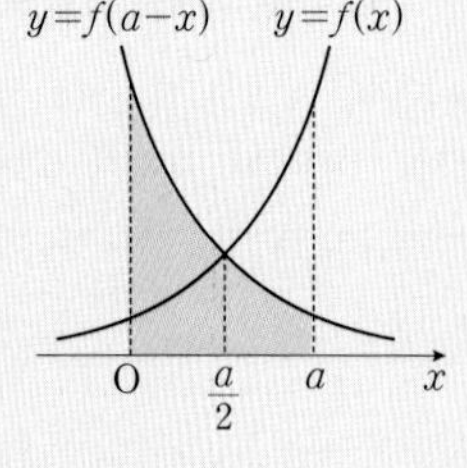

1830

정답 ③

STEP Ⓐ $x-t=z$로 치환하여 치환적분법을 이용하여 양변을 미분하기

$x-t=z$로 놓고 t에 대하여 미분하면 $-dt=dz$

$t=0$일 때, $z=x$이고 $t=x$일 때, $z=0$이므로

$$\begin{aligned}\int_0^x tf(x-t)dt&=-\int_x^0(x-z)f(z)dz\\&=\int_0^x(x-z)f(z)dz\\&=x\int_0^x f(z)dz-\int_0^x zf(z)dz\end{aligned}$$

즉 $x\int_0^x f(z)dz-\int_0^x zf(z)dz=-4\sin 3x+ax$ ······ ㉠

㉠의 양변을 x에 대하여 미분하면

$\int_0^x f(z)dz+xf(x)-xf(x)=-12\cos 3x+a$

STEP Ⓑ 상수 a 구하기

$\int_0^x f(z)dz=-12\cos 3x+a$ ······ ㉡

㉡의 양변에 $x=0$을 대입하면 $0=-12+a$

따라서 $a=12$

내신연계 출제문항 729

연속함수 $f(x)$가

$$\int_0^x tf(x-t)dt=-2\sin 2x+kx$$

를 만족시킬 때, 상수 k의 값은?

① 2 ② 4 ③ 6
④ 8 ⑤ 10

STEP Ⓐ $x-t=z$로 치환하여 치환적분법을 이용하여 정리하기

$x-t=z$로 놓으면 $-dt=dz$이고

$t=0$일 때, $z=x$이고 $t=x$일 때, $z=0$

$$\begin{aligned}\int_0^x tf(x-t)dt&=-\int_x^0(x-z)f(z)dz\\&=\int_0^x(x-z)f(z)dz\\&=x\int_0^x f(z)dz-\int_0^x zf(z)dz\end{aligned}$$

$\therefore x\int_0^x f(z)dz-\int_0^x zf(z)dz=-2\sin 2x+kx$ ······ ㉠

㉠의 양변을 x에 대하여 미분하면

$\int_0^x f(z)dz+xf(x)-xf(x)=-4\cos 2x+k$

$\therefore \int_0^x f(z)dz=-4\cos 2x+k$ ······ ㉡

STEP Ⓑ 상수 k 구하기

㉡의 양변에 $x=0$을 대입하면 $0=-4+k$

따라서 $k=4$

정답 ②

1831

정답 ②

STEP A $x-t=z$로 치환하여 치환적분법을 이용하여 양변을 미분하기

$f(x)=\int_0^x t\sin(x-t)dt$에서 $x-t=z$로 놓고 t에 대하여 미분하면

$-dt=dz$

$t=0$일 때, $z=x$이고 $t=x$일 때, $z=0$이므로

$$f(x)=\int_x^0 (x-z)\sin z\cdot(-1)dz$$
$$=\int_0^x (x-z)\sin z dz$$
$$=x\int_0^x \sin z dz-\int_0^x z\sin z dz$$

양변을 x에 대하여 미분하면

$$f'(x)=\int_0^x \sin z dz+x\sin x-x\sin x=\int_0^x \sin z dz$$
$$=\Big[-\cos z\Big]_0^x=-\cos x+1$$

STEP B $f'\left(\frac{\pi}{3}\right)$의 값 구하기

따라서 $f'(x)=1-\cos x$이므로 $f'\left(\frac{\pi}{3}\right)=1-\frac{1}{2}=\frac{1}{2}$

다른풀이 부분적분법을 이용하여 $f(x)$ 구하여 미분계수 구하기

$f(x)=\int_0^x t\sin(x-t)dt$에서 $u(t)=t$, $v'(t)=\sin(x-t)$로 놓으면

$u'(t)=1$, $v(t)=\cos(x-t)$이므로

$$f(x)=\Big[t\cos(x-t)\Big]_0^x-\int_0^x 1\cdot\cos(x-t)dt$$
$$=x-\Big[-\sin(x-t)\Big]_0^x$$
$$=x-\sin x$$

이때 $f'(x)=1-\cos x$이므로 $f'(0)=0$

따라서 $f'(x)=1-\cos x$이므로 $f'\left(\frac{\pi}{3}\right)=1-\frac{1}{2}=\frac{1}{2}$

내신연계 출제문항 730

함수 $f(x)=\int_0^x t\sin(x-t)dt$에 대하여 $\lim_{x\to 0}\frac{f'(x)}{x^2}$의 값은?

① $\frac{1}{3}$ ② $\frac{1}{2}$ ③ 1
④ 2 ⑤ 3

STEP A $x-t=z$로 치환하여 치환적분법을 이용하여 양변을 미분하기

$x-t=z$로 놓으면 $-dt=dz$이고

$t=0$일 때, $z=x$이고 $t=x$일 때, $z=0$

$$f(x)=-\int_x^0 (x-z)\sin z dz$$
$$=x\int_0^x \sin z dz-\int_0^x z\sin z dz$$
$$f'(x)=\int_0^x \sin z dz+x\sin x-x\sin x$$
$$=\Big[-\cos z\Big]_0^x=1-\cos x$$

STEP B 삼각함수의 극한을 이용하여 극한값 구하기

따라서 $\lim_{x\to 0}\frac{f'(x)}{x^2}=\lim_{x\to 0}\frac{1-\cos x}{x^2}=\lim_{x\to 0}\frac{(1-\cos x)(1+\cos x)}{x^2(1+\cos x)}$

$$=\lim_{x\to 0}\frac{1-\cos^2 x}{x^2(1+\cos x)}=\lim_{x\to 0}\frac{\sin^2 x}{x^2}\cdot\frac{1}{1+\cos x}$$
$$=1\cdot\frac{1}{1+1}=\frac{1}{2}$$

정답 ②

1832

정답 ②

STEP A 함수 $f(x)$의 증감표를 작성하기

$f(x)=\int_1^x (1-\ln t)dt$에서 $f'(x)=1-\ln x$

$f'(x)=0$에서 $\ln x=1$, $x=e$

함수 $f(x)$의 증가와 감소를 표로 나타내면 다음과 같다.

x	1	$\cdots$	e	$\cdots$
$f'(x)$		+	0	−
$f(x)$	0	↗	극대	↘

STEP B $x=a$에서 극댓값 b 구하기

이때 $f(e)=\int_1^e (1-\ln t)dt=\Big[2t-t\ln t\Big]_1^e=e-2$이므로

함수 $f(x)$는 $x=e$에서 극댓값 $e-2$를 갖는다.

따라서 $a=e$, $b=e-2$이므로 $a-b=2$

내신연계 출제문항 731

함수 $f(x)$가 $x>0$에서 $f(x)=\int_e^x \frac{\ln t}{t}dt$일 때, $f(x)$의 극솟값은?

① -2 ② -1 ③ $-\frac{1}{2}$
④ 1 ⑤ 2

STEP A 함수 $f(x)$의 증감표를 작성하기

$f(x)=\int_e^x \frac{\ln t}{t}dt$의 양변을 x에 대하여 미분하면

$f'(x)=\frac{\ln x}{x}$

$f'(x)=0$에서 $x=1$

$x>0$에서 함수 $f(x)$의 증가와 감소를 표로 나타내면 다음과 같다.

x	(0)	$\cdots$	1	$\cdots$
$f'(x)$		−	0	+
$f(x)$		↘	극소	↗

STEP B 함수 $f(x)$의 극솟값 구하기

$f(x)$는 $x=1$에서 극솟값 $f(1)$을 갖는다.

따라서 $f(x)=\int_e^1 \frac{\ln x}{x}dx=\Big[\frac{1}{2}t^2\Big]_1^0=-\frac{1}{2}$ ⬅ $\ln x=t$로 치환하면 $\frac{1}{x}dx=dt$이고 $x=e$일 때, $t=1$, $x=1$일 때, $t=0$

정답 ③

1833

정답 ①

STEP A 함수 $f(x)$의 증감표를 작성하기

$f(x)=\int_0^x(\sqrt{t}-t)dt$에서 $f'(x)=\sqrt{x}-x$

$f'(x)=0$에서 $\sqrt{x}(1-\sqrt{x})=0$, 즉 $x=1$

함수 $f(x)$의 증가와 감소를 표로 나타내면 다음과 같다.

x	(0)	$\cdots$	1	$\cdots$
$f'(x)$		+	0	−
$f(x)$	0	↗	극대	↘

STEP B 함수 $f(x)$의 극댓값 구하기

함수 $f(x)$는 $x=1$에서 극대이고 극댓값 $f(1)$을 갖는다.

따라서 $f(1)=\int_0^1(\sqrt{t}-t)dt=\left[\frac{2}{3}t^{\frac{3}{2}}-\frac{1}{2}t^2\right]_0^1=\frac{1}{6}$

내신연계 출제문항 732

$x>0$일 때, 함수 $f(x)=\int_0^x(\sqrt{2t}-t)dt$의 극댓값은?

① $\frac{2}{3}$ ② 1 ③ $\frac{3}{2}$
④ 2 ⑤ 4

STEP A 함수 $f(x)$의 증감표를 작성하기

$f(x)=\int_0^x(\sqrt{2t}-t)dt$의 양변을 미분하면

$f'(x)=\sqrt{2x}-x$

$f'(x)=0$에서 $2x=x^2$, $x(x-2)=0$

이때 $x>0$이므로 $x=2$

함수 $f(x)$의 증가와 감소를 표로 나타내면 다음과 같다.

x	(0)	$\cdots$	2	$\cdots$
$f'(x)$		+	0	−
$f(x)$	0	↗	극대	↘

STEP B 함수 $f(x)$의 극댓값 구하기

함수 $f(x)$는 $x=2$에서 극대이고 극댓값 $f(2)$을 갖는다.

따라서 $f(2)=\int_0^2(\sqrt{2t}-t)dt=\left[\frac{2\sqrt{2}}{3}t^{\frac{3}{2}}-\frac{1}{2}t^2\right]_0^2=\frac{2}{3}$

정답 ①

1834

정답 ②

STEP A 함수 $f(x)$의 증감표를 작성하기

$f(x)=\int_0^x(1+\cos t)\sin t\,dt$에서 $f'(x)=(1+\cos x)\sin x$

$f'(x)=0$에서 $(1+\cos x)\sin x=0$

$\therefore \sin x=0$ 또는 $\cos x=-1$

이때 $-\pi<x<2\pi$에서 $x=0$ 또는 $x=\pi$

함수 $f(x)$의 증가와 감소를 표로 나타내면 다음과 같다.

x	$-\pi$	$\cdots$	0	$\cdots$	π	$\cdots$	2π
$f'(x)$		−	0	+	0	−	
$f(x)$		↘	극소	↗	극대	↘	

STEP B 함수 $f(x)$의 극댓값과 극솟값 구하기

함수 $f(x)$는 $x=0$에서 극소, $x=\pi$에서 극대가 된다.

$f(0)=\int_0^0(1+\cos t)\sin t=0$

$f(\pi)=\int_0^\pi(1+\cos t)\sin t\,dt=\int_0^\pi\sin t\,dt+\int_0^\pi\cos t\sin t\,dt$

$=\Big[-\cos t\Big]_0^\pi+\int_0^\pi\frac{1}{2}\sin2t\,dt=-(-1)+1-\frac{1}{4}\Big[\cos2t\Big]_0^\pi$

$=2-\frac{1}{4}(1-1)=2$

따라서 극솟값 $m=f(0)=0$, 극댓값 $M=f(\pi)=2$이므로 $M+m=2+0=2$

내신연계 출제문항 733

실수 x에 대하여

$$f(x)=\int_0^x(1-\sin t)\cos t\,dt$$

일 때, 함수 $f(x)$의 극댓값을 M, 극솟값을 m이라 할 때, $M+m$의 값은? (단, $0<x<2\pi$)

① -2 ② -1 ③ 0
④ 1 ⑤ 2

STEP A 함수 $f(x)$의 증감표를 작성하기

$f(x)=\int_0^x(1-\sin t)\cos t\,dt$에서 $f'(x)=(1-\sin x)\cos x$

$f'(x)=0$일 때, $\sin x=1$ 또는 $\cos x=0$이므로

$x=\frac{\pi}{2}$ 또는 $x=\frac{3}{2}\pi$

함수 $f(x)$의 증가와 감소를 표로 나타내면 다음과 같다.

x	0	$\cdots$	$\frac{\pi}{2}$	$\cdots$	$\frac{3}{2}\pi$	$\cdots$	2π
$f'(x)$		+	0	−	0	+	
$f(x)$		↗		↘		↗	

STEP B 함수 $f(x)$의 극댓값과 극솟값 구하기

$f(x)=\int_0^x(1-\sin t)\cos t\,dt=\int_0^x\left(\cos t-\frac{1}{2}\sin 2t\right)dt$

$=\left[\sin t+\frac{1}{4}\cos 2t\right]_0^x=\sin x+\frac{1}{4}\cos 2x-\frac{1}{4}$

$x=\frac{\pi}{2}$에서 극대이고 극댓값 $f\left(\frac{\pi}{2}\right)=\frac{1}{2}$

$x=\frac{3}{2}\pi$에서 극소이고 극솟값 $f\left(\frac{3}{2}\pi\right)=-\frac{3}{2}$

따라서 극댓값과 극솟값의 합은 $\frac{1}{2}+\left(-\frac{3}{2}\right)=-1$

정답 ②

1835
정답 ⑤

STEP Ⓐ 함수 $f(x)$의 증감표를 작성하기

$f(x)=\int_0^x(2\cos t-1)dt=\Big[2\sin t-t\Big]_0^x=2\sin x-x$

양변을 x에 대하여 미분하면

$f'(x)=2\cos x-1$

$f'(x)=0$에서 $\cos x=\frac{1}{2}$ $\quad\therefore x=\frac{\pi}{3}$

구간 $[0, \pi]$에서 함수 $f(x)$의 증가와 감소를 표로 나타내면 다음과 같다.

x	0	$\cdots$	$\frac{\pi}{3}$	$\cdots$	π
$f'(x)$		+	0	−	0
$f(x)$	0	↗	극대	↘	$-\pi$

STEP Ⓑ 최댓값과 최솟값 구하기

$x=\frac{\pi}{3}$에서 극대이고 최대이므로 최댓값 $M=\sqrt{3}-\frac{\pi}{3}$

$x=\pi$에서 최솟값 $m=-\pi$

따라서 $M+m=\sqrt{3}-\frac{4}{3}\pi$

1836
정답 ①

STEP Ⓐ 함수 $f(x)$의 증가와 감소를 표로 나타내기

$f(x)=\int_1^x(t-t\ln t)dt$의 양변을 x에 대하여 미분하면

$f'(x)=x-x\ln x=x(1-\ln x)$

$f'(x)=0$에서 $x=e\,(\because x>0)$

함수 $f(x)$의 증가와 감소를 표로 나타내면 다음과 같다.

x	(0)	$\cdots$	e	$\cdots$
$f'(x)$		+	0	−
$f(x)$		↗	극대	↘

STEP Ⓑ 함수 $f(x)$의 최댓값 구하기

따라서 함수 $f(x)$는 $x=e$에서 극대이고 최대이므로 최댓값은

$f(e)=\int_1^e(t-t\ln t)dt=\int_1^e tdt-\int_1^e t\ln tdt$

$=\Big[\frac{1}{2}t^2\Big]_1^e-\Big[\frac{1}{2}t^2\ln t\Big]_1^e+\int_1^e\left(\frac{1}{2}t^2\cdot\frac{1}{t}\right)dt$

$=\frac{1}{2}(e^2-1)-\frac{1}{2}e^2+\Big[\frac{1}{4}t^2\Big]_1^e$

$=\frac{1}{4}(e^2-3)$

1837
정답 ③

STEP Ⓐ (다항함수)×(지수함수)의 부분적분 구하기

$f(t)=\int_0^1(2e^x-tx)^2dx=\int_0^1(4e^{2x}-4txe^x+t^2x^2)dx$

$=\Big[2e^{2x}-4t(xe^x-e^x)+\frac{1}{3}t^2x^3\Big]_0^1=\left(2e^2+\frac{1}{3}t^2\right)-(2+4t)$

$=\frac{1}{3}t^2-4t+2e^2-2$

$=\frac{1}{3}(t-6)^2-14+2e^2$

STEP Ⓑ 실수 a의 값 구하기

따라서 함수 $f(t)$는 $t=6$일 때, 최솟값 $b=-14+2e^2$을 가지므로

$a+b=6+(-14+2e^2)=2e^2-8$

1838
정답 ③

STEP Ⓐ 정적분과 미분계수의 정의를 이용하여 극한값 구하기

$f(x)$의 부정적분 중의 하나를 $F(x)$로 놓으면

$\lim_{x\to1}\frac{1}{x-1}\int_1^x f(t)dt=\lim_{x\to1}\frac{F(x)-F(1)}{x-1}=F'(1)$

$=f(1)=1+2\cos\pi=-1$

1839
정답 ②

STEP Ⓐ 정적분과 미분계수의 정의를 이용하여 극한값 구하기

$f(x)=(2-x)e^x$의 부정적분 중의 하나를 $F(x)$로 놓으면

$\lim_{x\to1}\frac{1}{x^2-1}\int_1^x f(t)dt=\lim_{x\to1}\frac{F(x)-F(1)}{x^2-1}$

$=\lim_{x\to1}\frac{F(x)-F(1)}{x-1}\cdot\frac{1}{x+1}$

$=f(1)\cdot\frac{1}{2}=1\cdot e^1\cdot\frac{1}{2}=\frac{e}{2}$

내/신/연/계/ 출제문항 734

$\lim_{x\to1}\frac{1}{x^2-1}\int_1^x t\sin\frac{\pi}{2}tdt$의 값은?

① 1 ② $\frac{1}{2}$ ③ $\frac{1}{3}$
④ $\frac{1}{4}$ ⑤ $\frac{1}{5}$

STEP Ⓐ 정적분과 미분계수의 정의를 이용하여 극한값 구하기

$f(t)=t\sin\frac{\pi}{2}t$라 하고

$f(t)$의 한 부정적분을 $F(t)$라 하면

$\lim_{x\to1}\frac{1}{x^2-1}\int_1^x t\sin\frac{\pi}{2}tdt=\lim_{x\to1}\frac{1}{x^2-1}\int_1^x f(t)dt$

$=\lim_{x\to1}\frac{\Big[F(t)\Big]_1^x}{x^2-1}$

$=\lim_{x\to1}\frac{F(x)-F(1)}{x^2-1}$

$=\lim_{x\to1}\left\{\frac{F(x)-F(1)}{x-1}\cdot\frac{1}{x+1}\right\}$

$=\frac{1}{2}F'(1)=\frac{1}{2}f(1)=\frac{1}{2}$

정답 ②

1840
정답 ②

STEP Ⓐ 정적분과 미분계수의 정의를 이용하여 극한값 구하기

$f(x)$의 부정적분 중의 하나를 $F(x)$로 놓으면

$\lim_{x\to1}\frac{1}{x-1}\int_1^{x^3}f(t)dt=\lim_{x\to1}\frac{F(x^3)-F(1)}{x-1}$

$=\lim_{x\to1}\frac{F(x^3)-F(1)}{x^3-1}\cdot(x^2+x+1)$

$=F'(1)\cdot3=3f(1)$

따라서 $3f(1)=3e\cos\pi=-3e$

1841

정답 ⑤

STEP Ⓐ 정적분과 미분계수의 정의를 이용하여 극한값 구하기

$f(x)=\sin x$일 때, $f'(x)=\cos x$이므로 $f\left(\frac{\pi}{4}\right)=\frac{1}{\sqrt{2}}$, $f'\left(\frac{\pi}{4}\right)=\frac{1}{\sqrt{2}}$

이때 함수 $\{f(t)\}^3 f'(t)$의 한 부정적분을 $F(t)$라고 하면

$$\lim_{x\to\frac{\pi}{4}}\frac{1}{x-\frac{\pi}{4}}\int_{\frac{\pi}{4}}^{x}\{f(t)\}^3 f'(t)dt=\lim_{x\to\frac{\pi}{4}}\frac{1}{x-\frac{\pi}{4}}\left\{F(x)-F\left(\frac{\pi}{4}\right)\right\}$$
$$=F'\left(\frac{\pi}{4}\right)=\left\{f\left(\frac{\pi}{4}\right)\right\}^3 f'\left(\frac{\pi}{4}\right)$$
$$=\left(\frac{1}{\sqrt{2}}\right)^3\cdot\frac{1}{\sqrt{2}}=\frac{1}{4}$$

1842

정답 ①

STEP Ⓐ 부분적분을 이용하여 $f(x)$ 구하기

$$f(x)=\int_e^x(\ln t-1)dt=\int_e^x\ln t\,dt-\int_e^x 1dt$$
$$=\left(\left[t\ln t\right]_e^x-\int_e^x 1dt\right)-\left[t\right]_e^x=\left\{(x\ln x-e)-\left[t\right]_e^x\right\}-(x-e)$$
$$=x\ln x-2x+e$$

STEP Ⓑ 정적분과 미분계수의 정의를 이용하여 극한값 구하기

따라서 함수 $f(x)$의 한 부정적분을 $F(x)$라 하면

$$\lim_{x\to1}\frac{1}{x-1}\int_1^x f(t)dt=\lim_{x\to1}\frac{F(x)-F(1)}{x-1}=F'(1)=f(1)=-2+e$$

내신연계 출제문항 735

함수 $f(x)=\int_1^x\frac{t}{t^2+1}dt$일 때, $\lim_{x\to2}\frac{f\left(\frac{1}{2}x\right)}{x-2}$의 값은?

① $\frac{1}{4}$ ② $\frac{1}{2}$ ③ 1
④ 2 ⑤ 4

STEP Ⓐ 정적분과 미분계수의 정의를 이용하여 극한값 구하기

$f(1)=0$이므로

$$\lim_{x\to2}\frac{f\left(\frac{1}{2}x\right)}{x-2}=\lim_{\frac{1}{2}x\to1}\frac{f\left(\frac{1}{2}x\right)-f(1)}{2\left(\frac{1}{2}x-1\right)}=\frac{1}{2}f'(1)$$

따라서 $f'(x)=\frac{x}{x^2+1}$이므로 $\frac{1}{2}f'(1)=\frac{1}{4}$ ← $f'(x)=\frac{d}{dx}\int_1^x\frac{t}{t^2+1}dt=\frac{x}{x^2+1}$

정답 ①

1843

정답 ④

STEP Ⓐ 정적분과 미분계수의 정의를 이용하여 극한값 구하기

$\int x\sin x\,dx=F(x)$로 놓으면 $F'(x)=x\sin x$

$$\therefore \lim_{h\to0}\frac{1}{h}\int_{\frac{\pi}{2}-h}^{\frac{\pi}{2}+h}x\sin x\,dx=\lim_{h\to0}\frac{F\left(\frac{\pi}{2}+h\right)-F\left(\frac{\pi}{2}-h\right)}{h}$$
$$=2F'\left(\frac{\pi}{2}\right)=2\cdot\frac{\pi}{2}\sin\frac{\pi}{2}=\pi$$

STEP Ⓑ $\tan\left(\alpha+\frac{\pi}{3}\right)$의 값 구하기

따라서 $\alpha=\pi$이므로 $\tan\left(\alpha+\frac{\pi}{3}\right)=\tan\left(\pi+\frac{\pi}{3}\right)=\sqrt{3}$

내신연계 출제문항 736

$\lim_{h\to0}\frac{1}{h}\int_{\pi-h}^{\pi+h}x\sin\left(x+\frac{\pi}{2}\right)dx$의 값은?

① -3π ② -2π ③ π
④ 2π ⑤ 3π

STEP Ⓐ 정적분과 미분계수의 정의를 이용하여 극한값 구하기

$\int x\sin\left(x+\frac{\pi}{2}\right)dx=F(x)$로 놓으면

$F'(x)=x\sin\left(x+\frac{\pi}{2}\right)$

따라서 $\lim_{h\to0}\frac{1}{h}\int_{\pi-h}^{\pi+h}x\sin\left(x+\frac{\pi}{2}\right)dx=\lim_{h\to0}\frac{F(\pi+h)-F(\pi-h)}{h}$

$$=2F'(\pi)=2\cdot\pi\sin\frac{3}{2}\pi$$
$$=-2\pi$$

정답 ②

1844

정답 ⑤

STEP Ⓐ 정적분과 미분계수의 정의를 이용하여 a의 값 구하기

함수 $f(t)$의 한 부정적분을 $F(t)$라 하면

$$\lim_{x\to0}\left\{\frac{x^2+1}{x}\int_1^{x+1}f(t)dt\right\}=\lim_{x\to0}\left\{\frac{x^2+1}{x}\left[F(t)\right]_1^{x+1}\right\}$$
$$=\lim_{x\to0}\left\{(x^2+1)\times\frac{F(x+1)-F(1)}{x}\right\}$$
$$=F'(1)=f(1)$$

즉 $f(1)=3$

그런데 $f(1)=a\cos(\pi\times1^2)=a\cos\pi=-a$이므로 $a=-3$

STEP Ⓑ $f(a)$의 값 구하기

따라서 $f(x)=-3\cos(\pi x^2)$이므로

$f(a)=f(-3)=-3\cos\{\pi\times(-3)^2\}=-3\cos9\pi=-3\times(-1)=3$

1845

정답 ②

STEP Ⓐ $\frac{1}{n}=h$로 치환하여 미분계수 유도하기

함수 $f(x)=\frac{e^x}{2+3\tan x}$의 부정적분 중의 하나를 $F(x)$라고 하면

$$\lim_{n\to\infty}n\int_0^{\frac{1}{n}}f(x)dx=\lim_{n\to\infty}n\left\{F\left(\frac{1}{n}\right)-F(0)\right\}=\lim_{n\to\infty}\frac{F\left(\frac{1}{n}\right)-F(0)}{\frac{1}{n}}$$

$\frac{1}{n}=h$로 놓으면 $n\to\infty$일 때, $h\to0$이므로

$$\lim_{n\to\infty}\frac{F\left(\frac{1}{n}\right)-F(0)}{\frac{1}{n}}=\lim_{h\to0}\frac{F(h)-F(0)}{h}=F'(0)$$

STEP Ⓑ $f(0)$ 구하기

따라서 $F'(0)=f(0)=\frac{1}{2}$

내신연계 출제문항 737

임의의 양의 실수 a에 대하여

$$\lim_{t\to a}\frac{1}{t-a}\int_a^t f(x)dx=\frac{1}{\sqrt{a}}\ln a$$

를 만족하는 함수 $f(x)$에 대하여 $\int_1^e f(x)dx$의 값은?

① $2-\sqrt{e}$　② $4-2\sqrt{e}$　③ $4-e$
④ $e+1$　⑤ $2\sqrt{e}$

STEP Ⓐ **정적분과 미분계수의 정의를 이용하여 극한값 구하기**

$f(x)$의 한 부정적분을 $F(x)$라고 하면

$$\lim_{t\to a}\frac{1}{t-a}\int_a^t f(x)dx=\lim_{t\to a}\frac{F(t)-F(a)}{t-a}=F'(a)=f(a)$$

즉 $f(a)=\frac{1}{\sqrt{a}}\ln a$이므로 $f(x)=\frac{1}{\sqrt{x}}\ln x$

STEP Ⓑ **$\int_1^e f(x)dx$의 값 구하기**

따라서 $\int_1^e f(x)dx=\int_1^e \frac{1}{\sqrt{x}}\ln x dx$

$$=\left[2\sqrt{x}\ln x\right]_1^e-\int_1^e 2\sqrt{x}\cdot\frac{1}{x}dx$$

$$=2\sqrt{e}-\int_1^e\frac{2}{\sqrt{x}}dx$$

$$=2\sqrt{e}-\left[4\sqrt{x}\right]_1^e$$

$$=4-2\sqrt{e}$$

STEP 2 서술형 기출유형

1846

정답 해설참조

1단계 $F(x)=xf(x)-(x\cos x-\sin x)$의 양변을 x로 미분하여 $f'(x)$를 구한다. ◀ 40%

주어진 식의 양변을 x에 대하여 미분하면

$f(x)=f(x)+xf'(x)-(\cos x-x\sin x-\cos x)$

$xf'(x)=-x\sin x$

즉 $x>0$이므로 $f'(x)=-\sin x$

2단계 $f(\pi)=0$을 이용하여 $f(x)$를 구한다. ◀ 30%

양변을 x에 대하여 적분하면

$f(x)=\int(-\sin x)dx=\cos x+C$

$f(\pi)=0$에서 $C=1$이므로 $f(x)=\cos x+1$

3단계 정적분 $\int_{\frac{\pi}{2}}^{\pi}f(x)dx$의 값을 구한다. ◀ 30%

따라서 $\int_{\frac{\pi}{2}}^{\pi}f(x)dx=\int_{\frac{\pi}{2}}^{\pi}(\cos x+1)dx=\left[\sin x+x\right]_{\frac{\pi}{2}}^{\pi}=\frac{\pi}{2}-1$

1847

1단계 치환적분법을 이용하여 등식 $\int_0^{\frac{\pi}{2}}\sin^2 xdx=\int_0^{\frac{\pi}{2}}\cos^2 xdx$가 성립함을 서술하여라. ◀ 40%

$x=\frac{\pi}{2}-t$, 즉 $t=\frac{\pi}{2}-x$로 놓으면 $dt=-dx$이고

$x=0$일 때, $t=\frac{\pi}{2}$이고 $x=\frac{\pi}{2}$일 때, $t=0$이므로

$$\int_0^{\frac{\pi}{2}}\sin^2 xdx=-\int_{\frac{\pi}{2}}^0\sin^2\left(\frac{\pi}{2}-t\right)dt=\int_0^{\frac{\pi}{2}}\cos^2 tdt=\int_0^{\frac{\pi}{2}}\cos^2 xdx$$

2단계 위 1단계의 등식과 $\sin^2 x+\cos^2 x=1$임을 이용하여 정적분 $\int_0^{\frac{\pi}{2}}\sin^2 xdx$의 값을 구한다. ◀ 20%

$$\int_0^{\frac{\pi}{2}}\sin^2 xdx=\int_0^{\frac{\pi}{2}}(1-\cos^2 x)dx$$

$$=\int_0^{\frac{\pi}{2}}1dx-\int_0^{\frac{\pi}{2}}\cos^2 xdx$$ ⬅ $\int_0^{\frac{\pi}{2}}\sin^2 xdx=\int_0^{\frac{\pi}{2}}\cos^2 xdx$

따라서 $2\int_0^{\frac{\pi}{2}}\sin^2 xdx=\int_0^{\frac{\pi}{2}}1dx=\left[x\right]_0^{\frac{\pi}{2}}=\frac{\pi}{2}$이므로 $\int_0^{\frac{\pi}{2}}\sin^2 xdx=\frac{\pi}{4}$

3단계 $\sin^2 x=\frac{1-\cos 2x}{2}$이 성립함을 보이고 $\sin^2 x=\frac{1-\cos 2x}{2}$를 이용하여 정적분 $\int_0^{\frac{\pi}{2}}\sin^2 xdx$의 값을 구한다. ◀ 40%

$\cos 2x=\cos(x+x)=\cos x\cos x-\sin x\sin x$

$=(1-\sin^2 x)-\sin^2 x$

$=1-2\sin^2 x$

이므로 $\sin^2 x=\frac{1-\cos 2x}{2}$

따라서 $\int_0^{\frac{\pi}{2}}\sin^2 xdx=\int_0^{\frac{\pi}{2}}\frac{1-\cos 2x}{2}dx=\left[\frac{1}{2}\left(x-\frac{1}{2}\sin 2x\right)\right]_0^{\frac{\pi}{2}}=\frac{\pi}{4}$

1848

정답 해설참조

1단계 $\int_0^{\frac{1}{2}}\frac{1}{\sqrt{1-x^2}}dx$의 값을 구한다. ◀ 50%

$x=\sin\theta\left(-\frac{\pi}{2}<\theta<\frac{\pi}{2}\right)$로 놓으면 $dx=\cos\theta d\theta$

$x=0$일 때, $\theta=0$이고 $x=\frac{1}{2}$일 때, $\theta=\frac{\pi}{6}$이므로

$$\int_0^{\frac{1}{2}}\frac{1}{\sqrt{1-x^2}}dx=\int_0^{\frac{\pi}{6}}\frac{1}{\sqrt{1-\sin^2\theta}}\cdot\cos\theta d\theta=\int_0^{\frac{\pi}{6}}\frac{1}{\cos\theta}\cdot\cos\theta d\theta$$
$$=\int_0^{\frac{\pi}{6}}d\theta=\Big[\theta\Big]_0^{\frac{\pi}{6}}=\frac{\pi}{6}$$

2단계 $\int_0^{\sqrt{3}}\frac{1}{x^2+1}dx$의 값을 구한다. ◀ 50%

$x=\tan\theta\left(-\frac{\pi}{2}<\theta<\frac{\pi}{2}\right)$로 놓으면 $dx=\sec^2\theta d\theta$

$x=0$일 때, $\theta=0$이고 $x=\sqrt{3}$일 때, $\theta=\frac{\pi}{3}$이므로

$$\int_0^{\sqrt{3}}\frac{1}{x^2+1}dx=\int_0^{\frac{\pi}{3}}\frac{1}{\tan^2\theta+1}\cdot\sec^2\theta d\theta=\int_0^{\frac{\pi}{3}}\frac{1}{\sec^2\theta}\cdot\sec^2\theta d\theta$$
$$=\int_0^{\frac{\pi}{3}}d\theta=\Big[\theta\Big]_0^{\frac{\pi}{3}}=\frac{\pi}{3}$$

1849

정답 해설참조

$\int_0^{\frac{\pi}{2}}e^x\sin x dx$에서 $f(x)=e^x$, $g'(x)=\sin x$로 놓으면

$f'(x)=e^x$, $g(x)=-\cos x$이므로

$$\int_0^{\frac{\pi}{2}}e^x\sin xdx=\Big[-e^x\cos x\Big]_0^{\frac{\pi}{2}}+\int_0^{\frac{\pi}{2}}\boxed{e^x\cos x}dx$$
$$=1+\int_0^{\frac{\pi}{2}}\boxed{e^x\cos x}dx \quad\cdots\cdots ㉠$$

$\int_0^{\frac{\pi}{2}}\boxed{e^x\cos x}dx$에서 $u(x)=e^x$, $v'(x)=\cos x$로 놓으면

$u'(x)=e^x$, $v(x)=\sin x$이므로

$$\int_0^{\frac{\pi}{2}}\boxed{e^x\cos x}dx=\Big[\boxed{e^x\sin x}\Big]_0^{\frac{\pi}{2}}-\int_0^{\frac{\pi}{2}}e^x\sin xdx \quad\cdots\cdots ㉡$$

㉡을 ㉠에 대입하여 정리하면 $\int_0^{\frac{\pi}{2}}e^x\sin xdx=\boxed{\frac{1}{2}(1+e^{\frac{\pi}{2}})}$

따라서 (가) $e^x\cos x$, (나) $e^x\sin x$, (다) $\frac{1}{2}(1+e^{\frac{\pi}{2}})$

1850

정답 해설참조

1단계 $f(x)=t$로 놓고 치환적분법을 이용하여 서술하여라. ◀ 50%

$f(x)=t$로 놓으면 $f'(x)dx=dt$, $g(x)dx=dt$이고

$x=0$일 때, $t=3$이고 $x=3$일 때, $t=5$이므로

$$\int_0^3 f(x)g(x)dx=\int_3^5 tdt=\Big[\frac{1}{2}t^2\Big]_3^5=8$$

2단계 부분적분법을 이용하여 서술하여라. ◀ 50%

$$\int_0^3 f(x)g(x)dx=\int_0^3 f(x)f'(x)dx \quad \leftarrow f'(x)=g(x)$$
$$=\Big[\{f(x)\}^2\Big]_0^3-\int_0^3 f'(x)f(x)dx$$
$$=\{f(3)\}^2-\{f(0)\}^2-\int_0^3 f'(x)f(x)dx$$
$$=16-\int_0^3 f'(x)f(x)dx$$

따라서 $\int_0^3 f(x)g(x)dx=\frac{1}{2}\times16=8$

1851

정답 해설참조

1단계 닫힌구간 $[0, \pi]$에서 방정식 $\sin x-\cos x=0$의 해를 구한다. ◀ 30%

$\sin x-\cos x=0$에서 $\sin x=\cos x$이므로 $\tan x=1$ $\therefore x=\frac{\pi}{4}$

2단계 1단계를 이용하여 닫힌구간 $[0, \pi]$에서 $\sin x-\cos x\ge0$, $\sin x-\cos x\le0$을 만족시키는 구간을 각각 구한다. ◀ 30%

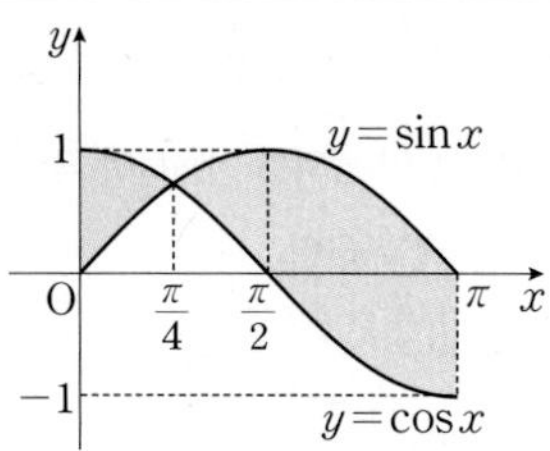

$\sin x-\cos x\ge0$을 만족하는 구간 $\left[\frac{\pi}{4}, \pi\right]$

$\sin x-\cos x\le0$을 만족하는 구간 $\left[0, \frac{\pi}{4}\right]$

3단계 1단계를 이용하여 정적분 $\int_0^\pi|\sin x-\cos x|dx$의 값을 구한다. ◀ 40%

$$\int_0^\pi|\sin x-\cos x|dx=-\int_0^{\frac{\pi}{4}}(\sin x-\cos x)dx+\int_{\frac{\pi}{4}}^\pi(\sin x-\cos x)dx$$
$$=-\Big[-\cos x-\sin x\Big]_0^{\frac{\pi}{4}}+\Big[-\cos x-\sin x\Big]_{\frac{\pi}{4}}^\pi$$
$$=-\left[\left(-\frac{\sqrt{2}}{2}-\frac{\sqrt{2}}{2}\right)+1\right]+\left[1-\left(-\frac{\sqrt{2}}{2}-\frac{\sqrt{2}}{2}\right)\right]$$
$$=2\sqrt{2}$$

1852

정답 해설참조

1단계 적분구간이 같은 경우 정적분의 성질을 이용하여 정리한다. ◀ 40%

$$\int_0^1(x+1)^2e^{x^2}dx-\int_0^1(x-1)^2e^{x^2}dx=\int_0^1 e^{x^2}\{(x+1)^2-(x-1)^2\}dx$$
$$=\int_0^1 4xe^{x^2}dx$$

2단계 치환적분을 이용하여 정적분의 값을 구한다. ◀ 60%

이때 $x^2=t$로 놓으면 $2xdx=dt$

$x=0$일 때, $t=0$이고 $x=1$일 때, $t=1$

따라서 $\int_0^1 4xe^{x^2}dx=\int_0^1 2e^t dt=\Big[2e^t\Big]_0^1=2(e-1)$

1853

정답 해설참조

1단계 그림의 색칠한 n개의 직사각형의 넓이의 합을 구한다. ◀ 30%

(n개의 직사각형의 넓이의 합)$=1\times\frac{1}{1}+1\times\frac{1}{2}+1\times\frac{1}{3}+\cdots+1\times\frac{1}{n}$
$=1+\frac{1}{2}+\frac{1}{3}+\cdots+\frac{1}{n}$

2단계 $\int_1^{n+1}\frac{1}{x}dx$의 정적분의 값을 구한다. ◀ 30%

$$\int_1^{n+1}\frac{1}{x}dx=\Big[\ln|x|\Big]_1^{n+1}=\ln(n+1)-\ln1=\ln(n+1) \quad\cdots\cdots ㉠$$

3단계 부등식이 성립함을 서술한다. ◀ 40%

주어진 그림에서 ㉠은 n개의 직사각형의 넓이의 합보다 작으므로

(n개의 직사각형의 넓이의 합)$>\int_1^{n+1}\frac{1}{x}dx$이다.

따라서 2 이상의 자연수 n에 대하여 부등식 $1+\frac{1}{2}+\frac{1}{3}+\cdots+\frac{1}{n}>\ln(n+1)$이 성립한다.

1854

정답 해설참조

1단계	조건 (가)를 만족하는 상수 a의 값을 구한다.	◀ 30%

조건 (가)에서 $\lim_{x\to1}\frac{f(x)-f(1)}{x-1}=f'(1)$이므로 $f'(1)=2$

이때 $f'(x)=\frac{a}{x}$이므로 $f'(1)=a=2$

2단계	조건 (나)의 정적분을 구한다.	◀ 40%

조건(나)에서 $\int_1^e f(x)dx=\int_1^e(2\ln x+b)dx$

$=2\left(\left[x\ln x\right]_1^e-\int_1^e 1dx\right)+\left[bx\right]_1^e$

$=2+b(e-1)$

3단계	2단계에서 상수 b를 구하여 $a+b$의 값을 구한다.	◀ 30%

$2+b(e-1)=e+1$에서 $b(e-1)=e-1$ $\therefore b=1$

따라서 $a+b=2+1=3$

1855

정답 해설참조

1단계	$\int_0^{\frac{\pi}{2}}f(x)dx$를 상수 a로 놓고 함수 $f(x)$를 a에 대하여 나타낸다.	◀ 30%

$\int_0^{\frac{\pi}{2}}f(x)dx=a$($a$는 상수)로 놓으면 $f(x)=x\cos x+a$

2단계	상수 a의 값을 구한다.	◀ 50%

$\int_0^{\frac{\pi}{2}}f(x)dx=\int_0^{\frac{\pi}{2}}(x\cos x+a)dx$

$=\int_0^{\frac{\pi}{2}}x\cos xdx+\int_0^{\frac{\pi}{2}}adx$

$=\left[x\sin x\right]_0^{\frac{\pi}{2}}-\int_0^{\frac{\pi}{2}}\sin xdx+\frac{\pi}{2}a$

$=\frac{\pi}{2}+\left[\cos x\right]_0^{\frac{\pi}{2}}+\frac{\pi}{2}a=\frac{\pi}{2}-1+\frac{\pi}{2}a$

즉 $\frac{\pi}{2}-1+\frac{\pi}{2}a=a$이므로 $\left(1-\frac{\pi}{2}\right)a=\frac{\pi}{2}-1$ $\therefore a=-1$

3단계	$f(2\pi)$의 값을 구한다.	◀ 20%

따라서 $f(x)=x\cos x-1$이므로 $f(2\pi)=2\pi-1$

1856

정답 해설참조

1단계	$\int_0^{\pi}(\sin t)f(t)dt$를 상수 a로 놓고 함수 $f(x)$를 a에 대하여 나타낸다.	◀ 20%

$\int_0^{\pi}(\sin t)f(t)dt=a$($a$는 상수)로 놓으면 $f(x)=e^x+a$

$a=\int_0^{\pi}(\sin t)(e^t+a)dt=\int_0^{\pi}e^t\sin tdt+a\int_0^{\pi}\sin tdt$

2단계	상수 a의 값을 구한다.	◀ 60%

이때 $\int_0^{\pi}\sin tdt=\left[-\cos t\right]_0^{\pi}=2$이고

$\int_0^{\pi}e^t\sin tdt=\left[e^t\sin t\right]_0^{\pi}-\int_0^{\pi}e^t\cos tdt=0-\left\{\left[e^t\cos t\right]_0^{\pi}+\int_0^{\pi}e^t\sin tdt\right\}$

$=e^{\pi}+1-\int_0^{\pi}e^t\sin tdt$

즉 $\int_0^{\pi}e^t\sin tdt=\frac{e^{\pi}+1}{2}$

한편 $a=\frac{e^{\pi}+1}{2}+2a$에서 $a=-\frac{e^{\pi}+1}{2}$

3단계	$f(\pi)$의 값을 구한다.	◀ 20%

따라서 $f(x)=e^x-\frac{e^{\pi}+1}{2}$이므로 $f(\pi)=\frac{e^{\pi}-1}{2}$

1857

정답 해설참조

1단계	주어진 식에 $x=1$을 대입하여 상수 a의 값을 구한다.	◀ 30%

$\int_1^x(x-t)f(t)dt=e^{x-1}+ax^2-3x+1$ ······ ㉠

㉠의 양변에 $x=1$을 대입하면

$0=e^0+a-3+1$ $\therefore a=1$

2단계	좌변을 정리하여 양변을 x에 대하여 미분하여 $\int_1^x f(t)dt$를 구한다.	◀ 40%

㉠의 좌변을 정리하면

$\int_1^x(x-t)f(t)dt=x\int_1^x f(t)dt-\int_1^x tf(t)dt$이므로

$x\int_1^x f(t)dt-\int_1^x tf(t)dt=e^{x-1}+x^2-3x+1(\because a=1)$

양변을 x에 대하여 미분하면

$\int_1^x f(t)dt+xf(x)-xf(x)=e^{x-1}+2x-3$

$\therefore \int_1^x f(t)dt=e^{x-1}+2x-3$ ······ ㉡

3단계	$f(a)$의 값을 구한다.	◀ 30%

㉡의 양변을 x에 대하여 미분하면

$f(x)=e^{x-1}+2$

따라서 $f(1)=e^0+2=1+2=3$

1858

정답 해설참조

1단계	$n\geq3$일 때, a_n과 a_{n-2} 사이의 관계식을 구한다.	◀ 70%

$a_n=\int_0^{\frac{\pi}{2}}\sin^n xdx=\int_0^{\frac{\pi}{2}}\sin^{n-1}x\sin xdx$

$=\left[\sin^{n-1}x(-\cos x)\right]_0^{\frac{\pi}{2}}-\int_0^{\frac{\pi}{2}}(n-1)\sin^{n-2}x\cos x(-\cos x)dx$

← $f(x)=\sin^{n-1}x$, $g'(x)=\sin x$로 놓으면
$f'(x)=(n-1)\sin^{n-2}x\times\cos x$, $g(x)=-\cos x$

$=(n-1)\int_0^{\frac{\pi}{2}}\sin^{n-2}x(1-\sin^2x)dx$

$=(n-1)\int_0^{\frac{\pi}{2}}\sin^{n-2}xdx-(n-1)\int_0^{\frac{\pi}{2}}\sin^n xdx$

$=(n-1)a_{n-2}-(n-1)a_n$

즉 $a_n=\frac{n-1}{n}a_{n-2}$ (단, $n\geq3$)

2단계	$a_5=\int_0^{\frac{\pi}{2}}\sin^5 xdx$의 값을 구한다.	◀ 30%

$a_5=\frac{4}{5}a_3=\frac{4}{5}\cdot\frac{2}{3}a_1=\frac{8}{15}a_1$

이때 $a_1=\int_0^{\frac{\pi}{2}}\sin xdx=\left[-\cos x\right]_0^{\frac{\pi}{2}}=1$이므로 $a_5=\frac{8}{15}a_1=\frac{8}{15}$

Ⅲ 적분법

1859

정답 해설참조

1단계 $n\geq 3$일 때, a_n과 a_{n-2} 사이의 관계식을 구한다. ◀ 70%

$a_n=\int_0^{\frac{\pi}{2}}\cos^n x dx=\int_0^{\frac{\pi}{2}}(\cos x\times\cos^{n-1}x)dx$에서

$u(x)=\cos^{n-1}x$, $v'(x)=\cos x$라 하면

$u'(x)=(n-1)\cos^{n-2}x\cdot\sin x$, $v(x)=\sin x$

$$a_n=\int_0^{\frac{\pi}{2}}(\cos x\times\cos^{n-1}x)dx$$
$$=\left[\sin x\cos^{n-1}x\right]_0^{\frac{\pi}{2}}+\int_0^{\frac{\pi}{2}}(n-1)\sin^2 x\cos^{n-2}xdx$$
$$=(n-1)\int_0^{\frac{\pi}{2}}\sin^2 x\cos^{n-2}xdx$$
$$=(n-1)\int_0^{\frac{\pi}{2}}(1-\cos^2 x)\cos^{n-2}xdx$$
$$=(n-1)\left\{\int_0^{\frac{\pi}{2}}\cos^{n-2}xdx-\int_0^{\frac{\pi}{2}}\cos^n xdx\right\}$$
$$=(n-1)a_{n-2}-(n-1)a_n$$

즉 $a_n=\frac{n-1}{n}a_{n-2}$ (단, $n\geq 3$)

2단계 $a_6=\int_0^{\frac{\pi}{2}}\cos^6 xdx$의 값을 구한다. ◀ 30%

$a_6=\frac{5}{6}a_4=\frac{5}{6}\cdot\frac{3}{4}a_2=\frac{5}{8}a_2$

이때 $a_2=\int_0^{\frac{\pi}{2}}\cos^2 xdx=\int_0^{\frac{\pi}{2}}\frac{1}{2}(1+\cos 2x)dx$

$=\left[\frac{1}{2}x+\frac{1}{4}\sin 2x\right]_0^{\frac{\pi}{2}}=\frac{\pi}{4}$

이므로 $a_6=\frac{5}{8}\cdot\frac{\pi}{4}=\frac{5}{32}\pi$

STEP 3 행복한 1등급 문제

1860

정답 

STEP A $\sin\theta(t)$를 t로 유도하기

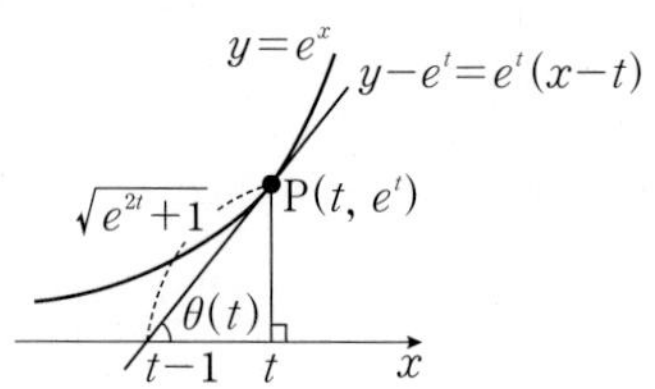

곡선 $f(x)=e^x$ 위의 점 $\mathrm{P}(t, e^t)$에서의 접선의 기울기는 $f'(t)=e^t$이므로

x축의 양의 방향과 이루는 각의 크기를 $\theta(t)$라 하면

$\tan\theta(t)=e^t$

점 $\mathrm{P}(t, e^t)$에서 접선의 방정식은 $y-e^t=e^t(x-t)$의 x절편은 $x=t-1$이므로

직각삼각형에서 $\sin\theta(t)=\frac{e^t}{\sqrt{e^{2t}+1}}$

STEP B 치환적분을 이용하여 값 구하기

$\int_0^{\ln\sqrt{7}}e^t\sin\theta(t)dt=\int_0^{\ln\sqrt{7}}e^t\cdot\frac{e^t}{\sqrt{e^{2t}+1}}dt$

$e^{2t}+1=s$로 놓으면 $2e^{2t}dt=ds$

$t=0$일 때, $s=2$이고 $t=\ln\sqrt{7}$일 때, $s=8$

따라서 $\int_0^{\ln\sqrt{7}}\frac{e^{2t}}{\sqrt{e^{2t}+1}}dt=\frac{1}{2}\int_2^8\frac{1}{\sqrt{s}}ds=\frac{1}{2}\left[2\sqrt{s}\right]_2^8$

$=2\sqrt{2}-\sqrt{2}=\sqrt{2}$

1861

정답 

STEP A (다항함수)×(삼각함수)의 부분적분하기

$\int x\sin xdx$에서 $u(x)=x$, $v'(x)=\sin x$로 놓으면

$u'(x)=1$, $v(x)=-\cos x$이므로

$\int x\sin xdx=-x\cos x-\int\{1\cdot(-\cos x)\}dx$

$=-x\cos x+\int\cos xdx$

$=-x\cos x+\sin x+C$ (단, C는 적분상수)

STEP B 구간을 나누어 정적분 하기

$f(x)=x\sin x$이라 하면

$\int_0^{\pi}|f(x)|dx=\int_0^{\pi}f(x)dx=\left[-x\cos x+\sin x\right]_0^{\pi}$

$=(\pi+0)-(0+0)=\pi$

$\int_{\pi}^{2\pi}|f(x)|dx=-\int_{\pi}^{2\pi}f(x)dx=-\left[-x\cos x+\sin x\right]_{\pi}^{2\pi}$

$=-\{(-2\pi+0)-(\pi+0)\}=3\pi$

$\int_{2\pi}^{3\pi}|f(x)|dx=\int_{2\pi}^{3\pi}f(x)dx=\left[-x\cos x+\sin x\right]_{2\pi}^{3\pi}$

$=(3\pi+0)-(-2\pi+0)=5\pi$

STEP C $\int_0^{3\pi}|f(x)|dx$의 값 구하기

따라서 $\int_0^{3\pi}|f(x)|dx=\int_0^{\pi}|f(x)|dx+\int_{\pi}^{2\pi}|f(x)|dx+\int_{2\pi}^{3\pi}|f(x)|dx$

$=\pi+3\pi+5\pi=9\pi$

1862

정답 $2e-\frac{3}{e}$

STEP Ⓐ 구간을 나누어 절댓값 풀어주기

$|xe^x-e^x|=\begin{cases} xe^x-e^x & (x\geq 1) \\ e^x-xe^x & (x<1) \end{cases}$이므로

$\int_{-1}^{2}|xe^x-e^x|dx=\int_{-1}^{1}(e^x-xe^x)dx+\int_{1}^{2}(xe^x-e^x)dx$ …… ㉠

STEP Ⓑ (다항함수)×(지수함수)의 부정적분 구하기

$\int_{-1}^{1}(e^x-xe^x)dx=\int_{-1}^{1}e^x(1-x)dx$에서

$u(x)=1-x$, $v'(x)=e^x$로 놓으면 $u'(x)=-1$, $v(x)=e^x$

$\int_{-1}^{1}e^x(1-x)dx=\Big[e^x(1-x)\Big]_{-1}^{1}+\int_{-1}^{1}e^x dx$

$=-\frac{2}{e}+\Big[e^x\Big]_{-1}^{1}$

$=-\frac{2}{e}+\left(e-\frac{1}{e}\right)=e-\frac{3}{e}$ …… ㉡

$\int_{1}^{2}(xe^x-e^x)dx=\int_{1}^{2}e^x(x-1)dx$에서

$p(x)=x-1$, $q'(x)=e^x$로 놓으면 $p'(x)=1$, $g(x)=e^x$

$\int_{1}^{2}e^x(x-1)dx=\Big[e^x(x-1)\Big]_{1}^{2}-\int_{1}^{2}e^x dx$

$=e^2-\Big[e^x\Big]_{1}^{2}$

$=e^2-(e^2-e)=e$ …… ㉢

따라서 ㉡, ㉢을 ㉠에 대입하면 $\int_{-1}^{2}|xe^x-e^x|dx=e-\frac{3}{e}+e=2e-\frac{3}{e}$

1863

정답 $\ln 17$

STEP Ⓐ 치환적분을 이용하여 $f(x)$ 구하기

$f(x)=\int_{0}^{x}\frac{1}{1+e^{-t}}dt=\int_{0}^{x}\frac{e^t}{e^t+1}dt$에서

$e^t+1=s$로 놓으면 $e^t dt=ds$이고

$t=0$일 때, $s=2$이고 $t=x$일 때, $s=e^x+1$이므로

$f(x)=\int_{2}^{e^x+1}\frac{1}{s}ds=\Big[\ln|s|\Big]_{2}^{e^x+1}$

$=\ln(e^x+1)-\ln 2$

$=\ln\frac{e^x+1}{2}$

STEP Ⓑ $f(a)=k$로 놓고 k의 값 구하기

$f(f(a))=\ln 5$에서 $f(a)=k$로 놓으면

$f(k)=\ln\frac{e^k+1}{2}=\ln 5$

$\frac{e^k+1}{2}=5$, $e^k=9$

즉 $k=\ln 9$

STEP Ⓒ a의 값 구하기

$f(a)=\ln 9$에서 $\ln\frac{e^a+1}{2}=\ln 9$

$\frac{e^a+1}{2}=9$, $e^a=17$

따라서 $a=\ln 17$

1864

정답 $\frac{2\ln 2}{3}+\frac{1}{2}$

STEP Ⓐ 조건을 만족시키는 함수 $f(x)$를 구하기

$2f(x)+\frac{1}{x^2}f\left(\frac{1}{x}\right)=\frac{1}{x}+\frac{1}{x^2}$ …… ㉠

㉠에서 x대신 $\frac{1}{x}$을 대입하면 $2f\left(\frac{1}{x}\right)+x^2f(x)=x+x^2$

양변을 $2x^2$으로 나누면

$\frac{1}{x^2}f\left(\frac{1}{x}\right)+\frac{1}{2}f(x)=\frac{1}{2x}+\frac{1}{2}$ …… ㉡

㉠-㉡을 하면

$\frac{3}{2}f(x)=\frac{1}{2x}+\frac{1}{x^2}-\frac{1}{2}$ $\quad\therefore f(x)=\frac{1}{3x}+\frac{2}{3x^2}-\frac{1}{3}$

STEP Ⓑ 정적분의 값 구하기

따라서 $\int_{\frac{1}{2}}^{2}f(x)dx=\int_{\frac{1}{2}}^{2}\left(\frac{1}{3x}+\frac{2}{3x^2}-\frac{1}{3}\right)dx=\left[\frac{1}{3}\ln|x|-\frac{2}{3x}-\frac{1}{3}x\right]_{\frac{1}{2}}^{2}$

$=\left(\frac{1}{3}\ln 2-1\right)-\left(\frac{1}{3}\ln\frac{1}{2}-\frac{3}{2}\right)=\frac{2\ln 2}{3}+\frac{1}{2}$

다른풀이 치환적분을 이용하여 풀이하기

STEP Ⓐ 치환적분을 이용하여 식을 정리하기

$2f(x)+\frac{1}{x^2}f\left(\frac{1}{x}\right)=\frac{1}{x}+\frac{1}{x^2}$의 양변을 구간 $\left[\frac{1}{2}, 2\right]$에서 정적분하면

$\int_{\frac{1}{2}}^{2}2f(x)dx+\int_{\frac{1}{2}}^{2}\frac{1}{x^2}f\left(\frac{1}{x}\right)dx=\int_{\frac{1}{2}}^{2}\left(\frac{1}{x}+\frac{1}{x^2}\right)dx$

이때 $\int_{\frac{1}{2}}^{2}\frac{1}{x^2}f\left(\frac{1}{x}\right)dx$에서 $\frac{1}{x}=t$로 놓으면 $-\frac{1}{x^2}dx=dt$

$x=\frac{1}{2}$일 때, $t=2$이고 $x=2$일 때, $t=\frac{1}{2}$

$\int_{\frac{1}{2}}^{2}\frac{1}{x^2}f\left(\frac{1}{x}\right)dx=-\int_{2}^{\frac{1}{2}}f(t)dt=\int_{\frac{1}{2}}^{2}f(t)dt$

STEP Ⓑ 정적분의 값 구하기

즉 $\int_{\frac{1}{2}}^{2}2f(x)dx+\int_{\frac{1}{2}}^{2}\frac{1}{x^2}f\left(\frac{1}{x}\right)dx=\int_{\frac{1}{2}}^{2}\left(\frac{1}{x}+\frac{1}{x^2}\right)dx$

$2\int_{\frac{1}{2}}^{2}f(x)dx+\int_{\frac{1}{2}}^{2}f(x)dx=\int_{\frac{1}{2}}^{2}\left(\frac{1}{x}+\frac{1}{x^2}\right)dx$

$3\int_{\frac{1}{2}}^{2}f(x)dx=\int_{\frac{1}{2}}^{2}\left(\frac{1}{x}+\frac{1}{x^2}\right)dx=\left[\ln x-\frac{1}{x}\right]_{\frac{1}{2}}^{2}$

$=\left(\ln 2-\frac{1}{2}\right)-\left(\ln\frac{1}{2}-2\right)=2\ln 2+\frac{3}{2}$

따라서 $\int_{\frac{1}{2}}^{2}f(x)dx=\frac{2\ln 2}{3}+\frac{1}{2}$

1865

정답 325

STEP Ⓐ 함수 $f(x)$의 증가와 감소를 표로 나타내기

$f(x)=\int_{1}^{x}\frac{n-\ln t}{t}dt$의 양변을 x에 대하여 미분하면

$f'(x)=\frac{n-\ln x}{x}$

$f'(x)=0$에서 $x=e^n$

함수 $f(x)$의 증가와 감소를 표로 나타내면 다음과 같다.

x	(0)	…	e^n	…
$f'(x)$		+	0	−
$f(x)$		↗	극대	↘

함수 $f(x)$는 $x=e^n$에서 극대이고 최대이므로 최댓값은

$g(n)=f(e^n)=\int_{1}^{e^n}\frac{n-\ln t}{t}dt$

Ⅲ 적분법

STEP Ⓑ **치환적분법을 이용하여 $g(n)$의 값 구하기**

$n-\ln t=s$라 하면 $-\frac{1}{t}dt=ds$이고

$t=1$일 때, $s=n$이고 $t=e^n$일 때, $s=0$

$g(n)=\int_n^0(-s)ds=\left[-\frac{1}{2}s^2\right]_n^0=\frac{1}{2}n^2$

STEP Ⓒ **시그마의 성질을 이용하여 $\sum_{n=1}^{12}g(n)$의 값 구하기**

따라서 $\sum_{n=1}^{12}g(n)=\sum_{n=1}^{12}\frac{n^2}{2}=\frac{1}{2}\sum_{n=1}^{12}n^2=\frac{1}{2}\cdot\frac{12\cdot13\cdot25}{6}=325$

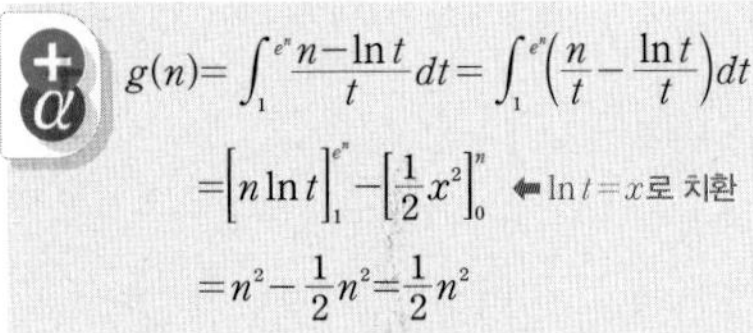

$g(n)=\int_1^{e^n}\frac{n-\ln t}{t}dt=\int_1^{e^n}\left(\frac{n}{t}-\frac{\ln t}{t}\right)dt$

$=\left[n\ln t\right]_1^{e^n}-\left[\frac{1}{2}x^2\right]_0^n$ ⬅ $\ln t=x$로 치환

$=n^2-\frac{1}{2}n^2=\frac{1}{2}n^2$

1866

 정답 $\frac{2}{5}$

STEP Ⓐ **$f'(x)$, $f''(x)$를 구하기**

$f(x)=\int_a^x\{2+\sin(t^2)\}dt$의 양변을 x에 대하여 미분하면

$f'(x)=2+\sin x^2$

$f''(x)=\cos x^2(2x)=2x\cos x^2$

STEP Ⓑ **$f(0)=0$, $f''(a)=\sqrt{3}a$임을 이용하여 $(f^{-1})'(0)$의 값 구하기**

$f''(a)=2a\cos a^2=\sqrt{3}a$에서 $\cos a^2=\frac{\sqrt{3}}{2}$

그런데 $0<a<\sqrt{\frac{\pi}{2}}$이고 각 변을 제곱하면

$0<a^2<\frac{\pi}{2}$이므로 $a^2=\frac{\pi}{6}$ $\quad\therefore a=\sqrt{\frac{\pi}{6}}$

한편 $(f\circ f^{-1})(x)=x$, 즉 $f(f^{-1}(x))=x$이므로

양변을 x에 대하여 미분하면

$f'(f^{-1}(x))\cdot(f^{-1})'(x)=1$

이때 $f(a)=\int_a^a\{2+\sin(t^2)\}dt=0$이므로 $f^{-1}(0)=a=\sqrt{\frac{\pi}{6}}$

따라서 $f'(f^{-1}(0))=f'\left(\sqrt{\frac{\pi}{6}}\right)=2+\sin\frac{\pi}{6}=\frac{5}{2}$

$(f^{-1})'(0)=\frac{1}{f'(f^{-1}(0))}=\frac{2}{5}$

다른풀이 역함수를 이용하여 $(f^{-1})'(0)$의 값 구하기

$f^{-1}(0)=b$로 놓으면

$f(b)=\int_a^b\{2+\sin(t^2)\}dt=0$에서 $b=a$

이때 $f'(b)=f'(a)=2+\sin a^2=2+\sin\frac{\pi}{6}=\frac{5}{2}$이므로

$(f^{-1})'(0)=\frac{1}{f'(b)}=\frac{2}{5}$

1867

 정답 4

STEP Ⓐ **$x=0$을 대입하여 정적분 $\int_0^{\frac{\pi}{2}}f(t)dt$의 값과 a의 값 구하기**

조건 (나)에서 $\int_0^{\frac{\pi}{2}}f(t)dt=k$로 놓으면

$g(x)=k\cos x+3$ …… ㉠

조건 (가)에서 $\int_{\frac{\pi}{2}}^x f(t)dt=\{g(x)+a\}\sin x-2$ …… ㉡

㉡에 $x=0$을 대입하면

$\int_{\frac{\pi}{2}}^0 f(t)dt=\{g(0)+a\}\sin 0-2$

$\therefore \int_0^{\frac{\pi}{2}}f(t)dt=2$

즉 $k=2$

㉠에 $k=2$를 대입하면 $g(x)=2\cos x+3$

한편 ㉡에 $x=\frac{\pi}{2}$를 대입하면

$\int_{\frac{\pi}{2}}^{\frac{\pi}{2}}f(t)dt=\left\{g\left(\frac{\pi}{2}\right)+a\right\}\sin\frac{\pi}{2}-2$

$0=\left\{\left(2\cos\frac{\pi}{2}+3\right)+a\right\}\cdot1-2$

$0=3+a-2$ $\quad\therefore a=-1$

㉡에 $a=-1$을 대입하면 $\int_{\frac{\pi}{2}}^x f(t)dt=(2\cos x+2)\sin x-2$

STEP Ⓑ **양변을 x에 대해 미분하여 $f(x)$ 구하기**

양변을 x에 대하여 미분하면

$f(x)=-2\sin^2x+(2\cos x+2)\cos x$

$=-2(1-\cos^2x)+2\cos^2x+2\cos x$

$=4\cos^2x+2\cos x-2$

따라서 $f(0)=4+2-2=4$

1868

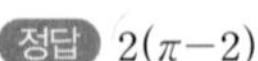 정답 $2(\pi-2)$

STEP Ⓐ **미분을 이용하여 $f(x+1)$과 $f'(x)$의 관계식 구하기**

$f(x)=\frac{\pi}{2}\int_1^{x+1}f(t)dt$ …… ㉠

㉠의 양변을 x에 대하여 미분하면

$f'(x)=\frac{\pi}{2}f(x+1)$ $\quad\therefore f(x+1)=\frac{2}{\pi}f'(x)$

STEP Ⓑ **$y=f(x)$의 그래프가 원점에 대하여 대칭인 것을 이용하여 부분적분법 계산하기**

$\pi^2\int_0^1 xf(x+1)dx=\pi^2\int_0^1\left\{x\cdot\frac{2}{\pi}f'(x)\right\}dx=2\pi\int_0^1 xf'(x)dx$

$\int_0^1 xf'(x)dx$에서 $u=x$, $v'=f'(x)$로 놓으면

$u'=1$, $v=f(x)$이므로

$\int_0^1 xf'(x)dx=\left[xf(x)\right]_0^1-\int_0^1 f(x)dx=f(1)-\int_0^1 f(x)dx$

$y=f(x)$의 그래프가 연속이고 원점에 대하여 대칭이므로

$f(0)=0$이고 $f(-1)=-f(1)=-1$

㉠의 양변에 $x=-1$을 대입하면

$f(-1)=\frac{\pi}{2}\int_1^0 f(t)dt=-\frac{\pi}{2}\int_0^1 f(t)dt=-1$

$\therefore \int_0^1 f(x)dx=\frac{2}{\pi}$

따라서 $\pi^2\int_0^1 xf(x+1)dx=2\pi\cdot\left\{f(1)-\int_0^1 f(x)dx\right\}$

$=2\pi\cdot\left(1-\frac{2}{\pi}\right)=2(\pi-2)$

1869

정답 $\frac{1}{2}$

STEP A 조건 (나)에서 양변을 x에 대하여 미분하기

조건 (나)식에서

$\cos x\int_0^x f(t)dt=-\sin x\int_{\frac{\pi}{2}}^x f(t)dt$를 양변을 x에 대하여 미분하면

$-\sin x\int_0^x f(t)dt+\cos x\cdot f(x)=-\cos x\int_{\frac{\pi}{2}}^x f(t)dt-\sin x\cdot f(x)$

$(\cos x+\sin x)f(x)=\sin x\int_0^x f(t)dt+\cos x\int_x^{\frac{\pi}{2}} f(t)dt$

STEP B $x=\frac{\pi}{4}$를 대입하여 $f\left(\frac{\pi}{4}\right)$의 값 구하기

식의 양변에 $x=\frac{\pi}{4}$를 대입하면

$$\sqrt{2}f\left(\frac{\pi}{4}\right)=\frac{\sqrt{2}}{2}\int_0^{\frac{\pi}{4}} f(t)dt+\frac{\sqrt{2}}{2}\int_{\frac{\pi}{4}}^{\frac{\pi}{2}} f(t)dt$$
$$=\frac{\sqrt{2}}{2}\int_0^{\frac{\pi}{2}} f(t)dt$$
$$=\frac{\sqrt{2}}{2}\cdot 1\ (\because \text{조건 (가)})$$

따라서 $f\left(\frac{\pi}{4}\right)=\frac{\sqrt{2}}{2}\cdot\frac{1}{\sqrt{2}}=\frac{1}{2}$

다른풀이 $f(x)$를 직접 구하여 $f\left(\frac{\pi}{4}\right)$ 풀이하기

조건 (나)에 $x=\frac{\pi}{4}$를 대입하면

$\frac{\sqrt{2}}{2}\int_0^{\frac{\pi}{4}} f(t)dt=\frac{\sqrt{2}}{2}\int_{\frac{\pi}{4}}^{\frac{\pi}{2}} f(t)dt$

$\int_0^{\frac{\pi}{4}} f(t)dt=\int_{\frac{\pi}{4}}^{\frac{\pi}{2}} f(t)dt$ ...... ㉠

조건 (가)에서

$$\int_0^{\frac{\pi}{2}} f(t)dt=\int_0^{\frac{\pi}{4}} f(t)dt+\int_{\frac{\pi}{4}}^{\frac{\pi}{2}} f(t)dt$$
$$=\int_{\frac{\pi}{4}}^{\frac{\pi}{2}} f(t)dt+\int_{\frac{\pi}{4}}^{\frac{\pi}{2}} f(t)dt\ (\because ㉠)$$
$$=2\int_{\frac{\pi}{4}}^{\frac{\pi}{2}} f(t)dt=1$$

$\therefore \int_0^{\frac{\pi}{4}} f(t)dt=\int_{\frac{\pi}{4}}^{\frac{\pi}{2}} f(t)dt=\frac{1}{2}$

조건 (나)에서 양변을 $\cos x$로 나누면

$\int_0^x f(t)dt=\frac{\sin x}{\cos x}\int_x^{\frac{\pi}{2}} f(t)dt=\tan x\int_x^{\frac{\pi}{2}} f(t)dt$

양변을 x에 대하여 미분하면

$f(x)=\sec^2 x\int_x^{\frac{\pi}{2}} f(t)dt+\tan x\cdot\{-f(x)\}$

$(1+\tan x)f(x)=\sec^2 x\int_x^{\frac{\pi}{2}} f(t)dt$

$f(x)=\frac{\sec^2 x}{1+\tan x}\int_x^{\frac{\pi}{2}} f(t)dt$

따라서 $x=\frac{\pi}{4}$를 대입하면 $f\left(\frac{\pi}{4}\right)=\frac{2}{1+1}\int_{\frac{\pi}{4}}^{\frac{\pi}{2}} f(t)dt=1\cdot\frac{1}{2}=\frac{1}{2}$

1870

정답 12

STEP A 주기가 2인 함수 $f(x)$의 그래프를 $1<x<2$에서 그리기

조건 (가), (나)에서 $f(2)=f(0)=1$, $f(1)=1$

$0\le x\le 1$에서 함수 $f(x)=\sin\pi x+1$

$1<x<2$에서 $f'(x)\ge 0$이므로 $f'(x)=0$ 또는 $f'(x)>0$

즉 $f(x)$는 상수함수 또는 증가함수이다.

이때 $f(x)$는 연속이고 $f(1)=1$, $f(2)=1$이므로

$f(x)$는 $1<x<2$에서 상수함수이다.

즉 $1<x<2$에서 $f(x)=1$

함수 $f(x)$의 그래프는 그림과 같다.

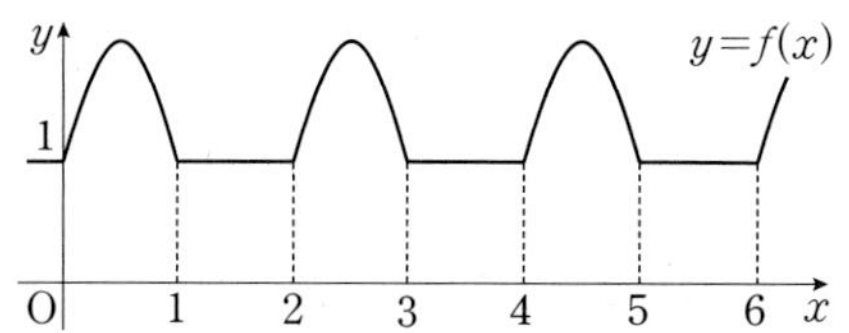

STEP B 정적분 $\int_0^6 f(x)dx$의 값 구하기

$$\int_0^6 f(x)dx=3\int_0^2 f(x)dx=3\int_0^1(\sin\pi x+1)dx+3\int_1^2 dx$$
$$=3\left[-\frac{1}{\pi}\cos\pi x+x\right]_0^1+3=6+\frac{6}{\pi}$$

따라서 $p=6$, $q=6$이고 $p+q=12$

1871

정답 20

STEP A 조건 (가), (나)를 만족하는 함수 $y=f(x)$의 그래프 그리기

조건 (가), (나)에 의하여 $f(1)=1$, $f(2)=f(0)+1=1$이고

조건 (다)에 의하여 $1<x<2$에서 $f'(x)\ge 0$이므로

$1<x<2$에서 $f(x)=1$

한편 조건 (가)에서 모든 실수 x에 대하여 $f(x+2)=f(x)+1$을 만족시키므로 구간 $[2, 4)$에서 함수 $y=f(x)$의 그래프는 구간 $[0, 2)$에서 함수 $y=f(x)$의 그래프를 x축의 방향으로 2만큼, y축의 방향으로 1만큼 평행이동시킨 것과 같다.

같은 방법을 계속하여 함수 $y=f(x)$의 그래프는 다음과 같이 나타낼 수 있다.

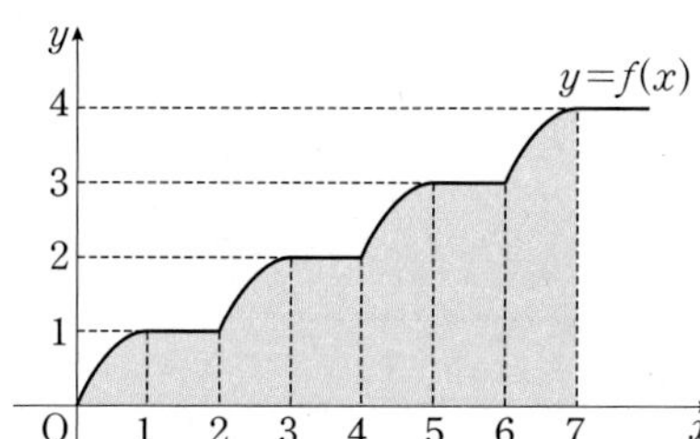

STEP B $\int_0^7 f(x)dx$의 정적분 구하기

이때 $\int_0^7 f(x)dx$의 값은 위 그래프의 어두운 부분의 넓이와 같으므로

$$\int_0^7 f(x)dx=12+4\int_0^1\sin\left(\frac{\pi}{2}x\right)dx$$
$$=12+4\left[-\frac{2}{\pi}\cos\left(\frac{\pi}{2}x\right)\right]_0^1$$
$$=12+\frac{8}{\pi}$$

STEP C $p+q$의 값 구하기

따라서 $p=12$, $q=8$이므로 $p+q=12+8=20$

1872

정답 $\dfrac{20}{3e^4}$

STEP A 조건 (가), (나)에서 부분적분법을 할 수 있도록 식을 변형하기

조건 (가)에서 $\left(\dfrac{f(x)}{x}\right)'=x^2e^{-x^2}$이고 $f(1)=\dfrac{1}{e}$이므로

조건 (나)에서 $g(x)=\dfrac{4}{e^4}\displaystyle\int_1^x e^{t^2}f(t)dt=\dfrac{2}{e^4}\int_1^x 2te^{t^2}\cdot\dfrac{f(t)}{t}dt$

STEP B 부분적분법을 이용하여 $f(2)-g(2)$의 값 구하기

이때 $u'=2te^{t^2}$, $v=\dfrac{f(t)}{t}$라 하면 $u=e^{t^2}$, $v'=t^2e^{-t^2}$이므로

부분적분법에 의하여

$$g(x)=\frac{2}{e^4}\left\{\left[e^{t^2}\cdot\frac{f(t)}{t}\right]_1^x-\int_1^x e^{t^2}\cdot\left(\frac{f(t)}{t}\right)'dt\right\}$$

$$=\frac{2}{e^4}\left\{\left[e^{t^2}\cdot\frac{f(t)}{t}\right]_1^x-\int_1^x e^{t^2}\cdot(t^2e^{-t^2})dt\right\}\ (\because \text{조건 (가)에서})$$

$$=\frac{2}{e^4}\left\{e^{x^2}\cdot\frac{f(x)}{x}-ef(1)-\int_1^x t^2dt\right\}$$

$$=\frac{2}{e^4}\left\{e^{x^2}\cdot\frac{f(x)}{x}-e\cdot\frac{1}{e}-\left[\frac{1}{3}t^3\right]_1^x\right\}$$

$$=\frac{2}{e^4}\left\{e^{x^2}\cdot\frac{f(x)}{x}-1-\left(\frac{1}{3}x^3-\frac{1}{3}\right)\right\}$$

$x=2$를 대입하면

$$g(2)=\frac{2}{e^4}\left\{e^4\cdot\frac{f(2)}{2}-\frac{10}{3}\right\}$$

$$g(2)=f(2)-\frac{20}{3e^4}$$

따라서 $f(2)-g(2)=\dfrac{20}{3e^4}$

다른풀이 조건 (나)에서 $e^{x^2}f(x)$의 꼴의 식이 있음을 이용하여 조건 (가)를 변형하여 풀이하기

조건 (가)에서 $\left(\dfrac{f(x)}{x}\right)'=x^2e^{-x^2}$의 양변에 e^{x^2}를 곱하면

$$e^{x^2}\left(\frac{f(x)}{x}\right)'=x^2$$

양변을 구간 $[1, x]$에서 적분하면

$$\int_1^x e^{t^2}\left(\frac{f(t)}{t}\right)'dt=\int_1^x t^2dt$$

$$\left[\frac{e^{t^2}f(t)}{t}\right]_1^x-2\int_1^x e^{t^2}f(t)dt=\left[\frac{1}{3}t^3\right]_1^x$$

$$\frac{e^{x^2}f(x)}{x}-ef(1)-2\int_1^x e^{t^2}f(t)dt=\frac{1}{3}x^3-\frac{1}{3}$$

$$\int_1^x e^{t^2}f(t)dt=\frac{e^{x^2}f(x)}{2x}-\frac{1}{6}x^3-\frac{1}{3}\left(\because f(1)=\frac{1}{e}\right)$$

이를 조건 (나)에 대입하면

$$g(x)=\frac{4}{e^4}\int_1^x e^{t^2}f(t)dt=\frac{4}{e^4}\left(\frac{e^{x^2}f(x)}{2x}-\frac{1}{6}x^3-\frac{1}{3}\right)\quad\cdots\cdots ㉠$$

㉠의 양변에 $x=2$를 대입하면

$$g(2)=\frac{4}{e^4}\left(\frac{e^4}{4}f(2)-\frac{5}{3}\right)$$

따라서 $f(2)-g(2)=\dfrac{20}{3e^4}$

1873

정답 $1+2\sqrt{2}$

STEP A 함수 $y=f(x)$가 x축과 만나는 점의 x좌표를 k라 하고 정적분과 넓이의 관계를 이해하기

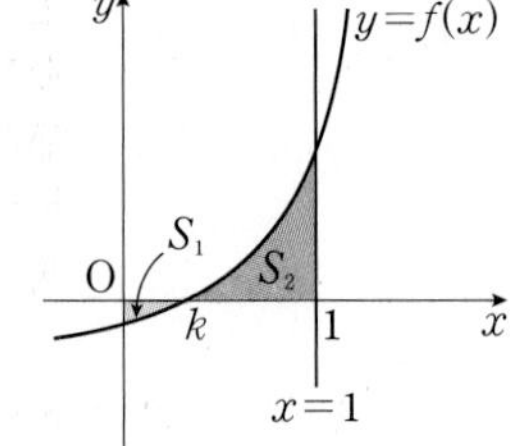

함수 $y=f(x)$의 그래프가 닫힌구간 $[0, 1]$에서 x축과 만나는 점의 x좌표를 k라 하자. 곡선 $y=f(x)$와 x축, y축으로 둘러싸인 부분의 넓이를 S_1, 곡선 $y=f(x)$와 x축 및 직선 $x=1$로 둘러싸인 부분의 넓이를 S_2라 하면

$\displaystyle\int_0^1 f(x)dx=2$에서

$-S_1+S_2=2 \quad\cdots\cdots ㉠$

$\displaystyle\int_0^1 |f(x)|dx=2\sqrt{2}$에서

$S_1+S_2=2\sqrt{2} \quad\cdots\cdots ㉡$

㉠+㉡에서 $S_2=\sqrt{2}+1$

㉠−㉡에서 $S_1=\sqrt{2}-1$

STEP B 구간 $[0, 1]$을 $0\le x\le k$, $k\le x\le 1$로 나누어 치환적분법을 이용하여 정적분의 값 구하기

(i) $0\le x\le k$인 경우

$F(x)=\displaystyle\int_0^x(-f(t))dt$이므로 양변을 x에 대하여 미분하면

$F'(x)=-f(x)$

이때 $\displaystyle\int_0^k f(x)F(x)dx$에서 $F(x)=s$로 놓으면 $F'(x)dx=ds$

$x=0$일 때, $s=F(0)=\displaystyle\int_0^0|f(t)|dt=0$

$x=k$일 때, $s=F(k)=\displaystyle\int_0^k|f(t)|dt=\sqrt{2}-1$이고

$$\int_0^k f(x)F(x)dx=\int_0^{\sqrt{2}-1}(-s)ds=\left[-\frac{1}{2}s^2\right]_0^{\sqrt{2}-1}=-\frac{1}{2}(\sqrt{2}-1)^2$$

(ii) $k\le x\le 1$인 경우

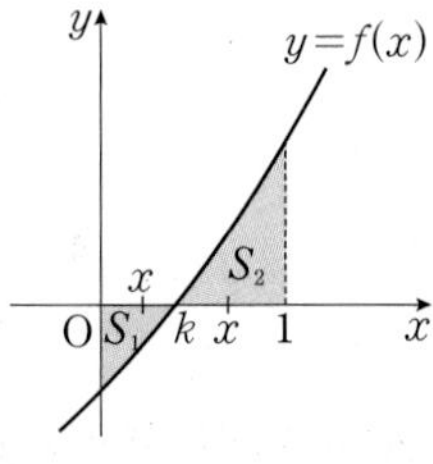

$F(x)=\displaystyle\int_0^k\{-f(t)\}dt+\int_k^x f(t)dt$의 양변을 x에 대하여 미분하면

$F'(x)=f(x)$

$\left(\because \displaystyle\int_0^k\{-f(t)\}dt=S_1=\sqrt{2}-1\text{은 상수}\right)$

이때 $\displaystyle\int_k^1 f(x)F(x)dx$에서 $F(x)=t$로 놓으면 $F'(x)dx=dt$

$x=k$일 때, $t=F(k)=\displaystyle\int_0^k|f(t)|dt=\sqrt{2}-1$

$x=1$일 때, $t=F(1)=\displaystyle\int_0^1|f(t)|dt=2\sqrt{2}$이고

$$\int_k^1 f(x)F(x)dx=\int_{\sqrt{2}-1}^{2\sqrt{2}}tdt=\left[\frac{1}{2}t^2\right]_{\sqrt{2}-1}^{2\sqrt{2}}=4-\frac{1}{2}(\sqrt{2}-1)^2$$

STEP C $\displaystyle\int_0^1 f(x)F(x)dx=\int_0^k f(x)F(x)dx+\int_k^1 f(x)F(x)dx$를 이용하여 정적분의 값 구하기

(i), (ii)에서

$$\int_0^1 f(x)F(x)dx=\int_0^k f(x)F(x)dx+\int_k^1 f(x)F(x)dx$$

$$=-\frac{1}{2}(\sqrt{2}-1)^2+4-\frac{1}{2}(\sqrt{2}-1)^2$$

$$=4-(\sqrt{2}-1)^2$$

$$=4-(3-2\sqrt{2})$$

$$=1+2\sqrt{2}$$

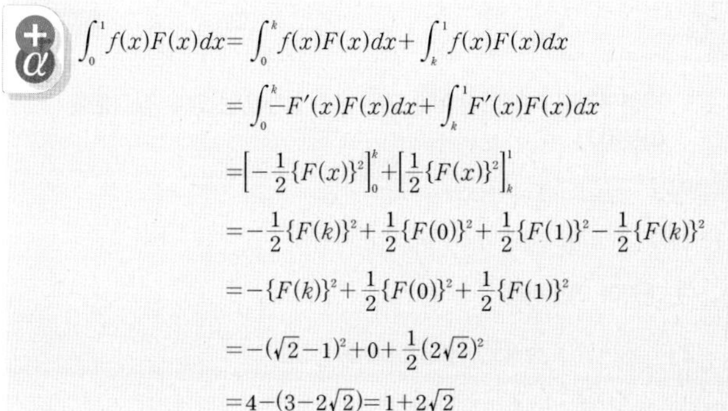

$$\int_0^1 f(x)F(x)dx = \int_0^k f(x)F(x)dx + \int_k^1 f(x)F(x)dx$$
$$= \int_0^k -F'(x)F(x)dx + \int_k^1 F'(x)F(x)dx$$
$$= \left[-\frac{1}{2}\{F(x)\}^2\right]_0^k + \left[\frac{1}{2}\{F(x)\}^2\right]_k^1$$
$$= -\frac{1}{2}\{F(k)\}^2 + \frac{1}{2}\{F(0)\}^2 + \frac{1}{2}\{F(1)\}^2 - \frac{1}{2}\{F(k)\}^2$$
$$= -\{F(k)\}^2 + \frac{1}{2}\{F(0)\}^2 + \frac{1}{2}\{F(1)\}^2$$
$$= -(\sqrt{2}-1)^2 + 0 + \frac{1}{2}(2\sqrt{2})^2$$
$$= 4-(3-2\sqrt{2}) = 1+2\sqrt{2}$$

1874

정답 11

STEP A $f(a)=g(a)$인 a의 값을 구하여 그래프 그리기

$S(a)=\int_0^a f(x)dx+\int_a^8 g(x)dx$라 하면

$S'(a)=f(a)-g(a)$이므로 $S'(a)=0$

즉 $f(a)=g(a)$인 a는 $a=1$ 또는 $a=6$

이때 $f(a)-g(a)$의 부호를 조사하여 $S(a)$의 증가와 감소를 표로 나타내면 다음과 같다.

a	$\cdots$	1	$\cdots$	6	$\cdots$
$S'(a)$	+	0	−	0	+
$S(a)$	↗	극대	↘	극소	↗

STEP B $0 \le a \le 8$에서 극댓값 극솟값을 구하여 최솟값 구하기

즉 구간 $0 \le a \le 8$에서

$S(0)=\int_0^0 f(x)dx+\int_0^8 g(x)dx=8$ ⬅ $y=g(x)$의 구간 $[0, 8]$ 사이의 넓이

극댓값 $S(1)=\int_0^1 f(x)dx+\int_1^8 g(x)dx=\int_0^1\left(\frac{5}{2}-\frac{10x}{x^2+4}\right)dx+\int_1^8 g(x)dx$

⬅ $\int_1^8 g(x)dx$는 $y=g(x)$의 구간 $[1, 8]$ 사이의 넓이

$=\left[\frac{5}{2}x-5\ln(x^2+4)\right]_0^1+\frac{31}{4}=\frac{5}{2}-5\ln 5+5\ln 4+\frac{31}{4}$

$=\frac{41}{4}-5\ln 5+5\ln 4$

극솟값 $S(6)=\int_0^6 f(x)dx+\int_6^8 g(x)dx$

$=\int_0^6\left(\frac{5}{2}-\frac{10x}{x^2+4}\right)dx+\int_6^8\frac{-x+8}{2}dx$

$=\left[\frac{5}{2}x-5\ln(x^2+4)\right]_0^6+\left[-\frac{1}{4}x^2+4x\right]_6^8$

$=15-5\ln 40+5\ln 4+(-16+32+9-24)$

$=16-5\ln 10$

따라서 최솟값은 $S(6)=16-5\ln 10$이므로 $p+q=16-5=11$

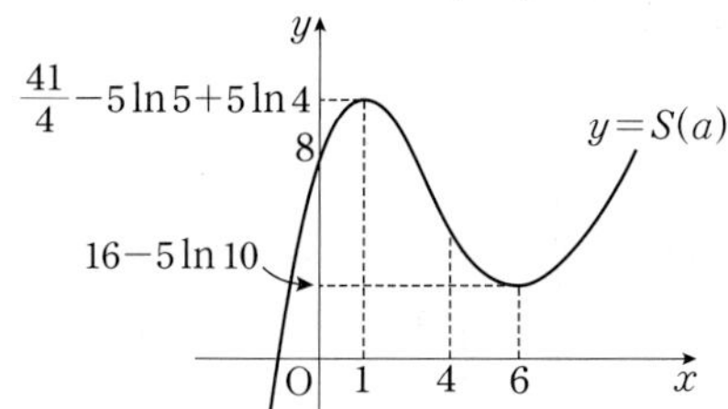

참고 $h(a)=\int_0^a f(x)dx+\int_a^8 g(x)dx$

$=\int_0^a f(x)dx+\int_0^8 g(x)dx-\int_0^a g(x)dx$

$=\int_0^a f(x)dx+\int_0^8 g(x)dx-\int_0^a g(x)dx$

$=8+\int_0^a (f(x)-g(x))dx$

이므로 양변을 a에 대하여 미분하면 $h'(a)=f(a)-g(a)$

다른풀이 $0 \le a \le 4$와 $4 \le a \le 8$로 나누어 직접 정적분하여 미분을 이용하여 최솟값 구하기

두 함수 $f(x)=\frac{5}{2}-\frac{10x}{x^2+4}$, $g(x)=\begin{cases}\frac{1}{2}x & (0 \le x \le 4)\\ \frac{-x+8}{2} & (4 \le x \le 8)\end{cases}$에서

$S(a)=\int_0^a f(x)dx+\int_a^8 g(x)dx$라 하면

(i) $0 \le a \le 4$일 때,

$S(a)=\int_0^a f(x)dx+\int_a^8 g(x)dx$

$=\int_0^a f(x)dx+\int_a^4 g(x)dx+\int_4^8 g(x)dx$

$=\int_0^a\left(\frac{5}{2}-\frac{10x}{x^2+4}\right)dx+\int_a^4\frac{1}{2}xdx+\int_4^8\frac{-x+4}{2}$

$=\left[\frac{5}{2}x-5\ln(x^2+4)\right]_0^a+\left[\frac{1}{4}x^2\right]_a^4+\left[-\frac{1}{4}x^2+2x\right]_4^8$

$=\frac{5}{2}a-5\ln(a^2+4)+5\ln 4+4-\frac{1}{4}a^2+4$

이때

$S'(a)=f(a)-g(a)=\frac{5}{2}-\frac{10a}{a^2+4}-\frac{1}{2}a=\frac{-(a-1)(a^2-4a+20)}{2(a^2+4)}$

$S'(a)=0$에서 $a=1$

$S(a)$의 증가와 감소를 표로 나타내면 다음과 같다.

a	$\cdots$	1	$\cdots$
$S'(a)$	+	0	−
$S(a)$	↗	극대	↘

즉 $a=1$일 때, 극댓값 $S(1)=\frac{41}{4}-5\ln 5+5\ln 4$

$S(0)=\int_0^8 g(x)dx=8$, $S(4)=22-5\ln 5$ …… ㉠

(ii) $4 \le a \le 8$일 때,

$S(a)=\int_0^a f(x)dx+\int_a^8 g(x)dx$

$=\int_0^a\left(\frac{5}{2}-\frac{10x}{x^2+4}\right)dx+\int_a^8\frac{-x+8}{2}dx$

$=\left[\frac{5}{2}x-5\ln(x^2+4)\right]_0^a+\left[-\frac{1}{4}x^2+4x\right]_a^8$

$=\frac{5}{2}a-5\ln(a^2+4)+5\ln 4+16+\frac{1}{4}a^2-4a$

이때

$S'(a)=f(a)-g(a)=\frac{5}{2}-\frac{10a}{a^2+4}+\frac{1}{2}a-4=\frac{(a-6)(a+1)(a+2)}{2(a^2+4)}$

$S'(a)=0$에서 $a=6$ ($\because 4 \le a \le 8$)

$S(a)$의 증가와 감소를 표로 나타내면 다음과 같다.

a	$\cdots$	6	$\cdots$
$S'(a)$	−	0	+
$S(a)$	↘	극소	↗

즉 $a=6$일 때, 극솟값 $S(6)=16-5\ln 10$ …… ㉡

따라서 ㉠, ㉡에서 최솟값은 $S(6)=16-5\ln 10$

다른풀이 직관으로 직접 구하기

$S(a)$의 함수식을 구하지 않고 그래프 개형을 이용하여 최솟값이 $a=6$일 때임을 확인하고 아래와 같이 계산할 수 있다.

$S(a)=8+\int_0^6\{f(x)-g(x)\}dx$

$=8+\int_0^6\left(\frac{5}{2}-\frac{10x}{x^2+4}-\frac{4-|x-4|}{2}\right)dx$

$=8+\int_0^6\left(\frac{5}{2}\right)dx-\int_0^6\left(\frac{10x}{x^2+4}\right)dx-\int_0^6\left(\frac{4-|x-4|}{2}\right)dx$

$=8+15-\left[5\ln(x^2+4)\right]_0^6+7$

$=16-5\ln 10$

1875   정답 17

STEP Ⓐ $e^x=t$로 치환하여 $g(t)$에 관한 식으로 나타내기

$g(e^x)=\begin{cases} f(x) & (0 \le x < 1) \\ g(e^{x-1})+5 & (1 \le x \le 2) \end{cases}$에서

$e^x=t$로 놓으면 $x=\ln t$

$$g(t)=\begin{cases} f(\ln t) & (0 \le \ln t < 1) \\ g\left(\frac{t}{e}\right)+5 & (1 \le \ln t \le 2) \end{cases}$$

$$=\begin{cases} f(\ln t) & (1 \le t < e) \\ g\left(\frac{t}{e}\right)+5 & (e \le t \le e^2) \end{cases}$$

$$\therefore\ g(x)=\begin{cases} f(\ln x) & (1 \le x < e) \\ g\left(\frac{x}{e}\right)+5 & (e \le x \le e^2) \end{cases}$$

STEP Ⓑ 정적분의 성질을 이용하고 치환적분법으로 정적분 계산하기

$$\int_1^{e^2} g(x)dx=\int_1^e g(x)dx+\int_e^{e^2} g(x)dx$$

$$=\int_1^e f(\ln x)dx+\int_e^{e^2}\left\{g\left(\frac{x}{e}\right)+5\right\}dx$$

$$=6e^2+4 \qquad \cdots\cdots ㉠$$

이때 $\int_e^{e^2}\left\{g\left(\frac{x}{e}\right)+5\right\}dx$에서 $\frac{x}{e}=p$로 놓으면 $dx=edp$

$x=e$일 때, $p=1$이고 $x=e^2$일 때, $p=e$

$$\int_e^{e^2}\left\{g\left(\frac{x}{e}\right)+5\right\}dx=\int_1^e\{g(p)+5\}edp$$

$$=e\int_1^e g(p)dp+e\int_1^e 5dp$$

$$=e\int_1^e g(p)dp+5e(e-1)$$

$$=e\int_1^e f(\ln p)dp+5e(e-1)$$

STEP Ⓒ $\int_1^e f(\ln x)dx$의 값 구하기

㉠에서 $\int_1^e f(\ln x)dx=A$라 하면

$A+eA+5e(e-1)=6e^2+4$

$A(1+e)=e^2+5e+4=(e+4)(e+1)$

$\therefore\ A=ae+b=e+4$

따라서 $a=1$, $b=4$이므로 $a^2+b^2=17$

다른풀이 정적분의 성질을 이용하여 직접 풀이하기

$g(e^x)=\begin{cases} f(x) & (0 \le x < 1) \\ g(e^{x-1})+5 & (1 \le x \le 2) \end{cases}$, $g(e^{x-1})=f(x-1)(0 \le x-1 \le 1)$

$g(e^x)=\begin{cases} f(x) & (0 \le x < 1) \\ f(x-1)+5 & (1 \le x \le 2) \end{cases}$에서 $e^x=t$로 놓으면 $x=\ln t$

$$g(t)=\begin{cases} f(\ln t) & (1 \le t < e) \\ f(\ln t-1)+5 & (e \le t \le e^2) \end{cases}$$

$$\int_1^{e^2} g(x)dx=\int_1^e f(\ln x)dx+\int_e^{e^2}\{f(\ln x-1)+5\}dx$$

$$=\int_1^e f(\ln x)dx+\int_e^{e^2}\left\{f\left(\ln\frac{x}{e}\right)+5\right\}dx$$

$\frac{x}{e}=y$로 놓으면 $dx=edy$

$x=e$일 때, $y=1$이고 $x=e^2$일 때, $y=e$

$$\int_1^{e^2} g(x)dx=\int_1^e f(\ln x)dx+\int_1^e\{f(\ln y)+5\}edy$$

$$=(e+1)\int_1^e f(\ln x)dx+5e(e-1)$$

$$=6e^2+4$$

$$\int_1^e f(\ln x)dx=\frac{e^2+5e+4}{e+1}=e+4$$

따라서 $a=1$, $b=4$이므로 $a^2+b^2=17$

1876   정답 ⑤

STEP Ⓐ 적분구간과 피적분함수에 모두 변수 x가 있는 경우 정적분을 미분하기

조건 (나)에서

$$\ln f(x)+2x\int_0^x f(t)dt-2\int_0^x tf(t)dt=0$$

양변을 x에 대하여 미분하면

$$\frac{f'(x)}{f(x)}+2\int_0^x f(t)dt+2xf(x)-2xf(x)=0$$

$$\frac{f'(x)}{f(x)}+2\int_0^x f(t)dt=0$$

$$f'(x)=-2f(x)\int_0^x f(t)dt \qquad \cdots\cdots ㉠$$

STEP Ⓑ 정적분의 여러 가지 성질들을 이용하여 진위판단하기

ㄱ. $x>0$이면 조건 (가)에서

$f(x)>0$이므로 $\int_0^x f(t)dt>0$

즉 ㉠에서 $f'(x)<0$이므로

함수 $f(x)$는 감소한다. [참]

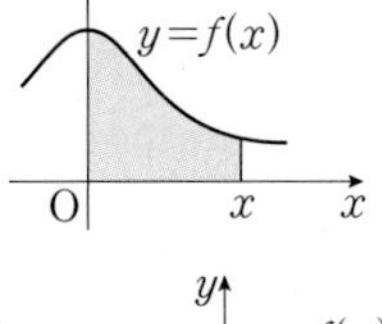

ㄴ. ㉠에 $x=0$을 대입하면 $f'(0)=0$

또한, $x<0$이면 조건 (가)에서

$f(x)>0$이므로 $\int_0^x f(t)dt<0$

즉 ㉠에서 $f'(x)>0$이므로

함수 $f(x)$는 증가한다.

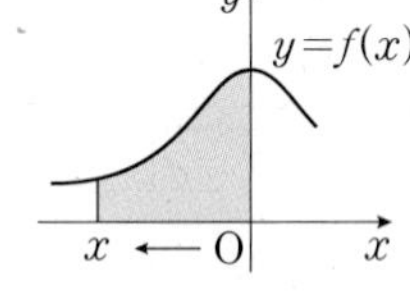

$f(x)$는 미분가능한 함수이고 $x<0$에서 증가하고 $x>0$에서 감소하므로

함수 $f(x)$는 $x=0$에서 극대이면서 최댓값을 갖는다.

x	$\cdots$	0	$\cdots$
$f'(x)$	+	0	−
$f(x)$	↗	극대	↘

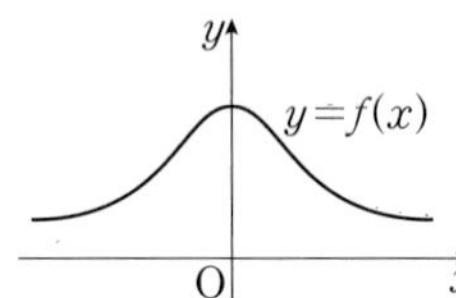

이때 조건 (나)에서 $x=0$을 대입하면 ← $\ln f(0)+2\int_0^0(x-t)f(t)dt=0$

$\ln f(0)=0$이므로 $f(0)=1$

즉 $f(x)$의 최댓값은 1이다. [참]

ㄷ. ㉠에서 $f'(x)=-2f(x)\int_0^x f(t)dt=-2f(x)F(x)$이고

$F(x)=\int_0^x f(t)dt$에서 $F'(x)=f(x)$이므로

$$f'(x)=-2F'(x)F(x) \qquad \cdots\cdots ㉡$$

이때 $y=\{F(x)\}^2$라 할 때, $\frac{dy}{dx}=2F(x)F'(x)$이므로

㉡을 부정적분하면 $f(x)=-\{F(x)\}^2+C$ (C는 적분상수)

$x=0$을 대입하면 $f(0)=-\{F(0)\}+C$ ← $f(0)=1$, $F(0)=\int_0^0 f(t)dt=0$

$1=-0+C$이므로 $C=1$

즉 $f(x)=-\{F(x)\}^2+1$이므로 $x=1$을 대입하면

$f(1)=-\{F(1)\}^2+1$이므로 $f(1)+\{F(1)\}^2=1$ [참]

따라서 옳은 것은 ㄱ, ㄴ, ㄷ이다.

1877

정답 15

STEP A 부분적분법을 이용하여 정적분의 값 구하기

조건 (가)에서 $f(x)g(x)=x^4-1$

$x=1$일 때, $f(1)g(1)=0$이고 $x=-1$일 때, $f(-1)g(-1)=0$

또, 양변을 미분하면

$f'(x)g(x)+f(x)g'(x)=4x^3$ …… ㉠

조건 (나)에서 $\int_{-1}^{1}\{f(x)\}^2g'(x)dx=120$이므로

$u(x)=\{f(x)\}^2$, $v'(x)=g'(x)$로 놓으면

$u'(x)=2f(x)f'(x)$, $v(x)=g(x)$이므로

$\int_{-1}^{1}\{f(x)\}^2g'(x)dx$

$=\left[\{f(x)\}^2g(x)\right]_{-1}^{1}-2\int_{-1}^{1}f(x)f'(x)g(x)dx$

$=\{f(1)\}^2g(1)-\{f(-1)\}^2g(-1)-2\int_{-1}^{1}f(x)f'(x)g(x)dx$

$=0-0-2\int_{-1}^{1}f(x)f'(x)g(x)dx$

$=120$

$\therefore \int_{-1}^{1}f(x)f'(x)g(x)dx=-60$ …… ㉡

STEP B $\int_{-1}^{1}x^3f(x)dx$의 값 구하기

㉠에서 $f'(x)g(x)=4x^3-f(x)g'(x)$를 ㉡에 대입하면

$\int_{-1}^{1}\{f(x)(4x^3-f(x)g'(x))\}dx=-60$

$4\int_{-1}^{1}x^3f(x)dx-\int_{-1}^{1}\{f(x)\}^2g'(x)dx=-60$

$4\int_{-1}^{1}x^3f(x)dx-120=-60$

따라서 $4\int_{-1}^{1}x^3f(x)dx=60$이므로 $\int_{-1}^{1}x^3f(x)dx=15$

다른풀이 $\{f(x)\}^2g'(x)=f(x)\times f(x)g'(x)$를 이용하여 풀이하기

조건 (가)에서 양변을 미분하면

$f'(x)g(x)+f(x)g'(x)=4x^3$에서

$f(x)g'(x)=4x^3-f'(x)g(x)$ …… ㉠

조건 (나)에서 $\{f(x)\}^2g'(x)=f(x)\times f(x)g'(x)$

$=4x^3f(x)-f'(x)f(x)g(x)$

$=4x^3f(x)-(x^4-1)f'(x)$

조건 (나)에 이 식을 대입하면

$\int_{-1}^{1}\{f(x)\}^2g'(x)dx=120$

$\int_{-1}^{1}\{4x^3f(x)-(x^4-1)f'(x)\}dx=120$

$4\int_{-1}^{1}x^3f(x)dx-\int_{-1}^{1}(x^4-1)f'(x)dx=120$이므로

$\int_{-1}^{1}x^3f(x)dx=\frac{1}{4}\int_{-1}^{1}(x^4-1)f'(x)dx+30$

$=\frac{1}{4}\left\{\left[(x^4-1)f(x)\right]_{-1}^{1}-\int_{-1}^{1}4x^3f(x)dx\right\}+30$

$=-\int_{-1}^{1}x^3f(x)dx+30$

따라서 $\int_{-1}^{1}x^3f(x)dx=15$

내신연계 출제문항 738

실수 전체의 집합에서 도함수가 연속인 두 함수 $f(x)$, $g(x)$가 다음 조건을 만족시킨다.

(가) 모든 실수 x에 대하여 $f(x)g(x)=x^2-x$이다.
(나) $\int_{0}^{1}\{g(x)\}^2f'(x)dx=14-\frac{38}{e}$

$\int_{0}^{1}(2x-1)g(x)dx=p-\frac{q}{e}$일 때, 두 자연수 p, q에 대하여 $p+q$의 값은?

① 26 ② 27 ③ 29
④ 31 ⑤ 33

STEP A 부분적분법을 이용하여 정적분의 값 구하기

조건 (가)에서 $f(x)g(x)=x^2-x$이고

$f(1)g(1)=f(0)g(0)=0$

조건 (나)에서 $\int_{0}^{1}\{g(x)\}^2f'(x)dx=14-\frac{38}{e}$이므로

$u(x)=\{g(x)\}^2$, $v'(x)=f'(x)$로 놓으면

$u'(x)=2g'(x)g(x)$, $v(x)=f(x)$이므로

$\int_{0}^{1}\{g(x)\}^2f'(x)dx=\left[\{g(x)\}^2f(x)\right]_{0}^{1}-\int_{0}^{1}\{2g'(x)g(x)\times f(x)\}dx$

$=\{g(1)\}^2f(1)-\{g(0)\}^2f(0)-2\int_{0}^{1}(x^2-x)g'(x)dx$

$=(0-0)-2\int_{0}^{1}(x^2-x)g'(x)dx$

$=-2\int_{0}^{1}(x^2-x)g'(x)dx$

STEP B $\int_{0}^{1}(2x-1)g(x)dx$의 값 구하기

이때 $m(x)=x^2-x$, $n'(x)=g'(x)$로 놓으면

$m'(x)=2x-1$, $n(x)=g(x)$이므로

$-2\int_{0}^{1}(x^2-x)g'(x)dx=-2\left[(x^2-x)g(x)\right]_{0}^{1}+2\int_{0}^{1}(2x-1)g(x)dx$

$=2\int_{0}^{1}(2x-1)g(x)dx$

즉 $2\int_{0}^{1}(2x-1)g(x)dx=14-\frac{38}{e}$

따라서 $\int_{0}^{1}(2x-1)g(x)dx=7-\frac{19}{e}$이므로 $p=7$, $q=19$에서

$p+q=7+19=26$

정답 ①

05 STEP 1 내신정복기출유형 정적분과 급수

1878

 ①

STEP Ⓐ **정적분과 급수의 합을 이용하여 빈칸추론하기**

그림과 같이 닫힌구간 $[0, 1]$을 n등분하면 양 끝점과 각 등분점의 x좌표는 차례로 $0, \frac{1}{n}, \frac{2}{n}, \cdots, \frac{n}{n}(=1)$이고 이에 대응하는 곡선의 y좌표는 각각 $0, \left(\frac{1}{n}\right)^2, \left(\frac{2}{n}\right)^2, \cdots, \left(\frac{n}{n}\right)^2$이다.

그림에서 색칠한 직사각형의 넓이의 합을 S_n이라 하면

$$S_n=\frac{1}{n}\left(\frac{1}{n}\right)^2+\frac{1}{n}\left(\frac{2}{n}\right)^2+\cdots+\frac{1}{n}\left(\frac{n}{n}\right)^2=\frac{1^2}{n^3}+\frac{2^2}{n^3}+\cdots+\frac{n^2}{n^3}$$

$$=\frac{1}{\boxed{n^3}}(1^2+2^2+\cdots+n^2)=\frac{1}{n^3}\times\frac{n(n+1)(2n+1)}{6}$$

$$=\frac{1}{6}\left(1+\frac{1}{n}\right)\left(\boxed{2+\frac{1}{n}}\right)$$

따라서 구하는 넓이 S는 $S=\lim_{n\to\infty}S_n=\lim_{n\to\infty}\frac{1}{6}\left(1+\frac{1}{n}\right)\left(2+\frac{1}{n}\right)=\boxed{\frac{1}{3}}$

STEP Ⓑ **$f(3a)g(3a)$의 값 구하기**

(가) $f(n)=n^3$, (나) $g(n)=2+\frac{1}{n}$, (다) $a=\frac{1}{3}$이므로

$f(3a)g(3a)=f(1)g(1)=1\times(2+1)=3$

곡선 $y=f(x)$와 x축 및 두 직선 $x=a$, $x=b$로 둘러싸인 도형의 넓이 S를 구분구적법으로 구할 때, 구간 $[a, b]$를 n등분하여 오른쪽 끝 점에서의 함숫값을 높이로 하는 직사각형의 넓이의 합을 U_n이라 하고, 왼쪽 끝 점에서의 함숫값을 높이로 하는 직사각형의 넓이의 합을 L_n이라 하자.

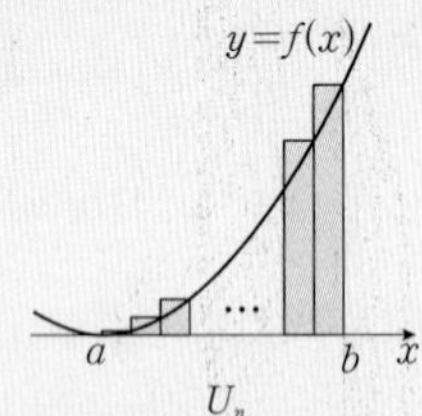

U_n

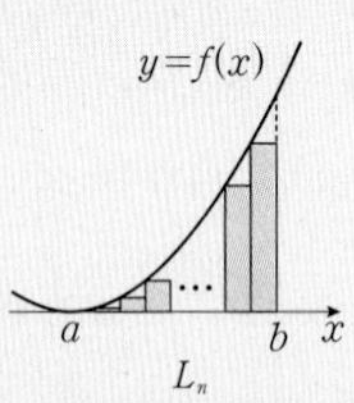

L_n

함수 $f(x)$가 연속함수인 경우 $\lim_{n\to\infty}U_n$, $\lim_{n\to\infty}L_n$ 중 어느 하나의 극한값이 존재하면 다른 하나의 극한값도 존재하고, 그 두 극한값은 S로 서로 일치한다. 따라서 두 극한값 중 어느 하나만 구해서 S를 구할 수 있다.

1879

 ④

STEP Ⓐ **정적분과 급수의 합을 이용하여 빈칸추론하기**

$f(x)=x^2$이라 하면 함수 $f(x)$는 닫힌구간 $[0, 2]$에서 연속이다.

이때 $a=0$, $b=2$이므로

$\Delta x=\frac{b-a}{n}=\frac{2}{n}$, $x_k=a+k\Delta x=\boxed{\frac{2k}{n}}$

$f(x_k)={x_k}^2=\left(\boxed{\frac{2k}{n}}\right)^2$

따라서 정적분과 급수의 합 사이의 관계에 의하여

$$\int_0^2 x^2dx=\lim_{n\to\infty}\sum_{k=1}^{n}f(x_k)\Delta x=\lim_{n\to\infty}\sum_{k=1}^{n}\left\{\left(\boxed{\frac{2k}{n}}\right)^2\times\frac{2}{n}\right\}$$

$$=\lim_{n\to\infty}\frac{8}{n^3}\sum_{k=1}^{n}\boxed{k^2}=\lim_{n\to\infty}\left\{\frac{8}{n^3}\times\frac{n(n+1)(2n+1)}{6}\right\}$$

$$=\frac{4}{3}\lim_{n\to\infty}\left(1+\frac{1}{n}\right)\boxed{\left(2+\frac{1}{n}\right)}=\boxed{\frac{8}{3}}$$

STEP Ⓑ **$f\left(\frac{3}{4}a\right)g\left(\frac{3}{4}a\right)$의 값 구하기**

(가) $\frac{2k}{n}$, (나) k^2, (다) $2+\frac{1}{n}$, (라) $\frac{8}{3}$이므로 ④번이다.

1880

 ③

STEP Ⓐ **정적분과 급수의 합을 이용하여 빈칸추론하기**

$$\lim_{n\to\infty}\frac{1}{n^3}(1^2+2^2+3^2+\cdots+n^2)$$

$$=\lim_{n\to\infty}\frac{1}{n^3}\sum_{k=1}^{n}\boxed{k^2}=\lim_{n\to\infty}\sum_{k=1}^{n}\left(\frac{k}{n}\right)^2\frac{1}{n}$$

이때 $f(x)=x^2$, $a=0$, $b=1$로 놓으면

$\Delta x=\frac{b-a}{n}=\frac{1}{n}$, $x_k=a+k\Delta x=\boxed{\frac{k}{n}}$

따라서 정적분과 급수의 합 사이의 관계에 의하여

$$\lim_{n\to\infty}\frac{1}{n^3}\sum_{k=1}^{n}\boxed{k^2}=\lim_{n\to\infty}\sum_{k=1}^{n}\left(\frac{k}{n}\right)^2\frac{1}{n}=\lim_{n\to\infty}\sum_{k=1}^{n}f(x_k)\Delta x$$

$$=\int_0^1 f(x)dx=\int_0^1 x^2dx=\left[\frac{1}{3}x^3\right]_0^1=\boxed{\frac{1}{3}}$$

따라서 (가) k^2, (나) $\frac{k}{n}$, (다) $\frac{1}{3}$이다.

내신연계 출제문항 739

정적분을 이용하여 극한값 $\lim_{n\to\infty}\frac{1}{n^4}(1^3+2^3+3^3+\cdots+n^3)$의 값을 구하는 과정이다.

> $\lim_{n\to\infty}\frac{1}{n^4}(1^3+2^3+3^3+\cdots+n^3)=\lim_{n\to\infty}\frac{1}{n^4}\sum_{k=1}^{n}$ (가)
>
> 이때 $f(x)=x^2$, $a=0$, $b=1$이라 하고
>
> $\Delta x=\frac{b-a}{n}=\frac{1}{n}$, $x_k=a+k\Delta x=$ (나) 라 하면
>
> 정적분과 급수의 합 사이의 관계에 의하여
>
> $\lim_{n\to\infty}\frac{1}{n^4}\sum_{k=1}^{n}$ (가) $=\lim_{n\to\infty}\sum_{k=1}^{n}f(x_k)\Delta x=\int_0^1 f(x)dx=$ (다)

위의 과정에서 (가), (나), (다)에 들어갈 것으로 알맞은 것은?

	(가)	(나)	(다)
①	k^2	$\frac{k}{n}$	$\frac{1}{4}$
②	k^2	$1+\frac{k}{n}$	$\frac{1}{4}$
③	k^3	$\frac{k}{n}$	$\frac{1}{3}$
④	k^3	$1+\frac{k}{n}$	$\frac{1}{3}$
⑤	k^3	$\frac{k}{n}$	$\frac{1}{4}$

STEP Ⓐ **정적분과 급수의 합을 이용하여 빈칸추론하기**

$$\lim_{n\to\infty}\frac{1}{n^4}(1^3+2^3+3^3+\cdots+n^3)$$

$$=\lim_{n\to\infty}\frac{1}{n^4}\sum_{k=1}^{n}\boxed{k^3}=\lim_{n\to\infty}\sum_{k=1}^{n}\left(\frac{k}{n}\right)^3\frac{1}{n}$$

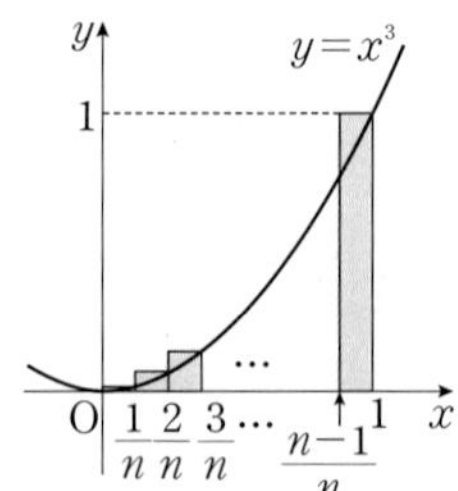

이때 $f(x)=x^3$, $a=0$, $b=1$로 놓으면

$\Delta x=\frac{b-a}{n}=\frac{1}{n}$, $x_k=a+k\Delta x=\boxed{\frac{k}{n}}$

따라서 정적분과 급수의 관계에 의하여

$$\lim_{n\to\infty}\sum_{k=1}^{n}\left(\frac{k}{n}\right)^3\frac{1}{n}=\lim_{n\to\infty}\sum_{k=1}^{n}f(x_k)\Delta x$$

$$=\int_0^1 f(x)dx=\int_0^1 x^3dx$$

$$=\left[\frac{1}{4}x^4\right]_0^1=\boxed{\frac{1}{4}}$$

정답 ⑤

1881

정답 ②

STEP Ⓐ 정적분과 급수의 합을 이용하여 빈칸추론하기

$\lim_{n\to\infty}\left(\frac{1}{n+1}+\frac{1}{n+2}+\frac{1}{n+3}+\cdots+\frac{1}{n+n}\right)$

$=\lim_{n\to\infty}\frac{1}{n}\left(\frac{1}{1+\frac{1}{n}}+\frac{1}{1+\frac{2}{n}}+\frac{1}{1+\frac{3}{n}}+\cdots+\frac{1}{1+\frac{n}{n}}\right)$

$=\lim_{n\to\infty}\frac{1}{n}\sum_{k=1}^{n}\boxed{\frac{1}{1+\frac{k}{n}}}$

이때 $f(x)=\frac{1}{\boxed{1+x}}$, $\Delta x=\frac{1}{n}$, $x_k=\frac{k}{n}$라 하면

$\lim_{n\to\infty}\sum_{k=1}^{n}f(x_k)\Delta x=\int_0^{\boxed{1}}f(x)dx=\int_0^{\boxed{1}}\frac{1}{\boxed{1+x}}dx=\Big[\ln(1+x)\Big]_0^1=\boxed{\ln 2}$

따라서 (가) $\frac{1}{1+\frac{k}{n}}$, (나) $1+x$, (다) 1, (라) $\ln 2$

1882

STEP Ⓐ 정적분과 급수 사이의 관계를 이용하여 구하기

$\lim_{n\to\infty}\frac{1}{n}\left\{\left(\frac{n+1}{n}\right)^2+\left(\frac{n+2}{n}\right)^2+\left(\frac{n+3}{n}\right)^2+\cdots+\left(\frac{2n}{n}\right)^2\right\}$

$=\lim_{n\to\infty}\sum_{k=1}^{n}\left(1+\frac{k}{n}\right)^2\frac{1}{n}=\int_1^2 x^2dx$

$=\left[\frac{1}{3}x^3\right]_1^2=\frac{7}{3}$

내신연계 출제문항 740

$\lim_{n\to\infty}\frac{(n+1)^3+(n+2)^3+(n+3)^3+\cdots+(2n)^3}{n^4}$의 값은?

① 7 ② $\frac{15}{4}$ ③ 4
④ $\frac{9}{2}$ ⑤ $\frac{19}{2}$

STEP Ⓐ 정적분과 급수 사이의 관계를 이용하여 구하기

$\lim_{n\to\infty}\frac{(n+1)^3+(n+2)^3+(n+3)^3+\cdots+(2n)^3}{n^4}$

$=\lim_{n\to\infty}\left\{\left(1+\frac{1}{n}\right)^3+\left(1+\frac{2}{n}\right)^3+\left(1+\frac{3}{n}\right)^n+\cdots+\left(1+\frac{n}{n}\right)\right\}^3\frac{1}{n}$

$=\lim_{n\to\infty}\sum_{k=1}^{n}\left(1+\frac{k}{n}\right)^3\frac{1}{n}=\int_1^2 x^3dx$

$=\left[\frac{1}{4}x^4\right]_1^2=\frac{15}{4}$ 정답 ②

1883

STEP Ⓐ 정적분과 급수의 합 사이의 관계를 이용하여 구하기

$\lim_{n\to\infty}\sum_{k=1}^{n}f\left(1+\frac{2k}{n}\right)\frac{1}{n}=\frac{1}{2}\lim_{n\to\infty}\sum_{k=1}^{n}f\left(1+\frac{2k}{n}\right)\frac{2}{n}$

$=\frac{1}{2}\int_1^3 f(x)dx=\frac{1}{2}\int_1^3\cos\frac{\pi}{2}xdx$

$=\frac{1}{2}\left[\frac{2}{\pi}\sin\frac{\pi}{2}x\right]_1^3=-\frac{2}{\pi}$

1884

정답 ②

STEP Ⓐ 정적분과 급수의 합 사이의 관계를 이용하여 구하기

$\lim_{n\to\infty}\sum_{k=1}^{n}f\left(1+\frac{3k}{n}\right)\frac{1}{n}=\lim_{n\to\infty}\sum_{k=1}^{n}f\left(1+\frac{3k}{n}\right)\frac{3}{n}\cdot\frac{1}{3}$

$=\frac{1}{3}\int_1^4 f(x)dx=\frac{1}{3}\int_1^4\frac{1}{x}dx$

$=\frac{1}{3}\Big[\ln x\Big]_1^4=\frac{1}{3}\ln 4=\frac{2}{3}\ln 2$

내신연계 출제문항 741

함수 $f(x)=\frac{1}{x}$에 대하여 $\lim_{n\to\infty}\sum_{k=1}^{n}f\left(1+\frac{2k}{n}\right)\frac{2}{n}$의 값은?

① $\ln 2$ ② $\ln 3$ ③ $2\ln 2$
④ $\ln 5$ ⑤ $\ln 6$

STEP Ⓐ 정적분과 급수의 합 사이의 관계를 이용하여 구하기

$\lim_{n\to\infty}\sum_{k=1}^{n}f\left(1+\frac{2k}{n}\right)\frac{2}{n}=\int_1^3 f(x)dx=\int_1^3\frac{1}{x}dx=\Big[\ln x\Big]_1^3=\ln 3$ 

1885

STEP Ⓐ 정적분과 급수의 합 사이의 관계를 이용하여 구하기

$\lim_{n\to\infty}\frac{1}{n}\sum_{k=1}^{n}f\left(\frac{2k}{n}\right)=\frac{1}{2}\lim_{n\to\infty}\sum_{k=1}^{n}f\left(\frac{2k}{n}\right)\times\frac{2}{n}=\frac{1}{2}\int_0^2 f(x)dx$

$=\frac{1}{2}\int_0^2(e^x+a)dx=\frac{1}{2}\Big[e^x+ax\Big]_0^2$

$=\frac{1}{2}(e^2+2a)-\frac{1}{2}(1+0)=\frac{e^2}{2}+a-\frac{1}{2}$

STEP Ⓑ a의 값 구하기

따라서 $\frac{e^2}{2}+a-\frac{1}{2}=\frac{e^2}{2}$이므로 $a=\frac{1}{2}$

내신연계 출제문항 742

함수 $f(x)=e^x+2$에 대하여

$$\lim_{n\to\infty}\sum_{k=1}^{n}f\left(\frac{k}{n}\right)\frac{1}{n}+\lim_{n\to\infty}\sum_{k=1}^{2n}f\left(1+\frac{k}{n}\right)\frac{1}{n}$$

의 값은? (단, e는 자연로그의 밑이다.)

① e^2+4 ② e^2+6 ③ e^2+8
④ e^3+5 ⑤ e^3+8

STEP Ⓐ 정적분과 급수의 관계에 의하여 정적분으로 나타내기

$\lim_{x\to\infty}\sum_{k=1}^{n}f\left(\frac{k}{n}\right)\frac{1}{n}=\int_0^1 f(x)dx$이고

$\lim_{n\to\infty}\sum_{k=1}^{2n}f\left(1+\frac{k}{n}\right)\frac{1}{n}=\lim_{x\to\infty}\sum_{k=1}^{2n}f\left(1+\frac{2k}{2n}\right)\frac{2}{2n}=\int_1^3 f(x)dx$

STEP Ⓑ 정적분의 성질을 이용하여 계산하기

따라서 $\lim_{n\to\infty}\sum_{k=1}^{n}f\left(\frac{k}{n}\right)\frac{1}{n}+\lim_{n\to\infty}\sum_{k=1}^{2n}f\left(1+\frac{k}{n}\right)\frac{1}{n}$

$=\int_0^1 f(x)dx+\int_1^3 f(x)dx=\int_0^3 f(x)dx=\int_0^3(e^x+2)dx$

$=\Big[e^x+2x\Big]_0^3=e^3+5$ 정답 ④

III 적분법

1886

정답 ①

STEP A 정적분과 급수의 합 사이의 관계를 이용하여 구하기

$$\lim_{n\to\infty}\frac{\pi}{n}\sum_{k=1}^{n}\tan^2\left(\frac{k\pi}{4n}\right)=4\lim_{n\to\infty}\sum_{k=1}^{n}\tan^2\left(\frac{k\pi}{4n}\right)\times\frac{\pi}{4n}=4\int_0^{\frac{\pi}{4}}\tan^2 x\,dx$$

$$=4\int_0^{\frac{\pi}{4}}(\sec^2 x-1)dx=4\Big[\tan x-x\Big]_0^{\frac{\pi}{4}}$$

$$=4\left\{\left(1-\frac{\pi}{4}\right)-0\right\}=4-\pi$$

1887

정답 ①

STEP A 급수를 정적분으로 나타내어 정적분의 정의를 이용하기

$$\lim_{n\to\infty}\sum_{k=1}^{n}\frac{1}{n+k}f\left(\frac{k}{n}\right)=\lim_{n\to\infty}\sum_{k=1}^{n}\frac{1}{\frac{n+k}{n}}f\left(\frac{k}{n}\right)\frac{1}{n}=\lim_{n\to\infty}\sum_{k=1}^{n}\frac{1}{1+\frac{k}{n}}f\left(\frac{k}{n}\right)\frac{1}{n}$$

$$=\int_0^1\frac{f(x)}{1+x}dx=\int_0^1\frac{4x^4+4x^3}{1+x}dx$$

$$=\int_0^1\frac{4x^3(x+1)}{1+x}dx=\int_0^1 4x^3dx$$

$$=\Big[x^4\Big]_0^1=1-0=1$$

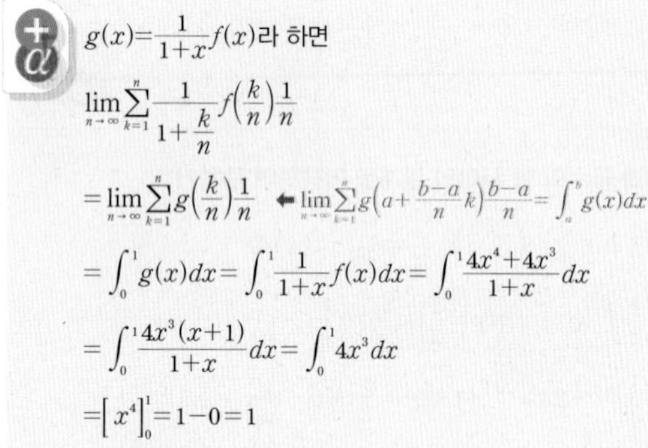

$g(x)=\frac{1}{1+x}f(x)$라 하면

$$\lim_{n\to\infty}\sum_{k=1}^{n}\frac{1}{1+\frac{k}{n}}f\left(\frac{k}{n}\right)\frac{1}{n}$$

$$=\lim_{n\to\infty}\sum_{k=1}^{n}g\left(\frac{k}{n}\right)\frac{1}{n} \quad \Leftarrow \lim_{n\to\infty}\sum_{k=1}^{n}g\left(a+\frac{b-a}{n}k\right)\frac{b-a}{n}=\int_a^b g(x)dx$$

$$=\int_0^1 g(x)dx=\int_0^1\frac{1}{1+x}f(x)dx=\int_0^1\frac{4x^4+4x^3}{1+x}dx$$

$$=\int_0^1\frac{4x^3(x+1)}{1+x}dx=\int_0^1 4x^3dx$$

$$=\Big[x^4\Big]_0^1=1-0=1$$

내신연계 출제문항 743

함수 $f(x)=x^2-x+1$에 대하여

$$\lim_{n\to\infty}\sum_{k=1}^{n}\frac{2n+k}{n^2}f\left(\frac{n+k}{n}\right)$$

의 값은?

① 4 ② $\frac{17}{4}$ ③ $\frac{9}{2}$

④ $\frac{19}{4}$ ⑤ 5

STEP A 급수를 정적분으로 나타내어 정적분의 정의를 이용하기

$$\lim_{n\to\infty}\sum_{k=1}^{n}\frac{2n+k}{n^2}f\left(\frac{n+k}{n}\right)=\lim_{n\to\infty}\sum_{k=1}^{n}\left(2+\frac{k}{n}\right)f\left(1+\frac{k}{n}\right)\frac{1}{n}$$

$$=\lim_{n\to\infty}\sum_{k=1}^{n}\left\{1+\left(1+\frac{k}{n}\right)\right\}f\left(1+\frac{k}{n}\right)\frac{1}{n}$$

$$=\int_1^2(1+x)f(x)dx=\int_1^2(1+x)(x^2-x+1)dx$$

$$=\int_1^2(x^3+1)dx=\left[\frac{1}{4}x^4+x\right]_1^2$$

$$=(4+2)-\left(\frac{1}{4}+1\right)=\frac{19}{4}$$

정답 ④

1888

정답 ②

STEP A 급수의 합을 정적분으로 나타내기

① $\lim_{n\to\infty}\frac{2}{n}\sum_{k=1}^{n}\left(\frac{2k}{n}\right)^3=\int_0^2 x^3dx$

② $\lim_{n\to\infty}\frac{1}{n}\sum_{k=1}^{n}\sin^2\frac{k\pi}{4n}=\frac{4}{\pi}\lim_{n\to\infty}\frac{\pi}{4n}\sum_{k=1}^{n}\sin^2\frac{k\pi}{4n}=\frac{4}{\pi}\int_0^{\frac{\pi}{4}}\sin^2x\,dx$ [거짓]

③ $\lim_{n\to\infty}\frac{1}{n}\sum_{k=1}^{n}\ln\left(1+\frac{2k}{n}\right)=\int_0^1\ln(1+2x)dx$

④ $\lim_{n\to\infty}\frac{1}{n}\sum_{k=1}^{n}\frac{1}{1+\left(\frac{k}{n}\right)^2}=\int_0^1\frac{1}{1+x^2}dx$

⑤ $\lim_{n\to\infty}\frac{1}{n}\sum_{k=1}^{n}\left(1+\frac{3k}{n}\right)^5=\frac{1}{3}\lim_{n\to\infty}\frac{3}{n}\sum_{k=1}^{n}\left(1+\frac{3k}{n}\right)^5=\frac{1}{3}\int_1^4 x^5dx$

따라서 옳지 않은 것은 ②이다.

내신연계 출제문항 744

다음 급수의 합을 정적분으로 나타낸 것이 옳지 않은 것은?

① $\lim_{n\to\infty}\frac{1}{n^7}\sum_{k=1}^{n}k^6=\int_0^1 x^6dx$

② $\lim_{n\to\infty}\sum_{k=1}^{n}\left(1+\frac{2k}{n}\right)^3\frac{4}{n}=2\int_1^3 x^3dx$

③ $\lim_{n\to\infty}\sum_{k=1}^{n}\frac{1}{n}\sin\frac{k\pi}{n}=\frac{1}{\pi}\int_0^{\pi}\sin x\,dx$

④ $\lim_{n\to\infty}\frac{\pi}{n}\left(\sin\frac{\pi}{n}+\sin\frac{2\pi}{n}+\cdots+\sin\frac{n\pi}{n}\right)=\int_0^{\pi}\sin x\,dx$

⑤ $\lim_{n\to\infty}\sum_{k=1}^{n}\frac{3}{n+3k}=\int_0^3\frac{1}{x}dx$

STEP A 급수의 합을 정적분으로 나타내기

① $\lim_{n\to\infty}\frac{1}{n^7}\sum_{k=10}^{n}k^6=\lim_{n\to\infty}\sum_{k=1}^{n}\left(\frac{k}{n}\right)^6\frac{1}{n}=\int_0^1 x^6dx$

② $\lim_{n\to\infty}\sum_{k=1}^{n}\left(1+\frac{2k}{n}\right)^3\frac{4}{n}=\lim_{n\to\infty}\sum_{k=1}^{n}\left(1+\frac{2k}{n}\right)^3\frac{2}{n}\times2=2\int_1^3 x^3dx$

③ $\lim_{n\to\infty}\sum_{k=1}^{n}\frac{1}{n}\sin\frac{k\pi}{n}=\frac{1}{\pi}\int_0^{\pi}\sin x\,dx$

④ $\lim_{n\to\infty}\frac{\pi}{n}\left(\sin\frac{\pi}{n}+\sin\frac{2\pi}{n}+\cdots+\sin\frac{n\pi}{n}\right)=\lim_{n\to\infty}\frac{\pi}{n}\sum_{k=1}^{n}\sin\frac{\pi k}{n}=\int_0^{\pi}\sin x\,dx$

⑤ $\lim_{n\to\infty}\sum_{k=1}^{n}\frac{3}{n+3k}=\lim_{n\to\infty}\sum_{k=1}^{n}\frac{\frac{3}{n}}{1+\frac{3k}{n}}=\lim_{n\to\infty}\sum_{k=1}^{n}\frac{1}{1+\frac{3k}{n}}\cdot\frac{3}{n}=\int_1^4\frac{1}{x}dx$ [거짓]

따라서 옳지 않은 것은 ⑤이다.

정답 ⑤

1889

정답 ②

STEP A 정적분과 급수의 합 사이의 관계를 이용하여 구하기

$$\lim_{n\to\infty}\left(\frac{1}{3n+1}+\frac{1}{3n+2}+\frac{1}{3n+3}+\cdots+\frac{1}{4n}\right)$$

$$=\lim_{n\to\infty}\frac{1}{n}\left(\frac{1}{3+\frac{1}{n}}+\frac{1}{3+\frac{2}{n}}+\cdots+\frac{1}{3+\frac{n}{n}}\right)$$

$$=\lim_{n\to\infty}\frac{1}{n}\sum_{k=1}^{n}\frac{1}{3+\left(\frac{k}{n}\right)}=\int_0^1\frac{1}{3+x}dx$$

$$=\Big[\ln|3+x|\Big]_0^1$$

$$=\ln4-\ln3$$

$$=\ln\frac{4}{3}$$

내/신/연/계/ 출제문항 745

$\lim_{n\to\infty}\left(\frac{1}{2n+1}+\frac{1}{2n+2}+\frac{1}{2n+3}+\cdots+\frac{1}{2n+n}\right)$의 값은?

① 0　　② $\ln\frac{3}{2}$　　③ $\ln 2$

④ $\ln\frac{5}{2}$　　⑤ $\ln 3$

STEP Ⓐ **정적분과 급수의 합 사이의 관계를 이용하여 구하기**

$\lim_{n\to\infty}\left(\frac{1}{2n+1}+\frac{1}{2n+2}+\frac{1}{2n+3}+\cdots+\frac{1}{2n+n}\right)$

$=\lim_{n\to\infty}\frac{1}{n}\left(\frac{n}{2n+1}+\frac{n}{2n+2}+\frac{n}{2n+3}+\cdots+\frac{n}{2n+n}\right)$

$=\lim_{n\to\infty}\frac{1}{n}\left(\frac{1}{2+\frac{1}{n}}+\frac{1}{2+\frac{2}{n}}+\frac{1}{2+\frac{3}{n}}+\cdots+\frac{1}{2+\frac{n}{n}}\right)$

$=\lim_{n\to\infty}\frac{1}{n}\sum_{k=1}^{n}\frac{1}{2+\frac{k}{n}}=\int_0^1\frac{1}{x+2}dx$

$=\Big[\ln|x+2|\Big]_0^1$

$=\ln 3-\ln 2$

$=\ln\frac{3}{2}$

정답 ②

1890

STEP Ⓐ **정적분과 급수의 합 사이의 관계를 이용하여 구하기**

$\lim_{n\to\infty}\left(\frac{1}{n^2+1^2}+\frac{2}{n^2+2^2}+\cdots+\frac{n}{n^2+n^2}\right)=\lim_{n\to\infty}\sum_{k=1}^{n}\frac{k}{n^2+k^2}$

$=\lim_{n\to\infty}\sum_{k=1}^{n}\frac{\frac{k}{n}}{1+\left(\frac{k}{n}\right)^2}\cdot\frac{1}{n}$

$=\int_0^1\frac{x}{1+x^2}dx$

STEP Ⓑ **$1+x^2=t$로 치환하여 정적분 계산하기**

$1+x^2=t$로 놓으면 $2xdx=dt$

$x=0$일 때, $t=1$이고 $x=1$일 때, $t=2$

따라서 $\int_0^1\frac{x}{1+x^2}dx=\frac{1}{2}\int_1^2\frac{1}{t}dt=\frac{1}{2}\Big[\ln|t|\Big]_1^2=\frac{1}{2}\ln 2$

내/신/연/계/ 출제문항 746

$\lim_{n\to\infty}\left(\frac{1^2}{n^3+1^3}+\frac{2^2}{n^3+2^3}+\cdots+\frac{n^2}{n^3+n^3}\right)$의 값은?

① $\frac{1}{2}\ln 2$　　② $\frac{1}{3}\ln 2$　　③ $\frac{1}{3}\ln 3$

④ $\ln 2$　　⑤ $\ln 3$

STEP Ⓐ **정적분과 급수의 합 사이의 관계를 이용하여 구하기**

$\lim_{n\to\infty}\sum_{k=1}^{n}\frac{k^2}{n^3+k^3}=\lim_{n\to\infty}\frac{1}{n}\sum_{k=1}^{n}\frac{\left(\frac{k}{n}\right)^2}{1+\left(\frac{k}{n}\right)^3}=\int_0^1\frac{x^2}{1+x^3}dx=\frac{1}{3}\int_0^1\frac{3x^2}{1+x^3}dx$

STEP Ⓑ **$x^3=t$로 치환하여 정적분 계산하기**

$x^3=t$라 하면 $3x^2dx=dt$

$x=0$일 때, $t=0$이고 $x=1$일 때, $t=1$

따라서 $\frac{1}{3}\int_0^1\frac{3x^2}{1+x^3}dx=\Big[\frac{1}{3}\ln(1+t)\Big]_0^1=\frac{1}{3}\ln 2$

1891

정답 ③

STEP Ⓐ **정적분과 급수의 합 사이의 관계를 이용하여 구하기**

$\lim_{n\to\infty}\sum_{k=1}^{n}\left\{f\left(1+\frac{2k}{n}\right)+f\left(1-\frac{2k}{n}\right)\right\}\frac{1}{n}$

$=\lim_{n\to\infty}\sum_{k=1}^{n}f\left(1+\frac{2k}{n}\right)\frac{1}{n}+\lim_{n\to\infty}\sum_{k=1}^{n}f\left(1-\frac{2k}{n}\right)\frac{1}{n}$

$=\frac{1}{2}\left\{\lim_{n\to\infty}\sum_{k=1}^{n}f\left(1+\frac{2k}{n}\right)\frac{2}{n}-\lim_{n\to\infty}\sum_{k=1}^{n}f\left(1+\frac{-2k}{n}\right)\frac{-2}{n}\right\}$

$=\frac{1}{2}\left\{\int_1^3 f(x)dx-\int_1^{-1}f(x)dx\right\}$

$=\frac{1}{2}\left\{\int_1^3 f(x)dx+\int_{-1}^1 f(x)dx\right\}$

$=\frac{1}{2}\int_{-1}^3 f(x)dx=\frac{1}{2}\int_{-1}^3\frac{4x}{1+x^2}dx$

$=\Big[\ln(1+x^2)\Big]_{-1}^3$

$=\ln 10-\ln 2$

$=\ln 5$

1892

STEP Ⓐ **정적분과 급수의 관계를 이용하여 급수를 정적분으로 바꾸기**

$\lim_{n\to\infty}\frac{1}{n^3}\{\sqrt{n^2-1^2}+2\sqrt{n^2-2^2}+\cdots+(n-1)\sqrt{n^2-(n-1)^2}\}$

$=\lim_{n\to\infty}\frac{1}{n^3}\sum_{k=1}^{n-1}k\sqrt{n^2-k^2}=\lim_{n\to\infty}\sum_{k=1}^{n-1}\frac{k}{n}\sqrt{1-\left(\frac{k}{n}\right)^2}\cdot\frac{1}{n}$

$=\int_0^1 x\sqrt{1-x^2}\,dx$

STEP Ⓑ **$1-x^2=t$로 치환하여 정적분의 값 구하기**

$1-x^2=t$으로 놓으면 $-2xdx=dt$

$x=0$일 때, $t=1$이고 $x=1$일 때, $t=0$

따라서 $\int_0^1 x\sqrt{1-x^2}\,dx=\int_1^0\sqrt{t}\cdot\left(-\frac{1}{2}\right)dt=\frac{1}{2}\int_0^1\sqrt{t}\,dt$

$=\frac{1}{2}\Big[\frac{2}{3}t^{\frac{3}{2}}\Big]_0^1=\frac{1}{3}$

1893

STEP Ⓐ **정적분과 급수의 합 사이의 관계를 이용하여 구하기**

$\lim_{n\to\infty}\left\{\frac{1}{n^2}\left(e^{\frac{2}{n}}+2e^{\frac{4}{n}}+3e^{\frac{6}{n}}+\cdots+ne^{\frac{2n}{n}}\right)\right\}=\lim_{n\to\infty}\sum_{k=1}^{n}\frac{k}{n}e^{\frac{2k}{n}}\cdot\frac{1}{n}=\int_0^1 xe^{2x}dx$

STEP Ⓑ **부분적분을 이용하여 정적분 계산하기**

$f(x)=x,\ g'(x)=e^{2x}$로 놓으면

$f'(x)=1,\ g(x)=\frac{1}{2}e^{2x}$

따라서 $\int_0^1 xe^{2x}dx=\Big[\frac{1}{2}xe^{2x}\Big]_0^1-\int_0^1\frac{1}{2}e^{2x}dx=\frac{1}{2}e^2-\frac{1}{4}(e^2-1)=\frac{e^2}{4}+\frac{1}{4}$

1894

STEP Ⓐ **정적분과 급수의 합 사이의 관계를 이용하여 구하기**

$\lim_{n\to\infty}\sum_{k=1}^{n}\frac{2k}{n^2}e^{\frac{k}{n}}=2\lim_{n\to\infty}\sum_{k=1}^{n}\frac{k}{n}e^{\frac{k}{n}}\cdot\frac{1}{n}=2\int_0^1 xe^x dx$

STEP Ⓑ **부분적분을 이용하여 정적분 계산하기**

따라서 $2\int_0^1 xe^x dx=2\left(\Big[xe^x\Big]_0^1-\int_0^1 e^x dx\right)=2(e-e+1)=2$

내신연계 출제문항 747

$\lim_{n\to\infty}\sum_{k=1}^{n}\left(\frac{k}{n^2}\times e^{\frac{2k}{n}}\right)$의 값은?

① $\frac{e^2-1}{4}$ ② $\frac{e^2+1}{4}$ ③ $\frac{e^2-1}{2}$
④ $\frac{e^2+1}{2}$ ⑤ e^2-1

STEP A 정적분과 급수의 합 사이의 관계를 이용하여 구하기

$$\lim_{n\to\infty}\sum_{k=1}^{n}\left(\frac{k}{n^2}\times e^{\frac{2k}{n}}\right)=\lim_{n\to\infty}\frac{1}{4}\sum_{k=1}^{n}\left(\frac{2k}{n}\times e^{\frac{2k}{n}}\times\frac{2}{n}\right)$$
$$=\frac{1}{4}\int_0^2 xe^x dx$$

STEP B 부분적분을 이용하여 정적분 계산하기

$\int_0^2 xe^x dx$에서 $f(x)=x,\ g'(x)=e^x$으로 놓으면

$f'(x)=1,\ g(x)=e^x$이므로

$$\int_0^2 xe^x dx=\left[xe^x\right]_0^2-\int_0^2 e^x dx=(2e^2-0)-\left[e^x\right]_0^2$$
$$=2e^2-(e^2-1)=e^2+1$$

따라서 $\lim_{n\to\infty}\sum_{k=1}^{n}\left(\frac{k}{n^2}\times e^{\frac{2k}{n}}\right)=\frac{e^2+1}{4}$

다른풀이 $x_k=\frac{k}{n},\ \Delta x=\frac{1}{n}$로 놓고 풀이하기

$$\lim_{n\to\infty}\sum_{k=1}^{n}\left(\frac{k}{n^2}\times e^{\frac{2k}{n}}\right)=\lim_{n\to\infty}\sum_{k=1}^{n}\left(\frac{k}{n}\times e^{\frac{2k}{n}}\times\frac{1}{n}\right)=\int_0^1 xe^{2x}dx$$
$$=\left[\frac{1}{2}xe^{2x}\right]_0^1-\frac{1}{2}\int_0^1 e^{2x}dx$$
$$=\frac{1}{2}e^2-\frac{1}{4}\left[e^{2x}\right]_0^1$$
$$=\frac{1}{2}e^2-\frac{1}{4}(e^2-1)$$
$$=\frac{e^2+1}{4}$$

 ②

1895

 ②

STEP A 정적분과 급수의 합 사이의 관계를 이용하여 구하기

$$\lim_{n\to\infty}\frac{1}{n}\sum_{k=1}^{n}\ln\left(1+\frac{2k}{n}\right)=\frac{1}{2}\lim_{n\to\infty}\frac{2}{n}\sum_{k=1}^{n}\ln\left(1+\frac{2k}{n}\right)$$
$$=\frac{1}{2}\int_1^3 \ln x dx$$

STEP B 부분적분을 이용하여 정적분 계산하기

$$\int_1^3 \ln x dx=\left[x\ln x\right]_1^3-\int_1^3 dx=3\ln 3-2$$

따라서 $\frac{1}{2}\int_1^3 \ln x dx=\frac{3}{2}\ln 3-1$

1896

 ③

STEP A 정적분과 급수의 합 사이의 관계를 이용하여 구하기

$$\lim_{n\to\infty}\sum_{k=1}^{n}\frac{\ln(n+k)-\ln n}{n}=\lim_{n\to\infty}\sum_{k=1}^{n}\left\{\ln\frac{n+k}{n}\right\}\times\frac{1}{n}$$
$$=\lim_{n\to\infty}\sum_{k=1}^{n}\left\{\ln\left(1+\frac{k}{n}\right)\right\}\times\frac{1}{n}$$
$$=\int_1^2 \ln x dx=\left[x\ln x\right]_1^2-\int_1^2 1dx$$
$$=2\ln 2-\left[x\right]_1^2=2\ln 2-1$$

내신연계 출제문항 748

$\lim_{n\to\infty}\ln\left\{\left(1+\frac{1}{n}\right)\left(1+\frac{2}{n}\right)\times\cdots\times\left(1+\frac{n}{n}\right)\right\}^{\frac{1}{n}}$ 의 값은?

① $2\ln 2-2$ ② $2\ln 2-1$ ③ $2\ln 2$
④ $2\ln 2+1$ ⑤ $2\ln 2+2$

STEP A 정적분과 급수의 합 사이의 관계를 이용하여 구하기

$$\lim_{n\to\infty}\ln\left\{\left(1+\frac{1}{n}\right)\left(1+\frac{2}{n}\right)\times\cdots\times\left(1+\frac{n}{n}\right)\right\}^{\frac{1}{n}}$$
$$=\lim_{n\to\infty}\frac{1}{n}\left\{\ln\left(1+\frac{1}{n}\right)+\ln\left(1+\frac{2}{n}\right)+\cdots+\ln\left(1+\frac{n}{n}\right)\right\}$$
$$=\lim_{n\to\infty}\frac{1}{n}\sum_{k=1}^{n}\ln\left(1+\frac{k}{n}\right)=\lim_{n\to\infty}\sum_{k=1}^{n}\ln\left(1+\frac{k}{n}\right)\frac{1}{n}$$
$$=\int_0^1 \ln(1+x)dx=\int_1^2 \ln x dx$$
$$=\left[x\ln x-x\right]_1^2$$
$$=(2\ln 2-2)-(-1)$$
$$=2\ln 2-1$$

정답 ②

1897

 ②

STEP A 정적분과 급수의 합 사이의 관계를 이용하여 정적분으로 나타내기

$$\lim_{n\to\infty}\frac{\pi^2}{n^2}\left(\cos\frac{\pi}{n}+2\cos\frac{2\pi}{n}+3\cos\frac{3\pi}{n}+\cdots+n\cos\frac{n\pi}{n}\right)$$
$$=\lim_{n\to\infty}\left(\frac{\pi}{n}\cos\frac{\pi}{n}+\frac{2\pi}{n}\cos\frac{2\pi}{n}+\frac{3\pi}{n}\cos\frac{3\pi}{n}+\cdots+\frac{n\pi}{n}\cos\frac{n\pi}{n}\right)\frac{\pi}{n}$$
$$=\lim_{n\to\infty}\sum_{k=1}^{n}\left(\frac{k\pi}{n}\cos\frac{k\pi}{n}\right)\frac{\pi}{n}$$
$$=\int_0^\pi x\cos x dx$$

STEP B 부분적분을 이용하여 구하기

따라서 $\int_0^\pi x\cos x dx=\left[x\sin x\right]_0^\pi-\int_0^\pi \sin x dx=-\left[-\cos x\right]_0^\pi=-2$

내신연계 출제문항 749

$\lim_{n\to\infty}\frac{4\pi^2}{n^2}\left(\sin\frac{2\pi}{n}+2\sin\frac{4\pi}{n}+3\sin\frac{6\pi}{n}+\cdots+n\sin\frac{2n\pi}{n}\right)$의 값은?

① -1 ② -2 ③ $-\pi$
④ -2π ⑤ -3π

STEP A 정적분과 급수의 합 사이의 관계를 이용하여 구하기

$$\lim_{n\to\infty}\frac{4\pi^2}{n^2}\left(\sin\frac{2\pi}{n}+2\sin\frac{4\pi}{n}+3\sin\frac{6\pi}{n}+\cdots+n\sin\frac{2n\pi}{n}\right)$$
$$=\lim_{n\to\infty}\sum_{k=1}^{n}\left(k\sin\frac{2k\pi}{n}\right)\frac{4\pi^2}{n^2}$$
$$=\lim_{n\to\infty}\sum_{k=1}^{n}\frac{2k\pi}{n}\left(\sin\frac{2k\pi}{n}\right)\frac{2\pi}{n}$$
$$=\int_0^{2\pi} x\sin x dx$$

STEP B 부분적분을 이용하여 정적분 계산하기

따라서 $\int_0^{2\pi} x\sin x dx=\left[-x\cos x+\sin x\right]_0^{2\pi}=-2\pi$

 ④

1898

정답 ③

STEP A 정적분과 급수의 합 사이의 관계를 이용하여 구하기

$$\lim_{n\to\infty}\frac{\pi}{n}\left\{\left(\sin\frac{\pi}{n}\right)^3+\left(\sin\frac{2}{n}\pi\right)^3+\left(\sin\frac{3}{n}\pi\right)^3+\cdots+\left(\sin\frac{n}{n}\pi\right)^3\right\}$$
$$=\lim_{n\to\infty}\sum_{k=1}^{n}\left\{\sin\left(\frac{k}{n}\pi\right)\right\}^3\frac{\pi}{n}$$
$$=\pi\int_0^1\{\sin(\pi x)\}^3dx$$

STEP B $\pi x=t$로 치환하여 적분하기

$\pi x=t$로 놓으면 $\pi dx=dt$
$x=0$일 때, $t=0$이고 $x=1$일 때, $t=\pi$이므로

$$\pi\int_0^1\{\sin(\pi x)\}^3dx=\int_0^\pi\sin^3t\,dt=\int_0^\pi\sin^2t\sin t\,dt$$
$$=\int_0^\pi(1-\cos^2t)\sin t\,dt$$

STEP C $\cos t=u$로 치환하여 정적분 구하기

$\cos t=u$로 놓으면 $-\sin t\,dt=du$
$t=0$일 때, $u=1$이고 $t=\pi$일 때, $u=-1$이므로

$$\int_0^\pi(1-\cos^2t)\sin t\,dt=\int_1^{-1}(1-u^2)(-du)=\int_{-1}^1(1-u^2)du$$
$$=2\int_0^1(1-u^2)du=2\left[u-\frac{1}{3}u^3\right]_0^1=\frac{4}{3}$$

1899

정답 ①

STEP A 정적분의 정의를 이용하여 급수를 정적분으로 나타내기

$x_k=1+\frac{k}{n}$로 놓으면 $\Delta x=\frac{1}{n}$이므로 정적분의 정의에 의하여

$$\lim_{n\to\infty}\sum_{k=1}^{n}\frac{k}{n^2}f\left(1+\frac{k}{n}\right)=\lim_{n\to\infty}\sum_{k=1}^{n}\frac{k}{n}f\left(1+\frac{k}{n}\right)\frac{1}{n}$$
$$=\int_1^2(x-1)f(x)dx \quad \leftarrow x_k-1=\frac{k}{n}$$

STEP B 부분적분을 이용하여 계산하기

따라서 $\int_1^2(x-1)\ln x\,dx=\left[\left(\frac{1}{2}x^2-x\right)\ln x\right]_1^2-\int_1^2\frac{1}{x}\left(\frac{1}{2}x^2-x\right)dx$
$$=(0-0)-\int_1^2\left(\frac{1}{2}x-1\right)dx=-\left[\frac{1}{4}x^2-x\right]_1^2$$
$$=-(1-2)+\left(\frac{1}{4}-1\right)=\frac{1}{4}$$

다른풀이 $x_k=\frac{k}{n}$로 놓고 풀이하기

STEP A 정적분의 정의를 이용하여 급수를 정적분으로 나타내기

$x_k=\frac{k}{n}$로 놓으면 $\Delta x=\frac{1}{n}$이므로 정적분의 정의에 의하여

$$\lim_{n\to\infty}\sum_{k=1}^{n}\frac{k}{n^2}f\left(1+\frac{k}{n}\right)=\lim_{n\to\infty}\sum_{k=1}^{n}\frac{k}{n}f\left(1+\frac{k}{n}\right)\frac{1}{n}=\int_0^1xf(x+1)dx$$

STEP B 부분적분을 이용하여 계산하기

$$\int_0^2x\ln(x+1)dx=\left[\frac{1}{2}x^2\ln(x+1)\right]_0^1-\int_0^1\left(\frac{1}{2}x^2\cdot\frac{1}{x+1}\right)dx$$
$$=\frac{1}{2}\ln2-\frac{1}{2}\int_0^1\left(x-1+\frac{1}{x+1}\right)dx$$
$$\leftarrow \frac{x^2}{x+1}=\frac{x^2-1+1}{x+1}=\frac{x^2-1}{x+1}+\frac{1}{x+1}=x-1+\frac{1}{x+1}$$
$$=\frac{1}{2}\ln2-\frac{1}{2}\left[\frac{1}{2}x^2-x+\ln(x+1)\right]_0^1$$
$$=\frac{1}{2}\ln2-\frac{1}{2}\left(\frac{1}{2}-1+\ln2\right)=\frac{1}{4}$$

1900

정답 ②

STEP A 정적분과 급수의 합 사이의 관계를 이용하여 구하기

$x_k=\frac{k}{n}$로 놓으면 $\Delta x=\frac{1}{n}$이므로 정적분의 정의에 의하여

$$\lim_{n\to\infty}\frac{4}{n}\sum_{k=1}^{n}\sqrt{2-\left(\frac{k}{n}\right)^2}=4\lim_{n\to\infty}\frac{1}{n}\sum_{k=1}^{n}\sqrt{2-\left(\frac{k}{n}\right)^2}=4\int_0^1\sqrt{2-x^2}dx$$

STEP B $x=\sqrt{2}\sin\theta$로 삼각치환하여 정적분의 값 구하기

이때 $x=\sqrt{2}\sin\theta\left(-\frac{\pi}{2}\le\theta\le\frac{\pi}{2}\right)$로 놓으면
$dx=\sqrt{2}\cos\theta d\theta$이고
$x=0$일 때, $\theta=0$이고 $x=1$일 때, $\theta=\frac{\pi}{4}$

따라서 $4\int_0^1\sqrt{2-x^2}dx=4\int_0^{\frac{\pi}{4}}2\cos^2\theta d\theta=8\int_0^{\frac{\pi}{4}}\frac{1}{2}(1+\cos2\theta)d\theta$
$$=4\left[\theta+\frac{1}{2}\sin2\theta\right]_0^{\frac{\pi}{4}}=4\left(\frac{\pi}{4}+\frac{1}{2}\right)=\pi+2$$

$+\alpha$ $\int_0^1\sqrt{2-x^2}dx=\frac{1}{2}\cdot(\sqrt{2})^2\cdot\frac{\pi}{4}+\frac{1}{2}\cdot1\cdot1=\frac{\pi}{4}+\frac{1}{2}$

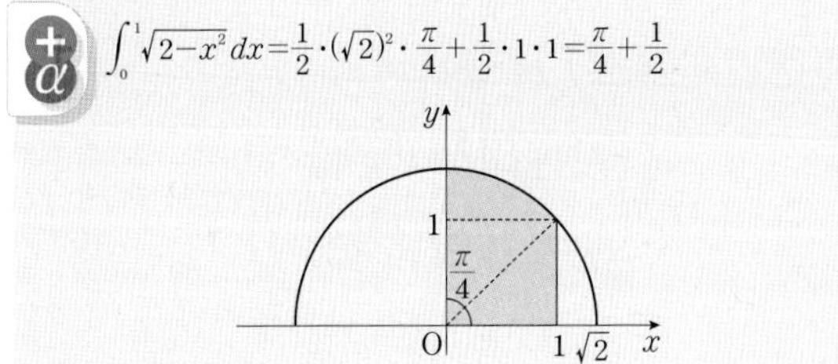

1901

정답 ①

STEP A 정적분과 급수의 관계를 이용하여 급수를 정적분으로 바꾸기

$$\lim_{n\to\infty}\sum_{k=1}^{n}\frac{n}{n^2+k^2}=\lim_{n\to\infty}\sum_{k=1}^{n}\frac{1}{1+\left(\frac{k}{n}\right)^2}\cdot\frac{1}{n}=\int_0^1\frac{1}{1+x^2}dx$$

STEP B $x=\tan\theta$로 삼각치환하여 정적분의 값 구하기

$x=\tan\theta\left(-\frac{\pi}{2}<\theta<\frac{\pi}{2}\right)$로 놓으면
$\sec^2\theta d\theta=dx$이고
$x=0$일 때, $\theta=0$이고 $x=1$일 때, $\theta=\frac{\pi}{4}$

따라서 $\int_0^1\frac{1}{1+x^2}dx=\int_0^{\frac{\pi}{4}}\frac{1}{1+\tan^2\theta}\cdot\sec^2\theta d\theta=\int_0^{\frac{\pi}{4}}1d\theta=\left[\theta\right]_0^{\frac{\pi}{4}}=\frac{\pi}{4}$

1902

정답 ④

STEP A 정적분과 급수의 관계를 이용하여 급수를 정적분으로 바꾸기

$$\lim_{n\to\infty}\sum_{k=1}^{n}\frac{1}{\sqrt{4n^2-(n+k)^2}}=\lim_{n\to\infty}\sum_{k=1}^{n}\frac{1}{\sqrt{4-\left(1+\frac{k}{n}\right)^2}}\cdot\frac{1}{n}=\int_1^2\frac{1}{\sqrt{4-x^2}}dx$$

STEP B $x=2\sin\theta$로 삼각치환하여 정적분의 값 구하기

$x=2\sin\theta\left(-\frac{\pi}{2}\le\theta\le\frac{\pi}{2}\right)$로 놓으면
$dx=2\cos\theta d\theta$이고
$x=1$일 때, $\theta=\frac{\pi}{6}$이고 $x=2$일 때, $\theta=\frac{\pi}{2}$
이때 $\sqrt{4-x^2}=\sqrt{4-4\sin^2\theta}=2\cos\theta$

따라서 $\int_1^2\frac{1}{\sqrt{4-x^2}}dx=\int_{\frac{\pi}{6}}^{\frac{\pi}{2}}\frac{1}{2\cos\theta}\cdot2\cos\theta d\theta=\int_{\frac{\pi}{6}}^{\frac{\pi}{2}}d\theta$
$$=\left[\theta\right]_{\frac{\pi}{6}}^{\frac{\pi}{2}}=\frac{\pi}{2}-\frac{\pi}{6}=\frac{\pi}{3}$$

1903

정답 ②

STEP A $f'(x)>0,\ f''(x)>0$**에서** $y=f(x)$**의 그래프가 증가하고 아래로 볼록임을 이용하기**

$f'(x)>0,\ f''(x)>0$이므로 함수 $y=f(x)$의 그래프는 구간 $(0,\ 1)$에서 증가하고 아래로 볼록이다.

또, $f(0)=0,\ f(1)=1$이고 $y=f^{-1}(x)$의 그래프는 곡선 $y=f(x)$와 직선 $y=x$에 대하여 대칭이므로 오른쪽 그래프와 같다.

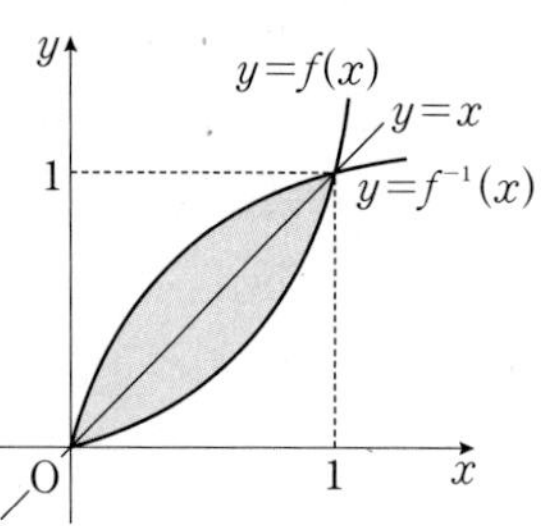

이때 $\int_0^1\{f^{-1}(x)-f(x)\}dx$의 값은 오른쪽 그림에서 색칠한 부분의 넓이와 같고 이는 직선 $y=x$와 곡선 $y=f(x)$로 둘러싸인 부분의 넓이의 2배와 같다.

STEP B 정적분을 급수로 바꾸기

따라서 $\int_0^1\{f^{-1}(x)-f(x)\}dx=2\int_0^1\{x-f(x)\}dx$

$$=2\lim_{n\to\infty}\sum_{k=1}^{n}\left\{\frac{k}{n}-f\left(\frac{k}{n}\right)\right\}\frac{1}{n}$$

$$=\lim_{n\to\infty}\sum_{k=1}^{n}\left\{\frac{k}{n}-f\left(\frac{k}{n}\right)\right\}\frac{2}{n}$$

1904

STEP A $f'(x)>0,\ f''(x)>0$**에서** $y=f(x)$**의 그래프가 증가하고 아래로 볼록임을 이용하기**

조건 (가)에서 함수 $f(x)$는 증가함수이고 아래로 볼록하다.

조건 (나)에서 $f^{-1}(0)=0,\ f^{-1}(5)=5$이므로 조건을 만족시키는 두 함수 $y=f(x),\ y=f^{-1}(x)$의 그래프는 오른쪽 그림과 같다.

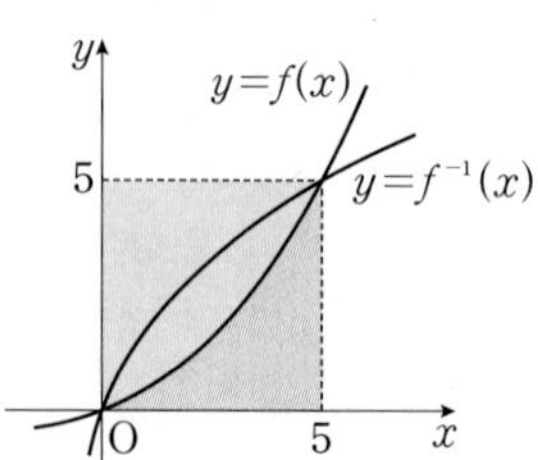

STEP B 급수를 정적분으로 바꾸기

따라서 $\lim_{n\to\infty}\sum_{k=1}^{n}\left\{f\left(\frac{5k}{n}\right)+f^{-1}\left(\frac{5k}{n}\right)\right\}\frac{5}{n}=\int_0^5\{f(x)+f^{-1}(x)\}dx$

$$=\int_0^5 f(x)+\int_0^5 f^{-1}(x)dx$$

$$=\int_0^5 f(x)dx+\left(25-\int_0^5 f(x)dx\right)$$

$$=25$$

1905

STEP A $f'(x)>0,\ f''(x)>0$**에서** $y=f(x)$**의 그래프가 증가하고 아래로 볼록임을 이용하기**

조건 (가)에서 함수 $f(x)$는 증가하는 함수이고 아래로 볼록하다.

또, 조건 (나)에서 $f(1)=1,\ f(5)=5$이므로 $f(x)$의 그래프는 오른쪽 그림과 같다.

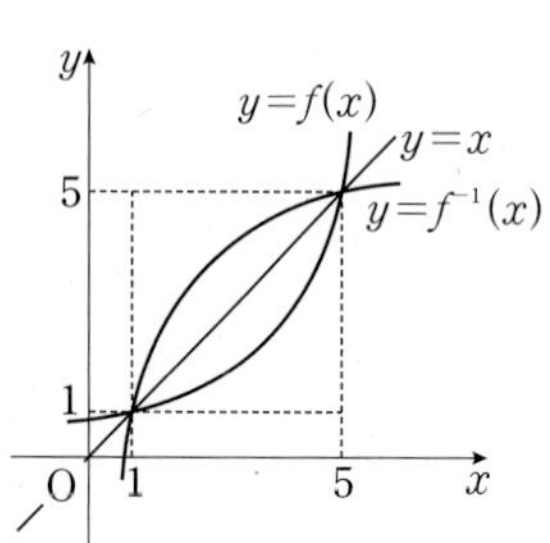

STEP B 급수를 정적분으로 바꾸기

조건 (다)에서

$$\lim_{n\to\infty}\sum_{k=1}^{n}f^{-1}\left(1+\frac{4k}{n}\right)\cdot\frac{3}{n}=\lim_{n\to\infty}\sum_{k=1}^{n}f^{-1}\left(1+\frac{4k}{n}\right)\cdot\frac{4}{n}\cdot\frac{3}{4}$$

$$=\frac{3}{4}\int_1^5 f^{-1}(x)dx=12$$

즉 $\int_1^5 f^{-1}(x)dx=12\cdot\frac{4}{3}=16$이므로 $\int_1^5 f(x)dx=(25-1)-16=8$

따라서 $\int_1^5\{x-f(x)\}dx=\int_1^5 xdx-\int_1^5 f(x)dx=\left[\frac{1}{2}x^2\right]_1^5-8=4$

참고 $\int_1^5\{f^{-1}(x)-f(x)\}dx=16-8=8$

1906

STEP A 직사각형의 넓이 $f(k)$ 구하기

$A(n+k,\ n+k+1),\ B(n+k,\ 0)$

$\overline{AB}=n+k+1$이므로 직사각형의 넓이는 $f(k)=2(n+k+1)$

STEP B 급수를 정적분으로 나타내어 정적분 계산하기

따라서 $\lim_{n\to\infty}\sum_{k=0}^{n-1}\frac{1}{f(k)}=\lim_{n\to\infty}\sum_{k=0}^{n-1}\frac{1}{2(n+k+1)}=\frac{1}{2}\lim_{n\to\infty}\sum_{k=1}^{n}\frac{1}{n+k}$

$$=\frac{1}{2}\lim_{n\to\infty}\sum_{k=1}^{n}\left(\frac{1}{1+\frac{k}{n}}\right)\frac{1}{n}=\frac{1}{2}\int_0^1\frac{1}{x+1}dx$$

$$=\frac{1}{2}\Big[\ln(x+1)\Big]_0^1=\frac{\ln 2}{2}$$

1907

STEP A 닮음을 이용하여 $\overline{B_kC_k}^2$ 구하기

변 AB를 n등분한 점이 $B_1,\ B_2,\ \cdots$이므로

$\overline{AB_k}=\frac{2k}{n}$이고 $\overline{B_kC_k}$와 $\overline{BC}$가 서로 평행하므로 $\angle AB_kC_k=90°$

이때 두 삼각형 ABC와 AB_kC_k가 서로 닮음이므로

$\overline{AB}:\overline{BC}=\overline{AB_k}:\overline{B_kC_k}$에서

$2:1=\frac{2k}{n}:\overline{B_kC_k}$

$\overline{B_kC_k}=\frac{k}{n},\ \overline{B_kC_k}^2=\left(\frac{k}{n}\right)^2$

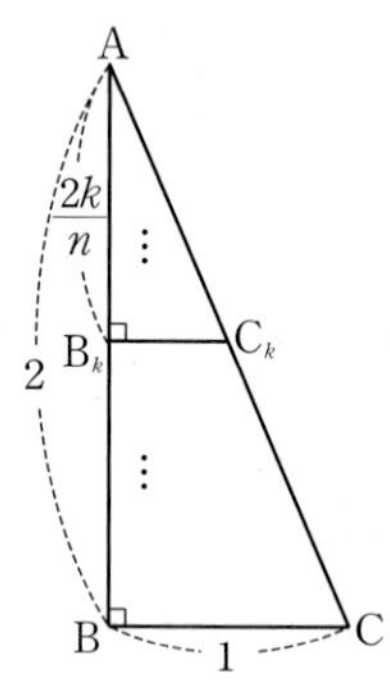

$\therefore \lim_{n\to\infty}\frac{2\pi}{n}\sum_{k=1}^{n-1}\overline{B_kC_k}^2=\lim_{n\to\infty}\frac{2\pi}{n}\sum_{k=1}^{n-1}\left(\frac{k}{n}\right)^2$

STEP B 급수를 정적분으로 나타내어 정적분 계산하기

따라서 $\lim_{n\to\infty}\frac{2\pi}{n}\sum_{k=1}^{n-1}\overline{B_kC_k}^2=\lim_{n\to\infty}\frac{2\pi}{n}\sum_{k=1}^{n-1}\left(\frac{k}{n}\right)^2=\lim_{n\to\infty}2\pi\sum_{k=1}^{n-1}\left(\frac{k}{n}\right)^2\frac{1}{n}$

$$=2\pi\int_0^1 x^2dx=2\pi\left[\frac{1}{3}x^3\right]_0^1=\frac{2}{3}\pi$$

1908

정답 ②

STEP A 삼각형 ABC_k의 넓이 S_k 구하기

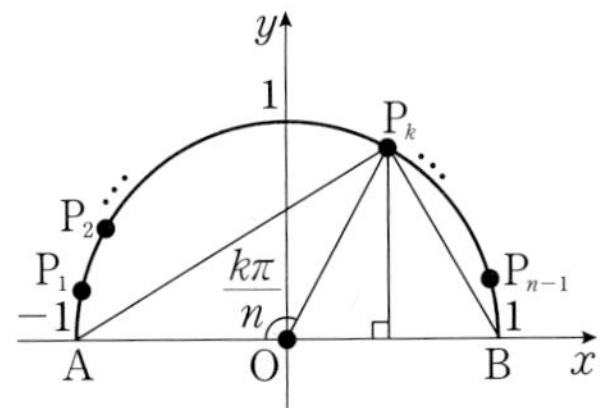

$\angle AOP_k = \frac{k}{n}\pi$이므로 점 P_k의 좌표는

$P_k\left(\cos\left(\pi - \frac{k}{n}\pi\right), \sin\left(\pi - \frac{k}{n}\pi\right)\right) = P_k\left(-\cos\frac{k}{n}\pi, \sin\frac{k}{n}\pi\right)$

삼각형 ABP_k의 넓이 S_k는 $S_k = \frac{1}{2}\overline{AB} \times \sin\frac{k}{n}\pi = \sin\frac{k}{n}\pi$

STEP B 급수를 정적분으로 나타내어 정적분 계산하기

따라서 $\sin\pi = 0$이므로

$$\lim_{n\to\infty}\frac{1}{n}\sum_{k=1}^{n-1}S_k = \lim_{n\to\infty}\frac{1}{n}\sum_{k=1}^{n}S_k = \lim_{n\to\infty}\frac{1}{n}\sum_{k=1}^{n}\sin\frac{k}{n}\pi$$
$$= \frac{1}{\pi}\lim_{n\to\infty}\frac{\pi}{n}\sum_{k=1}^{n}\sin\frac{k}{n}\pi = \frac{1}{\pi}\int_0^{\pi}\sin x\,dx$$
$$= \frac{1}{\pi}\Big[-\cos x\Big]_0^{\pi} = \frac{2}{\pi}$$

다른풀이 $S_k = \frac{1}{2} \times \overline{AP_k} \times \overline{BP_k}$을 이용하여 풀이하기

STEP A 삼각형 ABP_k의 넓이 S_k 구하기

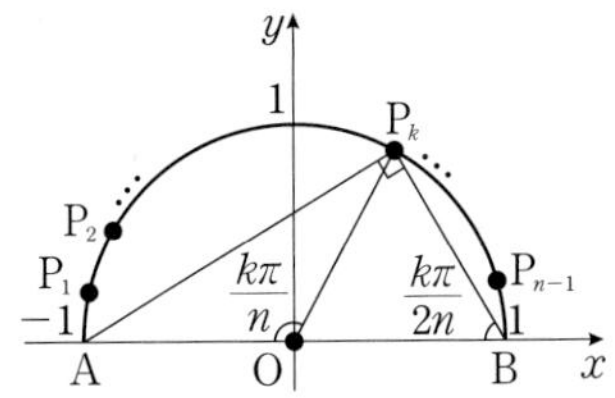

$\angle AOP_k = \frac{k\pi}{n}$이므로 $\angle ABP_k = \frac{k\pi}{2n}$이고

$\overline{AP_k} = \overline{AB}\sin(\angle ABP_k) = 2\sin\frac{k\pi}{2n}$

$\overline{BP_k} = \overline{AB}\cos(\angle ABP_k) = 2\cos\frac{k\pi}{2n}$

$S_k = \frac{1}{2} \times \overline{AP_k} \times \overline{BP_k} = 2\sin\frac{k\pi}{2n}\cos\frac{k\pi}{2n}$

STEP B 정적분과 급수의 합 사이의 관계를 이용하여 정적분으로 나타내기

$$\lim_{n\to\infty}\frac{1}{n}\sum_{k=1}^{n-1}S_k = \lim_{n\to\infty}\frac{1}{n}\sum_{k=1}^{n-1}2\sin\frac{k\pi}{2n}\cos\frac{k\pi}{2n}$$
$$= \lim_{n\to\infty}\frac{4}{\pi}\sum_{k=1}^{n-1}\left(\sin\frac{k\pi}{2n}\cos\frac{k\pi}{2n}\right)\frac{\pi}{2n}$$
$$= \frac{4}{\pi}\int_0^{\frac{\pi}{2}}\sin x\cos x\,dx$$

따라서 $\sin x = t$로 놓으면 $\frac{dt}{dx} = \cos x$이므로

$$\frac{4}{\pi}\int_0^{\frac{\pi}{2}}\sin x\cos x\,dx = \frac{4}{\pi}\int_0^1 t\,dt = \frac{4}{\pi}\left[\frac{1}{2}t^2\right]_0^1 = \frac{2}{\pi}$$

내신연계 출제문항 750

다음 그림과 같이 반지름의 길이가 1이고 중심각의 크기가 $\frac{\pi}{2}$인 부채꼴 AOB에 대하여 호 AB를 n등분한 점을 차례로 P_1, P_2, P_3, P_{n-1}이라 하자. 원 위의 점 $P_k(k=1, 2, 3, \cdots, n-1)$에서 선분 OA에 내린 수선의 발을 Q_k라 할 때, 삼각형 P_kQ_kO의 넓이를 S_k라 하자.

$\lim_{n\to\infty}\frac{\pi}{n}\sum_{k=1}^{n-1}S_k$의 값은?

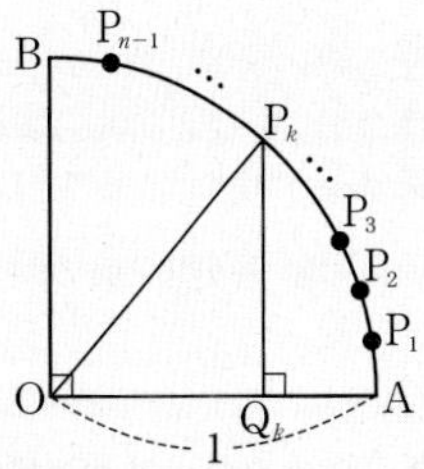

① $\frac{1}{8}$　② $\frac{1}{4}$　③ $\frac{3}{8}$　④ $\frac{1}{2}$　⑤ $\frac{5}{8}$

STEP A 삼각형 P_kQ_kO의 넓이 S_k 구하기

$\angle AOP_k = \frac{\pi}{2} \times \frac{k}{n} = \frac{k\pi}{2n}$이므로

직각삼각형 P_kQ_kO에서 $\overline{P_kQ_k} = \sin\frac{k\pi}{2n}$, $\overline{OQ_k} = \cos\frac{k\pi}{2n}$

삼각형 P_kQ_kO의 넓이 S_k는 $S_k = \frac{1}{2}\sin\frac{k\pi}{2n}\cos\frac{k\pi}{2n}$

STEP B 정적분과 급수의 합 사이의 관계를 이용하여 정적분으로 나타내기

$$\lim_{n\to\infty}\frac{\pi}{n}\sum_{k=1}^{n-1}S_k = \lim_{n\to\infty}\frac{\pi}{n}\sum_{k=1}^{n}\frac{1}{2}\sin\frac{k\pi}{2n}\cos\frac{k\pi}{2n} \quad \Leftarrow \cos\frac{\pi}{2}=0$$
$$= \lim_{n\to\infty}\sum_{k=1}^{n}\sin\frac{k\pi}{2n}\cos\frac{k\pi}{2n} \times \frac{\pi}{2n}$$
$$= \int_0^{\frac{\pi}{2}}\sin x\cos x\,dx$$

이때 $\sin x = t$라 하면 $\cos x = \frac{dt}{dx}$이고

$x=0$일 때, $t=0$이고 $x=\frac{\pi}{2}$일 때, $t=1$

따라서 $\int_0^{\frac{\pi}{2}}\sin x\cos x\,dx = \int_0^1 t\,dt = \left[\frac{1}{2}t^2\right]_0^1 = \frac{1}{2}$

정답 ④

$\cos\frac{\pi}{2} = 0$이므로 다음이 성립한다.

$$\sum_{k=1}^{n}\sin\frac{k\pi}{2n}\cos\frac{k\pi}{2n} = \sum_{k=1}^{n-1}\sin\frac{k\pi}{2n}\cos\frac{k\pi}{2n} + \sin\frac{n\pi}{2n}\cos\frac{n\pi}{2n}$$
$$= \sum_{k=1}^{n-1}\sin\frac{k\pi}{2n}\cos\frac{k\pi}{2n} + \sin\frac{\pi}{2}\cos\frac{\pi}{2}$$
$$= \sum_{k=1}^{n-1}\sin\frac{k\pi}{2n}\cos\frac{k\pi}{2n}$$

1909

정답 ②

STEP A 삼각형의 넓이 A_k 구하기

닫힌구간 $[1, 2]$를 n등분한 구간의 길이 Δx는 $\Delta x=\frac{2-1}{n}=\frac{1}{n}$

이때 각 분점의 x좌표는

$x_1=1+\Delta x=1+\frac{1}{n}$

$x_2=1+2\Delta x=1+\frac{2}{n}$

$\vdots$

$x_k=1+k\Delta x=1+\frac{k}{n}$이므로 $f(x_k)=e^{1+\frac{k}{n}}$

세 점 $(0, 0)$, $(x_k, 0)$, $(x_k, f(x_k))$를 꼭짓점으로 하는 삼각형의 넓이를

$A_k=\frac{1}{2}\left(1+\frac{k}{n}\right)\cdot e^{1+\frac{k}{n}}$

STEP B 정적분과 급수의 관계를 이용하여 정적분으로 바꾸기

$$\begin{aligned}\lim_{n\to\infty}\frac{1}{n}\sum_{k=1}^{n}A_k&=\lim_{n\to\infty}\frac{1}{n}\sum_{k=1}^{n}\frac{1}{2}\left(1+\frac{k}{n}\right)\cdot e^{1+\frac{k}{n}}\\&=\frac{1}{2}\lim_{n\to\infty}\frac{1}{n}\sum_{k=1}^{n}\left(1+\frac{k}{n}\right)\cdot e^{1+\frac{k}{n}}\\&=\frac{1}{2}\int_1^2 xe^x\,dx\end{aligned}$$

STEP C 부분적분법을 이용하여 정적분의 값 구하기

이때 $f(x)=x$, $g'(x)=e^x$라 하면

$f'(x)=1$, $g(x)=e^x$

따라서
$$\begin{aligned}\lim_{n\to\infty}\frac{1}{n}\sum_{k=1}^{n}A_k&=\frac{1}{2}\int_1^2 xe^x\,dx\\&=\frac{1}{2}\left\{\Big[xe^x\Big]_1^2-\int_1^2 e^x\,dx\right\}\\&=\frac{1}{2}\left\{(2e^2-e)-\Big[e^x\Big]_1^2\right\}\\&=\frac{1}{2}\{(2e^2-e)-(e^2-e)\}\\&=\frac{1}{2}e^2\end{aligned}$$

내신연계 출제문항 751

그림과 같이 중심이 O, 반지름의 길이가 1이고 중심각의 크기가 $\frac{\pi}{2}$인 부채꼴 OAB가 있다. 자연수 n에 대하여 호 AB를 $2n$등분한 각 분점(양 끝점도 포함)을 차례로

$$P_0(=A),\ P_1,\ P_2,\ \cdots,\ P_{2n-1},\ P_{2n}(=B)$$

라 하자. 주어진 자연수 n에 대하여 $S_k(1\le k\le n)$을 삼각형 $OP_{n-k}P_{n+k}$의 넓이라 할 때, $\lim_{n\to\infty}\frac{1}{n}\sum_{k=1}^{n}S_k$의 값은?

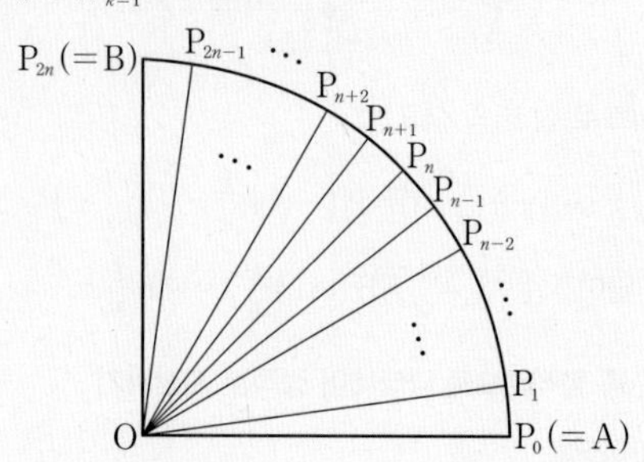

① $\frac{1}{\pi}$ ② $\frac{13}{12\pi}$ ③ $\frac{7}{6\pi}$
④ $\frac{5}{4\pi}$ ⑤ $\frac{4}{3\pi}$

STEP A 호 AB를 $2n$등분했음을 이용하여 삼각형 $OP_{n-k}P_{n+k}$의 넓이 S_k 구하기

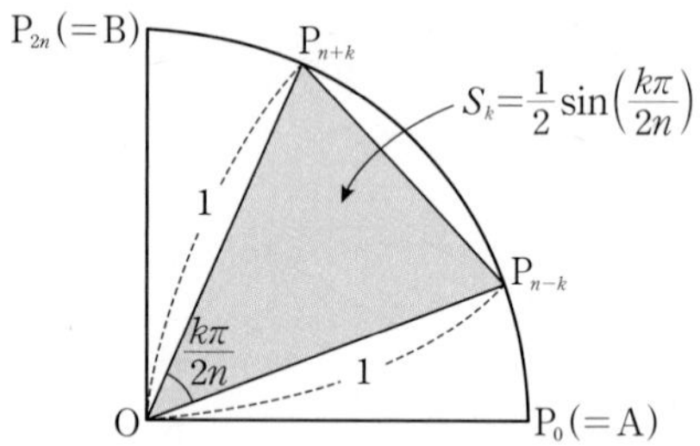

$2n$등분된 각 부채꼴의 중심각의 크기는 $\frac{\pi}{2}\cdot\frac{1}{2n}=\frac{\pi}{4n}$이므로

$\angle P_{n+k}OP_{n-k}=2k\cdot\frac{\pi}{4n}=\frac{k\pi}{2n}$

삼각형 $OP_{n-k}P_{n+k}$의 넓이 S_k는

$S_k=\frac{1}{2}\cdot 1^2\cdot\sin\frac{k\pi}{2n}=\frac{1}{2}\sin\frac{k\pi}{2n}$

STEP B 정적분과 급수의 관계를 이용하여 정적분 계산하기

따라서
$$\begin{aligned}\lim_{n\to\infty}\frac{1}{n}\sum_{k=1}^{n}S_k&=\lim_{n\to\infty}\sum_{k=1}^{n}\frac{1}{2}\sin\frac{k\pi}{2n}\cdot\frac{1}{n}\\&=\int_0^1\frac{1}{2}\sin\frac{\pi}{2}x\,dx\\&=\left[-\frac{1}{\pi}\cos\frac{\pi}{2}x\right]_0^1\\&=0+\frac{1}{\pi}\cos 0=\frac{1}{\pi}\end{aligned}$$

다른풀이 $x=\frac{k\pi}{2n}$로 놓고 정적분 풀이하기

$$\begin{aligned}\lim_{n\to\infty}\frac{1}{n}\sum_{k=1}^{n}S_k&=\lim_{n\to\infty}\frac{1}{2n}\sum_{k=1}^{n}\sin\left(\frac{k\pi}{2n}\right)\\&=\frac{1}{\pi}\lim_{n\to\infty}\frac{\pi}{2n}\sum_{k=1}^{n}\sin\left(\frac{k\pi}{2n}\right)\\&=\frac{1}{\pi}\lim_{n\to\infty}\sum_{k=1}^{n}\sin\left(\frac{k\pi}{2n}\right)\cdot\frac{\pi}{2n}\end{aligned}$$

따라서 $x_k=\frac{k\pi}{2n}$, $\Delta x=\frac{\pi}{2n}$라 하면 정적분의 정의에 의하여

$\lim_{n\to\infty}\frac{1}{n}\sum_{k=1}^{n}S_k=\frac{1}{\pi}\int_0^{\frac{\pi}{2}}\sin x\,dx=\frac{1}{\pi}\Big[-\cos x\Big]_0^{\frac{\pi}{2}}=\frac{1}{\pi}$

정답 ①

06 넓이

STEP 1 내 신 정 복 기 출 유 형

1910

정답 ⑤

STEP A 곡선과 x축으로 둘러싸인 넓이를 정적분으로 구하기

함수 $y=\frac{1}{x}$이 닫힌구간 $[1, a]$에서 $y \geq 0$이므로

구하는 도형의 넓이는 $\int_1^a \frac{1}{x}dx=\Big[\ln x\Big]_1^a=\ln a=2$

따라서 $a=e^2$

1911

정답 ①

STEP A 곡선과 x축으로 둘러싸인 넓이를 정적분으로 구하기

함수 $y=e^x-1$이 닫힌구간 $[0, 1]$에서 $y \geq 0$이므로 구하는 넓이를 S라 하면

$S=\int_0^1 (e^x-1)dx$

$=\Big[e^x-x\Big]_0^1$

$=(e-1)-(1-0)$

$=e-2$

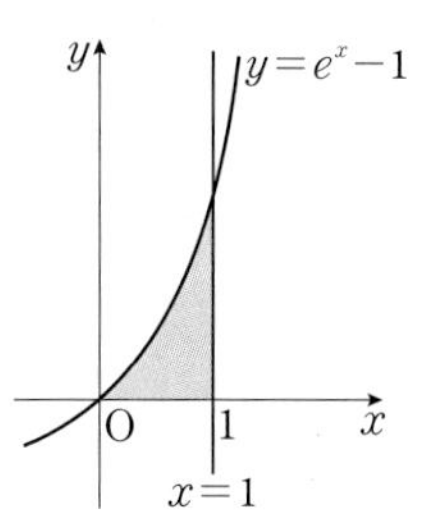

1912

정답 ②

STEP A 곡선과 x축으로 둘러싸인 넓이를 정적분으로 구하기

함수 $y=\ln(x+1)$이 닫힌구간 $[0, e-1]$에서 $y \geq 0$이므로 구하는 넓이 S는

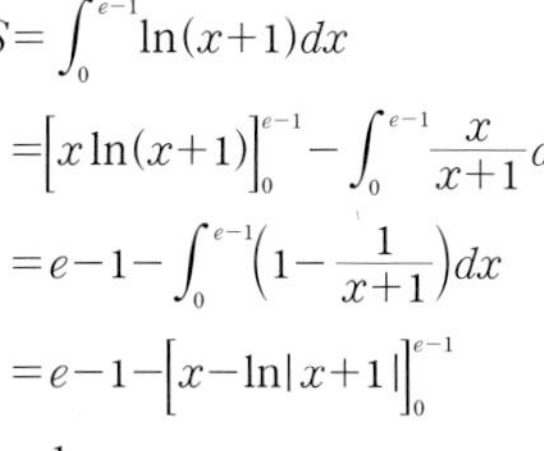

$S=\int_0^{e-1} \ln(x+1)dx$

$=\Big[x\ln(x+1)\Big]_0^{e-1}-\int_0^{e-1}\frac{x}{x+1}dx$

$=e-1-\int_0^{e-1}\left(1-\frac{1}{x+1}\right)dx$

$=e-1-\Big[x-\ln|x+1|\Big]_0^{e-1}$

$=1$

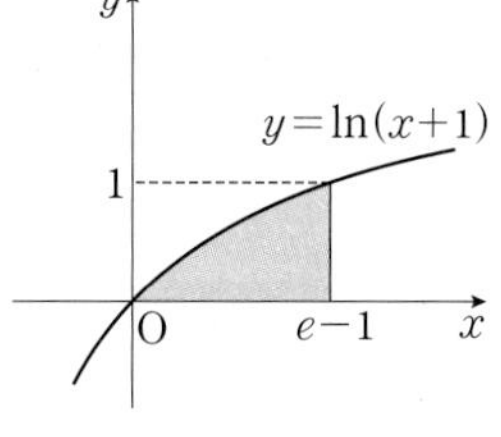

1913

정답 ③

STEP A 곡선과 x축으로 둘러싸인 넓이를 정적분으로 구하기

함수 $y=e^x+4e^{-x}$이 닫힌구간 $[0, a]$에서 $y \geq 0$이므로

구하는 넓이를 S라 하면

$S=\int_0^a (e^x+4e^{-x})dx=\Big[e^x-4e^{-x}\Big]_0^a=e^a-4e^{-a}+3$

STEP B 도형의 넓이가 6일 때, 양수 a의 값 구하기

도형의 넓이가 6이므로

$e^a-4e^{-a}+3=6$, $e^{2a}-3e^a-4=0$

$(e^a-4)(e^a+1)=0$

따라서 $e^a>0$이므로 $e^a=4$ $\quad\therefore a=\ln 4=2\ln 2$

내신연계 출제문항 752

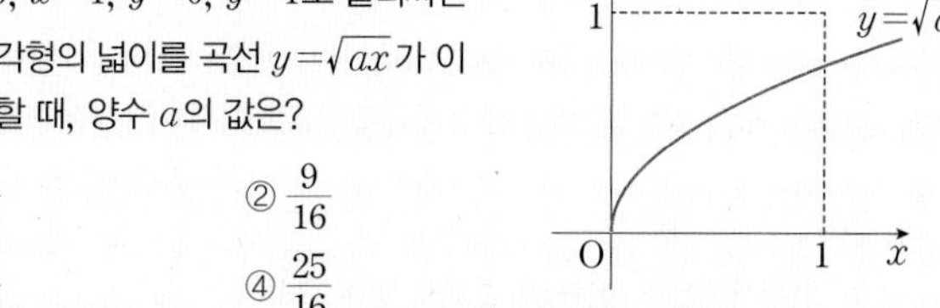

오른쪽 그림과 같이 네 직선 $x=0$, $x=1$, $y=0$, $y=1$로 둘러싸인 정사각형의 넓이를 곡선 $y=\sqrt{ax}$가 이등분할 때, 양수 a의 값은?

① $\frac{1}{4}$ ② $\frac{9}{16}$ ③ $\frac{3}{2}$ ④ $\frac{25}{16}$ ⑤ 2

STEP A 한 변의 길이가 1인 정사각형의 넓이 이용하기

주어진 정사각형의 넓이가 1이므로

곡선 $y=\sqrt{ax}$, x축 및 $x=1$로 둘러싸인 도형의 넓이는 $\frac{1}{2}$

STEP B 곡선 $y=\sqrt{ax}$가 이등분할 때, 양수 a의 값 구하기

$\int_0^1 \sqrt{ax}\,dx=\sqrt{a}\int_0^1 \sqrt{x}\,dx=\sqrt{a}\Big[\frac{2}{3}x^{\frac{3}{2}}\Big]_0^1=\frac{2}{3}\sqrt{a}$

즉 $\frac{2}{3}\sqrt{a}=\frac{1}{2}$이므로 $\sqrt{a}=\frac{3}{4}$

따라서 $a=\frac{9}{16}$

정답 ②

1914

정답 ④

STEP A 곡선과 x축으로 둘러싸인 넓이를 정적분으로 구하기

$y=\sqrt{x}-1$과 x축의 교점의 x좌표는 $\sqrt{x}-1=0$에서 $x=1$

닫힌구간 $[0, 1]$에서 $y \leq 0$이고 닫힌구간 $[1, 4]$에서 $y \geq 0$이므로

구하는 넓이 S라 하면

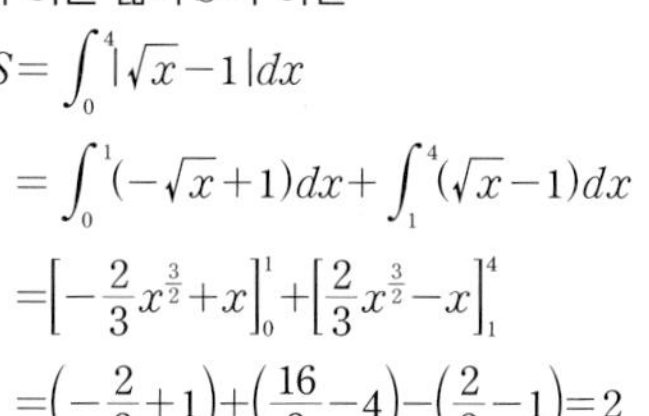

$S=\int_0^4 |\sqrt{x}-1|dx$

$=\int_0^1 (-\sqrt{x}+1)dx+\int_1^4 (\sqrt{x}-1)dx$

$=\Big[-\frac{2}{3}x^{\frac{3}{2}}+x\Big]_0^1+\Big[\frac{2}{3}x^{\frac{3}{2}}-x\Big]_1^4$

$=\left(-\frac{2}{3}+1\right)+\left(\frac{16}{3}-4\right)-\left(\frac{2}{3}-1\right)=2$

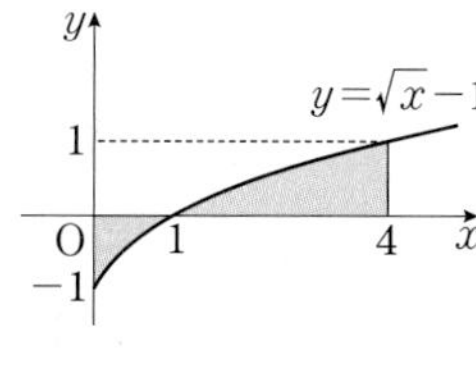

내신연계 출제문항 753

곡선 $y=e^x-e$와 x축 및 두 직선 $x=0$, $x=2$로 둘러싸인 부분의 넓이는?

① e^2-2e+1 ② e^2-e+1 ③ e^2+1 ④ e^2+e+1 ⑤ e^2+2e+1

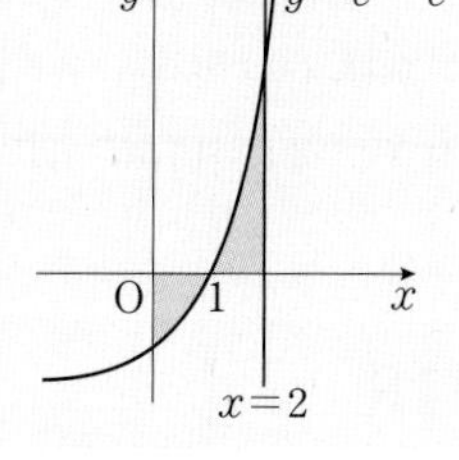

STEP A 곡선과 x축으로 둘러싸인 넓이를 정적분으로 구하기

$y=e^x-e$과 x축의 교점의 x좌표는 $e^x-e=0$에서 $x=1$

닫힌구간 $[0, 1]$에서 $y \leq 0$이고 닫힌구간 $[1, 2]$에서 $y \geq 0$이므로

구하는 넓이를 S라 하면

$S=\int_0^2 |e^x-e|dx=\int_0^1 (-e^x+e)dx+\int_1^2 (e^x-e)dx$

$=\Big[-e^x+ex\Big]_0^1+\Big[e^x-ex\Big]_1^2$

$=\{(-e+e)-(-1+0)\}+\{(e^2-2e)-(e-e)\}$

$=e^2-2e+1$

정답 ①

III 적분법

1915

정답 ②

STEP A 곡선과 x축으로 둘러싸인 넓이를 정적분으로 구하기

모든 실수 x에 대하여 $f(x)>0$이므로 $f(2x+1)>0$

곡선 $y=f(2x+1)$과 x축 및 두 직선 $x=1$, $x=2$로 둘러싸인 부분의 넓이 S는 $S=\int_1^2 f(2x+1)dx$

STEP B 치환적분법을 이용하여 도형의 넓이 구하기

$2x+1=t$라 하면 $2dx=dt$이고

$x=1$일 때, $t=3$이고 $x=2$일 때, $t=5$

따라서 $\int_1^2 f(2x+1)dx=\frac{1}{2}\int_3^5 f(t)dt=\frac{1}{2}\int_3^5 f(t)dt$ ← $\int_3^5 f(x)dx=36$

$=\frac{1}{2}\cdot 36=18$

1916

정답 ③

STEP A 곡선과 x축으로 둘러싸인 넓이를 정적분으로 구하기

곡선 $y=\frac{2x}{\sqrt{x^2+1}}$는 점 $(0, 0)$을 지나고 닫힌구간 $[0, \sqrt{2}]$에서

$y=\frac{2x}{\sqrt{x^2+1}}>0$이므로 구하는 넓이 S는 $S=\int_0^{\sqrt{2}}\frac{2x}{\sqrt{x^2+1}}dx$

STEP B 치환적분법을 이용하여 도형의 넓이 구하기

이때 $1+x^2=t$로 놓으면 $2xdx=dt$이고

$x=0$일 때, $t=1$이고 $x=\sqrt{2}$일 때, $t=3$

따라서 $S=\int_1^3\frac{1}{\sqrt{t}}dt=\left[2t^{\frac{1}{2}}\right]_1^3=2(\sqrt{3}-1)$

1917

정답 ②

STEP A 곡선과 x축으로 둘러싸인 넓이를 정적분으로 구하기

닫힌구간 $[\pi^2, 4\pi^2]$에서 $y=\frac{\sin\sqrt{x}}{\sqrt{x}}\le 0$이므로 구하는 도형의 넓이 S는

$S=-\int_{\pi^2}^{4\pi^2}\frac{\sin\sqrt{x}}{\sqrt{x}}dx$

STEP B 치환적분법을 이용하여 도형의 넓이 구하기

$\sqrt{x}=t$로 놓으면 $\frac{1}{2\sqrt{x}}dx=dt$이고

$x=\pi^2$일 때, $t=\pi$이고 $x=4\pi^2$일 때, $t=2\pi$

따라서 $S=-2\int_\pi^{2\pi}\sin t\,dt=2\left[\cos t\right]_\pi^{2\pi}=2(1-(-1))=4$

1918

정답 ④

STEP A 곡선과 x축으로 둘러싸인 넓이를 정적분으로 구하기

$y=\frac{2x-2}{x^2-2x+2}$과 x축의 교점의 x좌표는 $\frac{2x-2}{x^2-2x+2}=0$에서 $x=1$

닫힌구간 $[0, 1]$에서 $y\le 0$이고 닫힌구간 $[1, 3]$에서 $y\ge 0$이므로

영역 A의 넓이와 영역 B의 넓이의 합을 구하는 넓이 S라 하면

$S=\int_0^3\left|\frac{2x-2}{x^2-2x+2}\right|dx=-\int_0^1\frac{2x-2}{x^2-2x+2}dx+\int_1^3\frac{2x-2}{x^2-2x+2}dx$

$=-\left[\ln(x^2-2x+2)\right]_0^1+\left[\ln(x^2-2x+2)\right]_1^3$ ← $\int\frac{f'(x)}{f(x)}dx=\ln|f(x)|+C$

$=\ln 2+\ln 5=\ln 10$

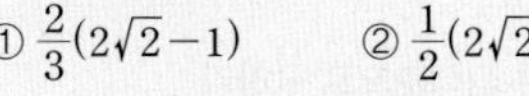

내신연계 출제문항 754

오른쪽 그림과 같이 곡선 $y=x\sqrt{x^2+1}$과 x축 및 두 직선 $x=-1$, $x=1$로 둘러싸인 부분의 넓이는?

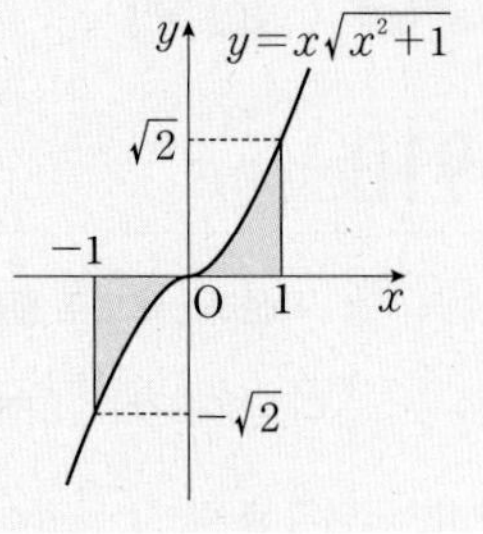

① $\frac{2}{3}(2\sqrt{2}-1)$ ② $\frac{1}{2}(2\sqrt{2}-1)$

③ $2\sqrt{2}-1$ ④ $\frac{1}{3}(\sqrt{2}-1)$

⑤ $\frac{1}{2}(\sqrt{2}-1)$

STEP A 곡선과 x축으로 둘러싸인 넓이를 정적분으로 구하기

곡선 $y=x\sqrt{x^2+1}$과 x축의 교점의 x좌표는 $x\sqrt{x^2+1}=0$에서 $x=0$

이때 곡선 $y=x\sqrt{x^2+1}$은 원점에 대하여 대칭이고 구간 $[0, 1]$에서 $x\sqrt{x^2+1}\ge 0$이므로 구하는 넓이를 S라 하면

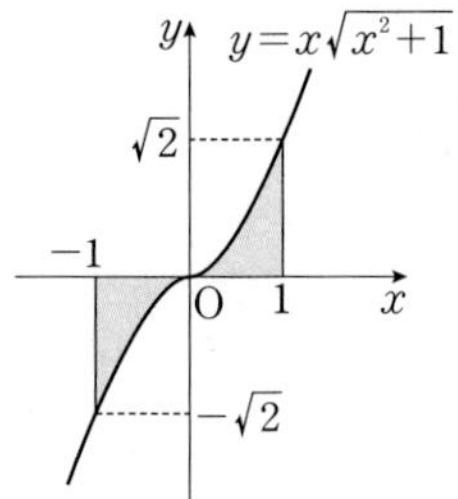

$S=\int_{-1}^1|x\sqrt{x^2+1}|dx=2\int_0^1 x\sqrt{x^2+1}\,dx$

STEP B 치환적분법을 이용하여 도형의 넓이 구하기

$x^2+1=t$로 놓으면 $2xdx=dt$이고

$x=0$일 때, $t=1$이고 $x=1$일 때, $t=2$

따라서 $S=\int_1^2\sqrt{t}\,dt=\left[\frac{2}{3}t^{\frac{3}{2}}\right]_1^2=\frac{2}{3}(2\sqrt{2}-1)$

정답 ①

1919

정답 ③

STEP A 곡선과 x축으로 둘러싸인 넓이를 정적분으로 구하기

닫힌구간 $\left[\frac{1}{e}, 1\right]$에서 $y\le 0$이고 닫힌구간 $[1, e]$에서 $y\ge 0$이므로

구하는 넓이를 S라 하면

$S=\int_{\frac{1}{e}}^e\left|\frac{\ln x}{x}\right|dx=\int_{\frac{1}{e}}^1\left(-\frac{\ln x}{x}\right)dx+\int_1^e\frac{\ln x}{x}dx$

STEP B 치환적분법을 이용하여 도형의 넓이 구하기

$\ln x=t$로 놓으면 $\frac{1}{x}dx=dt$이고

$x=\frac{1}{e}$일 때, $t=-1$이고 $x=1$일 때, $t=0$이고 $x=e$일 때, $t=1$

따라서 $S=\int_{-1}^0(-t)dt+\int_0^1 t\,dt=\left[-\frac{1}{2}t^2\right]_{-1}^0+\left[\frac{1}{2}t^2\right]_0^1$

$=\left(0+\frac{1}{2}\right)+\left(\frac{1}{2}-0\right)=1$

참고 함수 $y=\frac{\ln x}{x}$의 그래프는 그림과 같다.

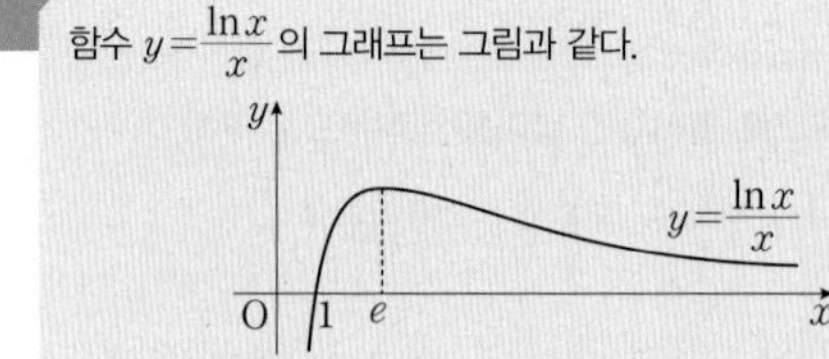

1920

정답 ③

STEP A 곡선과 x축으로 둘러싸인 넓이를 정적분으로 구하기

닫힌구간 $\left[e,\ e^{\frac{3}{2}}\right]$에서 $y \geq 0$이므로

구하는 넓이를 S라 하면 $S=\int_{e}^{e^{\frac{3}{2}}} \frac{\ln x}{x} dx$

STEP B 치환적분법을 이용하여 도형의 넓이 구하기

$\ln x = t$로 놓으면 $\frac{1}{x}dx = dt$

$x=e$일 때, $t=1$이고 $x=e^{\frac{3}{2}}$일 때, $t=\frac{3}{2}$

따라서 $S=\int_{e}^{e^{\frac{3}{2}}} \frac{\ln x}{x} dx = \int_{1}^{\frac{3}{2}} t\,dt = \left[\frac{1}{2}t^2\right]_{1}^{\frac{3}{2}} = \frac{5}{8}$

내/신/연/계/ 출제문항 755

함수 $f(x)=\frac{\ln x}{x}\,(x>0)$가 $x=a$에서 극값을 갖고, 변곡점의 x좌표가 b일 때, 곡선 $y=f(x)$와 x축 및 두 직선 $x=a,\ x=b$로 둘러싸인 부분의 넓이는?

① $\frac{2}{5}$　② $\frac{3}{5}$　③ $\frac{5}{8}$　④ $\frac{6}{8}$　⑤ $\frac{3}{2}$

STEP A $f(x)$의 증감표를 작성하여 그래프 그리기

$f'(x)=\frac{\frac{1}{x}\cdot x - \ln x \cdot 1}{x^2} = \frac{1-\ln x}{x^2}$이므로 $f'(x)=0$에서 $x=e$

$f''(x)=\frac{\left(-\frac{1}{x}\right)\cdot x^2 - (1-\ln x)\cdot 2x}{x^4} = \frac{-3+2\ln x}{x^3}$이므로

$f''(x)=0$에서 $x=e^{\frac{3}{2}}$

함수 $f(x)$의 증가와 감소를 표로 나타내면 다음과 같다.

x	(0)	$\cdots$	e	$\cdots$	$e^{\frac{3}{2}}$	$\cdots$
$f'(x)$		$+$	0	$-$		$-$
$f''(x)$		$-$		$-$	0	$+$
$f(x)$		↗	극대	↘	변곡점	↘

함수 $f(x)$는 $x=e$에서 극값을 갖고 변곡점의 x좌표는 $e^{\frac{3}{2}}$

STEP B 치환적분법을 이용하여 넓이 구하기

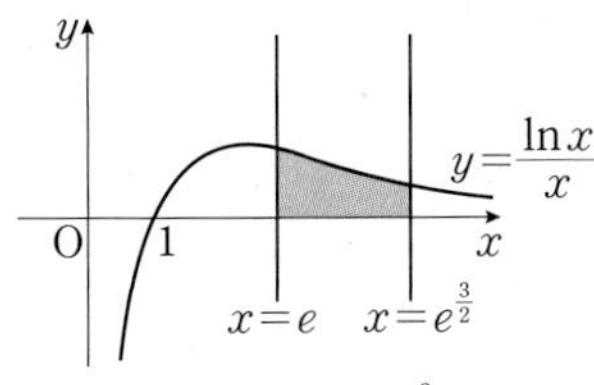

곡선 $y=f(x)$와 x축 및 두 직선 $x=e,\ x=e^{\frac{3}{2}}$로 둘러싸인 부분의 넓이를 S라 하면 $S=\int_{e}^{e^{\frac{3}{2}}} \frac{\ln x}{x} dx$

$\ln x = t$로 놓으면 $\frac{1}{x}dx = dt$

$x=e$일 때, $t=1$이고 $x=e^{\frac{3}{2}}$일 때, $t=\frac{3}{2}$

따라서 $S=\int_{e}^{e^{\frac{3}{2}}} \frac{\ln x}{x} dx = \int_{1}^{\frac{3}{2}} t\,dt = \left[\frac{1}{2}t^2\right]_{1}^{\frac{3}{2}} = \frac{5}{8}$

정답 ③

1921

정답 ②

STEP A 곡선과 x축의 교점을 구하고 그래프의 개형 그리기

$0 \leq x \leq \frac{\pi}{2}$에서 $\sin^2 x \cos x = 0$의 해를 구하면

$\sin x = 0$ 또는 $\cos x = 0$

$\therefore\ x=0$ 또는 $x=\frac{\pi}{2}$

$0 \leq x \leq \frac{\pi}{2}$일 때, $\sin^2 x \cos x \geq 0$이므로 그래프의 개형은 다음과 같다.

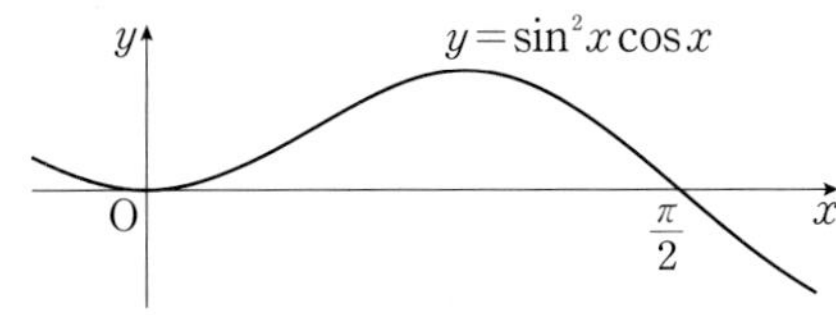

STEP B 치환적분을 이용하여 도형의 넓이 구하기

구하는 넓이를 S라 하면

$S=\int_{0}^{\frac{\pi}{2}} |\sin^2 x \cos x| dx = \int_{0}^{\frac{\pi}{2}} \sin^2 x \cos x dx$

$\sin x = t$로 놓고 양변을 x에 대하여 미분하면

$\cos x dx = dt$

$x=0$이면 $t=0$이고 $x=\frac{\pi}{2}$이면 $t=1$

따라서 $\int_{0}^{\frac{\pi}{2}} \sin^2 x \cos x dx = \int_{0}^{1} t^2 dt = \left[\frac{1}{3}t^3\right]_{0}^{1} = \frac{1}{3}$

내/신/연/계/ 출제문항 756

구간 $[0,\ \pi]$에서 $y=\sin x \cos x$와 x축으로 둘러싸인 부분의 넓이는?

① 1　② 2　③ $2\sqrt{2}$　④ $3\sqrt{2}$　⑤ 6

STEP A 곡선과 x축의 교점을 구하고 그래프의 개형 그리기

곡선 $y=\sin x \cos x = \frac{1}{2}\sin 2x$와 x축의 교점의 x좌표는

$\sin 2x = 0$에서 $x=0$ 또는 $x=\frac{\pi}{2}$ 또는 $x=\pi$

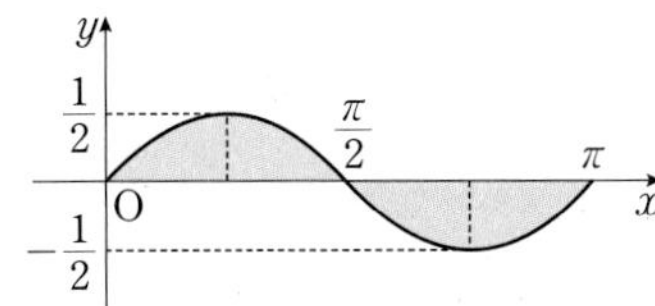

STEP B 도형의 넓이 구하기

따라서 두 부분의 넓이가 같으므로 구하는 넓이를 S라 하면

$S=2\int_{0}^{\frac{\pi}{2}} \frac{1}{2}\sin 2x dx = \int_{0}^{\frac{\pi}{2}} \sin 2x dx$

$=\left[-\frac{1}{2}\cos 2x\right]_{0}^{\frac{\pi}{2}} = \frac{1}{2} - \left(-\frac{1}{2}\right) = 1$

①

1922

정답 ②

STEP A 곡선과 x축으로 둘러싸인 넓이를 정적분으로 구하기

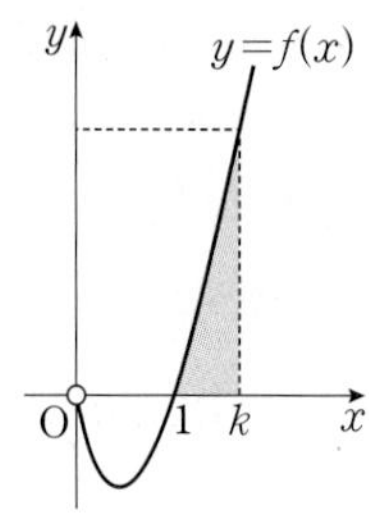

$y=x\ln x(x\geq 1)$과 x축의 교점의 x좌표는 $x\ln x=0$에서 $x=1$

$x>1$일 때, $y=x\ln x>0$이므로 곡선 $y=x\ln x(x\geq 1)$과 직선 $x=k$ 및 x축으로 둘러싸인 도형의 넓이를 S라 하면

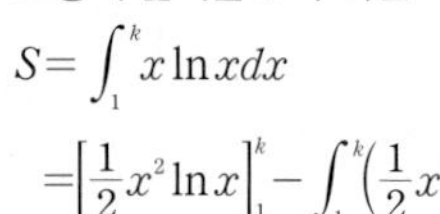

$S=\int_1^k x\ln x dx$

$=\left[\frac{1}{2}x^2\ln x\right]_1^k-\int_1^k\left(\frac{1}{2}x^2\cdot\frac{1}{x}\right)dx$

$=\frac{1}{2}k^2\ln k-\int_1^k\frac{1}{2}xdx$

$=\frac{1}{2}k^2\ln k-\left[\frac{1}{4}x^2\right]_1^k$

$=\frac{1}{2}k^2\ln k-\frac{1}{4}k^2+\frac{1}{4}$

STEP B 넓이가 $\frac{1}{4}$일 때, 상수 k의 값 구하기

이때 $\frac{1}{2}k^2\ln k-\frac{1}{4}k^2+\frac{1}{4}=\frac{1}{4}$에서 $\frac{1}{2}k^2\ln k-\frac{1}{4}k^2=0$

$k^2\ln k=\frac{1}{2}k^2$

$k>1$이므로 $\ln k=\frac{1}{2}$

따라서 $k=\sqrt{e}$

1923

정답 ④

STEP A 곡선과 x축의 교점을 구하고 그래프의 개형 그리기

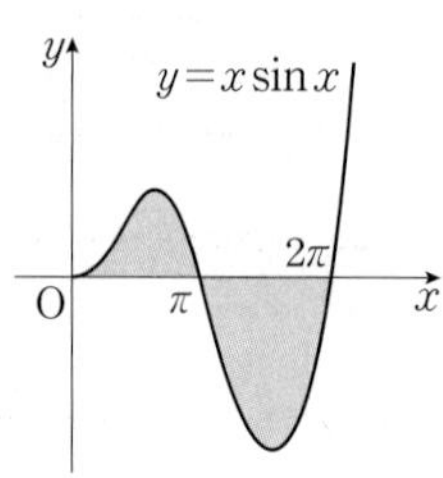

구간 $[0, 2\pi]$에서 곡선 $y=x\sin x$와 x축의 교점의 x좌표는

$x\sin x=0$에서

$x=0$ 또는 $x=\pi$ 또는 $x=2\pi$

구간 $[0, \pi]$에서 $x\sin x\geq 0$

구간 $[\pi, 2\pi]$에서 $x\sin x\leq 0$

STEP B 부분적분을 이용하여 도형의 넓이 구하기

따라서 구하는 넓이를 S라 하면

$S=\int_0^\pi x\sin xdx-\int_\pi^{2\pi}x\sin xdx$

$=\left[-x\cos x\right]_0^\pi+\int_0^\pi\cos xdx-\left[-x\cos x\right]_\pi^{2\pi}-\int_\pi^{2\pi}\cos xdx$

$=\pi+\left[\sin x\right]_0^\pi-(-2\pi-\pi)-\left[\sin x\right]_\pi^{2\pi}$

$=4\pi$

내신연계 출제문항 757

오른쪽 그림과 같이 곡선

$y=x\sin 2x(0\leq x\leq \pi)$

와 x축으로 둘러싸인 도형의 넓이는?

① π ② 2π
③ 3π ④ 4π
⑤ 5π

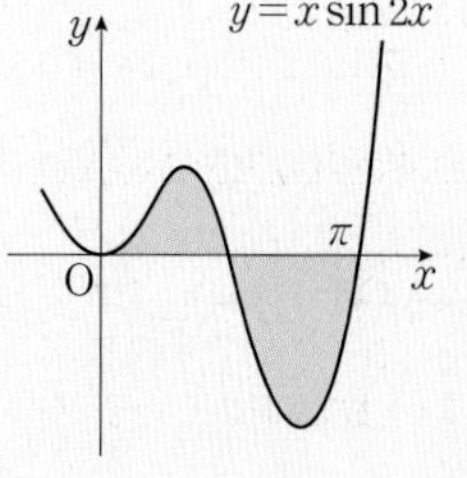

STEP A 곡선과 x축의 교점을 구하고 곡선이 x축 위쪽에 있는 구간과 x축 아래쪽에 있는 구간 구하기

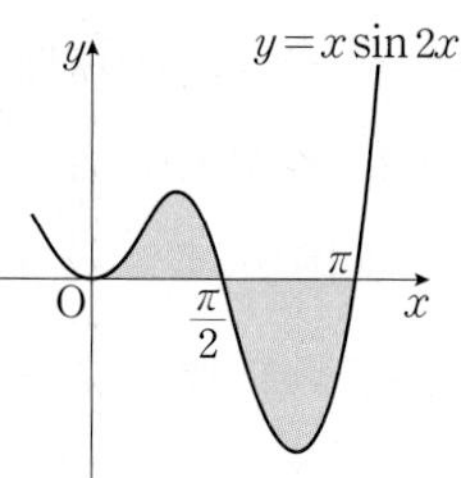

$y=x\sin 2x(0\leq x\leq\pi)$와 x축의 교점의 x좌표는

$x\sin 2x=0$에서 $x=0, \frac{\pi}{2}$이고

구간 $\left[0, \frac{\pi}{2}\right]$에서 $y\geq 0$이고

구간 $\left[\frac{\pi}{2}, \pi\right]$에서 $y\leq 0$

STEP B 적분구간을 나누어 넓이 구하기

따라서 구하는 넓이를 S라 하면

$S=\int_0^\pi|x\sin 2x|dx$

$=\int_0^{\frac{\pi}{2}}x\sin 2xdx+\int_{\frac{\pi}{2}}^\pi(-x\sin 2x)dx$

$=-\left[-\frac{1}{2}x\cos 2x\right]_0^{\frac{\pi}{2}}+\int_0^{\frac{\pi}{2}}\frac{1}{2}\cos 2xdx+\left[\frac{1}{2}x\cos 2x\right]_{\frac{\pi}{2}}^\pi-\int_{\frac{\pi}{2}}^\pi\frac{1}{2}\cos 2xdx$

$=\frac{\pi}{4}+\left[\frac{1}{4}\sin 2x\right]_0^{\frac{\pi}{2}}+\frac{3}{4}\pi-\left[\frac{1}{4}\sin 2x\right]_{\frac{\pi}{2}}^\pi$

$=\frac{\pi}{4}+\frac{3}{4}\pi=\pi$

정답 ①

1924

정답 ⑤

STEP A 직사각형의 넓이에서 곡선과 x축으로 둘러싸인 부분의 넓이를 빼서 구하기

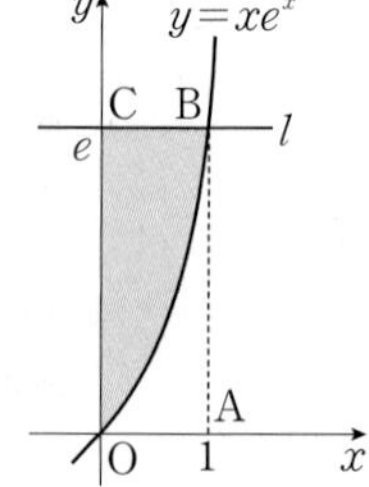

이 부분의 넓이는 네 점 $(0, 0)$, $(1, 0)$, $(1, e)$, $(0, e)$를 꼭짓점으로 하는 직사각형의 넓이에서 곡선 $y=xe^x$과 직선 $x=1$ 및 x축으로 둘러싸인 넓이를 제외하면 된다.

4개의 점 $\mathrm{O}(0, 0)$, $\mathrm{A}(1, 0)$, $\mathrm{B}(1, e)$, $\mathrm{C}(0, e)$를 꼭짓점으로 하는 직사각형의 넓이는 $1\times e=e$

곡선 $y=xe^x$과 x축 및 직선 $x=1$로 둘러싸인 도형의 넓이는

$\int_0^1 xe^x dx=\left[xe^x\right]_0^1-\int_0^1 e^x dx=e-\left[e^x\right]_0^1$

$=e-(e-1)=1$

따라서 구하는 도형의 넓이는 $e-1$

두 곡선으로 둘러싸인 부분의 넓이

곡선 $y=xe^x$과 직선 $y=e$의 교점의 x좌표는 $x=1$이므로

구하는 넓이 S는 $S=\int_0^1\{e-xe^x\}dx=e-1$

내신연계 출제문항 758

오른쪽 그림과 같이 곡선 $y=(x+1)e^x$과 직선 $y=2e$ 및 y축으로 둘러싸인 부분의 넓이는?

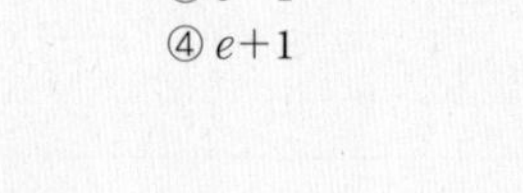

① $e-2$ ② $e-1$
③ e ④ $e+1$
⑤ $e+2$

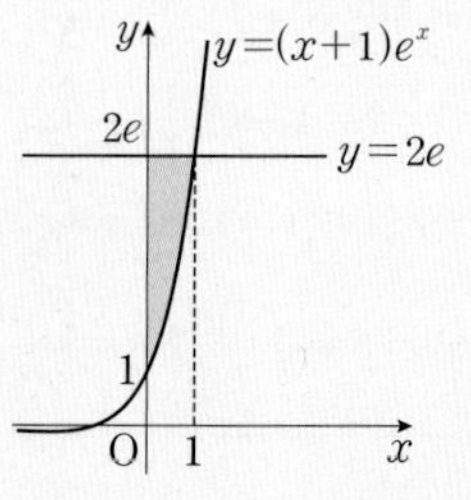

STEP A 직사각형의 넓이에서 곡선과 x축으로 둘러싸인 부분의 넓이를 빼서 구하기

이 부분의 넓이는 네 점 $(0,\ 0)$, $(1,\ 0)$, $(1,\ 2e)$, $(0,\ 2e)$를 꼭짓점으로 하는 직사각형의 넓이에서 곡선 $y=(x+1)e^x$과 직선 $x=1$, x축, y축으로 둘러싸인 부분의 넓이를 빼면 된다.
따라서 구하는 넓이를 S라 하면

$$S=1\cdot 2e-\int_0^1(x+1)e^x dx=2e-\left\{\left[(x+1)e^x\right]_0^1-\int_0^1 e^x dx\right\}$$

$$=2e-\left\{(2e-1)-\left[e^x\right]_0^1\right\}=2e-\{(2e-1)-(e-1)\}=e$$

정답 ③

두 곡선으로 둘러싸인 부분의 넓이
곡선 $y=(x+1)e^x$과 직선 $y=2e$의 교점의 x좌표는 $x=1$이므로 구하는 넓이 S는 $S=\int_0^1\{2e-(x+1)e^x\}dx=e$

1925

정답 ①

STEP A 직사각형의 넓이에서 곡선과 x축으로 둘러싸인 부분의 넓이를 빼서 구하기

이 부분의 넓이는 네 점 $O(0,\ 0)$, $A\left(\frac{\pi}{4},\ 0\right)$, $B\left(\frac{\pi}{4},\ 1\right)$, $C(0,\ 1)$를 꼭짓점으로 하는 직사각형의 넓이에서 곡선 $y=\tan x$과 직선 $x=\frac{\pi}{4}$, x축으로 둘러싸인 부분의 넓이를 빼면 된다.

$$S=(\text{사각형 OABC의 넓이})-\int_0^{\frac{\pi}{4}}\tan x dx$$

$$=\frac{\pi}{4}-\int_0^{\frac{\pi}{4}}\frac{\sin x}{\cos x}dx$$

$$=\frac{\pi}{4}+\Big[\ln|\cos x|\Big]_0^{\frac{\pi}{4}}=\frac{\pi}{4}-\ln\sqrt{2}$$

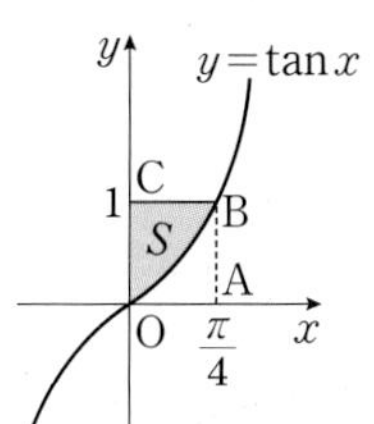

두 곡선으로 둘러싸인 부분의 넓이
곡선 $y=\tan x$과 직선 $y=1$의 교점의 x좌표는 $x=\frac{\pi}{4}$이므로
구하는 넓이 S는 $S=\int_0^{\frac{\pi}{4}}\{1-\tan x\}dx=\frac{\pi}{4}-\ln\sqrt{2}$

내신연계 출제문항 759

$y=\tan x$와 x축 및 직선 $x=-\frac{\pi}{4}$, $x=\frac{\pi}{4}$로 둘러싸인 도형의 넓이는?

① $\frac{1}{2}\ln 2$ ② $\ln 2$ ③ $\frac{3}{2}\ln 2$
④ $2\ln 2$ ⑤ $3\ln 2$

STEP A 곡선과 x축으로 둘러싸인 넓이를 정적분으로 구하기

함수 $y=\tan x$이 닫힌구간 $\left[-\frac{\pi}{4},\ 0\right]$에서 $y\le 0$이고
닫힌구간 $\left[0,\ \frac{\pi}{4}\right]$에서 $y\ge 0$이므로 구하는 도형의 넓이를 S라 하면

$$S=\int_{-\frac{\pi}{4}}^{\frac{\pi}{4}}|\tan x|dx$$

$$=\int_{-\frac{\pi}{4}}^{0}(-\tan x)dx+\int_0^{\frac{\pi}{4}}\tan x dx$$

$$=\Big[\ln|\cos x|\Big]_{-\frac{\pi}{4}}^{0}+\Big[-\ln|\cos x|\Big]_0^{\frac{\pi}{4}}$$

$$=-2\ln\frac{\sqrt{2}}{2}$$

$$=\ln 2$$

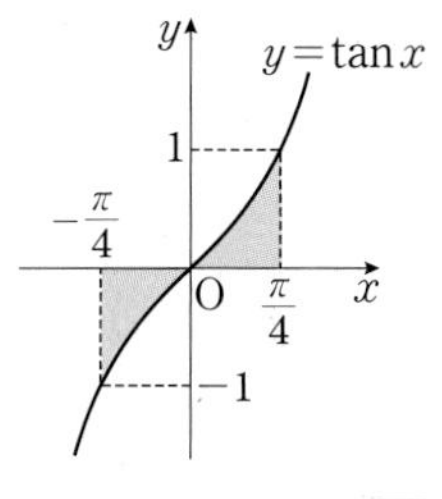

정답 ②

1926

정답 ③

STEP A 그래프의 개형 그리기

$y=|\sin 2x|+1$의 그래프는 $y=|\sin 2x|$의 그래프를 y축으로 1만큼 평행이동한 그래프의 식이므로 그림은 다음과 같다.
⬅ $0\le x\le\pi$에서 $|\sin 2x|=0$인 x의 값은 $x=\frac{\pi}{2}$ 또는 $x=\pi$

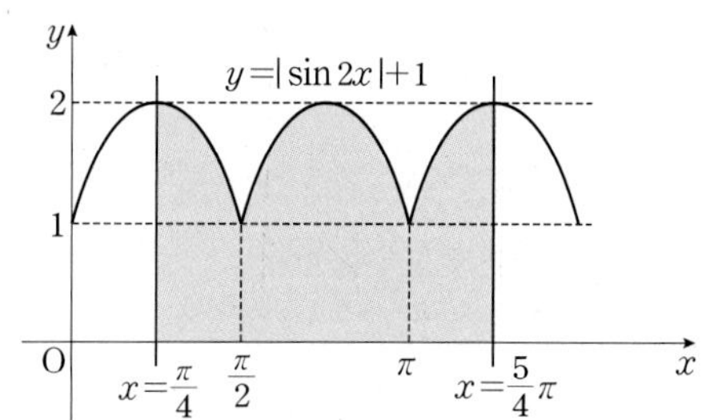

STEP B 정적분을 이용하여 넓이 구하기

따라서 구하는 넓이는 색칠된 부분과 같으므로

$$\int_{\frac{\pi}{4}}^{\frac{\pi}{2}}(\sin 2x+1)dx+\int_{\frac{\pi}{2}}^{\pi}(-\sin 2x+1)dx+\int_{\pi}^{\frac{5\pi}{4}}(\sin 2x+1)dx$$

$$=4\int_{\frac{\pi}{4}}^{\frac{\pi}{2}}(\sin 2x+1)dx$$

$$=4\left[-\frac{1}{2}\cos 2x+x\right]_{\frac{\pi}{4}}^{\frac{\pi}{2}}$$

$$=4\left\{\left(\frac{1}{2}+\frac{\pi}{2}\right)-\frac{\pi}{4}\right\}$$

$$=\pi+2$$

1927

정답 ①

STEP A $x=1$에서 극솟값이 $2e$임을 이용하여 a, b의 값 구하기

함수 $f(x)=ae^x+be^{-x}$이 $x=1$에서 극솟값 $2e$를 가지므로
$f(1)=ae+be^{-1}=2e$ …… ㉠
또한, $f'(x)=ae^x-bx^{-x}$에서
$f'(1)=ae-be^{-1}=0$ …… ㉡
㉠, ㉡에서 $a=1$, $b=e^2$이므로 $f(x)=e^x+e^{-x+2}$

STEP B 곡선과 x축으로 둘러싸인 부분의 넓이에서 직사각형의 넓이를 빼서 구하기

따라서 함수 $f(x)=e^x+e^{-x+2}$의 그래프와 직선 $y=2e$및 y축으로 둘러싸인 부분의 넓이는

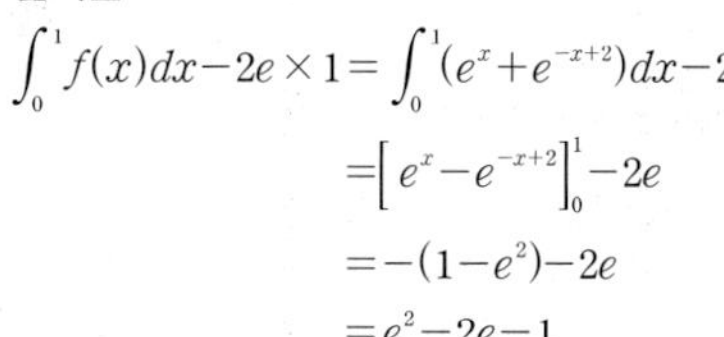

$$\int_0^1 f(x)dx-2e\times 1=\int_0^1(e^x+e^{-x+2})dx-2e$$

$$=\left[e^x-e^{-x+2}\right]_0^1-2e$$

$$=-(1-e^2)-2e$$

$$=e^2-2e-1$$

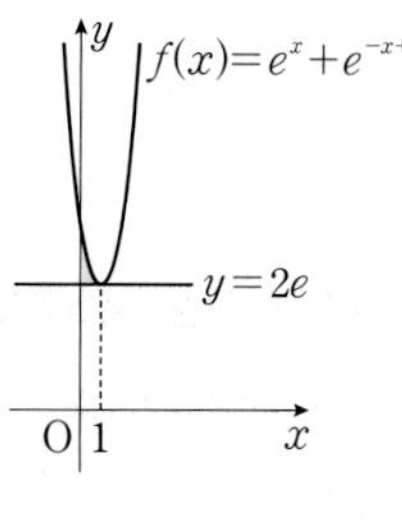

두 곡선으로 둘러싸인 부분의 넓이
곡선 $f(x)=e^x+e^{-x+2}$과 직선 $y=2e$의 교점의 x좌표는 $x=1$이므로
구하는 넓이 S는
$S=\int_0^1\{e^x+e^{-x+2}-2e\}dx=e^2-2e-1$

1928

정답 ②

STEP Ⓐ **곡선과 y축으로 둘러싸인 넓이를 정적분으로 구하기**

$y=\dfrac{1}{x-1}$에서 $x=\dfrac{1}{y}+1$

오른쪽 그림에서 $S(k)$는

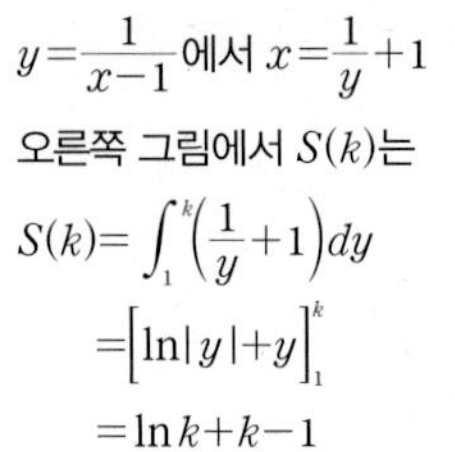

$$S(k)=\int_1^k\left(\frac{1}{y}+1\right)dy$$
$$=\Big[\ln|y|+y\Big]_1^k$$
$$=\ln k+k-1$$

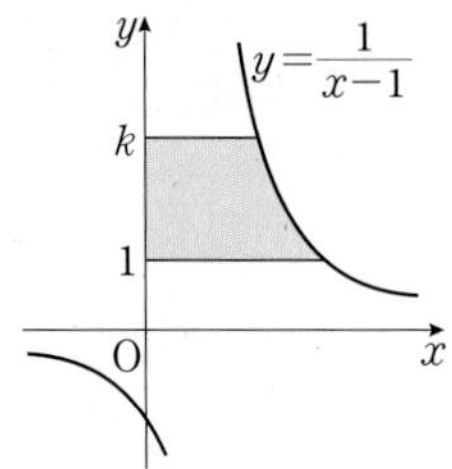

STEP Ⓑ **$S(k)=k$를 만족하는 k의 값 구하기**

따라서 $S(k)=k$를 만족시키는 k의 값은 $\ln k+k-1=k$에서

$\ln k=1 \quad \therefore k=e$

1929

정답 ②

STEP Ⓐ **곡선과 y축으로 둘러싸인 넓이를 정적분으로 구하기**

$y=\ln(x+a)$에서 $x=e^y-a$이므로

곡선 $y=\ln(x+a)$와 x축 및 y축으로

둘러싸인 부분의 넓이는

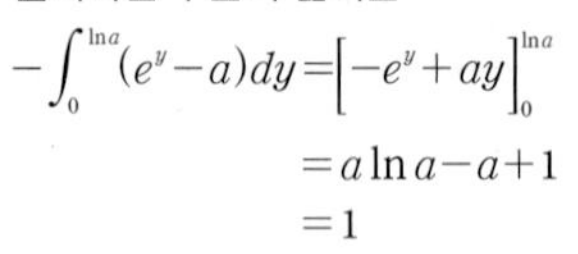

$$-\int_0^{\ln a}(e^y-a)dy=\Big[-e^y+ay\Big]_0^{\ln a}$$
$$=a\ln a-a+1$$
$$=1$$

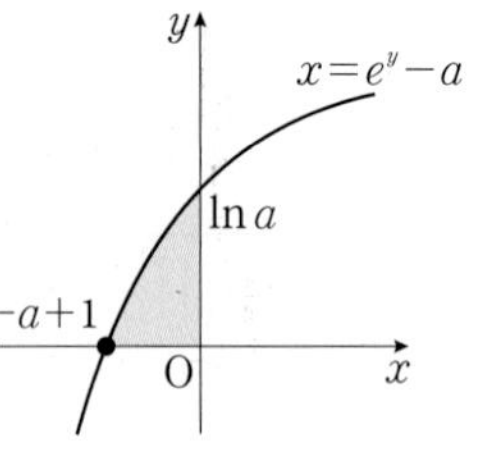

이때 $a(\ln a-1)=0$이므로 $\ln a=1$

따라서 $a=e$

참고 $\displaystyle\int_{-a+1}^{0}\ln(x+a)dx=1$을 이용하여 구할 수 있다

내/신/연/계/ 출제문항 760

곡선 $y=x\sqrt{x}$와 y축 및 두 직선 $y=1$, $y=a$로 둘러싸인 도형의 넓이가 $\dfrac{93}{5}$일 때, 상수 a의 값은? (단, $a>1$)

① 4 ② 5 ③ 6
④ 7 ⑤ 8

STEP Ⓐ **곡선과 y축으로 둘러싸인 넓이를 정적분으로 구하기**

$y=x\sqrt{x}$에서 $x=y^{\frac{2}{3}}$이므로 곡선과

y축 및 두 직선 $y=1$, $y=a(a>1)$

로 둘러싸인 도형의 넓이는

$$\int_1^a y^{\frac{2}{3}}dy=\left[\frac{3}{5}y^{\frac{5}{3}}\right]_1^a=\frac{3}{5}(a^{\frac{5}{3}}-1)=\frac{93}{5}$$

따라서 $a^{\frac{5}{3}}=32$이므로 $a=8$

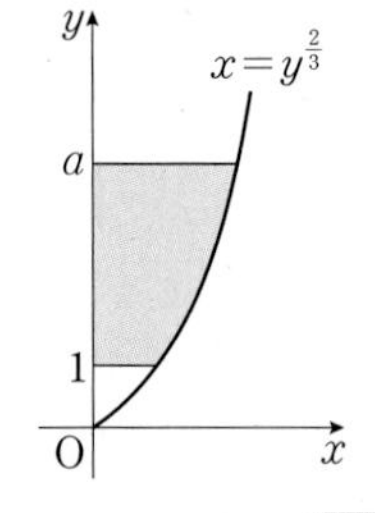

정답 ⑤

1930

정답 ③

STEP Ⓐ **곡선과 y축으로 둘러싸인 넓이를 정적분으로 구하기**

$y=\ln(x+1)$에서 $x=e^y-1$이므로

곡선 $y=\ln(x+1)$과 y축 및 두 직선

$y=-1$, $y=1$로 둘러싸인 부분의 넓이는

$$-\int_{-1}^{0}(e^y-1)dy+\int_0^1(e^y-1)dy$$
$$=\int_{-1}^{0}(1-e^y)dy+\int_0^1(e^y-1)dy$$
$$=\Big[y-e^y\Big]_{-1}^{0}+\Big[e^y-y\Big]_0^1$$
$$=e+\frac{1}{e}-2$$

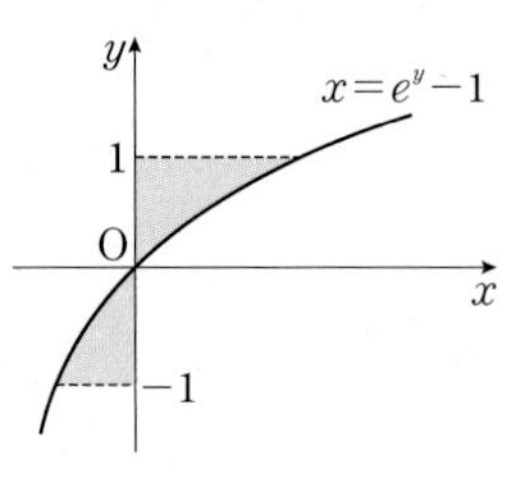

내/신/연/계/ 출제문항 761

곡선 $y=\ln(x+1)$과 y축 및 두 직선 $y=-2$, $y=2$로 둘러싸인 부분의 넓이는?

① $\dfrac{1}{e^2}$ ② e^2 ③ $e^2+\dfrac{1}{e^2}-2$
④ $e^2+\dfrac{1}{e^2}$ ⑤ $e^2+\dfrac{1}{e^2}+2$

STEP Ⓐ **곡선과 y축으로 둘러싸인 넓이를 정적분으로 구하기**

$y=\ln(x+1)$에서 $x=e^y-1$이므로

곡선 $y=\ln(x+1)$과 y축 및 두 직선

$y=-2$, $y=2$로 둘러싸인 부분의 넓이는

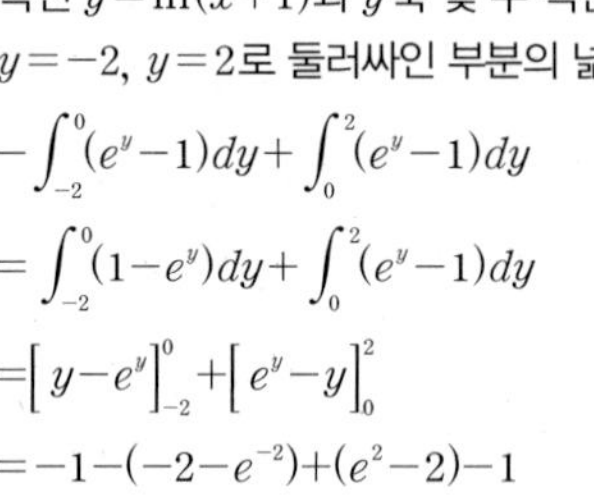

$$-\int_{-2}^{0}(e^y-1)dy+\int_0^2(e^y-1)dy$$
$$=\int_{-2}^{0}(1-e^y)dy+\int_0^2(e^y-1)dy$$

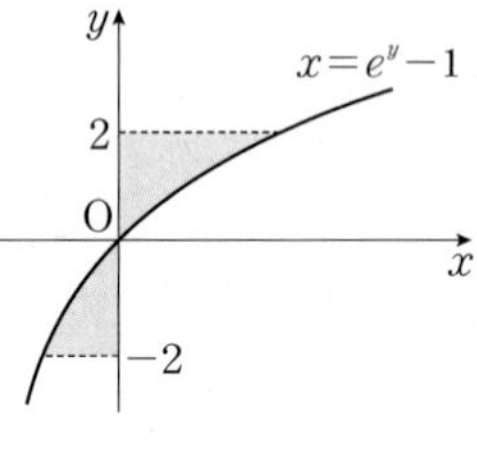

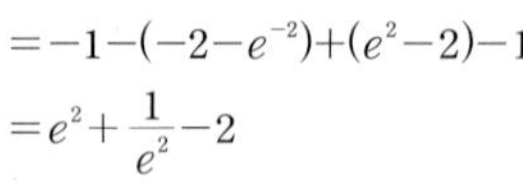

$$=\Big[y-e^y\Big]_{-2}^{0}+\Big[e^y-y\Big]_0^2$$
$$=-1-(-2-e^{-2})+(e^2-2)-1$$
$$=e^2+\frac{1}{e^2}-2$$

정답 ③

1931

정답 ②

STEP Ⓐ **곡선과 y축으로 둘러싸인 넓이를 정적분으로 구하기**

$y=\ln(x+e)$에서 $x+e=e^y$, $x=e^y-e$

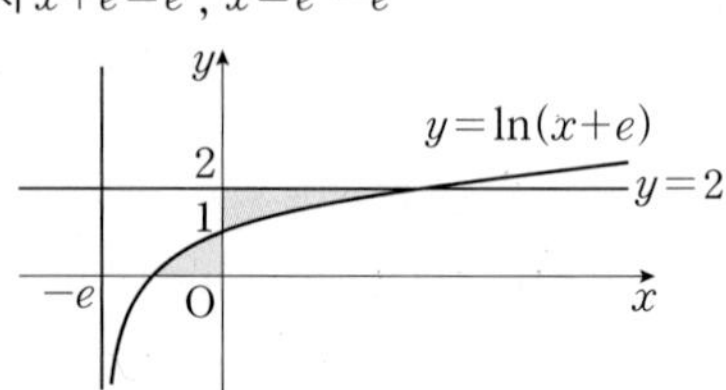

함수 $x=e^y-e$가 닫힌구간 $[0,\ 1]$에서 $x\le 0$

함수 $x=e^y-e$가 닫힌구간 $[1,\ 2]$에서 $x\ge 0$

따라서 구하는 넓이를 S라 하면

$$S=\int_0^2|e^y-e|dy=\int_0^1\{-(e^y-e)\}dy+\int_1^2(e^y-e)dy$$
$$=\int_0^1(e-e^y)dy+\int_1^2(e^y-e)dy=\Big[ey-e^y\Big]_0^1+\Big[e^y-ey\Big]_1^2$$
$$=\{(e-e)-(0-1)\}+\{(e^2-2e)-(e-e)\}$$
$$=1+e^2-2e$$
$$=(e-1)^2$$

1932

정답 ②

STEP Ⓐ 곡선과 y축으로 둘러싸인 넓이를 정적분으로 구하기

$y=|\ln x|=\begin{cases}-\ln x & (0<x<1)\\ \ln x & (x\ge 1)\end{cases}$이므로

$x\ge 1$일 때, $y=\ln x$에서 $x=e^y$

$0<x<1$일 때, $y=-\ln x$에서 $x=e^{-y}$

y축의 구간 $[0, 1]$에서 $e^y\ge e^{-y}$

따라서 구하는 넓이 S는

$S=\int_0^1(e^y-e^{-y})dy=\Big[e^y+e^{-y}\Big]_0^1$

$=e+\frac{1}{e}-2$

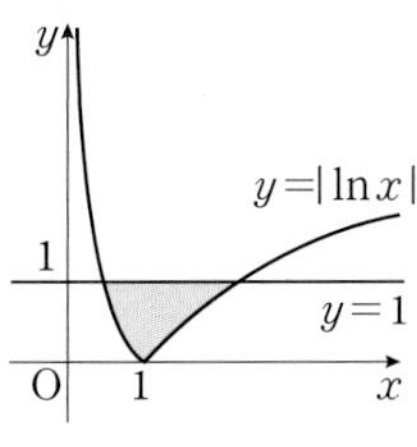

다른풀이 x축으로 둘러싸인 부분의 넓이 구하기

x축으로 둘러싸인 넓이는

$\int_{\frac{1}{e}}^1(1+\ln x)dx+\int_1^e(1-\ln x)dx=\Big[x+x\ln x-x\Big]_{\frac{1}{e}}^1+\Big[x-x\ln x+x\Big]_1^e$

$=e+\frac{1}{e}-2$

내신연계 출제문항 762

다음 그림과 같이 곡선 $y=|\ln x|$와 직선 $y=2$로 둘러싸인 도형의 넓이는?

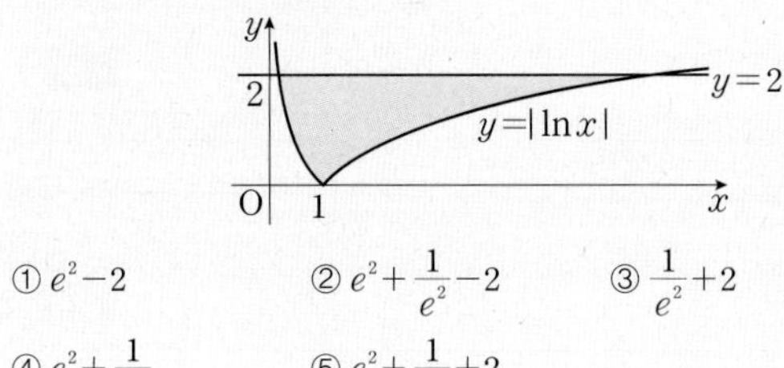

① e^2-2 ② $e^2+\frac{1}{e^2}-2$ ③ $\frac{1}{e^2}+2$

④ $e^2+\frac{1}{e^2}$ ⑤ $e^2+\frac{1}{e^2}+2$

STEP Ⓐ 곡선과 y축으로 둘러싸인 넓이를 정적분으로 구하기

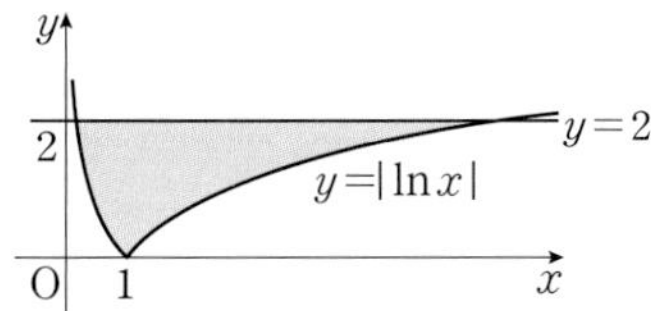

$y=|\ln x|=\begin{cases}-\ln x & (0<x<1)\\ \ln x & (x\ge 1)\end{cases}$이므로 $x\ge 1$일 때, $y=\ln x$에서 $x=e^y$

$0<x<1$일 때, $y=-\ln x$에서 $x=e^{-y}$

y축의 구간 $[0, 2]$에서 $e^y\ge e^{-y}$

따라서 구하는 넓이 S는 $S=\int_0^2(e^y-e^{-y})dy=\Big[e^y+e^{-y}\Big]_0^2=e^2+\frac{1}{e^2}-2$

정답 ②

1933

정답 ①

STEP Ⓐ 함수를 $x=f(y)$꼴로 변형하기

$y=|\ln x|$

$y=|e^x-1|=\begin{cases}-e^x+1 & (x<0)\\ e^x-1 & (x\ge 0)\end{cases}$이므로

$x\ge 0$일 때,

$y=e^x-1$에서 $x=\ln(y+1)$

$x<0$일 때,

$y=-e^x+1$에서 $x=\ln(1-y)$

y축의 구간 $\left[0, \frac{1}{2}\right]$에서 $\ln(y+1)>\ln(1-y)$

STEP Ⓑ 정적분을 이용하여 넓이 구하기

따라서 구하는 넓이 S는

$S=\int_0^{\frac{1}{2}}\{\ln(y+1)-\ln(1-y)\}dy$

$=\Big[y\ln(y+1)\Big]_0^{\frac{1}{2}}-\int_0^{\frac{1}{2}}\left(\frac{y}{y+1}\right)dy-\left\{\Big[y\ln(1-y)\Big]_0^{\frac{1}{2}}-\int_0^{\frac{1}{2}}\left(-\frac{y}{1-y}\right)dy\right\}$

$=\frac{1}{2}\ln\frac{3}{2}-\Big[y-\ln(y+1)\Big]_0^{\frac{1}{2}}-\left\{\frac{1}{2}\ln\frac{1}{2}-\Big[y+\ln(1-y)\Big]_0^{\frac{1}{2}}\right\}$

$=\frac{1}{2}\ln\frac{3}{2}-\left(\frac{1}{2}-\ln\frac{3}{2}\right)-\left\{\frac{1}{2}\ln\frac{1}{2}-\frac{1}{2}-\ln\frac{1}{2}\right\}$

$=\frac{3}{2}\ln\frac{3}{2}+\frac{1}{2}\ln\frac{1}{2}$

$=\frac{3}{2}\ln 3-2\ln 2$

다른풀이 x축으로 둘러싸인 부분의 넓이로 풀이하기

STEP Ⓐ 주어진 곡선과 직선의 두 교점의 x좌표 구하기

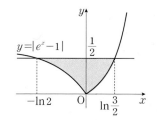

곡선 $y=|e^x-1|$과 직선 $y=\frac{1}{2}$의

교점의 x좌표는

$x>0$일 때,

$e^x-1=\frac{1}{2}$에서 $x=\ln\frac{3}{2}$

$x<0$일 때,

$-e^x+1=\frac{1}{2}$에서 $x=-\ln 2$

STEP Ⓑ 구하고자 하는 넓이 구하기

따라서 구하는 넓이 S는

$S=\frac{1}{2}\left(\ln\frac{3}{2}+\ln 2\right)-\int_{-\ln 2}^0(-e^x+1)dx-\int_0^{\ln\frac{3}{2}}(e^x-1)dx$

$=\frac{1}{2}\ln 3-\Big[-e^x+x\Big]_{-\ln 2}^0-\Big[e^x-x\Big]_0^{\ln\frac{3}{2}}$

$=\frac{1}{2}\ln 3-\left(-1+\frac{1}{2}+\ln 2\right)-\left(\frac{3}{2}-\ln\frac{3}{2}-1\right)$

$=\frac{1}{2}\ln 3-\ln 2+\ln\frac{3}{2}=\frac{3}{2}\ln 3-2\ln 2$

1934

정답 ③

STEP Ⓐ 두 곡선의 교점의 x좌표 구하고 위치를 비교하기

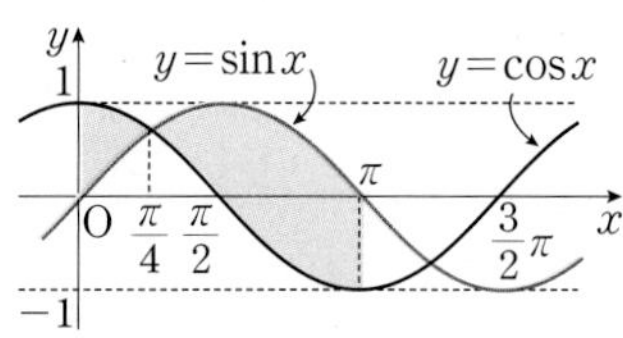

닫힌구간 $[0, \pi]$에서 두 교점의 x좌표는 $\sin x=\cos x$에서

$\frac{\sin x}{\cos x}=1$, $\tan x=1$ $\quad\therefore x=\frac{\pi}{4}$

닫힌구간 $\left[0, \frac{\pi}{4}\right]$에서 $\sin x\le\cos x$이고

닫힌구간 $\left[\frac{\pi}{4}, \pi\right]$에서 $\cos x\le\sin x$

STEP Ⓑ 두 곡선으로 둘러싸인 도형의 넓이 구하기

따라서 구하는 넓이 S는

$S=\int_0^{\pi}|\sin x-\cos x|dx$

$=\int_0^{\frac{\pi}{4}}(\cos x-\sin x)dx+\int_{\frac{\pi}{4}}^{\pi}(\sin x-\cos x)dx$

$=\Big[\sin x+\cos x\Big]_0^{\frac{\pi}{4}}+\Big[-\cos x-\sin x\Big]_{\frac{\pi}{4}}^{\pi}$

$=2\sqrt{2}$

Ⅲ 적분법

내신연계 출제문항 763

구간 $\left[\frac{\pi}{4}, \frac{9}{4}\pi\right]$에서 두 곡선 $y=\sin x$, $y=\cos x$로 둘러싸인 부분의 넓이는?

① $\sqrt{2}$ ② 2 ③ $2\sqrt{2}$
④ $3\sqrt{2}$ ⑤ $4\sqrt{2}$

STEP A 두 곡선의 교점의 x좌표 구하고 위치를 비교하기

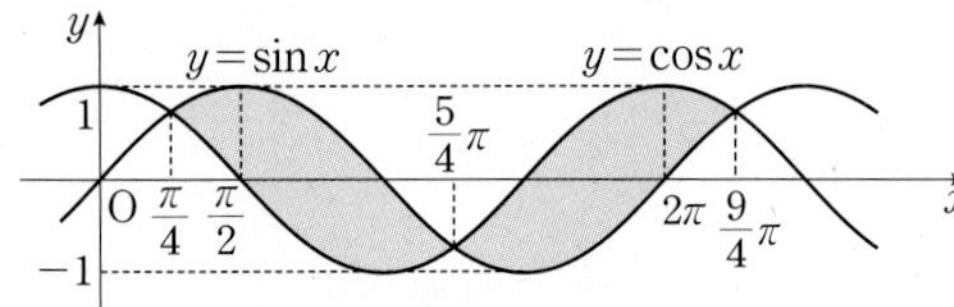

닫힌구간 $\left[\frac{\pi}{4}, \frac{9}{4}\pi\right]$에서 두 곡선 $y=\sin x$, $y=\cos x$의 교점의 x좌표는

$\sin x=\cos x$에서 $\tan x=1$

즉 $x=\frac{\pi}{4}$ 또는 $x=\frac{5}{4}\pi$ 또는 $x=\frac{9}{4}\pi$

STEP B 두 곡선으로 둘러싸인 도형의 넓이 구하기

따라서 구하는 넓이 S는

$$S=\int_{\frac{\pi}{4}}^{\frac{9}{4}\pi}|\cos x-\sin x|dx$$
$$=\int_{\frac{\pi}{4}}^{\frac{5}{4}\pi}(\sin x-\cos x)dx+\int_{\frac{5}{4}\pi}^{\frac{9}{4}\pi}(\cos x-\sin x)dx$$
$$=\Big[-\cos x-\sin x\Big]_{\frac{\pi}{4}}^{\frac{5}{4}\pi}+\Big[\sin x+\cos x\Big]_{\frac{5}{4}\pi}^{\frac{9}{4}\pi}$$
$$=4\sqrt{2}$$

정답 ⑤

1935

정답 ④

STEP A 두 곡선의 교점의 x좌표 구하고 위치를 비교하기

두 곡선 $y=\sin x$, $y=\sin 2x$의 교점의 x좌표는 $\sin x=\sin 2x$

$\sin x=2\sin x\cos x$

$\sin x(2\cos x-1)=0$

$\therefore \sin x=0$ 또는 $\cos x=\frac{1}{2}$

$0\le x\le\pi$에서

$x=0$ 또는 $x=\frac{\pi}{3}$ 또는 $x=\pi$

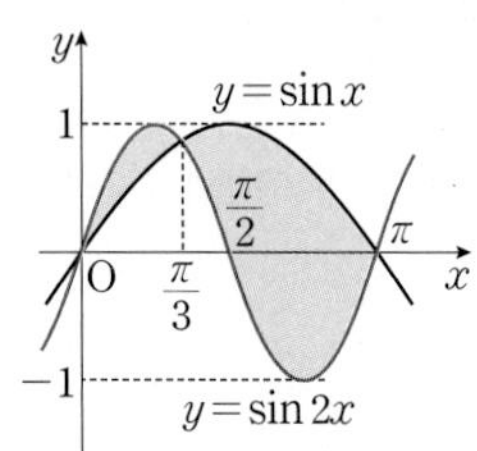

STEP B 정적분을 이용하여 넓이 구하기

따라서 구하는 도형의 넓이는

$$\int_0^{\frac{\pi}{3}}(\sin 2x-\sin x)dx+\int_{\frac{\pi}{3}}^{\pi}(\sin x-\sin 2x)dx$$
$$=\left[-\frac{\cos 2x}{2}+\cos x\right]_0^{\frac{\pi}{3}}+\left[-\cos x+\frac{\cos 2x}{2}\right]_{\frac{\pi}{3}}^{\pi}$$
$$=\frac{5}{2}$$

내신연계 출제문항 764

$0\le x\le\frac{\pi}{2}$에서 두 곡선 $y=\cos x$, $y=\sin 2x$로 둘러싸인 도형의 넓이는?

① $\frac{1}{2}$ ② $\frac{2}{3}$ ③ $\frac{4}{3}$
④ $\frac{5}{2}$ ⑤ $\frac{7}{2}$

STEP A 두 곡선의 교점의 x좌표 구하고 위치를 비교하기

$\cos x=\sin 2x$에서

$\cos x=2\sin x\cos x$

$\cos x(1-2\sin x)=0$

$\cos x=0$ 또는 $\sin x=\frac{1}{2}$

$0\le x\le\frac{\pi}{2}$이므로

$x=\frac{\pi}{6}$ 또는 $x=\frac{\pi}{2}$

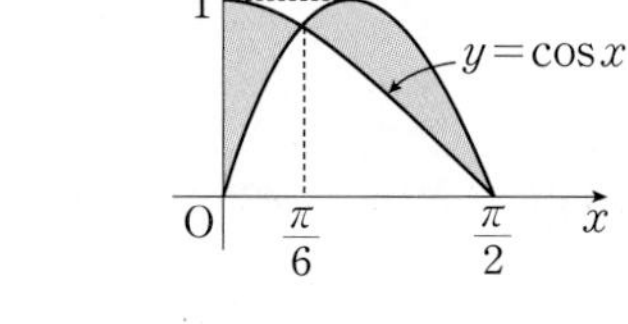

STEP B 정적분을 이용하여 넓이 구하기

따라서 구하는 넓이는

$$\int_0^{\frac{\pi}{6}}(\cos x-\sin 2x)dx+\int_{\frac{\pi}{6}}^{\frac{\pi}{2}}(\sin 2x-\cos x)dx$$
$$=\left[\sin x+\frac{1}{2}\cos 2x\right]_0^{\frac{\pi}{6}}+\left[-\frac{1}{2}\cos 2x-\sin x\right]_{\frac{\pi}{6}}^{\frac{\pi}{2}}$$
$$=\frac{1}{4}+\frac{1}{4}=\frac{1}{2}$$

정답 ①

1936

정답 ②

STEP A 두 곡선의 교점의 x좌표 구하기

$0\le x\le\frac{\pi}{2}$이므로 $\cos x=\sin x$에서 $x=\frac{\pi}{4}$

STEP B S_1, S_2의 넓이 구하기

$$S_1=\int_0^{\frac{\pi}{4}}(\cos x-\sin x)dx=\Big[\sin x+\cos x\Big]_0^{\frac{\pi}{4}}=\sqrt{2}-1$$
$$S_2=\int_0^{\frac{\pi}{4}}\sin x dx+\int_{\frac{\pi}{4}}^{\frac{\pi}{2}}\cos x dx=\Big[-\cos x\Big]_0^{\frac{\pi}{4}}+\Big[\sin x\Big]_{\frac{\pi}{4}}^{\frac{\pi}{2}}=2-\sqrt{2}$$

STEP C $\frac{S_2}{S_1}$의 값 구하기

따라서 $\frac{S_2}{S_1}=\frac{2-\sqrt{2}}{\sqrt{2}-1}=\sqrt{2}$

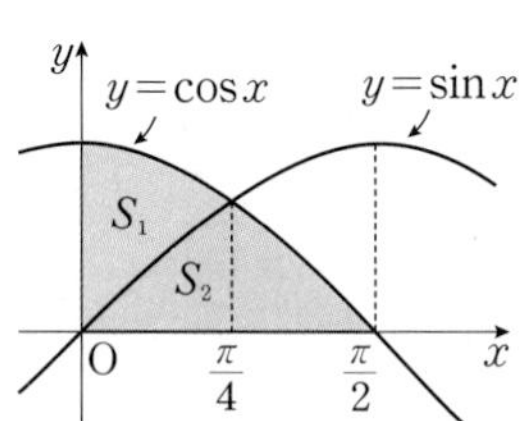

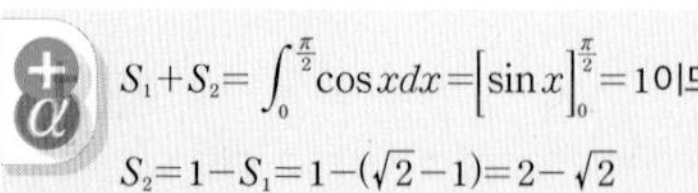

$S_1+S_2=\int_0^{\frac{\pi}{2}}\cos x dx=\Big[\sin x\Big]_0^{\frac{\pi}{2}}=1$이므로

$S_2=1-S_1=1-(\sqrt{2}-1)=2-\sqrt{2}$

1937

정답 ④

STEP A 두 곡선의 교점의 x좌표 구하고 위치를 비교하기

두 곡선 $y=\frac{1}{x}$, $y=\sqrt{x}$의 교점의 x좌표는 $x=1$

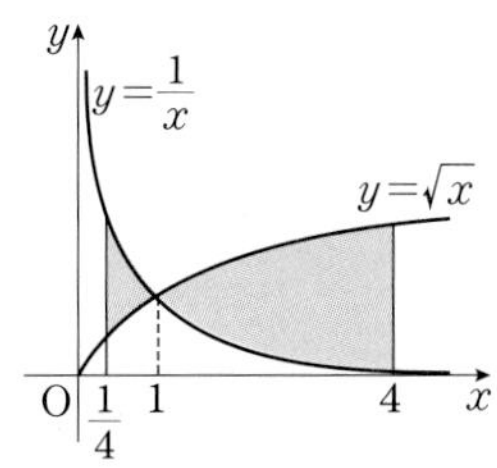

STEP B 정적분을 이용하여 넓이 구하기

따라서 구하는 넓이 S는

$$S=\int_{\frac{1}{4}}^{1}\left(\frac{1}{x}-\sqrt{x}\right)dx+\int_{1}^{4}\left(\sqrt{x}-\frac{1}{x}\right)dx$$

$$=\left[\ln x-\frac{2}{3}x\sqrt{x}\right]_{\frac{1}{4}}^{1}+\left[\frac{2}{3}x\sqrt{x}-\ln x\right]_{1}^{4}$$

$$=0-\frac{2}{3}-\left(\ln\frac{1}{4}-\frac{1}{12}\right)+\frac{16}{3}-\ln 4-\left(\frac{2}{3}-0\right)$$

$$=\frac{49}{12}$$

1938

정답 ④

STEP A 두 곡선의 교점의 x좌표를 구하고 위치를 비교하기

두 곡선의 교점의 x좌표는

$e^{x}=e^{-x}$에서 $e^{2x}=1$, $2x=0$

즉 $x=0$

닫힌구간 $[-1, 0]$에서 $e^{x}\le e^{-x}$

닫힌구간 $[0, 1]$에서 $e^{x}\ge e^{-x}$

 두 곡선 $y=e^{x}$, $y=e^{-x}$는 y축에 대하여 대칭이므로 구하는 넓이는 두 곡선 $y=e^{x}$, $y=e^{-x}$와 직선 $x=1$로 둘러싸인 넓이의 2배와 같다.

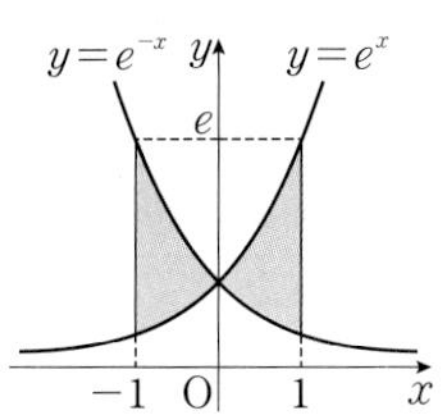

STEP B 적분구간을 나누어 넓이 구하기

따라서 구하는 넓이 S는

$$S=\int_{-1}^{1}|e^{x}-e^{-x}|dx=\int_{-1}^{0}(e^{-x}-e^{x})dx+\int_{0}^{1}(e^{x}-e^{-x})dx$$

$$=\left[-e^{-x}-e^{x}\right]_{-1}^{0}+\left[e^{x}+e^{-x}\right]_{0}^{1}=\left(e+\frac{1}{e}-2\right)+\left(e+\frac{1}{e}-2\right)$$

$$=2\left(e+\frac{1}{e}-2\right)$$

1939

정답 ①

STEP A 두 곡선의 교점의 좌표를 구하고 위치를 비교하기

두 곡선의 교점의 x좌표는 $x=1$

닫힌구간 $\left[\frac{1}{e}, 1\right]$에서 $-\ln x>\ln x$이고

닫힌구간 $[1, e]$에서 $-\ln x<\ln x$

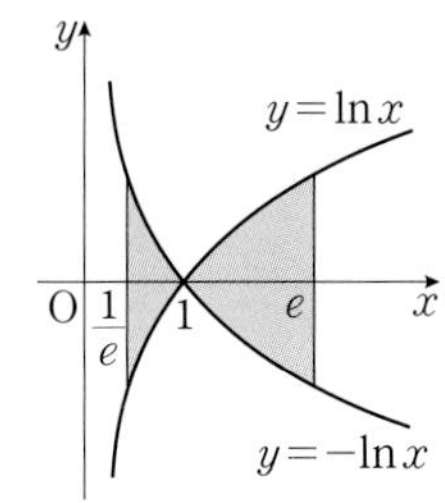

STEP B 적분구간을 나누어 넓이 구하기

따라서 구하는 넓이를 S라고 하면

$$S=\int_{\frac{1}{e}}^{1}(-\ln x-\ln x)dx+\int_{1}^{e}\{\ln x-(-\ln x)\}dx$$

$$=-2\left[x\ln x-x\right]_{\frac{1}{e}}^{1}+2\left[x\ln x-x\right]_{1}^{e}=2-\frac{4}{e}+2=4-\frac{4}{e}$$

내신연계 출제문항 765

두 곡선 $y=\ln x$, $y=-\ln x$과 두 직선 $y=1$과 $y=-1$로 둘러싸인 도형의 넓이는?

① $e-\frac{1}{e}+1$ ② $e+\frac{1}{e}+2$ ③ $2\left(e-\frac{1}{e}+2\right)$

④ $2\left(e+\frac{1}{e}-2\right)$ ⑤ $2\left(e+\frac{1}{e}+2\right)$

STEP A 두 곡선의 교점의 좌표를 구하고 위치를 비교하기

$y=\ln x$에서 $x=e^{y}$

$y=-\ln x$에서 $x=e^{-y}$

$0\le y\le 1$일 때, $e^{-y}<e^{y}$

$-1\le y\le 0$일 때, $e^{-y}>e^{y}$

 두 곡선 $y=\ln x$, $y=-\ln x$는 x축에 대하여 대칭이므로 구하는 넓이는 두 곡선 $y=\ln x$, $y=-\ln x$와 직선 $y=1$로 둘러싸인 넓이의 2배와 같다.

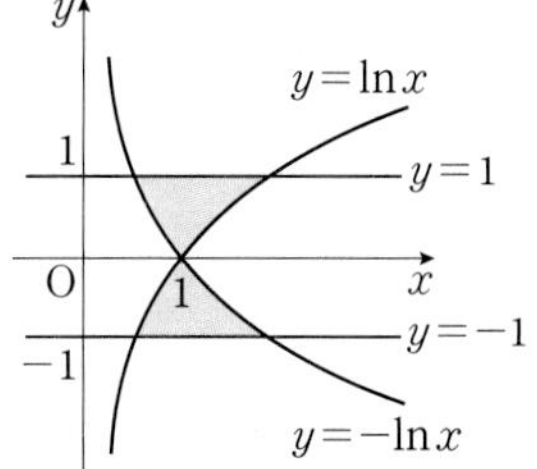

STEP B 적분구간을 나누어 넓이 구하기

따라서 구하는 넓이를 S라고 하면

$$S=2\int_{0}^{1}(e^{y}-e^{-y})dy=2\left[e^{y}+e^{-y}\right]_{0}^{1}=2\left(e+\frac{1}{e}-2\right)$$

정답 ④

1940

정답 ④

STEP A 두 곡선의 교점의 좌표를 구하고 위치를 비교하기

$e^{x}-2=3e^{-x}$에서 $e^{2x}-2e^{x}-3=0$

$(e^{x}+1)(e^{x}-3)=0$

$e^{x}+1>0$이므로 $e^{x}=3$

$\therefore\ x=\ln 3$

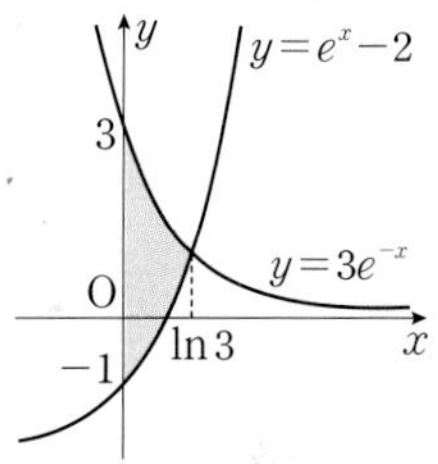

STEP B 정적분을 이용하여 넓이 구하기

따라서 구하는 넓이는 $\int_{0}^{\ln 3}\{3e^{-x}-(e^{x}-2)\}dx=\left[-3e^{-x}-e^{x}+2x\right]_{0}^{\ln 3}=2\ln 3$

내신연계 출제문항 766

두 곡선 $y=2e^{x}-2$, $y=e^{x}$및 y축으로 둘러싸인 부분의 넓이는?

① $-1+2\ln 2$ ② $-\frac{1}{2}+2\ln 2$ ③ $2\ln 2$

④ $\frac{1}{2}+2\ln 2$ ⑤ $1+2\ln 2$

STEP A 두 곡선의 교점의 x좌표 구하기

두 곡선 $y=2e^{x}-2$, $y=e^{x}$의 교점의 x좌표는 $2e^{x}-2=e^{x}$, $e^{x}=2$

$\therefore\ x=\ln 2$

STEP B 정적분을 이용하여 넓이 구하기

이때 두 곡선 $y=2e^{x}-2$, $y=e^{x}$및 y축으로 둘러싸인 부분은 오른쪽 그림과 같다.

따라서 구하는 넓이는

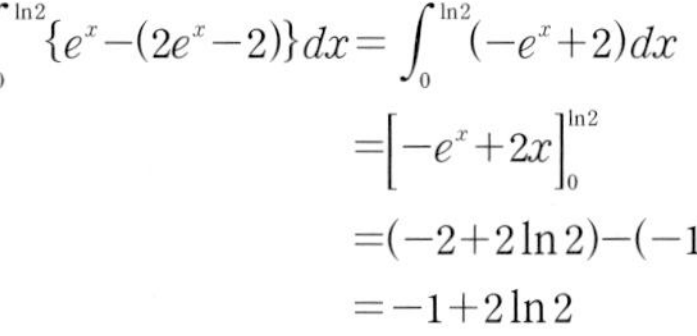

$$\int_{0}^{\ln 2}\{e^{x}-(2e^{x}-2)\}dx=\int_{0}^{\ln 2}(-e^{x}+2)dx$$

$$=\left[-e^{x}+2x\right]_{0}^{\ln 2}$$

$$=(-2+2\ln 2)-(-1)$$

$$=-1+2\ln 2$$

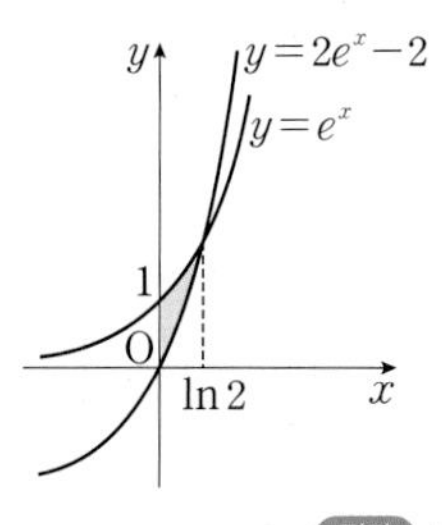

정답 ①

1941

정답 ①

STEP A 두 곡선의 교점의 x좌표 구하기

곡선 $y=\frac{2x}{x^2+1}$와 직선 $y=x$의 교점의 x좌표는

$x=-1,\ x=0,\ x=1$

STEP B 정적분을 이용하여 넓이 구하기

곡선과 직선으로 둘러싸인 두 도형의 넓이가 같으므로

$x>0$인 부분의 도형의 넓이를 구하면

$\int_0^1\left(\frac{2x}{x^2+1}-x\right)dx=\left[\ln(x^2+1)-\frac{1}{2}x^2\right]_0^1=\ln 2-\frac{1}{2}$

따라서 주어진 곡선과 직선으로 둘러싸인 도형의 넓이는

$2\left(\ln 2-\frac{1}{2}\right)=2\ln 2-1$

내신연계 출제문항 767

오른쪽 그림과 같은 곡선

$y=\frac{x}{x^2+1}$와 직선 $y=\frac{1}{2}x$로

둘러싸인 두 부분의 넓이의 합은?

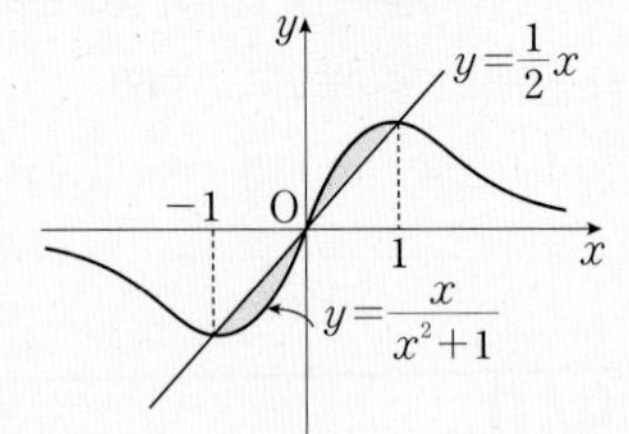

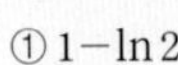

① $1-\ln 2$ ② $\ln 2-\frac{1}{2}$

③ $\ln 3-1$ ④ $\ln 3-\frac{1}{2}$

⑤ $2\ln 3+1$

STEP A 두 곡선의 교점의 x좌표 구하기

곡선 $y=\frac{x}{x^2+1}$와 직선 $y=\frac{1}{2}x$의 교점의 x좌표는

$x=-1,\ x=0,\ x=1$

STEP B 정적분을 이용하여 넓이 구하기

곡선과 직선으로 둘러싸인 두 도형의 넓이가 같으므로

$x>0$인 부분의 도형의 넓이를 구하면

$\int_0^1\left(\frac{x}{x^2+1}-\frac{1}{2}x\right)dx=\left[\frac{1}{2}\ln(x^2+1)-\frac{1}{4}x^2\right]_0^1=\frac{1}{2}\ln 2-\frac{1}{4}$

따라서 주어진 곡선과 직선으로 둘러싸인 도형의 넓이는

$2\left(\frac{1}{2}\ln 2-\frac{1}{4}\right)=\ln 2-\frac{1}{2}$

정답 ②

1942

정답 ③

STEP A 두 곡선의 교점의 x좌표 구하기

두 곡선의 교점의 x좌표를 구하면

$xe^x=e^x$에서 $(x-1)e^x=0$

$\therefore\ x=1$

STEP B a, b를 정적분으로 나타내고 $b-a$의 값 구하기

A의 넓이는

$a=\int_0^1(e^x-xe^x)dx=\int_0^1(1-x)e^x dx$

$=\left[(1-x)e^x\right]_0^1+\int_0^1 e^x dx=e-2$

B의 넓이는

$b=\int_1^2(xe^x-e^x)dx=\int_1^2(x-1)e^x dx$

$=\left[(x-1)e^x\right]_1^2-\int_1^2 e^x dx=e$

따라서 $b-a=e-(e-2)=2$

다른풀이 정적분의 성질을 이용하여 $b-a$의 값 구하기

$b-a=\int_1^2(xe^x-e^x)dx-\int_0^1(e^x-xe^x)dx$

$=\int_1^2(xe^x-e^x)dx+\int_0^1(xe^x-e^x)dx$

$=\int_0^2\{(x-1)e^x\}dx$

$=\left[(x-1)e^x\right]_0^2-\int_0^2 e^x dx$

$=\left[(x-1)e^x\right]_0^2-\left[e^x\right]_0^2$

$=(e^2+1)-(e^2-1)$

$=2$

내신연계 출제문항 768

오른쪽 그림에서 두 곡선 $y=e^x$, $y=2xe^x$과 y축으로 둘러싸인 부분의 넓이를 S_1,

두 곡선 $y=e^x$, $y=2xe^x$과 직선 $x=1$로 둘러싸인 부분의 넓이를 S_2라고 할 때,

S_2-S_1의 값은?

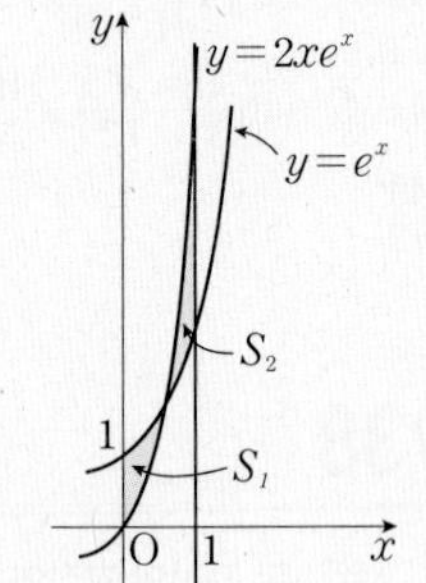

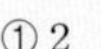

① 2 ② $6-2e$

③ $3-e$ ④ $2+e$

⑤ $3+e$

STEP A 두 곡선의 교점의 x좌표 구하기

두 곡선의 교점의 x좌표를 구하면

$2xe^x=e^x$에서 $(2x-1)e^x=0$

$\therefore\ x=\frac{1}{2}$

STEP B S_1, S_2를 정적분으로 나타내고 S_2-S_1의 값 구하기

S_1의 넓이는

$S_1=\int_0^{\frac{1}{2}}(e^x-2xe^x)dx=\int_0^{\frac{1}{2}}(1-2x)e^x dx$

$=\left[(1-2x)e^x\right]_0^{\frac{1}{2}}+2\int_0^{\frac{1}{2}}e^x dx$

$=-1+2(e^{\frac{1}{2}}-1)$

S_2의 넓이는

$S_2=\int_{\frac{1}{2}}^1(2xe^x-e^x)dx=\int_{\frac{1}{2}}^1(2x-1)e^x dx$

$=\left[(2x-1)e^x\right]_{\frac{1}{2}}^1-2\int_{\frac{1}{2}}^1 e^x dx$

$=e-2(e-e^{\frac{1}{2}})$

따라서 $S_2-S_1=e-2(e-e^{\frac{1}{2}})-\{-1+2(e^{\frac{1}{2}}-1)\}=3-e$

다른풀이 정적분의 성질을 이용하여 S_2-S_1의 값 구하기

$S_2-S_1=\int_{\frac{1}{2}}^1(2xe^x-e^x)dx-\int_0^{\frac{1}{2}}(e^x-2xe^x)dx$

$=\int_{\frac{1}{2}}^1(2xe^x-e^x)dx+\int_0^{\frac{1}{2}}(2xe^x-e^x)dx$

$=\int_0^1(2xe^x-e^x)dx=\int_0^1\{(2x-1)e^x\}dx$

$=\left[(2x-1)e^x\right]_0^1-2\int_0^1 e^x dx$

$=\left[(2x-1)e^x\right]_0^1-2\left[e^x\right]_0^1$

$=3-e$

정답 ③

1943

정답 ④

STEP A 두 곡선 사이의 넓이를 정적분으로 나타내기

$\int_{\frac{\pi}{2}}^{\pi}\left\{(\sin x)\ln x-\frac{\cos x}{x}\right\}dx=\int_{\frac{\pi}{2}}^{\pi}(\sin x)\ln x dx-\int_{\frac{\pi}{2}}^{\pi}\frac{\cos x}{x}dx$

STEP B 부분적분법을 이용하여 도형의 넓이 구하기

함수 $f(x)=(\sin x)\ln x$에서 $v=\ln x$, $u'=\sin x$이라 하면

$v'=\frac{1}{x}$, $u=-\cos x$

따라서 $\int_{\frac{\pi}{2}}^{\pi}(\sin x)\ln x dx-\int_{\frac{\pi}{2}}^{\pi}\frac{\cos x}{x}dx$

$=\left\{\left[(-\cos x)\ln x\right]_{\frac{\pi}{2}}^{\pi}-\int_{\frac{\pi}{2}}^{\pi}\left(-\frac{\cos x}{x}\right)dx\right\}-\int_{\frac{\pi}{2}}^{\pi}\frac{\cos x}{x}dx$

$=\left[(-\cos x)\ln x\right]_{\frac{\pi}{2}}^{\pi}$

$=\ln\pi$

1944

정답 ②

STEP A $0\le x\le 1$에서 $\sin\frac{\pi}{2}x$의 부호 판별하기

두 함수 $y=2^x-1$, $y=\left|\sin\frac{\pi}{2}x\right|$의 교점은 $(0, 0)$, $(1, 1)$

이때 $0\le x\le 1$에서 $\sin\frac{\pi}{2}x\ge 0$이고 $\sin\frac{\pi}{2}x\ge 2^x-1$

STEP B 두 곡선으로 둘러싸인 부분의 넓이 구하기

따라서 두 곡선 $y=2^x-1$, $y=\left|\sin\frac{\pi}{2}x\right|$로 둘러싸인 부분의 넓이는

$\int_0^1\left\{\sin\frac{\pi}{2}x-(2^x-1)\right\}dx=\int_0^1\left(\sin\frac{\pi}{2}x-2^x+1\right)dx$

$=\left[-\frac{2}{\pi}\cos\frac{\pi}{2}x-\frac{2^x}{\ln 2}+x\right]_0^1$

$=\left(-\frac{2}{\ln 2}+1\right)-\left(-\frac{2}{\pi}-\frac{1}{\ln 2}\right)$

$=\frac{2}{\pi}-\frac{1}{\ln 2}+1$

내신연계 출제문항 769

함수 $y=|\sin x|$의 그래프 위의 두 점 $(0, 0)$, $\left(\frac{\pi}{2}, 1\right)$을 지나는 직선을 l이라 하자. 함수 $y=|\sin x|$의 그래프와 직선 l로 둘러싸인 부분의 넓이는?

① $\frac{4-\pi}{4}$　② $\frac{\pi-2}{4}$　③ $\frac{\pi-1}{4}$

④ $\frac{\pi-2}{2}$　⑤ $\frac{\pi-1}{2}$

STEP A 직선 l과 두 곡선의 위치 관계를 구하기

두 점 $(0, 0)$, $\left(\frac{\pi}{2}, 1\right)$을 지나는 직선 l의 방정식은

$y=\frac{1-0}{\frac{\pi}{2}-0}x=\frac{2}{\pi}x$

닫힌구간 $\left[0, \frac{\pi}{2}\right]$에서 $|\sin x|\ge\frac{2}{\pi}x$

STEP B 두 곡선으로 둘러싸인 부분의 넓이 구하기

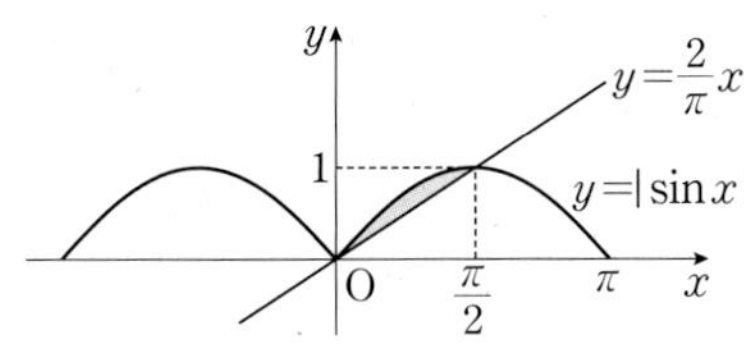

따라서 구하는 넓이를 S라 하면

$S=\int_0^{\frac{\pi}{2}}\left(|\sin x|-\frac{2}{\pi}x\right)dx=\int_0^{\frac{\pi}{2}}\left(\sin x-\frac{2}{\pi}x\right)dx$

$=\left[-\cos x-\frac{1}{\pi}x^2\right]_0^{\frac{\pi}{2}}=\left(0-\frac{\pi}{4}\right)-(-1-0)$

$=1-\frac{\pi}{4}=\frac{4-\pi}{4}$

정답 ①

1945

정답 ⑤

STEP A 두 선분 OA, OB와 함수 $y=f(x)$의 그래프로 둘러싸인 도형의 넓이 $S(t)$ 구하기

두 점 A, B에서 x축에 내린 수선의 발을 A$'$, B$'$이라 하면

A$'(t, 0)$, B$'(t+2, 0)$

즉 구하는 넓이 $S(t)$는

$S(t)=\triangle\text{OAA}'+\int_t^{t+2}\frac{2}{x}dx-\triangle\text{OBB}'$

$=\frac{1}{2}\cdot t\cdot\frac{2}{t}+\int_t^{t+2}\left(\frac{2}{x}\right)dx-\frac{1}{2}\cdot(t+2)\cdot\frac{2}{t+2}$

$=\int_t^{t+2}\left(\frac{2}{x}\right)dx=\left[2\ln x\right]_t^{t+2}$

$=2\{\ln(t+2)-\ln t\}$

$=2\ln\left(1+\frac{2}{t}\right)$

STEP B $\lim_{x\to\infty}\left(1+\frac{1}{x}\right)^x=e$를 이용하여 극한값 구하기

$\therefore S(2t)=2\ln\left(1+\frac{1}{t}\right)$

따라서 $\lim_{t\to\infty}tS(2t)=\lim_{t\to\infty}2t\ln\left(1+\frac{1}{t}\right)=\lim_{t\to\infty}2\ln\left(1+\frac{1}{t}\right)^t=2\ln e=2$

1946

정답 ②

STEP A 두 곡선의 교점의 y좌표 구하기

$y=\sqrt{x-1}$에서 $x=y^2+1$

$y=\frac{1}{2}x$에서 $x=2y$

곡선 $x=y^2+1$과 직선 $x=2y$의 교점의 y좌표는

$y^2+1=2y$에서 $(y-1)^2=0$, 즉 $y=1$

STEP B 두 곡선으로 둘러싸인 부분의 넓이 구하기

$0\le y\le 1$에서 $y^2+1\ge 2y$

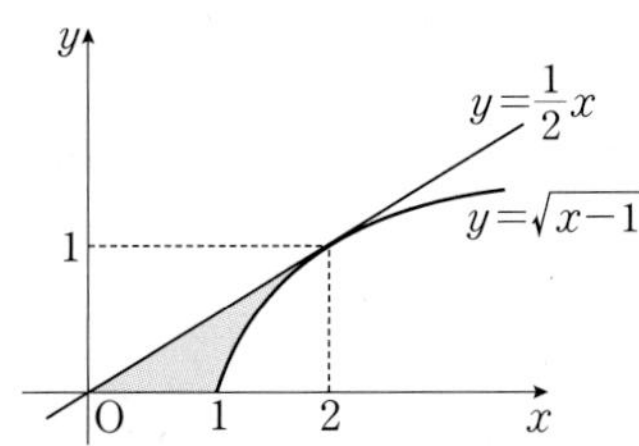

따라서 구하는 넓이를 S라 하면

$S=\int_0^1\{(y^2+1)-2y\}dy=\left[\frac{1}{3}y^3-y^2+y\right]_0^1=\frac{1}{3}$

삼각형의 넓이에서 곡선 $y=\sqrt{x-1}$으로 둘러싸인 부분을 빼서 구한다.

$S=\frac{1}{2}\cdot 2\cdot 1-\int_1^2\sqrt{x-1}dx=1-\left[\frac{2}{3}(x-1)\sqrt{x-1}\right]_1^2=1-\frac{2}{3}=\frac{1}{3}$

1947

정답 ④

STEP A **두 곡선의 교점의 x좌표를 구하고 위치를 비교하기**

곡선 $x=y^2-1(y\ge 0)$과 직선 $y=x-1$의 교점의 x좌표는

$x=(x-1)^2-1$, $x^2-3x=0$, $x(x-3)=0$ $\quad\therefore x=3(\because y\ge 0)$

곡선과 직선의 교점의 좌표는 $(3, 2)$

STEP B **y축으로 둘러싸인 두 곡선 사이의 넓이 구하기**

따라서 구하는 넓이는

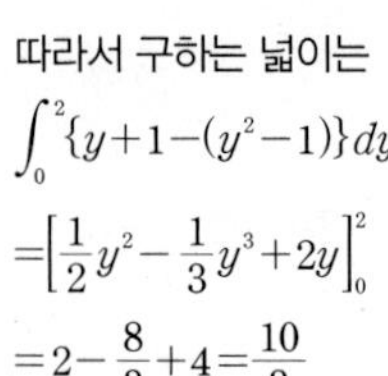

$\int_0^2\{y+1-(y^2-1)\}dy$

$=\left[\frac{1}{2}y^2-\frac{1}{3}y^3+2y\right]_0^2$

$=2-\frac{8}{3}+4=\frac{10}{3}$

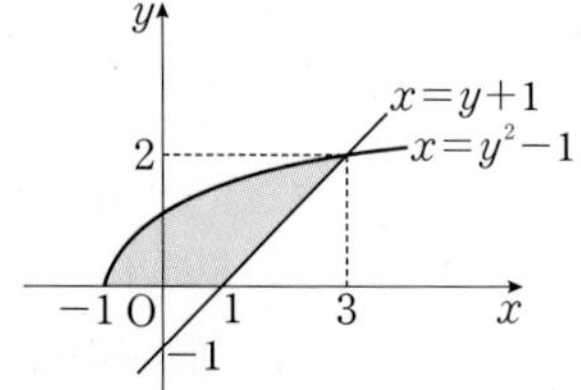

다른풀이 x축으로 둘러싸인 부분의 넓이로 풀이하기

STEP A **두 곡선의 교점의 x좌표를 구하고 위치를 비교하기**

곡선 $x=y^2-1(y\ge 0)$과 직선 $y=x-1$의 교점의 x좌표는

$x=(x-1)^2-1$, $x^2-3x=0$, $x(x-3)=0$ $\quad\therefore x=3(\because y\ge 0)$

곡선과 직선의 교점의 좌표는 $(3, 2)$

STEP B **정적분을 이용하여 넓이 구하기**

따라서 구하는 넓이는

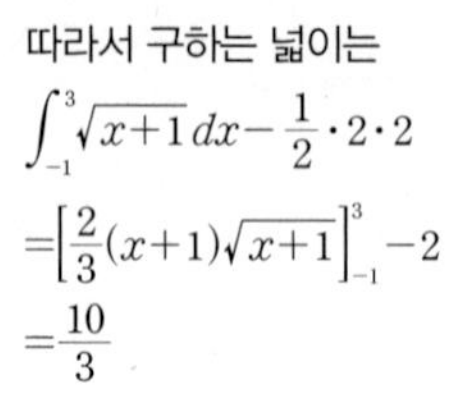

$\int_{-1}^3\sqrt{x+1}\,dx-\frac{1}{2}\cdot2\cdot2$

$=\left[\frac{2}{3}(x+1)\sqrt{x+1}\right]_{-1}^3-2$

$=\frac{10}{3}$

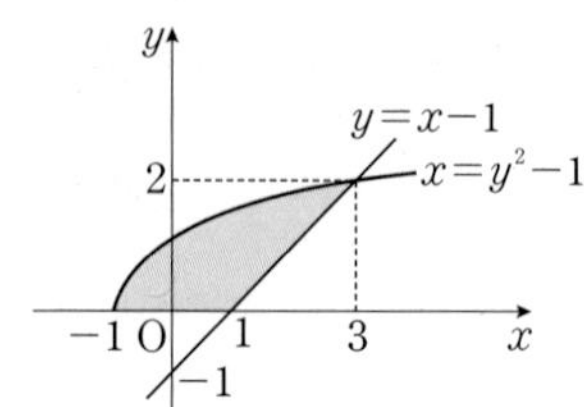

내신연계 출제문항 770

곡선 $y=\sqrt{x}$와 x축 직선 $y=x-2$로 둘러싸인 둘러싸인 도형의 넓이는?

① $\frac{4}{3}$ ② 2 ③ $\frac{8}{3}$
④ $\frac{10}{3}$ ⑤ 4

STEP A **두 곡선의 교점의 x좌표를 구하고 위치를 비교하기**

곡선 $y=\sqrt{x}$과 직선 $y=x-2$의 교점의 x좌표는

$x-2=\sqrt{x}$에서 $(x-2)^2=x$

$x^2-5x+4=0$, $(x-1)(x-4)=0$ $\quad\therefore x=4(\because y\ge 0)$

곡선과 직선의 교점의 좌표는 $(3, 2)$

STEP B **y축으로 둘러싸인 두 곡선 사이의 넓이 구하기**

따라서 구하는 넓이는

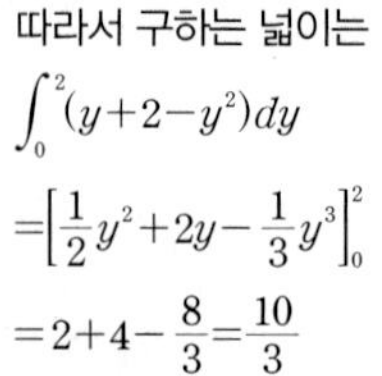

$\int_0^2(y+2-y^2)dy$

$=\left[\frac{1}{2}y^2+2y-\frac{1}{3}y^3\right]_0^2$

$=2+4-\frac{8}{3}=\frac{10}{3}$

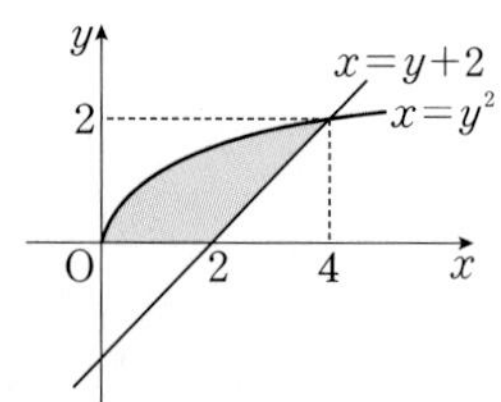

다른풀이 x축으로 둘러싸인 부분의 넓이로 풀이하기

STEP A **두 곡선의 교점의 x좌표를 구하고 위치를 비교하기**

곡선 $y=\sqrt{x}$과 직선 $y=x-2$의 교점의 x좌표는

$x-2=\sqrt{x}$에서 $(x-2)^2=x$

$x^2-5x+4=0$, $(x-1)(x-4)=0$ $\quad\therefore x=4(\because y\ge 0)$

곡선과 직선의 교점의 좌표는 $(3, 2)$

STEP B **정적분을 이용하여 넓이 구하기**

따라서 구하는 넓이는

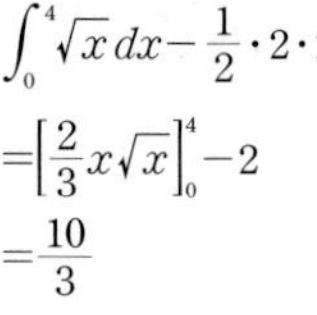

$\int_0^4\sqrt{x}\,dx-\frac{1}{2}\cdot2\cdot2$

$=\left[\frac{2}{3}x\sqrt{x}\right]_0^4-2$

$=\frac{10}{3}$

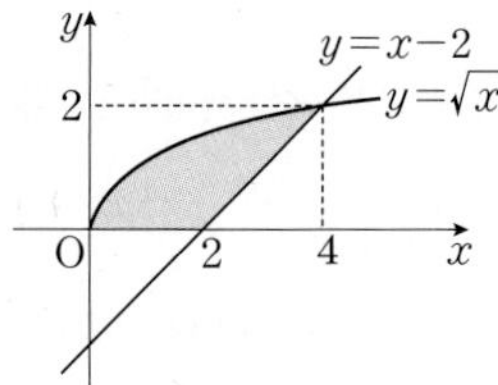

정답 ④

1948

정답 ①

STEP A **y축으로 둘러싸인 두 곡선 사이의 넓이 구하기**

$y=e^x$에서 $x=\ln y$

$y=x$에서 $x=y$이므로

구하는 넓이 S는

$S=\int_2^4(y-\ln y)dy$

$=\left[\frac{1}{2}y^2-(y\ln y-y)\right]_2^4$

$=8-6\ln 2$

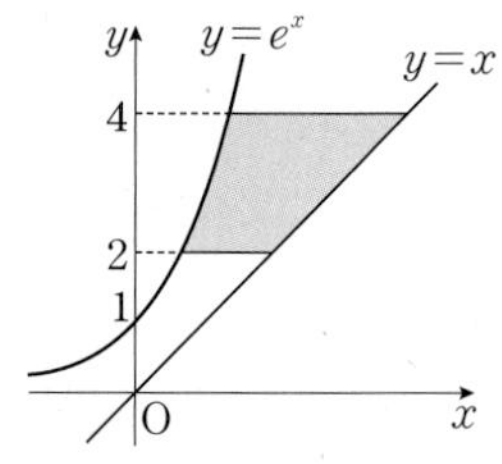

내신연계 출제문항 771

곡선 $y=\ln x$와 x축 및 두 직선 $y=x$, $y=2$로 둘러싸인 도형의 넓이는?

① e^2-3 ② e^2-2 ③ e^2-1
④ e^2 ⑤ e^2+2

STEP A **y축으로 둘러싸인 두 곡선 사이의 넓이 구하기**

$y=\ln x$에서 $x=e^y$

구하는 도형의 넓이는 곡선 $x=e^y$과 x축 및 두 직선 $x=y$, $y=2$로 둘러싸인 도형의 넓이와 같으므로

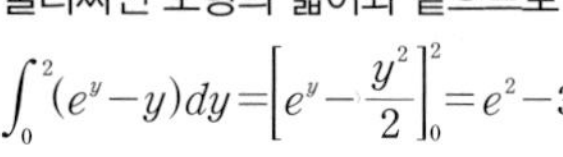

$\int_0^2(e^y-y)dy=\left[e^y-\frac{y^2}{2}\right]_0^2=e^2-3$

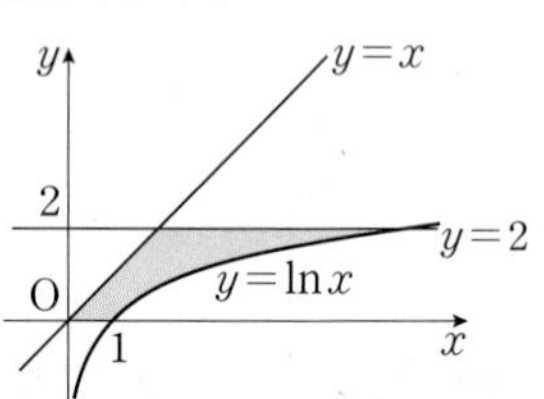

정답 ①

1949

정답 ④

STEP A **두 곡선의 교점의 x좌표를 구하고 위치 비교하기**

두 곡선 $y=\sin x$와 $y=-\ln(x+1)$ 및 직선 $x=\pi$의 그래프는 오른쪽 그림과 같다.

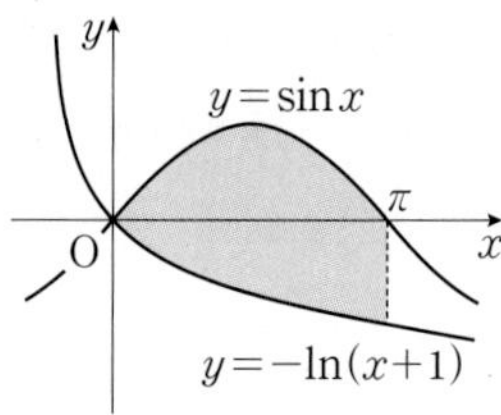

STEP B **x축으로 둘러싸인 두 곡선 사이의 넓이 구하기**

따라서 그림에서 구하는 넓이는

$\int_0^\pi\{\sin x+\ln(x+1)\}dx=\left[-\cos x\right]_0^\pi+\left[x\ln(x+1)\right]_0^\pi-\int_0^\pi\frac{x}{x+1}dx$

$=2+\pi\ln(\pi+1)-\left[x-\ln|x+1|\right]_0^\pi$

$=2+(\pi+1)\ln(\pi+1)-\pi$

내/신/연/계/ 출제문항 772

두 곡선 $y=1+\ln(x+1)$, $y=e^x$과 직선 $x=1$로 둘러싸인 도형의 넓이는?

① $e-2\ln 2-1$ ② $e+2\ln 2-1$ ③ $2e+\ln 2+1$
④ $e+\ln 2+5$ ⑤ $\ln 2-4$

STEP Ⓐ **두 곡선의 교점의 x좌표를 구하고 위치 비교하기**

두 곡선 $y=1+\ln(x+1)$, $y=e^x$의 교점의 x좌표는
$1+\ln(x+1)=e^x$에서 $x=0$
$0\le x\le 1$에서 $e^x\ge 1+\ln(x+1)$

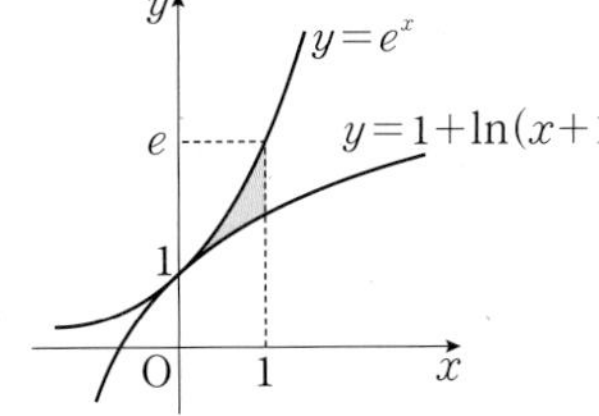

STEP Ⓑ **적분구간을 나누어 넓이 구하기**

따라서 구하는 넓이를 S라 하면

$$S=\int_0^1\{e^x-1-\ln(x+1)\}dx$$
$$=\int_0^1(e^x-1)dx-\int_0^1\ln(x+1)dx$$
$$=\Big[e^x-x\Big]_0^1-\Big[x\ln(x+1)-x+\ln(x+1)\Big]_0^1$$
$$=(e-1)-1-(2\ln 2-1)$$
$$=e-2\ln 2-1$$

 정답 ①

1950

 정답 ①

STEP Ⓐ **두 점 P(1, 0), Q(e, 1)을 지나는 직선의 방정식 구하기**

두 점 P(1, 0), Q(e, 1)을 지나는 직선의 방정식은

$$y=\frac{1}{e-1}(x-1)$$

이때 곡선 $y=\ln x$와 직선 PQ로 둘러싸인 부분은 그림과 같다.

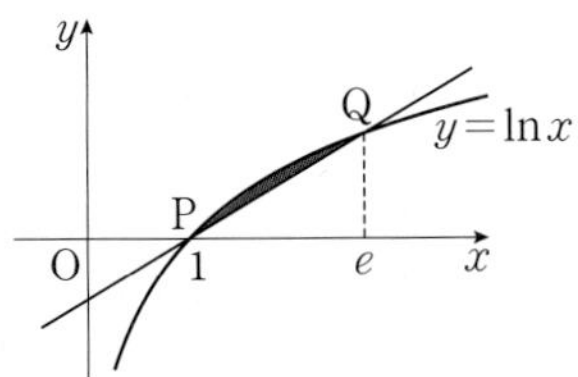

STEP Ⓑ **x축으로 둘러싸인 두 곡선 사이의 넓이 구하기**

따라서 구하는 넓이는

$$\int_1^e\left\{\ln x-\frac{1}{e-1}(x-1)\right\}dx=\int_1^e\ln x\,dx-\frac{1}{e-1}\int_1^e(x-1)dx$$
$$=\Big[x\ln x-x\Big]_1^e-\frac{1}{e-1}\left[\frac{1}{2}x^2-x\right]_1^e$$
$$=1-\frac{1}{e-1}\left\{\left(\frac{1}{2}e^2-e\right)-\left(\frac{1}{2}-1\right)\right\}$$
$$=1-\frac{1}{e-1}\times\frac{(e-1)^2}{2}$$
$$=1-\frac{e-1}{2}$$
$$=\frac{3-e}{2}$$

1951

정답 ③

STEP Ⓐ **A의 넓이는 $(A+B)$의 넓이에서 B의 넓이를 뺀 값과 같음을 이용하여 $\frac{\alpha}{\beta}$의 값 구하기**

$$\beta=\int_p^q\log_b x\,dx=\int_p^q\frac{\ln x}{\ln b}dx=\frac{1}{\ln b}\int_p^q\ln x\,dx$$
$$=\frac{1}{\ln b}\Big[x\ln x-x\Big]_p^q$$
$$=\frac{(q\ln q-p\ln p)-(q-p)}{\ln b}$$
$$\alpha+\beta=\int_p^q\log_a x\,dx=\int_p^q\frac{\ln x}{\ln a}dx=\frac{1}{\ln a}\int_p^q\ln x\,dx$$
$$=\frac{1}{\ln a}\Big[x\ln x-x\Big]_p^q$$
$$=\frac{(q\ln q-p\ln p)-(q-p)}{\ln a}$$

따라서 $\frac{\alpha+\beta}{\beta}=\frac{\alpha}{\beta}+1=\frac{\ln b}{\ln a}=\log_a b$이므로 $\frac{\alpha}{\beta}=\log_a b-1$

다른풀이 부분적분을 하지 않고 풀이하기

$$\beta=\int_p^q\log_b x\,dx=\int_p^q\frac{\ln x}{\ln b}dx=\frac{1}{\ln b}\int_p^q\ln x\,dx$$
$$\alpha=\int_p^q\log_a x\,dx-\beta=\int_p^q\frac{\ln x}{\ln b}dx-\beta=\frac{1}{\ln a}\int_p^q\ln x\,dx-\beta$$

이때 $\int_p^q\ln x\,dx=k$($k\ne 0$인 실수)라 하면 $\beta=\frac{k}{\ln b}$, $\alpha=\frac{k}{\ln b}-\beta$

따라서 $\frac{\alpha}{\beta}=\frac{\frac{k}{\ln a}}{\frac{k}{\ln b}}-1=\frac{\ln b}{\ln a}-1=\log_a b-1$

내/신/연/계/ 출제문항 773

오른쪽 그림과 같이 두 곡선 $y=\ln x$, $y=\log_a x$와 직선 $x=e$로 둘러싸인 부분의 넓이가 $\frac{1}{4}$일 때, 상수 a의 값은? (단, $a>e$)

① $e^{\frac{6}{5}}$ ② $e^{\frac{5}{4}}$
③ $e^{\frac{4}{3}}$ ④ $e^{\frac{3}{2}}$
⑤ e^2

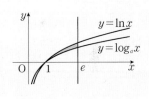

STEP Ⓐ **x축으로 둘러싸인 두 곡선 사이의 넓이 구하기**

$a>e$이므로 닫힌구간 $[1, e]$에서 $\ln x\ge\log_a x$

따라서 구하는 넓이를 S라 하면

$$S=\int_1^e(\ln x-\log_a x)dx=\int_1^e\left(\ln x-\frac{\ln x}{\ln a}\right)dx$$
$$=\int_1^e\left(1-\frac{1}{\ln a}\right)\ln x\,dx=\left(1-\frac{1}{\ln a}\right)\int_1^e\ln x\,dx$$
$$=\left(1-\frac{1}{\ln a}\right)\left\{\Big[x\ln x\Big]_1^e-\int_1^e\left(x\times\frac{1}{x}\right)dx\right\}$$
$$=\left(1-\frac{1}{\ln a}\right)\left(e-\Big[x\Big]_1^e\right)$$
$$=\left(1-\frac{1}{\ln a}\right)\{e-(e-1)\}$$
$$=1-\frac{1}{\ln a}$$

STEP Ⓑ **넓이가 $\frac{1}{4}$임을 이용하여 a의 값 구하기**

$1-\frac{1}{\ln a}=\frac{1}{4}$에서 $\ln a=\frac{4}{3}$

따라서 $a=e^{\frac{4}{3}}$

 정답 ③

1952

정답 ②

STEP A 곡선 $y=\frac{2}{x}$과 두 직선 $y=2x$, $y=\frac{1}{2}x$의 교점의 x좌표를 구하기

곡선 $y=\frac{2}{x}$와 직선 $y=2x$의 교점은 A(1, 2)

곡선 $y=\frac{2}{x}$와 직선 $y=\frac{1}{2}x$의 교점은 B(2, 1)

STEP B 세 곡선으로 둘러싸인 부분의 넓이 구하기

따라서 구하는 넓이를 S라 하면

$S=\int_0^1\left(2x-\frac{1}{2}x\right)dx+\int_1^2\left(\frac{2}{x}-\frac{1}{2}x\right)dx$

$=\left[\frac{3}{4}x^2\right]_0^1+\left[2\ln|x|-\frac{1}{4}x^2\right]_1^2$

$=\frac{3}{4}+2\ln 2-\frac{3}{4}=2\ln 2$

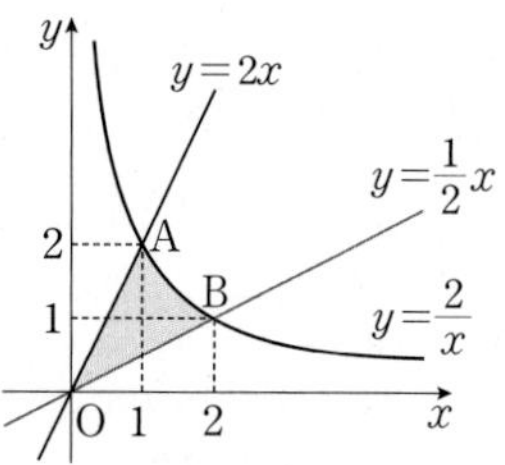

참고 ①넓이 =②넓이이므로

①+③ =②+③ = $\int_1^2\frac{2}{x}dx=2\ln 2$

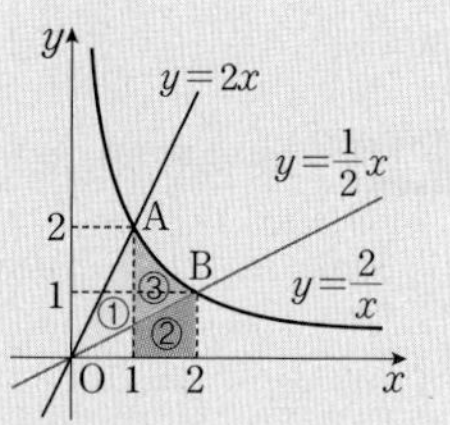

내/신/연/계/ 출제문항 774

오른쪽 그림과 같이 곡선 $y=\frac{1}{x}$과

두 직선 $y=3x$, $y=\frac{1}{3}x$로 둘러싸

인 도형의 넓이는?

(단, $x>0$, $y>0$)

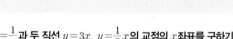

① $\ln 2$ ② $\ln 3$

③ $3\ln 3$ ④ $4\ln 2$

⑤ $5\ln 2$

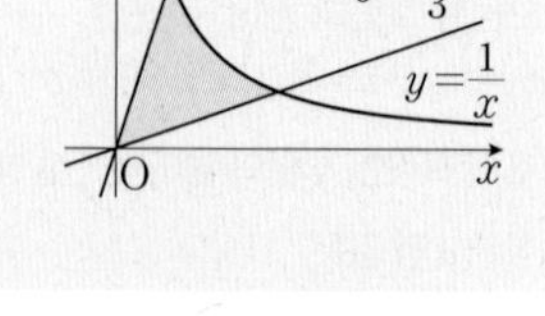

STEP A 곡선 $y=\frac{1}{x}$과 두 직선 $y=3x$, $y=\frac{1}{3}x$의 교점의 x좌표를 구하기

직선 $y=3x$와 곡선 $y=\frac{1}{x}$의 교점의

x좌표는 $3x=\frac{1}{x}$에서

$3x^2-1=0$, $x=\frac{\sqrt{3}}{3}$

$A\left(\frac{\sqrt{3}}{3}, \sqrt{3}\right)$

직선 $y=\frac{1}{3}x$와 곡선 $y=\frac{1}{x}$의 교점의

x좌표는 $\frac{1}{3}x=\frac{1}{x}$에서

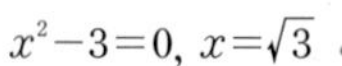

$x^2-3=0$, $x=\sqrt{3}$

$B\left(\sqrt{3}, \frac{\sqrt{3}}{3}\right)$

STEP B 세 곡선으로 둘러싸인 부분의 넓이 구하기

따라서 구하는 넓이를 S라 하면

$S=\int_0^{\frac{\sqrt{3}}{3}}\left(3x-\frac{1}{3}x\right)dx+\int_{\frac{\sqrt{3}}{3}}^{\sqrt{3}}\left(\frac{1}{x}-\frac{1}{3}x\right)dx$

$=\left[\frac{4}{3}x^2\right]_0^{\frac{\sqrt{3}}{3}}+\left[\ln x-\frac{1}{6}x2\right]_{\frac{\sqrt{3}}{3}}^{\sqrt{3}}=\ln 3$

정답 ②

1953

정답 ④

STEP A 곡선 $y=\frac{e}{x}$과 두 직선 $y=ex$, $y=\frac{1}{e}x$의 교점의 x좌표를 구하기

곡선 $\ln x+\ln y=1$과 두 직선

$y=ex$, $y=\frac{1}{e}x$로 둘러싸인 도형은

오른쪽 그림과 같다.

$\ln x+\ln y=1$에서 $\ln xy=1$, $xy=e$

$\therefore y=\frac{e}{x}(x>0)$

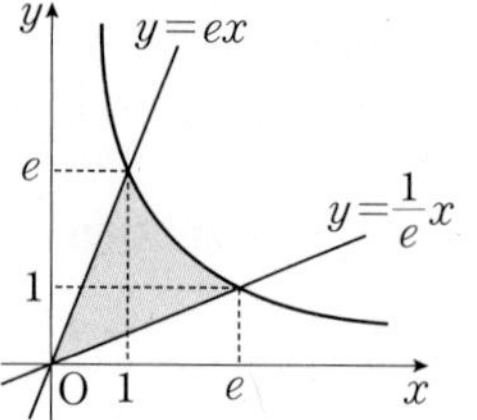

STEP B 세 곡선으로 둘러싸인 부분의 넓이 구하기

따라서 구하는 넓이를 S라 하면

$S=\int_0^1 exdx+\int_1^e\frac{e}{x}dx-\int_0^e\frac{1}{e}xdx=\left[\frac{1}{2}ex\right]_0^1+\left[e\ln|x|\right]_1^e-\left[\frac{1}{2e}x^2\right]_0^e=e$

1954

정답 ①

STEP A 곡선 $y=e^x$과 두 직선 $y=ex$, $y=-\frac{1}{e}x$의 교점의 x좌표를 구하기

$e^x=ex$에서 $x=1$이므로

곡선 $y=e^x$과 직선 $y=ex$는

점 $(1, e)$에서 만난다.

이때 $y=e^x$에서 $y'=e^x$이므로

곡선 $y=e^x$ 위의 점 $(1, e)$에서의

접선의 방정식은 $y-e=e(x-1)$

즉 $y=ex$

$e^x=-\frac{1}{e}x$에서 $x=-1$이므로

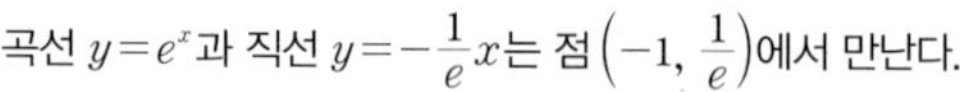

곡선 $y=e^x$과 직선 $y=-\frac{1}{e}x$는 점 $\left(-1, \frac{1}{e}\right)$에서 만난다.

STEP B 세 곡선으로 둘러싸인 부분의 넓이 구하기

따라서 곡선 $y=e^x$과 두 직선 $y=ex$, $y=-\frac{1}{e}x$로 둘러싸인 도형의 넓이는

$\int_{-1}^0\left\{e^x-\left(-\frac{1}{e}x\right)\right\}dx+\int_0^1(e^x-ex)dx=\left[e^x+\frac{1}{2e}x^2\right]_{-1}^0+\left[e^x-\frac{e}{2}x^2\right]_0^1$

$=\left(1-\frac{1}{e}-\frac{1}{2e}\right)+\left(e-\frac{e}{2}-1\right)$

$=\frac{e}{2}-\frac{3}{2e}$

1955

정답 ④

STEP A 점 (18, 9)에서의 접선의 방정식 구하기

$f(x)=3\sqrt{x-9}$로 놓으면

$f'(x)=\frac{3}{2\sqrt{x-9}}$이므로

$x=18$에서의 접선의 기울기

$f'(18)=\frac{3}{2}\cdot\frac{1}{\sqrt{9}}=\frac{1}{2}$

즉 점 (18, 9)에서의 접선의

방정식은 $y-9=\frac{1}{2}(x-18)$ $\therefore y=\frac{1}{2}x$

STEP B 정적분을 이용하여 도형의 넓이 구하기

따라서 구하는 넓이는

$\frac{1}{2}\cdot 18\cdot 9-\int_9^{18}3\sqrt{x-9}\,dx=81-3\cdot\frac{2}{3}\left[(x-9)\sqrt{x-9}\right]_9^{18}=27$

1956

정답 ④

STEP A **원점에서의 접선 l의 방정식 구하기**

원점에서 곡선 $y=\sqrt{x-2}$에 그은 접선의 접점의 좌표를 $(a, \sqrt{a-2})$라 하면

접선의 기울기는 $y'=\dfrac{1}{2\sqrt{x-2}}$에서 $\dfrac{1}{2\sqrt{a-2}}$이므로

접선의 방정식은 $y-\sqrt{a-2}=\dfrac{1}{2\sqrt{a-2}}(x-a)$

이 접선이 원점을 지나므로 $x=0$, $y=0$을 대입하면

$-\sqrt{a-2}=\dfrac{-a}{2\sqrt{a-2}}$

이때 $a=4$이므로 접선의 방정식은 $y=\dfrac{\sqrt{2}}{4}x$

STEP B **정적분을 이용하여 도형의 넓이 구하기**

따라서 오른쪽 그림에서 구하는 도형의 넓이 S는

$S=\dfrac{1}{2}\cdot4\cdot\sqrt{2}-\displaystyle\int_2^4\sqrt{x-2}\,dx$

$=2\sqrt{2}-\left[\dfrac{2}{3}(x-2)^{\frac{3}{2}}\right]_2^4$

$=2\sqrt{2}-\dfrac{2}{3}\cdot2\sqrt{2}=\dfrac{2\sqrt{2}}{3}$

내신연계 출제문항 775

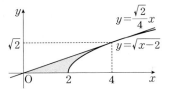

곡선 $y=\sqrt{x-4}$와 이 곡선 위의 점 $(8, 2)$에서의 접선 및 x축으로 둘러싸인 도형의 넓이는?

① $\dfrac{3}{2}$ ② $\dfrac{8}{3}$ ③ $\dfrac{5}{2}$

④ 4 ⑤ $\dfrac{9}{2}$

STEP A **점 $(8, 2)$에서의 접선의 방정식 구하기**

$f(x)=\sqrt{x-4}$로 놓으면

$f'(x)=\dfrac{1}{2\sqrt{x-4}}$에서 $f'(8)=\dfrac{1}{4}$

점 $(8, 2)$에서의 접선의 방정식은

$y-2=\dfrac{1}{4}(x-8)$ $\therefore y=\dfrac{1}{4}x$

STEP B **정적분을 이용하여 도형의 넓이 구하기**

따라서 구하는 도형의 넓이는

$\dfrac{1}{2}\cdot8\cdot2-\displaystyle\int_4^8\sqrt{x-4}\,dx=8-\left[\dfrac{2}{3}(x-4)\sqrt{x-4}\right]_4^8=\dfrac{8}{3}$

정답 ②

1957

정답 ②

STEP A **점 $(2, e^2)$에서의 접선의 방정식 구하기**

$y'=e^x$이므로 점 $(2, e^2)$에서의

접선의 방정식은 $y-e^2=e^2(x-2)$

$\therefore y=e^2x-e^2$

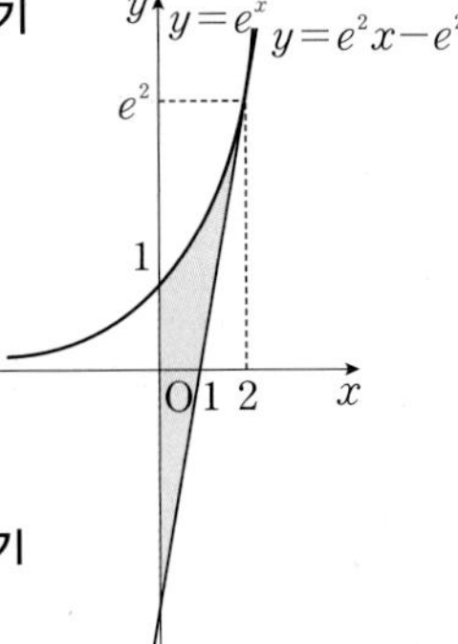

STEP B **정적분을 이용하여 도형의 넓이 구하기**

따라서 구하는 도형의 넓이는

$\displaystyle\int_0^2\{e^x-(e^2x-e^2)\}dx=\left[e^x-\dfrac{e^2}{2}x^2+e^2x\right]_0^2=e^2-1$

내신연계 출제문항 776

곡선 $y=e^x-1$ 위의 점 $\mathrm{P}(1, e-1)$에서의 접선을 l이라 하자.
이때 곡선 $y=e^x-1$과 y축, 접선 l로 둘러싸인 도형의 넓이는?

① $\dfrac{e}{2}+1$ ② $\dfrac{e}{2}$ ③ $\dfrac{e}{2}-1$

④ $e-\dfrac{3}{2}$ ⑤ $e-1$

STEP A **점 $\mathrm{P}(1, e-1)$에서의 접선의 방정식 구하기**

$f(x)=e^x-1$로 놓으면 $f'(x)=e^x$

점 $\mathrm{P}(1, e-1)$에서의 접선의 방정식은 $y-(e-1)=e(x-1)$

$\therefore y=ex-1$

STEP B **정적분을 이용하여 도형의 넓이 구하기**

따라서 곡선 $y=e^x-1$과 y축, 접선 l로 둘러싸인 부분은 오른쪽 그림의 색칠한 부분이므로 구하는 도형의 넓이는

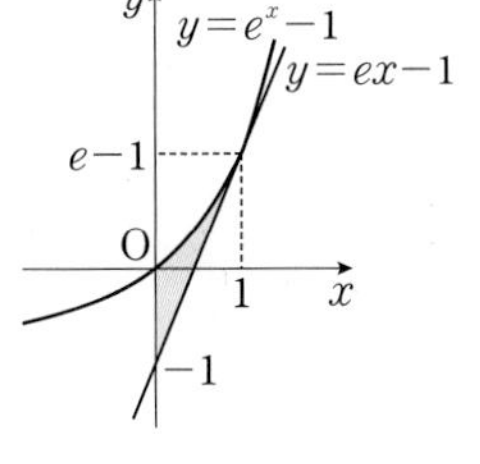

$\displaystyle\int_0^1\{e^x-1-(ex-1)\}dx$

$=\displaystyle\int_0^1\{e^x-ex\}dx$

$=\left[e^x-\dfrac{1}{2}ex^2\right]_0^1$

$=\dfrac{1}{2}e-1$

정답 ③

참고 $f(x)=e^x-1$은 곡선 $y=e^x$을 y축으로 -1만큼 평행이동한 그래프이다.

1958

정답 ①

STEP A **점 $(e, 1)$에서의 접선의 방정식 구하기**

$y=\ln x$에서 $y'=\dfrac{1}{x}$이므로 곡선 위의 점 $(e, 1)$에서의 접선의 방정식은

$y=\dfrac{1}{e}(x-e)+1=\dfrac{1}{e}x$

STEP B **정적분을 이용하여 도형의 넓이 구하기**

구하는 넓이는 곡선 $y=\ln x$와 x축

직선 $y=\dfrac{1}{e}x$로 둘러싸인 부분의

넓이와 같다.

따라서 구하는 도형의 넓이를 S라 하면

$S=\dfrac{1}{2}\cdot e\cdot1-\displaystyle\int_1^e\ln x\,dx$

$=\dfrac{e}{2}-\left[x\ln x\right]_1^e+\left[x\right]_1^e$

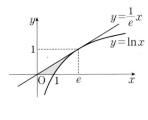

$=\dfrac{e}{2}-1$

III 적분법

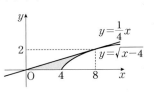

내신연계 출제문항 777

원점에서 곡선 $y=\ln x$에 그은 접선과 x축 및 이 곡선으로 둘러싸인 도형의 넓이는?

① $\frac{e}{2}-\frac{1}{2}$ ② $\frac{e}{2}-1$ ③ $e-1$
④ $e-2$ ⑤ $2e-1$

STEP A 원점에서 그은 접선의 방정식 구하기

$y=\ln x$에서 $y'=\frac{1}{x}$이므로 곡선 위의 점 $(a, \ln a)$에서의 접선의 방정식은

$y=\frac{1}{a}(x-a)+\ln a$

이 직선이 원점을 지나므로

$0=\frac{1}{a}(0-a)+\ln a$, $\ln a=1$

$\therefore a=e$

즉 원점에서 그은 접선의 방정식은 $y=\frac{1}{e}x$

STEP B 정적분을 이용하여 도형의 넓이 구하기

이때 직선 $y=\frac{1}{e}x$에서 $x=ey$, 곡선 $y=\ln x$에서 $x=e^y$

따라서 구간 $[0, 1]$에서 $ey \leq e^y$이므로 구하는 넓이는

$\int_0^1 (e^y-ey)dy=\left[e^y-\frac{e}{2}y^2\right]_0^1=\frac{e}{2}-1$

다른풀이 x축으로 둘러싸인 부분의 넓이 구하기

구하는 넓이는 곡선 $y=\ln x$와 x축, 직선 $y=\frac{1}{e}x$로 둘러싸인 부분의 넓이와 같다.

따라서 구하는 도형의 넓이 S는

$S=\frac{1}{2}\cdot e\cdot 1-\int_1^e \ln x dx=\frac{e}{2}-\left[x\ln x\right]_1^e+\left[x\right]_1^e=\frac{e}{2}-1$

정답 ②

1959

정답 ②

STEP A 점 $(e+1, 1)$에서의 접선의 방정식 구하기

$f(x)=\ln(x-1)$로 놓으면

$f'(x)=\frac{1}{x-1}$

접점 $(e+1, 1)$에서 접선의 방정식은 $y-1=\frac{1}{e}(x-e-1)$

$\therefore y=\frac{1}{e}x-\frac{1}{e}$

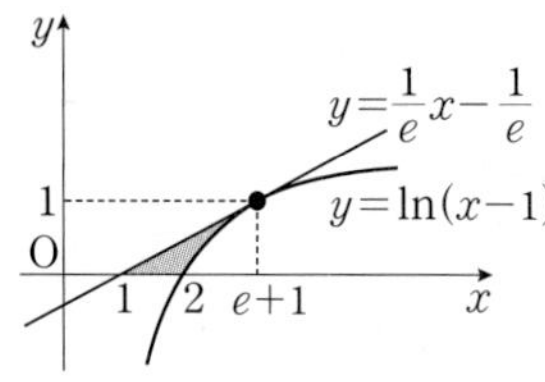

STEP B 정적분을 이용하여 도형의 넓이 구하기

따라서 구하는 도형의 넓이는

$\int_1^{e+1}\left(\frac{1}{e}x-\frac{1}{e}\right)dx-\int_2^{e+1}\ln(x-1)dx$

$=\left[\frac{1}{2e}x^2-\frac{1}{e}x\right]_1^{e+1}-\int_1^e \ln x dx$

$=\left[\frac{1}{2e}x^2-\frac{1}{e}x\right]_1^{e+1}-\left[x\ln x-x\right]_1^e$

$=\frac{1}{2e}(e+1)^2-\frac{1}{e}\cdot(e+1)-\left(\frac{1}{2e}-\frac{1}{e}\right)-1$

$=\frac{e}{2}-1$

참고 $y=\ln(x-1)$은 곡선 $y=\ln x$을 x축으로 1만큼 평행이동한 그래프이다.

1960

정답 ①

STEP A 원점을 지나는 접선의 방정식 구하기

$f(x)=x\sin x$에서

$f'(x)=\sin x+x\cos x$이므로

점 $P(t, t\sin t)(0<t<\pi)$라 하면

접선 l의 기울기는

$f'(t)=\sin t+t\cos t$

그런데 접선 l의 기울기는 원점 O와 점 $P(t, \sin t)$를 지나는 직선의 기울기와 같으므로

$\sin t+t\cos t=\frac{t\sin t}{t}$, $t\cos t=0$

즉 $t=\frac{\pi}{2}$이므로 $P\left(\frac{\pi}{2}, \frac{\pi}{2}\right)$이고 접선 l의 방정식은 $y=x$

STEP B 접선과 곡선 $y=f(x)$으로 둘러싸인 넓이 구하기

그런데 $x\geq 0$에서 $x-x\sin x=x(1-\sin x)\geq 0$이므로

구하는 넓이는

$\int_0^{\frac{\pi}{2}}(x-x\sin x)dx=\int_0^{\frac{\pi}{2}}xdx-\int_0^{\frac{\pi}{2}}x\sin xdx$

$=\left[\frac{1}{2}x^2\right]_0^{\frac{\pi}{2}}-\int_0^{\frac{\pi}{2}}x\sin xdx$

$=\frac{\pi^2}{8}-\int_0^{\frac{\pi}{2}}x\sin xdx$

STEP C 부분적분을 이용하여 정적분 구하기

이때 $u(x)=x$, $v'(x)=\sin x$라 하면 $u'(x)=1$, $v(x)=-\cos x$이므로

$\int_0^{\frac{\pi}{2}}x\sin xdx=\left[-x\cos x\right]_0^{\frac{\pi}{2}}+\int_0^{\frac{\pi}{2}}\cos xdx=\left[\sin x\right]_0^{\frac{\pi}{2}}=1$

따라서 $\int_0^{\frac{\pi}{2}}(x-x\sin x)dx=\frac{\pi^2}{8}-\int_0^{\frac{\pi}{2}}x\sin xdx=\frac{\pi^2}{8}-1=\frac{\pi^2-8}{8}$

1961

정답 ③

STEP A 곡선 $y=k\ln x$와 직선 $y=x$가 접함을 이용하여 k 구하기

$f(x)=k\ln x$라 하면 직선 $y=x$가 접하므로 접점의 좌표를 $P(p, p)$라 하면

$f(p)=k\ln p=p$ …… ㉠

$f'(x)=\frac{k}{x}$이므로 $f'(p)=\frac{k}{p}=1$ …… ㉡

㉠, ㉡에 의하여 $p=e$, $k=e$

$f(x)=e\ln x$

STEP B 곡선 $y=e\ln x$와 직선 $y=x$및 x축으로 둘러싸인 부분의 넓이 구하기

곡선 $y=e\ln x$와 직선 $y=x$및 x축으로 둘러싸인 부분 넓이 S는

$S=(\text{삼각형 OPQ의 넓이})-\int_1^e f(x)dx$

$=\frac{1}{2}e^2-\int_1^e e\ln xdx$

$=\frac{1}{2}e^2-e\left[x\ln x-x\right]_1^e$

$=\frac{1}{2}e^2-e(e\ln e-e+1)=\frac{1}{2}e^2-e$

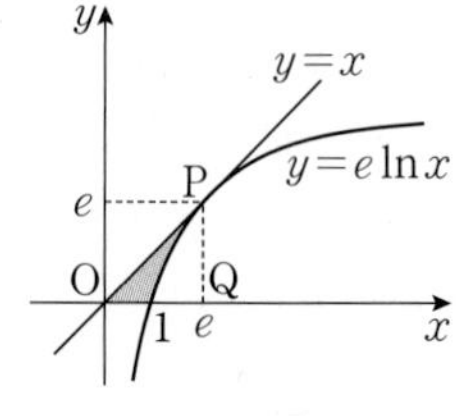

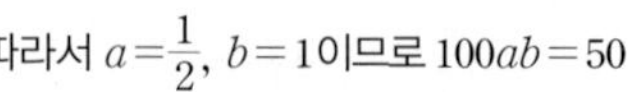
따라서 $a=\frac{1}{2}$, $b=1$이므로 $100ab=50$

내신연계 출제문항 778

두 함수 $f(x)=ax^2(a>0)$, $g(x)=\ln x$의 그래프가 한 점 P에서 만나고, 곡선 $y=f(x)$ 위의 점 P에서의 접선의 기울기와 곡선 $y=g(x)$ 위의 점 P에서의 접선의 기울기가 서로 같다. 두 곡선 $y=f(x)$, $y=g(x)$와 x축으로 둘러싸인 부분의 넓이는? (단, a는 상수이다.)

① $\frac{2\sqrt{e}-3}{6}$ ② $\frac{2\sqrt{e}-3}{3}$ ③ $\frac{\sqrt{e}-1}{2}$

④ $\frac{4\sqrt{e}-3}{6}$ ⑤ $\sqrt{e}-1$

STEP Ⓐ 공통접선을 이용하여 a의 값 구하기

$f(x)=ax^2$, $g(x)=\ln x$에서 두 함수 $y=f(x)$, $y=g(x)$의 그래프가 만나는 점 P의 x좌표를 k라 하면

$ak^2=\ln k$ …… ㉠

$f'(x)=2ax$, $g'(x)=\frac{1}{x}$에서 두 곡선 위의 점 P에서의 접선의 기울기가 서로 같으므로

$2ak=\frac{1}{k}$, $2ak^2=1$ …… ㉡

㉠, ㉡에 의하여 $\ln k=\frac{1}{2}$, $k=\sqrt{e}$

$\therefore a=\frac{1}{2e}$

STEP Ⓑ 두 곡선 $y=f(x)$, $y=g(x)$와 x축으로 둘러싸인 부분의 넓이를 정적분을 이용하여 구하기

$f(x)=\frac{x^2}{2e}$이고 점 P의 좌표는 $\left(\sqrt{e}, \frac{1}{2}\right)$이므로

두 함수 $y=f(x)$, $y=g(x)$의 그래프는 다음과 같다.

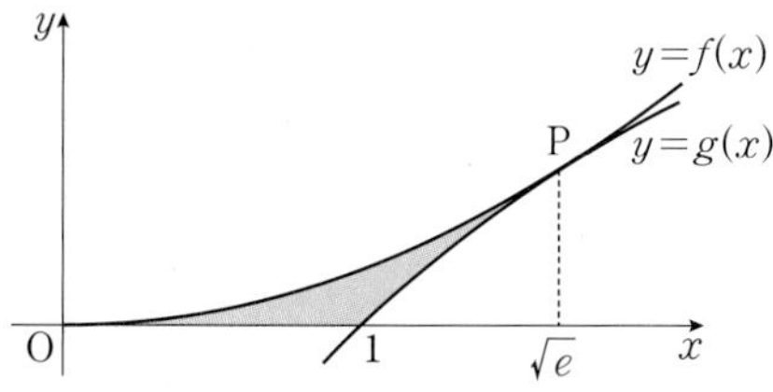

따라서 구하는 넓이는

$$\int_0^{\sqrt{e}}\frac{x^2}{2e}dx-\int_1^{\sqrt{e}}\ln x dx=\left[\frac{x^3}{6e}\right]_0^{\sqrt{e}}-\left\{\left[x\ln x\right]_1^{\sqrt{e}}-\int_1^{\sqrt{e}}\left(x\cdot\frac{1}{x}\right)dx\right\}$$

$$=\left[\frac{x^3}{6e}\right]_0^{\sqrt{e}}-\left[x\ln x\right]_1^{\sqrt{e}}+\left[x\right]_1^{\sqrt{e}}$$

$$=\left(\frac{\sqrt{e}}{6}-0\right)-\left(\frac{\sqrt{e}}{2}-0\right)+(\sqrt{e}-1)$$

$$=\frac{2\sqrt{e}-3}{3}$$

정답 ②

1962

 ①

STEP Ⓐ 곡선 x축으로 둘러싸인 부분의 넓이 S_n 구하기

함수 $f(x)=x^n(1-x)(x\ge 0)$의 그래프와 x축의 교점의 좌표는 $(0, 0)$, $(1, 0)$이고 $0\le x\le 1$에서 $f(x)\ge 0$이므로

$$S_n=\int_0^1 x^n(1-x)dx=\int_0^1(x^n-x^{n+1})dx$$

$$=\left[\frac{1}{n+1}x^{n+1}-\frac{1}{n+2}x^{n+2}\right]_0^1$$

$$=\frac{1}{n+1}-\frac{1}{n+2}$$

STEP Ⓑ $\lim_{n\to\infty}\sum_{k=1}^{n}S_n$의 값 구하기

따라서 $\sum_{n=1}^{\infty}S_n=\sum_{n=1}^{\infty}\left(\frac{1}{n+1}-\frac{1}{n+2}\right)=\lim_{n\to\infty}\sum_{k=1}^{n}\left(\frac{1}{k+1}-\frac{1}{k+2}\right)$

$$=\lim_{n\to\infty}\left\{\left(\frac{1}{2}-\frac{1}{3}\right)+\left(\frac{1}{3}-\frac{1}{4}\right)+\cdots+\left(\frac{1}{n+1}-\frac{1}{n+2}\right)\right\}$$

$$=\lim_{n\to\infty}\left(\frac{1}{2}-\frac{1}{n+2}\right)=\frac{1}{2}$$

1963

 ②

STEP Ⓐ 곡선과 x축으로 둘러싸인 부분의 넓이 a_n 구하기

구간 $\left[0, \frac{\pi}{2}\right]$에서 $n\cos x\ge 0$, 구간 $\left[\frac{\pi}{2}, \pi\right]$에서 $n\cos x\le 0$이므로

$$a_n=\int_0^{\pi}|n\cos x|dx=\int_0^{\frac{\pi}{2}}n\cos x dx+\int_{\frac{\pi}{2}}^{\pi}(-n\cos x)dx$$

$$=\left[n\sin x\right]_0^{\frac{\pi}{2}}+\left[-n\sin x\right]_{\frac{\pi}{2}}^{\pi}$$

$$=n+n=2n$$

STEP Ⓑ 시그마의 성질을 이용하여 구하기

따라서 $\sum_{k=1}^{10}a_k=\sum_{k=1}^{10}2k=2\cdot\frac{10\cdot 11}{2}=110$

1964

 ①

STEP Ⓐ 곡선 x축으로 둘러싸인 부분의 넓이 S_n 구하기

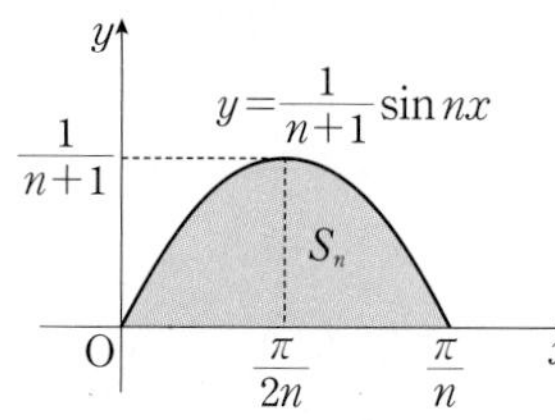

구간 $\left[0, \frac{\pi}{n}\right]$에서 $f(x)=\frac{1}{n+1}\sin nx$의 그래프와 x축으로 둘러싸인 도형의 넓이가 S_n이므로

$$S_n=\int_0^{\frac{\pi}{n}}\frac{1}{n+1}\sin nx dx=\left[-\frac{1}{n+1}\cdot\frac{1}{n}\cos nx\right]_0^{\frac{\pi}{n}}=\frac{2}{n(n+1)}$$

STEP Ⓑ $\lim_{n\to\infty}\sum_{k=1}^{n}S_n$의 값 구하기

따라서 $\sum_{n=1}^{\infty}S_n=\lim_{n\to\infty}\sum_{k=1}^{n}\frac{2}{k(k+1)}=\lim_{n\to\infty}\sum_{k=1}^{n}2\left(\frac{1}{k}-\frac{1}{k+1}\right)$

$$=\lim_{n\to\infty}2\left\{\left(\frac{1}{1}-\frac{1}{2}\right)+\left(\frac{1}{2}-\frac{1}{3}\right)+\left(\frac{1}{3}-\frac{1}{4}\right)+\cdots+\left(\frac{1}{n}-\frac{1}{n+1}\right)\right\}$$

$$=\lim_{n\to\infty}2\left(\frac{1}{1}-\frac{1}{n+1}\right)=2$$

내신연계 출제문항 779

자연수 n에 대하여 닫힌구간 $[0, \pi]$에서 두 곡선

$$y=\frac{1}{n}\sin x,\ y=\frac{1}{n+1}\sin x$$

로 둘러싸인 부분의 넓이를 S_n이라 할 때, $\lim_{n\to\infty}\sum_{k=1}^{n}S_k$의 값은?

① 2　② 5　③ 8
④ 11　⑤ 14

STEP A 두 곡선으로 둘러싸인 부분의 넓이 S_n 구하기

자연수 n에 대하여 구간 $[0, \pi]$에서 $\frac{1}{n}\sin x \ge \frac{1}{n+1}\sin x$

$y=\frac{1}{n}\sin x,\ y=\frac{1}{n+1}\sin x$의 그래프는 다음 그림과 같다.

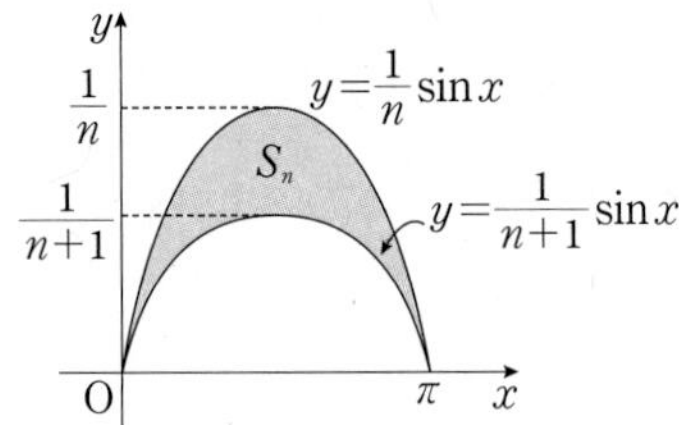

$$S_n=\int_0^{\pi}\left(\frac{1}{n}\sin x-\frac{1}{n+1}\sin x\right)dx$$
$$=\left[-\frac{1}{n}\cos x+\frac{1}{n+1}\cos x\right]_0^{\pi}$$
$$=\frac{1}{n}-\frac{1}{n+1}+\frac{1}{n}-\frac{1}{n+1}=2\left(\frac{1}{n}-\frac{1}{n+1}\right)$$

STEP B $\lim_{n\to\infty}\sum_{k=1}^{n}S_n$의 값 구하기

따라서 $\lim_{n\to\infty}\sum_{k=1}^{n}S_n=\lim_{n\to\infty}\sum_{k=1}^{n}2\left(\frac{1}{k}-\frac{1}{k+1}\right)$

$$=\lim_{n\to\infty}2\left\{\left(\frac{1}{1}-\frac{1}{2}\right)+\left(\frac{1}{2}-\frac{1}{3}\right)+\cdots+\left(\frac{1}{n}-\frac{1}{n+1}\right)\right\}$$
$$=\lim_{n\to\infty}2\left(1-\frac{1}{n+1}\right)=2$$

정답 ①

1965

①

STEP A 구간 $[(n-1)\pi,\ n\pi]$에서 곡선으로 둘러싸인 부분의 넓이 S_n을 구하기

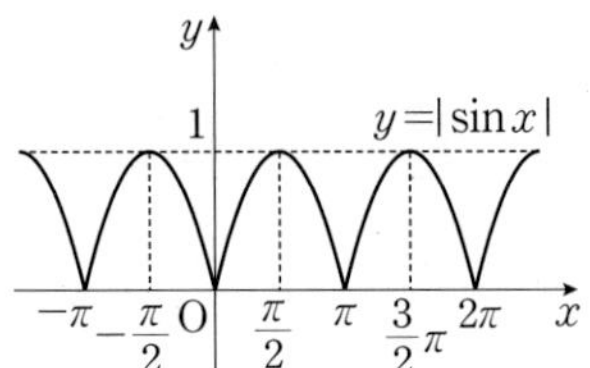

$$S_n=\int_{(n-1)\pi}^{n\pi}\left|\left(\frac{1}{2}\right)^n\sin x\right|dx=\left(\frac{1}{2}\right)^n\int_{(n-1)\pi}^{n\pi}|\sin x|dx$$

이때 함수 $y=|\sin x|$는 주기가 π인 주기함수이므로

$$\int_{(n-1)\pi}^{n\pi}|\sin x|dx=\int_0^{\pi}|\sin x|dx=\int_0^{\pi}\sin x dx=\left[-\cos x\right]_0^{\pi}=2$$

STEP B $\sum_{n=1}^{\infty}S_n$의 값 구하기

따라서 $S_n=\left(\frac{1}{2}\right)^n\cdot 2=\left(\frac{1}{2}\right)^{n-1}$이므로 $\sum_{n=1}^{\infty}S_n=\sum_{n=1}^{\infty}\left(\frac{1}{2}\right)^{n-1}=\frac{1}{1-\frac{1}{2}}=2$

다른풀이 자연수 n에 대하여 S_n의 변화 상태를 확인하여 급수 계산하기

주어진 조건에 맞는 $y=\left(\frac{1}{2}\right)^n\sin x$는 다음 그림과 같다.

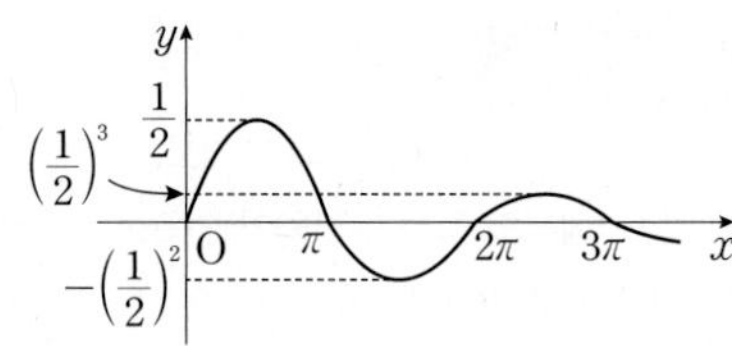

(ⅰ) n이 짝수일 때,

$$S_n=\int_{(n-1)\pi}^{n\pi}|y|dy=\int_{(n-1)\pi}^{n\pi}-\left(\frac{1}{2}\right)^n\sin x dx$$
$$=\left(\frac{1}{2}\right)^n\left[\cos x\right]_{(n-1)\pi}^{n\pi}=\left(\frac{1}{2}\right)^{n-1}$$

(ⅱ) n이 홀수일 때,

$$S_n=\int_{(n-1)\pi}^{n\pi}|y|dx=\int_{(n-1)\pi}^{n\pi}+\left(\frac{1}{2}\right)^n\sin x dx$$
$$=\left(\frac{1}{2}\right)^n\left[-\cos x\right]_{(n-1)\pi}^{n\pi}=\left(\frac{1}{2}\right)^{n-1}$$

(ⅰ), (ⅱ)로부터 $S_n=\left(\frac{1}{2}\right)^{n-1}$이므로 $\sum_{n=1}^{\infty}S_n=\sum_{n=1}^{\infty}\left(\frac{1}{2}\right)^{n-1}=\frac{1}{1-\frac{1}{2}}=2$

내신연계 출제문항 780

자연수 n에 대하여 구간 $\left[0, \frac{\pi}{2^n}\right]$에서 곡선 $y=\cos(2^n x)$와 x축으로 둘러싸인 도형의 넓이를 S_n이라 할 때, $\sum_{n=1}^{\infty}S_n$의 값은?

① 2　② 3　③ 4
④ 5　⑤ 6

STEP A 구간 $\left[0, \frac{\pi}{2^n}\right]$에서 곡선으로 둘러싸인 부분의 넓이 S_n을 구하기

함수 $y=\cos(2^n x)$의 주기는 $\frac{2\pi}{2^n}=\frac{\pi}{2^{n-1}}$이므로 구간 $\left[0, \frac{\pi}{2^n}\right]$에서

곡선 $y=\cos(2^n x)$의 그래프는 다음과 같다.

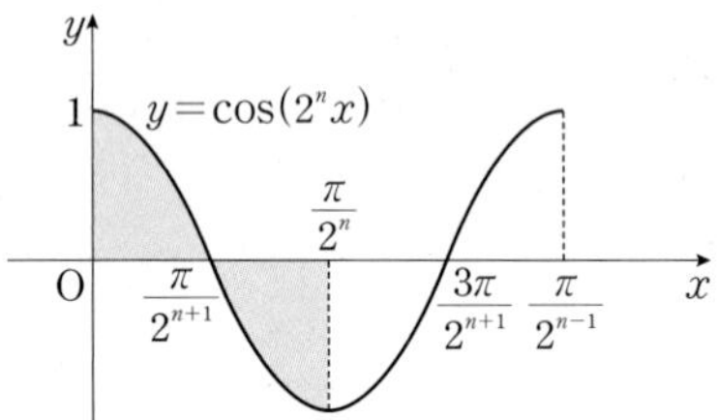

이때 곡선 $y=\cos(2^n x)$는 점 $\left(\frac{\pi}{2^{n+1}}, 0\right)$, $\left(\frac{3\pi}{2^{n+1}}, 0\right)$에 대하여 대칭이고

직선 $x=\frac{\pi}{2^n}$에 대하여 대칭이다.

$$\int_0^{\frac{\pi}{2^n}}|\cos(2^n x)|dx=2\int_0^{\frac{\pi}{2^{n+1}}}\cos(2^n x)dx=2\left[\frac{1}{2^n}\sin(2^n x)\right]_0^{\frac{\pi}{2^{n+1}}}=\frac{2}{2^n}$$

STEP B $\sum_{n=1}^{\infty}S_n$의 값 구하기

따라서 수열 $\{S_n\}$은 첫째항이 1이고 공비가 $\frac{1}{2}$인 등비수열이므로

$$\sum_{n=1}^{\infty}S_n=\sum_{n=1}^{\infty}2\left(\frac{1}{2}\right)^n=\frac{1}{1-\frac{1}{2}}=2$$

①

1966

정답 ②

STEP A **두 곡선 사이의 넓이가 서로 같을 조건을 이용하여 k 구하기**

$0\le x\le 1$에서 곡선 $y=\sin\frac{\pi}{2}x$와 직선 $y=k$의 교점의 x좌표를 α라 하면

두 도형 A, B의 넓이가 같으므로

$\int_0^{\alpha}\left(k-\sin\frac{\pi}{2}x\right)dx=\int_{\alpha}^{1}\left(\sin\frac{\pi}{2}x-k\right)dx$

$\int_0^{\alpha}\left(k-\sin\frac{\pi}{2}x\right)dx+\int_{\alpha}^{1}\left(k-\sin\frac{\pi}{2}x\right)dx=0$

따라서 $\int_0^{1}\left(k-\sin\frac{\pi}{2}x\right)dx=0$이므로

$\left[kx+\frac{2}{\pi}\cos\frac{\pi}{2}x\right]_0^1=0,\ k-\frac{2}{\pi}=0\quad\therefore k=\frac{2}{\pi}$

1967

정답 ⑤

STEP A **두 곡선 사이의 넓이가 서로 같을 조건을 이용하여 a 구하기**

주어진 도형을 y축의 방향으로 -2만큼 평행이동하여 생각하면

두 도형 A, B의 넓이가 같으므로

$\int_0^{a}(\sqrt{x}-2)dx=0$

$\left[\frac{2}{3}x\sqrt{x}-2x\right]_0^a=0,\ 2a(\sqrt{a}-3)=0$

그런데 $a>4$이므로 $\sqrt{a}=3\quad\therefore a=9$

1968

정답 ③

STEP A **두 곡선 사이의 넓이가 서로 같을 조건을 이용하여 a 구하기**

빗금친 부분과 색칠된 부분의 넓이가 서로 같으므로

$\int_{-1}^{k}(1-\sqrt{x+1})dx=\left[x-\frac{2}{3}(x+1)^{\frac{3}{2}}\right]_{-1}^{k}=\left\{k-\frac{2}{3}(k+1)^{\frac{3}{2}}\right\}-(-1-0)$

$=k+1-\frac{2}{3}(k+1)^{\frac{3}{2}}=0$

$\frac{2}{3}(k+1)^{\frac{3}{2}}=k+1$에서 $k+1>0$이므로 $\frac{2}{3}(k+1)^{\frac{1}{2}}=1$

$(k+1)^{\frac{1}{2}}=\frac{3}{2},\ k+1=\frac{9}{4}$

따라서 $k=\frac{5}{4}$

다른풀이 세 부분으로 나누어 넓이가 같음을 이용하여 풀이하기

그림과 같이 곡선 $y=\sqrt{x+1}$과 두 직선 $x=-1$, $y=1$로 둘러싸인 빗금친 부분을 A, 곡선 $y=\sqrt{x+1}$과 두 직선 $x=k$, $y=1$로 둘러싸인 색칠된 부분을 B, 곡선 $y=\sqrt{x+1}$과 x축 및 두 직선 $x=k$, $y=1$로 둘러싸인 부분을 C라 하고 세 부분 A, B, C의 넓이를 각각 a, b, c라 하자.

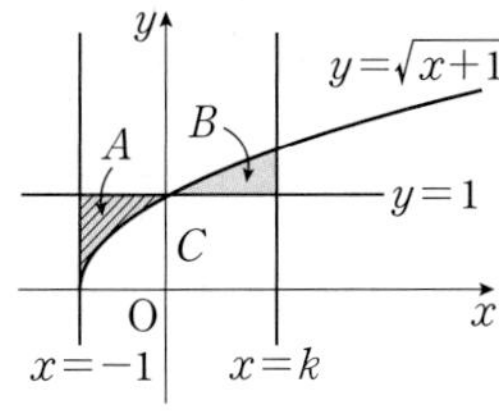

$a=b$이므로 $c+a=c+b$

$c+a=\{k-(-1)\}\times 1=k+1$

$c+b=\int_{-1}^{k}\sqrt{x+1}\,dx=\left[\frac{2}{3}(x+1)^{\frac{3}{2}}\right]_{-1}^{k}=\frac{2}{3}(k+1)^{\frac{3}{2}}$

즉 $k+1=\frac{2}{3}(k+1)^{\frac{3}{2}}$

$\frac{2}{3}(k+1)^{\frac{1}{2}}=1,\ (k+1)^{\frac{1}{2}}=\frac{3}{2}$

따라서 $k+1=\frac{9}{4}$이므로 $k=\frac{5}{4}$

다른풀이 S_1, S_2의 넓이를 직접 구하여 풀이하기

곡선 $y=\sqrt{x+1}$과 두 직선 $x=-1$, $y=1$로 둘러싸인 빗금 친 부분의 넓이를 S_1이라 하면

$S_1=1-\int_{-1}^{0}\sqrt{x+1}\,dx=1-\left[\frac{2}{3}(x+1)^{\frac{3}{2}}\right]_{-1}^{0}=1-\frac{2}{3}=\frac{1}{3}$

곡선 $y=\sqrt{x+1}$과 두 직선 $x=k$, $y=1$로 둘러싸인 색칠된 부분의 넓이를 S_2라 하면

$S_2=\int_0^{k}(\sqrt{x+1}-1)dx=\left[\frac{2}{3}(x+1)^{\frac{3}{2}}-x\right]_0^{k}=\left\{\frac{2}{3}(k+1)^{\frac{3}{2}}-k\right\}-\left(\frac{2}{3}-0\right)$

$S_1=S_2$이므로 $\frac{1}{3}=\left\{\frac{2}{3}(k+1)^{\frac{3}{2}}-k\right\}-\frac{2}{3}$

$\frac{2}{3}(k+1)^{\frac{3}{2}}=k+1,\ \frac{2}{3}(k+1)^{\frac{1}{2}}=1,\ (k+1)^{\frac{1}{2}}=\frac{3}{2}$

따라서 $k+1=\frac{9}{4}$이므로 $k=\frac{5}{4}$

1969

정답 ①

STEP A **구간 $[0,\ 1]$에서 두 영역 A, B의 넓이가 같으므로 $\int_0^1\{e^{2x}-(-2x+a)\}dx=0$임을 이용하기**

A의 넓이와 B의 넓이가 같으므로 $\int_0^1\{e^{2x}-(-2x+a)\}dx=0$

$\int_0^1(e^{2x}+2x-a)dx=\left[\frac{1}{2}e^{2x}+x^2-ax\right]_0^1=\left(\frac{1}{2}e^2+1-a\right)-\left(\frac{1}{2}+0-0\right)$

$=\frac{1}{2}e^2+\frac{1}{2}-a=0$

따라서 $a=\frac{e^2+1}{2}$

다른풀이 두 부분의 넓이가 같음을 이용하여 풀이하기

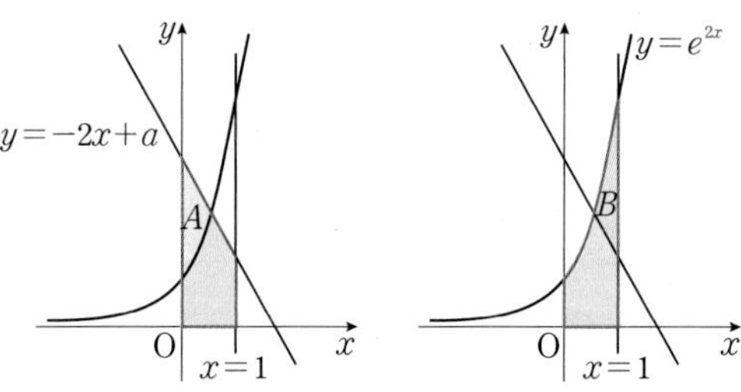

A의 넓이와 B의 넓이가 같으므로 두 직선 $y=-2x+a$와 $x=1$ 및 x축, y축으로 둘러싸인 영역의 넓이와 곡선 $y=e^{2x}$과 직선 $x=1$ 및 x축, y축으로 둘러싸인 영역의 넓이가 같다.

두 직선 $y=-2x+a$와 $x=1$ 및 x축, y축으로 둘러싸인 영역의 넓이는

$\int_0^1(-2x+a)dx=\left[-x^2+ax\right]_0^1=-1+a$ …… ㉠

곡선 $y=e^{2x}$과 직선 $x=1$및 x축, y축으로 둘러싸인 영역의 넓이는

$\int_0^1 e^{2x}dx=\left[\frac{1}{2}e^{2x}\right]_0^1=\frac{e^2-1}{2}$ …… ㉡

㉠, ㉡에서 $-1+a=\frac{e^2-1}{2}$

따라서 $a=\frac{e^2+1}{2}$

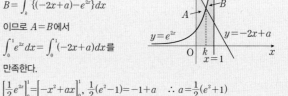

곡선 $y=e^{2x}$과 직선 $y=-2x+a$의 교점을 k라 하면

$A=\int_0^{k}\{e^{2x}-(-2x+a)\}dx$

$B=\int_k^{1}\{(-2x+a)-e^{2x}\}dx$

이므로 $A=B$에서

$\int_0^1 e^{2x}dx=\int_0^1(-2x+a)dx$를 만족한다.

$\left[\frac{1}{2}e^{2x}\right]_0^1=\left[-x^2+ax\right]_0^1,\ \frac{1}{2}(e^2-1)=-1+a\quad\therefore a=\frac{1}{2}(e^2+1)$

1970

정답 ①

STEP A 두 곡선의 교점의 x좌표 구하기

$e^{-2x}=\sqrt{e}=e^{\frac{1}{2}}$에서 $-2x=\frac{1}{2}$이므로 $x=-\frac{1}{4}$

STEP B 두 곡선 사이의 넓이가 서로 같을 조건을 이용하여 k 구하기

도형 A의 넓이를 S_A라고 하면

$S_A=\int_{-\frac{1}{4}}^{0}(\sqrt{e}-e^{-2x})dx$

$=\left[\sqrt{e}x+\frac{e^{-2x}}{2}\right]_{-\frac{1}{4}}^{0}=\frac{1}{2}-\frac{\sqrt{e}}{4}$

도형 B의 넓이를 S_B라고 하면

$S_B=\int_{0}^{k}e^{-2x}dx=\left[-\frac{e^{-2x}}{2}\right]_{0}^{k}=\frac{1}{2}-\frac{e^{-2k}}{2}$

이때 $S_A=S_B$이므로 $\frac{1}{2}-\frac{\sqrt{e}}{4}=\frac{1}{2}-\frac{e^{-2k}}{2}$

$-\frac{\sqrt{e}}{4}=-\frac{e^{-2k}}{2}$이므로 $e^{-2k}=\frac{\sqrt{e}}{2}$

따라서 $-2k=\ln\frac{\sqrt{e}}{2}$이므로 $k=-\frac{1}{2}\ln\frac{\sqrt{e}}{2}$

다른풀이 세 부분으로 나누어 넓이가 같음을 이용하여 풀이하기

STEP A 두 곡선의 교점의 x좌표 구하기

$e^{-2x}=\sqrt{e}=e^{\frac{1}{2}}$에서 $-2x=\frac{1}{2}$이므로 $x=-\frac{1}{4}$

STEP B 두 곡선 사이의 넓이가 서로 같을 조건을 이용하여 a 구하기

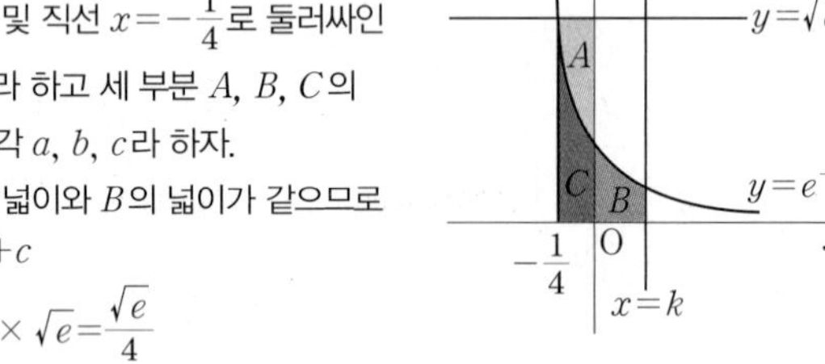

오른쪽 그림과 같이 곡선 $y=e^{-2x}$과 x축, y축 및 직선 $x=-\frac{1}{4}$로 둘러싸인 부분을 C라 하고 세 부분 A, B, C의 넓이를 각각 a, b, c라 하자.

이때 A의 넓이와 B의 넓이가 같으므로

$a+c=b+c$

$a+c=\frac{1}{4}\times\sqrt{e}=\frac{\sqrt{e}}{4}$

$b+c=\int_{-\frac{1}{4}}^{k}e^{-2x}dx=\left[-\frac{1}{2}e^{-2x}\right]_{-\frac{1}{4}}^{k}=-\frac{1}{2}e^{-2k}+\frac{\sqrt{e}}{2}$

즉 $\frac{\sqrt{e}}{4}=-\frac{1}{2}e^{-2k}+\frac{\sqrt{e}}{2}$에서 $\frac{1}{2}e^{-2k}=\frac{\sqrt{e}}{4}$이므로 $e^{-2k}=\frac{\sqrt{e}}{2}$

따라서 $-2k=\ln\frac{\sqrt{e}}{2}$이므로 $k=-\frac{1}{2}\ln\frac{\sqrt{e}}{2}$

1971

정답 ①

STEP A $y=a$로 나누어진 두 부분의 넓이가 같으므로 $\int_{0}^{e-1}\{\ln(x+1)-a\}dx=0$을 이용하여 a 구하기

오른쪽 그림과 같이 $S_1=S_2$이므로

$\int_{0}^{e-1}\{\ln(x+1)-a\}dx=0$

$\int_{0}^{e-1}\ln(x+1)dx$에서

$x+1=t$로 놓으면 $dx=dt$이고

$x=0$일 때, $t=1$이고

$x=e-1$일 때, $t=e$

$\int_{0}^{e-1}\ln(x+1)dx=\int_{1}^{e}\ln t\,dt=\left[t\ln t-t\right]_{1}^{e}=(e-e)-(0-1)=1$이므로

$\int_{0}^{e-1}\{\ln(x+1)-a\}dx=1-\left[ax\right]_{0}^{e-1}=1-a(e-1)=0$

따라서 $a=\frac{1}{e-1}$

다른풀이 평행이동하여 풀이하기

$y=\ln(x+1)$을 x축의 양의 방향으로 1만큼 평행이동한 후 적분구간도 똑같이 x축의 양의 방향으로 1만큼 평행이동하면

$\int_{1}^{e}\{\ln(x)-a\}dx=\left[x\ln x-x-ax\right]_{1}^{e}=0$

$=(e-e-ae)-(0-1-a)=0$

$=a(e-1)-1=0$

따라서 $a=\frac{1}{e-1}$

다른풀이 두 부분의 넓이가 같음을 이용하여 풀이하기

STEP A 색칠한 두 부분의 넓이가 같으므로 직사각형의 넓이와 $\int_{0}^{e-1}\ln(x+1)dx$가 같음을 이용하기

다음 그림과 같이 색칠한 두 부분의 넓이가 같으므로 가로의 길이가 $e-1$이고 세로의 길이가 a인 직사각형의 넓이와 $\int_{0}^{e-1}\ln(x+1)dx$의 값이 같다.

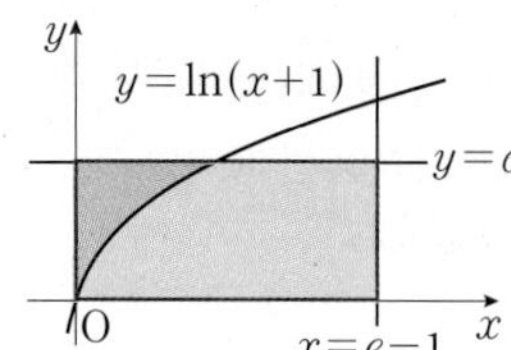

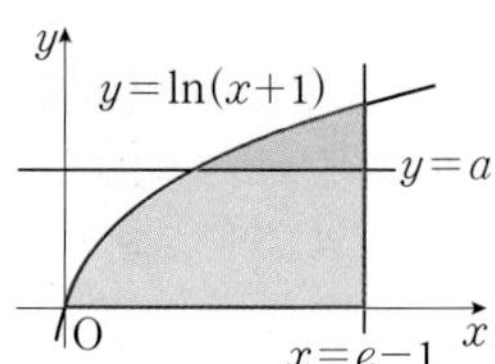

$\therefore a(e-1)=\int_{0}^{e-1}\ln(x+1)dx$

이때 $\int_{0}^{e-1}\ln(x+1)dx$에서 $x+1=t$로 놓으면 $dx=dt$이고

$x=0$일 때, $t=1$이고 $x=e-1$일 때, $t=e$이므로

$\int_{0}^{e-1}\ln(x+1)dx=\int_{1}^{e}\ln t\,dt=\left[t\ln t-t\right]_{1}^{e}=(e-e)-(0-1)=1$

$\therefore a(e-1)=\int_{0}^{e-1}\ln(x+1)dx$에서 $a(e-1)=1$

따라서 $a=\frac{1}{e-1}$

내신연계 출제문항 781

오른쪽 그림과 같이 곡선 $y=\ln(4-x)$와 y축 및 직선 $y=a(0<a<\ln4)$로 둘러싸인 부분의 넓이와 곡선 $y=\ln(4-x)$와 두 직선 $x=3$, $y=a$로 둘러싸인 부분의 넓이가 서로 같을 때, 상수 a의 값은?

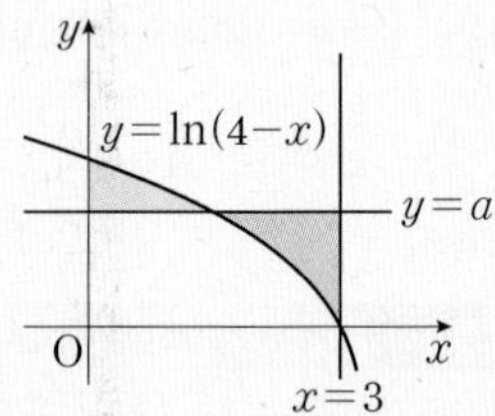

① $2\ln2-1$ ② $\frac{8\ln2}{3}-1$ ③ $\frac{10\ln2}{3}-1$ ④ $4\ln2-1$ ⑤ $\frac{14\ln2}{3}-1$

STEP A $y=a$로 나누어진 두 부분의 넓이가 같으므로 $\int_{0}^{3}\{\ln(4-x)-a\}dx=0$을 이용하여 a 구하기

곡선 $y=\ln(4-x)$와 y축 및 직선 $y=a(0<a<\ln4)$로 둘러싸인 부분의 넓이와 곡선 $y=\ln(4-x)$와 두 직선 $x=3$, $y=a$로 둘러싸인 부분의 넓이가 서로 같으므로 $\int_{0}^{3}\{\ln(4-x)-a\}dx=0$

$\int_{0}^{3}\ln(4-x)dx-\int_{0}^{3}a\,dx=0$에서 $\int_{0}^{3}a\,dx=\int_{0}^{3}\ln(4-x)dx$

$4-x=t$라 하면 $\frac{dt}{dx}=-1$이고 $x=0$일 때 $t=4$, $x=3$일 때 $t=1$이므로

$\left[ax\right]_{0}^{3}=\int_{4}^{1}(-\ln t)dt$, $3a=\int_{1}^{4}\ln t\,dt$

따라서 $a=\frac{1}{3}\int_{1}^{4}\ln t\,dt=\frac{1}{3}\left[x\ln x-x\right]_{1}^{4}=\frac{1}{3}\{8\ln2-(4-1)\}=\frac{8\ln2}{3}-1$

다른풀이 두 부분의 넓이가 같음을 이용하여 풀이하기

다음 그림과 같이 색칠한 두 부분의 넓이가 같으므로 가로의 길이가 3이고 세로의 길이가 a인 직사각형의 넓이와 $\int_0^3 \ln(4-x)dx$의 값이 같다.

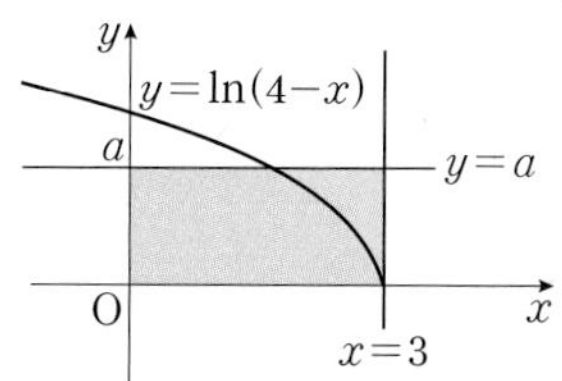

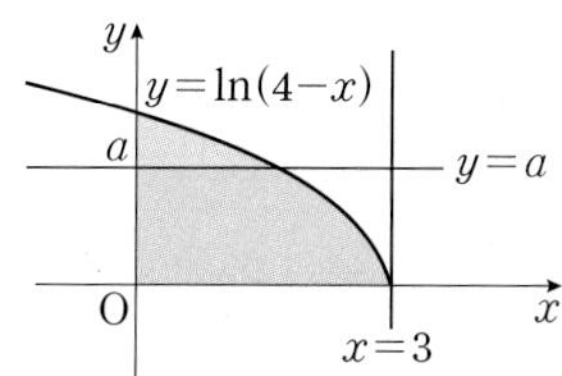

$3\cdot a=\int_0^3 \ln(4-x)dx$

$4-x=t$라 하면 $\frac{dt}{dx}=-1$이고

$x=0$일 때 $t=4$, $x=3$일 때 $t=1$이므로 $3a=\int_1^4 \ln t dt$

$a=\frac{1}{3}\int_1^4 \ln t dt=\frac{1}{3}\Big[x\ln x-x\Big]_1^4=\frac{1}{3}\{8\ln 2-(4-1)\}=\frac{8\ln 2}{3}-1$ 정답 ②

1972

정답 ③

STEP A 두 도형의 넓이가 같은 경우 상수 a의 값 구하기

두 곡선 $y=a\sin x$와 $y=\cos x$ 및 두 직선 $x=0$과 $x=\frac{\pi}{3}$로 둘러싸인 도형에서 색칠한 두 부분의 넓이가 서로 같으므로

$\int_0^{\frac{\pi}{3}}(\cos x-a\sin x)dx=\Big[\sin x+a\cos x\Big]_0^{\frac{\pi}{3}}=\frac{\sqrt{3}}{2}+\frac{1}{2}a-a=0$

따라서 $\frac{\sqrt{3}}{2}-\frac{1}{2}a=0$이므로 $a=\sqrt{3}$

내신연계 출제문항 782

오른쪽 그림과 같이 두 곡선 $y=a\cos x$, $y=\sin x$ 및 두 직선 $x=0$과 $x=\frac{3}{4}\pi$로 둘러싸인 도형에서 색칠한 두 부분의 넓이가 같을 때, 상수 a의 값은? (단, $a>0$)

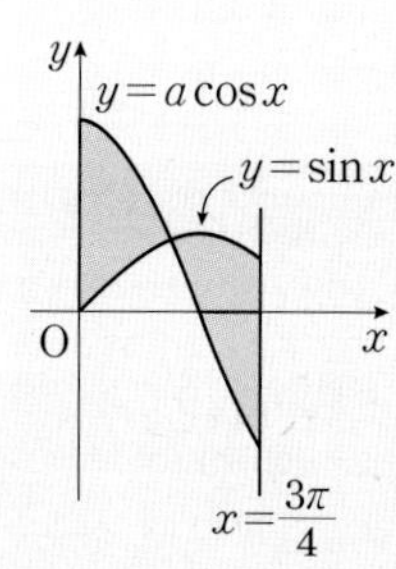

① $\frac{1+2\sqrt{2}}{2}$ ② $\frac{3+4\sqrt{2}}{4}$
③ $1+\sqrt{2}$ ④ $\frac{5+4\sqrt{2}}{4}$
⑤ $\frac{3+2\sqrt{2}}{2}$

STEP A 두 도형의 넓이가 같은 경우 상수 a의 값 구하기

빗금 친 부분과 색칠된 부분의 넓이가 서로 같으므로

$\int_0^{\frac{3\pi}{4}}(a\cos x-\sin x)dx=\Big[a\sin x+\cos x\Big]_0^{\frac{3\pi}{4}}$

$=\left(\frac{\sqrt{2}}{2}a-\frac{\sqrt{2}}{2}\right)-(0+1)$

$=\frac{\sqrt{2}}{2}a-\frac{\sqrt{2}}{2}-1=0$

따라서 $a=1+\sqrt{2}$ 정답 ③

1973

정답 ⑤

STEP A 구간 $[0, \pi]$에서 두 영역 A, B의 넓이가 같으므로 $\int_0^{\pi}\{x\sin x-m(x-\pi)\}dx=0$임을 이용하기

점 $(\pi, 0)$을 지나고 직선 l의 기울기를 m이라 하면

직선 l의 방정식은 $y=m(x-\pi)$

두 영역 A, B의 넓이가 같으므로

$\int_0^{\pi}\{x\sin x-m(x-\pi)\}dx=0 \quad \therefore \int_0^{\pi}x\sin x dx=\int_0^{\pi}m(x-\pi)dx$

STEP B 부분적분법을 이용하여 기울기 구하기

$\int_0^{\pi}x\sin x dx=\Big[-x\cos x\Big]_0^{\pi}-\int_0^{\pi}(-\cos x)dx=-\pi\times(-1)+\Big[\sin x\Big]_0^{\pi}=\pi$

$\int_0^{\pi}m(x-\pi)dx=\left[m\left(\frac{x^2}{2}-\pi x\right)\right]_0^{\pi}=-\frac{m\pi^2}{2}$

따라서 $\pi=-\frac{m\pi^2}{2}$이므로 $m=-\frac{2}{\pi}$

내신연계 출제문항 783

구간 $[0, \pi]$에서 곡선 $y=x\sin x$와 x축으로 둘러싸인 부분의 넓이와 구간 $[\pi, k]$에서 곡선 $y=x\sin x$와 x축 및 직선 $x=k$로 둘러싸인 부분의 넓이가 같도록 하는 상수 k에 대하여 $k^2-\sec^2 k$의 값은? (단, $\pi\le k\le 2\pi$)

① -2 ② -1 ③ 0
④ 1 ⑤ 2

STEP A 두 곡선 사이의 넓이가 서로 같을 조건을 이용하여 k 구하기

구간 $[0, \pi]$에서 $x\sin x\ge 0$이고

구간 $[\pi, 2\pi]$에서 $x\sin x\le 0$이므로

다음이 성립한다.

$0=\int_0^k x\sin x dx$

$=\Big[-x\cos x\Big]_0^k+\int_0^k \cos x dx$

$=-k\cos k+\Big[\sin x\Big]_0^k=-k\cos k+\sin k$

$\pi\le k\le 2\pi$이고 $k\cos k=\sin k$이므로 $\sin k\ne 0$, $\cos k\ne 0$, 즉 $\tan k=k$

STEP B $k^2-\sec^2 k$의 값 구하기

따라서 $k^2-\sec^2 k=\tan^2 k-\sec^2 k=-1$ 정답 ②

1974

정답 ④

STEP A S_1과 S_2 사이의 관계를 이용하여 식 세우기

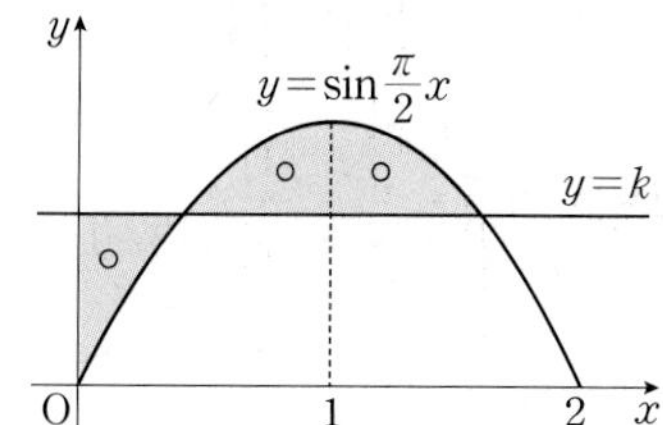

$y=\sin\frac{\pi}{2}x\,(0\le x\le 2)$은 $x=1$에서 서로 대칭이고 $S_2=2S_1$이므로

$x=0$에서 $x=1$ 사이의 두 곡선 사이의 넓이가 서로 같으므로

$\int_0^1\left(\sin\frac{\pi}{2}x-k\right)dx=0$

$\left[-\frac{2}{\pi}\cos\frac{\pi}{2}x-kx\right]_0^1=0$, $\left(-\frac{2}{\pi}\cos\frac{\pi}{2}-k\right)-\left(-\frac{2}{\pi}\right)=0$

따라서 $k=\frac{2}{\pi}$

다른풀이 두 부분의 넓이가 같음을 이용해서 식 세우기

곡선 $y=\sin\frac{\pi}{2}x$는 직선 $x=1$에 대하여 대칭이므로 곡선 $y=\sin\frac{\pi}{2}x$와 직선 $y=k$로 둘러싸인 부분의 넓이 S_2는 직선 $x=1$에 의해 이등분된다.

따라서 직선 $x=1$과 $y=k$, 곡선 $y=\sin\frac{\pi}{2}x$로 둘러싸인 부분의 넓이는 $\frac{1}{2}S_2$이므로 S_1과 같다.

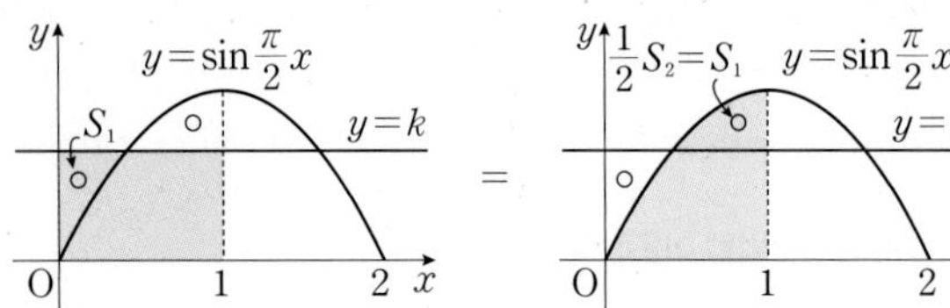

이때 그림에서와 같이 가로의 길이가 1이고 세로의 길이가 k인 직사각형의 넓이가 $\int_0^1 \sin\frac{\pi}{2}x dx$의 값과 같다.

따라서 $k=\int_0^1 \sin\frac{\pi}{2}xdx=\left[-\frac{2}{\pi}\cos\frac{\pi}{2}x\right]_0^1=-\frac{2}{\pi}\left(\cos\frac{\pi}{2}-\cos 0\right)=\frac{2}{\pi}$

1975

정답 ③

STEP Ⓐ 두 영역 A, B의 넓이 구하기

영역 A의 넓이를 S_A, 영역 B의 넓이를 S_B라 하면

$S_A=\int_0^k x\sin x dx$, $S_B=\int_k^{\frac{\pi}{2}}\left(\frac{\pi}{2}-x\sin x\right)dx$이고 $S_A=S_B$이므로

$\int_0^k x\sin xdx=\int_k^{\frac{\pi}{2}}\left(\frac{\pi}{2}-x\sin x\right)dx$

$\int_0^k x\sin xdx=\int_k^{\frac{\pi}{2}}\frac{\pi}{2}dx-\int_k^{\frac{\pi}{2}}x\sin xdx$

$\int_0^k x\sin xdx+\int_k^{\frac{\pi}{2}}x\sin xdx=\int_k^{\frac{\pi}{2}}\frac{\pi}{2}dx$

$\int_0^{\frac{\pi}{2}}x\sin xdx=\int_k^{\frac{\pi}{2}}\frac{\pi}{2}dx$

STEP Ⓑ 정적분의 성질과 부분적분법을 이용하여 두 도형의 넓이가 같음을 이용하여 k의 값 구하기

이때 $\int_0^{\frac{\pi}{2}}x\sin xdx$에서 $f(x)=x$, $g'(x)=\sin x$라고 하면

$f'(x)=1$, $g(x)=-\cos x$이므로

$$\int_0^{\frac{\pi}{2}}x\sin xdx=\left[-x\cos x\right]_0^{\frac{\pi}{2}}-\int_0^{\frac{\pi}{2}}(-\cos x)dx$$
$$=0+\int_0^{\frac{\pi}{2}}\cos xdx$$
$$=\left[\sin x\right]_0^{\frac{\pi}{2}}=1$$

$\int_k^{\frac{\pi}{2}}\frac{\pi}{2}dx=\left[\frac{\pi}{2}x\right]_k^{\frac{\pi}{2}}=\frac{\pi^2}{4}-\frac{\pi}{2}k$

따라서 $1=\frac{\pi^2}{4}-\frac{\pi}{2}k$이므로 $\frac{\pi}{2}k=\frac{\pi^2}{4}-1$ $\quad\therefore k=\frac{\pi}{2}-\frac{2}{\pi}$

다른풀이 $S_A+S_C=S_B+S_C$를 이용하여 풀이하기

다음 그림과 같이 색칠한 두 부분의 넓이가 같으므로 가로의 길이가 $\frac{\pi}{2}-k$이고 세로의 길이가 $\frac{\pi}{2}$인 직사각형의 넓이와 $\int_0^{\frac{\pi}{2}}x\sin xdx$의 값이 같다.

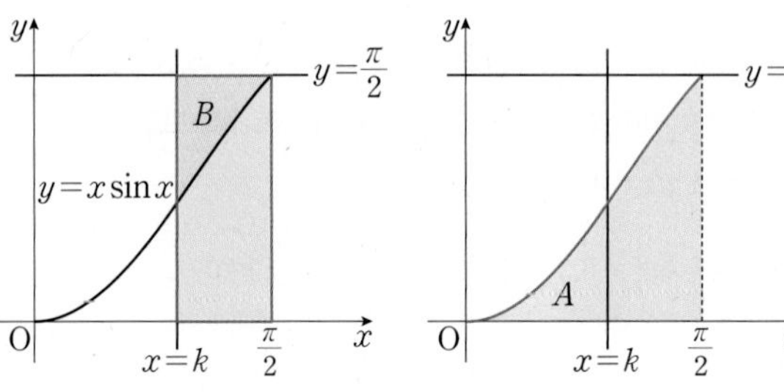

$$\left(\frac{\pi}{2}-k\right)\cdot\frac{\pi}{2}=\int_0^{\frac{\pi}{2}}x\sin xdx=\int_0^{\frac{\pi}{2}}x\sin xdx$$
$$=\left[-x\cos x\right]_0^{\frac{\pi}{2}}-\int_0^{\frac{\pi}{2}}(-\cos x)dx$$
$$=0+\int_0^{\frac{\pi}{2}}\cos xdx=\left[\sin x\right]_0^{\frac{\pi}{2}}=1$$

따라서 $\left(\frac{\pi}{2}-k\right)\cdot\frac{\pi}{2}=1$이므로 $k=\frac{\pi}{2}-\frac{2}{\pi}$

다른풀이 역함수의 성질을 이용하여 풀이하기

STEP Ⓐ 함수 $y=x\sin x$의 역함수를 $g(x)$라 하고 넓이가 같은 조건을 만족하는 식 작성하기

$y=x\sin x$의 역함수를 $y=g(x)$라 하면 오른쪽 그림과 같이 영역 A의 넓이와 영역 B의 넓이가 같다.

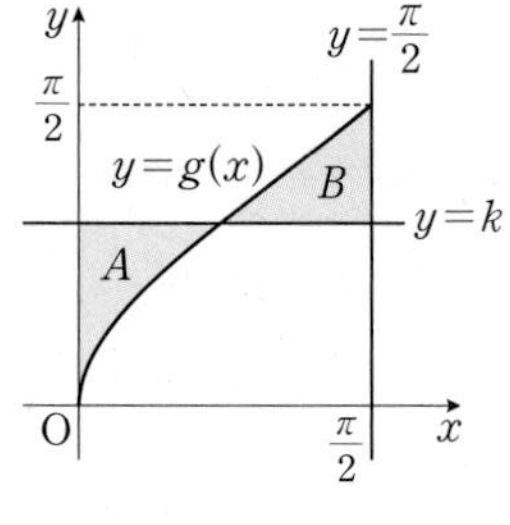

즉 $A=B$이므로

$\int_0^{\frac{\pi}{2}}\{g(x)-k\}dx=0$

$$\int_0^{\frac{\pi}{2}}g(x)dx=\int_0^{\frac{\pi}{2}}kdx=\left[kx\right]_0^{\frac{\pi}{2}}$$
$$=\frac{\pi}{2}k \qquad \cdots\cdots ㉠$$

STEP Ⓑ 정적분 $\int_0^{\frac{\pi}{2}}g(x)dx$를 이용하여 k의 값 구하기

이때 $\int_0^{\frac{\pi}{2}}g(x)dx$는 한 변의 길이가 $\frac{\pi}{2}$인 정사각형에서 함수 $y=x\sin x$를 구간 $\left[0, \frac{\pi}{2}\right]$에서 정적분의 값을 뺀 값이다.

$$\int_0^{\frac{\pi}{2}}g(x)dx=\left(\frac{\pi}{2}\right)^2-\int_0^{\frac{\pi}{2}}x\sin xdx$$
$$=\frac{\pi^2}{4}-\left(\left[-x\cos x\right]_0^{\frac{\pi}{2}}-\int_0^{\frac{\pi}{2}}(-\cos x)dx\right)$$
$$=\frac{\pi^2}{4}-1$$

따라서 ㉠에서 $\frac{\pi}{2}k=\frac{\pi^2}{4}-1$이므로 $k=\frac{\pi}{2}-\frac{2}{\pi}$

내신연계 출제문항 784

다음 그림과 같이 네 직선 $x=0$, $x=\pi$, $y=-2$, $y=2$로 둘러싸인 직사각형이 곡선 $y=\frac{1}{2}x\cos x$에 의하여 A, B 두 부분으로 나눠져 있다. 직선 $y=k$에 의하여 나누어진 두 직사각형 C, D의 넓이가 각각 A, B의 넓이와 같다고 할 때, 상수 k의 값은?

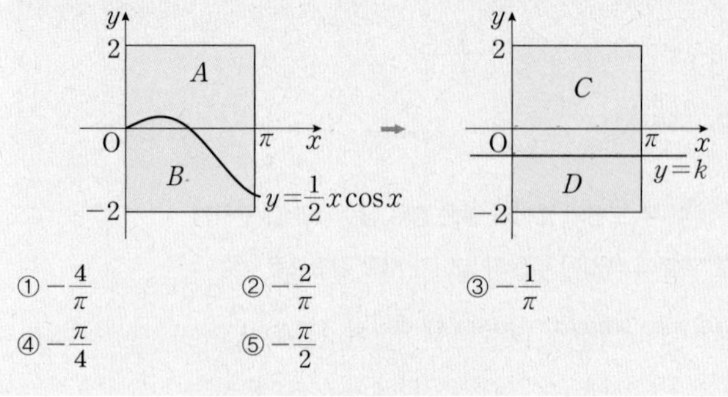

① $-\frac{4}{\pi}$ ② $-\frac{2}{\pi}$ ③ $-\frac{1}{\pi}$
④ $-\frac{\pi}{4}$ ⑤ $-\frac{\pi}{2}$

STEP Ⓐ 두 부분의 넓이 S_A, S_C을 구하기

A부분의 넓이를 S_A라고 하면

$$S_A=\int_0^{\pi}\left(2-\frac{1}{2}x\cos x\right)dx=\int_0^{\pi}2dx-\frac{1}{2}\int_0^{\pi}x\cos xdx$$
$$=2\pi-\frac{1}{2}\left(\left[x\sin x\right]_0^{\pi}-\int_0^{\pi}\sin xdx\right)$$
$$=2\pi+\frac{1}{2}\left[-\cos x\right]_0^{\pi}=2\pi+1$$

또, 직사각형 C의 넓이를 S_C라고 하면 $S_C=\pi(2-k)$

STEP Ⓑ $S_A=S_C$을 만족하는 k의 값 구하기

이때 $S_A=S_C$이므로 $2\pi+1=\pi(2-k)$

따라서 $2+\frac{1}{\pi}=2-k$이므로 $k=-\frac{1}{\pi}$

정답 ③

1976

정답 ①

STEP Ⓐ 곡선 $y=\sqrt{ax}$가 영역의 넓이를 이등분함을 이용하여 a 구하기

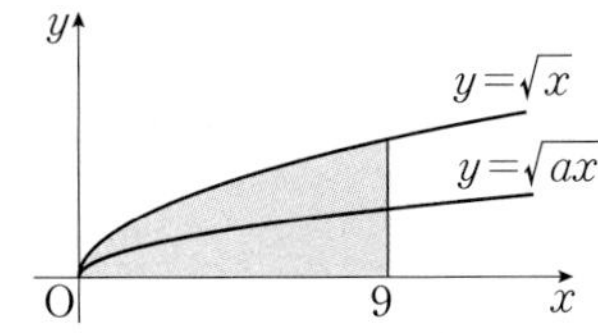

곡선 $y=\sqrt{x}$와 x축 및 직선 $x=9$로 둘러싸인 영역의 넓이는

$\int_0^9 \sqrt{x}\,dx=\left[\frac{2}{3}x\sqrt{x}\right]_0^9=18$

곡선 $y=\sqrt{ax}$와 x축 및 직선 $x=9$로 둘러싸인 영역의 넓이는

$\int_0^9 \sqrt{ax}\,dx=\sqrt{a}\int_0^9 \sqrt{x}\,dx=\sqrt{a}\left[\frac{2}{3}x\sqrt{x}\right]_0^9=18\sqrt{a}$

곡선 $y=\sqrt{ax}$가 이등분되므로 $18\sqrt{a}=9$

따라서 $a=\frac{1}{4}$

다른풀이 곡선 $y=\sqrt{ax}$가 영역의 넓이를 이등분함을 이용하여 a 구하기

$\int_0^9 \sqrt{ax}\,dx=\frac{1}{2}\int_0^9 \sqrt{x}\,dx$이므로 $\sqrt{a}\int_0^9 \sqrt{x}\,dx=\frac{1}{2}\int_0^9 \sqrt{x}\,dx$

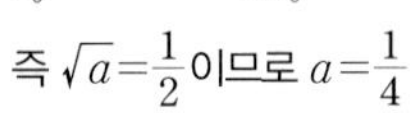

즉 $\sqrt{a}=\frac{1}{2}$이므로 $a=\frac{1}{4}$

내신연계 출제문항 785

곡선 $y=\sqrt{x}$와 x축 및 두 직선 $x=9$로 둘러싸인 도형의 넓이를 곡선 $y=ax^2$이 이등분할 때, 양수 a의 값은?

① $\frac{1}{27}$ ② $\frac{1}{9}$ ③ $\frac{1}{4}$
④ $\frac{1}{3}$ ⑤ $\frac{1}{2}$

STEP Ⓐ 곡선 $y=ax^2$가 영역의 넓이를 이등분함을 이용하여 a 구하기

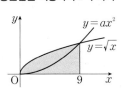

곡선 $y=\sqrt{x}$와 x축 및 직선 $x=9$로 둘러싸인 도형의 넓이를 S_1이라 하면

$S_1=\int_0^9 \sqrt{x}\,dx=\left[\frac{2}{3}x^{\frac{3}{2}}\right]_0^9=18$

곡선 $y=ax^2$과 x축 및 직선 $x=9$로 둘러싸인 도형의 넓이를 S_2라 하면

$S_2=\int_0^9 ax^2\,dx=\left[\frac{a}{3}x^3\right]_0^9=243a$

이때 $S_2=\frac{1}{2}S_1$이므로 $243a=\frac{1}{2}\times 18$ $\therefore a=\frac{1}{27}$

정답 ①

1977

정답 ③

STEP Ⓐ 함수 $y=e^x$의 그래프와 x축, y축 및 직선 $x=1$로 둘러싸인 영역의 넓이 구하기

오른쪽 그림에서 함수 $y=e^x$의 그래프와 x축, y축 및 직선 $x=1$로 둘러싸인 영역의 넓이 S는

$S=\int_0^1 e^x\,dx=\left[e^x\right]_0^1=e-1$

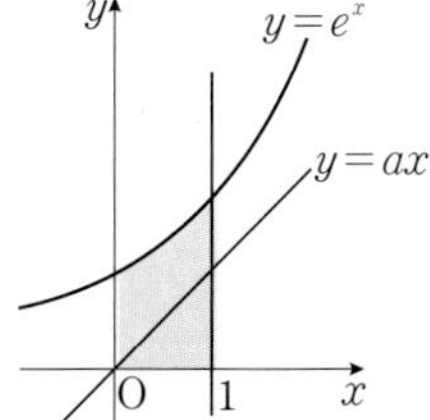

STEP Ⓑ 곡선 $y=ax$가 영역의 넓이를 이등분함을 이용하여 a 구하기

S가 직선 $y=ax$에 의하여 이등분되므로 $\frac{1}{2}\cdot 1\cdot a=\frac{1}{2}(e-1)$

따라서 $a=e-1$

내신연계 출제문항 786

곡선 $y=ae^x$과 x축 및 두 직선 $x=0$, $x=\ln 2$로 둘러싸인 도형의 넓이를 곡선 $y=e^{2x}$이 이등분하도록 하는 실수 a의 값은? (단, $a>1$)

① 2 ② 3 ③ 4
④ 5 ⑤ 6

STEP Ⓐ 넓이 S_1, S_2의 값 구하기

곡선 $y=ae^x$과 x축 및 두 직선 $x=0$, $x=\ln 2$로 둘러싸인 도형의 넓이를 S_1이라 하면 $S_1=\int_0^{\ln 2} ae^x\,dx=\left[ae^x\right]_0^{\ln 2}=a$

곡선 $y=e^{2x}$과 x축 및 두 직선 $x=0$, $x=\ln 2$로 둘러싸인 도형의 넓이를 S_2라 하면 $S_2=\int_0^{\ln 2} e^{2x}\,dx=\left[\frac{1}{2}e^{2x}\right]_0^{\ln 2}=\frac{3}{2}$

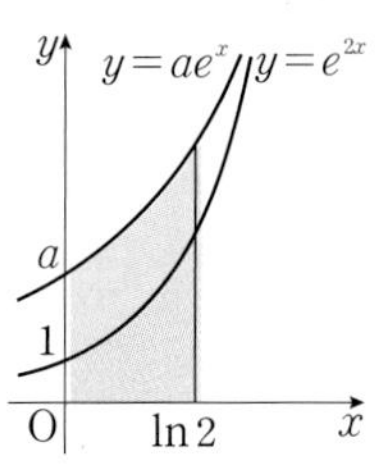

STEP Ⓑ $S_1=2S_2$을 이용하여 상수 a 구하기

따라서 $S_2=\frac{1}{2}S_1$이므로 $a=3$

정답 ②

1978

정답 ⑤

STEP Ⓐ 곡선 $y=\frac{e^x}{\sqrt{e^x+1}}$과 x축 및 두 직선 $x=\ln 3, x=\ln 8$로 둘러싸인 도형의 넓이 구하기

$\int_{\ln 3}^{\ln 8} \frac{e^x}{\sqrt{e^x+1}}\,dx$에서 $e^x+1=t$로 놓으면 $e^x dx=dt$

$x=\ln 3$일 때, $t=4$이고 $x=\ln 8$일 때, $t=9$이므로

색칠한 부분의 넓이는

$\int_{\ln 3}^{\ln 8} \frac{e^x}{\sqrt{e^x+1}}\,dx=\int_4^9 \frac{1}{\sqrt{t}}\,dt=\left[2\sqrt{t}\right]_4^9=2$

STEP Ⓑ 직선 $x=a$가 도형의 넓이를 이등분함을 이용하여 a의 값 구하기

이때 직선 $y=\frac{1}{\ln a}$이 색칠한 부분의 넓이를 이등분하므로 오른쪽 그림과 같이 직사각형의 넓이는

$(\ln 8-\ln 3)\frac{1}{\ln a}=1$

$\ln a=\ln 8-\ln 3$

따라서 $\ln a=\ln\frac{8}{3}$이므로 $a=\frac{8}{3}$

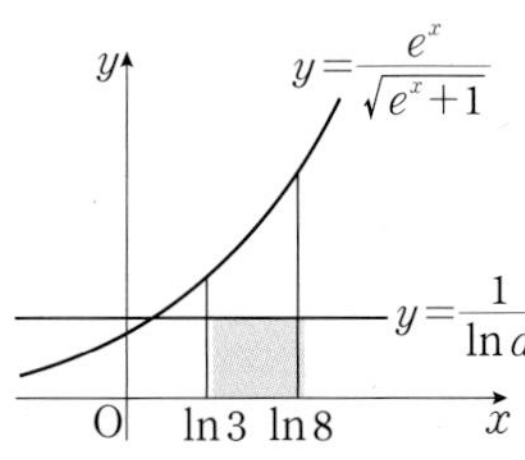

내신연계 출제문항 787

함수 $y=\cos 2x$의 그래프와 x축, y축 및 직선 $x=\frac{\pi}{12}$로 둘러싸인 영역의 넓이가 직선 $y=a$에 의하여 이등분될 때, 상수 a의 값은?

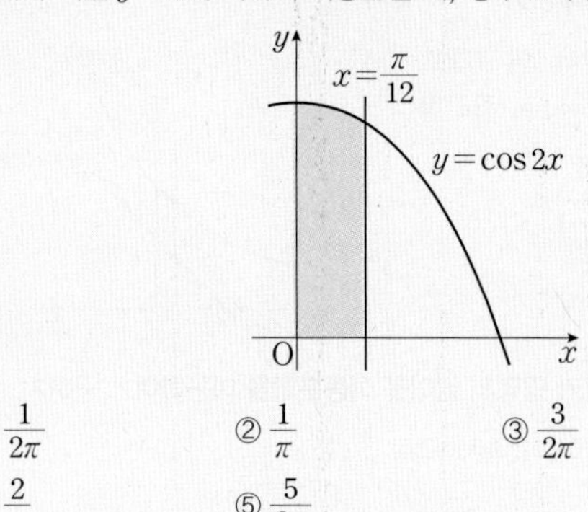

① $\frac{1}{2\pi}$ ② $\frac{1}{\pi}$ ③ $\frac{3}{2\pi}$

④ $\frac{2}{\pi}$ ⑤ $\frac{5}{2\pi}$

STEP A **주어진 영역의 넓이를 정적분을 이용하여 구하기**

함수 $y=\cos 2x$의 그래프와 x축, y축 및 직선 $x=\frac{\pi}{12}$로 둘러싸인 영역의 넓이는

$\int_0^{\frac{\pi}{12}}\cos 2x dx=\left[\frac{1}{2}\sin 2x\right]_0^{\frac{\pi}{12}}=\frac{1}{2}\sin\frac{\pi}{6}=\frac{1}{4}$

STEP B **직선 $x=a$가 도형의 넓이를 이등분함을 이용하여 a의 값 구하기**

이 넓이가 $y=a$에 의하여 이등분되므로

다음 그림에서 직사각형의 넓이는 $\frac{1}{8}$

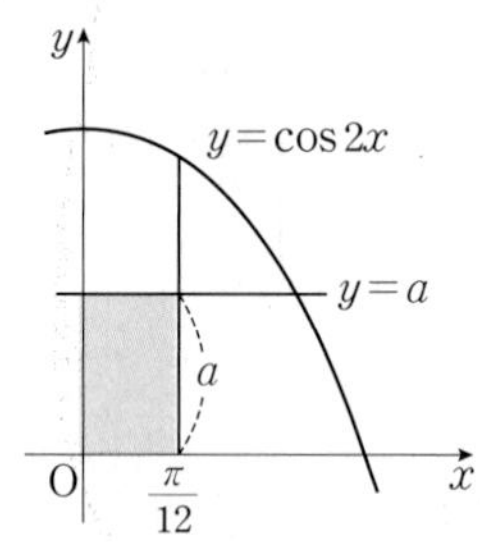

따라서 $\frac{\pi}{12}\times a=\frac{1}{8}$이므로 $a=\frac{3}{2\pi}$ 정답 ③

1979

정답 ④

STEP A **$1\le x\le e^2$에서 곡선으로 둘러싸인 부분의 넓이 구하기**

$1\le x\le e^2$에서 곡선 $y=\frac{\ln x}{x}$으로 둘러싸인 넓이가 $\int_1^{e^2}\frac{\ln x}{x}dx$이므로

$\ln x=t$로 놓으면 $\frac{1}{x}dx=dt$

$x=1$일 때, $t=0$이고 $x=e^2$일 때, $t=2$

$\int_1^{e^2}\frac{\ln x}{x}dx=\int_0^2 tdt=\left[\frac{1}{2}t^2\right]_0^2=2$

STEP B **A부분의 넓이를 구하여 k의 값 구하기**

이때 A의 넓이는 $\int_1^k\frac{\ln x}{x}dx=1$이므로

$\int_1^k\frac{\ln x}{x}dx=\int_0^{\ln k}tdt=\left[\frac{1}{2}t^2\right]_0^{\ln k}=\frac{1}{2}(\ln k)^2=1$

따라서 $(\ln k)^2=2$이므로 $\ln k=\sqrt{2}$ ($\because 1<k<e^2$) $\quad\therefore k=e^{\sqrt{2}}$

1980

정답 ⑤

STEP A **곡선 $y=k\cos x$와 x축, y축으로 둘러싸인 부분의 넓이를 k에 대한 식으로 나타내기**

$\int_0^{\frac{\pi}{2}}k\cos xdx=\left[k\sin x\right]_0^{\frac{\pi}{2}}=k$

STEP B **두 곡선 $y=k\cos x$, $y=\sin x$의 교점의 x좌표를 α라 할 때, $\cos\alpha$, $\sin\alpha$을 k에 대한 식으로 나타내기**

$0\le x\le\frac{\pi}{2}$에서 두 곡선

$y=k\cos x$, $y=\sin x$의

교점의 x좌표를 α라고 하면

$k\cos\alpha=\sin\alpha$에서 $\frac{\sin\alpha}{\cos\alpha}=k$

$\therefore \tan\alpha=k$

이때 $0\le\alpha\le\frac{\pi}{2}$이므로

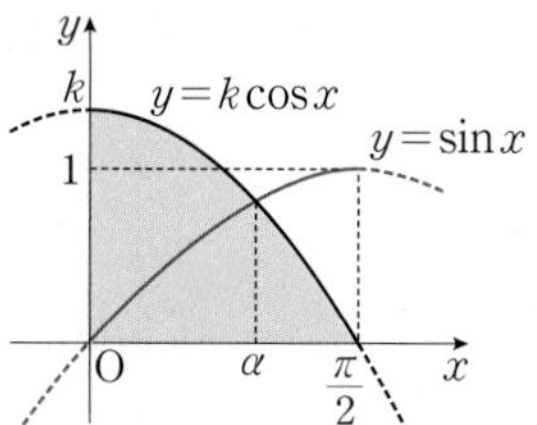

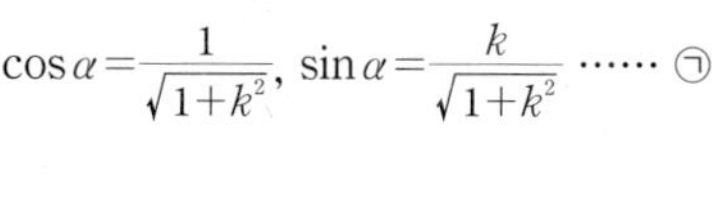

$\cos\alpha=\frac{1}{\sqrt{1+k^2}}$, $\sin\alpha=\frac{k}{\sqrt{1+k^2}}$ …… ㉠

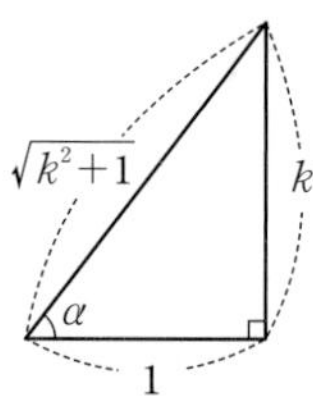

STEP C **곡선 $y=\sin x$가 넓이를 이등분 할 때, k의 값 구하기**

$\int_0^{\alpha}(k\cos x-\sin x)dx=\left[k\sin x+\cos x\right]_0^{\alpha}=k\sin\alpha+\cos\alpha-1=\frac{k}{2}$

㉠을 위의 식에 대입하여 정리하면

$\frac{k^2+1}{\sqrt{1+k^2}}-1=\frac{k}{2}$, $\sqrt{k^2+1}=1+\frac{k}{2}$

$k^2+1=1+k+\frac{k^2}{4}$, $k(3k-4)=0$

이때 $k>0$이므로 $k=\frac{4}{3}$

따라서 $\frac{100}{k}=100\cdot\frac{3}{4}=75$

내신연계 출제문항 788

곡선 $y=\cos x\left(0\le x\le\frac{\pi}{2}\right)$와 x축 및 y축으로 둘러싸인 도형의 넓이를 곡선 $y=a\sin x(a>0)$가 이등분할 때, 상수 a의 값은?

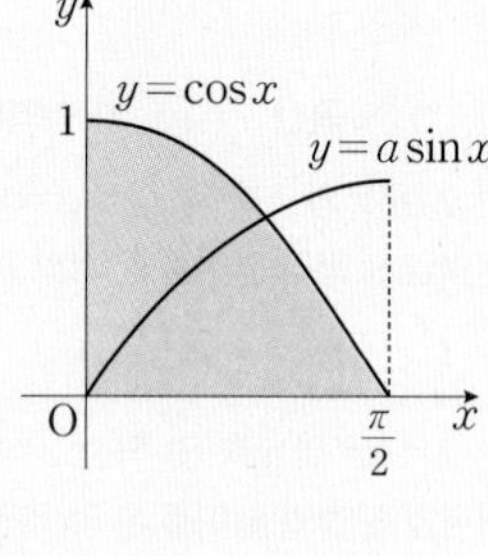

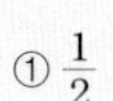
① $\frac{1}{2}$ ② $\frac{2}{3}$

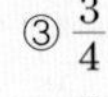
③ $\frac{3}{4}$ ④ $\frac{4}{5}$

⑤ $\frac{5}{6}$

STEP A **닫힌구간 $\left[0, \frac{\pi}{2}\right]$에서 곡선 $y=\cos x$와 x축으로 둘러싸인 도형의 넓이 구하기**

$y=\cos x\left(0\le x\le\frac{\pi}{2}\right)$와 x축 및 y축으로 둘러싸인 도형의 넓이는

$\int_0^{\frac{\pi}{2}}\cos xdx=\left[\sin x\right]_0^{\frac{\pi}{2}}=1$

STEP B **두 곡선 $y=\cos x$, $y=a\sin x$의 교점의 x좌표를 k라고 할 때, a를 나타내기**

$0\le x\le\frac{\pi}{2}$에서 두 곡선 $y=\cos x$, $y=a\sin x$의 교점의 x좌표를 k라 하면

$\cos k=a\sin k\quad\therefore a=\frac{\cos k}{\sin k}$ …… ㉠

STEP C 상수 a의 값 구하기

곡선 $y=\cos x\left(0 \le x \le \frac{\pi}{2}\right)$와 x축 y축으로 둘러싸인 도형을 곡선 $y=a\sin x$가 나누는 두 부분의 넓이를 각각 S_1, S_2라 하면

$S_1=S_2=\frac{1}{2}$

이때 $S_1=\int_0^k(\cos x-a\sin x)dx$

$=\left[\sin x+a\cos x\right]_0^k$

$=\sin k+a\cos k-a=\frac{1}{2}$ …… ㉡

㉠에서 $\tan k=\frac{1}{a}$이고 $0<k<\frac{\pi}{2}$이므로

$\cos k=\frac{a}{\sqrt{a^2+1}}$, $\sin k=\frac{1}{\sqrt{a^2+1}}$

식 ㉡에 대입하면 $\frac{1}{\sqrt{a^2+1}}+\frac{a^2}{\sqrt{a^2+1}}-a=\frac{1}{2}$

양변에 $\sqrt{a^2+1}$을 곱하면 $a^2+1=\sqrt{a^2+1}\left(a+\frac{1}{2}\right)$

$\therefore \sqrt{a^2+1}=a+\frac{1}{2}$

따라서 양변을 제곱하여 정리하면 $a=\frac{3}{4}$

1981

STEP A 두 곡선의 교점의 x좌표를 θ라고 할 때, a를 나타내기

두 곡선 $y=\sin x$, $y=a\cos x$의 교점의 x좌표를 $\theta\left(0 \le \theta \le \frac{\pi}{2}\right)$라 하자.

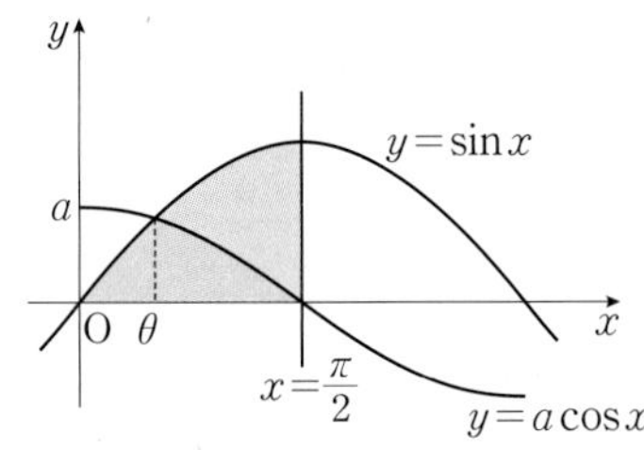

$a\cos\theta=\sin\theta$에서 $\tan\theta=a$이고 $0<\theta<\frac{\pi}{2}$

$\therefore \sin\theta=\frac{a}{\sqrt{a^2+1}}$, $\cos\theta=\frac{1}{\sqrt{a^2+1}}$ …… ㉠

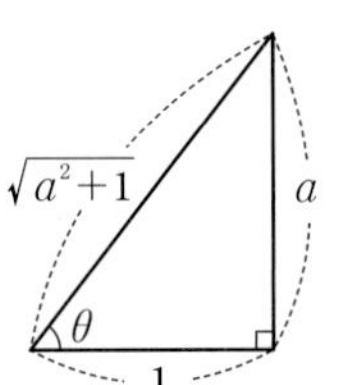

STEP B 넓이가 이등분됨을 이용하여 a의 값 구하기

곡선 $y=\sin x$와 x축 및 직선 $x=\frac{\pi}{2}$로 둘러싸인 부분의 넓이를 곡선 $y=a\cos x$가 이등분하므로

$\int_\theta^{\frac{\pi}{2}}(\sin x-a\cos x)dx=\frac{1}{2}\int_0^{\frac{\pi}{2}}\sin x dx$

$\left[-\cos x-a\sin x\right]_\theta^{\frac{\pi}{2}}=\frac{1}{2}\left[-\cos x\right]_0^{\frac{\pi}{2}}$

$-a+\cos\theta+a\sin\theta=\frac{1}{2}$

이때 ㉠을 대입하면

$-a+\frac{1}{\sqrt{a^2+1}}+\frac{a^2}{\sqrt{a^2+1}}=\frac{1}{2}$, $\frac{a^2+1}{\sqrt{a^2+1}}=a+\frac{1}{2}$, $\sqrt{a^2+1}=a+\frac{1}{2}$

양변을 제곱하면 $a^2+1=\left(a+\frac{1}{2}\right)^2$, $a^2+1=a^2+a+\frac{1}{4}$

따라서 $a=\frac{3}{4}$

내신연계 출제문항 789

오른쪽 그림과 같이 곡선 $y=\sin 2x\left(0 \le x \le \frac{\pi}{2}\right)$와 x축으로 둘러싸인 부분이 곡선 $y=k\cos x$에 의하여 나누어지는 두 부분의 넓이를 각각 S_1, S_2라고 하자.

$S_1 : S_2=9:16$이 되도록 하는 상수 k의 값은?

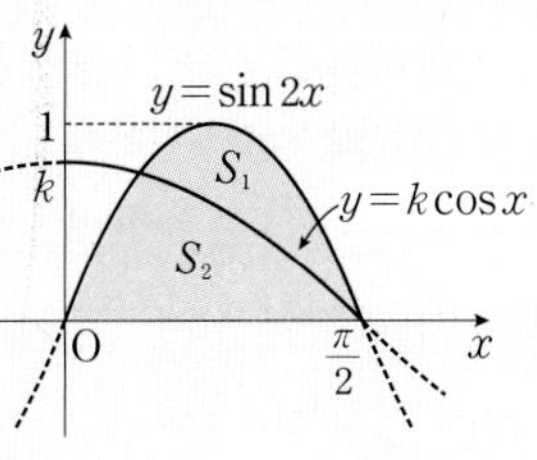

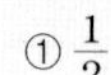 ① $\frac{1}{2}$　② $\frac{2}{3}$　③ $\frac{3}{4}$

④ $\frac{4}{5}$　⑤ $\frac{5}{6}$

STEP A 두 곡선의 교점의 x좌표 구하기

두 곡선 $y=\sin 2x$, $y=k\cos x$의 교점의 x좌표를 α라고 하면

$\sin 2\alpha=k\cos\alpha$에서

$2\sin\alpha\cos\alpha=k\cos\alpha$

$\cos\alpha(2\sin\alpha-k)=0$

즉 $\sin\alpha=\frac{k}{2}(0<k<2)$

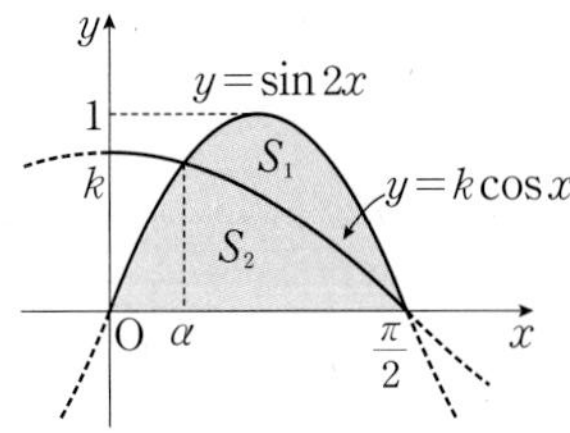

STEP B S_1의 넓이를 정적분으로 나타낸 다음 정적분을 계산하기

S_1의 넓이를 구하면

$S_1=\int_\alpha^{\frac{\pi}{2}}(\sin 2x-k\cos x)dx$

$=\left[-\frac{1}{2}\cos 2x-k\sin x\right]_\alpha^{\frac{\pi}{2}}$

$=\frac{1}{2}-k+\frac{1}{2}\cos 2\alpha+k\sin\alpha$

이때 $\cos 2\alpha=\cos(\alpha+\alpha)=\cos^2\alpha-\sin^2\alpha=1-2\sin^2\alpha$이고

$\sin\alpha=\frac{k}{2}$이므로 $S_1=\frac{1}{2}-k+\frac{1}{2}\left(1-\frac{k^2}{2}\right)+\frac{k^2}{2}=1-k+\frac{k^2}{4}$

STEP C $S_1 : S_2=9:16$을 이용하여 k의 값 구하기

한편 $S_1+S_2=\int_0^{\frac{\pi}{2}}\sin 2x dx=\left[-\frac{1}{2}\cos 2x\right]_0^{\frac{\pi}{2}}=1$이고

$S_1 : S_2=9:16$이므로 $S_1=\frac{9}{25}$

즉 $S_1=1-k+\frac{k^2}{4}=\frac{9}{25}$

$25k^2-100k+64=(5k-4)(5k-16)=0$

따라서 $0<k<2$이므로 $k=\frac{4}{5}$

정답 ④

1982

STEP A 곡선과 x축, y축으로 둘러싸인 도형의 넓이 구하기

두 곡선이 직선 $y=x$에 대하여 대칭이므로 구하는 넓이는

$2\int_0^e\left(e^{\frac{x}{e}}-x\right)dx=2\left[e\cdot e^{\frac{x}{e}}-\frac{1}{2}x^2\right]_0^e$

$=2\left(e^2-\frac{1}{2}e^2-e\right)$

$=e^2-2e$

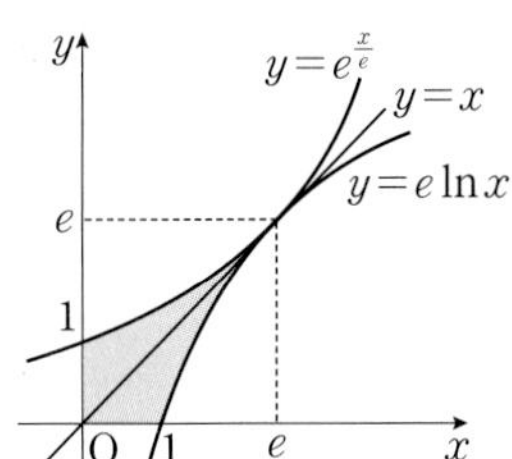

III 적분법

1983

정답 ④

STEP A 함수 $f(x)=e^{ax}$과 그 역함수 $y=g(x)$가 $x=e$에서 서로 접할 때, 상수 a 구하기

$y=e^{ax}$을 x에 대하여 정리하면

$\ln y=ax,\ x=\frac{1}{a}\ln y$

$\therefore\ g(x)=\frac{1}{a}\ln x\,(x>0)$

두 곡선 $y=f(x)$, $y=g(x)$가 $x=e$에 접하므로 $f(e)=g(e)$에서 $e^{ae}=\frac{1}{a}$

즉 $ae^{ae}=1$ …… ㉠

$f'(e)=g'(e)$에서 $ae^{ae}=\frac{1}{ae}$ …… ㉡

㉠, ㉡에서 $a=\frac{1}{e}$ $\quad\therefore\ f(x)=e^{\frac{x}{e}},\ g(x)=e\ln x$

STEP B $\int_a^b|f(x)-g(x)|dx=2\int_a^b|f(x)-x|dx$를 이용하여 넓이 구하기

따라서 두 곡선이 직선 $y=x$에 대하여 대칭이므로 구하는 넓이는

$2\int_0^e\left(e^{\frac{x}{e}}\right)-x\,dx=2\left[e\cdot e^{\frac{x}{e}}-\frac{1}{2}x^2\right]_0^e=2\left(e^2-\frac{1}{2}e^2-e\right)=e^2-2e$

참고 $f(x)$가 $(e,\ e)$를 지나므로 $e^{ae}=e$ $\quad\therefore\ a=\frac{1}{e}$

다른풀이 $\int_a^b f(x)dx+\int_{f(a)}^{f(b)}g(x)dx=bf(b)-af(a)$를 이용하여 풀이하기

$f(x)=e^{\frac{x}{e}}$에서 $f(e)=e,\ f(0)=1$이므로

$\int_0^e f(x)dx+\int_1^e g(x)dx=e^2$ …… ㉠

이때 $\int_0^e f(x)dx=\int_0^e e^{\frac{x}{e}}dx=\left[e\cdot e^{\frac{x}{e}}\right]_0^e=e^2-e$

㉠에서 $\int_1^e g(x)dx=-\int_0^e f(x)dx+e^2=-(e^2-e)+e^2=e$

따라서 두 곡선 $y=f(x)$, $y=g(x)$와 x축 및 y축으로 둘러싸인 부분의 넓이는 $2\left(\frac{1}{2}\cdot e\cdot e-e\right)=e^2-2e$

내신연계 출제문항 790

함수 $f(x)=\frac{1}{a}\ln x$와 그 역함수 $g(x)$에 대하여
두 곡선 $y=f(x)$, $y=g(x)$가 $x=e$에서 서로 접할 때,
두 곡선 $y=f(x)$, $y=g(x)$와 x축, y축으로 둘러싸인 부분의 넓이는?
(단, a는 0이 아닌 상수이다.)

① e^2-e ② e^2-2e ③ e^2+e
④ e^2+2e ⑤ e^2+3e

STEP A $y=f(x)$와 $y=g(x)$는 직선 $y=x$에 대하여 대칭임을 이용하여 교점의 x좌표 구하기

$f(x)=\frac{1}{a}\ln x$의 역함수는 $g(x)=e^{ax}$

두 곡선 $y=f(x)$, $y=g(x)$가 $x=e$에서 접하므로

$f(e)=g(e),\ \frac{1}{a}=e^{ae}$ …… ㉠

$f'(e)=g'(e),\ \frac{1}{ae}=ae^{ae}$ …… ㉡

㉠, ㉡에서 $a=\frac{1}{e}$

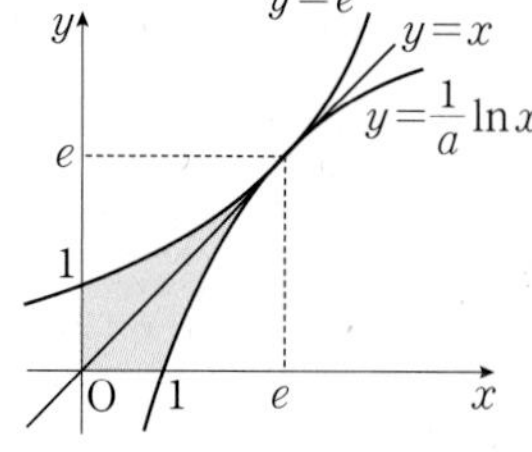

즉 두 곡선은 $y=e\ln x,\ y=e^{\frac{x}{e}}$

STEP B $\int_a^b|f(x)-g(x)|dx=2\int_a^b|f(x)-x|dx$를 이용하여 넓이 구하기

따라서 두 곡선이 직선 $y=x$에 대하여 대칭이므로 구하는 넓이를 S라 하면

$S=2\left(\int_0^e e^{\frac{x}{e}}dx-\int_0^e xdx\right)$

$=2\left[e\cdot e^{\frac{x}{e}}-\frac{1}{2}x^2\right]_0^e$

$=2\left\{\left(e^2-\frac{1}{2}e^2\right)-e\right\}$

$=e^2-2e$

정답 ②

1984

정답 ②

STEP A $y=f(x)$와 $y=g(x)$는 직선 $y=x$에 대하여 대칭임을 이용하여 교점의 x좌표 구하기

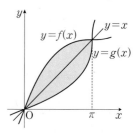

$f'(x)=1+\cos x\geq 0$이므로 $f(x)$는 증가하는 함수이고 $y=f(x)$의 그래프와 $y=g(x)$의 그래프는 직선 $y=x$에 대하여 대칭이다.

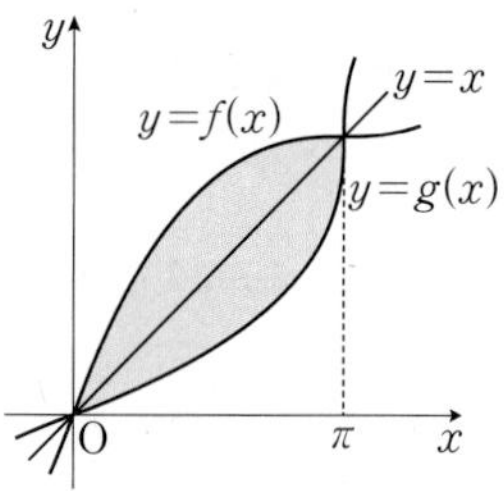

이때 두 곡선의 교점의 x좌표는 $y=f(x)$와 $y=x$의 교점의 x좌표와 같으므로 $x+\sin x=x,\ \sin x=0$

$\therefore\ x=0$ 또는 $x=\pi$

STEP B $\int_a^b|f(x)-g(x)|dx=2\int_a^b|f(x)-x|dx$를 이용하여 넓이 구하기

이때 두 곡선 $y=f(x)$와 $y=g(x)\,(0\leq x\leq\pi)$로 둘러싸인 도형의 넓이는 곡선 $y=f(x)$와 직선 $y=x$로 둘러싸인 도형의 넓이의 2배와 같다.

$\int_0^\pi\{f(x)-g(x)\}dx=2\int_0^\pi\{f(x)-x\}dx=2\int_0^\pi\sin x dx$

$=2\left[-\cos x\right]_0^\pi=4$

1985

정답 ②

STEP A 역함수 관계를 이용하여 교점의 x좌표 구하기

곡선 $f(x)=\frac{-3}{x-5}+1$에서 직선 $y=x$의 교점의 x좌표를 구하면

$\frac{-3}{x-5}+1=x,\ x^2-6x+8=0,\ (x-2)(x-4)=0$

$\therefore\ x=2$ 또는 $x=4$

STEP B 직선 $y=x$에 대하여 대칭임을 이용하여 정적분의 값 구하기

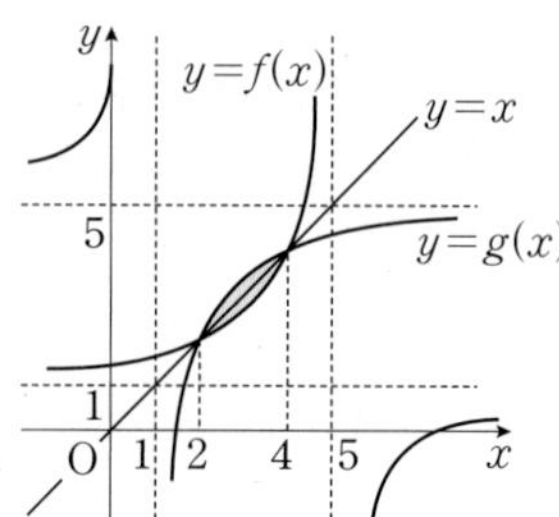

$2\leq x\leq 4$에서 $f(x)\leq x$이므로

두 함수 $y=f(x)$, $y=g(x)$의 그래프로 둘러싸인 도형의 넓이를 S라고 하면

$S=2\int_2^4\left(x-\frac{-3}{x-5}-1\right)dx$

$=2\left[\frac{x^2}{2}+3\ln|x-5|-x\right]_2^4$

$=2\{(8+0-4)-(2+3\ln 3-2)\}$

$=2(4-3\ln 3)$

내/신/연/계/ 출제문항 791

닫힌구간 $[-1, 1]$에서 함수 $f(x)=\tan\frac{\pi}{4}x$의 그래프와 그 역함수 $y=g(x)$의 그래프로 둘러싸인 도형의 넓이가 $a-\frac{b}{\pi}\ln 2$일 때, 정수 a, b에 대하여 $a+b$의 값은?

① 2　② 8　③ 10
④ 12　⑤ 14

STEP A $y=f(x)$**와** $y=g(x)$**는 직선** $y=x$**에 대하여 대칭임을 이용하여 교점의** x**좌표 구하기**

$y=f(x)$와 $y=g(x)$는 직선 $y=x$에 대하여 대칭이다.

$f(x)=\tan\frac{\pi}{4}x$와 $y=x$의 교점은 $x=-1,\ 0,\ 1$

STEP B $\int_a^b |f(x)-g(x)|dx=2\int_a^b |f(x)-x|dx$**를 이용하여 넓이 구하기**

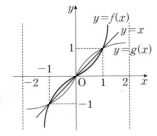

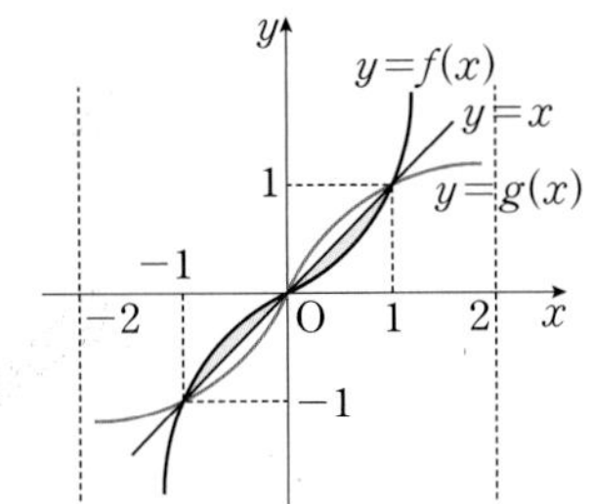

구하는 넓이는

$$2\int_{-1}^{1}\left|\tan\frac{\pi}{4}x-x\right|dx=4\int_0^1\left(x-\tan\frac{\pi}{4}x\right)dx$$
$$=4\left[\frac{1}{2}x^2+\frac{4}{\pi}\ln\left|\cos\frac{\pi}{4}x\right|\right]_0^1$$
$$=2-\frac{8}{\pi}\ln 2$$

따라서 $a=2$, $b=8$이므로 $a+b=10$

정답 ③

1986

②

STEP A 역함수의 정적분을 원래함수의 넓이를 이용하여 구하기

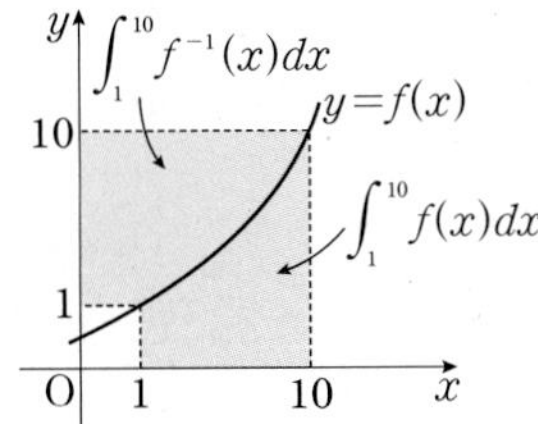

$$\lim_{n\to\infty}\frac{1}{n}\sum_{k=1}^{n}\left\{f\left(1+\frac{9k}{n}\right)+f^{-1}\left(1+\frac{9k}{n}\right)\right\}$$
$$=\frac{1}{9}\lim_{n\to\infty}\frac{9}{n}\sum_{k=1}^{n}\left\{f\left(1+\frac{9k}{n}\right)+f^{-1}\left(1+\frac{9k}{n}\right)\right\}$$
$$=\frac{1}{9}\left\{\int_1^{10}f(x)dx+\int_1^{10}f^{-1}(x)dx\right\}$$
$$=\frac{1}{9}(10\times10-1\times1)$$
$$=\frac{1}{9}(100-1)=11$$

1987

정답 ③

STEP A 정적분과 급수의 관계에서 정적분으로 나타내기

$\lim_{n\to\infty}\frac{2}{n}\sum_{k=1}^{n}f\left(2+\frac{2k}{n}\right)$에서 $x_k=2+\frac{2k}{n}$, $\Delta x=\frac{2}{n}$라 하면

정적분의 정의에 의하여

$$\lim_{n\to\infty}\frac{2}{n}\sum_{k=1}^{n}f\left(2+\frac{2k}{n}\right)=\int_2^4 f(x)dx$$

$\lim_{n\to\infty}\frac{8}{n}\sum_{k=1}^{n}g\left(a+\frac{8k}{n}\right)$에서 $x_k=a+\frac{8k}{n}$, $\Delta x=\frac{8}{n}$이라 하면

정적분의 정의에 의하여

$$\lim_{n\to\infty}\frac{8}{n}\sum_{k=1}^{n}g\left(a+\frac{8k}{n}\right)=\int_a^{a+8}g(x)dx$$

STEP B 두 정적분의 합이 50임을 이용하여 a**의 값 구하기**

함수 $f(x)$가 모든 실수에서 연속이고 역함수가 존재하므로 구간 $[2, 4]$에서 $y=f(x)$의 그래프는 오른쪽 그림과 같이 점 $(2, a)$에서 점 $(4, a+8)$까지 증가하는 모양이다.

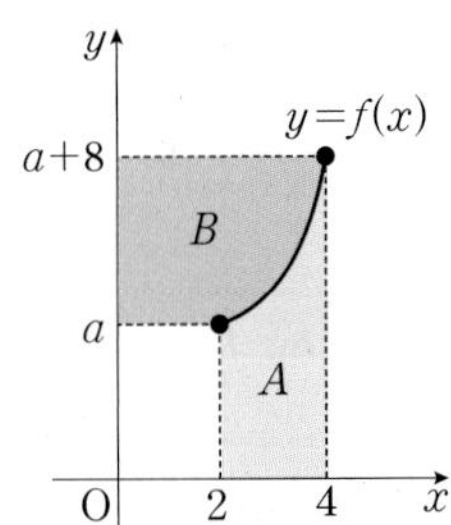

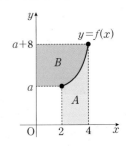

$\int_2^4 f(x)dx$는 그림의 A부분의 넓이와 같고 $\int_a^{a+8}g(x)dx$는 그림의 B부분의 넓이와 같으므로 $\int_2^4 f(x)dx+\int_a^{a+8}g(x)dx=50$에서

$4(a+8)-2a=50$이므로 $2a=18$

따라서 $a=9$

내/신/연/계/ 출제문항 792

실수 전체의 집합에서 미분가능한 함수 $y=f(x)$가 $f(1)=1$, $f(4)=4$를 만족시키며 임의의 실수 x에 대하여 $f'(x)>0$, $f''(x)<0$이다.

$\lim_{n\to\infty}\sum_{k=1}^{n}f^{-1}\left(1+\frac{3k}{n}\right)\cdot\frac{2}{n}=4$일 때, $\int_1^4\{f(x)-x\}dx$의 값은?

(단, f^{-1}는 f의 역함수이다.)

① 1　② $\frac{3}{2}$　③ 2
④ $\frac{5}{2}$　⑤ 3

STEP A 조건을 만족하는 그래프 개형 그리기

오른쪽 그림과 같이 두 함수 $y=f(x)$, $y=f^{-1}(x)$의 그래프는 직선 $y=x$에 대하여 대칭이고 모든 실수 x에 대하여 $f'(x)>0$, $f''(x)<0$이므로 $f(x)$는 위로 볼록인 증가함수이다.

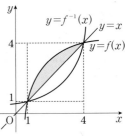

STEP B 급수를 정적분으로 나타내고 $\int_1^4\{f(x)-x\}dx$**의 값 구하기**

$$\lim_{n\to\infty}\sum_{k=1}^{n}f^{-1}\left(1+\frac{3k}{n}\right)\cdot\frac{2}{n}$$
$$\lim_{n\to\infty}\sum_{k=1}^{n}f^{-1}\left(1+\frac{3k}{n}\right)\cdot\frac{3}{n}\cdot\frac{2}{3}=\frac{2}{3}\int_1^4 f^{-1}(x)dx=4$$

$$\therefore \int_1^4 f^{-1}(x)dx=6$$

이때 $\int_1^4 f(x)dx=15-6=9$이고 $\int_1^4\{f(x)-f^{-1}(x)\}dx=3$이므로

$$\int_1^4\{f(x)-x\}dx=\frac{1}{2}\int_1^4\{f(x)-f^{-1}(x)\}dx=\frac{3}{2}$$

정답 ②

III 적분법

1988

정답 ③

STEP A 역함수의 정적분을 원래함수의 넓이를 이용하여 구하기

함수 $y=f(x)$와 그 역함수 $y=g(x)$의 그래프는 직선 $y=x$에 대하여 대칭이므로 오른쪽 그림과 같이

$\int_2^{e+1} g(x)dx$의 값은 $y=f(x)$의 그래프와 y축 및 직선 $y=e+1$로 둘러싸인 부분의 넓이, 즉 B와 같다.

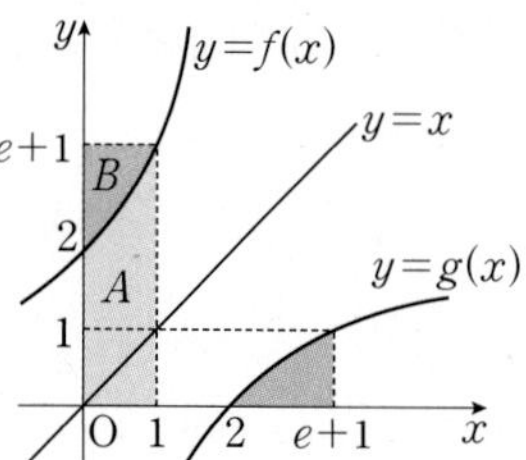

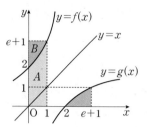

따라서 $\int_0^1 f(x)dx+\int_2^{e+1} g(x)dx=A+B=e+1$

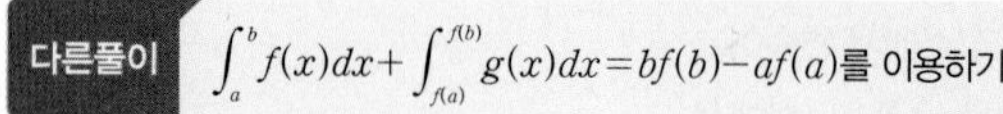

다른풀이 $\int_a^b f(x)dx+\int_{f(a)}^{f(b)} g(x)dx=bf(b)-af(a)$를 이용하기

$f(x)=e^x+1$에서 $f(0)=2$, $f(1)=e+1$

이때

$\int_0^1 f(x)dx=S_1$, $\int_2^{e+1} g(x)dx=S_2$

라고 하면 그 값은 오른쪽 그림의 색칠한 부분과 같다.

따라서 구하는 값은

$\int_0^1 f(x)dx+\int_2^{e+1} g(x)dx=S_1+S_2$

$=1\cdot(e+1)$

$=e+1$

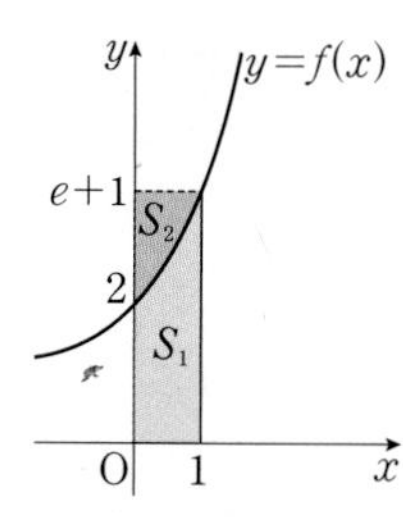

내신연계 출제문항 793

함수 $f(x)=e^x+2$의 역함수를 $g(x)$라고 할 때,

$$\int_0^1 f(x)dx+\int_3^{e+2} g(x)dx$$

의 값은?

① e ② $e-1$ ③ $e+1$
④ $e+2$ ⑤ $e+3$

STEP A 역함수의 정적분을 원래함수의 넓이를 이용하여 구하기

함수 $y=f(x)$와 그 역함수 $y=g(x)$의 그래프는 직선 $y=x$에 대하여 대칭이므로 오른쪽 그림과 같이

$\int_3^{e+2} g(x)dx$의 값은 $y=f(x)$의 그래프와 y축 및 직선 $y=e+2$로 둘러싸인 부분의 넓이, 즉 S_2와 같다.

따라서

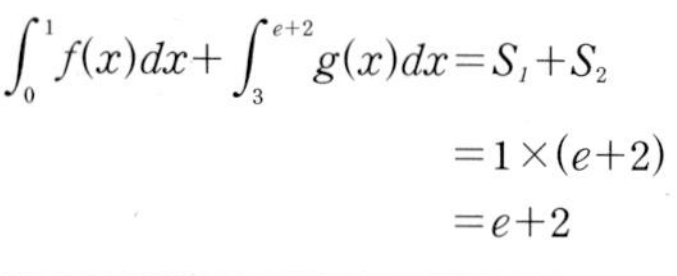

$\int_0^1 f(x)dx+\int_3^{e+2} g(x)dx=S_1+S_2$

$=1\times(e+2)$

$=e+2$

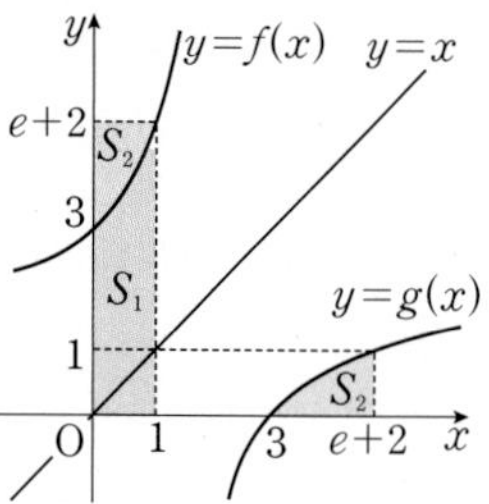

정답 ④

1989

정답 ②

STEP A 역함수의 정적분을 원래함수의 넓이를 이용하여 구하기

$\int_e^{e^2} f(x)dx=S_1$, $\int_0^1 g(x)dx=S_2$

라 하면 두 곡선 $y=f(x)$, $y=g(x)$는 직선 $y=x$ 에 대하여 대칭이므로 곡선 $y=g(x)$와 y축 및 직선 $x=1$로 둘러싸인 부분의 넓이는 S_2이다.

따라서 $\int_e^{e^2} f(x)dx+\int_0^1 g(x)dx$

$=S_1+S_2=1\times e^2=e^2$

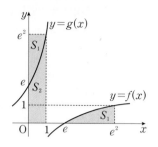

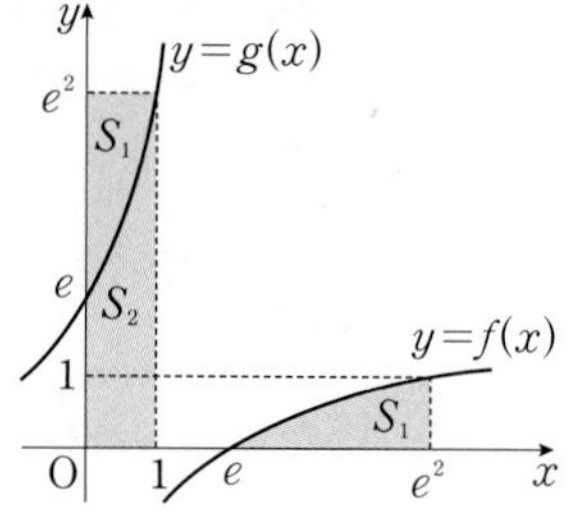

1990

정답 ⑤

STEP A 역함수의 정적분을 원래함수의 넓이를 이용하여 구하기

$0\le x\le \frac{\pi}{3}$에서

$f\left(\frac{\pi}{3}\right)=\tan\frac{\pi}{3}=\sqrt{3}$,

$f\left(\frac{\pi}{4}\right)=\tan\frac{\pi}{4}=1$

이고 함수 $f(x)$의 역함수가 $g(x)$이므로 $g(\sqrt{3})=\frac{\pi}{3}$, $g(1)=\frac{\pi}{4}$

오른쪽 그림과 같이 $\int_1^{\sqrt{3}} g(x)dx$는 영역 A의 넓이이고

$\int_{g(1)}^{g(\sqrt{3})} \tan x dx=\int_{\frac{\pi}{4}}^{\frac{\pi}{3}} \tan x dx$는 영역 B의 넓이와 같다.

따라서 구하는 값은 두 영역 A와 B의 넓이의 합과 같으므로

$\sqrt{3}\times\frac{\pi}{3}-1\times\frac{\pi}{4}=\frac{4\sqrt{3}-3}{12}\pi$

1991

정답 ④

STEP A x축으로 둘러싸인 넓이를 이용하여 구하기

구하는 도형의 넓이 S는 가로의 길이가 $\frac{\pi}{2}$, 세로가 1인 직사각형의 넓이에서 가로의 길이가 $\frac{\pi}{6}$, 세로가 $\frac{1}{2}$인 직사각형의 넓이를 빼고 구간 $\left[\frac{\pi}{6}, \frac{\pi}{2}\right]$에서 $y=\sin x$으로 둘러싸인 넓이를 뺀 것과 같다.

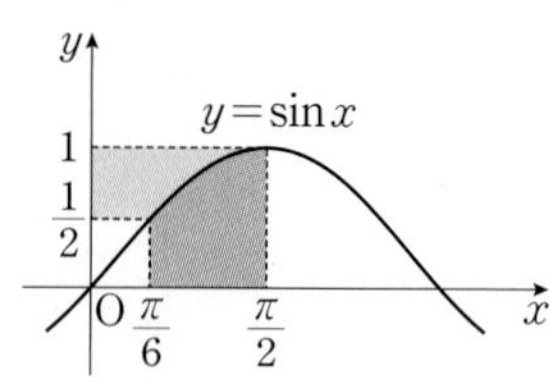

따라서 $S=\frac{\pi}{2}\cdot1-\frac{\pi}{6}\cdot\frac{1}{2}-\int_{\frac{\pi}{6}}^{\frac{\pi}{2}}\sin x dx$

$=\frac{\pi}{2}-\frac{\pi}{12}-\left[-\cos x\right]_{\frac{\pi}{6}}^{\frac{\pi}{2}}$

$=\frac{5}{12}\pi-\frac{\sqrt{3}}{2}$

1992

정답 ①

STEP A $\int_0^e g(x)dx$를 $f(x)$로 표현하기

함수 $f(x)$의 역함수를 $g(x)$라 하면 $f(x)$, $g(x)$는 $y=x$에 대칭이므로 오른쪽 그림에서 A, B 두 부분의 넓이가 같다.

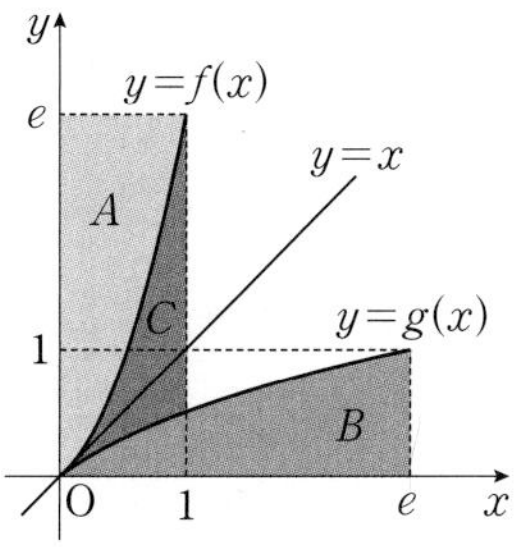

$\int_0^e g(x)dx$는 B 부분의 넓이와 같으므로 구하는 넓이는 가로의 길이가 1이고 세로의 길이가 e인 직사각형의 넓이에서 $\int_0^1 f(x)dx$를 빼면 된다.

STEP B 부분적분법을 이용하여 정적분의 값 구하기

$$\begin{aligned}\int_0^e g(x)dx &= e-\int_0^1 f(x)dx \\ &= e-\int_0^1 xe^x dx \\ &= e-\left(\Big[xe^x\Big]_0^1-\int_0^1 e^x dx\right) \\ &= e-\{e-(e-1)\} \\ &= e-1\end{aligned}$$

따라서 $\int_0^e g(x)dx=e-1$

1993

정답 ②

STEP A 함수 $y=f(x)$의 역함수가 존재하기 위한 a의 범위 구하기

함수 $y=f(x)$의 역함수가 존재하려면 모든 실수 x에 대하여 $f'(x)\geq 0$ 또는 $f'(x)\leq 0$이어야 한다.
$f'(x)=(x^2+2x+a)e^x$이고 모든 실수 x에 대하여 $e^x\geq 0$이므로 $x^2+2x+a\geq 0$이어야 한다.
이차방정식 $x^2+2x+a=0$의 판별식을 D라 하면
$\frac{D}{4}=1-a\leq 0$, 즉 $a\geq 1$이므로 $m=1$
$\therefore\ g(x)=(x^2+1)e^x$

STEP B $\int_1^{2e} h(x)dx$의 값 구하기

이때 $g(0)=1$, $g(1)=2e$이고 함수 $y=g(x)$와 그 역함수 $y=h(x)$의 그래프는 직선 $y=x$에 대하여 대칭이므로 $\int_1^{2e} h(x)dx$의 값은 함수 $y=g(x)$의 그래프와 y축 및 직선 $y=2e$로 둘러싸인 부분의 넓이와 같다.

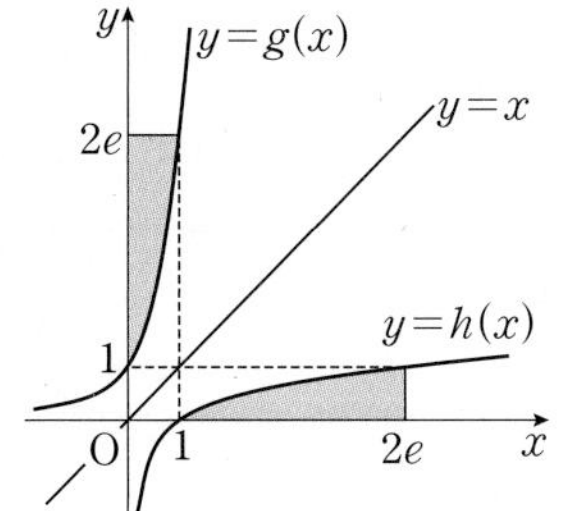

따라서 $\int_1^{2e} h(x)dx=2e-\int_0^1 g(x)dx$

$$\begin{aligned}&= 2e-\int_0^1 (x^2+1)e^x dx \\ &= 2e-\Big[(x^2+1)e^x\Big]_0^1-\int_0^1 2e^x dx \\ &= 1+2e-\Big[2e^x\Big]_0^1=3\end{aligned}$$

내/신/연/계/ 출제문항 794

함수 $f(x)=(2x^2+a)e^x$의 역함수가 존재하도록 하는 실수 a의 최솟값을 m이라 하자. 함수 $g(x)=(2x^2+m)e^x$의 역함수를 $h(x)$라 할 때, $\int_m^{4e} h(x)dx$의 값은?

① 2 ② 3 ③ 4
④ 5 ⑤ 6

STEP A 역함수가 존재하기 위한 a의 최솟값 m 구하기

$f(x)=(2x^2+a)e^x$에서
$f'(x)=4xe^x+(2x^2+a)e^x=(2x^2+4x+a)e^x$
$e^x>0$이므로 실수 전체의 집합에서 함수 $f(x)$의 역함수가 존재하려면 $2x^2+4x+a\geq 0$이어야 한다.
이차방정식 $2x^2+4x+a=0$의 판별식을 D라 하면
$\frac{D}{4}=4-2a\leq 0$에서 $a\geq 2$
즉 a의 최솟값은 2이므로 $m=2$

STEP B $g(x)$의 역함수 $h(x)$이므로 $\int_m^{4e} h(x)dx$값 구하기

$g(x)=(2x^2+2)e^x$
이때 $g(0)=2$, $g(1)=4e$에서
$h(2)=0$, $h(4e)=1$이므로
두 함수 $y=g(x)$, $y=h(x)$의 그래프는 오른쪽 그림과 같다.

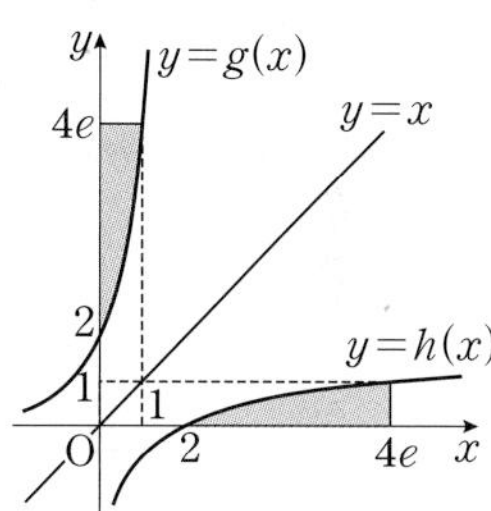

따라서 $\int_m^{4e} h(x)dx=\int_2^{4e} h(x)dx$

$$\begin{aligned}&= 1\cdot 4e-\int_0^1 g(x)dx \\ &= 1\cdot 4e-\int_0^1 (2x^2+2)e^x dx \\ &= 4e-\Big[(2x^2+2)e^x\Big]_0^1+\int_0^1 4xe^x dx \\ &= 4e-(4e-2)+\Big[4xe^x\Big]_0^1-\int_0^1 4e^x dx \\ &= 2+4e-(4e-4)=6\end{aligned}$$

정답 ⑤

07 입체도형의 부피

STEP 1 내신정복 기출유형

1994

정답 ②

STEP A 입체도형의 부피를 정적분을 이용하여 구하기

높이가 $x(0\le x\le 3)$인 지점에서 단면의 넓이가 $S(x)=\sin\frac{\pi}{6}x+1$이므로 구하는 입체도형의 부피 V는

$$V=\int_0^3\left(\sin\frac{\pi}{6}x+1\right)dx=\left[-\frac{6}{\pi}\cos\frac{\pi}{6}x+x\right]_0^3$$

$$=(0+3)-\left(-\frac{6}{\pi}\right)=3+\frac{6}{\pi}$$

1995

정답 ②

STEP A 입체도형의 부피의 식 작성하기

높이가 $x(0\le x\le 3)$인 지점에서 단면의 넓이가 $S(x)=x\sqrt{9-x^2}$이므로 구하는 입체의 부피 V는 $V=\int_0^3 x\sqrt{9-x^2}\,dx$

STEP B 치환적분을 이용하여 구하기

이때 $9-x^2=t$로 놓으면 $-2xdx=dt$

$x=0$일 때, $t=9$이고 $x=3$일 때, $t=0$

따라서 $V=-\frac{1}{2}\int_9^0\sqrt{t}\,dt=-\frac{1}{2}\left[\frac{2}{3}t\sqrt{t}\right]_9^0=9$

내신연계 출제문항 795

높이가 2인 입체도형을 밑면으로부터의 높이가 x인 지점에서 밑면에 평행한 평면으로 자를 때, 생기는 단면의 넓이가

$$S(x)=x\sqrt{4-x^2}$$

일 때, 이 입체도형의 부피는?

① $\frac{5}{3}$ ② 2 ③ $\frac{8}{3}$

④ $\frac{10}{3}$ ⑤ $\frac{9}{2}$

STEP A 입체도형의 부피의 식 작성하기

구하는 입체도형의 부피를 V라 하면

$V=\int_0^2 x\sqrt{4-x^2}\,dx$

STEP B 치환적분을 이용하여 구하기

$4-x^2=t$로 놓으면 $\frac{dt}{dx}=-2x$이고

$x=0$일 때, $t=4$이고 $x=2$일 때, $t=0$

따라서 $V=\int_0^2 x\sqrt{4-x^2}\,dx=\int_4^0\left(-\frac{\sqrt{t}}{2}\right)dt=\frac{1}{2}\int_0^4\sqrt{t}\,dt=\frac{1}{2}\left[\frac{2}{3}t^{\frac{3}{2}}\right]_0^4=\frac{8}{3}$

정답 ③

1996

정답 ④

STEP A 입체도형의 부피의 식 작성하기

물의 깊이가 $x$cm일 때, 수면의 넓이를 $S(x)$라 하면

$S(x)=\frac{x^2+2x+2}{x+1}$이므로 구하는 물의 부피를 V라 하면

$V=\int_0^2\frac{x^2+2x+2}{x+1}dx$

STEP B 정적분을 이용하여 구하기

따라서 구하는 입체도형의 부피는

$$V=\int_0^2\frac{x^2+2x+2}{x+1}dx=\int_0^2\left(x+1+\frac{1}{x+1}\right)dx$$

$$=\left[\frac{1}{2}x^2+x+\ln|x+1|\right]_0^2=4+\ln 3$$

1997

정답 ①

STEP A 입체도형의 부피의 식 작성하기

물의 깊이가 $x$cm일 때, 수면의 넓이를 $S(x)$라 하면

$S(x)=x\sin x$이므로 구하는 물의 부피를 V라 하면

$V=\int_0^{\frac{\pi}{2}}x\sin x dx$

STEP B 부분적분을 이용하여 구하기

$V=\int_0^{\frac{\pi}{2}}x\sin xdx=\left[-x\cos x\right]_0^{\frac{\pi}{2}}-\int_0^{\frac{\pi}{2}}(-\cos x)dx=\left[\sin x\right]_0^{\frac{\pi}{2}}=1$

따라서 구하는 물의 부피는 1cm^3

1998

정답 ②

STEP A 수면의 넓이 $S(x)$ 구하기

수면의 넓이를 $S(x)$라 하고 그릇에 높이가 $x$cm인 물의 부피를 V라 하면

$V=\int_0^x S(x)dx=\frac{1}{2\ln 2}(4^x+2^{x+1}-3)$

양변을 x로 미분하면 $S(x)=\frac{1}{2\ln 2}(4^x\ln 4+2^{x+1}\ln 2)=4^x+2^x$

STEP B 지수방정식을 이용하여 물의 높이 구하기

이때 수면의 넓이가 72cm^2이므로 $S(x)=4^x+2^x=72$

$(2^x)^2+2^x-72=0$, $(2^x-8)(2^x+9)=0$ $\therefore 2^x=8(\because 2^x>0)$

따라서 $x=3$cm

내신연계 출제문항 796

높이가 3m인 수조에 물을 채우는데, 물의 깊이가 xm일 때, 수면의 넓이는 $\left(1+\sin^2\frac{\pi x}{8}-\cos\frac{\pi x}{4}\right)\text{m}^2$라고 한다. 수면의 넓이가 $\frac{3}{2}\text{m}^2$일 때, 채워진 물의 부피는?

① $\left(3-\frac{2}{\pi}\right)\text{m}^3$ ② $\left(3-\frac{4}{\pi}\right)\text{m}^3$ ③ $\left(3-\frac{6}{\pi}\right)\text{m}^3$

④ $\left(3-\frac{8}{\pi}\right)\text{m}^3$ ⑤ $\left(3-\frac{10}{\pi}\right)\text{m}^3$

STEP A 수면의 넓이가 $\frac{3}{2}$인 물의 깊이 x 구하기

수면의 넓이를 정리하면

$$1+\sin^2\frac{\pi x}{8}-\cos\frac{\pi x}{4}=1+\frac{1}{2}\left(1-\cos\frac{\pi x}{4}\right)-\cos\frac{\pi x}{4}$$

$$=\frac{3}{2}-\frac{3}{2}\cos\frac{\pi x}{4}$$ ⬅ $\sin^2\frac{x}{2}=\frac{1}{2}(1-\cos x)$

이때 수면의 넓이가 $\frac{3}{2}$이므로 $\frac{3}{2}-\frac{3}{2}\cos\frac{\pi x}{4}=\frac{3}{2}$

즉 $\cos\frac{\pi x}{4}=0$에서 $\frac{\pi x}{4}=\frac{\pi}{2}$ $\therefore x=2(\because 0<x<3)$

STEP B 물의 깊이가 $x=2$일 때, 채워진 물의 부피 구하기

따라서 구하는 부피 $V\text{m}^3$는

$V=\int_0^2\left(\frac{3}{2}-\frac{3}{2}\cos\frac{\pi x}{4}\right)dx=\left[\frac{3}{2}x-\frac{6}{\pi}\sin\frac{\pi x}{4}\right]_0^2=\left(3-\frac{6}{\pi}\right)\text{m}^3$

정답 ③

1999

정답 ④

STEP A **단면이 정사각형인 넓이 구하기**

밑면으로부터 높이가 x인 곳에서 한 변의 길이가 $\sqrt{16-x}$인 정사각형의 단면의 넓이를 $S(x)$라 하면

$S(x)=(\sqrt{16-x})^2=16-x$

STEP B **정적분을 이용하여 부피 구하기**

따라서 구하는 입체도형의 부피를 V라 하면

$V=\int_0^{10}(16-x)dx=\left[16x-\frac{1}{2}x^2\right]_0^{10}=160-50=110$

2000

 ①

STEP A **단면이 정삼각형인 넓이 구하기**

밑면으로부터 높이가 x인 곳에서 한 변의 길이가 $2\tan x$인 정삼각형의 단면의 넓이를 $S(x)$라 하면

$S(x)=\frac{\sqrt{3}}{4}(2\tan x)^2=\sqrt{3}\tan^2 x$

STEP B **삼각함수의 정적분을 이용하여 부피 구하기**

따라서 구하는 입체도형의 부피를 V라 하면

$V=\int_0^{\frac{\pi}{3}}\sqrt{3}\tan^2 x dx=\int_0^{\frac{\pi}{3}}\sqrt{3}(\sec^2 x-1)dx$

$=\sqrt{3}\left[\tan x-x\right]_0^{\frac{\pi}{3}}=\sqrt{3}\left(\sqrt{3}-\frac{\pi}{3}\right)=3-\frac{\sqrt{3}}{3}\pi$

2001

 ②

STEP A **단면이 원인 넓이 구하기**

밑면의 중심을 원점 O, 그 점을 지나고 밑면에 수직인 직선을 x축으로 정하자. 이때 x축에 수직인 평면으로 용기를 자른 단면의 넓이를 $S(x)$라 하면

$S(x)=\pi\left\{\frac{\ln(x+e)}{\sqrt{x+e}}\right\}^2=\frac{\{\ln(x+e)\}^2}{x+e}\pi$

STEP B **치환적분을 이용하여 부피 구하기**

용기의 부피는 $V=\int_0^{e^3-e}\frac{\{\ln(x+e)\}^2}{x+e}\pi dx$

이때 $\ln(x+e)=t$로 놓으면 $\frac{dx}{dt}=x+e$이고

$x=0$일 때, $t=1$이고 $x=e^3-e$일 때, $t=3$

따라서 구하는 용기의 부피는 $\int_1^3 \pi t^2 dt=\left[\frac{\pi}{3}t^3\right]_1^3=\frac{26}{3}\pi$

2002

 ④

STEP A **단면이 원인 넓이 구하기**

밑면으로부터 높이가 x인 곳에서 단면의 넓이 $S(x)$는

$S(x)=\pi(\sqrt{x\sin x})^2=\pi x\sin x$

STEP B **부분적분을 이용하여 부피 구하기**

구하는 입체도형의 부피를 V라 하면

$V=\pi\int_0^{\pi}x\sin x dx=\pi\left(\left[-x\cos x\right]_0^{\pi}-\int_0^{\pi}(-\cos x)dx\right)=\pi^2$

따라서 구하는 물의 부피는 π^2

내신연계 출제문항 797

어떤 그릇에 물을 부으면 물의 깊이가 x일 때, 수면의 모양은 반지름의 길이가 $\sqrt{x\sin x+1}$인 원이 된다. 물의 깊이가 $\frac{\pi}{2}$일 때, 이 그릇에 담긴 물의 부피는?

① $\frac{\pi(\pi+2)}{4}$ ② $\frac{\pi(\pi+1)}{2}$ ③ $\frac{\pi(\pi+2)}{2}$

④ 2π ⑤ 4π

STEP A **단면이 원인 넓이 구하기**

물의 깊이가 x일 때, 수면의 넓이를 $S(x)$라 하면

$S(x)=\pi\times(\sqrt{x\sin x+1})^2=\pi(x\sin x+1)$

STEP B **부분적분을 이용하여 부피 구하기**

따라서 물의 깊이가 $\frac{\pi}{2}$일 때, 그릇에 담긴 물의 부피는

$$\begin{aligned}\int_0^{\frac{\pi}{2}}\pi(x\sin x+1)dx&=\pi\left(\int_0^{\frac{\pi}{2}}x\sin x dx+\int_0^{\frac{\pi}{2}}1dx\right)\\&=\pi\left(\left[-x\cos x\right]_0^{\frac{\pi}{2}}-\int_0^{\frac{\pi}{2}}(-\cos x)dx+\left[x\right]_0^{\frac{\pi}{2}}\right)\\&=\pi\left(0+\int_0^{\frac{\pi}{2}}\cos x dx+\frac{\pi}{2}\right)\\&=\pi\left(\left[\sin x\right]_0^{\frac{\pi}{2}}+\frac{\pi}{2}\right)\\&=\frac{\pi(\pi+2)}{2}\end{aligned}$$

정답 ③

2003

 ③

STEP A **단면이 정사각형인 넓이 구하기**

밑면으로부터 높이가 x인 곳에서 한 변의 길이가 $\sqrt{x+1}e^{\frac{x}{4}}$인 정사각형의 단면의 넓이를 $S(x)$라 하면

$S(x)=\left(\sqrt{x+1}e^{\frac{x}{4}}\right)^2=(x+1)e^{\frac{x}{2}}$

STEP B **부분적분을 이용하여 부피 구하기**

따라서 구하는 입체도형의 부피를 V라 하면

$V=\int_0^8(x+1)e^{\frac{x}{2}}dx=\left[(x+1)\cdot 2e^{\frac{x}{2}}\right]_0^8-\int_0^8 2e^{\frac{x}{2}}dx$

$=18e^4-2-\left[4e^{\frac{x}{2}}\right]_0^8=14e^4+2(\text{cm}^3)$

2004

 ①

STEP A **정사각형의 넓이에서 단면적 구하기**

밑면으로부터 높이가 x인 곳에서 한 변의 길이가 $\sqrt{\ln(x+1)}$인 정사각형의 단면의 넓이를 $S(x)$라 하면

$S(x)=\{\sqrt{\ln(x+1)}\}^2=\ln(x+1)$

STEP B **부분적분을 이용하여 부피 구하기**

구하는 입체도형의 부피를 V라 하면

$V=\int_0^{e-1}\ln(x+1)dx$

$x+1=t$로 놓으면 $dx=dt$

$x=0$일 때, $t=1$이고 $x=e-1$일 때, $t=e$

따라서 $V=\int_1^e \ln t dt=\left[t\ln t\right]_1^e-\int_1^e dt=e-\left[t\right]_1^e=1$

2005

정답 ③

STEP A **단면적 $S(x)$ 구하기**

오른쪽 그림과 같이 밑면의 중심을 원점, 밑면의 지름을 x축으로 잡고 x축 위의 점 $\mathrm{P}(x,\ 0)(-1 \leq x \leq 1)$을 지나고 x축에 수직인 평면으로 입체도형을 자른 단면을 $\triangle\mathrm{PQR}$이라고 하자.

$\overline{\mathrm{PQ}}=\sqrt{\overline{\mathrm{OQ}}^2-\overline{\mathrm{OP}}^2}=\sqrt{1-x^2}$

$\overline{\mathrm{RQ}}=\overline{\mathrm{PQ}}\tan 60°=\sqrt{3}\sqrt{1-x^2}$이므로

$\triangle\mathrm{PQR}$의 넓이를 $S(x)$라 하면

$S(x)=\frac{1}{2}\cdot\sqrt{1-x^2}\cdot\sqrt{3}\sqrt{1-x^2}=\frac{\sqrt{3}}{2}(1-x^2)$

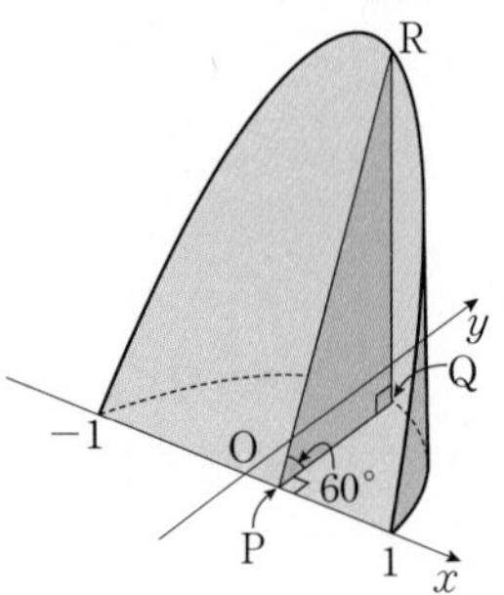

STEP B **입체도형의 부피 구하기**

따라서 구하는 입체의 부피를 V라 하면

$V=\int_{-1}^{1}S(x)dx=2\int_{0}^{1}\frac{\sqrt{3}}{2}(1-x^2)dx=\sqrt{3}\left[x-\frac{1}{3}x^3\right]_0^1=\frac{2\sqrt{3}}{3}$

속해법 $V=\frac{2}{3}r^3\tan\theta=\frac{2}{3}\cdot 1\cdot\tan 60°=\frac{2\sqrt{3}}{3}$

2006

정답 ②

STEP A **$\triangle\mathrm{PQR}$의 넓이 $S(x)$ 구하기**

자르는 평면이 지나는 밑면의 지름의 양 끝점을 각각 A, B라고 하자. 면의 중심을 원점, 선분 AB의 연장선을 x축, 중심 O를 지나고 선분 AB에 수직인 직선을 y축으로 하여 좌표평면에 나타내면 오른쪽 그림과 같다.

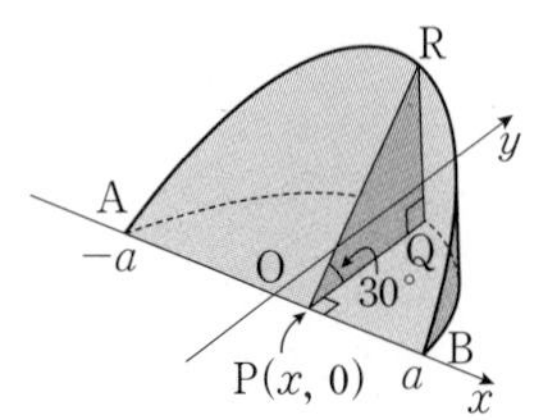

선분 AB 위의 임의의 점 $\mathrm{P}(x,\ 0)$을 지나고 선분 AB에 수직인 직선이 원과 만나는 점을 Q라고 하면

$\triangle\mathrm{OPQ}$에서 $\overline{\mathrm{OP}}=|x|$, $\overline{\mathrm{OQ}}=a$이므로 $\overline{\mathrm{PQ}}=\sqrt{a^2-x^2}$

점 Q에서 좌표평면에 수직이 되도록 그은 직선이 평면과 만나는 점을 R이라 하면 $\overline{\mathrm{QR}}=\overline{\mathrm{PQ}}\tan 30°=\frac{1}{\sqrt{3}}\sqrt{a^2-x^2}$

이때 $\triangle\mathrm{PQR}$의 넓이 $S(x)$는

$S(x)=\frac{1}{2}\cdot\sqrt{a^2-x^2}\cdot\frac{1}{\sqrt{3}}\sqrt{a^2-x^2}=\frac{\sqrt{3}}{6}(a^2-x^2)$

STEP B **구간 $[-a,\ a]$에서 입체도형의 부피를 정적분으로 계산하기**

따라서 구하는 입체도형의 부피를 V라 하면

$V=\int_{-a}^{a}S(x)dx=\int_{-a}^{a}\frac{\sqrt{3}}{6}(a^2-x^2)dx=\frac{\sqrt{3}}{6}\left[a^2x-\frac{1}{3}x^3\right]_{-a}^{a}=\frac{2\sqrt{3}}{9}a^3$

속해법 $V=\frac{2}{3}r^3\tan\theta=\frac{2}{3}\cdot 1\cdot\tan 60°=\frac{2\sqrt{3}}{3}$

2007

정답 ③

STEP A **$\triangle\mathrm{PQR}$의 넓이 $S(x)$ 구하기**

오른쪽 그림과 같이 단면인 $\triangle\mathrm{PQR}$의 넓이를 $S(x)$라고 하면

$\triangle\mathrm{OAB}\backsim\triangle\mathrm{PQR}$이고

$\overline{\mathrm{OA}}:\overline{\mathrm{AB}}=1:2$이므로

$\overline{\mathrm{PQ}}:\overline{\mathrm{QR}}=1:2$

$\overline{\mathrm{PQ}}=\sqrt{r^2-x^2}$이므로

$\overline{\mathrm{QR}}=2\overline{\mathrm{PQ}}=2\sqrt{r^2-x^2}$

$\therefore\ S(x)=\frac{1}{2}\overline{\mathrm{PQ}}\cdot\overline{\mathrm{QR}}=r^2-x^2$

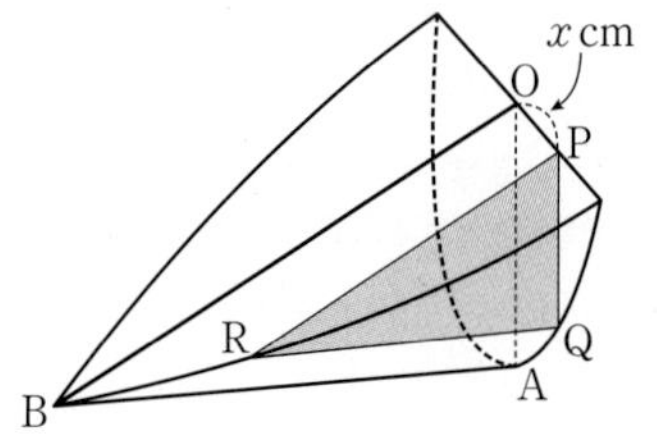

STEP B **구간 $[-r,\ r]$에서 입체도형의 부피를 정적분으로 계산하기**

따라서 구하는 입체도형의 부피를 V라 하면

$V=\int_{-r}^{r}S(x)dx=\int_{-r}^{r}(r^2-x^2)dx=2\left[r^2x-\frac{1}{3}x^3\right]_0^r=\frac{4}{3}r^3$

속해법 $V=\frac{2}{3}r^3\tan\theta=\frac{2}{3}\cdot r^3\cdot 2=\frac{4}{3}r^3$

내신연계 출제문항 798

밑면인 원의 반지름의 길이가 3cm이고 높이가 9cm인 원기둥 모양의 컵에 물을 가득 채우고 오른쪽 그림과 같이 수면이 컵의 밑면을 이등분할 때까지 컵을 기울였다. 이때 컵에 남아 있는 물의 부피는? (단, 단위는 cm^3)

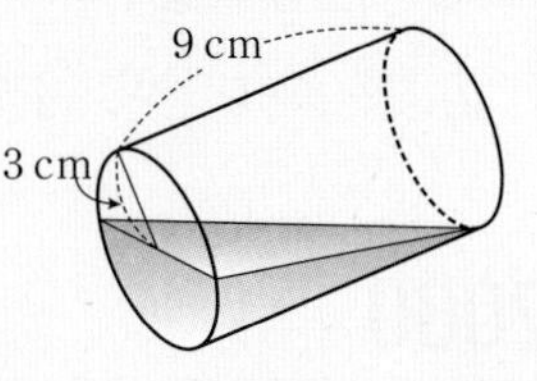

① 16 ② 36 ③ 54
④ 64 ⑤ 72

STEP A **$\triangle\mathrm{PQR}$의 넓이 $S(x)$ 구하기**

오른쪽 그림과 같이 단면인 $\triangle\mathrm{PQR}$의 넓이를 $S(x)$라고 하면

$\triangle\mathrm{OAB}\backsim\triangle\mathrm{PQR}$이고

$\overline{\mathrm{OA}}:\overline{\mathrm{AB}}=1:3$이므로

$\overline{\mathrm{PQ}}:\overline{\mathrm{QR}}=1:3$

$\overline{\mathrm{PQ}}=\sqrt{9-x^2}$이므로

$\overline{\mathrm{QR}}=3\overline{\mathrm{PQ}}=3\sqrt{9-x^2}$

$\therefore\ S(x)=\frac{1}{2}\overline{\mathrm{PQ}}\cdot\overline{\mathrm{QR}}=\frac{3}{2}(9-x^2)$

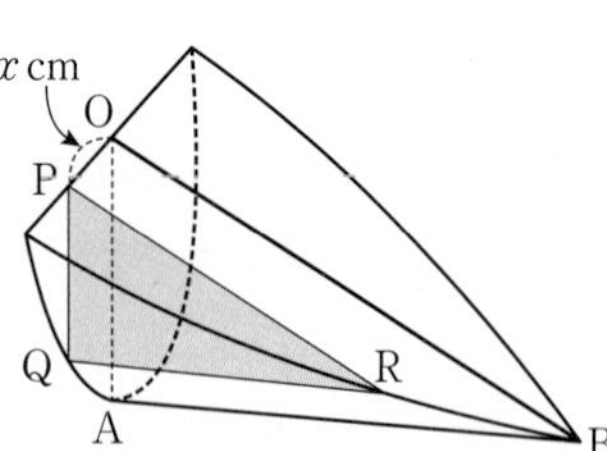

STEP B **구간 $[-3,\ 3]$에서 입체도형의 부피를 정적분으로 계산하기**

따라서 구하는 입체도형의 부피를 V라 하면

$V=\int_{-3}^{3}S(x)dx=\int_{-3}^{3}\frac{3}{2}(9-x^2)dx=54(\mathrm{cm}^3)$

속해법 $V=\frac{2}{3}r^3\tan\theta=\frac{2}{3}\cdot 3^3\cdot 3=54$

정답 ③

2008

정답 ⑤

STEP A **$\triangle\mathrm{PQR}$의 넓이 $S(x)$ 구하기**

오른쪽 그림과 같이 선분 AB 위의 점 $\mathrm{P}(x,\ 0)$을 지나고 선분 AB에 수직인 직선이 원과 만나는 점을 Q라고 하면

$\triangle\mathrm{OPQ}$에서 $\overline{\mathrm{OP}}=|x|$, $\overline{\mathrm{OQ}}=4$

이므로 $\overline{\mathrm{PQ}}=\sqrt{16-x^2}$

점 Q에서 밑면에 수직이 되도록 그은 직선이 수면과 만나는 점을 R이라고 하면 $\overline{\mathrm{QR}}=\overline{\mathrm{PQ}}\tan 45°=\sqrt{16-x^2}$

이때 $\triangle\mathrm{PQR}$의 넓이 $S(x)$이라 하면

$S(x)=\frac{1}{2}(\sqrt{16-x^2})^2=\frac{1}{2}(16-x^2)$

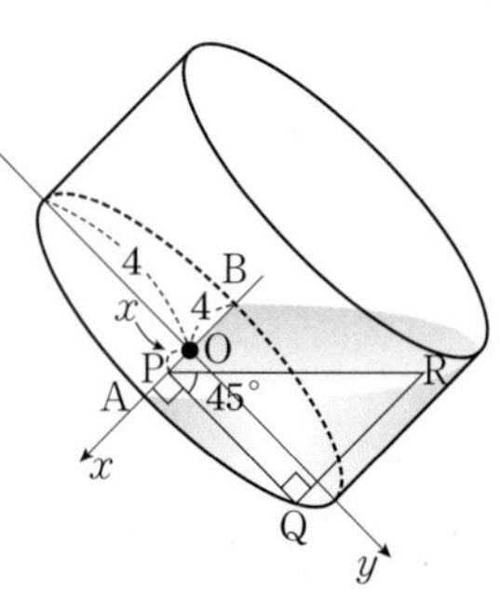

STEP B **구간 $[-4,\ 4]$에서 입체도형의 부피를 정적분으로 계산하기**

따라서 구하는 물의 부피를 V라 하면

$V=\int_{-4}^{4}S(x)dx=\int_{-4}^{4}\frac{1}{2}(16-x^2)dx=\frac{1}{2}\left[16x-\frac{1}{3}x^3\right]_{-4}^{4}=\frac{128}{3}$

속해법 $V=\frac{2}{3}r^3\tan\theta=\frac{2}{3}\cdot 4^3\cdot\tan 45°=\frac{128}{3}$

내신연계 출제문항 799

밑면의 반지름의 길이가 $\sqrt{3}$, 높이가 1인 원기둥 모양의 그릇에 물이 가득 담겨 있다.
오른쪽 그림과 같이 이 그릇을 60°의 각도로 기울였을 때, 그릇에 남아 있는 물의 부피는?

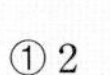

① 2 ② 3
③ 4 ④ 5
⑤ 6

STEP Ⓐ $\triangle$PQR의 넓이 $S(x)$ 구하기

선분 AB 위의 점 P$(x, 0)$을 지나고 선분 AB에 수직인 직선이 원과 만나는 점을 Q라고 하면 $\triangle$OPQ에서

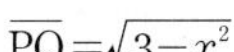

$\overline{\mathrm{OP}}=|x|$, $\overline{\mathrm{OQ}}=\sqrt{3}$이므로

$\overline{\mathrm{PQ}}=\sqrt{3-x^2}$

점 Q에서 밑면에 수직이 되도록 그은 직선이 수면과 만나는 점을 R이라 하면

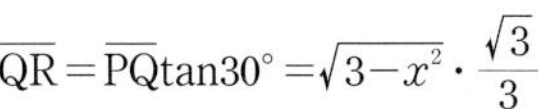

$\overline{\mathrm{QR}}=\overline{\mathrm{PQ}}\tan 30^\circ=\sqrt{3-x^2}\cdot\dfrac{\sqrt{3}}{3}$

이때 $\triangle$PQR의 넓이 $S(x)$는 $S(x)=\dfrac{\sqrt{3}}{6}(3-x^2)$

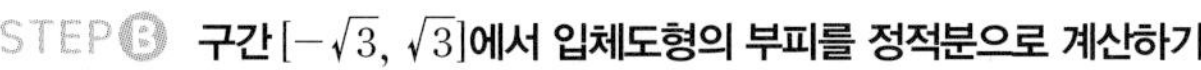

STEP Ⓑ 구간 $[-\sqrt{3}, \sqrt{3}]$에서 입체도형의 부피를 정적분으로 계산하기

따라서 구하는 물의 부피를 V라 하면

$$V=\int_{-\sqrt{3}}^{\sqrt{3}}S(x)dx=\int_{-\sqrt{3}}^{\sqrt{3}}\frac{\sqrt{3}}{6}(3-x^2)dx=\frac{\sqrt{3}}{6}\left[3x-\frac{1}{3}x^3\right]_{-\sqrt{3}}^{\sqrt{3}}=2$$

속해법 $V=\dfrac{2}{3}r^3\tan\theta=\dfrac{2}{3}\cdot(\sqrt{3})^3\cdot\tan 30^\circ=2$

정답 ①

2009

정답 ③

STEP Ⓐ 단면의 넓이 $S(x)$ 구하기

오른쪽 그림과 같이 x축 위의 점 P$(x, 0)$을 지나고 x축에 수직인 평면으로 자른 단면의 넓이를 $S(x)$라고 하면

$S(x)=\pi(\sqrt{36-x^2})^2=\pi(36-x^2)$

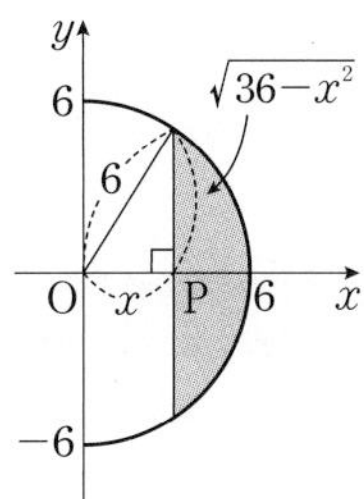

STEP Ⓑ 구하는 물의 양 구하기

따라서 구하는 물의 양은 $\displaystyle\int_3^6\pi(36-x^2)dx=\pi\left[36x-\frac{1}{3}x^3\right]_3^6=45\pi(\mathrm{cm}^3)$

2010

정답 ②

STEP Ⓐ 단면적 $S(x)$ 구하기

단면인 정삼각형의 넓이 $S(x)$는

$S(x)=\dfrac{\sqrt{3}}{4}\times(2\sqrt{\sin x})^2=\sqrt{3}\sin x$

STEP Ⓑ 입체도형의 부피 구하기

따라서 입체도형의 부피 V는 $V=\displaystyle\int_0^\pi\sqrt{3}\sin x\,dx=\sqrt{3}\Big[-\cos x\Big]_0^\pi=2\sqrt{3}$

2011

정답 ③

STEP Ⓐ 단면의 넓이 $S(x)$ 구하기

오른쪽 그림과 같이 밑면인 원을 직선 AB는 x축, 선분 AB의 수직이등분선은 y축이 되도록 좌표평면 위에 놓자.
입체도형을 x축에 수직인 평면으로 자른 단면은 원의 중심에서의 거리가 x인 x축에 수직인 평면으로 자른 현의 길이가 $2\sqrt{a^2-x^2}$인 정삼각형이므로 단면의 넓이를 $S(x)$라 하면

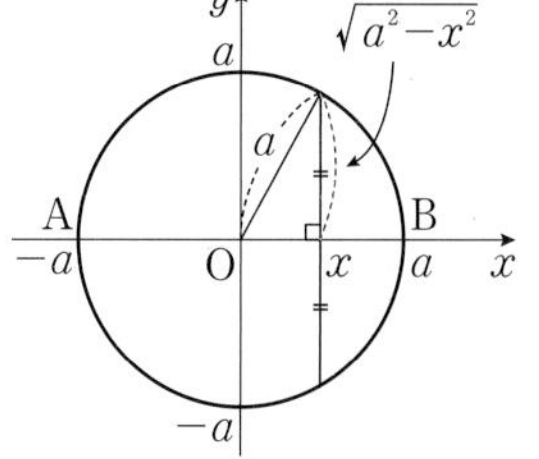

$S(x)=\dfrac{\sqrt{3}}{4}(2\sqrt{a^2-x^2})^2=\sqrt{3}(a^2-x^2)$

STEP Ⓑ 단면의 넓이를 정적분하여 부피 구하기

따라서 구하는 입체도형의 부피 V는

$$\begin{aligned}V&=\int_{-a}^{a}S(x)dx=2\int_0^a\sqrt{3}(a^2-x^2)dx\\&=2\sqrt{3}\int_0^a(a^2-x^2)dx\\&=2\sqrt{3}\left[a^2x-\frac{1}{3}x^3\right]_0^a\\&=\frac{4\sqrt{3}}{3}a^3\end{aligned}$$

내신연계 출제문항 800

오른쪽 그림과 같이 반지름의 길이가 10cm인 원을 밑면으로 하고 지름 AB에 수직인 평면으로 자른 단면은 항상 정삼각형일 때, 이 입체도형의 부피는? (단위는 cm^3)

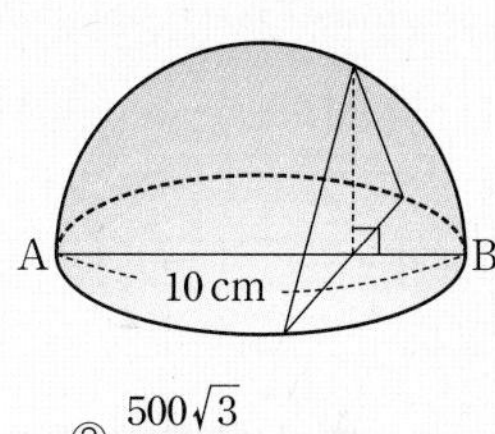

① $\dfrac{250\sqrt{3}}{3}$ ② $\dfrac{400\sqrt{3}}{3}$ ③ $\dfrac{500\sqrt{3}}{3}$
④ $250\sqrt{3}$ ⑤ $500\sqrt{3}$

STEP Ⓐ 단면의 넓이 $S(x)$ 구하기

오른쪽 그림과 같이 밑면인 원의 중심을 O라 하자. 반지름 OB 위에 $\overline{\mathrm{OC}}=x\mathrm{cm}(0\le x\le 5)$인 점 C를 잡아 점 C를 지나고 선분 OB에 수직인 직선이 밑면인 원과 만나는 두 점을 D, E라 하면

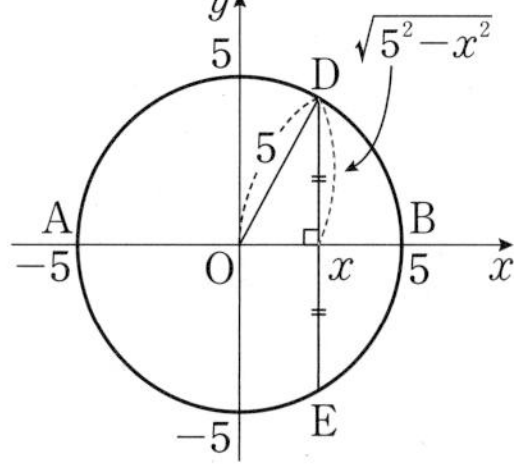

$\overline{\mathrm{CD}}=\sqrt{5^2-x^2}\,\mathrm{cm}$이므로

$\overline{\mathrm{DE}}=2\sqrt{25-x^2}\,\mathrm{cm}$

이때 점 C를 지나고 지름 AB에 수직인 평면으로 공예품을 자른 단면은 한 변의 길이가 $2\sqrt{25-x^2}\,\mathrm{cm}$인 정삼각형이므로 단면의 넓이를 $S(x)$라 하면

$S(x)=\dfrac{\sqrt{3}}{4}(2\sqrt{25-x^2})^2=\sqrt{3}(25-x^2)(\mathrm{cm}^2)$

STEP Ⓑ 단면의 넓이를 정적분하여 부피 구하기

따라서 구하는 부피 V는

$$\begin{aligned}V&=2\int_0^5S(x)dx=2\int_0^5\sqrt{3}(25-x^2)dx\\&=2\sqrt{3}\left[25x-\frac{1}{3}x^3\right]_0^5\\&=\frac{500\sqrt{3}}{3}(\mathrm{cm}^3)\end{aligned}$$

정답 ③

2012

정답 ②

STEP Ⓐ **단면의 넓이 $S(x)$ 구하기**

$\overline{PH}=\dfrac{2}{x+1}$ 이므로 선분 PH를 한 변으로 하는 정삼각형의 넓이 $S(x)$는

$S(x)=\dfrac{\sqrt{3}}{4}\overline{PH}^2=\dfrac{\sqrt{3}}{4}\left(\dfrac{2}{x+1}\right)^2$

$=\dfrac{\sqrt{3}}{(x+1)^2}$

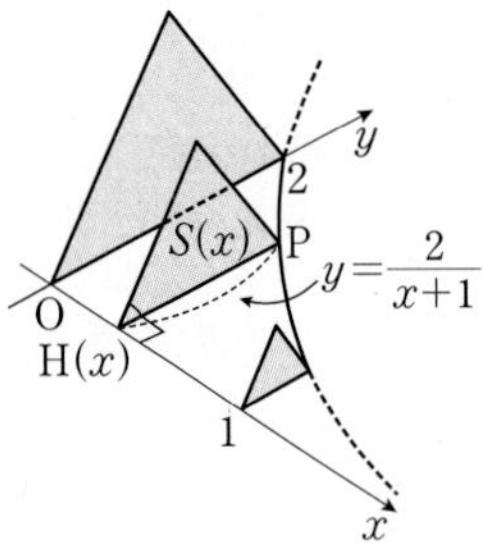

STEP Ⓑ **단면의 넓이를 정적분하여 부피 구하기**

따라서 구하는 부피 V는 $V=\displaystyle\int_0^1 \frac{\sqrt{3}}{(x+1)^2}dx=\sqrt{3}\left[-\frac{1}{x+1}\right]_0^1=\frac{\sqrt{3}}{2}$

내/신/연/계/ 출제문항 801

두 곡선 $y=\dfrac{1}{x+1}$, $y=-\dfrac{3}{x+1}$과 두 직선 $x=0$, $x=1$로 둘러싸인 부분을 밑면으로 하는 어떤 입체도형이 있다. 이 입체도형을 x축과 수직인 평면으로 자른 단면이 정사각형일 때, 이 입체도형의 부피는?

① 4 ② 6 ③ 8
④ 10 ⑤ 12

STEP Ⓐ **단면의 넓이 $S(x)$ 구하기**

입체도형의 밑면은 오른쪽 그림과 같고 입체도형의 단면인 정사각형의 한 변의 길이가 $\dfrac{1}{x+1}-\left(-\dfrac{3}{x+1}\right)=\dfrac{4}{x+1}$

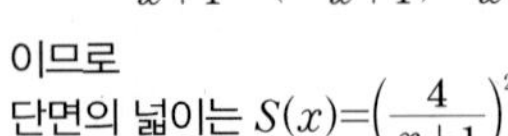

이므로

단면의 넓이는 $S(x)=\left(\dfrac{4}{x+1}\right)^2$

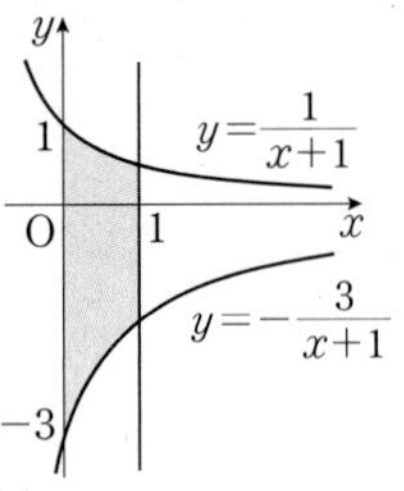

STEP Ⓑ **단면의 넓이를 정적분하여 부피 구하기**

따라서 구하는 부피 V는

$V=\displaystyle\int_0^1\left(\frac{4}{x+1}\right)^2dx=16\int_0^1(x+1)^{-2}dx=16\Big[-(x+1)^{-1}\Big]_0^1=8$

정답 ③

2013

정답 ②

STEP Ⓐ **단면의 넓이 $S(x)$ 구하기**

$\overline{PH}$를 한 변으로 하는 정삼각형의 넓이를 $S(x)$라 하면

$S(x)=\dfrac{\sqrt{3}}{4}(\sqrt{1-x^2})^2=\dfrac{\sqrt{3}}{4}(1-x^2)$

STEP Ⓑ **단면의 넓이를 정적분하여 부피 구하기**

따라서 구하는 부피는 $\displaystyle\int_0^1\frac{\sqrt{3}}{4}(1-x^2)dx=\frac{\sqrt{3}}{4}\left[x-\frac{1}{3}x^3\right]_0^1=\frac{\sqrt{3}}{6}$

내/신/연/계/ 출제문항 802

곡선 $y=\sqrt{9-x^2}$의 그래프와 x축 및 y축으로 둘러싸인 평면도형을 밑면으로 하는 입체도형이 있다. 이 입체도형을 x축에 수직인 평면으로 자른 단면이 정삼각형일 때, 이 입체도형의 부피는? (단, $x\ge 0$)

① $2\sqrt{3}$ ② $\dfrac{4}{3}$ ③ $\dfrac{4\sqrt{3}}{3}$
④ $\dfrac{5\sqrt{3}}{2}$ ⑤ $\dfrac{9\sqrt{3}}{2}$

STEP Ⓐ **단면의 넓이 $S(x)$ 구하기**

오른쪽 그림과 같이 $\overline{PQ}$의 길이는 $\sqrt{9-x^2}$ 이므로 $\overline{PQ}$를 한 변으로 하는 정삼각형 PQR의 넓이를 $S(x)$라 하면

$S(x)=\dfrac{\sqrt{3}}{4}\overline{PQ}^2=\dfrac{\sqrt{3}}{4}(9-x^2)$

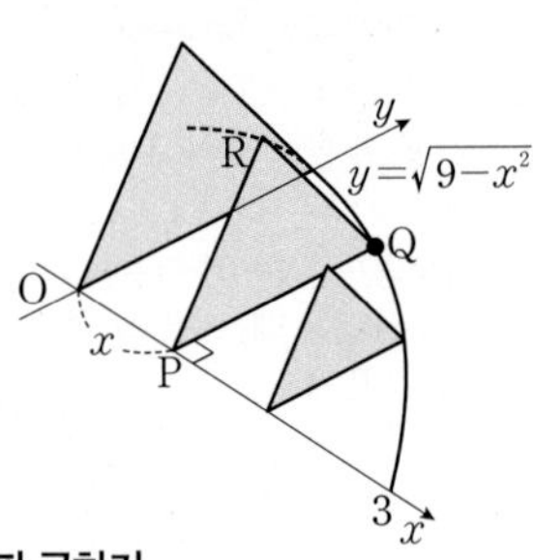

STEP Ⓑ **단면의 넓이를 정적분하여 부피 구하기**

따라서 구하는 부피 V는

$V=\displaystyle\int_0^3 S(x)dx=\int_0^3\frac{\sqrt{3}}{4}(9-x^2)dx=\frac{\sqrt{3}}{4}\left[9x-\frac{1}{3}x^3\right]_0^3=\frac{9\sqrt{3}}{2}$

정답 ⑤

2014

정답 ④

STEP Ⓐ **단면의 넓이 $S(x)$ 구하기**

직선 $x=t(0\le t\le 1)$을 포함하고 x축에 수직인 평면으로 자른 단면의 넓이를 $S(t)$라 하면

$S(t)=(\sqrt{t}+1)^2=t+2\sqrt{t}+1$

STEP Ⓑ **단면의 넓이를 정적분하여 부피 구하기**

따라서 구하는 입체도형의 부피를 V라 하면

$V=\displaystyle\int_0^1 S(t)dt=\int_0^1(t+2\sqrt{t}+1)dt=\left[\frac{1}{2}t^2+\frac{4}{3}t\sqrt{t}+t\right]_0^1=\frac{1}{2}+\frac{4}{3}+1=\frac{17}{6}$

2015

정답 ③

STEP Ⓐ **입체도형의 단면의 넓이 $S(t)$ 구하기**

입체도형을 직선 $x=t(0\le t\le 4)$를 포함하고 x축에 수직인 평면으로 자른 단면은 한 변의 길이가 $\sqrt{t}-(-\sqrt{t})=2\sqrt{t}$ 인 정사각형이므로 단면의 넓이 $S(t)$는 $S(t)=(2\sqrt{t})^2=4t$

STEP Ⓑ **단면의 넓이를 정적분하여 부피 구하기**

따라서 구하는 입체도형의 부피 V는 $V=\displaystyle\int_0^4 S(t)dt=\int_0^4 4tdt=\Big[2t^2\Big]_0^4=32$

내/신/연/계/ 출제문항 803

그림과 같이 두 곡선 $y=2\sqrt{2x}+1$, $y=\sqrt{2x}$와 y축 및 직선 $x=2$로 둘러싸인 도형을 밑면으로 하는 입체도형이 있다. 이 입체도형을 x축에 수직인 평면으로 자른 단면이 모두 정사각형일 때, 이 입체도형의 부피를 V라 하자. $30V$의 값은?

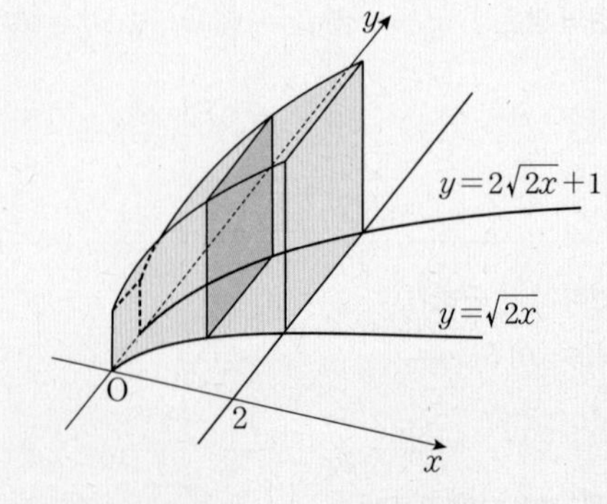

① 160 ② 240 ③ 300
④ 340 ⑤ 420

STEP Ⓐ 입체도형의 단면의 넓이 $S(t)$ 구하기

입체도형을 직선 $x=t(0\le t\le 2)$를 포함하고 x축에 수직인 평면으로 자른 단면은 한 변의 길이가 $(2\sqrt{2t}+1)-\sqrt{2t}=\sqrt{2t}+1$인 정사각형이므로 단면의 넓이 $S(t)$는 $S(t)=(\sqrt{2t}+1)^2=2t+2\sqrt{2t}+1$

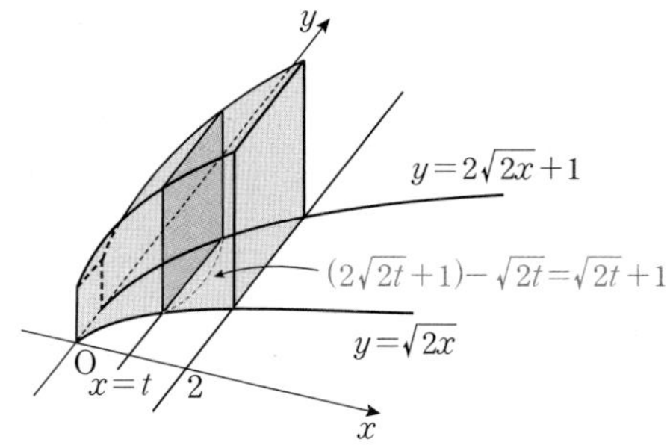

STEP Ⓑ 단면의 넓이를 정적분하여 부피 구하기

구하는 입체도형의 부피 V는

$$V=\int_0^2(2t+2\sqrt{2t}+1)dt$$

$$=\left[t^2+\frac{4\sqrt{2}}{3}t\sqrt{t}+t\right]_0^2 \quad \Leftarrow \int 2\sqrt{2t}\,dt=2\sqrt{2}\int t^{\frac{1}{2}}dt=2\sqrt{2}\cdot\frac{2}{3}t^{\frac{3}{2}}+C$$

$$=\left(4+\frac{16}{3}+2\right)-0=\frac{34}{3}$$

따라서 $30V=340$

정답 ④

2016

정답 ②

STEP Ⓐ 단면의 넓이 $S(x)$ 구하기

반지름의 길이와 호의 길이가 모두 $\frac{1}{2}(6-x)$인 부채꼴의 넓이를 $S(x)$라 하면

$$S(x)=\frac{1}{2}\left\{\frac{1}{2}(6-x)\right\}^2=\frac{1}{8}(6-x)^2=\frac{1}{8}(36-12x+x^2) \quad \Leftarrow S=\frac{1}{2}rl$$

STEP Ⓑ 단면의 넓이를 정적분하여 부피 구하기

따라서 구하는 입체도형의 부피 V는

$$V=\int_0^6\frac{1}{8}(36-12x+x^2)dx=\frac{1}{8}\left[36x-6x^2+\frac{1}{3}x^3\right]_0^6=9$$

2017

정답 ①

STEP Ⓐ 단면의 넓이 $S(x)$ 구하기

곡선 $f(x)=\tan x$ 위의 점 Q$(x, \tan x)$에서 x축 위에 내린 수선의 발을 P라 하면 다음 그림에서 $\overline{\mathrm{PQ}}=\tan x$이므로 선분 PQ를 한 변으로 하는 정사각형의 넓이를 $S(x)$라고 하면 $S(x)=\tan^2 x$

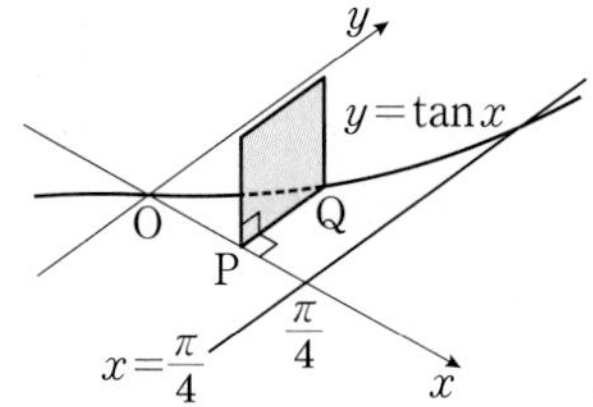

STEP Ⓑ 단면의 넓이를 정적분하여 부피 구하기

따라서 구하는 입체도형의 부피 V는

$$V=\int_0^{\frac{\pi}{4}}S(x)dx=\int_0^{\frac{\pi}{4}}\tan^2 x\,dx=\int_0^{\frac{\pi}{4}}(\sec^2 x-1)dx$$

$$=\left[\tan x-x\right]_0^{\frac{\pi}{4}}=1-\frac{\pi}{4}$$

내신연계 출제문항 804

곡선 $y=2\tan x$와 직선 $x=\frac{\pi}{4}$ 및 x축으로 둘러싸인 도형을 밑면으로 하는 입체도형을 x축에 수직인 평면으로 자른 단면이 모두 정사각형일 때, 이 입체도형의 부피는?

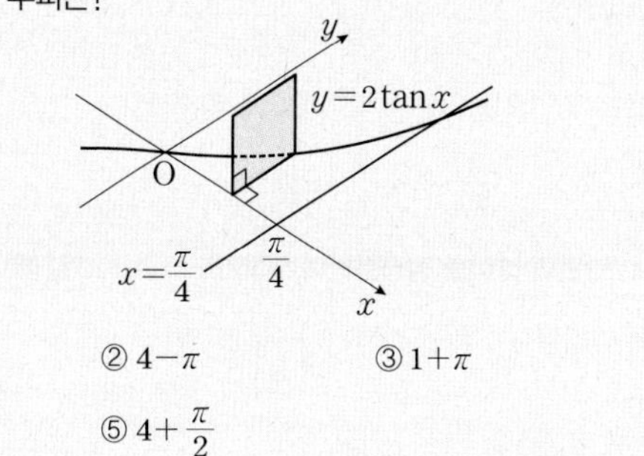

① $2-\frac{\pi}{2}$ ② $4-\pi$ ③ $1+\pi$
④ $4+\frac{\pi}{4}$ ⑤ $4+\frac{\pi}{2}$

STEP Ⓐ 단면의 넓이 $S(x)$ 구하기

곡선 $y=2\tan x$ 위의 점 Q$(x, 2\tan x)$에서 x축 위에 내린 수선의 발을 P라 하면 다음 그림에서 $\overline{\mathrm{PQ}}=2\tan x$이므로 선분 PQ를 한 변으로 하는 정사각형의 넓이를 $S(x)$라고 하면 $S(x)=4\tan^2 x$

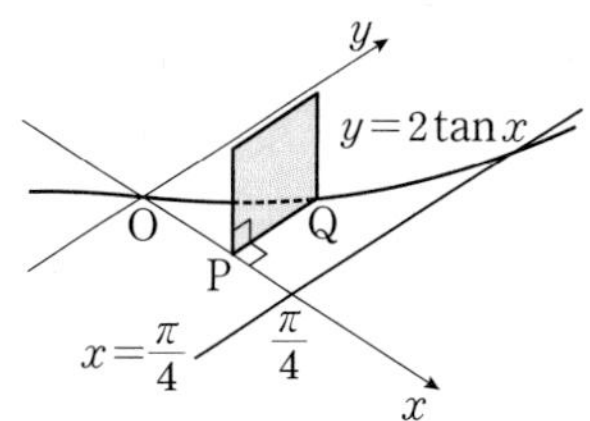

STEP Ⓑ 단면의 넓이를 정적분하여 부피 구하기

따라서 구하는 입체도형의 부피는

$$V=\int_0^{\frac{\pi}{4}}S(x)dx=\int_0^{\frac{\pi}{4}}4\tan^2 x\,dx=4\int_0^{\frac{\pi}{4}}(\sec^2 x-1)dx$$

$$=4\left[\tan x-x\right]_0^{\frac{\pi}{4}}=4-\pi$$

정답 ②

2018

정답 ②

STEP Ⓐ 입체도형의 단면의 넓이 $S(x)$ 구하기

$0\le x\le k$인 실수 x에 대하여 $y=\sqrt{\frac{e^x}{e^x+1}}$이므로 x좌표가 x인 점을 지나고 x축에 수직인 평면으로 자른 단면은 한 변의 길이가 y인 정사각형이므로

단면의 넓이를 $S(x)$라 하면

$$S(x)=\left(\sqrt{\frac{e^x}{e^x+1}}\right)^2=\frac{e^x}{e^x+1}$$

STEP Ⓑ 치환적분을 이용하여 입체도형의 부피 구하기

입체도형의 부피는 $\int_0^k S(x)dx=\int_0^k\frac{e^x}{e^x+1}dx$

이때 $e^x+1=t$로 놓으면 $e^x dx=dt$

$x=0$일 때, $t=2$이고 $x=k$일 때, $t=e^k+1$이므로

$$\int_0^k\frac{e^x}{e^x+1}dx=\int_2^{e^k+1}\frac{1}{t}dt=\left[\ln t\right]_2^{e^k+1}$$

$$=\ln(e^k+1)-\ln 2$$

$$=\ln\frac{e^k+1}{2}$$

주어진 입체도형의 부피가 $\ln 7$이므로

$\ln\frac{e^k+1}{2}=\ln 7$, $\frac{e^k+1}{2}=7$, $e^k=13$

따라서 $k=\ln 13$

2019

정답 ③

STEP Ⓐ **입체도형의 단면의 넓이 $S(t)$ 구하기**

$\frac{1}{\sqrt{2k}} \le t \le \frac{1}{\sqrt{k}}$인 실수 t에 대하여 $f(t)=2\sqrt{t}\,e^{kt^2}$이므로

직선 $x=t$를 포함하고 x축에 수직인 평면으로 자른 단면은 한 변의 길이가 $f(t)$인 정삼각형이므로 단면의 넓이를 $S(t)$라 하면

$S(t)=\frac{\sqrt{3}}{4}\{f(t)\}^2=\frac{\sqrt{3}}{4}\times 4te^{2kt^2}=\sqrt{3}\,te^{2kt^2}$

STEP Ⓑ **단면의 넓이를 정적분하여 부피가 $\sqrt{3}(e^2-e)$일 때, k의 값 구하기**

입체도형의 부피는 $\int_{\frac{1}{\sqrt{2k}}}^{\frac{1}{\sqrt{k}}} S(t)dt=\sqrt{3}\int_{\frac{1}{\sqrt{2k}}}^{\frac{1}{\sqrt{k}}} te^{2kt^2}dt$

이때 $t^2=s$로 놓으면 $2t\frac{dt}{ds}=1$이고

$t=\frac{1}{\sqrt{2k}}$일 때, $s=\frac{1}{2k}$이고 $t=\frac{1}{\sqrt{k}}$일 때, $s=\frac{1}{k}$

입체도형의 부피는 $\frac{\sqrt{3}}{2}\int_{\frac{1}{2k}}^{\frac{1}{k}} e^{2ks}ds=\frac{\sqrt{3}}{2}\left[\frac{1}{2k}e^{2ks}\right]_{\frac{1}{2k}}^{\frac{1}{k}}=\frac{\sqrt{3}}{4k}(e^2-e)$

따라서 입체도형의 부피가 $\sqrt{3}(e^2-e)$이므로 $4k=1$에서 $k=\frac{1}{4}$

참고

$2kt^2=s$로 치환하면 $4kt\frac{dt}{ds}=1$

$t=\frac{1}{\sqrt{2k}}$일 때, $s=1$이고 $t=\frac{1}{\sqrt{k}}$일 때, $s=2$이므로

$\int_{\frac{1}{\sqrt{2k}}}^{\frac{1}{\sqrt{k}}} \sqrt{3}\,te^{2kt^2}dt=\frac{\sqrt{3}}{4k}\int_1^2 e^t dt=\frac{\sqrt{3}}{4k}\left[e^t\right]_1^2=\frac{\sqrt{3}}{4k}(e^2-e)$

내신연계 출제문항 805

함수 $f(x)=\sqrt{x\cos x}\left(0 \le x \le \frac{\pi}{2}\right)$에 대하여 곡선 $y=f(x)$와 x축으로 둘러싸인 부분을 밑면으로 하는 입체도형이 있다. 두 점 $\mathrm{P}(x, 0)$, $\mathrm{Q}(x, f(x))$를 지나고 x축에 수직인 평면으로 이 입체도형을 자른 단면이 선분 PQ를 지름으로 하는 반원일 때, 이 입체도형의 부피는?

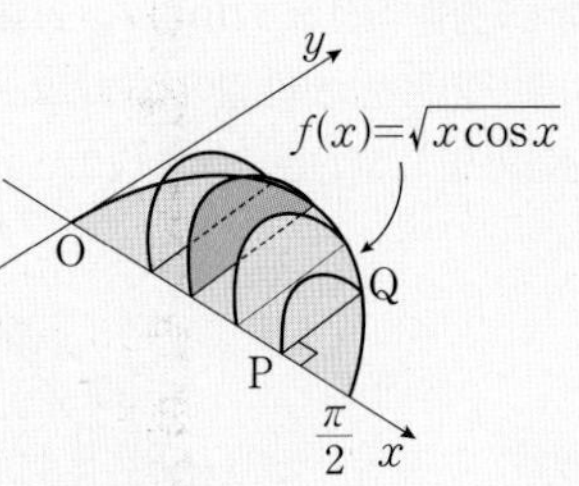

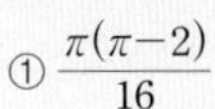

① $\frac{\pi(\pi-2)}{16}$ ② $\frac{\pi(\pi-2)}{8}$ ③ $\frac{\pi(\pi-1)}{8}$
④ $\frac{\pi(\pi+2)}{16}$ ⑤ $\frac{\pi(\pi+2)}{8}$

STEP Ⓐ **단면의 넓이 $S(x)$ 구하기**

곡선 $f(x)=\sqrt{x\cos x}$ 위의 점 $\mathrm{Q}(x, \sqrt{x\cos x})$에서 x축 위에 내린 수선의 발을 P라 하면 오른쪽 그림에서 $\overline{\mathrm{PQ}}=\sqrt{x\cos x}$이므로 선분 PQ를 지름으로 하는 반원의 넓이를 $S(x)$라고 하면

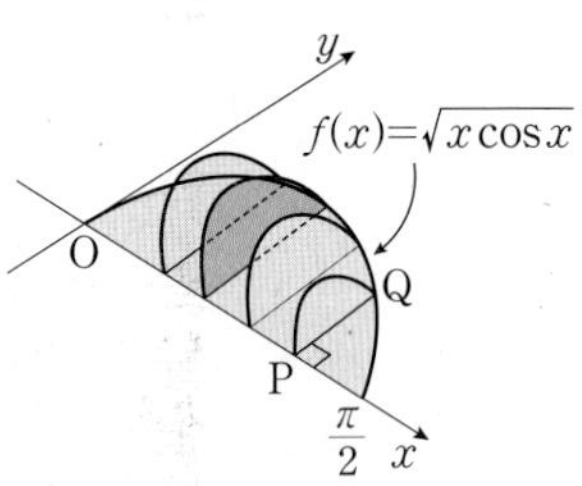

$S(x)=\frac{1}{2}\pi\left(\frac{1}{2}\sqrt{x\cos x}\right)^2=\frac{\pi}{8}x\cos x$

STEP Ⓑ **단면의 넓이를 정적분하여 부피 구하기**

따라서 구하는 입체도형의 부피 V는

$V=\int_0^{\frac{\pi}{2}} S(x)dx=\int_0^{\frac{\pi}{2}}\frac{\pi}{8}x\cos x dx$

$=\frac{\pi}{8}\left(\left[x\sin x\right]_0^{\frac{\pi}{2}}-\int_0^{\frac{\pi}{2}}\sin x dx\right)$

$=\frac{\pi}{8}\left(\frac{\pi}{2}+\left[\cos x\right]_0^{\frac{\pi}{2}}\right)=\frac{\pi(\pi-2)}{16}$

정답 ①

2020

정답 ④

STEP Ⓐ **단면의 넓이 $S(x)$ 구하기**

곡선 $f(x)=\sqrt{x\sin x}$ 위의 점 $\mathrm{Q}(x, \sqrt{x\sin x})$에서 x축 위에 내린 수선의 발을 P라 하면 다음 그림에서 $\overline{\mathrm{PQ}}=\sqrt{x\sin x}$이므로 선분 PQ를 지름으로 하는 반원의 넓이를 $S(x)$라고 하면

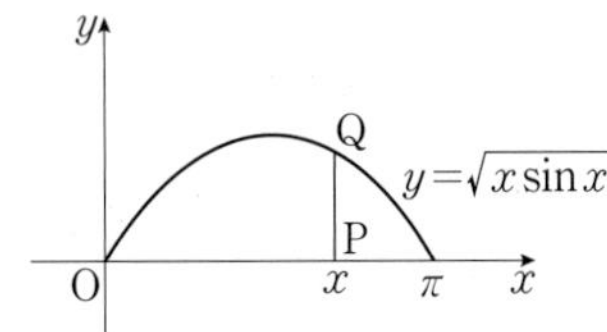

$S(x)=\frac{1}{2}\pi\left(\frac{1}{2}\sqrt{x\sin x}\right)^2=\frac{\pi}{8}x\sin x$

STEP Ⓑ **단면의 넓이를 정적분하여 부피 구하기**

따라서 구하는 입체도형의 부피는

$\int_0^{\pi}\frac{\pi}{8}x\sin x dx=\frac{\pi}{8}\int_0^{\pi}x\sin x dx$ …… ㉠

$f(x)=x,\ g'(x)=\sin x$로 놓으면

$f'(x)=1,\ g(x)=-\cos x$이므로

$\int_0^{\pi}x\sin x dx=\left[-x\cos x\right]_0^{\pi}+\int_0^{\pi}\cos x dx$

$=\pi+\left[\sin x\right]_0^{\pi}=\pi$

이것을 ㉠에 대입하면 구하는 부피는 $\frac{\pi}{8}\int_0^{\pi}x\sin x dx=\frac{\pi^2}{8}$

2021

정답 ③

STEP Ⓐ **입체도형의 단면의 넓이 $S(x)$ 구하기**

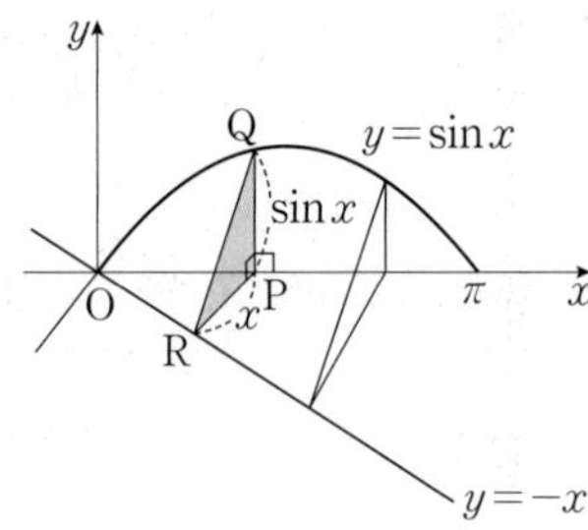

점 P의 x좌표를 x라 하면 $\angle\mathrm{POR}=45°$이므로

직각삼각형 OPR에서 $\overline{\mathrm{PR}}=\overline{\mathrm{PO}}=x$

직각삼각형 PQR의 넓이를 $S(x)$이라 하면

$S(x)=\frac{1}{2}x\sin x$

STEP Ⓑ **단면의 넓이를 정적분하여 부피 구하기**

입체도형의 부피 V는 $V=\int_0^{\pi}\frac{1}{2}x\sin x dx$

$f(x)=\frac{1}{2}x,\ g'(x)=\sin x$로 놓으면

$f'(x)=\frac{1}{2},\ g(x)=-\cos x$

따라서 $V=\left[-\frac{1}{2}x\cos x\right]_0^{\pi}+\int_0^{\pi}\frac{1}{2}\cos x dx=\frac{\pi}{2}+\left[\frac{1}{2}\sin x\right]_0^{\pi}=\frac{\pi}{2}$

2022

정답 ③

STEP Ⓐ **입체도형의 단면적 $S(x)$ 구하기**

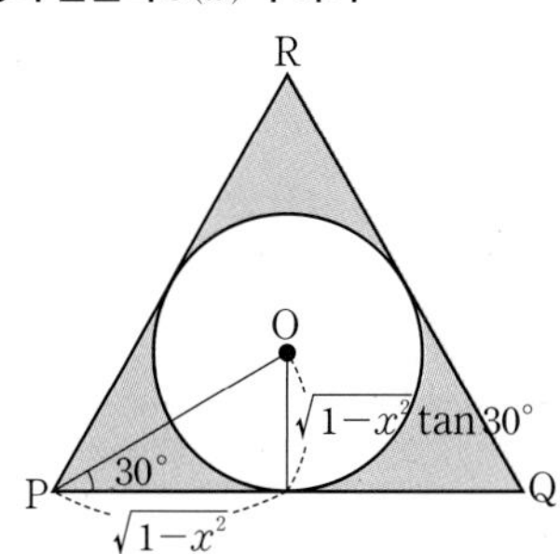

점 Q의 좌표를 $(x, \sqrt{1-x^2})$이라 하면 $\overline{PQ}=2\sqrt{1-x^2}$

이때 한 변의 길이가 $2\sqrt{1-x^2}$인 정삼각형 PQR에 내접하는 원의 반지름의 길이는

$\sqrt{1-x^2}\tan 30° = \sqrt{\dfrac{1-x^2}{3}}$

단면의 넓이를 $S(x)$라고 하면

$S(x)=\dfrac{\sqrt{3}}{4}(2\sqrt{1-x^2})^2-\pi\left(\sqrt{\dfrac{1-x^2}{3}}\right)^2=\sqrt{3}(1-x^2)-\pi\left(\dfrac{1-x^2}{3}\right)$

STEP Ⓑ **정적분을 이용하여 입체도형의 부피 구하기**

따라서 입체도형의 부피를 V라고 하면

$V=2\displaystyle\int_0^1\left\{\sqrt{3}(1-x^2)-\pi\left(\dfrac{1-x^2}{3}\right)\right\}dx$

$=2\left[\sqrt{3}\left(x-\dfrac{1}{3}x^3\right)-\pi\left(\dfrac{1}{3}x-\dfrac{1}{9}x^3\right)\right]_0^1$

$=\dfrac{4\sqrt{3}}{3}-\dfrac{4}{9}\pi$

내신연계 출제문항 806

곡선 $y=2\sin x(0\le x\le \pi)$와 x축으로 둘러싸인 부분을 밑면으로 하는 입체도형이 있다. 이 입체도형을 x축에 수직인 평면으로 단면이 다음 그림과 같이 $\overline{PQ}=\overline{QR}$인 직각이등변삼각형에서 점 Q를 중심으로 하고 변 PR에 접하는 사분원을 제외한 도형과 같을 때, 이 입체도형의 부피는?

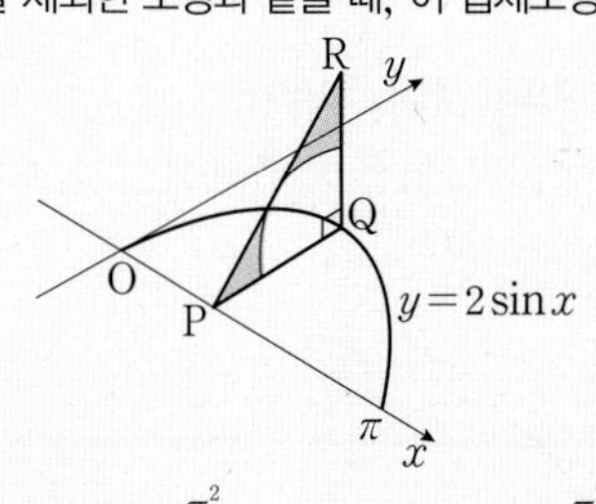

① $\dfrac{\pi}{2}+\dfrac{\pi^2}{8}$　② $\pi-\dfrac{\pi^2}{4}$　③ $2\pi+\dfrac{\pi^2}{2}$

④ $4\pi-\pi^2$　⑤ $8\pi+2\pi^2$

STEP Ⓐ **단면의 넓이 $S(x)$ 구하기**

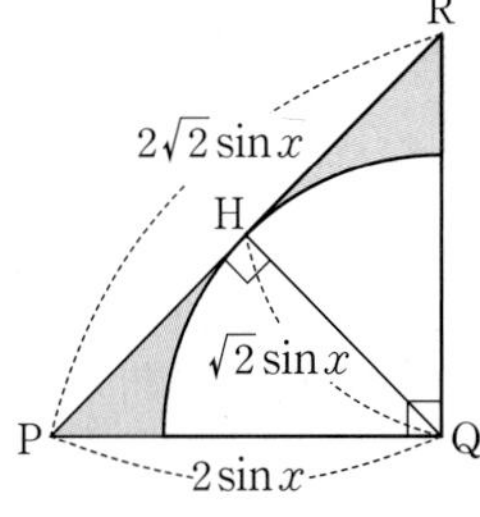

점 P의 좌표를 $(x, 0)$이라고 하면

$\overline{PQ}=\overline{QR}=2\sin x$이므로

$\overline{PR}=2\sqrt{2}\sin x$

변 PR와 사분원의 접하는 점을 H라 하면

$\overline{QH}=\overline{PH}=\dfrac{1}{2}\overline{PR}=\sqrt{2}\sin x$

단면의 넓이를 $S(x)$라고 하면

$S(x)=\dfrac{1}{2}(2\sin x)^2-\dfrac{\pi}{4}(\sqrt{2}\sin x)^2$

$=\left(2-\dfrac{\pi}{2}\right)\sin^2 x$

STEP Ⓑ **정적분을 이용하여 입체도형의 부피 구하기**

따라서 입체도형의 부피를 V라고 하면

$V=\displaystyle\int_0^{\pi}S(x)dx=\left(2-\dfrac{\pi}{2}\right)\int_0^{\pi}\sin^2 x dx$

$=\left(2-\dfrac{\pi}{2}\right)\displaystyle\int_0^{\pi}\dfrac{1-\cos 2x}{2}dx$ ← $\sin^2 x=\dfrac{1-\cos 2x}{2}$

$=\left(2-\dfrac{\pi}{2}\right)\left[\dfrac{1}{2}x-\dfrac{\sin 2x}{4}\right]_0^{\pi}$

$=\pi-\dfrac{\pi^2}{4}$

정답 ②

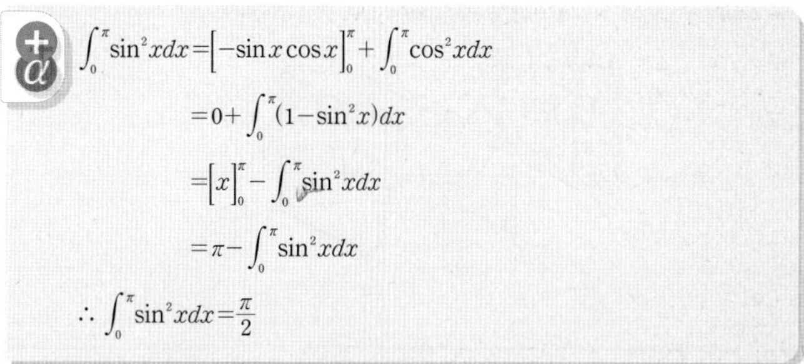

$+\alpha$

$\displaystyle\int_0^{\pi}\sin^2 x dx=\Big[-\sin x\cos x\Big]_0^{\pi}+\int_0^{\pi}\cos^2 x dx$

$=0+\displaystyle\int_0^{\pi}(1-\sin^2 x)dx$

$=\Big[x\Big]_0^{\pi}-\displaystyle\int_0^{\pi}\sin^2 x dx$

$=\pi-\displaystyle\int_0^{\pi}\sin^2 x dx$

$\therefore \displaystyle\int_0^{\pi}\sin^2 x dx=\dfrac{\pi}{2}$

2023

정답 ①

STEP Ⓐ **단면적 $S(x)$를 구하여 부피의 식 구하기**

선분 PQ를 한 변으로 하는 정삼각형의 넓이 $S(x)$는

$S(x)=\dfrac{\sqrt{3}}{4}\{\sqrt{x(x^2+1)\sin(x^2)}\}^2$

입체도형의 부피 V는 $V=\displaystyle\int_0^{\sqrt{\pi}}\dfrac{\sqrt{3}}{4}x(x^2+1)\sin(x^2)dx$

STEP Ⓑ **치환적분과 부분적분을 이용하여 정적분 계산하기**

$x^2=t$라 하면 $2xdx=dt$

$x=0$일 때, $t=0$이고 $x=\sqrt{\pi}$일 때, $t=\pi$이므로

$V=\dfrac{\sqrt{3}}{8}\displaystyle\int_0^{\pi}(t+1)\sin t dt$

$u(t)=t+1$, $v'(t)=\sin t$로 놓으면

$u'(t)=1$, $v(t)=-\cos t$

따라서 $V=\dfrac{\sqrt{3}}{8}\Big[-(t+1)\cos t\Big]_0^{\pi}-\dfrac{\sqrt{3}}{8}\displaystyle\int_0^{\pi}(-\cos t)dt=\dfrac{\sqrt{3}(\pi+2)}{8}$

2024

정답 ②

STEP Ⓐ **단면의 넓이 구하기**

$-1\le x<0$일 때, $\overline{PH}=\sqrt{-x+1}$

$0\le x\le \ln 2$일 때, $\overline{PH}=e^x$이므로

입체도형을 x축에 수직인 평면으로 자른 단면의 넓이를 $S(x)$라 하면

$-1\le x<0$일 때, $S(x)=-x+1$

$0\le x\le \ln 2$일 때, $S(x)=e^{2x}$

STEP Ⓑ **구간을 나누어 부피 구하기**

따라서 구하는 부피는

$\displaystyle\int_{-1}^{0}(-x+1)dx+\int_0^{\ln 2}e^{2x}dx=\left[-\dfrac{1}{2}x^2+x\right]_{-1}^{0}+\left[\dfrac{1}{2}e^{2x}\right]_0^{\ln 2}$

$=\dfrac{3}{2}+\left(\dfrac{1}{2}e^{2\ln 2}-\dfrac{1}{2}\right)=3$

내신연계 출제문항 807

그림과 같이 함수

$$f(x)=\begin{cases} e^{-x} & (x<0) \\ \sqrt{\ln(x+1)+1} & (x \geq 0) \end{cases}$$

의 그래프 위의 점 $\mathrm{P}(x,\ f(x))$에서 x축에 내린 수선의 발을 H라 하고 선분 PH를 한 변으로 하는 정사각형을 x축에 수직인 평면 위에 그린다. 점 P의 x좌표가 $x=-\ln 2$에서 $x=e-1$까지 변할 때, 이 정사각형이 만드는 입체도형의 부피는?

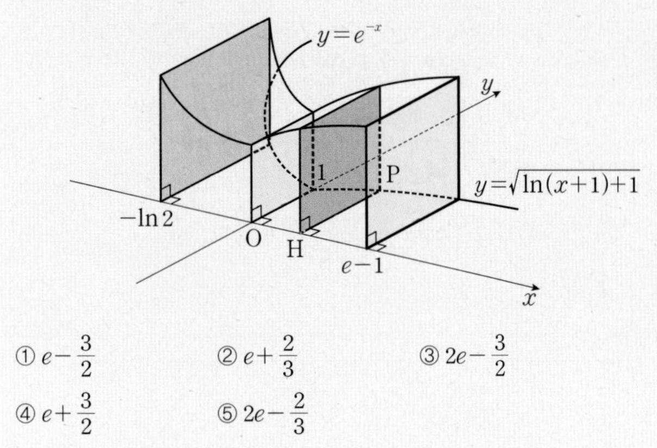

① $e-\frac{3}{2}$　② $e+\frac{2}{3}$　③ $2e-\frac{3}{2}$
④ $e+\frac{3}{2}$　⑤ $2e-\frac{2}{3}$

STEP A **적분법을 이용하여 입체도형의 부피의 식 세우기**

$x<0$일 때, $\overline{\mathrm{PH}}=e^{-x}$

$x \geq 0$일 때, $\overline{\mathrm{PH}}=\sqrt{\ln(x+1)+1}$이므로 x축에 수직인 단면의 넓이는

$x<0$일 때, e^{-2x}이고

$x \geq 0$일 때, $\ln(x+1)+1$

따라서 구하는 입체도형의 부피는

$V=\int_{-\ln 2}^{0} e^{-2x}dx+\int_{0}^{e-1}\{\ln(x+1)+1\}dx$

STEP B **부분적분을 이용하여 정적분 계산하기**

$V_1=\int_{-\ln 2}^{0} e^{-2x}dx,\ V_2=\int_{0}^{e-1}\{\ln(x+1)+1\}dx$라 하면

$V_1=\int_{-\ln 2}^{0} e^{-2x}dx=-\frac{1}{2}\left[e^{-2x}\right]_{-\ln 2}^{0}=-\frac{1}{2}(1-e^{2\ln 2})=-\frac{1}{2}(1-4)=\frac{3}{2}$

$V_2=\int_{0}^{e-1}\{\ln(x+1)+1\}dx$에서 $x+1=t$로 놓으면

$x=t-1$에서 $dx=dt$

$x=0$일 때, $t=1$이고 $x=e-1$일 때, $t=e$이므로

$V_2=\int_{1}^{e}(\ln t+1)dt$이고 $u(t)=\ln t+1,\ v'(t)=1$로 놓으면

$u'(t)=\frac{1}{t},\ v(t)=t$이므로

$V_2=\int_{1}^{e}(\ln t+1)dt=\left[t(\ln t+1)\right]_{1}^{e}-\int_{1}^{e}\left(t\cdot\frac{1}{t}\right)dt$

$=2e-1-\left[t\right]_{1}^{e}=2e-1-(e-1)$

$=e$

따라서 $V=V_1+V_2=e+\frac{3}{2}$

 ④

08 속도와 거리

STEP 1 내신정복 기출유형

2025

 ③

STEP A **속도와 거리에 대한 참, 거짓 판단하기**

ㄱ. 점 P가 $t=2,\ t=4,\ t=6$에서

$\int_{0}^{2}v(t)dt=0,\ \int_{0}^{4}v(t)dt=0,\ \int_{0}^{6}v(t)dt=0$

이므로 $0<t<5$에서 원점을 2번 통과하였다. [거짓]

ㄴ. 점 P가 $t=1$에서 $t=3$까지 움직인 거리 $\int_{1}^{3}|v(t)|dt=\frac{4}{\pi}$

$t=4$에서 $t=6$까지 움직인 거리 $\int_{4}^{6}|v(t)|dt=\frac{4}{\pi}$이므로 거리가 같다. [참]

ㄷ. $0<t<6$에서 $v(t)=0$인 $t=1,\ 3,\ 5$이므로

점 P는 운동방향을 3번 바꿨다. [참]

ㄹ. $t=5$일 때, 점 P의 위치는

$\int_{0}^{5}\cos\frac{\pi}{2}tdt=\left[\frac{2}{\pi}\sin\frac{\pi}{2}t\right]_{0}^{5}=\frac{2}{\pi}$이므로 위치는 $\frac{2}{\pi}$이다.

$t=5$일 때, 점 P의 위치는 $\frac{2}{\pi}$이다. [거짓]

따라서 옳은 것은 ㄴ, ㄷ이다.

내신연계 출제문항 808

원점을 출발하여 수직선 위를 움직이는 점 P의 시각 t에서의 속도가 $v(t)=\sin\frac{\pi}{2}t$일 때. 옳은 것만을 [보기]에서 있는 대로 고른 것은? (단, $0 \leq t \leq 4$)

ㄱ. 0초에서 4초 사이에 점 P는 한 번 정지한다.
ㄴ. 0초에서 4초 사이에 점 P가 원점으로 되돌아오는 경우가 한 번 있다.
ㄷ. 점 P가 원점을 출발하여 4초 동안 실제로 움직인 거리는 $\frac{8}{\pi}$이다.

① ㄱ　② ㄴ　③ ㄱ, ㄴ
④ ㄱ, ㄷ　⑤ ㄱ, ㄴ, ㄷ

STEP A **속도의 그래프의 개형을 그리기**

주기가 $\frac{2\pi}{\frac{\pi}{2}}=4$인 함수 $v(t)=\sin\frac{\pi}{2}t$의 그래프는 다음과 같다.

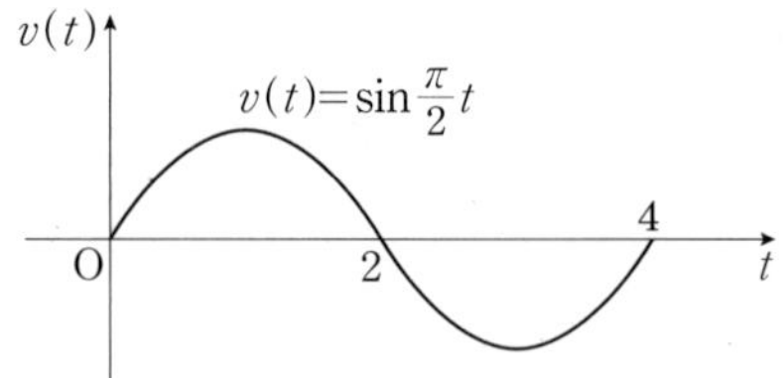

STEP B **[보기]의 참, 거짓 판단하기**

ㄱ. 점 P가 정지하는 것은 $v(t)=0$이다.

0초에서 4초 사이에 $v(t)=0$인 t가 $t=2$이므로 점 P는 한 번 정지한다. [참]

ㄴ. 점 P가 원점으로 되돌아오는 경우는 위치가 0이고 $\int_{0}^{t}v(t)dt=0$인 t가 $t=4$이다.

즉 0초에서 4초 사이에 점 P가 원점으로 되돌아오는 경우는 없다. [거짓]

ㄷ. 점 P가 원점을 출발하여 4초 동안 실제로 움직인 거리는

$s=\int_{0}^{4}\left|\sin\frac{\pi}{2}t\right|dx=2\int_{0}^{2}\left(\sin\frac{\pi}{2}t\right)dx=2\left[-\frac{2}{\pi}\cos\frac{\pi}{2}t\right]_{0}^{2}=\frac{8}{\pi}$ [참]

따라서 옳은 것은 ㄱ, ㄷ이다.

정답 ④

2026

정답 ④

STEP A 속도의 그래프의 개형을 그리기

함수 $v(t)=2\sin\left(t-\frac{\pi}{3}\right)+\sqrt{3}$의 그래프는 다음과 같다.

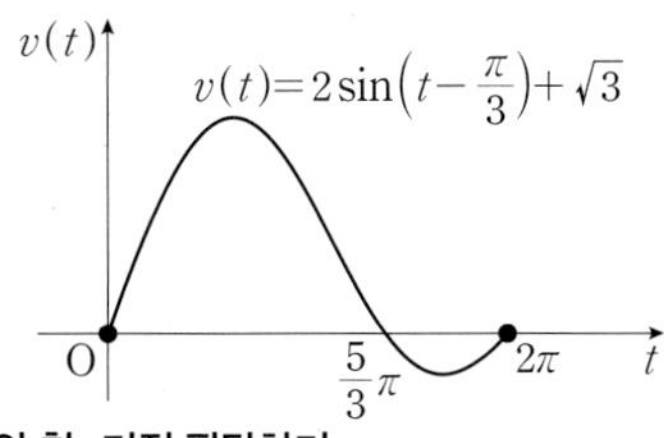

STEP B [보기]의 참, 거짓 판단하기

ㄱ. $2\sin\left(t-\frac{\pi}{3}\right)+\sqrt{3}=0\,(0\le t\le 2\pi)$에서 $t=\frac{5}{3}\pi$이므로
점 P는 운동방향을 1번 바꾼다. [거짓]

ㄴ. ㄱ에 의하여 점 P는 $t=\frac{5}{3}\pi$ 에서 운동방향을 바꾸고

$\int_0^{\frac{5}{3}\pi}|v(t)|dt>\int_{\frac{5}{3}\pi}^{2\pi}|v(t)|dt$이므로 점 P는 $t=\frac{5}{3}\pi$일 때,
원점에서 가장 멀리 떨어져 있다. [참]

ㄷ. $t=\frac{5}{3}\pi$일 때, 원점에서 가장 멀리 떨어져 있으므로 위치는

$$\int_0^{\frac{5}{3}\pi}\left\{2\sin\left(t-\frac{\pi}{3}\right)+\sqrt{3}\right\}dt=\left[-2\cos\left(t-\frac{\pi}{3}\right)+\sqrt{3}t\right]_0^{\frac{5}{3}\pi}$$
$$=1+\frac{5\sqrt{3}}{3}\pi+1=\frac{5\sqrt{3}}{3}\pi+2 \text{ [참]}$$

ㄹ. $t=2\pi$에서 점 P의 위치는

$$0+\int_0^{2\pi}\left\{2\sin\left(t-\frac{\pi}{3}\right)+\sqrt{3}\right\}dt=\left[-2\cos\left(t-\frac{\pi}{3}\right)+\sqrt{3}t\right]_0^{2\pi}=2\sqrt{3}\pi \text{ [참]}$$

따라서 옳은 것은 ㄴ, ㄷ, ㄹ이다.

내신연계 출제문항 809

원점을 출발하여 수직선 위를 움직이는 점 P의 시각 t에서의 속도가
$$v(t)=2\sin\left(t-\frac{\pi}{6}\right)+1\,(0\le t\le 2\pi)$$
일 때, [보기]에서 옳은 것만을 있는 대로 고른 것은?

> ㄱ. 점 P는 운동 방향을 한번 바꾼다.
> ㄴ. 점 P는 $t=\frac{4}{3}\pi$일 때, 원점에서 가장 멀리 떨어져 있다.
> ㄷ. $t=2\pi$일 때, 점 P의 위치는 2π이다.

① ㄱ ② ㄴ ③ ㄷ
④ ㄴ, ㄷ ⑤ ㄱ, ㄴ, ㄷ

STEP A 속도의 그래프의 개형을 그리기

함수 $v(t)=2\sin\left(t-\frac{\pi}{6}\right)+1\,(0\le t\le 2\pi)$의 그래프는 다음과 같다.

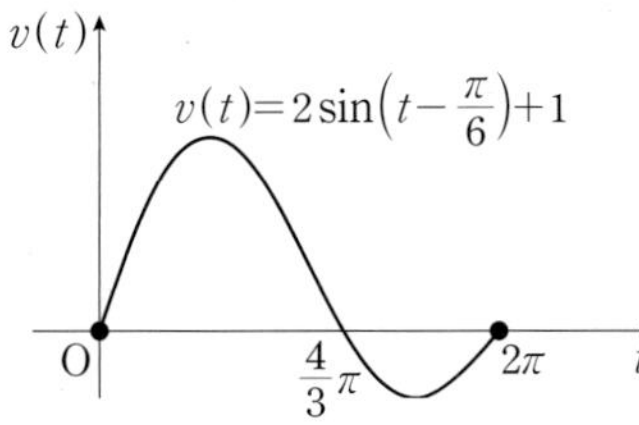

STEP B [보기]의 참, 거짓 판단하기

ㄱ. $2\sin\left(t-\frac{\pi}{6}\right)+1=0\,(0\le t\le 2\pi)$에서 $t=\frac{4}{3}\pi$이므로
점 P는 운동방향을 1번 바꾼다. [참]

ㄴ. ㄱ에 의하여 점 P는 $t=\frac{4}{3}\pi$에서 운동방향을 바꾸고

$\int_0^{\frac{4\pi}{3}}|v(t)|dt>\int_{\frac{4\pi}{3}}^{2\pi}|v(t)|dt$이므로 점 P는 $t=\frac{4}{3}\pi$일 때,
원점에서 가장 멀리 떨어져 있다. [참]

ㄷ. $t=2\pi$에서 점 P의 위치는

$$0+\int_0^{2\pi}\left\{2\sin\left(t-\frac{\pi}{6}\right)+1\right\}dt=\left[-2\cos\left(t-\frac{\pi}{6}\right)+t\right]_0^{2\pi}=2\pi \text{ [참]}$$

따라서 옳은 것은 ㄱ, ㄴ, ㄷ이다.

정답 ⑤

2027

정답 ④

STEP A 시각 $t=0$에서 $t=3$까지 점 P가 움직인 거리 구하기

시각 $t=0$에서 $t=3$까지 점 P가 움직인 거리는

$$\int_0^3|(t-1)e^t|dt=-\int_0^1(t-1)e^t dt+\int_1^3(t-1)e^t dt$$
$$=-\left[(t-1)e^t-e^t\right]_0^1+\left[(t-1)e^t-e^t\right]_1^3$$
$$=-(-e+2)+(e^3+e)=e^3+2e-2$$

2028

정답 ③

STEP A 운동 방향이 바뀌는 시각 t 구하기

운동 방향이 바뀌는 시각은 $v(t)=\cos\pi t=0$

$\pi t=\frac{\pi}{2},\ \frac{3}{2}\pi,\ \cdots$

$t=\frac{1}{2},\ \frac{3}{2},\ \cdots$이므로 $t=\frac{3}{2}$일 때, 운동 방향이 두 번째로 바뀐다.

STEP B 시각 $t=0$에서 $t=\frac{3}{2}$까지 점 P가 움직인 거리 구하기

따라서 시각 $t=0$에서 $t=\frac{3}{2}$까지 점 P가 움직인 거리는

$$\int_0^{\frac{3}{2}}|\cos\pi t|dt=\int_0^{\frac{1}{2}}\cos\pi t dt-\int_{\frac{1}{2}}^{\frac{3}{2}}\cos\pi t dt=\left[\frac{1}{\pi}\sin\pi t\right]_0^{\frac{1}{2}}-\left[\frac{1}{\pi}\sin\pi t\right]_{\frac{1}{2}}^{\frac{3}{2}}$$
$$=\frac{1}{\pi}-0-\left(-\frac{1}{\pi}-\frac{1}{\pi}\right)=\frac{3}{\pi}$$

내신연계 출제문항 810

수직선 위를 움직이는 점 P의 시각 t에서의 속도 $v(t)$가
$$v(t)=2\cos\pi t$$
일 때, 출발한 후 두 번째로 운동 방향을 바꿀 때까지 움직인 거리는?

① $\frac{1}{\pi}$ ② $\frac{2}{\pi}$ ③ $\frac{3}{\pi}$
④ $\frac{4}{\pi}$ ⑤ $\frac{6}{\pi}$

STEP A 운동 방향이 바뀌는 시각 t 구하기

운동 방향이 바뀌는 시각은 $v(t)=2\cos\pi t=0\,(t>0)$

$\pi t=\frac{\pi}{2},\ \frac{3}{2}\pi,\ \cdots$

$t=\frac{1}{2},\ \frac{3}{2},\ \cdots$이므로 $t=\frac{3}{2}$일 때, 운동 방향이 두 번째로 바뀐다.

STEP B 시각 $t=0$에서 $t=\frac{3}{2}$까지 점 P가 움직인 거리 구하기

따라서 시각 $t=0$에서 $t=\frac{3}{2}$까지 점 P가 움직인 거리는

$$\int_0^{\frac{3}{2}}|2\cos\pi t|dt=\int_0^{\frac{1}{2}}2\cos\pi t dt-\int_{\frac{1}{2}}^{\frac{3}{2}}2\cos\pi t dt$$
$$=\left[\frac{2}{\pi}\sin\pi t\right]_0^{\frac{1}{2}}-\left[\frac{2}{\pi}\sin\pi t\right]_{\frac{1}{2}}^{\frac{3}{2}}$$
$$=\frac{2}{\pi}-0-\left(-\frac{2}{\pi}-\frac{2}{\pi}\right)=\frac{6}{\pi}$$

정답 ⑤

2029

 ③

STEP A $\dfrac{dx}{dt}$, $\dfrac{dy}{dt}$를 구하기

$x=\dfrac{8}{3}t\sqrt{t}$, $y=\dfrac{1}{2}t^2-4t$에서 $\dfrac{dx}{dt}=4\sqrt{t}$, $\dfrac{dy}{dt}=t-4$

STEP B $\displaystyle\int_0^2\sqrt{\left(\frac{dx}{dt}\right)^2+\left(\frac{dy}{dt}\right)^2}\,dt$의 값 구하기

따라서 점 P가 시각 $t=0$에서 $t=2$까지 움직인 거리는

$$s=\int_0^2\sqrt{\left(\frac{dx}{dt}\right)^2+\left(\frac{dy}{dt}\right)^2}\,dt=\int_0^2\sqrt{(4\sqrt{t})^2+(t-4)^2}\,dt$$

$$=\int_0^2\sqrt{(t+4)^2}\,dt=\int_0^2(t+4)dt=\left[\frac{t^2}{2}+4t\right]_0^2=10$$

2030

 ④

STEP A 점 P의 속력이 30이 되는 시각 t 구하기

$x=3t^2$, $y=t^3-3t$에서 $\dfrac{dx}{dt}=6t$, $\dfrac{dy}{dt}=3t^2-3$이므로 점 P의 속력은

$$\sqrt{\left(\frac{dx}{dt}\right)^2+\left(\frac{dy}{dt}\right)^2}=\sqrt{(6t)^2+(3t^2-3)^2}=3\sqrt{(t^2+1)^2}=3(t^2+1)$$

$3(t^2+1)=30$에서 $t^2+1=10$

$\therefore t=3$

STEP B $\displaystyle\int_0^3\sqrt{\left(\frac{dx}{dt}\right)^2+\left(\frac{dy}{dt}\right)^2}\,dt$의 값 구하기

따라서 구하는 점 P가 $t=0$에서 $t=3$까지 움직인 거리는

$$s=\int_0^3\sqrt{\left(\frac{dx}{dt}\right)^2+\left(\frac{dy}{dt}\right)^2}\,dt=\int_0^3(3t^2+3)dt=\left[t^3+3t\right]_0^3=36$$

2031

 ④

STEP A $\dfrac{dx}{dt}$, $\dfrac{dy}{dt}$를 구하기

$x=\sqrt{3}\sin t+\cos t$, $y=\sqrt{3}\cos t-\sin t$에서

$\dfrac{dx}{dt}=\sqrt{3}\cos t-\sin t$, $\dfrac{dy}{dt}=-\sqrt{3}\sin t-\cos t$

STEP B $\displaystyle\int_0^{2\pi}\sqrt{\left(\frac{dx}{dt}\right)^2+\left(\frac{dy}{dt}\right)^2}\,dt$의 값 구하기

따라서 $t=0$에서 $t=2\pi$까지 점 P가 움직인 거리를 s라 하면

$$s=\int_0^{2\pi}\sqrt{\left(\frac{dx}{dt}\right)^2+\left(\frac{dy}{dt}\right)^2}\,dt$$

$$=\int_0^{2\pi}\sqrt{(\sqrt{3}\cos t-\sin t)^2+(-\sqrt{3}\sin t-\cos t)^2}\,dt$$

$$=\int_0^{2\pi}2dt=\left[2t\right]_0^{2\pi}=4\pi$$

내신연계 출제문항 811

좌표평면 위를 움직이는 점 P의 시각 t에서의 위치 (x, y)가

$$x=\sin t+\sqrt{3}\cos t,\ y=\cos t-\sqrt{3}\sin t$$

일 때, 시각 $t=0$에서 $t=2\pi$까지 점 P가 움직인 거리는?

① π ② 2π ③ 3π
④ 4π ⑤ 5π

STEP A $\dfrac{dx}{dt}$, $\dfrac{dy}{dt}$를 구하기

$x=\sin t+\sqrt{3}\cos t$, $y=\cos t-\sqrt{3}\sin t$에서

$\dfrac{dx}{dt}=\cos t-\sqrt{3}\sin t$, $\dfrac{dy}{dt}=-\sin t-\sqrt{3}\cos t$

STEP B $\displaystyle\int_0^{2\pi}\sqrt{\left(\frac{dx}{dt}\right)^2+\left(\frac{dy}{dt}\right)^2}\,dt$의 값 구하기

따라서 시각 $t=0$에서 $t=2\pi$까지 점 P가 움직인 거리 s는

$$s=\int_0^{2\pi}\sqrt{\left(\frac{dx}{dt}\right)^2+\left(\frac{dy}{dt}\right)^2}\,dt$$

$$=\int_0^{2\pi}\sqrt{(\cos t-\sqrt{3}\sin t)^2+(-\sin t-\sqrt{3}\cos t)^2}\,dt$$

$$=\int_0^{2\pi}\sqrt{4\sin^2 t+4\cos^2 t}\,dt$$

$$=\int_0^{2\pi}\sqrt{4(\sin^2 t+\cos^2 t)}\,dt$$

$$=\int_0^{2\pi}2dt=\left[2t\right]_0^{2\pi}=4\pi$$

정답 ④

2032

 ②

STEP A $\dfrac{dx}{dt}$, $\dfrac{dy}{dt}$를 구하기

$x=\sin t-t\cos t$, $y=t\sin t+\cos t$에서

$\dfrac{dx}{dt}=\cos t-(\cos t-t\sin t)=t\sin t$

$\dfrac{dy}{dt}=\sin t+t\cos t-\sin t=t\cos t$

STEP B $t=0$에서 $t=\pi$까지 움직인 거리 구하기

따라서 점 P가 $t=0$에서 $t=\pi$까지 움직인 거리 s는

$$s=\int_0^{\pi}\sqrt{\left(\frac{dx}{dt}\right)^2+\left(\frac{dy}{dt}\right)^2}\,dt$$

$$=\int_0^{\pi}\sqrt{(t\sin t)^2+(t\cos t)^2}\,dt$$

$$=\int_0^{\pi}tdt$$

$$=\left[\frac{1}{2}t^2\right]_0^{\pi}=\frac{\pi^2}{2}$$

내신연계 출제문항 812

좌표평면 위를 움직이는 점 P의 시각 t에서의 위치 (x, y)가

$$x=\cos t+t\sin t,\ y=\sin t-t\cos t$$

일 때, $t=0$에서 $t=\pi$까지 점 P가 움직인 거리는?

① $\dfrac{\pi}{4}$ ② $\dfrac{\pi}{2}$ ③ $\dfrac{\pi^2}{4}$
④ $\dfrac{\pi^2}{2}$ ⑤ π^2

STEP A 점 P의 속도 $\left(\dfrac{dx}{dt}, \dfrac{dy}{dt}\right)$ 구하기

$\dfrac{dx}{dt}=-\sin t+\sin t+t\cos t=t\cos t$

$\dfrac{dy}{dt}=\cos t-\cos t+t\sin t=t\sin t$

STEP B $t=0$에서 $t=\pi$까지 점 P가 움직이는 거리 구하기

따라서 $t=0$에서 $t=\pi$까지 점 P가 움직이는 거리는

$$\int_0^{\pi}\sqrt{(t\cos t)^2+(t\sin t)^2}\,dt=\int_0^{\pi}\sqrt{t^2(\cos^2 t+\sin^2 t)}\,dt$$

$$=\int_0^{\pi}tdt=\left[\frac{1}{2}t^2\right]_0^{\pi}=\frac{\pi^2}{2}$$

정답 ④

2033

정답 ④

STEP A $\frac{dx}{dt}$, $\frac{dy}{dt}$를 구하기

$x=4(\cos t+\sin t)$, $y=\cos 2t$에서

$\frac{dx}{dt}=4(-\sin x+\cos t)$, $\frac{dy}{dt}=-2\sin 2t$

STEP B $t=0$에서 $t=2\pi$까지 움직인 거리 구하기

따라서 점 P가 $t=0$에서 $t=2\pi$까지 움직인 거리 s는

$$s=\int_0^{2\pi}\sqrt{\left(\frac{dx}{dt}\right)^2+\left(\frac{dy}{dt}\right)^2}\,dt=\int_0^{2\pi}\sqrt{16(-\sin t+\cos t)^2+(-2\sin 2t)^2}\,dt$$
$$=\int_0^{2\pi}\sqrt{4(4-4\sin 2t+\sin^2 2t)}\,dt=\int_0^{2\pi}\sqrt{4(2-\sin 2t)^2}\,dt$$
$$=\int_0^{2\pi}2(2-\sin 2t)\,dt=2\left[2x+\frac{1}{2}\cos 2t\right]_0^{2\pi}$$
$$=8\pi+1-1=8\pi$$

2034

정답 ⑤

STEP A 점 P의 속도 $\left(\frac{dx}{dt}, \frac{dy}{dt}\right)$ 구하기

$x=e^t-t$에서 $\frac{dx}{dt}=e^t-1$

$y=4e^{\frac{t}{2}}$에서 $\frac{dy}{dt}=4e^{\frac{t}{2}}\cdot\frac{1}{2}=2e^{\frac{t}{2}}$

STEP B 점 P가 $t=0$에서 시각 $t=2$까지의 움직인 거리 구하기

따라서 점 P가 시각 $t=0$에서 시각 $t=2$까지 그리는 곡선의 길이는

$$\int_0^2\sqrt{\left(\frac{dx}{dt}\right)^2+\left(\frac{dy}{dt}\right)^2}\,dt=\int_0^2\sqrt{(e^t-1)^2+\left(2e^{\frac{t}{2}}\right)^2}\,dt$$
$$=\int_0^2\sqrt{(e^t+1)^2}\,dt=\int_0^2(e^t+1)\,dt$$
$$=\left[e^t+t\right]_0^2=(e^2+2)-(1+0)$$
$$=e^2+1$$

내/신/연/계/ 출제문항 813

좌표평면 위를 움직이는 점 P의 시각 t에서의 위치 (x, y)가

$$x=e^t+e^{-t},\ y=2t$$

일 때, $t=0$에서 $t=\ln 2$까지 점 P가 움직인 거리는?

① $\frac{1}{2}$ ② 1 ③ $\frac{3}{2}$

④ 2 ⑤ $\frac{5}{2}$

STEP A 점 P의 속도 $\left(\frac{dx}{dt}, \frac{dy}{dt}\right)$ 구하기

$\frac{dx}{dt}=e^t-e^{-t}$, $\frac{dy}{dt}=2$이므로

$$\left(\frac{dx}{dt}\right)^2+\left(\frac{dy}{dt}\right)^2=(e^t-e^{-t})^2+2^2=(e^{2t}-2+e^{-2t})+4$$
$$=e^{2t}+2+e^{-2t}=(e^t+e^{-t})^2$$

STEP B 점 P가 $t=0$에서 시각 $t=\ln 2$까지 움직인 거리 구하기

따라서 $t=0$에서 $t=\ln 2$까지 점 P가 움직인 거리는

$$s=\int_0^{\ln 2}\sqrt{\left(\frac{dx}{dt}\right)^2+\left(\frac{dy}{dt}\right)^2}\,dt=\int_0^{\ln 2}\sqrt{(e^t+e^{-t})^2}\,dt$$
$$=\int_0^{\ln 2}(e^t+e^{-t})\,dt=\left[e^t-e^{-t}\right]_0^{\ln 2}$$
$$=e^{\ln 2}-e^{-\ln 2}=2-\frac{1}{2}=\frac{3}{2}$$

정답 ③

2035

정답 ③

STEP A 점 P의 속도 $\left(\frac{dx}{dt}, \frac{dy}{dt}\right)$ 구하기

점 P의 시각 P에서의 위치 $\mathrm{P}(x, y)$가

$x=\ln t$, $y=\frac{1}{2}\left(t+\frac{1}{t}\right)$이므로 $\frac{dx}{dt}=\frac{1}{t}$, $\frac{dy}{dt}=\frac{1}{2}\left(1-\frac{1}{t^2}\right)$

STEP B 시각 $t=\frac{1}{e}$에서 $t=e$까지 점 P가 움직인 거리 구하기

따라서 점 P가 시각 $t=\frac{1}{e}$에서 $t=e$까지 움직인 거리 s는

$$s=\int_{\frac{1}{e}}^{e}\sqrt{\left(\frac{dx}{dt}\right)^2+\left(\frac{dy}{dt}\right)^2}\,dt=\int_{\frac{1}{e}}^{e}\sqrt{\left(\frac{1}{t}\right)^2+\left(\frac{1}{2}\left(1-\frac{1}{t^2}\right)\right)^2}\,dt$$
$$=\int_{\frac{1}{e}}^{e}\sqrt{\frac{1}{4}\left(1+\frac{1}{t^2}\right)^2}\,dt=\int_{\frac{1}{e}}^{e}\frac{1}{2}\left(1+\frac{1}{t^2}\right)dt$$
$$=\frac{1}{2}\left[t-\frac{1}{t}\right]_{\frac{1}{e}}^{e}=e-\frac{1}{e}$$

내/신/연/계/ 출제문항 814

좌표평면 위를 움직이는 점 $\mathrm{P}(x, y)$의 시각 t에서의 위치가

$$x=t+\frac{1}{t},\ y=\ln t^2$$

일 때, 점 P가 시각 $t=1$에서 시각 $t=2$까지 그리는 곡선의 길이는?

① $\frac{1}{2}$ ② 1 ③ $\frac{3}{2}$

④ 2 ⑤ $\frac{5}{2}$

STEP A 점 P의 속도 $\left(\frac{dx}{dt}, \frac{dy}{dt}\right)$ 구하기

$x=t+\frac{1}{t}$에서 $\frac{dx}{dt}=1-\frac{1}{t^2}$

$y=\ln t^2$에서 $\frac{dy}{dt}=\frac{2}{t}$

STEP B 시각 $t=1$에서 $t=2$까지 점 P가 움직인 거리 구하기

따라서 점 P가 시각 $t=1$에서 $t=2$까지 그리는 곡선의 길이는

$$\int_1^2\sqrt{\left(\frac{dx}{dt}\right)^2+\left(\frac{dy}{dt}\right)^2}\,dt=\int_1^2\sqrt{\left(1-\frac{1}{t^2}\right)^2+\left(\frac{2}{t}\right)^2}\,dt$$
$$=\int_1^2\sqrt{1+\frac{2}{t^2}+\frac{1}{t^4}}\,dt$$
$$=\int_1^2\left(1+\frac{1}{t^2}\right)dt$$
$$=\left[t-\frac{1}{t}\right]_1^2=\frac{3}{2}$$

정답 ③

2036

정답 ③

STEP A 점 $\mathrm{P}(x, y)$의 속도 $\left(\dfrac{dx}{dt}, \dfrac{dy}{dt}\right)$ 구하기

$x=2\ln t$에서 $\dfrac{dx}{dt}=\dfrac{2}{t}$

$y=t+\dfrac{1}{t}$에서 $\dfrac{dy}{dt}=1-\dfrac{1}{t^2}$

STEP B 시각 $t=1$에서 $t=2$까지 점 P가 움직인 거리 구하기

따라서 점 $\mathrm{P}(x, y)$가 시각 $t=1$에서 $t=2$까지 그리는 곡선의 길이는

$$\int_1^2\sqrt{\left(\frac{dx}{dt}\right)^2+\left(\frac{dy}{dt}\right)^2}\,dt=\int_1^2\sqrt{\left(\frac{2}{t}\right)^2+\left(1-\frac{1}{t^2}\right)^2}\,dt=\int_1^2\sqrt{\frac{1}{t^4}+1+\frac{2}{t^2}}\,dt$$

$$=\int_1^2\left(\frac{1}{t^2}+1\right)dt=\left[-\frac{1}{t}+t\right]_1^2=\frac{3}{2}$$

2037

정답 ④

STEP A 정적분을 이용하여 점 $\mathrm{P}(x, y)$가 움직인 거리를 나타내기

점 $\mathrm{P}(x, y)$가 움직인 거리를 s라고 하면

$\dfrac{dx}{dt}=-3\cos^2 t\sin t$, $\dfrac{dy}{dt}=3\sin^2 t\cos t$이므로

$$s=\int_0^{\frac{\pi}{2}}\sqrt{(-3\cos^2 t\sin t)^2+(3\sin^2 t\cos t)^2}\,dt$$

$$=\int_0^{\frac{\pi}{2}}\sqrt{9\sin^2 t\cos^2 t}\,dt$$

$$=\int_0^{\frac{\pi}{2}}3\sin t\cos t\,dt$$

STEP B 치환적분을 이용하여 움직인 거리 구하기

$\cos t=\theta$로 놓으면 $-\sin t\,dt=d\theta$이고

$t=0$일 때, $\theta=1$이고 $t=\dfrac{\pi}{2}$일 때, $\theta=0$

따라서 $s=\displaystyle\int_0^{\frac{\pi}{2}}3\sin t\cos t\,dt=\int_1^0-3\theta\,d\theta=\int_0^1 3\theta\,d\theta=\left[\frac{3}{2}\theta^2\right]_0^1=\frac{3}{2}$

내신연계 출제문항 815

$0\le\theta\le\dfrac{\pi}{2}$일 때, 곡선

$x=2\cos^3\theta$, $y=2\sin^3\theta$

의 길이는?

① $\dfrac{1}{2}$　② 1　③ $\dfrac{3}{2}$
④ 2　⑤ 3

STEP A 정적분을 이용하여 점 $\mathrm{P}(x, y)$가 움직인 거리를 나타내기

점 $\mathrm{P}(x, y)$가 움직인 거리를 s라고 하면

$\dfrac{dx}{d\theta}=-6\cos^2\theta\sin\theta$, $\dfrac{dy}{d\theta}=6\sin^2\theta\cos\theta$이므로

$$s=\int_0^{\frac{\pi}{2}}\sqrt{(-6\cos^2\theta\sin\theta)^2+(6\sin^2\theta\cos\theta)^2}\,d\theta$$

$$=\int_0^{\frac{\pi}{2}}6\sin\theta\cos\theta\,d\theta$$

STEP B 치환적분을 이용하여 움직인 거리 구하기

$\sin\theta=t$로 놓으면 $\dfrac{dt}{d\theta}=\cos\theta$이므로

$\theta=0$일 때, $t=0$이고 $\theta=\dfrac{\pi}{2}$일 때, $t=1$

따라서 $\displaystyle\int_0^{\frac{\pi}{2}}6\sin\theta\cos\theta\,d\theta=\int_0^1 6t\,dt=\left[3t^2\right]_0^1=3$

정답 ⑤

2038

정답 ②

STEP A 시각 t에서의 점 P의 속력 구하기

$\dfrac{dx}{dt}=3\sin^2 t\cos t$, $\dfrac{dy}{dt}=-3\cos^2 t\sin t$이므로

시각 t에서의 속도를 $v(t)$라고 하면

$$|v(t)|=\sqrt{(3\sin^2 t\cos t)^2+(-3\cos^2 t\sin t)^2}=\sqrt{9\sin^2 t\cos^2 t(\sin^2 t+\cos^2 t)}$$

$$=\sqrt{9\sin^2 t\cos^2 t}=|3\sin t\cos t|$$

STEP B 속력이 처음으로 0이 되는 시각 구하기

$t>0$일 때 $3\sin t\cos t=0$을 만족시키는 가장 작은 t의 값은

$\sin t=0$ 또는 $\cos t=0$에서 $t=\dfrac{\pi}{2}$

STEP C 움직인 거리 구하기

이때 $0<t<\dfrac{\pi}{2}$에서 $3\sin t\cos t>0$이므로 점 P가 속력이 처음으로

0이 될 때까지 움직인 거리는 $\displaystyle\int_0^{\frac{\pi}{2}}3\sin t\cos t\,dt=\left[\frac{3}{2}\sin^2 t\right]_0^{\frac{\pi}{2}}=\frac{3}{2}$

2039

정답 ③

STEP A 점 P의 속도 $\left(\dfrac{dx}{dt}, \dfrac{dy}{dt}\right)$ 구하기

$x=e^t\cos t$, $y=e^t\sin t$에서

$\dfrac{dx}{dt}=e^t(\cos t-\sin t)$, $\dfrac{dy}{dt}=e^t(\sin t+\cos t)$

STEP B 시각 $t=0$에서 $t=1$까지 점 P가 움직인 거리 구하기

따라서 시각 $t=0$에서 $t=1$까지 점 P가 움직인 거리 s는

$$s=\int_0^1\sqrt{\left(\frac{dx}{dt}\right)^2+\left(\frac{dy}{dt}\right)^2}\,dt=\int_0^1 e^t\sqrt{(\cos t-\sin t)^2+(\sin t+\cos t)^2}\,dt$$

$$=\int_0^1\sqrt{2}e^t\,dt=\sqrt{2}\left[e^t\right]_0^1=\sqrt{2}(e-1)$$

내신연계 출제문항 816

오른쪽 그림과 같은 나선형 모양의 곡선을 매개변수를 이용하여 나타내면 $x=e^t\cos\pi t$, $y=e^t\sin\pi t$라고 할 때, $t=0$에서 $t=2$까지 곡선의 길이는?

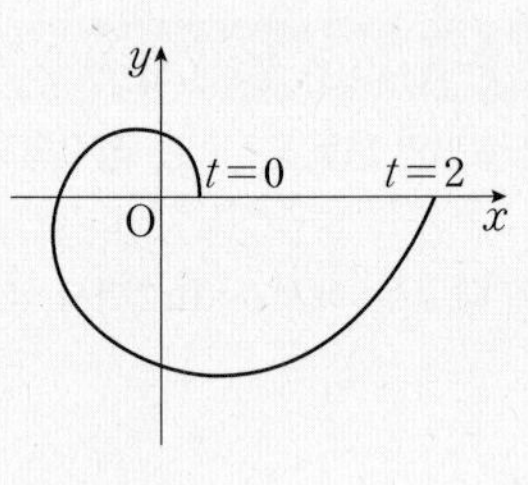

① $(e-1)\sqrt{1+\pi^2}$　② $e\sqrt{1+\pi^2}$

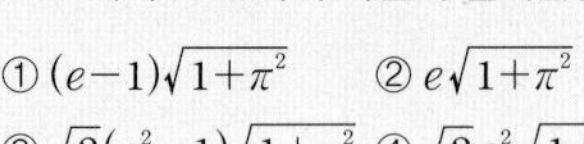
③ $\sqrt{2}(e^2-1)\sqrt{1+\pi^2}$　④ $\sqrt{2}e^2\sqrt{1+\pi^2}$

⑤ $(e^2-1)\sqrt{1+\pi^2}$

STEP A 곱의 미분법을 이용하여 $\left(\dfrac{dx}{dt}, \dfrac{dy}{dt}\right)$ 구하기

$x=e^t\cos\pi t$, $y=e^t\sin\pi t$에서

$\dfrac{dx}{dt}=e^t(\cos\pi t-\pi\sin\pi t)$, $\dfrac{dy}{dt}=e^t(\sin\pi t+\pi\cos\pi t)$

STEP B 시각 $t=0$에서 $t=2$까지 곡선이 움직인 거리 구하기

따라서 $t=0$에서 $t=2$까지 곡선의 길이 l은

$$l=\int_0^2\sqrt{\left(\frac{dx}{dt}\right)^2+\left(\frac{dy}{dt}\right)^2}\,dt$$

$$=\int_0^2\sqrt{\{e^t(\cos\pi t-\pi\sin\pi t)\}^2+\{e^t(\sin\pi t+\pi\cos\pi t)\}^2}\,dt$$

$$=\int_0^2\sqrt{e^{2t}(1+\pi^2)}\,dt=\sqrt{1+\pi^2}\int_0^2 e^t\,dt$$

$$=\sqrt{1+\pi^2}\left[e^t\right]_0^2=(e^2-1)\sqrt{1+\pi^2}$$

정답 ⑤

2040

정답 ③

STEP Ⓐ 곱의 미분법을 이용하여 $\left(\frac{dx}{dt}, \frac{dy}{dt}\right)$ 구하기

$\frac{dx}{dt}=-e^{-t}\cos t-e^{-t}\sin t=-e^{-t}(\cos t+\sin t)$

$\frac{dy}{dt}=-e^{-t}\sin t+e^{-t}\cos t=-e^{-t}(\sin t-\cos t)$

STEP Ⓑ 정적분을 이용하여 점 P가 움직인 거리 구하기

시각 $t=0$에서 $t=a$까지 점 P가 움직인 거리 s는

$s=\int_0^a \sqrt{\{-e^{-t}(\cos t+\sin t)\}^2+\{-e^{-t}(\sin t-\cos t)\}^2}\,dt$

$=\int_0^a \sqrt{2}e^{-t}dt=\sqrt{2}\Big[-e^{-t}\Big]_0^a=-\sqrt{2}(e^{-a}-1)$

STEP Ⓒ $\lim_{a\to\infty}s(a)$의 값 구하기

따라서 $\lim_{a\to\infty}s(a)=\lim_{a\to\infty}\{-\sqrt{2}(e^{-a}-1)\}=\sqrt{2}$

2041

 ④

STEP Ⓐ 정적분을 이용하여 점 P가 움직인 거리 구하기

$\frac{dx}{dt}=3\cos t$, $\frac{dy}{dt}=3\sin t$이므로

점 P의 시각 $t=0$에서 시각 $t=a$까지 움직인 거리는

$\int_0^a \sqrt{(3\cos t)^2+(3\sin t)^2}\,dt=\int_0^a 3dt=\Big[3t\Big]_0^a=3a$

STEP Ⓑ 움직인 거리가 3π가 되도록 하는 양수 a의 값 구하기

따라서 $3a=3\pi$에서 $a=\pi$

2042

 ②

STEP Ⓐ 정적분을 이용하여 점 P가 움직인 거리 구하기

$\frac{dx}{dt}=t-2$, $\frac{dy}{dt}=2\sqrt{2}\sqrt{t}$이므로

점 P의 시각 $t=0$에서 시각 $t=a$까지 움직인 거리는

$\int_0^a \sqrt{(t-2)^2+(2\sqrt{2}\sqrt{t})^2}\,dt=\int_0^a (t+2)dt=\Big[\frac{1}{2}t^2+2t\Big]_0^a=\frac{1}{2}a^2+2a$

STEP Ⓑ 움직인 거리가 6가 되도록 하는 양수 a의 값 구하기

$\frac{1}{2}a^2+2a=6$에서 $a^2+4a-12=0$, $(a+6)(a-2)=0$

따라서 $a>0$이므로 $a=2$

2043

 ③

STEP Ⓐ $t=1$에서 $t=2$까지 점 P가 움직인 거리 구하기

점 P가 움직인 거리는

$\int_1^2 \sqrt{\left(\frac{\cos t}{t^2+t}\right)^2+\left(\frac{\sin t}{t^2+t}\right)^2}\,dt=\int_1^2 \frac{1}{t(t+1)}dt=\int_1^2\left(\frac{1}{t}-\frac{1}{t+1}\right)dt$

$=\Big[\ln|t|-\ln|t+1|\Big]_1^2$

$=\Big[\ln\left|\frac{t}{t+1}\right|\Big]_1^2=\ln\frac{4}{3}$

STEP Ⓑ 실수 a의 값 구하기

따라서 $\ln\frac{4}{3}=\ln a$이므로 $a=\frac{4}{3}$

내/신/연/계/ 출제문항 817

좌표평면 위를 움직이는 점 P의 시각 t에서 위치가 (x, y)이고

$$\frac{dx}{dt}=\frac{\cos t}{t^2+1},\ \frac{dy}{dt}=\frac{\sin t}{t^2+1}$$

로 주어질 때, $t=0$에서 $t=\sqrt{3}$까지 점 P가 움직인 거리는?

① $\frac{\pi}{6}$ ② $\frac{\pi}{3}$ ③ $\frac{\pi}{2}$

④ $\frac{2}{3}\pi$ ⑤ $\frac{3}{2}\pi$

STEP Ⓐ $t=0$에서 $t=\sqrt{3}$까지 점 P가 움직인 거리 구하기

점 P가 움직인 거리를 l이라고 하면

$l=\int_0^{\sqrt{3}} \sqrt{\left(\frac{\cos t}{t^2+1}\right)^2+\left(\frac{\sin t}{t^2+1}\right)^2}\,dt=\int_0^{\sqrt{3}}\frac{1}{t^2+1}dt$

$\tan\theta=t$로 놓으면 $\sec^2\theta d\theta=dt$이고

$t=0$일 때, $\theta=0$이고 $t=\sqrt{3}$일 때, $\theta=\frac{\pi}{3}$

따라서 $l=\int_0^{\frac{\pi}{3}}\frac{1}{\tan^2\theta+1}\sec^2\theta d\theta=\int_0^{\frac{\pi}{3}}d\theta=\frac{\pi}{3}$

정답 ②

2044

 ③

STEP Ⓐ 점 P의 속도 $\left(\frac{dx}{dt}, \frac{dy}{dt}\right)$ 구하기

$\frac{dx}{dt}=\cos t-\cos t+t\sin t=t\sin t$, $\frac{dy}{dt}=-\sin t+\sin t+t\cos t=t\cos t$

STEP Ⓑ 점 P의 속력이 3일 때, k의 값 구하기

$t=k$일 때, 점 P의 속력이 3이므로 $\sqrt{k^2\sin^2 k+k^2\cos^2 k}=3$

$\sqrt{k^2(\sin^2 k+\cos^2 k)}=3$, $\sqrt{k^2}=3$ $\quad\therefore k=3$

STEP Ⓒ $t=1$에서 $t=3$까지 점 P가 움직인 거리 구하기

따라서 $k=3$이므로 $t=1$에서 $t=3$까지 점 P가 움직인 거리는

$\int_1^3 \sqrt{\left(\frac{dx}{dt}\right)^2+\left(\frac{dy}{dt}\right)^2}\,dt=\int_1^3 \sqrt{(t\sin t)^2+(t\cos t)^2}\,dt$

$=\int_1^3 \sqrt{t^2}\,dt=\int_1^3 tdt=\Big[\frac{1}{2}t^2\Big]_1^3=4$

2045

 ②

STEP Ⓐ 정적분을 이용하여 점 P가 움직인 거리를 나타내기

$x=a\cos^3 t$에서 $\frac{dx}{dt}=-3a\cos^2 t\sin t$

$y=a\sin^3 t$에서 $\frac{dy}{dt}=3a\sin^2 t\cos t$

점 P의 시각 $t=0$에서 시각 $t=\frac{\pi}{2}$까지 움직인 거리는

$\int_0^{\frac{\pi}{2}}\sqrt{(-3a\cos^2 t\sin t)^2+(3a\sin^2 t\cos t)^2}\,dt$

$=\int_0^{\frac{\pi}{2}}\sqrt{9a^2\sin^2\cos^2 t(\cos^2 t+\sin^2 t)}\,dt$

$=\int_0^{\frac{\pi}{2}}3a\sin t\cos tdt\left(\because 0<t<\frac{\pi}{2}\right)$

STEP Ⓑ 치환적분을 이용하여 움직인 거리 구하기

$\sin t=u$로 놓으면 $\cos tdt=du$

$t=0$일 때, $u=0$이고 $t=\frac{\pi}{2}$일 때, $u=1$이므로

$\int_0^1 3a\sin t\cos tdt=\int_0^1 3audu=3a\Big[\frac{1}{2}u^2\Big]_0^1=\frac{3}{2}a$

따라서 $\frac{3}{2}a=12$이므로 $a=8$

2046

정답 ②

STEP A 정적분을 이용하여 곡선의 길이를 나타내기

곡선의 길이를 l이라고 하면 $\frac{dx}{dt}=3t^2$, $\frac{dy}{dt}=4t$이므로

$l=\int_0^1\sqrt{(3t^2)^2+(4t)^2}\,dt=\int_0^1 t\sqrt{9t^2+16}\,dt$

STEP B 치환적분을 이용하여 곡선의 길이 구하기

$9t^2+16=s$로 놓으면 $18tdt=ds$이고

$t=0$일 때, $s=16$이고 $t=1$일 때, $s=25$

따라서 $l=\int_0^1 t\sqrt{9t^2+16}\,dt=\int_{16}^{25}\frac{1}{18}\sqrt{s}\,ds=\frac{1}{27}\left[s^{\frac{3}{2}}\right]_{16}^{25}=\frac{1}{27}(5^3-4^3)=\frac{61}{27}$

내신연계 출제문항 818

좌표평면 위를 움직이는 점 $\mathrm{P}(x, y)$의 시각 t에서의 위치가

$x=6t^2+1,\ y=t^3+2$

일 때, 점 P가 시각 $t=0$에서 시각 $t=3$까지 움직인 거리는?

① 56 ② 57 ③ 59
④ 60 ⑤ 61

STEP A 정적분을 이용하여 점 P가 움직인 거리를 나타내기

$x=6t^2+1$에서 $\frac{dx}{dt}=12t$

$y=t^3+2$에서 $\frac{dy}{dt}=3t^2$

점 P가 $t=0$에서 $t=3$까지 움직인 거리를 s라 하면

$s=\int_0^3\sqrt{\left(\frac{dx}{dt}\right)^2+\left(\frac{dy}{dt}\right)^2}=\int_0^3\sqrt{(12t)^2+(3t^2)^2}\,dt=\int_0^3 3t\sqrt{t^2+16}\,dt$

STEP B 치환적분을 이용하여 움직인 거리 구하기

이때 $t^2+16=u$로 놓으면 $2tdt=du$

$t=0$일 때, $u=16$이고 $t=3$일 때, $u=25$

따라서 $\int_0^3 3t\sqrt{t^2+16}\,dt=\frac{3}{2}\int_{16}^{25}\sqrt{u}\,du=\left[u\sqrt{u}\right]_{16}^{25}=61$

정답 ⑤

2047

정답 ④

STEP A 속력이 최대일 때, 시각 구하기

$x=2\cos^3 t$에서 $\frac{dx}{dt}=-6\cos^2 t\sin t$

$y=2\sin^3 t$에서 $\frac{dy}{dt}=6\sin^2 t\cos t$

점 P의 속도는 $(-6\cos^2 t\sin t,\ 6\sin^2 t\cos t)$이고

속력은 $\sqrt{(-6\cos^2 t\sin t)^2+(6\sin^2 t\cos t)^2}=6\sin t\cos t=3\sin 2t$

속력이 최대가 되려면 $2t=\frac{\pi}{2}$

$\therefore t=\frac{\pi}{4}$

STEP B 치환적분을 이용하여 움직인 거리 구하기

점 P의 시각 $t=0$에서 시각 $t=\frac{\pi}{4}$까지 움직인 거리는

$\int_0^{\frac{\pi}{4}}\sqrt{(-6\cos^2 t\sin t)^2+(6\sin^2 t\cos t)^2}\,dt=\int_0^{\frac{\pi}{4}}6\sin t\cos t\,dt$

$\sin t=u$로 놓으면 $\cos t\,dt=du$

따라서 $t=0$일 때, $u=0$이고 $t=\frac{\pi}{4}$일 때, $u=\frac{\sqrt{2}}{2}$이므로

$\int_0^{\frac{\pi}{4}}6\sin t\cos t\,dt=\int_0^{\frac{\sqrt{2}}{2}}6u\,du=3\left[u^2\right]_0^{\frac{\sqrt{2}}{2}}=\frac{3}{2}$

이배각 공식에서 $6\sin t\cos t=3\sin 2t$이므로

$\int_0^{\frac{\pi}{4}}6\sin t\cos t\,dt=\int_0^{\frac{\pi}{4}}3\sin 2t\,dt=\left[-\frac{3}{2}\cos 2t\right]_0^{\frac{\pi}{4}}=0-\left(-\frac{3}{2}\right)=\frac{3}{2}$

2048

정답 ④

STEP A $\sqrt{\left(\frac{dx}{dt}\right)^2+\left(\frac{dy}{dt}\right)^2}$ 구하기

$x=k(2\cos t+\cos 2t),\ y=k(2\sin t+\sin 2t)$에서

$\frac{dx}{dt}=k(-2\sin t-2\sin 2t),\ \frac{dy}{dt}=k(2\cos t+2\cos 2t)$

$$\begin{aligned}\sqrt{\left(\frac{dx}{dt}\right)^2+\left(\frac{dy}{dt}\right)^2}&=\sqrt{\{-2k(\sin t+\sin 2t)\}^2+\{2k(\cos t+\cos 2t)\}^2}\\&=2k\sqrt{2+2(\sin t\sin 2t+\cos t\cos 2t)}\\&=2k\sqrt{2+2\cos t}\\&=2k\sqrt{4\cos^2\frac{t}{2}} \quad \Leftarrow \cos^2\frac{x}{2}=\frac{1+\cos x}{2}\\&=4k\left|\cos\frac{t}{2}\right| \quad \cdots\cdots ㉠\end{aligned}$$

STEP B $t=0$에서 $t=\pi$까지의 곡선의 길이가 16임을 이용하여 k 구하기

$t=0$에서 $t=\pi$까지의 곡선의 길이를 ㉠을 이용하여 구하면

$4k\int_0^{\pi}\left|\cos\frac{t}{2}\right|dt=4k\int_0^{\pi}\cos\frac{t}{2}\,dt=8k\left[\sin\frac{t}{2}\right]_0^{\pi}=8k$

즉 $8k=16$에서 $k=2$

STEP C $t=0$에서 $t=3\pi$까지의 곡선의 길이 구하기

$k=2$이므로 이를 ㉠에 대입하면

$\sqrt{\left(\frac{dx}{dt}\right)^2+\left(\frac{dy}{dt}\right)^2}=8\left|\cos\frac{t}{2}\right|$

따라서 $t=0$에서 $t=3\pi$까지의 곡선의 길이는

$$\begin{aligned}8\int_0^{3\pi}\left|\cos\frac{t}{2}\right|dt&=8\int_0^{\pi}\cos\frac{t}{2}\,dt+8\int_{\pi}^{3\pi}\left(-\cos\frac{t}{2}\right)dt\\&=8\left[2\sin\frac{t}{2}\right]_0^{\pi}+8\left[-2\sin\frac{t}{2}\right]_{\pi}^{3\pi}=48\end{aligned}$$

2049

정답 ③

STEP A $x=0$에서 $x=3$까지의 곡선 $y=f(x)$의 길이 구하기

$\int_0^3\sqrt{1+\{f'(x)\}^2}\,dx$는 곡선 $y=f(x)\,(0\le x\le 3)$의 길이를 의미하므로

이 길이의 최솟값은 두 점 $(0, 0)$, $(3, 4)$를 이은 선분의 길이와 같다.

따라서 구하는 최솟값은 $\sqrt{3^2+4^2}=5$

내신연계 출제문항 819

실수 전체의 집합에서 이계도함수를 갖고 $f(0)=0$, $f(1)=2$를 만족시키는 모든 함수 $f(x)$에 대하여 $\int_0^1\sqrt{1+\{f'(x)\}^2}\,dx$의 최솟값은?

① $\sqrt{2}$ ② $\sqrt{3}$ ③ 2
④ $\sqrt{5}$ ⑤ $\sqrt{6}$

STEP A $x=0$에서 $x=1$까지의 곡선 $y=f(x)$의 길이 구하기

$\int_0^1\sqrt{1+\{f'(x)\}^2}\,dx$는 $0\le x\le 1$에서 곡선 $f(x)$의 길이를 의미하므로

그 최솟값은 두 점 $(0, 0)$, $(1, 2)$를 이은 선분의 길이이다.

따라서 최솟값은 $\sqrt{(1-0)^2+(2-0)^2}=\sqrt{5}$

정답 ④

2050

정답 ①

STEP A 곡선 $y=f(x)$의 도함수 $f'(x)$ 구하기

$y=\frac{4}{3}x\sqrt{x}=\frac{4}{3}x^{\frac{3}{2}}$이므로 $\frac{dy}{dx}=2x^{\frac{1}{2}}=2\sqrt{x}$

STEP B $x=0$에서 $x=2$까지의 곡선의 길이 구하기

따라서 $0\le x\le 2$에서의 곡선의 길이는

$\int_0^2\sqrt{1+(2\sqrt{x})^2}\,dx=\int_0^2\sqrt{1+4x}\,dx=\left[\frac{1}{4}\times\frac{2}{3}(1+4x)^{\frac{3}{2}}\right]_0^2=\frac{13}{3}$

2051

정답 ③

STEP A 곡선 $y=f(x)$의 도함수 $f'(x)$ 구하기

$y=\frac{1}{3}(x^2+2)^{\frac{3}{2}}$에서 $\frac{dy}{dx}=x\sqrt{x^2+2}$

STEP B $x=0$에서 $x=3$까지의 곡선의 길이 구하기

따라서 $0\le x\le 3$에서의 곡선의 길이는

$\int_0^3\sqrt{1+x^2(x^2+2)}\,dx=\int_0^3\sqrt{x^4+2x^2+1}\,dx=\int_0^3(x^2+1)dx$

$=\left[\frac{1}{3}x^3+x\right]_0^3=12$

내/신/연/계/ 출제문항 820

곡선 $y=\frac{2}{3}(x^2+1)^{\frac{3}{2}}(0\le x\le 3)$의 길이는?

① 12 ② 15 ③ 18
④ 21 ⑤ 24

STEP A 곡선 $y=f(x)$의 도함수 $f'(x)$ 구하기

$y=\frac{2}{3}(x^2+1)^{\frac{3}{2}}$에서 $\frac{dy}{dx}=2x\sqrt{x^2+1}$

STEP B $x=0$에서 $x=3$까지의 곡선의 길이 구하기

따라서 $0\le x\le 3$에서의 곡선의 길이 l은

$l=\int_0^3\sqrt{1+(2x\sqrt{x^2+1})^2}\,dx=\int_0^3\sqrt{(2x^2+1)^2}\,dx=\int_0^3(2x^2+1)dx$

$=\left[\frac{2}{3}x^3+x\right]_0^3=21$

정답 ④

2052

정답 ②

STEP A 곡선 $y=f(x)$의 도함수 $f'(x)$ 구하기

$f(x)=\frac{1}{2}(e^x+e^{-x})$에서 $f'(x)=\frac{1}{2}(e^x-e^{-x})$

STEP B $x=0$에서 $x=1$까지의 곡선의 길이 구하기

따라서 $0\le x\le 1$이므로 구하는 곡선의 길이는

$\int_0^1\sqrt{1+\left\{\frac{1}{2}(e^x-e^{-x})\right\}^2}\,dx=\int_0^1\sqrt{\left\{\frac{1}{2}(e^x+e^{-x})\right\}^2}\,dx$

$=\int_0^1\frac{1}{2}(e^x+e^{-x})dx$

$=\frac{1}{2}\left[e^x-e^{-x}\right]_0^1=\frac{1}{2}\left(e-\frac{1}{e}\right)$

내/신/연/계/ 출제문항 821

곡선

$$y=\frac{e^x+e^{-x}}{2}$$

의 $x=-1$에서 $x=1$까지의 길이는?

① $-\frac{1}{e}$ ② $e-\frac{1}{e}$ ③ $\frac{1}{e}$
④ e ⑤ $\frac{1}{2}\left(e+\frac{1}{e}\right)$

STEP A 곡선 $y=f(x)$의 도함수 $f'(x)$ 구하기

$f(x)=\frac{e^x+e^{-x}}{2}$이라고 하면 $f'(x)=\frac{e^x-e^{-x}}{2}$

STEP B $x=-1$에서 $x=1$까지의 곡선의 길이 구하기

따라서 $-1\le x\le 1$에서의 곡선의 길이 l은

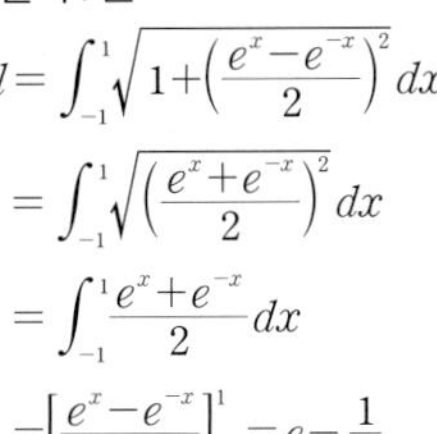

$l=\int_{-1}^1\sqrt{1+\left(\frac{e^x-e^{-x}}{2}\right)^2}\,dx$

$=\int_{-1}^1\sqrt{\left(\frac{e^x+e^{-x}}{2}\right)^2}\,dx$

$=\int_{-1}^1\frac{e^x+e^{-x}}{2}dx$

$=\left[\frac{e^x-e^{-x}}{2}\right]_{-1}^1=e-\frac{1}{e}$

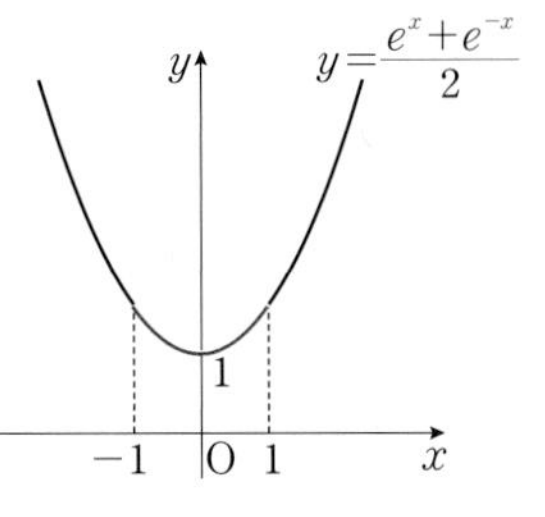

정답 ②

2053

정답 ②

STEP A 곡선 $y=f(x)$의 도함수 $f'(x)$ 구하기

$f(x)=\frac{1}{2}(e^x+e^{-x})$에서 $f'(x)=\frac{1}{2}(e^x-e^{-x})$

STEP B $x=-a$에서 $x=a$까지의 곡선의 길이 구하기

$-a\le x\le a$에서 구하는 곡선의 길이를 l이라 하면

$l=\int_{-a}^a\sqrt{1+\{f'(x)\}^2}\,dx=\int_{-a}^a\sqrt{1+\frac{1}{4}(e^x-e^{-x})^2}\,dx$

$=\int_{-a}^a\sqrt{\frac{1}{4}(4+e^{2x}-2+e^{-2x})}\,dx=\frac{1}{2}\int_{-a}^a\sqrt{(e^x+e^{-x})^2}\,dx$

$=\int_0^a(e^x+e^{-x})dx=\left[e^x-e^{-x}\right]_0^a=e^a-e^{-a}$

따라서 $e^a-e^{-a}=e^3-e^{-3}$이므로 $a=3$

2054

정답 ②

STEP A 곡선 $y=f(x)$의 도함수 $f'(x)$ 구하기

$f(x)=x^2-\frac{1}{8}\ln x$에서 $f'(x)=2x-\frac{1}{8}\cdot\frac{1}{x}=2x-\frac{1}{8x}$

STEP B $x=1$에서 $x=e$까지의 곡선의 길이 구하기

따라서 $1\le x\le e$에서 구하는 곡선의 길이는

$l=\int_1^e\sqrt{1+\left(2x-\frac{1}{8x}\right)^2}\,dx=\int_1^e\sqrt{\left(2x+\frac{1}{8x}\right)^2}\,dx$

$=\int_1^e\left(2x+\frac{1}{8x}\right)dx=\left[x^2+\frac{1}{8}\ln x\right]_1^e$

$=e^2+\frac{1}{8}-1=e^2-\frac{7}{8}$

내신연계 출제문항 822

닫힌구간 $[1, e]$에서 곡선

$$y=\frac{1}{4}x^2-\ln\sqrt{x}$$

의 길이는?

① $\frac{1}{4}(1+e^2)$　② $\frac{1}{4}e^2$　③ $\frac{1}{2}e^2$
④ $\frac{1}{2}(1+e^2)$　⑤ $\frac{1}{2}(4+e^2)$

STEP Ⓐ **곡선 $y=f(x)$의 도함수 $f'(x)$ 구하기**

$y=\frac{1}{4}x^2-\ln\sqrt{x}$에서 $y'=\frac{1}{2}x-\frac{1}{2}\cdot\frac{1}{x}$

STEP Ⓑ **$x=1$에서 $x=e$까지의 곡선의 길이 구하기**

따라서 $1\le x\le e$에서 구하는 곡선의 길이를 l이라 하면

$l=\int_1^e\sqrt{1+\left\{\frac{1}{2}\left(x-\frac{1}{x}\right)\right\}^2}dx=\int_1^e\sqrt{\left\{\frac{1}{2}\left(x+\frac{1}{x}\right)\right\}^2}dx$

$=\int_1^e\frac{1}{2}\left(x+\frac{1}{x}\right)dx=\frac{1}{2}\left[\frac{1}{2}x^2+\ln x\right]_1^e=\frac{1}{4}(1+e^2)$

정답 ①

2055

STEP Ⓐ **곡선 $y=f(x)$의 도함수 $f'(x)$ 구하기**

$f(x)=\frac{1}{4}x^2-\frac{1}{2}\ln x$에서 $f'(x)=\frac{1}{2}x-\frac{1}{2}\cdot\frac{1}{x}$

STEP Ⓑ **$x=a$에서 $x=b$까지의 곡선 $y=f(x)$의 길이 l이 $l=\int_a^b\sqrt{1+\{f'(x)\}^2}dx$임을 이용하여 구하기**

따라서 $1\le x\le 4$에서 구하는 곡선의 길이를 l이라 하면

$l=\int_1^4\sqrt{1+\left\{\frac{1}{2}\left(x-\frac{1}{x}\right)\right\}^2}dx=\int_1^4\sqrt{\left\{\frac{1}{2}\left(x+\frac{1}{x}\right)\right\}^2}dx$

$=\int_1^4\frac{1}{2}\left(x+\frac{1}{x}\right)dx=\frac{1}{2}\left[\frac{1}{2}x^2+\ln x\right]_1^4=\frac{15}{4}+\ln 2$

내신연계 출제문항 823

$x=2$에서 $x=8$까지의 곡선

$$y=\frac{1}{8}x^2-\ln x$$

의 길이는?

① $\ln 2$　② $\frac{11}{2}+\ln 2$　③ $\ln 3$
④ $\frac{11}{4}+\ln 3$　⑤ $\frac{15}{2}+\ln 4$

STEP Ⓐ **곡선 $y=f(x)$의 도함수 $f'(x)$ 구하기**

$f(x)=\frac{1}{8}x^2-\ln x$에서 $f'(x)=\frac{1}{4}x-\frac{1}{x}$

STEP Ⓑ **$x=a$에서 $x=b$까지의 곡선 $y=f(x)$의 길이 l이 $l=\int_a^b\sqrt{1+\{f'(x)\}^2}dx$임을 이용하여 구하기**

따라서 $2\le x\le 8$에서 구하는 곡선의 길이를 l이라 하면

$l=\int_2^8\sqrt{1+\left(\frac{1}{4}x-\frac{1}{x}\right)^2}dx=\int_2^8\sqrt{\left(\frac{1}{4}x+\frac{1}{x}\right)^2}dx$

$=\int_2^8\left(\frac{1}{4}x+\frac{1}{x}\right)dx=\left[\frac{1}{8}x^2+\ln x\right]_2^8=\frac{15}{2}+\ln 4$

정답 ⑤

2056

정답 ①

STEP Ⓐ **곡선 $y=f(x)$의 도함수 $f'(x)$ 구하기**

$y=\ln(1-x^2)$에서 $y'=\frac{-2x}{1-x^2}$

STEP Ⓑ **$x=0$에서 $x=\frac{1}{2}$까지의 곡선의 길이 구하기**

따라서 $0\le x\le\frac{1}{2}$에서의 곡선의 길이를 l이라 하면

$l=\int_0^{\frac{1}{2}}\sqrt{1+\left(\frac{-2x}{1-x^2}\right)^2}dx=\int_0^{\frac{1}{2}}\frac{1+x^2}{1-x^2}dx$

$=\int_0^{\frac{1}{2}}\left(\frac{2}{1-x^2}-1\right)dx=\int_0^{\frac{1}{2}}\left(\frac{1}{1+x}+\frac{1}{1-x}\right)dx-\int_0^{\frac{1}{2}}1dx$

$=\Big[\ln|1+x|-\ln|1-x|\Big]_0^{\frac{1}{2}}-\Big[x\Big]_0^{\frac{1}{2}}$

$=\ln 3-\frac{1}{2}$

내신연계 출제문항 824

$x=-\frac{1}{2}$에서 $x=\frac{1}{2}$까지의 곡선

$$y=\ln(1-x^2)$$

의 길이는?

① $-3+2\ln 3$　② $-2+2\ln 3$　③ $-1+2\ln 3$
④ $1+\frac{1}{2}\ln 3$　⑤ $\frac{1}{2}+\frac{1}{2}\ln 3$

STEP Ⓐ **곡선 $y=f(x)$의 도함수 $f'(x)$ 구하기**

$y=\ln(1-x^2)$에서 $y'=\frac{-2x}{1-x^2}$

STEP Ⓑ **$x=-\frac{1}{2}$에서 $x=\frac{1}{2}$까지의 곡선의 길이 구하기**

따라서 $-\frac{1}{2}\le x\le\frac{1}{2}$에서의 곡선의 길이를 l이라 하면

$l=\int_{-\frac{1}{2}}^{\frac{1}{2}}\sqrt{1+\left(-\frac{2x}{1-x^2}\right)^2}dx=\int_{-\frac{1}{2}}^{\frac{1}{2}}\frac{1+x^2}{1-x^2}dx$

$=\int_{-\frac{1}{2}}^{\frac{1}{2}}\left(-1-\frac{2}{x^2-1}\right)dx=\int_{-\frac{1}{2}}^{\frac{1}{2}}\left(-1-\frac{1}{x-1}+\frac{1}{x+1}\right)dx$

$=\left[-x+\ln\left|\frac{x+1}{x-1}\right|\right]_{-\frac{1}{2}}^{\frac{1}{2}}$

$=-1+2\ln 3$

정답 ③

2057

STEP Ⓐ **곡선 $y=f(x)$의 도함수 $f'(x)$ 구하기**

$y=\int_0^x\sqrt{\sec^4 t-1}\,dt$에서 $y'=\sqrt{\sec^4 x-1}$

STEP Ⓑ **$x=-\frac{\pi}{4}$에서 $x=\frac{\pi}{4}$까지의 곡선의 길이 구하기**

따라서 $-\frac{\pi}{4}\le x\le\frac{\pi}{4}$에서 구하는 곡선의 길이를 l이라 하면

$l=\int_{-\frac{\pi}{4}}^{\frac{\pi}{4}}\sqrt{1+\{y'\}^2}dx=\int_{-\frac{\pi}{4}}^{\frac{\pi}{4}}\sqrt{1+\{\sqrt{\sec^4 x-1}\}^2}dx$

$=\int_{-\frac{\pi}{4}}^{\frac{\pi}{4}}\sec^2 x\,dx=2\Big[\tan x\Big]_0^{\frac{\pi}{4}}$

$=2$

2058

정답 ③

STEP Ⓐ $x=0$에서 x까지 곡선 $y=f(x)$의 길이 l 구하기

$\int_0^x \sqrt{1+\{f'(t)\}^2}\,dt=x^2+y+3$

STEP Ⓑ $f'\left(\frac{1}{2}\right)$의 값 구하기

위의 식의 양변을 x에 대하여 미분하면

$\sqrt{1+\{f'(x)\}^2}=2x+f'(x)$

위의 식을 정리하면 $f'(x)=\dfrac{1-4x^2}{4x}$

따라서 $f'\left(\frac{1}{2}\right)=0$

내신연계 출제문항 825

곡선 $y=f(x)$ 위의 점 $(0,\ 1)$에서 곡선 위의 임의의 점 $(x,\ y)$까지의 곡선의 길이가 e^x+y-1일 때, $f'(1)$의 값은?
(단, $f(x)$는 $x\geq0$에서 정의된 미분가능한 함수이다.)

① $\frac{1}{2}\left(\frac{1}{e}-e\right)$　② $\frac{1}{e}-e$　③ $\frac{1}{e}+e$
④ $\frac{1}{2}\left(\frac{1}{e}+e\right)$　⑤ $\frac{1}{e^2}+e^2$

STEP Ⓐ $x=0$에서 x까지 곡선 $y=f(x)$의 길이 l 구하기

곡선 $y=f(x)$ 위의 점 $(0,\ 1)$에서 곡선 위의 임의의 점 $(x,\ y)$까지의 곡선의 길이가 e^x+y-1, 즉 $e^x+f(x)-1$이므로

$\int_0^x \sqrt{1+\{f'(t)\}^2}\,dt=e^x+f(x)-1$

STEP Ⓑ $f'(1)$의 값 구하기

양변을 x에 대하여 미분하면

$\sqrt{1+\{f'(x)\}^2}=e^x+f'(x)$

$1+\{f'(x)\}^2=e^{2x}+2e^xf'(x)+\{f'(x)\}^2$

$f'(x)=\dfrac{1-e^{2x}}{2e^x}$

따라서 $f'(1)=\dfrac{1-e^2}{2e}=\dfrac{1}{2}\left(\dfrac{1}{e}-e\right)$

정답 ①

2059

정답 ④

STEP Ⓐ 미분계수의 정의를 이용하여 변형하기

$$\lim_{h\to0}\frac{f(x+h)-f(x-h)}{h}=\lim_{h\to0}\frac{f(x+h)-f(x)}{h}+\lim_{h\to0}\frac{f(x-h)-f(x)}{-h}$$
$$=f'(x)+f'(x)$$
$$=2f'(x)$$

즉 $\lim_{h\to0}\dfrac{f(x+h)-f(x-h)}{h}=2x\sqrt{x^2+2}$에서 $2f'(x)=2x\sqrt{x^2+2}$

$\therefore\ f'(x)=x\sqrt{x^2+2}$

STEP Ⓑ $0\leq x\leq3$에서의 곡선 $y=f(x)$의 길이 구하기

따라서 $0\leq x\leq3$에서의 곡선 $y=f(x)$의 길이는

$$\int_0^3\sqrt{1+(x\sqrt{x^2+2})^2}\,dx=\int_0^3\sqrt{x^4+2x^2+1}\,dx=\int_0^3\sqrt{(x^2+1)^2}\,dx$$
$$=\int_0^3(x^2+1)\,dx=\left[\frac{1}{3}x^3+x\right]_0^3$$
$$=12$$

2060

정답 ④

STEP Ⓐ 점 P의 속도 $\left(\dfrac{dx}{dt},\ \dfrac{dy}{dt}\right)$ 구하기

$x=t-\sin t,\ y=1-\cos t\ (0\leq t\leq2\pi)$이므로

$\dfrac{dx}{dt}=1-\cos t,\ \dfrac{dy}{dt}=\sin t$

STEP Ⓑ 시각 $t=0$에서 $t=2\pi$까지 점 P가 움직인 거리 구하기

따라서 구하는 곡선의 길이 l은

$$l=\int_0^{2\pi}\sqrt{\left(\frac{dx}{dt}\right)^2+\left(\frac{dy}{dt}\right)^2}\,dt=\int_0^{2\pi}\sqrt{(1-\cos t)^2+(\sin t)^2}\,dt$$
$$=\int_0^{2\pi}\sqrt{2(1-\cos t)}\,dt=\int_0^{2\pi}\sqrt{2\times2\sin^2\frac{t}{2}}\,dt \quad \Leftarrow \sin^2\frac{t}{2}=\frac{1-\cos t}{2}$$
$$=\int_0^{2\pi}2\sin\frac{t}{2}\,dt$$
$$=\left[-4\cos\frac{t}{2}\right]_0^{2\pi}=8$$

내신연계 출제문항 826

다음 그림과 같이 반지름의 길이가 1인 원이 좌표평면에서 x축을 따라 매 초 1라디안씩 굴러간다. 원 위의 한 점 P가 원점에서 출발할 때, $t=0$에서 $t=2\pi$까지 점 P가 움직인 거리는?

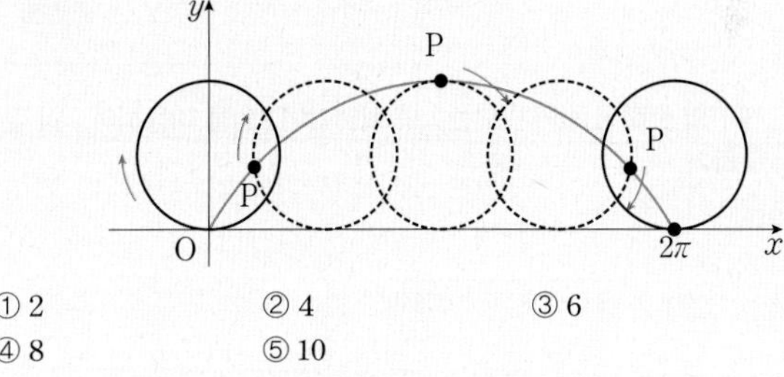

① 2　② 4　③ 6
④ 8　⑤ 10

STEP Ⓐ t초 후 점 P의 좌표 구하기

t초 동안 원은 t라디안만큼 굴러가므로
t초 후 점 P의 좌표는 $(t-\sin t,\ 1-\cos t)$

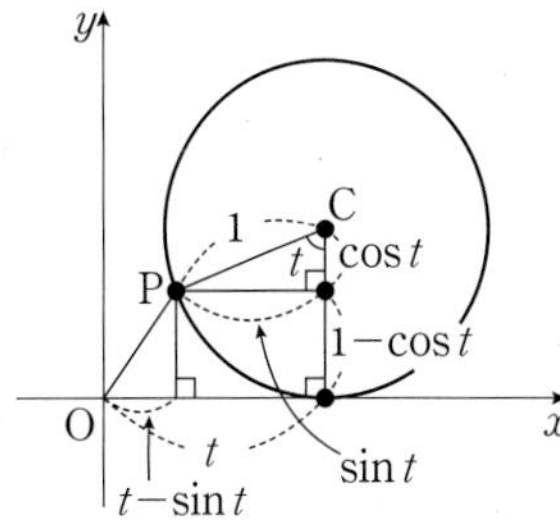

STEP Ⓑ 시각 $t=0$에서 $t=2\pi$까지 점 P가 움직인 거리 구하기

따라서 점 P가 움직인 거리는

$$\int_0^{2\pi}\sqrt{(1-\cos t)^2+\sin^2 t}\,dt=\int_0^{2\pi}\sqrt{2(1-\cos t)}\,dt$$
$$=\int_0^{2\pi}\sqrt{2\left\{1-\left(\cos^2\frac{t}{2}-\sin^2\frac{t}{2}\right)\right\}}\,dt$$

$\Leftarrow \cos^2\frac{t}{2}=1-\sin^2\frac{t}{2}$

$$=\int_0^{2\pi}\sqrt{4\sin^2\frac{t}{2}}\,dt=\int_0^{2\pi}\left|2\sin\frac{t}{2}\right|dt$$
$$=\int_0^{2\pi}2\sin\frac{t}{2}\,dt$$
$$=\left[-4\cos\frac{t}{2}\right]_0^{2\pi}=8$$

정답 ④

2061

정답 ⑤

STEP Ⓐ **점 P의 속도 $\left(\frac{dx}{dt}, \frac{dy}{dt}\right)$ 구하기**

$x=3(t-\sin t)$, $y=3(1-\cos t)$에서

$\frac{dx}{dt}=3(1-\cos t)$, $\frac{dy}{dt}=3\sin t$

STEP Ⓑ **시각 $t=0$에서 $t=\pi$까지 점 P가 움직인 거리 구하기**

따라서 점 P가 시각 $t=0$에서 $t=\pi$까지 움직인 거리 s는

$$\begin{aligned} s&=\int_0^{\pi}\sqrt{\left(\frac{dx}{dt}\right)^2+\left(\frac{dy}{dt}\right)^2}\,dt \\ &=\int_0^{\pi}\sqrt{9(1-\cos t)^2+9(\sin t)^2}\,dt \\ &=\int_0^{\pi}\sqrt{18(1-\cos t)}\,dt \\ &=\int_0^{\pi}\sqrt{36\sin^2\frac{t}{2}}\,dt \quad \leftarrow \cos t=\cos\left(\frac{t}{2}+\frac{t}{2}\right)=\cos^2\frac{t}{2}-\sin^2\frac{t}{2}=1-2\sin^2\frac{t}{2} \\ &=6\int_0^{\pi}\sin\frac{t}{2}\,dt \\ &=6\left[-2\cos\frac{t}{2}\right]_0^{\pi} \\ &=12 \end{aligned}$$

2062

정답 ③

STEP Ⓐ **점 P의 속력이 최대가 되는 k와 최댓값이 6임을 이용하여 a의 값 구하기**

점 P의 속력은

$$\begin{aligned}\sqrt{\left(\frac{dx}{dt}\right)^2+\left(\frac{dy}{dt}\right)^2}&=\sqrt{a^2(1-\cos t)^2+a^2\sin^2 t} \\ &=\sqrt{a^2(2-2\cos t)}\end{aligned}$$

이때 점 P의 속력은 $t=\pi$에서 최대이고 최댓값은 $2a$이므로 $2a=6$

$\therefore k=\pi$, $a=3$

STEP Ⓑ **시각 $t=0$에서 $t=k$까지 점 P가 움직인 거리 구하기**

따라서 점 P가 움직인 거리는

$$\begin{aligned}\int_0^{\pi}\sqrt{9(2-2\cos t)}\,dt&=\int_0^{\pi}\sqrt{18\left\{1-\left(\cos^2\frac{t}{2}-\sin^2\frac{t}{2}\right)\right\}}\,dt \quad \leftarrow \cos^2\frac{t}{2}=1-\sin^2\frac{t}{2} \\ &=\int_0^{\pi}\sqrt{36\sin^2\frac{t}{2}}\,dt \\ &=\int_0^{\pi}6\sin\frac{t}{2}\,dt \\ &=\left[-12\cos\frac{t}{2}\right]_0^{\pi} \\ &=12\end{aligned}$$

2063

정답 해설참조

1단계 [그림1]과 같이 닫힌구간 $[0, 1]$을 n등분할 때, 각 구간의 오른쪽 끝점의 x좌표와 그에 대응하는 y의 값을 차례로 구한다. ◀ 20%

닫힌구간 $[0, 1]$에서 n등분하면 각 직사각형의 가로의 길이는 모두 $\frac{1}{n}$이고

세로의 길이는 각 구간의 오른쪽 끝점의 x좌표는 차례로

$\frac{1}{n}, \frac{2}{n}, \frac{3}{n}, \cdots, \frac{n-1}{n}, \frac{n}{n}$이고 이에 대응하는 y의 값은 각각

$\left(\frac{1}{n}\right)^2, \left(\frac{2}{n}\right)^2, \left(\frac{3}{n}\right)^2, \cdots, \left(\frac{n}{n}\right)^2$이다.

2단계 [그림1]에서 색칠한 직사각형의 넓이의 합 U_n을 n에 대한 식으로 나타낸다. ◀ 20%

$$\begin{aligned}U_n&=\frac{1}{n}\times\left(\frac{1}{n}\right)^2+\frac{1}{n}\times\left(\frac{2}{n}\right)^2+\frac{1}{n}\times\left(\frac{3}{n}\right)^2+\cdots+\frac{1}{n}\times\left(\frac{n}{n}\right)^2 \\ &=\frac{1}{n^3}(1^2+2^2+3^2+\cdots+n^2) \\ &=\frac{1}{n^3}\times\frac{n(n+1)(2n+1)}{6} \\ &=\frac{1}{6}\left(1+\frac{1}{n}\right)\left(2+\frac{1}{n}\right)\end{aligned}$$

3단계 [그림2]와 같이 닫힌구간 $[0, 1]$을 n등분할 때, 각 구간의 왼쪽 끝점의 x좌표와 그에 대응하는 y의 값을 차례로 구한다. ◀ 20%

닫힌구간 $[0, 1]$에서 n등분하면 각 구간의 왼쪽 끝점의 x좌표는 차례로

$0, \frac{1}{n}, \frac{2}{n}, \frac{3}{n}, \cdots, \frac{n-1}{n}$이고 이에 대응하는 y의 값은 각각

$0^2, \left(\frac{1}{n}\right)^2, \left(\frac{2}{n}\right)^2, \left(\frac{3}{n}\right)^2, \cdots, \left(\frac{n-1}{n}\right)^2$이다.

4단계 [그림2]에서 색칠한 직사각형의 넓이의 합 L_n을 n에 대한 식으로 나타낸다. ◀ 20%

$$\begin{aligned}L_n&=\frac{1}{n}\times 0+\frac{1}{n}\times\left(\frac{1}{n}\right)^2+\frac{1}{n}\times\left(\frac{2}{n}\right)^2+\cdots+\frac{1}{n}\times\left(\frac{n-1}{n}\right)^2 \\ &=\frac{1}{n^3}\{1^2+2^2+3^2+\cdots+(n-1)^2\} \\ &=\frac{1}{n^3}\times\frac{n(n-1)(2n-1)}{6} \\ &=\frac{1}{6}\left(1-\frac{1}{n}\right)\left(2-\frac{1}{n}\right)\end{aligned}$$

5단계 도형의 넓이 S를 구한다. ◀ 20%

구하는 도형의 넓이를 S라고 하면 $L_n < S < U_n$이므로

$\lim_{n\to\infty}U_n=\lim_{n\to\infty}\frac{1}{6}\left(1+\frac{1}{n}\right)\left(2+\frac{1}{n}\right)=\frac{1}{3}$

$\lim_{n\to\infty}L_n=\lim_{n\to\infty}\frac{1}{6}\left(1-\frac{1}{n}\right)\left(2-\frac{1}{n}\right)=\frac{1}{3}$

이므로 구하는 도형의 넓이는 $S=\frac{1}{3}$이다.

즉 정적분으로 구한 넓이와 같음을 알 수 있다.

참고 연속함수의 경우에는 $\lim_{n\to\infty}U_n$과 $\lim_{n\to\infty}L_n$ 중 어느 하나의 극한값이 존재하면 다른 하나의 극한값도 존재하고 그 두 극한값이 서로 일치한다는 것이 알려져 있다.

2064

정답 해설참조

1단계 $\lim_{n\to\infty}\sum_{k=1}^{n}\frac{1}{n+k}$의 값을 구한다. ◀ 30%

$$\lim_{n\to\infty}\sum_{k=1}^{n}\frac{1}{n+k}=\lim_{n\to\infty}\sum_{k=1}^{n}\frac{1}{1+\frac{k}{n}}\cdot\frac{1}{n}=\int_1^2\frac{1}{x}dx=\Big[\ln x\Big]_1^2=\ln 2$$

2단계 $\lim_{n\to\infty}\sum_{k=1}^{n}\frac{2k}{n^2+k^2}$의 값을 구한다. ◀ 30%

$$\lim_{n\to\infty}\sum_{k=1}^{n}\frac{2k}{n^2+k^2}=2\lim_{n\to\infty}\sum_{k=1}^{n}\frac{\frac{k}{n}}{1+\left(\frac{k}{n}\right)^2}\cdot\frac{1}{n}=2\int_0^1\frac{x}{1+x^2}dx$$

$1+x^2=t$로 놓으면 $2xdx=dt$

$x=0$일 때, $t=1$이고 $x=1$일 때, $t=2$

따라서 $2\int_0^1\frac{x}{1+x^2}dx=2\int_1^2\frac{1}{t}\cdot\frac{1}{2}dt=\Big[\ln|t|\Big]_1^2=\ln 2$

3단계 $\lim_{n\to\infty}\sum_{k=1}^{n}\frac{n}{n^2+k^2}$의 값을 구한다. ◀ 40%

$$\lim_{n\to\infty}\sum_{k=1}^{n}\frac{n}{n^2+k^2}=\lim_{n\to\infty}\sum_{k=1}^{n}\frac{1}{1+\left(\frac{k}{n}\right)^2}\cdot\frac{1}{n}=\int_0^1\frac{1}{1+x^2}dx$$

$x=\tan\theta\left(-\frac{\pi}{2}<\theta<\frac{\pi}{2}\right)$로 놓으면 $\sec^2\theta d\theta=dx$

$x=0$일 때, $\theta=0$이고 $x=1$일 때, $\theta=\frac{\pi}{4}$

따라서 $\int_0^1\frac{1}{1+x^2}dx=\int_0^{\frac{\pi}{4}}\frac{1}{1+\tan^2\theta}\cdot\sec^2\theta d\theta=\int_0^{\frac{\pi}{4}}1d\theta=\Big[\theta\Big]_0^{\frac{\pi}{4}}=\frac{\pi}{4}$

2065

정답 해설참조

1단계 $\lim_{n\to\infty}\frac{1}{n}\left(\sin\frac{\pi}{n}+\sin\frac{2\pi}{n}+\sin\frac{3\pi}{n}+\cdots+\sin\frac{n\pi}{n}\right)$을 구한다. ◀ 30%

$$\lim_{n\to\infty}\frac{1}{n}\left(\sin\frac{\pi}{n}+\sin\frac{2\pi}{n}+\sin\frac{3\pi}{n}+\cdots+\sin\frac{n\pi}{n}\right)=\lim_{n\to\infty}\frac{1}{n}\sum_{k=1}^{n}\sin\frac{k\pi}{n}$$
$$=\frac{1}{\pi}\int_0^{\pi}\sin xdx$$
$$=\frac{1}{\pi}\Big[-\cos x\Big]_0^{\pi}=\frac{2}{\pi}$$

2단계 $\lim_{n\to\infty}\frac{1}{n}\left\{\ln\left(1+\frac{1}{n}\right)+\ln\left(1+\frac{2}{n}\right)+\cdots+\ln\left(1+\frac{n}{n}\right)\right\}$을 구한다. ◀ 30%

$$\lim_{n\to\infty}\frac{1}{n}\left\{\ln\left(1+\frac{1}{n}\right)+\ln\left(1+\frac{2}{n}\right)+\ln\left(1+\frac{3}{n}\right)+\cdots+\ln\left(1+\frac{n}{n}\right)\right\}$$
$$=\lim_{n\to\infty}\frac{1}{n}\sum_{k=1}^{n}\ln\left(1+\frac{k}{n}\right)$$
$$=\int_1^2\ln xdx$$
$$\therefore\int_1^2\ln xdx=\Big[x\ln x\Big]_1^2-\int_1^2dx=2\ln 2-1$$

3단계 $\lim_{n\to\infty}\frac{\pi}{n^2}\left(\sin\frac{\pi}{n}+2\sin\frac{2\pi}{n}+\cdots+n\sin\frac{n\pi}{n}\right)$을 구한다. ◀ 40%

$$\lim_{n\to\infty}\frac{\pi}{n^2}\left(\sin\frac{\pi}{n}+2\sin\frac{2\pi}{n}+\cdots+n\sin\frac{n\pi}{n}\right)=\lim_{n\to\infty}\sum_{k=1}^{n}\left(k\sin\frac{k\pi}{n}\right)\frac{\pi}{n^2}$$
$$=\lim_{n\to\infty}\sum_{k=1}^{n}\frac{k\pi}{n}\sin\frac{k\pi}{n}\cdot\frac{\pi}{n}\cdot\frac{1}{\pi}$$
$$=\frac{1}{\pi}\lim_{n\to\infty}\sum_{k=1}^{n}\frac{k\pi}{n}\sin\frac{k\pi}{n}\cdot\frac{\pi}{n}$$
$$=\frac{1}{\pi}\int_0^{\pi}x\sin xdx$$
$$=\frac{1}{\pi}\Big[-x\cos x+\sin x\Big]_0^{\pi}$$
$$=1$$

2066

정답 해설참조

1단계 구간 $0\le x\le\frac{\pi}{2}$에서 두 곡선 $y=\sin x$, $y=\sin^3 x$의 위치관계를 구한다. ◀ 30%

닫힌구간 $\left[0, \frac{\pi}{2}\right]$에서

$\sin x-\sin^3 x=\sin x(1-\sin^2 x)=\sin x\cos^2 x\ge 0$

이므로 이 구간에서 $\sin x\ge\sin^3 x$

2단계 두 곡선 $y=\sin x$와 $y=\sin^3 x$로 둘러싸인 도형의 넓이 S를 정적분으로 나타낸다. ◀ 30%

두 곡선 $y=\sin x$와 $y=\sin^3 x$로 둘러싸인 도형의 넓이 S는

$$S=\int_0^{\frac{\pi}{2}}(\sin x-\sin^3 x)=\int_0^{\frac{\pi}{2}}\sin x(1-\sin^2 x)dx=\int_0^{\frac{\pi}{2}}\cos^2 x\sin xdx$$

3단계 치환적분을 이용하여 도형의 넓이를 구한다. ◀ 40%

$\cos x=t$로 놓으면 $\frac{dt}{dx}=-\sin x$이고

$x=0$일 때, $t=1$이고 $x=\frac{\pi}{2}$일 때, $t=0$

따라서 구하는 넓이 S는 $S=\int_0^{\frac{\pi}{2}}\cos^2 x\sin xdx=\int_1^0(-t^2)dt=\int_0^1 t^2dt=\frac{1}{3}$

2067

정답 해설참조

1단계 $S(t)$를 적분기호를 사용하여 나타낸다. ◀ 30%

두 곡선 $y=\ln x$, $y=3\ln x$와 직선 $x=t(t>1)$로 둘러싸인 도형의 넓이를 $S(t)$이므로

$S(t)=\int_1^t(3\ln x-\ln x)dx=2\int_1^t\ln xdx$ …… ㉠

2단계 $S'(t)$를 구하고 $S'(a)=4$를 이용하여 실수 a의 값을 구한다. ◀ 30%

㉠의 양변을 t에 대하여 미분하면 $S'(t)=2\ln t$

즉 $S'(a)=2\ln a=4$에서 $a=e^2$

3단계 $S(a)$의 값을 구한다. ◀ 40%

따라서 $S(a)=S(e^2)=2\int_1^{e^2}\ln xdx=2\left(\Big[x\ln x\Big]_1^{e^2}-\int_1^{e^2}1dx\right)$
$$=2\left(e^2\ln e^2-\Big[x\Big]_1^{e^2}\right)$$
$$=2\{2e^2-(e^2-1)\}$$
$$=2(e^2+1)$$

2068

정답 해설참조

방법1 두 부분으로 나눠 각각의 넓이를 구한 다음 더하는 방법으로 넓이 S를 구한다. ◀ 40%

$$S=\int_0^2\sqrt{x}dx+\int_2^4\{\sqrt{x}-(x-2)\}dx=\Big[\frac{2}{3}x\sqrt{x}\Big]_0^2+\Big[\frac{2}{3}x\sqrt{x}-\frac{1}{2}x^2+2x\Big]_2^4$$
$$=\frac{4\sqrt{2}}{3}+\left[\frac{16}{3}-\left(\frac{4\sqrt{2}}{3}+2\right)\right]=\frac{10}{3}$$

방법2 곡선 $y=\sqrt{x}$와 x축 및 직선 $x=4$로 둘러싸인 도형의 넓이에서 삼각형의 넓이를 빼는 방법으로 넓이 S를 구한다. ◀ 30%

$$S=\int_0^4\sqrt{x}dx-\frac{1}{2}\times2\times2=\Big[\frac{2}{3}x\sqrt{x}\Big]_0^4-2=\frac{16}{3}-2=\frac{10}{3}$$

방법3 두 함수 $y=\sqrt{x}$, $y=x-2$를 $x=g(y)$꼴로 변형하고 y에 대하여 적분해서 넓이 S를 구한다. ◀ 30%

$y=\sqrt{x}$에서 $x=y^2$이고 $y=x-2$에서 $x=y+2$이므로

$$S=\int_0^2(y+2-y^2)dy=\Big[\frac{1}{2}y^2+2y-\frac{1}{3}y^3\Big]_0^2=2+4-\frac{8}{3}=\frac{10}{3}$$

2069 정답 해설참조

방법1 두 부분으로 나눠 각각의 넓이를 구한 다음 더하는 방법으로 넓이 S를 구한다. ◀ 40%

$S=\int_0^1\frac{1}{e}xdx+\int_1^e\left(\frac{1}{e}x-\ln x\right)dx=\left[\frac{1}{2e}x^2\right]_0^1+\left[\frac{1}{2e}x^2-x\ln x+x\right]_1^e$

$=\frac{1}{2e}+\left\{\frac{e}{2}-\left(\frac{1}{2e}+1\right)\right\}=\frac{e}{2}-1$

방법2 삼각형의 넓이에서 곡선 $y=\ln x$와 x축 및 직선 $x=1$, $x=e$로 둘러싸인 도형의 넓이를 빼는 방법으로 넓이 S를 구한다. ◀ 30%

$S=\frac{1}{2}\times e\times 1-\int_1^e\ln xdx=\frac{e}{2}-\left[x\ln x-x\right]_1^e=\frac{e}{2}-1$

방법3 두 함수 $y=\frac{1}{x}$, $y=\ln x$를 $x=g(y)$꼴로 변형하고 y에 대하여 적분해서 넓이 S를 구한다. ◀ 30%

$y=\ln x$에서 $x=e^y$이고 $y=\frac{1}{e}x$에서 $x=ey$이므로

$S=\int_0^1(e^y-ey)dy=\left[e^y-\frac{e}{2}y^2\right]_0^1=\frac{e}{2}-1$

2070 정답 해설참조

STEP A **접선의 방정식을 유도하고 정적분을 이용하여 넓이 구하기**

오른쪽 그림과 같이 접점의 좌표를 (t, e^t)으로 놓으면 접선의 방정식은

$y=\boxed{e^t}\times(x-t)+e^t$

이 직선이 원점을 지나므로

$x=0$, $y=0$을 대입하여 t의 값을 구하면 $0=-te^t+e^t$, $e^t(1-t)=0$

$e^t>0$이므로 $t=\boxed{1}$

따라서 구하는 넓이는 $\int_0^{\boxed{1}}(e^x-\boxed{ex})dx=\left[e^x-\frac{e}{2}x^2\right]_0^1=\boxed{\frac{e}{2}-1}$

즉 (가) e^t, (나) 1, (다) ex, (라) $\frac{e}{2}-1$

2071 정답 해설참조

1단계 조건 (가), (나)를 이용하여 함수 $f(x)$를 구한다. ◀ 30%

조건 (가)에서 $\frac{f'(x)}{f(x)}=1$이므로 양변을 x에 대하여 적분하면

$\int\frac{f'(x)}{f(x)}dx=\int 1dx$에서 $\ln f(x)=x+C$ $\therefore f(x)=e^{x+C}$

조건 (나)에서 $f(0)=3$이므로 $C=\ln 3$ $\therefore f(x)=e^{x+\ln 3}$

2단계 원점에서 함수 $y=f(x)$에 그은 접선의 방정식을 구한다. ◀ 30%

이 곡선 위의 점 $(t, e^{t+\ln 3})$에서의 접선의 방정식 $y-e^{t+\ln 3}=e^{t+\ln 3}(x-t)$

이 접선이 원점 $(0, 0)$을 지나므로 $0-e^{t+\ln 3}=e^{t+\ln 3}(0-t)$ $\therefore t=1$

즉 접선의 방정식은 $y=e^{1+\ln 3}x$

3단계 함수 $f(x)$와 y축 및 원점을 지나는 접선으로 둘러싸인 부분의 넓이를 구한다. ◀ 40%

함수 $f(x)$와 y축 및 원점을 지나는 접선으로 둘러싸인 부분의 넓이는

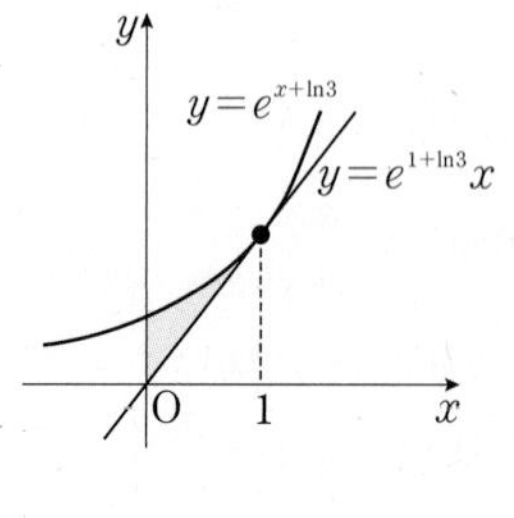

$S=\int_0^1 e^{x+\ln 3}dx-\frac{1}{2}\cdot 1\cdot e^{1+\ln 3}$

$=\left[e^{x+\ln 3}\right]_0^1-\frac{e^{1+\ln 3}}{2}$

$=e^{1+\ln 3}-e^{\ln 3}-\frac{e^{1+\ln 3}}{2}$

$=\frac{e^{1+\ln 3}}{2}-e^{\ln 3}=\frac{3}{2}e-3$

2072 정답 해설참조

1단계 곡선과 x축으로 둘러싸인 부분의 넓이 a_n을 구한다. ◀ 50%

$a_n=\int_0^\pi|n\cos x|dx=\int_0^{\frac{\pi}{2}}n\cos xdx+\int_{\frac{\pi}{2}}^{\pi}(-n\cos x)dx$

$=\left[n\sin x\right]_0^{\frac{\pi}{2}}+\left[-n\sin x\right]_{\frac{\pi}{2}}^{\pi}=2n$

2단계 $\sum_{n=1}^{\infty}\frac{1}{(n+1)a_n}$의 값을 구한다. ◀ 50%

$\sum_{n=1}^{\infty}\frac{1}{(n+1)a_n}=\sum_{n=1}^{\infty}\frac{1}{2n(n+1)}=\frac{1}{2}\lim_{n\to\infty}\sum_{k=1}^{n}\left(\frac{1}{k}-\frac{1}{k+1}\right)$

$=\frac{1}{2}\lim_{n\to\infty}\left(1-\frac{1}{n+1}\right)=\frac{1}{2}\cdot 1=\frac{1}{2}$

2073 정답 해설참조

1단계 닫힌구간 $\left[0, \frac{\pi}{2}\right]$에서 곡선 $y=\sin 2x$와 x축으로 둘러싸인 도형의 넓이를 구한다. ◀ 30%

$\int_0^{\frac{\pi}{2}}\sin 2xdx=\left[-\frac{1}{2}\cos 2x\right]_0^{\frac{\pi}{2}}=\frac{1}{2}-\left(-\frac{1}{2}\right)=1$

2단계 두 곡선 $y=\sin 2x$, $y=k\cos x$의 교점의 x좌표를 α라고 할 때, $\sin\alpha$를 k로 나타낸다. (단, $\alpha\neq\frac{\pi}{2}$) ◀ 30%

두 곡선 $y=\sin 2x$, $y=k\cos x$의 교점의 x좌표를 α라고 하면

$\sin 2\alpha=k\cos\alpha$에서 $2\sin\alpha\cos\alpha=k\cos\alpha$

$\cos\alpha(2\sin\alpha-k)=0$ $\therefore \sin\alpha=\frac{k}{2}\left(\alpha\neq\frac{\pi}{2}\right)$

3단계 상수 k의 값을 구한다. ◀ 40%

두 곡선 $y=\sin 2x$, $y=k\cos x$으로 둘러싸인 부분의 넓이가 $\frac{1}{2}$이므로

$\int_\alpha^{\frac{\pi}{2}}(\sin 2x-k\cos x)dx=\left[-\frac{1}{2}\cos 2x-k\sin x\right]_\alpha^{\frac{\pi}{2}}$

$=\frac{1}{2}-k+\frac{1}{2}\cos 2\alpha+k\sin\alpha$

이때 $\cos 2\alpha=\cos(\alpha+\alpha)=\cos^2\alpha-\sin^2\alpha=1-2\sin^2\alpha$이고

$\sin\alpha=\frac{k}{2}$이므로 $\frac{1}{2}-k+\frac{1}{2}\left(1-\frac{k^2}{2}\right)+\frac{k^2}{2}=1-k+\frac{k^2}{4}$

이때 $1-k+\frac{k^2}{4}=\frac{1}{2}$, $k^2-4k+2=0$

따라서 $0<k<1$이므로 $k=2-\sqrt{2}$

2074 정답 해설참조

1단계 $\int_0^1 f(x)dx+\int_0^e g(x)dx$의 값을 구한다. ◀ 50%

$\int_0^1 f(x)dx=S_1$, $\int_0^e g(x)dx=S_2$라 하면

두 곡선 $y=f(x)$, $y=g(x)$는 직선 $y=x$에 대하여 대칭이므로 곡선 $y=g(x)$와 x축 및 직선 $x=e$으로 둘러싸인 부분의 넓이는 S_2이다.

즉 $\int_0^1 f(x)dx+\int_0^e g(x)dx=e\times 1=e$

2단계 $\int_0^e g(x)dx$의 값을 구한다. ◀ 50%

$\int_0^e g(x)dx=e-\int_0^1 f(x)dx=e-\int_0^1 xe^xdx=e-\left[xe^x\right]_0^1+\int_0^1 e^xdx$

$=e-e+\left[e^x\right]_0^1=e-1$

2075

정답 해설참조

1단계 상수 a의 값을 구한다. ◀ 40%

$f(x)=ax^2$, $g(x)=\ln x$에서 $f'(x)=2ax$, $g'(x)=\frac{1}{x}$

$f(k)=g(k)$에서 $ak^2=\ln k$ …… ㉠

$f'(k)=g'(k)$에서 $2ak=\frac{1}{k}$, $ak^2=\frac{1}{2}$

㉠에서 $\ln k=\frac{1}{2}$ $\therefore k=e^{\frac{1}{2}}=\sqrt{e}$

따라서 $a=\frac{\ln k}{k^2}=\frac{1}{2e}$

2단계 두 함수 $f(x)$, $g(x)$의 그래프와 x축으로 둘러싸인 도형의 넓이를 구한다. ◀ 60%

$f(x)=\frac{1}{2e}x^2$과 $g(x)=\ln x$에서 도형의 넓이를 S라 하면

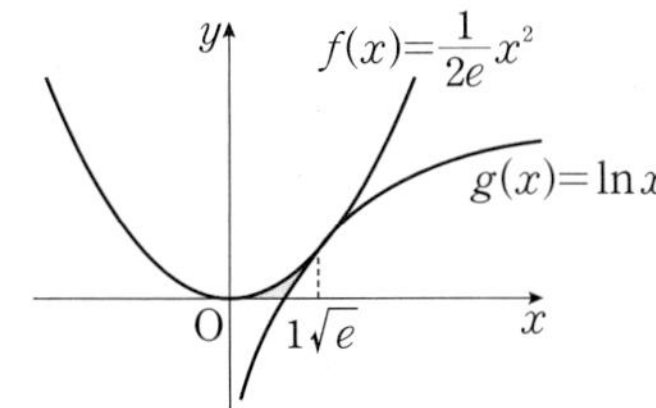

$$S=\int_0^{\sqrt{e}}\frac{x^2}{2e}dx-\int_1^{\sqrt{e}}\ln x dx=\left[\frac{x^3}{6e}\right]_0^{\sqrt{e}}-\left\{\left[x\ln x\right]_1^{\sqrt{e}}-\int_1^{\sqrt{e}}\left(x\cdot\frac{1}{x}\right)dx\right\}$$
$$=\left[\frac{x^3}{6e}\right]_0^{\sqrt{e}}-\left[x\ln x\right]_1^{\sqrt{e}}+\left[x\right]_1^{\sqrt{e}}$$
$$=\left(\frac{\sqrt{e}}{6}-0\right)-\left(\frac{\sqrt{e}}{2}-0\right)+(\sqrt{e}-1)$$
$$=\frac{2\sqrt{e}-3}{3}$$

2076

정답 해설참조

1단계 단면의 넓이 $S(x)$를 x, r에 관한 식으로 나타낸다. ◀ 30%

단면은 반지름의 길이가 $\sqrt{r^2-x^2}$인 원이므로

$S(x)=(r^2-x^2)\pi$

2단계 반구의 부피를 정적분 기호를 이용하여 나타낸다. ◀ 30%

반구의 부피 V는

$V=\int_0^r S(x)dx=\int_0^r (r^2-x^2)\pi dx$

3단계 2단계를 이용하여 반지름의 길이가 r인 구의 부피를 구한다. ◀ 40%

따라서 구의 부피는 반구의 부피의 2배이므로

$2V=2\int_0^r (r^2-x^2)\pi dx=2\pi\left[r^2x-\frac{x^3}{3}\right]_0^r=\frac{4}{3}\pi r^3$

2077

정답 해설참조

1단계 원점에서 $x(1\le x\le \ln 6)$만큼 떨어진 x축에 수직인 평면으로 자른 단면의 넓이 $S(x)$를 구한다. ◀ 50%

x좌표가 $x(1\le x\le \ln 6)$인 점을 지나고 x축에 수직인 평면으로 자른 단면인 정사각형의 한 변의 길이는 $\left|\sqrt{x}e^{\frac{x}{2}}\right|=\sqrt{x}e^{\frac{x}{2}}$이므로

단면의 넓이를 $S(x)$라고 하면

$S(x)=\left(\sqrt{x}e^{\frac{x}{2}}\right)^2=xe^x$

2단계 $1\le x\le \ln 6$에서 입체도형의 부피 V를 식으로 정리한다. ◀ 20%

입체도형의 부피 V는 $V=\int_1^{\ln 6}S(x)dx=\int_1^{\ln 6}xe^x dx$

3단계 부분적분법을 이용하여 부피를 구한다. ◀ 30%

$$\int_1^{\ln 6}xe^x dx=\left[xe^x\right]_1^{\ln 6}-\int_1^{\ln 6}e^x dx=\ln 6\cdot e^{\ln 6}-e-\left[e^x\right]_1^{\ln 6}=6\ln 6-6$$

2078

정답 해설참조

1단계 원점에서 $x\left(0\le x\le \frac{\pi}{4}\right)$만큼 떨어진 x축에 수직인 평면으로 자른 단면의 넓이 $S(x)$를 구한다. ◀ 40%

x좌표가 $x\left(0\le x\le \frac{\pi}{4}\right)$인 점을 지나고 x축에 수직인 평면으로 자른 단면은 한 변의 길이가 $\sec x+\tan x$인 정사각형이므로 단면의 넓이를 $S(x)$라 하면

$S(x)=(\sec x+\tan x)^2$

$=\sec^2 x+2\sec x\tan x+\tan^2 x$

$=2\sec^2 x-1+2\sec x\tan x$ ← $1+\tan^2 x=\sec^2 x$

2단계 $0\le x\le \frac{\pi}{4}$에서 입체도형의 부피 V를 식으로 정리한다. ◀ 20%

입체도형의 부피 V는

$V=\int_0^{\frac{\pi}{4}}S(x)dx=\int_0^{\frac{\pi}{4}}(2\sec^2 x-1+2\sec x\tan x)dx$

3단계 삼각함수의 정적분을 이용하여 부피를 구한다. ◀ 40%

$V=\int_0^{\frac{\pi}{4}}(2\sec^2 x-1)dx+2\int_0^{\frac{\pi}{4}}\sec x\tan x dx$

$=\left[2\tan x-x\right]_0^{\frac{\pi}{4}}+2\left[\sec x\right]_0^{\frac{\pi}{4}}$

$=2-\frac{\pi}{4}-0+2(\sqrt{2}-1)$

$=2\sqrt{2}-\frac{\pi}{4}$

2079

정답 해설참조

1단계 도형 T를 자른 단면의 넓이 $S(x)$를 구한다. ◀ 40%

오른쪽 그림과 같이 밑면의 중심을 원점, 밑면의 지름을 x축으로 잡고 x축 위의 점 $\mathrm{P}(x, 0)(-a\le x\le a)$을 지나고 x축에 수직인 평면으로 입체도형을 자른 단면을 $\triangle\mathrm{PQR}$이라고 하자.

$\overline{\mathrm{PQ}}=\sqrt{\overline{\mathrm{OQ}}^2-\overline{\mathrm{OP}}^2}=\sqrt{a^2-x^2}$

$\overline{\mathrm{RQ}}=\overline{\mathrm{PQ}}\tan 60^\circ=\sqrt{3}\sqrt{a^2-x^2}$이므로

$\triangle\mathrm{PQR}$의 넓이를 $S(x)$라고 하면

오른쪽 그림에서

$S(x)=\frac{1}{2}\cdot\sqrt{a-x^2}\cdot\sqrt{3}\sqrt{a-x^2}$

$=\frac{\sqrt{3}}{2}(a^2-x^2)$

2단계 1단계의 결과를 이용하여 도형 T의 부피를 구한다. ◀ 30%

구하는 입체의 부피는

$V=\int_{-a}^{a}S(x)dx=2\int_0^a\frac{\sqrt{3}}{2}(a^2-x^2)dx=\sqrt{3}\left[a^2x-\frac{1}{3}x^3\right]_0^a=\frac{2\sqrt{3}}{3}a^3$

3단계 두 입체도형 중에서 작은 쪽의 부피를 V_1, 큰 쪽의 부피를 V_2라 할 때, $\frac{V_2}{V_1}$의 값을 구한다. ◀ 30%

$V_1=\int_{-a}^{a}S(x)dx=\frac{2\sqrt{3}}{3}a^3$

한편 원기둥의 부피는 $\pi\cdot a^2\cdot 2a=2a^3\pi$

따라서 $\frac{V_2}{V_1}=\frac{2a^3\pi-V_1}{V_1}=\frac{2a^3\pi}{V_1}-1=\frac{2a^3\pi}{\frac{2\sqrt{3}}{3}a^3}-1=\sqrt{3}\pi-1$

III 적분법

2080

정답 해설참조

1단계	수면의 높이가 x일 때, 수면의 넓이를 $S(x)$라 할 때, $S(x)$를 구한다.	◀ 20%

수면의 높이가 x일 때, 수면의 넓이를 $S(x)$라 하면

$$S(x)=\pi\left(\sqrt{\frac{4x+2}{(2x+1)^2+4}}\right)^2$$
$$=\frac{4x+2}{(2x+1)^2+4}\pi(0\le x\le 2)$$

2단계	$S(x)$의 증감표를 작성하여 수면의 넓이가 최대가 되는 x의 값을 구한다.	◀ 40%

$$S'(x)=\frac{-4(2x+1)^2+16}{\{(2x+1)^2+4\}^2}\pi$$

$S'(x)=0$에서 $-4(2x+1)^2=-16$, $(2x+1)^2=4$

$x=-\frac{3}{2}$ 또는 $x=\frac{1}{2}$

그런데 $0\le x\le 2$이므로 $x=\frac{1}{2}$

$0\le x\le 2$에서 함수 $S(x)$의 증가와 감소를 표로 나타내면 다음과 같다.

x	0	$\cdots$	$\frac{1}{2}$	$\cdots$	2
$S'(x)$		+	0	−	
$S(x)$	$\frac{2}{5}\pi$	↗	$\frac{1}{2}\pi$(극댓값)	↘	$\frac{10}{29}\pi$

수면의 넓이 $S(x)$는 $x=\frac{1}{2}$에서 극대이면서 최대이다.

3단계	수면의 넓이가 최대가 되었을 때, 채워진 물의 부피를 구한다.	◀ 40%

이때 채워진 물의 부피를 V라 하면

$$V=\int_0^{\frac{1}{2}}S(x)dx=\pi\int_0^{\frac{1}{2}}\frac{4x+2}{(2x+1)^2+4}dx$$

$(2x+1)^2+4=t$로 놓으면 $8x+4=\frac{dt}{dx}$이고

$x=0$일 때, $t=5$이고 $x=\frac{1}{2}$일 때, $t=8$이므로

$$V=\frac{\pi}{2}\int_5^8\frac{1}{t}dt=\frac{\pi}{2}\Big[\ln|t|\Big]_5^8=\frac{\pi}{2}\ln\frac{8}{5}$$

2081

정답 해설참조

1단계	점 P가 움직이는 방향이 바뀌는 시각을 구한다.	◀ 40%

시각 $t=a$일 때, 원점과 점 P사이의 거리가 최대라고 하면
이 시각에서 점 P가 움직이는 방향이 바뀐다.
$v(t)=0$일 때, 점 P가 움직이는 방향이 바뀌므로

$\sin t(2\cos t-1)=0$에서 $\sin t=0$ 또는 $\cos t=\frac{1}{2}$

$0\le t\le 4$이므로 $t=\frac{\pi}{3}$ 또는 $t=\pi$

2단계	움직이는 방향이 바뀌는 시각에서 점 P의 위치를 구한다.	◀ 40%

(ⅰ) $t=\frac{\pi}{3}$일 때, 점 P의 위치는

$$\int_0^{\frac{\pi}{3}}(2\sin t\cos t-\sin t)dt=\Big[\sin^2 t+\cos t\Big]_0^{\frac{\pi}{3}}=\frac{1}{4}$$

(ⅱ) $t=\pi$일 때, 점 P의 위치는

$$\int_0^{\pi}(2\sin t\cos t-\sin t)dt=\Big[\sin^2 t+\cos t\Big]_0^{\pi}=-2$$

3단계	원점과 점 P 사이의 최대 거리를 구한다.	◀ 20%

따라서 $t=\pi$일 때, 원점과 점 P 사이의 거리가 최대이고 그때의 거리는 2m

2082

정답 해설참조

1단계	$\frac{dx}{dt}$, $\frac{dy}{dt}$을 구한다.	◀ 20%

$$\frac{dx}{dt}=-3a\cos^2 t\sin t,\ \frac{dy}{dt}=3a\sin^2 t\cos t$$

2단계	상수 a의 값을 구한다.	◀ 50%

점 P가 움직인 거리는

$$\int_0^{\frac{\pi}{2}}\sqrt{(-3a\cos^2 t\sin t)^2+(3a\sin^2 t\cos t)^2}\,dt$$
$$=\int_0^{\frac{\pi}{2}}|3a\sin t\cos t|dt$$
$$=\int_0^{\frac{\pi}{2}}\left|\frac{3}{2}a\sin 2t\right|dt$$
$$=\int_0^{\frac{\pi}{2}}\frac{3}{2}a\sin 2t dt$$
$$=\Big[-\frac{3}{4}a\cos 2t\Big]_0^{\frac{\pi}{2}}$$
$$=\frac{3}{2}a$$

즉 $\frac{3}{2}a=3$이므로 $a=2$

3단계	$t=0$에서 $t=\frac{3}{4}\pi$까지 점 P가 움직인 거리를 구한다.	◀ 30%

점 P가 움직인 거리는

$$\int_0^{\frac{3}{4}\pi}\sqrt{(-6\cos^2 t\sin t)^2+(6\sin^2 t\cos t)^2}\,dt$$
$$=\int_0^{\frac{3}{4}\pi}|6\sin t\cos t|dt$$
$$=\int_0^{\frac{3}{4}\pi}|3\sin 2t|dt$$
$$=\int_0^{\frac{\pi}{2}}3\sin 2t dt+\int_{\frac{\pi}{2}}^{\frac{3}{4}\pi}(-3\sin 2t)dt$$
$$=\Big[-\frac{3}{2}\cos 2t\Big]_0^{\frac{\pi}{2}}+\Big[\frac{3}{2}\cos 2t\Big]_{\frac{\pi}{2}}^{\frac{3}{4}\pi}$$
$$=\frac{9}{2}$$

STEP 3　행복한 1등급 문제

2083

정답 $\frac{1}{2\pi}$

STEP Ⓐ 접선과 x축, y축으로 둘러싸인 부분의 넓이 S_k 구하기

$\angle AOP_k=\frac{\pi}{2}\times\frac{k}{n}=\frac{k\pi}{2n}$이므로 점 P_k의 좌표는 $\left(2\cos\frac{k\pi}{2n},\ 2\sin\frac{k\pi}{2n}\right)$

원 $x^2+y^2=4(x\ge0,\ y\ge0)$ 위의 점 $P_k(1\le k\le n-1)$에서의

접선의 방정식은 $2x\cos\frac{k\pi}{2n}+2y\sin\frac{k\pi}{2n}=4$

즉 $x\cos\frac{k\pi}{2n}+y\sin\frac{k\pi}{2n}=2$

이 접선의 x절편과 y절편은 각각 $\frac{2}{\cos\frac{k\pi}{2n}}$, $\frac{2}{\sin\frac{k\pi}{2n}}$이므로

접선과 x축, y축으로 둘러싸인 부분의 넓이 S_k는

$S_k=\frac{1}{2}\times\frac{2}{\cos\frac{k\pi}{2n}}\times\frac{2}{\sin\frac{k\pi}{2n}}=\frac{2}{\sin\frac{k\pi}{2n}\cos\frac{k\pi}{2n}}$

STEP Ⓑ 정적분과 급수의 관계를 이용하여 정적분으로 바꾸기

$k=n$일 때, $\cos\frac{\pi}{2}=0$이므로

$\lim_{n\to\infty}\frac{1}{n}\sum_{k=1}^{n-1}\frac{1}{S_k}=\lim_{n\to\infty}\frac{1}{n}\sum_{k=1}^{n}\frac{1}{S_k}=\lim_{n\to\infty}\frac{1}{n}\sum_{k=1}^{n}\frac{1}{2}\sin\frac{k\pi}{2n}\cos\frac{k\pi}{2n}$

$=\frac{1}{\pi}\lim_{n\to\infty}\sum_{k=1}^{n}\sin\frac{k\pi}{2n}\cos\frac{k\pi}{2n}\times\frac{\pi}{2n}$

이때 $f(x)=\sin x\cos x$, $\Delta x=\frac{\pi}{2n}$, $x_k=\frac{k\pi}{2n}$라 하면

$\frac{1}{\pi}\lim_{n\to\infty}\sum_{k=1}^{n}\sin\frac{k\pi}{2n}\cos\frac{k\pi}{2n}\times\frac{\pi}{2n}=\frac{1}{\pi}\int_0^{\frac{\pi}{2}}\sin x\cos x\,dx$

STEP Ⓒ 치환적분법을 이용하여 정적분의 값 구하기

$\frac{1}{\pi}\int_0^{\frac{\pi}{2}}\sin x\cos x\,dx$에서 $\sin x=t$로 놓으면 $\cos x=\frac{dt}{dx}$

$x=0$일 때, $t=0$이고 $x=\frac{\pi}{2}$일 때, $t=1$

따라서 $\frac{1}{\pi}\int_0^{\frac{\pi}{2}}\sin x\cos x\,dx=\frac{1}{\pi}\int_0^1 t\,dt=\frac{1}{\pi}\left[\frac{1}{2}t^2\right]_0^1=\frac{1}{2\pi}$

2084

정답 $\frac{1}{4}$

STEP Ⓐ 정적분과 급수의 관계를 이용하여 급수를 정적분으로 바꾸기

$\lim_{n\to\infty}\sum_{k=1}^{n}\frac{k}{n^2}f'\left(\frac{2k}{n}-1\right)=\lim_{n\to\infty}\sum_{k=1}^{n}\frac{k}{n}f'\left(\frac{2k}{n}-1\right)\cdot\frac{1}{n}=\int_0^1 xf'(2x-1)dx$

$\int_0^1 xf'(2x-1)dx$에서 $2x-1=t$로 놓으면 $2dx=dt$

$x=0$일 때, $t=-1$이고 $x=1$일 때, $t=1$이므로

$\int_0^1 xf'(2x-1)dx=\frac{1}{4}\int_{-1}^1(t+1)f'(t)dt=\frac{1}{4}\int_{-1}^1 tf'(t)dt+\frac{1}{4}\int_{-1}^1 f'(t)dt$

STEP Ⓑ 우함수와 기함수의 성질을 이용하고 부분적분법으로 계산하기

이때 조건 (가)에서 $f'(-x)=-f'(x)$이므로 $\int_{-1}^1 f'(t)dt=0$

$g(x)=xf'(x)$라 하면

$g(-x)=-xf'(-x)=xf'(x)=g(x)$이므로

$\int_{-1}^1 tf'(t)dt=2\int_0^1 tf'(t)dt$

즉 $\int_0^1 xf'(2x-1)dx=\frac{1}{2}\int_0^1 tf'(t)dt$

$=\frac{1}{2}\left\{\left[tf(t)\right]_0^1-\int_0^1 f(t)dt\right\}$

$=\frac{1}{2}\left\{f(1)-\int_0^1 f(t)dt\right\}$ ...... ㉠

STEP Ⓒ 조건 (나)를 이용하여 주어진 급수 계산하기

조건 (나)에서 $\int_0^1 f'(x)dx=\left[f(x)\right]_0^1=f(1)-f(0)=-\frac{1}{2}$이고

$f(0)=0$이므로 $f(1)=-\frac{1}{2}$

또한, 조건 (나)에서 $\int_0^1 f(t)dt=-1$

따라서 ㉠에서 $\lim_{n\to\infty}\sum_{k=1}^{n}\frac{k}{n^2}f'\left(\frac{2k}{n}-1\right)=\frac{1}{2}\left\{f(1)-\int_0^1 f(t)dt\right\}$

$=\frac{1}{2}\left(-\frac{1}{2}+1\right)=\frac{1}{4}$

2085

정답 96

STEP Ⓐ $f(x)$가 극대일 때, 최대가 됨을 이용하여 a의 값 구하기

$f(x)=\int_0^x(a-t)e^t dt$의 양변을 x에 대하여 미분하면

$f'(x)=(a-x)e^x$이므로 $f'(x)=0$에서 $x=a$

$x<a$에서 $f'(x)>0$, $x>a$에서 $f'(x)<0$이므로

함수 $f(x)$는 $x=a$에서 극댓값을 가진다.

즉 함수 $f(x)$는 $x=a$에서 최댓값 32를 가지므로

$f(x)=\int_0^x(a-t)e^t dt$

$=\left[(a-t)e^t\right]_0^x-\int_0^x(-e^t)dt$

$=\left[(a-t)e^t\right]_0^x+\left[e^t\right]_0^x$

$=(a-x)e^x-a+e^x-1$

$=(a+1-x)e^x-a-1$

이므로 최댓값은 $f(a)=e^a-a-1=32$

$\therefore\ e^a-a=33$ ...... ㉠

STEP Ⓑ a의 값을 이용하여 곡선과 직선으로 둘러싸인 부분의 넓이 구하기

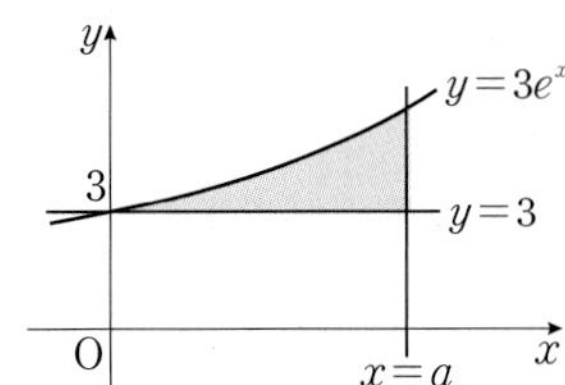

곡선 $y=3e^x$과 직선 $y=3$이 만나는 점의 x좌표를 t라 하면

$3e^t=3$에서 $t=0$

따라서 곡선 $y=3e^x$과 두 직선 $x=a$, $y=3$으로 둘러싸인 부분의 넓이는

$\int_0^a(3e^x-3)dx=\left[3e^x-3x\right]_0^a$

$=(3e^a-3a)-(3-0)$

$=3(e^a-a)-3$

$=3\cdot33-3(\because ㉠)$

$=96$

Ⅲ 적분법

2086

정답 1

STEP Ⓐ S_1, S_2의 넓이 구하기

다음 그림과 같이 곡선 $y=\frac{1}{x}$과 두 직선 $y=ax$, $y=bx$의 교점을 각각 $\mathrm{P}\left(p, \frac{1}{p}\right)$, $\mathrm{Q}\left(q, \frac{1}{q}\right)$이라 하고 두 점 P, Q에서 x축에 내린 수선의 발을 각각 P′, Q′이라고 하자.

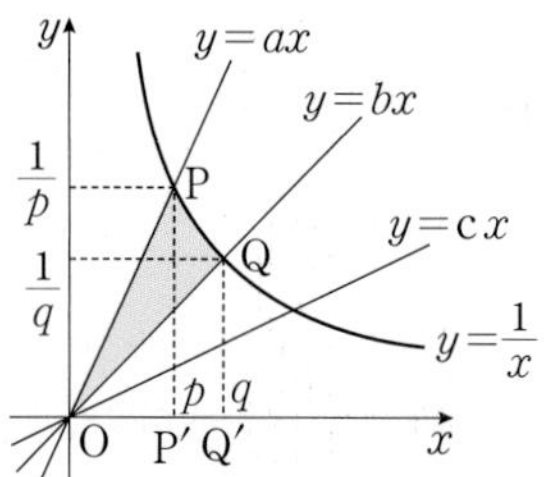

$\frac{1}{p}=ap$, $\frac{1}{q}=bq$에서 $p=\frac{1}{\sqrt{a}}$, $q=\frac{1}{\sqrt{b}}$ …… ㉠

이때 $S_1=(\triangle\mathrm{POP'}$의 넓이$)+\int_p^q \frac{1}{x}dx-(\triangle\mathrm{QOQ'}$의 넓이$)$

$=\frac{1}{2}\cdot p\cdot\frac{1}{p}+\Big[\ln x\Big]_p^q-\frac{1}{2}\cdot q\cdot\frac{1}{q}$

$=\frac{1}{2}+(\ln q-\ln p)-\frac{1}{2}$

$=\ln\frac{q}{p}$

이 식에 ㉠을 대입하면 $S_1=\ln\frac{\sqrt{a}}{\sqrt{b}}=\frac{1}{2}\ln\frac{a}{b}$

같은 방법으로 S_2를 구하면 $S_2=\frac{1}{2}\ln\frac{b}{c}$

STEP Ⓑ a, b, c가 등비수열임을 이용하여 $\frac{S_1}{S_2}$ 구하기

이때 a, b, c가 이 순서대로 등비수열을 이루므로 $b^2=ac$에서 $\frac{a}{b}=\frac{b}{c}$

따라서 $S_1=S_2$이므로 $\frac{S_1}{S_2}=1$

2087

STEP Ⓐ 곡선과 직선의 교점의 x좌표 구하기

곡선 $y=\frac{xe^{x^2}}{e^{x^2}+1}$과 직선 $y=\frac{2}{3}x$의 교점의 x좌표를 구하면

$\frac{xe^{x^2}}{e^{x^2}+1}=\frac{2}{3}x$에서 $xe^{x^2}=\frac{2}{3}xe^{x^2}+\frac{2}{3}x$, $\frac{1}{3}x(e^{x^2}-2)=0$

$x=0$ 또는 $e^{x^2}-2=0$

이때 $e^{x^2}=2$에서 $x^2=\ln 2$

$\therefore x=0$ 또는 $x=\pm\sqrt{\ln 2}$

STEP Ⓑ 닫힌구간 $[0, \sqrt{\ln 2}]$에서 두 곡선의 위치관계 구하기

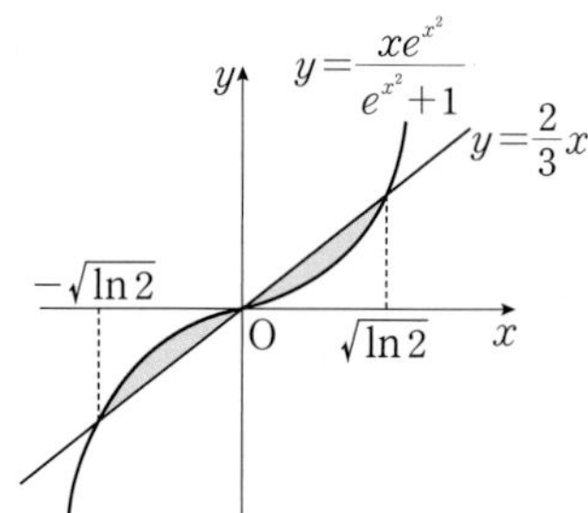

$y=\frac{xe^{x^2}}{e^{x^2}+1}$, $y=\frac{2}{3}x$의 그래프는 각각 원점에 대하여 대칭이고

구간 $[-\sqrt{\ln 2}, 0]$과 $[0, \sqrt{\ln 2}]$에서 곡선과 직선으로 둘러싸인 부분의 넓이가 서로 같으므로 한 쪽 넓이의 2배를 구하면 된다.

$0<x<\sqrt{\ln 2}$일 때, $1<e^{x^2}<2$, $\frac{1}{3}<\frac{1}{e^{x^2}+1}<\frac{1}{2}$이므로

$\frac{xe^{x^2}}{e^{x^2}+1}-\frac{2}{3}x=x\left(1-\frac{1}{e^{x^2}+1}\right)-\frac{2}{3}x=x\left(\frac{1}{3}-\frac{1}{e^{x^2}+1}\right)<0$

$\therefore \frac{xe^{x^2}}{e^{x^2}+1}<\frac{2}{3}x$

STEP Ⓒ 정적분 구하기

따라서 두 곡선으로 둘러싸인 도형의 넓이 S는

$S=2\int_0^{\sqrt{\ln 2}}\left(\frac{2}{3}x-\frac{xe^{x^2}}{e^{x^2}+1}\right)dx$

$=\int_0^{\sqrt{\ln 2}}\frac{4}{3}xdx-\int_0^{\sqrt{\ln 2}}\frac{2xe^{x^2}}{e^{x^2}+1}dx$

$=\left[\frac{2}{3}x^2\right]_0^{\sqrt{\ln 2}}-\left[\ln(e^{x^2}+1)\right]_0^{\sqrt{\ln 2}}$

$=\frac{2}{3}\ln 2-(\ln 3-\ln 2)$

$=\frac{5}{3}\ln 2-\ln 3$

2088

STEP Ⓐ 점 $\mathrm{P}(a, \sin a)$에서 접선의 방정식 구하기

함수 $f(x)=\sin x$에서 $f'(x)=\cos x$이므로

점 $\mathrm{P}(a, \sin a)$에서 그은 접선 l의 방정식은 $y=\cos a(x-a)+\sin a$

직선 l이 x축과 만나는 점을 Q라 하면

점 $\mathrm{Q}\left(a-\frac{\sin a}{\cos a}, 0\right)$이고 점 P에서 x축에 내린 수선의 발을 R이라 하면

점 $\mathrm{R}(a, 0)$

STEP Ⓑ 정적분을 이용하여 넓이의 식 구하기

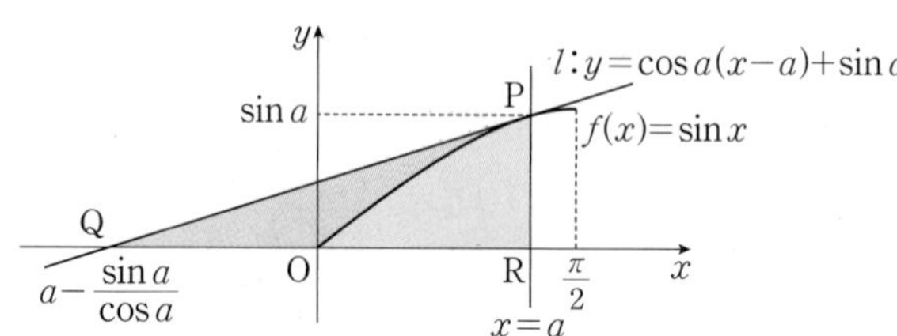

그림과 같이 곡선 $y=\sin x$와 x축 및 직선 l로 둘러싸인 부분의 넓이를 S_1, 곡선 $y=\sin x$와 x축 및 직선 $x=a$로 둘러싸인 부분의 넓이를 S_2라 하면

$S_1=\frac{1}{2}\times\frac{\sin a}{\cos a}\times\sin a-\int_0^a \sin x dx$

$S_2=\int_0^a \sin x dx$

STEP Ⓒ 두 부분의 넓이가 같음을 이용하여 $\cos a$ 구하기

$S_1=S_2$이므로

$\frac{1}{2}\times\frac{\sin a}{\cos a}\times\sin a-\int_0^a \sin x dx=\int_0^a \sin x dx$

$\frac{\sin^2 a}{2\cos a}=2\int_0^a \sin x dx$

$\frac{1-\cos^2 a}{2\cos a}=2\Big[-\cos x\Big]_0^a=-2\cos a+2$

$3\cos^2 a-4\cos a+1=0$

$(3\cos a-1)(\cos a-1)=0$

따라서 $0<a<\frac{\pi}{2}$이므로 $\cos a=\frac{1}{3}$

2089

정답 ⑤

STEP A $\int_n^{n+1} f(x)dx$를 구하여 참임을 판별하기

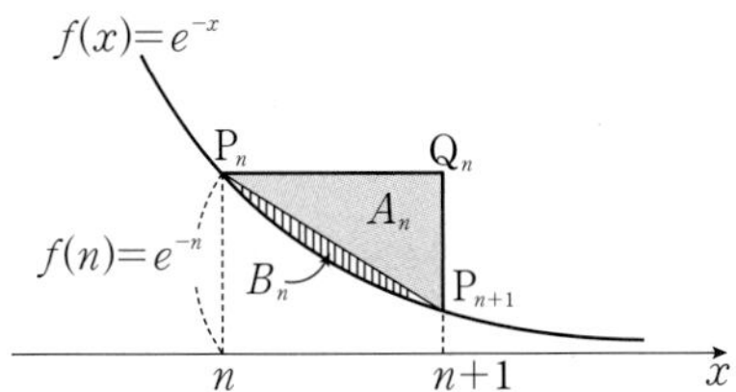

ㄱ. $f(x)>0$이므로 $\int_n^{n+1} f(x)dx$는 곡선 $y=f(x)$와

두 직선 $x=n$, $x=n+1$ 및 x축으로 둘러싸인 도형의 넓이와 같다.

$\int_n^{n+1} f(x)dx$는 x축, $x=n$, $x=n+1$과 $\overline{P_nQ_n}$으로 둘러싸인 사각형에서 A_n+B_n을 뺀 것과 같다.

사각형의 넓이는 $\{(n+1)-n\}\cdot f(n)=f(n)$

$\therefore \int_n^{n+1} f(x)dx=f(n)-(A_n+B_n)$ [참]

STEP B A_n을 구하여 등비급수를 이용하여 참임을 판별하기

ㄴ. A_n은 삼각형 $P_nP_{n+1}Q_n$의 넓이이므로

$$\begin{aligned} A_n&=\frac{1}{2}\cdot 1\cdot\{f(n)-f(n+1)\}\\ &=\frac{1}{2}(e^{-n}-e^{-n-1})=\frac{1}{2}e^{-n-1}(e-1)\\ &=\frac{1}{2}(e-1)\cdot\frac{1}{e^{n+1}}\\ &=\frac{e-1}{2e^{n+1}}\end{aligned}$$

즉 수열 $\{A_n\}$은 첫째항이 $\frac{e-1}{2e^2}$, 공비가 $\frac{1}{e}$인 등비수열이므로

$$\sum_{n=1}^{\infty}A_n=\frac{\frac{e-1}{2e^2}}{1-\frac{1}{e}}=\frac{1}{2e}\ [\text{참}]$$

$$\begin{aligned}\sum_{n=1}^{\infty}A_n&=\frac{1}{2}\left(\sum_{n=1}^{\infty}e^{-n}-\sum_{n=1}^{\infty}e^{-(n+1)}\right)\\ &=\frac{1}{2}\sum_{n=1}^{\infty}\left(\frac{1}{e^n}-\frac{1}{e^{n+1}}\right)\\ &=\frac{1}{2}\left\{\left(\frac{1}{e}-\frac{1}{e^2}\right)+\left(\frac{1}{e^2}-\frac{1}{e^3}\right)+\left(\frac{1}{e^3}-\frac{1}{e^4}\right)+\cdots\right\}\\ &=\frac{1}{2e}\ [\text{참}]\end{aligned}$$

STEP C B_n을 구하여 등비급수를 이용하여 참임을 판별하기

ㄷ. B_n은 사다리꼴의 넓이에서 $y=f(x)$와 두 직선 $x=n$, $x=n+1$ 및 x축으로 둘러싸인 도형의 넓이를 뺀 값과 같으므로

$$\begin{aligned}B_n&=\frac{1}{2}(e^{-n}+e^{-n-1})-\int_n^{n+1}e^{-x}dx\\ &=\frac{1}{2}(e^{-n}+e^{-n-1})+(e^{-n-1}-e^{-n})\\ &=\frac{3}{2}e^{-n-1}-\frac{1}{2}e^{-n}\end{aligned}$$

$$\sum_{n=1}^{\infty}B_n=\frac{\frac{3}{2}e^{-2}-\frac{1}{2}e^{-1}}{1-\frac{1}{e}}=\frac{3-e}{2e^2-2e}=\frac{3-e}{2e(e-1)}\ [\text{참}]$$

따라서 옳은 것은 ㄱ, ㄴ, ㄷ이다.

2090

정답 11 cm

STEP A 단면의 넓이 $S(x)$ 구하기

다음 그림과 같이 반지름의 길이가 15cm인 반구의 중심을 O라 하고 반구와 바닥의 접점을 A라 하자.

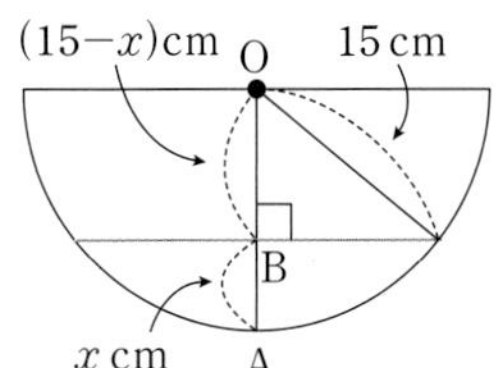

이 반구의 반지름 OA 위에 $\overline{AB}=x$cm인 점 B를 잡을 때, 점 B를 지나며 반지름 OA에 수직인 평면으로 자른 단면은 반지름의 길이가 $\sqrt{15^2-(15-x)^2}$cm, 즉 $\sqrt{30x-x^2}$cm인 원이다.

이 단면의 넓이를 $S(x)$라 하면

$S(x)=\pi(30x-x^2)\text{cm}^2$

STEP B 높이가 12cm인 지점까지 물의 부피 구하기

바닥으로부터의 높이가 12cm인 지점까지 채워진 물의 부피를 V라 하면

$$\begin{aligned}V&=\int_0^{12}S(x)dx\\ &=\int_0^{12}\pi(30x-x^2)dx\\ &=\pi\left[15x^2-\frac{1}{3}x^3\right]_0^{12}\\ &=1584\pi(\text{cm}^3)\end{aligned}$$

STEP C 원기둥 모양의 그릇에 옮겨 부을 때 물의 높이 구하기

한편 원기둥의 밑넓이가 $144\pi\text{cm}^2$이므로 원기둥 모양의 그릇에 채워질 물의 높이 $h$cm는 $h=\frac{1584\pi}{144\pi}=11(\text{cm})$

2091

2π

STEP A $t=0$에서 $t=a$까지 움직인 거리 l 구하기

$\frac{dx}{dt}=e^t(\sin t-\cos t)+e^t(\cos t+\sin t)=2e^t\sin t$

$\frac{dy}{dt}=e^t(\sin t+\cos t)+e^t(\cos t-\sin t)=2e^t\cos t$

$$\begin{aligned}l&=\int_0^a\sqrt{\left(\frac{dx}{dt}\right)^2+\left(\frac{dy}{dt}\right)^2}dt\\ &=\int_0^a\sqrt{(2e^t\sin t)^2+(2e^t\cos t)^2}dt\\ &=\int_0^a\sqrt{4e^{2t}}dt=\int_0^a 2e^t dt\\ &=\left[2e^t\right]_0^a=2e^a-2\end{aligned}$$

STEP B $t=a$에서 원점까지의 거리 d 구하기

$d=\sqrt{\{e^a(\sin a-\cos a)+1\}^2+\{e^a(\sin a+\cos a)-1\}^2}$이므로

$$\begin{aligned}d^2&=e^{2a}(\sin a-\cos a)^2+2e^a(\sin a-\cos a)+1\\ &\quad+e^{2a}(\sin a+\cos a)^2-2e^a(\sin a+\cos a)+1\\ &=2e^{2a}-4e^a\cos a+2\end{aligned}$$

STEP C $l^2=2d^2$를 만족하는 a의 값 구하기

$l^2=2d^2$에서 $(2e^a-2)^2=4e^{2a}-8e^a\cos a+4$

$4e^{2a}-8e^a+4=4e^{2a}-8e^a\cos a+4$

$e^a=e^a\cos a$

$e^a>0$이므로 $\cos a=1$

따라서 $0<a\le 2\pi$이므로 $a=2\pi$

2092

정답 $2\ln 5$

STEP Ⓐ 곡선의 x축과 만나는 x좌표 구하기

곡선 $y=\ln\left(\frac{9}{5}-\frac{9}{5}x^2\right)$이 x축과 만나는 점의 x좌표는

$\frac{9}{5}-\frac{9}{5}x^2=1$에서 $x=-\frac{2}{3}$ 또는 $x=\frac{2}{3}$

STEP Ⓑ 곡선 $y=f(x)$의 도함수 $f'(x)$ 구하기

이때 $f(x)=\ln\left(\frac{9}{5}-\frac{9}{5}x^2\right)$이라 하면

$f'(x)=\frac{-2x}{1-x^2}$

STEP Ⓒ $x=0$에서 $x=\frac{2}{3}$까지의 곡선의 길이 구하기

$0\le x\le\frac{2}{3}$에서 구하는 곡선의 길이를 l이라 하면

$$\begin{aligned}l&=\int_0^{\frac{2}{3}}\sqrt{1+\left(\frac{-2x}{1-x^2}\right)^2}\,dx\\&=\int_0^{\frac{2}{3}}\frac{1+x^2}{1-x^2}\,dx\\&=\int_0^{\frac{2}{3}}\left(-1+\frac{1}{1-x}+\frac{1}{1+x}\right)dx\\&=\Big[-x-\ln(1-x)+\ln(1+x)\Big]_0^{\frac{2}{3}}\\&=\ln 5-\frac{2}{3}\end{aligned}$$

따라서 둘레의 길이는 $2\left(\ln 5-\frac{2}{3}+\frac{2}{3}\right)=2\ln 5$

2093

 3

STEP Ⓐ $\frac{dx}{dt}$, $\frac{dy}{dt}$ 구하기

$x=t$, $y=\frac{2}{3}(t^2+1)^{\frac{3}{2}}$에서

$\frac{dx}{dt}=1$, $\frac{dy}{dt}=2t\sqrt{t^2+1}$

STEP Ⓑ $t=0$에서 $t=a$까지 점 P의 이동거리 s 구하기

$t=0$에서 $t=a$까지 점 P의 이동거리 s는

$$\begin{aligned}s&=\int_0^a\sqrt{1+(2t\sqrt{t^2+1})^2}\,dt\\&=\int_0^a(2t^2+1)\,dt\\&=\left[\frac{2}{3}t^3+t\right]_0^a\\&=\frac{2}{3}a^3+a\end{aligned}$$

STEP Ⓒ 움직인 거리가 $\frac{5}{3}$임을 이용하여 a를 구하기

이때 움직인 거리가 $\frac{5}{3}$이므로 $\frac{2}{3}a^3+a=\frac{5}{3}$

$(a-1)(2a^2+2a+5)=0$

그런데 $2a^2+2a+5>0$이므로 $a=1$

STEP Ⓓ $t=a$에서의 속력 구하기

따라서 $t=1$일 때, 속도는 $(1,\ 2\sqrt{2})$이고 속력은 3

2094

정답 $6+16\ln 2$

STEP Ⓐ $\frac{dx}{dt}$, $\frac{dy}{dt}$ 구하기

$x=8t$, $y=\frac{1}{2}(t+2)^2-\ln(t+2)^{16}$에서

$\frac{dx}{dt}=8$, $\frac{dy}{dt}=t+2-\frac{16}{t+2}$

STEP Ⓑ 점 P의 속력이 최소가 되는 t의 값 구하기

점 P의 속력은

$$\begin{aligned}\sqrt{8^2+\left(t+2-\frac{16}{t+2}\right)^2}&=\sqrt{\left(t+2+\frac{16}{t+2}\right)^2}\\&=t+2+\frac{16}{t+2}\qquad\cdots\cdots \text{㉠}\end{aligned}$$

$t+2>0$이므로

㉠에서 산술평균과 기하평균의 관계에 의하여

$t+2+\frac{16}{t+2}\ge 2\sqrt{(t+2)\cdot\frac{16}{t+2}}=2\cdot 4=8$

$\left(\text{여기서 등호는 } t+2=\frac{16}{t+2}\text{일 때 성립}\right)$

$t+2=\frac{16}{t+2}$에서 $(t+2)^2=16$

그런데 $t>0$이므로 $t=2$, 즉 $t=2$일 때, 속력이 최소이다.

STEP Ⓒ $t=0$에서 $t=2$까지 점 P의 이동거리 구하기

따라서 $t=0$에서 $t=2$까지 점 P의 이동거리 s는

$$\begin{aligned}s&=\int_0^2\left(t+2+\frac{16}{t+2}\right)dt\\&=\left[\frac{1}{2}t^2+2t+16\ln|t+2|\right]_0^2\\&=6+16\ln 2\end{aligned}$$

MAPL; SYNERGY

01 수열의 극한 모의평가

01	⑤	02	⑤	03	②	04	①	05	⑤
06	①	07	④	08	②	09	③	10	④
11	③	12	⑤	13	⑤	14	③	15	④
16	②	17	①	18	③	19	④	20	⑤

서술형

21	해설참조	22	해설참조
23	해설참조	24	해설참조

01

 ⑤

STEP A n이 한없이 커질 때 a_n이 어떤 일정한 값에 가까워지면 수렴, 그렇지 않으면 발산함을 이용하여 가까워지는 값 구하기

① $a_n=\frac{n+2}{n}$라 하면 n이 한없이 커질 때,
a_n의 값은 1에 한없이 가까워지므로 이 수열은 1에 수렴한다.
$\therefore \lim\limits_{n\to\infty}\frac{n+2}{n}=1$

② $a_n=\frac{2}{2n-1}$라 하면 n이 한없이 커질 때,
a_n의 값은 0에 한없이 가까워지므로 이 수열은 0에 수렴한다.
$\therefore \lim\limits_{n\to\infty}\frac{2}{2n-1}=0$

③ $a_n=3$이라 하면 n이 한없이 커질 때,
a_n의 값은 3이므로 이 수열은 3에 수렴한다.
$\therefore \lim\limits_{n\to\infty}3=3$

④ $a_n=\frac{(-1)^n}{n^2}$이라 하면 n이 한없이 커질 때,
a_n의 값은 0에 한없이 가까워지므로 이 수열은 0에 수렴한다.
$\therefore \lim\limits_{n\to\infty}\frac{(-1)^n}{n^2}=0$

⑤ $a_n=1+(-1)^{n+1}$이라 하면 n이 한없이 커질 때,
a_n의 값은 $2, 0, 2, 0, 2, 0, \cdots$ 이므로 발산(진동)한다.

따라서 발산하는 것은 ⑤이다.

02

 ⑤

STEP A 수열의 극한에 대한 기본 성질을 이용하여 극한값 계산하기

① $\lim\limits_{n\to\infty}a_nb_n=3\cdot(-2)=-6$

② $\lim\limits_{n\to\infty}(2a_n+b_n)=2\cdot3+(-2)=4$

③ $\lim\limits_{n\to\infty}(3b_n-a_n)=3\cdot(-2)-3=-9$

④ $\lim\limits_{n\to\infty}\frac{2a_n}{b_n}=\frac{2\cdot3}{-2}=-3$

⑤ $\lim\limits_{n\to\infty}\frac{2a_n+b_n}{b_n}=\frac{2\cdot3-2}{-2}=-2$

따라서 옳지 않은 것은 ⑤이다.

03

 ②

STEP A 근과 계수의 관계를 이용하여 α_n, β_n 사이의 관계식 구하기

이차방정식 $x^2+(2n^2+n)x-n^2=0$의 근과 계수의 관계에 의하여
$\alpha_n+\beta_n=-(2n^2+n)$, $\alpha_n\beta_n=-n^2$이므로

$$\frac{1}{\alpha_n}+\frac{1}{\beta_n}=\frac{\alpha_n+\beta_n}{\alpha_n\beta_n}=\frac{-(2n^2+n)}{-n^2}=\frac{2n^2+n}{n^2}$$

STEP B 주어진 극한값 구하기

따라서 $\lim\limits_{n\to\infty}\left(\frac{1}{\alpha_n}+\frac{1}{\beta_n}\right)=\lim\limits_{n\to\infty}\frac{\alpha_n+\beta_n}{\alpha_n\beta_n}=\lim\limits_{n\to\infty}\frac{2n^2+n}{n^2}=\lim\limits_{n\to\infty}\left(2+\frac{1}{n}\right)=2$

04

 ①

STEP A 등차수열의 합 공식을 이용하여 식을 정리하고 극한값 구하기

조건 (가)에서

$$1+3+5+\cdots+(2n-1)=\frac{n\{1+(2n-1)\}}{2}=n^2$$

$$2+4+6+\cdots+2n=\frac{n(2+2n)}{2}=n^2+n$$

$$a=\lim_{n\to\infty}\frac{1+3+5+\cdots+(2n-1)}{2+4+6+\cdots+2n}=\lim_{n\to\infty}\frac{n^2}{n^2+n}=\lim_{n\to\infty}\frac{1}{1+\frac{1}{n}}=1$$

STEP B 합 공식을 이용하여 식을 정리하고 극한값 구하기

조건 (나)에서

$$1^2+2^2+3^2+\cdots+n^2=\sum_{k=1}^{n}k^2=\frac{n(n+1)(2n+1)}{6}$$

$$1\cdot2+2\cdot3+\cdots+n\cdot(n+1)=\sum_{k=1}^{n}k(k+1)=\frac{n(n+1)(n+2)}{3}$$

이므로

$$b=\lim_{n\to\infty}\frac{(1^2+2^2+3^2+\cdots+n^2)}{1\cdot2+2\cdot3+\cdots+n(n+1)}=\lim_{n\to\infty}\frac{\frac{1}{6}n(n+1)(2n+1)}{\frac{1}{3}n(n+1)(n+2)}$$

$$=\lim_{n\to\infty}\frac{2n+1}{2(n+2)}=1$$

따라서 $a=1$, $b=1$이므로 $a+b=1+1=2$

05

 ⑤

STEP A 분모를 1로 보고 분자를 유리화하여 극한값 구하기

$$\lim_{n\to\infty}(\sqrt{n^2+3n+5}-n)=\lim_{n\to\infty}\frac{(\sqrt{n^2+3n+5}-n)(\sqrt{n^2+3n+5}+n)}{\sqrt{n^2+3n+5}+n}$$

$$=\lim_{n\to\infty}\frac{3n+5}{\sqrt{n^2+3n+5}+n}$$

$$=\lim_{n\to\infty}\frac{3+\frac{5}{n}}{\sqrt{1+\frac{3}{n}+\frac{5}{n^2}}+1}=\frac{3}{1+1}=\frac{3}{2}$$

STEP B 분모를 유리화하여 극한값 구하기

$$\lim_{n\to\infty}\frac{4}{\sqrt{n^2+2n+3}-n}=\lim_{n\to\infty}\frac{4}{\sqrt{n^2+2n+3}-n}\times\frac{\sqrt{n^2+2n+3}+n}{\sqrt{n^2+2n+3}+n}$$

$$=\lim_{n\to\infty}\frac{4\sqrt{n^2+2n+3}+4n}{2n+3}$$

$$=\lim_{n\to\infty}\frac{4\sqrt{1+\frac{2}{n}+\frac{3}{n^2}}+4}{2+\frac{3}{n}}=4$$

따라서 $a=\frac{3}{2}$, $b=4$이므로 $ab=6$

06

정답 ①

STEP A a_n을 포함한 식을 b_n으로 놓고 수열의 극한의 기본 성질을 이용하여 극한값 구하기

$na_n=b_n$으로 놓으면 $a_n=\frac{b_n}{n}$

이때 $\lim_{n\to\infty}b_n=5$이므로 $\lim_{n\to\infty}(3+2n)a_n=\lim_{n\to\infty}(3+2n)\times\frac{b_n}{n}$

$$=\lim_{n\to\infty}\frac{3+2n}{n}\times b_n$$
$$=\lim_{n\to\infty}\frac{3+2n}{n}\times\lim_{n\to\infty}b_n$$
$$=2\times5=10$$

07

정답 ④

STEP A 부등식의 각 변을 n으로 나누기

$n-2\le na_n\le\sqrt{n^2+\frac{n}{2}}$의 각 변을 n으로 나누면 $1-\frac{2}{n}\le a_n\le\sqrt{1+\frac{1}{2n}}$

STEP B 수열의 극한의 대소 관계를 이용하여 극한값 구하기

따라서 $\lim_{n\to\infty}\left(1-\frac{2}{n}\right)=1$, $\lim_{n\to\infty}\sqrt{1+\frac{1}{2n}}=1$이므로 $\lim_{n\to\infty}a_n=1$

$$\lim_{n\to\infty}\frac{(2n^2-n)a_n}{n^2+2n+3}=\lim_{n\to\infty}\left(\frac{2n^2-n}{n^2+2n+3}\times a_n\right)=\lim_{n\to\infty}\frac{2n^2-n}{n^2+2n+3}\times\lim_{n\to\infty}a_n$$
$$=2\times1=2$$

08

정답 ②

STEP A 수열의 극한에 대한 기본 성질을 이용하여 참, 거짓 판단하기

ㄱ. 반례 $a_n=\frac{3}{n}$, $b_n=\frac{1}{n}$이면 $\lim_{n\to\infty}(a_n-b_n)=\lim_{n\to\infty}\frac{2}{n}=0$이지만

$\lim_{n\to\infty}\frac{b_n}{a_n}=\lim_{n\to\infty}\frac{\frac{1}{n}}{\frac{3}{n}}=\frac{1}{3}$이다. [거짓]

STEP B 반례를 찾아 거짓임을 증명하기

ㄴ. 반례 $a_n=\frac{1}{n}$, $b_n=\frac{2}{n}$이면 $a_n<b_n$이지만 $\lim_{n\to\infty}a_n=0$, $\lim_{n\to\infty}b_n=0$이므로 $\lim_{n\to\infty}a_n<\lim_{n\to\infty}b_n$이 성립하지 않는다. [거짓]

ㄷ. 반례 $\{a_n\}$: 1, 0, 1, 0, 1, 0, …이고 $\{b_n\}$: 0, 1, 0, 1, 0, 1, …이면 $a_nb_n=0$이므로 $\lim_{n\to\infty}a_nb_n=0$이지만 $\lim_{n\to\infty}a_n\ne0$, $\lim_{n\to\infty}b_n\ne0$ [거짓]

ㄹ. $\frac{b_n}{a_n}=c_n$이라 하면 $b_n=a_nc_n$이고 $\lim_{n\to\infty}c_n=1$이므로

$\lim_{n\to\infty}(a_n-b_n)=\lim_{n\to\infty}(a_n-a_nc_n)=\lim_{n\to\infty}a_n-\lim_{n\to\infty}a_n\times\lim_{n\to\infty}c_n$

$=0-0\times1=0$ [참]

따라서 옳은 것은 ㄹ이다.

09

정답 ③

STEP A 교점의 x좌표를 이용하여 $\overline{\mathrm{A}_n\mathrm{B}_n}^2$의 값 구하기

직선 $x=2-\frac{1}{n}$을 원 $y^2=4-x^2$에 대입하여

$y^2=4-x^2=4-\left(2-\frac{1}{n}\right)^2$

$=\frac{4}{n}-\frac{1}{n^2}=\frac{4n-1}{n^2}$

즉 $y=\pm\frac{\sqrt{4n-1}}{n}$이므로

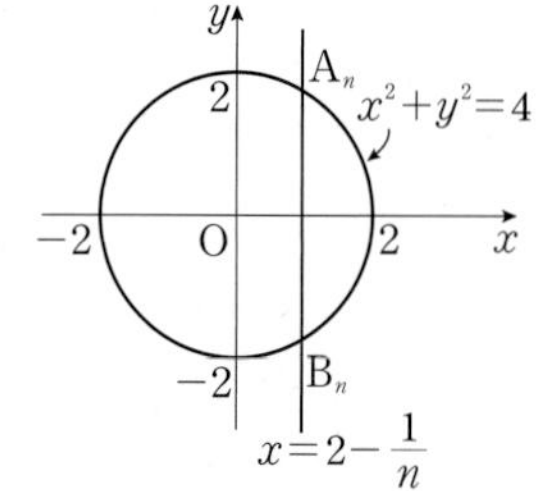

$\mathrm{A}_n\left(2-\frac{1}{n}, \frac{\sqrt{4n-1}}{n}\right)$, $\mathrm{B}_n\left(2-\frac{1}{n}, -\frac{\sqrt{4n-1}}{n}\right)$

$\therefore\ \overline{\mathrm{A}_n\mathrm{B}_n}^2=\frac{4(4n-1)}{n^2}$

STEP B 분자를 유리화하고 분모, 분자를 각각 n으로 나누어 극한값 구하기

따라서 $\lim_{n\to\infty}n\overline{\mathrm{A}_n\mathrm{B}_n}^2=\lim_{n\to\infty}\frac{4n(4n-1)}{n^2}=16$

10

정답 ④

STEP A 등비수열의 극한을 이용하여 a, b의 값 구하기

$$a=\lim_{n\to\infty}\frac{4^n+3^{n+1}}{3^n-2^{2n}}=\lim_{n\to\infty}\frac{1+3\times\left(\frac{3}{4}\right)^n}{\left(\frac{3}{4}\right)^n-1}=-1$$

$$b=\lim_{n\to\infty}(a^{2n}-a^{2n+1})=\lim_{n\to\infty}\{(-1)^{2n}-(-1)^{2n+1}\}=1-(-1)=2$$

STEP B $a+b$의 값 구하기

따라서 $a+b=-1+2=1$

11

정답 ③

STEP A 급수의 성질을 이용하여 $\sum_{n=1}^{\infty}a_n$, $\sum_{n=1}^{\infty}b_n$의 값 구하기

$\sum_{n=1}^{\infty}a_n=\alpha$, $\sum_{n=1}^{\infty}b_n=\beta$라 하면

$\sum_{n=1}^{\infty}(2a_n-3b_n)=2\sum_{n=1}^{\infty}a_n-3\sum_{n=1}^{\infty}b_n=2\alpha-3\beta=17$ …… ㉠

$\sum_{n=1}^{\infty}(a_n+b_n)=\sum_{n=1}^{\infty}a_n+\sum_{n=1}^{\infty}b_n=\alpha+\beta=6$ …… ㉡

㉠, ㉡을 연립하여 풀면 $\alpha=7$, $\beta=-1$

STEP B $\sum_{n=1}^{\infty}(a_n-b_n)$의 값 구하기

따라서 $\sum_{n=1}^{\infty}a_n=7$, $\sum_{n=1}^{\infty}b_n=-1$이므로

$\sum_{n=1}^{\infty}(a_n-b_n)=\sum_{n=1}^{\infty}a_n-\sum_{n=1}^{\infty}b_n=7-(-1)=8$

12

정답 ⑤

STEP A 부분합의 극한값 a 구하기

첫째항부터 제 n항까지의 부분합을 S_n이라고 하면

조건 (가)에서

$$S_n=\sum_{k=1}^{n}\frac{1}{(2k-1)(2k+1)}=\sum_{k=1}^{n}\frac{1}{2}\left(\frac{1}{2k-1}-\frac{1}{2k+1}\right)=\frac{1}{2}\left(1-\frac{1}{2n+1}\right)$$

$$a=\sum_{n=1}^{\infty}\frac{1}{(2n-1)(2n+1)}=\lim_{n\to\infty}S_n=\lim_{n\to\infty}\frac{1}{2}\left(1-\frac{1}{2n+1}\right)=\frac{1}{2}$$

STEP B 부분합의 극한값 b 구하기

조건 (나)에서

$$S_n=\sum_{k=1}^{n}\left(\frac{1}{\sqrt{k}}-\frac{1}{\sqrt{k+1}}\right)=1-\frac{1}{\sqrt{n+1}}$$

$$b=\sum_{n=1}^{\infty}\left(\frac{1}{\sqrt{n}}-\frac{1}{\sqrt{n+1}}\right)=\lim_{n\to\infty}S_n=\lim_{n\to\infty}\left(1-\frac{1}{\sqrt{n+1}}\right)=1$$

따라서 $a=\frac{1}{2}$, $b=1$이므로 $a+b=\frac{1}{2}+1=\frac{3}{2}$

13

정답 ⑤

STEP A 부분합의 극한값 구하기

ㄱ. 주어진 급수의 일반항을 a_n이라 하면

$$a_n=\frac{2}{(n+1)^2-1}=\frac{2}{n(n+2)}=\frac{1}{n}-\frac{1}{n+2}$$

이므로 제 n항까지의 부분합 S_n은

$$S_n=\sum_{k=1}^{n}a_k=\left(1-\frac{1}{3}\right)+\left(\frac{1}{2}-\frac{1}{4}\right)+\left(\frac{1}{3}-\frac{1}{5}\right)+\cdots$$
$$+\left(\frac{1}{n-1}-\frac{1}{n+1}\right)+\left(\frac{1}{n}-\frac{1}{n+2}\right)$$
$$=1+\frac{1}{2}-\frac{1}{n+1}-\frac{1}{n+2}$$

즉 주어진 급수의 합은 $\lim_{n\to\infty}S_n=\lim_{n\to\infty}\left(1+\frac{1}{2}-\frac{1}{n+1}-\frac{1}{n+2}\right)=\frac{3}{2}$

ㄴ. $\frac{1}{3}+\frac{1}{15}+\frac{1}{35}+\frac{1}{63}+\frac{1}{99}+\cdots$

$=\frac{1}{1\times3}+\frac{1}{3\times5}+\frac{1}{5\times7}+\frac{1}{7\times9}+\frac{1}{9\times11}+\cdots$에서

주어진 급수의 일반항을 a_n이라 하면

$$a_n=\frac{1}{(2n-1)(2n+1)}=\frac{1}{2}\left(\frac{1}{2n-1}-\frac{1}{2n+1}\right)$$

이므로 제 n항까지의 부분합을 S_n이라 하면

$$S_n=\sum_{k=1}^{n}a_k=\sum_{k=1}^{n}\frac{1}{2}\left(\frac{1}{2k-1}-\frac{1}{2k+1}\right)$$
$$=\frac{1}{2}\left\{\left(1-\frac{1}{3}\right)+\left(\frac{1}{3}-\frac{1}{5}\right)+\left(\frac{1}{5}-\frac{1}{7}\right)+\cdots+\left(\frac{1}{2n-1}-\frac{1}{2n+1}\right)\right\}$$
$$=\frac{1}{2}\left(1-\frac{1}{2n+1}\right)$$

즉 주어진 급수의 합은 $\lim_{n\to\infty}S_n=\lim_{n\to\infty}\frac{1}{2}\left(1-\frac{1}{2n+1}\right)=\frac{1}{2}$

ㄷ. 주어진 급수의 일반항을 a_n이라 하면

$$a_n=\frac{3}{(3n-2)(3n+1)}=\frac{1}{3n-2}-\frac{1}{3n+1}$$

이므로 제 n항까지의 부분합을 S_n이라 하면

$$S_n=\sum_{k=1}^{n}\frac{3}{(3k-2)(3k+1)}=\sum_{k=1}^{n}\left(\frac{1}{3k-2}-\frac{1}{3k+1}\right)$$
$$=\left(1-\frac{1}{4}\right)+\left(\frac{1}{4}-\frac{1}{7}\right)+\left(\frac{1}{7}-\frac{1}{10}\right)+\cdots+\left(\frac{1}{3n-2}-\frac{1}{3n+1}\right)$$
$$=1-\frac{1}{3n+1}$$

즉 $\lim_{n\to\infty}S_n=\lim_{n\to\infty}\left(1-\frac{1}{3n+1}\right)=1$

따라서 옳은 것은 ㄱ, ㄴ, ㄷ이다.

14

정답 ③

STEP A 급수가 수렴할 조건을 이용하여 극한값 구하기

$\sum_{n=1}^{\infty}a_n=7$로 수렴하므로 $\lim_{n\to\infty}a_n=0$

STEP B $\lim_{n\to\infty}S_n=\sum_{n=1}^{\infty}a_n$ 임을 이용하여 극한값 구하기

이때 급수의 n항까지의 합이 S_n이므로 $\lim_{n\to\infty}S_n=\sum_{n=1}^{\infty}a_n=7$

따라서 $\lim_{n\to\infty}\frac{3a_n+2S_n}{5a_n+S_n}=\frac{0+14}{0+7}=2$

15

정답 ④

STEP A 조건 (가)를 만족하는 a의 값 구하기

조건 (가)에서 $\sum_{n=1}^{\infty}\frac{b_n}{n}$이 수렴하므로 $\lim_{n\to\infty}\frac{b_n}{n}=0$

$$\lim_{n\to\infty}\frac{a_n+4n}{b_n+3n-2}=\lim_{n\to\infty}\frac{\frac{a_n}{n}+4}{\frac{b_n}{n}+3-\frac{2}{n}}=\frac{1+4}{0+3-0}=\frac{5}{3}\quad\therefore a=\frac{5}{3}$$

STEP B 조건 (나)를 만족하는 b의 값 구하기

조건 (나)에서 $\sum_{n=1}^{\infty}(3^na_n-2)$가 수렴하므로 $\lim_{n\to\infty}(3^na_n-2)=0$

즉 $\lim_{n\to\infty}3^na_n=2$

이때 $\lim_{n\to\infty}\frac{6a_n+5\cdot4^{-n}}{a_n+3^{-n}}$의 분모 분자에 3^n을 곱하면

$$\lim_{n\to\infty}\frac{6\cdot3^na_n+5\left(\frac{3}{4}\right)^n}{3^na_n+1}=\frac{6\cdot2}{2+1}=4\quad\therefore b=4$$

STEP C ab의 값 구하기

따라서 $a=\frac{5}{3}$, $b=4$이므로 $ab=\frac{20}{3}$

> **참고** $a_n=n$으로 놓고 $b_n=1$라 하면 속해법으로 해결할 수 있다.

16

정답 ②

STEP A 등비수열 $\{r^n\}$의 수렴조건은 $-1<r\le1$임을 이용하기

수열 $\{(x+3)^n\}$이 수렴하려면 $-1<x+3\le1$

$\therefore -4<x\le-2$ …… ㉠

STEP B 등비급수 $\sum_{n=1}^{\infty}r^n$의 수렴조건은 $-1<r<1$임을 이용하기

급수 $\sum_{n=1}^{\infty}\left(\frac{1}{3}x+1\right)^{n-1}$이 수렴하려면 $-1<\frac{1}{3}x+1<1$

$\therefore -6<x<0$ …… ㉡

㉠, ㉡을 동시에 만족하는 x의 값의 범위는 $-4<x\le-2$

따라서 정수 x의 개수는 -3, -2의 2

17

정답 ①

STEP A 나머지 정리에 의하여 $f\left(\frac{1}{2}\right)$ 구하기

$f(x)=x^n$으로 놓으면 x^n을 $2x-1$로 나누었을 때,

나머지가 a_n이므로 나머지 정리에 의하여 $f\left(\frac{1}{2}\right)=\left(\frac{1}{2}\right)^n$

STEP B 주어진 급수의 합 구하기

따라서 $\sum_{n=1}^{\infty}a_n=\sum_{n=1}^{\infty}\left(\frac{1}{2}\right)^n=\frac{\frac{1}{2}}{1-\frac{1}{2}}=1$

18

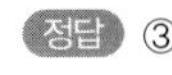

정답 ③

STEP A 이차방정식의 근과 계수의 관계를 이용하여 $\alpha_n+\beta_n$, $\alpha_n\beta_n$의 값 구하기

x에 대한 이차방정식 $x^2-(2^n+3^n)x+6^n=0$의 서로 다른 두 실근이 α_n, β_n이므로 이차방정식의 근과 계수의 관계에 의하여

$\alpha_n+\beta_n=2^n+3^n$, $\alpha_n\beta_n=6^n$

STEP B 등비급수의 성질을 이용하여 합 구하기

따라서 $\sum_{n=1}^{\infty}\left(\frac{1}{\alpha_n}+\frac{1}{\beta_n}\right)=\sum_{n=1}^{\infty}\frac{\alpha_n+\beta_n}{\alpha_n\beta_n}=\sum_{n=1}^{\infty}\frac{2^n+3^n}{6^n}=\sum_{n=1}^{\infty}\left\{\left(\frac{1}{3}\right)^n+\left(\frac{1}{2}\right)^n\right\}$

$$=\frac{\frac{1}{3}}{1-\frac{1}{3}}+\frac{\frac{1}{2}}{1-\frac{1}{2}}=\frac{1}{2}+1=\frac{3}{2}$$

19

정답 ④

STEP Ⓐ 등비급수의 합 공식을 이용하여 첫째항과 공비 구하기

등비급수의 첫째항을 a, 공비가 r이라 하면

$\sum_{n=1}^{\infty} a_n = a+ar+ar^2+\cdots=\dfrac{a}{1-r}=2$ …… ㉠

$\sum_{n=1}^{\infty} a_n^2 = a^2+a^2r^2+a^2r^4+\cdots=\dfrac{a^2}{1-r^2}=\dfrac{a\times a}{(1-r)(1+r)}=\dfrac{4}{3}$ …… ㉡

㉠을 ㉡에 대입하면 $2\times\dfrac{a}{1+r}=\dfrac{4}{3}$, $3a=2+2r$ …… ㉢

㉠에서 $a=2-2r$

㉠, ㉢을 연립하여 풀면 $a=1$, $r=\dfrac{1}{2}$

STEP Ⓑ $\sum_{n=1}^{\infty} a_n^3$의 값 구하기

따라서 $\sum_{n=1}^{\infty} a_n^3 = a^3+a^3r^3+a^3r^6+\cdots=\dfrac{a^3}{1-r^3}=\dfrac{1}{1-\left(\frac{1}{2}\right)^3}=\dfrac{8}{7}$

20

정답 ⑤

STEP Ⓐ 등비급수를 두 부분으로 나누고 공식을 이용하여 합 구하기

$\dfrac{43}{99}=0.\dot{4}\dot{3}=0.434343\cdots$ 이므로

$\sum_{n=1}^{\infty}\dfrac{a_n}{6^n}=\dfrac{4}{6}+\dfrac{3}{6^2}+\dfrac{4}{6^3}+\dfrac{3}{6^4}+\dfrac{4}{6^5}+\dfrac{3}{6^6}+\cdots$

$=\left(\dfrac{4}{6}+\dfrac{4}{6^3}+\dfrac{4}{6^5}+\cdots\right)+\left(\dfrac{3}{6^2}+\dfrac{3}{6^4}+\dfrac{3}{6^6}+\cdots\right)$

$=\dfrac{\frac{4}{6}}{1-\frac{1}{36}}+\dfrac{\frac{3}{36}}{1-\frac{1}{36}}=\dfrac{24}{35}+\dfrac{3}{35}=\dfrac{27}{35}$

서 술 형

21

정답 해설참조

1단계 $a_1+a_2+a_3+\cdots+a_n$을 구한다. ◀ 40%

$a_n=\log\dfrac{n+1}{n}$ 이므로

$a_1+a_2+a_3+\cdots+a_n=\log\dfrac{2}{1}+\log\dfrac{3}{2}+\cdots+\log\dfrac{n+1}{n}$

$=\log\left(\dfrac{2}{1}\times\dfrac{3}{2}\times\cdots\times\dfrac{n+1}{n}\right)$

$=\log(n+1)$

2단계 $10^{a_1+a_2+a_3+\cdots+a_n}$을 구한다. ◀ 30%

$10^{a_1+a_2+a_3+\cdots+a_n}=10^{\log(n+1)}=n+1$

3단계 극한값 $\lim_{n\to\infty}\dfrac{5n-2}{10^{a_1+a_2+a_3+\cdots+a_n}}$를 구한다. ◀ 30%

$\lim_{n\to\infty}\dfrac{5n-2}{10^{a_1+a_2+a_3+\cdots+a_n}}=\lim_{n\to\infty}\dfrac{5n-2}{n+1}=\lim_{n\to\infty}\dfrac{5-\frac{2}{n}}{1+\frac{1}{n}}=5$

22

정답 해설참조

1단계 다항식 $a_nx^2+2a_nx-3$을 $x-n$으로 나누었을 때의 나머지를 구한다. ◀ 30%

$a_nx^2+2a_nx-3$을 $x-n$으로 나누었을 때의 나머지는

나머지 정리에 의하여 $n^2a_n+2na_n-3$

2단계 나머지가 1임을 이용하여 a_n을 구한다. ◀ 30%

$n^2a_n+2na_n-3=1$, $(n^2+2n)a_n=4$ $\therefore a_n=\dfrac{4}{n^2+2n}$

3단계 부분합을 이용하여 $\sum_{n=1}^{\infty}a_n$의 값을 구한다. ◀ 40%

$\sum_{n=1}^{\infty}a_n=\sum_{n=1}^{\infty}\dfrac{4}{n^2+2n}=\sum_{k=1}^{\infty}\dfrac{4}{n(n+2)}=2\lim_{n\to\infty}\sum_{k=1}^{n}\left(\dfrac{1}{k}-\dfrac{1}{k+2}\right)$

$=2\lim_{n\to\infty}\left\{\left(1-\dfrac{1}{3}\right)+\left(\dfrac{1}{2}-\dfrac{1}{4}\right)+\left(\dfrac{1}{3}-\dfrac{1}{5}\right)+\cdots+\left(\dfrac{1}{n-1}-\dfrac{1}{n+1}\right)+\left(\dfrac{1}{n}-\dfrac{1}{n+2}\right)\right\}$

$=2\lim_{n\to\infty}\left(1+\dfrac{1}{2}-\dfrac{1}{n+1}-\dfrac{1}{n+2}\right)=3$

23

정답 해설참조

1단계 급수가 수렴하도록 하는 실수 x의 값의 범위를 구한다. ◀ 60%

등비급수 $1+\dfrac{1-x}{2}+\dfrac{(1-x)^2}{4}+\dfrac{(1-x)^3}{8}+\cdots$ 은 첫째항이 1이고

공비가 $\dfrac{1-x}{2}$ 이므로 이 등비급수가 수렴하려면

$-1<\dfrac{1-x}{2}<1$, $-2<1-x<2$ $\therefore -1<x<3$

2단계 이 급수가 $\dfrac{2}{3}$로 수렴할 때, x의 값을 구한다. ◀ 40%

급수의 합은 $\dfrac{1}{1-\frac{1-x}{2}}=\dfrac{2}{1+x}=\dfrac{2}{3}$ 이므로 $x=2$

24

정답 해설참조

1단계 정사각형 $OA_1B_1C_1$의 한 변의 길이를 x_1이라 할 때, x_1의 값을 구한다. ◀ 30%

오른쪽 그림과 같이 정사각형 D_1, D_2, D_3, $\cdots$의 한 변의 길이를 각각 x_1, x_2, x_3, $\cdots$이라 하면

$\triangle QOP \backsim \triangle QC_1B_1$ 이므로

$1:2=(1-x_1):x_1$

$\therefore x_1=\dfrac{2}{3}$

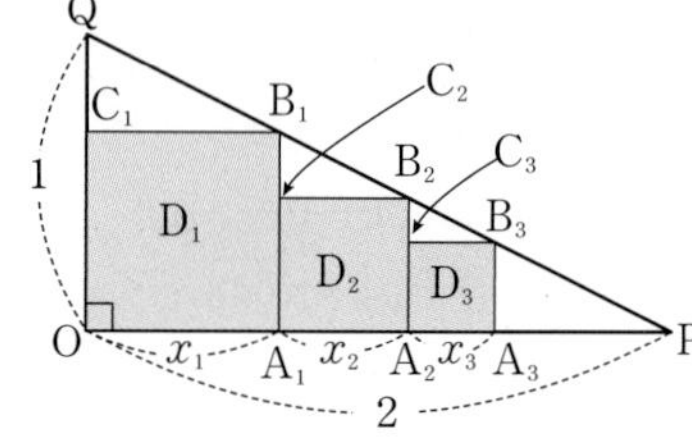

2단계 이들 정사각형의 넓이의 공비를 구한다. ◀ 40%

정사각형에 의하여 만들어지는 직각삼각형은 서로 닮음이다.

정사각형 $A_{n-1}A_nB_nC_n$의 한 변의 길이가 x_n이므로

$\triangle QOP \backsim \triangle B_nC_{n+1}B_{n+1}$ 이므로

$1:2=(x_n-x_{n+1}):x_{n+1}$

$\therefore x_{n+1}=\dfrac{2}{3}x_n$

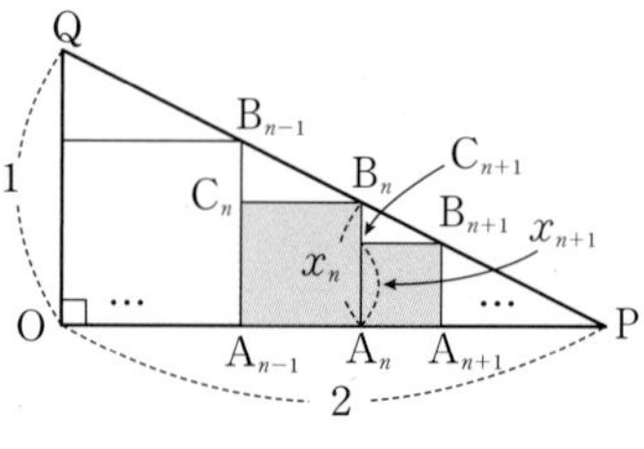

즉 수열 $\{x_n\}$은 공비가 $\dfrac{2}{3}$ 이므로 정사각형의 넓이의 공비는 $\left(\dfrac{2}{3}\right)^2$ 이다.

3단계 정사각형의 넓이의 합을 구한다. ◀ 30%

따라서 구하는 정사각형의 넓이의 합은 첫째항이 $x_1^2=\dfrac{4}{9}$,

공비가 $\left(\dfrac{2}{3}\right)^2$ 인 등비급수이므로 $\dfrac{\frac{4}{9}}{1-\frac{4}{9}}=\dfrac{4}{5}$

정사각형의 넓이의 합은 $\dfrac{ab^2}{a+2b}=\dfrac{1\cdot2^2}{1+2\cdot2}=\dfrac{4}{5}$

MAPL; SYNERGY

02 수열의 극한 모의평가

01	④	02	②	03	④	04	④	05	③
06	⑤	07	③	08	③	09	③	10	⑤
11	②	12	②	13	①	14	⑤	15	⑤
16	①	17	②	18	①	19	②	20	①

서술형

21	해설참조	22	해설참조
23	해설참조	24	해설참조

01

 ④

STEP A 수열의 극한에 대한 기본 성질을 이용하여 극한값 계산하기

두 수열 $\{a_n\}$, $\{b_n\}$이 수렴하므로 $\lim\limits_{n\to\infty}a_n=\alpha$, $\lim\limits_{n\to\infty}b_n=\beta$라 하면

$\lim\limits_{n\to\infty}(2a_n-3)=2\lim\limits_{n\to\infty}a_n-3=2\alpha-3=5$

$\therefore\ \alpha=4$

$\lim\limits_{n\to\infty}(2b_n-3a_n)=2\lim\limits_{n\to\infty}b_n-3\lim\limits_{n\to\infty}a_n=2\beta-3\alpha=4$

$\therefore\ \beta=8$

STEP B $\lim\limits_{n\to\infty}a_nb_n$의 값 구하기

따라서 $\lim\limits_{n\to\infty}a_nb_n=\lim\limits_{n\to\infty}a_n\lim\limits_{n\to\infty}b_n=\alpha\beta=4\cdot8=32$

02

 ②

STEP A $\dfrac{\infty}{\infty}$ 꼴의 극한값이 0이 아닌 실수이면 분모와 분자의 차수가 같음을 이용하기

$a\neq0$이면 주어진 극한은 발산하므로 $a=0$

$$\lim_{n\to\infty}\frac{an^2+bn+1}{2n-3}=\lim_{n\to\infty}\frac{bn+1}{2n-3}=\lim_{n\to\infty}\frac{b+\frac{1}{n}}{2-\frac{3}{n}}=\frac{b}{2}$$

즉 $\dfrac{b}{2}=2$이므로 $b=4$

따라서 $a+b=0+4=4$

03

 ④

STEP A 수열의 합과 일반항의 관계 $a_n=S_n-S_{n-1}\,(n\geq2)$을 이용하여 a_n을 구하기

$$\begin{aligned}a_n&=S_n-S_{n-1}\\&=(2n^2+n)-\{2(n-1)^2+(n-1)\}\\&=4n-1\,(n\geq2)\end{aligned}$$

STEP B 분자를 유리화하고 분모, 분자를 n으로 나누어 극한값 구하기

$$\lim_{n\to\infty}\frac{{a_n}^2}{S_n}=\lim_{n\to\infty}\frac{(4n-1)^2}{2n^2+n}=\lim_{n\to\infty}\frac{16n^2-8n+1}{2n^2+n}=\lim_{n\to\infty}\frac{16-\frac{8}{n}+\frac{1}{n^2}}{2+\frac{1}{n}}=8$$

주의 수열 $\{a_n\}$과 첫째항부터 제 n항까지의 합 S_n에 대한 극한값을 구할 때는 수열의 합과 일반항의 관계 $a_n=S_n-S_{n-1}\,(n\geq2)$을 이용하여 a_n을 구한다. 이때 $n\to\infty$이므로 $a_1=S_1$을 굳이 확인할 필요가 없다.

04

 ④

STEP A 분자를 유리화하여 $\dfrac{\infty}{\infty}$ 꼴로 변형하기

$$\begin{aligned}\lim_{n\to\infty}(\sqrt{n^2+an}-n)&=\lim_{n\to\infty}\frac{(\sqrt{n^2+an}-n)(\sqrt{n^2+an}+n)}{\sqrt{n^2+an}+n}\\&=\lim_{n\to\infty}\frac{an}{\sqrt{n^2+an}+n}=\lim_{n\to\infty}\frac{a}{\sqrt{1+\frac{a}{n}}+1}\\&=\frac{a}{\sqrt{1+0}+1}=\frac{a}{2}=\frac{3}{2}\end{aligned}$$

$\therefore\ a=3$

$$\begin{aligned}\lim_{n\to\infty}\frac{1}{\sqrt{n^2+bn}-n}&=\lim_{n\to\infty}\frac{\sqrt{n^2+bn}+n}{(\sqrt{n^2+bn}-n)(\sqrt{n^2+bn}+n)}\\&=\lim_{n\to\infty}\frac{\sqrt{n^2+bn}+n}{bn}=\lim_{n\to\infty}\frac{\sqrt{1+\frac{b}{n}}+1}{b}\\&=\frac{\sqrt{1+0}+1}{b}=\frac{2}{b}=\frac{1}{4}\end{aligned}$$

$\therefore\ b=8$

따라서 $a+b=3+8=11$

05

 ③

STEP A $a_n-b_n=c_n$으로 치환하여 $\lim\limits_{n\to\infty}\dfrac{c_n}{a_n}=0$임을 구하기

$a_n-b_n=c_n$이라 하면 $b_n=a_n-c_n$

이때 $\lim\limits_{n\to\infty}c_n=3$이므로 $\lim\limits_{n\to\infty}\dfrac{c_n}{a_n}=0$

STEP B 분모, 분자를 a_n으로 나누어 극한값 구하기

$$\begin{aligned}\text{따라서 }\lim_{n\to\infty}\frac{a_n+b_n}{a_n-3b_n}&=\lim_{n\to\infty}\frac{a_n+(a_n-c_n)}{a_n-3(a_n-c_n)}=\lim_{n\to\infty}\frac{2a_n-c_n}{-2a_n+3c_n}\\&=\lim_{n\to\infty}\frac{2-\frac{c_n}{a_n}}{-2+3\times\frac{c_n}{a_n}}=-1\end{aligned}$$

다른풀이 극한값이 존재할 조건을 이용하여 극한값 구하기

$\lim\limits_{n\to\infty}a_n=\infty$에서 $\lim\limits_{n\to\infty}(a_n-b_n)=3$일 때,

$\lim\limits_{n\to\infty}\dfrac{a_n-b_n}{a_n}=0$이므로 $\lim\limits_{n\to\infty}\left(1-\dfrac{b_n}{a_n}\right)=0$ $\quad\therefore\ \lim\limits_{n\to\infty}\dfrac{b_n}{a_n}=1$

$$\text{따라서 }\lim_{n\to\infty}\frac{a_n+b_n}{a_n-3b_n}=\lim_{n\to\infty}\frac{1+\frac{b_n}{a_n}}{1-3\cdot\frac{b_n}{a_n}}=\frac{1+1}{1-3\cdot1}=-1$$

06

 ⑤

STEP A 이차방정식의 근과 계수의 관계를 이용하여 합과 곱 구하기

α_n, β_n은 이차방정식 $x^2-10nx+n^2+1=0$의 두 근이므로

이차방정식의 근과 계수의 관계에 의하여

$\alpha_n+\beta_n=10n$, $\alpha_n\beta_n=n^2+1$

STEP B 곱셈 공식의 변형을 이용하여 극한값 구하기

$$\begin{aligned}\text{따라서 }\lim_{n\to\infty}\left(\frac{\beta_n}{\alpha_n}+\frac{\alpha_n}{\beta_n}\right)&=\lim_{n\to\infty}\frac{{\alpha_n}^2+{\beta_n}^2}{\alpha_n\beta_n}=\lim_{n\to\infty}\frac{(\alpha_n+\beta_n)^2-2\alpha_n\beta_n}{\alpha_n\beta_n}\\&=\lim_{n\to\infty}\frac{(10n)^2-2(n^2+1)}{n^2+1}=\lim_{n\to\infty}\frac{98n^2-2}{n^2+1}\\&=98\end{aligned}$$

07

정답 ③

STEP Ⓐ 수열의 극한의 성질을 이용하여 참, 거짓 판단하기

ㄱ. $a_n-b_n=c_n$으로 놓으면 $\lim_{n\to\infty}c_n=0$이고 $b_n=a_n-c_n$이므로

$\lim_{n\to\infty}b_n=\lim_{n\to\infty}(a_n-c_n)=\lim_{n\to\infty}a_n-\lim_{n\to\infty}c_n=\alpha-0=\alpha$ [참]

ㄴ. $a_n-b_n=c_n$으로 놓으면 $\lim_{n\to\infty}c_n=\alpha$이고 $b_n=a_n-c_n$

이때 $\lim_{n\to\infty}a_n=\infty$이므로 $\lim_{n\to\infty}\frac{c_n}{a_n}=0$

즉 $\lim_{n\to\infty}\frac{b_n}{a_n}=\lim_{n\to\infty}\frac{a_n-c_n}{a_n}=\lim_{n\to\infty}\left(1-\frac{c_n}{a_n}\right)=1$ [참]

ㄷ. 반례 $a_n=n$, $b_n=n+1$이면 $\lim_{n\to\infty}\frac{b_n}{a_n}=1$, $\lim_{n\to\infty}a_n=\infty$이지만

$\lim_{n\to\infty}b_n=\infty$이다. [거짓]

ㄹ. 두 수열 $\{a_n\}$, $\{b_n\}$이 수렴하고 $a_n<b_n$이므로

$\lim_{n\to\infty}a_n-\lim_{n\to\infty}b_n=\lim_{n\to\infty}(a_n-b_n)\le 0$

$\therefore \lim_{n\to\infty}a_n\le\lim_{n\to\infty}b_n$ [참]

따라서 옳은 것은 ㄱ, ㄴ, ㄹ이다.

08

 ③

STEP Ⓐ 수열의 극한의 성질을 이용하여 극한값의 참, 거짓 판단하기

ㄱ. $1<a_1<2$

$2<a_2<3$

$3<a_3<4$

$\vdots$

$n<a_n<n+1$

변끼리 각각 더하면

$1+2+3+\cdots+n<a_1+a_2+a_3+\cdots+a_n<2+3+\cdots+(n+1)$

$\sum_{k=1}^{n}k<a_1+a_2+\cdots+a_n<\sum_{k=1}^{n}(k+1)$

$\frac{n^2+n}{2}<S_n<\frac{n^2+3n}{2}$

각 변의 역수를 취한 후 n^2을 곱하면 $\frac{2n^2}{n^2+3n}<\frac{n^2}{S_n}<\frac{2n^2}{n^2+n}$

즉 $\lim_{n\to\infty}\frac{2n^2}{n^2+3n}=2$, $\lim_{n\to\infty}\frac{2n^2}{n^2+n}=2$이므로

수열의 극한의 대소 관계에 의해 $\lim_{n\to\infty}\frac{n^2}{S_n}=2$ [참]

ㄴ. $a_1=S_1=\frac{5}{2}$

$a_n=S_n-S_{n-1}=2n+\frac{1}{2^n}-2n+2-\frac{1}{2^{n-1}}=2-\frac{1}{2^n}\,(n\ge 2)$

이므로 $\lim_{n\to\infty}a_n=\lim_{n\to\infty}\left(2-\frac{1}{2^n}\right)=2$ [참]

ㄷ. 다항식 $3x^{n+1}+2x$를 일차식 $x-2$로 나눈 나머지가 a_n은

나머지 정리에 의하여 $a_n=3\times 2^{n+1}+4$

$\therefore \lim_{n\to\infty}\frac{a_n}{2^n+1}=\lim_{n\to\infty}\frac{3\times 2^{n+1}+4}{2^n+1}=\lim_{n\to\infty}\frac{3\times 2+\frac{4}{2^n}}{1+\frac{1}{2^n}}=6$ [거짓]

따라서 옳은 것은 ㄱ, ㄴ이다.

09

정답 ③

STEP Ⓐ 정수부분 a_n, 소수 부분 b_n 구하기

$\sqrt{(2n-1)^2}<\sqrt{4n^2-4n+3}<\sqrt{(2n)^2}$에서 $2n-1<\sqrt{4n^2-4n+3}<2n$이므로

정수 부분은 $a_n=2n-1$

소수 부분은 $b_n=\sqrt{4n^2-4n+3}-(2n-1)$

STEP Ⓑ 분자를 유리화하여 극한값 구하기

따라서 $\lim_{n\to\infty}a_nb_n=\lim_{n\to\infty}(2n-1)\{\sqrt{4n^2-4n+3}-(2n-1)\}$

$$=\lim_{n\to\infty}\frac{(2n-1)\{(4n^2-4n+3)-(4n^2-4n+1)\}}{\sqrt{4n^2-4n+3}+(2n-1)}$$

$$=\lim_{n\to\infty}\frac{2\left(2-\frac{1}{n}\right)}{\sqrt{4-\frac{4}{n}+\frac{3}{n^2}}+\left(2-\frac{1}{n}\right)}=\frac{4}{\sqrt{4}+2}=1$$

10

 ⑤

STEP Ⓐ 등비수열의 극한값 계산하기

조건 (가)에서 $\lim_{n\to\infty}\frac{3\cdot 2^{n+1}+1}{2^n}=\lim_{n\to\infty}\left(3\cdot 2+\frac{1}{2^n}\right)=6+0=6$

조건 (나)에서 분자, 분모를 5^n으로 나누면

$$\lim_{n\to\infty}\frac{2\cdot 5^{n+1}+3^n}{5^{n-1}+4^n}=\lim_{n\to\infty}\frac{10+\left(\frac{3}{5}\right)^n}{\frac{1}{5}+\left(\frac{4}{5}\right)^n}=50$$

STEP Ⓑ $a+b$의 값 구하기

따라서 $a=6$, $b=50$이므로 $a+b=56$

11

 ②

STEP Ⓐ 판별식을 이용하여 a_n의 범위 구하기

곡선 $y=4x^2-2(n-1)x+a_n$이 x축과 만나지 않으려면 이차방정식

$4x^2-2(n-1)x+a_n=0$이 허근을 가져야 하므로 판별식을 D_1이라 하면

$\frac{D_1}{4}=(n-1)^2-4a_n<0\quad\therefore a_n>\frac{(n-1)^2}{4}$ …… ㉠

곡선 $y=x^2-2nx+4a_n$이 x축과 만나려면

이차방정식 $x^2-2nx+4a_n=0$은 실근을 가져야 하므로 판별식을 D_2라 하면

$\frac{D_2}{4}=n^2-4a_n\ge 0\quad\therefore a_n\le\frac{n^2}{4}$ …… ㉡

㉠, ㉡에서 $\frac{(n-1)^2}{4}<a_n\le\frac{n^2}{4}$

STEP Ⓑ 수열의 극한의 대소 관계를 이용하여 극한값 구하기

$\frac{(n-1)^2}{4}+n^2<a_n+n^2\le\frac{n^2}{4}+n^2$

$\frac{5n^2-2n+1}{4}<a_n+n^2\le\frac{5n^2}{4}$

$\sqrt{25n^4+1}>0$이므로 $\frac{5n^2-2n+1}{4\sqrt{25n^4+1}}<\frac{a_n+n^2}{\sqrt{25n^4+1}}\le\frac{5n^2}{4\sqrt{25n^4+1}}$

이때 $\lim_{n\to\infty}\frac{5n^2-2n+1}{4\sqrt{25n^4+1}}=\lim_{n\to\infty}\frac{5-\frac{2}{n}+\frac{1}{n^2}}{4\sqrt{25+\frac{1}{n^4}}}=\frac{1}{4}$,

$\lim_{n\to\infty}\frac{5n^2}{4\sqrt{25n^4+1}}=\lim_{n\to\infty}\frac{5}{4\sqrt{25+\frac{1}{n^4}}}=\frac{1}{4}$

이므로 수열의 극한의 대소 관계에 의하여 $\lim_{n\to\infty}\frac{a_n+n^2}{\sqrt{25n^4+1}}=\frac{1}{4}$

12

정답 ②

STEP Ⓐ 공비 r의 범위에 따라 극한값 구하기

$$f\left(\frac{1}{2}\right)=\lim_{n\to\infty}\frac{\left(\frac{1}{2}\right)^{n+1}-1}{\left(\frac{1}{2}\right)^n+\frac{1}{2}+1}=-\frac{2}{3}$$

$$f(1)=\lim_{n\to\infty}\frac{1^{n+1}-1}{1^n+1+1}=0$$

$$f(2)=\lim_{n\to\infty}\frac{2^{n+1}-1}{2^n+2+1}=\lim_{n\to\infty}\frac{2^{n+1}-1}{2^n+3}=2$$

STEP Ⓑ r값이 포함되는 범위에 따라 함숫값을 구하기

따라서 $f\left(\frac{1}{2}\right)+f(1)+f(2)=\frac{4}{3}$

13

STEP Ⓐ $a_n=S_n-S_{n-1}$임을 이용하여 a_n의 식 구하기

수열 $\{a_n\}$에서 첫째항부터 제 n항까지의 합을 S_n이라고 하면

$$S_n=\sum_{k=1}^{n}a_k=2n^2-n$$

$$\begin{aligned}a_n=S_n-S_{n-1}&=(2n^2-n)-\{2(n-1)^2-(n-1)\}\\&=4n-3(n\geq 2)\end{aligned}$$

$n=1$일 때, $a_1=S_1=1$이므로 $a_n=4n-3(n\geq 1)$

STEP Ⓑ 부분합 구하기

$$\begin{aligned}\sum_{k=1}^{n}\frac{1}{a_ka_{k+1}}=\sum_{k=1}^{n}\frac{1}{(4k-3)(4k+1)}&=\frac{1}{4}\sum_{k=1}^{n}\left(\frac{1}{4k-3}-\frac{1}{4k+1}\right)\\&=\frac{1}{4}\left(1-\frac{1}{4n+1}\right)\end{aligned}$$

STEP Ⓒ 급수의 합 구하기

따라서 $\sum_{n=1}^{\infty}\frac{1}{a_na_{n+1}}=\lim_{n\to\infty}\frac{1}{4}\left(1-\frac{1}{4n+1}\right)=\frac{1}{4}$

14

STEP Ⓐ $\sum_{n=1}^{\infty}a_n$이 수렴하면 $\lim_{n\to\infty}a_n=0$임을 이용하여 a의 값 구하기

$\sum_{n=1}^{\infty}\frac{an^2+2}{n^2+2n}$가 수렴하므로 $\lim_{n\to\infty}\frac{an^2+2}{n^2+2n}=0$

즉 $\frac{a}{1}=0$이므로 $a=0$

STEP Ⓑ 부분합의 극한값 $\lim_{n\to\infty}S_n$ 구하기

$\sum_{n=1}^{\infty}\frac{2}{n^2+2n}$에서 일반항 a_n이라 하면

$a_n=\frac{2}{n^2+2n}=\frac{2}{n(n+2)}=\frac{1}{n}-\frac{1}{n+2}$이고

주어진 급수의 제 n항까지의 부분합을 S_n이라 하면

$$\begin{aligned}S_n=\sum_{k=1}^{n}\left(\frac{1}{k}-\frac{1}{k+2}\right)&=\left\{\left(1-\frac{1}{3}\right)+\left(\frac{1}{2}-\frac{1}{4}\right)+\left(\frac{1}{3}-\frac{1}{5}\right)+\cdots\right.\\&\qquad\left.+\left(\frac{1}{n-1}-\frac{1}{n+1}\right)+\left(\frac{1}{n}-\frac{1}{n+2}\right)\right\}\\&=1+\frac{1}{2}-\frac{1}{n+1}-\frac{1}{n+2}\end{aligned}$$

$$\therefore \sum_{n=1}^{\infty}\frac{2}{n^2+2n}=\lim_{n\to\infty}S_n=\lim_{n\to\infty}\left(1+\frac{1}{2}-\frac{1}{n+1}-\frac{1}{n+2}\right)=\frac{3}{2}$$

15

정답 ⑤

STEP Ⓐ 나머지 정리를 이용하여 일반항 a_n 구하기

$f(x)=a_nx^2+a_nx+2$라고 하면

$f(x)$를 $x-n$으로 나눈 나머지는 $f(n)=a_nn^2+a_nn+2=20$

$\therefore a_n=\frac{18}{n(n+1)}$

STEP Ⓑ 급수 $\sum_{n=1}^{\infty}a_n$의 제 n항까지의 부분합을 S_n이라 할 때, $\sum_{n=1}^{\infty}a_n=\lim_{n\to\infty}S_n$임을 이용하여 구하기

$$\begin{aligned}\text{따라서 }\sum_{n=1}^{\infty}a_n=\sum_{n=1}^{\infty}\frac{18}{n(n+1)}&=\lim_{n\to\infty}\sum_{k=1}^{n}18\left(\frac{1}{k}-\frac{1}{k+1}\right)\\&=18\lim_{n\to\infty}\left\{\left(1-\frac{1}{2}\right)+\left(\frac{1}{2}-\frac{1}{3}\right)+\cdots+\left(\frac{1}{n}-\frac{1}{n+1}\right)\right\}\\&=18\lim_{n\to\infty}\left(1-\frac{1}{n+1}\right)=18\end{aligned}$$

16

STEP Ⓐ 급수가 수렴할 조건을 이용하여 극한값 a 구하기

조건 (가)에서 $\sum_{n=1}^{\infty}\left(a_n-\frac{n}{2n+1}\right)=2$이므로 $\lim_{n\to\infty}\left(a_n-\frac{n}{2n+1}\right)=0$

$\lim_{n\to\infty}a_n=\lim_{n\to\infty}\left(a_n-\frac{n}{2n+1}\right)+\lim_{n\to\infty}\frac{n}{2n+1}=0+\frac{1}{2}$

$\therefore a=\frac{1}{2}$

STEP Ⓑ 급수가 수렴할 조건을 이용하여 극한값 b 구하기

조건 (나)에서 $\sum_{n=1}^{\infty}\left(2-\frac{a_n}{9^n}\right)$이 수렴하므로 $\lim_{n\to\infty}\left(2-\frac{a_n}{9^n}\right)=0$

$\therefore \lim_{n\to\infty}\frac{a_n}{9^n}=2$

$\lim_{n\to\infty}\frac{9^n}{2a_n+1}$의 분모, 분자를 9^n으로 나누면

$\lim_{n\to\infty}\frac{9^n}{2a_n+1}=\lim_{n\to\infty}\frac{1}{2\cdot\frac{a_n}{9^n}+\frac{1}{9^n}}=\frac{1}{4}$

$\therefore b=\frac{1}{4}$

따라서 $a=\frac{1}{2}$, $b=\frac{1}{4}$이므로 $ab=\frac{1}{2}\cdot\frac{1}{4}=\frac{1}{8}$

17

STEP Ⓐ $\lim_{n\to\infty}a_n\neq 0$이면 $\sum_{n=1}^{\infty}a_n$은 발산함을 이용하여 수렴하는 것 구하기

ㄱ. $\lim_{n\to\infty}\frac{2n}{2n-1}=\lim_{n\to\infty}\frac{2}{2-\frac{1}{n}}=\frac{2}{2-0}=1\neq 0$이므로

급수는 $\sum_{n=1}^{\infty}\frac{2n}{2n-1}$은 발산한다.

ㄴ. $\sum_{n=1}^{\infty}\frac{3^n}{2^{2n-1}}=\sum_{n=1}^{\infty}\left\{2\times\left(\frac{3}{4}\right)^n\right\}$에서 급수 $\sum_{n=1}^{\infty}\frac{3^n}{2^{2n-1}}$은

첫째항이 $\frac{3}{2}$, 공비가 $\frac{3}{4}$인 등비급수이다.

이때 $\left|\frac{3}{4}\right|<1$이므로 주어진 급수는 수렴하고 그 합은

$$\sum_{n=1}^{\infty}\frac{3^n}{2^{2n-1}}=\sum_{n=1}^{\infty}2\left(\frac{3}{4}\right)^n=\frac{2\times\frac{3}{4}}{1-\frac{3}{4}}=6$$

ㄷ. $\lim_{n\to\infty}\frac{5^n+2^n}{5^n-2^n}=1\neq 0$이므로 급수는 $\sum_{n=1}^{\infty}\frac{5^n+2^n}{5^n-2^n}$은 발산한다.

따라서 수렴하는 급수는 ㄴ이다.

18

정답 ①

STEP A **등비수열 $\{r^n\}$의 수렴조건은 $-1 < r \le 1$임을 이용하기**

수열 $\left\{\left(\frac{x^2-x}{2}\right)^n\right\}$은 첫째항과 공비가 모두 $\frac{x^2-x}{2}$이므로

등비수열이 수렴하려면 $-1 < \frac{x^2-x}{2} \le 1$이어야 한다.

$\therefore -2 < x^2-x \le 2$

(i) $-2 < x^2-x$에서 $x^2-x+2>0$이고

$x^2-x+2=\left(x-\frac{1}{2}\right)^2+\frac{7}{4}>0$

즉 모든 실수 x에 대하여 성립한다.

(ii) $x^2-x\le 2$에서 $x^2-x-2\le 0$, $(x+1)(x-2)\le 0$

$\therefore -1 \le x \le 2$

(i), (ii)에서 공통범위를 구하면 $-1 \le x \le 2$이므로 정수 x는 $-1, 0, 1, 2$이므로 x의 개수는 4 $\therefore a=4$

STEP B **등비급수 $\sum_{n=1}^{\infty} ar^{n-1}$의 수렴조건 $a=0$ 또는 $-1<r<1$임을 이용하여 정수 x의 개수 구하기**

$\sum_{n=1}^{\infty}(x+2)\left(\frac{x-2}{3}\right)^{n-1}$에서 첫째항이 $x+2$이고 공비가 $\frac{x-2}{3}$이므로

수렴하려면 $x+2=0$ 또는 $-1<\frac{x-2}{3}<1$이어야 한다.

(i) $x+2=0$에서 $x=-2$일 때, 수렴한다.

(ii) $-1<\frac{x-2}{3}<1$에서 $-3<x-2<3$ $\therefore -1<x<5$

(i), (ii)에서 $x=-2$ 또는 $-1<x<5$이므로 정수 x는 $-2, 0, 1, 2, 3, 4$이므로 x의 개수는 6 $\therefore b=6$

따라서 $a+b=4+6=10$

19

정답 ②

STEP A **등비수열의 합 구하기**

$1+3+3^2+\cdots+3^n=\frac{3^{n+1}-1}{3-1}=\frac{3^{n+1}-1}{2}$

STEP B **급수의 성질을 이용하여 구하기**

따라서 $\sum_{n=1}^{\infty}\frac{1+3+3^2+\cdots+3^n}{6^n}=\sum_{n=1}^{\infty}\frac{3^{n+1}-1}{2\cdot 6^n}=\frac{1}{2}\sum_{n=1}^{\infty}\frac{3^{n+1}-1}{2^n\cdot 3^n}$

$$=\frac{1}{2}\left\{\sum_{n=1}^{\infty}3\left(\frac{1}{2}\right)^n-\sum_{n=1}^{\infty}\left(\frac{1}{6}\right)^n\right\}$$

$$=\frac{1}{2}\left(\frac{\frac{3}{2}}{1-\frac{1}{2}}-\frac{\frac{1}{6}}{1-\frac{1}{6}}\right)$$

$$=\frac{1}{2}\left(3-\frac{1}{5}\right)=\frac{7}{5}$$

20

정답 ①

STEP A **S_1의 값 구하기**

(부채꼴 A_nOC_n의 넓이)−(정사각형 $OA_{n+1}B_{n+1}C_{n+1}$의 넓이)를 S_n이라 하면

$S_1=$(부채꼴 A_1OC_1의 넓이)−(정사각형 $OA_2B_2C_2$의 넓이)

$=\frac{1}{4}\times\pi\times 1^2-\frac{1}{\sqrt{2}}\times\frac{1}{\sqrt{2}}$

$=\frac{\pi}{4}-\frac{1}{2}$

STEP B **닮음비를 이용하여 공비 구하기**

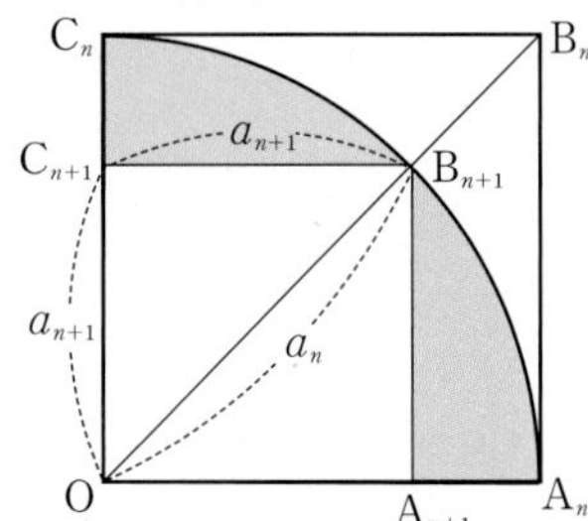

정사각형 $OA_nB_nC_n$의 한 변의 길이를 a_n이라 하고

색칠한 부분의 넓이를 S_n이라 하면 $a_{n+1}{}^2+a_{n+1}{}^2=a_n{}^2$

$a_{n+1}=\frac{\sqrt{2}}{2}a_n$

두 정사각형 $OA_nB_nC_n$과 $OA_{n+1}B_{n+1}C_{n+1}$의 닮음비는 $1:\frac{\sqrt{2}}{2}$이므로

넓이의 비는 $1^2:\left(\frac{\sqrt{2}}{2}\right)^2=1:\frac{1}{2}$

STEP C **$\sum_{n=1}^{\infty}S_n$의 값 구하기**

따라서 수열 $\{S_n\}$은 첫째항이 $\frac{\pi}{4}-\frac{1}{2}$, 공비가 $\frac{1}{2}$인 등비수열이므로

$$\sum_{n=1}^{\infty}S_n=\frac{\frac{\pi}{4}-\frac{1}{2}}{1-\frac{1}{2}}=\frac{\pi}{2}-1$$

서 술 형

21

정답 해설참조

1단계 a_n의 범위를 구한다. ◀ 30%

$2n-1 < na_n < \sqrt{4n^2+3n}$에서 양변을 n으로 나누면

$\frac{2n-1}{n} < a_n < \frac{\sqrt{4n^2+3n}}{n}$

2단계 수열의 극한의 대소 관계를 이용하여 $\lim_{n\to\infty} a_n$을 구한다. ◀ 40%

$\lim_{n\to\infty}\frac{2n-1}{n} \le \lim_{n\to\infty} a_n \le \lim_{n\to\infty}\frac{\sqrt{4n^2+3n}}{n}$

이때 $\lim_{n\to\infty}\frac{2n-1}{n}=2$, $\lim_{n\to\infty}\frac{\sqrt{4n^2+3n}}{n}=2$이므로

수열의 극한의 대소 관계에 의하여 $\lim_{n\to\infty} a_n=2$

3단계 $\lim_{n\to\infty}\frac{(n^2+n)a_n}{4n^2-2}$의 값을 구한다. ◀ 30%

$\lim_{n\to\infty}\frac{(n^2+n)a_n}{4n^2-2}=\lim_{n\to\infty}\frac{1+\frac{1}{n}}{4-\frac{2}{n^2}}\times\lim_{n\to\infty} a_n=\frac{1}{4}\times 2=\frac{1}{2}$

22

정답 해설참조

1단계 짝수 항까지의 합 S_{2k}를 구하여 극한값 $\lim_{k\to\infty} S_{2k}$를 구한다. ◀ 40%

부호가 교대로 나타나므로 짝수 항까지의 합과 홀수 항까지의 합을 각각 구한다.

$S_{2k}=\left(1-\frac{1}{2}\right)+\left(\frac{1}{2}-\frac{1}{3}\right)+\cdots+\left(\frac{1}{k}-\frac{1}{k+1}\right)$

$\therefore \lim_{k\to\infty} S_{2k}=\lim_{k\to\infty}\left(1-\frac{1}{k+1}\right)=1$ ⬅ $n=2k$

2단계 홀수 항까지의 합 S_{2k-1}을 구하여 극한값 $\lim_{k\to\infty} S_{2k-1}$을 구한다. ◀ 40%

$n=2k-1$일 때,

$S_{2k-1}=1+\left(-\frac{1}{2}+\frac{1}{2}\right)+\left(-\frac{1}{3}+\frac{1}{3}\right)+\cdots+\left(-\frac{1}{k}+\frac{1}{k}\right)$

$\therefore \lim_{k\to\infty} S_{2k-1}=1$ ⬅ $n=2k-1$

3단계 위 급수의 수렴, 발산을 조사한다. ◀ 20%

따라서 $\lim_{k\to\infty} S_{2k}=\lim_{k\to\infty} S_{2k-1}=1$이므로 1로 수렴한다.

23

정답 해설참조

1단계 a_n의 값을 구한다. ◀ 20%

$a_n=\sum_{k=1}^{n}10^{k-1}=\frac{10^n-1}{10-1}=\frac{1}{9}(10^n-1)$

2단계 a_n을 3으로 나눈 나머지 b_n을 구한다. ◀ 40%

$a_1=1$을 3으로 나눈 나머지는 $b_1=1$

$a_2=11$을 3으로 나눈 나머지는 $b_2=2$

$a_3=111$을 3으로 나눈 나머지는 $b_3=0$

$a_4=1111$을 3으로 나눈 나머지는 $b_4=1$

$a_5=11111$을 3으로 나눈 나머지는 $b_5=2$

$a_6=111111$을 3으로 나눈 나머지는 $b_6=0$

⋮

에서 $b_1=1$, $b_2=2$, $b_3=0$, $b_4=1$, $b_5=2$, $b_6=0$, $\cdots$

즉 수열 $\{b_n\}$은 1, 2, 0이 이 순서대로 반복한다.

$\therefore b_n=\begin{cases}1 & (n=3k-2)\\ 2 & (n=3k-1)\\ 0 & (n=3k)\end{cases}$

3단계 $\sum_{n=1}^{\infty}\frac{b_n}{3^n}$의 값을 구한다. ◀ 40%

$\sum_{n=1}^{\infty}\frac{b_n}{3^n}=\frac{1}{3}+\frac{2}{3^2}+\frac{0}{3^3}+\frac{1}{3^4}+\frac{2}{3^5}+\frac{0}{3^6}+\cdots$

$=\left(\frac{1}{3}+\frac{1}{3^4}+\frac{1}{3^7}+\cdots\right)+\left(\frac{2}{3^2}+\frac{2}{3^5}+\frac{2}{3^8}+\cdots\right)$

$=\frac{\frac{1}{3}}{1-\frac{1}{27}}+\frac{\frac{2}{9}}{1-\frac{1}{27}}$

$=\frac{9}{26}+\frac{6}{26}=\frac{15}{26}$

24

정답 해설참조

1단계 선분의 길이의 합, 차로 나타낸 후 등비급수의 합을 이용하여 a의 값을 구한다. ◀ 40%

점 A_n의 좌표를 (x_n, y_n)이라하면

$x_1=\overline{\mathrm{OP}_1}=2$, $x_2=x_1$,

$x_3=x_2-\overline{\mathrm{P}_2\mathrm{P}_3}=2-2\left(\frac{2}{3}\right)^2$, $x_4=x_3$,

$x_5=x_4+\overline{\mathrm{P}_4\mathrm{P}_5}=2-2\left(\frac{2}{3}\right)^2+2\left(\frac{2}{3}\right)^4$, $\cdots$

즉 $\lim_{n\to\infty} x_n=\frac{2}{1-\left(-\frac{4}{9}\right)}=\boxed{\frac{18}{13}}$

2단계 선분의 길이의 합, 차로 나타낸 후 등비급수의 합을 이용하여 b의 값을 구한다. ◀ 40%

또, $y_1=0$, $y_2=\overline{\mathrm{P}_1\mathrm{P}_2}=2\left(\frac{2}{3}\right)$,

$y_3=y_2$, $y_4=y_3-\overline{\mathrm{P}_3\mathrm{P}_4}=2\left(\frac{2}{3}\right)-2\left(\frac{2}{3}\right)^3$,

$y_5=y_4$, $y_6=y_5+\overline{\mathrm{P}_5\mathrm{P}_6}=2\left(\frac{2}{3}\right)-2\left(\frac{2}{3}\right)^3+2\left(\frac{2}{3}\right)^5$, $\cdots$

즉 $\lim_{n\to\infty} y_n=\frac{\frac{4}{3}}{1-\left(-\frac{4}{9}\right)}=\boxed{\frac{12}{13}}$

3단계 $a+b$의 값을 구한다. ◀ 20%

따라서 점 P_n의 좌표의 극한은 $\left(\boxed{\frac{18}{13}}, \boxed{\frac{12}{13}}\right)$이므로 $a+b=\frac{18}{13}+\frac{12}{13}=\frac{30}{13}$

M A P L ; S Y N E R G Y

03 수열의 극한 모의평가

01	④	02	⑤	03	②	04	①	05	⑤
06	②	07	⑤	08	①	09	③	10	③
11	⑤	12	④	13	⑤	14	④	15	⑤
16	⑤	17	②	18	③	19	⑤	20	①

서술형

21	해설참조	22	해설참조
23	해설참조	24	해설참조

01

 ④

STEP A n이 한없이 커질 때 a_n이 어떤 일정한 값에 가까워지면 수렴, 그렇지 않으면 발산함을 이용하여 가까워지는 값 구하기

① n이 홀수일 때, $(-1)^n\cos n\pi=1$

n이 짝수일 때, $(-1)^n\cos n\pi=1$

이므로 모든 자연수 n에 대하여 $(-1)^n\cos n\pi=1$

즉 수열 $\{(-1)^n\cos n\pi\}$는 1에 수렴한다.

② 수열 $\left\{\frac{1}{n}\cdot\sin\left(\frac{2n-1}{2}\right)\pi\right\}$는 $1,\ -\frac{1}{2},\ \frac{1}{3},\ -\frac{1}{4},\ \cdots$이므로

n이 한없이 커질 때,

$\frac{1}{n}\cdot\sin\left(\frac{2n-1}{2}\right)\pi$의 값은 0에 한없이 가까워진다.

즉 수열 $\left\{\frac{1}{n}\cdot\sin\left(\frac{2n-1}{2}\right)\pi\right\}$는 0에 수렴한다.

③ 수열 $\left\{\sin\left(\frac{2n-1}{2}\right)\pi\cdot\sin\left(\frac{2n+1}{2}\right)\pi\right\}$는

$1\cdot(-1),\ (-1)\cdot1,\ 1\cdot(-1),\ (-1)\cdot1,\ \cdots$이므로

n이 한없이 커질 때,

$\sin\left(\frac{2n-1}{2}\right)\pi\cdot\sin\left(\frac{2n+1}{2}\right)\pi$의 값은 모든 자연수 n에 대하여 -1이다.

즉 수열 $\left\{\sin\left(\frac{2n-1}{2}\right)\pi\cdot\sin\left(\frac{2n+1}{2}\right)\pi\right\}$는 -1에 수렴한다.

④ 수열 $\left\{\frac{2n-1}{2}\cdot\sin\left(\frac{2n-1}{2}\right)\pi\right\}$는 $\frac{1}{2},\ -\frac{3}{2},\ \frac{5}{2},\ -\frac{7}{2},\ \cdots$이고

n이 한없이 커질 때,

a_nb_n의 값은 부호가 교대로 바뀌면서 절댓값이 한없이 커진다.

즉 수열 $\left\{\frac{2n-1}{2}\cdot\sin\left(\frac{2n-1}{2}\right)\pi\right\}$는 발산(진동)한다.

⑤ 수열 $\left\{\frac{(-1)^n}{\log 4n}\right\}$은 $-\frac{1}{\log 4},\ \frac{1}{\log 8},\ -\frac{1}{\log 12},\ \frac{1}{\log 16},\ \cdots$이므로

n이 한없이 커질 때,

$\frac{(-1)^n}{\log 4n}$의 값은 0에 한없이 가까워진다.

즉 수열 $\left\{\frac{(-1)^n}{\log 4n}\right\}$은 0에 수렴한다.

따라서 옳지 않은 것은 ④이다.

02

 ⑤

STEP A 자연수의 거듭제곱근의 합을 이용하여 참, 거짓 판단하기

ㄱ. $1^2+2^2+3^2+\cdots+n^2=\sum_{k=1}^{n}k^2=\frac{n(n+1)(2n+1)}{6}$이므로

$$\lim_{n\to\infty}\frac{1^2+2^2+3^2+\cdots+n^2}{n^3}=\lim_{n\to\infty}\frac{n(n+1)(2n+1)}{6n^3}=\lim_{n\to\infty}\frac{2+\frac{3}{n}+\frac{1}{n^2}}{6}=\frac{1}{3}$$

ㄴ. $1+3+5+\cdots+(2n-1)=\sum_{k=1}^{n}(2k-1)=2\times\frac{n(n+1)}{2}-n=n^2$

$2+4+6+\cdots+2n=\sum_{k=1}^{n}2k=2\times\frac{n(n+1)}{2}=n^2+n$이므로

$$\lim_{n\to\infty}\frac{1+3+5+\cdots+(2n-1)}{2+4+6+\cdots+2n}=\lim_{n\to\infty}\frac{n^2}{n^2+n}=1$$

ㄷ. $1^2+2^2+3^2+\cdots+n^2=\sum_{k=1}^{n}k^2=\frac{n(n+1)(2n+1)}{6}$

$1^3+2^3+3^3+\cdots+n^3=\sum_{k=1}^{n}k^3=\left\{\frac{n(n+1)}{2}\right\}^2$이므로

$$\lim_{n\to\infty}\frac{n(1^2+2^2+3^2+\cdots+n^2)}{4(1^3+2^3+3^3+\cdots+n^3)}=\frac{n\cdot\frac{n(n+1)(2n+1)}{6}}{4\cdot\left\{\frac{n(n+1)}{2}\right\}^2}=\frac{\frac{1}{6}(2n+1)}{n+1}=\frac{1}{3}$$

따라서 옳은 것은 ㄱ, ㄴ, ㄷ이다.

03

 ②

STEP A 수열의 극한의 성질을 이용하여 극한값 구하기

① $\lim_{n\to\infty}\frac{2n+1}{\sqrt{4n^2+1}+n}=\lim_{n\to\infty}\frac{2+\frac{1}{n}}{\sqrt{4+\frac{1}{n^2}}+1}=\frac{2}{2+1}=\frac{2}{3}$

② 분모를 유리화하여 정리하면

$$\lim_{n\to\infty}\frac{1}{n-\sqrt{n^2+2}}=\lim_{n\to\infty}\frac{n+\sqrt{n^2+2}}{(n-\sqrt{n^2+2})(n+\sqrt{n^2+2})}=\lim_{n\to\infty}\frac{n+\sqrt{n^2+2}}{-2}=-\infty$$

③ $1^2+2^2+3^2+\cdots+n^2=\frac{n(n+1)(2n+1)}{6}$이므로

$$\lim_{n\to\infty}\frac{n^3}{1^2+2^2+3^2+\cdots+n^2}=\lim_{n\to\infty}\frac{6n^3}{n(n+1)(2n+1)}=\lim_{n\to\infty}\frac{6n^3}{2n^3+3n^2+n}=\lim_{n\to\infty}\frac{6}{2+\frac{2}{n}+\frac{1}{n^2}}=\frac{6}{2}=3$$

④ $2n^2+n+1\le\frac{n^3+1}{n}a_n\le 2n^2+3n+3$에서

$\frac{2n^3+n^2+n}{n^3+1}\le a_n\le\frac{2n^3+3n^2+3n}{n^3+1}$

이때 $\lim_{n\to\infty}\frac{2n^3+n^2+n}{n^3+1}=2,\ \lim_{n\to\infty}\frac{2n^3+3n^2+3n}{n^3+1}=2$이므로

수열의 극한의 대소 관계에 의하여 $\lim_{n\to\infty}a_n=2$

⑤ $\lim_{n\to\infty}\frac{3\times6^n+4^{n+1}}{6^n-2\times3^n}=\lim_{n\to\infty}\frac{3+4\left(\frac{2}{3}\right)^n}{1-2\left(\frac{1}{2}\right)^n}=3$

따라서 옳지 않은 것은 ②이다.

04

정답 ①

STEP Ⓐ a의 범위 구하기

$a \leq 0$이면

$\lim_{n\to\infty}\{\sqrt{4n^2+4n-1}-(an+b)\}=\infty$이므로 $a>0$

STEP Ⓑ $\frac{\infty}{\infty}$꼴로 변형한 다음 극한값이 0이 아닌 실수이면 분모와 분자의 차수가 같음을 이용하기

$\lim_{n\to\infty}\{\sqrt{4n^2+4n-1}-(an+b)\}=6$

$=\lim_{n\to\infty}\frac{\{\sqrt{4n^2+4n-1}-(an+b)\}\{\sqrt{4n^2+4n-1}+(an+b)\}}{\sqrt{4n^2+4n-1}+(an+b)}$

$=\lim_{n\to\infty}\frac{(\sqrt{4n^2+4n-1})^2-(an+b)^2}{\sqrt{4n^2+4n-1}+(an+b)}$

$=\lim_{n\to\infty}\frac{(4n^2+4n-1)-(a^2n^2+2abn+b^2)}{\sqrt{4n^2+4n-1}+(an+b)}$

$=\lim_{n\to\infty}\frac{(4-a^2)n^2+2(2-ab)n-(1+b^2)}{\sqrt{4n^2+4n-1}+(an+b)}$

$=\lim_{n\to\infty}\frac{(4-a^2)n+2(2-ab)-\frac{1+b^2}{n}}{\sqrt{4+\frac{4}{n}-\frac{1}{n^2}}+a+\frac{b}{n}}$ …… ㉠

이때 ㉠이 6에 수렴하려면

$4-a^2=0$이므로 $a=2(\because a>0)$

$\lim_{n\to\infty}\frac{2(2-2b)-\frac{1+b^2}{n}}{\sqrt{4+\frac{4}{n}-\frac{1}{n^2}}+2+\frac{b}{n}}=\frac{2(2-2b)}{4}=1-b=6$

$\therefore b=-5$

따라서 $a+b=2+(-5)=-3$

05

정답 ⑤

STEP Ⓐ 수열의 극한의 성질을 이용하여 옳지 않은 것 구하기

① 모든 자연수 n에 대하여 $-1 \leq \cos n\theta \leq 1$이므로

$-\left(\frac{1}{2}\right)^n \leq \left(\frac{1}{2}\right)^n\cos n\theta \leq \left(\frac{1}{2}\right)^n$

그런데 $\lim_{n\to\infty}\left\{-\left(\frac{1}{2}\right)^n\right\}=0$이고 $\lim_{n\to\infty}\left(\frac{1}{2}\right)^n=0$이므로

수열의 극한의 대소 관계에 의하여 $\lim_{n\to\infty}\left(\frac{1}{2}\right)^n\cos n\pi=0$ [참]

② $\frac{3a_n+1}{2a_n-1}=b_n$으로 놓으면 $\lim_{n\to\infty}b_n=2$이고 $a_n=\frac{b_n+1}{2b_n-3}$이므로

$\lim_{n\to\infty}a_n=\lim_{n\to\infty}\frac{b_n+1}{2b_n-3}=\frac{2+1}{2\cdot2-3}=3$ [참]

③ $\lim_{n\to\infty}(4n-3)a_n=\lim_{n\to\infty}na_n\times\frac{(4n-3)}{n}=\lim_{n\to\infty}na_n\times\lim_{n\to\infty}\frac{(4n-3)}{n}$

$=2\times4=8$ [참]

④ $\lim_{n\to\infty}a_n=\infty$에서 $\lim_{n\to\infty}(a_n-b_n)=1$일 때,

$\lim_{n\to\infty}\frac{a_n-b_n}{a_n}=0$이므로 $\lim_{n\to\infty}\left(1-\frac{b_n}{a_n}\right)=0$

$\therefore \lim_{n\to\infty}\frac{b_n}{a_n}=1$ [참]

⑤ $a_n=\sin\frac{n\pi}{2}$에서 $a_{2n-1}=\sin\frac{(2n-1)\pi}{2}$이므로

$a_1=\sin\frac{\pi}{2}=1$, $a_3=\sin\frac{3\pi}{2}=-1$,

$a_5=\sin\frac{5\pi}{2}=\sin\frac{\pi}{2}=1$, $a_7=\sin\frac{7\pi}{2}=\sin\frac{3}{2}\pi=-1$, $\cdots$

즉 수열 $\{a_{2n-1}\}$은 발산한다. [거짓]

따라서 옳지 않은 것은 ⑤이다.

06

정답 ②

STEP Ⓐ 분모, 분자를 5^n으로 나누어 극한값 구하기

$\lim_{n\to\infty}a_n=\alpha$($\alpha$는 상수)라고 하면

$\lim_{n\to\infty}\frac{5^{n+1}+3^na_n}{3^{n+1}-5^na_n}=\lim_{n\to\infty}\frac{5+\left(\frac{3}{5}\right)^n\times a_n}{3\times\left(\frac{3}{5}\right)^n-a_n}=\frac{5}{-\alpha}$

따라서 $\frac{5}{-\alpha}=10$에서 $\alpha=-\frac{1}{2}$이므로 $\lim_{n\to\infty}a_n=-\frac{1}{2}$

07

정답 ⑤

STEP Ⓐ 수열의 극한의 성질을 이용하여 참, 거짓 판단하기

ㄱ. $1+2+2^2+2^3+\cdots+2^n=\frac{2^{n+1}-1}{2-1}=2^{n+1}-1$

$\lim_{n\to\infty}\frac{1+2+2^2+2^3+\cdots+2^n}{2^n}=\lim_{n\to\infty}\frac{2^{n+1}-1}{2^n}=\lim_{n\to\infty}\left\{2-\frac{1}{2^n}\right\}=2$ [참]

ㄴ. $a_n=S_n-S_{n-1}=(n+1)\cdot2^n-n\cdot2^{n-1}$

$=(2n-n+2)\cdot2^{n-1}$

$=(n+2)\cdot2^{n-1}(n\geq2)$

즉 $\lim_{n\to\infty}\frac{S_n}{a_n}=\lim_{n\to\infty}\frac{(n+1)\cdot2^n}{(n+2)\cdot2^{n-1}}=\lim_{n\to\infty}\frac{2n+2}{n+2}=2$ [참]

ㄷ. 3^n의 양의 약수의 총합 S_n은

$S_n=1+3+3^2+3^3+\cdots+3^n=\frac{3^{n+1}-1}{3-1}$

즉 $\lim_{n\to\infty}\frac{3^n}{S_n}=\lim_{n\to\infty}\frac{2\cdot3^n}{3^{n+1}-1}=\frac{2}{3}$ [참]

따라서 옳은 것은 ㄱ, ㄴ, ㄷ이다.

08

정답 ①

STEP Ⓐ 공비의 범위를 나누어 극한값 구하기

(ⅰ) $0<\frac{5}{k}<1$, 즉 $k>5$일 때,

$\lim_{n\to\infty}\left(\frac{5}{k}\right)^n=\lim_{n\to\infty}\left(\frac{5}{k}\right)^{n+1}=0$이므로 $a_k=\lim_{n\to\infty}\frac{\left(\frac{5}{k}\right)^{n+1}}{\left(\frac{5}{k}\right)^n+4}=0$

(ⅱ) $\frac{5}{k}=1$, 즉 $k=5$일 때,

$\lim_{n\to\infty}\left(\frac{5}{k}\right)^n=\lim_{n\to\infty}\left(\frac{5}{k}\right)^{n+1}=1$이므로 $a_k=\lim_{n\to\infty}\frac{\left(\frac{5}{k}\right)^{n+1}}{\left(\frac{5}{k}\right)^n+4}=\frac{1}{5}$

(ⅲ) $\frac{5}{k}>1$, 즉 $1\leq k<5$일 때,

$\lim_{n\to\infty}\left(\frac{5}{k}\right)^n=\infty$이므로 $a_k=\lim_{n\to\infty}\frac{\left(\frac{5}{k}\right)^{n+1}}{\left(\frac{5}{k}\right)^n+4}=\lim_{n\to\infty}\frac{\frac{5}{k}}{1+\frac{4}{\left(\frac{5}{k}\right)^n}}=\frac{5}{k}$

STEP Ⓑ $\sum_{k=1}^{15}ka_k$의 값 구하기

따라서 $\sum_{k=1}^{15}ka_k=1\times a_1+2\times a_2+\cdots+15\times a_{15}$

$=1\times\frac{5}{1}+2\times\frac{5}{2}+3\times\frac{5}{3}+4\times\frac{5}{4}+5\times\frac{1}{5}$

$+6\times0+7\times0+8\times0+\cdots+15\times0$

$=5+5+5+5+1$

$=21$

09

정답 ③

STEP A 선분 OP에 수직인 직선 l이 y축과 만나는 점 Q의 좌표 구하기

직선 OP의 기울기가 $\frac{2n^2}{n}=2n$이므로 점 $\mathrm{P}(n,\ 2n^2)$을 지나고

직선 OP에 수직인 직선 l의 방정식은 $y-2n^2=-\frac{1}{2n}(x-n)$이고

점 Q의 좌표는 $\left(0,\ 2n^2+\frac{1}{2}\right)$

STEP B $\lim_{n\to\infty}(\overline{\mathrm{OP}}-\overline{\mathrm{OQ}})$의 값 구하기

또, $\overline{\mathrm{OP}}=\sqrt{n^2+(2n^2)^2}=\sqrt{4n^4+n^2}$이므로

$$\begin{aligned}\lim_{n\to\infty}(\overline{\mathrm{OP}}-\overline{\mathrm{OQ}})&=\lim_{n\to\infty}\left\{\sqrt{4n^4+n^2}-\left(2n^2+\frac{1}{2}\right)\right\}\\&=\lim_{n\to\infty}\frac{(\sqrt{4n^4+n^2})^2-\left(2n^2+\frac{1}{2}\right)^2}{\sqrt{4n^4+n^2}+\left(2n^2+\frac{1}{2}\right)}\\&=\lim_{n\to\infty}\frac{-n^2-\frac{1}{4}}{\sqrt{4n^4+n^2}+\left(2n^2+\frac{1}{2}\right)}\\&=\lim_{n\to\infty}\frac{-1-\frac{1}{4n^2}}{\sqrt{4+\frac{1}{n^2}}+\left(2+\frac{1}{2n^2}\right)}\\&=-\frac{1}{4}\end{aligned}$$

따라서 $\lim_{n\to\infty}(\overline{\mathrm{OP}}-\overline{\mathrm{OQ}})=-\frac{1}{4}$

10

정답 ③

STEP A 수열의 극한의 대소 관계를 이용하여 $\lim_{n\to\infty}a_n$의 값 구하기

$a_n>0,\ \frac{a_{n+1}}{a_n}<\frac{2023}{2025}$에서

$n=1,\ 2,\ 3,\ \cdots,\ (n-1)$을 차례로 대입하여 양변을 각각 곱하면

$\frac{a_2}{a_1}\times\frac{a_3}{a_2}\times\frac{a_4}{a_3}\times\cdots\times\frac{a_n}{a_{n-1}}<\left(\frac{2023}{2025}\right)^{n-1}$

$\therefore\ 0<a_n<a_1\times\left(\frac{2023}{2025}\right)^{n-1}$

이때 $\lim_{n\to\infty}0=0,\ \lim_{n\to\infty}\left\{a_1\times\left(\frac{2023}{2025}\right)^{n-1}\right\}=0$이므로

수열의 대소 관계에 의하여 $\lim_{n\to\infty}a_n=0$

STEP B 극한값 구하기

따라서 $\lim_{n\to\infty}\frac{3a_n+12n+5}{2a_n+4n-3}=\lim_{n\to\infty}\frac{12n+5}{4n-3}=3$

> **참고** 주어진 조건을 이용하여 먼저 a_n의 극한값을 구한다.
> a_n은 양수이고 $\frac{a_{n+1}}{a_n}<\frac{2023}{2025}<1$에서 $a_{n+1}<a_n$이므로
> a_n의 값이 점점 작아짐을 이용한다.

11

정답 ⑤

STEP A 구간을 나누어 $f(a)$의 값 구하기

$$\begin{aligned}\lim_{n\to\infty}\frac{2^nf(a)+|2^nf(a)+1|}{4\times2^{n-1}}&=\lim_{n\to\infty}\frac{2f(a)+\left|2f(a)+\frac{1}{2^{n-1}}\right|}{4}\\&=\frac{2f(a)+|2f(a)|}{4}\end{aligned}$$

$f(a)<0$이면 $|f(a)|=-f(a)$이므로 $\frac{2f(a)+|2f(a)|}{4}=0$

$f(a)=0$이면 $|f(a)|=f(a)=0$이므로 $\frac{2f(a)+|2f(a)|}{4}=0$

즉 $f(a)\leq0$이면 주어진 조건에 모순이므로 $f(a)>0$

$\frac{2f(a)+|2f(a)|}{4}=\frac{4f(a)}{4}=f(a)=1$

STEP B 두 그래프의 교점의 개수 구하기

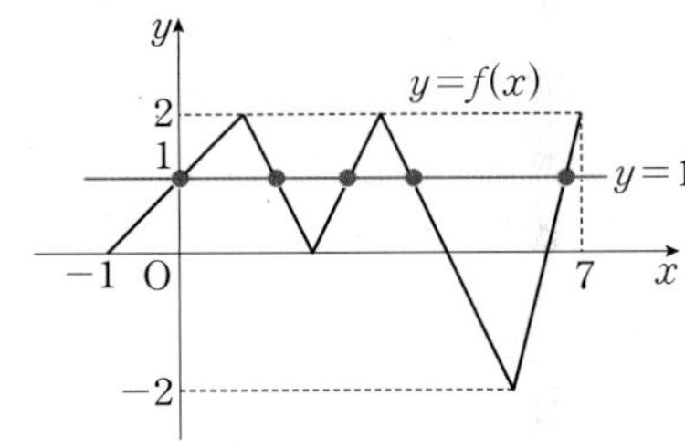

따라서 주어진 그래프에서 $f(a)=1$을 만족시키는 상수 a의 값은 5

12

정답 ④

STEP A 급수의 성질을 이용하여 참, 거짓 판단하기

ㄱ. $\sum_{n=1}^{\infty}a_n=\lim_{n\to\infty}S_n=\lim_{n\to\infty}\frac{2n-1}{\sqrt{n^2+1}+n}$이므로 분모, 분자를 n으로 나누면

$\sum_{n=1}^{\infty}a_n=\lim_{n\to\infty}\frac{2-\frac{1}{n}}{\sqrt{1+\frac{1}{n^2}}+1}=\frac{2}{1+1}=1$

ㄴ. 제 n항까지의 부분합을 S_n이라 하면

$$\begin{aligned}S_n&=\sum_{k=1}^{n}(a_k-a_{k+1})\\&=(a_1-a_2)+(a_2-a_3)+(a_3-a_4)+\cdots+(a_n-a_{n+1})\\&=a_1-a_{n+1}\end{aligned}$$

이고 수열 $\{a_n\}$이 수렴하므로 $\lim_{n\to\infty}a_{n+1}=\lim_{n\to\infty}a_n=3$

즉 $\lim_{n\to\infty}S_n=\sum_{n=1}^{\infty}(a_n-a_{n+1})=\lim_{n\to\infty}(a_1-a_{n+1})=8-3=5$

ㄷ. $a_n=\frac{1}{(2n+1)^2-1}=\frac{1}{4n(n+1)}$이므로

$$\begin{aligned}S_n&=\sum_{k=1}^{n}a_k=\sum_{k=1}^{n}\frac{1}{4k(k+1)}=\sum_{k=1}^{n}\frac{1}{4}\left(\frac{1}{k}-\frac{1}{k+1}\right)\\&=\frac{1}{4}\left\{\left(\frac{1}{1}-\frac{1}{2}\right)+\left(\frac{1}{2}-\frac{1}{3}\right)+\cdots+\left(\frac{1}{n}-\frac{1}{n+1}\right)\right\}\\&=\frac{1}{4}\left(\frac{1}{1}-\frac{1}{n+1}\right)\end{aligned}$$

즉 $\lim_{n\to\infty}S_n=\lim_{n\to\infty}\frac{1}{4}\left(1-\frac{1}{n+1}\right)=\frac{1}{4}$

ㄹ. $\sum_{n=1}^{\infty}(a_n-1)=2$가 수렴하므로 $\lim_{n\to\infty}(a_n-1)=0$

$\therefore\ \lim_{n\to\infty}a_n=1$

$\lim_{n\to\infty}\frac{a_n+2}{3a_n-2}=\frac{1+2}{3\cdot1-2}=3$ [거짓]

따라서 옳은 것은 ㄱ, ㄴ, ㄷ이다.

13

정답 ⑤

STEP A 급수 $\sum_{n=1}^{\infty} a_n$이 수렴하면 $\lim_{n \to \infty} a_n = 0$임을 이용하기

급수 $\sum_{n=1}^{\infty}\left(2-\frac{a_n}{3^n}\right)$이 수렴하므로 $\lim_{n \to \infty}\left(2-\frac{a_n}{3^n}\right)=0$

즉 $\lim_{n \to \infty} \frac{a_n}{3^n}=2$

STEP B 분모, 분자를 3^n으로 나누어 극한값 구하기

따라서 $\lim_{n \to \infty} \frac{4a_n-3^{n+1}}{3a_n+2^n}=\lim_{n \to \infty} \frac{4\times\frac{a_n}{3^n}-3}{3\times\frac{a_n}{3^n}+\left(\frac{2}{3}\right)^n}=\frac{4\times2-3}{3\times2+0}=\frac{5}{6}$

14

정답 ④

STEP A 급수의 수렴 판정법을 이용하여 수렴하는 것 구하기

① 주어진 급수의 제 n항을 a_n이라고 하면

$a_n=\frac{n+2}{3n-1}$이므로 $\lim_{n \to \infty} a_n=\lim_{n \to \infty}\frac{n+2}{3n-1}=\lim_{n \to \infty}\frac{1+\frac{2}{n}}{3-\frac{1}{n}}=\frac{1}{3}$

즉 $\lim_{n \to \infty} a_n \neq 0$이므로 주어진 급수는 발산한다.

② $\sum_{n=1}^{\infty}\frac{n^2}{2n^2-1}$에서 $a_n=\frac{n^2}{2n^2-1}$이라 하면

$\lim_{n \to \infty} a_n=\lim_{n \to \infty}\frac{n^2}{2n^2-1}=\lim_{n \to \infty}\frac{1}{2-\frac{1}{n^2}}=\frac{1}{2}$

즉 $\lim_{n \to \infty} a_n \neq 0$이므로 주어진 급수는 발산한다.

③ 주어진 급수의 제 n항을 a_n이라고 하면

$a_n=\sqrt{n^2+n}-n$이므로

$\lim_{n \to \infty} a_n=\lim_{n \to \infty}(\sqrt{n^2+n}-n)=\lim_{n \to \infty}\frac{(\sqrt{n^2+n}-n)(\sqrt{n^2+n}+n)}{\sqrt{n^2+n}+n}$

$=\lim_{n \to \infty}\frac{n}{\sqrt{n^2+n}+n}=\lim_{n \to \infty}\frac{1}{\sqrt{1+\frac{1}{n}}+1}=\frac{1}{2}$

즉 $\lim_{n \to \infty} a_n \neq 0$이므로 주어진 급수는 발산한다.

④ 주어진 급수의 일반항은

$a_n=\frac{2}{(n+1)(n+2)}$이고 $\lim_{n \to \infty} a_n=\lim_{n \to \infty}\frac{2}{(n+1)(n+2)}=0$

이때 급수의 제 n항까지의 부분합을 S_n이라 하면

$S_n=\sum_{k=1}^{n} a_k=\sum_{k=1}^{n} 2\left(\frac{1}{k+1}-\frac{1}{k+2}\right)$

$=2\left\{\left(\frac{1}{2}-\frac{1}{3}\right)+\left(\frac{1}{3}-\frac{1}{4}\right)+\left(\frac{1}{4}-\frac{1}{5}\right)+\cdots+\left(\frac{1}{n+1}-\frac{1}{n+2}\right)\right\}$

$=2\left(\frac{1}{2}-\frac{1}{n+2}\right)$

즉 주어진 급수의 합은 $\lim_{n \to \infty} S_n=\lim_{n \to \infty} 2\left(\frac{1}{2}-\frac{1}{n+2}\right)=1$

⑤ 급수 $\sum_{n=1}^{\infty}\frac{n^3}{n^2+1}$의 제 n항을 a_n이라고 하면

$a_n=\frac{n^3}{n^2+1}$이므로 $\lim_{n \to \infty} a_n=\lim_{n \to \infty}\frac{n^3}{n^2+1}=\lim_{n \to \infty}\frac{n}{1+\frac{1}{n^2}}=\infty$

즉 $\lim_{n \to \infty} a_n \neq 0$이므로 이 급수는 발산한다.

따라서 중 수렴하는 것은 ④이다.

15

정답 ⑤

STEP A 급수의 성질을 이용하여 참, 거짓 판단하기

① $\sum_{n=1}^{\infty} a_n$이 수렴하면 $\lim_{n \to \infty} a_n=0$이다. [참]

② $\lim_{n \to \infty} a_n \neq 0$이면 $\sum_{n=1}^{\infty} a_n$은 발산한다. [참]

③ $\sum_{n=1}^{\infty} a_n=\alpha$, $\sum_{n=1}^{\infty} b_n=\beta$로 놓으면

$\sum_{n=1}^{\infty}(a_n+b_n)=\sum_{n=1}^{\infty} a_n+\sum_{n=1}^{\infty} b_n=\alpha+\beta$로 수렴한다.[참]

④ $\sum_{n=1}^{\infty}\frac{1}{a_n}$이 수렴하므로 $\lim_{n \to \infty}\frac{1}{a_n}=0$이다.

즉 수열 $\{a_n\}$은 발산한다. [참]

⑤ 반례 $a_1=1$, $a_n=0(n=2, 3, 4, \cdots)$,

$b_1=0$, $b_2=1$, $b_n=0(n=3, 4, 5, \cdots)$이면

$\sum_{n=1}^{\infty} a_n=1$, $\sum_{n=1}^{\infty} b_n=1$이고 $\sum_{n=1}^{\infty} a_n b_n=0$이므로

$\sum_{n=1}^{\infty} a_n \times \sum_{n=1}^{\infty} b_n \neq \sum_{n=1}^{\infty} a_n b_n$ [거짓]

따라서 옳지 않은 것은 ⑤이다.

16

정답 ⑤

STEP A 주어진 급수의 제 n항까지의 부분합 S_n을 구하고 $\lim_{n \to \infty} S_n$의 값을 구하여 참, 거짓 판단하기

ㄱ. 주어진 급수의 일반항을 a_n이라 하면

$a_n=\frac{1}{(n+1)^2+(n+1)}=\frac{1}{(n+1)(n+2)}=\frac{1}{n+1}-\frac{1}{n+2}$이므로

$S_n=\sum_{k=1}^{n} a_k=\left(\frac{1}{2}-\frac{1}{3}\right)+\left(\frac{1}{3}-\frac{1}{4}\right)+\left(\frac{1}{4}-\frac{1}{5}\right)+\cdots+\left(\frac{1}{n+1}-\frac{1}{n+2}\right)$

$=\frac{1}{2}-\frac{1}{n+2}$

즉 주어진 급수의 합은 $\lim_{n \to \infty} S_n=\lim_{n \to \infty}\left(\frac{1}{2}-\frac{1}{n+2}\right)=\frac{1}{2}$ [참]

ㄴ. 주어진 급수의 일반항을 a_n이라 하면

$a_n=\frac{1}{(n+1)^2-1}=\frac{1}{n(n+2)}=\frac{1}{2}\left(\frac{1}{n}-\frac{1}{n+2}\right)$이므로

$S_n=\sum_{k=1}^{n} a_k=\frac{1}{2}\left\{\left(1-\frac{1}{3}\right)+\left(\frac{1}{2}-\frac{1}{4}\right)+\left(\frac{1}{3}-\frac{1}{5}\right)+\cdots\right.$

$\left.+\left(\frac{1}{n-1}-\frac{1}{n+1}\right)+\left(\frac{1}{n}-\frac{1}{n+2}\right)\right\}$

$=\frac{1}{2}\left(1+\frac{1}{2}-\frac{1}{n+1}-\frac{1}{n+2}\right)$

즉 주어진 급수의 합은 $\lim_{n \to \infty} S_n=\lim_{n \to \infty}\frac{1}{2}\left(1+\frac{1}{2}-\frac{1}{n+1}-\frac{1}{n+2}\right)=\frac{3}{4}$ [참]

ㄷ. $\frac{1}{3}+\frac{1}{15}+\frac{1}{35}+\frac{1}{63}+\frac{1}{99}+\cdots$

$=\frac{1}{1\times3}+\frac{1}{3\times5}+\frac{1}{5\times7}+\frac{1}{7\times9}+\frac{1}{9\times11}+\cdots$에서

주어진 급수의 일반항을 a_n이라 하면

$a_n=\frac{1}{(2n-1)(2n+1)}=\frac{1}{2}\left(\frac{1}{2n-1}-\frac{1}{2n+1}\right)$이므로

$S_n=\sum_{k=1}^{n} a_k=\sum_{k=1}^{n}\frac{1}{2}\left(\frac{1}{2k-1}-\frac{1}{2k+1}\right)$

$=\frac{1}{2}\left\{\left(1-\frac{1}{3}\right)+\left(\frac{1}{3}-\frac{1}{5}\right)+\left(\frac{1}{5}-\frac{1}{7}\right)+\cdots+\left(\frac{1}{2n-1}-\frac{1}{2n+1}\right)\right\}$

$=\frac{1}{2}\left(1-\frac{1}{2n+1}\right)$

즉 주어진 급수의 합은 $\lim_{n \to \infty} S_n=\lim_{n \to \infty}\frac{1}{2}\left(1-\frac{1}{2n+1}\right)=\frac{1}{2}$ [참]

따라서 옳은 것은 ㄱ, ㄴ, ㄷ이다.

17

정답 ②

STEP Ⓐ $\sum_{n=1}^{\infty}\left(\frac{1}{2}\right)^n \sin\frac{n\pi}{2}$의 값 구하기

$$\sum_{n=1}^{\infty}\left(\frac{1}{2}\right)^n \sin\frac{n\pi}{2}=\frac{1}{2}\sin\frac{\pi}{2}+\left(\frac{1}{2}\right)^2\sin\frac{2\pi}{2}+\left(\frac{1}{2}\right)^3\sin\frac{3\pi}{2}+\left(\frac{1}{2}\right)^4\sin\frac{4\pi}{2}+\left(\frac{1}{2}\right)^5\sin\frac{5\pi}{2}+\left(\frac{1}{2}\right)^6\sin\frac{6\pi}{2}+\cdots$$

$$=\frac{1}{2}-\left(\frac{1}{2}\right)^3+\left(\frac{1}{2}\right)^5-\left(\frac{1}{2}\right)^7+\cdots$$

$$=\frac{\frac{1}{2}}{1-\left(-\frac{1}{4}\right)}=\frac{2}{5}$$

STEP Ⓑ $\sum_{n=1}^{\infty}\left(\frac{1+\cos n\pi}{5}\right)^n$의 값 구하기

$$\sum_{n=1}^{\infty}\left(\frac{1+\cos n\pi}{5}\right)^n$$

$$=\frac{1+\cos\pi}{5}+\left(\frac{1+\cos 2\pi}{5}\right)^2+\left(\frac{1+\cos 3\pi}{5}\right)^3+\left(\frac{1+\cos 4\pi}{5}\right)^4+\cdots$$

$$=\left(\frac{2}{5}\right)^2+\left(\frac{2}{5}\right)^4+\left(\frac{2}{5}\right)^6+\cdots$$

$$=\frac{\frac{4}{25}}{1-\frac{4}{25}}=\frac{4}{21}$$

STEP Ⓒ $p+q$의 값 구하기

$$\sum_{n=1}^{\infty}\left(\frac{1}{2}\right)^n\sin\frac{n\pi}{2}+\sum_{n=1}^{\infty}\left(\frac{1+\cos n\pi}{5}\right)^n=\frac{2}{5}+\frac{4}{21}=\frac{62}{105}$$

따라서 $p=62$, $q=105$이므로 $p+q=167$

18

정답 ③

STEP Ⓐ n의 값이 홀수일 때와 짝수일 때로 나누어 규칙 구하기

$x^n=(-3)^{n-1}$에서

(ⅰ) $n=2k\,(k=1,\ 2,\ 3,\ \cdots)$일 때, $x^n=(-3)^{2k-1}=-3^{2k-1}<0$

이때 n은 짝수이므로 실근의 개수는 0이다.

$\therefore\ a_{2k}=0$

(ⅱ) $n=2k+1\,(k=1,\ 2,\ 3,\ \cdots)$일 때, $x^n=(-3)^{2k}=3^{2k}>0$

이때 n은 홀수이므로 실근의 개수는 1이다.

$\therefore\ a_{2k+1}=1$

(ⅰ), (ⅱ)에서 $a_n=\begin{cases}0 & (n=2k)\\ 1 & (n=2k+1)\end{cases}(k=1,\ 2,\ 3,\ \cdots)$

STEP Ⓑ 등비급수의 합 구하기

따라서 $\sum_{n=2}^{\infty}\frac{2a_n}{5^n}=\frac{2a_2}{5^2}+\frac{2a_3}{5^3}+\frac{2a_4}{5^4}+\frac{2a_5}{5^5}+\cdots=\frac{2}{5^3}+\frac{2}{5^5}+\frac{2}{5^7}+\cdots$

$$=\frac{\frac{2}{125}}{1-\frac{1}{25}}=\frac{1}{60}$$

19

정답 ⑤

STEP Ⓐ 이차방정식에서 두 근을 구하고 -1과 1 사이인지 확인하기

$9x^2-7x+1=0$의 두 근이 $x=\frac{7\pm\sqrt{13}}{18}$

즉 두 근이 $|\alpha|<1$, $|\beta|<1$이므로 $\sum_{n=1}^{\infty}\alpha^n$, $\sum_{n=1}^{\infty}\beta^n$은 각각 수렴한다.

STEP Ⓑ 근과 계수의 관계를 이용하여 α, β 사이의 관계식 구하기

근과 계수의 관계에 의하여 $\alpha+\beta=\frac{7}{9}$, $\alpha\beta=\frac{1}{9}$

STEP Ⓒ 공식을 이용하여 등비급수의 합 구하기

따라서 $\frac{1}{\beta-\alpha}\sum_{n=1}^{\infty}(\beta^n-\alpha^n)=\frac{1}{\beta-\alpha}\left(\sum_{n=1}^{\infty}\beta^n-\sum_{n=1}^{\infty}\alpha^n\right)=\frac{1}{\beta-\alpha}\left(\frac{\beta}{1-\beta}-\frac{\alpha}{1-\alpha}\right)$

$$=\frac{1}{\beta-\alpha}\left\{\frac{\beta-\alpha\beta-\alpha+\alpha\beta}{(1-\beta)(1-\alpha)}\right\}=\frac{1}{1-(\alpha+\beta)+\alpha\beta}$$

$$=\frac{1}{1-\frac{7}{9}+\frac{1}{9}}=3$$

20

 ①

STEP Ⓐ 처음 재생산되는 알루미늄의 무게 구하기

n번째 재활용되는 알루미늄의 무게를 $a_n$kg이라 하면

처음 생산한 알루미늄 10000kg의 80%를 수거하고

그 중 75%가 재활용되므로 a_1은

$$a_1=10000\times\frac{80}{100}\times\frac{75}{100}=6000$$

STEP Ⓑ 등비급수의 합 구하기

재활용된 알루미늄의 80%를 수거하고

그 중 75%가 재활용되므로

$$a_2=a_1\times\frac{80}{100}\times\frac{75}{100}=6000\times\frac{3}{5}$$

$$a_3=a_2\times\frac{80}{100}\times\frac{75}{100}=6000\times\left(\frac{3}{5}\right)^2$$

$$\vdots$$

수열 $\{a_n\}$의 일반항 a_n은 $a_n=6000\times\left(\frac{3}{5}\right)^{n-1}$이므로

재활용되는 모든 병의 알루미늄의 무게는

$$\sum_{n=1}^{\infty}a_n=\sum_{n=1}^{\infty}6000\left(\frac{3}{5}\right)^{n-1}=\frac{6000}{1-\frac{3}{5}}=15000$$

서 술 형

21

 해설참조

1단계	이차함수 $y=x^2-3(n+1)x+a_n$의 그래프가 x축과 만나도록 하는 a_n의 범위를 구한다.	◀ 20%

이차함수 $y=x^2-3(n+1)x+a_n$의 그래프가 x축과 만나므로

이차방정식 $x^2-3(n+1)x+a_n=0$의 판별식을 D_1이라고 하면

$D_1=9(n+1)^2-4a_n\geq 0$

즉 $a_n\leq\frac{9(n+1)^2}{4}$ …… ㉠

2단계	이차함수 $y=x^2-3nx+a_n$의 그래프가 x축과 만나지 않도록 하는 a_n의 범위를 구한다.	◀ 20%

이차함수 $y=x^2-3nx+a_n$의 그래프는 x축과 만나지 않으므로

이차방정식 $x^2-3nx+a_n=0$의 판별식을 D_2라고 하면

$D_2=9n^2-4a_n<0$

즉 $a_n>\frac{9n^2}{4}$ …… ㉡

3단계	$\lim_{n\to\infty}\frac{a_n}{n^2}$의 값을 구한다.	◀ 30%

㉠, ㉡에서 $\frac{9n^2}{4}<a_n\leq\frac{9(n+1)^2}{4}$이므로

$\frac{9n^2}{4n^2}<\frac{a_n}{n^2}\leq\frac{9(n+1)^2}{4n^2}$에서 $\lim_{n\to\infty}\frac{9n^2}{4n^2}=\frac{9}{4}$이고 $\lim_{n\to\infty}\frac{9(n+1)^2}{4n^2}=\frac{9}{4}$

이므로 수열의 극한의 대소 관계에 의하여 $\lim_{n\to\infty}\frac{a_n}{n^2}=\frac{9}{4}$

4단계 구한 답이 문제의 뜻에 맞는지 확인한다. ◀ 30%

$\lim_{n\to\infty}\frac{a_n}{n^2}\neq\frac{9}{4}$이면 $\lim_{n\to\infty}\frac{a_n}{n^2}>\frac{9}{4}$ 또는 $\lim_{n\to\infty}\frac{a_n}{n^2}<\frac{9}{4}$

(i) $\lim_{n\to\infty}\frac{a_n}{n^2}>\frac{9}{4}$라고 가정하자.

이차방정식 $x^2-3(n+1)x+a_n=0$의 판별식을 D_1이라고 하면

문제의 조건에 따라 $D_1=9(n+1)^2-4a_n\geq 0$

즉 $\frac{a_n}{n^2}\leq\frac{9(n+1)^2}{4n^2}$이므로 $\lim_{n\to\infty}\frac{a_n}{n^2}\leq\lim_{n\to\infty}\frac{9(n+1)^2}{4n^2}=\frac{9}{4}$

이것은 $\lim_{n\to\infty}\frac{a_n}{n^2}>\frac{9}{4}$라는 가정에 모순이다.

(ii) $\lim_{n\to\infty}\frac{a_n}{n^2}<\frac{9}{4}$라고 가정하자.

이차방정식 $x^2-3nx+a_n=0$의 판별식을 D_2라고 하면

문제의 조건에 따라 $D_2=9n^2-4a_n<0$

즉 $\frac{a_n}{n^2}>\frac{9n^2}{4n^2}$이므로 $\lim_{n\to\infty}\frac{a_n}{n^2}\geq\lim_{n\to\infty}\frac{9n^2}{4n^2}=\frac{9}{4}$

이것은 $\lim_{n\to\infty}\frac{a_n}{n^2}<\frac{9}{4}$라는 가정에 모순이다.

(i), (ii)에 의하여 $\lim_{n\to\infty}\frac{a_n}{n^2}=\frac{9}{4}$

22

정답 해설참조

1단계 등비수열 $\left\{\left(\frac{2x+1}{5}\right)^n\right\}$이 수렴하도록 하는 정수 x의 개수 a를 구한다. ◀ 40%

등비수열 $\left\{\left(\frac{2x+1}{5}\right)^n\right\}$은 첫째항과 공비가 모두 $\frac{2x+1}{5}$이므로

등비수열이 수렴하려면 $-1<\frac{2x+1}{5}\leq 1$이어야 한다.

위의 부등식을 정리하면 ⬅ 등비수열 $\{r^n\}$의 수렴조건은 $-1<r\leq 1$

$-5<2x+1\leq 5$, $-6<2x\leq 4$ $\therefore -3<x\leq 2$

즉 수렴하도록 하는 정수의 개수는 -2, -1, 0, 1, 2로 5이다.

$\therefore a=5$

2단계 등비급수 $\sum_{n=1}^{\infty}(x-3)\left(3-\frac{x}{4}\right)^{n-1}$이 수렴하도록 하는 정수 x의 개수 b를 구한다. ◀ 50%

수열 $\left\{(x-3)\left(3-\frac{x}{4}\right)^{n-1}\right\}$은 첫째항이 $x-3$, 공비가 $3-\frac{x}{4}$이므로

급수가 수렴하려면 $x-3=0$ 또는 $-1<3-\frac{x}{4}<1$을 만족시켜야 한다.

위의 부등식을 정리하면 ⬅ 등비급수 $\sum_{n=1}^{\infty}ar^{n-1}$의 수렴조건 $a=0$ 또는 $-1<r<1$

$-4<-\frac{x}{4}<-2$ $\therefore 8<x<16$

즉 주어진 급수가 수렴하도록 하는 x는 $x=3$ 또는 $8<x<16$이므로

정수의 개수는 3, 9, 10, 11, 12, 13, 14, 15이므로 8이다.

$\therefore b=8$

3단계 $a+b$의 값을 구한다. ◀ 10%

따라서 $a+b=5+8=13$

23

정답 해설참조

1단계 조건을 만족하는 두 등비수열 $\{a_n\}$, $\{b_n\}$의 첫째항과 공비를 구한다. ◀ 40%

두 등비수열 $\{a_n\}$, $\{b_n\}$의 공비를 r이라 하면

두 급수 $\sum_{n=1}^{\infty}a_n$, $\sum_{n=1}^{\infty}b_n$이 모두 수렴하므로 $-1<r<1$

$\sum_{n=1}^{\infty}a_n=\frac{a_1}{1-r}=14$ …… ㉠

$\sum_{n=1}^{\infty}b_n=\frac{b_1}{1-r}=2$ …… ㉡

㉠−㉡을 하면 $\frac{a_1-b_1}{1-r}=12$, $\frac{6}{1-r}=12\,(\because a_1-b_1=6)$

$1-r=\frac{1}{2}$ $\therefore r=\frac{1}{2}$

㉠, ㉡에 대입하여 풀면 $a_1=7$, $b_1=1$

2단계 두 등비수열의 일반항 a_n, b_n을 구한다. ◀ 20%

$a_1=7$, $r=\frac{1}{2}$이므로 $a_n=7\times\left(\frac{1}{2}\right)^{n-1}$

$b_1=1$, $r=\frac{1}{2}$이므로 $b_n=\left(\frac{1}{2}\right)^{n-1}$

3단계 등비급수 $\sum_{n=1}^{\infty}a_nb_n$을 구한다. ◀ 40%

$\sum_{n=1}^{\infty}a_nb_n=\sum_{n=1}^{\infty}\left\{7\times\left(\frac{1}{2}\right)^{n-1}\times\left(\frac{1}{2}\right)^{n-1}\right\}=\sum_{n=1}^{\infty}\left\{7\times\left(\frac{1}{4}\right)^{n-1}\right\}=\frac{7}{1-\frac{1}{4}}=\frac{28}{3}$

24

정답 해설참조

1단계 S_1의 값을 구한다. ◀ 40%

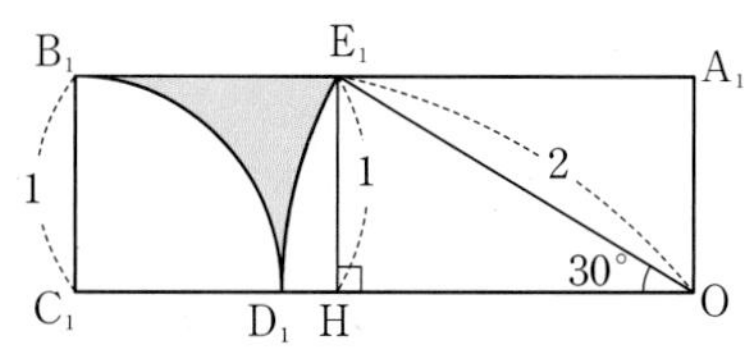

$\overline{B_1C_1}=\overline{C_1D_1}=1$, $\overline{OD_1}=\overline{OE_1}=2$, $\overline{A_1E_1}=\sqrt{3}$이므로

점 E_1에서 선분 C_1O에 내린 수선의 발을 H라 하면

직각삼각형 E_1HO에서 $\overline{E_1H}=1$, $\overline{E_1O}=2$이므로

$\angle E_1OH=30°$

(S_1의 넓이)=(직사각형 $OA_1B_1C_1$)−(부채꼴 $B_1C_1D_1$)−(부채꼴 OE_1D_1)−(삼각형 E_1OA_1)

이므로

$S_1=3-1^2\cdot\pi\cdot\frac{90°}{360°}-2^2\cdot\pi\cdot\frac{30°}{360°}-\frac{1}{2}\cdot 1\cdot\sqrt{3}$

$=3-\frac{\sqrt{3}}{2}-\frac{7}{12}\pi$

2단계 닮음을 이용하여 공비를 구한다. ◀ 40%

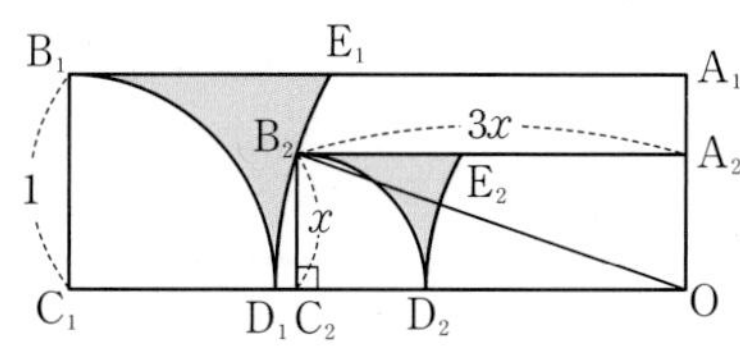

$\overline{B_2C_2}=x$라 하면 $\overline{A_2B_2}=3x$이고 $\overline{OB_2}=\overline{OD_1}=2$이므로

직각삼각형 OC_2B_2에서 $x^2+(3x)^2=2^2$

$\therefore x=\sqrt{\frac{2}{5}}$

즉 R_1과 R_2의 닮음비가 $1:\sqrt{\frac{2}{5}}$이므로

넓이의 비는 $1:\frac{2}{5}$, R_n의 공비는 $\frac{2}{5}$

3단계 $\lim_{n\to\infty}S_n$의 값을 구한다. ◀ 20%

따라서 수열 $\{S_n\}$은 첫째항이 $3-\frac{\sqrt{3}}{2}-\frac{7}{12}\pi$이고

공비가 $\frac{2}{5}$인 등비수열이므로 $\lim_{n\to\infty}S_n=\frac{3-\frac{\sqrt{3}}{2}-\frac{7}{12}\pi}{1-\frac{2}{5}}=5-\frac{5\sqrt{3}}{6}-\frac{35}{36}\pi$

M A P L ; S Y N E R G Y

01 미분법 모의평가

01	②	02	②	03	④	04	③	05	④
06	②	07	⑤	08	③	09	④	10	③
11	①	12	④	13	⑤	14	①	15	②
16	⑤	17	③	18	④	19	④	20	③
서술형									
21	해설참조				22	해설참조			
23	해설참조				24	해설참조			

01

 ②

STEP A $\lim_{x\to 0}\frac{\ln(1+x)}{x}=1$, $\lim_{x\to 0}\frac{e^x-1}{x}=1$임을 이용하여 계산하기

$$\lim_{x\to 0}\frac{e^{6x}-1}{\ln(1+3x)}=\lim_{x\to 0}\frac{e^{6x}-1}{6x}\cdot\lim_{x\to 0}\frac{3x}{\ln(1+3x)}\cdot 2$$
$$=1\cdot 1\cdot 2=2$$

02

 ②

STEP A $x=0$에서 연속임을 이용하여 식 세우기

함수 $f(x)$가 $x=0$에서 연속이므로 $\lim_{x\to 0}f(x)=f(0)$

$$\therefore \lim_{x\to 0}\frac{e^{2x}-\sin 3x+a}{2x}=b$$

STEP B 주어진 함수의 극한값이 존재하고 (분모)$\to 0$일 때, (분자)$\to 0$임을 이용하여 a의 값 구하기

$x\to 0$일 때, (분모)$\to 0$이고 극한값이 존재하므로 (분자)$\to 0$이어야 한다.

즉 $\lim_{x\to 0}(e^{2x}-\sin 3x+a)=0$이므로 $1-0+a=0$

$\therefore a=-1$

STEP C a의 값을 대입한 후 극한값을 이용하여 b의 값을 구하고 $a+b$의 값 구하기

$$\lim_{x\to 0}\frac{e^{2x}-\sin 3x-1}{2x}=\lim_{x\to 0}\frac{1}{2}\left(\frac{e^{2x}-1}{x}-\frac{\sin 3x}{x}\right)=\frac{1}{2}(2-3)=-\frac{1}{2}$$

$\therefore b=-\frac{1}{2}$

따라서 $a+b=-1+\left(-\frac{1}{2}\right)=-\frac{3}{2}$

03

 ④

STEP A 주어진 조건을 각각 제곱하여 더하여 구하기

$\sin\alpha+\cos\beta=\frac{1}{2}$, $\cos\alpha+\sin\beta=\frac{1}{4}$의 양변을 각각 제곱하면

$\sin^2\alpha+2\sin\alpha\cos\beta+\cos^2\beta=\frac{1}{4}$ …… ㉠

$\cos^2\alpha+2\cos\alpha\sin\beta+\sin^2\beta=\frac{1}{16}$ …… ㉡

㉠+㉡을 하면 $2+2(\sin\alpha\cos\beta+\cos\alpha\sin\beta)=\frac{5}{16}$

$\therefore \sin\alpha\cos\beta+\cos\alpha\sin\beta=-\frac{27}{32}$

STEP B 삼각함수의 덧셈정리를 이용하여 구하기

따라서 $\sin(\alpha+\beta)=\sin\alpha\cos\beta+\cos\alpha\sin\beta=-\frac{27}{32}$

04

정답 ③

STEP A 주어진 삼각함수의 극한을 이용하여 $f(n)$ 구하기

$$f(n)=\lim_{x\to 0}\frac{\sin x+\sin 2x+\sin 3x+\cdots+\sin nx}{x}$$
$$=\lim_{x\to 0}\left\{\frac{\sin x}{x}+\frac{\sin 2x}{2x}\cdot 2+\cdots+\frac{\sin nx}{nx}\cdot n\right\}$$
$$=1+2+\cdots+n=\frac{n(n+1)}{2}$$

STEP B $f(n)=45$를 만족시키는 자연수 n의 값 구하기

이때 $\frac{n(n+1)}{2}=45$이므로 $n(n+1)=90$, $(n+10)(n-9)=0$

따라서 n은 자연수이므로 $n=9$

05

 ④

STEP A 여러 가지 함수의 극한값 구하기

① $$\lim_{x\to 0}\frac{\sin(x^2+4x)}{3x^2-2x}=\lim_{x\to 0}\frac{\sin(x^2+4x)}{x^2+4x}\cdot\frac{x^2+4x}{3x^2-2x}$$
$$=\lim_{x\to 0}\frac{\sin(x^2+4x)}{x^2+4x}\cdot\lim_{x\to 0}\frac{x+4}{3x-2}$$
$$=1\cdot\frac{4}{-2}=-2$$

② $$\lim_{x\to 0}\frac{\sin 5x-\sin 3x}{\ln(1+2x)}=\lim_{x\to 0}\frac{\sin 5x}{\ln(1+2x)}-\lim_{x\to 0}\frac{\sin 3x}{\ln(1+2x)}$$
$$=\lim_{x\to 0}\frac{\frac{\sin 5x}{5x}}{\frac{\ln(1+2x)}{2x}}\cdot\frac{5}{2}-\lim_{x\to 0}\frac{\frac{\sin 3x}{3x}}{\frac{\ln(1+2x)}{2x}}\cdot\frac{3}{2}$$
$$=\frac{5}{2}-\frac{3}{2}=1$$

③ $$\lim_{x\to 0}\frac{2(\tan x-\sin x)}{x^3}=\lim_{x\to 0}\frac{2\sin x\left(\frac{1}{\cos x}-1\right)}{x^3}$$
$$=\lim_{x\to 0}\frac{2\sin x(1-\cos x)}{x^3\cos x}$$
$$=\lim_{x\to 0}\frac{2\sin x(1-\cos x)(1+\cos x)}{x^3\cos x(1+\cos x)}$$
$$=\lim_{x\to 0}\frac{2\sin^3 x}{x^3\cos x(1+\cos x)}$$
$$=2\lim_{x\to 0}\left(\frac{\sin x}{x}\right)^3\cdot\frac{1}{\cos x(1+\cos x)}$$
$$=2\cdot 1^3\cdot\frac{1}{2}=1$$

④ $x-\pi=t$로 놓으면 $x\to\pi$일 때, $t\to 0$이므로

$$\lim_{x\to\pi}\frac{(x-\pi)\sin 2x}{1+\cos x}=\lim_{t\to 0}\frac{t\sin 2(\pi+t)}{1+\cos(\pi+t)}$$
$$=\lim_{t\to 0}\frac{t\sin 2t}{1-\cos t}$$
$$=\lim_{t\to 0}\frac{t\sin 2t(1+\cos t)}{\sin^2 t}$$
$$=\lim_{t\to 0}\frac{t}{\sin t}\cdot\frac{\sin 2t}{\sin t}\cdot(1+\cos t)$$
$$=1\cdot 2\cdot 2=4$$

⑤ $$-\frac{\sin\left(\frac{\pi}{2}+\theta\right)\tan\theta}{\sin(2\pi-\theta)\cos^2(-\theta)}+\frac{\sin(\pi+\theta)\tan^2(\pi-\theta)}{\cos\left(\frac{\pi}{2}-\theta\right)}$$
$$=-\frac{\cos\theta\tan\theta}{-\sin\theta\cos^2\theta}+\frac{-\sin\theta\tan^2\theta}{\sin\theta}$$
$$=\frac{1}{\cos^2\theta}-\tan^2\theta$$
$$=\sec^2\theta-\tan^2\theta=1$$

따라서 가장 큰 값은 ④이다.

06

정답 ②

STEP A 넓이 $S(\theta)$ 구하기

직각삼각형 OAQ에서 $\overline{AQ}=\tan\theta$

점 P에서 선분 OA에 내린 수선의 발을 H라 하면

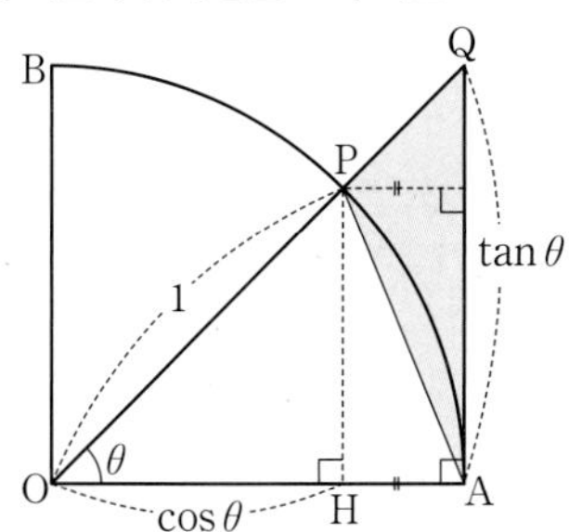

$\overline{OH}=\cos\theta$, $\overline{AH}=1-\cos\theta$이므로

$S(\theta)=\frac{1}{2}\times\tan\theta\times(1-\cos\theta)$

STEP B $\lim_{\theta\to0+}\frac{S(\theta)}{\theta^3}$ 구하기

따라서 $\lim_{\theta\to0+}\frac{S(\theta)}{\theta^3}=\lim_{\theta\to0+}\frac{\frac{1}{2}\times\tan\theta\times(1-\cos\theta)}{\theta^3}$

$=\lim_{\theta\to0+}\frac{\frac{1}{2}\times\tan\theta(1-\cos\theta)(1+\cos\theta)}{\theta^3(1+\cos\theta)}$

$=\lim_{\theta\to0+}\frac{\frac{1}{2}\times\tan\theta\sin^2\theta}{\theta^3(1+\cos\theta)}$

$=\lim_{\theta\to0+}\left\{\frac{1}{2}\cdot\frac{\tan\theta}{\theta}\cdot\left(\frac{\sin\theta}{\theta}\right)^2\cdot\frac{1}{1+\cos\theta}\right\}$

$=\frac{1}{2}\cdot1\cdot1^2\cdot\frac{1}{2}$

$=\frac{1}{4}$

07

정답 ⑤

STEP A 미분계수의 정의를 이용하여 구하기

$h(x)=f(g(x))$로 놓으면

$h(1)=f(g(1))=f(2)=4$

$\lim_{x\to1}\frac{f(g(x))-4}{x-1}=\lim_{x\to1}\frac{h(x)-h(1)}{x-1}=h'(1)$

STEP B 합성함수의 미분법을 이용하여 구하기

따라서 $h(x)=f(g(x))$에서 $h'(x)=f'(g(x))g'(x)$이므로

$h'(1)=f'(g(1))g'(1)=f'(2)\cdot5=1\cdot5=5$

08

정답 ③

STEP A 함수의 곱의 미분법을 이용하여 $f'(x)$, $f''(x)$ 구하기

$f'(x)=e^{ax+b}+xe^{ax+b}\cdot a=(ax+1)e^{ax+b}$

$f''(x)=ae^{ax+b}+(ax+1)e^{ax+b}\cdot a=a(ax+2)e^{ax+b}$

STEP B $f'(0)=e^4$, $f''(0)=8e^4$을 만족하는 a, b의 값 구하기

$f'(0)=e^b=e^4 \quad \therefore b=4$

$f''(0)=2ae^b=2ae^4=8e^4 \quad \therefore a=4$

따라서 $ab=4\cdot4=16$

09

정답 ④

STEP A 미분계수의 정의를 이용하여 변형하기

$\lim_{h\to0}\frac{f(1+2h)-f(1)}{h}=\lim_{h\to0}\frac{f(1+2h)-f(1)}{2h}\cdot2$

$=2f'(1)$ …… ㉠

STEP B 로그함수의 미분법을 이용하여 $2f'(1)$의 값 구하기

$f(x)=x^3+x\ln(2x-1)$에서 $f'(x)=3x^2+\ln(2x-1)+\frac{2x}{2x-1}$

따라서 ㉠에서 구하는 값은 $2f'(1)=2(3+2)=10$

10

정답 ③

STEP A 매개변수로 나타낸 함수의 미분법을 이용하여 $\frac{dy}{dx}$ 구하기

$x=nt^2+t$, $y=\frac{n}{3}t^3+8t-10$에서

$\frac{dx}{dt}=2nt+1$, $\frac{dy}{dt}=nt^2+8$

$\frac{dy}{dx}=\frac{\frac{dy}{dt}}{\frac{dx}{dt}}=\frac{nt^2+8}{2nt+1}$

STEP B $t=3$일 때, 접선의 기울기 구하기

$t=3$에 대응하는 점에서의 접선의 기울기 $f(n)$은

$f(n)=\frac{9n+8}{6n+1}$

STEP C $\lim_{n\to\infty}f(n)$의 값 구하기

따라서 $\lim_{n\to\infty}f(n)=\lim_{n\to\infty}\frac{9n+8}{6n+1}=\lim_{n\to\infty}\frac{9+\frac{8}{n}}{6+\frac{1}{n}}=\frac{9}{6}=\frac{3}{2}$

11

정답 ①

STEP A 음함수의 미분법을 이용하여 $\frac{dy}{dx}$의 값 구하기

$x^3+y^3+axy+b=0$의 양변을 x에 대하여 미분하면

$3x^2+3y^2\frac{dy}{dx}+ay+ax\frac{dy}{dx}=0$

$\frac{dy}{dx}=-\frac{3x^2+ay}{3y^2+ax}(3y^2+ax\neq0)$

STEP B $a+b$의 값 구하기

$x=1$, $y=2$에서의 $\frac{dy}{dx}$의 값이 $\frac{1}{10}$이므로 $-\frac{3+2a}{12+a}=\frac{1}{10}$

$\therefore a=-2$

또, 주어진 곡선이 점 $(1, 2)$를 지나므로 $1+8-4+b=0$

$\therefore b=-5$

따라서 $a+b=-2+(-5)=-7$

12

정답 ④

STEP A $f(9)$, $f'(9)$의 값 구하기

곡선 $y=f(x)$ 위의 점 $(9,\ 2)$에서의 접선의 기울기가 $\frac{2}{3}$이므로

$f(9)=2,\ f'(9)=\frac{2}{3}$

STEP B $g(2)$의 값 구하기

$f(3x)$의 역함수가 $g(x)$이므로 $g(f(3x))=x$ …… ㉠

㉠의 양변에 $x=3$을 대입하면 $g(f(9))=3$이므로 $g(2)=3$

$\therefore a=g(2)=3$

STEP C 역함수의 미분법을 이용하여 $g'(2)$의 값 구하기

㉠의 양변을 x에 대하여 미분하면

$g'(f(3x))f'(3x)\cdot 3=1$ …… ㉡

㉡의 양변에 $x=3$을 대입하면 $g'(f(9))f'(9)\cdot 3=1$

즉 $g'(2)\cdot \frac{2}{3}\cdot 3=1 \quad \therefore b=g'(2)=\frac{1}{2}$

따라서 $a+2b=3+1=4$

$f(3x)=h(x)$라고 하면 $g(2)=a$에서 $h(a)=2$이고

$h(3)=f(9)=2$이므로 $a=3$

한편 $h'(x)=3f'(3x)$에서 $h'(3)=3f'(9)=3\cdot\frac{2}{3}=2$이고

$g(2)=3$이므로 $g'(2)=\frac{1}{h'(3)}=\frac{1}{2} \quad \therefore b=\frac{1}{2}$

따라서 $a+2b=3+1=4$

13

STEP A 점 $(a,\ ae^{3a})$에서 접선의 방정식 구하기

$y=xe^{3x}$에서 $y'=e^{3x}+3xe^{3x}=e^{3x}(3x+1)$이므로

곡선 $y=xe^{3x}$ 위의 점 $(a,\ ae^{3a})$을 지나는 접선의 방정식은

$y-ae^{3a}=e^{3a}(3a+1)(x-a)$

STEP B 근과 계수의 관계를 이용하여 합과 곱 구하기

이 접선이 점 $(3,\ 0)$을 지나므로 $-ae^{3a}=e^{3a}(3a+1)(3-a)$

$e^{3a}>0$이므로 $-a=9a-3a^2+3-a,\ a^2-3a-1=0$

이차방정식 $a^2-3a-1=0$의 두 근을 $\alpha,\ \beta$라고 하면

근과 계수의 관계에 의하여 $\alpha+\beta=3,\ \alpha\beta=-1$

STEP C m_1m_2 구하기

따라서 두 접선의 기울기의 곱은

$$\begin{aligned} m_1m_2&=e^{3\alpha}(3\alpha+1)e^{3\beta}(3\beta+1)=e^{3\alpha+3\beta}(9\alpha\beta+3\alpha+3\beta+1)\\ &=e^9(-9+9+1)=e^9 \end{aligned}$$

14

STEP A $f'(x)=0$인 x의 값 구하기

$f(x)=(x^2-3a)e^x$에서 $f'(x)=2xe^x+(x^2-3a)e^x=(x^2+2x-3a)e^x$

$f(x)=0$에서 $e^x>0$이므로 $x^2+2x-3a=0$ …… ㉠

STEP B 이차방정식이 서로 다른 두 실근을 가질 조건 구하기

함수 $f(x)$가 극댓값과 극솟값을 모두 가지려면

이차방정식 ㉠이 서로 다른 두 실근을 가져야 하므로

판별식을 D라 하면 $\frac{D}{4}=1+3a>0$

따라서 $a>-\frac{1}{3}$

15

정답 ②

STEP A 이계도함수 $f''(x)=0$인 x의 좌표 구하기

$a>0$이므로 로그의 진수의 조건에 의하여 $x>0$이다.

$f(x)=(\ln ax)^2$로 놓으면

$f'(x)=2\ln ax\cdot\frac{a}{ax}=\frac{2\ln ax}{x}$

$f''(x)=\frac{\frac{2}{x}\cdot x-2\ln ax}{x^2}=\frac{2(1-\ln ax)}{x^2}$

$x^2>0$이므로 $f''(x)=0$에서 $1-\ln ax=0$이므로 $x=\frac{e}{a}$

STEP B 변곡점을 직선 $y=3x-2$에 대입하여 양수 a의 값 구하기

이때 $x=\frac{e}{a}$의 좌우에서 $f''(x)$의 부호가 바뀌므로 변곡점의 좌표는 $\left(\frac{e}{a},\ 1\right)$

이 변곡점 $\left(\frac{e}{a},\ 1\right)$이 직선 $y=3x-2$ 위에 있으므로 $1=3\cdot\frac{e}{a}-2$

$\therefore a=e$

16

STEP A 함수 $f(x)$의 증감표를 이용하여 그래프 그리기

$f(x)=\frac{1}{x}\ln x$에서

$f'(x)=-\frac{1}{x^2}\ln x+\frac{1}{x^2}=\frac{1}{x^2}(1-\ln x)$

$f''(x)=-\frac{2}{x^3}(1-\ln x)-\frac{1}{x^3}=-\frac{1}{x^3}(3-2\ln x)$

$f'(x)=0$에서 $x=e$이고 $f''(x)=0$에서 $x=e^{\frac{3}{2}}$이므로

함수 $f(x)$의 증가와 감소 및 오목과 볼록을 표로 나타내면 다음과 같다.

x	(0)	$\cdots$	e	$\cdots$	$e^{\frac{3}{2}}$	$\cdots$
$f'(x)$		$+$	0	$-$	$-$	$-$
$f''(x)$		$-$	$-$	$-$	0	$+$
$f(x)$		↗	극대	↘	변곡점	↘

이때 $\lim_{x\to\infty}\frac{\ln x}{x}=0$이므로 점근선은 x축이다.

$f(x)=\frac{\ln x}{x}$의 그래프는 다음 그림과 같다.

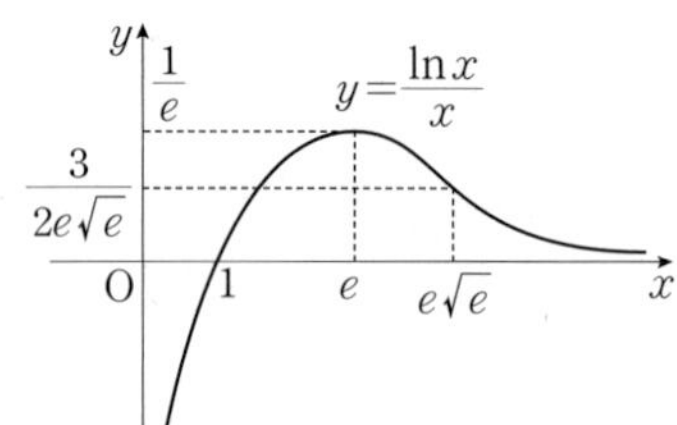

STEP B [보기]의 진위판단하기

ㄱ. $y=f(x)$는 $x=e$일 때, 최댓값 $f(e)=\frac{1}{e}$을 갖는다. [참]

ㄴ. $x>e$일 때, $f'(x)<0$이므로 $y=f(x)$는 감소하는 함수이다.

$2022>2020>e$이므로 $f(2020)>f(2022)$

즉 $\frac{1}{2020}\ln 2020>\frac{1}{2022}\ln 2022$이므로 $2022\ln 2020>2020\ln 2022$

$\ln 2020^{2022}>\ln 2022^{2020}$

$\therefore 2020^{2022}>2022^{2020}$ [참]

ㄷ. $0<x<e$에서 $f''(x)<0$이므로 $y=f(x)$는 위로 볼록이다.

즉 $0<a<b<e$일 때, $f\left(\frac{a+b}{2}\right)>\frac{f(a)+f(b)}{2}$를 만족시킨다. [참]

따라서 옳은 것은 ㄱ, ㄴ, ㄷ이다.

17

정답 ③

STEP A $f(x)=xe^{-x}$을 증감표를 이용하여 그래프 그리기

부등식 $ke^{x}\geq x$에서 양변을 e^{x}으로 나누면 $k\geq xe^{-x}$

$f(x)=xe^{-x}$라 하면

$f'(x)=e^{-x}-xe^{-x}=(1-x)e^{-x}$

$f'(x)=0$에서 $e^{-x}>0$이므로 $x-1=0$, 즉 $x=1$

함수 $f(x)$의 증가와 감소를 표로 나타내면 다음과 같다.

x	$\cdots$	1	$\cdots$
$f'(x)$	+	0	−
$f(x)$	↗	극대	↘

STEP B $ke^{x}\geq x$가 성립할 때, 상수 k의 최솟값 구하기

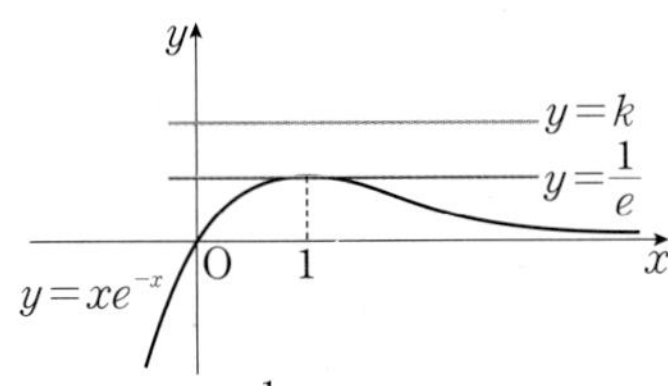

함수 $f(x)$는 $x=1$에서 최댓값이 $\frac{1}{e}$이므로 모든 실수 x에 대하여

$f(x)\leq k$이므로 $k\geq\frac{1}{e}$

따라서 k의 최솟값은 $\frac{1}{e}$

18

정답 ④

STEP A $f'(x)=0$을 만족하는 x의 값 구하기

$f(x)=x\sin x+\cos x$에서 $f'(x)=\sin x+x\cos x-\sin x=x\cos x$

$f'(x)=0$에서 $\pi\leq x\leq 3\pi$이므로 $x\neq 0$

$\cos x=0$이므로 $x=\frac{3}{2}\pi$ 또는 $x=\frac{5}{2}\pi$

STEP B 구간 $[\pi, 3\pi]$에서 최댓값과 최솟값 구하기

구간 $[\pi, 3\pi]$에서 함수 $f(x)$의 증가와 감소를 표로 나타내면 다음과 같다.

x	π	$\cdots$	$\frac{3}{2}\pi$	$\cdots$	$\frac{5}{2}\pi$	$\cdots$	3π
$f'(x)$		−	0	+	0	−	
$f(x)$	−1	↘	$-\frac{3}{2}\pi$ (극소)	↗	$\frac{5}{2}\pi$ (극대)	↘	−1

함수 $f(x)$는

$x=\frac{5}{2}\pi$에서 최댓값 $M=f\left(\frac{5}{2}\pi\right)=\frac{5}{2}\pi$,

$x=\frac{3}{2}\pi$에서 최솟값 $m=f\left(\frac{3}{2}\pi\right)=-\frac{3}{2}\pi$를 갖는다.

따라서 $M+m=\frac{5}{2}\pi+\left(-\frac{3}{2}\pi\right)=\pi$

19

정답 ④

STEP A 방정식을 두 그래프로의 교점의 개수로 이해하기

$x^{2}-\frac{2}{x}+k=0$의 서로 다른 실근의 개수가 2 이상인 경우는

$y=x^{2}-\frac{2}{x}$와 $y=-k$가 서로 다른 두 점 이상에서 만나야 한다.

STEP B $f(x)=x^{2}-\frac{2}{x}$의 그래프의 개형 그리기

$f(x)=x^{2}-\frac{2}{x}$라 하면

$f'(x)=2x+\frac{2}{x^{2}}=\frac{2(x^{3}+1)}{x}$

$f'(x)=0$에서 $x^{3}+1=0$, $(x+1)(x^{2}-x+1)=0$

$\therefore x=-1$

함수 $f(x)$의 증가와 감소를 조사하면 다음 표와 같다.

x	$\cdots$	−1	$\cdots$	(0)	$\cdots$
$f'(x)$	−	0	+		+
$f(x)$	↘	3	↗		↗

이때 $\lim_{x\to 0-}\left(x^{2}-\frac{2}{x}\right)=\infty$, $\lim_{x\to 0+}\left(x^{2}-\frac{2}{x}\right)=-\infty$

$\lim_{x\to\infty}\left(x^{2}-\frac{2}{x}\right)=\infty$, $\lim_{x\to-\infty}\left(x^{2}-\frac{2}{x}\right)=\infty$

$x=-1$에서 극소이고 극솟값은 $f(-1)=3$

STEP C $y=f(x)$, $y=-k$가 서로 다른 두 점 이상에서 만날 때, k의 범위 구하기

$y=f(x)$의 그래프는 오른쪽 그림과 같으므로 직선 $y=-k$가 서로 다른 두 점 이상에서 만나도록 하는 실수 k의 값의 범위는 $-k\geq 3$

따라서 $k\leq -3$

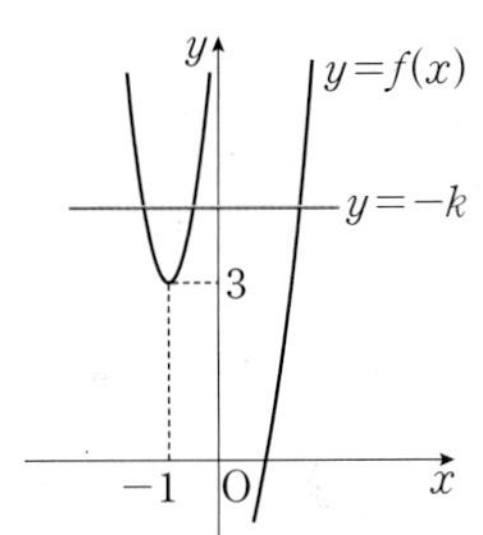

20

정답 ③

STEP A 점 P의 속력이 3일 때, t의 값 구하기

$x=3t+1$, $y=t-\frac{1}{3}t^{3}$에서 $\frac{dx}{dt}=3$, $\frac{dy}{dt}=1-t^{2}$이므로

점 P의 시각 t에서의 속도는 $(3, 1-t^{2})$

이때 점 P의 속력이 3이므로 $\sqrt{3^{2}+(1-t^{2})^{2}}=3$

$t^{4}-2t^{2}+10=9$, $(t^{2}-1)^{2}=0$

$t>0$이므로 $t=1$

STEP B $t=1$일 때, 점 P의 가속도 구하기

$\frac{d^{2}x}{dt^{2}}=0$, $\frac{d^{2}y}{dt^{2}}=-2t$이므로

점 P의 시각 t에서 가속도는 $(0, -2t)$

이때 시각 $t=1$일 때, 가속도는 $(0, -2)$

STEP C 가속도의 크기 구하기

따라서 $t=1$에서의 가속도의 크기는 $\sqrt{0+(-2)^{2}}=2$

서 술 형

21

정답 해설참조

1단계	곡선의 두 변곡점의 좌표를 구한다.	◀ 30%

$f(x)=e^{1-x^2}$으로 놓으면

$f'(x)=-2xe^{1-x^2}$

$f''(x)=-2e^{1-x^2}-2x\times(-2xe^{1-x^2})=4\left(x^2-\frac{1}{2}\right)e^{1-x^2}$

$f''(x)=0$에서 $x=-\frac{\sqrt{2}}{2}$ 또는 $x=\frac{\sqrt{2}}{2}$

$x=-\frac{\sqrt{2}}{2}$, $x=\frac{\sqrt{2}}{2}$의 좌우에서 $f''(x)$의 부호가 바뀌므로

두 변곡점의 좌표는 $\left(-\frac{\sqrt{2}}{2}, \sqrt{e}\right)$, $\left(\frac{\sqrt{2}}{2}, \sqrt{e}\right)$

2단계	두 변곡점에서의 접선의 방정식을 구한다.	◀ 40%

$f'\left(-\frac{\sqrt{2}}{2}\right)=\sqrt{2e}$이므로 곡선 $y=f(x)$ 위의 점 $\left(-\frac{\sqrt{2}}{2}, \sqrt{e}\right)$에서의

접선의 방정식은 $y-\sqrt{e}=\sqrt{2e}\left\{x-\left(-\frac{\sqrt{2}}{2}\right)\right\}$

즉 $y=\sqrt{2e}\,x+2\sqrt{e}$ …… ㉠

$f'\left(\frac{\sqrt{2}}{2}\right)=-\sqrt{2e}$이므로 곡선 $y=f(x)$ 위의 점 $\left(\frac{\sqrt{2}}{2}, \sqrt{e}\right)$에서의

접선의 방정식은 $y-\sqrt{e}=-\sqrt{2e}\left(x-\frac{\sqrt{2}}{2}\right)$

즉 $y=-\sqrt{2e}\,x+2\sqrt{e}$ …… ㉡

3단계	두 변곡점에서의 접선과 x축으로 둘러싸인 부분의 넓이를 구한다.	◀ 30%

두 접선 ㉠, ㉡이 x축과 만나는 점의 좌표는 각각 $(-\sqrt{2}, 0)$, $(\sqrt{2}, 0)$이고

두 접선 ㉠, ㉡의 교점의 좌표는 $(0, 2\sqrt{e})$

이므로 두 접선 ㉠, ㉡과 x축으로 둘러싸인 삼각형의 넓이를 S라 하면

$S=\frac{1}{2}\times2\sqrt{2}\times2\sqrt{e}=2\sqrt{2e}$

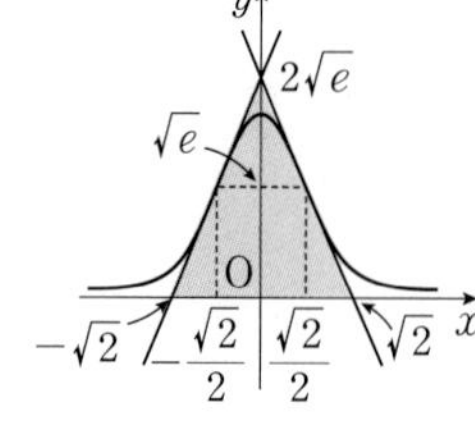

22

정답 해설참조

1단계	x, y 사이의 관계식을 구한다.	◀ 30%

피타고라스 정리에 의하여 $x^2+y^2=25$

2단계	x에 대한 y의 변화율 $\frac{dy}{dx}$의 값을 구한다.	◀ 30%

$x^2+y^2=25$의 각 항을 x에 대하여 미분하면

$2x+2y\frac{dy}{dx}=0$에서 $\frac{dy}{dx}=-\frac{x}{y}$

3단계	$x=4$일 때, $\frac{dy}{dx}$의 값을 구한다.	◀ 40%

$x^2+y^2=25$에서 $x=4$이면 $4^2+y^2=25$

$y>0$이므로 $y=3$

따라서 $x=4$일 때, $\frac{dy}{dx}=-\frac{4}{3}$

23

정답 해설참조

1단계	양수 a에 대하여 $f'(a)$를 구한다.	◀ 30%

$f(x)=\ln(e^x+1)$에서

$f'(x)=\frac{e^x}{e^x+1}$이므로 $f'(a)=\frac{e^a}{e^a+1}$ …… ㉠

2단계	두 함수 $f(x)$와 $g(x)$가 서로 역함수 관계임을 이용하여 $\frac{1}{g'(a)}$의 값을 구한다.	◀ 40%

$g(a)=b$라고 하면 $f(b)=a$이므로 $\ln(e^b+1)=a$, $e^b+1=e^a$

한편 역함수의 미분법에 의하여

$\frac{1}{g'(a)}=f'(b)=\frac{e^b}{e^b+1}=\frac{e^a-1}{e^a}$ …… ㉡

3단계	$\frac{1}{f'(a)}+\frac{1}{g'(a)}$의 값을 구한다.	◀ 30%

㉠, ㉡에 의하여 $\frac{1}{f'(a)}+\frac{1}{g'(a)}=\frac{e^a+1}{e^a}+\frac{e^a-1}{e^a}=2$

24

정답 해설참고

1단계	$\angle\mathrm{AOD}=\theta$라 할 때, 사다리꼴 ABCD의 넓이를 $S(\theta)$라 할 때, $S(\theta)$를 θ에 관한 삼각함수로 나타낸다.	◀ 40%

오른쪽 그림과 같이

$\angle\mathrm{AOD}=\theta\left(0<\theta<\frac{\pi}{2}\right)$이므로

점 D에서 $\overline{\mathrm{OA}}$에 내린 수선의 발을 E라 할 때,

$\overline{\mathrm{DE}}=\sin\theta$, $\overline{\mathrm{OE}}=\cos\theta$, $\overline{\mathrm{CD}}=2\cos\theta$

사다리꼴 ABCD의 넓이를

$S(\theta)=\frac{1}{2}(\overline{\mathrm{AB}}+\overline{\mathrm{DC}})\cdot\overline{\mathrm{DE}}=\frac{1}{2}(2+2\cos\theta)\cdot\sin\theta=(1+\cos\theta)\sin\theta$

2단계	$S(\theta)$가 최대가 되는 θ의 값을 구한다.	◀ 40%

$S'(\theta)=\{-\sin^2\theta+(1+\cos\theta)\cos\theta\}$

$=(2\cos^2\theta+\cos\theta-1)=(\cos\theta+1)(2\cos\theta-1)$

$S'(\theta)=0$에서 $\cos\theta+1>0$이므로 $\cos\theta=\frac{1}{2}$ $\therefore\ \theta=\frac{\pi}{3}$

$0<\theta<\frac{\pi}{2}$에서 $S(\theta)$의 증가와 감소를 표로 나타내면 다음과 같다.

θ	(0)	$\cdots$	$\frac{\pi}{3}$	$\cdots$	$\left(\frac{\pi}{2}\right)$
$S'(\theta)$		$+$	0	$-$	
$S(\theta)$		↗	극대	↘	

$0<\theta<\frac{\pi}{2}$에서 함수 $S(\theta)$는 $\theta=\frac{\pi}{3}$에서 극대이고 최대이다.

3단계	$S(\theta)$의 최댓값을 구한다.	◀ 20%

따라서 함수 $S(\theta)$의 최댓값은 $S\left(\frac{\pi}{3}\right)=\frac{\sqrt{3}}{2}\left(1+\frac{1}{2}\right)=\frac{3\sqrt{3}}{4}$

참고 삼각형의 넓이공식을 이용하여 넓이 유도

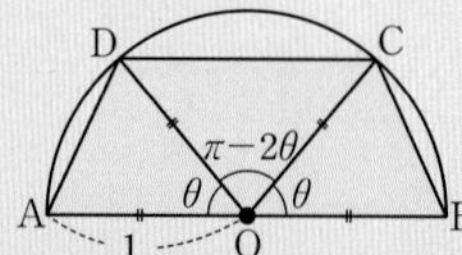

$\angle\mathrm{AOD}=\angle\mathrm{BOC}=\theta$, $\angle\mathrm{DOC}=\pi-2\theta$, $\overline{\mathrm{OA}}=\overline{\mathrm{OB}}=\overline{\mathrm{OC}}=\overline{\mathrm{OD}}=1$

이므로 □ABCD의 넓이를 $S(\theta)$라고 하면

$S(\theta)=\triangle\mathrm{AOD}+\triangle\mathrm{BOC}+\triangle\mathrm{DOC}$

$=\frac{1}{2}\sin\theta+\frac{1}{2}\sin\theta+\frac{1}{2}\cdot\sin(\pi-2\theta)$

$=\sin\theta+\sin2\theta=(1+\cos\theta)\sin\theta$

02 미분법 모의평가

01 ②	02 ①	03 ③	04 ③	05 ①
06 ①	07 ④	08 ④	09 ①	10 ①
11 ④	12 ⑤	13 ②	14 ①	15 ②
16 ①	17 ③	18 ③	19 ④	20 ②

서술형

21 해설참조	22 해설참조
23 해설참조	24 해설참조

01

정답 ②

STEP A 지수 로그함수의 극한값 구하기

① $\lim_{x\to 0}\frac{e^{2x}-e^{-2x}}{x}=\lim_{x\to 0}\frac{e^{2x}-1+1-e^{-2x}}{x}$

$=\lim_{x\to 0}\frac{e^{2x}-1}{2x}\cdot 2-\lim_{x\to 0}\frac{e^{-2x}-1}{-2x}\cdot(-2)$

$=1\cdot 2-1\cdot(-2)=4$

② $\lim_{x\to 0}\frac{\ln(1+10x)}{e^{2x}-1}=\lim_{x\to 0}\left\{\frac{\ln(1+10x)}{10x}\cdot\frac{2x}{e^{2x}-1}\cdot\frac{10}{2}\right\}=1\cdot 1\cdot 5=5$

③ $\lim_{x\to 0}\frac{(e^x-1)\ln(1-2x)}{x^2}=\lim_{x\to 0}\left\{\frac{e^x-1}{x}\cdot\frac{\ln(1-2x)}{(-2)x}\cdot(-2)\right\}$

$=1\cdot(-2)=-2$

④ $\lim_{x\to\infty}x\{\ln(x+2)-\ln x\}=\lim_{x\to\infty}x\left\{\ln\left(\frac{x+2}{x}\right)\right\}=\lim_{x\to\infty}\ln\left(1+\frac{2}{x}\right)^x=\ln e^2=2$

⑤ $\lim_{x\to 0}\frac{e^{4x}-e^x}{\ln(3x+1)}=\lim_{x\to 0}\left\{\frac{e^{4x}-e^x}{x}\cdot\frac{3x}{\ln(3x+1)}\cdot\frac{1}{3}\right\}$

$=\lim_{x\to 0}\left\{\frac{e^{4x}-1-(e^x-1)}{x}\cdot\frac{3x}{\ln(3x+1)}\cdot\frac{1}{3}\right\}$

$=\lim_{x\to 0}\left(\frac{e^{4x}-1}{4x}\cdot 4-\frac{e^x-1}{x}\right)\cdot\lim_{x\to 0}\frac{3x}{\ln(3x+1)}\cdot\frac{1}{3}$

$=(4-1)\cdot\frac{1}{3}=1$

따라서 극한값이 가장 큰 것은 ②이다.

02

정답 ①

STEP A $\lim_{x\to 0}\frac{\ln(1+bx)}{ax}=\frac{b}{a}$임을 이용하여 극한값 구하기

$f(n)=\lim_{x\to 0}\frac{x}{\ln(1+x)+\ln(1+2x)+\cdots+\ln(1+nx)}$

$=\lim_{x\to 0}\frac{1}{\frac{\ln(1+x)+\ln(1+2x)+\cdots+\ln(1+nx)}{x}}$

$=\lim_{x\to 0}\frac{1}{\frac{\ln(1+x)}{x}+\frac{\ln(1+2x)}{2x}\cdot 2+\cdots+\frac{\ln(1+nx)}{nx}\cdot n}$

$=\frac{1}{1+2+\cdots+n}=\frac{1}{\frac{n(n+1)}{2}}=\frac{2}{n(n+1)}$

STEP B 급수 $\sum_{n=1}^{\infty}\frac{1}{n(n+1)}=1$임을 이용하여 구하기

따라서 $\sum_{n=1}^{\infty}f(n)=\sum_{n=1}^{\infty}\frac{2}{n(n+1)}=2\sum_{n=1}^{\infty}\left(\frac{1}{n}-\frac{1}{n+1}\right)$

$=2\lim_{n\to\infty}\left\{\left(1-\frac{1}{2}\right)+\left(\frac{1}{2}-\frac{1}{3}\right)+\cdots+\left(\frac{1}{n}-\frac{1}{n+1}\right)\right\}$

$=2\lim_{n\to\infty}\left(1-\frac{1}{n+1}\right)=2$

03

정답 ③

STEP A $\tan\alpha$, $\tan\beta$ 구하기

다음 그림과 같이

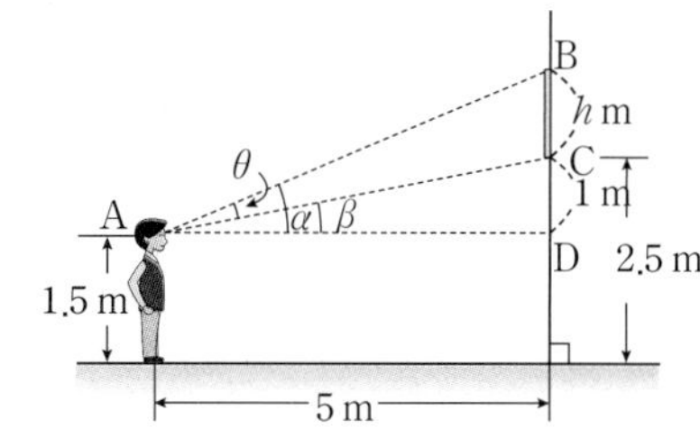

$\angle BAD=\alpha$, $\angle CAD=\beta$라 하면

$\tan\alpha=\frac{h+1}{5}$, $\tan\beta=\frac{1}{5}$

STEP B 탄젠트함수의 덧셈정리를 이용하여 액자의 길이 구하기

$\tan\theta=\tan(\alpha-\beta)=\frac{\tan\alpha-\tan\beta}{1+\tan\alpha\tan\beta}=\frac{\frac{h+1}{5}-\frac{1}{5}}{1+\frac{h+1}{5}\times\frac{1}{5}}=\frac{5h}{h+26}$

한편 $\tan\theta=\frac{1}{6}$에서 $\frac{5h}{h+26}=\frac{1}{6}$, $30h=h+26$ $\therefore h=\frac{26}{29}$

따라서 액자의 세로의 길이는 $\frac{26}{29}$ m

04

정답 ③

STEP A $x=1$에서 연속임을 이용하여 a, b의 관계식 구하기

함수 $f(x)=\begin{cases}ax^2+1 & (x\le 1)\\ \ln bx & (x>1)\end{cases}$가 $x=1$에서 연속이므로

$\lim_{x\to 1-}f(x)=\lim_{x\to 1+}f(x)=f(1)$에서 $a+1=\ln b$ …… ㉠

STEP B $x=1$에서 미분가능함을 이용하여 a, b의 관계식 구하기

$x=1$에서 미분가능하므로 $f'(x)=\begin{cases}2ax & (x\le 1)\\ \frac{1}{x} & (x>1)\end{cases}$에서

$\lim_{x\to 1-}f'(x)=\lim_{x\to 1+}f'(x)$, 즉 $2a=1$이므로 $a=\frac{1}{2}$

$a=\frac{1}{2}$을 ㉠에 대입하면 $b=e^{\frac{3}{2}}=e\sqrt{e}$

따라서 $ab=\frac{1}{2}e\sqrt{e}$

05

정답 ①

STEP A 삼각함수의 극한을 이용하여 a, b, c, d의 값 구하기

조건 (가)에서 $\lim_{x\to 0}\frac{2x+\sin 3x}{\sin x}=\lim_{x\to 0}\frac{2+\frac{\sin 3x}{3x}\cdot 3}{\frac{\sin x}{x}}=5$

$\therefore a=5$

조건 (나)에서 $\lim_{x\to 0}\frac{1-\cos 2x}{x^2}=\lim_{x\to 0}\frac{\sin^2 2x}{x^2(1+\cos 2x)}$

$=\lim_{x\to 0}\left(\frac{\sin 2x}{2x}\right)^2\cdot 4\cdot\frac{1}{1+\cos 2x}$

$=4\cdot\frac{1}{2}=2$

$\therefore b=2$

조건 (다)에서 $x-\frac{\pi}{2}=t$로 놓으면 $x\to\frac{\pi}{2}$일 때, $t\to 0$이므로

$\lim_{x\to\frac{\pi}{2}}\frac{\sin x-1}{\left(x-\frac{\pi}{2}\right)^2}=\lim_{t\to 0}\frac{\sin\left(\frac{\pi}{2}+t\right)-1}{t^2}=\lim_{t\to 0}\frac{\cos t-1}{t^2}$

$=\lim_{t\to 0}\frac{\cos^2 t-1}{t^2(\cos t+1)}=\lim_{t\to 0}-\left(\frac{\sin t}{t}\right)^2\cdot\frac{1}{\cos t+1}$

$\therefore c=-\frac{1}{2}$

조건 (라)에서

$x-\frac{\pi}{2}=t$로 치환하면 $x\to\frac{\pi}{2}$일 때, $t\to 0$이므로

$$\lim_{x\to\frac{\pi}{2}}(\pi-2x)\tan x=\lim_{t\to 0}\left\{\pi-2\left(\frac{\pi}{2}+t\right)\right\}\tan\left(t+\frac{\pi}{2}\right)$$
$$=\lim_{t\to 0}(-2t)(-\cot t)$$
$$=\lim_{t\to 0}\frac{2t}{\tan t}=2$$

$\therefore d=2$

따라서 $abcd=5\cdot 2\cdot\left(-\frac{1}{2}\right)\cdot 2=-10$

06

정답 ①

STEP A 도함수 $f'(x)$ 구하기

$f(x)=e^x\cos x$에서

$f'(x)=e^x\cos x-e^x\sin x=e^x(\cos x-\sin x)$

STEP B 미분계수의 정의를 이용하여 변형하기

$$\lim_{h\to 0}\frac{f(\pi+h)-f(\pi-h)}{h}=\lim_{h\to 0}\frac{f(\pi+h)-f(\pi)-f(\pi-h)+f(\pi)}{h}$$
$$=\lim_{h\to 0}\left\{\frac{f(\pi+h)-f(\pi)}{h}+\frac{f(\pi-h)-f(\pi)}{-h}\right\}$$
$$=f'(\pi)+f'(\pi)=2f'(\pi)$$
$$=2e^{\pi}(\cos\pi-\sin\pi)$$
$$=-2e^{\pi}$$

07

정답 ④

STEP A 로그함수의 미분법을 이용하여 급수 계산하기

조건 (가)에서

$f'(x)=\frac{2(x+1)}{x^2+2x}$이므로 $f'(n)=\frac{2(n+1)}{n^2+2n}$

$$\therefore \sum_{n=1}^{\infty}\frac{f'(n)}{n+1}=\sum_{n=1}^{\infty}\frac{2}{n(n+2)}=\sum_{n=1}^{\infty}\left(\frac{1}{n}-\frac{1}{n+2}\right)=\lim_{n\to\infty}\sum_{k=1}^{n}\left(\frac{1}{k}-\frac{1}{k+2}\right)$$
$$=\lim_{n\to\infty}\left\{\left(1-\frac{1}{3}\right)+\left(\frac{1}{2}-\frac{1}{4}\right)+\left(\frac{1}{3}-\frac{1}{5}\right)+\cdots+\left(\frac{1}{n-1}-\frac{1}{n+1}\right)+\left(\frac{1}{n}-\frac{1}{n+2}\right)\right\}$$
$$=\lim_{n\to\infty}\left(1+\frac{1}{2}-\frac{1}{n+1}-\frac{1}{n+2}\right)=\frac{3}{2}$$

STEP B 몫의 미분법을 이용하여 급수 계산하기

조건 (나)에서

$$f'(x)=\frac{\frac{1}{x}\cdot x^n-nx^{n-1}\cdot\ln x}{x^{2n}}=\frac{x^{n-1}(1-n\ln x)}{x^{2n}}=\frac{1-n\ln x}{x^{n+1}}$$

$f'(x)=0$이면 $\ln x=\frac{1}{n}$

$\therefore x=e^{\frac{1}{n}}$

극값은 $f(e^{\frac{1}{n}})=\frac{\ln e^{\frac{1}{n}}}{(e^{\frac{1}{n}})^n}=\frac{1}{en}=a_n$이고 $a_{n+1}=\frac{1}{e(n+1)}$

$$\therefore \sum_{n=1}^{\infty}a_na_{n+1}=\frac{1}{e^2}\sum_{n=1}^{\infty}\frac{1}{n(n+1)}=\frac{1}{e^2}\lim_{n\to\infty}\sum_{k=1}^{n}\left(\frac{1}{k}-\frac{1}{k+1}\right)$$
$$=\frac{1}{e^2}\lim_{n\to\infty}\left\{\left(1-\frac{1}{2}\right)+\left(\frac{1}{2}-\frac{1}{3}\right)+\left(\frac{1}{3}-\frac{1}{4}\right)+\cdots+\left(\frac{1}{n}-\frac{1}{n+1}\right)\right\}$$
$$=\frac{1}{e^2}\lim_{n\to\infty}\left(1-\frac{1}{n+1}\right)=\frac{1}{e^2}$$

따라서 $2a+e^2b=3+1=4$

08

정답 ④

STEP A 매개변수로 나타낸 함수의 미분법을 이용하여 $\frac{dy}{dx}$ 구하기

$x=t^2+1$에서 $\frac{dx}{dt}=2t$

$y=\frac{2}{3}t^3+10t-1$에서 $\frac{dy}{dt}=2t^2+10$이므로 $\frac{dy}{dx}=\frac{\frac{dy}{dt}}{\frac{dx}{dt}}=\frac{2t^2+10}{2t}$

STEP B $t=1$일 때, 접선의 기울기 구하기

따라서 $t=1$일 때, $\frac{dy}{dx}=\frac{12}{2}=6$

09

정답 ①

STEP A 음함수의 미분법을 이용하여 $\frac{dy}{dx}$ 구하기

주어진 식의 각 항을 x에 대하여 미분하면

$$3x^2-\left(4xy+2x^2\frac{dy}{dx}\right)+2y\frac{dy}{dx}=0$$

$$\therefore \frac{dy}{dx}=\frac{3x^2-4xy}{2x^2-2y}\ (2x^2-2y\neq 0)$$

STEP B 곡선 위의 점 $(1,\ a)$에서의 접선의 기울기가 $\frac{11}{6}$임을 이용하여 a의 값 구하기

점 $(1,\ a)$에서 접선의 기울기는 $\frac{3-4a}{2-2a}=\frac{11}{6}$

$18-24a=22-22a,\ 2a=-4$

따라서 $a=-2$

10

정답 ①

STEP A $f'(x),\ g'(x)$ 구하기

$f(x)=\cos x$ 에서 $f'(x)=-\sin x$

$$g(x)=\frac{2x}{x^2+1}\text{에서 } g'(x)=\frac{2\cdot(x^2+1)-2x\cdot 2x}{(x^2+1)^2}=\frac{-2x^2+2}{(x^2+1)^2}$$

STEP B 합성함수의 미분법을 이용하여 $h'\left(\frac{\pi}{2}\right)$ 구하기

$h(x)=g(f(x))$를 x에 대하여 미분하면 $h'(x)=g'(f(x))f'(x)$

따라서 $x=\frac{\pi}{2}$를 대입하면

$$h'\left(\frac{\pi}{2}\right)=g'\left(f\left(\frac{\pi}{2}\right)\right)f'\left(\frac{\pi}{2}\right)=g'(0)\cdot(-1)=2\cdot(-1)=-2$$

11

정답 ④

STEP A 극한값의 성질과 미분계수의 정의를 이용하여 구하기

$\lim_{x\to 3}\frac{f(x)-5}{x-3}=\frac{1}{4}$에서

$x\to 3$일 때, (분모)$\to 0$이고 극한값이 존재하므로 (분자)$\to 0$이어야 한다.

즉 $\lim_{x\to 3}\{f(x)-5\}=0$에서 $f(3)=5$이므로 $g(5)=3$

또한, $\lim_{x\to 3}\frac{f(x)-5}{x-3}=\lim_{x\to 3}\frac{f(x)-f(3)}{x-3}=f'(3)=\frac{1}{4}$

STEP B 역함수의 미분법을 이용하여 $g(5)+g'(5)$의 값 구하기

$$g'(5)=\frac{1}{f'(g(5))}=\frac{1}{f'(3)}=4$$

따라서 $g(5)+g'(5)=3+4=7$

12

정답 ⑤

STEP A 접선의 기울기가 1인 접선의 방정식 구하기

$f(x)=\ln(x+a)$라 하고 접점의 좌표를 $(t,\ t+1)$로 놓으면

$f'(x)=\frac{1}{x+a}$에서 $f'(t)=\frac{1}{t+a}$이므로

직선 $y=x+1$에 접하므로 접선의 기울기가 1이다.

$\frac{1}{t+a}=1,\ t+a=1$ …… ㉠

STEP B a의 값 구하기

또한, 접점의 좌표를 $(t,\ t+1)$이 곡선 $y=\ln(x+a)$ 위의 점이므로

$t+1=\ln(t+a)$에서 $t+1=\ln(t+a)=\ln 1=0$ $\quad\therefore t=-1$

$t=-1$을 ㉠에 대입하면 $-1+a=1$

따라서 $a=2$

13

STEP A 곡선 위의 한 점 $(t,\ (t-a)e^{-t})$에서 접선의 방정식 구하기

$y=(x-a)e^{-x}$에서 $f'(x)=e^{-x}-(x-a)e^{-x}=-(x-a-1)e^{-x}$

곡선 위의 한 점 $(t,\ (t-a)e^{-t})$에서의 접선의 기울기가

$f'(t)=-(t-a-1)e^{-t}$이므로 접선의 방정식은

$y-(t-a)e^{-t}=-(t-a-1)e^{-t}(x-t)$

STEP B 접선이 원점을 지남을 이용하여 이차방정식 유도하기

이 접선이 원점을 지나므로 $-(t-a)e^{-t}=t(t-a-1)e^{-t}$

$(t^2-at-a)e^{-t}=0$

$e^{-t}>0$이므로 $t^2-at-a=0$ …… ㉠

STEP C 이차방정식이 허근을 가질 조건 구하기

이때 원점에서 주어진 곡선에 접선을 그을 수 없으므로 ㉠을 만족시키는 실수 t가 존재하지 않아야 한다.

즉 이차방정식 $t^2-at-a=0$이 허근을 가져야 하므로 판별식을 D라 하면

$D=a^2+4a=a(a+4)<0$ $\quad\therefore -4<a<0$

따라서 정수 a는 $-3,\ -2,\ -1$이므로 개수는 3

14

STEP A 함수의 몫의 미분법을 이용하여 $f'(x)$구하기

$f(x)=\frac{x^2+ax+b}{x-1}$에서

$f'(x)=\frac{(2x+a)(x-1)-(x^2+ax+b)}{(x-1)^2}=\frac{x^2-2x-a-b}{(x-1)^2}$

STEP B $f(3)=11,\ f'(3)=0$을 만족하는 상수 $a,\ b$의 값 구하기

함수 $f(x)$가 $x=3$에서 극솟값 11을 가지므로

$f(3)=11,\ f'(3)=0$

$f(3)=\frac{9+3a+b}{2}=11,\ 3a+b=13$ …… ㉠

$f'(3)=\frac{3-a-b}{4}=0,\ a+b=3$ …… ㉡

㉠, ㉡을 연립하여 풀면 $a=5,\ b=-2$

따라서 $ab=5\cdot(-2)=-10$

15

정답 ②

STEP A 함수 $f(x)$가 극값을 갖지 않기 위한 조건 구하기

$f(x)=\ln(1+4x^2)-ax$에서

$f'(x)=\frac{8x}{1+4x^2}-a=\frac{-4ax^2+8x-a}{1+4x^2}$

$1+4x^2>0$이고 $a>0$이므로 함수 $f(x)$가 극값을 갖지 않기 위해서는 모든 실수 x에 대하여 $-4ax^2+8x-a\le 0$이어야 한다.

STEP B 이차방정식이 중근 또는 허근을 가질 조건 구하기

이차방정식 $-4ax^2+8x-a=0$의 판별식을 D라 하면

$\frac{D}{4}=4^2-4a^2=-4(a^2-4)\le 0$

a는 양수이므로 $a^2\ge 4$에서 $a\ge 2$

따라서 양수 a의 최솟값은 2

16

STEP A $f'(x),\ f''(x)$ 구하기

$f(x)=ax^2+bx+\ln x$에서

$f'(x)=2ax+b+\frac{1}{x},\ f''(x)=2a-\frac{1}{x^2}$

STEP B $f'(1)=0,\ f''(2)=0$을 이용하여 $a,\ b$ 구하기

함수 $f(x)$가 $x=1$에서 극대이므로 $f'(1)=0$에서

$2a+b+1=0$ …… ㉠

함수 $y=f(x)$의 변곡점의 좌표가 $(2,\ f(2))$이므로 $f''(2)=0$에서

$2a-\frac{1}{4}=0$이므로 $a=\frac{1}{8}$

$a=\frac{1}{8}$을 ㉠에 대입하면 $2\cdot\frac{1}{8}+b+1=0$에서 $b=-\frac{5}{4}$

STEP C $a-b$의 값 구하기

따라서 $a-b=\frac{1}{8}-\left(-\frac{5}{4}\right)=\frac{11}{8}$

17

STEP A 함수 $f(x)$의 증감표를 이용하여 그래프 그리기

$f(x)=xe^x$에서

$f'(x)=e^x+xe^x=(x+1)e^x$

$f''(x)=e^x+(x+1)e^x=(x+2)e^x$

$f'(x)=0$에서 $x=-1$, $f''(x)=0$에서 $x=-2$

함수 $f(x)$의 증가와 감소및 오목과 볼록을 표로 나타내면 다음과 같다.

x	$\cdots$	-2	$\cdots$	-1	$\cdots$
$f'(x)$	$-$	$-$	$-$	0	$+$
$f''(x)$	$-$	0	$+$	$+$	$+$
$f(x)$	↘	$-\frac{2}{e^2}$	↘	$-\frac{1}{e}$	↗

$\lim_{x\to-\infty}f(x)=0,\ \lim_{x\to\infty}f(x)=\infty$이므로 함수 $y=f(x)$의 그래프는 다음 그림과 같다.

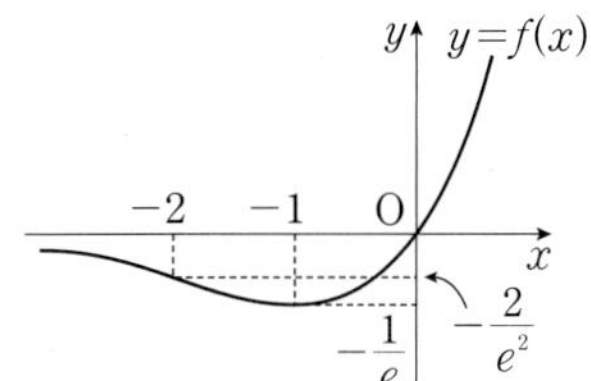

STEP B [보기]의 진위판단하기

ㄱ. $f(x)=xe^x$에서 $f'(x)=e^x+xe^x=(x+1)e^x$

$x<-1$이면 $f'(x)<0$, $x>-1$이면 $f'(x)>0$

$\therefore$ $x=-1$에서 $f(x)$는 극솟값을 갖는다. [참]

ㄴ. $x=-2$에서 변곡점의 y좌표는 $f(-2)=-\dfrac{2}{e^2}$이므로

변곡점의 좌표는 $\left(-2,\ -\dfrac{2}{e^2}\right)$이다. [거짓]

ㄷ. $f''(x)=e^x+(x+1)e^x=(x+2)e^x$

$x<-2$이면 $f''(x)<0$이므로 $y=f(x)$그래프는 위로 볼록하다.

즉 $a<b<-2$에서 $f\left(\dfrac{a+b}{2}\right)>\dfrac{f(a)+f(b)}{2}$를 만족한다. [참]

따라서 옳은 것은 ㄱ, ㄷ이다.

18

정답 ③

STEP A 곡선 $y=\ln x^2$ 위의 점 $(a,\ \ln a^2)$에서의 접선과 삼각형의 넓이 구하기

$y'=\dfrac{2}{x}$이므로 점 $(a,\ \ln a^2)$에서의

접선의 기울기는 $\dfrac{2}{a}$이므로

접선의 방정식은

$y-\ln a^2=\dfrac{2}{a}(x-a)$

$\therefore$ $y=\dfrac{2}{a}x-2+2\ln a$

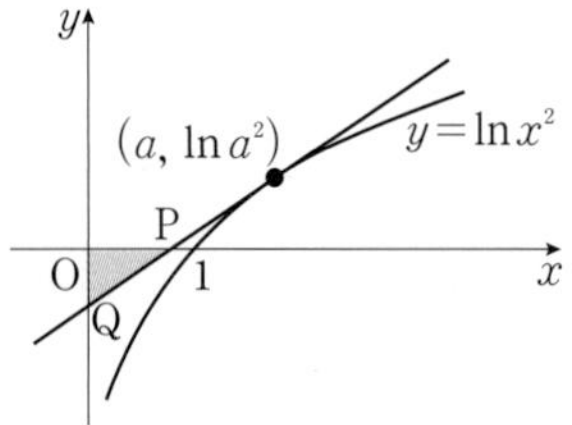

STEP B 접선과 x축, y축으로 둘러싸인 부분의 넓이 구하기

이 접선이 x축, y축과 만나는 점을 각각 $\mathrm{P}(a-a\ln a,\ 0)$, $\mathrm{B}(0,\ -2+2\ln a)$이므로 삼각형 POQ의 넓이를 $S(a)$라 하면

$S(a)=\dfrac{1}{2}a(1-\ln a)(2-2\ln a)=a(1-\ln a)^2$

STEP C 넓이의 최댓값 구하기

$S'(a)=(1-\ln a)^2+2a(1-\ln a)\cdot\left(-\dfrac{1}{a}\right)=-(1-\ln a)(1+\ln a)$

$S'(a)=0$에서 $a=\dfrac{1}{e}\ (\because a<e)$

$0<a<e$에서 $S(a)$의 증가와 감소를 표로 나타내면 다음과 같다.

a	(0)	$\cdots$	$\dfrac{1}{e}$	$\cdots$	(e)
$S'(a)$		$+$	0	$-$	
$S(a)$		↗	$\dfrac{4}{e}$	↘	

따라서 $S(a)$는 $a=\dfrac{1}{e}$에서 극대이고 최대이므로 넓이의 최댓값은

$S\left(\dfrac{1}{e}\right)=\dfrac{1}{e}\left(1-\ln\dfrac{1}{e}\right)^2=\dfrac{4}{e}$

19

정답 ④

STEP A 방정식을 두 그래프의 교점의 개수로 이해하기

$x-\ln x-k=0$이 서로 다른 두 실근을 가지려면

곡선 $y=x-\ln x$와 $y=k$가 서로 다른 두 점에서 만나야 한다.

STEP B $f(x)=x-\ln x$의 그래프 개형 그리기

$f(x)=x-\ln x$라 하면 함수 $f(x)$는 $x>0$에서 정의되고

$f'(x)=1-\dfrac{1}{x}=\dfrac{x-1}{x}$

$f'(x)=0$에서 $x=1$

$x>0$에서 $f(x)$의 증가와 감소를 표로 나타내면 다음과 같다.

x	(0)	$\cdots$	1	$\cdots$
$f'(x)$		$-$	0	$+$
$f(x)$		↘	1	↗

또, $\displaystyle\lim_{x\to0+}f(x)=\infty$, $\displaystyle\lim_{x\to\infty}f(x)=\infty$

STEP C 곡선 $y=f(x)$와 직선 $y=k$의 교점이 두 개일 때 k의 값의 범위 구하기

따라서 주어진 방정식이 서로 다른 두 실근을 갖도록 하는 실수 k의 값의 범위는 $k>1$

20

정답 ②

STEP A 시각 t에서의 점 P의 속도 구하기

$\dfrac{dx}{dt}=-\sin t+\sin t+t\cos t=t\cos t$,

$\dfrac{dy}{dt}=\cos t-\cos t+t\sin t=t\sin t$

STEP B 시각 $t=\dfrac{\pi}{3}$에서 점 P의 속력 구하기

시각 t에서 점 P의 속력은

$\sqrt{(t\cos t)^2+(t\sin t)^2}=\sqrt{t^2(\sin^2 t+\cos^2 t)}=t$

따라서 시각 $t=\dfrac{\pi}{3}$에서 점 P의 속력은 $\dfrac{\pi}{3}$

서 술 형

21

정답 해설참조

1단계	직각삼각형 OHA에서 $\overline{OH}$의 길이를 구한다.	◀ 20%

직각삼각형 OHA에서 $\overline{OH}=8\cos\theta$

2단계	$\overline{BH}$의 길이를 구한다.	◀ 20%

$\overline{BH}=\overline{OB}-\overline{OH}=8-8\cos\theta$

3단계	$\lim_{\theta\to0+}\frac{\overline{BH}}{\theta^2}$의 값을 구한다.	◀ 60%

$$\begin{aligned}\lim_{\theta\to0+}\frac{\overline{BH}}{\theta^2}&=\lim_{\theta\to0+}\frac{8(1-\cos\theta)}{\theta^2}=\lim_{\theta\to0+}\frac{8(1-\cos\theta)(1+\cos\theta)}{\theta^2(1+\cos\theta)}\\&=\lim_{\theta\to0+}\frac{8(1-\cos^2\theta)}{\theta^2(1+\cos\theta)}\\&=\lim_{\theta\to0+}\frac{8\sin^2\theta}{\theta^2(1+\cos\theta)}\\&=\lim_{\theta\to0}8\left(\frac{\sin\theta}{\theta}\right)^2\cdot\frac{1}{1+\cos\theta}\\&=8\cdot1\cdot\frac{1}{2}=4\end{aligned}$$

22

정답 해설참조

1단계	$y=e^x$의 도함수를 $\lim_{x\to0}\frac{e^x-1}{x}=1$을 이용하여 구한다.	◀ 30%

$$\begin{aligned}y'=(e^x)'&=\lim_{h\to0}\frac{e^{x+h}-e^x}{h}\\&=\lim_{h\to0}e^x\cdot\frac{e^h-1}{h}\\&=e^x\cdot1=e^x\end{aligned}$$

2단계	$y=e^{2x+1}$의 도함수를 $\lim_{x\to0}\frac{e^x-1}{x}=1$을 이용하여 구한다.	◀ 30%

$$\begin{aligned}y'=(e^{2x+1})'&=\lim_{h\to0}\frac{e^{2(x+h)+1}-e^{2x+1}}{h}\\&=e^{2x+1}\lim_{h\to0}\frac{e^{2h}-1}{h}\\&=e^{2x+1}\cdot2\lim_{h\to0}\frac{e^{2h}-1}{2h}\\&=e^{2x+1}\cdot2\cdot1=2e^{2x+1}\end{aligned}$$

3단계	$y=\ln x$의 도함수를 $\lim_{x\to0}(1+x)^{\frac{1}{x}}=e$를 이용하여 구한다.	◀ 40%

$$\begin{aligned}y'=(\ln x)'&=\lim_{h\to0}\frac{\ln(x+h)-\ln x}{h}\\&=\lim_{h\to0}\frac{1}{h}\ln\left(1+\frac{h}{x}\right)\\&=\lim_{h\to0}\ln\left(1+\frac{h}{x}\right)^{\frac{1}{h}}\\&=\lim_{h\to0}\ln\left\{\left(1+\frac{h}{x}\right)^{\frac{x}{h}}\right\}^{\frac{1}{x}}\\&=\frac{1}{x}\lim_{h\to0}\ln\left(1+\frac{h}{x}\right)^{\frac{x}{h}}\\&=\frac{1}{x}\ln\left\{\lim_{h\to0}\left(1+\frac{h}{x}\right)^{\frac{x}{h}}\right\}\end{aligned}$$

따라서 $\lim_{h\to0}\left(1+\frac{h}{x}\right)^{\frac{x}{h}}=e$이므로 $y'=(\ln x)'=\frac{1}{x}\ln e=\frac{1}{x}$

23

정답 해설참조

1단계	$f(x)=(\ln x)^2-4\ln x$로 놓고 $x>0$에서 증감표를 작성한다.	◀ 40%

$f(x)=(\ln x)^2-4\ln x$로 놓고 모든 양의 실수 x에 대하여 $f(x)\ge k$가 성립하도록 하는 실수 k의 최댓값을 구하면 된다.

$f'(x)=2\ln x\times\frac{1}{x}-\frac{4}{x}=\frac{2\ln x-4}{x}=\frac{2(\ln x-2)}{x}$

$f'(x)=0$에서 $\ln x=2$이므로 $x=e^2$

구간 $(0, \infty)$에서 함수 $f(x)$의 증가와 감소를 표로 나타내면 다음과 같다.

x	(0)	…	e^2	…
$f'(x)$		$-$	0	$+$
$f(x)$		↘	극소	↗

2단계	$x>0$에서 함수 $y=f(x)$의 최솟값을 구한다.	◀ 30%

함수 $f(x)$는 $x=e^2$에서 극소이면서 최소이므로 함수 $f(x)$의 최솟값은

$f(e^2)=(\ln e^2)^2-4\ln e^2=4-8=-4$

3단계	실수 k의 범위를 구하여 k의 최댓값을 구한다.	◀ 30%

모든 양의 실수 x에 대하여 $f(x)\ge k$가 성립하도록 하려면

함수 $f(x)$의 최솟값 $f(e^2)$은 k 이상이어야 한다.

따라서 $k\le-4$이므로 실수 k의 최댓값은 -4

다른풀이 모든 실수 x에서 $f(x)\ge0$임을 이용하여 풀이하기

$x>0$에서 $t=\ln x$로 놓으면 t는 모든 실수에서 정의된다.

$(\ln x)^2-4\ln x\ge k$에서 $(\ln x)^2-4\ln x-k\ge0$이므로

$f(t)=t^2-4t-k$라 하면 $f(t)=(t-2)^2-4-k$

이때 모든 실수 t에 대하여 $f(t)\ge0$이어야 하므로

$-4-k\ge0$

따라서 $k\le-4$이므로 실수 k의 최댓값은 -4

24

정답 해설참조

1단계	거리가 최소일 때, 점 P의 위치를 서술한다.	◀ 20%

직선 $y=x-1$을 평행이동하여 곡선에 접할 때,

그 접점과 직선 사이의 거리가 최소이므로 이 접점은 점 P이다.

2단계	점 P에서 직선 $y=x-1$까지 거리가 최소가 될 때 점 P의 좌표를 구한다.	◀ 40%

$f(x)=e^x$이라 하면 $f'(x)=e^x$

접점의 좌표를 $P(a, e^a)$이라고 하면 이 점에서의 접선의 기울기가 1이어야 하므로 $f'(a)=1$에서 $e^a=1$ $\quad\therefore a=0$

따라서 접점의 좌표는 $(0, 1)$

3단계	거리의 최솟값을 구한다.	◀ 40%

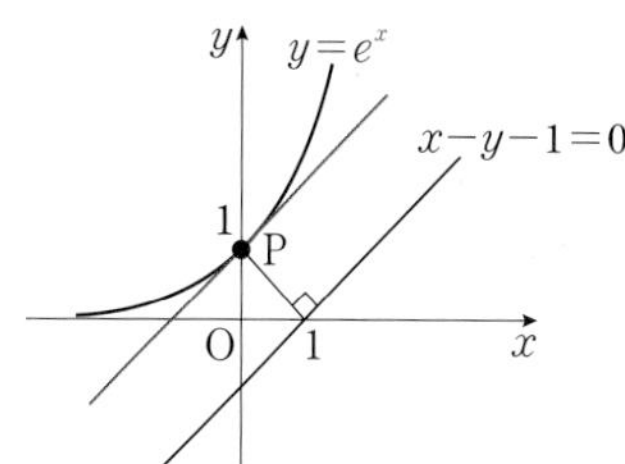

점 $P(0, 1)$과 직선 $x-y-1=0$ 사이의 거리가 최솟값이므로

$$\frac{|0-1-1|}{\sqrt{1^2+(-1)^2}}=\sqrt{2}$$

MAPL ; SYNERGY

03 미분법 모의평가

01	②	02	②	03	①	04	①	05	④
06	③	07	③	08	④	09	⑤	10	①
11	④	12	②	13	②	14	③	15	②
16	③	17	③	18	⑤	19	①	20	③

서술형

21	해설참조	22	해설참조
23	해설참조	24	해설참조

01

 ②

STEP A 지수 로그함수의 극한값 구하기

① $\lim_{x\to0}\frac{\ln(1+2x)}{x^2+x}=\lim_{x\to0}\left\{\frac{\ln(1+2x)}{2x}\times\frac{2}{x+1}\right\}=2$

② $\lim_{x\to0}\frac{2x\sin x}{1-\cos x}=\lim_{x\to0}\frac{2x\sin x(1+\cos x)}{(1-\cos x)(1+\cos x)}$

$=\lim_{x\to0}\frac{2x\sin x(1+\cos x)}{\sin^2x}$

$=\lim_{x\to0}\frac{2x}{\sin x}\times(1+\cos x)$

$=2\cdot1\cdot2=4$

③ $\lim_{x\to0}\frac{\ln(e+x)-\ln e}{x}=\lim_{x\to0}\frac{\ln\left(\frac{e+x}{e}\right)}{x}=\lim_{x\to0}\frac{\ln\left(1+\frac{1}{e}x\right)}{x}$

$=\lim_{x\to0}\frac{\ln\left(1+\frac{1}{e}x\right)}{\frac{1}{e}x}\cdot\frac{1}{e}=\frac{1}{e}$

④ $x-1=t$라 하면 $\lim_{x\to1}\frac{\ln x}{1-x}=\lim_{t\to0}\frac{\ln(t+1)}{-t}=-1$

⑤ $x-4=t$로 놓으면 $x\to4$일 때, $t\to0$이므로

$\lim_{x\to4}\left(\frac{x}{4}\right)^{\frac{3}{4-x}}=\lim_{t\to0}\left(\frac{4+t}{4}\right)^{-\frac{3}{t}}=\lim_{t\to0}\left\{\left(1+\frac{t}{4}\right)^{\frac{4}{t}}\right\}^{-\frac{3}{4}}=e^{-\frac{3}{4}}$

따라서 극한값이 가장 큰 것은 ②이다.

02

 ②

STEP A $\alpha+\beta=\frac{\pi}{3}$를 이용하여 $\tan\beta$의 값 구하기

$0<\alpha<\frac{\pi}{2}$, $0<\beta<\frac{\pi}{2}$에서 $0<\alpha+\beta<\pi$

$\tan(\alpha+\beta)=\sqrt{3}$이므로 $\alpha+\beta=\frac{\pi}{3}$

따라서 $\tan\beta=\tan\left(\frac{\pi}{3}-\alpha\right)=\frac{\tan\frac{\pi}{3}-\tan\alpha}{1+\tan\frac{\pi}{3}\tan\alpha}=\frac{\sqrt{3}-\frac{\sqrt{3}}{2}}{1+\sqrt{3}\times\frac{\sqrt{3}}{2}}=\frac{\frac{\sqrt{3}}{2}}{\frac{5}{2}}=\frac{\sqrt{3}}{5}$

다른풀이 탄젠트의 덧셈정리 풀이하기

$\tan(\alpha+\beta)=\frac{\tan\alpha+\tan\beta}{1-\tan\alpha\tan\beta}=\sqrt{3}$이고

$\tan\alpha=\frac{\sqrt{3}}{2}$이므로 $\frac{\frac{\sqrt{3}}{2}+\tan\beta}{1-\frac{\sqrt{3}}{2}\times\tan\beta}=\sqrt{3}$

$\frac{\sqrt{3}}{2}+\tan\beta=\sqrt{3}\left(1-\frac{\sqrt{3}}{2}\times\tan\beta\right)$

따라서 $\frac{5}{2}\tan\beta=\frac{\sqrt{3}}{2}$이므로 $\tan\beta=\frac{\sqrt{3}}{5}$

03

정답 ①

STEP A 주어진 함수의 극한값이 존재하고 (분자)$\to0$일 때, (분모)$\to0$임을 이용하여 a, b의 관계식 구하기

$\lim_{x\to0}\frac{(e^x-1)\ln(1+x)}{a+b\cos^2x}=\frac{1}{3}$에서

$x\to0$일 때, (분자)$\to0$이고 0이 아닌 극한값이 존재하므로

(분모)$\to0$이어야 한다.

즉 $\lim_{x\to0}(a+b\cos^2x)=0$이므로 $a+b=0$

$\therefore b=-a$

STEP B 삼각함수와 지수함수의 극한을 이용하여 a, b의 값 구하기

$\lim_{x\to0}\frac{(e^x-1)\ln(1+x)}{a(1-\cos^2x)}=\lim_{x\to0}\frac{x^2}{a\sin^2x}\cdot\frac{(e^x-1)}{x}\cdot\frac{\ln(1+x)}{x}=\frac{1}{a}=\frac{1}{3}$

따라서 $ab=3\cdot(-3)=-9$

04

 ①

STEP A 미분계수의 정의를 이용하여 변형하기

$\lim_{h\to0}\frac{f(1+h)-f(1-h)}{h}=\lim_{h\to0}\frac{f(1+h)-f(1)}{h}+\lim_{h\to0}\frac{f(1-h)-f(1)}{-h}$

$=f'(1)+f'(1)=2f'(1)$

STEP B 로그함수의 미분법을 이용하여 계산하기

$f(x)=\ln(x^3+1)-2x$에서 $f'(x)=\frac{3x^2}{x^3+1}-2$

$f'(1)=\frac{3}{2}-2=-\frac{1}{2}$

따라서 $2f'(1)=2\cdot\left(-\frac{1}{2}\right)=-1$

05

 ④

STEP A $\overline{AH}$, $\overline{CH}$를 θ에 관한 식으로 나타내기

$\triangle$BCH에서 $\overline{CH}=10\sin\theta$

$\angle ACH=\angle ABC=\theta$이므로

$\triangle$AHC에서 $\overline{AH}=\overline{CH}\tan\theta=10\sin\theta\tan\theta$

STEP B $\lim_{\theta\to0}\frac{\sin\theta}{\theta}=1$임을 이용하여 구하기

따라서 $\lim_{\theta\to0+}\frac{\overline{AH}}{\theta^2}=\lim_{\theta\to0+}\frac{10\sin\theta\tan\theta}{\theta^2}=\lim_{\theta\to0+}\left(10\times\frac{\sin\theta}{\theta}\times\frac{\tan\theta}{\theta}\right)=10$

06

 ③

STEP A 로그함수의 미분법을 이용하여 $x=2$에서의 미분계수 구하기

$y=\frac{x(x-1)^2}{(x+1)^3}$의 양변의 절댓값에 자연로그를 취하면

$\ln|y|=\ln\left|\frac{x(x-1)^2}{(x+1)^3}\right|=\ln|x|+2\ln|x-1|-3\ln|x+1|$

양변을 x에 대하여 미분하면

$\frac{y'}{y}=\frac{1}{x}+\frac{2}{x-1}-\frac{3}{x+1}=\frac{5x-1}{x(x-1)(x+1)}$

$\therefore y'=y\cdot\frac{5x-1}{x(x-1)(x+1)}=\frac{(x-1)(5x-1)}{(x+1)^4}$

따라서 $x=2$에서의 미분계수는 $\frac{1\cdot9}{81}=\frac{1}{9}$

07

정답 ③

STEP A $f'(x)=0$**의 한 근이 2임을 이용하여** a**의 값 구하기**

$f(x)=\dfrac{x^2+a}{x+1}$에서

$f'(x)=\dfrac{2x\cdot(x+1)-(x^2+a)\cdot 1}{(x+1)^2}=\dfrac{x^2+2x-a}{(x+1)^2}$ …… ㉠

$f'(x)=0$의 한 근이 2이므로 $f'(2)=\dfrac{4+4-a}{9}=0$

$\therefore a=8$

STEP B 나머지 근 구하기

㉠에서 $f'(x)=\dfrac{x^2+2x-8}{(x+1)^2}=\dfrac{(x-2)(x+4)}{(x+1)^2}$이므로

$f'(x)=0$에서 $(x-2)(x+4)=0$

따라서 다른 근은 $x=-4$

08

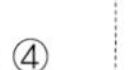
정답 ④

STEP A 음함수의 미분법을 이용하여 점 $(1,\ -2)$**에서의 접선의 기울기 구하기**

$x+y+y^2=3$의 각 항을 x에 대하여 미분하면

$1+\dfrac{dy}{dx}+2y\dfrac{dy}{dx}=0$

$\therefore \dfrac{dy}{dx}=-\dfrac{1}{1+2y}\,(1+2y\neq 0)$

$x=1,\ y=-2$에서 접선의 기울기는 $a=\dfrac{1}{3}$

STEP B 삼각함수의 미분법을 이용하여 $x=\dfrac{\pi}{3}$**에서 미분계수 구하기**

$f(x)=\dfrac{\sin x}{1+\cos x}$에서

$f'(x)=\dfrac{\cos x\cdot(1+\cos x)-\sin x\cdot(-\sin x)}{(1+\cos x)^2}$

$=\dfrac{\cos x+1}{(1+\cos x)^2}=\dfrac{1}{1+\cos x}$

$x=\dfrac{\pi}{3}$에서의 접선의 기울기 $b=f'\left(\dfrac{\pi}{3}\right)=\dfrac{1}{1+\cos\dfrac{\pi}{3}}=\dfrac{1}{1+\dfrac{1}{2}}=\dfrac{2}{3}$

따라서 $\dfrac{b}{a}=2$

09

정답 ⑤

STEP A 극한값의 성질과 미분계수의 정의를 이용하여 구하기

$\displaystyle\lim_{x\to 3}\frac{f(x)-4}{x-3}$의 값이 존재하고

$x\to 3$일 때, (분모)$\to 0$이므로 (분자)$\to 0$이어야 한다.

즉 $\displaystyle\lim_{x\to 3}\{f(x)-4\}=0$에서 함수 $f(x)-4$가 미분가능하므로 연속이다.

즉 $f(3)-4=0$에서 $f(3)=4$

또한, $\displaystyle\lim_{x\to 3}\frac{f(x)-4}{x-3}=\lim_{x\to 3}\frac{f(x)-f(3)}{x-3}=f'(3)=2$

STEP B 합성함수의 미분법을 이용하여 $g'(4)$**의 값 구하기**

$(g\circ f)(x)=16x+1$의 양변을 x에 대하여 미분하면

$g'(f(x))f'(x)=16$

따라서 $x=3$을 대입하면 $g'(f(3))f'(3)=16$에서 $g'(4)\times 2=16$이므로

$g'(4)=8$

10

정답 ①

STEP A 매개변수로 나타낸 함수의 미분법을 이용하여 $\dfrac{dy}{dx}$ **구하기**

$x=\ln t,\ y=t^2-4t$에서 $\dfrac{dx}{dt}=\dfrac{1}{t},\ \dfrac{dy}{dt}=2t-4$이므로

$m(t)=\dfrac{dy}{dx}=\dfrac{\dfrac{dy}{dt}}{\dfrac{dx}{dt}}=\dfrac{2t-4}{\dfrac{1}{t}}=2t^2-4t=2(t-1)^2-2$

STEP B $a+b+c$**의 값 구하기**

즉 $t>0$에서 $t=1$일 때, $m(t)$의 최솟값은 -2

$x=\ln 1=0,\ y=1-4=-3$에서 $\mathrm{P}(0,\ -3)$이므로

$a=0,\ b=-3,\ c=-2$

따라서 $a+b+c=0+(-3)+(-2)=-5$

11

정답 ④

STEP A $x=1$**에서 연속임을 이용하여** $a,\ b$**의 관계식 구하기**

$f(x)$가 $x=1$에서 미분가능하므로 $x=1$에서 연속이어야 하므로

$\displaystyle\lim_{x\to 1+}(x^2+ax+b)=\lim_{x\to 1-}\sin\pi x$

$1+a+b=0$에서 $a+b=-1$ …… ㉠

STEP B $f'(1)$**이 존재함을 이용하여** $a+2b$**의 값 구하기**

$f'(x)=\begin{cases}2x+a & (x>1)\\ \pi\cos\pi x & (x<1)\end{cases}$

또한, $f'(1)$의 값이 존재해야 하므로

$\displaystyle\lim_{x\to 1+}f'(x)=\lim_{x\to 1-}f'(x)$

$2+a=\pi\cos\pi=-\pi\quad \therefore a=-\pi-2$

㉠에서 $b=-1-a=-1-(-\pi-2)=\pi+1$

따라서 $a=-\pi-2,\ b=\pi+1$이므로 $a+2b=(-\pi-2)+2(\pi+1)=\pi$

12

정답 ②

STEP A $g(1)$**의 값 구하기**

$g(1)=k$라 하면 $f(k)=1$

$k-\dfrac{2}{k}=1,\ k^2-k-2=0,\ (k-2)(k+1)=0$

$k>0$이므로 $k=2$, 즉 $g(1)=2$ …… ㉠

STEP B $g'(1)=\dfrac{1}{f'(2)}$ **임을 이용하여** $g'(1)$**의 값 구하기**

한편, $f(x)$의 역함수가 $g(x)$이므로 $f(g(x))=x$

$f'(g(x))g'(x)=1$

$\therefore g'(x)=\dfrac{1}{f'(g(x))}$

$g'(1)=\dfrac{1}{f'(g(1))}=\dfrac{1}{f'(2)}$

$f'(x)=1+\dfrac{2}{x^2}$이므로 $f'(2)=1+\dfrac{1}{2}=\dfrac{3}{2}$

$g'(1)=\dfrac{1}{f'(2)}=\dfrac{2}{3}$ …… ㉡

STEP C $h'(1)$**의 값 구하기**

따라서 $h(x)=\{g(x)\}^2$에서 $h'(x)=2g(x)g'(x)$이므로

㉠, ㉡에서 $h'(1)=2g(1)g'(1)=2\times 2\times\dfrac{2}{3}=\dfrac{8}{3}$

13

정답 ②

STEP A 점 $(1,\ 1)$에서의 접선의 방정식 구하기

$f(x)=\sin(\ln x^2)+1$이라 하면

$f'(x)=\cos(\ln x^2)\cdot(\ln x^2)'=\dfrac{2\cos(\ln x^2)}{x}$

$x=1$에서 접선의 기울기는 $f'(1)=2$

점 $(1,\ 1)$에서의 접선의 방정식은 $y-1=2(x-1)$

$\therefore\ y=2x-1$

STEP B 접선과 x축 및 y축으로 둘러싸인 도형의 넓이 구하기

따라서 접선의 x절편은 $\dfrac{1}{2}$, y절편은 -1이므로 구하는 넓이는

$\dfrac{1}{2}\cdot\dfrac{1}{2}\cdot1=\dfrac{1}{4}$

14

STEP A 함수 $g(x)$의 범위 구하기

$g(x)=-4\sin x-4\cos^2x+4$에서

$g(x)=-4\sin x-4(1-\sin^2x)+4$

$\quad=4\sin^2x-4\sin x$

에서 $\sin x=u$로 놓으면 $-1\le u\le 1$이고

$g(x)=4\sin^2x-4\sin x=4u^2-4u=4\left(u-\dfrac{1}{2}\right)^2-1$

$u=\dfrac{1}{2}$일 때, 최솟값 -1이고 $u=-1$일 때, 최댓값 8을 가지므로

$-1\le g(x)\le 8$

STEP B 함수 $(f\circ g)(x)$의 최댓값과 최솟값 구하기

$(f\circ g)(x)=f(g(x))$에서 $g(x)=t$로 놓으면

$-1\le t\le 8$이고 $f(t)=\dfrac{t-1}{t^2+3}$

$f'(t)=\dfrac{1\times(t^2+3)-(t-1)\times 2t}{(t^2+3)^2}$

$\quad=\dfrac{-t^2+2t+3}{(t^2+3)^2}$

$\quad=\dfrac{-(t+1)(t-3)}{(t^2+3)^2}$

$f'(t)=0$에서 $t=-1$ 또는 $t=3$

$-1\le t\le 8$일 때, 함수 $f(t)$의 증가와 감소를 표로 나타내면 다음과 같다.

t	-1	$\cdots$	3	$\cdots$	8
$f'(t)$		$+$	0	$-$	
$f(t)$	$-\dfrac{1}{2}$	↗	$\dfrac{1}{6}$	↘	$\dfrac{7}{67}$

함수 $f(t)$의

최댓값은 $t=3$일 때, $M=f(3)=\dfrac{1}{6}$

최솟값은 $t=-1$일 때, $m=f(-1)=-\dfrac{1}{2}$

따라서 $Mm=\dfrac{1}{6}\times\left(-\dfrac{1}{2}\right)=-\dfrac{1}{12}$

15

정답 ②

STEP A $f'(x)$ 구하기

$f(x)=\ln x+\dfrac{a}{x}-x$에서 $f'(x)=\dfrac{1}{x}-\dfrac{a}{x^2}-1=\dfrac{x^2-x+a}{x^2}$

STEP B 극값을 가질 조건 구하기

이때 $x^2>0$이므로 함수 $f(x)$가 극대, 극소를 모두 가지려면 $f'(x)=0$

즉 $x^2-x+a=0$이 서로 다른 두 실근을 가져야 한다.

즉 서로 다른 두 양의 실근을 가져야 한다.

(ⅰ) 이차방정식 $x^2-x+a=0$의 판별식을 D라 하면

$\quad\dfrac{D}{4}=1-4a>0\quad\therefore\ a<\dfrac{1}{4}$

(ⅱ) 이차방정식 $x^2-x+a=0$의 두 실근을 α, β라고 하면

$\quad$두 근의 합 $\alpha+\beta=1>0$을 만족시키고

$\quad$두 근의 곱 $\alpha\beta=a>0$이어야 한다.

(ⅰ), (ⅱ)에서 $0<a<\dfrac{1}{4}$

16

STEP A $f'(x)$, $f''(x)$를 구하여 [보기]의 참, 거짓 판단하기

ㄱ. $f(x)=x+\sin x$에서 $f'(x)=1+\cos x$

$\quad f'(x)=0$에서 $\cos x=-1\quad\therefore\ x=\pi$

$\quad$함수 $f(x)$의 증가와 감소를 표로 나타내면 다음과 같다,

x	(0)	$\cdots$	π	$\cdots$	(2π)
$f'(x)$		$+$	0	$+$	
$f(x)$		↗		↗	

$\quad$즉 $x=\pi$에서 극값을 갖지 않는다. [거짓]

ㄴ. $f(x)=x+\sin x$에서

$\quad f'(x)=1+\cos x$, $f''(x)=-\sin x$

$\quad 0<x<\pi$에서 $0<\sin x<1\quad\therefore\ -1<f''(x)<0$

$\quad \pi\le x<2\pi$에서 $-1<\sin x<0\quad\therefore\ 0<f''(x)<1$

$\quad$즉 $f(x)$는 $0<x<\pi$에서 위로 볼록, $\pi\le x<2\pi$에서 아래로 볼록이다. [거짓]

ㄷ. $g(x)=(f\circ f)(x)$로 놓으면

$\quad g'(x)=f'(f(x))\cdot f'(x)=(1+\cos f(x))(1+\cos x)$

$\quad 0<x<2\pi$에서 $-1<\cos x<1$, $\cos f(x)>0$이므로

$\quad 1+\cos f(x)>0$, $1+\cos x>0\quad\therefore\ g'(x)>0$

$\quad$즉 $g(x)$는 $0<x<2\pi$에서 증가한다. [참]

ㄹ. $f(x)=x+\sin x$에서 $f'(x)=1+\cos x$, $f''(x)=-\sin x$

$\quad f''(x)=0$에서 $x=\pi$이므로 변곡점은 $(\pi,\ \pi)$이고 접선의 기울기가 $f'(\pi)=0$

$\quad$즉 변곡점에서 접선의 방정식은 $y-\pi=0(x-\pi)\quad\therefore\ y=\pi$ [참]

따라서 옳은 것은 ㄷ, ㄹ이다.

17

정답 ③

STEP A 이계도함수 $f''(x)=0$인 두 그래프의 관계 구하기

$f(x)=\frac{1}{2}ax^2+3\sin x+x$에서

$f'(x)=ax+3\cos x+1,\ f''(x)=a-3\sin x$

함수 $f(x)$가 변곡점을 가지려면 방정식 $f''(x)=0$이 실근을 갖고
그 근의 좌우에서 $f''(x)$의 부호가 바뀌어야 한다.

$f''(x)=0$에서 $3\sin x=a$

STEP B 변곡점을 갖기 위한 실수 a의 값의 범위 구하기

곡선 $y=3\sin x$와 직선 $y=a$가 만나야 하므로 $-3\leq a\leq 3$

(ⅰ) $a=-3$이면 $f''(x)\leq 0$이므로 방정식 $f''(x)=0$의 근의 좌우에서 $f''(x)$의 부호가 바뀌지 않는다.

(ⅱ) $a=3$이면 $f''(x)\geq 0$이므로 방정식 $f''(x)=0$의 근의 좌우에서 $f''(x)$의 부호가 바뀌지 않는다.

(ⅰ), (ⅱ)에서 $-3<a<3$

따라서 정수 a는 $-2,\ -1,\ 0,\ 1,\ 2$이므로 개수는 5

18

STEP A 직사각형의 넓이의 식 세우기

점 B의 좌표를 $(x,\ e^{-x})$, 직사각형의 넓이를 $S(x)$라고 하면

$S(x)=2xe^{-x}$

STEP B 넓이의 최댓값 구하기

$S'(x)=2(1-x)e^{-x}$일 때, $S'(x)=0$에서 $x=1$

$x>0$에서 $S(x)$의 증가와 감소를 표로 나타내면 다음과 같다.

x	0	$\cdots$	1	$\cdots$
$S'(t)$		$+$	0	$-$
$S(t)$		↗	$\frac{2}{e}$	↘

따라서 $S(x)$는 $x=1$에서 극대이면서 최대이므로 직사각형 ABCD의 넓이의 최댓값은 $S(1)=\frac{2}{e}$

19

정답 ①

STEP A 원점에서 $y=\ln x,\ y=e^x$에 그은 접선의 방정식 구하기

$f(x)=\ln x,\ g(x)=e^x$이라고 할 때,
원점에서 $f(x),\ g(x)$에 그은 접선은 아래의 그림과 같다.

(ⅰ) $f'(x)=\frac{1}{x}$이므로 $y=f(x)$ 위의 점 $(a,\ \ln a)$에서의 접선의 방정식은

$y-\ln a=\frac{1}{a}(x-a),\ y=\frac{1}{a}x+\ln a-1$

이 직선이 점 $(0,\ 0)$을 지나므로 $0=\ln a-1$ $\quad\therefore a=e$

즉 접선의 기울기는 $\frac{1}{e}$이므로 접선의 방정식은 $y=\frac{1}{e}x$

(ⅱ) $g'(x)=e^x$이므로 $y=g(x)$ 위의 점 $(a,\ e^a)$에서의 접선의 방정식은

$y-e^a=e^a(x-a)$

이 직선이 점 $(0,\ 0)$을 지나므로 $-e^a=e^a(-a)$ $\quad\therefore a=1$

즉 접선의 기울기는 e이므로 접선의 방정식은 $y=ex$

STEP B 두 방정식 $\ln x=kx$와 $e^x=kx$가 모두 실근을 갖지 않을 k의 범위 구하기

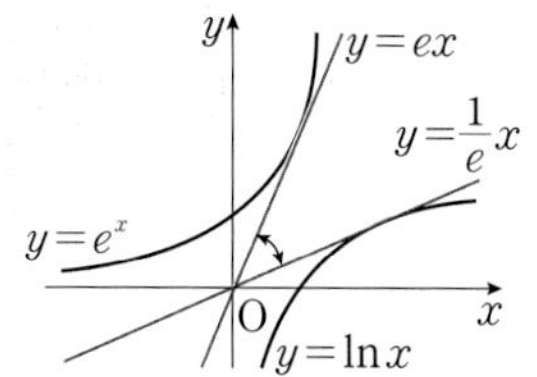

(ⅰ), (ⅱ)에 의하여 직선 $y=kx$가 두 곡선 $y=\ln x,\ y=e^x$와 만나지 않을 조건은 $\frac{1}{e}<k<e$

20

STEP A 점 Q의 y좌표 $f(\theta)$ 구하기

점 P는 제 1사분면의 점이므로 $0<\theta<\frac{\pi}{2}$

삼각형 OPA는 직각삼각형이므로 $\overline{\mathrm{OP}}=2\cos\theta$이고 $\overline{\mathrm{OQ}}=2\cos\theta+2$

즉 점 Q의 y좌표 $f(\theta)$는

$f(\theta)=(2\cos\theta+2)\sin\theta=2(\sin\theta\cos\theta+\sin\theta)$

STEP B $0<\theta<\frac{\pi}{2}$에서 $f(\theta)$의 최댓값 구하기

이때 $f'(\theta)=2(\cos^2\theta-\sin^2\theta+\cos\theta)$

$=2(2\cos^2\theta+\cos\theta-1)$

$=2(2\cos\theta-1)(\cos\theta+1)$

$f'(\theta)=0$에서 $\cos\theta=\frac{1}{2}\left(\because 0<\theta<\frac{\pi}{2}\right)$이므로 $\theta=\frac{\pi}{3}$

$0<\theta<\frac{\pi}{2}$에서 $f(\theta)$의 증가와 감소를 표로 나타내면 다음과 같다.

θ	(0)	$\cdots$	$\frac{\pi}{3}$	$\cdots$	$\left(\frac{\pi}{2}\right)$
$f'(\theta)$		$+$	0	$-$	
$f(\theta)$		↗	극대	↘	

함수 $f(\theta)$는 $\theta=\frac{\pi}{3}$일 때, 극대이면서 최대가 되고 최댓값은

$f\left(\frac{\pi}{3}\right)=\left(2\cos\frac{\pi}{3}+2\right)\sin\frac{\pi}{3}=\frac{3\sqrt{3}}{2}$

서 술 형

21

정답 해설참조

1단계	부채꼴 QOP, BOA의 넓이를 이용하여 색칠한 부분의 넓이 $S(\theta)$를 구한다.	◀ 30%

부채꼴 QOP의 넓이는 $\frac{1}{2}\cdot 2^2\cdot\theta=2\theta$

$\overline{OQ}=2$이므로 $\triangle OAQ$에서 $\overline{OA}=2\cos\theta$

부채꼴 BOA의 넓이는 $\frac{1}{2}\cdot 4\cos^2\theta\cdot\theta=2\theta\cos^2\theta$

$S(\theta)=2\theta-2\theta\cos^2\theta=2\theta(1-\cos^2\theta)=2\theta\sin^2\theta$

2단계	$\lim\limits_{\theta\to0+}\frac{S(\theta)}{\theta^3}$를 구한다.	◀ 20%

$$\lim_{\theta\to0+}\frac{S(\theta)}{\theta^3}=\lim_{\theta\to0+}\frac{2\theta\sin^2\theta}{\theta^3}=\lim_{\theta\to0+}\frac{2\sin^2\theta}{\theta^2}=2$$

3단계	$\lim\limits_{\theta\to0+}\frac{S(\theta)}{\tan^3\theta}$를 구한다.	◀ 20%

$$\lim_{\theta\to0+}\frac{S(\theta)}{\tan^3\theta}=\lim_{\theta\to0+}\frac{2\theta\sin^2\theta}{\tan^3\theta}=\lim_{\theta\to0+}\left(2\cdot\frac{\theta^3}{\tan^3\theta}\cdot\frac{\sin^2\theta}{\theta^2}\right)$$
$$=2\cdot1\cdot1=2$$

4단계	$\lim\limits_{\theta\to0+}\frac{(1-\cos\theta)S(\theta)}{\theta^5}$를 구한다.	◀ 30%

$$\lim_{\theta\to0+}\frac{(1-\cos\theta)S(\theta)}{\theta^5}=\lim_{\theta\to0+}\frac{2(1-\cos\theta)\sin^2\theta}{\theta^4}=\lim_{\theta\to0+}\frac{2(1-\cos^2\theta)\sin^2\theta}{\theta^4(1+\cos\theta)}$$
$$=\lim_{\theta\to0+}\frac{2\sin^4\theta}{\theta^4(1+\cos\theta)}=\lim_{\theta\to0+}2\left(\frac{\sin\theta}{\theta}\right)^4\cdot\frac{1}{1+\cos\theta}$$
$$=2\cdot1^4\cdot\frac{1}{2}=1$$

22

정답 해설참조

1단계	사다리꼴 ABCD의 넓이를 θ를 이용하여 나타낸다.	◀ 40%

오른쪽 그림과 같이

$\angle ABE=\theta\left(0<\theta<\frac{\pi}{2}\right)$라 하면

$\overline{AE}=\overline{DF}=4\sin\theta$

$\overline{BE}=\overline{CF}=4\cos\theta$

$S(\theta)=$(사다리꼴 ABCD의 넓이)

$=\frac{1}{2}(8+8\cos\theta)\cdot4\sin\theta$

$=16\sin\theta(1+\cos\theta)$

2단계	$0<\theta<\frac{\pi}{2}$에서 넓이를 $S(\theta)$라 할 때, 증감표를 작성한다.	◀ 40%

$S'(\theta)=16\cos\theta(1+\cos\theta)+16\sin\theta(-\sin\theta)$

$=16\cos\theta+16\cos^2\theta-16\sin^2\theta$

$=16\cos\theta+16\cos^2\theta-16(1-\cos^2\theta)$

$=32\cos^2\theta+16\cos\theta-16$

$=16(\cos\theta+1)(2\cos\theta-1)$

$S'(\theta)=0$에서 $0<\theta<\frac{\pi}{2}$이므로 $\cos\theta=\frac{1}{2}$에서 $\theta=\frac{\pi}{3}$

$S(\theta)$의 증가와 감소를 표로 나타내면 다음과 같다.

θ	(0)	$\cdots$	$\frac{\pi}{3}$	$\cdots$	$\left(\frac{\pi}{2}\right)$
$S'(\theta)$		+	0	−	
$S(\theta)$		↗	극대	↘	

3단계	넓이의 최댓값을 구한다.	◀ 20%

따라서 $S(\theta)$는 $\theta=\frac{\pi}{3}$일 때, 극대이자 최대이므로 넓이의 최댓값은

$S\left(\frac{\pi}{3}\right)=16\cdot\frac{\sqrt{3}}{2}\cdot\frac{3}{2}=12\sqrt{3}$

23

정답 해설참조

1단계	부등식을 $f(x)\ge k$의 꼴로 정리하여 $f'(x)$, $f''(x)$를 구한다.	◀ 30%

$e^x\ge\frac{1}{2}x^2+x+k$에서 $e^x-\frac{1}{2}x^2-x>k$

$f(x)=e^x-\frac{1}{2}x^2-x$라 놓으면

$f'(x)=e^x-x-1$

$f''(x)=e^x-1$

2단계	$x\ge0$에서 함수 $f(x)$의 최솟값을 구한다.	◀ 40%

$f''(x)=e^x-1$이므로 $x\ge0$에서 $f''(x)\ge0$

즉 $f'(x)$는 $x\ge0$에서 증가한다.

또한, $f'(0)=0$이므로 $x\ge0$에서 $f'(x)\ge0$

즉 함수 $f(x)$는 $x\ge0$에서 증가한다.

$x\ge0$에서 함수 $f(x)$의 최솟값이 $f(0)=1$

3단계	$x\ge0$에서 $f(x)\ge k$가 성립하기 위한 실수 k의 최댓값을 구한다.	◀ 30%

따라서 $x\ge0$에서 $f(x)\ge k$가 성립하려면 $k\le1$이어야 하므로 실수 k의 최댓값은 1

24

정답 해설참조

1단계	점 P의 속도를 구한다.	◀ 20%

$x=t+\sin t$, $y=2\cos t$에서

$\frac{dx}{dt}=1+\cos t$, $\frac{dy}{dt}=-2\sin t$

점 P의 시각 t에서 속도는 $(1+\cos t,\ -2\sin t)$

2단계	점 P의 속력이 최대가 되는 $\cos t$의 값을 구한다.	◀ 30%

점 P의 속력은

$\sqrt{(1+\cos t)^2+(-2\sin t)^2}=\sqrt{1+2\cos t+\cos^2 t+4(1-\cos^2 t)}$

$=\sqrt{-3\cos^2 t+2\cos t+5}$

이때 $f(t)=-3\cos^2 t+2\cos t+5$로 놓으면

$x=\cos t(-1\le x\le1)$로 놓으면

$f(x)=-3x^2+2x+5=-3\left(x-\frac{1}{3}\right)^2+\frac{16}{3}$이므로

점 P의 속력이 최대가 될 때는 $x=\frac{1}{3}$, 즉 $\cos t=\frac{1}{3}$

3단계	점 P의 가속도를 구한다.	◀ 20%

$\frac{d^2x}{dt^2}=-\sin t$, $\frac{d^2y}{dt^2}=-2\cos t$이므로

점 P의 시각 t에서 가속도는 $(-\sin t,\ -2\cos t)$

4단계	2단계에서의 속력이 최대가 되는 시각에서 점 P의 가속도의 크기를 구한다.	◀ 30%

점 P의 가속도의 크기는

$\sqrt{\sin^2 t+4\cos^2 t}=\sqrt{1-\cos^2 t+4\cos^2 t}=\sqrt{3\cos^2 t+1}$

따라서 점 P의 속력이 최대가 되는 것은 $\cos t=\frac{1}{3}$이므로 가속도의 크기는

$\sqrt{3\cdot\left(\frac{1}{3}\right)^2+1}=\frac{2\sqrt{3}}{3}$

M A P L : S Y N E R G Y

01 적분법 모의평가

01	③	02	②	03	③	04	⑤	05	④
06	⑤	07	②	08	④	09	②	10	③
11	③	12	④	13	②	14	①	15	①
16	②	17	②	18	⑤	19	③	20	③

서술형

21	해설참조	22	해설참조
23	해설참조	24	해설참조

01

 ③

STEP A 함수 $f(x)$의 도함수 $f'(x)$ 구하기

$F'(x)=f(x)$이므로

$F(x)=xf(x)-\sqrt{x}$의 양변을 x에 관하여 미분하면

$f(x)=f(x)+xf'(x)-\dfrac{1}{2\sqrt{x}}$에서 $f'(x)=\dfrac{1}{2x\sqrt{x}}$

STEP B 부정적분을 이용하여 $f(x)$ 구하기

$$f(x)=\int f'(x)dx=\int \frac{1}{2x\sqrt{x}}dx$$
$$=\frac{1}{2}\int x^{-\frac{3}{2}}dx$$
$$=-\frac{1}{\sqrt{x}}+C$$

STEP C $F(1)=0$을 만족하는 적분상수를 구한 후 $f\left(\dfrac{1}{4}\right)$의 값 구하기

이때 $F(1)=f(1)-1=0$에서 $f(1)=1$이므로

$f(1)=-1+C=1$에서 $C=2$

따라서 $f(x)=-\dfrac{1}{\sqrt{x}}+2$이므로 $f\left(\dfrac{1}{4}\right)=0$

02

 ②

STEP A 부정적분을 이용하여 $f(x)$ 구하기

$f(x)=(\ln 2)\int 2^x dx=\ln 2\cdot\dfrac{2^x}{\ln 2}+C=2^x+C$

STEP B $f(0)=1$을 만족하는 적분상수 구하기

이때 $f(0)=1$이므로 $1+C=1$ $\quad\therefore C=0$

즉 $f(x)=2^x$

STEP C 등비급수 구하기

따라서 $\displaystyle\sum_{n=1}^{\infty}\frac{1}{f(n)}=\sum_{n=1}^{\infty}\frac{1}{2^n}=\sum_{n=1}^{\infty}\left(\frac{1}{2}\right)^n=\frac{\frac{1}{2}}{1-\frac{1}{2}}=1$

03

 ③

STEP A 삼각함수의 부정적분을 구하기

ㄱ. $\int\dfrac{1}{x}dx=\ln|x|+C$ [거짓]

ㄴ. $(\tan x)'=\sec^2 x$이므로 $\int\sec x dx\neq\tan x+C$ [거짓]

ㄷ. $\int\tan^2 x dx=\int(\sec^2 x-1)dx=\tan x-x+C$ [참]

ㄹ. $\displaystyle\int\frac{\sin^2 x}{1-\cos x}dx=\int\frac{1-\cos^2 x}{1-\cos x}dx=\int(1+\cos x)dx$

$=x+\sin x+C$ [참]

따라서 옳은 것은 ㄷ, ㄹ이다.

04

 ⑤

STEP A 부분적분을 이용하여 $f(x)$ 구하기

곡선 $y=f(x)$ 위의 점 $(x,\ f(x))$에서의 접선의 기울기는

$f'(x)=(1+x)e^x$

$f(x)=\int(x+1)e^x dx=(x+1)e^x-\int e^x dx=xe^x+C$

STEP B $f(0)=4$를 이용하여 적분상수 구하기

이 곡선이 $(0,\ 4)$를 지나므로 $f(0)=C=4$

STEP C $f(1)$의 값 구하기

따라서 $f(x)=xe^x+4$이므로 $f(1)=e+4$

05

 ④

STEP A $-x=t$로 치환하여 $\int_{-1}^{0}f(x)dx=\int_{0}^{1}f(-x)dx$임을 구하기

$\int_{-1}^{1}f(x)dx=\int_{-1}^{0}f(x)dx+\int_{0}^{1}f(x)dx$

$\int_{-1}^{0}f(x)dx$에서 $x=-t$로 놓으면 $dx=-dt$이고

$x=-1$일 때, $t=1$이고 $x=0$일 때, $t=0$이므로

$\int_{-1}^{0}f(x)dx=\int_{1}^{0}-f(-t)dt=\int_{0}^{1}f(-t)dt$

STEP B 정적분의 분할을 이용하여 $\int_{-1}^{1}f(x)dx$의 값 구하기

따라서 $\int_{-1}^{1}f(x)dx=\int_{0}^{1}f(-x)dx+\int_{0}^{1}f(x)dx$

$=\int_{0}^{1}\{f(-x)+f(x)\}dx=\int_{0}^{1}(x^2-1)dx$

$=\left[\dfrac{1}{3}x^3-x\right]_0^1=-\dfrac{2}{3}$

다른풀이 $f(x)=x^2-1-f(-x)$임을 이용하여 풀이하기

$\int_{-1}^{1}f(x)dx=\int_{-1}^{1}\{x^2-1-f(-x)\}dx$

$=\int_{-1}^{1}(x^2-1)dx-\int_{-1}^{1}f(-x)dx$

한편 $\int_{-1}^{1}f(-x)dx$에서 $-x=t$라고 하면 $-dx=dt$이고

$x=-1$일 때, $t=1$이고 $x=1$일 때, $t=-1$이므로

$\int_{-1}^{1}f(-x)dx=\int_{1}^{-1}f(t)(-1)dt=\int_{-1}^{1}f(t)dt$

이때 $\int_{-1}^{1}f(x)dx=\left[\dfrac{1}{3}x^3-x\right]_{-1}^{1}-\int_{-1}^{1}f(x)dx$이므로

$2\int_{-1}^{1}f(x)dx=-\dfrac{4}{3}$ $\quad\therefore\int_{-1}^{1}f(x)dx=-\dfrac{2}{3}$

06

정답 ⑤

STEP A 합성함수의 식을 정리하기

$f(x)=e^{-2x}$, $g(x)=\dfrac{1}{1+x}$일 때,

$g(f(x))=\dfrac{1}{1+f(x)}=\dfrac{1}{1+e^{-2x}}=\dfrac{e^{2x}}{e^{2x}+1}$

STEP B 로그함수의 치환적분을 이용하여 구하기

따라서 $\displaystyle\int_0^{\ln 3} g(f(x))dx=\int_0^{\ln 3}\frac{e^{2x}}{e^{2x}+1}dx$

$\displaystyle=\frac{1}{2}\int_0^{\ln 3}\frac{2e^{2x}}{e^{2x}+1}dx$

$\displaystyle=\frac{1}{2}\Big[\ln(e^{2x}+1)\Big]_0^{\ln 3}$

$\displaystyle=\frac{1}{2}\{\ln(e^{2\ln 3}+1)-\ln(e^0+1)\}$

$\displaystyle=\frac{1}{2}\{\ln 10-\ln 2\}$ ← $e^{2\ln 3}=3^{2\ln e}=3^2$

$\displaystyle=\frac{1}{2}\ln\frac{10}{2}=\ln\sqrt{5}$

07

정답 ②

STEP A 치환적분을 이용하여 정적분 계산하기

조건 (가)에서 $\ln x=t$라 하면 $\dfrac{1}{x}=\dfrac{dt}{dx}$이고

$x=1$일 때, $t=0$이고 $x=e$일 때, $t=1$이므로

$\displaystyle\int_1^e\frac{(\ln x)^2}{x}dx=\int_0^1 t^2dt=\Big[\frac{1}{3}t^3\Big]_0^1=\frac{1}{3}$

조건 (나)에서 $\cos x=t$라 하면 $-\sin x=\dfrac{dt}{dx}$이고

$x=0$일 때, $t=1$이고 $x=\dfrac{\pi}{2}$일 때, $t=0$이므로

$\displaystyle\int_0^{\frac{\pi}{2}}\cos^2 x\sin x dx=\int_1^0(-t^2)dt=\Big[\frac{1}{3}t^3\Big]_0^1=\frac{1}{3}$

STEP B $a+b$의 값 구하기

따라서 $a=\dfrac{1}{3}$, $b=\dfrac{1}{3}$이므로 $a+b=\dfrac{2}{3}$

08

정답 ④

STEP A (다항함수)×(삼각함수)의 부정적분 구하기

$f(x)=x$, $g'(x)=\sin 2x$로 놓으면

$f'(x)=1$, $g(x)=-\dfrac{1}{2}\cos 2x$

부분적분법에 의하여

$\displaystyle\int_0^{\frac{\pi}{3}}x\sin 2x dx=\Big[-\frac{1}{2}x\cos 2x\Big]_0^{\frac{\pi}{3}}-\int_0^{\frac{\pi}{3}}\Big(-\frac{1}{2}\cos 2x\Big)dx$

$\displaystyle=\frac{\pi}{12}+\frac{1}{2}\int_0^{\frac{\pi}{3}}\cos 2x dx$

$\displaystyle=\frac{\pi}{12}+\frac{1}{2}\times\Big[\frac{1}{2}\sin 2x\Big]_0^{\frac{\pi}{3}}$

$\displaystyle=\frac{\pi}{12}+\frac{\sqrt{3}}{8}$

09

정답 ②

STEP A $x=\sqrt{2}\sin\theta$로 치환하여 삼각치환법 구하기

$x=\sqrt{2}\sin\theta\Big(-\dfrac{\pi}{2}\le\theta\le\dfrac{\pi}{2}\Big)$로 놓으면 $\sqrt{2}\cos\theta d\theta=dx$

$x=0$일 때, $\theta=0$이고 $x=1$일 때, $\theta=\dfrac{\pi}{4}$

$\displaystyle\int_0^1\frac{1}{\sqrt{2-x^2}}dx=\int_0^{\frac{\pi}{4}}\frac{1}{\sqrt{2-2\sin^2\theta}}\cdot\sqrt{2}\cos\theta d\theta$

$\displaystyle=\int_0^{\frac{\pi}{4}}\frac{1}{\sqrt{2\cos^2\theta}}\cdot\sqrt{2}\cos\theta d\theta$

$\displaystyle=\int_0^{\frac{\pi}{4}}1d\theta=\Big[\theta\Big]_0^{\frac{\pi}{4}}=\frac{\pi}{4}$

따라서 $\cos\dfrac{\pi}{4}=\dfrac{\sqrt{2}}{2}$

10

정답 ③

STEP A $\displaystyle\int_0^{\frac{\pi}{2}}f(t)dt=a$로 치환하여 $f(x)$구하기

$\displaystyle\int_0^{\frac{\pi}{2}}f(t)dt=a$($a$는 상수)로 놓으면 $f(x)=x\cos x+a$

STEP B 부분적분을 이용해서 a구하기

$\displaystyle\int_0^{\frac{\pi}{2}}f(t)dt=\int_0^{\frac{\pi}{2}}(t\cos t+a)dt=\int_0^{\frac{\pi}{2}}t\cos tdt+\int_0^{\frac{\pi}{2}}adt$

$\displaystyle=\Big[t\sin t\Big]_0^{\frac{\pi}{2}}-\int_0^{\frac{\pi}{2}}\sin tdt+\Big[at\Big]_0^{\frac{\pi}{2}}$

$\displaystyle=\frac{\pi}{2}-\Big[-\cos t\Big]_0^{\frac{\pi}{2}}+\frac{\pi}{2}a$

$\displaystyle=\frac{\pi}{2}-1+\frac{\pi}{2}a$

이때 $\displaystyle\int_0^{\frac{\pi}{2}}f(t)dt=a$이므로 $\dfrac{\pi}{2}-1+\dfrac{\pi}{2}a=a$에서 $a=-1$

STEP C $f\Big(\dfrac{\pi}{2}\Big)$의 값 구하기

따라서 $f(x)=x\cos x-1$이므로 $f\Big(\dfrac{\pi}{2}\Big)=-1$

11

정답 ③

STEP A 양변을 x에 대하여 미분하여 $f'(x)$ 구하기

$\displaystyle xf(x)-x=\int_1^x f(t)dt$ …… ㉠

㉠에서 양변을 x에 대하여 미분하면

$f(x)+xf'(x)-1=f(x)$

$xf'(x)=1$, $f'(x)=\dfrac{1}{x}$

STEP B 주어진 식에 $x=1$을 대입하여 적분상수를 구하기

또, ㉠의 식에 $x=1$을 대입하면

$\displaystyle f(1)-1=\int_1^1 f(t)dt=0$, $f(1)=1$

$\displaystyle\therefore f(x)=\int f'(x)dx=\int\frac{1}{x}dx=\ln x+C$

$f(1)=\ln 1+C=1$ $\therefore C=1$

STEP C $f\Big(\dfrac{1}{e}\Big)+f(e)$의 값 구하기

$\therefore f(x)=\ln x+1$

따라서 $f\Big(\dfrac{1}{e}\Big)+f(e)=\Big(\ln\dfrac{1}{e}+1\Big)+(\ln e+1)=2$

12

정답 ④

STEP Ⓐ 정적분과 급수의 합을 이용하여 빈칸추론하기

그림과 같이 닫힌 구간 $[0,\ 2]$를 n등분하면 양 끝점과 각 등분점의 x좌표는 차례로

$$0,\ \frac{2}{n},\ \frac{4}{n},\ \cdots,\ \frac{2n}{n}(=2)$$

이고 이에 대응하는 곡선의 y좌표는 각각

$$0,\ \left(\frac{2}{n}\right)^2,\ \left(\frac{4}{n}\right)^2,\ \cdots,\ \left(\frac{2n}{n}\right)^2$$

이다. 그림에서 색칠한 직사각형의 넓이의 합을 S_n이라 하면

$$\begin{aligned}S_n&=\frac{2}{n}\left(\frac{2}{n}\right)^2+\frac{2}{n}\left(\frac{4}{n}\right)^2+\cdots+\frac{2}{n}\left(\frac{2n}{n}\right)^2\\&=8\left(\frac{1^2}{n^3}+\frac{2^2}{n^3}+\cdots+\frac{n^2}{n^3}\right)\\&=\frac{8}{\boxed{n^3}}(1^2+2^2+\cdots+n^2)\\&=\frac{8}{n^3}\times\frac{n(n+1)(2n+1)}{6}\\&=\frac{4}{3}\left(1+\frac{1}{n}\right)\left(\boxed{2+\frac{1}{n}}\right)\end{aligned}$$

따라서 구하는 넓이 S는

$$S=\lim_{n\to\infty}S_n=\lim_{n\to\infty}\frac{4}{3}\left(1+\frac{1}{n}\right)\left(2+\frac{1}{n}\right)=\boxed{\frac{8}{3}}$$

STEP Ⓑ $f\left(\frac{3}{4}a\right)g\left(\frac{3}{4}a\right)$의 값 구하기

(가) $f(n)=n^3$, (나) $g(n)=2+\frac{1}{n}$, (다) $a=\frac{8}{3}$이므로

$$f\left(\frac{3}{4}a\right)g\left(\frac{3}{4}a\right)=f(2)g(2)=8\times\left(2+\frac{1}{2}\right)=20$$

13

정답 ②

STEP Ⓐ 정적분과 급수의 합 사이의 관계를 이용하여 구하기

$x_k=\frac{2k}{n}$, $\Delta x=\frac{2}{n}$로 놓으면

$$\begin{aligned}\lim_{n\to\infty}\sum_{k=1}^{n}\frac{k}{n^2}f\left(\frac{2k}{n}\right)&=\frac{1}{4}\lim_{n\to\infty}\sum_{k=1}^{n}\frac{2k}{n}f\left(\frac{2k}{n}\right)\times\frac{2}{n}\\&=\frac{1}{4}\int_0^2 xf(x)dx\\&=\frac{1}{4}\int_0^2 xe^x dx\end{aligned}$$

STEP Ⓑ 부분적분을 이용하여 정적분 계산하기

따라서 $u(x)=x$, $v'(x)=e^x$으로 놓으면 $u'(x)=1$, $v(x)=e^x$이므로

$$\begin{aligned}\lim_{n\to\infty}\sum_{k=1}^{n}\frac{k}{n^2}f\left(\frac{2k}{n}\right)&=\frac{1}{4}\int_0^2 xe^x dx=\frac{1}{4}\left(\Big[xe^x\Big]_0^2-\int_0^2 e^x dx\right)\\&=\frac{1}{4}\left\{(2e^2-0)-\Big[e^x\Big]_0^2\right\}\\&=\frac{1}{4}\{2e^2-(e^2-1)\}\\&=\frac{e^2+1}{4}\end{aligned}$$

14

정답 ①

STEP Ⓐ 곡선과 y축으로 둘러싸인 넓이를 정적분으로 구하기

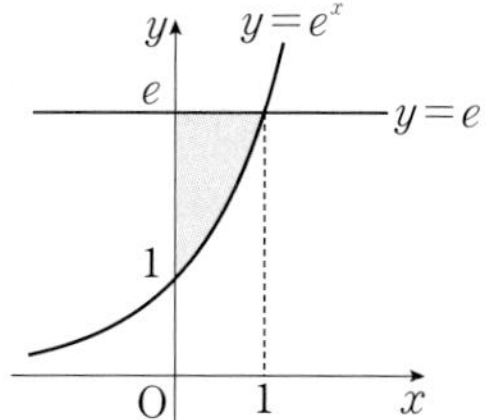

x축에 대하여 적분하는 경우 곡선 $y=e^x$과 직선 $y=e$의 교점의 x좌표는 $x=1$이므로 구하는 넓이 S는

$$S=\int_0^1(e-e^x)dx=\Big[ex-e^x\Big]_0^1=1$$

다른풀이 x축으로 둘러싸인 부분의 넓이 구하기

닫힌구간 $[1,\ e]$에서 $x\ge0$이므로 구하는 넓이를 S라 하면

$y=e^x$에서 $x=\ln y$이므로

$$S=\int_1^e\ln y dy=\Big[y\ln y\Big]_1^e-\int_1^e dy=e-\Big[y\Big]_1^e=1$$

15

정답 ①

STEP Ⓐ 곡선과 x축의 교점을 구하고 곡선이 x축 위쪽에 있는 구간과 x축 아래쪽에 있는 구간 구하기

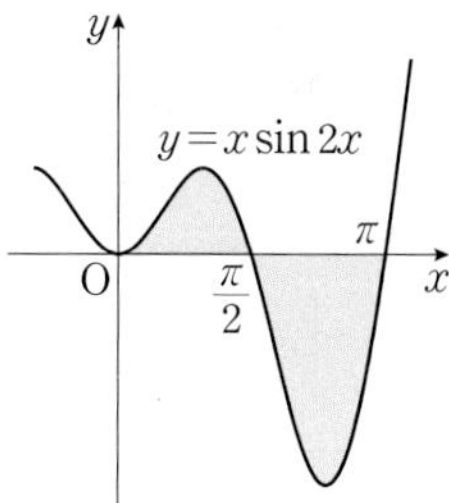

$y=x\sin2x(0\le x\le\pi)$와 x축의 교점의 x좌표는

$x\sin2x=0$에서 $x=0,\ \frac{\pi}{2},\ \pi$이고

구간 $\left[0,\ \frac{\pi}{2}\right]$에서 $y\ge0$

구간 $\left[\frac{\pi}{2},\ \pi\right]$에서 $y\le0$

STEP Ⓑ 적분구간을 나누어 넓이 구하기

따라서 구하는 넓이를 S라 하면

$$\begin{aligned}S&=\int_0^\pi|x\sin2x|dx\\&=\int_0^{\frac{\pi}{2}}x\sin2xdx+\int_{\frac{\pi}{2}}^{\pi}(-x\sin2x)dx\\&=\left[-\frac{1}{2}x\cos2x\right]_0^{\frac{\pi}{2}}+\int_0^{\frac{\pi}{2}}\frac{1}{2}\cos2xdx+\left[\frac{1}{2}x\cos2x\right]_{\frac{\pi}{2}}^{\pi}-\int_{\frac{\pi}{2}}^{\pi}\frac{1}{2}\cos2xdx\\&=\frac{\pi}{4}+\left[\frac{1}{4}\sin2x\right]_0^{\frac{\pi}{2}}+\frac{3}{4}\pi-\left[\frac{1}{4}\sin2x\right]_{\frac{\pi}{2}}^{\pi}\\&=\frac{\pi}{4}+\frac{3}{4}\pi=\pi\end{aligned}$$

16

정답 ②

STEP Ⓐ 두 곡선 사이의 넓이가 서로 같을 조건을 이용하여 k 구하기

$0\le x\le1$에서 곡선 $y=\sin\frac{\pi}{4}x$와 직선 $y=k$의 교점의 x좌표를 α라 하면

두 도형 A, B의 넓이가 같으므로

$$\int_0^\alpha\left(k-\sin\frac{\pi}{4}x\right)dx=\int_\alpha^2\left(\sin\frac{\pi}{4}x-k\right)dx$$

$$\int_0^\alpha\left(k-\sin\frac{\pi}{4}x\right)dx+\int_\alpha^2\left(k-\sin\frac{\pi}{4}x\right)dx=0$$

$$\int_0^2\left(k-\sin\frac{\pi}{4}x\right)dx=0$$

따라서 $\left[kx+\frac{4}{\pi}\cos\frac{\pi}{4}x\right]_0^2=0$, $2k-\frac{4}{\pi}=0$ $\quad\therefore k=\frac{2}{\pi}$

17

정답 ②

STEP A 직선 $y=x$에 대하여 대칭임을 이용하여 $\int_0^e g(x)dx$ 구하기

$y=g(x)$는 $y=f(x)$의 역함수이므로 두 함수 $y=f(x)$, $y=g(x)$의 그래프는 직선 $y=x$에 대하여 대칭임을 이용한다.

다음 그림과 같이 두 곡선 $y=f(x)$와 $y=g(x)$는 직선 $y=x$에 대하여 대칭이므로

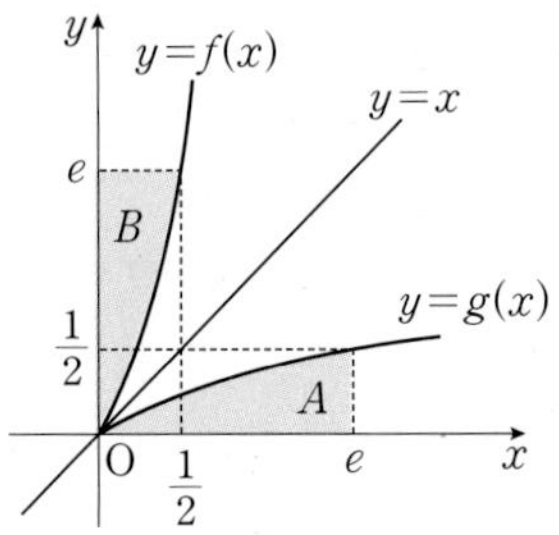

$A=\int_0^e g(x)dx$의 값은

곡선 $y=f(x)$와 y축 및 직선 $y=e$로 둘러싸인 도형의 넓이, 즉 B와 같다.

$\therefore \int_0^e g(x)dx=\frac{1}{2}\times e-\int_0^{\frac{1}{2}} f(x)dx=\frac{e}{2}-\int_0^{\frac{1}{2}} 2xe^{2x}dx$

STEP B 부분적분을 이용하여 정적분 구하기

이때 $\int_0^{\frac{1}{2}} 2xe^{2x}dx$에서 $u(x)=2x$, $v'(x)=e^{2x}$으로 놓으면

$u'(x)=2$, $v(x)'=\frac{1}{2}e^{2x}$이므로

$$\begin{aligned}\int_0^{\frac{1}{2}} 2xe^{2x}dx&=\Big[xe^{2x}\Big]_0^{\frac{1}{2}}-\int_0^{\frac{1}{2}} e^{2x}dx\\&=\frac{e}{2}-\frac{1}{2}\Big[e^{2x}\Big]_0^{\frac{1}{2}}\\&=\frac{e}{2}-\frac{1}{2}(e-1)\\&=\frac{1}{2}\end{aligned}$$

$\therefore \frac{e}{2}-\int_0^{\frac{1}{2}} 2xe^{2x}dx=\frac{e}{2}-\frac{1}{2}=\frac{1}{2}(e-1)$

18

정답 ⑤

STEP A 단면이 원인 넓이 구하기

이 입체도형의 단면이 반지름의 길이가 e^x인 원이므로
단면의 넓이를 $S(x)$라 하면 $S(x)=\pi e^{2x}$

STEP B 정적분을 이용하여 부피 구하기

따라서 구하는 입체도형의 부피를 V라 하면

$$\begin{aligned}V=\int_0^1 S(x)dx=\int_0^1 \pi e^{2x}dx&=\pi\Big[\frac{1}{2}e^{2x}\Big]_0^1\\&=\pi\left(\frac{e^2}{2}-\frac{1}{2}\right)\\&=\frac{\pi}{2}(e^2-1)\end{aligned}$$

19

정답 ③

STEP A 단면의 넓이 $S(x)$ 구하기

x좌표가 $x(1\le x\le e)$인 점을 지나고 x축에 수직인 평면으로 자른 단면은 한 변의 길이가 $\sqrt{x^2+\frac{(\ln x)^2}{x}}$인 정삼각형이므로

단면의 넓이를 $S(x)$라 하면

$S(x)=\frac{\sqrt{3}}{4}\left\{\sqrt{x^2+\frac{(\ln x)^2}{x}}\right\}^2=\frac{\sqrt{3}}{4}\left\{x^2+\frac{(\ln x)^2}{x}\right\}$

STEP B 단면의 넓이를 정적분하여 부피 구하기

따라서 구하는 부피를 V라 하면

$$\begin{aligned}V&=\int_1^e \frac{\sqrt{3}}{4}\left\{x^2+\frac{(\ln x)^2}{x}\right\}dx\\&=\frac{\sqrt{3}}{4}\int_1^e x^2dx+\frac{\sqrt{3}}{4}\int_1^e \frac{(\ln x)^2}{x}dx\end{aligned}$$

$\ln x=t$라 하면 $\frac{dt}{dx}=\frac{1}{x}$이고

$x=1$일 때, $t=0$이고 $x=e$일 때, $t=1$이므로

$$\begin{aligned}V&=\frac{\sqrt{3}}{4}\Big[\frac{1}{3}x^3\Big]_1^e+\frac{\sqrt{3}}{4}\int_0^1 t^2dt\\&=\frac{\sqrt{3}}{12}(e^3-1)+\frac{\sqrt{3}}{4}\Big[\frac{1}{3}t^3\Big]_0^1\\&=\frac{\sqrt{3}}{12}(e^3-1)+\frac{\sqrt{3}}{12}(1-0)\\&=\frac{\sqrt{3}}{12}e^3\end{aligned}$$

20

정답 ③

STEP A 곡선 $y=f(x)$의 도함수 $f'(x)$ 구하기

$f(x)=x^2-\frac{1}{8}\ln x$에서

$f'(x)=2x-\frac{1}{8}\cdot\frac{1}{x}=2x-\frac{1}{8x}$

STEP B $x=1$에서 $x=4$까지의 곡선의 길이 구하기

따라서 $1\le x\le 4$에서 구하는 곡선의 길이는

$$\begin{aligned}l&=\int_1^4 \sqrt{1+\left(2x-\frac{1}{8x}\right)^2}dx\\&=\int_1^4 \sqrt{\left(2x+\frac{1}{8x}\right)^2}dx\\&=\int_1^4 \left(2x+\frac{1}{8x}\right)dx\\&=\Big[x^2+\frac{1}{8}\ln x\Big]_1^4\\&=16+\frac{1}{4}\ln 2-1\\&=15+\frac{1}{4}\ln 2\end{aligned}$$

서 술 형

21

정답 해설참조

1단계	$\int f(x)dx=xf(x)-x^2e^{-x}$의 양변을 x에 대하여 미분하여 도함수 $f'(x)$를 구한다.	◀ 30%

$\int f(x)dx=xf(x)-x^2e^{-x}$에서 양변을 x에 대하여 미분하면

$f(x)=f(x)+xf'(x)+x(x-2)e^{-x}$이므로 $f'(x)=(2-x)e^{-x}$

2단계	부분적분을 이용하여 $f(x)$를 구한다.	◀ 40%

$$f(x)=\int(2-x)e^{-x}dx$$
$$=-(2-x)e^{-x}-\int e^{-x}dx$$
$$=-(2-x)e^{-x}+e^{-x}+C$$

$\therefore$ $f(x)=(x-1)e^{-x}+C$ (단, C는 적분상수) …… ㉠

3단계	$f(1)=0$을 이용하여 $f(x)$의 적분상수를 구한다.	◀ 20%

$f(1)=0$이므로 ㉠의 양변에 $x=1$을 대입하면

$f(1)=0+C$에서 $0=0+C$ $\quad\therefore C=0$

4단계	$f(3)$의 값을 구한다.	◀ 10%

$f(x)=(x-1)e^{-x}$이므로 $f(3)=2e^{-3}$

22

정답 해설참조

1단계	$y=3\sqrt{x-9}$의 도함수 y'을 구한다.	◀ 20%

$y=3\sqrt{x-9}$에서 $y'=\dfrac{3}{2\sqrt{x-9}}$

2단계	점 (18, 9)에서의 접선의 방정식을 구한다.	◀ 40%

곡선 위의 점 (18, 9)에서의 접선의 기울기는

$\dfrac{3}{2\sqrt{18-9}}=\dfrac{1}{2}$이므로 접선의 방정식은

$y-9=\dfrac{1}{2}(x-18)$, 즉 $y=\dfrac{1}{2}x$

3단계	정적분을 이용하여 도형의 넓이를 구한다.	◀ 40%

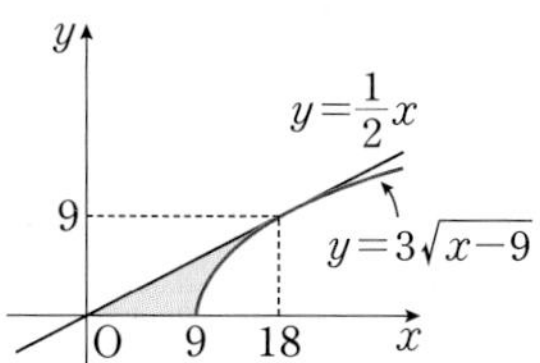

따라서 구하는 도형의 넓이는

$$\frac{1}{2}\times18\times9-\int_9^{18}3\sqrt{x-9}\,dx=81-2\Big[(x-9)\sqrt{x-9}\Big]_9^{18}=27$$

23

정답 해설참조

1단계	반구의 중심으로부터의 높이가 x일 때, 단면의 넓이를 구한다.	◀ 40%

반지름의 길이가 r인 반구의 밑면의 중심을 원점 O로 하고
밑면에 수직인 직선을 x축으로 정할 때, x좌표가 $x(0\le x\le r)$인 점을 지나고
x축에 수직인 평면으로 자른 단면은 반지름의 길이가 $\sqrt{r^2-x^2}$인 원이므로
그 넓이를 $S(x)$라고 하면
$S(x)=\pi(r^2-x^2)$

2단계	반지름의 길이가 r인 반구의 부피를 적분을 이용하여 구한다.	◀ 40%

반구의 부피는

$$\int_0^r S(x)dx=\int_0^r\pi(r^2-x^2)dx$$
$$=\pi\Big[r^2x-\frac{1}{3}x^3\Big]_0^r$$
$$=\frac{2}{3}\pi r^3$$

3단계	구의 부피를 구한다.	◀ 20%

따라서 구의 부피는 반구의 부피의 2배이므로 $2\times\dfrac{2}{3}\pi r^3=\dfrac{4}{3}\pi r^3$

24

정답 해설참조

1단계	닫힌구간 [0, 1]을 n등분할 때, 각 구간의 **오른쪽 끝점**의 x좌표와 그에 대응하는 y의 값을 차례로 구하여 직사각형의 넓이의 합을 이용하여 도형의 넓이 구하기	◀ 50%

각 소구간의 길이를 가로의 길이로 하고,
각 소구간의 오른쪽 끝에서의 함숫값을 세로의 길이로 하는 직사각형의 넓이의 합은

$$\frac{1}{n}\left(\frac{1}{n}\right)^2+\frac{1}{n}\left(\frac{2}{n}\right)^2+\cdots+\frac{1}{n}\left(\frac{n}{n}\right)^2=\frac{1}{n}\sum_{k=1}^{n}\left(\frac{k}{n}\right)^2$$

따라서 구하는 도형의 넓이 S는

$$S=\lim_{n\to\infty}\frac{1}{n}\sum_{k=1}^{n}\left(\frac{k}{n}\right)^2=\int_0^1x^2dx=\frac{1}{3}$$

2단계	닫힌구간 [0, 1]을 n등분할 때, 각 구간의 **왼쪽 끝점**의 x좌표와 그에 대응하는 y의 값을 차례로 구하여 직사각형의 넓이의 합을 이용하여 도형의 넓이 구하기	◀ 50%

각 소구간의 길이를 가로의 길이로 하고, 각 소구간의 왼쪽 끝에서의
함수값을 세로의 길이로 하는 직사각형의 넓이의 합은

$$\frac{1}{n}\left(\frac{1}{n}\right)^2+\frac{1}{n}\left(\frac{2}{n}\right)^2+\cdots+\frac{1}{n}\left(\frac{n-1}{n}\right)^2=\frac{1}{n}\sum_{k=1}^{n-1}\left(\frac{k}{n}\right)^2$$

따라서 구하는 도형의 넓이 S는

$$S=\lim_{n\to\infty}\frac{1}{n}\sum_{k=1}^{n-1}\left(\frac{k}{n}\right)^2$$
$$=\lim_{n\to\infty}\left\{\frac{1}{n}\sum_{k=1}^{n}\left(\frac{k}{n}\right)^2-\frac{1}{n}\times\left(\frac{n}{n}\right)^2\right\}$$
$$=\lim_{n\to\infty}\frac{1}{n}\sum_{k=1}^{n}\left(\frac{k}{n}\right)^2-\lim_{n\to\infty}\frac{1}{n}$$
$$=\int_0^1x^2dx$$
$$=\frac{1}{3}$$

MAPL; SYNERGY

02 적분법 모의평가

01	②	02	②	03	⑤	04	③	05	②
06	②	07	①	08	③	09	②	10	⑤
11	④	12	③	13	⑤	14	②	15	③
16	②	17	③	18	④	19	④	20	④

서술형

21	해설참조	22	해설참조
23	해설참조	24	해설참조

01

정답 ②

STEP A $1-x^2=t$로 치환하여 $f(x)$ 구하기

$1-x^2=t$로 놓으면 $-2xdx=dt$이므로

$$f(x)=\int\frac{x}{\sqrt{1-x^2}}dx=\int\frac{1}{\sqrt{t}}\cdot\left(-\frac{1}{2}\right)dt=-\frac{1}{2}\int t^{-\frac{1}{2}}dt$$
$$=-\frac{1}{2}\cdot 2t^{\frac{1}{2}}+C=-\sqrt{t}+C=-\sqrt{1-x^2}+C$$

STEP B $f(0)=0$을 이용하여 적분상수 구하기

이때 $f(0)=0$이므로 $C=1$

$\therefore\ f(x)=-\sqrt{1-x^2}+1$

STEP C 양수인 x의 값 구하기

$-\sqrt{1-x^2}+1=\frac{1}{2}$에서 $1-x^2=\frac{1}{4}$

따라서 양수 x는 $x=\frac{\sqrt{3}}{2}$

02

정답 ②

STEP A 함수 $f(x)$의 도함수 $f'(x)$ 구하기

$F'(x)=f(x)$이므로

$F(x)=xf(x)-x-\ln x$의 양변을 x에 대하여 미분하면

$f(x)=f(x)+xf'(x)-1-\frac{1}{x}$, 즉 $f'(x)=\frac{1}{x}+\frac{1}{x^2}$

STEP B 부정적분을 이용하여 $f(x)$ 구하기

$$f(x)=\int\left(\frac{1}{x}+\frac{1}{x^2}\right)dx=\ln|x|-\frac{1}{x}+C$$

STEP C $f(1)=3$을 만족하는 적분상수를 구한 후 $f(e^{-4})$의 값 구하기

이때 $f(1)=3$이므로 $-1+C=3$ $\quad\therefore C=4$

따라서 $f(x)=\ln|x|-\frac{1}{x}+4$이므로 $f(e^{-4})=-4-\frac{1}{e^{-4}}+4=-e^4$

03

정답 ⑤

STEP A 다항함수와 삼각함수의 곱인 부분적분을 이용하여 구하기

곡선 $y=f(x)$ 위의 임의의 점 $(x,\ y)$에서의 접선의 기울기가

$x\cos x$이므로 $f'(x)=x\cos x$

$u(x)=x,\ v'(x)=\cos x$로 놓으면 $u'(x)=1,\ v(x)=\sin x$이므로

$$f(x)=\int x\cos x dx=x\sin x-\int\sin x dx$$
$$=x\sin x+\cos x+C \text{ (단, } C\text{는 적분상수)}$$

STEP B $f(2\pi)-f(\pi)$의 값 구하기

따라서 $f(2\pi)-f(\pi)=(0+1+C)-(0-1+C)=2$

04

정답 ③

STEP A $\sin x=t$로 치환하여 정적분 계산하기

$\int_0^{\frac{\pi}{2}}(\sin^3 x+1)\cos x dx$에서

$\sin x=t$로 놓으면 $\cos x dx=dt$

$x=0$일 때, $t=0$이고 $x=\frac{\pi}{2}$일 때, $t=1$

따라서 $\int_0^{\frac{\pi}{2}}(\sin^3 x+1)\cos x dx=\int_0^1(t^3+1)tdt=\left[\frac{1}{4}t^4+t\right]_0^1=\frac{5}{4}$

05

정답 ②

STEP A $x^3=t$로 치환하여 정적분 계산하기

$x^3=t$로 놓으면 $3x^2dx=dt$이고

$x=0$일 때, $t=0$이고 $x=1$일 때, $t=1$

따라서 $\int_0^1 x^2e^{x^3}dx=\frac{1}{3}\int_0^1 e^t dt=\frac{1}{3}\left[e^t\right]_0^1=\frac{1}{3}(e-1)$

06

정답 ②

STEP A 조건 (가)를 만족하는 a의 값 구하기

$x=2\sin\theta\left(-\frac{\pi}{2}<\theta<\frac{\pi}{2}\right)$로 놓으면 $\frac{dx}{d\theta}=2\cos\theta$

$x=0$일 때, $\theta=0$이고 $x=1$일 때, $\theta=\frac{\pi}{6}$이므로

$$\int_0^1\frac{1}{\sqrt{4-x^2}}dx=\int_0^{\frac{\pi}{6}}\frac{1}{\sqrt{4-4\sin^2\theta}}\cdot 2\cos\theta d\theta$$
$$=\int_0^{\frac{\pi}{6}}\frac{1}{2\cos\theta}\cdot 2\cos\theta d\theta$$
$$=\int_0^{\frac{\pi}{6}}d\theta=\left[\theta\right]_0^{\frac{\pi}{6}}=\frac{\pi}{6}$$

STEP B 조건 (나)를 만족하는 b의 값 구하기

$x=3\tan\theta\left(-\frac{\pi}{2}<\theta<\frac{\pi}{2}\right)$로 놓으면 $\frac{dx}{d\theta}=3\sec^2\theta$

$x=0$일 때, $\theta=0$이고 $x=3$일 때, $\theta=\frac{\pi}{4}$이므로

$$\int_0^3\frac{4}{x^2+9}dx=\int_0^{\frac{\pi}{4}}\frac{4}{9\tan^2\theta+9}\cdot 3\sec^2\theta d\theta$$
$$=\int_0^{\frac{\pi}{4}}\frac{4}{9\sec^2\theta}\cdot 3\sec^2\theta d\theta$$
$$=\int_0^{\frac{\pi}{4}}\frac{4}{3}d\theta=\left[\frac{4}{3}\theta\right]_0^{\frac{\pi}{4}}=\frac{\pi}{3}$$

STEP C $a+b$의 값 구하기

따라서 $a+b=\frac{\pi}{6}+\frac{\pi}{3}=\frac{\pi}{2}$

07

정답 ①

STEP A 정적분의 성질을 이용하여 정리하기

$\int_{e}^{10} f(x)dx - \int_{1}^{10} f(x)dx + \int_{0}^{e} f(x)dx$

$= \left(\int_{e}^{10} f(x)dx + \int_{10}^{1} f(x)dx\right) + \int_{0}^{e} f(x)dx$

$= \int_{e}^{1} f(x)dx + \int_{0}^{e} f(x)dx$

$= \int_{0}^{1} f(x)dx$

STEP B 부분적분을 이용하여 정적분 구하기

이때 $u(x)=x$, $v'(x)=e^{-x}$로 놓으면 $u'(x)=1$, $v(x)=-e^{-x}$이므로

$\int_{0}^{1} f(x)dx = \int_{0}^{1} xe^{-x}dx = \Big[-xe^{-x}\Big]_{0}^{1} + \int_{0}^{1} e^{-x}dx$

$= -e^{-1} + \Big[-e^{-x}\Big]_{0}^{1} = -e^{-1} + (-e^{-1}+1)$

$= 1 - \frac{2}{e}$

08

정답 ③

STEP A $\ln x = t$로 치환하여 a_n 구하기

$\ln x = t$로 놓으면 $\frac{1}{x}dx = dt$

$x=1$일 때, $t=\ln 1=0$이고 $x=e$일 때, $t=\ln e=1$

$a_n = \int_{1}^{e} \frac{(\ln x)^n}{x}dx = \int_{0}^{1} t^n dt = \left[\frac{1}{n+1}t^{n+1}\right]_{0}^{1} = \frac{1}{n+1}$

STEP B 급수의 성질을 이용하여 구하기

따라서 $\sum_{n=1}^{\infty} a_n a_{n+1} = \sum_{n=1}^{\infty} \frac{1}{(n+1)(n+2)}$

$= \lim_{n\to\infty} \sum_{k=1}^{n} \left(\frac{1}{k+1} - \frac{1}{k+2}\right)$

$= \frac{1}{2} - \frac{1}{3} + \frac{1}{3} - \frac{1}{4} + \cdots + \frac{1}{n+1} - \frac{1}{n+2}$

$= \lim_{n\to\infty} \left(\frac{1}{2} - \frac{1}{n+2}\right) = \frac{1}{2}$

09

STEP A $\int_{0}^{\frac{\pi}{2}} f(x)\cos x dx$의 값이 상수임을 이용하여 $f(x)$의 식 정하기

$\int_{0}^{\frac{\pi}{2}} f(x)\cos x dx = k$ (k는 상수) …… ㉠

으로 놓으면 $f(x) = \sin x + 2k$ …… ㉡

STEP B k의 값을 구하여 $f(x)$ 작성하기

㉡을 ㉠에 대입하면

$\int_{0}^{\frac{\pi}{2}} f(t)\cos t dt = \int_{0}^{\frac{\pi}{2}} (\sin t + 2k)\cos t dt$

$= \int_{0}^{\frac{\pi}{2}} \left(\frac{1}{2}\sin 2t + 2k\cos t\right)dt$

$= \left[-\frac{1}{4}\cos 2t + 2k\sin t\right]_{0}^{\frac{\pi}{2}}$

$= \left(\frac{1}{4} + 2k\right) - \left(-\frac{1}{4}\right) = \frac{1}{2} + 2k$

즉 $\frac{1}{2} + 2k = k$이므로 $k = -\frac{1}{2}$

STEP C $f\left(\frac{\pi}{6}\right)$의 값 구하기

따라서 $f(x) = \sin x - 1$이므로 $f\left(\frac{\pi}{6}\right) = \frac{1}{2} - 1 = -\frac{1}{2}$

10

정답 ⑤

STEP A $\int_{a}^{a} f(x)dx = 0$임을 이용하여 $f(a)$의 값 구하기

$xf(x) = 3x + \int_{a}^{x} f(t)dt$의 양변에 $x = a\,(a > 0)$를 대입하면

$af(a) = 3a + \int_{a}^{a} f(t)dt = 3a$

$\therefore f(a) = 3$

STEP B 주어진 식의 양변을 x에 대하여 미분하여 $f'(x)$ 구하기

또한, $xf(x) = 3x + \int_{a}^{x} f(t)dt$의 양변을 x에 대하여 미분하면

$f(x) + xf'(x) = 3 + f(x)$

$xf'(x) = 3 \quad \therefore f'(x) = \frac{3}{x}$

STEP C $f'(x)$를 적분하여 적분상수를 구한 후 a의 값 구하기

$f(x) = \int \frac{3}{x}dx = 3\ln x + C$ (C는 적분상수)

이고 $f(1) = C = -3$이므로 $f(x) = 3\ln x - 3$

즉 $f(a) = 3\ln a - 3 = 3$에서 $\ln a = 2$이므로 $a = e^2$

11

STEP A 양변을 x에 대하여 미분하여 $f(x)$ 구하기

$\int_{0}^{x} f(t)dt = x + \int_{0}^{x} (x-t)f(t)dt$에서

$\int_{0}^{x} f(t)dt = x + x\int_{0}^{x} f(t)dt - \int_{0}^{x} tf(t)dt$

양변을 x에 대하여 미분하면

$f(x) = 1 + \int_{0}^{x} f(t)dt + xf(x) - xf(x)$

$f(x) = 1 + \int_{0}^{x} f(t)dt$ …… ㉠

STEP B 부정적분을 이용하여 $f(x)$ 구하기

또, 양변을 x에 대하여 미분하면 $f'(x) = f(x)$

$\frac{f'(x)}{f(x)} = 1$

양변을 x에 대하여 적분하면 $\int \frac{f'(x)}{f(x)}dx = \int dx$

$\ln f(x) = x + C \quad \therefore f(x) = e^{x+C}$

STEP C $f(\ln 3)$의 값 구하기

㉠에 $x=0$을 대입하면 $f(0)=1$이므로 $C=0$

$\therefore f(x) = e^x$

따라서 $f(\ln 3) = e^{\ln 3} = 3$

12

정답 ③

STEP Ⓐ **연속조건을 만족하는 k의 값 구하기**

함수 $f(x)$가 실수 전체의 집합에서 연속이므로 $x=\frac{\pi}{2}$에서 연속이다.

$\lim_{x\to\frac{\pi}{2}-}f(x)=\lim_{x\to\frac{\pi}{2}+}f(x)=f\left(\frac{\pi}{2}\right)$

$\lim_{x\to\frac{\pi}{2}-}\sin x=1$

$\lim_{x\to\frac{\pi}{2}+}(\cos x+k)=k$이므로 $k=1$

STEP Ⓑ **구간을 나누어 정적분 구하기**

따라서 $f(x)=\begin{cases}\sin x & \left(x<\frac{\pi}{2}\right)\\ \cos x+1 & \left(x\geq\frac{\pi}{2}\right)\end{cases}$이므로

$$\int_0^{\pi}f(x)dx=\int_0^{\frac{\pi}{2}}\sin x dx+\int_{\frac{\pi}{2}}^{\pi}(\cos x+1)dx$$
$$=\Big[-\cos x\Big]_0^{\frac{\pi}{2}}+\Big[\sin x+x\Big]_{\frac{\pi}{2}}^{\pi}=\frac{\pi}{2}$$

13

정답 ⑤

STEP Ⓐ **정적분과 미분계수의 정의를 이용하여 극한값 구하기**

$f(x)=x^2\ln x$의 부정적분 중의 하나를 $F(x)$로 놓으면

$$\lim_{x\to e}\frac{1}{x-e}\int_e^x t^2\ln t dt=\lim_{x\to e}\frac{F(x)-F(e)}{x-e}=F'(e)$$
$$=f(e)=e^2\ln e=e^2$$

14

정답 ②

STEP Ⓐ **정적분과 급수의 합 사이의 관계를 이용하여 구하기**

$$\lim_{n\to\infty}\frac{1}{n}\left\{\ln\left(1+\frac{1}{n}\right)+\ln\left(1+\frac{2}{n}\right)+\ln\left(1+\frac{3}{n}\right)+\cdots+\ln\left(1+\frac{n}{n}\right)\right\}$$
$$=\lim_{n\to\infty}\frac{1}{n}\sum_{k=1}^{n}\ln\left(1+\frac{k}{n}\right)$$
$$=\int_1^2\ln x dx$$

STEP Ⓑ **부분적분을 이용하여 값 구하기**

따라서 $\int_1^2\ln x dx=\Big[x\ln x\Big]_1^2-\int_1^2 dx=2\ln 2-1$

15

정답 ③

STEP Ⓐ **두 곡선의 교점의 x좌표를 구하고 위치를 비교하기**

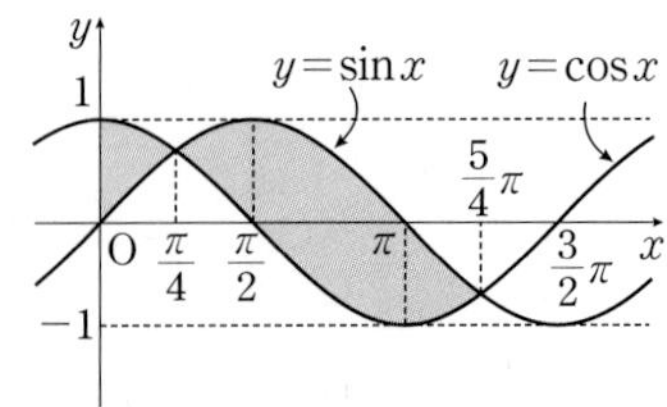

두 곡선 $y=\sin x$, $y=\cos x$의 교점의 x좌표는

$\sin x=\cos x$에서 $\tan x=1$

즉 $x=\frac{\pi}{4}$ 또는 $x=\frac{5}{4}\pi$

구간 $\left[0, \frac{\pi}{4}\right]$에서 $\sin x\leq\cos x$이고 구간 $\left[\frac{\pi}{4}, \pi\right]$에서 $\sin x\geq\cos x$

STEP Ⓑ **정적분을 이용하여 넓이 구하기**

따라서 구하는 넓이 S는

$$S=\int_0^{\pi}|\cos x-\sin x|dx$$
$$=\int_0^{\frac{\pi}{4}}(\cos x-\sin x)dx+\int_{\frac{\pi}{4}}^{\pi}(\sin x-\cos x)dx$$
$$=\Big[\sin x+\cos x\Big]_0^{\frac{\pi}{4}}+\Big[-\cos x-\sin x\Big]_{\frac{\pi}{4}}^{\pi}=2\sqrt{2}$$

16

정답 ②

STEP Ⓐ **점 $(1,\ e^3)$에서 그은 접선의 방정식 구하기**

$y=e^{2x+1}$에서 $y'=2e^{2x+1}$이므로

$x=1$에서의 접선의 기울기는 $2e^3$

점 $(1,\ e^3)$에서 접선의 방정식은

$y-e^3=2e^3(x-1)$

$\therefore\ y=2e^3x-e^3$

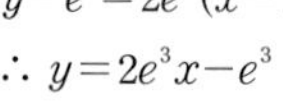

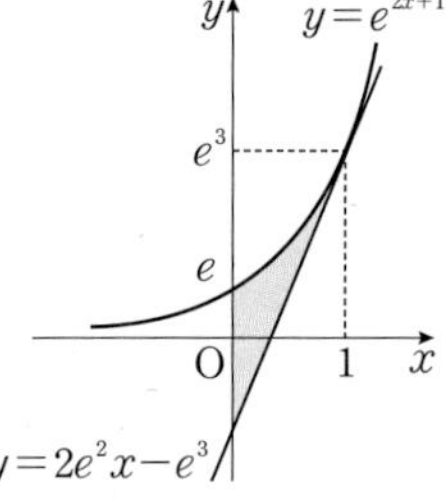

STEP Ⓑ **정적분을 이용하여 도형의 넓이 구하기**

따라서 구하는 넓이를 S라 하면

$$S=\int_0^1(e^{2x+1}-2e^3x+e^3)dx$$
$$=\left[\frac{1}{2}e^{2x+1}-e^3x^2+e^3x\right]_0^1$$
$$=\left(\frac{1}{2}e^3-e^3+e^3\right)-\left(\frac{1}{2}e-0+0\right)$$
$$=\frac{1}{2}(e^3-e)$$

17

정답 ③

STEP Ⓐ **입체도형의 부피의 식 작성하기**

밑면으로부터의 높이가 x인 단면의 넓이가 $S(x)=x\sqrt{16-x^2}$이므로

구하는 입체도형의 부피를 V라 하면

$$V=\int_0^4 x\sqrt{16-x^2}dx$$

STEP Ⓑ **치환적분을 이용하여 구하기**

이때 $16-x^2=t$로 놓으면 $-2xdx=dt$

$x=0$일 때, $t=16$이고 $x=4$일 때, $t=0$

따라서 $V=-\frac{1}{2}\int_{16}^{0}\sqrt{t}dx=\frac{1}{2}\int_0^{16}\sqrt{t}dt=\frac{1}{2}\left[\frac{2}{3}t\sqrt{t}\right]_0^{16}=\frac{64}{3}$

18

정답 ④

STEP A 단면의 넓이 $S(x)$ 구하기

$f(x)=x\sin 2x$라 하면

$f(-x)=-x\cdot\sin(-2x)=x\sin 2x=f(x)$이므로

함수 $f(x)$는 y축에 대하여 대칭인 함수이다.

곡선 $y=\sqrt{x\sin 2x}$ 위의 점 $\mathrm{P}(x,\ \sqrt{x\sin 2x})$에서 x축 위에 내린 수선의 발을 $\mathrm{Q}(x,\ 0)$라 하면 다음 그림에서 $\overline{\mathrm{PQ}}=\sqrt{x\sin 2x}$이므로

선분 PQ를 한 변으로 하는 정사각형의 넓이를 $S(x)$이라 하면

$S(x)=\overline{\mathrm{PQ}}^2=x\sin 2x$

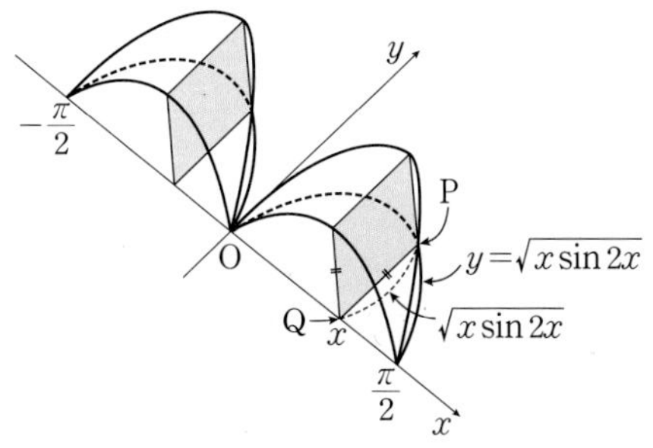

STEP B 단면의 넓이를 정적분하여 부피 구하기

따라서 구하는 입체도형의 부피 V는

$V=\int_{-\frac{\pi}{2}}^{\frac{\pi}{2}} S(x)dx=2\int_0^{\frac{\pi}{2}} x\sin 2x dx$

이때 $\int_0^{\frac{\pi}{2}} x\sin 2x dx=\left[x\left(-\frac{\cos 2x}{2}\right)\right]_0^{\frac{\pi}{2}}-\int_0^{\frac{\pi}{2}}\left(-\frac{\cos 2x}{2}\right)dx$

$=\frac{\pi}{4}+\left[\left(\frac{\sin 2x}{4}\right)\right]_0^{\frac{\pi}{2}}=\frac{\pi}{4}$

이므로 $V=2\cdot\frac{\pi}{4}=\frac{\pi}{2}$

19

정답 ④

STEP A 점 P의 속도 $\left(\frac{dx}{dt},\ \frac{dy}{dt}\right)$ 구하기

$x=\frac{1}{2}\left(t+\frac{1}{t}\right)$에서 $\frac{dx}{dt}=\frac{1}{2}\left(1-\frac{1}{t^2}\right)$

$y=\ln t$에서 $\frac{dy}{dt}=\frac{1}{t}$

STEP B 시각 $t=\frac{1}{2}$에서 $t=2$까지 점 P가 움직인 거리 구하기

따라서 시각 $t=\frac{1}{2}$에서 $t=2$까지 점 P가 움직인 거리 s는

$s=\int_{\frac{1}{2}}^{2}\sqrt{\frac{1}{4}\left(1-\frac{1}{t^2}\right)^2+\left(\frac{1}{t}\right)^2}\,dt$

$=\int_{\frac{1}{2}}^{2}\sqrt{\frac{1}{4}\left(\frac{1}{t^2}+1\right)^2}\,dt$

$=\frac{1}{2}\int_{\frac{1}{2}}^{2}\left(\frac{1}{t^2}+1\right)dt$

$=\frac{1}{2}\left[-\frac{1}{t}+t\right]_{\frac{1}{2}}^{2}$

$=\frac{3}{2}$

20

정답 ④

STEP A 속력이 처음으로 0이 되는 시각 구하기

$\frac{dx}{dt}=-3\cos^2 t\sin t,\ \frac{dy}{dt}=3\sin^2 t\cos t$이므로

점 P의 속도는 $(-3\cos^2 t\sin t,\ 3\sin^2 t\cos t)$이고

속력은 $\sqrt{(-3\cos^2 t\sin t)^2+(3\sin^2 t\cos t)^2}=3\sin t\cos t=\frac{3}{2}\sin 2t$

$0<t<2\pi$에서 속력이 처음으로 0이 되려면 $2t=\pi$

$\therefore\ t=\frac{\pi}{2}$

STEP B 치환적분을 이용하여 점 P가 움직인 거리 구하기

점 P의 시각 $t=0$에서 시각 $t=\frac{\pi}{2}$까지 움직인 거리는

$\int_0^{\frac{\pi}{2}}\sqrt{(-3\cos^2 t\sin t)^2+(3\sin^2 t\cos t)^2}\,dt=\int_0^{\frac{\pi}{2}}3\sin t\cos t dt$

$\sin t=u$로 놓으면 $\cos t dt=du$

$t=0$일 때, $u=0$이고 $t=\frac{\pi}{2}$일 때, $u=1$

따라서 $\int_0^{\frac{\pi}{2}}3\sin t\cos t dt=\int_0^1 3u du=\frac{3}{2}\left[u^2\right]_0^1=\frac{3}{2}$

서 술 형

21

정답 해설참조

1단계 $F(x)=xf(x)-x^2\sin x$의 양변을 x에 대하여 미분하여 도함수 $f'(x)$를 구한다. ◀ 30%

$F(x)=xf(x)-x^2\sin x$의 양변을 x에 대하여 미분하면

$f(x)=f(x)+xf'(x)-2x\sin x-x^2\cos x$

$f'(x)=2\sin x+x\cos x$

2단계 부분적분을 이용하여 $f(x)$를 구한다. ◀ 30%

$f(x)=\int(2\sin x+x\cos x)dx$

$=-2\cos x+x\sin x-\int\sin x dx$

$=-2\cos x+x\sin x+\cos x+C$ (단, C는 적분상수)

$=-\cos x+x\sin x+C$

3단계 $F\left(\frac{\pi}{2}\right)=-\frac{\pi}{2}$를 이용하여 $f(x)$의 적분상수를 구한다. ◀ 20%

$F\left(\frac{\pi}{2}\right)=\frac{\pi}{2}f\left(\frac{\pi}{2}\right)-\frac{\pi^2}{4}=-\frac{\pi}{2}$에서 $f\left(\frac{\pi}{2}\right)=\frac{\pi}{2}-1$이므로

$\frac{\pi}{2}+C=\frac{\pi}{2}-1\quad\therefore\ C=-1$

4단계 $f(\pi)$의 값을 구한다. ◀ 20%

따라서 $f(x)=-\cos x+x\sin x-1$이므로 $f(\pi)=0$

22

정답 해설참조

1단계 양변을 x에 대하여 미분하여 $f'(x)$를 구한다. ◀ 30%

$xf(x)=x^2e^x+\int_1^x f(t)dt$ …… ㉠

㉠의 양변을 x에 대하여 미분하면

$f(x)+xf'(x)=2xe^x+x^2e^x+f(x)$

$\therefore f'(x)=2e^x+xe^x=(x+2)e^x$

2단계 부분적분을 이용하여 $f(x)$를 적분상수로 나타낸다. ◀ 30%

$f(x)=\int(x+2)e^x dx$에서

$u(x)=x+2,\ v'(x)=e^x$으로 놓으면 $u'(x)=1,\ v(x)=e^x$이므로

$f(x)=\int(x+2)e^x dx=(x+2)e^x-\int e^x dx$

$=(x+2)e^x-e^x+C=(x+1)e^x+C$ (단, C는 적분상수)

3단계 $f(1)$의 값을 구한다. ◀ 20%

㉠의 양변에 $x=1$을 대입하면 $f(1)=e$

4단계 적분상수를 결정하여 $f(-1)$의 값을 구한다. ◀ 20%

$f(1)=e$에서 $2e+C=e$이므로 $C=-e$

따라서 $f(x)=(x+1)e^x-e$이므로 $f(-1)=-e$

23

정답 해설참조

1단계 삼각형 ABP_k의 넓이 S_k를 구한다. ◀ 40%

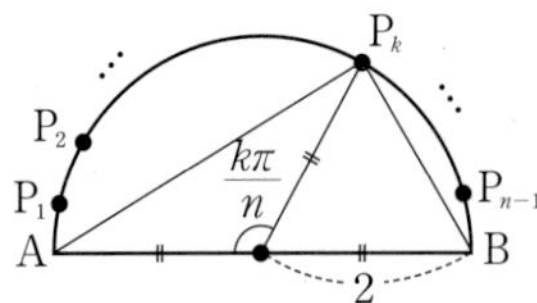

반원의 호 AB를 n등분한 점들이 P_k이므로 $\angle \mathrm{P}_k\mathrm{OA}=\frac{k}{n}\pi$

삼각형 ABP_k의 넓이 S_k는

$S_k=(\triangle \mathrm{P}_k\mathrm{OA}$의 넓이$)+(\triangle \mathrm{P}_k\mathrm{OB}$의 넓이$)$

$=\frac{1}{2}\cdot2\cdot2\cdot\sin\frac{k}{n}\pi+\frac{1}{2}\cdot2\cdot2\cdot\sin\left(\pi-\frac{k}{n}\pi\right)$

$=4\sin\frac{k}{n}\pi$

참고 **삼각형 ABP_k의 넓이 S_k 구하기**

$S_k=\frac{1}{2}\overline{\mathrm{AB}}\times\sin\frac{k}{n}\pi=4\sin\frac{k}{n}\pi$

$S_k=\frac{1}{2}\times\overline{\mathrm{AP}_k}\times\overline{\mathrm{BP}_k}=8\sin\frac{k\pi}{2n}\cos\frac{k\pi}{2n}$

2단계 정적분과 급수의 합을 이용하여 정적분으로 나타낸다. ◀ 30%

$\lim_{n\to\infty}\frac{1}{n}\sum_{k=1}^{n-1}S_k=\lim_{n\to\infty}\frac{1}{n}\sum_{k=1}^{n-1}4\sin\frac{k}{n}\pi=\lim_{n\to\infty}\sum_{k=1}^{n-1}4\sin\frac{k}{n}\pi\cdot\frac{1}{n}$

이때 $f(x)=\sin\pi x,\ a=0,\ b=1$이라고 하면

$\triangle x=\frac{1-0}{n},\ x_k=0+k\cdot\frac{1}{n}$이므로

$\lim_{n\to\infty}\frac{1}{n}\sum_{k=1}^{n-1}S_k=4\int_0^1\sin\pi x dx$

3단계 $\lim_{n\to\infty}\frac{1}{n}\sum_{k=1}^{n-1}S_k$의 값을 구한다. ◀ 30%

따라서 $4\int_0^1\sin\pi x dx=\frac{4}{\pi}\Big[-\cos\pi x\Big]_0^1=\frac{4}{\pi}(1+1)=\frac{8}{\pi}$

24

정답 해설참조

1단계 원점에서 $x(1\le x\le4)$ 만큼 떨어진 x축에 수직인 평면으로 자른 단면의 넓이 $S(x)$를 구한다. ◀ 40%

x좌표가 $x(1\le x\le4)$인 점을 지나고 x축에 수직인 평면으로 자른 단면은 한 변의 길이가 $\frac{1}{x}e^{\frac{1}{x}}$인 정사각형으로 단면의 넓이를 $S(x)$라 하면

$S(x)=\left(\frac{1}{x}e^{\frac{1}{x}}\right)^2=\frac{1}{x^2}e^{\frac{2}{x}}$

2단계 $1\le x\le4$에서 입체도형의 부피 V를 정적분으로 나타낸다. ◀ 20%

구하는 입체도형의 부피를 V라 하면

$V=\int_1^4 S(x)dx=\int_1^4\frac{1}{x^2}e^{\frac{2}{x}}dx$

3단계 치환적분을 이용하면 부피를 구한다. ◀ 40%

$\frac{1}{x}=t$라 하면 $\frac{dt}{dx}=-\frac{1}{x^2}$이고

$x=1$일 때, $t=1$이고 $x=4$일 때, $t=\frac{1}{4}$

따라서 $V=\int_1^{\frac{1}{4}}(-e^{2t})dt=\int_{\frac{1}{4}}^1 e^{2t}dt$

$=\left[\frac{1}{2}e^{2t}\right]_{\frac{1}{4}}^1=\frac{1}{2}e^2-\frac{1}{2}\sqrt{e}$

$=\frac{e^2-\sqrt{e}}{2}$

MAPL; SYNERGY

03 적분법 모의평가

01	④	02	④	03	④	04	④	05	③
06	⑤	07	⑤	08	①	09	③	10	④
11	③	12	④	13	③	14	③	15	①
16	③	17	②	18	①	19	④	20	⑤

서술형

21	해설참조	22	해설참조
23	해설참조	24	해설참조

01

 ④

STEP A 로그함수의 부분적분을 이용하여 $f(x)$구하기

$f'(x)=x\ln x$이므로 $u(x)=\ln x$, $v'(x)=x$로 놓으면

$u'(x)=\frac{1}{x}$, $v(x)=\frac{1}{2}x^2$

$$f(x)=\int f'(x)dx=\int x\ln x dx=(\ln x)\cdot\frac{x^2}{2}-\int\left(\frac{1}{x}\cdot\frac{x^2}{2}\right)dx$$
$$=\frac{x^2}{2}\ln x-\frac{1}{2}\int x dx$$
$$=\frac{x^2}{2}\ln x-\frac{1}{4}x^2+C \text{ (단, } C\text{는 적분상수)}$$

STEP B $f(1)=\frac{1}{4}$임을 이용하여 적분상수 구하기

이때 $f(1)=\frac{1}{4}$이므로 $-\frac{1}{4}+C=\frac{1}{4}$ $\quad\therefore C=\frac{1}{2}$

STEP C $f(e)$의 값 구하기

따라서 $f(x)=\frac{x^2}{2}\ln x-\frac{1}{4}x^2+\frac{1}{2}$이므로 $f(e)=\frac{e^2}{2}-\frac{e^2}{4}+\frac{1}{2}=\frac{e^2}{4}+\frac{1}{2}$

02

 ④

STEP A 삼각함수의 부정적분을 이용하여 $f(x)$ 구하기

$$f(x)=\int f'(x)dx=\int(\sin 2x-\sin x)dx$$
$$=-\frac{1}{2}\cos 2x+\cos x+C$$

STEP B $f(x)$의 증감표를 작성하여 적분상수 구하기

$$f'(x)=\sin 2x-\sin x=2\sin x\cos x-\sin x$$
$$=\sin x(2\cos x-1)$$

이므로 $f'(x)=0$에서 $x=\frac{\pi}{3}$ 또는 $x=\pi$ 또는 $x=\frac{5}{3}\pi$

함수 $f(x)$의 증가와 감소를 표로 나타내면 다음과 같다.

x	(0)	$\cdots$	$\frac{\pi}{3}$	$\cdots$	π	$\cdots$	$\frac{5}{3}\pi$	$\cdots$	(2π)
$f'(x)$		$+$	0	$-$	0	$+$	0	$-$	
$f(x)$		↗	극대	↘	극소	↗	극대	↘	

$f(x)$는 $x=\pi$에서 극소이고 극솟값이 -1이므로

$f(\pi)=-\frac{1}{2}-1+C=-1$ $\quad\therefore C=\frac{1}{2}$

STEP C $f(x)$의 극댓값 구하기

따라서 $f(x)=-\frac{1}{2}\cos 2x+\cos x+\frac{1}{2}$이므로 $f(x)$의 극댓값은

$f\left(\frac{\pi}{3}\right)=f\left(\frac{5}{3}\pi\right)=\frac{5}{4}$

03

 ④

STEP A $1+\tan^2 x=\sec^2 x$임을 이용하여 $f(x)$ 구하기

$1+\tan^2 x=\sec^2 x$이므로

$$f(x)=\int(\tan x+\tan^2 x+\tan^3 x)dx$$
$$=\int\tan^2 x dx+\int(\tan x+\tan^3 x)dx$$
$$=\int(\sec^2 x-1)dx+\int\tan x(1+\tan^2 x)dx$$
$$=\tan x-x+\int\tan x\sec^2 x dx$$

STEP B $\tan x=t$로 치환하여 부정적분하기

$\int\tan x\sec^2 x dx$에서 $\tan x=t$로 놓으면

$\frac{dt}{dx}=\sec^2 x$, 즉 $\sec^2 x dx=dt$

$\int\tan x\sec^2 x dx=\int t dt=\frac{1}{2}t^2+C$ (단, C는 적분상수)

STEP C $f(0)=\frac{\pi}{4}$를 이용하여 적분상수를 구하여 $f\left(\frac{\pi}{4}\right)$ 구하기

이때 $f(x)=\tan x-x+\frac{1}{2}\tan^2 x+C$이고

$f(0)=\frac{\pi}{4}$이므로 $f(0)=C=\frac{\pi}{4}$

따라서 $f(x)=\tan x-x+\frac{1}{2}\tan^2 x+\frac{\pi}{4}$이므로 $f\left(\frac{\pi}{4}\right)=1-\frac{\pi}{4}+\frac{1}{2}+\frac{\pi}{4}=\frac{3}{2}$

04

 ④

STEP A 부분적분을 이용하여 $f(x)$ 구하기

$f'(x)=e^x\sin x$에서

$$f(x)=\int e^x\sin x dx=e^x\sin x-\int e^x\cos x dx$$
$$=e^x\sin x-e^x\cos x-\int e^x\sin x dx$$

위 식을 이항하여 정리하면

$2\int e^x\sin x dx=e^x(\sin x-\cos x)+C$

$\therefore \int e^x\sin x dx=\frac{1}{2}e^x(\sin x-\cos x)+C$

즉 $f(x)=\frac{1}{2}e^x(\sin x-\cos x)+C$

STEP B $f(0)=-\frac{1}{2}$을 이용하여 적분상수 구하기

$f(0)=-\frac{1}{2}+C=-\frac{1}{2}$에서 $C=0$

STEP C $f(\pi)$의 값 구하기

따라서 $f(x)=\frac{1}{2}e^x(\sin x-\cos x)$이므로 $f(\pi)=\frac{1}{2}e^{\pi}$

05

 ③

STEP A 부분적분을 이용하여 $f(x)$ 구하기

곡선 $y=f(x)$ 위의 점 $(x, f(x))$에서의 접선의 기울기는

$f'(x)=(2-x^2)e^x$이므로 $f(x)=\int(2-x^2)e^x dx$에서

$u(x)=2-x^2$, $v'(x)=e^x$으로 놓으면 $u'(x)=-2x$, $v(x)=e^x$

$$f(x)=\int(2-x^2)e^x dx=(2-x^2)e^x-\int(-2x)e^x dx$$
$$=(2-x^2)e^x+2\int xe^x dx \qquad \cdots\cdots \text{㉠}$$

이때 $\int xe^x dx$에서 부분적분법을 한 번 적용하면

$\int xe^x dx = xe^x - \int e^x dx = xe^x - e^x + C_1$ ······ ㉡

㉡을 ㉠에 대입하면

$f(x) = (2-x^2)e^x + 2(xe^x - e^x + C_1)$

$\quad = e^x(-x^2+2x) + C \ (\because 2C_1 = C)$

STEP Ⓑ $f(1)=e$를 이용하여 적분상수 구하기

이 곡선이 $(1, e)$를 지나므로 $f(1) = e + C = e \quad \therefore C = 0$

STEP Ⓒ $f(2)$의 값 구하기

따라서 $f(x) = e^x(-x^2+2x)$이므로 $f(2) = 0$

06

정답 ⑤

STEP Ⓐ 정적분의 성질과 치환적분을 이용하여 나타내기

$f(x) + f(-x) = \cos\frac{x}{4}$에서

$\int_{-\pi}^{\pi}\{f(x)+f(-x)\} = \int_{-\pi}^{\pi}\cos\frac{x}{4}dx$

$\int_{-\pi}^{\pi}f(x)dx + \int_{-\pi}^{\pi}f(-x)dx = 2\int_0^{\pi}\cos\frac{x}{4}dx$

이때 $-x=t$로 놓으면 $-dx=dt$

$x=-\pi$일 때, $t=\pi$이고 $x=\pi$일 때, $t=-\pi$이므로

$\int_{-\pi}^{\pi}f(x)dx = \int_{-\pi}^{\pi}f(-x)dx$, $2\int_{-\pi}^{\pi}f(x)dx = 2\int_0^{\pi}\cos\frac{x}{4}dx$

STEP Ⓑ $\int_{-\pi}^{\pi}f(x)dx$의 값 구하기

따라서 $\int_{-\pi}^{\pi}f(x)dx = \int_0^{\pi}\cos\frac{x}{4}dx = \left[4\sin\frac{x}{4}\right]_0^{\pi} = 2\sqrt{2}$

다른풀이 치환적분을 이용하여 계산하기

$\int_{-\pi}^{\pi}f(x)dx = \int_{-\pi}^{0}f(x)dx + \int_0^{\pi}f(x)dx$

이때 $\int_{-\pi}^{0}f(x)dx$에서 $x=-t$로 놓으면 $dx=-dt$이고

$x=-\pi$일 때, $t=\pi$이고 $x=0$일 때, $t=0$이므로

$\int_{-\pi}^{0}f(x)dx = -\int_{\pi}^{0}f(-t)dt = \int_0^{\pi}f(-x)dx$

따라서 $\int_{-\pi}^{\pi}f(x)dx = \int_0^{\pi}f(-x)dx + \int_0^{\pi}f(x)dx$

$\quad = \int_0^{\pi}\{f(-x)+f(x)\}dx$

$\quad = \int_0^{\pi}\cos\frac{x}{4}dx$

$\quad = \left[4\sin\frac{x}{4}\right]_0^{\pi} = 2\sqrt{2}$

07

정답 ⑤

STEP Ⓐ $\sin x = t$로 치환하여 치환적분을 이용하여 구하기

$\int_0^{\frac{\pi}{2}}\cos^3 x dx = \int_0^{\frac{\pi}{2}}(1-\sin^2 x)\cos x dx$

$\sin x = t$로 놓으면 $\frac{dt}{dx} = \cos x$

따라서 $x=0$일 때 $t=0$, $x=\frac{\pi}{2}$일 때 $t=1$이므로

$\int_0^{\frac{\pi}{2}}(1-\sin^2 x)\cos x dx = \int_0^1(1-t^2)dt = \left[t - \frac{1}{3}t^3\right]_0^1 = \frac{2}{3}$

08

정답 ①

STEP Ⓐ $2+\ln x = t$로 치환하여 정적분 계산하기

$2+\ln x = t$로 놓으면 $\frac{1}{x}dx = dt$

$x=1$일 때, $t=2$이고 $x=e^2$일 때, $t=4$

따라서 $\int_2^{e^2}\frac{2}{x(1+\ln x)^2}dx = \int_2^4\frac{2}{t^2}dt = \left[-\frac{2}{t}\right]_2^4 = \frac{1}{2}$

09

정답 ③

STEP Ⓐ $x = a\tan\theta$로 치환하여 정적분 계산하기

$x = a\tan\theta\left(-\frac{\pi}{2} < \theta < \frac{\pi}{2}\right)$로 놓으면 $a\sec^2\theta d\theta = dx$

$x=-a$일 때, $\theta = -\frac{\pi}{4}$이고 $x=a$일 때, $\theta = \frac{\pi}{4}$

$\int_{-a}^{a}\frac{1}{a^2+x^2}dx = \int_{-\frac{\pi}{4}}^{\frac{\pi}{4}}\frac{1}{a^2+a^2\tan^2\theta}\cdot a\sec^2\theta d\theta$

$\quad = \int_{-\frac{\pi}{4}}^{\frac{\pi}{4}}\frac{1}{a^2\sec^2\theta}\cdot a\sec^2\theta d\theta$

$\quad = \left[\frac{1}{a}\theta\right]_{-\frac{\pi}{4}}^{\frac{\pi}{4}} = \frac{\pi}{2a}$

따라서 $\frac{\pi}{2a} = \frac{\pi}{6}$이므로 $a=3$

10

정답 ④

STEP Ⓐ $\mathrm{I}_n = \int_0^1 x^n e^x dx$이면 $\mathrm{I}_n = e - n\mathrm{I}_{n-1}$ (단, $n=2, 3, 4, \cdots$)임을 보이기

$\mathrm{I}_n = \int_0^1 x^n e^x dx$에서 $f(x) = x^n$, $g'(x) = e^x$으로 놓으면

$f'(x) = nx^{n-1}$, $g(x) = e^x$

부분적분법에 의하여

$\mathrm{I}_n = \left[x^n e^x\right]_0^1 - \int_0^1 nx^{n-1}e^x dx = e - n\int_0^1 x^{n-1}e^x dx$

$\quad = e - n\mathrm{I}_{n-1} \ (n=2, 3, 4, \cdots)$

STEP Ⓑ $10\mathrm{I}_4 + 2\mathrm{I}_5$의 값 구하기

이때 $\mathrm{I}_{n-1} = \int_0^1 x^{n-1}e^x dx$이므로 $\mathrm{I}_n = e - n\mathrm{I}_{n-1}$

따라서 $\mathrm{I}_5 = e - 5\mathrm{I}_4$이므로 $10\mathrm{I}_4 + 2\mathrm{I}_5 = 2e$

11

정답 ③

STEP Ⓐ 우함수의 성질을 이용하여 정적분 계산하기

$\int_{-1}^{1}f(x)dx = \int_{-1}^{1}\frac{1}{2}(e^x + e^{-x})dx$

$\quad = 2\int_0^1\frac{1}{2}(e^x+e^{-x})dx$ ⇐ $f(-x)=f(x)$이므로 우함수

$\quad = \left[e^x - e^{-x}\right]_0^1 = e - \frac{1}{e}$

STEP Ⓑ 조건을 만족하는 정적분 계산하기

한편 $f(x-1) = f(x+1)$, 즉 $f(x) = f(x+2)$에서 $f(x)$는 주기함수이므로

$\int_{-1}^{1}f(x)dx = \int_1^3 f(x)dx = \cdots = \int_9^{11}f(x)dx$

따라서 $\int_{-1}^{11}f(x)dx = 6\int_{-1}^{1}f(x)dx = 6\left(e - \frac{1}{e}\right)$

12

정답 ④

STEP A $\int_0^2 f(x)g'(x)dx=1$의 부분적분을 이용하기

$g(x)=x$에서 $g(2)=2,\ g(0)=0$

$$\int_0^2 f(x)g'(x)dx=\Big[f(x)g(x)\Big]_0^2-\int_0^2 f'(x)g(x)dx$$
$$=f(2)g(2)-f(0)g(0)-\int_0^2 \frac{x}{x(x+3)^2}dx$$
$$=2f(2)-\int_0^2 \frac{1}{(x+3)^2}dx \quad \cdots\cdots ㉠$$

STEP B 치환적분을 이용하여 $f(2)$의 값 구하기

$\int_0^2 \frac{1}{(x+3)^2}dx$에서 $x+3=t$로 놓으면 $dx=dt$

$x=0$일 때, $t=3$이고 $x=2$일 때, $t=5$이므로

$$\int_0^2 \frac{1}{(x+3)^2}dx=\int_3^5 \frac{1}{t^2}dt=\Big[-\frac{1}{t}\Big]_3^5=-\Big(\frac{1}{5}-\frac{1}{3}\Big)=\frac{2}{15}$$

㉠에서 $\int_0^2 f(x)g'(x)dx=2f(2)-\frac{2}{15}$

이때 $2f(2)-\frac{2}{15}=1$이므로 $f(2)=\frac{17}{30}$

따라서 $p=17,\ q=30$이므로 $p+q=47$

13

③

STEP A $\int_0^0 f(t)dt=0$을 이용하여 a의 값 구하기

$$\int_0^x f(t)dt=(\sin x-2\cos x)^2+a \quad \cdots\cdots ㉠$$

㉠의 양변에 $x=0$을 대입하면

$0=(0-2)^2+a=4+a \quad \therefore a=-4$

STEP B 양변을 미분하여 $f(x)$구하기

㉠의 양변을 x에 대하여 미분하면

$f(x)=2(\sin x-2\cos x)(\cos x+2\sin x)$

STEP C $f(a\pi)$의 값 구하기

따라서 $f(a\pi)=f(-4\pi)=2(0-2)\times(1+0)=-4$

14

③

STEP A 정적분과 급수의 합을 이용하여 빈칸추론하기

$1^4+2^4+3^4+\cdots+n^4=\sum_{k=1}^{n}k^4$이고 $k^4\times\frac{1}{n^4}=\Big(\frac{k}{n}\Big)^4$이므로

$$\lim_{n\to\infty}\frac{1}{n^5}(1^4+2^4+3^4+\cdots+n^4)=\lim_{n\to\infty}\frac{1}{n^5}\sum_{k=1}^{n}\boxed{k^4}$$
$$=\lim_{n\to\infty}\sum_{k=1}^{n}\Big(\frac{k}{n}\Big)^4\frac{1}{n}$$

이때 $f(x)=x^4,\ a=0,\ b=1$이라 하고

$\Delta x=\frac{b-a}{n}=\frac{1}{n},\ x_k=a+k\Delta x=\boxed{\frac{k}{n}}$라 하면

정적분과 급수의 합 사이의 관계에 의하여

$$\lim_{n\to\infty}\frac{1}{n^5}\sum_{k=1}^{n}\boxed{k^4}=\lim_{n\to\infty}\sum_{k=1}^{n}\Big(\frac{k}{n}\Big)^4\frac{1}{n}=\lim_{n\to\infty}\sum_{k=1}^{n}f(x_k)\Delta x$$
$$=\int_0^1 f(x)dx=\int_0^1 x^4dx$$
$$=\Big[\frac{1}{5}x^5\Big]_0^1=\boxed{\frac{1}{5}}$$

따라서 (가) k^4, (나) $\frac{k}{n}$, (다) $\frac{1}{5}$

15

정답 ①

STEP A 미분계수의 정의를 이용하여 구하기

함수 $f(t)=\sqrt{t+1}\ln t$의 한 부정적분을 $F(t)$라 하면

$$\lim_{x\to2}\frac{1}{x^2-4}\int_2^x f(t)dt=\lim_{x\to2}\frac{1}{x^2-4}\Big[F(t)\Big]_2^x$$
$$=\lim_{x\to2}\Big\{\frac{F(x)-F(2)}{x-2}\times\frac{1}{x+2}\Big\}$$
$$=\frac{1}{4}F'(2)=\frac{1}{4}f(2)$$
$$=\frac{1}{4}\times\sqrt{3}\times\ln 2$$
$$=\frac{\sqrt{3}}{4}\ln 2$$

16

③

STEP A 정적분과 급수의 합 사이의 관계를 이용하여 구하기

조건 (가)에서

$$\lim_{n\to\infty}\frac{\pi^2}{n^2}\Big(\cos\frac{\pi}{n}+2\cos\frac{2\pi}{n}+3\cos\frac{3\pi}{n}+\cdots+n\cos\frac{n\pi}{n}\Big)$$
$$=\lim_{n\to\infty}\sum_{k=1}^{n}k\Big\{\cos\frac{k\pi}{n}\Big\}\frac{\pi^2}{n^2}$$
$$=\lim_{n\to\infty}\sum_{k=1}^{n}\frac{k\pi}{n}\Big\{\cos\frac{k\pi}{n}\Big\}\frac{\pi}{n}$$
$$=\int_0^\pi x\cos x dx$$
$$=\Big[x\sin x+\cos x\Big]_0^\pi$$
$$=-2$$

STEP B 부분적분을 이용하여 정적분 계산하기

조건 (나)에서

$$\lim_{n\to\infty}\frac{\pi}{n^2}\Big(\sin\frac{\pi}{n}+2\sin\frac{2\pi}{n}+3\sin\frac{3\pi}{n}+\cdots+n\sin\frac{n\pi}{n}\Big)$$
$$=\lim_{n\to\infty}\sum_{k=1}^{n}\Big(k\sin\frac{k\pi}{n}\Big)\frac{\pi}{n^2}$$
$$=\lim_{n\to\infty}\sum_{k=1}^{n}\frac{k\pi}{n}\sin\frac{k\pi}{n}\cdot\frac{\pi}{n}\cdot\frac{1}{\pi}$$
$$=\frac{1}{\pi}\lim_{n\to\infty}\sum_{k=1}^{n}\frac{k\pi}{n}\sin\frac{k\pi}{n}\cdot\frac{\pi}{n}$$
$$=\frac{1}{\pi}\int_0^\pi x\sin x dx$$
$$=\frac{1}{\pi}\Big[-x\cos x+\sin x\Big]_0^\pi$$
$$=1$$

따라서 $a=-2,\ b=1$이므로 $a+b=-1$

17

정답 ②

STEP Ⓐ 두 곡선의 x좌표를 구하고 위치를 비교하기

곡선 $y=\ln x$와 x축의 교점의 x좌표는 1이고

닫힌구간 $[1, \sqrt{e}]$에서 $\frac{1}{2e}x^2 \ge \ln x$

STEP Ⓑ x축으로 둘러싸인 두 곡선 사이의 넓이 구하기

구하는 넓이를 S라 하면

$$S=\int_0^{\sqrt{e}} \frac{1}{2e}x^2dx-\int_1^{\sqrt{e}} \ln x dx$$

따라서 $f(x)=\ln x$, $g'(x)=1$이라 하면 $f'(x)=\frac{1}{x}$, $g(x)=x$이므로

$$S=\int_0^{\sqrt{e}} \frac{1}{2e}x^2dx-\int_1^{\sqrt{e}} \ln x dx$$
$$=\left[\frac{1}{6e}x^3\right]_0^{\sqrt{e}}-\left[x\ln x\right]_1^{\sqrt{e}}+\int_1^{\sqrt{e}}\left(x\cdot\frac{1}{x}\right)dx$$
$$=\frac{\sqrt{e}}{6}-(\sqrt{e}\ln\sqrt{e}-0)+\int_1^{\sqrt{e}}1dx$$
$$=\frac{\sqrt{e}}{6}-\frac{\sqrt{e}}{2}+\left[x\right]_1^{\sqrt{e}}$$
$$=-\frac{\sqrt{e}}{3}+(\sqrt{e}-1)$$
$$=\frac{2\sqrt{e}}{3}-1$$

18

STEP Ⓐ 원점을 지나는 접선의 방정식 구하기

$f(x)=x\sin x$에서 $f'(x)=\sin x+x\cos x$이므로

점 $\mathrm{P}(t, t\sin t)(0<t<\pi)$라 하면 접선 l의 기울기는

$f'(t)=\sin t+t\cos t$

그런데 접선 l의 기울기는 원점 O와 점 $\mathrm{P}(t, t\sin t)$를 지나는 직선의

기울기와 같으므로 $\sin t+t\cos t=\frac{t\sin t}{t}$, $t\cos t=0$

즉 $t=\frac{\pi}{2}$이므로 $\mathrm{P}\left(\frac{\pi}{2}, \frac{\pi}{2}\right)$이고 접선 l의 방정식은 $y=x$

STEP Ⓑ 접선 l과 함수 $f(x)=x\sin x$의 그래프로 둘러싸인 부분의 넓이 구하기

그런데 $x\ge 0$에서

$x-x\sin x=x(1-\sin x)\ge 0$이므로

구하는 넓이 S는

$$S=\int_0^{\frac{\pi}{2}}(x-x\sin x)dx$$
$$=\int_0^{\frac{\pi}{2}}xdx-\int_0^{\frac{\pi}{2}}x\sin xdx$$
$$=\left[\frac{1}{2}x^2\right]_0^{\frac{\pi}{2}}-\int_0^{\frac{\pi}{2}}x\sin xdx$$
$$=\frac{\pi^2}{8}-\int_0^{\frac{\pi}{2}}x\sin xdx$$

이때 $u(x)=x$, $v'(x)=\sin x$라 하면

$u'(x)=1$, $v(x)=-\cos x$이므로

$$\int_0^{\frac{\pi}{2}}x\sin xdx=\left[-x\cos x\right]_0^{\frac{\pi}{2}}+\int_0^{\frac{\pi}{2}}\cos xdx=\left[\sin x\right]_0^{\frac{\pi}{2}}=1$$

따라서 $\int_0^{\frac{\pi}{2}}(x-x\sin x)dx=\frac{\pi^2}{8}-\int_0^{\frac{\pi}{2}}x\sin xdx=\frac{\pi^2}{8}-1=\frac{\pi^2-8}{8}$

19

정답 ④

STEP Ⓐ 단면의 넓이 $S(x)$ 구하기

다음 그림과 같이 밑면인 원을 직선 AB는 x축, 선분 AB의 수직이등분선은 y축이 되도록 좌표평면 위에 놓자.

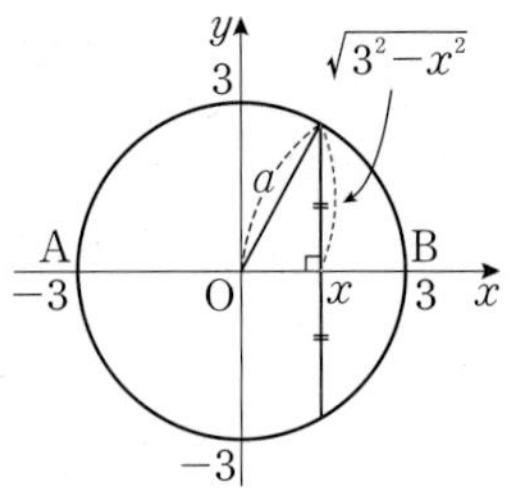

입체도형을 x축에 수직인 평면으로 자른 단면은 원의 중심에서의 거리가 x인 x축에 수직인 평면으로 자른 현의 길이가 $2\sqrt{3^2-x^2}$인 정삼각형이므로

단면의 넓이를 $S(x)$라 하면

$$S(x)=\frac{\sqrt{3}}{4}(2\sqrt{3^2-x^2})^2=\sqrt{3}(9-x^2)$$

STEP Ⓑ 단면의 넓이를 정적분하여 부피 구하기

따라서 구하는 입체도형의 부피 V는

$$V=\int_{-3}^{3}S(x)dx=2\int_0^3\sqrt{3}(9-x^2)dx$$
$$=2\sqrt{3}\int_0^3(9-x^2)dx$$
$$=2\sqrt{3}\left[9x-\frac{1}{3}x^3\right]_0^3$$
$$=36\sqrt{3}$$

20

STEP Ⓐ 점 P의 속력이 3일 때, t의 값 구하기

$$\frac{dx}{dt}=\cos t-\cos t+t\sin t=t\sin t$$
$$\frac{dy}{dt}=-\sin t+\sin t+t\cos t=t\cos t$$

$t=k$일 때, 점 P의 속력이 5이므로

$\sqrt{k^2\sin^2 k+k^2\cos^2 k}=5$

$\sqrt{k^2(\sin^2 k+\cos^2 k)}=5$, $\sqrt{k^2}=5$

즉 $k=5$

STEP Ⓑ $t=1$에서 $t=5$까지 점 P가 움직인 거리 구하기

따라서 $t=1$에서 $t=5$까지 점 P가 움직인 거리는

$$\int_1^5\sqrt{\left(\frac{dx}{dt}\right)^2+\left(\frac{dy}{dt}\right)^2}dt=\int_1^5\sqrt{(t\sin t)^2+(t\cos t)^2}dt$$
$$=\int_1^5\sqrt{t^2}dt=\int_1^5 tdt$$
$$=\left[\frac{1}{2}t^2\right]_1^5=12$$

서 술 형

21

정답 해설참조

1단계 양변을 x에 대하여 미분하여 도함수 $f'(x)$를 구한다. ◀ 30%

$F(x)=xf(x)-2x\ln x$의 양변을 x에 대하여 미분하면

$f(x)=f(x)+xf'(x)-2\ln x-2$

$xf'(x)=2\ln x+2$

$\therefore f'(x)=\dfrac{2(\ln x+1)}{x}$

2단계 치환적분을 이용하여 $f(x)$를 적분상수로 나타낸다. ◀ 30%

$f(x)=\displaystyle\int\frac{2(\ln x+1)}{x}dx$에서 $\ln x=t$로 놓으면 $\dfrac{1}{x}=\dfrac{dt}{dx}$이므로

$f(x)=\displaystyle\int\frac{2(\ln x+1)}{x}dx=\int(2t+2)dt$

$=t^2+2t+C=(\ln x)^2+2\ln x+C$

3단계 $f(e)=5$를 만족하는 적분상수를 구한다. ◀ 20%

이때 $f(e)=5$에서 $1+2+C=5$ $\quad\therefore C=2$

$\therefore f(x)=(\ln x)^2+2\ln x+2$

4단계 $f(x)$의 최솟값을 구한다. ◀ 20%

따라서 $\ln x=t$로 놓고 $g(t)=t^2+2t+2=(t+1)^2+1$이라 하면

t는 모든 실수 $(\because x>0)$이므로 $t=-1$일 때, 최솟값은 1

22

정답 해설참조

1단계 $\displaystyle\int_0^{\frac{\pi}{2}}f(t)dt=a$($a$는 상수) 로 놓고 $f(x)$를 a를 포함한 식으로 나타낸다. ◀ 20%

$\displaystyle\int_0^{\frac{\pi}{2}}f(t)dt=a$($a$는 상수)로 놓으면

$f(x)=5x\cos x+a$

2단계 부분적분을 이용하여 a의 값을 구한다. ◀ 60%

$\displaystyle\int_0^{\frac{\pi}{2}}(5x\cos x+a)dx=a$에서

$5\displaystyle\int_0^{\frac{\pi}{2}}x\cos x dx+a\int_0^{\frac{\pi}{2}}1dx=a$ ...... ㉠

$\displaystyle\int_0^{\frac{\pi}{2}}x\cos x dx$에서

$u(x)=x,\ v'(x)=\cos x$로 놓으면 $u'(x)=1,\ v(x)=\sin x$이므로

$\displaystyle\int_0^{\frac{\pi}{2}}x\cos x dx=\Big[x\sin x\Big]_0^{\frac{\pi}{2}}-\int_0^{\frac{\pi}{2}}\sin x dx$

$=\dfrac{\pi}{2}-\Big[-\cos x\Big]_0^{\frac{\pi}{2}}$

$=\dfrac{\pi}{2}-1$ ...... ㉡

㉡을 ㉠에 대입하면

$5\left(\dfrac{\pi}{2}-1\right)+a\Big[x\Big]_0^{\frac{\pi}{2}}=a$

$\dfrac{5}{2}\pi-5+\dfrac{a}{2}\pi=a$ $\quad\therefore a=-5$

3단계 $f(0)$의 값을 구한다. ◀ 20%

따라서 $f(x)=5x\cos x-5$이므로 $f(0)=-5$

23

정답 해설참조

1단계 닫힌구간 $[0,\ 1]$을 n등분할 때, 각 구간의 오른쪽 끝점의 x좌표와 그에 대응하는 y의 값을 차례로 구한다. ◀ 30%

닫힌구간 $[0,\ 1]$에서 n등분하면 각 구간의 오른쪽 끝점의 x좌표는 차례로

$\dfrac{1}{n},\ \dfrac{2}{n},\ \dfrac{3}{n},\ \cdots,\ \dfrac{n-1}{n},\ \dfrac{n}{n}$이고 이에 대응하는 y의 값은 각각

$\left(\dfrac{1}{n}\right)^3,\ \left(\dfrac{2}{n}\right)^3,\ \left(\dfrac{3}{n}\right)^3,\ \cdots,\ \left(\dfrac{n-1}{n}\right)^3,\ \left(\dfrac{n}{n}\right)^3$

2단계 그림에서 색칠한 직사각형의 넓이의 합 U_n을 n에 대한 식으로 나타낸다. ◀ 50%

색칠한 직사각형의 넓이의 합이 U_n이므로 다음이 성립한다.

$U_n=\dfrac{1}{n}\times\left(\dfrac{1}{n}\right)^3+\dfrac{1}{n}\times\left(\dfrac{2}{n}\right)^3+\dfrac{1}{n}\times\left(\dfrac{3}{n}\right)^3+\cdots+\dfrac{1}{n}\times\left(\dfrac{n}{n}\right)^3$

$=\dfrac{1}{n^4}(1^3+2^3+3^3+\cdots+n^3)$

$=\dfrac{1}{n^4}\displaystyle\sum_{k=1}^{n}k^3=\frac{1}{n^4}\left\{\frac{n(n+1)}{2}\right\}^2$

$=\dfrac{1}{4}\left(1+\dfrac{2}{n}+\dfrac{1}{n^2}\right)$

3단계 도형의 넓이 S를 구한다. ◀ 20%

구하는 도형의 넓이는 도형을 무수히 많은 직사각형으로 나눈 후

그 넓이의 합과 같으므로 $S=\displaystyle\lim_{n\to\infty}U_n=\lim_{n\to\infty}\frac{1}{4}\left(1+\frac{2}{n}+\frac{1}{n^2}\right)=\frac{1}{4}$

24

정답 해설참조

1단계 곡선 $y=\ln x$ 위의 점 $\mathrm{P}(1,\ 0)$에서의 접선 l의 방정식을 구한다. ◀ 20%

$y=\ln x$에서 $y'=\dfrac{1}{x}$이므로 점 $\mathrm{P}(1,\ 0)$에서 접선 l의 방정식은

$y=x-1$

2단계 원점에서 $x(0\le x\le 2)$ 만큼 떨어진 x축에 수직인 평면으로 자른 단면의 넓이 $S(x)$를 구한다. ◀ 30%

곡선 $y=e^x-1$ 및 접선 l과 두 직선 $x=0,\ x=2$로 둘러싸인 도형을 밑면으로 하는 입체도형을 x축에 수직이 평면으로 자른 단면은 한 변의 길이가 $(e^x-1)-(x-1)=e^x-x$인 정삼각형이므로 그 넓이를 $S(x)$라 하면

$S(x)=\dfrac{\sqrt{3}}{4}(e^x-x)^2$

3단계 $0\le x\le 2$에서 입체도형의 부피 V를 식으로 정리한다. ◀ 10%

구하는 입체도형의 부피는 $V=\displaystyle\int_0^2\frac{\sqrt{3}}{4}(e^x-x)^2dx$

4단계 부분적분법을 이용하면 부피를 구한다. ◀ 40%

$V=\displaystyle\int_0^2\frac{\sqrt{3}}{4}(e^{2x}-2xe^x+x^2)dx$

$=\dfrac{\sqrt{3}}{4}\displaystyle\int_0^2(e^{2x}+x^2)dx-\frac{\sqrt{3}}{2}\int_0^2xe^xdx$

$=\dfrac{\sqrt{3}}{4}\left[\dfrac{1}{2}e^{2x}+\dfrac{1}{3}x^3\right]_0^2-\dfrac{\sqrt{3}}{2}\left\{\Big[xe^x\Big]_0^2-\displaystyle\int_0^2e^xdx\right\}$

$=\dfrac{\sqrt{3}}{4}\left(\dfrac{1}{2}e^4+\dfrac{8}{3}-\dfrac{1}{2}\right)-\dfrac{\sqrt{3}}{2}\left(2e^2-\Big[e^x\Big]_0^2\right)$

$=\dfrac{\sqrt{3}}{4}\left(\dfrac{1}{2}e^4+\dfrac{13}{6}\right)-\dfrac{\sqrt{3}}{2}(e^2+1)$

$=\dfrac{\sqrt{3}}{4}\left(\dfrac{1}{2}e^4+\dfrac{13}{6}\right)-\dfrac{\sqrt{3}}{2}e^2-\dfrac{\sqrt{3}}{2}$

$=\dfrac{\sqrt{3}}{8}e^4-\dfrac{\sqrt{3}}{2}e^2+\dfrac{\sqrt{3}}{24}$

MAPL; SYNERGY

01 중간고사 모의평가

01	⑤	02	⑤	03	①	04	③	05	③
06	④	07	③	08	②	09	⑤	10	⑤
11	⑤	12	②	13	②	14	⑤	15	④
16	②	17	⑤	18	③	19	①	20	②

서술형

21	해설참조	22	해설참조
23	해설참조	24	해설참조

01

정답 ⑤

STEP A n이 한없이 커질 때 a_n이 어떤 일정한 값에 가까워지면 수렴, 그렇지 않으면 발산함을 이용하여 가까워지는 값 구하기

ㄱ. $a_n=\dfrac{(-1)^{n-1}}{2n-1}$이라 하면 n이 한없이 커질 때,

a_n의 값은 0에 한없이 가까워지므로 이 수열은 0에 수렴한다.

$\therefore \lim\limits_{n\to\infty}\dfrac{(-1)^{n-1}}{2n-1}=0$

ㄴ. $a_n=(-1)^{n+1}+(-1)^n$이라 하면 n이 짝수와 홀수에 관계없이 한없이 커질 때, a_n의 값은 0에 한없이 가까워지므로 이 수열은 0에 수렴한다.

$\therefore \lim\limits_{n\to\infty}\{(-1)^{n+1}+(-1)^n\}=0$

ㄷ. $a_n=\dfrac{2n+1}{n}$이라 하면 n이 한없이 커질 때,

a_n의 값은 2에 한없이 가까워지므로 이 수열은 2에 수렴한다.

$\therefore \lim\limits_{n\to\infty}\dfrac{2n+1}{n}=2$

ㄹ. $a_n=\dfrac{n(2n-1)}{(n+1)(n+2)}$이라 하면 n이 한없이 커질 때,

a_n의 값은 2에 한없이 가까워지므로 이 수열은 2에 수렴한다.

$$\lim_{n\to\infty}\frac{n(2n-1)}{(n+1)(n+2)}=\lim_{n\to\infty}\frac{1\cdot\left(2-\frac{1}{n}\right)}{\left(1+\frac{1}{n}\right)\left(1+\frac{2}{n}\right)}=\frac{1\cdot2}{1\cdot1}=2$$

따라서 수렴하는 것은 ㄱ, ㄴ, ㄷ, ㄹ이다.

02

정답 ⑤

STEP A $\dfrac{\infty}{\infty}$꼴의 극한값이 0아닌 실수이면 분모와 분자의 차수가 같음을 이용하여 참, 거짓 판단하기

① $\lim\limits_{n\to\infty}\dfrac{(3n+4)(n-5)}{(2n-1)^2}=\lim\limits_{n\to\infty}\dfrac{3n^2-11n-20}{4n^2-4n+1}=\lim\limits_{n\to\infty}\dfrac{3-\frac{11}{n}-\frac{20}{n^2}}{4-\frac{4}{n}+\frac{1}{n^2}}=\dfrac{3}{4}$

② $\lim\limits_{n\to\infty}\dfrac{4^{n+1}-3^{n-1}}{2^{2n}-3^n}=\lim\limits_{n\to\infty}\dfrac{4\times4^n-\frac{1}{3}\times3^n}{4^n-3^n}=\lim\limits_{n\to\infty}\dfrac{4-\frac{1}{3}\times\left(\frac{3}{4}\right)^n}{1-\left(\frac{3}{4}\right)^n}=4$

③ $\lim\limits_{n\to\infty}(\sqrt{n^2+16n}-n)=\lim\limits_{n\to\infty}\dfrac{(\sqrt{n^2+16n}-n)(\sqrt{n^2+16n}+n)}{\sqrt{n^2+16n}+n}$

$=\lim\limits_{n\to\infty}\dfrac{16n}{\sqrt{n^2+16n}+n}$

$=\lim\limits_{n\to\infty}\dfrac{16}{\sqrt{1+\frac{16}{n}}+1}$

$=\dfrac{16}{1+1}=8$

④ $\lim\limits_{n\to\infty}\dfrac{2n^2+1}{1+2+3+\cdots+n}=\lim\limits_{n\to\infty}\dfrac{2(2n^2+1)}{n(n+1)}=4$

⑤ $\lim\limits_{n\to\infty}\dfrac{1}{\sqrt{n+1}-\sqrt{n}}=\lim\limits_{n\to\infty}\dfrac{\sqrt{n+1}+\sqrt{n}}{(\sqrt{n+1}-\sqrt{n})(\sqrt{n+1})+\sqrt{n}}$

$=\lim\limits_{n\to\infty}\dfrac{\sqrt{n+1}+\sqrt{n}}{(n+1)-n}$

$=\lim\limits_{n\to\infty}(\sqrt{n+1}+\sqrt{n})=\infty$

따라서 옳지 않은 것은 ⑤이다.

03

정답 ①

STEP A 조건을 이용하여 $\lim\limits_{n\to\infty}a_n$의 값 구하기

$2n-1<na_n<\sqrt{4n^2+5n}$에서 $2-\dfrac{1}{n}<a_n<\sqrt{4+\dfrac{5}{n}}$ ⬅ n은 자연수

이때 $\lim\limits_{n\to\infty}\left(2-\dfrac{1}{n}\right)=2$, $\lim\limits_{n\to\infty}\sqrt{4+\dfrac{5}{n}}=2$이므로

수열의 극한의 대소 관계에 의하여 $\lim\limits_{n\to\infty}a_n=2$

STEP B 주어진 극한값 구하기

따라서 $\lim\limits_{n\to\infty}\dfrac{(n^2+2n)a_n}{5n^2+3}=\lim\limits_{n\to\infty}\dfrac{\left(1+\frac{2}{n}\right)a_n}{5+\frac{3}{n^2}}=\dfrac{(1+0)\cdot2}{5+0}=\dfrac{2}{5}$

04

정답 ③

STEP A 이차방정식의 두 근을 구하여 식에 대입하기

이차방정식 $x^2-5x+6=0$에서 $(x-2)(x-3)=0$

$\therefore x=2$ 또는 $x=3$

두 근이 a, b이므로 $a<b$라 하면 $a=2$, $b=3$일 때,

$$\lim_{n\to\infty}\frac{a^n+b^n}{a^{n-1}+b^{n-1}}=\lim_{n\to\infty}\frac{2^n+3^n}{2^{n-1}+3^{n-1}}=\lim_{n\to\infty}\frac{\left(\frac{2}{3}\right)^n+1}{\frac{1}{2}\left(\frac{2}{3}\right)^n+\frac{1}{3}}=3$$

05

정답 ③

STEP A 수열의 성질을 이용하여 참, 거짓 판단하기

ㄱ. $n<a_n<n+1$에서 $\sum\limits_{k=1}^{n}k<\sum\limits_{k=1}^{n}a_k<\sum\limits_{k=1}^{n}(k+1)$

$\therefore \dfrac{n(n+1)}{2}<\sum\limits_{k=1}^{n}a_k<\dfrac{n(n+1)}{2}+n$

각 변의 역수를 취하고 n^2을 곱하면

$\therefore \dfrac{2n^2}{n^2+3n}<\dfrac{n^2}{a_1+a_2+\cdots+a_n}<\dfrac{2n^2}{n(n+1)}$

이때 극한값의 대소 관계에 의하여

$\lim\limits_{n\to\infty}\dfrac{2n^2}{n^2+3n}\le\lim\limits_{n\to\infty}\dfrac{n^2}{a_1+a_2+\cdots+a_n}\le\lim\limits_{n\to\infty}\dfrac{2n^2}{n(n+1)}$

$\lim\limits_{n\to\infty}\dfrac{2n^2}{n^2+3n}=2$, $\lim\limits_{n\to\infty}\dfrac{2n^2}{n^2+n}=2$이므로

수열의 극한의 대소 관계에 의하여

$\lim\limits_{n\to\infty}\dfrac{n^2}{a_1+a_2+\cdots+a_n}=2$

ㄴ. 수열 $\left\{\left(\dfrac{3x-2}{5}\right)^n\right\}$은 공비가 $\dfrac{3x-2}{5}$인 등비수열이므로 수렴하려면

$-1<\dfrac{3x-2}{5}\le1$, $-5<3x-2\le5$

$-3<3x\le7$, $-1<x\le\dfrac{7}{3}$

즉 정수 x는 0, 1, 2이므로 개수는 3이다.

ㄷ. $\sum_{n=1}^{\infty}\frac{a_n}{5^n}=3$이 수렴하므로 $\lim_{n\to\infty}\frac{a_n}{5^n}=0$

주어진 식의 분모, 분자를 각각 5^n으로 나누면

$$\lim_{n\to\infty}\frac{5^{n+1}-3^n+a_n}{5^{n-1}+3^{n+1}}=\lim_{n\to\infty}\frac{5-\left(\frac{3}{5}\right)^n+\frac{a_n}{5^n}}{\frac{1}{5}+3\left(\frac{3}{5}\right)^n}=\frac{5-0+0}{\frac{1}{5}+0}=25 \text{ [거짓]}$$

따라서 옳은 것은 ㄱ, ㄴ이다.

06

정답 ④

STEP Ⓐ **급수의 성질을 이용하여 참, 거짓 판단하기**

① 주어진 급수의 일반항을 a_n이라 하면

$$a_n=\frac{1}{3+5+7+\cdots+(2n+1)}=\frac{1}{\sum_{k=1}^{n}(2k+1)}=\frac{1}{n(n+1)+n}$$
$$=\frac{1}{n(n+2)}=\frac{1}{2}\left(\frac{1}{n}-\frac{1}{n+2}\right)$$

이므로 제 n항까지의 부분합을 S_n이라 하면

$$S_n=\sum_{k=1}^{n}a_k=\frac{1}{2}\left\{\left(1-\frac{1}{3}\right)+\left(\frac{1}{2}-\frac{1}{4}\right)+\left(\frac{1}{3}-\frac{1}{5}\right)+\cdots+\left(\frac{1}{n-1}-\frac{1}{n+1}\right)+\left(\frac{1}{n}-\frac{1}{n+2}\right)\right\}$$
$$=\frac{1}{2}\left(1+\frac{1}{2}-\frac{1}{n+1}-\frac{1}{n+2}\right)$$

즉 주어진 급수의 합은 $\lim_{n\to\infty}S_n=\lim_{n\to\infty}\frac{1}{2}\left(1+\frac{1}{2}-\frac{1}{n+1}-\frac{1}{n+2}\right)=\frac{3}{4}$

② 주어진 급수의 제 n항까지의 부분합을 S_n이라 하자.

$$S_n=\sum_{k=1}^{n}\left(\frac{1}{\sqrt{k}}-\frac{1}{\sqrt{k+1}}\right)=\left(1-\frac{1}{\sqrt{2}}\right)+\left(\frac{1}{\sqrt{2}}-\frac{1}{\sqrt{3}}\right)+\left(\frac{1}{\sqrt{3}}-\frac{1}{\sqrt{4}}\right)+\cdots+\left(\frac{1}{\sqrt{n}}-\frac{1}{\sqrt{n+1}}\right)$$
$$=1-\frac{1}{\sqrt{n+1}}$$

즉 $\lim_{n\to\infty}S_n=\lim_{n\to\infty}\left(1-\frac{1}{\sqrt{n+1}}\right)=1$이므로 급수 $\sum_{n=1}^{\infty}\left(\frac{1}{\sqrt{n}}-\frac{1}{\sqrt{n+1}}\right)$의 합은 1이다.

③ $\frac{1}{3}+\frac{1}{15}+\frac{1}{35}+\frac{1}{63}+\frac{1}{99}+\cdots$

$=\frac{1}{1\times3}+\frac{1}{3\times5}+\frac{1}{5\times7}+\frac{1}{7\times9}+\frac{1}{9\times11}+\cdots$에서

주어진 급수의 일반항을 a_n이라 하면

$a_n=\frac{1}{(2n-1)(2n+1)}=\frac{1}{2}\left(\frac{1}{2n-1}-\frac{1}{2n+1}\right)$이므로

이므로 제 n항까지의 부분합을 S_n이라 하면

$$S_n=\sum_{k=1}^{n}a_k=\sum_{k=1}^{n}\frac{1}{2}\left(\frac{1}{2k-1}-\frac{1}{2k+1}\right)$$
$$=\frac{1}{2}\left\{\left(1-\frac{1}{3}\right)+\left(\frac{1}{3}-\frac{1}{5}\right)+\left(\frac{1}{5}-\frac{1}{7}\right)+\cdots+\left(\frac{1}{2n-1}-\frac{1}{2n+1}\right)\right\}$$
$$=\frac{1}{2}\left(1-\frac{1}{2n+1}\right)$$

즉 주어진 급수의 합은 $\lim_{n\to\infty}S_n=\lim_{n\to\infty}\frac{1}{2}\left(1-\frac{1}{2n+1}\right)=\frac{1}{2}$

④ 급수 $1+\frac{1}{\sqrt{2}}+\frac{1}{2}+\frac{1}{2\sqrt{2}}+\frac{1}{4}+\cdots$은 첫째항이 1, 공비가 $\frac{1}{\sqrt{2}}$인 등비급수

이므로 합은 $\frac{1}{1-\frac{1}{\sqrt{2}}}=\frac{1}{\frac{\sqrt{2}-1}{\sqrt{2}}}=\frac{\sqrt{2}}{\sqrt{2}-1}=\sqrt{2}(\sqrt{2}+1)=2+\sqrt{2}$ [거짓]

⑤ $$\sum_{n=1}^{\infty}\left\{\left(\frac{\sqrt{3}}{2}\right)^n+\left(\frac{2}{3}\right)^{n-1}\right\}=\sum_{n=1}^{\infty}\left(\frac{\sqrt{3}}{2}\right)^n+\sum_{n=1}^{\infty}\left(\frac{2}{3}\right)^{n-1}$$
$$=\frac{\frac{\sqrt{3}}{2}}{1-\frac{\sqrt{3}}{2}}+\frac{1}{1-\frac{2}{3}}=6+2\sqrt{3}$$

따라서 옳지 않은 것은 ④이다.

07

정답 ③

STEP Ⓐ **조건을 만족하는 등비수열의 공비 구하기**

등비수열 $\{a_n\}$의 공비를 r이라 하면

$\sum_{n=1}^{\infty}a_n$이 수렴하므로 $-1<r<1$이고

$\sum_{n=1}^{\infty}a_n=\frac{4}{1-r}=\frac{16}{3}$이므로 $12=16-16r$ $\quad\therefore r=\frac{1}{4}$

$\therefore a_n=4\times\left(\frac{1}{4}\right)^{n-1}=4^{2-n}$

STEP Ⓑ **등비급수의 합을 이용하여 $\sum_{n=1}^{\infty}\sqrt{a_n}$의 값 구하기**

$\sqrt{a_n}=\sqrt{4^{2-n}}=4^{\frac{2-n}{2}}=2^{2-n}$

따라서 수열 $\{\sqrt{a_n}\}$은 첫째항이 $2^{2-1}=2$, 공비가 $2^{-1}=\frac{1}{2}$인 등비수열이므로

$\sum_{n=1}^{\infty}\sqrt{a_n}=\frac{2}{1-\frac{1}{2}}=4$

08

정답 ②

STEP Ⓐ **공비 x의 범위에 따른 극한값 구하기**

$f(x)=\lim_{n\to\infty}\frac{1-x^n}{1+x^{n+2}}$에서

(ⅰ) $-1<x<1$일 때, $\lim_{n\to\infty}x^n=0$이므로

$f(x)=\lim_{n\to\infty}\frac{1-x^n}{1+x^{n+2}}=\frac{1-0}{1+0}=1$

즉 $f\left(\frac{1}{2}\right)=1$

(ⅱ) $x>1$일 때, $\lim_{n\to\infty}x^n=\infty$이므로

$f(x)=\lim_{n\to\infty}\frac{1-x^n}{1+x^{n+2}}=\lim_{n\to\infty}\frac{\frac{1}{x^n}-1}{\frac{1}{x^n}+x^2}=-\frac{1}{x^2}$

즉 $f(\sqrt{2})=-\frac{1}{2}$, $f(2)=-\frac{1}{4}$

STEP Ⓑ **x값이 포함되는 범위에 따라 함숫값을 구하기**

(ⅰ), (ⅱ)에 의하여 $f\left(\frac{1}{2}\right)+f(\sqrt{2})+f(2)=1+\left(-\frac{1}{2}\right)+\left(-\frac{1}{4}\right)=\frac{1}{4}$

09

정답 ⑤

STEP Ⓐ **등비급수 $\sum_{n=1}^{\infty}ar^{n-1}$의 수렴 조건 $a=0$ 또는 $-1<r<1$임을 이용하여 정수 x의 합 구하기**

등비급수 $\sum_{n=1}^{\infty}(x^2-3x-4)\left(\frac{x-1}{2}\right)^{n-1}$의 첫째항 x^2-3x-4,

공비가 $\frac{x-1}{2}$이므로 수렴하려면

$x^2-3x-4=0$ 또는 $-1<\frac{x-1}{2}<1$

(ⅰ) $x^2-3x-4=0$에서 $(x-4)(x+1)=0$

$\therefore x=-1$ 또는 $x=4$

(ⅱ) $-1<\frac{x-1}{2}<1$일 때, $-1<x<3$

(ⅰ), (ⅱ)에서 정수인 x는 $-1, 0, 1, 2, 4$이므로 개수는 5

10

정답 ⑤

STEP Ⓐ **정사각형 P_1의 넓이 구하기**

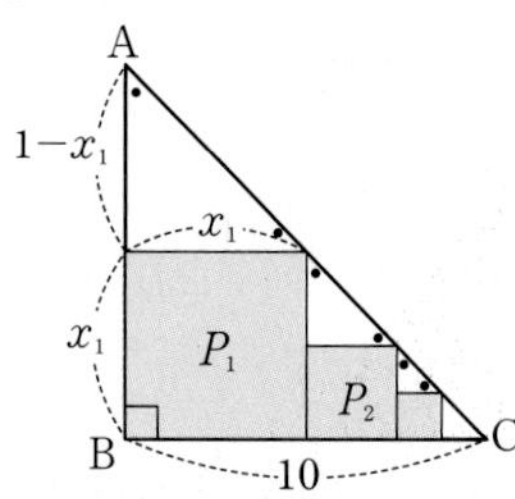

정사각형 P_1의 한 변의 길이를 x_1이라 하면

$x_1=1-x_1 \quad \therefore x_1=\frac{1}{2}$

정사각형 P_n의 넓이를 S_n이라 하면

$S_1=\left(\frac{1}{2}\right)^2=\frac{1}{4}$

STEP Ⓑ **정사각형의 넓이의 공비 구하기**

정사각형에 의해 만들어지는 직각삼각형은 모두 직각이등변삼각형이므로 서로 닮음이다.

이때 닮음비는 $1:\frac{1}{2}$ 이므로 넓이의 비는 $1:\frac{1}{4}$

즉 수열 $\{S_n\}$은 공비가 $\frac{1}{4}$이다. ⬅ $S_{n+1}=\frac{1}{4}S_n$

STEP Ⓒ **공식을 이용하여 등비급수의 합 구하기**

따라서 수열 $\{S_n\}$은 첫째항이 $\frac{1}{4}$, 공비가 $\frac{1}{4}$인 등비수열이므로

모든 정사각형의 넓이의 합은 $\sum_{n=1}^{\infty}S_n=\dfrac{\frac{1}{4}}{1-\frac{1}{4}}=\dfrac{\frac{1}{4}}{\frac{3}{4}}=\frac{1}{3}$

속해법 정사각형의 넓이의 합은 $\dfrac{ab^2}{a+2b}=\dfrac{1\cdot 1^2}{1+2\cdot 1}=\dfrac{1}{3}$

11

정답 ⑤

STEP Ⓐ **극한값 전제조건을 이용하여 a의 값 구하기**

$$\lim_{x\to 0}\frac{\ln(x^a+1)}{(1-\cos x)\tan bx}$$

$$=\lim_{x\to 0}\frac{\ln(x^a+1)(1+\cos x)}{(1-\cos x)(1+\cos x)\tan bx}$$

$$=\lim_{x\to 0}\frac{\ln(x^a+1)(1+\cos x)}{\sin^2 x\tan bx}$$

$$=\lim_{x\to 0}\frac{\ln(x^a+1)}{x^a}\times\left(\frac{x}{\sin x}\right)^2\times\frac{bx}{\tan bx}\times\frac{1+\cos x}{b}\times\frac{x^a}{x^3} \quad \cdots\cdots ㉠$$

이때 ㉠이 0 아닌 값에 수렴하므로 분자, 분모의 차수가 같아야 한다.

즉 $a=3$

STEP Ⓑ **$a+b$의 값 구하기**

$a=3$을 ㉠에 대입하면 $\frac{2}{b}\times\lim_{x\to 0}\frac{x^a}{x^3}=\frac{2}{b}\times 1=\frac{2}{b}$

즉 $\frac{2}{b}=\frac{1}{3}$이므로 $b=6$

따라서 $a+b=3+6=9$

12

정답 ②

STEP Ⓐ **탄젠트의 덧셈정리를 이용하기**

오른쪽 그림과 같이 탑의 꼭대기의 밑 부분의 중심을 각각 A, B라 하자.

또, 눈의 위치를 P, 점 P에서 선분 AB에 내린 수선의 발을 H라 하자.

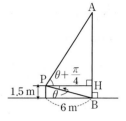

이때 $\overline{AB}=h$m이고

$\overline{BH}=1.5$m, $\overline{PH}=6$m이므로

$\tan\theta=\dfrac{\overline{BH}}{\overline{PH}}=\dfrac{1.5}{6}=\dfrac{1}{4}$에서

$$\tan\left(\theta+\frac{\pi}{4}\right)=\frac{\tan\theta+\tan\frac{\pi}{4}}{1-\tan\theta\tan\frac{\pi}{4}}=\frac{\frac{1}{4}+1}{1-\frac{1}{4}\times 1}=\frac{5}{3}$$

STEP Ⓑ **$10h$의 값 구하기**

따라서 $h=\overline{AB}=\overline{AH}+\overline{BH}=\overline{PH}\times\tan\left(\theta+\frac{\pi}{4}\right)+\overline{BH}=6\times\frac{5}{3}+1.5=11.5$

이므로 $10h=10\times 11.5=115$

13

정답 ②

STEP Ⓐ **$x=0$에서 연속임을 이용하여 식 세우기**

함수 $f(x)$가 $x=0$에서 연속이므로 $\lim_{x\to 0}f(x)=f(0)$

$\therefore \lim_{x\to 1}\dfrac{e^{4x}-1}{\sin 2x}=a$

STEP Ⓑ **지수함수와 삼각함수의 극한을 이용하여 a 구하기**

$\lim_{x\to 1}\dfrac{e^{4x}-1}{4x}\times\dfrac{2x}{\sin 2x}\times 2=1\times 1\times 2=2$

따라서 $a=2$

14

정답 ⑤

STEP Ⓐ **합성함수의 미분법을 이용하여 $f'(2x-1)$ 구하기**

$f(2x-1)=(x^2+1)^2$의 양변을 x에 대하여 미분하면

$2f'(2x-1)=2(x^2+1)\times 2x$

$f'(2x-1)=2x(x^2+1)$

STEP Ⓑ **$f'(5)$의 값 구하기**

따라서 $2x-1=5$에서 $x=3$이므로 $f'(5)=2\cdot 3\cdot 10=60$

15

정답 ④

STEP Ⓐ **미분계수의 정의를 이용하여 구하기**

$h(x)=f(g(x))$로 놓으면

$h(-2)=f(g(-2))=f(2)=4$

$\lim_{x\to -2}\dfrac{f(g(x))-4}{x+2}=\lim_{x\to -2}\dfrac{h(x)-h(-2)}{x+2}=h'(-2)$

STEP Ⓑ **합성함수의 미분법을 이용하여 구하기**

따라서 $h(x)=f(g(x))$에서 $h'(x)=f'(g(x))g'(x)$이므로

$h'(-2)=f'(g(-2))g'(-2)=f'(2)\cdot g'(-2)=5\cdot 1=5$

16

정답 ②

STEP A 매개변수로 나타낸 함수의 미분법을 이용하여 $\frac{dy}{dx}$ 구하기

$x=\cos^3 t$에서 $\frac{dx}{dt}=3\cos^2 t(-\sin t)$

$y=\sin^3 t$에서 $\frac{dy}{dt}=3\sin^2 t\cos t$

이므로 $\frac{dy}{dx}=\frac{3\sin^2 t\cos t}{-3\cos^2 t\sin t}=-\frac{\sin t}{\cos t}$

STEP B $t=\frac{\pi}{4}$일 때, $\frac{dy}{dx}$의 값 구하기

따라서 $t=\frac{\pi}{4}$일 때, $\frac{dy}{dx}$의 값은 $-\frac{\sin\frac{\pi}{4}}{\cos\frac{\pi}{4}}=-1$

17

 ⑤

STEP A 음함수의 미분법을 이용하여 $\frac{dy}{dx}$ 구하기

주어진 식의 각 항을 x에 대하여 미분하면

$2x+\left(ay+ax\frac{dy}{dx}\right)+2y\frac{dy}{dx}=0$

$\therefore \frac{dy}{dx}=-\frac{2x+ay}{ax+2y}(ax+2y\neq 0)$

STEP B 곡선 위의 점 $(-3,\ 0)$에서의 접선의 기울기가 3임을 이용하여 a, b의 관계식 세우기

점 $(-3,\ 0)$이 곡선 $x^2+axy+y^2+b=0$ 위의 점이므로 $9+b=0$

$\therefore b=-9$

점 $(-3,\ 0)$에서 접선의 기울기는 $-\frac{2}{a}$이므로 $-\frac{2}{a}=3$

$\therefore a=-\frac{2}{3}$

STEP C ab의 값 구하기

따라서 $a=-\frac{2}{3}$, $b=-9$이므로 $ab=6$

18

 ③

STEP A 점 C의 x좌표가 t일 때의 삼각형 ABC의 넓이 $f(t)$ 구하기

$f(t)=\frac{1}{2}\times(t-1)\times 2\sqrt{t}=t^{\frac{3}{2}}-t^{\frac{1}{2}}$이므로

$f'(t)=\frac{3}{2}\sqrt{t}-\frac{1}{2\sqrt{t}}$

STEP B $f'(4)$의 값 구하기

따라서 $f'(4)=\frac{3}{2}\cdot 2-\frac{1}{4}=\frac{11}{4}$

19

 ①

STEP A 이계도함수 $f''(x)$ 구하기

$f(x)=e^x\cos x$에서

$$\begin{aligned} f'(x)&=(e^x)'\times\cos x+e^x\times(\cos x)' \\ &=e^x\times\cos x+e^x\times(-\sin x) \\ &=e^x(\cos x-\sin x) \end{aligned}$$

$$\begin{aligned} f''(x)&=(e^x)'\times(\cos x-\sin x)+e^x\times(\cos x-\sin x)' \\ &=e^x(\cos x-\sin x)+e^x(-\sin x-\cos x) \\ &=-2e^x\sin x \end{aligned}$$

STEP B $f(x)=f''(x)$를 만족하는 $\tan\alpha$ 구하기

방정식 $f(x)=f''(x)$의 실근이 α이므로

$e^\alpha\cos\alpha=-2e^\alpha\sin\alpha$ …… ㉠

$e^\alpha>0$이므로 ㉠의 양변을 e^α으로 나누면

$\cos\alpha=-2\sin\alpha$ …… ㉡

$\cos\alpha=0$이면 $\sin\alpha=\pm1$이므로 $\cos\alpha\neq-2\sin\alpha$

따라서 $\cos\alpha\neq 0$이므로 ㉡의 양변을 $\cos\alpha$로 나누면

$\frac{\sin\alpha}{\cos\alpha}=-\frac{1}{2}$, 즉 $\tan\alpha=-\frac{1}{2}$

20

 ②

STEP A $h(x)=g(2x)$라 할 때, $h(0)$ 구하기

$h(x)=g(2x)$라 하면

$h'(x)=g'(2x)\times(2x)'=2g'(2x)$ …… ㉠

㉠에 $x=0$을 대입하면 $g'(0)=\frac{1}{2}h'(0)$ …… ㉡

한편 $(f\circ g)(2x)=f(g(2x))=f(h(x))=x$이므로

$h(0)=k$라 하면 $f(k)=0$

$k^3-2k^2+2k-1=0$, $(k-1)(k^2-k+1)=0$

$k^2-k+1>0$이므로 $k=1$, 즉 $h(0)=1$

STEP B 역함수의 미분법을 이용하여 $g'(0)$의 값 구하기

$h(x)$는 $f(x)$의 역함수이므로 역함수의 미분법에 의하여

$h'(0)=\frac{1}{f'(h(0))}=\frac{1}{f'(1)}$

$f'(x)=3x^2-4x+2$이므로 $f'(1)=3-4+2=1$

$h'(0)=\frac{1}{f'(1)}=1$ …… ㉢

따라서 ㉡, ㉢에서 $g'(0)=\frac{1}{2}h'(0)=\frac{1}{2}\times1=\frac{1}{2}$

다른풀이 합성함수의 미분법을 이용하여 풀이하기

$f(g(2x))=x$ …… ㉠

㉠에 $x=0$을 대입하면 $f(g(0))=0$

$g(0)=f^{-1}(0)=k$라 하면 $f(k)=0$에서

$k^3-2k^2+2k-1=0$, $(k-1)(k^2-k+1)=0$

$k^2-k+1>0$이므로 $k=1$, 즉 $g(0)=1$ …… ㉡

㉠의 양변을 미분하면 $f'(g(2x))\times\{g(2x)\}'=1$

$f'(g(2x))\times g'(2x)\times2=1$ …… ㉢

㉢에 $x=0$을 대입하면 ㉡에 의하여

$f'(g(0))\times g'(0)\times2=1$, $f'(1)\times g'(0)\times2=1$

$f'(x)=3x^2-4x+2$이므로 $f'(1)=1$

$1\times g'(0)\times2=1$

따라서 $g'(0)=\frac{1}{2}$

서술형

21

정답 해설참조

1단계	$\lim_{x\to0+}\frac{\sin x}{x}=1$을 이용하여 $-\frac{\pi}{2}<x<0$일 때, $\lim_{x\to0-}\frac{\sin x}{x}=1$임을 증명하여라.	◀ 30%

$-\frac{\pi}{2}<x<0$일 때, $-x=t$로 놓으면

$0<t<\frac{\pi}{2}$이고 $x\to0-$일 때, $t\to0+$이므로 다음이 성립한다.

$$\lim_{x\to0-}\frac{\sin x}{x}=\lim_{t\to0+}\frac{\sin(-t)}{-t}=\lim_{t\to0+}\frac{\sin t}{t}=1 \quad \Leftarrow \sin(-t)=-\sin t$$

따라서 $\lim_{x\to0-}\frac{\sin x}{x}=1$

2단계	$\lim_{x\to0}\frac{\sin x}{x}$의 값을 이용하여 $\lim_{x\to0}\frac{1-\cos x}{x}$, $\lim_{x\to0}\frac{1-\cos x}{x^2}$의 값을 구하여라.	◀ 30%

$$\lim_{x\to0}\frac{1-\cos x}{x}=\lim_{x\to0}\frac{(1-\cos x)(1+\cos x)}{x(1+\cos x)}=\lim_{x\to0}\frac{1-\cos^2 x}{x(1+\cos x)}$$
$$=\lim_{x\to0}\frac{\sin^2 x}{x(1+\cos x)}=\lim_{x\to0}\left\{\left(\frac{\sin x}{x}\right)\cdot\sin x\cdot\frac{1}{1+\cos x}\right\}$$
$$=1\cdot0\cdot\frac{1}{1+1}=0$$

$$\lim_{x\to0}\frac{1-\cos x}{x^2}=\lim_{x\to0}\frac{(1-\cos x)(1+\cos x)}{x^2(1+\cos x)}=\lim_{x\to0}\frac{1-\cos^2 x}{x^2(1+\cos x)}$$
$$=\lim_{x\to0}\frac{\sin^2 x}{x^2(1+\cos x)}=\lim_{x\to0}\left\{\left(\frac{\sin x}{x}\right)^2\cdot\frac{1}{1+\cos x}\right\}$$
$$=1^2\cdot\frac{1}{1+1}=\frac{1}{2}$$

3단계	함수 $f(x)=\sin x$의 도함수가 $f'(x)=\cos x$임을 사인함수의 덧셈정리와 $\lim_{x\to0}\frac{\sin x}{x}=1$, $\lim_{x\to0}\frac{1-\cos x}{x}=0$임을 이용하여 서술한다.	◀ 40%

$$f'(x)=(\sin x)'=\lim_{h\to0}\frac{\sin(x+h)-\sin x}{h} \quad \Leftarrow f'(x)=\lim_{h\to0}\frac{f(x+h)-f(x)}{h}$$
$$=\lim_{h\to0}\frac{\sin x\cos h+\cos x\sin h-\sin x}{h} \quad \Leftarrow \sin(\alpha+\beta)=\sin\alpha\cos\beta+\cos\alpha\sin\beta$$
$$=\lim_{h\to0}\frac{\cos x\sin h-\sin x(1-\cos h)}{h}$$
$$=\lim_{h\to0}\frac{\cos x\sin h}{h}-\lim_{h\to0}\frac{\sin x(1-\cos h)}{h}$$
$$=\cos x\lim_{h\to0}\frac{\sin h}{h}-\sin x\lim_{h\to0}\frac{1-\cos h}{h}$$
$$=\cos x\cdot1-\sin x\cdot0$$
$$=\cos x$$

22

정답 해설참조

1단계	각의 이등분선의 성질을 이용하여 $\overline{AD}$의 길이를 구한다.	◀ 30%

직각삼각형 ABC에서 $\overline{AB}=1$, $\angle A=\theta$이므로

$\overline{AC}=\sec\theta$, $\overline{BC}=\tan\theta$

이때 $\overline{AD}=k$라 하면 선분 CD가 $\angle C$를 이등분하므로 $\overline{AD}:\overline{BD}=\overline{AC}:\overline{BC}$

$k:(1-k)=\sec\theta:\tan\theta$, $k=\frac{\sec\theta}{\sec\theta+\tan\theta}=\frac{1}{1+\sin\theta}$

$\therefore\ \overline{AD}=\frac{1}{1+\sin\theta}$

2단계	부채꼴 ADE의 넓이 $S(\theta)$, 삼각형 BCE의 넓이 $T(\theta)$를 구한다.	◀ 30%

부채꼴 ADE의 넓이 $S(\theta)$는

$$S(\theta)=\frac{1}{2}\times\left(\frac{1}{1+\sin\theta}\right)^2\times\theta=\frac{\theta}{2(1+\sin\theta)^2}$$

한편 $\overline{CE}=\overline{AC}-\overline{AE}=\overline{AC}-\overline{AD}$에서

$\overline{CE}=\sec\theta-\frac{1}{1+\sin\theta}=\frac{1+\sin\theta-\cos\theta}{(1+\sin\theta)\cos\theta}$이므로

삼각형 BCE의 넓이 $T(\theta)$는

$$T(\theta)=\frac{1}{2}\times\overline{CE}\times\overline{BC}\times\sin(\angle C)$$
$$=\frac{1}{2}\times\frac{1+\sin\theta-\cos\theta}{(1+\sin\theta)\cos\theta}\times\tan\theta\times\sin\left(\frac{\pi}{2}-\theta\right)$$
$$=\frac{(1+\sin\theta-\cos\theta)\sin\theta}{2(1+\sin\theta)\cos\theta}$$

3단계	$\lim_{\theta\to0}\frac{\sin\theta}{\theta}=1$, $\lim_{\theta\to0}\frac{1-\cos\theta}{\theta}=0$을 이용하여 $\lim_{\theta\to0+}\frac{\{S(\theta)\}^2}{T(\theta)}$의 값을 구한다.	◀ 40%

$$\lim_{\theta\to0+}\frac{\{S(\theta)\}^2}{T(\theta)}=\lim_{\theta\to0+}\frac{\left\{\frac{\theta}{2(1+\sin\theta)^2}\right\}^2}{\frac{(1+\sin\theta-\cos\theta)\sin\theta}{2(1+\sin\theta)\cos\theta}}$$
$$=\lim_{\theta\to0+}\left\{\frac{1}{2}\times\frac{\cos\theta}{(1+\sin\theta)^3}\times\frac{\theta}{\sin\theta}\times\frac{\theta}{1+\sin\theta-\cos\theta}\right\}$$

이때

$$\lim_{\theta\to0+}\frac{\theta}{1+\sin\theta-\cos\theta}=\lim_{\theta\to0+}\frac{1}{\frac{\sin\theta}{\theta}+\frac{1-\cos\theta}{\theta}}=\lim_{\theta\to0+}\frac{1}{\frac{\sin\theta}{\theta}+\frac{\sin^2\theta}{\theta(1+\cos\theta)}}$$
$$=\frac{1}{1+0}=1$$

이므로 $\lim_{\theta\to0+}\frac{\{S(\theta)\}^2}{T(\theta)}=\frac{1}{2}\times\frac{1}{(1+0)^3}\times1\times1=\frac{1}{2}$

23

정답 해설참조

1단계	삼각형 A_nOB_n에 내접하는 원의 반지름의 길이를 구한다.	◀ 40%

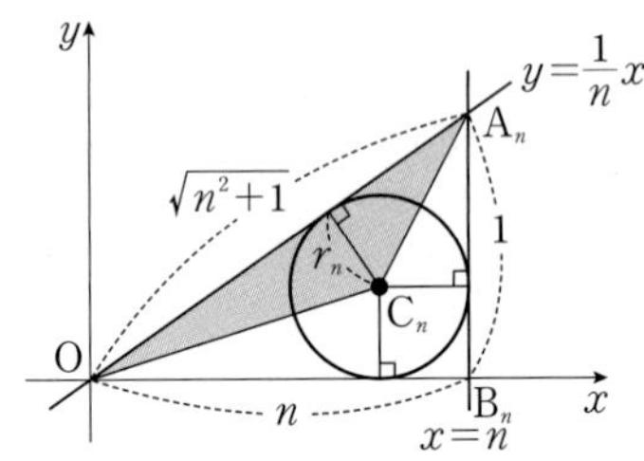

삼각형 A_nOB_n에 내접하는 원의 반지름의 길이를 r_n이라 하면

$A_n(n,\ 1)$, $B_n(n,\ 0)$, $\overline{OA_n}=\sqrt{n^2+1}$

$\triangle A_nOB_n=\triangle A_nOC_n+\triangle C_nOB_n+\triangle A_nC_nB_n$

$\frac{1}{2}\cdot n\cdot1=\frac{1}{2}\cdot\sqrt{n^2+1}\cdot r_n+\frac{1}{2}\cdot n\cdot r_n+\frac{1}{2}\cdot1\cdot r_n$

$n=(\sqrt{n^2+1}+n+1)r_n$

$\therefore\ r_n=\frac{n}{\sqrt{n^2+1}+n+1}$

2단계	삼각형 A_nOC_n의 넓이 S_n를 구한다.	◀ 30%

삼각형 A_nOC_n의 넓이를 S_n

$$S_n=\frac{1}{2}\cdot\overline{OA_n}\cdot r_n=\frac{1}{2}\cdot\sqrt{n^2+1}\cdot\frac{n}{\sqrt{n^2+1}+n+1}=\frac{n\sqrt{n^2+1}}{2(\sqrt{n^2+1}+n+1)}$$

3단계	$\lim_{n\to\infty}\frac{S_n}{n}$의 값을 구한다.	◀ 30%

따라서 $\lim_{n\to\infty}\frac{S_n}{n}=\lim_{n\to\infty}\frac{n\sqrt{n^2+1}}{2n(\sqrt{n^2+1}+n+1)}=\lim_{n\to\infty}\frac{\sqrt{n^2+1}}{2(\sqrt{n^2+1}+n+1)}$

$$=\lim_{n\to\infty}\frac{\sqrt{1+\frac{1}{n^2}}}{2\left(\sqrt{1+\frac{1}{n^2}}+1+\frac{1}{n}\right)}=\frac{1}{2(1+1)}=\frac{1}{4}$$

24

정답 해설참조

1단계 S_1을 구한다. ◀ 40%

그림 R_1에서 부채꼴 OA_1B_2의 호 A_1B_2와 선분 A_1B_1이 만나는 점을 C_1이라 하자.

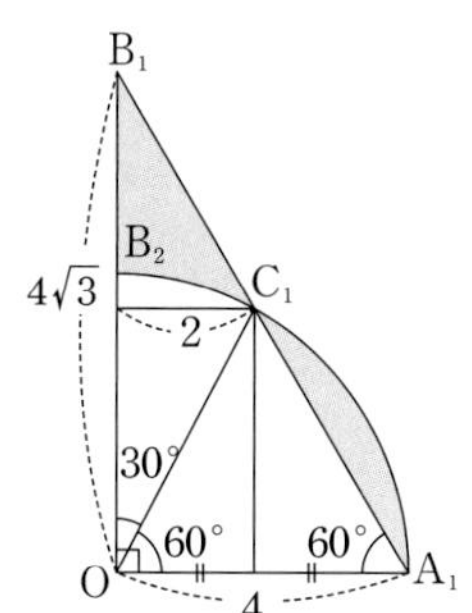

$\angle C_1OA_1=60°$이므로

부채꼴 OA_1C_1의 넓이와 삼각형 OA_1C_1의 넓이의 차는

$\frac{1}{2}\times4^2\times\frac{\pi}{3}-\frac{1}{2}\times4^2\times\sin\frac{\pi}{3}=\frac{8}{3}\pi-4\sqrt{3}$ ...... ㉠

또, $\angle C_1OB_1=30°$이므로

삼각형 OB_1C_1의 넓이와 부채꼴 OB_2C_1의 넓이의 차는

$\frac{1}{2}\times4\times4\sqrt{3}\times\sin\frac{\pi}{6}-\frac{1}{2}\times4^2\times\frac{\pi}{6}=4\sqrt{3}-\frac{4}{3}\pi$ ...... ㉡

㉠, ㉡에서 $S_1=\left(\frac{8}{3}\pi-4\sqrt{3}\right)+\left(4\sqrt{3}-\frac{4}{3}\pi\right)=\frac{4}{3}\pi$

2단계 닮음을 이용하여 공비를 구한다. ◀ 30%

한편 삼각형 OA_nB_n과 삼각형 $OA_{n+1}B_{n+1}$의 닮음비는

$\overline{OB_n}:\overline{OB_{n+1}}=\sqrt{3}:1$

즉 $1:\frac{1}{\sqrt{3}}$이므로 넓이의 비인 공비는 $\left(\frac{1}{\sqrt{3}}\right)^2=\frac{1}{3}$

3단계 $\lim_{n\to\infty}S_n$을 구한다. ◀ 30%

따라서 그림 R_n에 색칠되어 있는 부분의 넓이 S_n은 첫째항이 $\frac{4}{3}\pi$이고

공비가 $\left(\frac{1}{\sqrt{3}}\right)^2=\frac{1}{3}$인 등비수열의 첫째항부터 제 n항까지의 합이므로

$$\lim_{n\to\infty}S_n=\frac{\frac{4}{3}\pi}{1-\frac{1}{3}}=2\pi$$

MAPL; SYNERGY

02 중간고사 모의평가

01	④	02	④	03	③	04	③	05	③
06	②	07	②	08	⑤	09	⑤	10	③
11	⑤	12	②	13	③	14	④	15	⑤
16	②	17	③	18	②	19	③	20	④

서술형

21	해설참조	22	해설참조
23	해설참조	24	해설참조

01

정답 ④

STEP A 수열의 극한의 성질을 이용하여 참, 거짓 판단하기

① $\frac{(-1)^{n+1}}{n^2}$에서 n이 한없이 커질 때,

분자 $(-1)^{n+1}$의 값은 $1, -1$이 교대로 나타나고

분모 n^2의 값은 한없이 커지므로 $\lim_{n\to\infty}\frac{(-1)^{n+1}}{n^2}=0$

② $1+2+3+\cdots+n=\frac{n(n+1)}{2}$이므로

$$\lim_{n\to\infty}\frac{4n^2+3n}{1+2+3+\cdots+n}=\lim_{n\to\infty}\frac{4n^2+3n}{\frac{n(n+1)}{2}}=\lim_{n\to\infty}\frac{8n^2+6n}{n^2+n}=\lim_{n\to\infty}\frac{8+\frac{6}{n}}{1+\frac{1}{n}}=8$$

③ $$\lim_{n\to\infty}\sqrt{n+1}(\sqrt{n+3}-\sqrt{n})=\lim_{n\to\infty}\frac{\sqrt{n+1}(n+3-n)}{\sqrt{n+3}+\sqrt{n}}=\lim_{n\to\infty}\frac{3\sqrt{n+1}}{\sqrt{n+3}+\sqrt{n}}$$
$$=\lim_{n\to\infty}\frac{3\sqrt{1+\frac{1}{n}}}{\sqrt{1+\frac{3}{n}}+1}=\frac{3}{2}$$

④ $$\lim_{n\to\infty}\frac{1}{\sqrt{4n^2+n}-2n}=\lim_{n\to\infty}\frac{\sqrt{4n^2+n}+2n}{(\sqrt{4n^2+n}-2n)(\sqrt{4n^2+n}+2n)}$$
$$=\lim_{n\to\infty}\frac{\sqrt{4n^2+n}+2n}{(4n^2+n)-4n^2}=\lim_{n\to\infty}\frac{\sqrt{4n^2+n}+2n}{n}$$
$$=\lim_{n\to\infty}\frac{\sqrt{4+\frac{1}{n}}+2}{1}=\sqrt{4}+2=4\ [\text{거짓}]$$

⑤ $$\lim_{n\to\infty}\frac{2^{2n+2}-3^n}{2^n+3^n+4^n}=\lim_{n\to\infty}\frac{4-\left(\frac{3}{4}\right)^n}{\left(\frac{1}{2}\right)^n+\left(\frac{3}{4}\right)^n+1}=4$$

따라서 옳지 않은 것은 ④이다.

02

정답 ④

STEP A 등차수열의 공차 구하기

등차수열 $\{a_n\}$의 공차를 d라 하면 $a_n=a_1+(n-1)d$이므로

$a_1+a_5=a_1+(a_1+4d)=2a_1+4d=12$에서

$a_1+2d=6$ ...... ㉠

$$\lim_{n\to\infty}\frac{na_n}{2n^2-3}=\lim_{n\to\infty}\frac{a_1n+n(n-1)d}{2n^2-3}=\lim_{n\to\infty}\frac{\frac{a_1}{n}+\left(1-\frac{1}{n}\right)d}{2-\frac{3}{n^2}}=\frac{0+d}{2-0}=\frac{d}{2}$$

이므로 $\frac{d}{2}=4$에서 $d=8$

STEP B 첫째항을 구하여 등차수열의 a_{10}항 구하기

$d=8$을 ㉠에 대입하면 $a_1=-10$

따라서 $a_{10}=-10+9\times8=62$

03

정답 ③

STEP A $\frac{5a_n-1}{a_n+1}=b_n$으로 치환하고 주어진 식 정리하기

$\frac{5a_n-1}{a_n+1}=b_n$으로 놓으면 $\lim_{n\to\infty} b_n=3$이고 $a_n=\frac{b_n+1}{5-b_n}$

STEP B $\lim_{n\to\infty}(3a_n+2)$의 값 구하기

따라서 $\lim_{n\to\infty} a_n=\lim_{n\to\infty}\frac{b_n+1}{5-b_n}=\frac{3+1}{5-3}=2$이므로 $\lim_{n\to\infty}(3a_n+2)=3\cdot2+2=8$

다른풀이 $\lim_{n\to\infty} a_n=\alpha$라 두고 식에 대입하여 α의 값 구하기

수열 $\{a_n\}$이 수렴하므로 $\lim_{n\to\infty} a_n=\alpha$라고 하면

$\lim_{n\to\infty}\frac{5a_n-1}{a_n+1}=\frac{5\lim_{n\to\infty} a_n-1}{\lim_{n\to\infty} a_n+1}=\frac{5\alpha-1}{\alpha+1}=3$이므로 $5\alpha-1=3\alpha+3$ $\therefore \alpha=2$

따라서 $\lim_{n\to\infty} a_n=2$

04

정답 ③

STEP A 수열의 극한의 대소 관계를 이용하여 $\lim_{n\to\infty}\frac{a_n}{n^2}$의 값 구하기

$|a_n-3n^2-n|<5$에서 $-5<a_n-3n^2-n<5$이므로

$3n^2+n-5<a_n<3n^2+n+5$

$\frac{3n^2+n-5}{n^2}<\frac{a_n}{n^2}<\frac{3n^2+n+5}{n^2}$

이때 $\lim_{n\to\infty}\frac{3n^2+n-5}{n^2}=\lim_{n\to\infty}\left(3+\frac{1}{n}-\frac{5}{n^2}\right)=3+0-0=3$

$\lim_{n\to\infty}\frac{3n^2+n+5}{n^2}=\lim_{n\to\infty}\left(3+\frac{1}{n}+\frac{5}{n^2}\right)=3+0+0=3$

이므로 수열의 극한의 대소 관계에 의하여 $\lim_{n\to\infty}\frac{a_n}{n^2}=3$

STEP B 주어진 극한값 구하기

따라서 $\lim_{n\to\infty}\frac{a_n+n^2}{a_n-n^2}=\lim_{n\to\infty}\frac{\frac{a_n}{n^2}+1}{\frac{a_n}{n^2}-1}=\frac{3+1}{3-1}=2$

05

정답 ③

STEP A 수열의 극한의 성질을 이용하여 참, 거짓 판단하기

ㄱ. 등비수열 $\left\{(x-2)\left(\frac{2x+1}{3}\right)^n\right\}$이 수렴하려면

$x-2=0$ 또는 $-1<\frac{2x+1}{3}\le1$

$x=2$ 또는 $-2<x\le1$

즉 정수 x는 $-1, 0, 1, 2$이므로 개수는 4이다. [거짓]

ㄴ. $f(3)=\lim_{n\to\infty}\frac{3^n+5}{3^n+2}=\lim_{n\to\infty}\frac{1+5\times\left(\frac{1}{3}\right)^n}{1+2\times\left(\frac{1}{3}\right)^n}=1$

$f\left(-\frac{1}{2}\right)=\lim_{n\to\infty}\frac{\left(-\frac{1}{2}\right)^n+5}{\left(-\frac{1}{2}\right)^n+2}=\frac{5}{2}$, $f(1)=\lim_{n\to\infty}\frac{1^n+5}{1^n+2}=2$

즉 $f(3)+\left(-\frac{1}{2}\right)+f(1)=1+\frac{5}{2}+2=\frac{11}{2}$ [참]

ㄷ. 분자 분모를 2^n으로 나누면

$\lim_{n\to\infty}\frac{3\times2^{n+1}+3}{2^n+a\times3^{n-1}}=\lim_{n\to\infty}\frac{3\times2+3\left(\frac{1}{2}\right)^n}{1+a\times\frac{1}{3}\left(\frac{3}{2}\right)^n}$

이므로 6으로 수렴하려면 $a=0$이어야 한다. [참]

따라서 옳은 것은 ㄴ, ㄷ이다.

06

정답 ②

STEP A 급수의 성질을 이용하여 $\sum_{n=1}^{\infty}a_n$, $\sum_{n=1}^{\infty}b_n$의 값 구하기

$\sum_{n=1}^{\infty}a_n=\alpha$, $\sum_{n=1}^{\infty}b_n=\beta$로 놓으면

$\sum_{n=1}^{\infty}(a_n-3b_n)=\sum_{n=1}^{\infty}a_n-3\sum_{n=1}^{\infty}b_n=\alpha-3\beta=10$ ...... ㉠

$\sum_{n=1}^{\infty}(3a_n-2b_n)=3\sum_{n=1}^{\infty}a_n-2\sum_{n=1}^{\infty}b_n=3\alpha-2\beta=9$ ...... ㉡

㉠, ㉡에서 연립하면 $\alpha=1$, $\beta=-3$

STEP B $\sum_{n=1}^{\infty}(a_n-b_n)$의 값 구하기

따라서 $\sum_{n=1}^{\infty}(a_n-b_n)=\sum_{n=1}^{\infty}a_n-\sum_{n=1}^{\infty}b_n=\alpha-\beta=1-(-3)=4$

07

정답 ②

STEP A 등비수열 $\{r^n\}$의 수렴조건은 $-1<r\le1$ 임을 이용하기

등비수열 $\left\{\left(\frac{x+3}{2}\right)^n\right\}$은 첫째항과 공비가 $\frac{x+3}{2}$이므로

급수가 수렴하려면 $-1<\frac{x+3}{2}\le1$을 만족시켜야 한다.

위의 부등식을 정리하면 $-2<x+3\le2$

$\therefore -5<x\le-1$ ...... ㉠

STEP B 등비급수 $\sum_{n=1}^{\infty}r^n$의 수렴조건은 $-1<r<1$임을 이용하기

등비급수 $\sum_{n=1}^{\infty}\left(\frac{x+1}{4}\right)^n$은 첫째항과 공비가 $\frac{x+1}{4}$이므로

급수가 수렴하려면 $-1<\frac{x+1}{4}<1$을 만족시켜야 한다.

위의 부등식을 정리하면 $-4<x+1<4$

$\therefore -5<x<3$ ...... ㉡

따라서 ㉠, ㉡을 동시에 만족시키는 실수 x의 값의 범위는 $-5<x\le-1$이므로

정수 x는 $-4, -3, -2, -1$이므로 합은 $-4+(-3)+(-2)+(-1)=-10$

08

정답 ⑤

STEP A 부분합의 극한값 a 구하기

제 n항까지의 부분합을 S_n이라고 하자.

조건 (가)에서

$S_n=\sum_{k=1}^{n}\frac{1}{(k+1)(k+2)}=\sum_{k=1}^{n}\left(\frac{1}{k+1}-\frac{1}{k+2}\right)$

$=\left(\frac{1}{2}-\frac{1}{3}\right)+\left(\frac{1}{3}-\frac{1}{4}\right)+\left(\frac{1}{4}-\frac{1}{5}\right)+\cdots+\left(\frac{1}{n+1}-\frac{1}{n+2}\right)$

$=\frac{1}{2}-\frac{1}{n+2}$

$a=\sum_{n=1}^{\infty}\frac{1}{(n+1)(n+2)}=\lim_{n\to\infty}S_n=\lim_{n\to\infty}\left(\frac{1}{2}-\frac{1}{n+2}\right)=\frac{1}{2}$

STEP B 부분합의 극한값 b 구하기

조건 (나)에서

$S_n=\sum_{k=1}^{n}\frac{3}{(3k-2)(3k+1)}=\sum_{k=1}^{n}\left(\frac{1}{3k-2}-\frac{1}{3k+1}\right)$

$=\left(1-\frac{1}{4}\right)+\left(\frac{1}{4}-\frac{1}{7}\right)+\left(\frac{1}{7}-\frac{1}{10}\right)+\cdots+\left(\frac{1}{3n-2}-\frac{1}{3n+1}\right)$

$=1-\frac{1}{3n+1}$

$b=\sum_{n=1}^{\infty}\frac{3}{(3n-2)(3n+1)}=\lim_{n\to\infty}S_n=\lim_{n\to\infty}\left(1-\frac{1}{3n+1}\right)=1$

따라서 $a+b=\frac{1}{2}+1=\frac{3}{2}$

09

정답 ⑤

STEP A 급수의 성질을 이용하여 참, 거짓 판단하기

ㄱ. $S_n=\dfrac{1+2+3+\cdots+n}{n^2+3n}=\dfrac{n(n+1)}{2(n^2+3n)}=\dfrac{n+1}{2(n+3)}$

$$\sum_{n=1}^{\infty}a_n=\lim_{n\to\infty}S_n=\lim_{n\to\infty}\frac{n+1}{2(n+3)}=\lim_{n\to\infty}\frac{1+\frac{1}{n}}{2\left(1+\frac{3}{n}\right)}=\frac{1}{2}$$

ㄴ. 주어진 급수의 일반항 $a_n=\dfrac{1}{1+2+\cdots+n}=\dfrac{2}{n(n+1)}$

$$S_n=\sum_{k=1}^{n}a_k=\sum_{k=1}^{n}\frac{2}{k(k+1)}=\sum_{k=1}^{n}2\left(\frac{1}{k}-\frac{1}{k+1}\right)$$
$$=2\left\{\left(\frac{1}{1}-\frac{1}{2}\right)+\left(\frac{1}{2}-\frac{1}{3}\right)+\cdots+\left(\frac{1}{n}-\frac{1}{n+1}\right)\right\}$$
$$=2\left(1-\frac{1}{n+1}\right)$$

이므로

$$\sum_{k=1}^{\infty}\frac{2}{k(k+1)}=\lim_{n\to\infty}S_n=\lim_{n\to\infty}2\left(1-\frac{1}{n+1}\right)=2$$

ㄷ. $\sum_{n=1}^{\infty}a_n=3$으로 수렴하므로 $\lim_{n\to\infty}a_n=0$

$$\lim_{n\to\infty}\frac{2a_n+6n-1}{a_n-3n+1}=\lim_{n\to\infty}\frac{6n-1}{-3n+1}=-2$$

따라서 옳은 것은 ㄱ, ㄴ, ㄷ이다.

10

정답 ③

STEP A 나머지 정리를 이용하여 a_n, b_n 구하기

일차식으로 나눈 나머지는 나머지 정리에 의하여

$a_n=\left(\frac{1}{2}+\frac{7}{2}\right)^n=4^n$, $b_n=\left(-\frac{1}{2}+\frac{7}{2}\right)^n=3^n$

STEP B 등비급수의 성질을 이용하여 합 구하기

따라서 $\displaystyle\sum_{n=1}^{\infty}\frac{b_n}{a_n}=\sum_{n=1}^{\infty}\frac{3^n}{4^n}=\sum_{n=1}^{\infty}\left(\frac{3}{4}\right)^n=\frac{\frac{3}{4}}{1-\frac{3}{4}}=3$

11

 ⑤

STEP A 사인법칙을 이용하여 구하기

삼각형 ABC에 대하여

$\angle ABC=\theta$, $\angle ACB=3\theta$이므로

사인법칙에 의하여

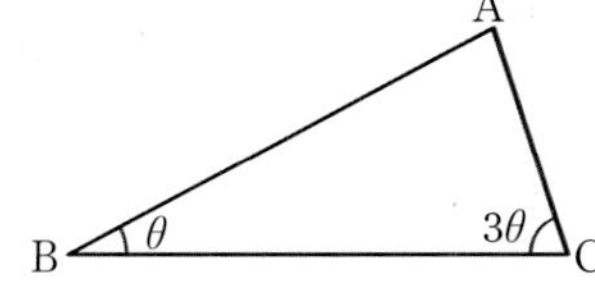

$\dfrac{\overline{AC}}{\sin\theta}=\dfrac{\overline{AB}}{\sin 3\theta}$

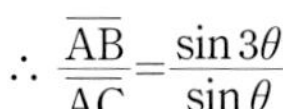

$\therefore \dfrac{\overline{AB}}{\overline{AC}}=\dfrac{\sin 3\theta}{\sin\theta}$

STEP B 삼각함수의 극한을 이용하여 구하기

따라서 $\displaystyle\lim_{\theta\to0+}\frac{\overline{AB}}{\overline{AC}}=\lim_{\theta\to0+}\frac{\sin3\theta}{\sin\theta}=\lim_{\theta\to0+}\frac{\sin3\theta}{3\theta}\times\frac{\theta}{\sin\theta}\times3=1\times1\times3=3$

12

 ②

STEP A 이차방정식의 근과 계수의 관계에 의하여 합과 곱 구하기

이차방정식 $x^2-2x-2=0$의 두 근이 $\tan\alpha$, $\tan\beta$이므로

근과 계수의 관계에 의하여

$\tan\alpha+\tan\beta=2$, $\tan\alpha\tan\beta=-2$

STEP B 곱셈정리를 이용하여 구하기

$$(\tan\alpha-\tan\beta)^2=(\tan\alpha+\tan\beta)^2-4\tan\alpha\tan\beta$$
$$=2^2-4\cdot(-2)=12$$

이때 $\tan\alpha>\tan\beta$이므로 $\tan\alpha-\tan\beta=2\sqrt{3}$

STEP C 탄젠트함수의 덧셈정리를 이용하여 구하기

따라서 $\tan(\alpha-\beta)=\dfrac{\tan\alpha-\tan\beta}{1+\tan\alpha\tan\beta}=\dfrac{2\sqrt{3}}{1-2}=-2\sqrt{3}$

다른풀이 근의 공식을 이용하여 풀이하기

STEP A 이차방정식의 근 구하기

$x^2-2x-2=0$의 해는 $x=1\pm\sqrt{3}$

$\tan\alpha>\tan\beta$에서 $\tan\alpha=1+\sqrt{3}$, $\tan\beta=1-\sqrt{3}$

STEP B 탄젠트함수의 덧셈정리 구하기

따라서 $\tan(\alpha-\beta)=\dfrac{\tan\alpha-\tan\beta}{1+\tan\alpha\tan\beta}=\dfrac{(1+\sqrt{3})-(1-\sqrt{3})}{1+(1+\sqrt{3})(1-\sqrt{3})}=-2\sqrt{3}$

13

 ③

STEP A 삼각함수 사이의 관계를 이용하여 $\cos A$, $\sin B$의 값 구하기

삼각형 ABC에서 $A+B+C=\pi$이므로 $C=\pi-(A+B)$

또한, $0<A<\frac{\pi}{2}$, $0<B<\frac{\pi}{2}$에서 $\cos A>0$, $\cos B>0$이므로

$$\cos A=\sqrt{1-\sin^2 A}=\sqrt{1-\frac{1}{4}}=\frac{\sqrt{3}}{2}$$
$$\cos B=\sqrt{1-\sin^2 B}=\sqrt{1-\frac{4}{9}}=\frac{\sqrt{5}}{3}$$

STEP B 코사인함수의 덧셈정리를 이용하여 구하기

$$\cos C=\cos\{\pi-(A+B)\}=-\cos(A+B)$$
$$=-\cos A\cos B+\sin A\sin B$$
$$=-\frac{\sqrt{3}}{2}\cdot\frac{\sqrt{5}}{3}+\frac{1}{2}\cdot\frac{2}{3}=\frac{-\sqrt{15}+2}{6}$$

따라서 $a=2$, $b=6$이므로 $a+b=8$

14

 ④

STEP A 삼각함수의 극한의 성질과 $\lim_{x\to0}\frac{\sin ax}{bx}=\frac{a}{b}$을 이용하여 $f(n)$ 구하기

$$f(n)=\lim_{x\to0}\frac{x}{\sin x+\sin 2x+\cdots+\sin nx}$$
$$=\lim_{x\to0}\frac{1}{\frac{\sin x}{x}+\frac{\sin 2x}{x}+\cdots+\frac{\sin nx}{x}}$$
$$=\frac{1}{\frac{\sin x}{x}+2\cdot\frac{\sin 2x}{2x}+\cdots+n\cdot\frac{\sin nx}{nx}}$$
$$=\frac{1}{1+2+\cdots+n}=\frac{2}{n(n+1)}$$

STEP B 분수식의 급수의 합 구하기

따라서 $\displaystyle\sum_{n=1}^{\infty}f(n)=\sum_{n=1}^{\infty}\frac{2}{n(n+1)}=2\lim_{n\to\infty}\sum_{k=1}^{n}\left(\frac{1}{k}-\frac{1}{k+1}\right)$

$$=2\lim_{n\to\infty}\left\{\left(1-\frac{1}{2}\right)+\left(\frac{1}{2}-\frac{1}{3}\right)+\cdots+\left(\frac{1}{n}-\frac{1}{n+1}\right)\right\}$$
$$=2\lim_{n\to\infty}\left(1-\frac{1}{n+1}\right)=2$$

15

정답 ⑤

STEP A 여러 가지 함수의 극한값 구하기

① $\lim_{x\to0}\frac{1-\cos2x}{x\ln(1+x)}=\lim_{x\to0}\frac{1-(1-2\sin^2x)}{x\ln(1+x)}=\lim_{x\to0}\frac{2\sin^2x}{x\ln(1+x)}$

$=\lim_{x\to0}2\cdot\frac{\sin^2x}{x^2}\cdot\frac{x}{\ln(1+x)}=2$

② $\lim_{x\to0}\frac{1-\cos x}{x\sin x}=\lim_{x\to0}\frac{(1-\cos x)(1+\cos x)}{x\sin x(1+\cos x)}=\lim_{x\to0}\frac{1-\cos^2x}{x\sin x(1+\cos x)}$

$=\lim_{x\to0}\frac{\sin^2x}{x\sin x(1+\cos x)}=\lim_{x\to0}\left(\frac{\sin x}{x}\cdot\frac{1}{1+\cos x}\right)$

$=1\cdot\frac{1}{2}=\frac{1}{2}$

③ $x-\pi=t$로 치환하면 $x\to\pi$에서 $t\to0$

$\lim_{x\to\pi}\frac{(x-\pi)\sin2x}{1+\cos x}=\lim_{t\to0}\frac{t\sin(2t+2\pi)}{1+\cos(t+\pi)}=\lim_{t\to0}\frac{t\sin2t}{1-\cos t}$

$=\lim_{t\to0}\left(\frac{\sin2t}{2t}\cdot\frac{t^2}{1-\cos t}\cdot2\right)=1\cdot2\cdot2=4$

④ $x-\frac{\pi}{2}=t$로 치환하면 $x\to\frac{\pi}{2}$일 때, $t\to0$이므로

$\lim_{x\to\frac{\pi}{2}}\frac{\cos x}{x-\frac{\pi}{2}}=\lim_{t\to0}\frac{\cos\left(t+\frac{\pi}{2}\right)}{t}=\lim_{t\to0}\frac{-\sin t}{t}=-1$

⑤ $\lim_{x\to0}\frac{2(\tan x-\sin x)}{x^3}=2\lim_{x\to0}\frac{\sin x\left(\frac{1}{\cos x}-1\right)}{x^3}$

$=2\lim_{x\to0}\left(\frac{\sin x}{x^3}\times\frac{1-\cos x}{\cos x}\right)$

$=2\lim_{x\to0}\left\{\frac{\sin x}{x^3}\times\frac{(1-\cos x)(1+\cos x)}{\cos x(1+\cos x)}\right\}$

$=2\lim_{x\to0}\left\{\frac{\sin x}{x^3}\times\frac{1-\cos^2x}{\cos x(1+\cos x)}\right\}$

$=2\lim_{x\to0}\left\{\left(\frac{\sin x}{x}\right)^3\times\frac{1}{\cos x(1+\cos x)}\right\}$

$=2\left(1\times\frac{1}{1\cdot2}\right)=2\times\frac{1}{2}=1$ [거짓]

따라서 옳지 않은 것은 ⑤이다.

16

정답 ②

STEP A 미분계수의 정의를 이용하여 변형하기

$\lim_{h\to0}\frac{f\left(\frac{\pi}{4}+h\right)-f\left(\frac{\pi}{4}-h\right)}{h}=\lim_{h\to0}\frac{f\left(\frac{\pi}{4}+h\right)-f\left(\frac{\pi}{4}\right)}{h}+\lim_{h\to0}\frac{f\left(\frac{\pi}{4}-h\right)-f\left(\frac{\pi}{4}\right)}{-h}$

$=f'\left(\frac{\pi}{4}\right)+f'\left(\frac{\pi}{4}\right)=2f'\left(\frac{\pi}{4}\right)$

STEP B 로그함수의 미분법을 이용하여 $2f'\left(\frac{\pi}{4}\right)$ 구하기

이때 $f(x)=\ln|\tan x|$에서 $f'(x)=\frac{(\tan x)'}{\tan x}=\frac{\sec^2x}{\tan x}=\frac{1}{\sin x\cos x}$

따라서 $2f'\left(\frac{\pi}{4}\right)=2\cdot\frac{1}{\frac{1}{\sqrt{2}}\cdot\frac{1}{\sqrt{2}}}=4$

17

정답 ③

STEP A 매개변수로 나타낸 함수의 미분법을 이용하여 $\frac{dy}{dx}$ 구하기

$x=\tan\theta$, $y=\sec\theta$에서 $\frac{dx}{d\theta}=\sec^2\theta$, $\frac{dy}{d\theta}=\sec\theta\tan\theta$이므로

$\frac{dy}{dx}=\frac{\frac{dy}{d\theta}}{\frac{dx}{d\theta}}=\frac{\sec\theta\tan\theta}{\sec^2\theta}=\frac{\tan\theta}{\sec\theta}=\sin\theta$

STEP B 접선의 기울기가 $\frac{\sqrt{3}}{2}$일 때, a, b의 값 구하기

이때 접선의 기울기가 $\frac{\sqrt{3}}{2}$이므로 $\sin\theta=\frac{\sqrt{3}}{2}\left(0<\theta<\frac{\pi}{2}\right)$

$\therefore\ \theta=\frac{\pi}{3}$

즉 $\theta=\frac{\pi}{3}$에 대응하는 곡선위의 점 (a, b)에서의 접선의 기울기가 $\frac{\sqrt{3}}{2}$

따라서 $a=\tan\frac{\pi}{3}=\sqrt{3}$, $b=\sec\frac{\pi}{3}=2$이므로 $ab=\sqrt{3}\times2=2\sqrt{3}$

18

정답 ②

STEP A 음함수의 미분법을 이용하여 $\frac{dy}{dx}$ 구하기

주어진 식의 각 항을 x에 대하여 미분하면

$3x^2+3y^2\frac{dy}{dx}+\left(ay+ax\frac{dy}{dx}\right)=0$

$\therefore\ \frac{dy}{dx}=-\frac{3x^2+ay}{3y^2+ax}$ $(\because\ 3y^2+ax\neq0)$

STEP B 곡선 위의 점 $(1, 2)$에서의 접선의 기울기가 $\frac{5}{8}$임을 이용하여 a, b의 값 구하기

점 $(1, 2)$가 원 $x^3+y^3+axy+b=0$ 위의 점이므로

$1+8+2a+b=0$

$\therefore\ 2a+b=-9$ …… ㉠

점 $(1, 2)$에서 접선의 기울기가 $\frac{5}{8}$이므로 $-\frac{3+2a}{12+a}=\frac{5}{8}$

$-24-16a=60+5a$ $\quad\therefore\ a=-4$

㉠에서 $b=-1$

따라서 $a=-4$, $b=-1$이므로 $ab=(-4)\cdot(-1)=4$

19

정답 ③

STEP A 조건 (가)를 이용하여 $G(9)$의 값 구하기

$F(x)=(g\circ f)(x)=g(f(x))$에서 $F'(x)=g'(f(x))f'(x)$

$f(4)=2$에서 $f^{-1}(2)=4$, $g(2)=9$에서 $g^{-1}(9)=2$

$G(9)=(g\circ f)^{-1}(9)=(f^{-1}\circ g^{-1})(9)$

$=f^{-1}(g^{-1}(9))=f^{-1}(2)=4$

STEP B 조건 (나)를 이용하여 $G'(9)$의 값 구하기

따라서 $G'(9)=\frac{1}{F'(G(9))}=\frac{1}{g'(f(G(9)))\times f'(G(9))}$

$=\frac{1}{g'(f(4))\times f'(4)}=\frac{1}{g'(2)}\times\frac{1}{f'(4)}$

$=\frac{1}{8}\times4=\frac{1}{2}$

다른풀이 역함수의 성질을 이용하여 풀이하기

STEP A 조건 (가)를 이용하여 $G(9)$의 값 구하기

$G(x)=(g\circ f)^{-1}(x)=(f^{-1}\circ g^{-1})(x)=f^{-1}(g^{-1}(x))$이므로

$G'(x)=(f^{-1})'(g^{-1}(x))\times(g^{-1})'(x)$

$f(4)=2$에서 $f^{-1}(2)=4$, $g(2)=9$에서 $g^{-1}(9)=2$

STEP B 조건 (나)를 이용하여 $G'(9)$의 값 구하기

따라서 $G'(9)=(f^{-1})'(g^{-1}(9))\times(g^{-1})'(9)=(f^{-1})'(2)\times(g^{-1})'(9)$

$=\frac{1}{f'(f^{-1}(2))}\times\frac{1}{g'(g^{-1}(9))}$

$=\frac{1}{f'(4)}\times\frac{1}{g'(2)}=4\times\frac{1}{8}=\frac{1}{2}$

20

정답 ④

STEP A 조건 (나)에서 $f'(f(1))$ 구하기

$\lim_{x\to1}\frac{f'(f(x))-1}{x-1}=3$에서

$x\to1$일 때, (분모)→0이고 극한값이 존재하므로 (분자)→0이어야 한다.

$\lim_{x\to1}\{f'(f(x))-1\}=0$이므로 $f'(f(1))-1=0$ $\therefore f'(f(1))=1$

$f(1)=2$이므로 $f'(2)=1$

STEP B 미분계수의 정의를 이용하여 주어진 식을 변형하여 $f''(2)$ 구하기

$$\lim_{x\to1}\frac{f'(f(x))-1}{x-1}=\lim_{x\to1}\left\{\frac{f'(f(x))-f'(f(1))}{f(x)-f(1)}\times\frac{f(x)-f(1)}{x-1}\right\}$$
$$=f''(2)f'(1)=3f''(2)$$

따라서 $3f''(2)=3$이므로 $f''(2)=1$

서 술 형

21

정답 해설참조

1단계 $|x|>1$, $x=1$, $|x|<1$을 나누어 $f(x)$를 구한다. ◀ 40%

(ⅰ) $|x|>1$일 때, $\lim_{n\to\infty}\frac{1}{x^n}=0$이므로

$$f(x)=\lim_{n\to\infty}\frac{x+\frac{2}{x^{n-1}}+\frac{1}{x^n}}{1+\frac{1}{x^n}}=\frac{x+0+0}{1+0}=x$$

(ⅱ) $x=1$일 때, $\lim_{n\to\infty}x^n=1$이므로 $f(1)=\frac{1+2+1}{1+1}=2$

(ⅲ) $|x|<1$일 때, $\lim_{n\to\infty}x^n=0$ 이므로 $f(x)=\frac{0+2x+1}{0+1}=2x+1$

2단계 함수 $y=f(x)$의 그래프를 그린다. ◀ 30%

$$f(x)=\begin{cases}x & (|x|<1)\\ 2 & (x=1)\\ 2x+1 & (|x|<1)\end{cases}$$ 이므로

함수 $y=f(x)$의 그래프는 오른쪽 그림과 같다.

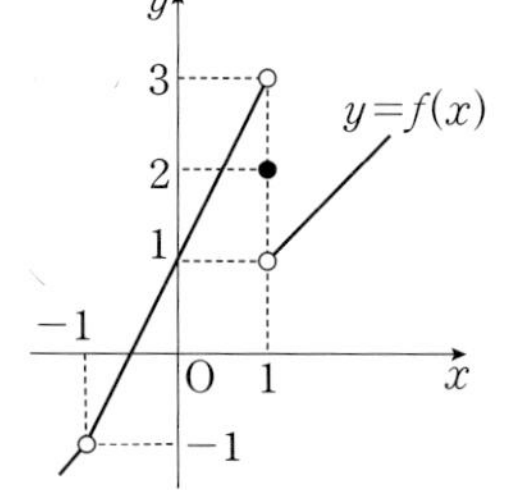

3단계 직선 $y=mx$가 함수 $y=f(x)$의 그래프와 만나지 않도록 하는 m의 범위를 구한다. ◀ 30%

따라서 직선 $y=mx$가 함수 $y=f(x)$의 그래프와 만나지 않으려면 $1<m<2$ 또는 $2<m\le3$이어야 한다.

22

정답 해설참조

1단계 각 정사각형의 한 변의 길이의 합 $\overline{A_1B_1}+\overline{A_2B_2}+\overline{A_3B_3}+\cdots$의 값을 구하여라. ◀ 50%

$\overline{A_1B_1}=\sqrt{2}$, $\overline{A_2B_2}=1$, $\overline{A_3B_3}=\frac{\sqrt{2}}{2}$, $\cdots$이므로 $\overline{A_nB_n}=\sqrt{2}\left(\frac{\sqrt{2}}{2}\right)^{n-1}$

따라서 정사각형의 둘레의 길이의 합은 $\sqrt{2}+1+\frac{\sqrt{2}}{2}+\cdots$이고

이 급수는 첫째항이 $\sqrt{2}$, 공비가 $\frac{\sqrt{2}}{2}$인 등비급수이므로 수렴한다.

따라서 구하는 정사각형의 둘레의 길이의 합은 $\frac{\sqrt{2}}{1-\frac{\sqrt{2}}{2}}=2\sqrt{2}+2$

2단계 색칠한 부분의 넓이의 합을 구하여라. ◀ 50%

각 변의 중점을 차례로 연결하여 정사각형을 만들면 그 넓이는 $\frac{1}{2}$씩 줄어든다.

색칠한 삼각형 중 가장 큰 삼각형 4개의 합은 $4\times\frac{1}{2}$

두 번째로 큰 삼각형 4개의 넓이의 합은 $1^2\times\frac{1}{2}$

따라서 색칠한 부분의 넓이의 합은 첫째항이 2이고

공비가 $\frac{1}{4}$인 등비급수이므로 $2+\frac{1}{2}+\left(\frac{1}{2}\right)^2\cdot\frac{1}{2}+\cdots=\frac{2}{1-\frac{1}{4}}=\frac{8}{3}$

23

정답 해설참조

1단계 역함수의 정의를 이용하여 $g'(b)=\frac{1}{f'(a)}$임을 서술한다. ◀ 50%

함수 $f(x)$의 역함수가 $g(x)$이므로 역함수의 정의에 의하여 $f(g(x))=x$

$f(g(x))=x$의 양변을 미분하면 $f'(g(x))g'(x)=1$이므로

$g'(x)=\frac{1}{f'(g(x))}$

이때 $f(a)=b$일 때, $g(b)=a$이므로 $g'(b)=\frac{1}{f'(g(b))}=\frac{1}{f'(a)}$

2단계 함수 $f(x)=x^3+2x-1$의 역함수를 $g(x)$라고 할 때, $g'(2)$의 값을 구한다. ◀ 50%

함수 $g(x)$가 함수 $f(x)$의 역함수이므로 $g(2)=a$라고 하면 $f(a)=2$

$a^3+2a-1=2$, $a^3+2a-3=0$, $(a-1)(a^2+a+3)=0$

$a^2+a+3>0$이므로 $a=1$ ⬅ 역함수는 일대일대응이 전제된 것이므로 주어진 방정식의 해는 유일하다.

$\therefore g(2)=1$

이때 $f'(x)=3x^2+2$이므로 $f'(1)=5$

따라서 역함수의 미분법에 의하여 $g'(2)=\frac{1}{f'(1)}=\frac{1}{5}$

24

정답 해설참조

1단계 두 곡선이 만나는 제1사분면 위의 점 P의 좌표를 구한다. ◀ 20%

두 곡선 $y^2=x$와 $3x^2-3xy+y^2=1$의 제1사분면에서의 교점은

$3y^4-3y^3+y^2-1=0$, $(y-1)(3y^3+y+1)=0$

이때 $y>0$이므로 $y=1$이고 $y^2=x$에서 $x=1$

즉 두 곡선의 제1사분면에서의 교점은 P$(1, 1)$

2단계 곡선 $y^2=x$ 위의 점 P에서의 접선 l_1이 x축의 양의 방향과 이루는 각의 크기를 α라 할 때, $\tan\alpha$의 값을 구한다. ◀ 30%

$y^2=x$의 양변을 x에 대하여 미분하면 $2y\frac{dy}{dx}=1$ $\therefore \frac{dy}{dx}=\frac{1}{2y}(y\neq0)$

곡선 $y^2=x$ 위의 점 P$(1, 1)$에서의 접선 l_1이 x축의 양의 방향과 이루는 각의 크기를 α라 하면 $\tan\alpha=\frac{1}{2}$

3단계 곡선 $3x^2-3xy+y^2=1$ 위의 점 P에서의 접선 l_2가 x축의 양의 방향과 이루는 각의 크기를 β라 할 때, $\tan\beta$의 값을 구한다. ◀ 30%

$3x^2-3xy+y^2=1$의 양변을 x에 대하여 미분하면

$6x-3y-3x\frac{dy}{dx}+2y\frac{dy}{dx}=0$ $\therefore \frac{dy}{dx}=\frac{6x-3y}{3x-2y}(3x-2y\neq0)$

곡선 $3x^2-3xy+y^2=1$ 위의 점 P$(1, 1)$에서의 접선 l_2가 x축의 양의 방향과 이루는 각의 크기를 β라 하면 $\tan\beta=\frac{6-3}{3-2}=3$

4단계 두 직선 l_1, l_2가 이루는 예각의 크기를 θ라 할 때, $\tan\theta$의 값을 구한다. ◀ 20%

$\theta=\beta-\alpha$이므로 $\tan\theta=|\tan(\beta-\alpha)|=\left|\frac{\tan\beta-\tan\alpha}{1+\tan\beta\tan\alpha}\right|=\left|\frac{3-\frac{1}{2}}{1+3\times\frac{1}{2}}\right|=1$

M A P L ; S Y N E R G Y

01 기말고사 모의평가

01	④	02	①	03	①	04	⑤	05	③
06	④	07	③	08	⑤	09	②	10	③
11	②	12	①	13	②	14	④	15	②
16	③	17	②	18	④	19	④	20	③

서술형

21	해설참조	22	해설참조
23	해설참조	24	해설참조

01

 정답 ④

STEP A 함수 $f(x)$가 감소하기 위한 조건 구하기

$f'(x)=(2x-a)e^{-x}-(x^2-ax+3a-4)e^{-x}$

$\quad=-\{x^2-(a+2)x+4a-4\}e^{-x}$

함수 $f(x)$가 실수 전체에서 감소하려면 모든 실수 x에 대하여 $f'(x)\le 0$이어야 한다.

이때 $e^{-x}>0$이므로 $x^2-(a+2)x+4a-4\ge 0$이어야 한다.

STEP B 이차방정식의 판별식을 이용하여 a의 범위 구하기

이차방정식 $x^2-(a+2)x+4a-4=0$의 판별식을 D라 하면

$D=(a+2)^2-4(4a-4)\le 0,\ a^2-12a+20\le 0$

$(a-2)(a-10)\le 0$에서 $2\le a\le 10$

따라서 정수 a는 $2,\ 3,\ 4,\ \cdots,\ 10$이므로 개수는 9

02

 정답 ①

STEP A $f'(x)=0$인 x의 값 구하기

$f(x)=-x\ln x$에서 $x>0$이고

$f'(x)=-\ln x-x\cdot\dfrac{1}{x}=-\ln x-1$

$f'(x)=0$에서 $\ln x=-1\quad\therefore\ x=\dfrac{1}{e}$

STEP B $f(x)$의 증가와 감소를 표로 나타내어 극댓값 구하기

함수 $f(x)$의 증가와 감소를 표로 나타내면 다음과 같다.

x	(0)	$\cdots$	$\frac{1}{e}$	$\cdots$
$f'(x)$		$+$	0	$-$
$f(x)$		↗	극대	↘

따라서 함수 $f(x)$는 $x=\dfrac{1}{e}$에서 극대이고 극댓값은 $f\left(\dfrac{1}{e}\right)=\dfrac{1}{e}$

03

 정답 ①

STEP A $f''(x)=0$이 되는 $\tan x$ 구하기

$f(x)=\sin^{n+1}x$에서 $f'(x)=(n+1)\sin^n x\cdot\cos x$

$f''(x)=n(n+1)\sin^{n-1}x\cos^2x-(n+1)\sin^{n+1}x$

$\quad=(n+1)\sin^{n-1}x(n\cos^2x-\sin^2x)$

$\quad=(n+1)\sin^{n-1}x\cos^2x(n-\tan^2x)$

$0<x<\dfrac{\pi}{2}$에서 $\sin x>0,\ \cos x>0,\ \tan x>0$이고

변곡점의 x좌표가 α이므로 $\tan\alpha=\sqrt{n}\quad\therefore\ \sin\alpha=\sqrt{\dfrac{n}{n+1}}$

STEP B $\lim\limits_{n\to\infty}f(\alpha)$값 구하기

따라서 $\lim\limits_{n\to\infty}f(\alpha)=\lim\limits_{n\to\infty}\sin^{n+1}\alpha=\lim\limits_{n\to\infty}\left(\sqrt{\dfrac{n}{n+1}}\right)^{n+1}$

$\quad=\lim\limits_{n\to\infty}\left(\dfrac{n+1}{n}\right)^{-\frac{n+1}{2}}=\lim\limits_{n\to\infty}\left\{\left(1+\dfrac{1}{n}\right)^n\right\}^{-\frac{n+1}{2n}}$

$\quad=\dfrac{1}{\sqrt{e}}$

04

 정답 ⑤

STEP A $f'(x)=0,\ f''(x)=0$인 x의 값 구하기

$f(x)$의 정의역은 실수 전체의 집합이고 $f(0)=0$이므로 원점을 지난다.

$f(x)=\dfrac{2x}{x^2+1}$에서

$f'(x)=\dfrac{2(x^2+1)-2x\cdot 2x}{(x^2+1)^2}=\dfrac{-2(x^2-1)}{(x^2+1)^2}=\dfrac{-2(x-1)(x+1)}{(x^2+1)^2}$

$f''(x)=\dfrac{-4x(x^2+1)^2+2(x^2-1)\cdot 2(x^2+1)\cdot 2x}{(x^2+1)^4}=\dfrac{4x(x^2-3)}{(x^2+1)^3}$

$f'(x)=0$에서 $x=-1$ 또는 $x=1$

$f''(x)=0$에서 $x=-\sqrt{3}$ 또는 $x=0$ 또는 $x=\sqrt{3}$

한편 $f(-x)=-f(x)$이므로 이 함수의 그래프는 원점에 대하여 대칭이다.

함수 $f(x)$의 증가와 감소, 오목과 볼록을 표로 나타내면 다음과 같다.

x	$\cdots$	$-\sqrt{3}$	$\cdots$	-1	$\cdots$	0	$\cdots$	1	$\cdots$	$\sqrt{3}$	$\cdots$
$f'(x)$	$-$	$-$	$-$	0	$+$	$+$	$+$	0	$-$	$-$	$-$
$f''(x)$	$-$	0	$+$	$+$	$+$	0	$-$	$-$	$-$	0	$+$
$f(x)$	↘	$-\frac{\sqrt{3}}{2}$	↘	-1	↗	0	↗	1	↘	$\frac{\sqrt{3}}{2}$	↘

$\lim\limits_{x\to\infty}f(x)=\infty,\ \lim\limits_{x\to-\infty}f(x)=-\infty$이므로 점근선은 x축이다.

즉 함수 $y=f(x)$의 그래프는 다음 그림과 같다.

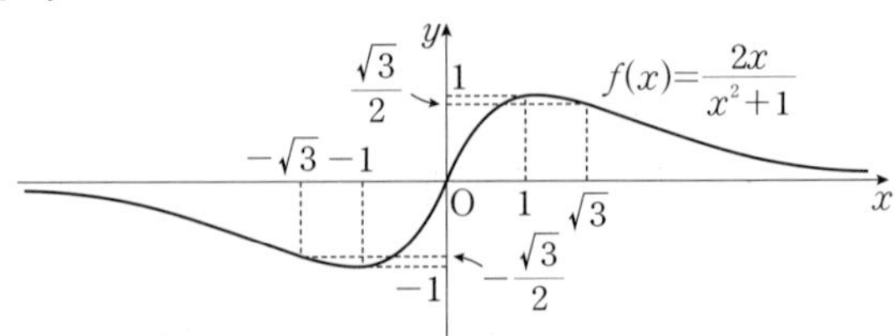

STEP B [보기]의 진위판단하기

ㄱ. $x=1$에서 극댓값을 갖는다. [참]

ㄴ. 함수 $y=f(x)$그래프는 원점에 대하여 대칭이므로 $f(-x)=-f(x)$를 만족한다. [참]

ㄷ. 모든 실수 x에 대하여 부등식 $f(x)\ge -1$이 성립한다. [참]

ㄹ. $0<x<\sqrt{3}$에서 $f''(x)<0$이므로 $f(x)$는 위로 볼록이다.

즉 $0<a<b<\sqrt{3}$에서 $f\left(\dfrac{a+b}{2}\right)>\dfrac{f(a)+f(b)}{2}$이다. [참]

따라서 옳은 것은 ㄱ, ㄴ, ㄷ, ㄹ이다.

05

정답 ③

STEP A 접선의 방정식 구하기

$f(x)=(x-1)e^x$로 놓으면 $f'(x)=xe^x$
접점의 좌표를 $(a, (a-1)e^a)$이라 하면
접선의 방정식은 $y-(a-1)e^a=ae^a(x-a)$

STEP B 이차방정식이 서로 다른 두 실근을 가질 조건 구하기

이 접선이 점 $(k, 0)$을 지나므로 $-(a-1)e^a=ae^a(k-a)$
$e^a>0$이므로 $a^2-(k+1)a+1=0$
이 이차방정식이 서로 다른 두개의 실근을 가져야 하므로
판별식을 D라고 하면 $D=(k+1)^2-4>0$, $(k+3)(k-1)>0$
$\therefore k<-3$ 또는 $k>1$
따라서 정수 k가 될 수 없는 것은 $-3, -2, -1, 0, 1$이므로 개수는 5

다른풀이 변곡점에서 접선의 방정식을 이용하여 풀이하기

$f(x)=(x-1)e^x$로 놓으면 $f'(x)=e^x+(x-1)e^x=xe^x$
$f''(x)=e^x+xe^x=(x+1)e^x$이므로
$f'(x)=0$에서 $x=0$, $f''(x)=0$에서 $x=-1$
함수 $f(x)$의 증가와 감소, 오목과 볼록을 표로 나타내면 다음과 같다.

x	$\cdots$	-1	$\cdots$	0	$\cdots$
$f'(x)$	$-$	$-$	$-$	0	$+$
$f''(x)$	$-$	0	$+$	$+$	$+$
$f(x)$	↘	$-2e^{-1}$	↘	-1	↗

$\lim_{x\to-\infty}f(x)=0$, $\lim_{x\to\infty}f(x)=\infty$이므로 함수 $y=f(x)$의 그래프는 다음 그림과 같다.

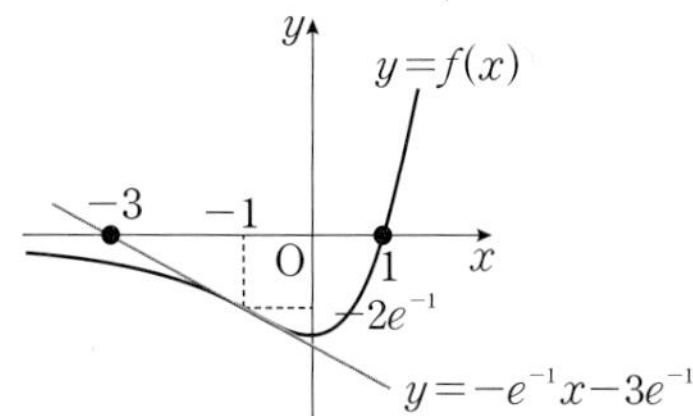

이때 변곡점 $(-1, -2e^{-1})$에서 접선의 방정식은
$y+2e^{-1}=-e^{-1}(x+1)$이므로 $y=-e^{-1}x-3e^{-1}$
이 접선의 x절편은 $x=-3$
$k<-3$ 또는 $k>1$일 때, 두 개의 접선을 그을 수 있고
$k=-3$, $k=1$일 때, 한 개의 접선을 그을 수 있고
$-3<k<1$일 때, 접선을 그을 수 없다.
따라서 조건을 만족하는 정수 k는 $-3, -2, -1, 0, 1$이므로 개수는 5

06

정답 ④

STEP A 역함수의 미분법을 이용하여 $g'(1)$ 구하기

곡선 $y=g(x)$ 위의 점 $\left(1, \frac{1}{2}\right)$이므로 $g(1)=\frac{1}{2}$
$y=g(x)$의 그래프 위의 점 $\left(1, \frac{1}{2}\right)$에서의 접선의 기울기는

$$g'(1)=\frac{1}{f'(g(1))}=\frac{1}{f'\left(\frac{1}{2}\right)}$$

이때 $f'(x)=2e^{2x-1}$이므로 $f'\left(\frac{1}{2}\right)=2$ $\quad\therefore g'(1)=\frac{1}{2}$

STEP B 점 $\left(1, \frac{1}{2}\right)$에서 접선의 방정식 구하기

곡선 $y=g(x)$ 위의 점 $\left(1, \frac{1}{2}\right)$에서 접선의 방정식은 $y-\frac{1}{2}=\frac{1}{2}(x-1)$
$\therefore y=\frac{1}{2}x$
따라서 접선이 $(2, a)$를 지나므로 $a=\frac{1}{2}\cdot2=1$

07

정답 ③

STEP A 두 그래프의 교점의 개수가 방정식의 실근의 개수임을 이해하기

$x\ln x=2x+5-n$에서 $-x\ln x+2x+5=n$
$f(x)=-x\ln x+2x+5$라 하면
함수 $y=f(x)$의 그래프와 직선 $y=n$의 교점이 존재하는 자연수 n의 개수를 구하면 된다.

STEP B $f(x)=-x\ln x+2x+5$의 그래프 개형 그리기

$f'(x)=-\ln x-x\times\frac{1}{x}+2=-\ln x+1$
$f'(x)=0$에서 $x=e$
$x>0$일 때, 함수 $f(x)$의 증가와 감소를 표로 나타내면 다음과 같다.

x	(0)	$\cdots$	e	$\cdots$
$f'(x)$		$+$	0	$-$
$f(x)$		↗	$e+5$	↘

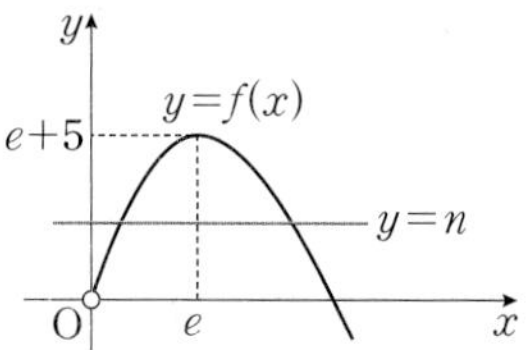

함수 $f(x)$는 $x=e$일 때, 극댓값 $e+5$를 갖고
$\lim_{x\to\infty}f(x)=\lim_{x\to\infty}(-x\ln x+2x+5)$
$=\lim_{x\to\infty}\{x(2-\ln x)+5\}=-\infty$

STEP C 곡선 $y=f(x)$와 직선 $y=n$의 교점이 존재할 때, n의 값의 범위 구하기

방정식 $x\ln x=2x+5-n$이 실근을 가질 때,
함수 $y=f(x)$의 그래프와 직선 $y=n$의 교점이 존재할 때,
n의 값의 범위는 $n\le e+5$
따라서 $2<e<3$이므로 자연수 n은 $1, 2, 3, \cdots, 7$이 될 수 있고 그 개수는 7

08

STEP A 시각 t에서의 점 P의 속도 구하기

$x=\frac{\sin t}{2+\cos t}$, $y=3+\sin 2t-2\cos^2 t$에서

$$\frac{dx}{dt}=\frac{\cos t(2+\cos t)-\sin t(-\sin t)}{(2+\cos t)^2}=\frac{2\cos t+1}{(2+\cos t)^2}$$

$$\frac{dy}{dt}=2\cos 2t+4\cos t\sin t$$

시각 t에서 점 P의 속도는 $\left(\frac{2\cos t+1}{(2+\cos t)^2}, 2\cos 2t+4\cos t\sin t\right)$

STEP B 시각 $t=\pi$에서 점 P의 속도의 크기 구하기

$t=\pi$에서 점 P의 속도는 $(-1, 2)$
따라서 시각 $t=\pi$에서 점 P의 속력은 $\sqrt{(-1)^2+2^2}=\sqrt{5}$

09

정답 ②

STEP A 함수 $f(x)$의 도함수 $f'(x)$ 구하기

$F'(x)=f(x)$이므로

$F(x)=xf(x)-x^3+\ln x$ 의 양변을 x에 관하여 미분하면

$f(x)=f(x)+xf'(x)-3x^2+\dfrac{1}{x}$에서 $xf'(x)=3x^2-\dfrac{1}{x}$

$\therefore\ f'(x)=3x-\dfrac{1}{x^2}$

STEP B 부정적분을 이용하여 $f(x)$ 구하기

$f(x)=\displaystyle\int\left(3x-\frac{1}{x^2}\right)dx=\frac{3}{2}x^2+\frac{1}{x}+C$

STEP C $f(2)=\dfrac{1}{2}$을 만족하는 적분상수를 구한 후 $f(1)$의 값 구하기

$f(2)=6+\dfrac{1}{2}+C=\dfrac{1}{2}$에서 $C=-6$

따라서 $f(x)=\dfrac{3}{2}x^2+\dfrac{1}{x}-6$이므로 $f(1)=\dfrac{3}{2}+1-6=-\dfrac{7}{2}$

10

STEP A 여러 가지 치환적분법을 이용하여 구하기

① $\tan x=t$로 놓으면 $\sec^2x=\dfrac{dt}{dx}$이므로

$\displaystyle\int\tan x\sec^2x dx=\int t dt=\frac{1}{2}t^2+C=\frac{1}{2}\tan^2x+C$

② $\ln x=t$로 놓으면 $\dfrac{1}{x}=\dfrac{dt}{dx}$이므로

$\displaystyle\int\frac{(\ln x)^2}{x}dx=\int t^2dt=\frac{1}{3}t^3+C=\frac{1}{3}(\ln x)^3+C$

③ $\tan x=\dfrac{\sin x}{\cos x}=-\dfrac{(\cos x)'}{\cos x}$이므로

$\displaystyle\int\tan x dx=-\int\frac{(\cos x)'}{\cos x}dx=-\ln|\cos x|+C$ [거짓]

④ $\displaystyle\int\frac{1}{(x+1)(x+2)}dx=\int\left(\frac{1}{x+1}-\frac{1}{x+2}\right)dx$

$=\ln|x+1|-\ln|x+2|+C$

$=\ln\left|\dfrac{x+1}{x+2}\right|+C$

⑤ $\sqrt{x+3}=t$, 즉 $x=t^2-3$으로 놓으면 $\dfrac{dx}{dt}=2t$이므로

$\displaystyle\int x\sqrt{x+3}dx=\int(t^2-3)t\times2tdt=\int(2t^4-6t^2)dt$

$=\dfrac{2}{5}t^5-2t^3+C=\dfrac{2}{5}t^3(t^2-5)+C$

$=\dfrac{2}{5}(x-2)(x+3)\sqrt{x+3}+C$

따라서 옳지 않은 것은 ③이다.

11

STEP A 부분적분을 이용하여 구하기

조건 (나)의 양변을 x에 대하여 적분하면

$\displaystyle\int\{f(x)+xf'(x)\}dx=\int x\cos x dx$

$\displaystyle\int f(x)dx+xf(x)-\int f(x)dx=x\sin x-\int\sin x dx$

$\therefore\ xf(x)=x\sin x+\cos x+C$

STEP B $f\left(\dfrac{\pi}{2}\right)=1$을 이용하여 적분상수 구하기

조건 (가)에서 $f\left(\dfrac{\pi}{2}\right)=1$이므로 위의 식에 $x=\dfrac{\pi}{2}$를 대입하면

$\dfrac{\pi}{2}\times1=\dfrac{\pi}{2}\sin\dfrac{\pi}{2}+\cos\dfrac{\pi}{2}+C$에서 $C=0$

STEP C $f(\pi)$의 값 구하기

따라서 $xf(x)=x\sin x+\cos x$이므로 $x=\pi$를 대입하면

$\pi f(\pi)=\pi\sin\pi+\cos\pi=-1\quad\therefore\ f(\pi)=-\dfrac{1}{\pi}$

12

정답 ①

STEP A (다항함수)×(로그함수)의 부분적분 구하기

$\displaystyle\int_e^{e^2}\frac{\ln x}{x^2}dx$에서 $f(x)=\ln x$, $g'(x)=\dfrac{1}{x^2}$로 놓으면

$f'(x)=\dfrac{1}{x}$, $g(x)=-\dfrac{1}{x}$이므로

$\displaystyle\int_e^{e^2}\frac{\ln x}{x^2}dx=\left[-\frac{1}{x}\ln x\right]_e^{e^2}-\int_e^{e^2}\frac{1}{x}\cdot\left(-\frac{1}{x}\right)dx=-\frac{2}{e^2}+\frac{1}{e}-\left[\frac{1}{x}\right]_e^{e^2}=\frac{2}{e}-\frac{3}{e^2}$

13

STEP A $5\sin x+1=t$로 치환하여 정적분 정리하기

$\displaystyle\int_0^{\frac{\pi}{2}}f(5\sin x+1)\cos x dx$에서 $5\sin x+1=t$로 놓으면 $\cos x dx=\dfrac{1}{5}dt$

또, $x=0$일 때, $t=1$이고 $x=\dfrac{\pi}{2}$이면 $t=6$

$\displaystyle\int_0^{\frac{\pi}{2}}f(5\sin x+1)\cos x dx=\frac{1}{5}\int_1^6f(t)dt$

STEP B 넓이를 이용하여 정적분 계산하기

이때 $\displaystyle\int_1^6f(t)dt$는 오른쪽 그림의 A의 넓이에서 B의 넓이를 뺀 것과 같으므로

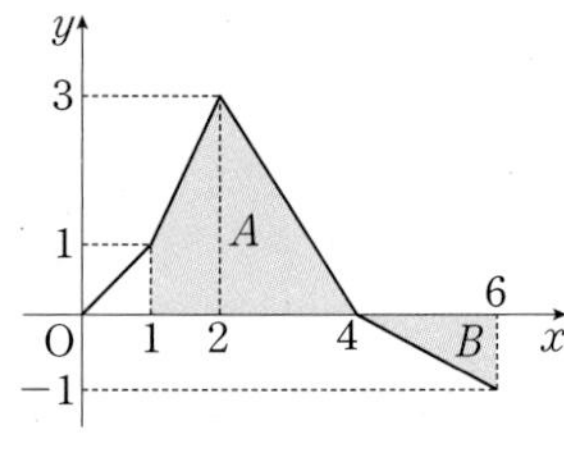

$\displaystyle\int_1^6f(t)dt$

$=\dfrac{1}{2}\cdot(1+3)\cdot1+\dfrac{1}{2}\cdot2\cdot3-\dfrac{1}{2}\cdot1\cdot2$

$=2+3-1=4$

따라서 $\displaystyle\frac{1}{5}\int_1^6f(t)dt=\frac{1}{5}\cdot4=\frac{4}{5}$

14

정답 ④

STEP A 정적분의 값을 구하여 참, 거짓 판단하기

① $f(x)=\ln x$, $g'(x)=1$로 놓으면 $f'(x)=\dfrac{1}{x}$, $g(x)=x$이므로

$\displaystyle\int_1^e\ln x dx=\Big[x\ln x\Big]_1^e-\int_1^e1dx=e-\Big[x\Big]_1^e=1$

② $\displaystyle\int_0^{\frac{\pi}{2}}\frac{\cos^2x}{1+\sin x}dx=\int_0^{\frac{\pi}{2}}\frac{1-\sin^2x}{1+\sin x}dx=\int_0^{\frac{\pi}{2}}(1-\sin x)dx$

$=\Big[x+\cos x\Big]_0^{\frac{\pi}{2}}=\dfrac{\pi}{2}-1$

③ $\displaystyle\int_1^3\frac{1}{x(x+3)}dx=\int_1^3\frac{1}{3}\left(\frac{1}{x}-\frac{1}{x+3}\right)dx=\frac{1}{3}\Big[\ln|x|-\ln|x+3|\Big]_1^3$

$=\dfrac{1}{3}\{\ln3-\ln6-(-\ln4)\}=\dfrac{1}{3}\ln2$

④ $\sin x=t$로 놓으면 $\cos x=\dfrac{dt}{dx}$이고

$x=\dfrac{\pi}{6}$일 때 $t=\dfrac{1}{2}$, $x=\dfrac{\pi}{2}$일 때 $t=1$이므로

$\displaystyle\int_{\frac{\pi}{6}}^{\frac{\pi}{2}}\frac{\cos x}{\sin^2x}dx=\int_{\frac{1}{2}}^1\frac{1}{t^2}dt=\left[-\frac{1}{t}\right]_{\frac{1}{2}}^1=-1-(-2)=1$ [거짓]

⑤ $\cos x=t$로 놓으면 $-\sin x=\dfrac{dt}{dx}$이고

$x=0$일 때 $t=1$, $x=\dfrac{\pi}{2}$일 때 $t=0$이므로

$\displaystyle\int_0^{\frac{\pi}{2}}\cos^4x\sin x dx=-\int_1^0t^4(-dt)=\int_0^1t^4dt=\left[\frac{1}{5}t^5\right]_0^1=\frac{1}{5}$

따라서 옳지 않은 것은 ④이다.

15

정답 ②

STEP A $\int_k^k f(x)dx=0$을 이용하여 a의 값 구하기

주어진 등식의 양변에 $x=0$을 대입하면
$0=1+a \quad \therefore a=-1$ …… ㉠

STEP B 양변을 x에 대하여 미분하여 $f(x)$ 구하기

양변을 x에 대하여 미분하면
$f(x)=-2\sin 2x-2x$

STEP C $f\left(\frac{\pi}{2}\right)$의 값 구하기

따라서 $f\left(\frac{\pi}{2}\right)=-2\sin\pi-\pi=-\pi$

16

 ③

STEP A $x=1$에서 극소임을 이용하여 a를 구하여 $f(x)$ 정하기

$f(x)=\int_0^x (t+a)e^{t^2-2t}dt$에서 $f'(x)=(x+a)e^{x^2-2x}$

$x=1$에서 극솟값을 가지므로 $f'(1)=0$

즉 $f'(1)=(1+a)e^{-1}=0$

$\therefore a=-1$

$\therefore f(x)=\int_0^x (t-1)e^{t^2-2t}dt$

STEP B 치환적분을 이용하여 극솟값 구하기

$x=1$에서 극솟값 $f(1)=\int_0^1 (t-1)e^{t^2-2t}dt$이므로

$t^2-2t=x$로 놓으면 $(2t-2)dt=dx$

$t=0$일 때, $x=0$이고 $t=1$일 때, $x=-1$

$f(1)=\int_0^1 (t-1)e^{t^2-2t}dt=\int_0^{-1}\frac{1}{2}e^x dx$

$=-\int_{-1}^0 \frac{1}{2}e^x dx=-\left[\frac{1}{2}e^x\right]_{-1}^0$

$=-\frac{1}{2}\left(1-\frac{1}{e}\right)$

$\therefore b=-\frac{1}{2}\left(1-\frac{1}{e}\right)$

따라서 $a+b=-1-\frac{1}{2}\left(1-\frac{1}{e}\right)=\frac{1-3e}{2e}$

17

 ②

STEP A 정적분과 급수의 합 사이의 관계를 이용하여 구하기

$x_k=\frac{k\pi}{4n}$, $\Delta x=\frac{\pi}{4n}$로 놓으면 함수는 $f(x)=\tan^2 x$이므로

$\lim_{n\to\infty}\frac{1}{n}\sum_{k=1}^{n}\tan^2\left(\frac{k\pi}{4n}\right)=\frac{4}{\pi}\lim_{n\to\infty}\sum_{k=1}^{n}\tan^2\left(\frac{k\pi}{4n}\right)\times\frac{\pi}{4n}$

$=\frac{4}{\pi}\int_0^{\frac{\pi}{4}}\tan^2 x dx$

$=\frac{4}{\pi}\int_0^{\frac{\pi}{4}}(\sec^2 x-1)dx$

$=\frac{4}{\pi}\left[\tan x-x\right]_0^{\frac{\pi}{4}}$

$=\frac{4}{\pi}\left\{\left(1-\frac{\pi}{4}\right)-0\right\}$

$=\frac{4}{\pi}-1$

18

정답 ④

STEP A 두 곡선의 교점의 x좌표 구하기

두 곡선의 교점의 x좌표는 방정식 $\sin x=\sin 2x$의 실근과 같으므로

$\sin x(2\cos x-1)=0$에서 $\sin x=0$ 또는 $\cos x=\frac{1}{2}$

$\therefore x=0$ 또는 $x=\pi$ 또는 $x=\frac{\pi}{3}$

STEP B 정적분을 이용하여 넓이 구하기

따라서 구하는 도형의 넓이는

$\int_0^{\frac{\pi}{3}}(\sin 2x-\sin x)dx+\int_{\frac{\pi}{3}}^{\pi}(\sin x-\sin 2x)dx$

$=\left[-\frac{\cos 2x}{2}+\cos x\right]_0^{\frac{\pi}{3}}+\left[-\cos x+\frac{\cos 2x}{2}\right]_{\frac{\pi}{3}}^{\pi}$

$=\frac{1}{4}+\frac{9}{4}=\frac{5}{2}$

19

 ④

STEP A $S_1=S_2$임을 이용하여 양수 a의 값 구하기

그림과 같이 $0\le x\le\frac{\pi}{2}$에서 두 곡선 $y=a\cos x$, $y=e^x-1$과 x축으로 둘러싸인 도형의 넓이를 S_3이라 하자.

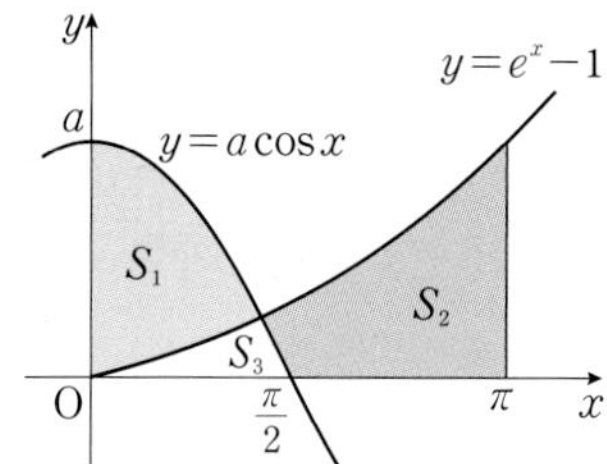

$\int_0^{\frac{\pi}{2}}a\cos x dx=S_1+S_3$, $\int_0^{\pi}(e^x-1)dx=S_2+S_3$이고

$S_1=S_2$이므로 $\int_0^{\frac{\pi}{2}}a\cos x dx=\int_0^{\pi}(e^x-1)dx$

$\left[a\sin x\right]_0^{\frac{\pi}{2}}=\left[e^x-x\right]_0^{\pi}$

따라서 $a=e^{\pi}-\pi-1$

20

 ③

STEP A $\frac{dx}{dt}$, $\frac{dy}{dt}$를 구하기

$x=\frac{1}{2}t^2-t$, $y=\frac{4}{3}t\sqrt{t}$에서 $\frac{dx}{dt}=t-1$, $\frac{dy}{dt}=2\sqrt{t}$

STEP B $\int_0^1\sqrt{\left(\frac{dx}{dt}\right)^2+\left(\frac{dy}{dt}\right)^2}dt$의 값 구하기

따라서 점 P가 시각 $t=0$에서 $t=1$까지 움직인 거리는

$s=\int_0^1\sqrt{\left(\frac{dx}{dt}\right)^2+\left(\frac{dy}{dt}\right)^2}dt$

$=\int_0^1\sqrt{(t-1)^2+(2\sqrt{t})^2}dt$

$=\int_0^1\sqrt{(t+1)^2}dt$

$=\int_0^1(t+1)dt$

$=\left[\frac{1}{2}t^2+t\right]_0^1$

$=\frac{3}{2}$

서 술 형

21

정답 해설참조

1단계 함수 $f(x)$의 극소인 점 A의 좌표를 구한다. ◀ 30%

$f(x)=x(\ln x)^2$에서 $f'(x)=(\ln x+2)\ln x$

$f'(x)=0$에서 $\ln x=-2$ 또는 $\ln x=0$

$\therefore x=\frac{1}{e^2}$ 또는 $x=1$

함수 $f(x)$의 증가와 감소를 표로 나타내면 다음과 같다.

x	$\cdots$	$\frac{1}{e^2}$	$\cdots$	1	$\cdots$
$f'(x)$	+	0	−	0	+
$f(x)$	↗	극대	↘	극소	↗

함수 $f(x)$는 $x=1$에서 극소이므로 극솟값은 $f(1)=0$

즉 극소가 되는 점을 $A(1, 0)$

2단계 함수 $f(x)$의 변곡점의 좌표를 구한다. ◀ 30%

$f''(x)=\frac{2(\ln x+1)}{x}$

$f''(x)=0$에서 $x=\frac{1}{e}$

$x=\frac{1}{e}$의 좌우에서 $f''(x)$의 부호가 바뀌므로 변곡점의 좌표는 $\left(\frac{1}{e}, \frac{1}{e}\right)$

3단계 변곡점에서 접하는 접선의 방정식을 이용하여 점 B, C의 좌표를 구한다. ◀ 30%

또, $f'\left(\frac{1}{e}\right)=-1$이므로 변곡점 $\left(\frac{1}{e}, \frac{1}{e}\right)$에서 접하는 접선의 방정식은

$y-\frac{1}{e}=-\left(x-\frac{1}{e}\right) \quad \therefore y=-x+\frac{2}{e}$

이 접선이 x축, y축과 만나는 점을 각각 B, C이므로

$B\left(\frac{2}{e}, 0\right)$, $C\left(0, \frac{2}{e}\right)$

4단계 삼각형 ABC의 넓이를 구한다. ◀ 10%

삼각형 ABC의 넓이는 $\frac{1}{2}\times\left(1-\frac{2}{e}\right)\times\frac{2}{e}=\frac{e-2}{e^2}$

22

정답 해설참조

1단계 함수 $y=f(x)$의 정의역과 좌표축과의 교점을 구한다. ◀ 20%

$f(x)=\ln(4-x^2)$에서 진수가 양수이므로

$4-x^2>0$에서 $-2<x<2$

x축과의 교점은 $y=0$일 때, $\ln(4-x^2)=0$에서 $4-x^2=1$

$x=\pm\sqrt{3}$이므로 x축과의 교점은 $(-\sqrt{3}, 0)$, $(\sqrt{3}, 0)$이고

y축과의 교점은 $(0, 2\ln 2)$

2단계 $f'(x)=0$인 x의 값과 $f''(x)$를 이용하여 곡선의 오목과 볼록을 구한다. ◀ 20%

$f(x)=\ln(4-x^2)$에서 $f'(x)=\frac{-2x}{4-x^2}$이므로

$f'(x)=0$에서 $x=0$

$f''(x)=\frac{-2(4-x^2)-(-2x)(-2x)}{(4-x^2)^2}=\frac{-2x^2-8}{(4-x^2)^2}$이므로

$-2<x<2$일 때, $y''<0$이므로 $y=f(x)$는 위로 볼록인 그래프이다.

3단계 함수 $y=f(x)$의 증가와 감소, 극대와 극소, 오목과 볼록, 변곡점을 나타내는 표를 작성한다. ◀ 20%

함수 $f(x)$의 증가와 감소를 표로 나타내면 다음과 같다.

x	(-2)	$\cdots$	0	$\cdots$	(2)
$f'(x)$		+	0	−	
$f''(x)$		−	−	−	
$f(x)$		↗	극대	↘	

$x=0$에서 극댓값이 $\ln 4=2\ln 2$

4단계 $\lim_{x\to 2}f(x)$, $\lim_{x\to -2}f(x)$를 구하여 점근선을 찾는다. ◀ 20%

$\lim_{x\to 2}y=-\infty$, $\lim_{x\to -2}y=-\infty$이므로

$x=2$와 $x=-2$를 점근선으로 한다.

5단계 그래프의 개형을 그린다. ◀ 20%

따라서 그래프는 다음 그림과 같다.

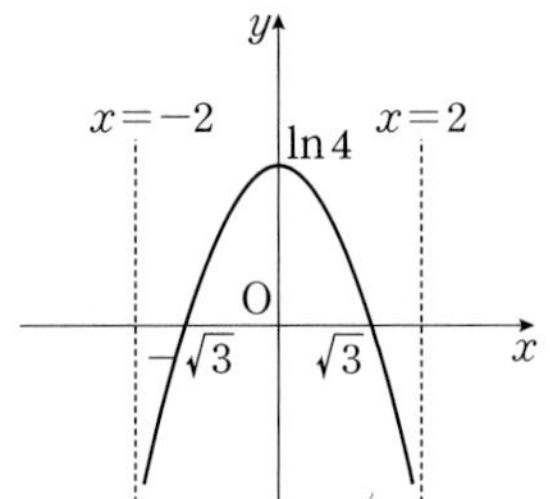

23

정답 해설참조

1단계 $\int_1^e f(t)dt=k$(k는 상수) 로 놓고 $f(x)$를 k로 나타낸다. ◀ 30%

$\int_1^e f(t)dt=k$(k는 상수)로 놓으면

$f(x)=\ln\frac{1}{x}+k$ …… ㉠

2단계 상수 k의 값을 구한다. ◀ 40%

㉠을 $\int_1^e f(t)dt=k$에 대입하면

$k=\int_1^e\left(\ln\frac{1}{x}+k\right)dt$

$=\int_1^e(-\ln t+k)dt$

$=-\int_1^e\ln t dt+\int_1^e kdt$

$=-\Big[t\ln t\Big]_1^e+k(e-1)$

$=-1+k(e-1)$

즉 $k(e-2)=1 \quad \therefore k=\frac{1}{e-2}$

3단계 $f(1)$의 값을 구한다. ◀ 30%

따라서 $f(x)=\ln\frac{1}{x}+\frac{1}{e-2}$이므로 $f(1)=\frac{1}{e-2}$

24

정답 해설참조

1단계	원점에서 $x(0 \le x \le \pi)$ 만큼 떨어진 x축에 수직인 평면으로 자른 단면의 넓이 $S(x)$를 구한다.	◀ 40%

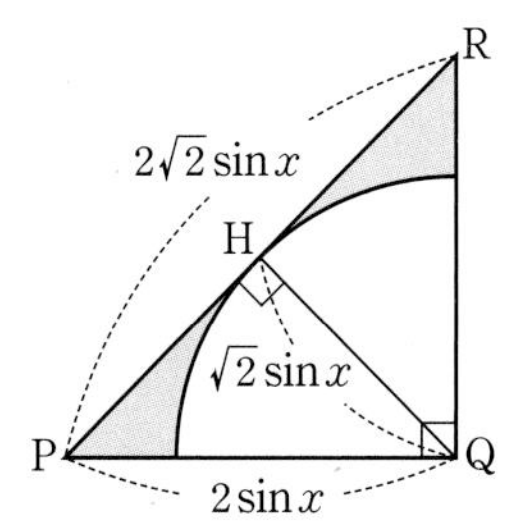

점 P의 좌표를 $(x,\ 0)$이라고 하면

$\overline{PQ}=\overline{QR}=2\sin x$이므로 $\overline{PR}=2\sqrt{2}\sin x$

변 PR과 사분원이 접하는 점을 H라고 하면

$\overline{QH}=\overline{PH}=\frac{1}{2}\overline{PR}=\sqrt{2}\sin x$

단면의 넓이를 $S(x)$라고 하면

$S(x)=\frac{1}{2}(2\sin x)^2-\frac{\pi}{4}(\sqrt{2}\sin x)^2=\left(2-\frac{\pi}{2}\right)\sin^2 x$

2단계	$0 \le x \le \pi$에서 입체도형의 부피 V를 식으로 정리한다.	◀ 20%

따라서 입체도형의 부피를 V라고 하면

$V=\left(2-\frac{\pi}{2}\right)\int_0^\pi \sin^2 x dx$ ...... ㉠

3단계	부분적분법을 이용하여 부피를 구한다.	◀ 40%

이때 $\int_0^\pi \sin^2 x dx$에서 $f(x)=\sin x,\ g'(x)=\sin x$로 놓으면

$f'(x)=\cos x,\ g(x)=-\cos x$이므로

$$\int_0^\pi \sin^2 x dx=\Big[-\sin x\cos x\Big]_0^\pi+\int_0^\pi \cos^2 x dx$$
$$=0+\int_0^\pi (1-\sin^2 x)dx$$
$$=\Big[x\Big]_0^\pi-\int_0^\pi \sin^2 x dx$$

$2\int_0^\pi \sin^2 x dx=\pi,\ \int_0^\pi \sin^2 x dx=\frac{\pi}{2}$

따라서 이것을 ㉠에 대입하면 $V=\left(2-\frac{\pi}{2}\right)\cdot\frac{\pi}{2}=\pi-\frac{\pi^2}{4}$

참고

$$\int_0^\pi \sin^2 x dx=\int_0^\pi \frac{1-\cos 2x}{2}dx$$
$$=\left[\frac{1}{2}x-\frac{1}{4}\sin 2x\right]_0^\pi$$
$$=\frac{1}{2}\pi$$

MAPL ; SYNERGY

02 기말고사 모의평가

01	①	02	②	03	②	04	③	05	①
06	④	07	②	08	①	09	⑤	10	③
11	⑤	12	②	13	③	14	③	15	④
16	④	17	③	18	②	19	④	20	③

서술형

21	해설참조	22	해설참조
23	해설참조	24	해설참조

01

정답 ①

STEP A 곡선 위의 점에서 접선의 방정식 구하기

$f(x)=\frac{1}{2}(\ln x)^2-4$라 하면

진수조건에 의하여 $x>0$이고 $f'(x)=\frac{\ln x}{x}$

곡선 $y=f(x)$ 위의 점 $\left(t,\ \frac{1}{2}(\ln t)^2-4\right)$에서의 접선의 방정식은

$y-\left\{\frac{1}{2}(\ln t)^2-4\right\}=\frac{\ln t}{t}(x-t)$ ...... ㉠

STEP B 원점 $(0,\ 0)$을 지나는 접점의 x좌표 구하기

직선 ㉠이 원점 $(0,\ 0)$을 지나야 하므로

$-\frac{1}{2}(\ln t)^2+4=-\ln t$

$(\ln t)^2-2\ln t-8=0,\ (\ln t+2)(\ln t-4)=0$

$\ln t=-2$ 또는 $\ln t=4$에서 $t=e^{-2}$ 또는 $t=e^4$

STEP C m_1m_2의 값 구하기

이때 접선의 기울기는 각각 $-2e^2,\ \frac{4}{e^4}$이므로 두 기울기 $m_1,\ m_2$의 곱은

$m_1m_2=-2e^2\times\frac{4}{e^4}=-\frac{8}{e^2}$

02

 ②

STEP A $f'(x)=0$을 만족하는 x의 값 구하기

$f(x)=x^2\ln x+\frac{1}{2}x^2$에서

$f'(x)=2x\ln x+x^2\cdot\frac{1}{x}+x=2x(\ln x+1)$

$f'(x)=0$에서 $x=e^{-1}$ $(\because x>0)$

STEP B $f(x)$의 증감표를 이용하여 $a,\ b$의 값 구하기

$x>0$에서 함수 $f(x)$의 증가와 감소를 표로 나타내면 다음과 같다.

x	(0)	$\cdots$	e^{-1}	$\cdots$
$f'(x)$		$-$	0	$+$
$f(x)$		↘	극소	↗

함수 $f(x)$는 $x=e^{-1}$에서 극소이고 극솟값 $f(e^{-1})=-\frac{1}{2}e^{-2}$

따라서 $a=e^{-1},\ b=-\frac{1}{2}e^{-2}$이므로 $ab=-\frac{1}{2}e^{-3}$

03

정답 ②

STEP A 이계도함수 $f''(x)=0$ 구하기

$f(x)=ax^2+x+2\sin x$라고 하면

$f'(x)=2ax+1+2\cos x$

$f''(x)=2a-2\sin x=2(a-\sin x)$

함수 $f(x)$가 변곡점을 가지려면 방정식 $f''(x)=0$의 실근이 존재하고 그 실근의 좌우에서 $f''(x)$의 부호가 바뀌어야 한다.

이때 $f''(x)=0$에서 $a-\sin x=0$

$\therefore \sin x=a$

STEP B 변곡점을 갖기 위한 실수 a의 값의 범위 구하기

이 방정식이 실근을 가지려면 곡선 $y=\sin x$와 직선 $y=a$가 만나야 하므로 그림에서 $-1\le a\le 1$

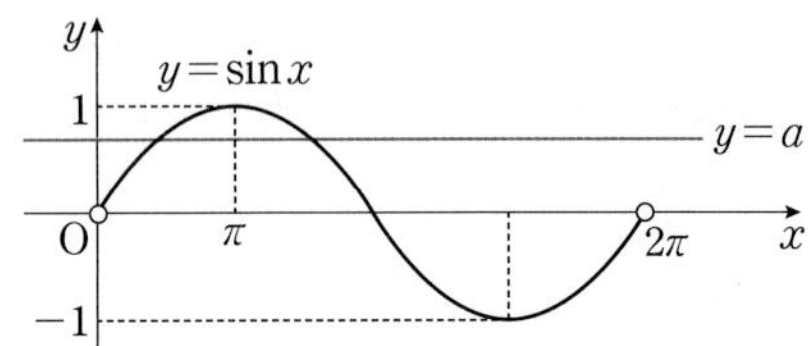

즉 $-1\le a\le 1$

이때 $a=-1$이면 $f''(x)=2(1-\sin x)\ge 0$

$a=1$이면 $f''(x)=2(1+\sin x)\ge 0$

이때 $f''(x)=0$을 만족시키는 x의 값의 좌우에서 $f''(x)$의 부호가 바뀌지 않으므로 변곡점이 존재하지 않는다.

따라서 $-1<a<1$

04

정답 ③

STEP A 이계도함수 $f''(x)=0$인 x의 좌표 구하기

$a>0$이므로 로그의 진수의 조건에 의하여 $x>0$이다.

$f(x)=\left(\ln\frac{1}{ax}\right)^2=\{-\ln ax\}^2=(\ln ax)^2$이라 하면

$f'(x)=2\ln ax\cdot\frac{a}{ax}=\frac{2\ln ax}{x}$

$f''(x)=\dfrac{\frac{2}{x}\cdot x-2\ln ax}{x^2}=\dfrac{2(1-\ln ax)}{x^2}$

$x^2>0$이므로 $f''(x)=0$에서

$1-\ln ax=0$이므로 $x=\frac{e}{a}$

STEP B 변곡점을 직선 $y=3x$에 대입하여 양수 a의 값 구하기

이때 $x=\frac{e}{a}$의 좌우에서 $f''(x)$의 부호가 바뀌므로 변곡점의 좌표는 $\left(\frac{e}{a},\ 1\right)$

이 변곡점 $\left(\frac{e}{a},\ 1\right)$이 직선 $y=3x$ 위에 있으므로 $1=3\cdot\frac{e}{a}$

따라서 $a=3e$

05

정답 ①

STEP A $f'(x)=0$인 x의 좌표 구하기

$f(x)=x\ln\sqrt{x}-x$에서

$f'(x)=\ln\sqrt{x}+x\times\frac{1}{2x}-1=\ln\sqrt{x}-\frac{1}{2}$

$f'(x)=0$에서 $\ln\sqrt{x}-\frac{1}{2}=0 \quad \therefore x=e$

닫힌구간 $[1,\ e^4]$에서 함수 $f(x)$의 증가와 감소를 표로 나타내면 다음과 같다.

x	1	$\cdots$	e	$\cdots$	e^4
$f'(x)$		$-$	0	$+$	
$f(x)$	-1	↘	극소	↗	e^4

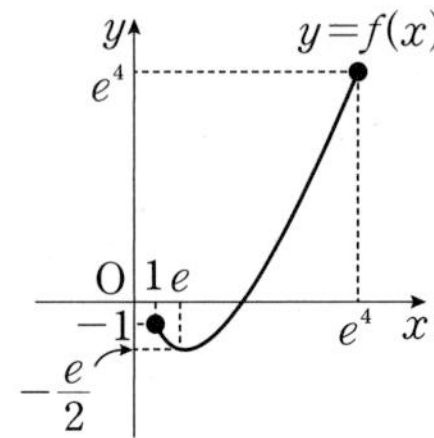

STEP B Mm의 값 구하기

이때 $f(1)=-1,\ f(e)=e\ln\sqrt{e}-e=-\frac{e}{2},\ f(e^4)=e^4\ln\sqrt{e^4}-e^4=e^4$이므로

함수 $f(x)$의 최솟값은 $m=f(e)=-\frac{e}{2}$, 최댓값은 $M=f(e^4)=e^4$

따라서 $Mm=-\frac{e}{2}\times e^4=-\frac{e^5}{2}$

06

정답 ④

STEP A ABCD의 넓이를 θ를 이용하여 나타내기

오른쪽 그림과 같이 $\angle AOD=\theta$, 꼭짓점 D에서 변 AB에 내린 수선의 발을 H라고 하면

$\overline{DH}=\sin\theta,\ \overline{OH}=\cos\theta$이고

$\overline{DC}=2\cos\theta$이므로

등변사다리꼴 ABCD의 넓이 $S(\theta)$는

$S(\theta)=(1+\cos\theta)\sin\theta$

STEP B $S(\theta)$의 증감표를 작성하여 최댓값 구하기

$S'(\theta)=-\sin^2\theta+(1+\cos\theta)\cos\theta$

$=2\cos^2\theta+\cos\theta-1$

$=(\cos\theta+1)(2\cos\theta-1)$

$S'(\theta)=\theta$에서 $0<\theta<\frac{\pi}{2}$이므로 $\cos\theta=\frac{1}{2} \quad \therefore \theta=\frac{\pi}{3}$

$0<\theta<\frac{\pi}{2}$에서 $S(\theta)$의 증가와 감소를 표로 나타내면 다음과 같다.

θ	0	$\cdots$	$\frac{\pi}{3}$	$\cdots$	$\frac{\pi}{2}$
$S'(\theta)$		$+$	0	$-$	
$S(\theta)$		↗	$\frac{3\sqrt{3}}{4}$	↘	

함수 $S(\theta)$는 $\theta=\frac{\pi}{3}$에서 극대이면서 최대이므로

$M=S\left(\frac{\pi}{3}\right)=\frac{\sqrt{3}}{2}\times\left(1+\frac{1}{2}\right)=\frac{3\sqrt{3}}{4}$

따라서 $64M^2=64\times\left(\frac{3\sqrt{3}}{4}\right)^2=108$

07

정답 ②

STEP A $k=f(x)$꼴로 변형하여 $y=f(x)$의 그래프 그리기

$ke^{x}=x^{2}$에서 $k=x^{2}e^{-x}$

$f(x)=x^{2}e^{-x}$로 놓으면 $f'(x)=2xe^{-x}-x^{2}e^{-x}=xe^{-x}(2-x)$

$f'(x)=0$에서 $x=0$ 또는 $x=2$

함수 $f(x)$의 증가와 감소를 조사하면 다음 표와 같다.

x	$\cdots$	0	$\cdots$	2	$\cdots$
$f'(x)$	$-$	0	$+$	0	$-$
$f(x)$	↘	0	↗	$\frac{4}{e^{2}}$	↘

$\lim_{x\to-\infty}f(x)=\infty$, $\lim_{x\to\infty}f(x)=0$이므로 함수 $y=f(x)$의 그래프는 다음 그림과 같다.

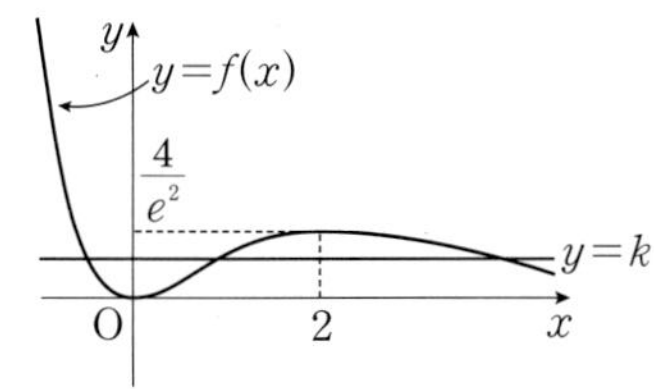

STEP B 방정식 $x^{2}e^{-x}-k=0$이 서로 다른 세 실근을 갖도록 상수 k의 범위 구하기

즉 $ke^{x}=x^{2}$가 서로 다른 세 실근을 가지려면 함수 $y=x^{2}e^{-x}$의 그래프와 직선 $y=k$가 서로 다른 세 점에서 만나야 한다.

따라서 구하는 k의 값의 범위는 $0<k<\frac{4}{e^{2}}$

08

정답 ①

STEP A $f(x)=2x-\ln(x+1)+k$로 놓고 증감표 작성하기

$2x+k\geq\ln(x+1)$에서 $2x+k-\ln(x+1)\geq0$

$f(x)=2x-\ln(x+1)+k$로 놓으면 $f'(x)=2-\frac{1}{x+1}=\frac{2x+1}{x+1}$

$f'(x)=0$에서 $x=-\frac{1}{2}$

함수 $f(x)$의 증가와 감소를 표로 나타내면 다음과 같다.

x	(-1)	$\cdots$	$-\frac{1}{2}$	$\cdots$
$f'(x)$		$-$	0	$+$
$f(x)$		↘	극소	↗

STEP B $f(x)$의 최솟값을 구하여 k의 범위 구하기

$x>-1$에서 $f(x)$의 최솟값은 $x=-\frac{1}{2}$에서 극소이면 최소이므로

$f\left(-\frac{1}{2}\right)=-1-\ln\frac{1}{2}+k\geq0 \quad \therefore k\geq1-\ln2$

따라서 실수 k의 최솟값은 $1-\ln2$

09

정답 ⑤

STEP A 시각 t에서의 점 P의 속도 구하기

$\frac{dx}{dt}=e^{t}\cos t-e^{t}\sin t$, $\frac{dy}{dt}=e^{t}\sin t+e^{t}\cos t$이므로

시각 t에서 점 P의 속도는 $(e^{t}\cos t-e^{t}\sin t,\ e^{t}\sin t+e^{t}\cos t)$

STEP B 점 P의 속도의 크기가 $\sqrt{2}e^{6}$일 때, 시간 구하기

시각 t에서 점 P의 속력은 $\sqrt{e^{2t}(\cos t-\sin t)^{2}+e^{2t}(\sin t+\cos t)^{2}}=\sqrt{2}e^{t}$

따라서 $\sqrt{2}e^{t}=\sqrt{2}e^{6}$이므로 $t=6$

10

정답 ③

STEP A 주어진 함수를 x에 대하여 미분하여 $f'(x)$ 구하기

$F'(x)=f(x)$이므로

$F(x)=xf(x)-\sin x+x\cos x$의 양변을 x에 대하여 미분하면

$f(x)=f(x)+xf'(x)-\cos x+\cos x-x\sin x$

$\therefore f'(x)=\sin x$

STEP B $F(\pi)=\pi$을 이용하여 적분상수 구하기

$F(x)=xf(x)-\sin x+x\cos x$의 양변에 $x=\pi$를 대입하면

$\pi f(\pi)-\pi=\pi \quad \therefore f(\pi)=2$

$f(x)=\int\sin x\,dx=-\cos x+C$

이때 $f(\pi)=2$이므로 $C=1$

STEP C $f\left(\frac{\pi}{2}\right)$의 값 구하기

따라서 $f(x)=-\cos x+1$이므로 $f\left(\frac{\pi}{2}\right)=1$

11

정답 ⑤

STEP A 부정적분 $f(x)$ 구하기

$f'(x)=\begin{cases}\cos x & (x>0)\\ \sin x+1 & (x<0)\end{cases}$이므로

$f(x)=\begin{cases}\sin x+C_{1} & (x>0)\\ -\cos x+x+C_{2} & (x<0)\end{cases}$

STEP B $f(-\pi)=1$와 $x=0$에서 연속임을 이용하여 적분상수 구하기

$f(-\pi)=1$에서 $1-\pi+C_{2}=1 \quad \therefore C_{2}=\pi$

이때 함수 $f(x)$가 실수 전체의 집합에서 연속이므로 $x=0$에서도 연속이다.

즉 $f(0)=\lim_{x\to0-}(-\cos x+x+\pi)=\lim_{x\to0+}(\sin x+C_{1})$

$\therefore C_{1}=\pi-1$

STEP C $f\left(\frac{\pi}{2}\right)$의 값 구하기

따라서 $f(x)=\begin{cases}\sin x+\pi-1 & (x>0)\\ -\cos x+x+\pi & (x<0)\end{cases}$이므로 $f\left(\frac{\pi}{2}\right)=1+\pi-1=\pi$

12

정답 ②

STEP A 부분적분을 이용하여 정적분 계산하기

$|\ln x-1|=\begin{cases}1-\ln x & (1\leq x<e)\\ \ln x-1 & (e\leq x\leq e^{2})\end{cases}$이므로

$\int_{1}^{e^{2}}|\ln x-1|dx$

$=\int_{1}^{e}(1-\ln x)dx+\int_{e}^{e^{2}}(\ln x-1)dx$

$=\int_{1}^{e}1dx-\int_{1}^{e}\ln x\,dx+\int_{e}^{e^{2}}\ln x\,dx-\int_{e}^{e^{2}}1dx$

$=\Big[x\Big]_{1}^{e}-\Big[x\ln x-x\Big]_{1}^{e}+\Big[x\ln x-x\Big]_{e}^{e^{2}}-\Big[x\Big]_{e}^{e^{2}}$

$=(e-1)-\{(e-e)-(0-1)\}+\{(2e^{2}-e^{2})-(e-e)\}-(e^{2}-e)$

$=(e-1)-1+e^{2}-(e^{2}-e)$

$=2e-2$

13

정답 ③

STEP A $x^2+1=t$**로 치환하여 정적분 계산하기**

$x^2+1=t$로 놓으면 $2xdx=dt$

$x=0$일 때, $t=1$이고 $x=\sqrt{3}$일 때, $t=4$이므로

$$\int_0^{\sqrt{3}}\frac{4x}{\sqrt{x^2+1}}dx=2\int_1^4\frac{1}{\sqrt{t}}dt=2\int_1^4 t^{-\frac{1}{2}}dt=2\left[2t^{\frac{1}{2}}\right]_1^4=4$$

STEP B $\ln x+1=t$**로 치환하여 정적분 계산하기**

$\int_1^e\frac{3(\ln x+1)^2}{x}dx$에서 $\ln x+1=t$로 놓으면 $\frac{1}{x}dx=dt$

$x=1$일 때, $t=1$이고 $x=e$일 때, $t=2$이므로

$$\int_1^e\frac{3(\ln x+1)^2}{x}dx=\int_1^2 3t^2dt=\left[t^3\right]_1^2=7$$

STEP C $a+b$**의 값 구하기**

따라서 $a=4$, $b=7$이므로 $a+b=11$

14

STEP A $x=3\tan\theta$**로 치환하여 삼각치환법 구하기**

$x=3\tan\theta\left(-\frac{\pi}{2}<\theta<\frac{\pi}{2}\right)$로 놓으면 $3\sec^2\theta d\theta=dx$

$x=0$일 때, $\theta=0$이고 $x=3$일 때, $\theta=\frac{\pi}{4}$

$$\begin{aligned}\int_0^3\frac{4}{x^2+9}dx&=\int_0^{\frac{\pi}{4}}\frac{4}{9\tan^2\theta+9}\cdot 3\sec^2\theta d\theta\\&=\int_0^{\frac{\pi}{4}}\frac{4}{9\sec^2\theta}\cdot 3\sec^2\theta d\theta\\&=\frac{4}{3}\int_0^{\frac{\pi}{4}}d\theta=\frac{\pi}{3}\end{aligned}$$

STEP B $\cos\alpha$**의 값 구하기**

따라서 $\alpha=\frac{\pi}{3}$이므로 $\cos\alpha=\cos\frac{\pi}{3}=\frac{1}{2}$

15

STEP A $\int_0^1 tf(t)dt=a$**로 치환하여** $f(x)$ **구하기**

$f(x)=e^{x^2}+\int_0^1 tf(t)dt$에서 $\int_0^1 tf(t)dt=a$(a는 상수)로 놓으면

$f(x)=e^{x^2}+a$

STEP B 치환적분을 이용해서 a **구하기**

$$\begin{aligned}a&=\int_0^1 tf(t)dt=\int_0^1 t(e^{t^2}+a)dt\\&=\int_0^1(te^{t^2}+at)dt\\&=\int_0^1 te^{t^2}dt+\left[\frac{a}{2}t^2\right]_0^1\\&=\int_0^1 te^{t^2}dt+\frac{a}{2}\qquad\cdots\cdots ㉠\end{aligned}$$

$t^2=z$로 놓으면 $2tdt=dz$

$t=0$일 때, $z=0$이고 $t=1$일 때, $z=1$이므로

$$\int_0^1 te^{t^2}dt=\int_0^1\frac{e^z}{2}dz=\left[\frac{e^z}{2}\right]_0^1=\frac{e}{2}-\frac{1}{2}$$

㉠에서 $a=\frac{e}{2}-\frac{1}{2}+\frac{a}{2}$이므로 $a=e-1$

STEP C $\int_0^1 xf(x)dx$**의 값 구하기**

따라서 $\int_0^1 xf(x)dx=\int_0^1 tf(t)dt=a=e-1$

16

정답 ④

STEP A 양변에 $x=2$**를 대입하여 상수** a**의 값 구하기**

$\int_2^x xf(t)dt=\ln x+ax$의 양변에 $x=2$를 대입하면

$2\int_2^2 f(t)dt=\ln 2+2a$

$\ln 2+2a=0$에서 $a=-\frac{\ln 2}{2}$

STEP B $2f(2)+a$**의 값 구하기**

즉 $\int_2^x xf(t)dt=\ln x-\frac{\ln 2}{2}x$ $\cdots\cdots$ ㉠

$\int_2^x xf(t)dt=x\int_2^x f(t)dt$이므로

㉠의 양변을 x에 대하여 미분하면

$\int_2^x f(t)dt+xf(x)=\frac{1}{x}-\frac{\ln 2}{2}$ $\cdots\cdots$ ㉡

㉡의 양변에 $x=2$를 대입하면

$\int_2^2 f(t)dt+2f(2)=\frac{1}{2}-\frac{\ln 2}{2}$

$2f(2)=\frac{1}{2}-\frac{\ln 2}{2}$

따라서 $2f(2)+a=\left(\frac{1}{2}-\frac{\ln 2}{2}\right)+\left(-\frac{\ln 2}{2}\right)=\frac{1}{2}-\ln 2$

17

STEP A 두 곡선 $y=a\cos x$, $y=\sin x$**의 교점의** x**좌표를** t**라 할 때,** $\cos t$, $\sin t$**를** a**에 대한 식으로 나타내기**

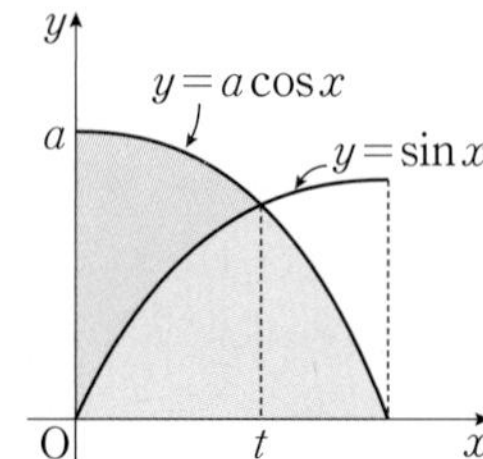

두 곡선 $y=a\cos x$와 $y=\sin x$의 교점의 x좌표를 $t\left(0<t<\frac{\pi}{2}\right)$라 하면

$a\cos t=\sin t$이고 $\sin^2 t+\cos^2 t=1$이므로

$\sin t=\frac{a}{\sqrt{1+a^2}}$, $\cos t=\frac{1}{\sqrt{1+a^2}}$ $\cdots\cdots$ ㉠

STEP B 곡선 $y=\sin x$**가 넓이를 이등분 할 때,** a**의 값 구하기**

곡선 $y=\sin x$가 주어진 도형의 넓이를 이등분하므로

$2\int_0^t(a\cos x-\sin x)dx=\int_0^{\frac{\pi}{2}}a\cos xdx$

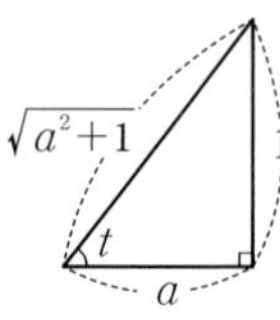

$2\left[a\sin x+\cos x\right]_0^t=\left[a\sin x\right]_0^{\frac{\pi}{2}}$

$2(a\sin t+\cos t-1)=a$ $\cdots\cdots$ ㉡

㉡에 ㉠을 대입하여 정리하면

$2(\sqrt{1+a^2}-1)=a$, $a(3a-4)=0$

$a=0$ 또는 $a=\frac{4}{3}$

따라서 a는 양수이므로 $a=\frac{4}{3}$

18

정답 ②

STEP Ⓐ **두 곡선의 교점과 위치관계 구하기**

$\sin x=\sin x\cos x$에서 $\sin x(\cos x-1)=0$

즉 $\sin x=0$ 또는 $\cos x=1$이므로 $0\le x\le\frac{\pi}{2}$에서 $x=0$

또한, $0\le x\le\frac{\pi}{2}$에서 $\sin x\ge\sin x\cos x$이므로

$0\le x\le\frac{\pi}{2}$에서 두 곡선 $y=\sin x$, $y=\sin x\cos x$ 및 직선 $x=\frac{\pi}{2}$로 둘러싸인 부분은 그림과 같다.

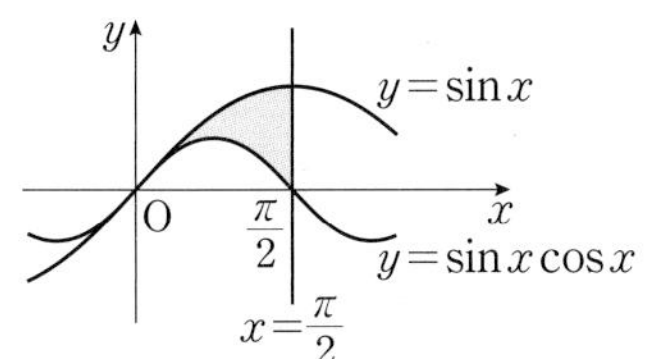

STEP Ⓑ **구하는 부분의 넓이 구하기**

구하는 부분의 넓이는

$\int_0^{\frac{\pi}{2}}(\sin x-\sin x\cos x)dx=\int_0^{\frac{\pi}{2}}\sin xdx-\int_0^{\frac{\pi}{2}}\sin x\cos xdx$

그런데 $\int_0^{\frac{\pi}{2}}\sin x\cos xdx$에서 $\sin x=t$로 놓으면

$x=0$일 때, $t=0$이고 $x=\frac{\pi}{2}$일 때, $t=1$이고

$\cos xdx=dt$이므로 $\int_0^{\frac{\pi}{2}}\sin x\cos xdx=\int_0^1 tdt=\left[\frac{1}{2}t^2\right]_0^1=\frac{1}{2}$

따라서 $\int_0^{\frac{\pi}{2}}(\sin x-\sin x\cos x)dx=\int_0^{\frac{\pi}{2}}\sin xdx-\int_0^{\frac{\pi}{2}}\sin x\cos xdx$

$=\left[-\cos x\right]_0^{\frac{\pi}{2}}-\frac{1}{2}=1-\frac{1}{2}=\frac{1}{2}$

19

정답 ④

STEP Ⓐ **선분 $\overline{PQ}$, $\overline{QR}$의 길이 구하기**

다음 그림과 같이 선분 AB 위의 점 $P(x,\ 0)$을 지나고 선분 AB에 수직인 직선이 원과 만나는 점을 Q라고 하면

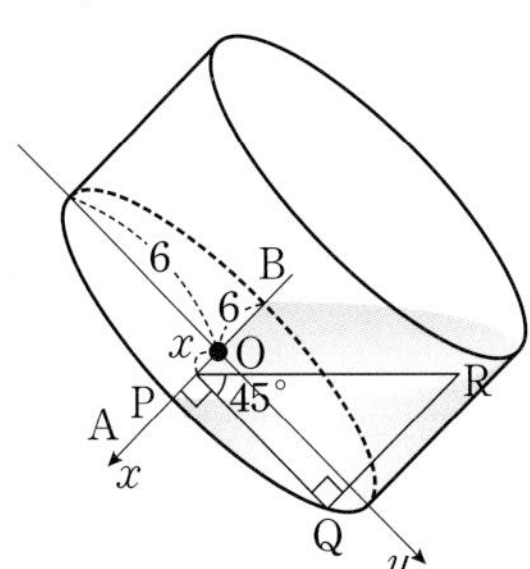

$\triangle$OPQ에서 $\overline{OP}=|x|$, $\overline{OQ}=6$이므로 $\overline{PQ}=\sqrt{36-x^2}$

점 Q에서 밑면에 수직이 되도록 그은 직선이 수면과 만나는 점을 R이라고 하면

$\overline{QR}=\overline{PQ}\tan45^\circ=\sqrt{36-x^2}$

STEP Ⓑ **단면적 $S(x)$ 구하기**

이때 $\triangle$PQR의 넓이 $S(x)$는

$S(x)=\frac{1}{2}\overline{PQ}\cdot\overline{QR}=\frac{1}{2}(\sqrt{36-x^2})^2=\frac{1}{2}(36-x^2)$

STEP Ⓒ **입체도형의 부피 구하기**

따라서 구하는 물의 부피 V는

$V=2\int_0^6 S(x)dx=\int_0^6(36-x^2)dx=\left[36x-\frac{1}{3}x^3\right]_0^6=144$

20

정답 ③

STEP Ⓐ **점 P의 속도 $\left(\frac{dx}{dt},\ \frac{dy}{dt}\right)$ 구하기**

$x=\ln t$에서 $\frac{dx}{dt}=\frac{1}{t}$

$y=\frac{1}{2}\left(t+\frac{1}{t}\right)$에서 $\frac{dy}{dt}=\frac{1}{2}\left(1-\frac{1}{t^2}\right)$

STEP Ⓑ **시각 $t=\frac{1}{e}$에서 $t=e$까지 점 P가 움직인 거리 구하기**

따라서 시각 $t=\frac{1}{e}$에서 $t=e$까지 점 P가 움직인 거리 s는

$s=\int_{\frac{1}{e}}^{e}\sqrt{\left(\frac{1}{t}\right)^2+\frac{1}{4}\left(1-\frac{1}{t^2}\right)^2}dt$

$=\int_{\frac{1}{e}}^{e}\sqrt{\frac{1}{4}\left(\frac{1}{t^2}+1\right)^2}dt$

$=\frac{1}{2}\int_{\frac{1}{e}}^{e}\left(\frac{1}{t^2}+1\right)dt$

$=\frac{1}{2}\left[-\frac{1}{t}+t\right]_{\frac{1}{e}}^{e}$

$=e-\frac{1}{e}$

서 술 형

21

정답 해설참조

1단계	접점의 x좌표를 t라고 할 때, 접선의 방정식을 구한다.	◀ 30%

$f(x)=e^{-x^2}$이라 하면 $f'(x)=-2xe^{-x^2}$

접점의 좌표를 $(t,\ e^{-t^2})$이라고 하면

접선의 방정식은 $y-e^{-t^2}=-2te^{-t^2}(x-t)$

$y=-2te^{-t^2}x+(2t^2+1)e^{-t^2}$

2단계	점 $(a,\ 0)$을 접선의 방정식에 대입하여 t에 대한 이차방정식을 구한다.	◀ 30%

접선 $y=-2te^{-t^2}x+(2t^2+1)e^{-t^2}$이 점 $(a,\ 0)$을 지나므로

$0=-2te^{-t^2}a+(2t^2+1)e^{-t^2}$

$e^{-t^2}(2t^2-2at+1)=0$

$2t^2-2at+1=0$ …… ㉠

3단계	점 $(a,\ 0)$에서 곡선 $y=e^{-x^2}$에 서로 다른 두 개의 접선, 한 개의 접선, 접선을 그을 수 없도록 하는 a의 범위를 각각 구한다.	◀ 40%

이차방정식 ㉠의 판별식을 D라고 하면

$D=4a^2-8=4(a+\sqrt{2})(a-\sqrt{2})$ …… ㉡

(i) 서로 다른 두 개의 접선을 그을 수 있을 때,
실수 a의 값의 범위는 이차방정식 ㉠이 서로 다른 두 실근을 가질 때이므로 ㉡에서 $(a+\sqrt{2})(a-\sqrt{2})>0$
즉 $a<-\sqrt{2}$ 또는 $a>\sqrt{2}$

(ii) 한 개의 접선을 그을 수 있을 때,
실수 a의 값의 범위는 이차방정식 ㉠이 중근을 가질 때이므로
㉡에서 $(a+\sqrt{2})(a-\sqrt{2})=0$
즉 $a=-\sqrt{2}$ 또는 $a=\sqrt{2}$
즉 두 점 $(-\sqrt{2},\ 0)$, $(\sqrt{2},\ 0)$에서는 각각 한 개의 접선을 그을 수 있다.

(iii) 접선을 그을 수 없을 때,
실수 a의 값의 범위는 이차방정식 ㉠이 허근을 가질 때이므로
㉡에서 $(a+\sqrt{2})(a-\sqrt{2})<0$
즉 $-\sqrt{2}<a<\sqrt{2}$

22

정답 해설참조

1단계	함수 $f(x)$가 $x=1$에서 극대 $x=\frac{1}{4}$에서 변곡점을 가짐을 이용하여 상수 a, b의 값을 구한다.	◀ 40%

$f'(x)=2ax+b-\frac{1}{x}$, $f''(x)=2a+\frac{1}{x^2}$

함수 $f(x)$가 $x=1$에서 극대이므로

$f'(1)=2a+b-1=0$ …… ㉠

변곡점의 x좌표가 $\frac{1}{4}$이므로

$f''\left(\frac{1}{4}\right)=2a+16=0$ …… ㉡

㉠, ㉡를 연립하여 풀면

$a=-8$, $b=17$

2단계	함수 $f(x)$의 증감표를 이용하여 극솟값을 구한다.	◀ 30%

$f(x)=-8x^2+17x-\ln x$에서

$f'(x)=-16x+17-\frac{1}{x}=-\frac{16x^2-17x+1}{x}=-\frac{(16x-1)(x-1)}{x}$

$f'(x)=0$에서 $x=\frac{1}{16}$ 또는 $x=1$

함수 $f(x)$의 증가와 감소를 표로 나타내면 다음과 같다.

x	(0)	$\cdots$	$\frac{1}{16}$	$\cdots$	1	$\cdots$
$f'(x)$		$-$	0	$+$	0	$-$
$f(x)$		↘	극소	↗	극대	↘

3단계	함수 $f(x)$의 극솟값을 구한다.	◀ 30%

따라서 함수 $f(x)$는 $x=\frac{1}{16}$에서 극소이고 극솟값은

$f\left(\frac{1}{16}\right)=-8\left(\frac{1}{16}\right)^2+17\cdot\frac{1}{16}-\ln\frac{1}{16}=\frac{33}{32}+4\ln 2$

23

정답 해설참조

1단계	$\int_0^{\frac{\pi}{3}}f(t)\sin t\,dt=k$($k$는 상수)로 놓고 $f(x)$를 k를 포함한 식으로 나타낸다.	◀ 30%

$\int_0^{\frac{\pi}{3}}f(t)\sin t\,dt=k$($k$는 상수) …… ㉠

로 놓으면 $f(x)=\cos x+k$ …… ㉡

2단계	k의 값을 구한다.	◀ 50%

㉡을 ㉠에 대입하면

$\int_0^{\frac{\pi}{3}}(\cos t+k)\sin t\,dt=k$

$\int_0^{\frac{\pi}{3}}(\cos t+k)\sin t\,dt=\int_0^{\frac{\pi}{3}}\sin t\cos t\,dt+k\int_0^{\frac{\pi}{3}}\sin t\,dt$

$\sin t=\theta$로 놓으면 $\cos t\,dt=d\theta$이므로

$\int_0^{\frac{\pi}{3}}\sin t\cos t\,dt+k\int_0^{\frac{\pi}{3}}\sin t\,dt=\int_0^{\frac{\sqrt{3}}{2}}\theta\,d\theta+k\Big[-\cos t\Big]_0^{\frac{\pi}{3}}$

$=\left[\frac{1}{2}\theta^2\right]_0^{\frac{\sqrt{3}}{2}}+\frac{1}{2}k=\frac{3}{8}+\frac{1}{2}k$

$\frac{3}{8}+\frac{1}{2}k=k$이므로 $k=\frac{3}{4}$

3단계	함수 $f(x)$를 구하여 $f\left(\frac{\pi}{3}\right)$의 값을 구한다.	◀ 20%

따라서 $f(x)=\cos x+\frac{3}{4}$이므로 $f\left(\frac{\pi}{3}\right)=\frac{1}{2}+\frac{3}{4}=\frac{5}{4}$

24

정답 해설참조

1단계	곡선 $y=\sin x$ 위의 점 $P_k\left(\frac{k\pi}{n}, \sin\frac{k\pi}{n}\right)$에서 접선의 방정식을 구한다.	◀ 30%

$f(x)=\sin x$라 하면 $f'(x)=\cos x$

$f'\left(\frac{k\pi}{n}\right)=\cos\frac{k\pi}{n}$이므로

곡선 $y=\sin x$의 점 $P_k\left(\frac{k\pi}{n}, \sin\frac{k\pi}{n}\right)(k=1, 2, 3, \cdots, n)$에서의 접선의 방정식은

$y-\sin\frac{k\pi}{n}=\left(\cos\frac{k\pi}{n}\right)\left(x-\frac{k\pi}{n}\right)$

$y=\left(\cos\frac{k\pi}{n}\right)\left(x-\frac{k\pi}{n}\right)+\sin\frac{k\pi}{n}=\left(\cos\frac{k\pi}{n}\right)x-\frac{k\pi}{n}\cos\frac{k\pi}{n}+\sin\frac{k\pi}{n}$

2단계	접선이 y축과 만나는 점 Q_k의 좌표를 구한다.	◀ 10%

이 직선이 y축과 만나는 점 Q_k는

$Q_k\left(0, -\frac{k\pi}{n}\cos\frac{k\pi}{n}+\sin\frac{k\pi}{n}\right)$

3단계	두 삼각형 OP_kQ_k, OP_kR_k의 넓이 S_k, T_k를 구한다.	◀ 20%

$S_k=\frac{1}{2}\left(-\frac{k\pi}{n}\cos\frac{k\pi}{n}+\sin\frac{k\pi}{n}\right)\frac{k\pi}{n}(k=1, 2, 3, \cdots, n)$

또한, 점 $R_k(k=1, 2, 3, \cdots, n-1)$은 $R_k\left(\frac{k\pi}{n}, 0\right)$이므로

$T_k=\frac{1}{2}\times\frac{k\pi}{n}\times\sin\frac{k\pi}{n}(k=1, 2, 3, \cdots, n-1)$

이때 $T_n=0$이므로

$T_k=\frac{1}{2}\times\frac{k\pi}{n}\times\sin\frac{k\pi}{n}(k=1, 2, 3, \cdots, n)$

4단계	$\lim_{n\to\infty}\frac{1}{n}\sum_{k=1}^{n}(S_k-T_k)$의 값을 구한다.	◀ 40%

$$\begin{aligned}\lim_{n\to\infty}\frac{1}{n}\sum_{k=1}^{n}(S_k-T_k)&=\lim_{n\to\infty}\frac{1}{n}\sum_{k=1}^{n}\frac{1}{2}\left(-\frac{k\pi}{n}\cos\frac{k\pi}{n}\right)\frac{k\pi}{n}\\&=\lim_{n\to\infty}\sum_{k=1}^{n}\left\{-\frac{1}{2\pi}\left(\frac{k\pi}{n}\right)^2\cos\frac{k\pi}{n}\times\frac{\pi}{n}\right\}\\&=-\frac{1}{2\pi}\int_0^{\pi}x^2\cos x\,dx\\&=-\frac{1}{2\pi}\Big[x^2\sin x-2x(-\cos x)+2(-\sin x)\Big]_0^{\pi}\\&=-\frac{1}{2\pi}(-2\pi-0)\\&=1\end{aligned}$$

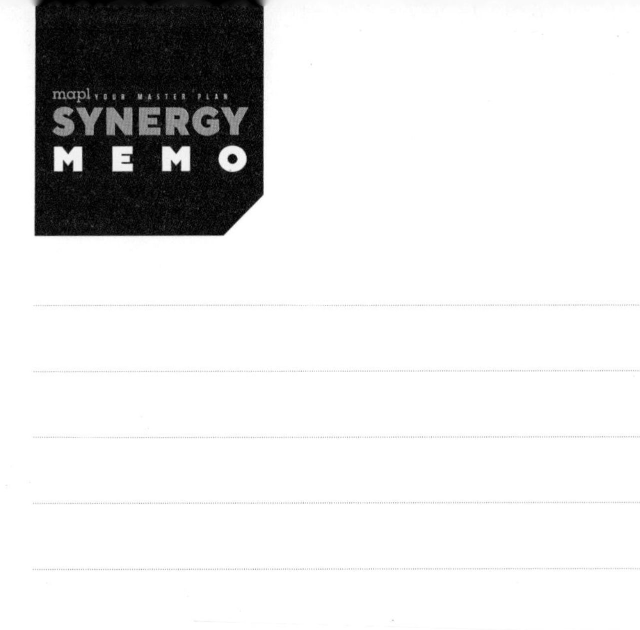
mapl YOUR MASTER PLAN
SYNERGY
MEMO